Robert Pailhès

Le Globe-Rêveur

Dictionnaire touristique de tous les pays du monde

10e édition

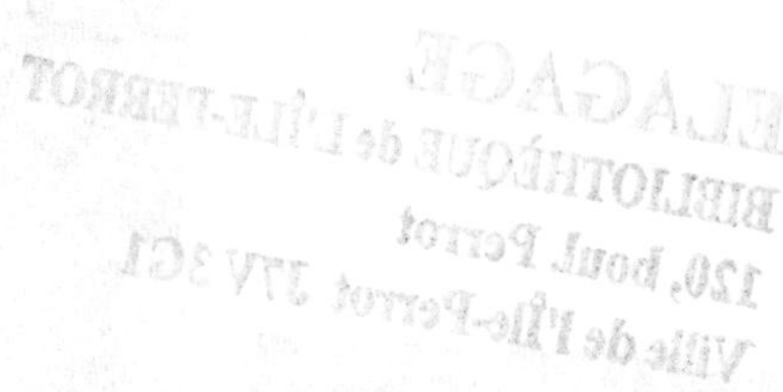

Le Globe-Rêveur
Boîte postale 2048
L-1020 Luxembourg
globerev@gmail.com

Rédaction : Robert Pailhès
Couverture : Charles Hieronimus

Distribution

Belgique et Luxembourg
Centre cartographique, rue De Koninck, 76, B-1080 Bruxelles
☎ (32) 2-521.22.55, fax (32) 2-523.90.51, centrecartographique@busmail.net

Canada
Éditions Ulysse, 4176, rue Saint-Denis, Montréal QC H2W 2M5
☎ (514) 843-9447, fax (514) 843-9448, guiduly@ulysse.ca

France
Blay Foldex, 40-48, rue des Meuniers, F-93108 Montreuil Cedex
☎ (33) (0)1.49.88.92.10, fax (33) (0)1.49.88.92.09, info@blayfoldex.com

Suisse
OLF S.A., Z.I. 3, Corminbœuf, Case postale 1061, CH-1701 Fribourg
☎ (41) 26-467.51.11, fax (41) 26-467.54.66, www.olf.ch

AVANT-PROPOS

Les vents du tourisme mondial soufflent en tout sens, tantôt favorables, tantôt contraires.

Ils sont favorables quand ils creusent peu à peu le lit du tourisme équitable. Sur cent personnes qui parcourent le monde aujourd'hui, il en est cinq qui répondent concrètement aux propositions de ce genre de voyage. Les quelques pays d'Amérique du Sud et d'Afrique noire qui ont joué les pionniers en la matière font école.

Ils sont contraires quand la prolifération des vols à bas prix n'est que recherche d'un profit immédiat et donc déconsidération du client comme du personnel. Ou quand, toujours dans ce souci du profit à courte vue, le voyage se vend comme un paquet de lessive, où le sentiment du visiteur comme du visité ne compte plus.

Bon ou mauvais, le souffle du voyage est néanmoins constant. Comme a été constante votre envie de découvrir ce dictionnaire au fil des ans. Nous en sommes désormais à la dixième édition: le premier départ avait eu lieu à l'été 1995, et franchement nous n'en sommes toujours pas revenus...

Merci et à bientôt!

COMMENT UTILISER CE LIVRE

Après une introduction générale, chaque pays est présenté selon dix critères : les raisons d'y aller, la carte touristique, le pour, le contre, le bon moment, le premier contact, quel voyage et à quel prix, les formalités, les repères, la situation actuelle.

LES RAISONS D'Y ALLER

Elles définissent les grandes curiosités touristiques du pays, classées selon leur importance. Le candidat au voyage fait ici un premier choix en fonction de ses goûts : aventure, culture, détente, etc. Précision importante : la description des lieux ne signifie pas que tous sont accessibles ou sûrs, particulièrement ceux qui appartiennent à des pays peu ou pas touristiques. Aussi, prions-nous instamment le candidat au voyage, surtout s'il est un voyageur «individuel», de toujours prendre contact avec l'office de tourisme, le consulat ou l'ambassade du pays concerné pour vérifier l'ouverture dudit pays et de ses sites.

NB. Quelques exceptions : le continent antarctique, les départements français (Guadeloupe, Guyane, Martinique, Réunion), des collectivités territoriales ou territoires d'outre-mer français (Mayotte, Nouvelle-Calédonie, Polynésie française, Saint-Pierre-et-Miquelon), deux territoires chinois (Hong Kong et Macao) et un territoire britannique (Malouines) figurent comme entrées normales.

LA CARTE TOURISTIQUE

Elle situe les grands centres d'intérêt touristiques. Volontairement simplifiée car destinée à ce seul but, elle permet de repérer rapidement les lieux évoqués dans « Les raisons d'y aller ».

LE POUR

Il donne quelques arguments favorables au choix d'une destination.

LE CONTRE

Il donne quelques arguments défavorables. Dans les deux cas (le pour et le contre), il ne s'agit que d'arguments subjectifs et, pour certains, forcément temporaires.

LE BON MOMENT

Il fixe les données climatiques propres au pays et les températures moyennes de certains lieux. Les mois présentés en caractères gras sont ceux de la ou des périodes les plus propices au voyage sur le plan climatique.

LE PREMIER CONTACT

Pour chacun des cinq pays francophones dans lesquels est distribué *Le Globe-Rêveur*, cette rubrique contient les adresses où l'on peut obtenir les premiers renseignements et les brochures (offices de tourisme, consulats, ambassades), le recensement des guides touristiques, des éditions de cartes routières et de livres.

QUEL VOYAGE ET À QUEL PRIX ?

Sous le double aspect du voyage entrepris individuellement *(Le voyage individuel)* et par l'intermédiaire des principaux voyagistes généralistes ou spécialistes *(Le voyage accompagné)*, des prix moyens et des suggestions sont présentés.

Précisions

◆ *Le Globe-Rêveur* fournit des tarifs dans le seul but de donner une idée générale au lecteur, et sans aucune valeur contractuelle. Pour des raisons techniques (nombre de pages), nous nous sommes souvent limités à Paris comme point de référence de ces tarifs.

◆ Pour les informations contenues dans la rubrique « Quel voyage et à quel prix ? », il est **essentiel** de retenir les aspects ci-après.

◆ Au sein de la rubrique **Avion,** incluse dans **Le voyage individuel**, nous donnons pour chaque pays un chiffre de base des tarifs, concernant un vol aller et retour à partir de Montréal ou Paris le plus souvent. Ce chiffre, qui n'est que théorique, varie très souvent vers le haut en fonction de la saison – haute saison touristique, vacances de fin d'année, ponts du mois de mai, etc.

Concernant les tarifs avantageux que l'on peut découvrir au hasard des rues, des journaux et d'internet, il est bon de connaître les deux aspects suivants.

1) Ces tarifs, hors taxes aériennes, entrent soit dans la catégorie des « vols réguliers à prix réduits » (qui sont le résultat de négociations entre les compagnies aériennes et des voyagistes capables de leur procurer une large clientèle), soit dans la catégorie des vols charters (principalement en été sur des destinations de grande fréquentation), ou encore, désormais, des compagnies à bas prix.

2) Les tarifs du bas de l'éventail sont à considérer avec prudence : il s'agit le plus souvent de tarifs de basse saison, de vols charters, de réservations à faire longtemps à l'avance, de chiffres qui n'incluent pas les taxes, etc.

◆ Pour la rubrique **Le voyage accompagné**, nous donnons une synthèse des propositions des voyagistes en fonction des grands thèmes de visite. Nous développons à chaque fois les grands itinéraires choisis, la durée et le moment du voyage.

Précisions importantes :

1) Les tarifs n'ont qu'une valeur indicative et pas de caractère officiel. Ils correspondent à une moyenne qui comprend généralement le vol A/R, la demi-pension et le logement en chambre double. Parfois, au lieu d'une moyenne, nous donnons un éventail de tarifs, toujours indicatifs et sans valeur officielle, tout en rappelant que le prix d'une prestation peut varier de façon conséquente entre la basse et la haute saison mais aussi selon le voyagiste qui la propose.

2) Nous n'avons pas tenu compte des éventuelles taxes ou prestations annexes; certains voyagistes mentionnés peuvent ne plus être en activité au moment de la vente de ce livre; un voyage peut être annulé par un voyagiste pour diverses raisons (nombre des personnes inscrites, changement de la situation politique d'un pays, etc.); les coordonnées des voyagistes cités sont à la fin du livre.

LES FORMALITÉS

Douane

Elles rassemblent les informations nécessaires au passage des frontières : carte d'identité ou passeport, visa ou non, vaccinations obligatoires.

Il va de soi que les formalités d'entrée peuvent évoluer à tout moment. Il est donc vivement recommandé d'obtenir confirmation, avant le départ, auprès des ambassades, consulats et offices de tourisme, des informations mentionnées à ce propos dans ce livre, particulièrement pour les pays peu visités.

Le site Internet du ministère des Affaires étrangères français (www.diplomatie.gouv.fr) peut y aider : il donne des informations sans cesse mises à jour sur la situation de chaque pays (sécurité, formalités d'entrée, transports, etc.) et sa qualité est unanimement reconnue. Comme l'est celle des sites belge (www.diplomatie.be), canadien (www.voyage.gc.ca) ou suisse (www.reisen-tcs.ch/travel/fr/).

Pour obtenir un visa lorsqu'il est difficile ou coûteux de se déplacer au consulat considéré, consulter le site www.action-visas.com/

Santé

Le Globe-Rêveur s'est cantonné aux vaccinations exigées (fièvre jaune) et à des informations sur le paludisme. Ces informations sont extraites en grande partie du recueil *Voyages internationaux et santé*, édité par l'Organisation mondiale de la santé, CH-1211 Genève, 27, ☎ (41) 22-791.21.11, fax (41) 22.79148.21.

L'ouvrage susmentionné fournit également de multiples renseignements sur la répartition géographique des risques auxquels peuvent être exposés les voyageurs, sur les précautions à prendre, et sur les diverses vaccinations recommandées.

Les vaccinations habituellement recommandées pour la plupart des pays sont: la diphtérie, les hépatites A et B, la méningococcie, la poliomyélite, la rage, le tétanos, la typhoïde. Pour savoir auxquelles procéder et quelles précautions prendre lorsqu'on décide de partir dans tel pays à tel moment, la meilleure démarche consiste à prendre rendez-vous avec un médecin du service maladies tropicales d'un hôpital.

Penser également aux informations des centres de vaccination présents dans les grandes villes, par exemple l'Institut Pasteur à Paris, ☎ + 33.(0)1.45.68.38.00, www.pasteur.fr. De même, le site www.travelsante.com renferme des fichiers santé très détaillés et actualisés pays par pays. Autres sites : www.cimed.org, www.sante.gouv.fr

Pour le remboursement des soins, il existe une Carte européenne d'assurance-maladie (CEAM), nominative, individuelle et obligatoire, distribuée dans les centres de Sécurité sociale et valable dans les vingt-sept pays de l'Union européenne ainsi qu'en Islande, au Liechtenstein, en Norvège et en Suisse.

LES REPÈRES

Il s'agit d'informations ponctuelles : langues officielles, langues étrangères, monnaies et leurs correspondances, indicatifs téléphoniques.

À propos de la monnaie, il est important de noter les faits suivants :

◆ Les taux de change ont été relevés à l'automne 2008. ◆ Les monnaies qui ne font pas partie des monnaies fortes n'ont souvent pas de valeur en dehors de leurs frontières, aussi est-il préférable de ne changer que de petites quantités à la fois et de garder les bordereaux de change pour faciliter la restitution de l'argent à la sortie du pays. ◆ Concernant les espèces, il est conseillé de prendre des petites coupures. ◆ Les chèques de voyage en dollars US ou en euros sont les plus universels, et les conditions sont intéressantes en cas de vol ou de perte.

LA SITUATION ACTUELLE

Elle présente la géographie du pays, les composantes de sa population, les religions (fondées sur des données théoriques et non sur la pratique religieuse), les grands moments de son histoire et l'évolution de sa situation politique.

POUR UNE RECHERCHE PLUS RAPIDE

Si ce dictionnaire comporte 194 entrées de A à Z faciles à repérer, il comprend aussi des subdvisions, du type Fidji ou Açores, qui n'apparaissent pas en entrée parce que faisant partie d'un pays ou d'une entité (Océanie, Portugal, etc.). L'indication des pages ci-dessous facilitera la recherche.

Afghanistan

Avertissement. – À l'heure de la parution de cette édition, l'Afghanistan demeure dans une situation de très grande insécurité. Aussi, même si certaines frontières sont ouvertes au visiteur, toute idée de voyage touristique demeure formellement déconseillée.

Depuis 1979, le peuple afghan subit un chaos incessant qui a abîmé le pays, fait de nombreuses victimes et amené le voyage au néant. On n'ose rappeler le temps béni des années 70 qui avaient vu une génération de baba cools découvrir un pays d'une fière beauté et d'une grande valeur architecturale.

LES RAISONS D'Y ALLER

LES PAYSAGES

Lacs de montagne (Band-e Amir)
Vallée d'Ajdar, Hindu Kuch, Pamir
Gorges de Tangui Gharou, passe de Khyber, corridor du Wakhan

LES VILLES ET LES MONUMENTS

Herat, Mazar-e Charif, Kaboul

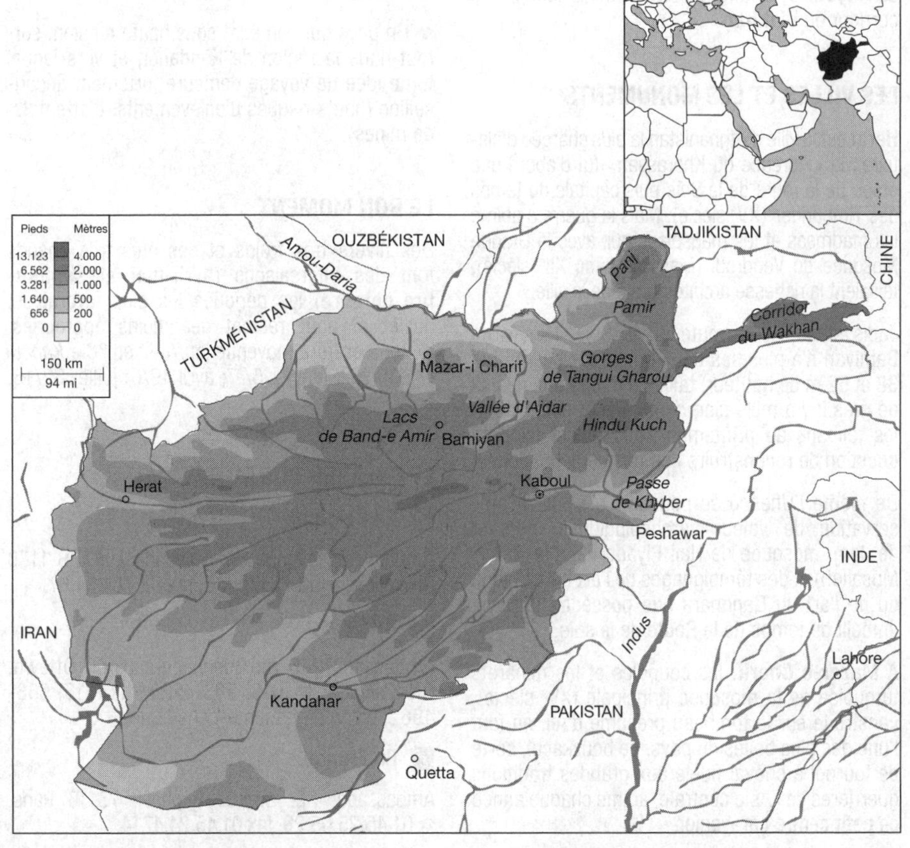

LES RAISONS D'Y ALLER

LES PAYSAGES

Les lacs de montagne de **Band-e Amir**, vert émeraude au pied de falaises blanc cassé, appartiennent à l'un des plus beaux sites de l'Asie centrale. Également dans le centre, non loin de Bamiyan, la **vallée d'Ajdar** est coupée par une muraille de 250 m de long et de 80 m de haut, constituée de travertins sans cesse en formation.

Vers l'est, se dresse la haute chaîne de montagnes de l'**Hindu Kuch**, qui voit se succéder gorges et vallées jusqu'au **Pamir**, massif parsemé des yourtes (tentes) des Kirghiz, pasteurs vivant aux côtés des chameaux et des yaks dans un décor grandiose et glacé. Ensuite, le paysage s'ouvre vers le Pakistan, dévoilant des panoramas tels que les gorges de **Tangui Gharou**, la passe de **Khyber** et la langue de terre constituée par le corridor du **Wakhan**.

LES VILLES ET LES MONUMENTS

Herat est la ville d'Afghanistan la plus chargée d'histoire : la «Florence du Khorassan» fut d'abord une étape de la route de la Soie puis capitale du temps des Timourides (XVe siècle). Mais la guerre a abîmé les madrasas et les mausolées qui, avec la Grande Mosquée du Vendredi (Masjid-I-Jami, XIIe siècle), faisaient la richesse architecturale de la ville.

Jadis situé sur la route de la Soie, le site de Bamiyan n'a plus ses deux bouddhas géants (de 38 et 52 m de hauteur) taillés à même une falaise de grès il y a mille cinq cents ans et détruits par les talibans au printemps 2001. Il est toujours question de reconstruire l'un des deux bouddhas.

De même l'Unesco se penche-t-elle sur la préservation de valeurs archéologiques (minaret de Jam, mosquée de Haji Piyada dans le Balkh, Musallah) et des témoignages de l'art bouddhique ou de l'art du Gandhara que possédait le pays, embelli du temps de la Route de la soie.

A **Mazar-e Charif**, les coupoles et les minarets turquoise de la mosquée principale (XVe siècle), construite sur le tombeau présumé d'Ali, en font l'une des plus belles du pays. Le bouzkachi, sorte de tournoi à cheval fidèle aux grandes traditions guerrières de l'Asie centrale, anime chaque année ce petit centre caravanier.

Kaboul, capitale plutôt quelconque et elle aussi très touchée par les combats, vaut plus par la densité de son bazar que par ses témoignages architecturaux. Le musée principal de la ville, qui renfermait des pièces millénaires, a lui aussi été saccagé, mais sa restauration a été entreprise.

LE POUR

◆ La beauté et la variété des paysages de montagnes, doublées d'un important patrimoine architectural.

◆ Entre audace et inconscience, la possibilité théorique de franchir certaines frontières en visiteur libre.

LE CONTRE

◆ Un pays qui demeure sous haute tension, surtout dans la région de Kandahar, et vers lequel toute idée de voyage demeure fortement déconseillée (hauts risques d'enlèvements, d'attentats, de mines).

LE BON MOMENT

Des hivers très froids et des étés très chauds font des intersaisons (**avril-mai** et **septembre-octobre**) les périodes les plus favorables. Juillet et août restent néanmoins appropriés.
◆ Température moyenne jour/nuit en °C à *Kaboul* (1 800 m) : janvier 5/-7; avril 19/6; juillet 32/15; octobre 22/4.

LE PREMIER CONTACT

En Belgique

Ambassade, avenue de Wolvendael, 61, B-1180 Bruxelles, ☎ 02.761.31.66, fax 02.761.31.67.

Au Canada

Ambassade, 246, rue Queen, bureau 400, Ottawa, ON K1P 5E4, ☎ (613) 563-4223, fax (613) 563-4962, www.afghanemb-canada.net

En France

Ambassade, 32, avenue Raphaël, 75116 Paris, ☎ 01.45.25.05.29, fax 01.45.24.47.14.

En Suisse

Consulat, rue de Lausanne, 63, CH-1202 Genève, ☎ (22) 731.16.16, fax (22) 731.45.10.

Internet

www.afghanistans.com/Information
www.ambafghane-paris.com

Guides

A dominante pratique

Afghanistan (Lonely Planet en anglais, Le Petit Futé).

A dominante culturelle

Afghanistan, the ultimate visual travel guide (Harry Abrams Editions, 2006).

Carte

Afghanistan (Nelles).

Images

Beaux livres

Afghanistan, Monuments millénaires (Bernard Dupaigne, Imprimerie nationale, 2007), *Afghanistan, Regards croisés* (Véronique De Viguerie, Marie Bourreau, Hachette 2006), *Caravanes de Tartarie* (Roland et Sabrina Michaud, Le Chêne, 2008).

Bande dessinée

Kaboul Disco, Tome 1 : comment je ne me suis pas fait kidnapper en Afghanistan (Nicolas Wild, La Boîte à bulles, 2007).

DVD, films, vidéos

Le Cahier (film de Hana Makhmalbaf, 2008), *Kandahar* (N. Pazira, 2006), *les Cerfs-volants de Kaboul* (Marc Foster, 2008), *Massoud l'Afghan* (C. de Ponfilly, Félin 2002).

Lectures

Histoire/Politique

Le royaume de l'insolence (Michael Barry, Flammarion, 2007).

Récits et romans

Afghanistan bleu (Denis Evelyne, Publibook, 2007), *Burqas, foulards et minijupes : paroles d'Afghanes* (Anne Lancelot, Calmann-Levy, 2008), *Jours de poussière, choses vues en Afghanistan* (J.-P. Perrin, Édition des Syrtes, 2003), *Morte parmi les vivants, une tragédie afghane* (F. Sahebjam, L.G.F., 2006), *Parvana : une enfance en Afghanistan* (Deborah Ellis, Le livre de poche Jeunesse, 2007).

QUEL VOYAGE ET À QUEL PRIX ?

Lire l'*Avertissement* en page d'introduction. Avant toute démarche, consulter **impérativement** le consulat.

Les préparatifs

◆ Passeport et visa obligatoires. Aucun vaccin n'est obligatoire. Protection recommandée contre le paludisme entre mai et fin novembre dans les régions situées au-dessous de 2 000 m.

◆ Monnaie : l'*afghani*. Emporter des dollars US plutôt que des euros. 1 dollar US = 47 afghanis, 1 EUR = 66 afghanis.

Le départ

Avion

Vols pour Kaboul à partir de certains aéroports occidentaux et de certains aéroports asiatiques tels que Dubai, Delhi ou Islamabad.

Route

Certaines frontières terrestres sont ouvertes, renseignements impératifs et indispensables auprès du consulat.

Sur place

Il existe des taxis collectifs sur les grands axes.

LES REPÈRES

◆ Lorsqu'il est midi en France, en Afghanistan il est 14 h 30 en été et 15 h 30 en hiver. ◆ Langues officielles : pachtou, dari. ◆ Langue étrangère : l'anglais, mais très peu répandu.

LA SITUATION

Géographie. Excepté dans l'extrême sud, la montagne domine le pays, les sommets les plus élevés appartenant à l'Hindu Kuch, au nord de Kaboul, capitale presque aussi haute que Mexico. Le pays est de dimensions respectables (652 090 km²).

Population. Une mosaïque de peuples, sédentaires ou nomades, dont les Pachtouns et les Tadjiks constituent la majorité, rassemble 31 057 000 habitants. Minorité de Hazaras. Depuis 2002, quatre millions d'Afghans seraient rentrés d'exil. Capitale : Kaboul.

Religion. L'islam est religion officielle. Quatre Afghans sur cinq sont d'obédience sunnite (dont les Pachtouns), le cinquième est chiite (dont les Hazaras).

Dates. *329 av. J.-C.* Alexandre s'empare de la région. *651 ap. J.-C.* Les Arabes prennent Herat et islamisent le pays. *1221* Invasions mongoles. *1921* Indépendance. *1973* République. *1978* Coup d'État communiste. *1979* Intervention militaire soviétique et mise en place de Babrak Karmal à la tête de l'État. *1989* Retrait des troupes soviétiques. Le régime militaire de Mohamed Najibullah, président de la République, tient en respect la résistance. *1992* Najibullah fuit le pays, les moudjahidin prennent Kaboul et le pouvoir mais sont divisés; l'Afghanistan est proclamé État islamique. *1995* Les talibans, «étudiants en théologie» (sunnites), gagnent du terrain. *Octobre 1996* Les talibans prennent Kaboul, dominent les deux tiers du pays et imposent un islam ultra-traditionnel. *Mai 1998* Séisme dans le nord-est du pays (5 000 victimes). *Octobre 2001* Après les attentants du 11 septembre à New York et Washington, les États-Unis entrent en guerre contre le réseau Al-Qaida d'Oussama Ben Laden et contribuent à la victoire de l'Alliance du Nord sur les talibans en décembre. *Octobre 2004* Hamid Karzaï, un Pachtoun, remporte la présidentielle dans un pays toujours fragile, où les talibans n'ont pas désarmé et s'opposent à une Force internationale d'assistance à la sécurité. Les «seigneurs de guerre» comme la production d'opium restent d'actualité. *Septembre 2005* Premières élections depuis trente-six ans (pour le Parlement national et les Conseils de province). *2007* L'insurrection des talibans s'intensifie dans l'est et le sud. *2008* La situation reste très tendue, les attentats ou risques d'attentat sont patents.

Afrique du Sud

Malgré un coût du voyage encore élevé et des problèmes d'insécurité dans les villes, l'Afrique du Sud connaît un essor touristique continu et prouve au fil des années de l'après-apartheid qu'elle constitue l'une des plus belles contrées du continent. La découverte des réserves d'animaux, aux excellentes structures d'accueil, reste l'argument principal du voyage, mais la diversité des buts touristiques n'est pas un vain mot.

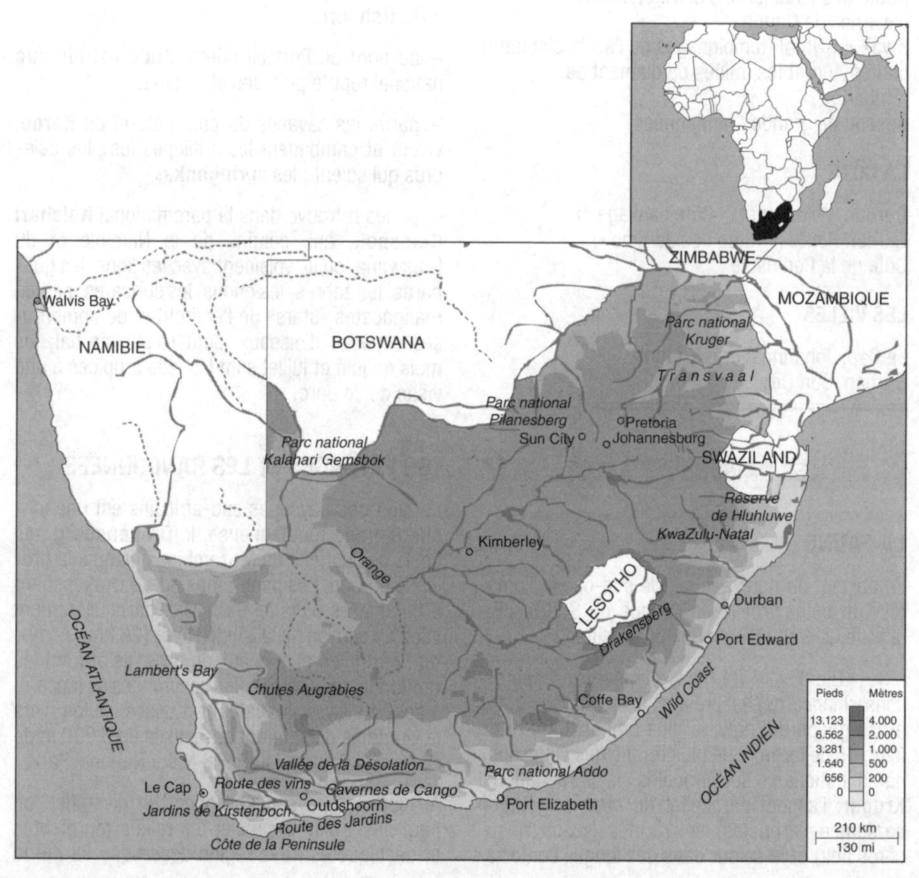

LES RAISONS D'Y ALLER

LA FAUNE

Parcs nationaux de Kruger et Hluhluwe-Umfolozi avec le « Big Five » (buffles, éléphants, léopards, lions, rhinocéros)
Marais de Santa Lucia (crocodiles, hippopotames)
Parcs Karoo (springboks), Addo (éléphants), Pilanesberg (girafes, rhinocéros blancs, zèbres), Kalahari Gemsbok (springboks, guépards, gnous, suricates, aigles martiaux),
Lambert's Bay et Langebaan Lagoon (oiseaux)
Fermes d'autruches (Oudtshoorn)

LES PAYSAGES ET LES RANDONNÉES

Drakensberg (canyon de la Blyde River), vallée de la Désolation
Route des Vins, jardins de Kirstenbosch, cavernes de Cango
KwaZulu-Natal (témoignages de l'art bochiman), chutes Augrabies, mines de diamant de Kimberley
Réseau de grandes randonnées

LA CÔTE

Durban, Wild Coast (« Côte sauvage »)
Garden Route (« route des Jardins »)
Côte de la Péninsule

LES VILLES

Le Cap, Johannesburg, Pretoria, Durban, Sun City

LES RAISONS D'Y ALLER

LA FAUNE

En partant du nord-est vers le sud-ouest, l'amateur de faune trouve en Afrique du Sud la plus grande diversité d'animaux du continent:

– le « Big Five » (buffles, éléphants, léopards, lions, rhinocéros) est présent, ainsi que les girafes et les guépards, dans le plus grand (350 km de long, 55 de large) et le plus réputé des vingt-deux parcs nationaux sud-africains, le parc national **Kruger**; l'aspect particulier du *bush* (végétation parsemée d'arbustes), ses raretés (lycaon, rhinocéros noir) et le séjour dans des lodges confortables, voire luxueux, sont autant d'atouts pour ce parc, à l'organisation sans failles;

– au sud du Swaziland, la réserve de **Hluhluwe-Umfolozi** tire son intérêt de la présence du Big Five mais aussi de rhinocéros blancs, espèce rare qui a échappé à l'extermination;

– les marais de la région de **Santa Lucia**, dans le KwaZulu-Natal, renferment des hippopotames, des crocodiles et nombre d'espèces d'oiseaux;

– au nord, dans le Bophuthatswana, le parc national **Pilanesberg** accueille des rhinocéros blancs, des zèbres, des buffles, des girafes;

– non loin du Cap, se trouvent les réserves d'oiseaux sauvages de **Langebaan Lagoon** et de **Lambert's Bay**;

– à mi-distance du Cap et de Port Elizabeth, il est possible de visiter des fermes d'autruches autour d'**Oudtshoorn;**

– au nord de Port Elizabeth, **Addo** est un parc national réputé pour ses éléphants;

– parmi les savanes du parc naturel du **Karoo**, vivent et gambadent les antilopes les plus célèbres qui soient : les **springboks**;

– on les retrouve dans le parc national **Kalahari Gemsbok**, aux confins de la Namibie et du Botswana, où ils voisinent avec les lions, les guépards, les zèbres, les gnous, les suricates (petites mangoustes «stars» de l'endroit) et de nombreuses espèces d'oiseaux, dont l'aigle martial; les mois de juin et juillet sont les plus propices à une visite de ce parc.

LES PAYSAGES ET LES RANDONNÉES

Le clou des paysages sud-africains est une longue barrière montagneuse, le **Drakensberg**, qui court des confins du Mozambique jusqu'à la province du Cap. Les panoramas que le Drakensberg a engendrés dans le Transvaal, particulièrement ceux du canyon de la **Blyde River** (26 km), comptent parmi les plus beaux du pays. Ils attirent les randonneurs, dont les plus chevronnés se lancent, à l'est du KwaZulu-Natal et du pays zoulou, vers la vingtaine de sommet au-dessus de 3 000 m de Cathedral Peak ou du Royal Natal National Park.

Au sud, les paysages gagnent en diversité : on peut aussi bien apprécier les reliefs tourmentés et déchiquetés de la région désertique du Karoo et de la vallée de la **Désolation** que la douceur de la **route des Vins**, à l'est du Cap. Dans cette région, se sont installés les huguenots après avoir été chassés de France : le quartier « français » (*Franschhoek*) en est le symbole.

On peut également choisir des visites ponctuelles : tout près du Cap, les jardins botaniques de **Kirstenbosch**, les plus riches du pays grâce à leurs 4 500 variétés d'espèces, ou les cavernes de **Cango**, réputées entre autres parce qu'elles renferment des fresques et des vestiges **bochimans**. D'autres peintures et gravures bochimans sont visibles dans le **KwaZulu-Natal**, le long de la frontière est du Lesotho (Royal Natal National Park, Giant's Castle), où il est également possible de se familiariser avec les coutumes du peuple zoulou, souvent à partir de Durban.

Deux curiosités existent dans la région du fleuve Orange : les chutes **Augrabies**, où le fleuve tombe d'une hauteur de 146 m, et les mines de diamant de **Kimberley**.

La majorité de ces sites bénéficient d'une excellente structure touristique et d'un important réseau national de grandes **randonnées**.

LA CÔTE

La côte de l'océan Indien est la plus chaude : **Durban**, où vécut Gandhi, en est une station populaire, très fréquentée toute l'année et idéale pour les surfeurs.

En partant vers l'est, on aborde la **Wild Coast** (la « Côte sauvage ») : trois cents kilomètres de collines ventées, propices à des randonnées. Elles retombent sur des côtes encore préservées du grand tourisme et parsemées des huttes traditionnelles du peuple xhosa. Cette région est aussi le berceau de Mandela (musée à Umtata).

Vient ensuite, entre Mossel Bay (aux requins blancs « touristifiés ») et Storms River, la **Garden Route** (la « route des Jardins »), très - voire trop - courue. Elle alterne forêts, lacs, estuaires et plages.

Dotée d'une kyrielle de stations balnéaires autour du Cap, la **côte de la Péninsule** est le point de rencontre des océans Atlantique et Indien. L'eau y est plus fraîche qu'ailleurs.

LES VILLES

Le Cap est surtout connu pour son site, surmonté de la curieuse montagne de la Table (qui peut être atteinte par téléphérique ou faire l'objet d'une mini-randonnée). La ville vaut aussi par les traces du passé architectural néerlandais (maison Koopmans) ou traditionnel (anciens docks de Waterfront, l'artère la plus animée). Au large du Cap, l'île Robben, où fut incarcéré Mandela, est devenue un musée de la Tolérance et des Droits de l'homme.

Johannesburg doit son existence à la ruée vers l'or vers la fin du XIXe siècle, dont l'histoire est retracée sur le site de Gold Reef City.

Autres atouts de Johannesburg, qui essaie de quitter son habit de ville la plus violente du continent africain : le quartier de Newton, récemment réhabilité et creuset de culture; l'African Museum, à vocation surtout ethnologique; la Fuba Gallery, qui rassemble l'art des populations noires; Constitution Hill; le musée de l'Apartheid; la richesse des traditions musicales (jazz).

La visite de Soweto en circuit guidé symbolise une forme récente de tourisme dans les grandes villes sud-africaines qui envoient leurs visiteurs dans les *townships*, naguère ignorés et aujourd'hui propices à la découverte de traditions de toutes sortes (art, danses, guérisseurs, etc.). À Soweto, il existe un musée Nelson-Mandela.

À quelques kilomètres au nord de Johannesburg, **Pretoria** est bâtie autour de sa place centrale, Church Square, site de la première installation des Boers.

Outre ses agréments côtiers évoqués ci-contre, **Durban** offre son empreinte architecturale anglaise, ses sites (Victoria Street, promenade du Mile), sa forte communauté indienne et son cosmopolitisme.

Une curiosité au Bophuthatswana : la ville neuve et un rien permissive de **Sun City**, qui se veut un petit Las Vegas et comprend également des parcours de golf réputés ainsi qu'un musée... du crocodile. Sun City s'est vu adjoindre Lost City, sur les lieux d'une vieille cité reconstruite sous le signe de l'extravagance, avec jungle et plage artificielles.

LE POUR

◆ La qualité des infrastructures touristiques et de leur gestion, dans les parcs animaliers mais aussi dans l'ensemble du pays.

◆ La plus forte diversité d'espèces animales en Afrique.

◆ La découverte désormais possible des townships, certes à la mode mais utile pour une meilleure compréhension du pays.

LE CONTRE

◆ Un coût du voyage qui demeure élevé.

◆ Une réputation d'insécurité et une nécessaire vigilance pour le touriste dans les grandes villes, même si les choses changent peu à peu.

LE BON MOMENT

Climat

Décembre-mars, période qui correspond à l'été (réservations conseillées), et, à un degré moindre, septembre-novembre sont les mois les plus agréables. Six semaines seulement d'un petit hiver austral doux mais qui tombe en juillet-août.

Observation des animaux et de la flore

La période mai-octobre (saison sèche) se rattrape en étant la plus favorable pour la visite de la plupart des parcs nationaux (végétation moins dense, animaux autour des points d'eau).

Les jardins de la région du Cap connaissent une belle floraison de septembre à novembre (printemps).

Températures

Températures moyennes jour/nuit (en °C) : *Johannesburg* (nord-est, 1 650 m) : janvier 26/15, avril 21/10, juillet 17/4, octobre 24/11. *Le Cap* (côte sud-ouest) : janvier 26/16, avril 23/12, juillet 18/7, octobre 21/11. Température moyenne de l'eau de mer : 20°.

LE PREMIER CONTACT

En Belgique

Section consulaire, rue de la Loi, 28, B-1040 Bruxelles, ☎ (02) 285.44.00, fax (02) 285.44.55, www.southafrica.be

Au Canada

Consulat, 15 Sussex Drive, Ottawa, ☎ (613) 744-0330, fax (613) 741.1639, www.southafrica-canada.ca

En France

Office du tourisme (Satour), 61, rue La Boétie, 75008 Paris, ☎ 01.45.61.01.97 ou 0810.203.403, fax 01.45.61.01.96, satourism@afriquedusud-tourisme.fr. Il publie une brochure mensuelle, *le Courrier du Cap.* Consulat, ☎ 01.53.59.23.23, www.afriquesud.net

En Suisse

Consulat général, rue du Rhône, 65, CH-1204 Genève, ☎ (22) 849.54.54, fax (22) 849.54.32, www.southafrica.ch

Autres sites Internet

www.satour.org
www.southafrica.net
www.sud-afrique.com

Guides

A dominante pratique

Afrique australe (JPMGuides), *Afrique du Sud* (Berlitz, Hachette/Guide Voir, Le Petit Futé, Michelin/Voyager pratique, Mondeos, Nelles), *Afrique du Sud, Lesotho et Swaziland* (Lonely Planet France), *Afrique du Sud + Namibie, Swaziland et Lesotho* (Hachette/Guide du routard), *Afrique orientale et australe* (Gallimard/Cap Aventure), *Cape Town* (Lonely Planet/Country Guides).

A dominante culturelle

Afrique du Sud (Gallimard/Bibl. du Voyageur).

Cartes

Berlitz, Marco Polo, Michelin.

Images

Beaux livres

Afrique australe, avenir d'un monde sauvage (National Geographic, 2003), *Majestueuse Afrique du Sud* (Atlas, 2003), *Mon Afrique du Sud arc-en-ciel* (Petit Futé, 2006), *Paradis sauvages d'Afrique du Sud* (Kubik Editions, 2005).

Vidéos

Des trains pas comme les autres (Warner Home Video, 2004), *Afrique du Sud, Afrique extrême* (DVD Guides, 2005), *Voyage en Famille* (Pablo Trapero, 2005).

Lectures

Histoire/Politique

L'Apartheid (Que sais-je?, 1996), *Défi sud-africain: le creuset des controverses* (M. Klen, France Europe Editions, 2005).

Récits ou romans

Les Imaginations de sable (André Brink, Poche, 1997), *Un long chemin vers la liberté* (N. Mandela, Fayard, 1995), *Une saison blanche et sèche* (A. Brink, Stock, 1989), *les Soldats de l'aube* (D. Meyer, Seuil, 2004).

Les romans d'André Brink et de Breyton Breytenbach ont dépeint le mieux les caractères de la lutte anti-apartheid. Une nouvelle génération d'écrivains a vu le jour, tels Antjie Krog (*la Douleur des mots*, Actes Sud, 2004) ou Zakes Mda (*la Madone d'Excelsior*, Seuil, 2004).

QUEL VOYAGE ET À QUEL PRIX ?

Le voyage individuel

Les préparatifs

◆ Pour les Canadiens et les ressortissants de l'Union européenne : passeport suffisant, valable six mois après la date de retour, visa délivré à l'arrivée, billet de retour exigible. Il est conseillé de vérifier les conditions de son assurance ou de souscrire une assurance complémentaire en raison du coût de l'hospitalisation dans le pays.

◆ Aucune vaccination n'est obligatoire. Prévention contre le paludisme recommandée, particulièrement d'octobre à mai, pour les zones de basse altitude des provinces du Nord, de la province de Mpumalanga (parc Kruger compris) et du nord-est du Kwazulu-Natal.

◆ Monnaie : le *rand*, divisé en 100 *cents*. 1 US dollar = 9,70 rands, 1 EUR = 13,50 rands. Emporter des euros ou des dollars US. Les grandes cartes de crédit sont acceptées dans les principales villes.

Le départ

◆ Indice de prix des vols Montréal-Johannesburg A/R: 1 300 CAD; Paris-Johannesburg A/R ou Paris-Le Cap A/R : 700 EUR. Durée moyenne du vol Paris-Johannesburg (escale) : 13 heures. Paris-Le Cap (10 100 km): 15 heures (escale). Vols intérieurs : système des *pass* pratiqué par South African Airways, à acheter avant le départ.

Sur place

Hébergement

◆ Pour les parcs, on peut soit loger en lisière, soit à l'intérieur, dans les *restcamps* ou – en y mettant le prix – dans de beaux lodges. ◆ A travers le pays, il existe des auberges de jeunesse. Réservation conseillée, surtout de novembre à février. ◆ Bed and breakfast et guest houses répandus et de prix raisonnable, camping également possible après avoir pris les renseignements et précautions d'usage.

Route

◆ Excellent réseau. Conduite à gauche. Carburant bon marché. ◆ Recommandé: permis de conduire international (ou national mais avec traduction en anglais). ◆ Limitations de vitesse : agglomérations 60 km/h, autoroutes 120 km/h. ◆ Avant le départ, possibilité de louer une voiture, une moto, un camping-car, un motorhome, ou de réserver un minibus collectif avec chauffeur pour les parcs. ◆ L'autotour (vol A/R, voiture remise à l'aéroport, hôtel réservé à l'étape sur base de la nuit et petit déjeuner ou de la demi-pension) revient en moyenne à 1 400 EUR pour 11 jours. Exemples : Nouvelles Frontières, South African Airways, Voyageurs du monde. ◆ Bon réseau de bus, réductions possibles avec la compagnie Translux Express.

Trains

◆ Liaisons entre les grandes villes principalement. ◆ L'Afrique du Sud a son train de luxe et à vapeur, le *Rovos Rail*, qui va des chutes Victoria au Cap. ◆ Plus classique mais tout aussi attachant : le *Blue Train*, qui relie Johannesburg au Cap. ◆ Le *Shongololo Express*, alias le « mille-pattes africain », relie Johannesburg aux chutes Victoria et roule également dans les pays limitrophes.

Le voyage accompagné

Rappel : nous nous sommes limités à un résumé des prestations en vigueur dans les agences et chez les voyagistes présents en France. Les lecteurs des autres pays peuvent en tirer des idées d'itinéraire et les compléter auprès de leurs agences de voyages.

◆ La plupart des propositions **classiques** suivent un **axe** Le Cap-Parc Kruger en s'attardant sur des sites clés : le cap de Bonne-Espérance, la route des Vins, Oudsthoorn, le Blyde River Canyon et le parc Kruger, effleuré lors de safaris de 1 à 3 jours. Si certains voyagistes incluent les chutes Victoria, au Zimbabwe, cet itinéraire varie peu, les différences se jouant sur la durée : de 15 jours, cas le plus fréquent, à 25 jours. Exemples : Arts et vie, Best Tours, Continents insolites, Go Voyages, Jet Tours, Kuoni, Look Voyages, Nouvelles Frontières, STI Voyages.

Prix moyen d'un circuit tout compris : 1 800 EUR pour 12 jours, 2 500 EUR pour 15 jours. Les prix grimpent en juillet et août, période favorable pour la visite des réserves.

◆ Pour un voyage centré sur la visite des **parcs animaliers**, il est bon d'étudier en agences de voyages les formules à la carte avec guide-chauffeur. Quelques voyagistes, outre la plupart des précités : STI Voyages, Vie sauvage.

◆ Les **randonneurs** marchent surtout dans le Drakensberg et font des incursions au Lesotho et/ou au Swaziland. Au menu : rencontre des peuples locaux, safari photo. En moyenne : 15 jours, départs étalés sur l'année. Exemples : Allibert, Atalante, Chemins de sable, Club Aventure, Comptoir d'Afrique, Continents insolites, Zig Zag.

Prix moyen d'un voyage-randonnée: 2 300 EUR pour 15 jours.

◆ Voyages **spécifiques** : un « spécial léopards » pour les passionnés de photo (Objectif Nature), le grand requin blanc, entre autres espèces aquatiques, à Margate, au sud de Durban (Ultramarina), les week-ends citadins (Comptoir d'Afrique), les safaris équestres (Grandeur Nature), la région du Cap pendant une semaine (Voyageurs en Afrique).

◆ **Tourisme solidaire** avec l'organisme Voyager autrement : 14 jours du Cap à Johannesburg via la route des Vins et Durban. Visite de plusieurs communautés et organismes sociaux.

◆ Le pays compte quatre cents clubs de **golf**. Les plus connus : Gary Player Country Club et Glendower à Johannesburg, Mombray au Cap, golf de Sun City, Selborne Lodge (région de Durban), Milnerton (près du Cap).

◆ **Combinés** : avec le Botswana, la Namibie, la Zambie ou le Zimbabwe. Souvent l'un d'entre eux, parfois deux, rarement les quatre. Une tendance récente consiste à combiner le voyage avec un séjour balnéaire au Mozambique ou des îles ou archipels de l'océan Indien.

QUE RAPPORTER ?

C'est le pays des diamants et des pierres précieuses mais aussi du cuir (sacs en peau de buffle ou en « croco » véritable) et d'excellents... vins, n'en déplaise à nos meilleurs terroirs.

LES REPÈRES

◆ Quand il est midi en France, en Afrique du Sud il est la même heure en été et 13 heures en hiver; quand il est midi au Québec, en Afrique du Sud il est 19 heures. ◆ Langues officielles : afrikaans, anglais et neuf autres langues, dont surtout le xhosa et le zoulou. ◆ Téléphone vers l'Afrique du Sud : 0027 + indicatif (Johannesburg 11, Le Cap 21) + numéro; de l'Afrique du Sud : 09 + indicatif pays + numéro. Portable : OK.

LA SITUATION

Géographie. Un haut plateau, qui recouvre le Transvaal et l'État libre d'Orange et le Drakensberg (3 451 m au Mafadi) dominent des régions basses dont, au nord, une partie du désert du Kalahari et, au sud, d'étroites plaines littorales. Superficie : 1 221 037 km^2.

Population. Sur les 43 800 000 habitants, près des trois quarts sont des Noirs, le chiffre des

Blancs dépassant à peine 5 millions. On compte plus de 3 millions de métis et une minorité asiatique. Plus de 5 millions de personnes sont touchées par le virus du sida. Capitale : Pretoria. Johannesburg et Le Cap (capitale législative) sont nettement plus peuplées.

Religion. Quatre Sud-Africains sur cinq sont des chrétiens, mais la répartition est large : anglicans (parmi lesquels les Zoulous), méthodistes, catholiques romains, églises indépendantes noires.

Dates. *XIIe siècle* Occupation du pays par les Bochimans, les Namas et les Hottentots. *1652* Fondation du Cap par les Hollandais (Boers). *1814* Administration britannique. *1834* L'esclavage est aboli, les Boers partent vers le nord (Grand Trek). *1902* Les Boers battus par les Anglais. *1910* Création de l'Union sud-africaine. *1913* Premières lois d'apartheid (ségrégation systématique des personnes de couleur). *1954* Création de « foyers nationaux » noirs (bantoustans ou homelands). *Septembre 1989* Arrivée du président Frederik De Klerk, partisan d'une ouverture politique. *1990* Reconnaissance de l'African National Congress (ANC) et libération de Nelson Mandela. *1991* Les lois fondamentales de l'apartheid sont abolies. *1992* Les affrontements entre l'ANC de Mandela et le parti zoulou Inkhata de Mangosuthu Buthelezi se multiplient. *Octobre 1993* Frederik De Klerk et Nelson Mandela reçoivent le prix Nobel de la paix, mais les affrontements entre ANC et Inkhata se poursuivent. *Mai 1994* Nelson Mandela devient le premier président d'une Afrique du Sud démocratique. *Juin 1999* Thabo Mbeki et l'ANC remportent aisément les élections. Nelson Mandela quitte la scène politique. *Avril 2004* Législatives : les vainqueurs de 1999 sont facilement réélus. *Mai 2008* Violences xénophobes dans les banlieues du Cap et de Johannesburg.

Albanie

Il faudra du temps à l'Albanie avant que le littoral méditerranéen, atout touristique essentiel mais dépourvu des structures de base, ne ressemble à celui de ses voisins. Mais sans doute est-ce un bien pour un mal dans un pays désormais très accessible et qui voit de plus en plus de visiteurs individuels partir en randonnée dans des montagnes encore loin du grand tourisme. Les quelques traces archéologiques de l'Antiquité et du Moyen Âge font le reste.

LES RAISONS D'Y ALLER

LES MONUMENTS

Vestiges des époques grecque, gréco-illyrienne, romaine, byzantine, turque
Citadelles médiévales, églises byzantines, mosquées

LES PAYSAGES

Alpes dinariques, vallée du Drin noir, randonnées vers le mont Korab

LA CÔTE

Rivages sud de la mer Adriatique

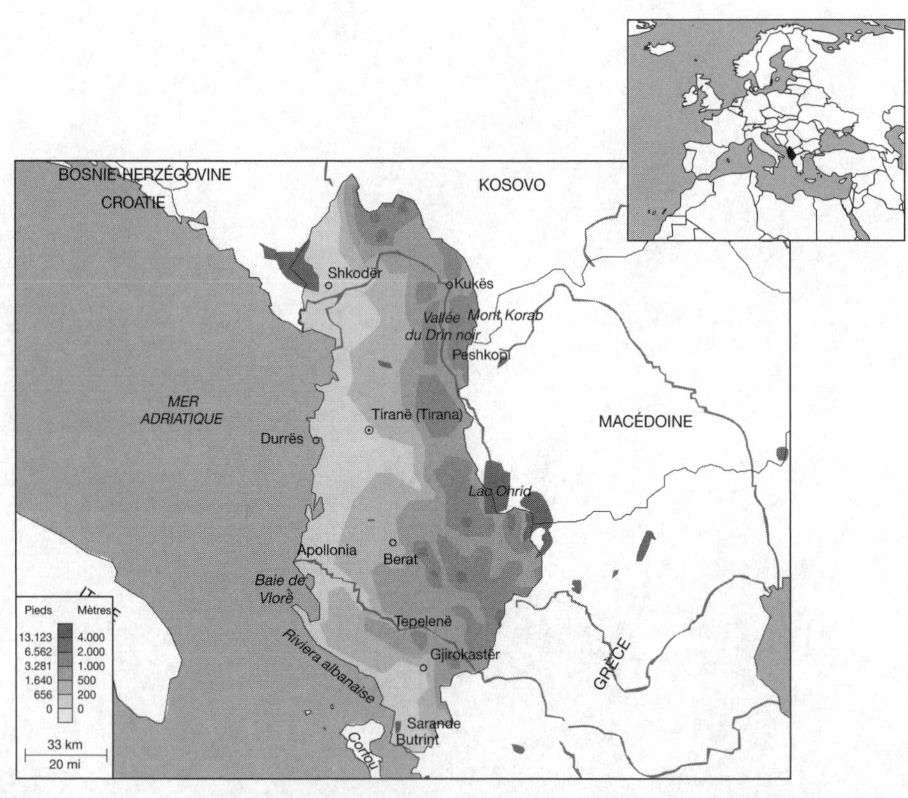

LES RAISONS D'Y ALLER

LES MONUMENTS

Les vestiges de cités grecques (**Apollonia**, le plus grand centre archéologique du pays) et gréco-illyriennes (**Butrint**, son sanctuaire d'Esculape, son théâtre romain) ainsi que ceux des périodes romaine, byzantine et turque (vieux ponts turcs à Meri et Berat) constituent pour l'instant la raison principale d'un séjour culturel en Albanie.

Outre son site en pente, la petite ville de **Berat** offre une traversée des époques (citadelle médiévale, église de la Trinité, maisons traditionnelles). Citadelles également à Gjirokastër, Shkodër et Tepelenë, châteaux forts à Elbassan et à **Kruja**, où vécut Skanderberg, le héros national. La plupart des villes abritent des églises byzantines et des mosquées.

Quant à Tirana, la capitale, la volonté de rénovation de son maire, Edi Rama, l'a débarrassée de sa grisaille pour laisser place à une architecture moderne… et très colorée.

LES PAYSAGES

La fin des Alpes dinariques et le début des massifs du Pinde donnent un caractère très montagneux au pays, baptisé pour cela «pays des Aigles».

Ils sont à l'origine de panoramas, parmi lesquels la vallée du **Drin noir**. Ce fleuve, descendu du lac d'Ohrid, a creusé son lit dans une succession de **gorges** dont la plus belle, la gorge de Gjabrice, se trouve entre le bassin de Peshkopi et la ville de Kukës.

Plusieurs itinéraires de trekking, tel celui qui mène au mont **Korab**, s'ouvrent peu à peu dans une atmosphère encore hors du temps.

LA CÔTE

Des plages de sable fin, des paysages escarpés : la côte albanaise, surtout intéressante dans la partie sud, entre le golfe de Vlorë et Sarandë, est longtemps restée « inexploitée ».

Aujourd'hui, le tourisme s'installe progressivement sur cette « Riviera albanaise » qui sortira de l'anonymat lorsqu'elle sera dotée des structures balnéaires adéquates. Aussi les noms de sites côtiers tels que, du nord au sud, Palasa, Dhërmi, Vunoi, Jali, Himara et Porto Palermo ne devraient plus rester longtemps inconnus.

LE POUR

◆ Un pays qui laisse peu à peu derrière lui sa mauvaise réputation d'insécurité.

◆ Un patrimoine culturel aussi intéressant que méconnu.

◆ La vogue naissante des randonnées en montagne.

LE CONTRE

◆ Une image et des structures touristiques qui demandent à être peaufinées.

◆ La confidentialité des propositions de voyage accompagné.

LE BON MOMENT

Le climat typiquement méditerranéen sur le littoral impose la période **mai-septembre**. À l'intérieur, le climat est continental et il peut être d'autant plus rude que les massifs montagneux sont nombreux et compacts. ◆ Températures moyennes jour/nuit (en °C) à *Tirana* (ouest du pays) : janvier 12/2, avril 18/8, juillet 31/17, octobre 23/10.

LE PREMIER CONTACT

En Belgique

Ambassade, rue Tenbosch, 30, B-1000 Bruxelles, ☎ (02) 640.14.22, fax (02) 640.28.58, consul.brux@skynet.be

Au Canada

Ambassade, 130, rue Albert, bureau 302, Ottawa, ON K1P 5G4, ☎ (613) 236.41.14, fax (613) 236.08.04.

En France

Ambassade, 57, avenue Marceau, 75116 Paris, ☎ (01) 47.23.31.00, fax (01) 47.23.59.85.

En Suisse

Services consulaires de l'ambassade, Pourtalèssestrasse, 45A, 3074 Muri b. Bern, ☎ (031) 952.60.10, fax (031) 952.60.12, emalb.ch@bluewin.ch

Internet

www.albaniantourism.com
www.aths-travel.com (en anglais)

Guides

Albania (Bradt, 2008), *Albanie* (Le Petit Futé, 2006), *Mer Adriatique* (Vagnon, 2005).

Carte

Albanie (Cartographia).

Images

Beaux livres

Albanie, le pays des aigles (Edisud, 2005).

Lectures

Histoire et politique

Albanie de l'embargo au chaos, les réseaux mafieux en Albanie (D. Ameye, Talleyrand, 2006), *le Dossier Kadaré, suivi de La Vérité des souterrains* (Ed. Odile Jacob, 2006), *Histoire des Albanais, des Illyriens à l'indépendance du Kosovo* (S. Métais, Fayard, 2006).

Récits et romans

Lire les ouvrages d'Ismaïl Kadaré, le plus célèbre écrivain albanais. Dernières parutions : *Dante, l'incontournable, ou brève histoire de l'Albanie avec Dante Alighieri* (Ismaïl Kadaré, Fayard, 2006), *l'Albanie* (Actes Sud, 2004).

Lire aussi *Albanie utopie* (Autrement, 1998), *Balkans Transit* (F. Maspero, Seuil, 2000), *le Paumé* (Fatos Kongoli, Rivages, 2005), *Mère Teresa, l'Indienne* (D. Facérias, Ed. du Rocher, 2006).

QUEL VOYAGE ET À QUEL PRIX ?

Le voyage individuel

Les préparatifs

◆ Pour les Canadiens et les ressortissants de l'Union européenne, passeport suffisant pour les séjours de moins de trois mois. Carte d'identité suffisante pour les ressortissants français, prendre confirmation. Taxe à l'arrivée (10 euros).

◆ Monnaie : le *lek*. Emporter des euros en espèces pour le change. 1 US dollar = 88 leks. 1 EUR = 122 leks.

Le départ

Avion

Indice de prix à certaines dates du vol Paris-Tirana A/R (escale) : 400 EUR. Vols directs de Francfort ou Londres, entre autres. Durée moyenne du vol Paris-Tirana (1 591 km) : 5 heures.

Ferry

Embarquement de la voiture possible. Ferries entre Bari et Brindisi (Italie du Sud) pour Durrës, entre Corfou (Grèce) et Sarandë.

Route

Entrée possible avec sa voiture personnelle via le Monténégro, formalités parfois complexes.

Sur place

Route

◆ Location de voiture de préférence avec chauffeur, permis de conduire international conseillé, alcool interdit au volant. ◆ Réseau routier majoritairement en mauvais état. ◆ Limitations de vitesse agglomérations/routes : 40/80.

Le voyage accompagné

Les suggestions de voyage commencent à se diversifier. Les voyagistes à base **culturelle**, tel Clio pour l'Albanie des vieilles pierres (11 jours) sont désormais relayés par ceux de la **randonnée**, tel Nomade Aventure, qui propose un «Chemin des Aigles» de 15 jours dont 9 à pied (plusieurs départs en août et septembre).

Le voyage accompagné en Albanie reste plutôt cher. Difficile de s'en sortir à moins de 1 500 euros pour une douzaine de jours.

LES REPÈRES

◆ Pas de décalage horaire avec l'Europe de l'Ouest. ◆ Langue officielle : albanais. ◆ Langues étrangères : un peu d'italien et de grec, très peu de français et d'anglais. ◆ Téléphone vers l'Albanie : 00355 + indicatif (Tirana 42) + numéro; de l'Albanie : 00 + indicatif pays + numéro. Portable utilisable.

LA SITUATION

Géographie. Peu étendue (28 748 km^2), l'Albanie est globalement constituée de montagnes (le mont Korab culmine à 2 764 m), qui abritent une étroite bande côtière méditerranéenne.

Population. Sur les 3 620 000 habitants, seule une minorité de Grecs (1,8 %) côtoie les Albanais, qui trouvent leurs ascendants dans l'Ancienne Illyrie. L'Albanie (en albanais *Shqipëria*) fut une terre d'invasions successives pendant deux mille ans. Capitale : Tirana (800 000 habitants pour l'agglomération).

Religion. Jusqu'au retour de la démocratie, l'athéisme était inscrit dans la Constitution. La liberté de culte est aujourd'hui rétablie, à la grande satisfaction des musulmans, nettement majoritaires (deux Albanais sur trois), des catholiques (10 %) et des orthodoxes (20 %).

Dates. *1270* Charles d'Anjou baptise l'endroit « Illyrie ». *XVe siècle* Influence de Venise, puis domination ottomane. *1912* Autonomie. *1914* Indépendance. *1922* Présidence d'Ahmed Zogu, qui deviendra ensuite roi. *1939* L'Italie occupe le pays. *1946* Proclamation de la république populaire : Enver Hodja, figure emblématique, s'éloigne de Moscou, se rapproche de la Chine et restera au pouvoir pendant trente-neuf ans. *1985* Mort d'Enver Hodja, Ramiz Alia président. *1990* Seul pays européen d'obédience marxiste-léniniste, l'Albanie connaît ses premières secousses libérales. *1991* Premières élections libres : victoire des communistes sur le Parti démocratique. *Mars 1992* Nette victoire électorale du Parti démocratique : Sali Berisha devient président de la République. *Mai 1996* Le Parti démocratique remporte des législatives contestées. *Mars 1997* Vague de protestations et graves émeutes dans le sud du pays. *Juin 1997* Le Parti socialiste (ex-communistes) remporte les législatives. *Avril 1999* La guerre du Kosovo provoque l'arrivée massive d'environ 400 000 Kosovars albanais. *Juin 2002* Fatos Nano, socialiste, est Premier ministre. *Juillet 2005* Les législatives ramènent Sali Berisha (Parti démocratique, droite) sur le devant de la scène. Il devient premier ministre deux mois plus tard.

Algérie

Avertissement. – Les déplacements isolés en zones rurales sont déconseillés, principalement dans le nord-est (Kabylie, Aurès).

Voilà environ une décennie que les voyagistes spécialistes de la randonnée ont repris et diversifient à souhait le voyage au Sahara, qui trouve en Algérie, grâce à la beauté âpre des tassilis et au rayonnement du Hoggar, ses plus beaux atours. Pour ceux qui n'aiment pas le désert, le nord du pays s'ouvre de nouveau, à la découverte des villes, de la Kabylie et des sites romains.

LES RAISONS D'Y ALLER

LE DÉSERT

Randonnées et méharées dans le Hoggar : Assekrem (ermitage), tassili du Hoggar
Tassili N'Ajjer (gravures rupestres), Tadrart
Vallées (Téfédest, Amadror)
Oasis (Timimoun)

LES PAYSAGES

M'Zab, Kabylie

LES MONUMENTS

Tlemcen, Tipasa, Djamila, Cherchell, Timgad

LES VILLES

Alger, Oran, Constantine, El Oued

LA CÔTE

Méditerranée (Tipasa)

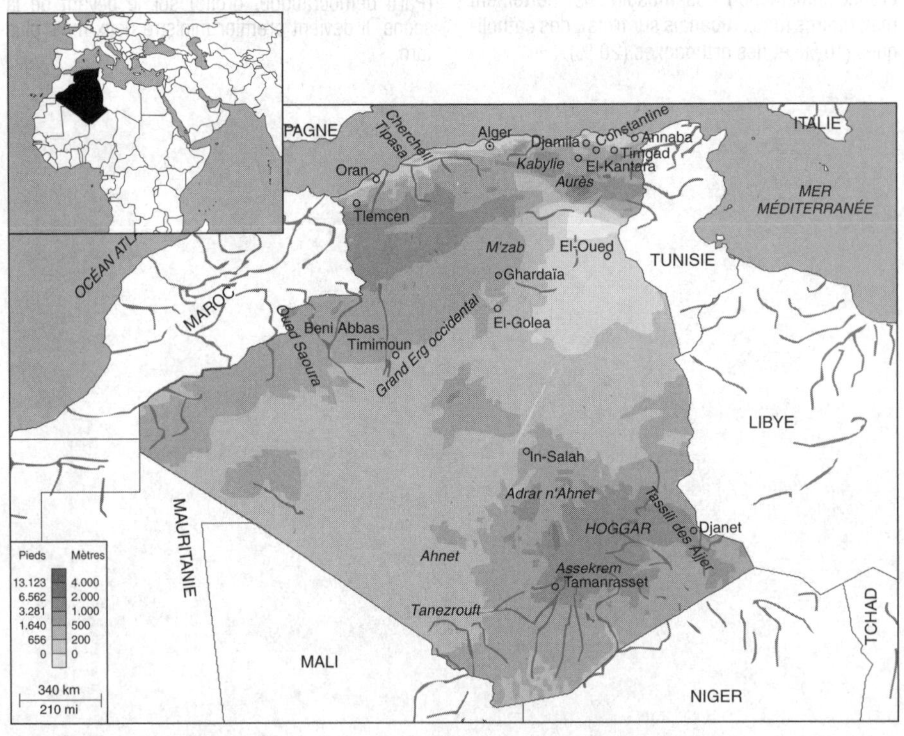

LES RAISONS D'Y ALLER

LE DÉSERT

Dunes, ergs, djebels (montagnes), oasis : autant de termes et de terres qui font du **Sahara algérien** l'un des déserts les plus variés du monde.

Le massif du **Hoggar** est le point d'orgue du Grand Sud et fait l'objet de méharées, de randonnées chamelières, de circuits en tout-terrain. Certes, pour beaucoup, il se résume au massif de l'**Atakor** (près de 3 000 m), qui renferme, sur l'**Assekrem**, le site de **l'ermitage** du père de Foucauld, objet de tous les pèlerinages touristico-religieux. Mais il n'est pas que cela : sommets déchiquetés, culots de lave, longs éboulis, peintures rupestres, lieu de rencontre avec les Touaregs se succèdent.

Sur son flanc sud, le tassili (plateau) du Hoggar n'est pas moins captivant, comme, sur son flanc nord-est, le **tassili N'Ajjer**, hérissé de cheminées de fées, creusé de gorges, d'oueds verdoyants et de vallées. Situé aux confins de Djanet, le tassili N'Ajjer est également recherché pour la qualité et le nombre de ses **gravures rupestres** qui, telles celles de Djabarren, se comptent par milliers et datent de quatre mille ans.

Aux confins de l'Algérie, du Niger et de la Libye, le **Tadrart**, ses canyons, ses falaises et ses cordons de dunes promettent d'autres plaisirs. Une manière moins conventionnelle de parcourir le Sud algérien est de se rendre, au nord du Hoggar, dans les vallées verdoyantes, véritables canyons, de la **Téfédest** et de **l'Amadror**. Autres nouveaux itinéraires de randonnée : ceux de l'Ahnet, aux confins du Tanezrouft.

A mi-chemin entre Alger et Tamanrasset, l'« oasis rouge » de **Timimoun** dort à la lisière du Grand Erg occidental. Ses environs (Tinerkouk, Gourara) offrent une large palette de randonnées possibles à travers dunes et ksour, sur une terre foncée par l'argile. Autres **oasis** de renom : El Oued, où les palmeraies sont disposées en cuvettes; El Kantara, où se mêlent le vert profond des palmiers et le rouge des pierres.

Plus au nord, autour de Gardhaia, la vallée de l'oued **M'Zab** troque de plus en plus son image de lieu désolé contre celle de région pétrie de traditions.

LES PAYSAGES

En quittant le désert et en remontant vers la Méditerranée, on découvre un autre type de paysages : celui des montagnes, des forêts et des villages de **Kabylie**. La chaîne de la Grande Kabylie est dominée par le **Djurdjura**, au cœur duquel se trouve une curiosité naturelle, le gouffre d'Anou Boussouil.

Au sud de Constantine, le massif des **Aurès**, où vivent des Berbères (les Chaouïas) et d'où est partie la première étincelle de la guerre d'Algérie, est creusé de **gorges** et de **défilés** où dominent les cèdres. Le plus bel exemple en est le canyon creusé par l'oued El Abiod, bordé de maisons en terrasses.

LES MONUMENTSQ?

Sur le plan de l'art musulman, **Tlemcen** précède Alger car son caractère religieux prononcé lui fait proposer une pléiade de mosquées de différentes époques (Grande Mosquée, mosquée Sidi Bel Hasan).

Le site de **Tipasa** possède des vestiges romains d'importance, comme celui de **Djamila** avec les restes d'une colonie romaine fondée par Trajan et son étonnant arc de triomphe dédié à Caracalla. Celui de **Cherchell**, dont le théâtre, les amphithéâtres et les thermes ont hélas ! subi l'épreuve du temps, est enrichi, dans ses environs, d'un mausolée royal, le « Tombeau de la chrétienne » (Ier siècle av. J.-C.). Dans les Aurès, **Timgad**, fondée par Trajan, est un exemple de ville romaine remarquablement conservée.

LES VILLES

Alger, édifiée au fond d'une baie, est la ville la plus intéressante, comme le prouve une promenade sous ses arcades ou ses balcons à la touche méditerranéenne.

Mis à part ses mosquées (Grande Mosquée Djamaa el-Kébir, Djamaa Djedid) et la basilique Notre-Dame d'Afrique, la plupart de ses édifices sont d'inspiration turque (palais de Dar Khedaoudj et de Dar Mustapha). Sa casbah labyrinthique est de plus en plus abîmée mais elle reste pittoresque grâce à ses maisons typées, dont les cours intérieures constituent autant de terrasses.

Le site d'**Oran** et surtout celui de **Constantine**, juchée sur un rocher qui surplombe les vertigineuses gorges de l'oued Rhumel, méritent le détour.

LA CÔTE

Bien peu fréquentées par le tourisme international, moins nombreuses et moins sablonneuses que celles du Maroc et de la Tunisie, les plages méditerranéennes abritent , surtout à l'ouest d'Alger, quelques sites de villégiature côtière, par exemple dans les alentours de **Tipasa**.

LE POUR

◆ La consolidation des séjours sahariens, de plus en plus nombreux, variés, parfois très (trop?) confortables (douche de campagne, table...) et de plus en plus accessibles aux familles.

◆ La diversité : qui ne veut pas du désert aura Alger, la montagneuse Kabylie ou les sites romains du nord pour un voyage tout différent.

◆ La présence de la langue française.

LE CONTRE

◆ Les vagues de violence de 2007 et un retour à la normale qui n'est pas acquis dans le nord du pays.

◆ Un retard des équipements touristiques à rattraper, particulièrement sur les côtes.

LE BON MOMENT

Pour le désert

L'air sec du Sahara rend les journées très chaudes en été et les nuits froides, voire très froides, en hiver. **Octobre-avril**, avec novembre et décembre comme les mois offrant la meilleure lumière, est la période du voyage dans le désert. Les mois de juin à septembre sont trop chauds, sauf dans quelques régions situées en altitude.

Pour le nord

Les meilleures dates de visite vont de **mai à octobre**.

◆ Températures moyennes jour/nuit (en °C)

Alger (nord) : janvier 17/6, avril 21/9, juillet 31/19, octobre 26/14; *Tamanrasset* (sud) : janvier 20/5, avril 30/15, juillet 35/23, octobre 30/16.

LE PREMIER CONTACT

En Belgique

Chancellerie, rue de Lausanne, 30-32, B-1060 Bruxelles, ☎ (02) 537.82.41, fax (02) 534.52.78.

Au Canada

Ambassade, 500 Wilbrod Street, Ottawa, ON K1N 6N2, ☎ (613) 789-8505, fax (613) 789-1406, www.ambalgott.com

En France

◆ Consulat, 11, rue d'Argentine, 75016 Paris, ☎ (01) 53.72.07.07, fax (01) 53.72.07.14, www.amb-algerie.fr ◆ Nombreux consulats dans les grandes villes de province.

En Suisse

Consulat, route de Lausanne, 308 bis, CH-1200 Genève, ☎ (22) 774.19.19, fax (22) 774.19.06, www.consulat-algerie.ch

Autres sites Internet

www.algeriantourism.com
www.tamanrasset.net

Guides

Algérie (Bachari, Le Petit Futé, Lonely Planet France, Mondeos).

Cartes

Algérie, Tunisie (Michelin). Plans de ville et cartes à l'IGN, Paris.

Images

Beaux livres

*Algérie vue du ciel (*Yann Arthus-Bertrand et al., La Martinière, 2006), *Déserts du Sahara : Egypte, Tchad, Libye, Niger, Algérie* (Sépia 2006), *Mon Algérie* (S. Cailleux, Le Petit Futé, 2005), *Saharas entre Atlantique et Nil* (A. Sèbe, Chêne, 2003).

DVD

L'Algérie en fête : concerts à Mogador (Amira, 2004), *l'Algérie des chimères* (Aladin Reibel, 2005).

Lectures

Histoire et politique

L'Algérie oubliée (1910-1954) : images d'Algérie (Acropole Belfond 2004), *Avoir 20 ans à*

Alger (Alternatives, 2001), *Fracture algérienne* (D. Sigaud, Calmann-Lévy, 1994), *le Voyage en Algérie : anthologie de voyageurs français dans l'Algérie coloniale 1830-1930* (Robert Laffont 2008), *Sétif, mai 1945 en Algérie* (De Paris Editions, 2008).

Romans et récits

Campements touaregs (Odette Bernezat/Glénat, 2008), *Méharées* (Th. Monod, J'ai lu, 1999), *Morituri* (Yasmina Khadra, Gallimard 1999), *la Mort de Charles de Foucauld* (A. Chatelard, Karthala 2000), *Oran, langue morte* (A. Djebar, Actes Sud, 2001), *la Vie à l'endroit* (R. Boudjedrah, Grasset 1997), *Yasmina et autres nouvelles algériennes* (I. Eberhardt, Liana Levi, 1999).

Lire aussi les ouvrages de Kateb Yacine, écrivain éclairé des années 1950-1985.

QUEL VOYAGE ET À QUEL PRIX?

Le voyage individuel

Les préparatifs

◆ Passeport valide (sans visa israélien) encore six mois après le retour, **visa** obligatoire pour les ressortissants du Canada, de Suisse et de l'Union européenne. Preuve de réservation et assurance rapatriement exigibles.

◆ Aucune vaccination n'est obligatoire. Certains pays ont des conventions bilatérales avec l'Algérie pour le remboursement des soins de santé sur place.

◆ Monnaie : le *dinar algérien* (DA). Emporter des euros en espèces ou chèques de voyage pour le change. 1 EUR = 100 dinars algériens.

Le départ

Avion

◆ Indice de prix à certaines dates du vol Paris-Alger A/R : 250 EUR. D'octobre à début mai, des vols élaborés par Aigle Azur et Point Afrique relient Paris et Marseille à Djanet et à Tamaransset sans escale : aux alentours de 500 EUR A/R, augmentations notables pour les fêtes, en février et à Pâques (réserver longtemps à l'avance pour ces périodes). Air Algérie est présent sur la ligne Paris-Tamanrasset de fin octobre à fin mars.

Bateau

Des navires partent de Marseille pour Alger, Bejaia et Oran, de Valence (Espagne) pour Oran.

Sur place

Hébergement

Hôtellerie plutôt chère. Il existe des auberges de jeunesse.

Route

Location de voiture de préférence avec chauffeur. Ne pas s'aventurer isolément dans le nord du pays. Pour le désert, chauffeur ou accompagnateur obligatoire depuis 2003.

Le séjour en individuel

Il existe désormais des formules de week-ends 3 jours/2 nuits à Alger, parfois avec chauffeur.

Le voyage accompagné

Rappel : nous nous sommes limités à un résumé des prestations en vigueur dans les agences et chez les voyagistes présents en France. Les lecteurs des autres pays peuvent en tirer des idées d'itinéraire et les compléter auprès de leurs agences de voyages.

◆ Des voyagistes dont la prudence et le sérieux ne sont plus à prouver (Acabao, Afrique authentique, Allibert, Atalante, Chemins de sable, Club Aventure, Déserts, Explorator, Hommes et montagnes, Horizons nomades, La Balaguère, Tamera, Terres d'aventure) consolident leur présence dans le **désert** : le Hoggar, le tassili N'Ajjer, la Téfédest, le Tadrart, l'Adrar Ahnet sont proposés.

Les séjours, confiés à des équipes touarègues chevronnées, alternent méharées, randonnées chamelières et circuits en tout-terrain, très souvent au départ de Tamanrasset ou de Djanet, pour des durées d'une ou deux semaines entre octobre et avril inclus.

Spécifique: la traversée de Tamanrasset à Djanet en une vingtaine de jours et plus de 600 km (Hommes et Montagnes, Terres d'aventure).

D'autres sites sont rouverts, comme Timimoun, où l'on peut se rendre en trek ou méharée d'une ou deux semaines, entre autres avec Nomade

Aventure qui s'essaie à des chemins nouveaux comme ceux de l'Ahnet (9 jours).

Les prix d'appel pour des séjours dans le désert avoisinent 900 EUR la semaine et 1 400 EUR les 15 jours, vol compris. Les prix montent en fin d'année, en février et à Pâques.

◆ Les voyages accompagnés dans le **nord** reprennent timidement. Le voyagiste local Timgad Voyages est dans les Aurès à partir de Constantine avec passage à Sétif, Batna, la palmeraie de Sidi Okba, El Kantara et Timgad. Ce voyagiste, au registre très divers, propose également un tour d'Algérie à moto.

Explorator s'essaie aux sites romains (Tipasa, Cherchell, Djamila) après le Sahara. Autres propositions: Chemins de sable.

QUE RAPPORTER ?

◆ Les bijoux touaregs, les objets en cuir, les tapis de laine et... un petit sac de sable ramené du Sahara.

LES REPÈRES

◆ Durée moyenne du vol Paris-Alger (1 339 km) : 2 heures. ◆ Lorsqu'il est midi en France, en Algérie il est la même heure en hiver et 11 heures en été. ◆ Langue officielle : l'arabe; la langue berbère (tamazight), désormais admise comme langue officielle, est prédominante dans les Aurès et en Kabylie; le tamachek (langue des Touaregs) prévaut au sud. ◆ Téléphone vers l'Algérie : 00213 + indicatif (Alger : 21) + numéro; de l'Algérie : 00 + indicatif pays + numéro. Portable : excellente couverture, y compris à Djanet et Tamanrasset (mais pas dans le désert...).

LA SITUATION

Géographie. Le Sahara, hérissé du Hoggar et du tassili des Ajjer, constitue l'essentiel des 2 381 741 km² et fait de l'Algérie un très grand pays. Seuls, tout au nord, la frange méditerranéenne, les massifs du Tell, la prolongation du Haut-Atlas et les monts de Kabylie opposent un relief différent.

Population. Si son chiffre est encore moyen (33 770 000 habitants), il est appelé à croître rapidement puisqu'un Algérien sur deux a moins de 20 ans. Le peuplement a été successivement enrichi de Berbères, d'Arabes (75 % de la population), de Turcs et de Français. Capitale : Alger.

Religion. L'islam est religion officielle. Minorités de catholiques et de juifs.

Dates. Berbères, Romains, Vandales et Byzantins se succèdent avant l'arrivée des Arabes au VIIe siècle. *1520* Frédéric Barberousse et plus tard les Turcs s'installent au pouvoir. *1830* Les Français prennent Alger. *1954* Début de la guerre d'Algérie, Ben Bella est à la tête du Front de libération nationale (FLN). *1959* De Gaulle propose aux Algériens le droit à l'auto-détermination. *1962* Accords d'Évian et fin de la guerre. *1963* Ben Bella et le socialisme au pouvoir. *1965* Boumediene le renverse. *1979* Chadli succède à Boumediene. *1992* Mise en place d'un Haut-Comité d'État (HCE). *1991* Le FIS (Front islamique du salut) est en tête des législatives, qui sont annulées peu après. *Juin 1992* Assassinat de Mohamed Boudiaf, qui était à la tête du HCE. *1993* Montée du terrorisme islamiste, face auquel le pouvoir met en œuvre une politique de répression. Le cycle de la violence est enclenché. *Janvier 1994* Le général Zéroual nouveau chef de l'État. *Décembre 1994* Détournement d'un Airbus d'Air France sur l'aéroport d'Alger. *Novembre 1995* Zeroual est élu président de la République. *Juillet 1998* La loi généralisant l'usage de la langue arabe entre en vigueur. *Avril 1999* Abdlezaziz Bouteflika devient président au terme d'une élection controversée. *Avril 2001* Grave conflit en Kabylie entre jeunes manifestants (plusieurs dizaines de victimes) et forces de l'ordre. *Mai 2002* Le FLN remporte aisément des législatives marquées par l'abstention. *Mars 2003* Dans la région d'Illizi, trente-deux touristes du désert sont victimes d'un enlèvement attribué à un groupe islamiste. *Mai 2003* Tremblement de terre à l'est d'Alger (2 300 morts). *Août 2003* Les otages du désert sont libérés. *Avril 2004* Bouteflika est aisément réélu, l'opposition conteste. *Septembre 2005* Oui massif au référendum sur la réconciliation nationale après une guerre civile de treize ans qui aura fait 150 000 victimes. *Avril 2007* Attentats à Alger revendiqués par al-Qaida-au-Maghreb. *Décembre 2007* 41 personnes victimes de deux nouveaux attentats à Alger.

Allemagne

Les vertus de la réunification offrent une bonne vingtaine de villes qui méritent le détour, avec Berlin comme porte-drapeau. On aurait tort, néanmoins, de fonder toute idée de séjour en Allemagne sur ce seul critère. Le romantisme de la vallée du Rhin, l'extravagance des châteaux de Bavière et les contreforts des Alpes sont là pour faire contrepoint, même s'ils doivent enrayer le syndrome des pays du nord de l'Europe : peu de grand soleil, donc peu de séjours prolongés.

LES RAISONS D'Y ALLER

LES VILLES ET LES MONUMENTS

Hambourg, Berlin, Potsdam, Dresde, Weimar, Cologne, Rothenburg, Heidelberg, Munich, Brême, Lübeck, Francfort, Mayence, Würzburg, Nuremberg, Trèves, Aix-la-Chapelle, Bayreuth, Bamberg, Berchtesgaden
Châteaux de Louis II de Bavière, des Hohenzollern, de la vallée du Rhin et de la Thuringe

LES PAYSAGES

Alpes bavaroises, vallée du Rhin, Harz, Suisse saxonne, Loacher See, Weser, Forêt-Noire, forêt de Thuringe, vallées de l'Elbe et de la Moselle, vallée du Danube, Externsteine, îles de la Frise

LES FÊTES

Carnavals, marchés de Noël, Oktoberfest à Munich (fête de la bière)

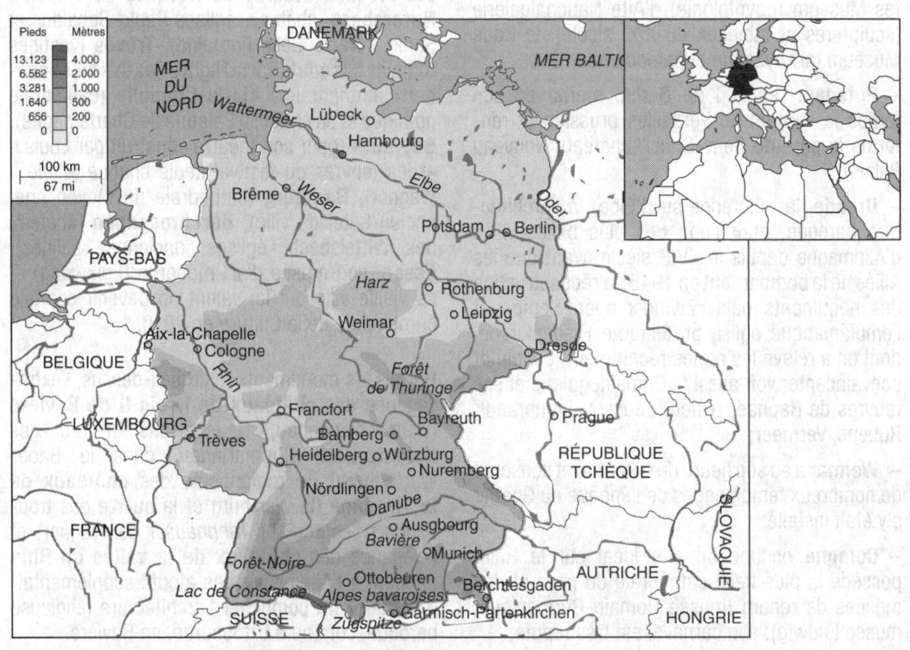

LES RAISONS D'Y ALLER

LES VILLES ET LES MONUMENTS

Le voyageur qui déciderait de parcourir l'Allemagne du nord au sud n'en finirait pas de faire des haltes urbaines :

– **Hambourg**, «Venise rouge du nord» pour la couleur de ses briques, pour ses canaux mais également pour sa vieille ville hérissée d'églises, son Elbchaussee, ses musées (Kunsthalle, musée d'Histoire), son vieux port rénové (HafenCity), son quartier sulfureux (Sankt Pauli), sa tradition de ville hanséatique;

– **Berlin**, en perpétuel chantier depuis la chute du Mur, offre désormais au visiteur son architecture ultramoderne dans le « Mitte » et le quartier de la Potsdamer Platz, mais préserve ses lieux « alternatifs » (quartiers de Kreuzberg et de Prenzlauer Berg); les réalisations récentes comme le Reichstag et le Mémorial aux juifs d'Europe entourent la symbolique porte de Brandebourg, dans une ville où la vie culturelle et festive est désormais l'une des plus fortes d'Europe. Foyer culturel de toujours (170 musées), la capitale est, sur ce plan également, sans cesse remise au goût du jour. Sur la Spree, l'île des Musées réunit l'Altes Museum (égyptologie), l'Alte Nationalgalerie (sculptures et tableaux du XIXe siècle), le Bode Museum (art byzantin et paléochrétien).

– **Potsdam**, au sud de Berlin, mérita en son temps le surnom de Versailles prussien et renferme le parc de Sans-Souci (château, Nouveau Palais);

– **Dresde**, la «Florence sur l'Elbe» à l'architecture baroque, était l'une des plus belles villes d'Allemagne depuis le XVIIe siècle avant que les Alliés ne la bombardent en 1945; la reconstruction des monuments (palais Zwinger, opéra Semper et l'emblématique église protestante Frauenkirche, dont on a relevé les ruines récemment) est plutôt convaincante; voir aussi la Gemäldegalerie et ses œuvres de Raphaël, Titien, Poussin, Rembrandt, Rubens, Vermeer;

– **Weimar** a eu son heure de notoriété et conserve de nombreux témoignages de l'époque où Goethe s'y était installé;

– **Cologne** occupe un site idéal sur le Rhin, possède la plus belle cathédrale du pays et des musées de renom (musée Romain-Germanique, musée Ludwig); son carnaval est très réputé;

– la petite ville de **Rothenburg** offre le meilleur exemple allemand du Moyen Âge;

– non loin de là, **Heidelberg** respire encore la grande époque du romantisme allemand (château, vieille ville, Pont Vieux);

– **Munich** se signale par sa vieille ville autour de la Marienplatz, le beffroi de son hôtel de ville, sa résidence des Wittelsbach (palais Renaissance), ses églises baroques et ses réalisations futuristes (stade Allianz Arena, parc d'attraction du BMW-Welt). Munich dispute à Berlin la palme des musées, avec en point d'orgue l'Ancienne Pinacothèque (Dürer, Grünewald, Jérôme Bosch, Fragonard, Le Tintoret, Rembrandt, Rubens) mais aussi la Nouvelle Pinacothèque (Cézanne, Degas, Delacroix, Gauguin, Géricault, Manet, Van Gogh) et la récente Pinacothèque des Modernes, avec la plus belle collection d'art moderne du pays.

Villes de moindre importance, mais largement dignes d'être visitées : les villes de la Hanse (**Brême**, **Lübeck**), **Francfort** (maison de Goethe, cathédrale, musées de grand renom), **Mayence** (cathédrale romane du XIIIe siècle, château des princes électeurs, musée Gutenberg), **Würzburg** (citadelle de Marienberg et Résidence des princes-évêques décorée de fresques de Tiepolo), **Nuremberg** (château, églises Sankt Sebaldus et Sankt Lorenz, Belle Fontaine), **Trèves** (vestiges romains tels que la Porta Nigra et les thermes impériaux, cathédrale), **Aix-la-Chapelle** (cathédrale gothique et sa chapelle Palatine de Charlemagne), **Bayreuth** (pour son théâtre construit par Louis II et les œuvres du festival dédié chaque année à Wagner), **Bamberg** (cathédrale du Moyen Age, ancien hôtel de ville); **Berchtesgaden** (château des Wittelsbach, églises, anciennes salines), **Essen**, son musée d'art moderne (Folkwang) et sa vieille ville qui lui valent de devenir capitale européenne de la Culture en 2010.

Hormis les monuments décrits ci-dessus, l'extravagance des **châteaux de Louis II de Bavière** (Hohenschwangau, Neuschwanstein) ou des **Hohenzollern** (Sigmaringen, dans le Bade-Wurtenberg), le romantisme des **châteaux de la Thuringe** (la Wartburg et la guerre des troubadours, source du *Tannhäuser* de Wagner) et l'élégance des **châteaux de la vallée du Rhin** donnent à l'Allemagne des atouts supplémentaires, que vient compléter l'architecture religieuse baroque, comme à Ottobeuren, en Bavière.

LES PAYSAGES

Deux ensembles géographiques ont engendré deux grands buts de visite : les **Alpes** et le **Rhin**.

Les **Alpes bavaroises** multiplient les panoramas, avec en points d'orgue le parc national de la Bayerischer Wald et sa faune, dont l'ours brun et le rare **lynx** européen, ainsi que la route qui va du lac de Constance à Berchtesgaden, les lacs Königsee et Staffelsee, le site de Garmisch-Partenkirchen, station de ski la plus fréquentée, et les 2 963 m de la Zugspitze, point culminant du pays, dont l'accès par téléphérique réserve de très belles vues sur les Préalpes.

Plus au nord, la Bavière propose un savant mélange de châteaux et de paysages avec sa « Route romantique », qui longe la partie ouest du land (Augsbourg, massif du Spessart, Nordlingen, Rothenburg, Würzburg). On y trouve de plus en plus de centres de remise en forme dans le massif du Haut Allgaü, qui s'enorgueillit aussi de villes anciennes telles que Kempten et Murnaü.

La **vallée du Rhin**, qui mérite une croisière de trois ou quatre jours, tire sa réputation de ses vignobles à flanc de coteau, parfois dominés par des châteaux forts. Sa partie la plus intéressante se situe entre Mayence et Coblence (« Trouée héroïque », rocher de la Lorelei).

Plusieurs autres sites méritent le détour : dans l'ex-RDA, les blocs granitiques et les forêts de sapins du **massif du Harz**, ainsi que les tours de grès de la **Suisse saxonne**, jolie région de la Basse-Saxe, drainée par l'Elbe aux confins de la Pologne et de la République tchèque; dans l'ex-RFA, le **Loacher See**, lac du massif de l'Eifel, les vallées de la **Moselle** et de l'**Elbe**, la partie allemande de la vallée du **Danube** (Ulm, Passau), le cours supérieur de la **Weser** avec la porte de Westphalie et surtout les rochers des **Externsteine**; les **forêts** (Forêt-Noire, forêt de Thuringe).

La côte de la Baltique n'est pas réputée. Toutefois, elle peut réserver d'heureuses surprises, comme l'archipel des **îles de la Frise** et son îlot d'Helgoland, face à l'embouchure de l'Elbe (falaises de grès rouge, possibilités de baignade et de pêche, nombreuses espèces d'oiseaux dans les parcs nationaux de la Wattenmeer).

LES FÊTES

Le **carnaval** fait partie des grandes traditions. Les carnavals les plus courus sont ceux de **Cologne** (costumes et musique du « Lundi des Roses »), **Düsseldorf**, **Mayence** et **Aix-la-Chapelle**.

Si, en septembre, l'**Oktoberfest** de **Munich**, fière de ses six millions de visiteurs annuels, est très colorée et très arrosée, elle est à peine plus célèbre que les **marchés de Noël** qui réchauffent le cœur de toutes les grandes villes, du début décembre à la veille de Noël. Parmi les amandes grillées, le vin chaud, les figurines en massepain et une pléiade d'échoppes remplies d'idées de cadeaux, le visiteur vit des moments qui n'appartiennent qu'à l'Europe du Nord. Nuremberg, Munich, Cologne, Lübeck, Augsbourg et Dresde proposent les marchés de Noël les plus connus.

L'Allemagne est aussi l'un des grands creusets de la musique classique, comme en témoignent Bayreuth, déjà cité, mais aussi Dresde et sa Dresden Musik Festspiele (concerts et opéras, début juin).

LE POUR

◆ La valeur artistique et culturelle des villes, et le nombre d'entre elles qui méritent la visite.

◆ Une tradition de fêtes hautes en couleur.

LE CONTRE

◆ Un coût du voyage élevé pour qui ne fréquente pas les campings ou les auberges de jeunesse.

LE BON MOMENT

Hormis pour les sports d'hiver, le climat tempéré impose la saison **mai à octobre**. La **Bavière** connaît de beaux printemps et automnes, quant à **Berlin**, ces mêmes intersaisons sont à privilégier.

◆ Températures moyennes jour/nuit (en °C) à *Berlin* (est du pays) : janvier 3/-2, avril 13/4, juillet 24/14, octobre 13/6; à *Francfort* (ouest): janvier 4/-1, avril 15/4, juillet 25/14, octobre 14/6; à *Munich* (sud) : janvier 3/-4, avril 13/3, juillet 23/13, octobre 13/5.

LE PREMIER CONTACT

En Belgique

Office du tourisme, Gulledelle, 92, B-1200 Bruxelles, ☎ (02) 245.97.00, fax (02) 245.39.80, www.vacances-en-allemagne.be

Au Canada

◆ German National Tourist Office, Toronto, ☎ (416) 968-1685, info@gnto.ca, www.cometogermany.com ◆ Consulat, Montréal, ☎ (514) 931-2277.

En France

◆ Office national allemand du tourisme (non ouvert au public), 47, avenue de l'Opéra, 75002 Paris, ☎ 01.40.20.01.88, fax 01.40.20.17.00, gntopar@d-z-t.com ◆ Institut Goethe, 17, avenue d'Iéna, 75016 Paris, ☎ 01.44.43.92.30.

Au Luxembourg

Ambassade, 20-22, avenue Émile-Reuter, L-2420 Luxembourg, ☎ 453445-1, fax 45.56.04.

En Suisse

◆ Office de tourisme, Zurich, ☎ (01) 213.22.00, fax (01) 212.01.75. ◆ Consulat, Genève, ☎ (22) 730.11.11, fax (22) 734.30.43.

Internet

www.allemagne-tourisme.com

Guides

A dominante pratique

Allemagne (Hachette/Guide du routard, Hachette/Voir, Le Petit Futé, National Geographic France), *Bavière* (Le Petit Futé),

Berlin (Berlitz, Gallimard Cartoville, Hachette/Évasion, Hachette/Guide du Routard, Hachette Top 10, Hachette/Un grand week-end, Hachette/Voir, Le Petit Futé, Lonely Planet France/En quelques jours, Phaidon Press Wallpaper),

Deutschland (Michelin/Guide rouge),

Munich (Berlitz, Gallimard/Cartoville, Hachette Top Ten).

A dominante culturelle

Allemagne (Gallimard/Bibliothèque du voyageur, Michelin/Guide vert, Mondeos), *Berlin* (Michelin/Guide vert), *Munich* (Gallimard/Bibl. du voyageur).

Cartes

Allemagne (Blay Foldex, Cartographia, IGN, Michelin), *Allemagne Nord* (IGN, Kümmerly + Frey), *Allemagne Sud* (IGN, Kümmerly + Frey), *Baden Württemberg* (IGN), *Berlin* (IGN, Michelin), *Forêt Noire/Alsace* (Michelin). Nombreux plans de villes chez ADAC, Berndtson, Cartographia.

Images

L'Allemagne vue du ciel (Günther Wessel et al., La Martinière, 2002), *l'Art de vivre à Berlin* (Flammarion), *Berlin Style* (Taschen, 2004), *Hambourg, architecture et design* (Te Neues Publishing Company), *Dresde ou le rêve des princes* (Réunion des musées nationaux, 2001), *Voyage en Allemagne* (A. Rustenholz/Chêne, 2004).

Lectures

Histoire et politique

Berlin 1945 (Heimdal, 2005), *l'Allemagne* (B. Angrand, A. Marx/Le Cavalier Bleu, 2006), *l'Allemagne hier et aujourd'hui* (Hachette 2006), *Histoire de l'Allemagne des origines à nos jours* (Seuil), *Retour à Berlin* (B. Sauzay, Plon, 1999).

Récits et romans

Nous les Allemands (Matthias Matussek, Ed. Saint-Simon), *Savoir vivre avec les Allemands : petit guide interculturel* (L'Harmattan).

QUEL VOYAGE ET À QUEL PRIX ?

Le voyage individuel

Les préparatifs

◆ Carte nationale d'identité ou passeport (même périmé depuis moins de cinq ans) pour les ressortissants de l'Union européenne. Passeport pour les Canadiens. Penser à la carte européenne de sécurité sociale.

◆ Monnaie : l'*euro*.

Le départ

Avion

Les vols « low cost » sont légion. ◆ De France, Berlin-Schoenefeld est accessible à partir de Lyon, Nice ou Paris avec Easyjet; de Bordeaux ou Nice via Cologne avec Germanwings; à partir de Paris, Air Berlin dessert Berlin-Schoenefeld mais aussi Dresde, Hambourg, Dusseldorf, Munich et Nuremberg. Autres vols avec Ryanair (Beauvais-Brême), DBA, Niki. Durée moyenne du vol Paris-Berlin/Tegel (879 km) : 1 h 40; Paris-Munich (840 km) : 1 h 30. ◆ De Bruxelles, Brussels Airlines et Easyjet desservent Berlin.

Bus

La majorité des grandes villes touristiques allemandes sont desservies par Eurolines, au départ des capitales comme des grandes villes de province. Prix très attractifs.

Train

Pass InterRail utilisable, disponible dans la plupart des gares. Paris Gare de l'Est-Berlin en train de nuit : 11 h 14 de trajet; Paris-Cologne en Thalys via Bruxelles : 3 h 50; Paris Gare de l'Est-Munich : 9 h 45. Renseignements : SNCF ou Deutsche Bahn France, ☎ 01.44.58.95.50, www.dbfrance.fr

Sur place

Hébergement

◆ Hôtellerie de tous styles et larges propositions de logement et séjour sur internet ou via les voyagistes, entre autres Neckermann, Nouvelles Frontières, Tourisme chez l'habitant. ◆ Environ 600 auberges de jeunesse (*Jugendherberge*). ◆ Il existe également 2 100 terrains de camping. ◆ Brochures pour le logement chez l'habitant auprès de l'office de tourisme.

Route

◆ Limitation de vitesse agglomération/route : 50/100. Autoroute : 130 km/h est la limitation de vitesse recommandée. ◆ Autoroutes gratuites. ◆ Limite du taux d'alcoolémie : 0,5 pour mille.

A la carte

Rappel : nous nous sommes limités à un résumé des prestations en vigueur dans les agences et chez les voyagistes présents en France. Les lecteurs des autres pays peuvent en tirer des idées d'itinéraire et les compléter auprès de leurs agences de voyages.

◆ **Berlin** est en figure de proue, en avion, bus ou train, avec des formules week-end 3 jours/2 nuits. Sur place la *Welcome Card* autorise des réductions pour les transports et les musées. Quelques prestataires : DB France, Luxair Tours, Neckermann, Nouvelles Frontières, Transtours, Voyageurs du monde. La plupart des voyagistes ci-dessus vont aussi à **Munich**, plus rarement à Dresde et à Leipzig.

Pour un week-end à Berlin ou Munich, compter, selon la formule choisie, entre 250 et 400 EUR (transport + hébergement).

◆ La vénérable Köln-Düsseldorfer a donné aux **croisières** fluviales en Allemagne leurs lettres de noblesse. Sur le Rhin, on peut envisager de simples promenades de quelques heures ou bien trois ou quatre jours de croisière. Il existe également des croisières d'une semaine (Bâle-Düsseldorf-Bâle), sur le Rhin et la Moselle (Cologne-Cologne via Francfort et Trèves) et sur le Danube (Passau-Budapest-Passau). D'autres croisières, baptisées transeuropéennes et qui peuvent dépasser dix jours, vont de Strasbourg à Budapest via Würzburg.

Compter aux alentours de 500 EUR pour une semaine de croisière sur le Rhin.

◆ Des propositions pour le **ski alpin** et le **ski de fond** dans les Alpes bavaroises et en Forêt-Noire existent entre autres auprès de la Deutsche Bahn ou de Thomas Cook.

Le voyage accompagné

◆ Les voyages à vocation **culturelle** sont divers : l'Allemagne médiévale, celle des villes de la Hanse ou du baroque bavarois sont très bien (mais un peu chèrement) accompagnées par Clio. L'Allemagne **musicale** est l'affaire d'Intermèdes ou de La Fugue, tandis que les châteaux de Louis II et la Bavière sont hantés par des voyages en bus d'une semaine (Austro Pauli).

QUE RAPPORTER ?

Le jouet (jouets en bois, poupées de porcelaine, peluches) est la principale tradition artisanale : à Nuremberg, qui en est la capitale, mais aussi dans la petite ville de Sonneberg, en Thuringe. Penser également au lin et au loden de Bavière.

LES REPÈRES

◆ Langue officielle : allemand. ◆ Langues étrangères : anglais à l'ouest, russe à l'est; le français est plutôt peu pratiqué. ◆ Lorsqu'il est midi au Québec, en Allemagne il est 18 heures. ◆ Téléphone vers l'Allemagne : 0049 + indicatif (Berlin 30, Hambourg 40, Munich 89) + numéro; de l'Allemagne : 00 + indicatif pays + numéro. ◆ Appel d'urgence : 112.

LA SITUATION

Géographie. Après la grande plaine qui borde la Baltique et couvre un tiers du pays, de petits massifs séparés par des dépressions constituent le Mittelgebirge, avant de céder la place, au sud, aux contreforts des Alpes. Le pays atteint 357 024 km^2.

Population. La population allemande, répartie en 16 länder, est homogène, avec toutefois des minorités importantes d'immigrés turcs et de l'ex-Yougoslavie (plus de sept millions d'étrangers au total). Avec ses 82 370 000 habitants, l'Allemagne est le pays le plus peuplé d'Europe. Capitale : Berlin.

Religion. La Réforme (Luther) est venue d'Allemagne, aussi les protestants sont-ils en bon nombre, surtout dans le nord (environ 40 %). Si près de 45 % de la population de l'ex-RFA est catholique romaine, cette proportion est bien plus importante à l'est.

Dates. *400 av. J.-C.* Les premières tribus germaniques s'installent. *800* Charlemagne intègre les Germains dans l'Empire d'Occident. *1273* Rodolphe de Habsbourg inaugure la longue présence de la dynastie des Habsbourg. *XVIIIe siècle* Installation des Hohenzollern et de Frédéric II. *1871* Bismarck, qui consacre l'apogée de la Prusse, crée l'Empire allemand. *1890* Arrivée au pouvoir de Guillaume II. *1914-1918* Première Guerre mondiale. *1919* Le Traité de Versailles entérine la défaite de l'Allemagne. *1919* République de Weimar. *1933* Hitler arrive au pouvoir. *1939-1945* Seconde Guerre mondiale et sombre mise en application de la doctrine nazie. *Mai 1945* Capitulation de l'Allemagne. *1949* Partage du pays en RFA et RDA. *1949-1963* Adenauer au pouvoir en RFA. *1961* Édification du mur de Berlin par la RDA pour empêcher l'émigration en RFA. *1969* Début de la domination des sociaux-démocrates (Brandt, Schmidt) en RFA. *1982* RFA : les chrétiens-démocrates reviennent au pouvoir avec Helmut Kohl. *Novembre 1989* Chute du Mur de Berlin. *1990* Réunification. *1991* Berlin est choisie comme capitale au détriment de Bonn. *Octobre 1994* Le chancelier Kohl et sa coalition de centre droit remportent de justesse les élections législatives. *Novembre 1994* Helmut Kohl réélu chancelier. *Octobre 1998* Les sociaux-démocrates et Gerhard Schröder remportent les élections au détriment d'Helmut Kohl. *Septembre 2002* Les sociaux-démocrates reconduits de justesse grâce à l'apport des Verts. *Septembre 2005* Les deux grands partis (CDU et SPD) sur la même ligne d'arrivée aux législatives, Angela Merkel (CDU) devient la première chancelière de l'histoire du pays.

Andorre

Ce petit morceau de Pyrénées qui, dit-on, doit son existence à la reconnaissance de Charlemagne pour services rendus contre l'ennemi arabe, a du mal à se défaire de son image de supermarché des bonnes affaires. Dommage, car sa situation au cœur des Pyrénées et les excellentes infrastructures pour les sports d'hiver méritent mieux que cette réputation mercantile. Si, le plus souvent, le visiteur ne fait que passer dans la « Terre des princes » pour quelques économies sur des achats d'alcools ou de carburant, il serait avisé de changer sa vision du lieu. Car le soleil, l'air et la neige y sont réputés faire très bon ménage.

LES RAISONS D'Y ALLER

LE SHOPPING

Marchandises hors taxes

LES PAYSAGES ET LES SPORTS D'HIVER

Pyrénées (ski, randonnées)

LES MONUMENTS

Églises, ponts anciens
Maison des vallées, sanctuaire de Meritxell

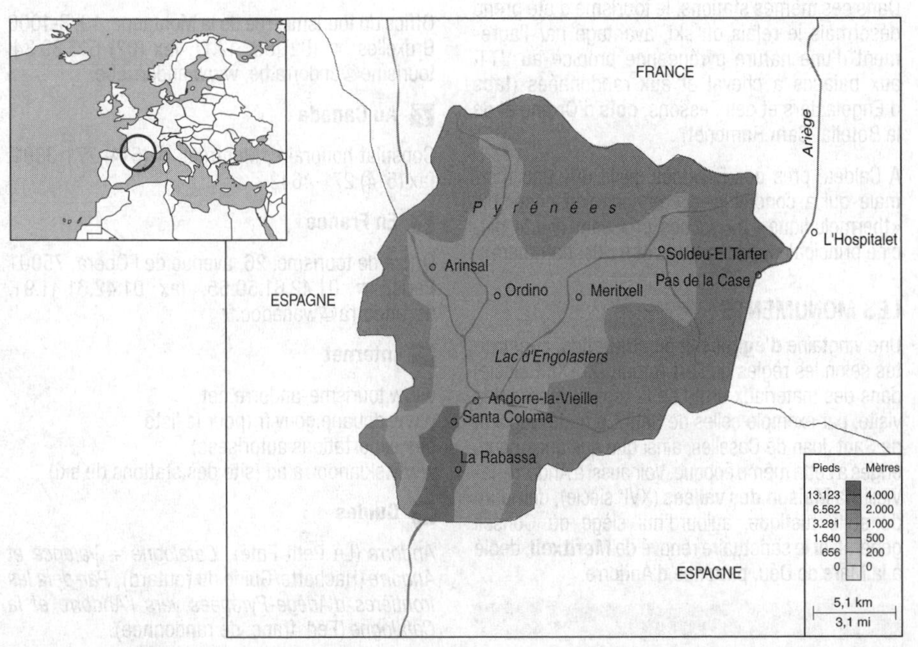

LES RAISONS D'Y ALLER

LE SHOPPING

Les Andorrans ne souhaitent pas vraiment que le commerce soit l'image de leur principauté. Pourtant, si les marchandises **hors taxes** ne constituent pas la raison la plus honorable, elles sont la plus indiscutable pour qui veut l'équipement photo, vidéo ou hi-fi de sa vie ou, plus prosaïquement, sa bouteille d'alcool (1,5 l maximum par personne au-delà de 22°), ses cigarettes, bien que davantage taxées aujourd'hui, ou son plein d'essence.

Le niveau de tolérance douanière des exportations, le passage de produits sous le manteau et les risques, dans ce cas, de tomber sur la douane «volante» alimentent bien des conversations du côté du pas de la Case...

LES PAYSAGES ET LES SPORTS D'HIVER

Les pentes sont nombreuses, l'ensoleillement est généreux : le mariage **ski alpin/soleil** est donc des plus réussis, à bonne altitude (jusqu'à 2 640 m) et dans des stations comme le Pas de la Case, sa voisine Soldeu-El Tarter, La Rabassa (ski de fond possible) et, dans les vallées ouest, Arinsal, Pal, Ordino-Arcális.

Dans ces mêmes stations, le tourisme d'été prend désormais le relais du ski, avantagé par l'agrément d'une nature pyrénéenne propice au VTT, aux balades à cheval et aux randonnées (**lacs** d'Engolasters et des Pessons, **cols** d'Ordino et de la Botella, Cam Ramonet).

A Caldéa, près des Escaldes, jaillit une eau thermale qui a conduit à la création d'un ensemble « thermoludique » au succès croissant (vaste piscine principale, bains chauds et froids, hammam).

LES MONUMENTS

Une vingtaine **d'églises** et de **chapelles**, construites selon les règles de l'art roman (XIe-XIIIe siècle) dans des matériaux bruts de la région, méritent la visite, par exemple celles de Sant Cerni de Nagol et de Sant Joan de Caselles, ainsi que quelques ponts érigés à cette même époque. Voir aussi à Andorre-la-Vieille la **Maison des vallées** (XVIe siècle), demeure de style rustique, aujourd'hui siège du Conseil général, et le sanctuaire rénové de **Meritxell**, dédié à la Mare de Déu, patronne d'Andorre.

LE POUR

◆ Une nature pyrénéenne ambivalente : ski l'hiver, balades l'été.

◆ Une braderie permanente : sept millions de visiteurs franchissent chaque année la frontière dans un seul but commercial.

LE CONTRE

◆ Une image de l'« autre Andorre » et de son double avantage touristique été/hiver qui reste mal perçue.

LE BON MOMENT

L'altitude confère à la principauté un climat rude. Pour ceux que les sports d'hiver n'intéressent pas, la période **de juin à septembre** est propice.

◆ Températures maximales/minimales (en °C) à *Andorre-la-Vieille* : janvier 6/0, avril 14/4, juillet 26/12, octobre 16/6.

LE PREMIER CONTACT

En Belgique

Office du tourisme, rue de la Montagne, 10, B-1000 Bruxelles, ☎ (02) 502.12.11, fax (02) 513.39.34, tourisme@andorra.be, www.andorra.be

Au Canada

Consulat honoraire, Montréal, ☎ (514) 271-3091, fax (514) 271-4642.

En France

Office de tourisme, 26, avenue de l'Opéra, 75001 Paris, ☎ 01.42.61.50.55, fax 01.42.61.41.91, ot_andorra@wanadoo.fr

Internet

www.tourisme-andorre.net
www.douane.gouv.fr (pour la liste des exportations autorisées)
www.skiandorra.ad (site des stations de ski)

Guides

Andorre (Le Petit Futé), *Catalogne + Valence et Andorre* (Hachette/Guide du routard), *Par-delà les frontières d'Ariège-Pyrénées vers l'Andorre et la Catalogne* (Féd. franç. de randonnée).

Lectures

Histoire/politique

L'Andorre (Que sais-je, PUF, 1998), *la Principauté d'Andorre : hier et aujourd'hui* (Economica, 1999).

Cartes

Andorra-Cadi (Rando Editions, avec guide de randonnée), *Saint-Gaudens Andorre* (IGN).

QUEL VOYAGE ET À QUEL PRIX ?

Le voyage individuel

Les préparatifs

◆ Pour les ressortissants de l'Union européenne : carte nationale d'identité ou passeport (périmé depuis moins de cinq ans). Pour les Canadiens et les Suisses, passeport.

◆ Monnaie : l'*euro*, qui s'est substitué au franc andorran et à la peseta andorrane.

Le départ

Avion

Pas d'aéroport international. Les aéroports importants les plus proches sont ceux de Perpignan, Barcelone et Toulouse.

Route

◆ En venant de France, on emprunte la nationale 20 jusqu'au Pas de la Case. ◆ Une amélioration sensible a été apportée d'abord par le tunnel du Puymorens, destiné à donner de l'envergure à l'axe Toulouse-Barcelone, ensuite par le tunnel d'Envalira, qui facilite la liaison entre le pas de la Case et le sud de la principauté. ◆ Distance routière entre Paris et Andorre-la-Vieille : 885 km. ◆ Limite du taux d'alcoolémie autorisé : 0,5 pour mille.

Train

◆ Pass InterRail utilisable. ◆ Train de nuit Paris/Gare d'Austerlitz-L'Hospitalet (Ariège), suivi d'un transfert en bus pour Andorre-la-Vieille.

A la carte

Rappel : nous nous sommes limités à un résumé des prestations en vigueur dans les agences et chez les voyagistes présents en France. Les lecteurs des autres pays peuvent en tirer des idées d'itinéraire et les compléter auprès de leurs agences de voyages.

Si beaucoup font un détour par le pas de la Case et Andorre-la-Vieille pour cause de détaxe, d'autres viennent pour goûter à l'autre Andorre, en **été** comme en hiver. La plupart des voyagistes, tels Fram, Neckermann ou Thomas Cook, proposent des réservations d'hôtel.

Pour les stations de **sports d'hiver**, l'office de tourisme ou le site www.skiandorra.ad fournissent les adresses et formules (aparts-hôtels, hôtels, skipass, etc.). Neckermann ou Thomas Cook, entre autres (ce dernier à Arinsal et Soldeu-El Tarter), ont des propositions combinant logement et séjour ski.

LES REPÈRES

◆ Langue officielle : catalan. ◆ Langues étrangères : espagnol, français, toutes deux parlées couramment. ◆ Téléphone vers l'Andorre : 00376 + numéro; d'Andorre : 00 + indicatif pays + numéro.

LA SITUATION

Géographie. Le bassin de deux vallées sert de lit à la petite principauté, installée sur 465 km^2 dans un paysage de montagnes dont l'altitude moyenne est de 1 800 m.

Population. Sur les 67 600 habitants, près de la moitié sont des Espagnols et environ 4 000 sont des Français. Chef-lieu : Andorre-la-Vieille.

Religion. La religion catholique est officielle et prédominante.

Dates. *839* Andorre dépend de l'évêque d'Urgel. *1278* L'évêque d'Urgel et le comte de Foix, dont le président français deviendra l'héritier, se partagent le pouvoir. *1973* Les deux coprinces (Georges Pompidou, président de la République française, et l'évêque d'Urgel) se rencontrent pour la première fois. *1978* Visite de M. Giscard d'Estaing. *1986* Visite de M. Mitterrand. *1991* Andorre adhère à l'Union douanière de la Communauté européenne. *Mars 1993* Référendum : une Constitution donne à Andorre un statut d'État indépendant.

Angola

Avertissement. – Si l'Angola retrouve peu à peu la sérénité, sa situation demeure fragile et ses structures balbutiantes. Toute idée de tourisme individuel reste formellement déconseillée en dehors des villes principales.

La paix est en marche mais les voyagistes tardent à examiner de plus près la carte de ce pays aux grands espaces, où les parcs nationaux, les réserves d'animaux et les chutes ne manquent pas. Quant à l'océan, les investisseurs du tourisme ne vont pas se précipiter sur les 1 650 km de côtes : le courant froid qui sévit et les brouillards qu'il occasionne ont de quoi tempérer leurs éventuelles ardeurs immobilières.

LES RAISONS D'Y ALLER

LES PAYSAGES

Serra da Chela, parc national de Iona
Chutes (Duque de Bragança, Ruacaná, Cuvo)
Province de Uige (chutes, lacs, fleuves, caféiers)

LA FAUNE

Antilopes (oryx, hippotragues noirs, springboks), éléphants, gnous, zèbres
Parcs de Quicama, Luiana, Mavinga

LES CÔTES

Plages autour de Luanda, Benguela, Lobito

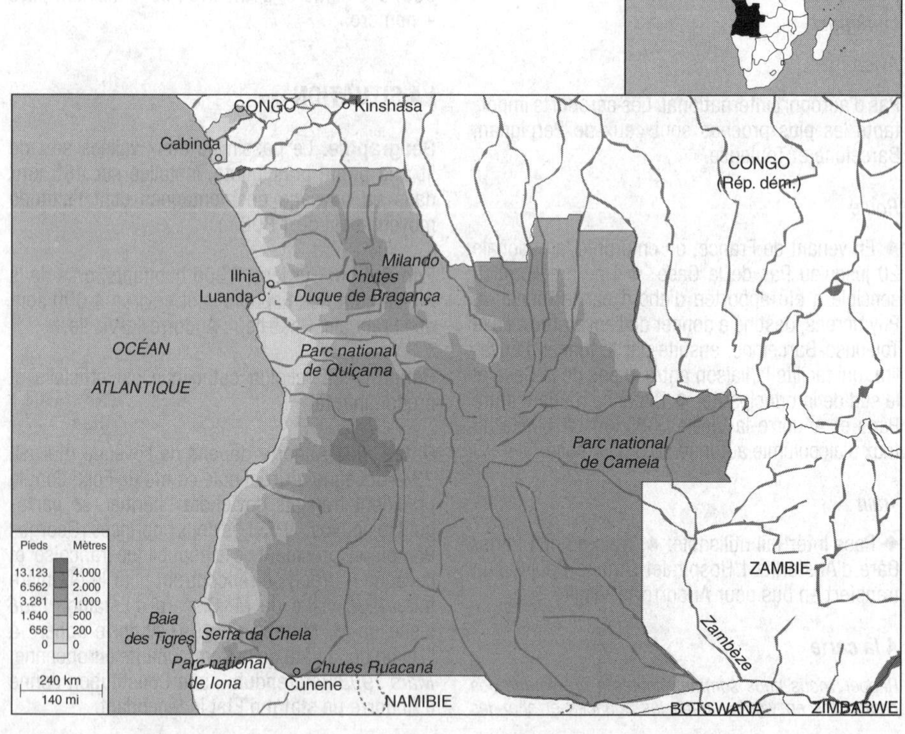

LES RAISONS D'Y ALLER

LES PAYSAGES

Les régions sud renferment les sites naturels les plus intéressants.

Non loin du littoral, l'escarpement de la **serra da Chela** est le plus beau site du pays. Il constitue un bouclier rocheux et crénelé, qui émerge soudainement de la platitude du désert pour atteindre 2 200 m et créer ainsi des panoramas aussi saisissants qu'inattendus.

Juste au-dessous, le parc national de **Iona**, avec le canyon créé par la rivière Curoca, est l'un des premiers sites que le voyageur de l'insolite commence à redécouvrir, en attendant d'admirer un jour, dans la province voisine de Huila, les chutes **Ruacaná**, sur le fleuve Cunene, et dans la province de Cuando Cubango, au sud-est, les chutes de Kutato et des réserves forestières.

Seule, au nord, la province de **Uige**, limitrophe de la République démocratique du Congo, peut rivaliser (chutes, lacs, fleuves, plantations de café). A travers tout le pays, les **chutes** sont un des arguments touristiques principaux. On en retrouve dans la province de Malanje (chutes **Duque de Bragança**) et dans celle de Guanza Sul (chutes sur le fleuve **Cuvo**).

LA FAUNE

Abîmé par la guerre et le braconnage, le parc national **Quicama**, le plus réputé du pays, renferme des buffles rouges, des élands, des antilopes et des éléphants.

Dans la province de Cuando Cubango, plusieurs réserves, dont celles de **Luiana** et **Mavinga**, offrent une belle diversité d'animaux tels qu'éléphants, rhinocéros, hippopotames, antilopes, gnous.

On peut admirer des flamants roses, des pélicans et des tortues géantes aux alentours de Baia dos Tigres, ou encore des oryx, des zèbres et des springboks dans le parc de **Iona**.

Récemment, des spécialistes ont retrouvé la trace d'une antilope très rare, l'hippotrague noir, dans le parc de **Cangandala**, non loin des chutes Duque de Bragança.

LES CÔTES

Le climat n'autorise le tourisme balnéaire que sur les plages d'Ilhia, dans la baie de Luanda, et quelques dizaines de kilomètres au sud de la capitale, sur les plages de Benguela et Lobito. Mais les structures touristiques restent à créer.

LE POUR

◆ L'installation durable de la paix et des promesses touristiques (parcs nationaux, plages, réserves d'animaux) qui devraient suivre.

LE CONTRE

◆ Des structures quasi inexistantes.

◆ Une insécurité persistante en dehors des villes (mines).

◆ Un climat côtier défavorable.

LE BON MOMENT

Pour le climat

Bien que la saison sèche (**mai-septembre**) reste la période la plus favorable, un courant froid (Benguela) et le brouillard rendent la côte inhospitalière dans la moitié sud. Les pluies (octobre-avril) sont d'une abondance moyenne.

Pour les réserves d'animaux

En fin de saison sèche (**septembre-décembre**), la végétation réduite laisse mieux voir les animaux, souvent rassemblés autour des points d'eau devenus rares à ce moment.

◆ Températures jour/nuit (en °C) à *Luanda* (côte nord-ouest) : janvier 30/24, avril 30/24, juillet 24/19, octobre 27/22. Les eaux océaniques varient de 20° pendant la saison sèche à 28° pendant la saison des pluies.

LE PREMIER CONTACT

En Belgique

Consulat, rue Franz-Merjay, 182, B-1050 Bruxelles, ☎ (02) 346.18.80, fax (02) 344.08.94, angola.embassy.belgium@skynet.be

Au Canada

Consulat, 189 Laurier Avenue East, Ottawa, ON, K1N 6P1, ☎ (613) 234.1152, fax (613) 234.1179, www.embangola-can.org

En France

Services consulaires de l'ambassade, 40, rue Chalgrin, 75116 Paris, ☎ 01.45.01.58.20, fax 01.45.00.33.71, www.amb-angola.fr

En Suisse

Chancellerie, Laubegstrasse, 18, CH-3006 Berne, ☎ (31) 351.85.85, fax (31) 351.85.86, www.courrier-ambang.ch

Autre site Internet

www.angola.org/tourism.html

Guide

Africa (Lonely Planet).

Carte

Angola (Cartographia).

Images

Art pariétal de l'Angola (G. Manuel, L'Harmattan 2000), *Cacimbo, images of Angola* (O. Michaud, Cacimbo, 2001).

Lectures

Histoire et politique

Angola, clé de l'Afrique (Nel/Nouvelles Editions, 2008), *le Drame angolais* (L'Harmattan, 2005), *Angola, Femmes sacrées, insoumises et rebelles* (K. Dia, L'Harmattan, 2000), *Angola : 20 ans de guerre civile* (D. Kassembe, L'Harmattan, 2000).

Romans et récits

Fragments d'Angola (Sébastien Roy et al., Actes Sud, 2006), *la Saison des fous* (José-Eduardo Agualusa, Gallimard, 2003), *le Marchand de passés* (José-Eduardo Agualusa, Ed. Metailie, 2006), *Nzingha, princesse africaine : 1595-1596* (Patricia McKissack, Gallimard Jeunesse).

QUEL VOYAGE ?

Les préparatifs

◆ Passeport et **visa** obligatoire pour les ressortissants de l'Union européenne, les Canadiens, les Suisses. Une lettre d'invitation par une personne ou une société déjà présente en Angola est requise.

◆ Vaccination obligatoire contre la fièvre jaune. Prévention vivement recommandée contre le paludisme.

◆ Monnaie : le *kwanza angolais*. Emporter des dollars US de préférence. 1 US dollar = 75 kwanzas angolais. 1 EUR = 105 kwanzas angolais.

Le départ

Les vols pour Luanda étant une denrée assez rare, l'arrivée par Windhoek (Namibie), via Francfort, Johannesburg ou Londres, est préconisée, sous réserve que la situation du moment permette ensuite l'entrée par voie terrestre. Durée moyenne du vol Paris-Luanda (4 041 km) : 8 heures.

LES REPÈRES

◆ Lorsqu'il est midi en France, en Angola il est la même heure en hiver et 13 heures en été. ◆ Langue officielle: portugais. ◆ Langue étrangère : l'anglais, avec parcimonie. ◆ Téléphone vers l'Angola : 00244 + indicatif (Luanda 2) + numéro; de l'Angola : 01 + indicatif pays + numéro.

LA SITUATION

Géographie. Grand pays (1 246 700 km^2), l'Angola repose sur un vieux socle qui se relève à l'ouest jusqu'à 2 620 m avant de retomber sur l'Atlantique. Du nord au sud se succèdent une petite étendue de forêt dense, une grande étendue de savane et la steppe.

Population. Les Bantous forment la quasi-totalité d'une population peu nombreuse par rapport à la superficie (12 531 000 habitants). 15 000 Bochimans vivent dans le sud. Capitale : Luanda.

Religion. Les animistes (45 %) et les catholiques (43 %) se partagent les croyances. Un Angolais sur dix est protestant.

Dates. *1574* Les Portugais s'établissent à São Paolo Luanda. *1955* L'Angola province du Portugal. *1956* Création du Mouvement populaire de libération de l'Angola (MPLA), d'obédience marxiste et soutenu par l'URSS. *1975* Proclamation de l'indépendance, départ des Portugais et début de la guerre civile. *1976* Le MPLA d'Agostinho Neto prend le pouvoir, aidé par Cuba. *1979* Mort de Neto, Dos Santos le remplace. *1985* Retrait des troupes sud-africaines, qui soutenaient l'UNITA (Union pour la libération totale de l'Angola), mouvement nationaliste. *Mai 1991* Accords de paix entre Dos Santos et l'UNITA. 1993-94 Période de la supposée vente d'armes illégales par la France (« Angolagate »). *Novembre 1994* Accord de paix signé entre le pouvoir et l'UNITA, mais les divisions géopolitiques demeurent. *Fin 1998* L'UNITA relance l'offensive. *Février 2002* Savimbi est tué par l'armée. *Avril 2002* Accord de paix (qui perdure) entre le pouvoir de dos Santos et une UNITA très diminuée. *2008* Les investisseurs se ruent sur Luanda et le pays.

Antarctique

Le touriste se voit de plus en plus proposer une croisière le long des côtes de l'Antarctique ainsi que des îles Crozet et Kerguelen : un grand pas pour lui, mais un tout petit pour le scientifique ou l'écologiste, qui craignent autant l'arrivée des bateaux de croisière que ceux des industriels... Cette restriction faite, extasions-nous sur l'aspect unique de ce périple, qui procure le souvenir des souvenirs à travers caps, pics, glaciers, moraines et icebergs aux couleurs changeantes, parsemés des colonies de la faune antarctique. Ce voyage reste, hélas ! aussi cher qu'exceptionnel...

LES RAISONS D'Y ALLER

LES CROISIÈRES ET LES PAYSAGES

Falaises de glace, sommets, icebergs le long de la péninsule de Palmer
Erebus, mer de Ross
Iles Kerguelen, Crozet et Amsterdam

LA FAUNE

Manchots, pingouins, pétrels, éléphants de mer, baleines, phoques, léopards de mer, orques

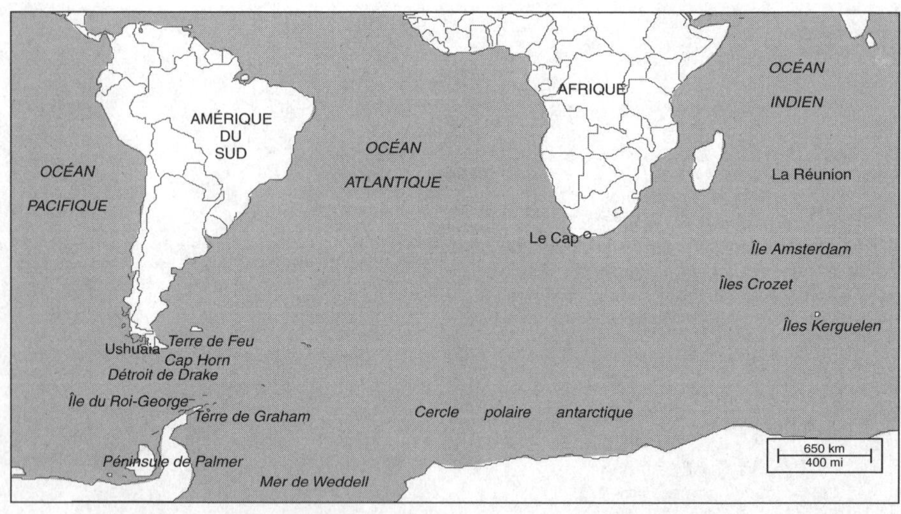

LES RAISONS D'Y ALLER

LES CROISIÈRES ET LES PAYSAGES

Le continent

Parties de Ushuaia (Argentine) ou de Punta Arenas (Chili), les croisières le long de la péninsule de **Palmer**, du canal **Lemaire** et de la Terre de Graham, agrémentées d'itinéraires sur les traces de l'océanographe français Charcot et de quelques escales souvent destinées à visiter les stations scientifiques, sont le seul et sage moyen choisi pour admirer le paysage.

Les icebergs et leurs falaises hautes parfois d'une cinquantaine de mètres, ainsi que les montagnes, sont les éléments esthétiques de ce voyage hors norme. Les limites en sont de plus en plus repoussées pour le touriste, qui peut désormais – mais à prix d'or – embarquer sur un brise-glace et approcher la mer de **Ross** et le volcan **Erebus**. La terre Adélie reste, elle, mythique et inabordable, comme le coeur du continent.

Les archipels

Latitude très basse et absence d'infrastructures – hormis celles des bases scientifiques – caractérisent les Terres australes et antarctiques françaises, au tourisme encore confidentiel.

Le mythe des trois cents îles et îlots de l'archipel des **Kerguelen** n'est pas volé. Battu par les vents d'ouest, humide à l'excès, ses côtes croulent sous les espèces : albatros, manchots, pétrels, skuas, éléphants de mer. Et l'intérieur aurait été inondé de... choux si les tempêtes et surtout une importation coupable de lapins il y a plus d'un siècle n'avaient eu raison d'eux.

Les îles **Crozet**, qui renferment les deux tiers des manchots royaux (hélas! menacés) de la planète, et l'île **Amsterdam** sont de taille plus modeste mais elles sont également promises à un tourisme de croisière qui s'apparente souvent à un tourisme scientifique.

LA FAUNE

Autant que l'aspect exceptionnel du voyage, c'est la découverte de la faune antarctique dans son élément naturel qui en fait le prix.

Les colonies de **manchots** (manchots Adélie, manchots papous, ces derniers les plus nombreux) forment l'image la plus véhiculée de l'Antarctique. Leur star et espèce la plus imposante, le manchot **empereur**, popularisé par le cinéma et le seul à rester sur la banquise en hiver, est plus difficile à voir.

Cormorans impériaux, pingouins, pétrels et skuas complètent la faune **avicole**. Les îles Crozet sont connues pour abriter des pétrels géants,

Les **mammifères marins** (éléphants de mer, baleines à bosse, phoques, léopards de mer, orques, rorquals) constituent l'attraction clé visible à partir des bateaux de croisière.

LE POUR

◆ Des croisières de plus en plus diversifiées et souvent personnalisées par la présence de conférenciers.

LE CONTRE

◆ Un prix très élevé, qui réserve le voyage à des élus d'autant plus rares que les dates possibles sont mal placées au calendrier.

LE BON MOMENT

Pour le climat

C'est de fin **novembre** à début **mars** mais surtout au moment du plein mais bref « été antarctique », entre janvier et mars, que les voyages ont cours. Les tempêtes s'apaisent, la lumière du soleil est quasi permanente et la périphérie connaît des températures entre moins 25 et 0 °C. Pour l'endroit le plus froid de la planète, qui a connu une pointe de moins 89 °C en 1983 et des vents de plus de 300 km/h, cela peut correspondre à une excellente période. À l'intérieur, les températures moyennes sont de moins 50 °C.

Comparé au continent, l'archipel des Kerguelen est une étuve (moyenne de 7,4° en été et de 2,6° en hiver).

Pour la faune

Décembre-mars sur le continent même. Aux Kerguelen et dans les Terres australes françaises, manchots et éléphants de mer abondent pendant l'hiver austral (août-septembre). Sur l'île Crozet, les pétrels et les manchots papous sont surtout visibles en novembre et décembre.

LE PREMIER CONTACT

L'Antarctique étant un continent sans appartenance administrative en vertu du traité de 1959, il n'existe pas d'adresse de référence. ◆ Pour le Canada, possibilité, néanmoins, de s'adresser au bureau des Affaires circumpolaires, ☎ (613) 992-6588, fax (613) 944-1852. ◆ Pour les autres pays, voir les informations données dans les brochures des voyagistes cités ci-dessous.

Guide

Antarctica (Lonely Planet).

Images

Beaux livres

Antarctique, cœur blanc de la Terre (Lucia Simion, Ed. Belin, 2007), *Antarctique : un hivernage en terre Adélie* (Ed. de la Boussole, 2006), *Au cœur de l'Antarctique : l'expédition de Nimrod au Pôle Sud* (Ernest Shackleton, Ed La Découvrance, 2007), *les Pôles en question* (R. Marion, Edisud), *Portraits polaires : Antarctique, sur la route de Concordia* (Thomas Jouanneau, Elisabeth Nodinot, Ed. Cheminements), *Oiseaux et mammifères antarctiques* (Kaméléo, 2006), *Un été en Antarctique* (C. et R. Marion, Pôles d'images Éditions).

Récits et romans

Antarctique, présent, passé, futur (Frédérique Remy, CNRS Editions, 2003), *Dictionnaire amoureux de la mer* (J.-F. Deniau/Plon, 2002), *Salut au Grand Sud* (Isabelle Autissier, Erik Orsenna, Stock, 2006), *Planète antarctique* (P.-É. et J.-C. Victor, Hachette Littérature, 1994), *Erebus: volcan antarctique* (Haroun Tazieff, Actes Sud, 1994), *le « Pourquoi-pas ? » dans l'Antarctique* (J.-B. Charcot, 2003), *Sur les traces de Jean-Baptiste Charcot : cent ans après le premier hivernage français en Antarctique* (Anne-Marie Vallin-Charcot, Atlantica, 2005).

DVD

Le Léopard de mer, seigneur des glaces : à la poursuite du super prédateur de l'Antarctique (Barthod Jean-François, Vodeo TV).

QUEL VOYAGE ET À QUEL PRIX ?

Les préparatifs

◆ Passeport en cours de validité suffisant.

◆ Monnaie : emporter des *dollars US*, les plus couramment utilisés avec le *peso argentin*.

Quelques prestations

Rappel : nous nous sommes limités à un résumé des prestations en vigueur dans les agences et chez les voyagistes présents en France. Les lecteurs des autres pays peuvent en tirer des idées d'itinéraire et les compléter auprès de leurs agences de voyages.

◆ Après trois ou quatre jours de mer à partir du continent sud-américain, les bateaux de **croisière** se contentent d'effleurer le continent mais invitent souvent le touriste à monter sur un Zodiac pour aborder et visiter des bases scientifiques. Parfois, comme avec le spécialiste français Grand Nord Grand Large, l'acheminement se fait en petit avion pour éviter les secousses au long des 850 km du passage de Drake.

Grand Nord Grand Large tient bon la barre avec une dizaine de voyages sur son carnet de bord, y compris à la voile et souvent avec conférenciers scientifiques ou géographes. Tout ce qui peut être abordé actuellement sur le continent est pris en compte, y compris la mythique mer de Ross, à condition, dans ce cas, de ne pas s'attarder longtemps sur le cahier des prix.

Les navires sont de capacité modeste : 48 passagers, par exemple, pour le *Gregoriy Mikheev* qui aborde les Shetland du Sud, puis la péninsule Antarctique, où des sorties répétées en Zodiac sont prévues. Les croisières, programmées entre décembre et mars, durent une dizaine de jours et, quand le temps le permet, s'octroient deux jours supplémentaires pour franchir le cercle polaire antarctique. Le voyagiste norvégien Hurtigruten voit plus grand avec le *MS Nordnorge* et le *MS Nordkapp* (691 voyageurs chacun). Autres programmes : Continents insolites, Fred Olsen Cruises, Scanditours, Terres oubliées.

◆ Le voyage en Antarctique se diversifie : en janvier ou février, Hurtigruten et son M/S Fram dépassent le **Cercle polaire** antarctique jusqu'à la baie Marguerite (15 jours). Des formules **rando-croisières** permettent désormais de bivouaquer sur la banquise à la descente d'un brise-glace (Club Aventure, 66° Nord). Fin du fin: un raid à skis jusqu'au **pôle Sud** avec le voyagiste états-unien Adventure Network (www.adventure-network.com).

◆ Au départ de la Réunion, le *Marion-Dufresne II* assure tous les mois la relève du personnel des bases scientifiques françaises et prend un petit contingent de touristes à bord. Les Kerguelen, Crozet et Amsterdam sont abordées avec l'assistance d'un naturaliste des Terres australes (Grand Nord Grand Large, 25 à 30 jours, départs en mars, août, novembre, décembre).

◆ De Hobart, en Tasmanie, le *Kapitan Khlebnikov* gagne la mer de Ross en janvier et fait le tour de l'Antarctique pour ce qui est à classer parmi les voyages le plus cher du monde, aux environs de 13 000 EUR.

◆ Les voyageurs au long cours déjà présents en Argentine peuvent étudier les propositions de voyagistes locaux.

La croisière antarctique est l'une des plus onéreuses du monde, puisque les premiers prix pour 10 jours naviguent aux alentours de 4 500 EUR tout compris.

LES REPÈRES

◆ Durée moyenne du vol Paris-Ushuaia via Buenos Aires (15 000 km environ) : 19 heures. ◆ Lorsqu'il est midi en France, sur l'Antarctique, au niveau de la péninsule de Palmer, il est 7 heures en été et 8 heures en hiver.

LA SITUATION

Géographie. La quasi-totalité des 13 millions de kilomètres carrés sont enfouis sous une calotte glaciaire dont l'épaisseur varie entre deux et quatre kilomètres. Le continent, très montagneux, atteint son point culminant au mont Vinson (4 897 m). L'altitude moyenne est de 1 800 m. Grand massif volcanique (1 850 m au mont Ross), les îles Kerguelen sont les plus étendues des Terres australes et antarctiques françaises : environ 7 000 km^2.

Dates. *1744* James Cook décrit un horizon de glace. *1772* Kerguelen de Trémarrec découvre l'archipel, qui portera son nom. La même année, Marion-Dufresne découvre les îles Crozet. *1820* Deux Anglais, Smith et Bransfield, découvrent la pointe nord. *1840* Dumont d'Urville prend possession de la terre Adélie, qui fait aujourd'hui partie des Terres australes et antarctiques françaises. *1895* Premier vrai débarquement des Norvégiens Kristensen et Borchgrevink. *1911* Amundsen atteint le pôle Sud. *1934* L'Antarctique est divisé en plusieurs tranches, dont sept pour des Etats dits «possessionnés». *1947* Début de la recherche scientifique systématique avec l'organisme «Expéditions polaires», créé par Paul-Émile Victor. *1959* Traité ordonnant la démilitarisation totale du continent, désormais voué à la science et à la protection écologique.

Antilles (Petites)*

Du soleil à la plage et de la plage au soleil, le chemin est souvent le même sur ce long croissant d'îles entre Porto Rico et le Venezuela. On pourra regretter l'uniformité, sinon la banalité, d'un tel itinéraire qu'on aimerait voir plus souvent coupé de témoignages historiques importants. Mais le mot « Caraïbes » a une trop forte connotation exotique pour que le voyageur échappe au farniente, à la plongée et aux croisières d'île en île, l'endroit du monde où, au moment des rigueurs de notre hiver, elles sont le plus prisées.

* Par Petites Antilles, il faut entendre la trentaine d'îles qui s'étendent sur environ 20 000 km² entre Porto Rico et le Venezuela. La Guadeloupe, la Martinique et les Grandes Antilles (Cuba, République Dominicaine, Haïti, Jamaïque, Porto Rico) sont traitées séparément dans cet ouvrage, à leurs entrées alphabétiques respectives.

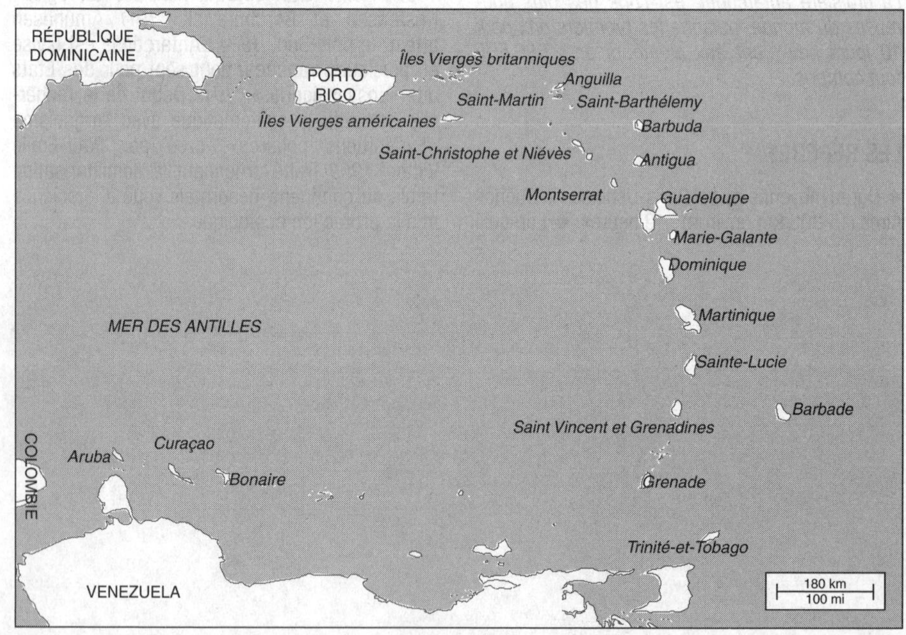

ANGUILLA
ANTIGUA ET BARBUDA
ARUBA
EX-ANTILLES NÉERLANDAISES
BARBADE
ÎLES CAÏMANS
DOMINIQUE
GRENADE
MONTSERRAT
SAINT-BARTHÉLEMY
SAINT CHRISTOPHER AND NEVIS
SAINT-MARTIN
SAINT-VINCENT-ET-LES-GRENADINES
SAINTE-LUCIE
TRINITÉ-ET-TOBAGO
ÎLES TURKS ET CAICOS
ÎLES VIERGES AMÉRICAINES
ÎLES VIERGES BRITANNIQUES

LES RAISONS D'Y ALLER

LES CÔTES

Mer des Caraïbes : croisières, farniente, navigation active,
barrière de corail (plongée), voile

LES TRADITIONS

Musique, danse, carnaval

LES PAYSAGES

Forêt tropicale, rivières

LES RAISONS D'Y ALLER

LES CÔTES

Le soleil, les palmiers, la **mer des Caraïbes** bleu-vert et ses rivages blancs : tout est dit... Ils conjuguent le farniente, la plongée (corail), les sports nautiques (ski nautique, surf, funboard). Les plages, où la couleur du sable passe du blanc au gris selon le relief, sont rarement surchargées en dehors des îles les plus connues. Le seul écueil à tant d'avantages balnéaires vient de conditions climatiques relativement défavorables entre juin et septembre.

La faible distance entre chaque île a engendré une multiplication des **croisières**. Depuis que les organisateurs ont réussi à dissiper l'image d'une prestation de luxe réservée à un quarteron de fortunés et proposent des prix raisonnables, les programmes d'une semaine consacrés à des sauts de puce d'île en île aux Caraïbes connaissent un vrai succès.

La Guadeloupe et la Martinique sont les points de départ obligés de la plupart des croisières programmées pour les francophones. Non seulement pour des raisons géographiques – elles sont peu ou prou au milieu de l'arc antillais – mais aussi parce que les prestataires ont constaté le souci de la plupart des croisiéristes de voyager dans leur langue.

Les itinéraires sont généralement pensés pour une semaine entre décembre et avril, avec des classiques pour les escales : lorsque le bateau part vers le sud, il accoste à Sainte-Lucie, la Barbade, Saint-Vincent-et-les-Grenadines, Trinité-et-Tobago; lorsqu'il part vers le nord, Antigua, Saint-Barthélemy, Saint-Martin et les îles Vierges britanniques sont au programme. Le bateau vogue souvent de nuit, ce qui procure plusieurs avantages : les escales sont plus longues, il est possible de visiter une île par jour en moyenne et de prévoir des excursions.

Les Antilles sont également un lieu recherché pour la navigation active, sous forme de location d'un monocoque ou d'un catamaran pour les chevronnés, d'apprentissage de la voile ou du catamaran pour les non-habitués.

LES TRADITIONS

Quelle que soit l'île et quelle que soit l'heure, les Antilles vivent une constante : la **musique** et son corollaire, la **danse**. Les rythmes sont fondés sur un mélange de sons afro-cubains, de calypso et de reggae.

La musique et la danse sont liées au **carnaval**, autre grande tradition antillaise. Celui de Trinidad (Trinité-et-Tobago) est l'un des plus colorés et des plus extravagants de l'Amérique latine. Autres carnavals, de moindre importance : Antigua (dernière semaine de juillet), Dominique (en février), Grenade (en août), Saint-Christophe, Saint-Martin, Sainte-Lucie (en juillet).

LES PAYSAGES

La **forêt** tropicale et l'exubérance de la **flore** ne sont pas de vains mots, surtout... pendant la saison des pluies. La nature expose alors ses atouts, au premier rang desquels les flamboyants, les hibiscus, les frangipaniers, les balisiers, les roses de porcelaine, les bougainvillées et les orchidées.

LE POUR

◆ Une des grandes destinations «tropicalo-balnéaires» mondiales, idéale au moment de l'hiver européen, et un lieu de prédilection pour les croisières.

◆ Une offre large, donc des prix moyens de séjours et de croisières de plus en plus abordables.

LE CONTRE

◆ Une période climatique relativement défavorable entre juin et septembre.

◆ En cas de départ pour les vacances de fin d'année, la nécessité de s'être décidé trois bons mois à l'avance.

◆ L'oubli par le francophone des îles ou archipels autres que la Guadeloupe et la Martinique.

◆ Un manque relatif d'alternatives au tourisme balnéaire.

LE BON MOMENT

Les Antilles bénéficient d'un climat chaud (eau de mer à 27° en moyenne), plutôt humide, mais tempéré par les alizés.

On doit élire **janvier-mai** (saison sèche, ou «carême») et éviter juillet-novembre (saison des pluies, ou «hivernage»). La saison théorique des ouragans va de juin à novembre.

◆ Températures maximales/minimales (en °C)

Sainte-Lucie : janvier 29/23, avril 30/24, juillet 31/25, octobre 31/25;

Trinité-et-Tobago : janvier 31/20, avril 33/22, juillet 31/23, octobre 32/23.

LES REPÈRES

◆ Lorsqu'il est midi en France, aux Petites Antilles il est 6 heures en été et 7 heures en hiver.

QUELLES ÎLES, QUEL VOYAGE ET À QUEL PRIX ?

ANGUILLA

(Anguilla, Sombrero)

Anguilla est si étirée qu'on l'a comparée à une anguille, d'où son nom. Elle a pour voisine Sombrero, la bien-nommée. L'ensemble a la particularité de recevoir sur ses rivages une population touristique dix fois supérieure à sa population réelle. Mais cela ne se remarque guère, tant les plages sont étendues et nombreuses par rapport à la superficie : on en dénombre une trentaine, dont Shoal's Bay et Mead's Bay, jugées les plus belles. Anguilla n'est pas sur l'itinéraire des grands navires de croisières mais est recherchée pour ses centres de plongée, de voile et de planche à voile.

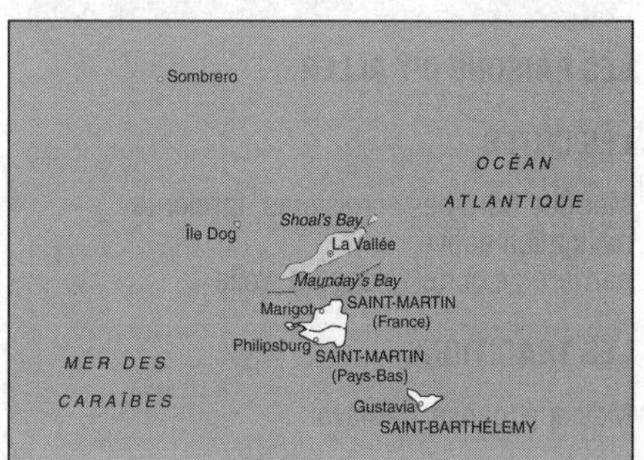

Le premier contact

Anguilla Tourist Office, 3, Epirus Road, Londres SW6 7UJ, ☎ (44) 20.937.7725, fax (44) 20.938.4793. ◆ Au Canada : office de tourisme, ☎ (416) 923-9813. ◆ En France : office de tourisme, ☎ 01.46.08.59.84.

Internet

www.anguillaguide.com
www.anguilla-vacation.com (site de l'office du tourisme, partie en français)

Guides

Caraïbes (Mondeos), *Caribbean Islands* (Lonely Planet).

Quel voyage et à quel prix?

Le voyage individuel

Les préparatifs

◆ Passeport en cours de validité suffisant pour les Canadiens et les ressortissants de l'Union européenne. Billet de retour ou de correspondance exigible. Aucune vaccination requise.

◆ Monnaie : l'East Caribbean Dollar. 1 USD = 2,72 East Caribbean Dollars, 1 EUR = 4,24 East Caribbean Dollars. Se munir de dollars US de préférence.

◆ Permis de conduire international souhaitable.

Le départ

Vol Paris-Saint-Martin (voir Guadeloupe) puis correspondance Saint-Martin-La Vallée.

Sur place

Grande discrétion de la part des voyagistes francophones. Certains proposent une panoplie d'hôtels à la carte, agrémentés d'activités balnéaires. Exemple : Austral Lagons.

Les repères

◆ Langue de communication : anglais. ◆ Conduite à gauche. ◆ Téléphone vers Anguilla : 001264 + numéro; d'Anguilla : 011 + indicatif pays et numéro.

La situation

96 km², 14 100 habitants, capitale : La Vallée. ◆ Diversité religieuse: catholiques, adventistes, baptistes.

Dates

1666 Occupation anglaise. *1952* Anguilla est dans le Commomwealth. *1967* Séparation d'avec Saint-Christophe et Niévès. *1976* Anguilla obtient un statut d'autonomie interne. *Juillet 2006* Andrew N. George gouverneur.

ANTIGUA ET BARBUDA

(Antigua, Barbuda, Redonda)

Voisin de la Guadeloupe mais partie des Leeward Islands et donc très anglophone, ce groupe d'îles accueille une majorité de Nord-Américains dans des hôtels hauts de gamme et offre quelques plaisantes particularités : sur l'île de Barbuda, le corail est annoncé de couleur rose, alors que le fait de croquer le mancinella, un fruit qui a l'apparence d'une petite pomme verte et qui pousse le long de certaines plages, peut mener le visiteur de vie à trépas... L'archipel, connu pour la pratique de la voile (célèbres régates), ses vestiges historiques (forteresse, citadelle) et son carnaval en août, comporterait exactement 365 plages de sable blanc, soit une pour chaque jour de l'année.

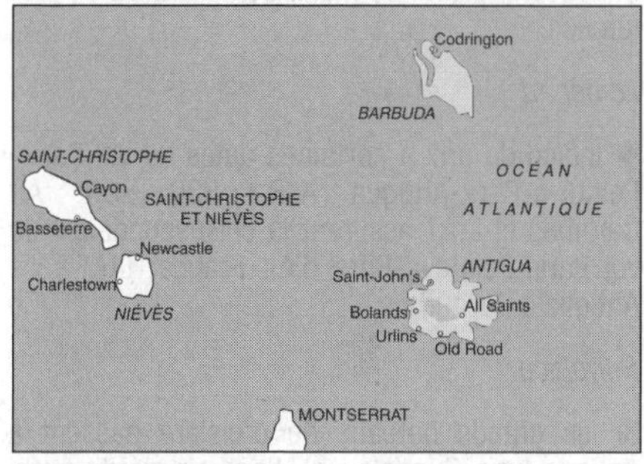

Le premier contact

Au Canada

Antigua Barbuda Government Department of Tourism and Trade, 60 Sainte Claire East Street, Toronto, ☎ (416) 961-3085, fax (416) 961-7218, info@antigua-barbuda-ca.com

En France

Office de tourisme, 43, avenue de Friedland, 75008 Paris, ☎ 01.53.75.15.71, fax (01) 53.75.15.69.

Internet

www.antigua-barbuda.org (site officiel de l'office du tourisme)

Guides

Antigua and Barbuda (Landmark, The Rough Guide), *Antigua and Leeward Islands* (Footprint), *Caraïbes* (Mondeos), *Caribbean Islands* (Lonely Planet).

Quel voyage et à quel prix?

Le voyage individuel

Les préparatifs

◆ Pour les ressortissants de l'Union européenne, canadiens, suisses : passeport en cours de validité suffisant, billet de retour ou de continuation exigible. Aucune vaccination requise.

◆ Monnaie : l'East Caribbean Dollar. 1 USD = 2,72 East Caribbean Dollars, 1 EUR = 4,24 East Caribbean Dollars. Se munir de dollars US de préférence.

Le départ

◆ Indice de prix à certaines dates du vol Paris-Pointe-à-Pitre-Antigua A/R : 830 EUR. Air Caraïbes et LIAT assurent la correspondance du vol Paris-Pointe-à-Pitre d'Air France; LIAT relie Antigua à Barbuda.

Sur place

Si les grands bateaux de croisière passent à Antigua (voir *Guadeloupe*), l'endroit mérite aussi un séjour prolongé, par exemple un cocktail vol A/R, voiture de location et hôtel sur la base de 8 jours/7 nuits.

La destination est onéreuse: environ 1 400 EUR la semaine sur un site balnéaire (vol A/R et hébergement). Néanmoins, les voyagistes sont de plus en plus nombreux à solliciter le chaland (Austral Lagons, Iles du monde, Nouvelles Frontières).

Les repères

◆ Conduite à gauche. ◆ Langue de communication : anglais. ◆ Religion anglicane prédominante. ◆ Téléphone vers Antigua et Barbuda : 001268 + numéro; d'Antigua et Barbuda : 011 + indicatif pays + numéro.

La situation

442 km^2, 70 000 habitants, dont 63 000 à Antigua. Capitale : Saint John's.

Dates

1493 Christophe Colomb débarque. *1667* Installation britannique. *1966* État associé au Royaume-Uni. *1981* Indépendance. *1995* Le cyclone Luis cause d'importants dégâts. *Juillet 2007* L. Lake-Tack devient gouverneur.

EX-ANTILLES NÉERLANDAISES

(Bonaire, Curaçao, Saba,
Saint-Eustache, partie sud de Sint-Maarten*)

Précision.- Depuis le 15 décembre 2008, l'État fédéral des Antilles néerlandaises n'existe plus. Désormais, Curaçao et Sint-Maarten forment deux États autonomes au sein du Royaume des Pays-Bas, tandis que l'État lui-même des Pays-Bas confère un statut particulier à Bonaire, Saba et Saint-Eustache.

Proches du Venezuela, Curaçao et Bonaire forment les poétiques îles Sous-le-Vent. Les deux îles rivalisent d'atouts: à ***Bonaire,*** *plongée (Parc maritime), découverte de la faune et de la flore (flamants roses du Goto Meer, cactus géants, iguanes et perroquets du parc national Washington) et visite des anciennes salines; à* ***Curaçao****, plages de la côte sud-ouest, plongée et forte empreinte néerlandaise dans l'habitat. Une variante culturelle : à Bonaire, les inscriptions laissées dans des grottes par les Indiens Arawaks.*

Saba, Saint-Eustache et la partie sud de Saint-Martin (le nord appartenant à la France) composent les «îles du Vent» et sont à... 1 000 km au nord des précédentes. ***Saba*** *et* ***Saint-Eustache*** *n'ont pas de plages capables de rivaliser avec leurs sœurs du sud, mais sont intéressantes pour les plongeurs et les randonneurs, ces derniers pouvant escalader le mont Scenery à Saba et le Quill à Saint-Eustache.*

* Sint-Maarten : voir plus loin, à l'entrée *Saint-Martin*.

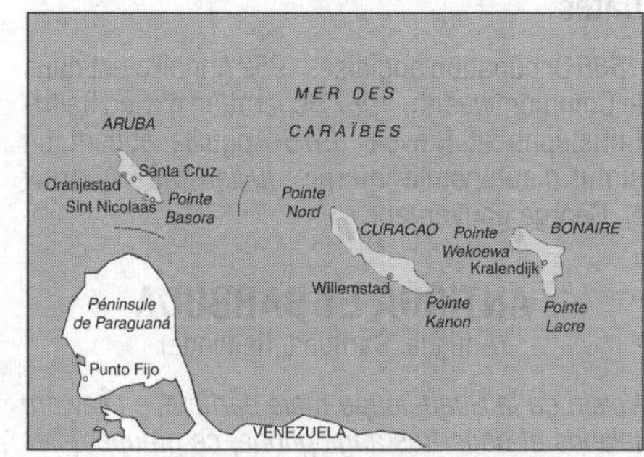

Le premier contact

En Europe

◆ Bonaire Tourist Office, Rijswijk (Pays-Bas), ☎ 00.31.70.395.44.44. ◆ CuraçaoTourismBureau, Rotterdam (Pays-Bas), ☎ 00.31.10.414.2639.

Guides

Aruba, Bonaire, Curaçao (Fromer's, Hunter Publishing), *Bonaire* (Lonely Planet/Diving and snorkeling), *Caraïbes* (Mondeos), *Caribbean* Islands (Lonely Planet).

Carte

Aruba, Bonaire, Curaçao (Insight Flexi Map).

Internet

www.infobonaire.org
www.curacao-tourism.com
www.turq.com/saba
Site Saint-Eustache: www.statiatourism.com

Quel voyage et à quel prix ?

Le voyage individuel

Les préparatifs

◆ Pour les ressortissants de l'Union européenne, canadiens et suisses : passeport en cours de validité suffisant, billet de retour ou de continuation exigible. Aucune vaccination requise.

◆ Monnaie : le guilder. Se munir de dollars US de préférence. 1 US dollar = 1,80 guilder, 1 EUR = 2,50 guilders.

Le départ

Indice de prix à certaines dates du vol Paris-Curaçao A/R : 770 EUR. Autre formule pour qui a du temps : vol Paris-Caracas et correspondance.

Sur place

Croisières (voir *Guadeloupe*) et **plongée** sont les maîtres mots de l'endroit. La côte ouest de Bonaire est l'un des sites les plus recherchés des Caraïbes pour la plongée, entre autres parce que les requins ne la fréquentent pas. Ultramarina propose des séjours à Bonaire, avec cours de plongée possibles, et est également présent à Saba et Saint-Eustache. Ce type de séjour se trouve aux alentours de 1 200 EUR (vol, pension, forfaits plongée).

Les repères

◆ Conduite à droite. ◆ Langue officielle : néerlandais. Langues étrangères : anglais, espagnol; langue de la rue : le papiamento, mélange de langues africaines, de portugais, d'espagnol, de néerlandais et d'anglais. ◆ Téléphone vers Bonaire : 00.599.7; vers Curaçao: 00.599.9; vers Saba : 00.599.4; vers Saint-Eustache : 00.599.3; de l'ensemble de ces îles : 00 + indicatif pays + numéro.

La situation

◆ Bonaire : 244 km², 13 000 habitants, chef-lieu : Kralendijk. ◆ Curaçao : 444 km², 160 000 habitants, chef-lieu : Willemstad. ◆ Saba : 13 km², 950 habitants. ◆ Saint-Eustache: 30 km², 2 000 habitants. ◆ Religion : forte majorité de catholiques.

Dates

1816 Les Pays-Bas entrent en possession des îles. *1951* Premier gouvernement antillais. *1954* Autonomie intégrale. *2002* Frits Goedgedrag devient gouverneur général. *Mars 2006* Emily de Jongh-Elhage Premier ministre.

ARUBA

Séparée des ex-Antilles néerlandaises depuis 1986, Aruba est typique de l'île caraïbe à fort tourisme grâce à sa barrière de corail et à la découverte de corail et de poissons tropicaux. A noter un important festival de jazz et de musique latino-américaine, tous les ans au mois de juin, et un goût développé pour le jeu et les casinos.

Le premier contact

Au Canada

Aruba Tourist Office, 5875 Hwy 7, Toronto, ☎ (416) 975-1950.

En Europe

Aruba Tourism Authority, La Haye (Pays-Bas), ☎ 00.31.70.356.6220.

Guides

Aruba (Fodor en anglais), *Caraïbes* (Mondeos), *Caribbean Islands* (Lonely Planet).

Cartes

Aruba (Berndtson and Berndtson), *Aruba, Bonaire, Curaçao* (Insight Flexi Map).

Internet

www.aruba.com

Quel voyage et à quel prix ?

Le voyage individuel

Les préparatifs

◆ Pour les ressortissants de l'Union européenne, canadiens et suisses : passeport en cours de validité suffisant, billet de retour ou de continuation exigible. Aucune vaccination requise.

◆ Monnaie : le florin d'Aruba. Se munir de dollars US de préférence. 1 US dollar = 1,77 florin d'Aruba, 1 EUR = 2,81 florins d'Aruba.

Le départ

Indice de prix à certaines dates du vol Paris-Aruba A/R (souvent via Miami ou New York) : 900 EUR. Autre formule pour qui a du temps : vol Paris-Caracas et correspondance.

Sur place

Croisières (voir *Guadeloupe*) et **plongée** sont les maîtres mots de l'endroit. Les séjours d'une semaine se trouvent aux alentours de 1 200 EUR (vol, pension, forfaits plongée).

Les repères

◆ Conduite à droite. ◆ Langue officielle : néerlandais. Langues étrangères : anglais, espagnol; langue de la rue : le papiamento. ◆ Téléphone vers Aruba : 00297.8 + numéro; d'Aruba : 00 + indicatif pays + numéro.

La situation

◆ 190 km², 102 000 habitants, chef-lieu: Oranjestad. ◆ Religion : forte majorité de catholiques.

Dates

1499 L'Espagnol Alonso de Ojeda accoste. 1636 Aruba devient une colonie des Pays-Bas. 1954 Aruba entre dans les Antilles néerlandaises. *1986* Elle s'en sépare et obtient un statut d'autonomie particulier au sein des Pays-Bas. *Mai 2004* Fredis Refunjol gouverneur.

BARBADE

La plus occidentale des Petites Antilles, baptisée Barbade parce que les racines des banians parurent couvertes de poils de barbe aux premiers colons, est très courtisée par les anglophones en raison de son passé. Ils aiment y retrouver les « chattel houses », maisons de bois aux allures de pavillons, ou vivre l'ambiance du « Crop Over » (fête de la fin de la récolte) et du carnaval début août. La côte ouest est promise au farniente, la côte sud au ski nautique, à la voile et au funboard. Les surfeurs et tous ceux qui recherchent des rivages plus sauvages et moins fréquentés sont sur la côte est.

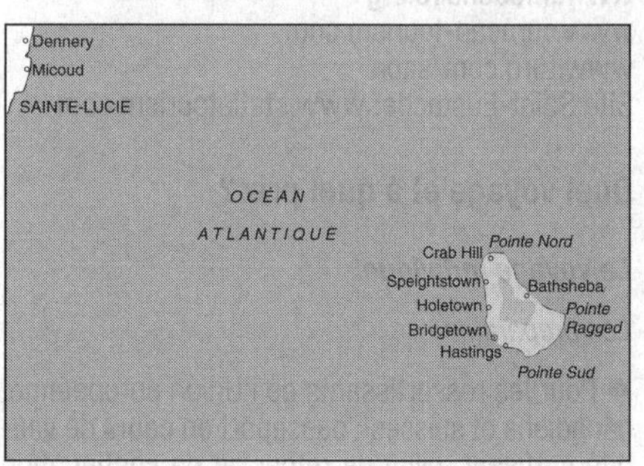

Le premier contact

En Belgique

Ambassade, avenue F. D. Roosevelt, 100, 1050 Bruxelles, ☎ (02) 732.17.37, fax (02) 732.32.66, www.foreign.gov.bb.

Au Canada

Barbados Tourism Authority, 105 Adelaide St, W Toronto, M5H 1P9, ☎ (416) 214.9880, btapublic@globalserve.net

Au Royaume-Uni

Barbados Tourism Authority, Londres, ☎ (44) 20.76.36.9448, fax (44) 20.76.37.1496, btauk@barbados.org

Internet

www.barbados.org

Guides

Barbados (Footprint, Hunter, Rough Guide), *Caraïbes* (Mondeos), *Caribbean Islands* (Lonely Planet).

Carte

Barbados (Insight Flexi Map).

Lecture

La Barbade (Cret de Bordeaux/Iles et archipels).

Quel voyage et à quel prix?

Le voyage individuel

Les préparatifs

◆ Pour les ressortissants de l'Union européenne, canadiens, suisses, passeport en cours de validité suffisant, encore valable trois mois après la fin du séjour. Billet de retour exigible. Aucune vaccination requise.

◆ Monnaie : le dollar de la Barbade. De préférence, se munir de dollars US en chèques de voyage ou en espèces. 1 US dollar = 2 dollars de la Barbade. 1 EUR = 2,80 dollars de la Barbade

Le départ

Indice de prix à certaines dates du vol Paris-Bridgetown A/R, via Fort-de-France ou Miami : 650 EUR.

Le séjour

Située sur l'itinéraire des grands navires de **croisières** (voir *Guadeloupe*), la Barbade est également connue pour la pratique du **funboard**, forme de planche à voile hautement sportive, et pour le **golf**. Ainsi le parcours de Sandy Lane (18 trous) est-il jugé comme l'un des plus beaux des Caraïbes. Renseignements pour le nom des prestataires en agences de voyages.

La plupart des voyagistes présents dans les Caraïbes, tels Austral/Lagons, proposent des **séjours** détente dans des cottages, des hôtels côtiers ou dans les raffinés Saint James Beach Hotels. Le voyage, souvent dirigé vers le haut de gamme, n'est pas donné : au moins 1 500 EUR la semaine, tout compris.

Les repères

◆ Conduite à gauche. ◆ Langue officielle : anglais. Un dialecte créole, le *bajan*, côtoie l'anglais. ◆ Téléphone vers la Barbade : 001246 et numéro; de la Barbade : 011, indicatif pays et numéro.

La situation

◆ 430 km², 282 000 habitants. ◆ Capitale : Bridgetown. ◆ Population de Noirs (80 %), de métis (16 %) et de Blancs (4 %). ◆ Religion : nette majorité d'anglicans.

Dates

1627 Colonie britannique. *1966* Indépendance dans le cadre du Commonwealth. 1996 Sir Clifford Straughn Husbands gouverneur. *Janvier 2008* David Thompson Premier ministre.

ÎLES CAÏMANS

Ceux qui vivent dans cet archipel situé au sud de Cuba poursuivent soit la tortue, soit le touriste. Ceux qui n'y vivent pas viennent soit vérifier sa réputation de paradis fiscal, soit étendre – chèrement – leur corps sur le sable fin, par exemple à Seven Miles Beach, sur l'île de Grand Cayman, ou encore danser lors du carnaval, à la fin du mois d'avril. Les plongeurs apprécient les fonds marins translucides, où le spectacle de la faune aquatique (raies géantes) côtoie celui du corail autour des épaves. Enfin, ceux qui recherchent le calme fuiront la bruyante Grand Cayman pour gagner ses deux sœurs, plus sages.

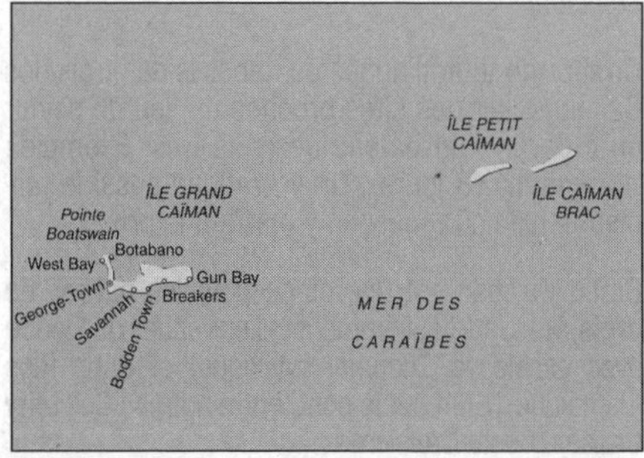

Le premier contact

Au Canada

Cayman Islands Department of Tourism, 234, Eglinton Avenue East, Toronto, ☎ (416) 485-1550.

Au Royaume-Uni

Cayman Islands Department of Tourism, ☎ (44) 20-7491-7771, fax (44) 20-7409-7773.

Internet

www.caymanislands.ky

Guides

Caraïbes (Mondeos), *Caribbean Islands* (Lonely Planet), *Cayman Islands* (Bradt, Lonely Planet/ Diving and snorkeling).

Quel voyage et à quel prix ?

Le voyage individuel

Les préparatifs

◆ Pour les ressortissants de l'Union européenne, canadiens, suisses : passeport en cours de validité suffisant, billet de retour ou de continuation exigible. Aucune vaccination n'est requise.

◆ Monnaie : le *dollar des Caïmans.* 1 US Dollar = 0,83 dollar des Caïmans, 1 EUR = 1,30 dollar des Caïmans. Se munir de dollars US de préférence.

Le départ

Indice de prix à certaines dates du vol Paris-George Town A/R : 750 EUR.

Le séjour

On **plonge** toute l'année aux abords des trois îles Caïmans, sur des sites proches du lieu de séjour ou à partir d'un bateau de croisières. Exemple : Ultramarina (8 jours). On y pratique aussi le farniente, bien sûr, mais en y mettant le prix...

Grand Cayman est une étape pour les navires de **croisières,** particulièrement celles venues de Floride avec escales à Cozumel (Mexique) et Ocho Rios (Jamaïque). Sont sur le pont, entre autres : Celebrity Cruises, Costa Croisières.

Les repères

◆ Conduite à gauche. ◆ Langue de communication : anglais. ◆ Téléphone vers les îles Caïmans : 001345 et numéro; des îles Caïmans : 00, indicatif pays, numéro.

La situation

◆ Les îles Caïmans sont trois. Par ordre de fréquentation touristique : Grand Cayman, Cayman Brac, Little Cayman. Situées entre Cuba et la Jamaïque, elles couvrent une superficie modeste (264 km^2). ◆ La population est peu nombreuse (48 000 habitants). Chef-lieu : George Town. ◆ Religion : anglicans, catholiques, baptistes.

Dates

1503 Christophe Colomb découvre l'archipel. *1670* Les Caïmans appartiennent à la Jamaïque. *1962* Elles passent sous la dépendance du Royaume-Uni. *1972* Colonie britannique. *Novembre 2005* Stuart Jack nouveau gouverneur.

DOMINIQUE

Trop discrète, la Dominique! Née d'une poussée volcanique entre Guadeloupe et Martinique, elle regorge de spécificités : forêt luxuriante, mangrove, lacs à l'eau bouillonnante, cascades, parcs nationaux, réserves marines, observation possible de baleines à bosse, de cachalots et de dauphins au large de la pointe sud. Si les plages de sable y sont rares, excepté au nord-est, la plongée, les possibilités de randonnées et de remontée des nombreuses rivières lui donnent des atouts solides, hélas! encore négligés par des touristes francophones rivés aux aimants guadeloupéen et martiniquais. Le carnaval en février et le festival de la musique créole en octobre varient les plaisirs.

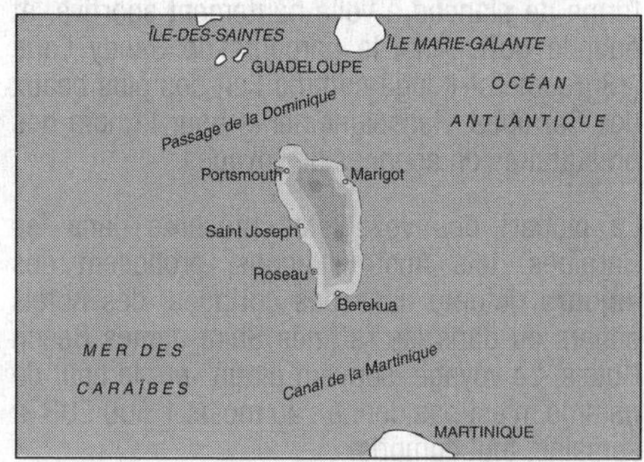

Le premier contact

En Belgique

Ambassade, rue de Livourne, 42, B-1050 Bruxelles, ☎ (02) 534.26.11, fax (02) 539.40.09, ecs.embassies@skynet.be

Au Canada

Haut-commissariat pour les pays de l'Organisation des États des Antilles orientales, 130, rue Albert, Ottawa, ON, K1P 5G4, ☎ (613) 236-8952, fax 613-236-3042.

Au Royaume-Uni

Morris Kevan International (MKI), Enfield, ☎ (44) 181-3500-1000, fax (44) 181-350-1011, mki@ttg.co.uk

Guides

Martinique, Dominique et Sainte-Lucie (Lonely Planet France), *Martinique, Sainte-Lucie, Saint-Vincent, Dominique, Grenadines* (Le Petit Futé).

Internet

www.dominica.dm

Quel voyage et à quel prix?

Le voyage individuel

Les préparatifs

◆ Pour les ressortissants belges, luxembourgeois, suisses : passeport en cours de validité suffisant. Pour les ressortissants canadiens et français : carte nationale d'identité (en cas de séjour de moins de deux semaines) ou passeport en cours de validité suffisant. Dans tous les cas, le passeport est très conseillé (croisières, changements d'îles) et le billet de retour ou de continuation est exigible. Aucune vaccination requise.

◆ Monnaie : l'East Caribbean Dollar. 1 USD = 2,72 East Caribbean Dollars, 1 EUR = 4,24 East Caribbean Dollars. Se munir de dollars US de préférence.

Le départ

Vol pour Pointe-à-Pitre (voir *Guadeloupe*) ou pour Fort-de-France (voir *Martinique*), puis correspondance pour Roseau en avion ou en bateau, par exemple en catamaran (Nouvelles Frontières).

Le séjour

Étape de croisières (voir *Guadeloupe*), la Dominique est aussi propice à la **plongée** avec observation de gorgones ou spongiaires, ainsi que des colonies de poissons autour des épaves (Ultramarina, Voyageurs du monde). Compter *2 000 EUR* pour une semaine en demi-pension via les voyagistes, matériel de plongée non compris.

Les repères

◆ Langue de communication : anglais; le français et le créole martiniquais ont également droit de cité. ◆ Conduite à gauche. ◆ Téléphone vers la Dominique : 001767 et numéro; de la Dominique : 011, indicatif pays et numéro.

La situation

◆ 751 km², 73 000 habitants, capitale : Roseau. ◆ Population : très large majorité de Noirs. ◆ Religion : quatre habitants sur cinq sont catholiques, les autres sont anglicans ou méthodistes.

Dates

1493 Christophe Colomb découvre l'île. *1625* Les Français l'occupent. *1763* Elle passe aux Anglais. *1967* État associé au Royaume-Uni. *1978* Indépendance. L'île demeure membre du Commonwealth. *2003* Nicholas J. O. Liverpool est élu président.

GRENADE

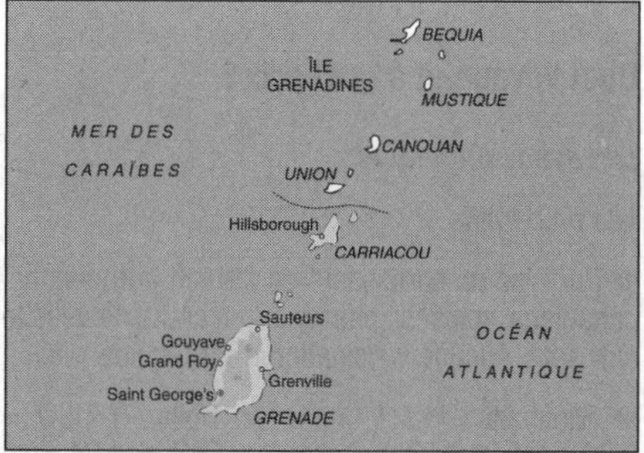

Grenade, « l'île aux Épices », forte de ses cinquante plages de sable blanc (dont Grand Anse est le fleuron) et du parfum tenace de ses noix de muscade, offre, comme la plupart des autres îles des Caraïbes, une vaste gamme de plaisirs aquatiques, dont la pêche et la plongée. Cette dernière conduit

aussi bien à la découverte d'épaves qu'à celle de poissons tropicaux et des coraux, principalement sur la côte ouest. La forêt luxuriante (parc Levera), les falaises, les chutes (vallée de Concord) et les lacs de cratère constituent l'alternative à la mer des Caraïbes, ainsi que les forts, les églises et les musées de la capitale Saint George's. Les îlots de Carriacou et de Petit Martinique, au nord, font partie de Grenade.

Le premier contact

En Belgique

Ambassade, 123, rue de Laeken, B-1000 Bruxelles, ☎ (02) 223.73.03, fax (02) 223.73.07, embassyofgrenadabxl@skynet.be

Au Canada

Grenada Board of Tourism, 439 University Avenue, Suite 820, Toronto, Ontario M5G 1Y8, ☎ (416) 595-1339, fax (416) 595-8278.

Au Royaume-Uni

Grenada Board of Tourism, 121, Deodar Road, Londres SW15 2NU, ☎ (44) 208.877.4516, fax (44) 208.874.4219, grenada@representationplus.co.uk

Guides

Caraïbes (Mondeos), *Caribbean Islands* (Lonely Planet).

Internet

www.grenadagrenadines.com
www.grenada.org

Quel voyage et à quel prix ?

Le voyage individuel

Les préparatifs

◆ Pour les ressortissants de l'Union européenne, canadiens, suisses : passeport en cours de validité suffisant. Aucune vaccination n'est requise.

◆ Monnaie : l'East Caribbean Dollar. 1 USD = 2,72 East Caribbean Dollars, 1 EUR = 4,24 East Caribbean Dollars. Se munir de dollars US de préférence.

Le départ

Indice de prix à certaines dates du vol Paris-Saint George's A/R (via Fort-de-France) : 750 EUR.

Le séjour

Farniente et détente sont les maîtres mots pour des séjours d'une semaine qui se situent entre 1 200 et 2 000 EUR. Les voyagistes francophones sont hélas ! inexistants à partir de l'Europe.

Les repères

◆ Langue officielle : anglais. ◆ Conduite à gauche. ◆ Téléphone vers Grenade : 001473 et numéro; de Grenade : 011, indicatif pays, numéro.

La situation

◆ Une île (Grenade) et deux îlots (Carriacou, Petit Martinique), 344 km², 90 300 habitants, capitale : Saint George's. ◆ Population de Noirs (84 %), de Mulâtres (11 %) et d'Indiens. ◆ Religions : catholiques (53%), protestants (33%), anglicans (13%).

Dates

1498 Christophe Colomb débarque. *1650* Les Français s'installent. *1783* Les Anglais prennent possession des lieux. *1967* État associé au Royaume-Uni. *1974* Indépendance. *1979* Maurice Bishop, favorable à Fidel Castro, prend le pouvoir. *1983* Intervention américaine : les marines chassent les soldats cubains. *1984* Élection de Herbert Blaize (centre droit). *1996* Daniel Williams devient gouverneur *Juillet 2008* Tillman Thomas Premier ministre.

MONTSERRAT

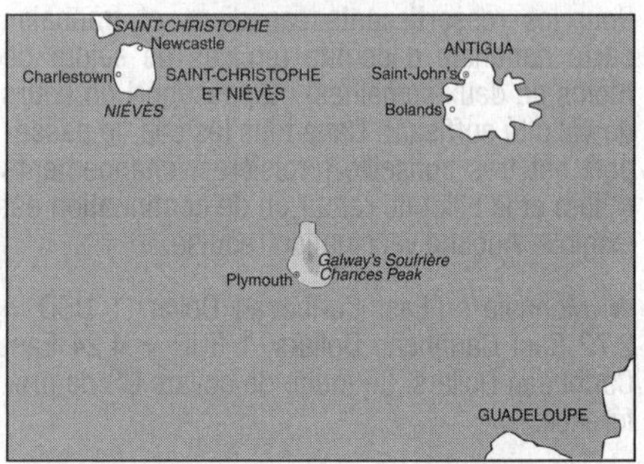

Son aspect montagneux vaut à cet îlot situé au nord-ouest de la Guadeloupe et à forte empreinte irlandaise une catégorie de visiteurs portés vers la randonnée au cœur de la forêt tropicale ou vers les ascensions, ici la Galway's Soufrière, qui a connu

des éruptions dévastatrices en 1997, et Chances Peak. La plupart des plages, peu chargées, sont sur la côte nord (Carr's Bay). L'île est également propice à la plongée (Woodlands Bay, Kiln Bay).

Le premier contact

Au Canada

Caribbean Tourism Organization, Taurus House, 512 Duplex Avenue Toronto, Canada M4R 2E3, ☎ (416) 485.7827, fax (416) 485.8256, assoc@thermrgroup.ca

En Europe

Montserrat Tourist Board (Europe), West India Committee, Postfach 701423, Hamburg 22014, ☎ (49) 40.695.8846, fax (49) 40.380.0051, argylewi@gmx.net

Guides

Caraïbes (Mondeos), *Caribbean Islands* (Lonely Planet).

Internet

www.visitmontserrat.com

Quel voyage et à quel prix?

Le voyage individuel

Les préparatifs

◆ Passeport en cours de validité suffisant pour les ressortissants de l'Union européenne et de la Suisse, autre pièce d'identité suffisante pour les Canadiens. Aucune vaccination requise.

◆ Monnaie : l'East Caribbean Dollar. 1 USD = 2,72 East Caribbean Dollars, 1 EUR = 4,24 East Caribbean Dollars. Se munir de dollars US de préférence.

Le départ

Pas de desserte aérienne directe mais vol pour Pointe-à-Pitre et transfert à partir d'Antigua.

Bateau

Tous les jours, des bateaux font la liaison en une heure avec Antigua, l'île la plus proche.

Les repères

◆ Langue officielle : anglais. ◆ Conduite à gauche. ◆ Téléphone vers Montserrat : 001664 et numéro; de Montserrat : 011, indicatif du pays, numéro.

La situation

◆ 102 km², 9 600 habitants, chef-lieu : Plymouth. ◆ Religion : majorité d'anglicans; présence de méthodistes et de catholiques.

Dates

1493 Christophe Colomb découvre l'îlot. *1632* Anglais et surtout Irlandais le colonisent. *1967* Montserrat décide de rester une colonie britannique. *1995* Premiers soubresauts de la Soufrière, dont l'éruption sera dévastatrice et entraînera de forts déplacements de population. *Juillet 2007* Peter A. Waterworth devient gouverneur.

SAINT-BARTHÉLEMY

Située dans la partie nord de l'arc des Petites Antilles, « Saint Barth » est, avec Saint-Martin (à 25 km de là), une collectivité française d'outre-mer depuis 2007.

L'étiquette de «paradis pour milliardaires» – qui ont ici leur résidence secondaire – freine le touriste moyen. Ici et là, les îlets aux noms pittoresques (Frégate, Tortue, île Le Boulanger, île Fourchue) voient accoster les bateaux de plaisance. Partout, transparaît l'empreinte architecturale de la colonisation suédoise.

Guides

Guadeloupe, Saint-Martin, Saint-Barthélemy (Hachette/Guide du routard), *Saint-Martin, Saint-Barthélemy* (Le Petit Futé, Editions Ulysse).

Internet

www.comstbarth.fr/

La situation

21 km², plus quelques îlots. 8 450 habitants. Agglomération principale : Gustavia.

Dates

1493 Arrivée de Christophe Colomb. *1643* Les Français arrivent, suivis quelques années plus tard, des chevaliers de Malte. *1784* Louis XVI offre l'île au roi Gustave III de Suède. *1878* La Suède revend l'île à la France. *Décembre 2003* Un référendum transforme l'île, qui dépendait de la Guadeloupe, en collectivité territoriale française.

SAINT CHRISTOPHER AND NEVIS

(Saint Kitts and Nevis)

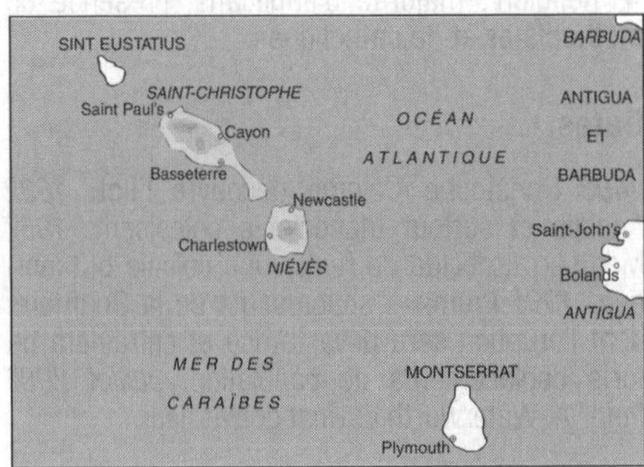

Le passage de bateaux de croisière et la vie balnéaire animent les deux îles de Saint Christopher (Saint Kitts) et Nevis, dont le tourisme s'affirme de plus en plus dans un cadre qui s'efforce de résister aux structures de luxe. Fierté de ***Saint Christopher :*** *le fort de la colline de Brimstone, bâti à la pointe du « Gibraltar des Antilles ». Intérêt de* ***Nevis*** *: les bâtiments de bois, les maisons coloniales et les bougainvillées de sa ville principale, Charlestown. Sur l'une et l'autre île, les plages les plus réputées sont dans les environs de chacun des chefs-lieux.*

Le premier contact

En Belgique

Ambassade, 42, rue de Livourne, B-1050 Bruxelles, ☎ (02) 534.26.11, fax (02) 539.40.09, ecs.embassies@skynet.be

Au Canada

Office de tourisme, 365, Bay Street, # 806, Toronto, M5H 2V1, ☎ (416) 368-6707, fax (416) 368-3934.

Au Royaume-Uni

Saint Kitts and Nevis Tourist Office, 10 Kensington Court, Londres W8 5DL, Royaume-Uni, ☎ (44) 20.7.376.08.81, fax (44) 20.7.937.67.42.

Guides

Caraïbes (Mondeos), *Caribbean Islands* (Lonely Planet).

Internet

www.stkittsnevis.org

Quel voyage et à quel prix ?

Le voyage individuel

Les préparatifs

◆ Passeport en cours de validité suffisant, billet de retour exigible. Aucune vaccination requise.

◆ Monnaie : l'East Caribbean Dollar. 1 USD = 2,72 East Caribbean Dollars, 1 EUR = 4,24 East Caribbean Dollars. Se munir de dollars US de préférence.

Le départ

Vol Paris-Saint-Martin (voir *Guadeloupe*) et correspondance pour Nevis.

Le séjour

Très peu d'engouement de la part des voyagistes francophones. A Nevis, Austral Lagons propose tout de même de séjourner dans une ancienne plantation, avec golf à proximité.

Les repères

◆ Langue de communication : anglais. ◆ Conduite à gauche. ◆ Téléphone vers l'archipel : 001869 et numéro; de l'archipel : 011, indicatif pays, numéro.

La situation

◆ 261 km^2, dont 168 pour Saint-Christophe et 93 pour Nevis. 39 600 habitants, dont les trois quarts environ habitent Saint-Christophe. ◆ Chef-lieu : Basseterre. ◆ Religion : majorité de catholiques.

Dates

1493 Arrivée de Christophe Colomb. *1623* Les Anglais colonisent Saint-Christophe, Nevis le sera cinq ans plus tard. *1967* Autonomie. *1983* Indépendance et entrée à l'ONU. *1996* Cuthbert Montraville Sebastian gouverneur. *Août 1998* Un référendum sur l'indépendance de Nevis échoue de justesse.

SAINT-MARTIN

***Saint-Martin** est un étonnant petit bout des Antilles, à plusieurs titres ! D'abord, une copropriété de très bon aloi, la frontière n'étant que symbolique entre la France (partie nord, plus grande) et les Pays-Bas. Ensuite, un statut de zone franche qui permet de bonnes affaires, surtout dans la partie sud (matériel photo, bijoux).*

Enfin et surtout, l'île connaît un essor touristique continu grâce à un mélange de farniente (Nettlé, Grand Case dans la partie nord; Great Bay Beach, Little Bay Beach et Cupecoy Beach dans la partie sud), de pratique des sports nautiques (Orient Bay, qui réunit la jet-set), d'observation des fonds marins, de fréquentation des casinos, de carnaval (en avril ou mai) et de musique (zouk, gwo-ka et la nostalgique Paname Dance).

Depuis peu, l'écotourisme (quarante kilomètres de sentiers balisés et une réserve marine dans la partie française) trace son chemin.

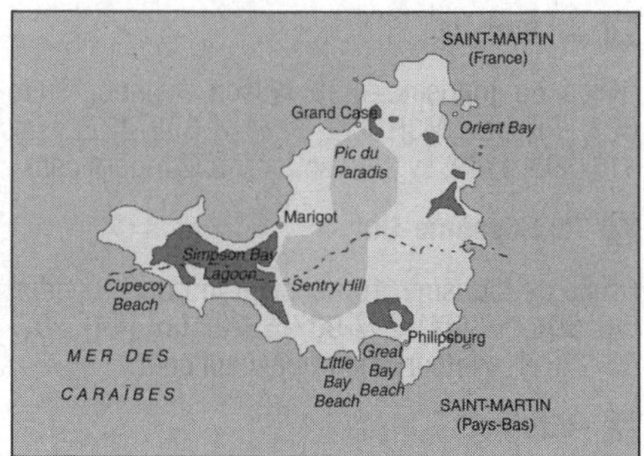

Le premier contact

Au Canada

Sint Marteen Tourist Office, 703 Evans, Toronto, ☎ (416) 622-4300.

En France

Office du tourisme, 30, rue Saint-Marc, 75002 Paris, ☎ 01.53.29.99.99, fax 01.42.96.15.16.

Guides

Guadeloupe, Saint-Martin, Saint-Barthélemy (Hachette/Guide du routard), *Saint-Martin, Saint-Barthélemy* (Le Petit Futé, Editions Ulysse).

Internet

www.stbarth.fr
www.st-maarten.com
www.st-martin.org

DVD

Saint-Martin, l'île double (DVD Guides, TF1 vidéo).

Quel voyage et à quel prix ?

Le voyage individuel

Les préparatifs

◆ Passeport suffisant pour les ressortissants de l'Union européenne et les Suisses. Pour les Français : carte d'identité suffisante pour l'une et l'autre partie de l'île; le passeport est de mise en cas de croisière. Pour les Canadiens, carte de citoyenneté suffisante. Aucune vaccination n'est requise.

◆ Monnaie : l'euro. Le dollar US est très présent.

Le départ

◆ Indice de prix à certaines dates du vol Paris-Saint-Martin A/R : 600 EUR.

Hébergement

Il est généralement haut de gamme, voire très haut de gamme, bien que des guest houses soient présentes çà et là.

Shopping

Électronique, photo, vidéo, vêtements : autant de sources d'achat qui autorisent des économies de 15 à 30 %.

Séjours

◆ La plupart des touristes, surtout dans la partie sud, très « américanisée », ne regardent pas à la dépense : le farniente et le luxe se rejoignent souvent, comme au domaine de Lonvilliers (voir Exotismes ou Odysseus). Toutefois, des propositions plus abordables se font jour, entre autres à Baie Nettlé, pour des séjours balnéaires d'une semaine. Compter de 950 EUR en mai ou juin à 1 250 EUR en août. Exemples : Austral Lagons, Fram, Nouvelles Frontières.

La plupart des croisières antillaises passent par Saint-Martin. Certaines en partent et y reviennent une semaine plus tard (Nouvelles Frontières), après être passées à Saba et Saint-Eustache (plongée, snorkeling).

Les repères

◆ Langues officielles : le français pour la partie nord, le néerlandais pour la partie sud. L'anglais est très répandu. ◆ Conduite à droite. ◆ Téléphone vers Saint-Martin, partie nord : 00590 et les six derniers chiffres: de Saint-Martin : les dix chiffres du correspondant, comme en métropole. Partie sud : vers Sint Maarten : 00599.5 et numéro; de Sint Maarten : 00, indicatif pays et numéro.

La situation

◆ Pratiquement tout le monde parle l'anglais. ◆ Religion : forte majorité de catholiques au nord, catholiques et protestants au sud.

◆ ***Partie française*** : 53 km^2, 29 400 habitants, dont plus de la moitié sont étrangers. Chef-lieu : Marigot.

◆ ***Partie néerlandaise*** : 34 km^2, 33 000 habitants. Chef-lieu : Philipsburg.

Dates

1493 Arrivée de Christophe Colomb le jour de la saint Martin, d'où le nom de l'île. *1605* L'île est anglaise. *1648* Accord entre la France, qui prend la partie nord de l'île, et les Pays-Bas. *1651* L'île revient aux chevaliers de Malte puis à la Compagnie des Indes. *1674* Elle passe à la Couronne. *Aujourd'hui* La partie française est une collectivité d'outre-mer, la partie néerlandaise est un État autonome dans le cadre des Pays-Bas.

SAINT-VINCENT-ET-LES-GRENADINES

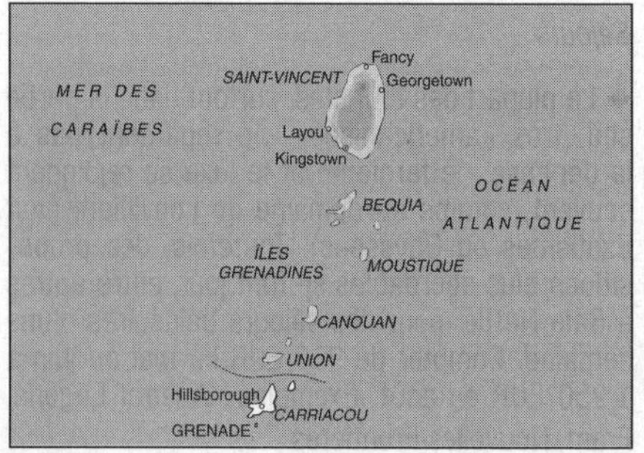

Îles dites «du Vent» parce que caressées par les alizés, les Grenadines ne figurent pas parmi les plus prisées des Antilles pour le farniente, mais elles grimpent au hit-parade. Vu le nombre des poussières d'îlots éparpillés au sud de l'île de Saint-Vincent, on peut se croire parvenu dans son paradis tropical personnel, comme dans l'îlot de Moustique, là où des célébrités aussi diverses que la princesse Margaret et Mick Jagger ont eu leur résidence secondaire...

Les arbres à pain, les plages de sable noir, le fort Duvernette, le carnaval à la mi-août, le jardin botanique de Kingstown, les possibilités de faire de la voile et de la plongée sous-marine aux Grenadines : tous ces atouts concourent à faire de l'endroit une destination qui compte dans les Caraïbes.

Le premier contact

En Belgique

Ambassade, 42, rue de Livourne, B-1050 Bruxelles, ☎ (02) 534.26.11, fax (02) 539.40.09, ecs.embassies@skynet.be

Au Canada

Office de tourisme, 333 Wilson Avenue, Suite 601, Toronto, M3H 1T2, ☎ 416-398-4277, fax 416-398-4199, svgtourismtoronto@rogers.com

Au Royaume-Uni

Office de tourisme, 10 Kensington Court, London W8 5DL, ☎ (44) 207-937-6570, fax (44) 207-937-3611, svgtourismeurope@aol.com

Internet

www.svgtourism.com

Guides

Caraïbes (Mondeos), *Caribbean Islands* (Lonely Planet), *Martinique, Sainte-Lucie, Saint-Vincent, Dominique, Grenadines* (Le Petit Futé), *Saint Vincent, Granada and Grenadines* (Hunter Publishing).

Quel voyage et à quel prix ?

Le voyage individuel

Les préparatifs

◆ Pour les ressortissant de l'Union européenne, canadiens, suisses : passeport en cours de validité suffisant, billet de retour ou de continuation exigible. Aucune vaccination requise.

◆ Monnaie : l'East Caribbean Dollar. 1 USD = 2,72 East Caribbean Dollars, 1 EUR = 4,24 East Caribbean Dollars. Se munir de dollars US de préférence.

Le départ

Indice de prix à certaines dates du vol Paris-Kingstown A/R : 770 EUR.

Sur place

Pour les Grenadines : liaisons quotidiennes à partir de Saint Vincent.

Séjour

Longtemps, les voyagistes occidentaux ont considéré l'archipel comme une simple étape de croisières (voir *Guadeloupe*). Mais le cocktail sports nautiques-farniente a fini par les séduire et la mutation s'est effectuée. Austral Lagons propose des séjours à Canouan, tandis que Voyageurs du monde est en catamaran au moment des fêtes de fin d'année.

Les repères

◆ Langue de communication: anglais. ◆ Conduite à gauche. ◆ Téléphone vers Saint-Vincent-et-les-Grenadines: 001784; de Saint-Vincent-et-les-Grenadines: 011, indicatif pays et numéro.

La situation

◆ 388 km² (dont 345 pour Saint Vincent), 118 400 habitants, capitale : Kingstown. ◆ Population : deux habitants sur trois sont des Noirs, un sur quatre est métis. ◆ Religion : huit habitants sur dix sont protestants; on compte également 13 % de catholiques.

Dates

Les Arawaks puis les Indiens Caraïbes premiers habitants de l'archipel. *1498* Christophe Colomb découvre l'archipel. *1795* Colonie britannique après de longues disputes avec la France. *1834* Abolition de l'esclavage. *1979* Indépendance dans le cadre du Commonwealth. *2002* Sir Fredrick Nathaniel Ballantyne devient gouverneur.

SAINTE-LUCIE

Située au sud de la Martinique, Sainte-Lucie en a peu ou prou le même relief volcanique et les mêmes atouts. Ce sont surtout les Nord-Américains qui viennent goûter aux plaisirs de ses rivages, particulièrement autour de Rodney Bay et de Gros Islet, sur la côte nord. Toutefois, quelques touches de langue française peuvent inciter le francophone à faire un saut à partir de Fort-de-France. Des excursions vers les maisons en bois de Soufrière, petite ville de la côte ouest flanquée d'un volcan aux deux pitons et de sources sulfureuses (Sulphur Springs), constituent une alternative au tourisme balnéaire, comme les plantations et les mornes, ainsi que le carnaval en juillet.

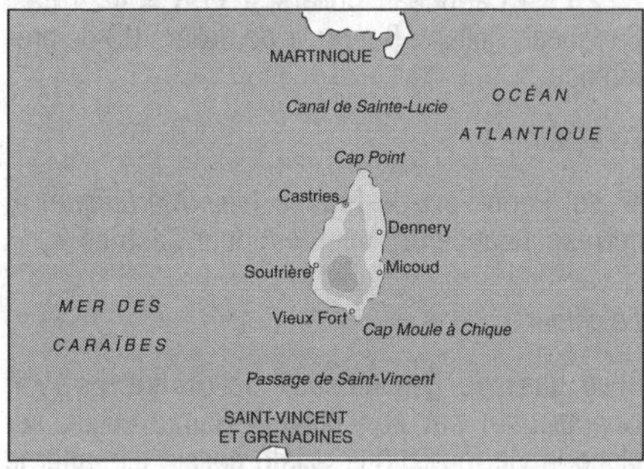

Le premier contact

En Belgique

Ambassade, 42, rue de Livourne, B-1050 Bruxelles, ☎ (02) 534.26.11, fax (02) 539.40.09, ecs.embassies@skynet.be

Au Canada

Santa Lucia Tourist Board, 8, King Street East, Toronto, ☎ (416) 362-4242.

En France

Office de tourisme, 53, rue François-Ier, 75008 Paris, ☎ 01.47.20.39.66, fax 01.47.23.09.65.

Guides

Martinique, Dominique, Sainte-Lucie (Le Petit Futé, Lonely Planet France), *Martinique, Sainte-Lucie, Saint-Vincent, Dominique, Grenadines* (Le Petit Futé), *Sainte-Lucie* (Éditions Ulysse).

Internet

www.st-lucia.com

Quel voyage et à quel prix ?

Le voyage individuel

Les préparatifs

◆ Passeport en cours de validité suffisant pour les ressortissants de l'Union européenne et les Suisses, carte d'identité suffisante pour les Canadiens. Billet de retour ou de continuation exigible. Aucune vaccination n'est requise.

◆ Monnaie : l'East Caribbean Dollar. 1 USD = 2,72 East Caribbean Dollars, 1 EUR = 4,24 East Caribbean Dollars. Se munir de dollars US de préférence.

Le départ

◆ Vol Paris-Fort-de-France (voir *Martinique*) et correspondance (20 minutes) pour Castries.

Le séjour

Si le passage des bateaux de **croisières** (voir *Guadeloupe*) bat son plein à Sainte-Lucie, sur place la vie touristique existe aussi : elle alterne les agréments côtiers (planche à voile, yachting, découverte des fonds sous-marins, y compris pour les débutants) et les **excursions** en bus ou en 4 x 4 vers l'intérieur. Ce type de voyage dure en moyenne une semaine et ses tarifs ne sont pas forcément toujours plus élevés que dans les Antilles françaises. Sainte-Lucie peut également faire l'objet d'une extension du voyage pour un week-end à partir de la Martinique.

Le nombre des voyagistes progresse. Exemples : Austral Lagons, Club Med, Kuoni, Ultramarina (plongée), Voyageurs du monde.

Les repères

◆ Langue officielle : l'anglais, qui partage les conversations avec un créole français, le kweyol. ◆ Conduite à gauche. ◆ Téléphone vers Sainte-Lucie : 001758 et numéro; de Sainte-Lucie : 011, indicatif pays, numéro.

La situation

◆ 622 km², 173 000 habitants, chef-lieu : Castries. ◆ La population se compose de Noirs à 90 %; métis, Indiens et Blancs sont également présents. ◆ Religion : forte majorité de catholiques.

Dates

1502 Arrivée de Christophe Colomb. *1605* L'île est anglaise. *1650* Elle devient française. *1814* Sainte- Lucie rétrocédée à la Grande-Bretagne. *1967* État associé au Commonwealth. *1979* Indépendance dans le cadre du Commonwealth. *1992* Derek Walcott prix Nobel de littérature. *Septembre 1997* Perlette Louisy devient gouverneur.

TRINITÉ-ET-TOBAGO

*Hormis le pouvoir d'attraction balnéaire de ces deux îles et des vingt-trois îlots qui ferment au sud l'arc des Petites Antilles, un mot les définit : carnaval (le « mas », abréviation de masquerade). C'est dans la capitale, Port of Spain, à **Trinidad**, que se déroule cet événement en février - avec un jour d'ouverture très peinturluré - mais c'est tout l'archipel qui est concerné. La musique est fortement ancrée, d'abord parce que le genre, le calypso (devenu la soca), est le plus ancien des Antilles à avoir survécu, ensuite parce que le steelpan, l'instrument, est un pur produit de l'endroit.*

Autres atouts de Trinidad : la forêt et les collines de Northern Range et de Southern Range, les plantes et les oiseaux (dont les ibis rouges) dans les nombreux parcs naturels, les plages des côtes nord (Maracas Bay) et est (Mayaro Bay, Manzanilla Bay).

*Atouts de **Tobago**, l'île la plus touristique : la forêt, la plongée (raies mantas), le surf, les plages de Pigeon Point et de Castara Bay, les chutes de King's Bay, la réserve d'oiseaux de Little Tobago.*

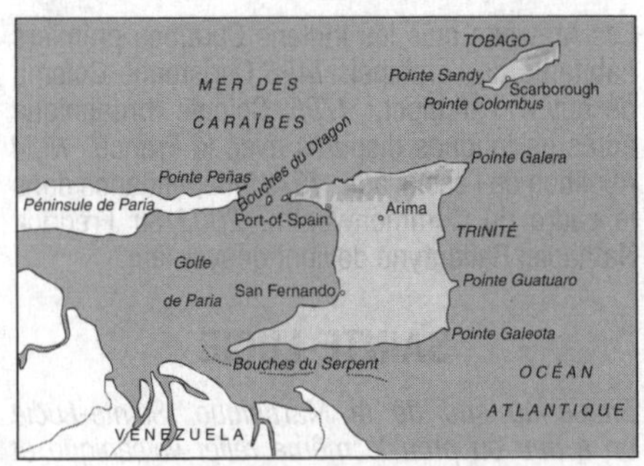

Le premier contact

En Belgique

Consulat, avenue de la Faisanderie, 14, B-1150 Bruxelles, ☎ (02) 762.94.15, fax (02) 762.27.83, info@embtrinbago.be

Au Canada

Consulat, 200 First Avenue, Ottawa, ON K1S 2G6, Ottawa, ☎ (613) 232-2418, fax (613) 232.4349, ottawa@ttmissions.com

En Suisse

Consulat, rue de Vermont 37-39, CH-1211 Genève, ☎ +22.918.03.90, mission.trinidad-tobago@ties.itu.int

Internet

www.visittnt.com

Guides

Caraïbes (Mondeos), *Caribbean Islands* (Lonely Planet), *Trinidad-et-Tobago* (Le Petit Futé).

Carte

Trinidad and Tobago (Insight Flexi Map).

Lecture

Une maison pour monsieur Biswas (V. S. Naipaul, Gallimard, 1985).

Quel voyage et à quel prix ?

Le voyage individuel

Les préparatifs

◆ Passeport en cours de validité suffisant pour les ressortissants de l'Union européenne, les Canadiens, les Suisses. Billet de retour exigible. Vaccination recommandée contre la fièvre jaune.

◆ Monnaie : le *dollar de Trinité-et-Tobago.* 1 US Dollar = 6,3 dollars de Trinité-et-Tobago (1 EUR = 8,8). Se munir de dollars US de préférence.

Le départ

Prix à titre indicatif et à certaines dates du vol Paris-Port of Spain A/R : 780 EUR.

Le séjour

◆ Le **carnaval** de Trinidad est le vecteur qui attire le touriste occidental vers l'archipel en février. Hélas ! les voyagistes européens francophones sont inexistants sur la destination. Néanmoins, on peut trouver en ligne de petits prestataires locaux ou, si l'on est déjà aux Antilles, étudier les propositions des agences de voyages locales. ◆ Voir aussi *Guadeloupe* pour les itinéraires de croisières qui passent par l'archipel.

Les repères

◆ Langue de communication : anglais; un patois français circule dans certains endroits. ◆ Conduite à gauche. ◆ Téléphone vers Trinité-et-Tobago : 001868 et numéro; de Trinité-et-Tobago : 011, indicatif pays et numéro.

La situation

◆ 5 130 km², dont 4 828 pour Trinidad et 302 pour Tobago et Little Tobago. ◆ 1 047 400 habitants. Capitale : Port of Spain. ◆ Population : il y a autant d'Indiens que de descendants d'Africains. ◆ Religion : un habitant sur trois est catholique, un sur quatre est hindou, un sur six est anglican. Minorité de musulmans.

Dates

1498 Christophe Colomb découvre Trinité, qui sera occupée par les Espagnols un siècle plus tard. *1632* Les Hollandais colonisent Tobago, qui sera conquise par les Anglais cent trente ans plus tard. *1802* Trinité revient aux Anglais. *1962* Indépendance dans le cadre du Commonwealth. *1970* L'archipel est secoué par des émeutes nées de la condition des Noirs. *1976* Établissement d'une Constitution à caractère présidentiel. *Aujourd'hui* George Maxwell Richards est chef de l'État, Patrick Manning Premier ministre. Le pétrole garantit la bonne tenue de l'économie.

ÎLES TURKS ET CAICOS

Situées dans le prolongement des Bahamas, les îles Turks et Caicos en ont les mêmes attraits et offrent trois « exclusivités » : les plongeurs peuvent y taquiner, entre autres spécimens bariolés, des mérous de toutes les couleurs, les baleines à bosses font la fête lors de leurs migrations au large de Salt Cay (Turk Islands), enfin cette même île de Salt Cay fut longtemps la capitale mondiale du sel.

L'île de Providenciales, qui fait partie des Caicos à l'est de l'archipel, rassemble les principaux atouts de l'endroit. Ceux-ci mêlent le farniente, la plongée, ainsi que l'observation des anémones et éponges le long des récifs de corail.

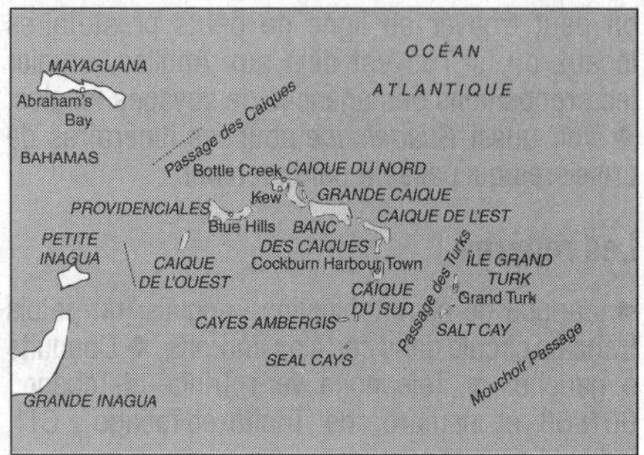

Le premier contact

Au Royaume-Uni

Turks and Caicos Tourist Office, ☎ (44) 20.8.350.10.17, fax (44) 20.8.350.10.11.

Guides

Bahamas, Turks and Caicos (Lonely Planet), *Turks and Caicos* (Bradt, Lonely Planet/Diving & Snorkeling).

Internet

www.turksandcaicostourism.com

Quel voyage et à quel prix ?

Le voyage individuel

Les préparatifs

◆ Pour les ressortissants de l'Union européenne, canadiens, suisses : passeport en cours de validité suffisant. Billet de retour ou de continuation exigible.

◆ Monnaie : le dollar US. 1,40 EUR = 1 US dollar.

Le départ

Indice de prix à certaines dates du vol Paris-Providenciales (Caicos) A/R : 900 EUR.

Le séjour

Les amateurs de **séjours** mi-farniente mi-actifs trouveront à Turquoise, dans l'île de Providenciales, un village du Club Med où voile et plongée, y compris pour débutants, sont au programme. Les **plongeurs** expérimentés pourront s'adresser à des voyagistes tels que Ultramarina qui, également à Providenciales, propose des séjours de 9 jours/8 nuits. En prime : la rencontre de raies mantas en été et de baleines à bosse en hiver. Enfin, les **croisiéristes** passent à Grand Turk en provenance de la Jamaïque et Cuba.

Les repères

◆ Langue de communication : anglais. ◆ Conduite à gauche. ◆ Téléphone vers les îles Turks et Caicos : 001649 et numéro; des îles Turks et Caicos : 011, indicatif pays, numéro.

La situation

◆ 430 km², 22 400 habitants, chef-lieu : Cockburn Town (Grand Turk). ◆ Religions : anglicanisme, baptisme, catholicisme, méthodisme.

Dates

1512 Juan Ponce de León découvre les îles. *1670* La Grande-Bretagne en hérite. *1873* Possession jamaïcaine. *1973* Territoire dépendant du Royaume-Uni. *2008* Mahala Wynns gouverneur.

ÎLES VIERGES AMÉRICAINES

(Saint Thomas, Sainte-Croix, Saint John, 50 îles ou îlots au total)

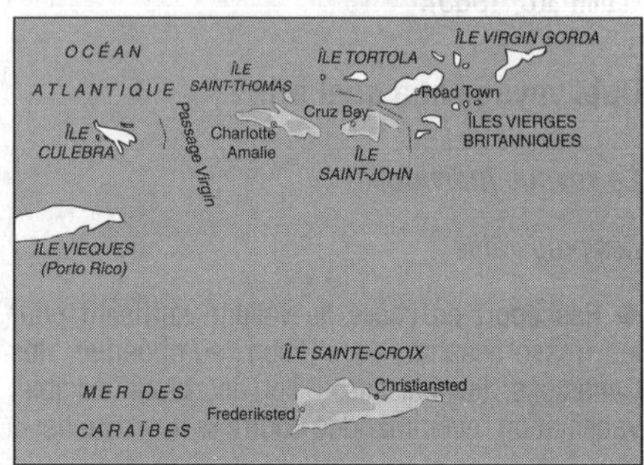

Rachetées au Danemark par les États-Unis en 1917, placées à la queue leu leu et ainsi baptisées « Vierges » par Christophe Colomb en référence aux onze mille vierges de la légende chrétienne, elles voient débarquer chaque année un nombre de visiteurs qui multiplie par quinze le chiffre de base de la population. ***Saint Thomas*** *et son*

port, ainsi que Charlotte-Amalie, où font escale les grands navires de croisière, sont les endroits les plus animés, surtout au moment du carnaval. ***Sainte-Croix*** *et sa capitale Christiansted ont préservé un parfum danois, aujourd'hui dissipé par un tourisme à base de planche à voile, de plongée et d'animation à la mode américaine. Sur cette même Sainte-Croix, un imposant aquarium anime la petite ville de Frederiksted, alors que* ***Saint John*** *offre ses plages et ses chemins de randonnée dans le cadre d'un vaste parc national.*

Le premier contact

Au Canada

Office de tourisme, 703, Evans Ave., Toronto M9C 5E9, ☎ (416) 622-7600, melaine@inforamp.net

Cartes

US Virgin Islands (ITM), *Virgin Islands US and British* (Berndtson).

Guides

Caraïbes (Mondeos), *USA Est, Porto Rico, îles Vierges* (Berlitz), *US Virgin Islands* (Lonely Planet/ Diving and Snorkeling).

Internet

www.usvi.net

Quel voyage et à quel prix?

Le voyage individuel

Les préparatifs

◆ Pour les ressortissants de l'Union européenne, canadiens, suisses : passeport (aux normes exigées par les Etats-Unis) suffisant. Aucune vaccination n'est requise.

◆ Monnaie : le dollar US. 1 EUR = 1,40 US Dollar.

Le départ

◆ Indice de prix à certaines dates du vol Paris-Sainte-Croix ou Paris-Saint Thomas A/R : 690 EUR (vol Paris-Miami et correspondance pour Saint-Thomas).

Le séjour

Qui aime la grande foule des **croisières** (voir *Guadeloupe*) doit savoir que le port de Charlotte-Amalie et ses records de fréquentation comblera ses vœux.

Qui souhaite, en revanche, fuir cette même foule n'aura aucun problème : l'archipel, comme son alter ego britannique, est encore bien peu entré dans les grâces du touriste européen, alors que les formules de logement et de sports nautiques annexes ne manquent certes pas.

Les repères

◆ Langue de communication : anglais. ◆ Conduite à gauche. ◆ Téléphone vers les îles Vierges américaines : 001340 et numéro; de celles-ci : 011, indicatif pays, numéro.

La situation

◆ 347 km² (Sainte-Croix est l'île la plus étendue, Saint-John la plus petite), 108 200 habitants, chef-lieu : Charlotte-Amalie, sur Saint Thomas. ◆ Population à majorité noire.

Dates

1493 Christophe Colomb découvre l'endroit. *1917* Les États-Unis rachètent les îles au Danemark pour des raisons stratégiques. *1989* Le cyclone Hugo fait des ravages, un autre cyclone l'imitera six ans plus tard. *Janvier 2007* John Dejongh devient gouverneur.

ÎLES VIERGES BRITANNIQUES

(Tortola, Anegada, Virgin Gorda et 38 îlots)

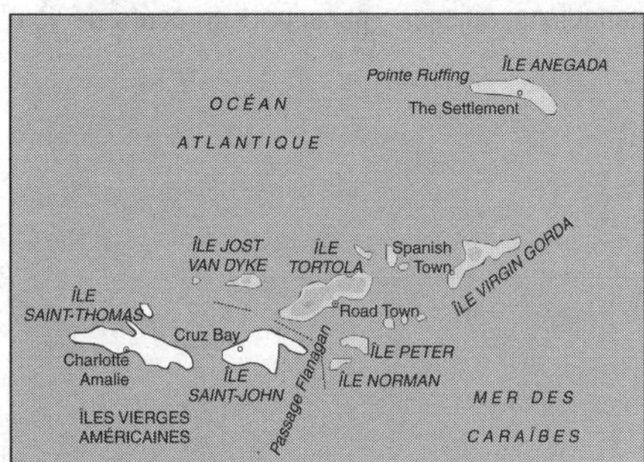

*Moins touristiques que leurs voisines américaines, les îles Vierges britanniques ferment, au nord, l'arc de cercle des Petites Antilles. Autour de l'île d'****Anegada****, les plongeurs se voient proposer la visite d'épaves, par exemple au large de Salt Island. A* ***Tortola****, les passionnés de botanique*

se perdent dans les philodendrons géants et le parc national de Mount Sage, pendant que les «plagistes» s'installent sur les jolies baies de la côte nord, pour se prélasser mais aussi faire de la voile, de la plongée et du surf. A ***Virgin Gorda****, on les retrouve sur la pointe sud de l'île.*

Le premier contact

En Europe

British Virgin Islands Tourist Board, 55, Newman Street, Londres W1 3PG, ☎ (44) 20.7.947.80.00, fax (44) 20.7.947.80.01.

Internet

www.bviwelcome.com

Guides

British Virgin Islands (Lonely Planet), *Caraïbes* (Mondeos), *Virgin Islands* (Berlitz).

Cartes

Puerto Rico, Virgin Islands (Hildebrand), *Virgin Islands US and British* (Berndtson and Berndtson).

Quel voyage et à quel prix ?

Le voyage individuel

Les préparatifs

◆ Pour les ressortissants de l'Union européenne, canadiens, suisses : passeport en cours de validité suffisant. Billet de retour ou de continuation exigible. Aucune vaccination n'est requise.

◆ Monnaie : le dollar US. 1,40 EUR = 1 US dollar.

Le départ

Indice de prix à certaines dates du vol Paris-Tortola A/R : 650 EUR.

Le séjour

Les voyagistes francophones sont absents, toutefois les propositions locales de séjours pour le farniente ou la plongée sont nombreuses.

Les repères

◆ Langue officielle : anglais. ◆ Conduite à gauche. ◆ Téléphone vers les îles Vierges britanniques : 001284 et numéro; de celles-ci : 011, indicatif pays, numéro.

La situation

◆ 153 km², 24 000 habitants, chef-lieu : Road Town, sur Tortola. ◆ Population à majorité noire. ◆ Religions méthodiste, anglicane et catholique.

Dates

1493 Christophe Colomb découvre les îles. *1648* Elles sont néerlandaises, puis anglaises douze ans plus tard. *1967* Nouvelle constitution. *1977* Amendement de la constitution, mais le statut de territoire dépendant de la Couronne est maintenu. *2006* David Pearey devient gouverneur.

Arabie saoudite

Avertissement. – À l'heure de la parution de cette édition, les autorités saoudiennes ne délivrent pas de visa de tourisme. Toutefois, cette situation est appelée à lentement évoluer dans les années à venir, aussi recommandons-nous de prendre contact avec les adresses mentionnées dans la rubrique Le Premier contact pour toute information complémentaire.

Lorsque la situation le permettra, vieilles cités et désert de cet immense pays s'offriront au voyageur, avec des possibilités de randonnées dans les régions désertiques du nord, de plongée en mer Rouge sur des sites intacts et de découverte de vestiges. Le non-musulman aura toujours le regret de ne pouvoir pénétrer dans les lieux saints du «périmètre sacré» délimité par Médine et La Mecque, ville phare de l'islam.

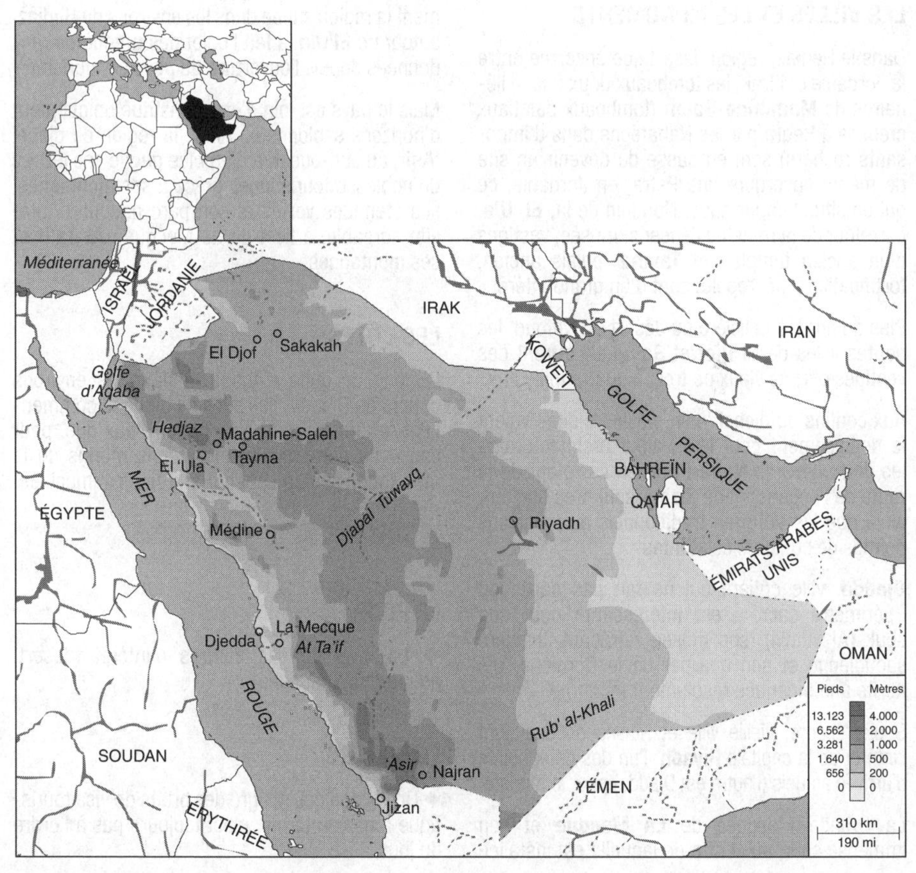

LES RAISONS D'Y ALLER

LES VILLES ET LES MONUMENTS

Madahine-Saleh (tombes nabatéennes), El 'Ula, Tayma, El Djof, Sakakah, Najran, Jizan, Djedda, Riyadh

LES DÉSERTS ET LES PAYSAGES

Est du Hedjaz, 'Asir, At Ta'if

LES CÔTES

Plongée (golfe d'Aqaba, Djedda)

LES RAISONS D'Y ALLER

LES VILLES ET LES MONUMENTS

Dans le Hedjaz, région désertique enserrée entre la Jordanie et l'Irak, les tombeaux deux fois millénaires de **Madahine-Saleh** (tombeaux palatiaux creusés à Hégra par les Nabatéens dans d'imposants rochers) sont en passe de devenir un site de même envergure que Petra, en Jordanie, ce qui en situe l'importance. Non loin de là, **El 'Ula**, carrefour de la route de l'encens (musée, vestiges d'un ancien temple), et **Tayma** (palais ancien, fortifications, nécropole) sont d'un grand intérêt.

Plus au nord, à la lisière du désert du Néfoud, les petites villes de **El Djof** et **Sakakah** offrent des vestiges parfois vieux de trois à quatre mille ans.

Aux confins du djebel 'Asir, plusieurs sites valent le déplacement pour leur valeur architecturale : les deux villes de **Najran** (ancien carrefour de la route de l'encens) et de **Jizan** (souk très ancien), ainsi que les **villages** traditionnels aux maisons peintes de couleurs éclatantes.

Djedda, ville côtière qui ne fait pas partie du « périmètre sacré », est intéressante pour son souk (Al 'Alawi), son musée retraçant l'histoire saoudienne et son quartier de la Corniche, qui abrite une mosquée résolument moderne.

Souks encore, vieille ville et Musée national font l'intérêt de la capitale **Riyadh**, l'un des deux points d'arrivée actuels (l'autre est Djedda) pour le touriste.

La Grande Mosquée de **La Mecque** et son immense cour, au centre de laquelle est installée la Ka'ba, qui renferme la Pierre noire, sont visitées en fin d'année par deux millions de musulmans lors des cinq jours et neuf étapes de pèlerinage obligatoire (hadj). Le non-musulman aura toujours le regret de ne pouvoir y pénétrer. Même regret pour la Grande Mosquée du Prophète de Médine, ville sainte où vécut Mahomet et qui possède d'autres mosquées importantes (mosquée des deux Qibla, de Quba, al-Dirá) ainsi que le tombeau de Hamza.

LES DÉSERTS ET LES PAYSAGES

L'Arabie saoudite est faite d'un désert très étendu, le Rub al-Khali, au relief varié et au mystère entier. Il est si nu et si hostile qu'aucune expédition touristique ne saurait l'explorer dans les conditions actuelles.

En revanche, le nord-ouest, et plus particulièrement la région située dans les environs du Hedjaz, autour de **El'Ula**, a fait l'objet des premières randonnées depuis l'ouverture du pays au tourisme.

Mais le pays est loin d'être constitué uniquement d'horizons sablonneux. Ainsi, la région du djebel **'Asir**, au sud-ouest, a d'emblée gagné ses lettres de noblesse touristiques grâce à ses montagnes, ses étendues vertes et son parc national. Autre site agréable, à l'est de La Mecque : **At Ta'if** et ses montagnes.

LES CÔTES

Le long du golfe d'Aqaba et dans les environs côtiers de Djedda, des sites de plongée commencent à faire d'autant plus parler d'eux que, pour cause de non-tourisme, les fonds marins de la mer Rouge sont, à cet endroit, restés immaculés.

LE POUR

◆ La diversité des centres d'intérêt (désert, architecture, plongée).

LE CONTRE

◆ Un voyage qui, malgré des bruits de visa touristique à moyen terme, n'est toujours pas à l'ordre du jour.

LE BON MOMENT

La chaleur, le plus souvent humide sur la côte ouest, est l'un des maîtres mots du pays. Elle faiblit, très relativement, de **décembre à février**. Tout voyage en dehors de la période mi-octobre à mi-avril est la garantie d'une intense transpiration.

◆ Températures moyennes jour/nuit (en °C): *Dhahran* (côte est) : janvier 21/10, avril 32/20, juillet 43/29, octobre 36/22. *Djedda* (côte ouest) : janvier 29/18, avril 35/22, juillet 39/26, octobre 36/24. Eau de mer : moyenne de 27°. *Riyadh* (centre) : janvier 20/9, avril 33/20, juillet 43/29, octobre 20/9.

LE PREMIER CONTACT

En Belgique

Ambassade royale, avenue Franklin-Roosevelt, 45, B-1050 Bruxelles, ☎ (02).629.80.36, fax (02) 640.44.12.

Au Canada

Section consulaire, 201, promenade Sussex, Ottawa, K1N 1K6, ☎ (613) 237-4105, fax (613) 237.7350.

En France

Consulat, 5, avenue Hoche, 75008 Paris, ☎ 01.56.79.40.00, fax 01.56.79.40.01, www.saudiembassy.fr

En Suisse

Consulat général, route de Lausanne, 263, CH-1200 Genève, ☎ (22) 758.97.97, fax (22) 758.97.27, saudia.be@bluewin.ch

Internet

www.arabie-saoudite.com/tourisme.htm
www.mofa.gov.sa

Carte

Saudi Arabia (Geoproject).

Images

Tableaux d'Arabie (Thierry Mauger, Arthaud 1999), *Jeddah old and new* (James Buchan, Intl. Book Centre, 1986).

Lectures

Histoire et politique

Géopolitique de l'Arabie Saoudite (Olivier Da Lage/Editions Complexe, 2006), *Où va l'Arabie saoudite ?* (Hichem Karoui/L'Harmattan, 2006).

Récits et romans

La Ceinture (A. Abodehman, Gallimard, 2000), *Défigurée : quand un crime passionnel devient affaire d'Etat* (Rania Al-Baz, J'ai lu, 2006), *Journal d'une Française en Arabie saoudite* (Lucie Werther, Plon, 2005), *Une saison à la Mecque : récit de pèlerinage* (Abdellah Hammoudi/Seuil, 2005).

QUEL VOYAGE ?

Seuls les voyages d'affaires («Business visit»), les voyages à but religieux («Hadj and omra», limités à un quota chaque année) ou les voyages pour des personnes ayant un « répondant » dans le pays («Family visit») permettent d'obtenir un visa.

Il existe néanmoins des visas de transit théoriquement de 3 jours, par exemple pour passer de Jordanie au Yémen, mais leur obtention n'est pas toujours aisée et une demande de renseignements auprès des autorités consulaires s'impose.

Les préparatifs

◆ Pour les personnes autorisées, passeport valable encore six mois après la date de retour, **visa** obligatoire.

◆ Aucune vaccination requise. Prévention contre le paludisme dans le sud (sauf dans les montagnes de l'Asir) et dans des zones rurales de l'ouest.

◆ Monnaie : le *riyal*. 1 US Dollar = 3,7 riyals. 1 EUR = 5,3 riyals. Change : dollars US principalement. Chèques de voyage acceptés, présence de distributeurs dans les grandes villes.

Le départ

◆ Indice de prix à certaines dates du vol Paris-Djedda A/R : 620 EUR; Paris-Riyadh A/R : 600 EUR. ◆ Durée moyenne du vol Paris-Riyadh (4 673 km) ou Paris-Djedda : 6 heures.

Sur place

Route

◆ Excellent réseau. ◆ La location de voiture avec chauffeur est possible. ◆ Les femmes ne sont pas autorisées à conduire.

Vie quotidienne

◆ Les visiteuses sont tenues de porter l'abaya, longue robe ample couvrant tout le corps.

LES REPÈRES

◆ Lorsqu'il est midi en France, en Arabie saoudite il est 13 heures en été et 14 heures en hiver; lorsqu'il est midi au Québec, en Arabie saoudite il est 20 heures. ◆ Langue officielle : arabe. ◆ Langue étrangère : anglais. ◆ Téléphone vers l'Arabie saoudite : 00966 + indicatif (Jedda 2, Riyad 1) + numéro; de l'Arabie saoudite : 00 + indicatif pays + numéro.

LA SITUATION

Géographie. Sur les 2 149 690 km², il en est peu qui échappent au désert. Le Rub al-Khali, au sud, est la plus évidente démonstration des immenses étendues désertiques du pays. Toutefois, il ne faut pas imaginer une infinie platitude : l'ouest (Hedjaz) et une partie du centre (Djabal Tuwayq) sont plus élevés.

Population. Un tiers des 28 161 000 habitants vit dans les villes, alors qu'un sur dix seulement est nomade et que le chiffre des bédouins est en baisse. Une forte immigration (six millions de personnes) s'est produite, due au boom pétrolier, mais les fondements de la société n'ont presque pas bougé, les femmes, par exemple, n'ayant pas le droit de conduire ni de voter. Capitale : Riyadh.

Religion. L'islam wahhabite, de tendance puritaine, est omnipotent et omniprésent. Minorité de chrétiens (0,8 %).

Dates. *1932* Naissance du royaume. *1964-1975* Régime conservateur du roi Faysal, alors que le boom pétrolier est à son comble. *1975* Règne de Khalid ibn Abd al-Aziz. *1982* Début du règne de Fahd, toujours sur le mode de la monarchie absolue. *1991* Le pays est directement opposé à l'Irak lors de la guerre du Golfe. *Janvier 1996* Le roi Fahd, malade, cède momentanément le pouvoir à son demi-frère Abdallah Ben Abdel Aziz. *Mai 2003* Attentats meurtriers de kamikazes contre des habitations d'expatriés. *Avril 2005* Mort du roi Fahd, Abdallah lui succède. *Février 2007* Quatre Français résidents sont tués au cours d'un voyage dans le nord du pays.

Argentine

Si elle n'est pas le pays le plus visité d'Amérique du Sud, l'Argentine est néanmoins devenue l'un des rendez-vous du tourisme mondial. Elle le doit à ses paysages (reliefs andins, chutes d'Iguaçu, glaciers et lacs du sud de la Patagonie) et à la possibilité d'observer la faune marine. Il faut pouvoir se ménager deux à trois semaines de vacances entre octobre et avril, dates de l'été austral et durée nécessaire pour vraiment profiter de l'endroit. Pas facile à concocter. Mais quand l'expérience devient réalisable, elle laisse un grand souvenir.

LES RAISONS D'Y ALLER

LES PAYSAGES

Chutes d'Iguaçu, vallées et hauts plateaux andins, vallée de la Lune, salines, Ascension de l'Aconcagua, Pampa (gauchos), Patagonie, Parc national des glaciers (Lago Argentino, Perito Moreno), massif du Fitz Roy, Terre de Feu

LES CÔTES ET LA FAUNE MARINE

Faune marine de la péninsule Valdés, du canal de Beagle et de la région d'Ushuaia (baleines, éléphants de mer, lions de mer, manchots, otaries)
Stations balnéaires (Mar del Plata)

LES MONUMENTS ET LES VILLES

Traces de l'époque coloniale (Salta, San Salvador de Jujuy, Tumbayal, Humahuaca, Tucumán), vestiges des missions jésuites
Buenos Aires, Ushuaia

LES RAISONS D'Y ALLER

LES PAYSAGES ET LES RANDONNÉES

Au bout de la corne nord-est de l'Argentine et aux confins du Brésil, les **chutes d'Iguaçu** – deux cent soixante-quinze chutes environ qui tombent de plus de soixante-dix mètres et sont disséminées sur deux kilomètres et demi – sont jugées parmi les plus belles du monde.

De l'autre côté du pays et du nord au sud, la **cordillère des Andes** fait se succéder les panoramas.

Dans le nord-ouest, se dressent de hauts plateaux coupés de vallées, les *quebradas*, telles celles de Calchaquies et surtout de **Humahuaca**. Puernamarca et son étonnante « montagne colorée » ainsi que? le Parc national des cactus sur la route de Cachi sont des passages obligés dans cette région.

La vallée de la **Lune**, ainsi nommée à cause de ses roches érodées dans un paysage minéral aux contours étranges, plaît aux passionnés de paléontologie qui y découvrent des restes de vertébrés (rincosaures, tocodantes) et des empreintes de pas de sauriens. À l'ouest de Córdoba, un mélange de **salines,** de volcans, de falaises et de roches polychromes donne à la région un attrait renforcé par de vieux villages indiens.

L'**Aconcagua**, le «Toit des Amériques» (6 959 m), aride, soumis à des vents forts et baigné par une lumière éblouissante, est un rendez-vous majeur pour les randonneurs chevronnés mais aussi les autres marcheurs, un peu plus bas...

Non loin de là, la nature a dessiné le **Puente del Inca**, un pont naturel de 50 m de long au-dessus de la vallée du río Las Cuevas. Autre site le long de la cordillère des Andes : **San Carlos de Bariloche**, au bord du lac Nahuel Huapi, lui-même partie d'un parc national où forêts et montagnes s'apparentent à des paysages alpestres.

En se dirigeant vers le sud, on découvre la Pampa et la Patagonie, régions mythiques du pays.

Dans la **Pampa**, les *gauchos* solitaires, gardiens de troupeaux, accueillent de plus en plus les touristes, particulièrement lors de fêtes début novembre (rodéos, courses de chevaux), tout en tentant de préserver leur authenticité dans un paysage rude.

À l'extrême sud-ouest, la **Patagonie** argentine, qui commence à El Bolson, offre le bleu profond du Lago Argentino, lui-même porte d'entrée du **parc national des Glaciers** et de son spectacle unique : d'énormes glaciers en mouvement, dont le plus connu est le **Perito Moreno**, long d'une trentaine de kilomètres, haut de cinquante mètres mais qui s'effrite de plus en plus.

Non loin de là, un rendez-vous également de grand intérêt, conseillé aux chevronnés d'alpinisme : le massif du **Fitz Roy** et ses aiguilles.

Cette longue succession de panoramas se termine en apothéose par le détroit de Magellan et les lacs du parc national de la **Terre de Feu** et **Ushuaia**, la ville la plus australe du monde, d'où partent des excursions pour la baie du même nom et le canal de Beagle.

LES CÔTES ET LA FAUNE MARINE

Dans le golfe Nuevo, près de Puerto Piramides (**péninsule Valdés**), vit ou bien séjourne en vue de la reproduction une importante faune marine : otaries, lions de mer, flamants roses, éléphants de mer, pingouins, baleines franches australes (entre mai et décembre) et la plus grande colonie de manchots du monde.

Seule la pointe sud (canal de **Beagle** et région d'**Ushuaia**) peut rivaliser avec la péninsule Valdés dans ce domaine (manchots, lions de mer, otaries).

Les rivages argentins sont bas situés sur la carte mondiale mais ceux des environs de Buenos Aires connaissent une activité balnéaire, particulièrement **Mar del Plata**. Plus au sud, le climat défavorable tempère les ardeurs côtières.

LES MONUMENTS ET LES VILLES

L'époque coloniale a laissé ses principales traces dans le nord-ouest, qui aligne **Humahuaca, San Salvador de Jujuy, Salta** (cathédrale) et les ruines de Quilmes, non loin de Cachi. Autres vestiges, ceux des missions jésuites des Guaranis (San Ignacio Mini, Santa Ana, San Francisco à Mendoza), édifiées aux XVIIe et XVIIIe siècles.

Qui a le temps de s'attarder dans **Buenos Aires** la méconnue verra de nombreux musées et églises, la toute rose « Casa de gobierno », le cimetière de la Recoleta avec la tombe d'Evita Peron, les quartiers branchés (Palermo et son « nuevo tango », San Telmo, creuset du tango et aux airs de petit Montmartre), le tout dans une ville dont le modernisme est le plus marqué d'Amérique latine.

Dans les parties anciennes de la capitale, la désormais symbolique place de Mai, le quartier d'artistes de La Boca et bien sûr les airs de tango sont les principales raisons de visite; il est possible de voir des écoles de tango et même de prendre des cours d'apprentissage de la célèbre danse lors d'un séjour.

En Patagonie, **El Calafate**, porte d'entrée du parc national des Glaciers, est une petite ville née de rien, avec grandes fermes, plaines, moutons, gauchos et grand vent. A la pointe sud, **Ushuaia** justifie son mythe par un musée du Bout du monde et un musée Maritime.

LE POUR

◆ Un spectacle de la nature captivant et soutenu du nord au sud mais aussi l'intérêt du patrimoine culturel.

◆ La revitalisation durable du tango.

LE CONTRE

◆ Le coût élevé du voyage accompagné.

◆ La petite et moyenne délinquance sur les lieux touristiques des grandes villes.

◆ L'envers des saisons : l'hiver est en juillet et août.

LE BON MOMENT

Il fait un temps agréable en **octobre et novembre** et de **février à mai**. La période septembre-novembre est la plus propice pour la **faune marine** de la péninsule Valdès. Décembre-janvier est une bonne période, mais trop chaude par endroits, alors que juin-août est un moment d'hiver supportable dans la partie **nord**, mais sans grand soleil. Pour **Buenos Aires** et sa région, fin septembre à début décembre est approprié. Enfin, le climat de la pointe sud est froid en toutes saisons.

◆ Températures moyennes jour/nuit (en °C) à *Buenos Aires* (côte nord-est) : janvier 30/20, avril 23/14, juillet 15/7, octobre 23/13; *Ushuaia* (extrême sud) : janvier 15/6, avril 10/2, juillet 5/-2, octobre 11/3.

LE PREMIER CONTACT

En Belgique

Ambassade, avenue Louise, 225, Bte 3, B-1050 Bruxelles, ☎ (02) 647.11.04, fax (02) 647.10.58, www.embargentina.be

Au Canada

Ambassade, 81, rue Metcalfe, Ottawa, Ontario, Canada, K1P 6K7, ☎ (613) 236-2351, fax (613) 235-2659, www.argentina-canada.net

En France

Bureau du tourisme, 6, rue Cimarosa, 75116 Paris, ☎ (01) 47.27.01.76, fax (01) 47.04.61.51.

En Suisse

Consulat, 1, Jungfraustrasse, 3005 Berne, ☎ (31) 356.43.43, fax (31) 356.43.52, www.embargentina-suiza.org

Internet

www.turismo.gov.ar

Guides

Aconcagua, highest trek in the world (Cicerone Press), *Argentine* (Gallimard/Bibl. du voyageur, Gallimard/GEOguide, Hachette/Guide du routard, Le Petit Futé, Lonely Planet France, Marcus, Mondeos), *Buenos Aires* (Lonely Planet en anglais), *Trekking in the Patagonian Andes* (Lonely Planet).

Cartes

Automapa (Patagonie et Terre de Feu, Rutas de la Argentina), Cordée (Parc national des glaciers), ITM (Tierra del Fuego), Nelles.

Images

Beaux livres

Argentine Indian Art (Alejandro Eduardo Fiadone, Dover Publications 1997), *l'Argentine vue d'en haut* (Yann Arthus-Bertrand, La Martinière 1996), *Buenos Aires* (IFA, 1995), *la Grande Traversée des Andes* (H. Ayasse, Arthaud, 1987).

DVD

Des trains pas comme les autres: Argentine/ Paraguay (Warner Home Video 2004).

Lectures

Histoire et politique

L'Argentine après la débâcle : itinéraire d'une recomposition inédite (Diana Quattrochi-Woisson/ Ed. Michel Houdiard, 2007).

Romans et récits

Le chemin de Buenos Aires (Albert Londres, Alphée, 2005), *Pampa* (P. Kalfon, Points 2008), *En Patagonie (*Bruce Chatwin, Grasset, 2002), *Patagonie Express* (P. Théroux, Grasset, 2006), *Vol de nuit* (Antoine de Saint-Exupéry/Gallimard/ Folio).

Les romans et pièces de l'écrivain-poète Jorge Luis Borges sont un passage littéraire obligé.

QUEL VOYAGE ET À QUEL PRIX ?

Le voyage individuel

Les préparatifs

◆ Pour les ressortissants de l'Union européenne, canadiens, suisses : passeport en cours de validité suffisant, billet de retour ou de continuation exigible.

◆ Aucune vaccination exigée. Prévention recommandée contre le paludisme dans certaines zones rurales du nord. Les cas de dengue sont en augmentation.

◆ Monnaie : le *peso argentin.* Emporter des euros ou des dollars US et les changer dans les banques ou les *casas de cambio.* 1 EUR = 4,8 pesos argentins, 1 US Dollar = 3,4 pesos argentins.

Le départ

◆ Indice de prix à certaines dates du vol Paris-Buenos Aires A/R : 700 EUR. ◆ Durée moyenne du vol Paris-Buenos Aires direct (11 062 km) : 12 heures.

Sur place

Avion

Vols intérieurs : système du *pass* possible, à acheter avant le départ.

Bus

Bon réseau, contrairement au réseau ferroviaire, très peu étendu.

Hébergement

On peut loger – chèrement – dans des *estancias.* L'hôtellerie classique n'est pas donnée non plus. Il existe des *hospedajes* (pensions modestes) et des auberges de jeunesse.

Route

◆ Réseau routier correct mais taux d'accidents élevé. ◆ La location de voiture sans chauffeur n'est pas rare mais chère. Elle est possible sur place ou, mieux, via un voyagiste avant le départ. ◆ Les autotours se développent, entre autres pour le nord-ouest andin (Jet Set/Équinoxiales).

Trains

◆ Dans le nord-ouest andin, le parcours et les viaducs du « Train des nuages », à 4 000 m d'altitude, sont un rendez-vous obligé pour les passionnés du chemin de fer.

◆ Les paysages de Patagonie, nus et battus par les vents, ne sont jamais mieux observés qu'à travers les vitres de la *Trochita,* petit train désuet et attachant mais devenu très touristique.

Treks

Des agences locales sont spécialisées pour les randonnées dans les Andes, telle Aconcagua Xperience à partir de Mendoza (www.aconcagua-xperience.ar).

Vie quotidienne

Coût de l'hospitalisation très élevé. Prise d'assurance conseillée dans ce domaine.

Le voyage accompagné

Rappel : nous nous sommes limités à un résumé des prestations en vigueur dans les agences et chez les voyagistes présents en France. Les lecteurs des autres pays peuvent en tirer des idées d'itinéraire et les compléter auprès de leurs agences de voyages.

◆ La majorité des voyages se déroulent pendant l'été austral, entre mi-octobre et fin mars, et durent 15 jours en moyenne. Le **grand classique** part de Buenos Aires (parfois avec une soirée tango), se poursuit par la péninsule Valdés, le Parc national des glaciers, la Patagonie (passage dans les *estancias* des *gauchos*) et la baie d'Ushuaia. Ce programme se retrouve, avec des variantes peu marquées, chez Ananta, Arts et Vie, Jetset/Équinoxiales, Jet Tours, Kuoni, La Maison des Amériques latines, Look Voyages, Marsans, Nouvelles Frontières, Vacances Transat, Voyageurs du monde. Retenir l'ajout des chutes d'Iguaçu chez certains prestataires.

Ce type de voyage accompagné revient plutôt cher : rarement moins de 2 200 EUR pour 12 jours. Quant aux voyages accompagnés de trois semaines, ils flirtent avec les 3 500 EUR.

◆ Le **nord-ouest andin** suscite de plus en plus d'intérêt. Après une arrivée et un séjour à Buenos Aires, le circuit prend corps autour de Salta et de Cachi, avec la vallée de Humahuaca en point d'orgue. Nombreux prestataires (Arroyo, Dima Tours, Jet Tours, Kuoni, La Maison des Amériques latines, Marsans). *Pour de tels voyages, tabler autour de 2 000 EUR pour dix jours.*

◆ Il est recommandé de découvrir la **Patagonie** à partir d'El Calafate. De plus en plus de voyagistes (Jetset/Équinoxiales, La Maison des Amériques latines, entre autres) sont présents pour proposer la visite du parc national des Glaciers, tout proche, ou un séjour dans une estancia (vie à la ferme et excursions).

◆ Entre novembre et avril, des navires de **croisière** (Costa Croisières, Royal Olympic Cruises) abordent sur les côtes sud du Brésil, s'attardent aux alentours de la péninsule Valdès et descendent jusque dans les fjords de la Terre de Feu. D'autres partent de Buenos Aires, passent par Montevideo, la pointe sud et dans les fjords chiliens avant Valparaiso. *Ces croisières durent de 10 à 15 jours, pour un prix moyen de 3 500 EUR.*

Quelques minicroisières : en voilier au large du cap Horn (Jet Set/Équinoxiales ou Grand Nord Grand Large, qui poursuit vers l'Antarctique); une journée en bateau sur le Lago Argentino, le canal de Beagle et le cap Horn.

◆ L'Argentine est un terrain de choix pour les **randonneurs**, qui se retrouvent au pied du Fitz Roy ou de l'**Aconcagua** (Allibert, Atalante, La Balaguère, Terres d'aventure). L'Aconcagua, sommet mythique, doit être abordé avec expérience et forme physique, vu les problèmes inhérents à l'altitude. D'autres randonnées se consacrent à la Patagonie (Allibert, Nomade Aventure, Terres d'aventure).

◆ Le combiné **Argentine-Chili** est souvent avancé en raison de la configuration géographique. Les circuits varient de 15 à 20 jours, comme chez Atalante, Club Aventure, Continents insolites, Grand Nord Grand Large, avec un enviable mariage Parc national des glaciers et Torres del Paine, hélas ! cher. *Compter au-delà de 3 000 EUR.*

◆ La Bolivie, l'Uruguay, le Paraguay ou le Brésil, parfois deux ou trois d'entre eux dans un même voyage, sont les pays que la plupart des voyagistes précités combinent avec l'Argentine.

QUE RAPPORTER ?

Le textile domine : tissus andins, pulls (guanaco), ponchos. Les bijoux en argent sont également prisés. Achats symboliques : les objets en cuir... et la viande de bœuf.

LES REPÈRES

◆ Lorsqu'il est midi en France, en Argentine il est 7 heures en été et 8 heures en hiver; lorsqu'il est midi au Québec, en Argentine il est 14 heures. ◆ Langue officielle : espagnol. Également parlé : le guarani, langue indienne. ◆ Langues étrangères : les non-hispanophones communiqueront mieux en anglais ou en italien qu'en français. ◆ Téléphone vers l'Argentine : 0054 + indicatif (Buenos Aires : 11) + numéro; de l'Argentine : 00 + indicatif pays + numéro. Bonne connexion pour le portable.

LA SITUATION

Géographie. Ce vaste pays (2 780 400 km^2) est parcouru à l'est, sur toute sa longueur, par la cordillère des Andes, très élevée par endroits. Ailleurs, le relief s'adoucit : plateaux au sud (Patagonie) et plaines à l'est (Pampa) comme au nord (Chaco).

Population. 86 % des 40 677 000 habitants sont d'origine européenne, essentiellement venus d'Espagne et d'Italie. Cette homogénéité ne laisse que 12 % de créoles et 2 % d'Indiens. Capitale : Buenos Aires (12 millions d'habitants pour l'agglomération).

Religion. Neuf Argentins sur dix, dont obligatoirement le président, sont catholiques. Petites minorités de protestants et de juifs.

Dates. *1516* Un Espagnol, Díaz de Solis, découvre la Plata. *1816* Indépendance. *1829* Dictature de Juan Manuel de Rosas. *1853* Établissement d'une constitution libérale. *1943* Perón, officier nationaliste, arrive au pouvoir, secondé par son épouse, Eva (Evita) Duarte, très populaire. *1955* Junte militaire, Perón est chassé du pouvoir. *1973* Retour de Perón. *1976* Junte militaire de Videla, qui réprime les opposants. *1982* Perte de la guerre des Malouines face aux Anglais. *1983* Retour des civils avec Raúl Alfonsín. *1989* Carlos Menem (péroniste) élu président. *Octobre 1999* Fernando De la Rua (radical), soutenu par une coalition de centre gauche, devient président. *Décembre 2001* Émeutes nées d'une économie en faillite, démission du président. Eduardo Duhalde prend les rênes du pays. *Mai 2003* Nestor Kirchner nouveau président d'un pays toujours aux abois. Son épouse lui succède en décembre 2007, toujours dans la ligne péroniste.

Arménie

Avertissement. – Il est recommandé d'éviter les zones frontalières.

Vis-à-vis de l'extérieur, l'Arménie change peu à peu son image de terre de luttes et de malheurs. Aujourd'hui elle met en avant la beauté de ses paysages caucasiens et surtout son patrimoine religieux : les très vieilles églises des villages de montagne, les monastères et la capitale Erevan ont de quoi ravir le passionné d'histoire de l'art. Aussi commence-t-elle à trouver une place sur l'agenda du voyageur, d'autant que les relations de voisinage avec l'Azerbaïdjan sont meilleures.

LES RAISONS D'Y ALLER

LES MONUMENTS

Eglises (Etchmiadzine), monastères (Guéghard, Noravank) et cimetières (Noratous) très anciens, temple gréco-romain (Garni)

LA VILLE

Erevan

LES PAYSAGES

Petit Caucase

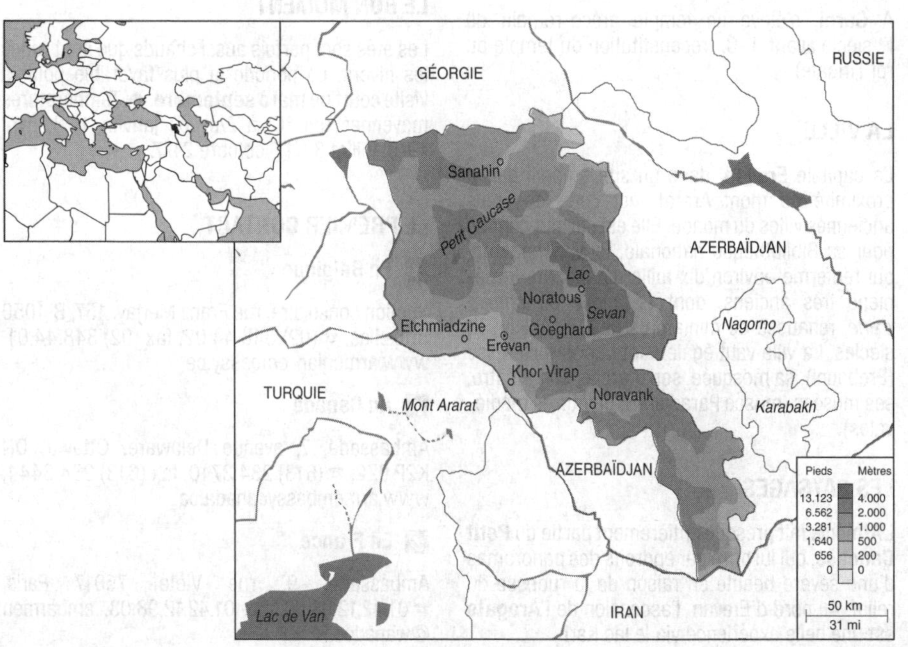

LES RAISONS D'Y ALLER

LES MONUMENTS

Le pays a le privilège de compter des édifices religieux parmi les plus anciens de la chrétienté. Le plus réputé est la cathédrale d'**Etchmiadzine,** la « Rome arménienne » (IVe siècle, flanquée d'un musée riche en reliques).

A **Guéghard**, on trouve un monastère du IVe siècle aux chapelles taillées dans le roc, alors que celui de Noravank et ses deux églises sont dans un très beau site de montagnes. Quant au monastère de **Khor Virap** (« Fosse profonde »), il est l'un des lieux sacrés de l'Église apostolique arménienne et donne sur le mont Ararat. Autres monastères : Hairavank et sa vue sur le lac Sevan, Sanahin (l'un des plus importants centres religieux des Xe-XIIIe siècles).

Le cimetière de **Noratous** et son champ des mille khatchkars (pierres tombales) comme les **petites églises**, celles-ci parfois flanquées d'une coupole à étages, du VIIe siècle et au-delà, ne sont pas en reste : entre autres les églises de Sainte-Hripsimée, Sainte-Gayanée, Karmravor, ou encore l'église Saint-Zoradvor à Erevan.

A **Garni**, s'élève un temple gréco-romain du Ier siècle avant J.-C. (reconstitution du temple du roi Tiridate).

LA VILLE

La capitale **Erevan**, dans un site embelli par la proximité du mont Ararat, est l'une des plus anciennes villes du monde. Elle est surtout connue pour sa Bibliothèque nationale, le Maténadaran, qui renferme environ dix mille manuscrits arméniens très anciens, dont *l'Évangile d'Etchmiadzine*, rehaussé de miniatures des VIe, VIIe et Xe siècles. La ville vaut également par sa forteresse (Erebouni), sa mosquée, son marché, son théâtre, ses musées (musée Paradjanov, peintures médiévales).

LES PAYSAGES

L'Arménie fait presque entièrement partie du **Petit Caucase**, qui lui offre par endroits des panoramas d'une sévère beauté en raison de la rudesse du relief. Au nord d'Erevan, l'ascension de l'**Aragats** est une belle expérience via le lac Kari.

Hauts plateaux, massifs volcaniques et cuvettes - telle celle du lac **Sevan**, que les Arméniens ont baptisé « beauté aux yeux bleus » - se succèdent, alors qu'à l'ouest, l'horizon est relevé par les pentes enneigées du mont Ararat.

LE POUR

◆ Des promesses touristiques, autant sur le plan culturel que sur celui des paysages.

◆ Une destination qui commence à se prêter au voyage individuel et des propositions de séjour en augmentation dans les pages des voyagistes.

LE CONTRE

◆ Des infrastructures touristiques encore balbutiantes.

◆ Une hôtellerie et des voyages accompagnés plutôt coûteux.

◆ Des zones frontalières sensibles et déconseillées aux voyageurs.

LE BON MOMENT

Les étés sont parfois aussi chauds que sont rudes les hivers. La période la plus favorable pour la visite court **de mai à septembre.** ◆ Températures moyennes (en °C) à *Erevan* : janvier 1/-8, avril 19/6, juillet 33/17, octobre 21/7.

LE PREMIER CONTACT

En Belgique

Section consulaire, rue Franz Merjay, 157, B-1050 Bruxelles, ☎ (02).348.44.02, fax (02) 348.44.01, www.armenian-embassy.be

Au Canada

Ambassade, 7, avenue Delaware, Ottawa, ON K2P 0Z2, ☎ (613) 234.3710, fax (613) 234.3444, www.armembassycanada.ca

En France

Ambassade, 9, rue Viète, 75017 Paris, ☎ 01.42.12.98.00, fax 01.42.12.98.03, ambarmen @wanadoo.fr

En Suisse

Ambassade, 28, avenue du Mail, 1205 Genève, ☎ (22) 320.11.00, fax (22) 320.61.48, arm.mission @deckpoint.ch

Internet

www.netarmenie.com/tourisme
www.armenews.com (site de la revue *Nouvelles d'Arménie*)
www.acam-france.org

Guides

Arménie (Hachette Evasion, Le Petit Futé, Mondeos), *Arménie, Géorgie, Karabagh* (Adret/ Peuples du monde 2007), *Georgia, Armenia and Azerbaijan* (Lonely Planet).

Lectures

Histoire et politique

L'Arménie moderne : histoire des hommes et de la nation (G. Libaridian, J. Minces/Karthala, 2008), *Histoire de l'Arménie* (Payot, 2004), *les Arméniens et leurs territoires* (Autrement), *le Haut-Karabakh arménien : un Etat virtuel ?* (Torossian Sévag/ L'Harmattan, 2005).

Récits et romans

Arménie : ici je demeure, j'existe (Xenia Editions, 2007), *J'avais six ans en Arménie... : 1915* (Virginie-Jija Mesropian/L'Inventaire, 2007), *la Paix soit avec vous : notes de voyage en Arménie* (Vassili Grossman/L'âge d'homme, 2007).

Images

Arménie(s) : Tome 1 (Claire Guidicenti/Arménie(s) plurielle, 2007), *Arménie, avant-poste chrétien dans le Caucase* (Glénat, 2006), *Lumière de l'Arménie chrétienne* (Centre des monuments nationaux, 2007).

Le film *Ararat* (Momentum Pictures Home Ent. 2003), d'Atom Egoyan, évoque le génocide de 1915.

QUEL VOYAGE ET À QUEL PRIX ?

Le voyage individuel

Les préparatifs

◆ Pour les ressortissants de l'Union européenne, canadiens et suisses : passeport en cours de validité, visa obligatoire, obtenu auprès de l'ambassade ou à l'arrivée à l'aéroport d'Erevan (moins cher et plus rapide, mais bien se faire confirmer cette possibilité). Visa valable 21 jours. Pour le Nagorno-Karabakh, pas de formalités supplémentaires.

◆ Monnaie : le *dram*. 1 EUR = 434 drams, 1 US Dollar = 308 drams. Emporter des euros ou des dollars US pour le change.

Le départ

◆ Indice de prix à certaines dates du vol Paris-Erevan A/R : 450 EUR. ◆ Durée moyenne du vol Paris-Erevan : 5 heures.

Sur place

Hébergement

Possibilité de loger chez l'habitant. Hôtellerie chère dans les villles.

Route

◆ Alcool au volant interdit. ◆ La location de voiture est possible, celle avec chauffeur est largement préférable. ◆ Réseau de minibus ou de taxis collectifs (*marshutkas*, pas très chers). ◆ Minibus possible de Erevan à Stepanakert, au Nagorno-Karabakh. ◆ Frontières terrestres : la plupart sont fermées, bien se renseigner avant le départ. Celles avec la Géorgie et l'Iran ne posent pas de problèmes.

Train

Il existe une ligne Erevan-Tbilissi (Géorgie).

Le voyage accompagné

Rappel : nous nous sommes limités à un résumé des prestations en vigueur dans les agences et chez les voyagistes présents en France. Les lecteurs des autres pays peuvent en tirer des idées d'itinéraire et les compléter auprès de leurs agences de voyages.

◆ La destination Arménie connaît une audience modeste mais le frisson se confirme, malgré un coût du voyage plutôt élevé. Le cocktail montagnes-monastères **marche** bien chez Club Aventure, La Balaguère ou Nomade Aventure. De son côté, Clio propose un circuit culturel d'une semaine avec un prof et Voyageurs du monde deux formules de 8 et 11 jours. Adeo propose un combiné Arménie-**Géorgie**.

Les premiers prix tournent autour de 1 500 EUR pour 12 jours à 1 800 EUR pour 16 jours.

LES REPÈRES

◆ Lorsqu'il est midi en Europe occidentale, en Arménie il est 15 heures. ◆ Langue officielle : l'arménien, parlé par 90 % de la population. ◆ Langues minoritaires : l'azerbaïdjani et le russe. ◆ Téléphone vers l'Arménie : 00374 + indicatif (Erevan : 1) + numéro; de l'Arménie : 810.

LA SITUATION

Géographie. Petit pays de 29 800 km², dont 4 400 pour l'enclave du Nagorno-Karabakh en Azerbaïdjan, l'Arménie appartient géographiquement au Petit Caucase. Ses sommets, tel l'Aragats, dépassent parfois 4 000 m.

Population. 2 969 000 Arméniens, dont un tiers vivent à Erevan, la capitale. Les années de guerre ont provoqué une nette tendance à l'exil, alors que la diaspora est importante (États-Unis, France, Russie, entre autres).

Religion. L'Église arménienne (orthodoxe) conserve une très ancienne spécificité et a toujours été le ciment de l'unité et des revendications du peuple arménien.

Dates. *600 av. J.-C.* Naissance de la civilisation arménienne. *301 ap. J.-C.* Le christianisme religion d'Etat. *1813* La Russie pénètre en Arménie. *1915* Le génocide perpétré par le gouvernement jeune-turc provoque l'afflux de milliers de réfugiés dans le Caucase. *1918* Début d'une très brève indépendance. *1920* L'Arménie est soviétisée. *1935* Les purges staliniennes frappent les intellectuels. *1936* L'Arménie devient une république soviétique. *1988* La dispute avec l'Azerbaïdjan à propos de l'enclave du Nagorno-Karabakh déclenche la guerre entre les deux républiques. *1989* Un séisme ravage l'extrême ouest du pays. *1991* Indépendance. Levon Ter-Petrossian président. *1992* Aggravation de la guerre avec l'Azerbaïdjan. *Mai 1994* Accord de cessez-le-feu entre l'Azerbaïdjan et le Nagorno-Karabakh, qui s'autoproclame république et indépendant. *Septembre 1996* Réélection fortement contestée de Ter-Petrossian. *Février 1998* Démission de Ter-Petrossian. Robert Kotcharian lui succède. *Mai 1999* Victoire du mouvement « Unité » aux législatives. *Octobre 1999* Assassinat du Premier ministre et de sept autres personnalités par un commando. *Mai 2000* Le président limoge son gouvernement, le climat politique interne se dégrade. *Mars 2003* Kotcharian réélu. *Mai 2003* Élections d'un Parlement qui rompt avec le passé et n'abrite plus les partis communiste et nationaliste. *Février 2008* L'élection de Sarkissian à la présidence est très vivement contestée par l'opposition.

Australie

L'Australie, « the Lucky Country », ainsi appelée pour la richesse de ses matières premières, de son soleil et de ses paysages, est certes trop neuve pour offrir des trésors historiques, mis à part quelques sites de peintures rupestres aborigènes. Mais elle vit sur son mythe tenace de pays encore à défricher : le voyageur a la même envie de la découvrir qu'avait le pionnier de la conquérir. Il est vrai que sa taille est une promesse de bonheur pour les voyageurs individuels qui aiment croquer du kilomètre. Les larges horizons de l'intérieur sont concurrencés par ceux des côtes, avec la Grande Barrière de corail en point d'orgue : aussi débouche-t-on sur un choix de mille voyages possibles, facilité par la diversité des formules.

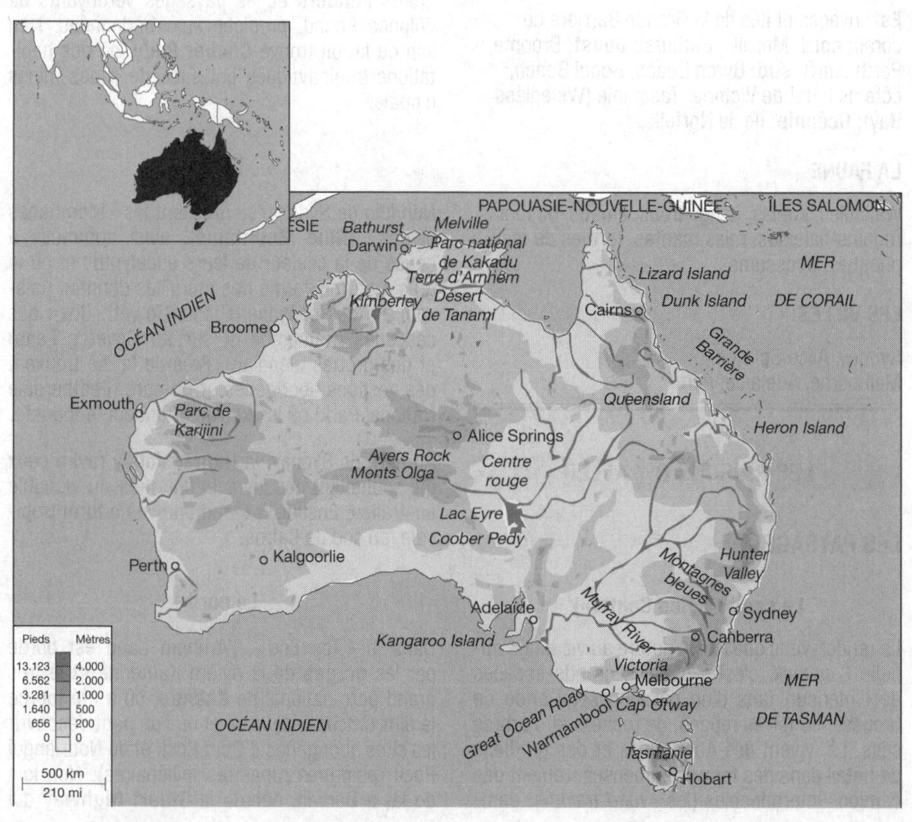

LES RAISONS D'Y ALLER

LES PAYSAGES

Le centre
Centre rouge (Kings Canyon, Ayers Rock, monts Olga)
Lac Eyre, monts Flinders, Coober Pedy
L'est
Blue Mountains, Hunter Valley
Le nord
Sites aborigènes du parc de Kakadu, Kimberley, Bungle Bungle, forêts du Queensland
L'ouest
Parc de Karijini, désert des Pinnacles, région aurifère de Kalgoorlie
Le sud
Parcs nationaux (Fort Campbell, Otway)
Tasmanie (parcs, forêts, lacs, Overland Track)

LES CÔTES

Est: rivages et îles de la Grande Barrière de corail; **nord**, Melville, Bathurst; **ouest**: Broome, Perth (surf), **sud**: Byron Beach, Bondi Beach, côte de l'État de Victoria, Tasmanie (Wineglass Bay); **Océanie**: île de Norfolk

LA FAUNE

Wallabies, koalas, kangourous, émeus, dauphins, requins-baleines, raies mantas, tortues de mer, phoques, opossums

LES VILLES

Sydney, Alice Springs,
Melbourne, Adelaïde, Perth

LES RAISONS D'Y ALLER

LES PAYSAGES

Le centre («Red Center»)

Le rendez-vous que fixe la nature au visiteur s'appelle l'*outback,* c'est-à-dire les grands espaces de l'intérieur, faits d'un paysage semi-aride de brousse, de terres rouges, de rochers et d'arbres secs. Là, vivent des Aborigènes et des gardiens de bétail dans des fermes immenses, roulent des camions interminables (les «*road trains*»), gambadent des kangourous rouges et paissent des dromadaires sauvages...

Au milieu s'étend le désert de **Simpson**, baptisé Centre rouge à cause de ses longues dunes rouges parsemées de buissons. Les gorges du **Kings Canyon**, puis **Alice Springs**, «la» ville du désert, annoncent, seul au-dessus de la plaine, **Ayers Rock** (**«** Uluru»), un monolithe de grès, à la fois plus gros rocher du monde (9 km de circonférence) et montagne sacrée des aborigènes qui ont décoré de gravures et de peintures ses grottes. On peut escalader les 348 m d'Ayers Rock, en faire le tour (3 heures de marche), on peut surtout l'admirer au coucher du soleil, lorsqu'il se pare de teintes rouge orangé, comme les trente-six dômes des **monts Olga**, à 20 km en partant vers l'ouest.

Si l'on quitte le Centre rouge en train vers Adelaïde, on longe le **lac Eyre**, mélange de sel, de boue et d'eau saumâtre, avant de se retrouver dans les monts **Flinders** et les paysages verdoyants de Wilpena Pound, propices aux randonnées. Non loin de là, on trouve **Coober Pedy**, où des habitations troglodytiques ont succédé à des mines d'opale.

L'est

Non loin de Sydney, se dressent les «Montagnes bleues» (**Blue Mountains**), ainsi nommées à cause de la couleur de leurs eucalyptus et où le grès a parfois formé des murailles donnant naissance à des canyons (Grose, Gowett, Cox), des cascades (Katoomba et surtout Govett's Leap) et des grottes (Jenolan). Près de là, se trouvent des vestiges aborigènes et un parc (Featherdale National Park) où les koalas attendent le touriste.

Au nord de Sydney, la **Hunter Valley** ravira ceux qui souhaitent découvrir la fine fleur du vignoble australien. Ensuite, s'étend une vaste forêt tropicale, au sud de Cairns.

Le nord

Dans le « Top End », l'Arnhem Land est bordé par les **gorges** de la rivière Katherine et le très grand parc national de **Kakadu**, où a été tourné le film *Crocodile Dundee* et où l'on peut découvrir les sites aborigènes d'Obiri Rock et de Nourlangui Rock (peintures rupestres millénaires). Non loin de là, à Darwin, débute la **Stuart Highway** qui conduit les baroudeurs de l'asphalte jusqu'à Adelaïde, tout au sud.

Au nord-ouest, la région des **Kimberley** a abrité les premiers aborigènes il y a quarante mille ans. Les gorges et les montagnes de la région de **Bungle Bungle**, prolongées par le désert de Tanami et son immense cratère du « Météore du loup », valent le déplacement.

Au nord-est, la presqu'île de cape York, pointe extrême du **Queensland**, abrite une jungle impressionnante, alors que les «Wet Tropics » et la forêt tropicale du parc de **Lamington** complètent la richesse des sites naturels de ce grand Etat.

L'ouest

En quittant Exmouth vers l'intérieur, on traverse le parc national de **Karijini** avec ses gorges teintées de rouges, ses chutes et ses piscines naturelles. A 200 km au nord de Perth, le mini-désert des **Pinnacles** est hérissée de monolithes aux formes étranges.

Au sud-ouest, la ville de **Kalgoorlie**, entre Perth et Adelaïde, est au cœur d'une région qui a connu sa ruée vers l'**or** à la fin du XIXe siècle. Le Museum of Goldfields et la mine de Hannans North en sont les principaux témoignages. La région connaît une nouvelle folie pour la recherche d'or depuis quelques années.

Le sud

Le Wilsons Promontory National Park, le parc national de **Port Campbell**, le parc national d'**Otway**, qui renferme l'une des dernières forêts pluviales tempérées au monde, les lacs salés de la *Desert Wilderness* donnent sa valeur touristique à l'Australie méridionale, avec l'Etat de Victoria en figure de proue.

La **Tasmanie**, île appendice de l'Australie, est riche de parcs nationaux, de forêts aux eucalyptus géants (hélas, victimes de coupes claires!), de lacs et de cascades. Elle attire les randonneurs en quête de contrées insolites comme celles de la partie sud-ouest de l'île (Mount Field Park) et surtout de l'ouest, où les 80 km de l'Overland Track, à travers le parc national de Cradle Mountain, constituent le dernier trekking à la mode, agrémenté de fougères arborescentes, bruyères, marsupiaux, wallabies.

À une centaine de kilomètres à l'est de Hobart, les amateurs de sensations fortes apprécieront la visite de l'ancien bagne de Port Arthur et la mini-croisière qui mène à l'« île des Morts ».

LES CÔTES

La côte est

Classée huitième merveille du monde par les Australiens, classée par l'Unesco sur la liste du patrimoine mondial, la **Grande Barrière** de corail (près de 2 500 km de long, 2 500 récifs, 350 sortes de corail dur qui implore l'industriel de ne plus le salir et le touriste de ne plus le cueillir) justifierait le voyage à elle seule.

Autour de ce « reef », fait d'îles de corail et de plages infinies, les séjours font alterner le farniente, les sports nautiques et l'observation du corail à partir de bateaux à fond de verre, ou avec un simple masque et un tuba.

Dans la partie nord de la Grande Barrière, au large de Cairns, les sites les plus connus sont **Lizard** Island, Green Island, Dunk Island. Plus bas, face à Airlie Beach, les dizaines d'îles de l'archipel des **Whitsundays** attirent une clientèle haut de gamme. Enfin au large de Brisbane, qui est entourée des très branchées **Sunshine Coast** et **Gold Coast**, on peut observer la faune de Heron Island, le passage des baleines à bosse (août-octobre) près de l'île de sable de **Fraser** et les dauphins de l'île Moreton.

La côte nord

Moins fréquentée, elle peut ménager un tourisme plus typé, tel celui qu'offrent les îles de **Melville** (à la rencontre du peuple aborigène Tiwi) et de **Bathurst**.

La côte ouest

Des plages peu fréquentées par le tourisme international entourent **Broome** (avec son interminable Cable Beach) et **Perth**, où les amateurs de **surf** s'en donnent à cœur joie. Rien d'étonnant : les côtes australiennes n'offrent-elles pas, avec les rivages hawaiiens et californiens, le privilège des plus belles vagues du monde pour les meilleurs adeptes de surf du monde ? Ceux-ci se retrouvent non seulement autour de Perth mais aussi entre Brisbane et Melbourne.

La côte sud

En partant loin vers le sud-est, on trouve **Byron Bay**, où émerge une nouvelle clientèle fuyant les standards, avant d'aborder les trente kilomètres de sites balnéaires qui sont éparpillés autour de **Sydney.** «La» plage de la ville est Bondi Beach, où l'on se montre et où l'on surfe beaucoup, tout en perpétuant le mythe de la Beach Culture et des vénérés «life-savers» (sauveteurs).

Les rivages de l'État de **Victoria** comptent parmi les plus prisés du pays. La *Great Ocean Road* (route côtière qui part de Torquay, la ville du surf, vers Adelaïde) multiplie le spectacle des falaises de grès, dont les «Douze Apôtres» à la hauteur de Port Campbell, tandis que, entre Warrnambool et le cap Otway, les baleines franches australes sont présentes de juin à septembre, comme les ornithorynques sur la plage de Lorne. Au large, Phillip Island invite à découvrir un trio insolite composé de koalas, de pingouins et de phoques.

Tasmanie et Norfolk

Les côtes de la **Tasmanie** sont plutôt fraîches mais belles, par exemple Wineglass Bay, à l'est de l'île où l'agrément des côtes se double de l'intérêt des paysages du Freycinet Park qui les englobe.

Insolite, à égale distance de la Nouvelle-Calédonie et de la Nouvelle-Zélande, l'île de **Norfolk** : cet endroit isolé est en partie habité par des descendants des révoltés du *Bounty.*

LA FAUNE

L'Australie a l'exclusivité de trois marsupiaux célèbres : le **wallaby**, le **koala** (celui-ci principalement dans les forêts du Queensland) et, bien sûr, le **kangourou**, que l'on peut apercevoir dans son élément naturel sur l'île qui porte son nom, au large d'Adelaïde, mais aussi dans les parcs de Kakadu et des Blue Mountains. Kangaroo Island abrite également des baleines, des koalas et des opossums. Autres exclusivités: l'**ornithorynque** et ses pattes palmées, qui se meut dans les rivières et les lacs, et l'**émeu**, qui voisine avec une soixantaine d'espèces de perroquets.

Beaucoup d'espèces se retrouvent en Tasmanie, où la faune (espèces **rares** de **marsupiaux**) et la flore (forêts pluviales, eucalyptus, séquoias) ont mieux résisté que sur la grande voisine du nord.

La faune aquatique de la côte de l'Australie-Occidentale n'est pas en reste, ce qui ravit les amateurs de plongée : **dauphins** sauvages du parc de Shark Bay et, d'avril à juin, présence d'imposants **requins-marteaux** aux abords de Ningaloo Reef, près d'Exmouth.

Dans le parc de Kakadu, outre le spectacle de peintures rupestres aborigènes dans les grottes et les gorges, on peut s'offrir un safari photo de **crocodiles** géants et de termitières qui le sont autant.

Le long de la Grande Barrière, entre septembre et mars, les **tortues de mer** et une grande variété d'oiseaux viennent s'installer aux côtés des **raies mantas** et des poissons multicolores.

LES VILLES

Sydney a du cachet, et pas seulement pour l'architecture hérisson de son Opera House. En effet, depuis que sa baie (Harbour) a vu l'activité industrielle, les cargos et les docks en bois peu à peu remplacés par des structures de loisirs (voile, théâtres, restaurants, boutiques et aquarium de Darling Harbour), la ville est entrée dans une ère de grande popularité touristique.

Ses espaces de verdure (Royal Botanic Gardens, Hyde Park), son «vieux» quartier (Rocks), son pont (le Sydney Harbour Bridge), ses audaces (le «Gay Mardi Gras» est devenu une institution) et son attrait culturel (témoignages aborigènes et orientaux de l'Art Gallery of New South Wales) complètent son label de ville la plus intéressante du pays.

Alice Springs (pour sa situation au cœur du désert), **Melbourne** (pour les contrastes de son urbanisme, ses bâtiments du XIXe siècle au centre et la richesse de ses jardins botaniques), **Adelaïde** (pour son site au pied des monts Lofty et les expositions d'art aborigène du Tandanya Institute) et **Perth** (pour son... splendide isolement, sa marina, son musée maritime et son port de Fremantle) valent aussi la visite.

LE POUR

◆ Des ingrédients de voyage multiples. La taille du pays fait que, hormis l'amateur de vieilles pierres, chacun y trouve son compte : le bronzeur-né, le plongeur, le surfeur, le croqueur de kilomètres, le passionné de faune aquatique ou terrestre.

◆ Un billet d'avion et plus généralement un séjour accompagné à des prix de plus en plus raisonnables.

LE CONTRE

◆ Un coût de la vie touristique qui reste élevé.

◆ Un climat relativement défavorable dans la partie sud entre juillet et septembre.

LE BON MOMENT

L'immensité australienne rend le voyage possible toute l'année, mais avec des nuances : **mai à octobre** pour le nord et la Grande Barrière, **octobre à avril** pour l'ouest et Sydney, **avril-mai** et **août-septembre** pour le Centre rouge, le Territoire du Nord et le Queensland.

◆ Températures moyennes jour/nuit (en °C) à *Alice Springs* (centre) : janvier 36/21, avril 28/13, juillet 20/4, octobre 31/15; à *Darwin* (côte nord) : janvier 32/25, avril 33/24, juillet 30/19, octobre 33/25; à *Perth* (côte sud-ouest) : janvier 32/17, avril 25/13, juillet 18/8, octobre 22/10. à *Sydney* (côte sud-est) : janvier 26/19, avril 22/15, juillet 16/8, octobre 22/14. La température moyenne de l'eau de mer est comprise entre 19 et 23°.

LE PREMIER CONTACT

En Belgique

Ambassade, rue Guimard, 6/8, B-1040 Bruxelles, ☎ (02) 286.05.00, fax (02) 230.68.02, www.austemb.be

Au Canada

Australian Tourist Commission, 111 rue Peter, Suite 630, Toronto, Ontario M5V 2H1, ☎ (416) 408 0549. Consulat, 175, rue Bloor Est bureau 1100, Toronto, Ontario, M4W 3R8, ☎ (416) 323-1155, fax : (416) 323-3910.

En France

Australian Tourist Commission, c/o Interface Tourism, 11 bis, rue Blanche, 75009 Paris, ☎ 01.53.25.11.11. Consulat, 4, rue Jean Rey, 75015 Paris, ☎ 01.40.59.33.00, fax : 01.40.59.33.10, www.france.embassy.gov.au, info.paris@dfat.gov.au

En Suisse

Consulat, chemin des Fins, 2, Case postale 172, CH-1211 Genève 19, ☎ (22) 799.91.00, fax (22) 799.91.78, www.australia.ch

Autres sites Internet

www.australia.com (site de l'office du tourisme)
www.queensland-europe.com
www.toptouristparks.com.au (campings)

Guides

A dominante pratique

Australie (Berlitz, Gallimard/Spiral, Hachette/Évasion, Hachette/Guide Voir, JPMGuides, Le Petit Futé, Lonely Planet France, Mondeos, National Geographic France), *Australie, Nouvelle-Zélande* (Berlitz), *Australie, Tasmanie* (Nelles), *Great Barrier Reef* (Lonely Planet/Diving and Snorkeling), *Sydney* (Berlitz, Lonely Planet en anglais, Wallpaper/Phaidon Press), *Tasmania* (Lonely Planet), *Travailler ou étudier en Australie et Nouvelle-Zélande* (Studyrama).

A dominante culturelle

Australie (Gallimard/Bibl. du voyageur, Jaguar, La Découverte/Les guides de l'état du monde, Olizane/Découverte).

Cartes

Hema Maps (très large éventail de cartes des régions, parcs nationaux et routes touristiques du pays), IGN, Lonely Planet, Nelles.

Images

Beaux livres

L'art des aborigènes d'Australie (Wally Caruana, Thames & Hudson, 1994), *Australie : couleurs nature* (Jean Charbonneau/Pages du monde 2008), *l'Australie grandeur nature* (Barthélemy, 2001).

Films

Crocodile Dundee (Paramount, 2002), *Un cri dans la nuit* (Fred Schepisi, Warner Home Video, 1989).

Vidéos

Australie (TF1 Vidéo 2003), *Des trains pas comme les autres : l'Australie* (Bernard d' Abrigeon, Éditions

Montparnasse, 2005), *Faut pas rêver : l'Australie* (France Télévisions, 2005).

Lectures

Histoire/Politique

Sydney : au fil de l'eau (Gallimard, 2003), *le Temps du rêve : la Mémoire du peuple aborigène australien* (Editions du Rocher, 2003).

Récits et romans

L'Australie (Xavier Pons, Idées reçues/Le Cavalier bleu 2007), *le Chant des pistes* (B. Chatwin, L.G.F. Poche, 1990), *Douze jours en Australie* (John Tittensor/La Fosse aux ours 2008), *le Pacte du serpent arc-en-ciel* (A. Wright, Actes Sud, 2002), *Par-dessus le bord du monde* (Tim Winton/Rivages, 2004), *Rêves en colère : alliances aborigènes dans le Nord-Ouest australien* (Barbara Glowczewski /Pocket/Terre humaine 2006), *Surfer la nuit* (Fiona Capp/Actes Sud 2008).

QUEL VOYAGE ET À QUEL PRIX ?

Le voyage individuel

Les préparatifs

◆ Pour les ressortissants de l'Union européenne, canadiens, suisses : passeport valable encore six mois après le retour, visa « électronique » (Electronic Travel Authority) obligatoire délivré par le consulat, la compagnie aérienne ou le voyagiste. ◆ Billet de retour ou de continuation exigible. ◆ Les 18-30 ans désirant autofinancer leur voyage peuvent prendre des renseignements sur le « Working Holiday Visa » auprès de l'ambassade. ◆ Aucune vaccination n'est requise.

◆ Monnaie : le *dollar australien* (subdivisé en 100 cents). 1 US Dollar = 1,5 dollar australien. 1 EUR = 2,1 dollars australiens. Prendre des euros ou des US Dollars et changer sur place ou utiliser une carte de crédit.

Le départ

◆ Indice de prix à certaines dates des vols Montréal-Sydney : 1 500 CAD; Paris-Darwin A/R : 1 250 EUR; Paris-Perth A/R : 1 100 EUR; Paris-Sydney A/R : 1 050 EUR. ◆ Durée moyenne du vol Montréal-Sydney : 10 heures; Paris-Sydney (20 346 km) : 17 heures. ◆ Vol régulier + *pass* « Kangourou » avec Qantas. Les pass doivent être achetés avant le départ.

Sur place

Bateau

◆ Le *Spirit of Tasmania* relie Melbourne au nord de la Tasmanie trois fois par semaine. ◆ Catamarans et voiliers sont légion le long de la Grande Barrière pour des excursions à la journée ou plus.

Hébergement

◆ Il existe des *Bed and Breakfast* et un *Flag Hotel Pass* (chaîne d'hôtels à des prix raisonnables). ◆ Camping très répandu, donc atout précieux pour les jeunes budgets qui peuvent aussi viser les B and B et les écolodges mais auront plus de mal sur la côte nord-est (grande hôtellerie, spas). ◆ Environ 150 auberges de jeunesse (YHA), type Nomads ou Base, vraie mines de renseignements pour les voyageurs. ◆ La plupart des voyagistes proposent des bons d'hôtels et des offres de séjour chez l'habitant, y compris, et de plus en plus, chez les Aborigènes.

Route

◆ L'Australie au volant est très conseillée et aussi facile qu'aux États-Unis, avec toutefois la conduite à gauche. ◆ Voiture, motorhome, tout-terrain (vivement recommandé pour voyager dans l'*outback* et le nord du Queensland), camping-car, « camper van » familial : le choix des formules de location est à la mesure des distances. ◆ Permis de conduire international préférable, âge minimal : 21 ans. ◆ Pour éviter les fatigues inutiles sur les longs trajets, ne pas hésiter à étudier les formules des autotours (par exemple vol + camping + location de voiture ou, selon la région, de tout-terrain) qui ont le vent en poupe : compter environ 3 000 EUR, tout compris, pour trois semaines de Sydney à Cairns. Asia, Australie à la carte, Australie Tours varient ces propositions d'autotours, y compris pour la Tasmanie. ◆ On peut aussi se laisser transporter par les bus de la compagnie *Greyhound Pioneer*, qui propose l'*Aussie Pass*, valable de 7 à 90 jours.

Train

◆ Les cartes *Austral Pass* et *Road and Rail Pass* offrent des réductions substantielles. Renseignements auprès de l'office du tourisme. ◆ La traversée de l'Australie en train, un rêve de beaucoup, devient réalité grâce à l'*Indian Pacific,* qui roule de Sydney à Perth (65 heures). ◆ Un autre train, le *Ghan,* relie Adelaïde à Alice Springs – et bientôt Darwin – à travers l'outback (20 heures, réserver longtemps à l'avance), alors qu'un train de luxe récent, le *Great South Pacific Express*, relie Sydney à Cairns, via Brisbane.

Le voyage accompagné

Rappel : nous nous sommes limités à un résumé des prestations en vigueur dans les agences et chez les voyagistes présents en France. Les lecteurs des autres pays peuvent en tirer des idées d'itinéraire et les compléter auprès de leurs agences de voyages.

◆ Difficile de choisir un circuit, vu la taille du pays. On peut éluder le problème en prenant le **circuit standard** des sites clés (Sydney, Ayers Rock, parc de Kakadu, Grande Barrière). Éventail de la durée du voyage : de 13 à 21 jours. Tant chez les spécialistes que chez les généralistes, les formules ne manquent pas... tout en se rappelant que visiter l'immense Australie en une fois et en moins d'un mois est mission impossible. Exemples : Adeo, Arts et Vie, Asia, Australie à la carte, Australie Tours, Best Tours, Continents insolites, Jet Tours, Kuoni, Nouvelles Frontières, Tourmonde, Voyageurs du monde, Yoketai.

◆ Le nord (**Top End**) et le nord-ouest (**Kimberley**) sont désormais mieux connus et les voyagistes y sont présents pour des circuits d'une quinzaine de jours (Jet Tours, Tourmonde).

◆ Les croqueurs de kilomètres sont invités à rouler dans l'**outback** sous des formes multiples (camping-car, bus, 4 x 4) : il existe pour cela des circuits accompagnés (Jet Tours, Kuoni, Tourmonde). Les **marcheurs** sont moins sollicités, toutefois Australie Autrement leur propose plusieurs itinéraires.

◆ La **Tasmanie** est la dernière Australie à la mode pour en découvrir des sites naturels protégés ainsi qu'une faune et une flore exceptionnelles, entre autres en suivant l'Overland Track (Asia, Australie à la carte, Australie autrement, Voyageurs du monde).

◆ Menu varié proposé aux **plongeurs** par Ultramarina : pour le corail, ils peuvent choisir Heron Island et Lizard Island sur la côte est. Sur la côte ouest, à Ningaloo Reef, ils côtoient les requins-baleines, surtout entre mi-mars et mi-mai. Sur la côte sud, ils ont droit aux dragons des mers (à Kangaroo Island, entre novembre et mars) et, non loin de là, aux grands requins blancs. Les amateurs de **croisières** s'essaient au périple Australie-Nouvelle-Zélande (Celebrity Cruises, 15 jours).

◆ Original : la **photo** des animaux au poil près avec Objectif Nature, un séjour chez les **Aborigènes**, surtout dans le nord (Asia, Australie Tours, Voyageurs du monde) ou un séjour dans l'une des mille cinq cents grandes **fermes** d'élevage australiennes, qui permet la découverte d'un mode de vie et de la tonte des moutons (renseignements auprès de l'office du tourisme).

Le coût des prestations accompagnées commence à baisser mais, vu l'éloignement et le niveau de vie élevé, il faut encore débourser entre 2 000 et 2 300 EUR pour un circuit de 15 jours et autour de 3 500 EUR pour trois semaines.

QUE RAPPORTER ?

Si le boomerang et le didgeridoo (instrument de musique traditionnel) caractérisent l'artisanat aborigène, n'oublions pas les autres réalisations, surtout le travail du bois (peintures, gravures). Penser aussi aux pierres précieuses (opales) et aux bottes de cow-boy.

LES REPÈRES

◆ Lorsqu'il est midi en France, à Perth il est 18 heures entre avril et octobre, 19 heures de novembre à mars; à Sydney, il est 20 heures d'avril à octobre et 22 heures de novembre à mars. ◆ Langue officielle : l'anglais, qui voisine avec des dialectes aborigènes; le français est peu connu. ◆ Téléphone : numéro d'urgence 000; téléphone vers l'Australie : 0061 + indicatif (Sydney 2) + numéro; de l'Australie : 00 11 + indicatif pays + numéro.

LA SITUATION

Géographie. L'Australie est le pays des grands espaces (7 713 364 km^2, soit 14 fois la France). Son immensité est surtout celle du désert, puisque seules les régions est et sud échappent vraiment à celui-ci, relevant légèrement un relief considéré comme le plus plat du monde.

Population. Un peuplement relativement récent fait que le chiffre de la population (20 601 100 habitants, dont quatre sur cinq vivent le long des côtes et six millions dans la seule agglomération de Sydney) est modeste par rapport à la superficie. La grande majorité des Australiens sont originaires du Royaume-Uni mais aussi d'Europe centrale, d'Italie et de Grèce. On dénombre 140 000 aborigènes (2 %), dont l'intégration demeure un problème sensible. Capitale : Canberra.

Religion. La proportion de catholiques (26 %) rejoint celle des adeptes de l'Église anglicane d'Australie (26,1 %). Les adeptes de l'Église unitarienne, les presbytériens, les orthodoxes et les baptistes sont autant de minorités religieuses.

Dates. *40 000 environ av. J.-C.* Les premiers habitants (aborigènes) arrivent d'Asie. *1642* Tasman découvre... la Tasmanie. *1768* Bougainville et, deux ans plus tard, Cook complètent la découverte. *1788* Des forçats anglais sont envoyés en Australie pour méditer sur leurs fautes et seront à la source de la colonisation. *1901* L'Australie rédige sa constitution. *1986* L'Australie n'a plus de liens juridiques avec le Royaume-Uni. Elle devient un État fédéral membre du Commonwealth, démocratie à régime parlementaire. *Mars 1996* Le succès électoral de John Howard met fin à treize années de pouvoir travailliste. *Septembre 2000* Les jeux Olympiques de Sydney rencontrent un franc succès. *Novembre 2001* John Howard et sa coalition sont reconduits. *2004* Quatrième mandat consécutif pour Howard. *2008* Kevin Rudd (Australian Labor Party) Premier ministre.

Autriche

Skieurs, randonneurs, mélomanes, gastronomes et amateurs d'air pur : mis à part la mer, la petite Autriche a tout à offrir à tout le monde en toutes saisons. En prime, elle déroule sans cesse, le long de son excellent réseau routier, des paysages alpins parsemés de villages aux balcons parmi les plus fleuris d'Europe. Enfin et surtout, elle propose Vienne, la plus romantique des capitales, troisième au hit-parade européen de la fréquentation touristique urbaine après Paris et Londres. Pour tous ces atouts, on tentera de pardonner au pays le niveau de ses prix, souvent aussi élevés que ses sommets.

LES RAISONS D'Y ALLER

LES PAYSAGES, LES RANDONNÉES, LE SKI

Tyrol, Vorarlberg, Wilschönau, Carinthie, lac de Neusield, Hohe Tauern
Tourisme d'hiver (ski alpin, ski de fond)
Tourisme d'été (randonnées, grottes)

LES VILLES

Vienne, Salzbourg, Innsbruck, Graz, Linz, Bad Ischl, Mayerling, Melk, Bregenz

LES TRADITIONS

Festivals de musique, marchés de Noël

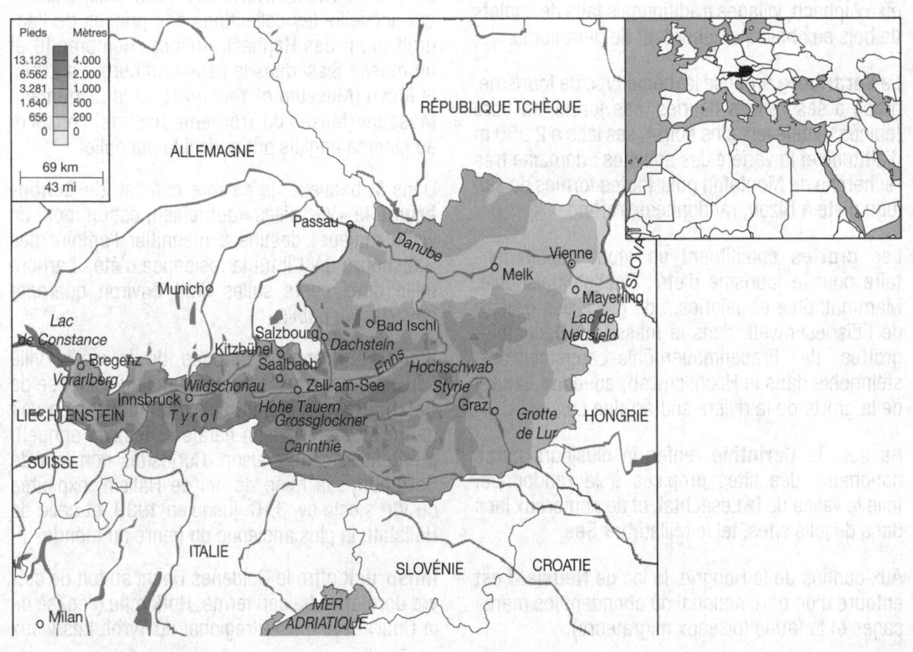

LES RAISONS D'Y ALLER

LES PAYSAGES, LES RANDONNÉES, LE SKI

Le tourisme autrichien s'appuie sur sa meilleure matière première, la neige.

Pour le **ski alpin**, à côté des grandes stations comme Kitzbühel, Saalbach, Zell am See ou Sankt Anton, un millier de communes font valoir la régularité de leur enneigement. On assiste même, comme sur les pentes du mont Hafelekar-Spitze, près d'Innsbruck, à l'émergence du figl, un ski de printemps sur des champs de neige en pleine fonte... Le **ski de fond** (16 000 km de voies) trouve aisément sa raison d'être dans un pays aux trois quarts montagneux, dont les sommets les plus réputés s'appellent Dachstein et Gross Glockner, ce dernier dans le massif aux crêtes aiguës et aux vallées encaissées du **Hohe Tauern**.

Le **Tyrol**, à l'ouest, fort de ses atouts naturels et de son folklore, est l'une des régions du monde qui attirent le plus grand nombre de touristes, été comme hiver. Le canyoning, le VTT, la randonnée, sportive ou familiale, sont monnaie courante, par exemple dans la vallée de la Wildschönau, à Fiss ou à Alpbach, villages traditionnels faits de chalets de bois aux balcons débordant de géraniums.

Le **Vorarlberg** propose le même type de tourisme, grâce à ses vallées fleuries, ses forêts, sa flore (épicéas, mélèzes, pins noirs), ses lacs à 2 000 m d'altitude et la variété des activités : domaine très recherché de Montafon pour toutes formes de ski, luge d'été à Bizau, randonnées, rafting.

Les **grottes** constituent un atout supplémentaire pour le tourisme d'été : Dachsteineishöhle, Mammuthöhle et galeries... de glace des grottes de l'Eisriesenwelt, dans le massif du Dachstein; grottes de Frauenmauerhöhle-Langsteintropfsteinhöhle dans le Hochschwab; aqueduc naturel de la grotte de la rivière souterraine Lur.

Au sud, la **Carinthie** renferme plusieurs parcs nationaux, des sites propices à la randonnée, telle la vallée de la Lesachtal, et de nombreux lacs dans de jolis sites, tel le Millstätter See.

Aux confins de la Hongrie, le lac de **Neusield** est entouré d'un parc national où abondent les marécages et la faune (oiseaux migrateurs).

LES VILLES

Vienne vaut le voyage à elle seule pour une foule de raisons: sa situation sur le Danube (mini-croisières possibles), son charme rétro, ses façades baroques, le palais impérial Hofburg, où se tient lors de la nuit du Nouvel An le prestigieux bal de l'Empereur, son fameux Opéra national (Staatsoper), ses édifices religieux (cathédrale gothique Saint-Étienne), les maisons de Beethoven et de Freud, son artère principale (Graben), sa Maison de la musique et ses festivals de musique classique (festival de printemps et été musical), ses cafés (Café central, Café Bräunerhof), ses pâtisseries, ses bals (300 bals entre le début janvier et la mi-février).

La capitale voit grand sur le plan culturel : elle était déjà riche d'une cinquantaine de musées dont le Kunsthistorisches Museum (Bosch, Rembrandt, Rubens) et les collections du château baroque de Belvedere (Klimt), mais un « Museums Quartier » est né au tournant du siècle, suivi en 2003 de la remise en valeur du palais de l'Albertina, ancien palais des Habsbourg, doté d'une prestigieuse collection d'art graphique, la plus imposante du monde (Dürer, Picasso, Rubens ou Rembrandt y sont également en figure de proue).

En 2004, se sont ouverts un musée Liechtenstein, qui accueille les collections des princes de l'endroit (dont des Raphaël, Rubens, Rembrandt) et un musée Sissi dans le palais Hofburg. En 2005, le Moya (Museum of Young Art) et le Drittemann Museum (Musée du Troisième Homme) consacré au cinéma anglais ont enrichi la panoplie.

Dans la banlieue, le célèbre château de **Schönbrunn**, le « Versailles » autrichien, est un motif de visite majeur : destiné à magnifier l'empire des Habsbourg dont il fut la résidence d'été, il arbore mille deux cents salles dont environ quarante ouvertes au public,

Seuls l'atmosphère baroque de la vieille ville (classée), les musées et la blanche forteresse de **Salzbourg**, qui connut l'insigne honneur de voir naître Mozart (maison natale et festival annuel), méritent la comparaison. Curiosités non loin de Salzbourg : la mine de sel de Hallein, exploitée du VIIe siècle av. J.-C. jusqu'en 1989, et celle de Hallstalt, la plus ancienne du genre au monde.

Innsbruck offre le Goldenes Dachl au toit de cuivre doré et au balcon fermé, Hofkirche (l'église de la Cour) et le musée régional du Tyrol. Les vieux quartiers de **Graz** sont dominés par le clocher Renaissance et par l'horloge du Schlossberg. **Linz** (façades baroques et église Saint-Martin, la plus vieille d'Autriche) vaut aussi le déplacement.

D'autres villes ou lieux portent des témoignages historiques aux noms évocateurs : villa de **Bad Ischl** (Sissi), **Mayerling**, **Melk** (célèbre abbaye), **Bregenz** (festival annuel).

LES TRADITIONS

L'Autriche est le pays natal de Mozart, de Strauss et de Schubert. Aussi les **festivals de musique** classique abondent-ils en été, ainsi que, à Vienne, les concerts impériaux au Palais Palffy, ou ceux du Wiener Mozart Orchestra. Le festival le plus prestigieux demeure celui de Salzbourg en août mais il faut aussi noter, en juin, les « Schubertiades » au château Achlberg, à Feldkirch, dans le Vorarlberg, les représentations données chaque été au bord du lac de Constance à Bregenz et l'« Automne styrien » à Graz.

Autre grande tradition : les **marchés de Noël**. Concerts et petits théâtres de contes ressortent du marché de Noël de Vienne, alors que les cantiques et les chants de Noël à Innsbruck sont agrémentés du cortège de Saint-Nicolas et de spécialités pâtissières tyroliennes. Des marchés de Noël réputés ont lieu également à Linz et à Salzbourg.

LE POUR

◆ Une gamme importante de possibilités de séjour nées d'un double tourisme été/hiver et d'une vie musicale intense.

◆ L'attrait de Vienne, l'une des plus belles villes d'Europe.

◆ Une image qui s'est bien redressée après les années Haider.

LE CONTRE

◆ La nécessité de prévoir un budget élevé, bien que les séjours de ski ne soient pas hors de prix.

LE BON MOMENT

Le climat est continental, donc les étés peuvent être très chauds et les hivers très froids. Tourisme d'été (**juin-septembre**) et tourisme d'hiver (**décembre-avril**) rendent le pays attractif toute l'année. Les randonneurs devront privilégier début septembre.

◆ Températures moyennes jour/nuit (en °C) à *Innsbruck* (ouest du pays) : janvier 4/-5, avril 15/3, juillet 25/13, octobre 16/5; à *Vienne* (est) : janvier 3/-2, avril 15/6, juillet 26/15, octobre 14/7.

LE PREMIER CONTACT

En Belgique

Office national autrichien du tourisme, 106B, avenue Louise, BP 700, B-1050 Bruxelles, ☎ (02) 647.06.10, fax (02) 640.46.93, info@oewbru.be

Au Canada

Office national autrichien du tourisme, 1010 Sherbrooke Ouest, Montréal, ☎ (514) 849-3709, atc_mtr@istar.ca

En France

Maison de l'Autriche (par courrier), BP 475, 75366 Paris, ☎ 01.53.83.95.32, fax 01.45.61.97.67, autriche@autriche-tourisme.fr. Le « Journal de Vienne », sorte d'agenda culturel, est distribué par l'office du tourisme ou par Austrian Airlines.

Au Luxembourg

Ambassade, 3, rue des Bains, L-1212 Luxembourg, ☎ 47.11.88-1, fax 46.39.74.

En Suisse

Office national autrichien du tourisme, CH-8036 Zurich, ☎ (01) 451.15.51, fax (01) 451.11.80.

Internet

www.austria-info (site de l'office du tourisme)
Pour Vienne : www.info.wien.at

Guides

A dominante pratique

Autriche (Hachette/Évasion, Hachette/Guide du routard, Le Petit Futé, Michelin/Guide vert, Mondeos), *Österreich* (Michelin Guide rouge,

Vienne (Hachette/Un grand week-end, Hachette/Voir, JPMGuides, Le Petit Futé, Michelin/Guide vert).

A dominante culturelle

Autriche (Gallimard/Bibl. du voyageur, Gallimard/Encycl. du voyage), *Vienne* (Autrement/Guides).

Cartes

Freytag (*Innsbruck*), IGN, Kümmerly *(Autriche)*, Marco Polo (Alpes, Vienne), *Salzbourg* (Cartographia), *Vienne* (Cartographia, Gallimard/Cartoville, IGN).

Images

Beaux livres

Autriche (Anako/Pages du monde), *Vienne, vision du cœur de l'Europe* (Hermé 2006).

DVD

DVD Guides : Autriche (TF1 Vidéo, 2004).

Lectures

Histoire et politique

Symptômes viennois (J. Roth/Liana Levi), *Vienne/Théâtre de l'oubli et de l'éternité* (Autrement, 1991).

Romans et récits

Autriche, carnets de voyage (Le Petit Futé, 2008), *le Roman de Vienne* (Jean Des Cars/Perrin, 2008), *l'Impératrice indomptée* (Bertrand Meyer-Stabley, Pygmalion, 2008), *Vienne : la ville en un regard* (Paul Sentobe, Wallpaper, 2007).

QUEL VOYAGE ET À QUEL PRIX ?

Le voyage individuel

Les préparatifs

◆ Pour les autres ressortissants de l'Union européenne, carte nationale d'identité ou passeport périmé depuis moins de cinq ans suffisant. Pour les Canadiens, passeport nécessaire.

◆ Monnaie : l'*euro*.

◆ Pour les automobilistes, nécessité d'acheter une vignette autoroutière (pour 24 heures, 10 jours, 2 mois ou 1 an), de préférence avant le départ dans les automobiles-clubs, sinon aux postes-frontière.

Le départ

Avion

Vols à bas prix : Bruxelles-Vienne (Brussels Airlines, Sky Europe), Paris-Vienne (Air Berlin, Sky Europe). Durée moyenne du vol Paris-Vienne (1 045 km) : 2 heures.

Bus

Paris-Vienne A/R via Salzbourg avec Eurolines.

Sur place

Hébergement

Les campings et les chalets sont légion. Outre les hôtels, les appartements, les pensions, le logement chez l'habitant (Tourisme chez l'habitant) et à la ferme est répandu (renseignements et adresses auprès de l'office du tourisme). Nombreuses auberges de jeunesse, dont beaucoup sont équipées pour le ski.

Route

Paris-Salzbourg : environ 1 000 km; Paris-Vienne : 1 230 km. Limitations de vitesse agglom./routes/autoroutes : 50/100/130 (110 entre 22 heures et 5 heures sur certaines autoroutes). Limite du taux d'alcoolémie : 0,5 pour mille. Pour qui dispose d'une semaine, les autotours (location de voiture et réservation de l'hôtel aux étapes) sont monnaie courante.

Train

Pass InterRail utilisable. Disponible dans la plupart des gares. Train de nuit Paris/Est-Vienne. Dans le style rétro, il existe le *Danube Nostalgie Express* de Paris à Vienne et l'*Orient Express*, via Vienne et Prague.

Séjours en individuel

Rappel : nous nous sommes limités à un résumé des prestations en vigueur dans les agences et chez les voyagistes présents en France. Les lecteurs des autres pays peuvent en tirer des idées d'itinéraire et les compléter auprès de leurs agences de voyages.

◆ La visite des villes, surtout **Vienne** et **Salzbourg**, se retrouve chez la majorité des voyagistes : un week-end à la carte, souvent composé du transport aérien et de 2 nuits avec petit déjeuner, coûte autour de 500 EUR en haute saison (Austro Pauli, Boomerang, Donatello, Eastpak, Hotelplan, Octopus, Travel Europe, Transtours). Pour environ 450 EUR, quelques voyagistes couvrent les week-ends à rallonge du printemps dans ces deux villes (avion A/R pour 4 jours/3 nuits) ou les festivals de musique. Le voyage à Salzbourg, souvent proposé en 3 jours/2 nuits y compris en hiver, est en progression mais plus cher que Vienne.

Le train et le bus sont aussi de la fête pour ces villes : en train, forfaits Vienne 2 jours/1 nuit à un prix très raisonnable, sauf si l'on décide de se mettre en frac en vue des grands bals de l'hiver. En bus, forfait trajet A/R + 2 nuits d'hôtel aux alentours de 230 EUR (Eurolines).

◆ La plupart des voyagistes précités ont bien cerné la question du Vienne **musical** : programmation de bals et de concerts, et même location de robes et de costumes, ainsi que cours de danse pour tenter de maîtriser la sacro-sainte valse.

Le voyage accompagné

◆ Vienne est, avec Bratislava et Budapest, l'une des étapes de la **croisière** des capitales de l'Europe centrale sur le Danube, par exemple avec la Köln-Düsseldorfer (pour une boucle Passau-Budapest-Passau) ou Arts et Vie, qui va jusqu'en Bulgarie via Budapest et les Portes de fer en Serbie.

◆ Nouvelles Frontières fait, en 10 jours de bus, un grand tour d'Autriche qui passe par Salzbourg, le Tyrol, l'abbaye de Melk et Vienne (entre juin et septembre). *Chez la plupart des voyagistes, compter aux alentours de 1 300 EUR tout compris pour ce style de voyage.*

◆ Grands moments de musique : le Festival de Salzbourg ou un voyage sur les traces de **Mozart** avec Clio ou La Fugue, ce dernier conduisant le mélomane sur les lieux qu'a aimés le compositeur (églises, châteaux, abbayes, auberges).

◆ Lors de séjours d'une semaine avec Club Aventure, les marcheurs de tous niveaux arpentent dès le printemps les montagnes et vallées du Tyrol. La région, moins connue, du Zillertal est traversée par Terres d'aventure. Prix moyen de ce genre de randonnée : 600 EUR.

◆ L'Autriche d'hiver concurrence les autres pays alpins avec des semaines de **ski** qui tournent aux alentours de 500 EUR (nombreuses propositions chez Austro Pauli, Thomas Cook, entre autres). Ski de fond, ski alpin, raquettes sont au programme. On peut aussi apprendre le **saut à skis**, à Bad Goisern, en Haute-Autriche.

◆ Grandiose (hélas! les places sont rares et chères) est le **bal de l'Empereur**, suivi du concert du Nouvel An à Vienne (Austro Pauli).

QUE RAPPORTER ?

Difficile de faire plus cliché comme suggestion que le chapeau tyrolien ! Mais la qualité de son feutre est universellement réputée, comme celle du loden. Autres achats : tapis, broderies, cuirs, jouets en bois.

LES REPÈRES

◆ Pas de décalage horaire avec le reste de l'Europe de l'Ouest; lorsqu'il est midi au Québec, en Autriche il est 18 heures. ◆ Langue officielle : allemand. ◆ Langues étrangères : l'anglais assez largement, le français très faiblement. ◆ Téléphone vers l'Autriche : 0043 + indicatif (Vienne : 1) + numéro; de l'Autriche : 00 + indicatif pays + numéro. ◆ Appel d'urgence : 112.

LA SITUATION

Géographie. Avec ses 83 871 km², l'Autriche occupe une superficie modeste au cœur de l'Europe. Seule la plaine du Danube, au nord, échappe au relief alpin, qui s'étend du Vorarlberg et du Tyrol, à l'ouest, jusqu'aux portes de Vienne, à l'est.

Population. 8 206 000 habitants. La population est d'autant plus homogène que l'immigration est l'une des plus faibles des pays occidentaux. Capitale : Vienne.

Religion. Le catholicisme est omniprésent (85 % de la population). Les luthériens constituent une petite minorité.

Dates. *796* Charlemagne bat les Barbares et fonde la « Marche de l'Est ». *1438* Les Habsbourg possèdent la couronne impériale. *1493* Maximilien Ier étend l'influence de la maison d'Autriche. *1867* Début de la monarchie austro-hongroise. *1920* Proclamation de la république d'Autriche. *1938* L'Allemagne annexe le pays (Anschluss) jusqu'à sa défaite lors de la Seconde Guerre mondiale. *1955* L'Autriche déclarée État neutre. *1986* Kurt Waldheim élu président de la République, Franz Vranitzky chancelier. *1992* Thomas Klestil est chef de l'État. *Janvier 1996* L'Autriche entre dans l'Union européenne. *Octobre 1996* Forte poussée nationaliste aux élections européennes. *Avril 1998* Réélection de Thomas Klestil à la présidence. *Février 2000* Le parti d'extrême droite de Jörg Haider entre au gouvernement et déclenche une levée de boucliers dans l'opinion européenne. *Septembre 2000* L'Union européenne lève ses sanctions politiques contre l'Autriche. *Novembre 2002* Haider et les nationalistes s'effondrent lors des législatives. *Juillet 2004* Décès de Thomas Klestil, Heinz Fischer lui succède. *Octobre 2006* Victoire des sociaux-démocrates d'Alfred Gusenbauer aux législatives, qui voient aussi une remontée de l'extrême droite. *Janvier 2007* Gusenbauer devient chancelier.

Azerbaïdjan

Avertissement. – Les abords du Nagorno-Karabakh et les zones frontalières, excepté celles qui bordent la Géorgie et l'Iran, doivent être évités.

L'Azerbaïdjan a longtemps subi les effets négatifs du conflit qui l'a opposé à l'Arménie voisine. En outre, plus encore que celle-ci, il demeure très méconnu, malgré l'intérêt architectural de Bakou, les paysages et les villages du Grand Caucase, ainsi que les plages de la presqu'île d'Apchéron.

LES RAISONS D'Y ALLER

LES PAYSAGES

Contreforts du Petit Caucase

LES VILLES ET VILLAGES

Bakou, Gyandzha, Sheki

LES CÔTES

Mer Caspienne (presqu'île d'Apchéron)

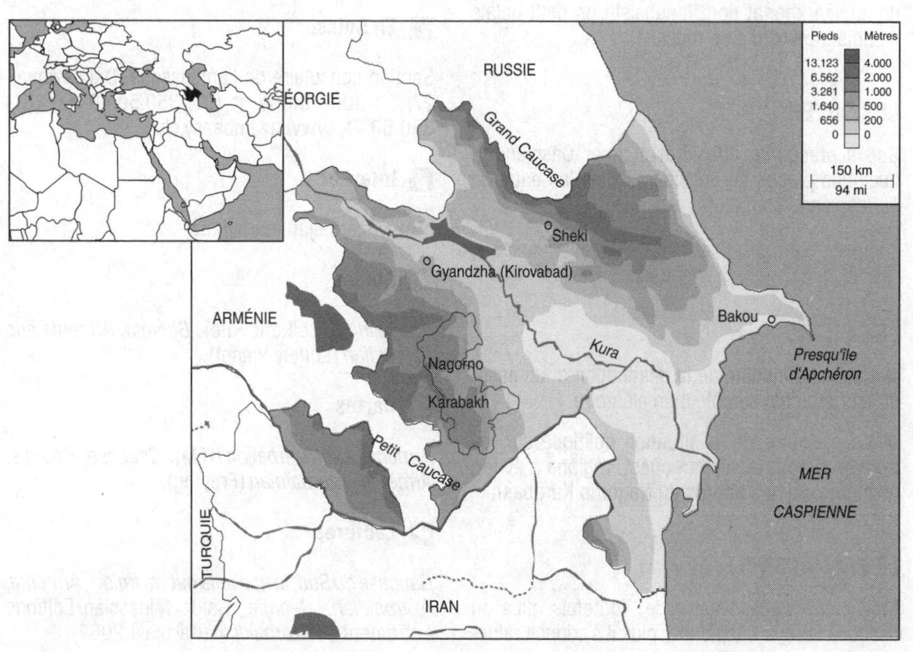

LES RAISONS D'Y ALLER

LES PAYSAGES

La chaîne du Caucase est l'une des plus méconnues qui soient par le voyageur.

Au nord, le **Grand Caucase** alterne montagnes et vallées, dans lesquelles sont blottis des villages pittoresques.

Au sud, les paysages rudes du **Petit Caucase** sont moins connus et moins conseillés à cause des tensions qui peuvent survenir.

LES VILLES ET VILLAGES

La vieille ville de **Bakou** est hérissée de minarets. En partant vers le sud, on passe par la petite ville de **Chemakha**, qui renferme un chef-d'œuvre de l'art musulman, le palais des chahs de Chirvan.

À **Gyandzha**, nouveau nom de baptême de Kirovabad, le mausolée de l'imam Zade (XIVe siècle) et la Grande Mosquée (XVIIe siècle) valent le détour.

Parmi les villages du Grand Caucase, **Sheki** commence à se faire une réputation de cité historique, un ancien khanat dont il subsiste un petit palais de bois transformé en musée.

LES CÔTES

Sur la presqu'île **d'Apchéron** (mer Caspienne), quelques plages se dessinent. Mais les eaux de la Caspienne sont plutôt fraîches.

LE CONTRE

◆ La confidentialité de la destination et un essor du tourisme qui semble bien aléatoire.

◆ La précarité de la situation politique sur les frontières nord et surtout ouest, régions à éviter, de même que les abords du Nagorno Karabakh.

LE BON MOMENT

L'hiver du Caucase est rude. Toutefois, plus on descend vers la Caspienne, plus il s'adoucit, alors que l'été peut être très chaud et très sec. La durée de la période favorable est généreuse : **de mai à octobre**.

◆ Températures minimales/maximales (en °C) à *Bakou* : janvier 7/2, avril 16/9, juillet 31/22, octobre 20/14.

LE PREMIER CONTACT

En Belgique

Chancellerie, avenue Molière, 464, B-1060 Bruxelles, ☎ (02) 345.26.60, fax (02) 345.91.58, azbeigamb@skynet.be

Au Canada

Ambassade, 275, rue Slater, Ottawa, Ontario, Canada, K1P 5H9, ☎ (613) 288-0497, fax (613) 230-8089, www.azembassy.ca

En France

Ambassade, service consulaire, 78, avenue d'Iéna, 75016 Paris, ☎ 01.44.18.01.75, fax 01.44.18.60.25, ambazer@wanadoo.fr

En Suisse

Section consulaire de l'ambassade, Dalmaziquai, 27, CH-3005 Berne, ☎ (31) 350.50.40, fax (31) 350.50.41, www.azembassy.ch

Internet

http://azerbaijan.tourism.az/

Guides

Azerbaïdjan (Le Petit Futé), *Georgia, Armenia and Azerbaijan* (Lonely Planet).

Cartes

Arménie and Azerbaijan (ITM), *Caucase, Géorgie, Arménie, Azerbaïdjan* (Freytag).

Lectures

Caucase du Sud, la nouvelle guerre froide : Arménie, Azerbaïdjan, Géorgie (Gaïdz Minassian/Editions Autrement), *l'Azerbaïdjan* (Karthala,2002).

QUEL VOYAGE ET À QUEL PRIX ?

Le voyage individuel

Les préparatifs

◆ Pour les ressortissants de l'Union européenne, canadiens, suisses : passeport en cours de validité, visa obligatoire, obtenu auprès des services consulaires de l'ambassade, dans certains cas à l'aéroport de Bakou (bien se faire confirmer cette possibilité).

◆ Prévention contre le paludisme dans la zone située entre les rivières Koura et Araxe, de juin à fin septembre, mais le risque est très faible.

◆ Monnaie : le nouveau *manat*. 1 EUR = 1,1 manat, 1 US Dollar = 0,8 manat. Emporter des euros ou des US Dollars pour le change.

Le départ

Indice de prix à certaines dates du vol Paris-Bakou A/R : 550 EUR. ◆ Durée moyenne du vol Paris-Bakou : 5 h 30 (escale).

Sur place

Bus

Les bus sont souvent bondés et vétustes. Entrée théoriquement envisageable en minibus dans l'enclave du Nagorno-Karabakh à partir d'Erevan, mais bien se renseigner sur la situation et éviter un tampon du Nagorno Karabakh sur le passeport sous peine de ne plus pouvoir entrer en Azerbaïdjan.

Route

La plupart des frontières terrestres sont fermées, bien se renseigner. Alcool au volant prohibé.

Train

Le réseau est ancien mais fourni.

Séjour

CGTT Voyages est en mesure de proposer des hôtels à la carte à Bakou ainsi que des excursions avec chauffeur-guide francophone dans le vieux Bakou et vers la presqu'île d'Apchéron.

LES REPÈRES

◆ Lorsqu'il est midi en Europe occidentale, en Azerbaïdjan il est 13 heures. ◆ Langues : l'azéri, proche du turc, est la langue officielle, parlée par huit habitants sur dix. Le russe et l'arménien sont les principales langues minoritaires. Anglais peu pratiqué. ◆ Téléphone vers l'Azerbaïdjan : 00994 + indicatif (Bakou : 12) + numéro.

LA SITUATION

Géographie. La dépression aride de la Koura sépare le Grand Caucase, au nord, du Petit Caucase, au sud, avant de se terminer aux abords de la mer Caspienne. L'Azerbaïdjan couvre 86 600 km^2.

Population. Les Azéris de souche représentent 82,7 % d'une population de 8 178 000 habitants. Capitale : Bakou.

Religion. L'Azerbaïdjan est majoritairement chiite : 70 %, pour 30 % de sunnites. Toutefois, ceux-ci sont plus nombreux dans le nord. Présence d'orthodoxes (population arménienne).

Dates. *639* Conquête par les Arabes et conversion à l'islam. *XIe siècle* Occupation par les Turcs. *1828* L'Azerbaïdjan actuel est cédé par l'Iran à l'Empire russe. *1918* Indépendance. *1936* Rattachement à l'URSS. *1973* Gueïdar Aliev devient président, il le restera trente ans. *1988* Début du conflit avec l'Arménie à propos de l'enclave arménienne du Nagorno-Karabakh. *1991* Indépendance. *1992* Le Nakhitchevan, république autonome, s'oppose au pouvoir central du président Eltchibey. *Octobre 1993* Gueïdar Aliev est élu président, au détriment du Front populaire. *1994* Cessez-le-feu avec l'Arménie. *Octobre 2003* Élection d'Ilham Aliev, fils de Gueïdar. *Novembre 2005* Le parti présidentiel remporte les législatives, l'opposition conteste.

Bahamas

Les Bahamas constituent l'image d'Épinal du tourisme tropical haut de gamme et de sa trilogie soleil/loisirs/argent : leur situation géographique garantit un soleil permanent mais jamais écrasant, les Nord-Américains y ont leurs quartiers d'hiver et leurs bateaux de plaisance, quant aux Européens ils commencent à apprécier des tarifs un peu moins prohibitifs. Les plongeurs y trouvent des fonds marins à la mesure de leurs exigences, d'autres se contentent de vérifier la puissance du mythe paradisiaque en complément d'un séjour en Floride.

LES RAISONS D'Y ALLER

LES CÔTES

Plages, plongée, voile, planche à voile

LES CROISIÈRES

Mini-croisières au départ de la Floride, croisières interîles

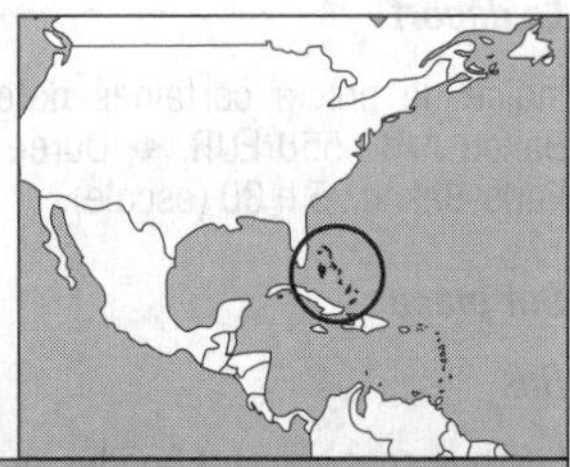

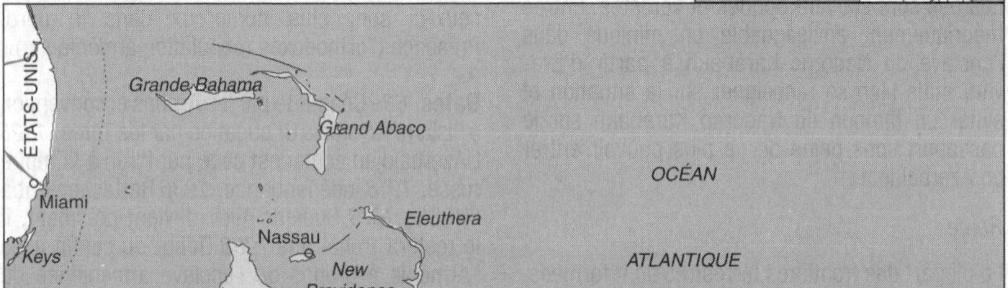

LES RAISONS D'Y ALLER

LES CÔTES

Tout part des **plages**, couvertes d'un sable blanc ou rosé souligné par le bleu du lagon, et tout revient à elles : farniente, **plongée** (les fonds marins sont parmi les plus riches des Caraïbes avec, entre autres, dauphins et requins de récifs), **voile**, planche à voile, pêche au gros.

Deux sortes de destinations peuvent être définies parmi les sept cents îles, le millier d'îlots et les vingt-cinq parcs nationaux qui multiplient les sites balnéaires et les choix de séjour :

– les îles à forte densité touristique comme Paradise Island et New Providence, qui renferme Nassau, la capitale, dont le mini-quartier colonial et un musée des Pirates sont le principal attrait;

– les îles dites « extérieures » (Out Islands), dont le cadre n'est pas moins huppé mais qui sont jugées plus reposantes, entre autres Andros (mangrove, sable blanc, barrière de corail et « trous bleus » qui ravissent les plongeurs), Eleuthera, Exuma (parc marin), Great Abaco (cette dernière très couleur britannique) et les Bimini Islands, les plus proches de Miami, où s'affairent les plongeurs.

Les amateurs de l'histoire des Bahamas trouveront quelque satisfaction à arpenter les quartiers historiques de Nassau et l'îlot de Spanish Wells, proche de New Providence. Il est le « refuge » d'une communauté blanche depuis plus de trois siècles au nord-ouest d'Eleuthera.

Paradise Island renferme une extravagance, le complexe de loisirs Atlantis, qui joue les Las Vegas. Ici, il s'agit d'une reconstitution de l'Atlantide, continent mythique que certains persistent à vouloir situer ici : tunnel de verre sous le lagon permettant de se retrouver nez à nez avec requins et méduses, temple grandeur nature, etc. Enervant ou fascinant selon les goûts de chacun...

Quant à l'île de Grand Inagua, tout au sud, elle est le paradis des flamants roses.

LES CROISIÈRES

Des bateaux font fréquemment la liaison entre la Floride et les Bahamas, permettant à leurs passagers de transformer le voyage en une sorte de mini-croisière.

Sur place, les propositions de transfert d'île en île sont nombreuses et il est facile de composer une croisière de trois ou quatre jours à partir de Nassau.

LE POUR

◆ Les ingrédients du tourisme balnéaire tropical : soleil presque toujours généreux et jamais trop chaud, structures de haute volée, lieu propice à la plongée.

◆ Une certaine « démocratisation » des tarifs, destinée à séduire une clientèle plus large que celle des palaces.

◆ L'ouverture d'une ligne aérienne directe entre Paris et Nassau.

LE CONTRE

◆ Un tourisme réducteur : hors de l'océan, point de salut ou presque.

◆ Le niveau élevé de la vie touristique.

◆ Une période mai-novembre relativement défavorable.

LE BON MOMENT

Pour le climat

Novembre-avril, haute saison touristique et saison sèche, est la période la plus « fraîche » et la plus favorable. Les averses entre mai et novembre, période la plus chaude et la plus humide, sont brèves mais parfois violentes, surtout de septembre à novembre, moment où des ouragans peuvent survenir.

Pour la plongée

De préférence au printemps.

◆ Températures moyennes jour/nuit (en °C) à *Nassau* : janvier 25/17, avril 28/20, juillet 32/24, octobre 30/23. La température de l'eau de mer est de 26° en moyenne.

LE PREMIER CONTACT

Au Canada

Bahamas Tourist Office, 6725 route de l'Aéroport, Mississauga, ON L4V 1V2 Canada, ☎ (905) 672-9017, bmotca@bahamas.com

En France

Office de tourisme, 113-115, rue du Cherche-Midi, 75006 Paris, ☎ 01.45.26.62.62, fax 01.48.74.06.05, www.bahamas.fr

En Suisse

Consulat, Bahnhofplatz, 9, CH-8023 Zurich, ☎ (01) 226.40.42, fax (01) 226.40.43, www.thebahamas.ch

Guides

Bahamas (Le Petit Futé, Marcus, Éditions Ulysse), *Etats-Unis sud et Bahamas* (Mondeos), *Floride et les Bahamas* (JPMGuides).

Internet

www.bahamas-tourisme.fr

www.bahamasdiving.com (pour la plongée)

Cartes

ITM, Nelles. Plusieurs cartes chez B§B Holidays.

Lectures

Lire la trilogie *Bahamas* de Maurice Denuzière (Fayard, 2003).

QUEL VOYAGE ET À QUEL PRIX ?

Le voyage individuel

Les préparatifs

◆ Pour les ressortissants de l'Union européenne et suisses : passeport en cours de validité suffisant, valable encore six mois après l'entrée dans le pays; pour les ressortissants canadiens, pièce d'identité suffisante pour les séjours de moins de 21 jours. Dans tous les cas, billet de retour ou de continuation exigible. Ne pas oublier les contraintes relatives au passeport en cas de transit par les Etats-Unis.

◆ Aucune vaccination n'est requise.

◆ Monnaie : le *dollar des Bahamas* et celui des États-Unis sont à parité, aussi est-il recommandé d'emporter des dollars US. Les chèques de voyage dans cette monnaie et les cartes de crédit sont largement acceptés. 1 EUR = 1,40 dollar des Bahamas.

Le départ

◆ Indice de prix à certaines dates du vol Montréal-Nassau A/R : 600 CAD; Paris-Nassau A/R : 730 EUR. ◆ Durée moyenne du vol Montréal-Nassau : 6 heures; Paris-Nassau (direct) : 9 heures.

Sur place

Avion

Il existe des avions-taxis interîles au départ de Nassau.

Bateau

Pour qui a du temps, le voyage en bateau Miami-Nassau sur une ligne normale est une bonne solution pour aborder l'archipel à moindres frais.

Il existe des ferries (www.bahamasferries.com) et des bateaux-taxis entre certaines îles.

Route

Conduite à gauche.

Séjours

Rappel : nous nous sommes limités à un résumé des prestations en vigueur dans les agences et chez les voyagistes présents en France. Les lecteurs des autres pays peuvent en tirer des idées d'itinéraire et les compléter auprès de leurs agences de voyages.

◆ Le menu, très souvent proposé pour une semaine, varie peu : avion + séjour sur une seule île ou bien combiné interîles avec, selon les cas, **farniente**, **plongée** et **pêche** au gros.

La plongée est souvent suggérée, entre autres, par Aquarev et Ultramarina. On peut aussi séjourner dans le village du Club Méditerranée sur l'île de Columbus. La planche à voile et la plongée sont possibles avec la plongée-bouteille comme la plongée pour chevronnés.

◆ Prestation haut de gamme dans le nouvel hôtel Royal Towers du complexe Atlantis, qui comprend également un parcours de **golf**. Golf également possible sur Eleuthera.

◆ Afin d'attirer une clientèle caraïbe plus large, les Bahamas tentent de mettre de la mesure dans les prix de base qui, hélas ! grimpent rapidement avec le coût de la vie touristique locale et la location de matériel de plongée. Difficile de s'en sortir à moins de 1 500 EUR la semaine tout compris.

Le voyage accompagné

◆ Pendant une semaine, parents et enfants peuvent vivre une ambiance **Disney** à double détente : sur le *Disney Wonder* de la Disney Cruise Line pendant 3 jours et le reste à Disneyworld à Orlando (renseignements en agences de voyages).

◆ Le voyage peut être aussi le prolongement d'un séjour en **Floride**, parfois d'une **croisière** (Floride puis Nassau et les eaux bahaméennes). Les Bahamas voient également passer les navires de croisière partis de Floride pour les îles Vierges ou en provenance de Jamaïque et de Cuba.

QUE RAPPORTER ?

Cocktail classique sous ces latitudes : vannerie (paniers), textiles (batiks d'Andros), rhum, bijoux (prix très intéressants dans les boutiques hors taxes de Nassau).

LES REPÈRES

◆ Lorsqu'il est midi en France, aux Bahamas il est 5 heures du matin en été et 6 heures en hiver. ◆ Langue officielle : anglais. Une minorité des habitants parle un créole à base de français. ◆ Téléphone vers les Bahamas : 001242 + numéro; des Bahamas : 011 + numéro.

LA SITUATION

Géographie. Au sud-est de la Floride et au nord des Caraïbes, les 13 878 km^2 de l'archipel se répartissent en 700 îles et 2 000 îlots. Le tout couvre un millier de kilomètres carrés, sur un plateau d'à peine 100 m de hauteur.

Population. 307 000 habitants. Quatre habitants sur cinq sont des Noirs. Capitale : Nassau.

Religion. Un habitant sur trois est un baptiste. On compte également 20 % d'anglicans et 18 % de catholiques.

Dates. *1492* Christophe Colomb fait des Bahamas sa première escale sur la route du Nouveau Monde. *1717* Après deux siècles d'appartenance à des réfugiés des Bermudes puis à des pirates, les Bahamas deviennent anglaises. *1964* Autonomie interne. *1973* Indépendance dans le cadre du Commonwealth. *Septembre 1999* Abaco, Eleuthera et Cat Island sont sévèrement frappées par le cyclone *Floyd*. *2005* Des ouragans (Frances, Jeanne) frappent sévèrement l'archipel. *Février 2006* Arthur D. Hanna gouverneur. *Mai 2007* Hubert A. Ingraham Premier ministre.

Bahreïn

Il y a une quinzaine d'années, le mot tourisme était presque inconnu dans ce riche émirat du golfe Persique. Aujourd'hui, il l'est un peu moins, l'archipel tentant de prouver qu'il peut conjuguer les attraits balnéaire et culturel. Mais les propositions de voyage restent marginales et le coût de la vie touristique, très élevé, n'est pas fait pour les dynamiser.

LES RAISONS D'Y ALLER

LES PAYSAGES

Plages, sports nautiques, pêche, plongée, désert

LES MONUMENTS

Manama (musées, fort, mosquées), vestiges préhistoriques (tumuli)

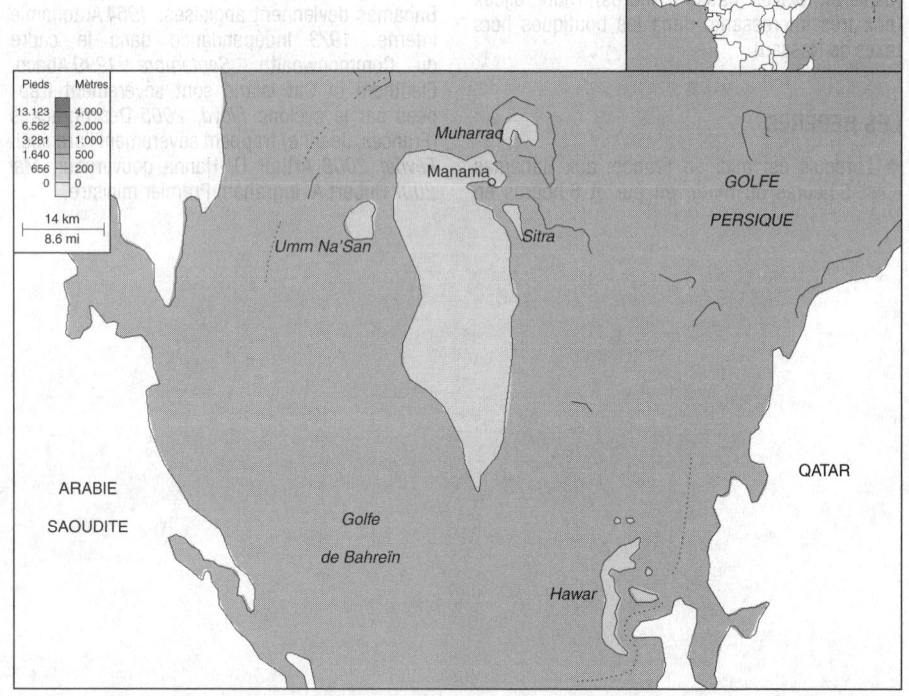

LES RAISONS D'Y ALLER

LES PAYSAGES

L'argument **balnéaire** est loin d'être le premier, toutefois l'aménagement de la station d'Al-Bander, sur la côte est, laisse augurer une évolution en ce sens.

Bahreïn comprend une trentaine d'îles, pour la plupart inexplorées sur le plan touristique, et les fonds marins promettent beaucoup, y compris pour pêcher, avec une bonne dose d'optimisme, des... perles fines. Reste à attirer une clientèle plus large que celle des hommes d'affaires ou des touristes en transit.

L'argument naissant de la découverte de paysages **désertiques** pourrait contribuer à cette nécessaire diversification.

LES MONUMENTS

Manama renferme l'essentiel de l'aspect culturel de l'archipel: mosquées (Al-Khamis), Musée national, Maison du Coran, fort érigé par les colons portugais. On peut aussi flâner dans ses souks (Bab el-Bahreïn), où se vérifie la grande tradition du commerce des perles fines et de l'or.

Bahreïn est situé sur le territoire d'un très ancien pays du nom de Dilmoun. L'archipel renferme les traces d'une cité préhistorique et des dizaines de milliers de **tumuli** datant de 3 000 ans avant J.-C., dont certaines reconstitutions sont au Musée national de Manama.

Il y a quelque temps, une mission française a découvert des tablettes d'argile cuite portant des écritures cunéiformes en akkadien et vieilles de quatre mille ans.

LE POUR

◆ Un climat privilégié : Bahreïn est peu ou prou à la latitude des Bahamas.

◆ Un potentiel touristique méconnu mais réel.

◆ Une réputation de tolérance et de dynamisme.

LE CONTRE

◆ La confidentialité des propositions de voyage et donc une destination qui ne décolle pas.

◆ Un coût de la vie touristique élevé.

LE BON MOMENT

Enfermé dans le golfe Persique, l'émirat subit en été un climat très chaud et humide. Toutefois, octobre-novembre et **avril-mai** offrent des périodes sèches et ensoleillées. La période de Noël est également convenable.

◆ Températures moyennes jour/nuit (en °C) : janvier 20/14, avril 30/22, juillet 38/30, octobre 33/26. Eau de mer : moyenne de 27°.

LE PREMIER CONTACT

En France

Consulat, 3 *bis*, place des États-Unis, 75116 Paris, ☎ 01.47.23.49.15, fax 01.47.20.55.75, www.ambarhein-france.com

En Suisse

Consulat général, BP 39, CH-1200 Genève, ☎ (22) 758.96.40, fax (22) 758.96.50.

Internet

www.bahraintourism.com

Guides

Oman, UAE and Arabian Peninsula (Lonely Planet), *Pays du Golfe* (JPMGuides).

Carte

Dubai, EAU, Qatar, Bahrain (Penguin).

Lecture

Femmes des émirats (Christine Sournia/Albin Michel, 1992).

Images

Artistes contemporains de Bahreïn (Jamal Abdul Rahin, Institut du monde arabe, 1999).

QUEL VOYAGE ET À QUEL PRIX ?

Le voyage individuel

Les préparatifs

◆ Pour les ressortissants de l'Union européenne, canadiens et suisses : passeport en cours de validité, visa obligatoire, qui peut être obtenu à l'arrivée (confirmation de cette possibilité à demander au consulat). Visa ou tampon israélien à éviter.

◆ Aucune vaccination n'est requise.

◆ Monnaie : le *dinar de Bahrein.* 1 EUR = 0,51 dinar de Bahrein. 1 US Dollar = 0,38 dinar de Bahrein. Quoique les pays du Golfe soient plus habitués aux tractations en dollars US, le change des euros ne pose pas de problème.

Le départ

◆ Indice de prix du vol Paris-Manama A/R à certaines dates : 600 EUR. ◆ Durée moyenne du vol Paris-Manama (4 795 km) : 9 heures.

Sur place

Hébergement

Il faut s'attendre à un coût de l'hôtellerie élevé, voire très élevé, en contrepoint il existe deux auberges de jeunesse, renseignements à Manama, ☎ (973) 727.170, www.byhs.org.bh

Route

◆ Conduite à droite. ◆ Permis international (réalisable sur place) exigé. ◆ Limitations de vitesse agglomérations/routes : 50/100 km/h.

Le voyage accompagné

Rappel : nous nous sommes limités à un résumé des prestations en vigueur dans les agences et chez les voyagistes présents en France. Les lecteurs des autres pays peuvent en tirer des idées d'itinéraire et les compléter auprès de leurs agences de voyages.

Bien rares propositions! Toutefois le voyagiste français Cocorico entraîne son client dans des mini-séjours entre avril et octobre (au départ de Paris) consacrés à la pêche des huîtres perlières, avec assurance de garder l'hypothétique butin...

LES REPÈRES

◆ Lorsqu'il est midi en France, à Bahreïn il est 14 heures en été et 15 heures en hiver. ◆ Langue officielle : arabe. ◆ Langue étrangère : anglais. ◆ Téléphone vers Bahreïn : 00973 + numéro; depuis Bahreïn : 0 + numéro.

LA SITUATION

Géographie. À l'ombre de l'Arabie saoudite, à laquelle l'archipel est relié par une digue de 25 km, Bahreïn comprend trente-trois îles et îlots qui couvrent 678 km^2. Les deux principales îles sont Bahreïn proprement dite et Muharraq. Le désert est pratiquement partout.

Population. Si l'on se rapporte à la superficie et à la géographie, les 718 300 habitants forment une population nombreuse. Un tiers des habitants sont étrangers, attirés par les banques ou la manne pétrolière. Importante main-d'œuvre indo-asiatique. Capitale : Manama.

Religion. Les sunnites, minoritaires, dirigent le pays et ont des conditions de vie supérieures aux chiites, majoritaires. On compte 25 000 chrétiens.

Dates. *1507* Les Portugais premiers arrivants occidentaux. *1602* L'archipel est sous domination perse. *1783* La dynastie des Khalifa s'installe. *1871* Protectorat britannique. *1971* Indépendance, Khalifa bin Salman Al Khalifa devient un Premier ministre plénipotentiaire. *Décembre 1994* Troubles dans plusieurs agglomérations à majorité chiite. *1999* Hamad bin Isa Al Khalifa devient chef de l'Etat.

Bangladesh

Avertissement. – Il est vivement déconseillé de se rendre isolément dans la mangrove des Sundarbans et dans la région des monts de Chittagong.

Pauvre parmi les pauvres de l'économie mondiale, régulièrement décimé par les crues du delta du Gange, politiquement nerveux, le Bangladesh est également un oublié du tourisme. Mais dans ce domaine les circonstances n'y sont pour rien puisque, à la lisière de l'Inde, on ne retrouve presque jamais la richesse architecturale du prestigieux voisin. Toutefois, la mangrove du marais des Sundarbans et plusieurs sites bouddhistes offrent un intérêt qui devrait aller grandissant.

LES RAISONS D'Y ALLER

LA NATURE

Delta du Gange, navigation sur les eaux du Gange et du Brahmapoutre
Marais des Sundarbans, monts de Chittagong, plantations de thé (Sylhet)
Plages de Cox's Bazar

LES VILLES ET LES MONUMENTS

Paharpur, Bagerhat, Dhaka

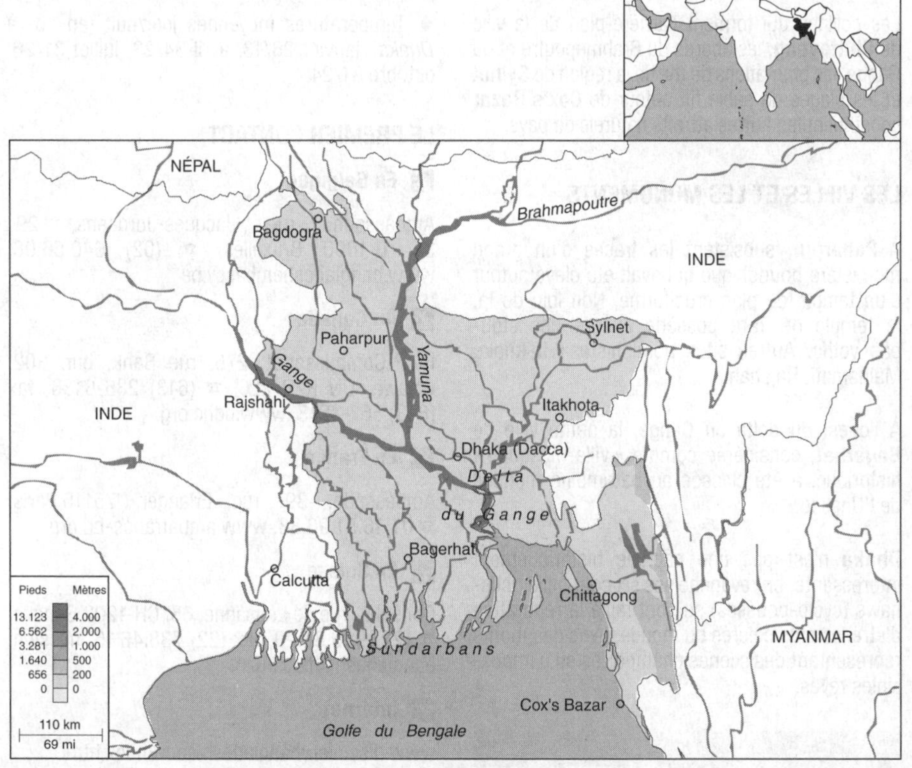

LES RAISONS D'Y ALLER

LA NATURE

Quand elles ne détruisent pas la vie et le travail des hommes, les eaux du delta du **Gange** contribuent à l'agrément du paysage agricole en raison des diverses tonalités du vert des rizières. Jointes à celles du **Brahmapoutre**, elles méritent une navigation fluviale dont le touriste ne connaît encore qu'un embryon via de rares voyagistes.

Au sud, les rizières laissent place à la « belle forêt » : la région des **Sundarbans**. Ce paysage de marais, où s'étend la plus vaste mangrove du monde, constitue le clou d'un voyage au Bangladesh, bien qu'on le dise peuplé de tigres royaux (du Bengale), de serpents, de crocodiles et de hors-la-loi... Aussi son accès est-il strictement réglementé et plus aisé du côté indien, où la région a été aménagée en parc national.

Les collines qui forment l'arrière-plan de la ville de **Chittagong**, les abords du Brahmapoutre et du Gange, les plantations de thé de la région de **Sylhet** et les plages de sable fin autour de **Cox's Bazar** constituent les autres attraits naturels du pays.

LES VILLES ET LES MONUMENTS

À **Paharpur**, subsistent les traces d'un grand monastère bouddhique qui avait été élevé autour d'un temple de plan cruciforme. Non loin de là, le temple de Tara possède encore des stoupas votifs. Autres sites bouddhistes : Itakhola, Mainamati, Rajshahi.

À l'ouest du delta du Gange, la petite ville de **Bagerhat**, considérée comme « ville-mosquée » historique, a été classée au patrimoine mondial de l'Unesco.

Dhaka n'est pas une capitale historiquement intéressante, en revanche ses six cent mille ricks-haws (cyclo-pousses) se sont taillé la réputation d'être les plus colorés du monde, avec des motifs représentant des scènes champêtres ou d'impossibles rêves.

LE POUR

◆ Une destination qui plaira aux voyageurs aimant quitter les sentiers battus.

LE CONTRE

◆ L'absence de grands témoignages historiques, contrairement à l'Inde voisine.

◆ L'image persistante d'un pays instable et peu sûr.

LE BON MOMENT

Le Bangladesh connaît l'alternance d'une saison sèche (**novembre-mars**), de loin la plus favorable pour le voyage, et d'une saison des pluies (avril-octobre). La mousson (juillet-octobre) s'accompagne de pluies très abondantes, d'inondations fréquentes et de cyclones souvent ravageurs vers la fin de l'été.

◆ Températures moyennes jour/nuit (en °C) à *Dhaka* : janvier 26/13, avril 34/23, juillet 31/26, octobre 31/24.

LE PREMIER CONTACT

En Belgique

Ambassade, rue Jacques-Jordaens, 29-31, B-1000 Bruxelles, ☎ (02) 640.56.06, www.bangladeshembassy.be

Au Canada

Haut-Commissariat, 275, rue Bank, bur. 302, Ottawa, ON K2P 2L6, ☎ (613) 236-0138, fax (613) 567-3213, www.bdhc.org

En France

Ambassade, 39, rue Erlanger, 75116 Paris, ☎ 01.46.51.90.33, www.ambafrance-bd.org

En Suisse

Consulat, rue de Lausanne, 65, CH-1202 Genève, ☎ (22) 906.80.20, fax (22) 738.46.16, mission.bangladesh@ties.itu.int.

Internet

www.discoverybangladesh.com/index.html

Guide

Bangladesh (Lonely Planet en anglais).

Carte

India North East and Bangladesh (Nelles).

Lectures

Histoire et politique

Un autre islam : Inde, Pakistan, Bangladesh (Marc Gaborieau, Albin Michel, 2007).

Récits et romans

Le pays des marées (Amitav Ghosh, Robert Laffont, 2006), *Une femme heureuse et autres nouvelles du Bangladesh* (Sophie Vinoy, Kailash, 2006), *Vent en rafales* (Taslima Nasreen, Seuil, 2005).

Images

Chefs-d'œuvre du delta du Gange : collections des musées du Bangladesh (Vincent Lefèvre, Réunion des Musées nationaux, 2007), *Gange : aux sources du fleuve éternel* (Mireille-Joséphine Guézennec, Cheminements, 2005), *The Ganges* (Raghubir Singh, Thames and Hudson, 2005).

QUEL VOYAGE ET À QUEL PRIX ?

Le voyage individuel

Les préparatifs

◆ Pour les ressortissants de l'Union européenne, canadiens, suisses : passeport en cours de validité, visa obligatoire, obtenu auprès du consulat.

◆ Aucune vaccination n'est obligatoire. Prévention recommandée contre le paludisme et la dengue, excepté pour un séjour à Dakha.

◆ Monnaie : le *taka*, divisé en 100 paisas. Pour le change, emporter indifféremment des euros ou des dollars des Etats-Unis. 1 EUR = 96 takas, 1 USD = 68 takas.

Le départ

◆ Indice de prix du vol Paris-Dhaka A/R à certaines dates : 680 EUR. ◆ Durée moyenne du vol Paris-Dakha (8 000 km, escales) : 15 heures.

Sur place

Routes

Conduite à gauche. Réseau routier dégradé, problèmes de sécurité. Dans les villes, déplacements en rickshaws ou « baby-taxis» .

Trains

◆ La ligne (lente) Calcutta-Dacca a été rouverte récemment. ◆ Comme en Inde, les trains sont bondés mais restent le moyen le plus approprié pour bien découvrir le pays.

Le voyage accompagné

Rappel : nous nous sommes limités à des prestations en vigueur dans les agences et chez les voyagistes présents en France. Les lecteurs des autres pays peuvent en tirer des idées d'itinéraire et les compléter auprès de leurs agences de voyages.

Les propositions sont rares et chères ! Toutefois, sur un bateau à voiles et en bois exotique, Fleuves du monde joue les précurseurs en offrant au voyageur la possibilité de **naviguer** pendant une semaine sur la Yamuna et le Gange entre octobre et février, y inclus un départ au moment des fêtes de fin d'année.

LES REPÈRES

◆ Lorsqu'il est midi en France, au Bangladesh il est 16 heures en été et 17 heures en hiver; lorsqu'il est midi au Québec, au Bangladesh il est 23 heures. ◆ Langue officielle : bengali. ◆ Langue étrangère : anglais. ◆ Téléphone vers le Bangladesh : 00880 + indicatif (Dhaka : 2) + numéro; du Bangladesh : 00 + indicatif pays + numéro.

LA SITUATION

Géographie. L'imposant delta qui regroupe les eaux du Gange et du Brahmapoutre pourrait, à lui seul, définir les 143 998 km^2 du pays. La plaine alluviale est faiblement relevée par des collines au sud-est et au nord-est.

Population. Démonstration d'une surpopulation record : avec ses 153 547 000 habitants, le pays est deux fois plus peuplé que la France alors qu'il est quatre fois moins étendu. Capitale : Dhaka (13 millions d'habitants pour l'agglomération).

Religion. 86 % des Bangladais sont musulmans. Minorités d'hindous (12 %), d'animistes et de bouddhistes.

Dates. *1764* Les Anglais s'installent. *1906* Naissance de la Ligue musulmane, opposée aux Anglais comme aux hindous. *1947* Constitution du Pakistan oriental. *1971* Répression des Bengalis par l'armée pakistanaise et proclamation de la République populaire du Bangladesh. *1975* Assassinat de Mujibur Rahman, président de la République. *1982* Le général Ershad prend le pouvoir. *Mai 1991* Un cyclone cause la mort de 125 000 personnes. *Septembre 1993* Les intégristes musulmans prononcent une fatwa contre l'écrivaine Taslima Nasreen, qui s'exile. *Automne 1998* Le pays subit sa plus forte crue du siècle autour de Dakha. *Octobre 2001* Khaleda Zia (Premier ministre) et le Bangladesh Nationalist Party remportent les législatives. *Septembre 2002* Iajuddin Ahmed président. *Juillet 2003* Naufrage d'un ferry surchargé, des centaines de personnes sont portées disparues. *Août 2005* Explosions simultanées à travers le pays. *Septembre 2005* Tempête meurtrière dans la baie du Bengale. *Janvier 2007* Mise en place d'un gouvernement intérimaire.

Bélarus

Bien discret, le Bélarus, alias Biélorussie ! L'ancienne Russie blanche ne manque pourtant pas d'atouts et possède même une exclusivité avec la présence et la préservation de lacs glaciaires, forêts et faune d'une grande spécificité. Mais le tourisme est modeste et reste freiné par la mauvaise image politique du pays. Il se concentre souvent sur Minsk, qui a gardé des traces de son passé de ville marchande et culturelle.

LES RAISONS D'Y ALLER

LES PAYSAGES, LA FLORE ET LA FAUNE

Rares espèces de la réserve de Bérézinsky et du parc national de Biélovejskaïa Puscha

LES VILLES

Minsk, Polotsk, Vitebsk

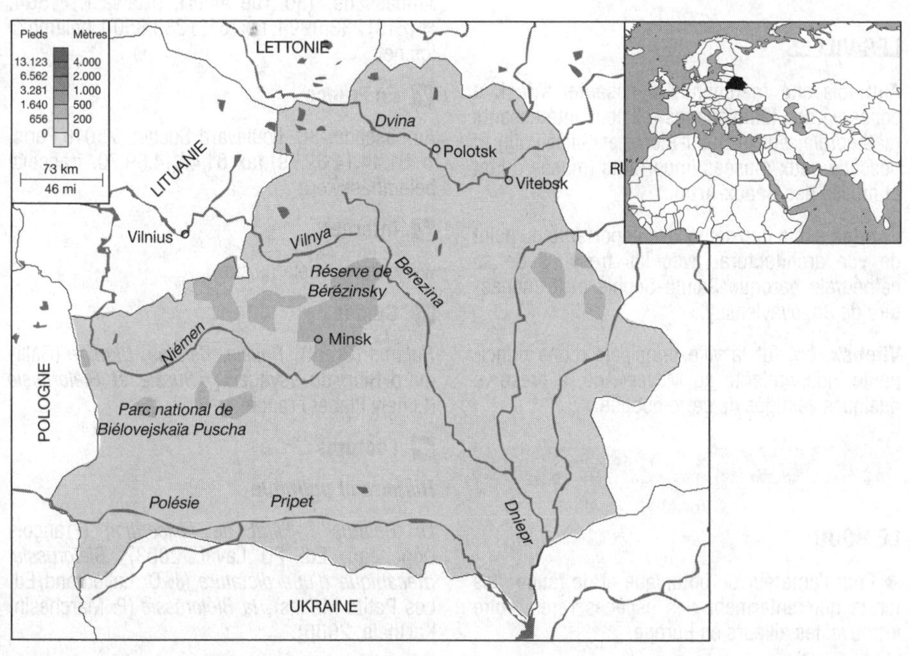

LES RAISONS D'Y ALLER

LES PAYSAGES, LA FLORE ET LA FAUNE

S'il n'y avait qu'une seule raison de visiter le Bélarus, ce serait pour la réserve de **Bérézinsky**. Forêts omniprésentes, lacs, marais et tourbières abritent une flore et une faune peu perturbées au fil des siècles. La faune est faite de noms peu évoqués en Europe : loups, ours, lynx, loutres, castors, courlis, grues cendrées.

Déclaré réserve de la biosphère, Bérézynski deviendra peut-être la destination par excellence de l'écotourisme en Europe centrale si les voyagistes veulent bien s'y intéresser. Les historiens y auront également intérêt puisqu'elle est bordée sur une centaine de kilomètres par la **Bérézina**, là où Napoléon a subi en 1812 sa déroute la plus cuisante, rappelée aujourd'hui par un monument en bordure du fleuve.

Les forêts, épaisses, recouvrent encore un tiers du pays. Le parc de **Biélovejskaïa Puscha**, plus grande et dernière forêt primaire d'Europe, aux confins de la Pologne, renferme des arbres vieux de trois cents à six cents ans (chênes, érables, pins, hêtres).

LES VILLES

Autrefois cité marchande florissante, **Minsk** a conservé des témoignages religieux intéressants (cathédrale, église Saint-Pierre et Saint-Paul) et possède deux musées importants (musée d'État et musée des Beaux-Arts).

Polotsk est la deuxième ville importante du point de vue architectural avec les fresques de sa cathédrale baroque Sainte-Sophie et le monastère de Bogoyavlensky.

Vitebsk, qui fut la ville principale d'une principauté indépendante au Moyen Âge, a préservé quelques vestiges de cette époque.

LE POUR

◆ Pour l'amateur de botanique et de faune, des forêts qui renferment des espèces rares, voire introuvables ailleurs en Europe.

LE CONTRE

◆ Un tourisme qui ne décolle pas.

◆ Un pays auquel la toute-puissance du pouvoir actuel fait subir une mauvaise image.

LE BON MOMENT

Le Bélarus est traversé par la Berezina : autant dire que le climat continental n'incite pas aux longues promenades hivernales ! Les étés, en revanche, sont corrects et propices à la visite. Meilleure période : **juin-septembre**.

◆ Températures moyennes jour/nuit (en °C) à *Minsk* : janvier -4/-10, avril 11/2, juillet 22/13, octobre 10/3.

LE PREMIER CONTACT

En Belgique

Chancellerie, rue Edmond Picard, 192, B-1050 Bruxelles, ☎ (02) 340.02.96, http://belembassy.org/belgium

Au Canada

Ambassade, 130, rue Albert, Ottawa K1P 5G4, ☎ (613) 233.9994, fax (613) 233.8500, belamb@igs.net

En France

Ambassade, 38, boulevard Suchet, 75016 Paris, ☎ 01.44.14.69.79, fax 01.44.14.69.70, france@belembassy.org

Internet

www.france-belarus.com

Guides

Belarus (Bradt), *Russie, Bélarus, Ukraine* (Gallimard/Bibl. du voyageur), *Russie et Biélorussie* (Lonely Planet France).

Lectures

Histoire et politique

Le Bélarus : l'état de l'exception (François Dépelteau, Ed. PU Laval, 2003), *Biélorussie, mécanique d'une dictature* (J.-C. Lallemand/Ed. Les Petits Matins), *la Biélorussie* (P. Marchesin, Karthala, 2006).

Récits et romans

Contes biélorusses : le beau-frère du soleil (J. Winter, Ed. L'Ecole des loisirs, 2004).

Carte

Biélorussie (IGN).

QUEL VOYAGE ET À QUEL PRIX ?

Le voyage individuel

Les préparatifs

◆ Passeport valide, visa obligatoire, à demander au consulat, voire à l'aéroport de Minsk, mais bien se faire confirmer cette possibilité avant le départ. Bon d'échange (voucher) nécessaire. La preuve de la possession d'une assurance/assistance peut être demandée.

◆ Monnaie : le *rouble biélorusse.* 1 EUR = 3 079 roubles biélorusses. 1 US Dollar = 2 190 roubles biélorusses. Emporter des dollars US ou des euros.

Le départ

Avion

Indice de prix, à certaines dates, du vol Paris-Minsk A/R : 400 EUR. Durée moyenne du vol : 4 heures.

Bus

Bus Paris-Minsk avec Eurolines. Compter deux jours.

Sur place

Route

Réseau routier correct. Limitations de vitesse agglomération/route : 60/90 km/h. Alcool interdit au volant. Prise d'une assurance aux tiers obligatoire à la frontière.

Train

Réseau ferré vétuste mais correct.

LES REPÈRES

◆ Lorsqu'il est midi en France, au Bélarus il est la même heure en été et 13 heures en hiver. ◆ Langues : le biélorusse, qui fait partie du groupe slave, est langue officielle. Le russe est également répandu. ◆ Téléphone vers la Biélorussie : 00375 + indicatif (Minsk : 17).

LA SITUATION

Géographie. Le nord de ce pays de 207 600 km^2 est occupé par les forêts et les marécages des bassins du Niémen et de la Dvina occidentale. Apparaissent ensuite des collines et la région de Polésie, traversée par le Pripet, un affluent du Dniepr.

Population. Quatre habitants sur cinq sont des Biélorusses, en majorité paysans (« Russes blancs », ainsi appelés parce qu'ils n'étaient pas soumis au tribut mongol). Minorités de Russes et de Polonais. 9 686 000 habitants. Capitale : Minsk.

Religion. Majorité d'orthodoxes. Présence de juifs, que l'Empire russe avait assignés à résidence en Biélorussie, et de catholiques.

Dates. *XIIIe siècle* Le grand-duché de Lituanie domine la Russie blanche. *1793* Annexion par la Russie. *1919* Les Bolcheviks proclament la république socialiste soviétique indépendante de Biélorussie. *1941* Occupation allemande. *1945* La Biélorussie est l'un des membres fondateurs de l'ONU. *1991* La Biélorussie devient le Bélarus, qui proclame sa souveraineté. *Août 1994* Alexandre Loukachenko devient président. *Avril 1996* Le pays s'aligne sur la Russie. *Fin 1996* Le durcissement du régime de Loukachenko lui vaut de plus en plus de critiques. *Septembre 2001* Facile réélection de Loukachenko, très mal vu sur la scène internationale. *Mars 2006* La réelection de Loukachenko soulève un mouvement de contestation vite réprimé.

Belgique

La fraîcheur de la mer du Nord et un ciel mitigé privent la Belgique d'une meilleure audience touristique. Mais le pays prend sa revanche par la valeur esthétique et architecturale de ses nombreuses villes d'art. Le centre de Bruxelles, Anvers et son quartier ancien, la vieille ville de Gand et, surtout, Bruges avec ses canaux et ses musées valent largement le temps d'un week-end. Pour détromper ceux qui croyaient le plat pays entièrement plat, les forêts des Ardennes offrent des buts de balade intéressants et même quelques pistes de ski de fond.

LES RAISONS D'Y ALLER

LES VILLES

Bruges, Bruxelles, Anvers, Gand, Liège, Louvain, Dinant, Mons, Tournai, Namur, Bouillon, Belœil, Arlon

LA CÔTE

Rivages de la mer du Nord, Ostende

LES TRADITIONS

Carnavals, fêtes, marchés de Noël

LES PAYSAGES

Digues et canaux autour de Damme, Ardennes, parc naturel Hautes Fagnes-Eifel, grottes de Han

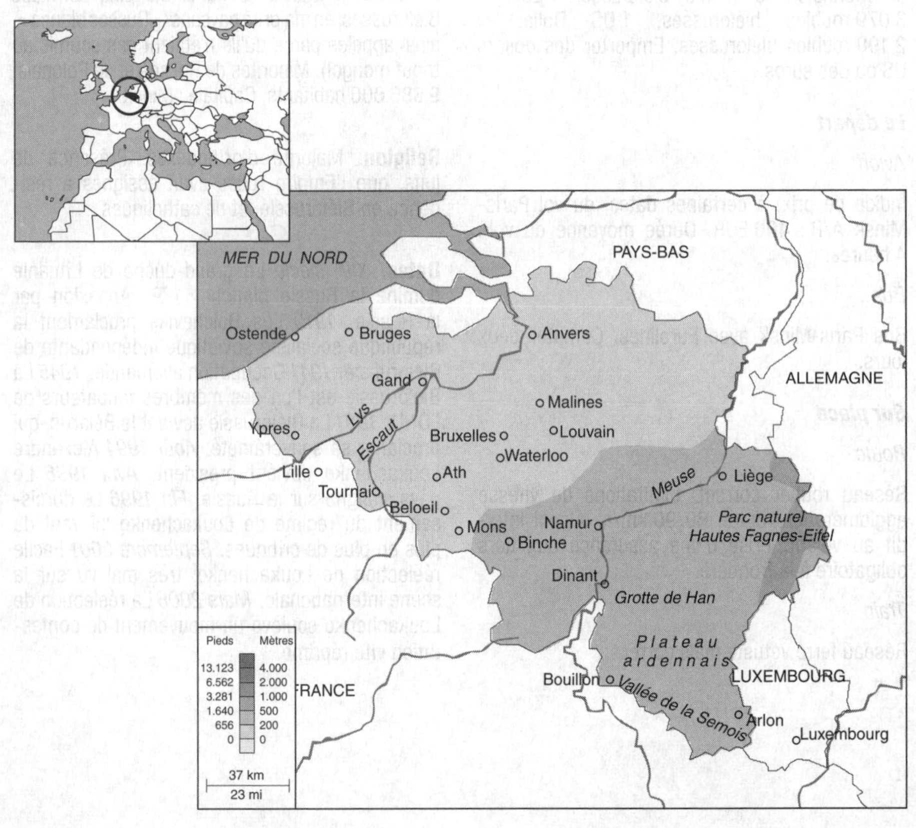

LES RAISONS D'Y ALLER

LES VILLES

Bruges est posée entre des canaux romantiques qui l'ont fait baptiser la « Venise du Nord » : ses maisons anciennes, leurs facades en brique et leurs pignons, le carillon de son beffroi et les concerts alentour, ses édifices religieux (cathédrale Saint-Sauveur, basilique du Saint-Sang, église Notre-Dame et sa *Vierge à l'enfant* de Michel-Ange), son béguinage d'un autre temps, ses dentelles – même si les productions locales se raréfient – et ses musées (importantes peintures des primitifs flamands au Bruggemuseum, Musée de la dentelle et un tout récent... musée de la Frite) font qu'elle est souvent considérée comme la ville belge qui a le plus à offrir sur le plan touristique.

À **Bruxelles**, seule ville du pays officiellement bilingue, la statuette de la fontaine du Manneken-Pis reste le rendez-vous favori des touristes. Même l'hôtel de ville (XVe siècle), les façades baroques et le style Renaissance des maisons des Corporations à pignons de la Grand-Place, au cadre exceptionnel, ont peine à rivaliser...

Le demi-millier de bâtiments Art nouveau, avec la maison-atelier de Horta en point d'orgue, embellissent la capitale et font qu'on lui pardonne son architecture hétéroclite. La cathédrale Saint-Michel, le palais du parc du Cinquantenaire, l'avenue Louise, la maison d'Érasme, le marché aux puces des Marolles sur la place du Jeu-de-Balle, la cathédrale Saint-Michel et l'église Notre-Dame-du-Sablon sont les autres grands arguments de la capitale, loin devant le quartier européen, encore mal perçu.

Bruxelles compte plusieurs musées de renom : musées royaux des Beaux-Arts (Antiquité et arts décoratifs), musée d'Art ancien (tableaux de Rubens et des primitifs flamands), musée d'Art moderne (Dali, David, Gauguin, Magritte, Matisse), Musée instrumental bordant le square du Petit-Sablon, et bientôt musée Magritte. Deux réalisations contemporaines connaissent le succès : la molécule de cristal de l'Atomium (1958) au pied d'un parc Mini-Europe et le Centre belge de la bande dessinée.

Anvers vaut par sa cathédrale Notre-Dame (gothique brabançon, œuvres de Rubens), sa Grand-Place (hôtel de ville, maisons des guildes), ses ruelles, son port, ses façades des XVIIe et XVIIIe siècles, la maison de Rubens (tableaux et objets du peintre) et ses musées : le musée Plantin-Moretus, qui retrace l'histoire du livre ancien, et le musée royal des Beaux-Arts, où abondent les œuvres des primitifs flamands (Van der Weyden, Van Eyck).

Gand vaut également par ses maisons des corporations sur le quai aux Herbes ou sur le quai au Blé, son château aux Comtes, ses musées (Smak, Design Museum, musée des Beaux-Arts) et sa cathédrale Saint-Bavon qui renferme un chef-d'œuvre de Van Eyck, *l'Agneau mystique*.

Autres villes qui méritent la visite : **Liège** et son atmosphère chaleureuse, dévouée au souvenir de Simenon mais qui renferme également de nombreux musées et églises aux alentours de son palais des Princes-Évêques; **Louvain**, qui va accueillir un musée Tintin et où se côtoient le gothique (hôtel de ville, église Saint-Pierre) et le baroque (façade de l'église Saint-Michel, maisons anciennes); **Dinant**, dont le joli site entre rochers et cours de la Meuse est complété par la citadelle et la collégiale Notre-Dame; **Mons** (collégiale Sainte-Waudru, beffroi baroque); **Tournai** (cathédrale Notre-Dame des XIIe et XIIIe siècles, beffroi, halle aux draps); **Namur** (citadelle, cathédrale Saint-Aubin); **Bouillon** (château moyenâgeux); **Belœil** (château du XIIe siècle des princes de Ligne, aux beaux jardins); **Arlon** (Musée archéologique renfermant des monuments funéraires sculptés des IIe et IIIe siècles).

LA CÔTE

La **mer du Nord** n'est ni bleue ni souvent ensoleillée, mais elle offre de vastes **plages** bien aménagées pour les sports nautiques. Il fait bon marcher sur leur sable couleur blanc cassé, tout en se chargeant d'iode.

Le fin du fin est la plage de Knokke-le-Zoute, lieu favori du gratin bruxellois. En partant vers le sud, on peut trouver plus de simplicité et autant d'espace tout au long des 70 km de côtes, par exemple le long du front de mer d'**Ostende**, également intéressante par son port (Fête de la mer et profusion de beaux voiliers le week-end de Pentecôte), son musée d'Art moderne et la maison du peintre Ensor.

LES TRADITIONS

Celles que perpétuent la petite ville de **Binche** et son carnaval les jours de Dimanche gras et de Mardi gras, avec la sortie du « Gille », personnage rituel richement déguisé, sont un symbole de l'enthousiasme du pays en matière de fêtes : corso de Malines, fête des Chats à Ypres, bal du Rat mort à Ostende, procession du Saint-Sang à Bruges, fête du Doudou à Mons, procession des géants à Ath, etc. L'office de tourisme en donne la liste complète et les dates.

Les petits chalets en bois du village de Noël de Liège, que l'on admire en dégustant des crêpes de sarrasin, font du **marché de Noël** de la « Cité ardente » le plus attachant du pays.

LES PAYSAGES

La platitude des régions flamandes et les « terrains vagues » chantés par Brel ne doivent pas faire oublier leur atmosphère romantique, comme la région de **Damme**, la ville de Till l'Espiègle, dont les digues et les canaux invitent à des randonnées à vélo.

Ce symbole du plat pays est contrebalancé à l'est par l'arrondi des **Ardennes**, parsemées de collines, de forêts, de landes (parc naturel **Hautes Fagnes-Eifel**), de grottes (**Han**) et de jolies vallées comme celles de la Meuse et de la Semois, celle-ci dessinant des méandres encaissés.

Un paysage qui serait resté dans l'anonymat si les Anglais et les Prussiens n'étaient passés par là : celui de **Waterloo**, au sud de Bruxelles, avec monuments du souvenir à l'appui.

LE POUR

◆ Une grande richesse culturelle dans des villes qui ont su préserver leur histoire.

◆ La personnalité de la côte belge et des Ardennes.

LE CONTRE

◆ Un climat qui n'incline pas aux séjours prolongés.

LE BON MOMENT

Avec son climat océanique doux et humide, la Belgique est comme tous les pays du nord de l'Europe : on y goûte un beau temps relatif de **juin à septembre**. Toutefois, en dehors des Ardennes, les hivers ne sont pas rudes : ainsi, une balade « à la côte » un jour de Noël a son charme.

◆ Températures moyennes jour/nuit (en °C) à *Bruxelles* (centre) : janvier 6/1, avril 13/5, juillet 22/14, octobre 14/8; à *Ostende* (côte) : janvier 6/1, avril 11/4, juillet 20/13, octobre 15/7. L'eau de mer atteint péniblement 18°.

LE PREMIER CONTACT

Au Canada

Office du tourisme, CP 760, H4A-3S2, Montréal, Québec, ☎ (514) 457-28-88, fax (514) 457-94-47, info@oewbru.be

En France

Office du tourisme, 274, boulevard Saint-Germain, 75002 Paris, ☎ 01.53.85.05.20, fax 01.40.62.97.48, info@belgique-tourisme.fr

Au Luxembourg

Ambassade, Luxembourg, ☎ 44.27.46-1, fax 45.42.82.

En Suisse

Consulat général, 58, rue du Moillebeau, CH-1211 Genève, ☎ (22) 730.40.00, fax 734.50.79.

Internet

www.belgique-tourisme.be
www.tourisme-flandre.com

Guides

Anvers (Hachette/Un grand week-end),

Belgique (Berlitz, Gallimard/Bibl. du voyageur, Gallimard/GEOGuide, Hachette/Guide du routard, Le Petit Futé, Marcus, Mondeos, La Renaissance du livre), *Belgique de l'est, Ardenne, Eifel* (Le Petit Futé), *Belgique, Grand-Duché de Luxembourg* (Michelin/Guide vert), *Belgique, villes d'art* (Hachette/Guide bleu),

Bruges, Anvers, Gand (Le Petit Futé), *Bruges et la région flamande* (Hachette/Évasion),

Bruxelles (Guide Autrement, Berlitz, Gallimard/Cartoville, Hachette/Un grand week-end, Le Petit Futé, Michelin/Guide vert), *Bruxelles, Bruges, Anvers et Gand* (Lonely Planet France/Citiz), *Bruxelles insolite et secret* (Ed. Jonglez), *Bruxelles retrouvé* (Ed. Alice),

Flandre, Anvers, Gand, Bruges (Guide Autrement), *Guide de l'Ardenne du nord* (La Renaissance du livre), *Liège* (Le Petit Futé).

Cartes

Blay Foldex, IGN *(Belgique, Luxembourg)*, Michelin. Plan de Bruxelles : Blay Foldex, Cartographia, De Rouck.

Lectures

Belgique : la descente au tombeau (Pol Vandromme, Ed. du Rocher 2008), *la Belgique en sursis* (Luc Beyer de Ryke/Ed. François-Xavier de Guibert 2008), *Histoire de la Belgique* (M. T. Bitsch/Complexe, 2004).

Images

*La Belgique vue du ciel (*Michel Clinckemaille, Fabienne Vanthuyne/Luc Pire 2007), *la Façade Art nouveau à Bruxelles : artisans et métiers* (Eric Hennault, AAM Editions, 2005).

DVD

Bruxelles : capitale européenne et culturelle (Jacques Stéphane, Vodeo TV).

QUEL VOYAGE ET À QUEL PRIX ?

Le voyage individuel

Les préparatifs

◆ Carte nationale d'identité ou passeport suffisant pour les ressortissants de l'Union européenne. Pour les Canadiens, passeport suffisant.

◆ Monnaie : l'*euro.*

Le départ

Avion

Indice de prix à certaines dates du vol Montréal-Bruxelles A/R : 800 CAD; Vols à bas prix pour Bruxelles : Brussels Airlines (de Lyon, Nice, Toulouse), Easyjet (Nice), Jetairfly (Ajaccio), Ryanair (Carcassonne, Nîmes, Perpignan).

Bus

Le trajet vers Bruxelles et d'autres villes importantes du pays existe chez Eurolines.

Route

Bruges est à 295 km de Paris, Bruxelles à 300 km.

Train

◆ Le *Thalys* relie Paris-Gare du Nord à Bruxelles-Midi en 1 h 22 (jusqu'à 25 aller et retour quotidiens), à Bruges (2 h 30) et à Anvers. Paris-Ostende direct (2 h 55). ◆ Pass InterRail utilisable.

Sur place

Hébergement

◆ À Bruxelles, l'association « Bed and Brussels » (☎ 32.2.646.07.37, www.bnb-brussels.be) propose le logement et le petit déjeuner en chambre d'hôte à un prix très raisonnable. ◆ Campings et chambres d'hôtes. ◆ Auberges de jeunesse, renseignements : Bruxelles, ☎ (32) 2-219.56.76, www.laj.be

Route

◆ Autoroutes nombreuses, gratuites et, pour la plupart, éclairées. ◆ Limitation de vitesse agglomération/route/autoroute : 50/90/120. ◆ Limite du taux d'alcoolémie : 0,5 pour mille.

Le séjour

Les séjours à la carte consistent presque exclusivement en la découverte des **villes d'art** le temps d'un **week-end**, principalement Anvers, Bruxelles et surtout Bruges : il peut s'agir du bus (pour Bruxelles, forfait A/R + une nuit, Eurolines) ou du train (pour chacune des trois villes, 2 ou 3 jours, Euro Pauli, Jet tours, Transeurope). Autres prestataires : Fram (Bruxelles, Anvers, Gand et Bruges en 3 jours/2 nuits), Nouvelles Frontières (avec un trio Bruges, Anvers et Bruxelles en 4 jours/3 nuits), Transeurope (pour Anvers et Gand), Travel Europe, Voyageurs du monde (Bruges).

Les premiers prix se situent entre 150 et 200 EUR pour un forfait 3 jours/2 nuits à Bruges ou à Bruxelles à partir de Paris en Thalys.

Le voyage accompagné

◆ Clio passe à Bruges et Anvers (puis par Amsterdam et La Haye) pour un week-end de printemps consacré aux grands **peintres** flamands.

◆ En été, diverses formules de **croisières** telles que « La Meuse en musique » et « De la Meuse à la mine » sont proposées par l'office de tourisme.

QUE RAPPORTER ?

Trois passages obligés : les dentelles de Bruges (rechercher celles qui sont faites selon une méthode artisanale locale), le chocolat et les bières, dont l'éventail est jugé par beaucoup comme le plus prestigieux qui soit.

LES REPÈRES

◆ Lorsqu'il est midi au Québec, en Belgique il est 18 heures. ◆ Langues officielles : français, néerlandais et allemand, ce dernier parlé par les 70 000 habitants des cantons de l'est du pays. ◆ Téléphone vers la Belgique : 0032 + indicatif (Bruxelles : 2) + numéro; de la Belgique : 00 + indicatif pays + numéro.

LA SITUATION

Géographie. De taille modeste (30 528 km^2), le plat pays tel que l'a chanté Brel est une absolue réalité dans sa partie ouest. Le sud-est, en revanche, se relève avec les Ardennes.

Population. Nombreuse par rapport à la superficie (10 404 000 habitants), répartie en dix provinces mais surtout concentrée dans les villes, elle reste divisée sur bien des plans entre néerlandophones (flamands, majoritaires) et francophones (wallons et 80 % des Bruxellois). Capitale : Bruxelles.

Religion. 96 % de catholiques. Minorités de protestants, d'anglicans et d'israélites.

Dates. *843* Division entre la France et la Lotharingie. *XIVe siècle* Les Pays-Bas, qui incluent la Belgique, sont sous l'emprise des Bourguignons puis des Habsbourg. *1555* Règne de Philippe II d'Espagne. *1579* Indépendance des Provinces-Unies (nord), celles du sud restant espagnoles. *1795* Occupation par la France. *1830* Sécession des provinces belges et indépendance. *1831* Léopold Ier premier roi. *1865* Léopold II lui succède. *1908* Le Congo devient belge. *1909* Règne d'Albert Ier. *1934* Règne de Léopold III, qui abdiquera dix-sept ans plus tard en faveur de Baudouin Ier. *Avril 1993* La Belgique devient un État fédéral (Bruxelles Capitale, Flandre, Wallonie). *Juillet 1993* Mort du roi Baudouin. Son frère lui succède sous le nom d'Albert II. *Octobre 1996* Plus de trois cent mille personnes se rassemblent à Bruxelles pour une marche de soutien aux enfants victimes des réseaux de pédophilie. *Juin 1999* Les législatives débouchent sur une coalition hétéroclite (droite, socialistes, Verts); Verhofstadt Premier ministre. *Mai 2003* La coalition des libéraux et des socialistes est reconduite, les Verts s'écroulent, l'extrême droite progresse. *Juin 2007* Le parti flamand chrétien-démocrate de Yves Leterme domine les législatives. *Mars 2008* Après neuf mois de crise politique née des différends entre Flamands et Wallons, Leterme devient Premier ministre. *Décembre 2008* Le gouvernement pris en défaut pour pressions sur la justice, Leterme démissionne, Van Rompuy devient Premier ministre.

Belize

S'il reste un pays qui incite à l'aventure au milieu du grand concert balnéaire des Caraïbes, c'est bien le Belize. Recouvert aux deux tiers par la forêt vierge, truffé de marécages, comportant certaines régions difficiles d'accès, ce petit pays, qui vénère l'orchidée noire, paraît être resté hors du temps. Néanmoins, un patrimoine touristique existe, et non des moindres : la civilisation maya a laissé des traces et la longue barrière de corail est à l'origine d'un des lieux de plongée les plus recherchés de la région.

LES RAISONS D'Y ALLER

LA CÔTE

Plongée (cayes de la côte nord, Blue Hole)

LA NATURE ET LA FAUNE

Forêt vierge des monts Mayas, jaguars, singes hurleurs

LES MONUMENTS

Sites mayas (Altun Ha, Xunantunich)

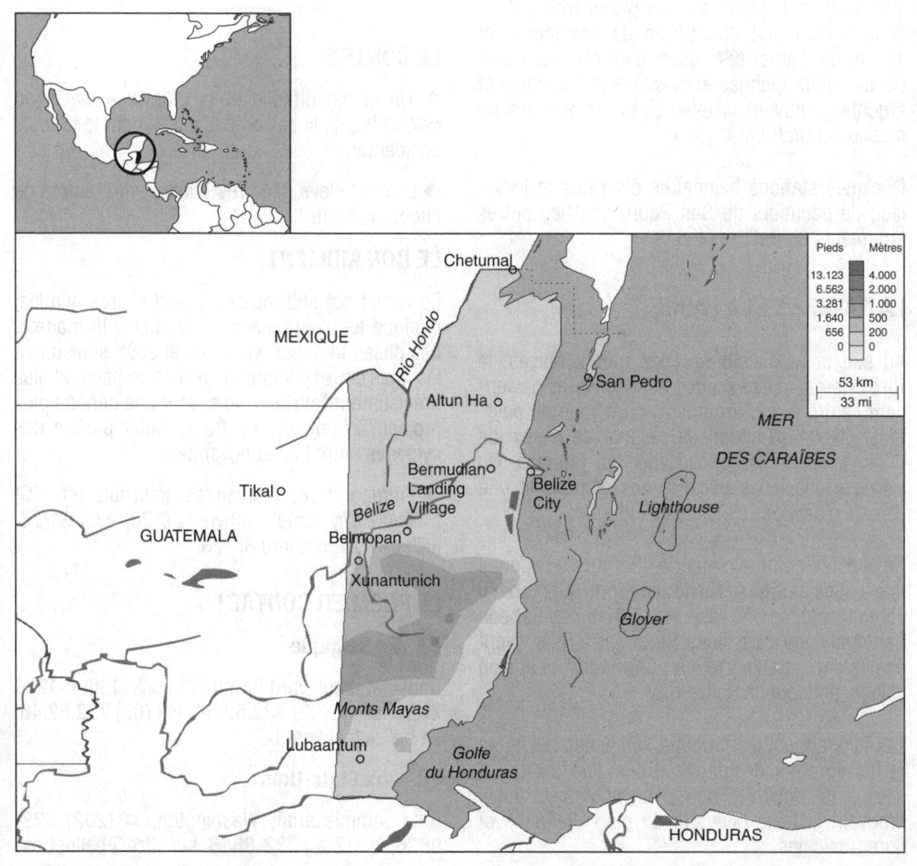

LES RAISONS D'Y ALLER

LA CÔTE

Les multiples îlots, baptisés « **cayes** » (tels Caulker, Ambergris, Lighthouse, Glover) de la côte nord sont à la lisière d'une barrière de corail très longue (300 km), la deuxième du monde après la Grande Barrière australienne.

Elle devient peu à peu l'un des sites de **plongée** les plus recherchés des Caraïbes pour observer poissons tropicaux et corail avec seulement masque et tuba, mais aussi, quand on est un plongeur chevronné, pour côtoyer barracudas, raies, mérous, parfois dans un décor de spongiaires et de gorgones.

Le fin du fin pour les plongeurs est **Blue Hole**, sur l'atoll de Lighthouse : un grand trou à l'eau couleur bleu nuit de 300 m de profondeur et 122 m de diamètre, entouré d'un récif de corail où abondent éponges et poissons multicolores et argentés, souvent visibles avec simplement un masque et un tuba.

Quelques stations balnéaires discrètes et le village de pêcheurs de San Pedro sont les autres arguments du Belize côtier.

LA NATURE ET LA FAUNE

Au sud et aux alentours des monts Mayas, la **forêt** vierge, ses cascades et ses rivières deviennent l'autre grand argument touristique du pays. C'est là que se situent la réserve du bassin de Cockscomb et son exclusivité, les **jaguars**. On y trouve aussi des pécaris, des gibbons et une pléiade d'espèces d'oiseaux exotiques.

Considérés comme dieux de l'Écriture à l'époque maya, les **singes hurleurs** sont aujourd'hui cantonnés dans une réserve (Community Baboon Sanctuary) qu'il est possible de visiter. Ils vivent également en liberté, à Bermudian Landing Village, non loin de Belize City.

Les jacarandas, les toucans, les aigles pêcheurs ou les aigrettes, des papillons bleu fluo aux larges ailes, des orchidées noires (symboles du pays) prouvent la belle diversité du pays en faune et flore tropicales.

LES MONUMENTS

Les temples, les pyramides, les tombes et le riche mobilier funéraire du site maya d'**Altun Ha** (période classique) constituent la raison principale d'un passage dans l'intérieur du Belize.

Autres sites intéressants de ruines de cités mayas, loin d'avoir toutes été mises au jour : **Xunantunich**, **Lamanai**, Nim Li Punit, Lubaantum.

LE POUR

◆ Un triple atout : un site de plongée très réputé, une part de l'héritage maya et une forêt vierge aux multiples espèces.

◆ Un gage d'insolite pour les voyageurs à l'esprit aventurier.

LE CONTRE

◆ Un climat difficile et la mauvaise place, au calendrier, de la saison des pluies pour le touriste occidental.

◆ Le coût élevé des prestations, entre autres de l'hébergement.

LE BON MOMENT

Le climat est subtropical, chaud et très humide, quoique les vents viennent tempérer la moiteur. Les pluies tombent entre juin et août, si bien que les mois correspondant à l'hiver européen, et plus précisément **février-mars**, sont une période plus propice au voyage. Le Belize subit parfois des cyclones entre juin et novembre.

◆ Températures moyennes jour/nuit (en °C) à *Belize City* (côte) : janvier 28/20, avril 31/23, juillet 31/24, octobre 30/23.

LE PREMIER CONTACT

En Belgique

Consulat, boulevard Brand Whitlock, 136, B-1200 Bruxelles, ☎ (02) 732.62.04, fax (02) 732.62.46, embelize@skynet.be

Aux États-Unis

Haut-commissariat, Washington, ☎ (202) 332-9636, fax (202) 332-6888, hcbelize@bellnet.ca

En France

Consulat honoraire, www.consulat-belize.site.voila.fr

En Suisse

Consulat, ruelle des Templiers, 41211 Genève 1, consulate.belize@bluewin.ch, ☎ (22) 906.84.28, fax (22) 906.84.29.

Guides

Belize (Éditions Ulysse, Lonely Planet en anglais, Rough Guide), *Guatemala, Copan et Belize* (Marcus), *Guatemala, Yucatan, Chiapas, Belize* (Hachette/Guide du routard), *Monde maya* (Gallimard/Encycl. du voyage).

Internet

www.belizenet.com/

Lectures

Belize (David Olguin, Ed. La Guillotine, 2004), *Got seif de Cuin !* (D. N. Puga Ruiz/L'Harmattan, 2006), *le Code Maya: 2012, la fin d'un monde* (Barbara Hand Clow, Ed. Alphée 2007).

Images

L'Amérique précolombienne : au temps des Mayas, des Aztèques et des Incas (Yves Cohat, Hachette, 2004).

Cartes

Amérique centrale, Belize (ITM), *Mexico, Guatemala, Belize, El Salvador* (Nelles).

QUEL VOYAGE ET À QUEL PRIX ?

Le voyage individuel

Les préparatifs

◆ Passeport valable encore six mois après le retour suffisant pour les ressortissants de l'Union européenne et les Canadiens, visa temporaire d'un mois obtenu sur place (prendre confirmation avant le départ). Passeport et visa obligatoire pour les Suisses. Billet aller-retour et preuve de fonds suffisants exigibles.

◆ Prévention recommandée contre le paludisme, particulièrement à l'ouest et au sud.

◆ Monnaie : le *dollar de Belize* est divisé en 100 cents. Il est conseillé de se munir de pesos mexicains ou de dollars US. 1 US Dollar = 2 dollars de Belize, 1 EUR = 2,8 dollars de Belize.

Le départ

◆ Indice de prix à certaines dates du vol Montréal-Belize City A/R : 960 CAD; Paris-Belize City A/R (via Miami) : 750 EUR. La visite du Belize précédant ou suivant dans presque tous les cas celle du Mexique et/ou du Guatemala, il est intéressant de choisir des aéroports plus importants (Cancún, Guatemala Ciudad, Mexico) et de rejoindre ensuite le Belize par la route. Durée moyenne du vol Paris-Cancún : 12 h 30.

Sur place

Hébergement

Le coût élevé de l'hôtellerie classique peut être compensé dans certains endroits par le camping et les «cabañas».

Route

◆ Un bus relie Cancún à Belize City via Chetumal, ville mexicaine aux confins de la frontière nord.
◆ Location de voiture possible (25 ans minimum).

Le voyage accompagné

Rappel : nous nous sommes limités à un résumé des prestations en vigueur dans les agences et chez les voyagistes présents en France. Les lecteurs des autres pays peuvent en tirer des idées d'itinéraire et les compléter auprès de leurs agences de voyages.

◆ Si le Belize est parfois proposé seul (Jetset/Équinoxiales pour une semaine alternant sites mayas et côte) ou en combiné avec le Guatemala (Arroyo, qui va dans les **cayes** et à San Pedro), il est presque toujours inclus dans un **trio** avec le Mexique et le Guatemala chez les voyagistes généralistes.

Ainsi, Explorator visite les sites **mayas** et les villages indiens des trois pays à pied et en bateau, tandis que Nomade Aventure privilégie la randonnée, Atalante étant dans la même veine (16 jours avec Mexique et Guatemala). Autre proposition: Kuoni (sans le Mexique mais avec le Honduras).

◆ Les séjours d'observation de la **faune marine** et du **corail,** ainsi que la **pêche en mer,** ont le vent en poupe, via des croisières-plongée avec Croisières australes (11 jours), Ultramarina ou Voyageurs du monde. Séjours possibles toute l'année mais plus intéressants entre novembre et mai. Le *Levant* (Compagnie des îles du Ponant) combine le culturel des temples mayas du Mexique et les sites de plongée du Belize.

Quel que soit le voyage choisi, difficile d'échapper à la barre des 2 500 EUR pour un séjour de 15 jours tout compris.

LES REPÈRES

◆ Lorsqu'il est midi en France, au Belize il est 4 heures en été et 5 heures en hiver; lorsqu'il est midi au Québec, au Belize il est 10 heures. ◆ Langue officielle : anglais, dont est issu un créole. L'espagnol est parlé par une personne sur trois.◆ Téléphone vers le Belize : 00501 + indicatif (Belize City : 222) + numéro; du Belize : 00 + indicatif pays + numéro.

LA SITUATION

Géographie. Coincé entre le Mexique et la mer des Antilles, le petit Belize (22 696 km^2) repose sur un massif ancien, avec les monts Mayas (1 000 m) au centre et d'assez nombreuses forêts.

Population. Les 301 000 habitants forment une population très hétérogène : 60 % de Noirs et mulâtres, largement majoritaires et venus des Antilles, 15 % de métis d'Espagnols et d'Amérindiens, 10 % d'Amérindiens, 7 % de Caraïbes noirs, 4 % d'Asiatiques et 4 % de Blancs. Capitale : Belmopan.

Religion. Les deux tiers de la population sont catholiques. Nombreuses minorités, dont des anglicans et des méthodistes.

Dates. *Xe siècle* Les Mayas s'installent. *1862* Colonie britannique. *1964* Autonomie interne. *1973* Le Honduras britannique devient le Belize. *1981* Indépendance dans le cadre du Commonwealth. *Août 1998* Le Parti d'unité populaire défait l'Unité démocratique populaire (UDP) aux législatives. Saïd Musa Premier ministre. *Février 2008* L'UDP en tête aux législatives, Dean Barrow devient Premier ministre.

Bénin

On ne peut rêver aux vestiges de l'ancien royaume prestigieux que fut le Bénin, mais le pays actuel, dominé par Ganvié, la « Venise africaine », satisfera les voyageurs en mal d'Afrique authentique. Les voyagistes annoncent des circuits à la découverte des marchés, des villages, des traditions locales et des mystères du vaudou, qui est né ici. L'originalité de ce tourisme de l'intérieur n'est pas vraiment battue en brèche par les séjours balnéaires, freinés par les dangers dus à la « barre ».

LES RAISONS D'Y ALLER

L'HABITAT ET LES MŒURS

Villages, marchés (Dantokpa, le long du fleuve Ouémé et aux environs de Natitingou)
Habitat des Sombas («tatas»)
Cases sur pilotis de Ganvié
Vaudou et fêtes animistes (Awilé)

LES PAYSAGES ET LA FAUNE

Plateau de l'Atakora
Parcs nationaux de la Pendjari et du W

LES VILLES

Porto Novo, Abomey, Ouidah

LA CÔTE

Plages (Grand Popo, Ouidah)

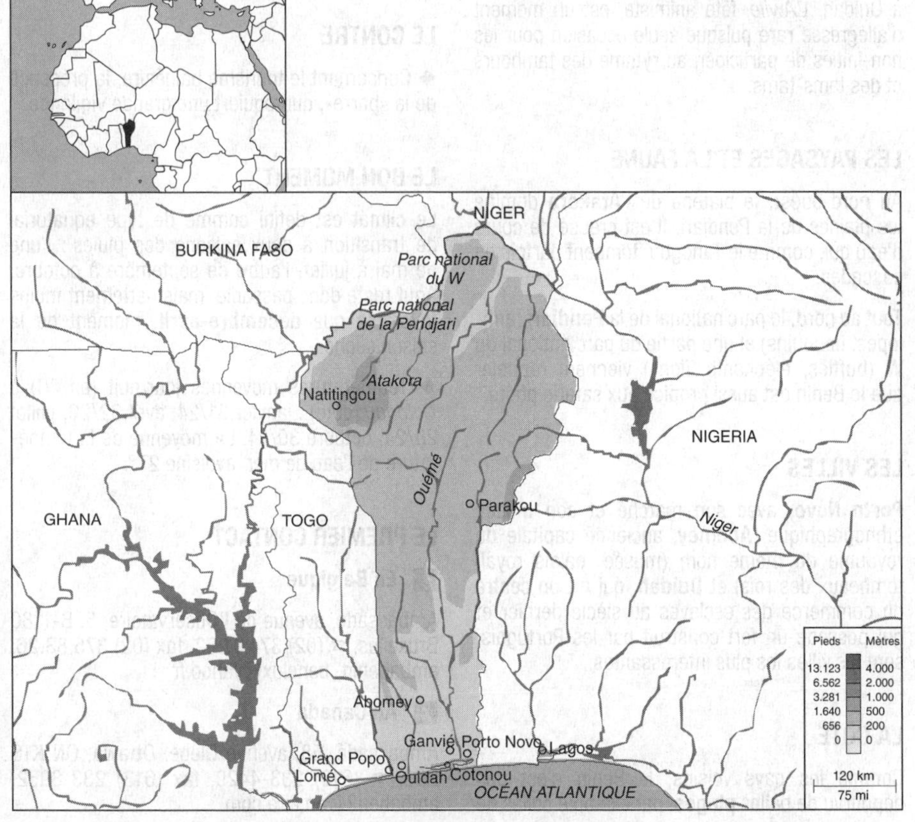

LES RAISONS D'Y ALLER

L'HABITAT ET LES MŒURS

Les **villages** et leurs marchés (celui de Dantokpa, non loin de Cotonou, est le plus grand de la côte ouest de l'Afrique) sont la base du voyage au Bénin, par exemple le long du fleuve **Ouémé** ou dans les environs de **Natitingou,** région du peuple **Somba**, dont les villages comprennent des sortes de petits châteaux forts d'argile appelés «tatas», très tendance sur le plan touristique.

Les cases sur pilotis et les marchés flottants du village de pêcheurs de **Ganvié**, établi sur une lagune, la manière qu'ont ceux-ci de lancer leur épervier (filet de pêche en forme de cône) constituent un autre sujet de curiosité.

Sur le plan des traditions, le Bénin peut se targuer d'être le vrai berceau du **vaudou**, dont il est possible d'étudier les fondements, entre autres à Ouidah. L'*Awilé*, fête animiste, est un moment d'allégresse rare puisque seule occasion pour les non-initiés de participer, au rythme des tambours et des tams-tams.

LES PAYSAGES ET LA FAUNE

Au nord-ouest, le plateau de l'**Atakora** domine les plaines de la Pendjari. Il est creusé de cours d'eau qui, comme le Tanogou, tombent parfois en cascades.

Tout au nord, le parc national de la **Pendjari** (antilopes, babouins) et une partie du parc national du **W** (buffles, éléphants, lions) viennent rappeler que le Bénin est aussi propice aux safaris photo.

LES VILLES

Porto Novo, avec son marché et son musée ethnographique, **Abomey**, ancienne capitale du royaume du même nom (musée, palais royal, tombeaux des rois) et **Ouidah**, qui fut un centre du commerce des esclaves au siècle dernier et qui possède un fort construit par les Portugais, sont les villes les plus intéressantes.

LA CÔTE

Comme les pays voisins, le Bénin n'est pas dépourvu de belles **plages**, par exemple celles de **Grand Popo** et de **Ouidah**. Mais les candidats à la baignade sur l'ancienne « côte des Esclaves » doivent être avertis des dangers occasionnés par la « barre », constituée par des vagues qui heurtent des hauts-fonds et se transforment en dangereux rouleaux.

LE POUR

◆ Un voyage varié : pas de sites majeurs, mais une somme de petits centres d'intérêt (habitat, marchés, traditions).

◆ Un tourisme qui reste modeste et, en cela, favorise les initiatives originales, entre autres sur le plan du tourisme durable ou solidaire.

◆ Le français comme langue officielle et véhiculaire.

LE CONTRE

◆ Concernant le tourisme balnéaire, la présence de la «barre», qui requiert une grande vigilance.

LE BON MOMENT

Le climat est défini comme de type équatorial de transition à deux saisons des pluies : l'une de mai à juillet, l'autre de septembre à octobre. Août reste donc passable, mais nettement moins favorable que **décembre-avril**, moment de la saison sèche.

◆ Températures moyennes jour/nuit (en °C) à *Cotonou* (côte) : janvier 31/24, avril 32/26, juillet 28/24, octobre 30/24. La moyenne de la température de l'eau de mer avoisine 27°.

LE PREMIER CONTACT

En Belgique

Ambassade, avenue de l'Observatoire, 5, B-1180 Bruxelles, ☎ (02) 374.91.92, fax (02) 375.83.26, ambabenin_benelux@yahoo.fr

Au Canada

Ambassade, 58, avenue Glebe, Ottawa, ON K1S 2C3, ☎ (613) 233-4429, fax (613) 233-8952, ambaben2@on.aira.com

En France

Service consulaire de l'ambassade, 89, rue du Cherche-Midi, 75006 Paris, ☎ 01.42.22.31.91, fax 01.42.22.39.19, consulat-paris@ambassade-benin.org

En Suisse

Service consulaire de l'ambassade, chemin du Petit-Saconnex, CH-1203 Genève, ☎ (22) 906.84.60, fax (22) 906.84.61, info@mission-benin.ch

Internet

www.benintourisme.com

Guides

Afrique de l'Ouest (Hachette/Guide du routard, Lonely Planet France), *Benin* (Bradt), *Bénin* (Le Petit Futé).

Cartes

Bénin (IGN), *Cotonou* (IGN).

Lectures

Epouses de Fa, récits de la parole sacrée du Bénin (Kakpo Mahougnon, L'Harmattan, 2008), *les Religions dans l'espace public au Bénin : vodoun, christianisme, islam* (Laurent Omonto Ayo Gérémy Ogouby, L'Harmattan, 2008), *la Porte du non-retour : carnet d'un voyage au Bénin* (Jean-Pierre Paulhac, Editions du Cygne, 2008), *Zinsa et Zinhoue, les sœurs jumelles, contes fon du Bénin* (Mama Raouf, L'Harmattan, 2008).

Images

Bénin, identité culturelle (Edgar-Yves Monnou, Ed. Présence béninoise, 2007), *Emblèmes et enseignes : peintures murales au Bénin* (Gérard Macé, Ed. La Pionnière, 2008).

QUEL VOYAGE ET À QUEL PRIX ?

Le voyage individuel

Les préparatifs

◆ Pour les ressortissants de l'Union européenne, canadiens, suisses : passeport en cours de validité, visa obligatoire, obtenu auprès du consulat. Pour qui a entrepris un voyage au long cours en Afrique noire, il existe un visa touristique groupé, qui réduit fortement les frais (Bénin, Burkina Faso, Côte d'Ivoire, Niger, Togo). Billet de retour ou de continuation exigible.

◆ Vaccination obligatoire contre la fièvre jaune, conseillée contre la méningite dans le cas d'un voyage dans le nord du pays. Prévention indispensable contre le paludisme.

◆ Monnaie : le franc CFA, franc de la communauté financière d'Afrique (XOF). Emporter des euros ou des dollars US. 1 euro = 655,957 francs CFA.

Le départ

◆ Indice de prix du vol Paris-Cotonou A/R à certaines dates : 740 EUR. ◆ Durée moyenne du vol Paris-Cotonou (4 710 km, escale) : 8 h 30.

Sur place

Avion

Lignes intérieures Cotonou-Natitingou et Cotonou-Parakou.

Hébergement

Lodges et petits hôtels ne sont pas rares.

Route

Location de voiture possible (permis de conduire international et contrat d'assurance local obligatoires) mais la location avec chauffeur est nettement préférable, tant pour la sécurité que pour la rencontre des habitants et la découverte des coutumes.

Bon réseau de bus, taxis-brousse.

Train

◆ Les trains sont lents et le réseau vétuste. Les bus sont nettement préférables.

Le voyage accompagné

Rappel : nous nous sommes limités à un résumé des prestations en vigueur dans les agences et chez les voyagistes présents en France. Les lecteurs des autres pays peuvent en tirer des idées d'itinéraire et les compléter auprès de leurs agences de voyages.

◆ Intéressant mélange des genres dans les **circuits** qui multiplient les découvertes : **traditions** villageoises, habitat des Sombas, marchés, **vau-**

dou, balades en pirogue, détente sur les rivages océaniques.

◆ Si quelques organismes, tel Point Afrique, proposent plusieurs circuits pour le seul Bénin, la plupart centrés sur les villages Sombas, la plupart des voyagistes, dont le nombre est en augmentation, adjoignent très souvent un ou deux pays **voisins**. Exemples : Adeo (avec le Togo), Explorator (avec le Ghana et le Togo), Nouvelles Frontières (avec le Burkina Faso), Tamera (avec le Burkina Faso et le Togo).

◆ Le **tourisme solidaire** trace de plus en plus son sillon via des villages d'accueil comme ceux d'Avlékété et Gnidjazoun, dans le sud. Outre des séjours dans ces villages, Tourisme & Développement solidaire propose des séjours à thème (vaudou, Penjari). Dans le nord, l'organisme Eco-Benin, ☎ (229) 21.04.22.68, www.ecobenin.org, propose de mêler l'observation des éléphants du parc du W aux traditions des peuples Mokollé et Peuhl d'Alfakoara. Eco-Bénin est également présent dans le nord-ouest, au pied de l'Atakora, et tout au sud, aux abords du lac Possotome.

◆ Le voyagiste Chemins de sable met le voyage en **train** au goût du jour avec le vénérable «train d'ébène» de Cotonou à Abomey et Dassa. Les «tatas» des villages Sombas sont également au programme.

Les premiers prix pour un circuit d'une semaine tournent autour de 1 000 EUR, et de 1 500 EUR pour un circuit de deux semaines, dans les deux cas avec vol, pension complète et hébergement en chambre double.

LES REPÈRES

◆ Lorsqu'il est midi en France, au Bénin il est la même heure en hiver et 11 heures en été.
◆ Langue officielle : français; la langue fon (groupe kwa) est parlée par un habitant sur deux. On dénombre près de cinquante dialectes.
◆ Téléphone vers le Bénin : 00229 + numéro; du Bénin : 00 + indicatif pays + numéro.

LA SITUATION

Géographie. Entre la côte et le parc national du W, le pays s'étire sur 700 km pour à peine 125 km de largeur, en un plateau bordé au nord-ouest par le massif de l'Atakora. Paysages de savanes au nord, de forêts et de terres plus fertiles au sud. Superficie modeste (112 622 km^2).

Population. Une soixantaine d'ethnies et trente mille étrangers environ totalisent 8 533 000 habitants. Porto Novo est la capitale, mais Cotonou est la plus grande ville.

Religion. Deux habitants sur trois sont animistes. On compte également 23 % de chrétiens et 15 % de musulmans.

Dates. *1625* Fondation du royaume du Dan Homé. *1893* La France constitue le Dahomey, qui entre dans l'AOF six ans plus tard. *1960* Indépendance. *1975* Le Dahomey devient la République populaire du Bénin, pro-soviétique. *1986* Début d'un assouplissement du régime. *1991* Nicéphore Soglo est élu président d'un pays désormais démocratique. *Mars 1996* Mathieu Kérékou remporte l'élection présidentielle (52,49 % des voix) et retrouve le pouvoir. *Mars 2001* Réélection de Kérékou. *Mars 2006* L'élection de Thomas Yayi Boni annonce une ère de transparence dans un pays touché par la corruption. *Mars 2007* Les législatives confirment la coalition (FCBE) au pouvoir.

Bermudes

Grâce à son triangle Bermudes-Floride-Porto Rico, éternellement imaginaire, et à son bermuda, ce petit archipel britannique, très isolé dans l'Atlantique, a assis sa célébrité. Mais le candidat au voyage doit tenir compte de cet isolement comme du haut niveau de vie car, sur le plan touristique, l'endroit est une chasse gardée britannique et surtout nord-américaine. Aussi le voyageur, qui trouve peu ou prou l'équivalent et des températures plus chaudes dans l'arc des Antilles, quelques centaines de kilomètres au sud, n'est-il guère attiré ou sollicité.

LES RAISONS D'Y ALLER

LES CÔTES

Barrière de corail, plages de la côte sud, sports nautiques, croisières

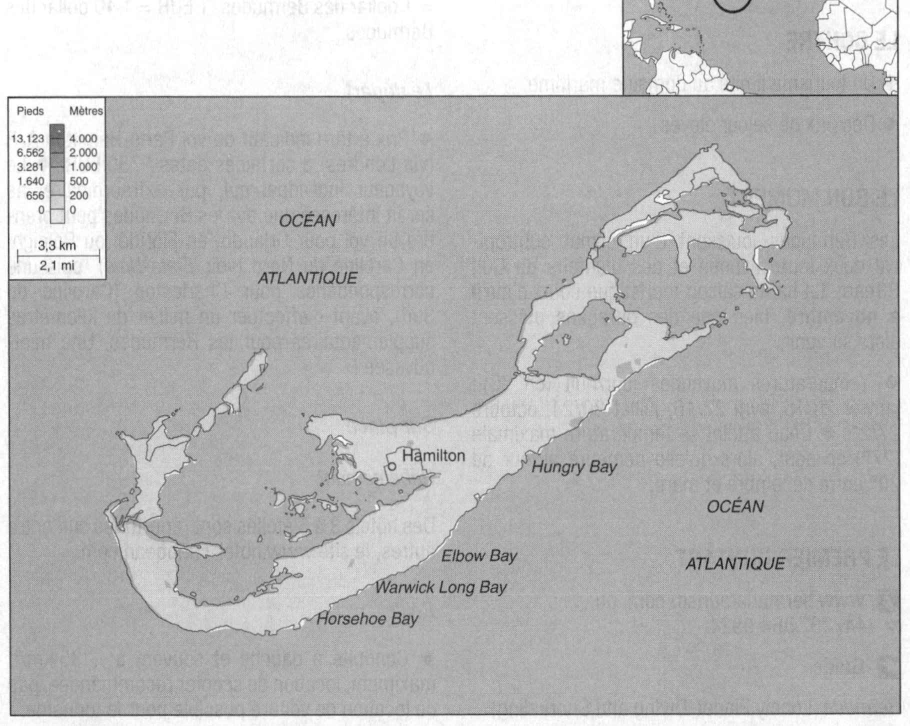

LES RAISONS D'Y ALLER

LES CÔTES

Les **rivages** (Elbow Beach, Horseshoe Bay, Hungry Bay, Warwick Long Bay) sont la principale raison d'un voyage aux Bermudes.

Outre l'avantage naturel d'une **barrière de corail**, ils bénéficient d'excellents équipements pour les sports nautiques et ils constituent une étape recherchée par les amateurs de **croisières**.

Les plages les plus belles et au sable le plus blanc sont sur les côtes sud de l'archipel, les côtes nord étant plutôt rocheuses.

LE POUR

◆ L'archétype du tourisme « tropicalo-balnéaire » : soleil toute l'année, plages protégées des colères océaniques par une barrière de corail, installations touristiques luxueuses et nombreuses.

LE CONTRE

◆ Un tourisme limité au domaine maritime.

◆ Des prix de séjour élevés.

LE BON MOMENT

Les Bermudes jouissent d'un climat subtropical doux toute l'année et des bienfaits du Gulf Stream. La haute saison touristique court d'**avril à novembre**, bien que des ouragans puissent alors survenir.

◆ Températures moyennes jour/nuit (en °C) : janvier 20/15, avril 22/16, juillet 30/24, octobre 27/21. ◆ L'eau atteint sa température maximale (27°) en août, alors qu'elle demeure autour de 20° entre décembre et mars.

LE PREMIER CONTACT

www.bermudatourism.com, ou
☎ (44) 207.864.9924.

Guide

Bermuda (Lonely Planet/Diving and Snorkeling).

Carte

Bermuda (ITM).

Lecture

Le Triangle des Bermudes (Robert de La Croix, Ed. Grand Caractère, 2006).

QUEL VOYAGE ET À QUEL PRIX ?

Le voyage individuel

Les préparatifs

◆ Pour les ressortissants de l'Union européenne, canadiens, suisses : passeport en cours de validité suffisant. Billet de retour ou de continuation exigible.

◆ Aucune vaccination n'est requise.

◆ Monnaie : il existe un *dollar des Bermudes* mais l'US Dollar ou la livre sterling sont rois. 1 US Dollar = 1 dollar des Bermudes, 1 EUR = 1,40 dollar des Bermudes.

Le départ

◆ Prix à titre indicatif du vol Paris-Hamilton A/R (via Londres) à certaines dates : 750 EUR. ◆ Le voyageur individuel qui, par extraordinaire, ne serait intéressé que par les Bermudes peut prendre un vol pour Orlando, en Floride, ou Raleigh, en Caroline du Nord (voir *États-Unis*), puis une correspondance pour Charleston (Caroline du Sud), avant d'effectuer un millier de kilomètres supplémentaires pour les Bermudes. Une mini-odyssée !

Sur place

Hébergement

Des hôtels 3 à 5 étoiles sont répertoriés sur, entre autres, le site www.hotel-caribbean.com

Route

◆ Conduite à gauche et souvent à... 35 km/h maximum, location de scooter recommandée, pas de location de voiture possible pour le tourisme.

Les séjours

Le golf, la plage, le passage de certaines grandes croisières transatlantiques : ce triangle-là des Bermudes est évident, mais intéresse très peu, voire pas du tout, les voyagistes francophones. BK Organisation, en Suisse (www.bkorganisation.com), fait exception en proposant un séjour en hôtel de luxe avec excursions possibles. On peut aussi s'en remettre aux propositions des voyagistes britanniques ou états-uniens répertoriés sur le site internet (ci-contre) de l'office du tourisme des Bermudes.

LES REPÈRES

◆ Lorsqu'il est midi en France, aux Bermudes il est 6 heures du matin en été et 7 heures en hiver. ◆ Langue officielle : anglais. ◆ Téléphone vers les Bermudes : 001441; des Bermudes : 011.

LA SITUATION

Géographie. À 1 000 km à l'est des États-Unis, les Bermudes constituent un archipel de 53 km^2 et de 360 îles dont 20 seulement sont habitées.

Population. 67 000 habitants. Chef-lieu : Hamilton. Large majorité de Noirs.

Religion. Catholiques et autres chrétiens composent la moitié de la population. Un habitant sur trois est anglican.

Dates. *1519* L'Espagnol Juan Bermudez découvre l'archipel. *1612* Les Anglais s'en rendent maîtres. *1968* Nouvelle constitution : colonie britannique (Elizabeth II chef de l'État) avec régime d'autonomie interne. *Août 1995* Un référendum rejette nettement une proposition d'indépendance. *Avril 2002* Sir John Vereker devient gouverneur, Jennifer Smith est Premier ministre. *Octobre 2006* Ewart Brown et le Progressive Labor Party au pouvoir.

Bhoutan

Ce petit morceau d'Himalaya, coincé entre l'Inde et la Chine, est longtemps resté inconnu du monde du voyage. Aussi, de la même façon qu'il a su éviter les colonisateurs au cours de son histoire, il résiste aujourd'hui au tourisme de masse par sa décision de limiter le nombre des visiteurs, via une somme forfaitaire quotidienne un rien extravagante. Cela permet peut-être à la population de rester fidèle à ses rites bouddhistes et aux paysages de haute montagne de préserver leur beauté...

LES RAISONS D'Y ALLER

LES MONUMENTS ET LES TRADITIONS

Monastères-forteresses bouddhistes (dzongs)
Festivals de Paro, Punakha, Thimbu, Wangdu Phodrang

LES PAYSAGES ET LES RANDONNÉES

Vallées et sommets himalayens (Chomolhari)

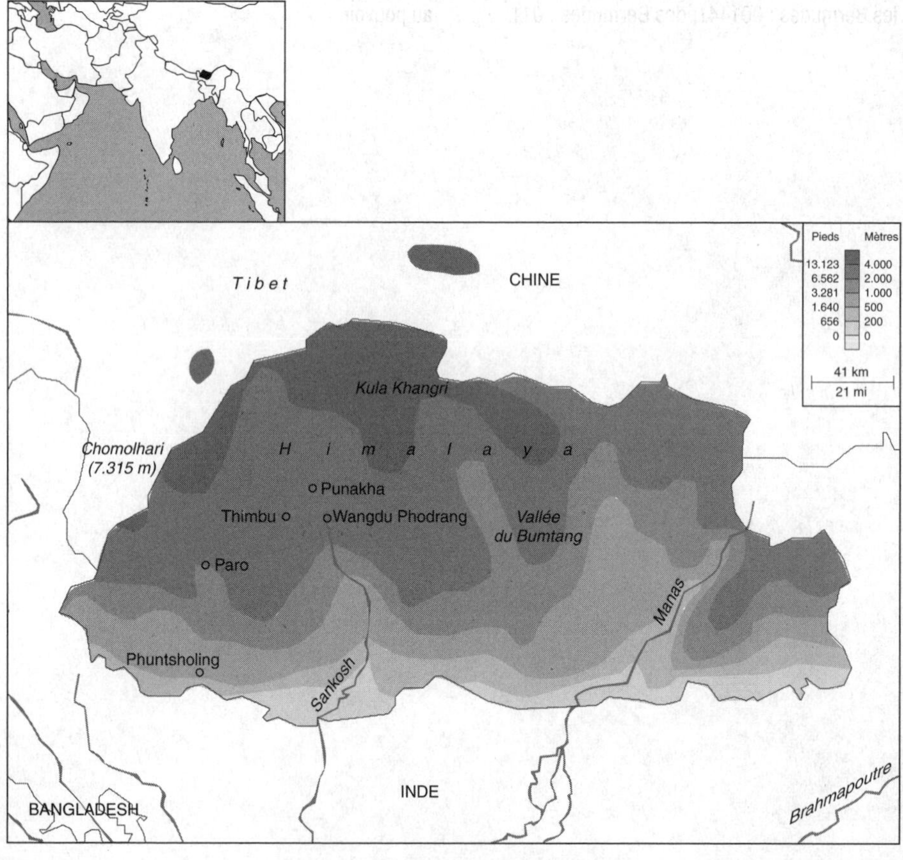

LES RAISONS D'Y ALLER

LES MONUMENTS ET LES TRADITIONS

L'existence des Bhoutanais est rythmée par leur croyance dans le **bouddhisme** tantrique. Cela débouche sur un mode de vie humble, une architecture spécifique (**monastères-forteresses**, appelés *dzongs*) et des **fêtes** *(tsechus)* dont les plus réputées se déroulent tous les ans entre février et avril à **Paro** et à **Punakha**.

Dans certains lieux, le bouddhisme et son « ambassadeur » Guru Rimpoche sont célébrés plusieurs fois par an, comme dans les dzongs de **Thimbu**, de **Wangdu Phodrang** ou de la vallée du **Bumtang**, avec force danses sacrées, masques et tambours.

LES PAYSAGES ET LES RANDONNÉES

Forêts (70 % du territoire), pâturages destinés aux yacks, nombreux glaciers (hélas! la plupart soumis à la fonte et transformés en dangereux lacs glaciaires), **vallées** et **sommets himalayens** rappellent partout que le Bhoutan est situé dans une des régions montagneuses les plus spectaculaires du monde, la route qui mène de Phuntsholing à Thimbu via le col de Chapcha en étant un premier témoignage pour qui vient de l'Inde.

Des randonnées comparables à celles qui se pratiquent au Népal ou au Pakistan sont de plus en plus monnaie courante, la majorité d'entre elles gravitant au pied de la montagne sacrée du **Chomolhari** et de ses 7 315 m.

Certaines vallées, comme celle du Bumtang, associent l'intérêt de la nature et celui de la visite des monastères. Dans la vallée de Punakha, le spectacle est favorisé par un micro-climat qui permet la pousse de cactus, de fleurs tropicales et de figuiers de Barbarie.

LE POUR

◆ Des paysages de montagne d'une grande beauté et très préservés.

LE CONTRE

◆ L'impossibilité de voyager autrement qu'en passant par une agence spécialisée.

◆ Un voyage qui a ses exigences : une forte somme forfaitaire quotidienne est réclamée, les prestations sont les plus chères de l'Himalaya et certains monastères demeurent fermés aux étrangers.

◆ Un ciel souvent bouché et brumeux.

LE BON MOMENT

Régime de moussons au sud (il pleut entre juin et septembre), moins marqué au centre, climat de montagne avec petites pluies en été au nord font que la période juin-septembre ne peut rivaliser avec la saison sèche (novembre-avril) et moins encore avec les intersaisons, surtout **septembre-novembre**.

◆ Températures minimales/maximales (en °C) à *Paro* : janvier 12/2, avril 20/10, juillet 25/17, octobre 20/11.

LE PREMIER CONTACT

En Amérique du Nord

Mission du Bhoutan aux Nations unies, New York, ☎ (212) 682-2268, fax (212) 661-0551.

En France

◆ Consulat honoraire, 2, rue d'Enghien, 75010 Paris, ☎ 01.45.23.41.77, bhutanhonconsul@aol.com

En Suisse

Section consulaire, chemin du Champ d'Anier, 17-19, CH-1209 Genève, ☎ (22) 799.08.90, fax (22) 799.08.99, mission.bhutan@ties.itu.int

Internet

www.tourism.gov.bt/ (site officiel)
www.drukair.com.bt/ (compagnie nationale).

Guides

Bhoutan (Olizane/Découverte), *Bhutan* (Lonely Planet en anglais).

Cartes

Bhutan (ITM), *North Eastern India* (Nelles).

Lectures

Bhoutan : royaume de Bouddha (Cloé Fontaine, Presses de la Renaissance, 2005), *le Bhoutan : au plus secret de l'Himalaya* (Françoise Pommaret, Gallimard 2005), *Bhoutan : voyage au pays de Bouddha* (Michaël Pitiot, Presses de la Renaissance, 2005).

Images

Bhoutan (O. Föllmi, La Martinière, 1998), Film : certaines scènes de *Little Bouddha* (B. Bertolucci, 1993) ont été tournées dans la région de Paro. Voir aussi *Voyageurs et magiciens* de Khyentse Rimpoche (TF1 Vidéo).

QUEL VOYAGE ET À QUEL PRIX ?

Les préparatifs

◆ Passeport, visa obligatoire. Le Bhoutan gère son tourisme à travers les voyagistes agréés, qui s'occupent des formalités. Premiers renseignements sur le site de l'office du tourisme (voir page précédente), auprès de l'association des voyagistes bhoutanais ABTO (abto@druknet.bt) ou de l'un des voyagistes cités ci-dessous.

◆ Prévention recommandée contre le paludisme dans la zone sud des districts suivants : Chirang, Samchi, Samdrupjongkhar, Sarpang, Shemgang. Nécessité de bien se préparer aux problèmes de l'altitude.

◆ Monnaie : le *ngultrum.* 1 US Dollar = 46 ngultrums, 1 EUR = 65 ngultrums. La roupie indienne est également utilisée. Emporter des euros ou des dollars US en espèces ou chèques de voyage.

Le départ

◆ Vol possible seulement via Bangkok (Thaïlande), Calcutta, Delhi (Inde) ou Katmandou (Népal). Une seule compagnie, Druk Air, dessert le pays.
◆ Durée moyenne du vol via Delhi : 13 heures.

Sur place

◆ Le visiteur est tenu à un forfait quotidien de 250 dollars US qui équivaut à l'hébergement (hôtels, maisons d'hôte choisis par le gouvernement), le transport et la nourriture. Permis spécial nécessaire pour certains monuments et pour entrer dans des districts autres que Timphu et Paro.

Le voyage accompagné

Rappel : nous nous sommes limités à un résumé des prestations en vigueur dans les agences et chez les voyagistes présents en France. Les lecteurs des autres pays peuvent en tirer des idées d'itinéraire et les compléter auprès de leurs agences de voyages.

◆ Les **festivals** de Paro et de Punakha, d'une part, les circuits avec visite des **dzongs** et **randonnées** autour du camp de base du Chomolhari, d'autre part, enfin les autres fêtes ponctuelles comme les tsechus sont les trois piliers des propositions de voyage. Dans la grande majorité des cas, celles-ci s'étalent sur 15 jours minimum et dépassent très nettement 3 000 EUR.

◆ On retrouve Adeo pour un combiné de 22 jours avec l'Inde (Darjeeling, Sikkim), Terres d'aventure (14 jours), Explorator pour un Bhoutan-Sikkim au printemps consacré au bouddhisme, et Tirawa, qui appelle les chevronnés à un séjour randonnée d'un mois de col en col. De son côté, Yoketaï propose un voyage à travers le pays en voiture avec chauffeur anglophone. Autres prestataires : Clio, Continents insolites, Voyageurs du monde.

◆ Pour ceux qui sont déjà en Inde ou effectuent un voyage au long cours, voir des agences locales telles que www.portesaventure.com ou www.himalayanfrontiers.com

◆ Toujours essayer de choisir des séjours qui incluent les grandes **fêtes** religieuses du printemps ou de l'automne mais cela exige de se décider longtemps à l'avance. Les dates des festivals varient légèrement selon les années.

QUE RAPPORTER ?

Textiles (faits main) et bijoux, objets en bambou.

LES REPÈRES

◆ Lorsqu'il est midi en France, au Bhoutan il est 15 h 45 en été et 16 h 45 en hiver. ◆ Langue officielle : dzong-ka (dialecte tibétain); autres langues : bumthangka, sarchopkha, nepali. Langue étrangère : anglais. ◆ Conduite à gauche. ◆ Téléphone vers le Bhoutan : 00975.

LA SITUATION

Géographie. De taille modeste (47 000 km^2), le Bhoutan est recouvert en majeure partie par la forêt. Il est constitué de trois zones étagées. Du sud au nord : les Duars (bordure de l'Himalaya), le Moyen Himalaya, le Haut Himalaya (Chomolhari).

Population. Plusieurs ethnies définissent une population dont le chiffre modeste (682 000 habitants) s'explique par la géographie. Forte immigration népalaise. Nombreux réfugiés tibétains après les persécutions chinoises. Un tiers des Bhoutanais vivent sous le seuil de pauvreté. Capitale : Thimbu.

Religions. Le bouddhisme Vajrayana (tantrique) est religion d'État. 70 % des Bhoutanais le pratiquent, alors que 25 % sont des hindous et 5 % des musulmans.

Histoire. *IXe siècle* Guru Rimpoche introduit le bouddhisme, et la plupart des fêtes se déroulent encore aujourd'hui en son honneur. *1865* Les Anglais arrivent. *1971* Indépendance et naissance du royaume bouddhiste. *1972* Jigme Singye Wangchuk est proclamé roi. *2006* Le roi transmet le pouvoir à son fils Khesar. *2008* Premières et très tranquilles élections parlementaires, remportées par le Parti démocratique du peuple.

Bolivie

La discrète Bolivie subit l'ombre touristique du Pérou voisin, dont elle ne possède pas la richesse archéologique. Néanmoins, elle porte comme lui, et souvent même plus que lui, la marque de la cordillère des Andes. Celles-ci sont source de paysages, d'identité culturelle indienne préservée et de randonnées qui sont devenues la meilleure manière d'apprécier l'Altiplano.

LES RAISONS D'Y ALLER

LES PAYSAGES ET LES RANDONNÉES

Altiplano, vallée de la Lune, parc national de Torotoro, lac Titicaca
Cordillère Royale (Illampu, Illimani)
Amazonie (parc Mercado, Rurrenabaque, rivières)

LES VILLES ET LES VILLAGES

Potosi, Sucre, La Paz, Santa Cruz, Cochabamba
Marchés indiens (Tarabuco), missions jésuites

LES MONUMENTS

Architecture coloniale, sites précolombiens (Tiahuanaco, Inkallatja, Samaipata)

LES TRADITIONS

Musique indienne dans les penas
Diablada lors du carnaval d'Oruro

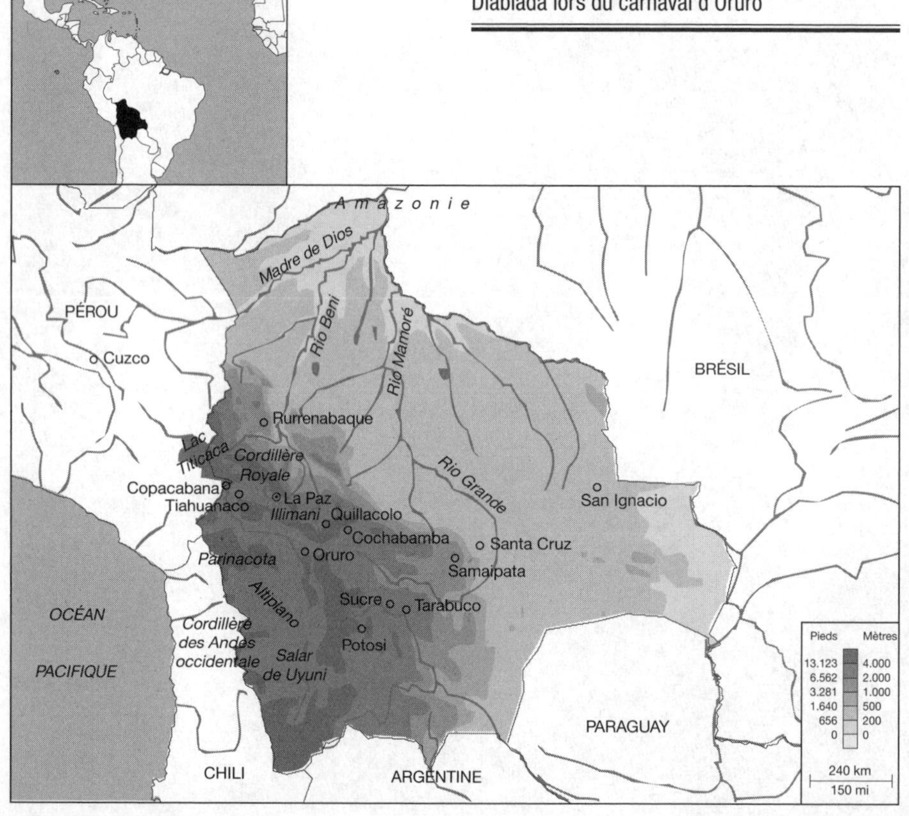

LES RAISONS D'Y ALLER

LES PAYSAGES ET LES RANDONNÉES

Autour de La Paz et dans le sud-ouest, l'**Altiplano** offre, à plus de 4 000 m d'altitude, les paysages saisissants des Andes mais aussi des sites insolites, dont le réputé **Salar de Uyuni**, la « banquise de sel », qui s'étend sur 12 000 km². Volcans, lagunes (dont la Laguna Verde et sa teinte émeraude), geysers et canyons sont également au rendez-vous.

Le relief nu de la **vallée de la Lune**, près de La Paz, tire son intérêt de nombreuses cheminées de fées. Non loin de Sucre, le parc national de **Torotoro** est connu pour ses canyons et ses grottes, qui comportent des peintures rupestres.

Le lac **Titicaca**, le plus haut lac navigable du monde, est un réservoir de légendes, dont la moindre n'est pas celle d'être le point de départ des « enfants du Soleil », qui fondèrent l'Empire inca. Côté bolivien, l'île du Soleil et l'ancien palais de Pilkokaina sont les principaux centres d'intérêt.

À l'est du lac, la cordillère Royale offre le spectacle de deux massifs : celui de l'**Illampu,** dont les 6 485 m dessinent l'arrière-plan de l'Altiplano, et celui de l'**Illimani,** le « Faucon étincelant », dont les trois pics dominent la vallée de La Paz.

L'est du pays, l'**Oriente**, fait déjà partie de l'Amazonie. Des **mini-croisières** sont possibles pour admirer cette région de forêts et de savanes, bien résumée par la flore et la faune du parc national Mercado et plus encore la région de **Rurrenabaque**.

LES VILLES ET LES VILLAGES

La Bolivie est l'un des pays d'Amérique latine où la vie et les coutumes indiennes sont le mieux préservées, particulièrement sur les hauts plateaux à l'occasion des **fêtes** et des **marchés,** tel celui de Tarabuco.

L'Espagne a laissé des traces profondes dans les **villages** et les villes, d'où leur réputation de dégager le « charme colonial » des pays latino-américains. Cela se vérifie surtout dans trois endroits :

– à **Potosi**, classé par l'Unesco monument naturel et culturel de l'humanité, et dont la généreuse Montagne d'argent en fit la ville la plus riche du monde au XVIe siècle tout en déchaînant les convoitises;
– à **Sucre**, tout en pierre blanche, dominé par sa cathédrale, ses églises, ses couvents (San Felipe de Neri) et son palais du gouverneur;
– à **La Paz**, siège de gouvernement le plus haut du monde, les quartiers anciens du centre, l'artisanat de la rue Sagarnata, l'église baroque San Francisco (XVIe siècle) et un riche musée national d'Art sont les endroits clés d'une ville qui vaut surtout par son site extraordinaire, dans une cuvette entourée de hauts sommets andins.

Autres villes qui méritent le détour : **Santa Cruz**, qui domine la grande plaine du Chaco (cathédrale, maisons coloniales, missions jésuites), **Cochabamba** (église Santa Teresa, couvent des Capucins) et **Copacabana**, au bord du lac Titicaca (église, place centrale).

Dans l'est, autour de San Ignacio, on retrouve la trace des anciennes **missions jésuites,** elles aussi classées au patrimoine mondial de l'humanité.

LES MONUMENTS

Toute ville coloniale d'importance a ses églises, sa cathédrale et ses maisons du temps de la conquête espagnole. Mais un site précolombien, **Tiahuanaco**, centre cérémoniel des Tiwanakus (temple à demi souterrain, porte du Soleil), mérite absolument le détour, comme deux autres cités, celles-ci incas : l'une proche de Cochabamba, **Inkallatja** (temple aux Douze Portes, palais des Vierges du Soleil) et l'autre proche de Santa Cruz, **Samaipata**, faite d'un centre cérémoniel et surplombée par un imposant rocher qui porte des sculptures.

Dans l'est, autour de San ignacio, on retrouve la trace d'anciennes missions jésuites classées au Patrimoine mondial de l'humanité.

LES TRADITIONS

Les Boliviens aiment la fête, tant à l'intérieur qu'à l'extérieur.
A l'intérieur, le soir, ils vont dans une *pena* écouter la musique mi-folklorique mi-mélancolique

du peuple indien au son de la flûte de Pan et du *charrango* (mandoline).

A l'extérieur, au moment du carnaval, ils suivent la tradition de la *diablada*, la danse du diable, suivie d'un cortège plus que coloré et très arrosé. Un **carnaval** de renom pour cela : celui d'**Oruro**, le samedi qui précède le mercredi des Cendres. Autres carnavals réputés : ceux de Tarabuco (*Pujllay*), La Paz et Santa Cruz.

LE POUR

◆ Une situation privilégiée et des cordillères diverses pour les passionnés de la randonnée en montagne.

◆ Le pays où la population indienne reste proportionnellement la plus importante d'Amérique, avec des traditions préservées.

◆ La bonne période climatique au bon moment pour l'Altiplano (juin-septembre).

LE CONTRE

◆ Une situation très nerveuse, à la source d'une foule de recommandations pour le touriste (agressions de faux policiers ou de faux chauffeurs de taxi dans les villes, instabilité politique, insécurité) mais qu'il faut savoir nuancer.

◆ Les tarifs aériens et des voyages accompagnés : comme souvent pour l'Amérique du Sud, ils sont élevés.

◆ L'altitude et donc la raréfaction de l'oxygène, deux éléments qui réclament des facultés de récupération correctes.

LE BON MOMENT

Les saisons sont à l'inverse de l'Europe, l'hiver allant de **mai à septembre**. Pourtant, vu la faible amplitude des températures et malgré l'altitude à l'ouest, il constitue la saison la plus appropriée pour le voyage sur l'Altiplano. Attention aux journées torrides et aux nuits glaciales dans le désert andin ! L'est amazonien connaît des températures nettement plus élevées.

◆ Températures moyennes jour/nuit (en °C) à *La Paz* (ouest, cordillère) : janvier 18/6, avril 18/6, juillet 16/2, octobre 19/5; à *Santa Cruz* (plaine) : janvier 30/21, avril 28/19, juillet 25/15, octobre 30/19.

LE PREMIER CONTACT

En Belgique

Consulat, avenue Louise, 176, boîte 6, B-1050 Bruxelles, ☎ (02) 627.00.10, fax (32) 647.47.82, www.embolbrus.be

Au Canada

Ambassade, 130, rue Albert, bureau 416, Ottawa, ON K1P 5G4, ☎ (613) 236-5730, fax (613) 236-8237.

En France

Office de tourisme, 17, boulevard de Grenelle, 75015 Paris, ☎ 01.45.75.52.04. Consulat, ☎ 01.42.24.93.44.

En Suisse

Consulat, place de la Gare, 10, CH-1001 Lausanne, ☎ (21) 311.16.13, fax (21) 320.29.96.

Internet

http://tourismebolivie.com/

Guides

Bolivie (Le Petit Futé, Lonely Planet France), *Pérou, Bolivie* (Hachette/Guide du routard, Mondeos), *South American Handbook* (Fooprint).

Cartes

Bolivia (Berndtson), *Bolivia, Paraguay* (Nelles), *Bolivie* (ITM).

Images

Bolivie, vision de lumière et d'espace (Etienne Dehau, Hermé, 2002).

Lectures

Pour comprendre la Bolivie d'Evo Morales (Denis Rolland, Joëlle Chassin/L'Harmattan, 2007), *l'Invention politique: Bolivie, Equateur, Pérou au XIXe siècle* (ERC/Adpf Ed. 2006), *la Bolivie* (Christian Rudel, Karthala, 2006).

QUEL VOYAGE ET À QUEL PRIX ?

Le voyage individuel

Les préparatifs

◆ Pour les ressortissants de l'Union européenne, canadiens, suisses : passeport en cours de validité suffisant. Billet de retour ou de continuation exigible. Penser au problème du passeport électronique en cas de transit par les Etats-Unis.

◆ Vaccination contre la fièvre jaune recommandée pour quelques régions (Beni, Cochabamba, Santa Cruz, partie subtropicale du district de La Paz). Prévention indispensable contre le paludisme dans les zones situées au-dessous de 2 500 m, excepté les zones urbaines, le département d'Oruro, les provinces d'Ingavi, Los Andes, Omasuyos, Pacajes, le sud et le centre du département de Potosí. Dans certaines régions, attention aux eaux marécageuses ou stagnantes (risques de dengue).

◆ Monnaie : le *boliviano*, subdivisé en 100 centavos. 1 US Dollar = 7 bolivianos. 1 EUR = 9,9 bolivianos. Emporter des dollars US ou des euros en espèces ou chèques de voyage et une carte de crédit (distributeurs dans les grandes villes).

Le départ

◆ Indice de prix du vol Montréal-La Paz A/R à certaines dates : 1 050 CAD; Paris-La Paz A/R : 1 100 EUR. ◆ Durée moyenne du vol Paris-La Paz (environ 9 000 km, escales) : 15 heures. ◆ Pour qui a du temps, l'arrivée à Cochabamba ou Santa Cruz est plus indiquée pour les prix des vols.

Sur place

Bateau

Possibilité de prendre de petits navires de croisière à Copacabana, sur le lac Titicaca, excursions à la journée jusqu'à Puno (Pérou) et La Paz.

Hébergement

◆ A côté de l'hôtellerie traditionnelle, les gîtes ruraux (« écolodges ») commencent à se développer, entre autres en bordure du lac Titicaca. ◆ La plupart des voyagistes cités ci-dessous proposent des hôtels à la carte.

Route

◆ Peu de routes asphaltées, pistes : un tout-terrain est souvent le bienvenu. ◆ Location de voiture personnelle peu courante et déconseillée. Certains voyagistes proposent des formules individuelles avec voiture privée et guide francophone (Arroyo).

Le voyage accompagné

Rappel : nous nous sommes limités à un résumé des prestations en vigueur dans les agences et chez les voyagistes présents en France. Les lecteurs des autres pays peuvent en tirer des idées d'itinéraire et les compléter auprès de leurs agences de voyages.

◆ Avec Potosi et le Salar de Uyuni en points d'orgue, la **Bolivie** est très souvent programmée au cours d'un voyage commencé dix ou quinze jours auparavant par les grands sites incas du **Pérou**.

Quelques-uns des nombreux voyagistes proposant les combinés Pérou-Bolivie et Bolivie-Chili, parfois les deux : Adeo, Clio, Continents insolites, Explorator, Kuoni, Nomade Aventure, Nouvelles Frontières, Objectif Nature, Voyageurs du monde.

◆ Une Bolivie seule existe chez Jetset/Équinoxiales, qui propose trois circuits alternant marches et visites de **missions** jésuites, et qui peut allonger le voyage par une mini-croisière en Amazonie. Explorator va des déserts de sel à la forêt tropicale. Tawa est également très présent et multiplie les formules.

◆ **Tourisme solidaire** avec l'organisme Educacion y futuro qui propose de séjourner chez l'habitant en fabriquant le pain, le fromage et la *chicha*, qui était « la » boisson des Incas. Renseignements : www.educacionyfuturo.com

◆ Les **marcheurs** se retrouvent très souvent pour un combiné qui regroupe le sud-ouest de la **Bolivie** et le nord du **Chili**, principalement l'Altiplano, le Salar de Uyuni et le désert d'Atacama. Principaux prestataires : Allibert, Atalante, La Balaguère, Nomade Aventure. Une Bolivie seule est aussi proposée par Terres d'aventure et Club Aventure.

Les voyages-randonnées sur l'Altiplano flirtent avec les 3 000 EUR pour trois semaines et sont à programmer de préférence entre juin et octobre.

QUE RAPPORTER ?

De l'artisanat indien : bonnets, ponchos, tissus, statuettes. Attention ! Eviter de rapporter des feuilles de coca, même en quantité anodine, sous peine de poursuites sévères.

LES REPÈRES

◆ Lorsqu'il est midi en France, en Bolivie il est 6 heures en été et 7 heures en hiver. ◆ Langue officielle et de communication : espagnol. Le quetchua et l'aymara lui disputent désormais cet honneur.◆◆ Téléphone vers la Bolivie : 00591 + indicatif (La Paz : 2) + numéro; de la Bolivie : 00 + indicatif pays + numéro.

LA SITUATION

Géographie. Grand pays (1 098 581 km²), la Bolivie est formée de deux régions très différentes : l'ouest avec ses sommets jusqu'à 6 000 m, ses hauts plateaux et sa population dense; l'est (Oriente), région peu peuplée de la forêt amazonienne.

Population. D'un chiffre plutôt modeste (9 243 000 habitants) par rapport à la superficie, la population rassemble une majorité d'Amérindiens (60 %). Les Indiens Aymara et Quechua vivent sur l'Altiplano. Sucre est la capitale constitutionnelle, mais le gouvernement siège à La Paz.

Religion. Neuf Boliviens sur dix sont catholiques.

Dates. *1200* Incorporation de la Bolivie à l'Empire inca. *1535* Pizzaro et les Espagnols arrivent, suivis deux siècles plus tard par des missionnaires jésuites. *1824* Victoire du général Sucre et proclamation de l'indépendance. *1964* Début d'une succession de putschs militaires. *1989* Jaime Paz Zamora est élu président. *1993* Gonzalo Sanchez de Lozada lui succède, le Mouvement nationaliste révolutionnaire est majoritaire. *Août 1997* Hugo Banzer devient président d'un pays dont l'économie reste la plus faible du continent sud-américain. *Octobre 2003* Graves affrontements entre opposants au président Lozada et forces de l'ordre, plusieurs dizaines de victimes. Lozada s'en va sous la pression, Carlos Mesa lui succède. *Juin 2005* Mis sous la pression populaire suite à la question de la nationalisation du gaz, Mesa démissionne, Eduardo Rodriguez assure l'intérim. *Décembre 2005* Evo Morales devient le premier président indien de la Bolivie. Il nationalise le gaz et le pétrole mais se heurte aux intérêts de l'élite économique de l'est du pays. *Août 2008* Morales remporte un référendum révocatoire. *Automne 2008* Les fortes tensions entre le pouvoir et les dirigeants des provinces de l'est s'accroissent.

Bosnie-Herzégovine

Plus de dix ans après la guerre, le pays reste divisé mais une atmosphère normale se réinstalle peu à peu et des voyageurs commencent à retrouver les villes qui, telles Mostar ou Sarajevo, avaient fait la réputation touristique de l'endroit. En attendant de découvrir des parcs nationaux situés dans un cadre de moyenne montagne qui reste à ce jour très méconnu.

LES RAISONS D'Y ALLER

LES VILLES ET LES VILLAGES

Sarajevo, Mostar, Medugorje

LES PAYSAGES

Vallée de la Neretva
Montagnes (Bjelasnica, Jahorina) et parcs nationaux (Sutjeska, Kozara, Hutovo Blato)

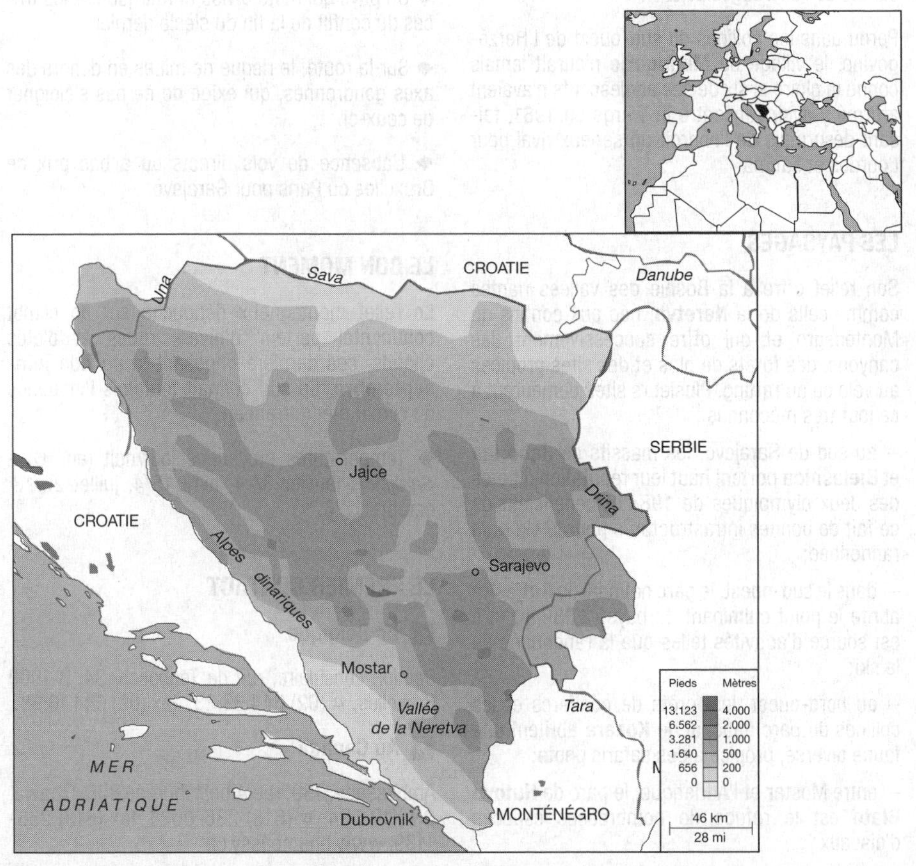

LES RAISONS D'Y ALLER

LES VILLES ET LES VILLAGES

Avant d'être gravement endommagée par la guerre, **Sarajevo** et sa qualité architecturale (mosquées, université, bibliothèque Gazi Hosrev, ruelles du vieux quartier ottoman de Bascarsija) attiraient beaucoup de visiteurs. La ville martyre a appris à revivre en multipliant les symboles de rapprochement, à l'image des Rencontres européennes du livre à l'automne.

Mostar (architectures romane, gothique et ottomane) possédait un trésor architectural : son pont de pierre, le Stari Most, construit par les Ottomans au XVIe siècle. Détruit pendant le conflit, il a connu en juillet 2004 une reconstruction à l'identique et reste le symbole de l'une des villes les plus séduisantes de l'ex-Yougoslavie.

Perdu dans les collines du sud-ouest de l'Herzégovine, le village de **Medugorje** n'aurait jamais connu la gloire si six de ses adolescents n'avaient affirmé y avoir rencontré la Vierge en 1981, faisant désormais de l'endroit un sérieux rival pour Lourdes et Fatima.

LES PAYSAGES

Son relief offre à la Bosnie des vallées riantes comme celle de la **Neretva**, née aux confins du Monténégro et qui offre successivement des canyons, des forêts de pins et des sites propices au vélo ou au rafting. Plusieurs sites demeurent à ce jour très méconnus :

– au sud de Sarajevo, les massifs de **Jahorina** et **Bjelasnica** portent haut leur réputation d'hôtes des Jeux olympiques de 1984 et bénéficient de ce fait de bonnes infrastructures pour le ski et la randonnée;

– dans le sud-ouest, le parc national de **Sutjeska** abrite le point culminant du pays (2 386 m) et il est source d'activités telles que la randonnée ou le ski;

– au nord-ouest, les forêts de conifères et les collines du parc national de **Kozara** abritent une faune diverse, propice à des safaris photo;

– entre Mostar et l'Adriatique, le parc de **Hutovo Blato** est le refuge de nombreuses espèces d'oiseaux.

Un peu partout à travers le pays, des pratiques religieuses en vigueur au Moyen Age ont laissé des pierres bien particulières, les *stecci*, comparables aux anciennes tombes celtes.

LE POUR

◆ Le poids historique de Sarajevo et de Mostar, ainsi que l'agrément de la moyenne montagne et de ses parcs nationaux.

◆ Les prémices d'une volonté affirmée de retrouver le tourisme d'antan.

LE CONTRE

◆ Un pays qui reste divisé et marqué par les traces du conflit de la fin du siècle dernier.

◆ Sur la route, le risque de mines en dehors des axes goudronnés, qui exige de ne pas s'éloigner de ceux-ci.

◆ L'absence de vols directs ou à bas prix de Bruxelles ou Paris pour Sarajevo.

LE BON MOMENT

Le relief montagneux débouche sur un climat continental porteur d'hivers rudes et d'étés chauds, ces derniers imposant la période **juin-septembre**. Le sud connaît toutefois l'influence du climat méditerranéen.

◆ Températures moyennes jour/nuit (en °C) à *Sarajevo* : janvier 3/-4, avril 15/4, juillet 26/13, octobre 17/6.

LE PREMIER CONTACT

En Belgique

Section consulaire, rue de Tenbosch, 34, B-1000 Bruxelles, ☎ (02) 644.33.23, fax (02) 644.16.98.

Au Canada

Ambassade, 130, rue Albert, bureau 805, Ottawa, ON K1P 5G4, ☎ (613) 236-0028, fax (613) 236-1139, www.bhembassy.ca

En France

Ambassade, 174, rue de Courcelles, 75017 Paris, ☎ 01.42.67.34.22, fax 01.40.53.85.22, amb_pariz@mvp.gov.ba

En Suisse

Chancellerie, Thorackerstrasse, 33074 Muri b. Bern, ☎ (31) 351.10.51, fax (31) 351.10.79, emb-ch-brn@tiscalinet.ch

Internet

www.bhtourism.ba

Guides

Bosnia & Herzegovina (Bradt), *Bosnie-Herzégovine* (Le Petit Futé).

Carte

Bosnia Map (Lonely Planet).

Lectures

Des croix sur les murs (Christophe Rioux, Flammarion, 2006), *Medjugorje : la controverse !* (Bernard Gallizia, Ed. de Guibert, 2006), *Sarajevo aujourd'hui : voyage documenté en Bosnie-Herzégovine* (Aurélie Carbillet, Ed. du Cygne, 2008).

Images

Les tramways de Sarajevo : voyage en Bosnie-Herzégovine (Jacques Ferrandez, Casterman 2005).

QUEL VOYAGE ET À QUEL PRIX ?

Le voyage individuel

Les préparatifs

◆ Pour les ressortissants de l'Union européenne: carte d'identité ou (mieux) passeport suffisant. Pour les Canadiens, passeport suffisant, valable encore six mois après le retour.

◆ Monnaie : la *kovertibilna marka* (« mark convertible »). 1 EUR = 2 markas, 1 US Dollar = 1,4 marka. Emporter des dollars US ou des euros en espèces plutôt qu'en chèques de voyage et une carte de crédit.

Le départ

Avion

◆ Indice de prix du vol Paris-Sarajevo A/R à certaines dates : 350 EUR. Durée du vol Paris-Sarajevo : 4 heures (pas de vol direct). Vols à bas prix pour Sarajevo à partir de Barcelone ou Londres (Germanwings).

Bus

Des bus partent de Paris et d'autres villes françaises pour Sarajevo et d'autres villes bosniaques. 200 EUR en moyenne l'aller-retour.

Sur place

Route

Ne pas quitter les routes asphaltées (risques de mines). Limitation de vitesse agglomération/route/grands axes : 60/80/120. Limite du taux d'alcoolémie : 0,5 pour mille.

Train

Le réseau ferroviaire a été rétabli entre Banja Luka, Mostar et Sarajevo, mais la fréquence des trains reste faible.

Le voyage accompagné

Très timide reprise, surtout dans les villes. Mais des formules de voyage-randonnée se font jour, par exemple avec Akaoka qui possède trois formules de trekking dans les Alpes dinariques entre avril et octobre.

LES REPÈRES

◆ Pas de décalage horaire avec l'Europe de l'Ouest. Lorsqu'il est midi au Québec, en Bosnie-Herzégovine il est 18 heures. ◆ Langue officielle : le bosniaque. ◆ Langue étrangère : l'allemand est prédominant, l'anglais peu répandu, le français confidentiel. ◆ Téléphone vers la Bosnie-Herzégovine : 00387 (indicatif Sarajevo : 33); de la Bosnie-Herzégovine : 99.

LA SITUATION

Géographie. Les montagnes (plus de 2 000 m) et les régions karstiques du sud-ouest laissent peu à peu la place, vers l'est, à des moyennes montagnes boisées. La Bosnie-Herzégovine couvre 51 129 km^2.

Population. Les Musulmans (40 %), les Serbes (37 %) et les Croates (21 %), qui vivent quasiment aujourd'hui dans une partition de fait, rassemblent 4 590 000 habitants. Capitale : Sarajevo.

Religion. La proportion de Serbes orthodoxes et de Croates catholiques, majoritaires dans l'ex-Yougoslavie, est ici côtoyée par l'islam, né de la longue présence turque.

Dates. *VIe siècle* La Bosnie est slavisée. *1878* L'Autriche-Hongrie administre la Bosnie-Herzégovine. *1914* L'archiduc François-Ferdinand est assassiné à Sarajevo par un nationaliste : la Première Guerre mondiale en est la conséquence directe. *1980* Mort de Tito. *1992* La Bosnie-Herzégovine, déclarée indépendante en avril, est touchée à son tour par la guerre civile, les nationalistes serbes encerclent et accablent Sarajevo, alors que les populations musulmanes sont soumises à la « purification ethnique ». *Novembre 1995* Accords de paix conclus à Dayton, aux États-Unis, entre les présidents bosniaque, croate et serbe. Les estimations font état, pour la seule Bosnie-Herzégovine, de 150 000 victimes (dont 8 000 à Srebrenica) et de 1 800 000 déplacés ou réfugiés. *Septembre 1996* Premières élections de l'après-guerre et présidence collégiale sous l'égide d'Alija Izetbegovic. Le pays est divisé en une entité serbe (Republica Srprska) et une Fédération croato-musulmane. *Octobre 2000* Izetbegovic quitte la présidence. Environ 20 000 hommes de la SFOR (force militaire internationale) sont présents. *Octobre 2002* Les élections générales confirment la prédominance des partis nationalistes dans chacune des entités. *Décembre 2004* L'Eufor (7 000 soldats) prend le relais de l'OTAN. *Octobre 2006* Les partis nationalistes traditionnels perdent les élections générales. Présidence collégiale de Radmanovic (serbe), Siladjzic (bosniaque), Komsic (croate). *Février 2008* Arrestation de l'ancien chef politique des Serbes de Bosnie, Radovan Karadzic.

Botswana

Ce pays d'Afrique australe serait resté dans les oubliettes du tourisme si n'avait été popularisé le delta intérieur du fleuve Okavango, dont la configuration n'a pas son pareil au monde. Les réserves animalières constituent le deuxième grand rendez-vous. Parfois baptisé le « dernier Éden africain », le Botswana le serait sur tous les plans s'il ne maintenait un coût très élevé pour le touriste. Les heureux élus y gagnent le spectacle de grandes concentrations d'animaux sans surcharge touristique et, s'ils savent ne pas les gêner, la rencontre des Bochimans (bushmen) du Kalahari, peuple nomade popularisé par le cinéma.

LES RAISONS D'Y ALLER

LES PAYSAGES

Delta de l'Okavango, désert du Kalahari

LA FAUNE

Parc national de Chobe (éléphants)
Réserve naturelle de Moremi (« Big Five », zèbres, girafes, koudous, gnous)
Réserves de Mabuasehube (antilopes, guépards) et de Mashatu (éléphants, lions, léopards)
Bassins de Makgadikgadi et Nxai (girafes, gnous, zèbres, springboks, flamants roses)

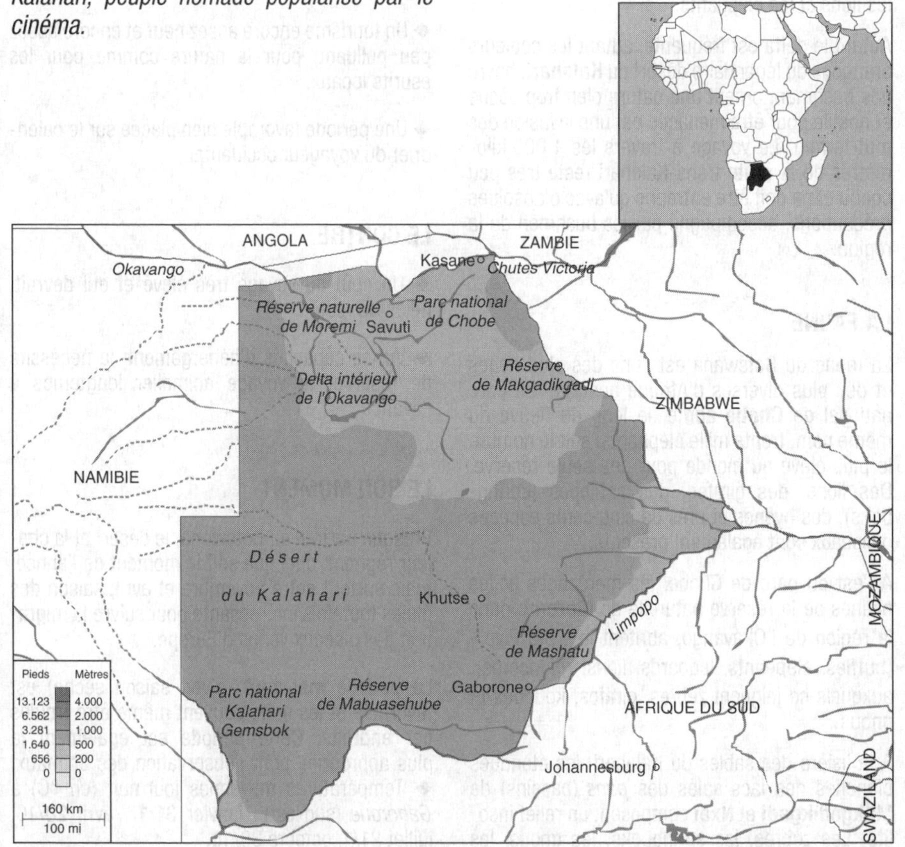

LES RAISONS D'Y ALLER

LES PAYSAGES

Épuisé par la traversée du plat Kalahari, le fleuve **Okavango** s'est arrêté sous la forme d'un imposant delta intérieur (60 000 km^2) qui est devenu le pôle d'attraction du pays. Un hiatus géographique unique avec ses multiples îles, ses canaux, ses marais et ses bras de rivière qui viennent s'éteindre dans les sables du désert.

Le delta voit se multiplier les formes de découverte : à cheval, à dos d'éléphant, en speed-boat, en mokoro (pirogue locale). Au détour des méandres, les eaux, qui connaissent leur maximum entre mars et novembre, laissent apparaître une infinité d'espèces d'oiseaux (dont des aigles-pêcheurs), des papyrus, des nénuphars, voire des hippopotames et des crocodiles. S'invitent aussi les lions et les éléphants.

Autant le delta est fréquenté, autant les couleurs orangées du légendaire désert du **Kalahari**, havre des bushmen, ornent une nature bien trop sèche et hostile pour être menacée par une invasion des tout-terrain. Le voyage à travers les 1 000 kilomètres de la route trans-Kalahari reste très peu connu et ne doit être entrepris qu'avec d'absolues précautions, accompagné par les bushmen de la région.

LA FAUNE

La faune du Botswana est l'une des plus riches et des plus diverses d'Afrique australe. Le parc national de **Chobe** abrite, le long du fleuve du même nom, trente mille éléphants, soit le nombre le plus élevé au monde pour une seule réserve. Des lions, des girafes, des antilopes (springboks), des hyènes et près de cinq cents espèces d'oiseaux sont également présents.

A l'est du parc de Chobe, les marécages et les plaines de la réserve naturelle de **Moremi**, dans la région de l'Okavango, abritent le « Big Five » (buffles, éléphants, léopards, lions, rhinocéros), auxquels se joignent zèbres, girafes, koudous et gnous.

A la lisière des sables du Kalahari, les étendues blanches des lacs salés des *pans* (bassins) de **Makgadikgadi** et **Nxai** composent un relief insolite. Les zèbres, les springboks, les gnous, les girafes et les flamants roses en sont les hôtes les plus réputés.

Dans le sud-ouest, les dunes du parc national **Kalahari Gemsbok** et la réserve de **Mabuasehube** attirent des antilopes, des guépards, des hyènes, des lions et près de deux cents espèces d'oiseaux. A l'opposé, le long de la rivière Limpopo, le sol verdit, les forêts et les rivières des **Tuli Block** Farms apparaissent et débouchent sur la réserve de **Mashatu** (éléphants, lions, léopards).

LE POUR

◆ Les ingrédients de l'« expédition » africaine : paysages attachants, riches réserves d'animaux, populations aux mœurs à peu près préservées.

◆ Un tourisme encore assez neuf et encore assez peu polluant, pour la nature comme pour les esprits locaux.

◆ Une période favorable bien placée sur le calendrier du voyageur occidental.

LE CONTRE

◆ Un coût du voyage très élevé et qui devrait, hélas! le rester.

◆ Vu les capacités d'hébergement, la nécessité de réserver le voyage animalier longtemps à l'avance.

LE BON MOMENT

Presque partout au Botswana, le désert et la chaleur règnent, quel que soit le moment de l'année, mais surtout entre novembre et avril, saison des pluies toutefois intéressante pour suivre la migration des oiseaux venus d'Europe.

La période **mai-août** (hiver, saison sèche) est favorable et les nuits peuvent même être froides par endroits. Cette période est également la plus appropriée pour l'observation des animaux.
◆ Températures moyennes jour/nuit (en °C) à *Gaborone* (sud-est) : janvier 31/17, avril 28/10, juillet 21/1, octobre 30/10.

LE PREMIER CONTACT

En Amérique du Nord

Haut-commissariat, Washington, Etats-Unis ☎ (202) 244-4990, fax (202) 244-4164, www.botswanembassy.org

En Belgique

Ambassade, avenue de Tervuren, 169, B-1150 Bruxelles, ☎ (02) 735.20.70, fax (02) 735.63.18, brasbruxelas@beon.be

Internet

www.botswanatourism.co.bw/ (site de l'office du tourisme)

Guides

Botswana (Le Petit Futé), *Botswana : Okavango Delta, Chobe, Northern Kalahari* (Bradt), *Botswana & Namibia* (Lonely Planet).

Cartes

Botswana (Freytag, ITM, Map Studio).

Lectures

Les mots perdus du Kalahari (Alexander McCall Smith, Ed. de la Loupe, 2006), *Vague à l'âme au Botswana* (Alexander McCall Smith, Ed. 10-18, 2007).

Images

Botswana, Lumières d'un delta (Olivier Michaud, Cacimbo, 2007), *les Plus Beaux Safaris photos du monde : Botswana, Tanzanie, Namibie, Kenya* (Alain Pons, Christine Baillet /Empreinte et Territoires, 2007).

QUEL VOYAGE ET À QUEL PRIX ?

Le voyage individuel

Les préparatifs

◆ Pour les ressortissants de l'Union européenne, canadiens, suisses : passeport en cours de validité suffisant, valable encore six mois après le retour, billet de retour ou de continuation exigible.

◆ Prévention indispensable contre le paludisme, particulièrement de novembre à mai-juin inclus, dans les régions de Boteti, Chobe, Ngamiland, Okavango, Tutume, et désormais dans le sud du pays. Il est recommandé à chacun de vérifier l'actualité de sa vaccination anti-tuberculeuse.

◆ Monnaie : le *pula* est divisé en 100 *thebe.* 1 EUR = 10,8 pulas. 1 US Dollar = 7,7 pulas. Emporter des euros ou des US Dollars en espèces ou en chèques de voyage.

Le départ

◆ Indice de prix du vol Paris-Gaborone A/R à certaines dates : 1 000 EUR. L'arrivée à Johannesburg (Afrique du Sud) est plus indiquée pour amortir le coût du vol. ◆ Durée moyenne du vol Paris-Gaborone (8 497 km) : 15 heures. ◆ Pour l'Okavango, possibilité d'un vol Johannesburg-Maun via les chutes Victoria. ◆ Un aéroport a vu le jour à Kasane, dans le nord-est, ouvrant des perspectives pour la visite simultanée du Botswana et des chutes Victoria.

Sur place

Hébergement

Difficile de sauver les meubles, tant les camps et les lodges, qui tiennent lieu d'hôtels, sont d'un coût très élevé. Le fait qu'ils soient de très bon goût ne change rien, sauf pour ceux qui choisiront le camping (matériel personnel indispensable) en dehors des réserves.

Route

◆ Conduite à gauche, excellent réseau routier, vitesse maximale 120 km/h, nombreuses pistes dans les réserves, 4 x 4 indispensable. ◆ Location possible de 4 x 4 dans les villes principales ou, quand on a du temps, à partir de Johannesburg en Afrique du Sud. ◆ Eviter de conduire de nuit.

Train

Bon réseau.

Le séjour

Rappel : nous nous sommes limités à un résumé des prestations en vigueur dans les agences et chez les voyagistes présents en France. Les lecteurs des autres pays peuvent en tirer des idées d'itinéraire et les compléter auprès de leurs agences de voyages.

◆ Les voyages à la carte et les autotours (vol, hébergement, location de voiture) se répandent (Comptoir d'Afrique, Voyageurs du monde).

Le voyage accompagné

◆ Pour le **seul** Botswana, quel que soit le voyagiste, on ne sort pas, ou si peu, du menu type suivant : safari photo dans le delta de l'Okavango, le parc de Moremi et le parc de Chobe. Coincés par les hauts tarifs des lodges et les déplacements en avion-taxi d'un camp à l'autre, les voyagistes n'en peuvent mais, et leurs clients non plus. Quelques voyagistes : Explorator, Grandeur Nature (safari en camp de toile itinérant), Kuoni, Makila Voyages, STI Voyages, Voyageurs du monde.

◆ Variantes pour l'Okavango : le delta à cheval (Cheval d'aventure, Grandeur Nature), à dos d'éléphant (Comptoir d'Afrique, Kuoni).

◆ A devoir payer un voyage aussi cher, autant le combiner. Le pays est alors proposé entre avril et novembre avec, outre le delta de l'Okavango et le parc de Chobe, le **Zimbabwe** (chutes Victoria) et la **Namibie** (dunes, parc d'Etosha). Voyagistes proposant, entre autres, ce genre de combiné : Allibert, Atalante, Club Aventure, Comptoir d'Afrique, Explorator, Kuoni, Nouvelles Frontières, Tamera, Vie sauvage.

◆ Le **Kalahari** est rarement à l'ordre du jour, mais les passionnés de photo en ont un aperçu avec Objectif Nature.

◆ *Difficile de trouver un voyage au Botswana à moins de 3 000 EUR pour 12 jours.*

QUE RAPPORTER ?

Vannerie (paniers), bijoux (des bushmen), textiles (batiks) et sculptures, ces dernières figurant souvent des animaux. Exportation strictement interdite de produits fabriqués à partir de poils d'éléphant, d'ivoire et de corne de rhinocéros.

LES REPÈRES

◆ Lorsqu'il est midi en France, au Botswana il est la même heure en été et 13 heures en hiver (7 heures au Québec). ◆ Langue officielle : anglais. Langue nationale : le setswana. ◆ Téléphone vers le Botswana : 00267 + numéro; du Botswana : 00 + indicatif pays + numéro.

LA SITUATION

Géographie. Légèrement plus grand que la France (581 730 km²), le Botswana est occupé aux deux tiers par le désert du Kalahari et vit constamment sous la menace de la sécheresse.

Population. Ses 1 842 000 habitants, répartis en de nombreuses tribus et 6 000 Blancs, valent au pays la densité de population la plus faible du monde. Capitale : Gaborone.

Religion. 80 % de chrétiens cohabitent avec des animistes et une petite minorité de musulmans.

Dates. *1885* Protectorat britannique sous le nom de Bechuanaland. *1966* Indépendance et naissance du Botswana, fruit (démocratique) de la réunion de deux secteurs de la province du Cap et du protectorat du Bechuanaland. Sir Seretse Khama devient président. *1980* Ketumile Masire lui succède. *Octobre 1994* Le Parti démocrate (BDP) du président Masire conserve de peu la majorité face au Front national du Botswana (centre gauche). *Avril 1998* Masire se retire, Festus Mogae lui succède en conservant sa ligne politique. *Avril 2008* Seretse Khama Ian Khama devient à la fois chef de l'Etat et chef du gouvernement.

Brésil

Le carnaval de Rio et les plages collent à la peau de l'immense Brésil, au point de masquer ses multiples sources touristiques. Car le « pays de braise » est aussi en mesure de proposer aussi bien des sites naturels (Amazonie, chutes d'Iguaçu, Pantanal) que des villes à l'architecture coloniale préservée. Cette capacité à varier les formes de tourisme, jointe à la richesse du folklore musical, fait qu'une vie de voyageur accompli doit inclure un chapitre brésilien.

LES RAISONS D'Y ALLER

LES PAYSAGES

Amazonie (fleuve Amazone, archipel de Marajo, rio Negro), forêt vierge, chutes d'Iguaçu, parc dos Lençois, canyons, llanos, marais du Pantanal

LES VILLES ET LES MONUMENTS

Rio de Janeiro, Conghonas, Ouro Preto, Paraty, São Paulo, basilique Aparecida, Salvador de Bahia, Brasilia, Manaus, Belém, Recife, Olinda, São Luis

LES CÔTES

Nordeste (Aracajú, Maceió), fonds marins et coraux de Fernando de Noronha, Plages de Rio (Copacabana, Ipanema), de la baie de tous les Saints et d'Itaparica près de Salvador de Bahia, Angra dos Reis, Ilha Grande, Buzios, île de Santa Catarina

LES TRADITIONS

Carnavals (Rio de Janeiro, Salvador de Bahia, Recife), folklore musical (samba, forró)

LES RAISONS D'Y ALLER

LES PAYSAGES

Si l'homme interrompt à temps son entreprise de déforestation, l'**Amazonie**, l'« Enfer vert », restera un grand spectacle naturel, un labyrinthe fluvial mêlé de forêt vierge que l'on admire souvent à partir de Manaus. Au niveau de Belém, le fleuve mythique s'étend sur 30 km d'une rive à l'autre et a formé l'archipel de **Marajo**, un millier d'îlots avec grandes propriétés rurales et riche faune avicole, qui constituent le nouveau site écotouristique à la mode.

L'alter ego de l'Amazone, le **rio Negro**, fait également l'objet de minicroisières locales à partir de Manaus, sur des embarcations traditionnelles, les *lanchas*.

Aux confins de l'Argentine, du Brésil et du Paraguay, les **chutes d'Iguaçu**, formées d'un double rideau de deux cent cinquante cascades hautes de 30 à 60 m, se posent en grandes rivales de celles du Niagara. Non loin de São Luis, s'étend le parc national dos **Lençois**, une étonnante succession de dunes et de lagunes bleu-vert.

Ailleurs, des **canyons** (gouffres et grottes du rio Ribeira, parc national de Chapadas dos Guimaraes), des **llanos** (grandes plaines herbeuses), des **montagnes** (le Cipo, dans le Minas Gerais) et des accidents de terrain (pic d'Itabirito) varient les images de la nature.

Dans le sud-ouest, les paysages du marais de **Pantanal**, qui constitue la plus grande zone humide du monde, se transforment en avril, après la saison des pluies, en une vaste cour de récréation pour une **faune** variée à souhait : plus de 650 espèces d'oiseaux, 250 espèces de poissons, des caïmans, des jaguars, des lynx, des toucans, des tapirs et des jabirus (variété de cigognes). De même, pousse une **flore** spécifique (entre autres des nénuphars géants) qui s'étend sur de véritables champs aquatiques.

LES VILLES ET LES MONUMENTS

La baie de **Rio de Janeiro** est l'une des plus célèbres cartes postales du monde parce que les éléments qui la composent (Pain de sucre, pic du Corcovado surmonté d'un grand Christ Rédempteur, plages de Copacabana et d'Ipanema, ligne des gratte-ciel) y sont distribués dans une rare harmonie.

Mais la ville phare du tourisme brésilien diversifie ses atouts: son quartier mi-huppé mi-bohème de Santa Teresa, le quartier colonial de Lapa, le futurisme du «Centro» et, au sud-est, les rivages interminables de Barra da Tijuca. En arrière-plan, Rio démontre qu'elle est aussi une ville très verte grâce à son grand parc naturel de la forêt de Tijuca et au Jardim Botanico.

Les traces de l'arrivée des colons portugais dans l'intérieur du pays au XVIIIe siècle sont nombreuses dans les villes et les villages de l'État de Minas Gerais au nord-ouest de Rio de Janeiro. Cet État renferme deux petites villes célèbres pour renfermer les œuvres baroques ou rococo du sculpteur l'Aleijadinho : les statues des prophètes et le chemin de croix à **Conghonas** et les décors des églises baroques à **Ouro Preto**, entièrement classée monument national. Voir aussi Mariana, Tiradentes, Belo Horizonte, São João del Rey.

São Paulo est une très grande ville mais d'intérêt touristique très moyen, hormis une vie culturelle intense et un important musée d'Art moderne (Van Gogh, Picasso, Rembrandt, Velázquez).

Entre Rio et São Paulo, se dresse l'imposante basilique Notre-Dame **Aparecida**, lieu de culte marial vénéré.

Place encore à l'art baroque, qui atteint des sommets à **Paraty,** ville aux maisons blanches, aux vieilles églises et aux fêtes religieuses réputées, ou à **Salvador de Bahia,** la ville aux 365 églises dont surtout celles des XVIe, XVIIe et XVIIIe siècles (São Francisco, dos Aflitos, do Carmo, da Boa Viagem). Salvador de Bahia, la ville de Jorge Amado et de Gilberto Gil, a un charme difficile à égaler dans toute l'Amérique latine, surtout grâce à sa vieille ville (Pelourinho), reine du *capoeira*, un mélange aujourd'hui partout célèbre de lutte et de rythmes.

Salvador de Bahia est d'un style opposé à celui de la capitale **Brasilia**, due au génie futuriste de l'architecte Oscar Niemeyer.

De la grande époque du caoutchouc (fin du XIXe et début du XXe siècle), deux villes gardent la nostalgie: à **Manaus** reste l'Opéra, une réplique, dans des dimensions plus modestes, du palais Garnier. La ville vaut également par ses halles et son marché flottant. A **Belém**, le Théatre de la Paix a des airs de Scala et le Paris N' America rappelle les Galeries Lafayette, mais le marché de « ver-o-peso » est, lui, unique en son genre.

À **Recife**, la «Venise brésilienne», ce sont les églises de style rococo qui retiennent l'attention, comme celles des localités voisines de Nazare et **Olinda**. Plus à l'ouest, **São Luis**, capitale du Maranhão, est imprégnée d'art baroque et possède une cathédrale du XVIIe siècle.

LES CÔTES

Du Nordeste au Santa Catarina, les **plages** s'étirent sur des milliers de kilomètres.

Le **Nordeste**, berceau du pays, comprend une kyrielle de longues plages, entre autres celles qui jouxtent **Aracajú** (État de Sergipe), **Maceió** (État d'Alagoas) et **Natal** (Rio Grande do Norte). Quant à la région côtière de **Salvador de Bahia**, elle développe à grands pas ses atouts balnéaires, allant même jusqu'au haut de gamme avec le complexe d'hôtels de Costa do Sauipe (6 km de plages).

Les amateurs de plongée sont attirés par le nombre et la variété des **coraux** qui entourent l'archipel de **Fernando de Noronha**, à 340 km au large de la côte nord-est. Les autorités brésiliennes ont décidé d'empêcher le développement du tourisme de masse et de préserver ces cinq îles et leur importante biodiversité (dauphins, tortues, entre autres).

Si, à Rio de Janeiro, celles de **Copacabana** et **Ipanema** ont atteint la célébrité éternelle, en face de Salvador de Bahia celles de la **baie de tous les Saints** et de l'île d'**Itaparica** étalent leur beauté et par endroits leur luxe.

Les plages situées à quelques dizaines de kilomètres au sud de Rio sont devenues à la mode, telles celles d'Angra dos Reis ou, en face, le rivages de la belle et montagneuse **Ilha Grande**, recouverte par la forêt tropicale. Celles de la presqu'île de **Buzios** sont quasiment francisées par le souvenir du passage de Brigitte Bardot il y a près de cinquante ans...

Tout au sud, autour de la petite ville de Florianopolis, l'île de **Santa Catarina** est un petit paradis : lagune, forêt, infinité de plages.

LES TRADITIONS

Entre la fin janvier et la mi-février, le mot **carnaval** s'identifie à celui de Brésil. Celui de **Rio de Janeiro**, qui a lieu le plus souvent au début de février sur l'avenue Marques de Sapucai et dont on peut découvrir l'historique et les préparatifs en cours d'année à la «Cité de la Samba», préserve sa réputation. Mais il subit un certain conformisme touristique (défilé des écoles de samba que l'on suit à partir du sambodrome, places à réserver longtemps à l'avance) et il est très « contesté » par ceux du Nordeste (**Salvador de Bahia, Recife, Olinda**).

Le **folklore musical**, vieux de près de cinq siècles, impose à travers tout le pays sa triple origine indienne, portugaise et noire. Bien sûr, on danse et chante la samba comme sa descendante, la bossa-nova, grandie par Baden Powell ou João Gilberto, mais aussi le très sensuel forró, né dans le Nordeste et basé sur l'accordéon.

LE POUR

◆ Un des grands rendez-vous du tourisme mondial, capable de satisfaire tous les goûts : sites naturels, charme des villes coloniales, richesse des traditions, écotourisme.

◆ La baisse sensible du coût du voyage pour le nord-est (vols charters pour Salvador de Bahia, forfaits balnéaires).

LE CONTRE

◆ Un coût de la vie touristique plutôt élevé.

◆ Les risques d'agression et de vol dans les grands centres urbains : ils ne sont pas une légende, mais en étant vigilant, en évitant les favelas et en n'exhibant pas sa richesse, on les réduit sensiblement.

LE BON MOMENT

Amazonie

Juillet-novembre s'impose au détriment de décembre-juin (pluies). Moyenne des températures à *Manaus* : janvier 31/23, avril 31/23, juillet 31/23, octobre 33/24.

Pantanal et chutes d'Iguaçu

Mai à début **septembre** est le meilleur moment.

Rio de Janeiro et sud

Avril-mai et **octobre-novembre** sont meilleurs que décembre-mars (été chaud et humide) et que juin-septembre (hiver peu rigoureux mais eau de mer fraîche). Moyenne des températures à *Rio de Janeiro* (côte est) : janvier 29/23, avril 28/22, juillet 25/18, octobre 26/20; eau de mer : 25° en moyenne.

Salvador de Bahia et Nordeste

Décembre-mars (été). Moyenne des températures à *Belém* (côte nord) : janvier 31/22, avril 31/23, juillet 32/22, octobre 32/22.

LE PREMIER CONTACT

En Belgique

Service touristique de l'ambassade, avenue Louise, 350, B-1050 Bruxelles, ☎ (02) 626.17.18, fax (02) 640.81.34.

Au Canada

Ambassade, 450, rue Wilbrod, Ottawa, ON, K1N 6M8, ☎ (613) 237-1090, fax (613) 237-6144, www.brasembottawa.org

En France

◆ Bureau brésilien de tourisme, ☎ 01.53.53.69.62, ebt.fr@embratur.gov.br. ◆ Section consulaire, ☎ 01.45.61.63.00, fax 01.42.89.03.45, www.bresil.org

Au Luxembourg

Consulat honoraire, Luxembourg, ☎ 47.92.21.60, fax 40.47.16.

En Suisse

Ambassade, Monbijoustrasse, 68, CH-3000 Berne 23, ☎ (31) 371.85.15, fax (31) 371.05.25, www.brasbern.ch

Internet

www.braziltour.com (site de l'office du tourisme, également en français).

Guides

Brésil (Gallimard/Bibl. du voyageur, Gallimard/Footprint, Hachette/Évasion, Hachette/Guide du routard, JPMGuides, Le Petit Futé, Lonely Planet France, Marcus, Michelin pratique, Mondeos, Nelles), *Brésil et Rio de Janeiro* (Gallimard/Encycl. du voyage), *Rio de Janeiro* (Gallimard/Cartoville, Lonely Planet/City Guide).

Cartes

Brazil (Berndtson), *Brésil* (ITM, National Geographic), *Rio de Janeiro* (Lonely Planet/City Map), *Quatro Rodas*, avec itinéraires, sites, hôtels, etc.

Lectures

Corcovado (Jean-Paul Delfino, Points, 2006), *Court voyage équinoxial* (S. Lapaque/Éditions La Table ronde, 2008), *Cuisine du Brésil* (Frédéric Bec/Edisud, 2008), *Objets trouvés* (Alfredo Garcia-Roza, Actes Sud, 2005), *Regards croisés entre la France et le Brésil* (M. Guicharnaud-Tollis/L'Harmattan, 2008), *la Ville au Brésil (XVIIIe-XXe siècles) : naissances, renaissances* (sous la dir. de Laurent Vidal/Les Indes savantes, 2008), *le Vol de l'ibis rouge* (Maria-Valéria Rezende/Métailé, 2008).

Les ouvrages de Jorge Amado, le plus grand écrivain brésilien du XXe siècle, mêlent humour et engagement social.

Images

Brésil (Arthaud), *Majestueux Brésil* (Atlas, 2002), *Mulheres, femmes du Brésil* (T. Lamazou/Gallimard, 2008), *Rio de Janeiro en mouvement* (Autrement 2005), *São Paulo en mouvement* (Autrement 2005), *Salvador de Bahia, Rome noire, ville métisse* (Autrement 2005).

Les photographies de Sebastião Salgado sont le meilleur témoignage possible de la sociologie du pays à travers plusieurs époques.

Vidéo

Brésil (TF1 Vidéo).

QUEL VOYAGE ET À QUEL PRIX ?

Le voyage individuel

Les préparatifs

◆ Pour les ressortissants de l'Union européenne et suisses : passeport suffisant, valable encore six mois après le retour. Pour les Canadiens, visa nécessaire. Dans tous les cas, billet de retour ou de continuation exigible.

◆ Vaccination vivement recommandée contre la fièvre jaune pour les zones rurales d'une très large partie ouest du pays : États d'Acre, Amazonas, Goiás, Maranhão, Mato Grosso, Mato Grosso do Sul, Pará et Rondônia, territoires d'Amapá et Roraima, Tocantins. Prévention indispensable contre le paludisme pour les régions amazoniennes et contre la dengue, dont les cas se multiplient.

◆ Monnaie : le réal. 1 EUR = 3,3 réals. 1 US Dollar = 2,4 réals. Emporter des US Dollars ou des euros, en partie en espèces, en partie en chèques de voyages, et une carte de crédit. Distributeurs dans les villes, utiliser de préférence ceux qui sont à l'intérieur des banques. Changer les réals avant de quitter le pays.

Le départ

◆ Indice de prix à certaines dates du vol Montréal-Rio de Janeiro A/R : 1 100 CAD ; Paris-Rio de Janeiro A/R : 800 EUR; Paris-Salvador de Bahia A/R : 750 EUR. ◆ Durée moyenne du vol Paris-Rio de Janeiro (9 144 km, direct) : 12 heures; Paris-Salvador de Bahia : 10 heures.

Sur place

Avion

Pour les vols intérieurs, coupons *Tam Brazil Airpass* à acheter avant le départ.

Bateau

Ceux qui souhaitent voguer du côté des grands fleuves (Amazone mais aussi río Negro) n'auront aucune peine à trouver localement des *lanchas*, embarcations idéales pour des mini-croisières.

Hébergement

Pousadas (auberges), *fazendas* (fermes) et, pour les budgets plus modestes, *quartos* et auberges de jeunesse.

Route

Sur place ou (mieux) avant le départ, il est possible de louer une voiture. Bon réseau de bus.

Train

Inexistant ou presque. Le *Great Brazil Express* relie Curitiba aux chutes d'Iguaçu.

Vie quotidienne

Convivialité : la *caipirinha*, un apéritif mélange de jus de citron vert et d'alcool de canne à sucre. Vie pratique : adaptateur électrique nécessaire.

Le séjour en individuel

Rappel : nous nous sommes limités à un résumé des prestations en vigueur dans les agences et chez les voyagistes présents en France. Les lecteurs des autres pays peuvent en tirer des idées d'itinéraire et les compléter auprès de leurs agences de voyages.

◆ Plusieurs voyagistes, tels Jetset/Équinoxiales, Nouveau Monde et Voyageurs du monde, invitent le voyageur à composer soi-même « son » Brésil au moyen de forfaits accueil (l'arrivée à Rio de Janeiro ou Salvador de Bahia + deux nuits d'hôtel), ou proposent des hôtels à la carte et des minicircuits. Les week-ends **éclair** à Rio de Janeiro (minicroisière possible) ou à Salvador de Bahia se font jour. Une semaine à Rio en logement de charme complété par la découverte des sites alentour est également de mise (Brésil Tourisme, Comptoir des voyages, Dima Tours, Terre Voyage). *Dans ce dernier cas, compter un peu plus de 1 000 EUR (vol et hébergement).*

◆ Le séjour **balnéaire** en hôtel-club, agrémenté de sports nautiques, est souvent l'affaire du Nordeste depuis que Salvador de Bahia est accessible en vol direct (Arroyo, Kuoni, Dima Tours, Marsans, entre autres). *Il n'est pas rare, désormais, de trouver des formules d'une semaine aux alentours de 1 000 EUR.* À une heure de bateau de là, l'île d'Itaparica et ses plages ont été choisies par le Club Med pour installer un village, tandis que Jet Tours, Marsans, Vacances Transat sont présents sur le site chic de Costa do Sauipe.

◆ Le **Pantanal** et le **Minas Gerais** entrent de plus en plus dans la vague de l'**écotourisme** (Compagnies du monde, Makila Voyages, Voyageurs du monde), mais il faut y mettre le prix *(en moyenne 2 400 EUR pour 13 jours).*

◆ Les **croisières amazoniennes** au départ de Manaus sur des bateaux d'une vingtaine de passagers, des lanchas mais aussi des yachts, connaissent un bel essor. le *Levant* (Compagnie des îles du Ponant) part de Cayenne jusqu'à Manaus, et inversement. Les agences locales ou la plupart des voyagistes cités page suivante sont sur le pont pour des voyages locaux ou personnalisés.

◆ **Les autres croisières** : Costa Croisières (départs de Sao Paulo) et MSC Croisières (départs de Rio) sont présents le long des côtes brésiliennes entre décembre et février. *Compter environ 1 800 EUR pour ce type de voyage, vol compris.* D'autres croisières longent les côtes uruguayennes, argentines et brésiliennes, avec une escale pour le carnaval de Rio, d'autres encore vont jusqu'à la Terre de Feu.

Le voyage accompagné

◆ Une découverte de base comprend Rio de Janeiro, les chutes d'Iguaçu, Salvador de Bahia : il s'agit d'un **classique**, parfois assez court (une dizaine de jours). Des circuits plus longs ajoutent Manaus, le Minais Gerais ou le Nordeste. Quelques voyagistes : Adeo, Arroyo, Continents insolites, Dima Tours, Jetset/Équinoxiales, Jet Tours, La Maison des Amériques latines, Marsans, Nouvelles Frontières, Vacances Transat, Voyageurs du monde.

◆ Le **carnaval** de Rio, début février, est inclus dans des séjours d'une semaine (entre autres avec Dima Tours et Jetset/Équinoxiales qui ajoute parfois celui de Salvador de Bahia). *Compter aux alentours de 2 400 EUR tout compris pour un séjour carnaval.* Ne pas oublier que les préparatifs du carnaval, tout au long des mois précédents, sont très intéressants, aussi originaux... et rendent le voyage moins coûteux que pendant la pleine période carnavalesque.

◆ On **marche** aussi au Brésil, entre autres avec Club Aventure qui est en Amazonie puis sur les plages autour de Salvador de Bahia dans un même voyage (18 jours) ou avec Nomade Aventure qui a des formules de voyage rando, dont un Bolivie-Brésil.

◆ *S'il arrive que la semaine balnéaire plafonne à 1 500 EUR en demi-pension, il faut compter plus de 2 000 EUR pour un circuit classique de 10 à 12 jours et 2 500 EUR pour un voyage-randonnée de 15 jours.*

QUE RAPPORTER ?

Si le hamac constitue l'un des achats les plus originaux, il n'est pas le seul. Cuir, broderies, sculptures sur bois, céramiques, pierres précieuses, bijoux en argent, objets en terre cuite offrent, en effet, une belle diversité artisanale. Penser également aux CD de samba, bossa-nova, etc.

LES REPÈRES

◆ Lorsqu'il est midi à Paris, il est 7 heures en été et 8 heures en hiver à Rio de Janeiro; lorsqu'il est midi au Québec, il est 14 heures à Rio de Janeiro. ◆ Langue officielle : le portugais, de plus en plus mué en « brésilien ». ◆ Langues étrangères : l'anglais moyennement, le français faiblement. ◆ Téléphone vers le Brésil : 0055 + indicatif (Rio de Janeiro : 21) + numéro; du Brésil : 00 + indicatif pays + numéro.

LA SITUATION

Géographie. On ne recouvre pas 8 511 965 km², soit la moitié du continent sud-américain, sans offrir un relief contrasté. La forêt amazonienne, au nord-ouest, s'oppose aux plateaux arides de l'est et du sud.

Population. Le chiffre de 196 343 000 habitants représente la moitié de la population sud-américaine. Alors que l'intérieur du pays est aussi étendu que dépeuplé, la côte sud-est aligne de nombreuses villes. Répartition : 55 % de Blancs, 39 % de métis, 6 % de Noirs, 1 % d'Asiatiques et d'Amérindiens. Capitale : Brasilia, sans commune mesure avec les agglomérations de São Paulo (18 400 000 habitants) et de Rio de Janeiro (11 100 000 habitants).

Religion. Les catholiques sont très largement majoritaires (88 %). Une importante minorité suit les rites du *macumba*, culte venu d'Afrique et proche du vaudou.

Dates. *1500* Pedro Alvares Cabral arrive au Brésil et en fait une possession portugaise. *1822* Le Brésil devient un empire avec Pierre Ier. *1888* Abolition de l'esclavage. *1889* République fédéraliste. *1937* Vargas prend le pouvoir (militaire). *1964* Coup d'État militaire et pouvoir des généraux. *1985* Retour des civils au pouvoir avec José Sarney. *Décembre 1989* Première élection au suffrage universel depuis trente ans et victoire de Fernando Collor. *Octobre 1992* Collor destitué pour corruption. Itamar Franco lui succède. *1995* Le social-démocrate Fernando Henrique Cardoso devient président. *1997* Intensification des persécutions des paysans sans terre par les grands propriétaires dans l'intérieur du pays. *Octobre 1998* Cardoso est réélu. *Octobre 2002* L'élection de Lula, homme de gauche (Parti des travailleurs), à la présidence soulève de grands espoirs parmi les défavorisés. *Octobre 2006* Un Lula pragmatique réussit à se faire réélire malgré la persistance de très fortes inégalités.

Brunei

Accroché sur la côte nord de l'île de Bornéo, le petit sultanat de Brunéi Darussalam, jugé comme le pays le plus riche du monde à cause de l'exploitation florissante de ses hydrocarbures, apparaît comme un hiatus dans l'histoire contemporaine et reste négligé par les décideurs du tourisme. Le voyageur individuel en route vers Sabah et le mont Kinabalu a tout de même intérêt à faire un crochet par la capitale Bandar Seri Begawan, histoire de jeter un œil sur cette ville curieuse, mini-Venise de l'Asie.

LES RAISONS D'Y ALLER

LA VILLE

Bandar Seri Begawan (habitations lacustres, mosquée)

LA NATURE

Forêt primaire (parc national d'Ulu Temburong)

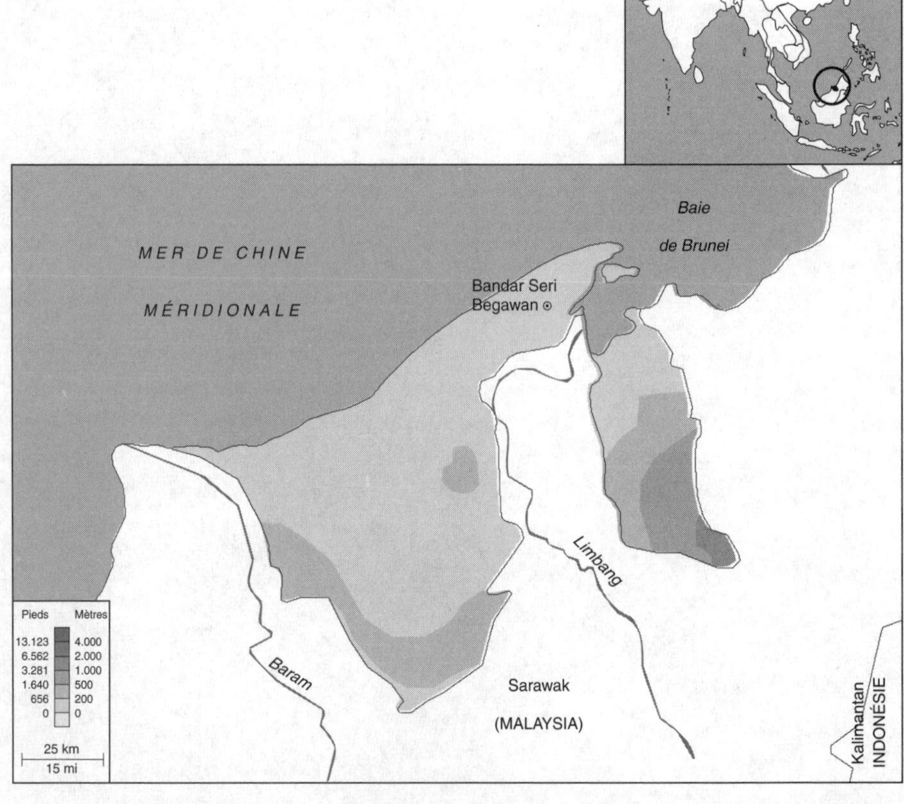

LES RAISONS D'Y ALLER

LA VILLE

La capitale **Bandar Seri Begawan**, dominée par le mirifique palais du sultan, est faite pour moitié d'habitations lacustres (Kampong Ayer), bungalows en bois sur pilotis mais souvent dotés à l'intérieur du grand confort...

Lacustre également : la mosquée Omar Ali Seifeddine-III. Plus grande mosquée d'Asie, elle est embellie par un bateau de pierre identique à ce que furent les barques royales et elle arbore des dômes dorés ainsi qu'un revêtement en marbre d'Italie.

LA NATURE

Le sultanat échappe pour l'instant à la déforestation qui saisit le reste de Bornéo, si bien que la forêt primaire le recouvre aux trois quarts, dès les portes de la capitale.

A l'est, le parc national d'**Ulu Temburong**, riche d'espèces aussi diverses que le singe nasique, l'araignée géante où l'orchidée sauvage, fait l'objet d'excursions en pirogue, durant lesquelles le regard se perd dans la mangrove.

LE POUR

◆ Un petit pays atypique et l'aspect insolite de la capitale, où les traditions se mêlent aux réalisations dernier cri.

◆ Un havre de repos salutaire pour qui voyage au long cours dans la moiteur de Bornéo.

LE CONTRE

◆ Quelques petits désagréments pour qui n'est pas prêt à vivre les contraintes liées à la religion musulmane officielle.

◆ Malgré quelques plages, une côte de la mer de Chine inexploitable pour le tourisme car trop marécageuse.

LE BON MOMENT

Le climat, équatorial, est d'autant plus chaud et humide que le relief est peu élevé. La pluie tombe en abondance, mais la période comprise **entre février et mai** est relativement épargnée.

◆ Températures moyennes jour/nuit (en °C) à *Bandar Seri Begawan* : janvier 30/23, avril 33/24, juillet 32/23, octobre 32/23. Eau de mer : 23° en moyenne.

LE PREMIER CONTACT

En Belgique

Ambassade, avenue Franklin-Roosevelt, 238, B-1050 Bruxelles, ☎ (02) 675.08.78, fax (02) 672.93.58, consulkb@skynet.be

Au Canada

Haut-commissariat, 395, avenue Laurier Est, Ottawa, ON K1N 6R4, ☎ (613) 234-5656, fax (613) 234-4397, bhco@bellnet.ca

En France

Ambassade, 7, rue de Presbourg, 75116 Paris, ☎ 01.53.64.67.60, fax 01.53.64.67.83, ambassade.brunei@wanadoo.fr

Internet

www.tourismbrunei.com/

Guides

Borneo : Sabah, Sarawak, Brunei (Bradt), *Malaisie, Singapour et Brunei* (Lonely Planet France), *Malaisie, Singapour, Brunei* (Nelles).

Cartes

Malaysia, Brunei (Nelles), *Sabah and Brunei* (ITM).

Lectures

La mémoire engloutie de Brunei (Michel L'Hour, Textuel 2001), *les Rajahs blancs, la dynastie des Brooke à Bornéo* (Pacifique, 2004).

QUEL VOYAGE ET À QUEL PRIX ?

Le voyage individuel

Les préparatifs

◆ Pour les ressortissants de l'Union européenne, les Canadiens et les Suisses, passeport en cours de validité suffisant pour un séjour de moins de 14 jours. Billet de retour ou de continuation exigible.

◆ Aucune vaccination n'est requise.

◆ Monnaie : le *dollar de Brunei* est subdivisé en 100 cents. Parité avec le dollar de Singapour, qui est utilisable dans le sultanat. Emporter des euros ou des US Dollars, ces derniers plus courants. 1 EUR = 2,1 dollars de Brunei. 1 US Dollar = 1,4 dollar de Brunei.

Le départ

Indice de prix à certaines dates du vol Paris-Bandar Seri Begawan A/R (via Singapour) : 1 000 EUR.

Sur place

Hébergement

Possibilité de dégoter un hébergement à des tarifs plus raisonnables que la richesse du sultanat ne le laisse craindre.

Route

Conduite à gauche.

LES REPÈRES

◆ Lorsqu'il est midi en France, au sultanat de Brunei il est 18 heures en été et 19 heures en hiver. ◆ Langue officielle : malais; on parle également le chinois, l'iban et l'anglais, qui est la langue de communication. ◆ Téléphone vers Brunei : 00673; de Brunei : 01.

LA SITUATION

Géographie. Brunei est un petit sultanat de 5 765 km², aux terres basses et humides, accroché à la côte nord de l'île de Bornéo. Bien que de dimensions réduites, il est coupé en deux par une bande de terre appartenant au Sarawak (Malaisie).

Population. 381 400 habitants, essentiellement malais ou chinois. Capitale : Bandar Seri Begawan.

Religion. Religion musulmane officielle et dominante (deux habitants sur trois). Le bouddhisme (14 %) et le christianisme (10 %) constituent les principales minorités.

Dates. *1511* Islamisation. Brunei devient un sultanat par le mariage de la petite-fille d'un chef malais avec un émir. *1521* Le Portugais Antonio Pigafetta, compagnon de Magellan, accoste à Brunei. *1888* Protectorat britannique. *Octobre 1967* Le sultan Hassanal Bolkiah chef de l'Etat. *1984* Indépendance dans le cadre du Commonwealth. Hassanal Bolkiah obtient les pleins pouvoirs, l'opposition est réduite à la portion congrue. *1998* La richesse du sultanat connaît de légères défaillances.

Bulgarie

Si les côtes de la mer Noire sont de plus en plus le vecteur du tourisme bulgare, elles sont loin d'en être l'aspect le plus original. Car une Bulgarie plus séduisante est à l'intérieur, entre massifs de moyenne montagne (Rhodope, Balkan) propices à des randonnées et monastères débordant d'icônes et de fresques. Ce tourisme-là est mieux considéré aujourd'hui, et c'est celui-là qu'il faut privilégier.

LES RAISONS D'Y ALLER

LES CÔTES

Plages de la mer Noire (autour de Varna au nord, « côte du Soleil au sud »)

LA MONTAGNE ET LES RANDONNÉES

Massif du Rhodope (Rila, Pirin), mont Balkan, Vallée des Roses

LES MONUMENTS

Monastères, églises et leurs iconostases (Rila, Batchkovo, Trojan)

LES VILLES

Plovdiv, Sofia, Veliko Tarnovo, Koprivchtitsa, Nesebar, Kazanluk

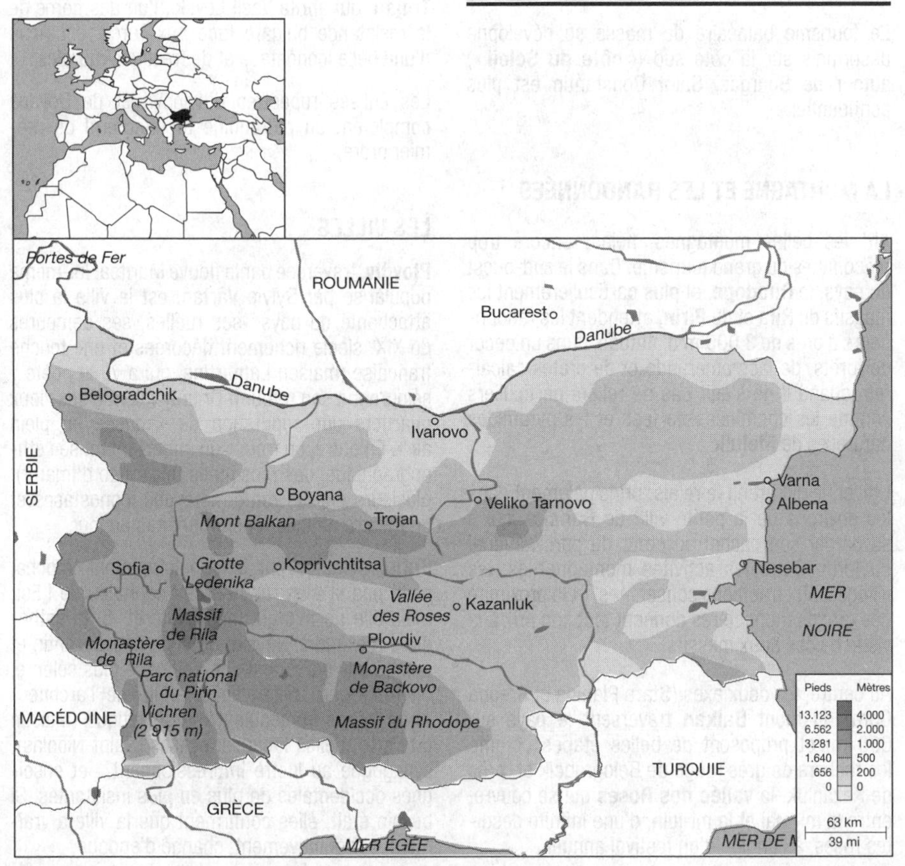

LES RAISONS D'Y ALLER

LES CÔTES

Les côtes de la **mer Noire** ont longtemps été le lieu de villégiature offert par les régimes communistes des pays de l'Est à leurs populations. Tout a changé, et ceux qui souhaitent éviter les plages de la Méditerranée et obtenir des prix de séjour plus abordables trouvent désormais sur ces quelques centaines de kilomètres de côtes l'équivalent en ensoleillement et en qualité : sable blanc, mer chaude, peu de profondeur, équipements pour la **balnéothérapie**.

Sur la côte nord, autour de Varna, **Albena** et **Les Sables d'or** attirent les touristes occidentaux, oubliant de plus en plus l'architecture et les habitudes qui prévalaient au temps du communisme.

Le tourisme balnéaire de masse se développe désormais sur la côte sud (« **côte du Soleil** ») autour de Bourgas. Saint Constantin est plus confidentiel.

LA MONTAGNE ET LES RANDONNÉES

Ah! les belles montagnes, hélas! encore trop méconnues du grand tourisme. Dans le sud-ouest du pays, le **Rhodope**, et plus particulièrement les massifs du **Rila** et du **Pirin**, attendent les randonneurs à près de 3 000 m d'altitude, dans un décor de forêts, de lacs émeraude et de crêtes calcaires, quand il ne s'agit pas de reliefs particuliers comme les cheminées de fées et les pyramides naturelles de **Melnik**.

L'hiver, le ski prend le relais, principalement dans les environs de la petite ville de **Bansko**, qui a su garder son cachet au cœur du parc national du Pirin. Outre les activités montagnardes, les villages, aux traditions conservées, et la proximité des grands monastères donnent tout son prix à la visite de ces deux massifs.

Au centre, les deux axes (Stara Planina et Sredna Gora) du mont **Balkan** traversent le pays sur 600 km et proposent de belles étapes comme les rochers de grès rouge de Belogradcik et, près de Kazanluk, la **vallée des Roses** qui se couvre, entre la mi-mai et la mi-juin, d'une infinité desdites roses, à l'origine d'un festival annuel.

LES MONUMENTS

Quels **monastères**! Ils sont trois, au moins, qui ne feront regretter à personne d'avoir choisi la Bulgarie, d'autant que si les étages sont réservés aux moines, le touriste peut, le cas échéant, y séjourner. Un cadre de moyenne montagne ajoute à l'agrément des lieux.

Rila, le plus prestigieux de ces monastères, offre sa grande cour pavée, ses galeries de bois et surtout son église, riche de fresques innombrables et d'une grande **iconostase** : cette cloison en bois doré, constellée d'icônes, derrière laquelle les prêtres officient, est présente dans la plupart des édifices religieux et constitue le symbole le plus abouti de l'art byzantin.

Batchkovo, non loin de Plovdiv, est moins impressionnant que Rila, mais ses deux églises et leurs fresques sont encore plus typées. Enfin, **Trojan**, qui abrita Vasil Levski, l'un des héros de la résistance bulgare face aux Turcs, est riche d'une belle iconostase et de fresques murales.

Les églises rupestres d'Ivanovo et de Boyana complètent un patrimoine architectural de premier ordre.

LES VILLES

Plovdiv, traversée par le fleuve Maritsa, lui-même popularisé par Sylvie Vartan, est la ville la plus attachante du pays : ses ruelles, ses demeures du XIXe siècle richement décorées et une touche française (maison Lamartine, qui a vu le poète y séjourner à son retour d'Orient) valent à ses vieux quartiers une réputation de « musée en plein air ». En outre, on trouve un important musée ethnographique, des mosquées (mosquée d'Imaret), plusieurs églises renfermant des iconostases et un théâtre antique récemment mis au jour.

Sofia, dominée par le populaire mont Vitocha, n'est pas la plus réputée des capitales de l'Est, mais elle ne manque pas d'intérêt. Si la cathédrale Alexandre-Nevski, de style néo-byzantin et aux bulbes dorés, est son édifice le plus célèbre, on remarque surtout la diversité de l'architecture : lourds immeubles à la soviétique (maison du Parti), belles façades, églises (Saint-Nicolas), synagogue au lustre impressionnant... et enseignes occidentales de plus en plus insistantes. Si besoin était, elles confirment que la ville a vraiment, et définitivement, changé d'époque.

Sa forteresse, ses églises médiévales, son vieux quartier (maisons du XIXe siècle) et son marché (Samovodska) valent à **Veliko Tarnovo**, ancienne capitale de l'Empire bulgare bâtie sur trois collines, une bonne fréquentation.

Les maisons en bois de **Koprivchtitsa**, station d'altitude, méritent le détour. Grâce à ses monuments de la fin de l'Antiquité et de l'époque byzantine (églises, basilique Sainte-Sophie), la petite ville côtière de **Nesebar** appartient désormais au patrimoine mondial. Enfin, **Kazanluk** est devenue brusquement célèbre en 1944 à la suite de la découverte de la tombe d'un chef guerrier thrace.

LE POUR

◆ Un bon substitut de la Méditerranée pour des vacances balnéaires, grâce à des prestations au coût raisonnable et à de bonnes structures.

◆ Un combiné facile entre tourisme de randonnée en montagne et tourisme culturel.

◆ Une destination propice aux cures thermales et à la thalassothérapie, à des tarifs très concurrentiels.

◆ Un mode de vie à découvrir, encore assez éloigné des stéréotypes occidentaux.

LE CONTRE

◆ Un pays dont la valeur touristique de l'intérieur est encore trop mal perçue.

LE BON MOMENT

La Bulgarie est soumise à un climat continental typique : hivers rudes, étés chauds et secs, avec quelques variantes (pluies d'été aux alentours de Sofia). **Juin-septembre** est la période la plus appropriée.

◆ Températures moyennes jour/nuit (en °C)

Sofia (est) : janvier 2/-5, avril 16/5, juillet 26/14, octobre 17/6.

Varna (côte) : janvier 6/-1, avril 15/7, juillet 27/18, octobre 18/10. Eau de mer : 25° en moyenne au mois d'août.

LE PREMIER CONTACT

En Belgique

◆ Office du tourisme, rue Ravenstein, 62, B-1000 Bruxelles, ☎ (02) 513.96.10. ◆ Ambassade, avenue Hamoir, 58, B-1180 Bruxelles, ☎ (02) 374.59.63, embassy@bulgaria.be

Au Canada

Ambassade, 325, rue Stewart, Ottawa, ON K1N 6K5, ☎ (613) 789-3215, fax (613) 789-3524.

En France

Ambassade, 1, avenue Rapp, 75007 Paris, ☎ 01.45.51.85.90, fax 01.45.51.18.68, bulgamb @wanadoo.fr

Internet

http://la-bulgarie.fr/
www.bulgariatravel.org

Guides

Bulgarie (JPM Guides, Le Petit Futé, Lonely Planet France, Michelin/Guide vert, Mondeos), *Roumanie, Bulgarie* (Hachette/Guide du routard).

Cartes

Roumanie, Bulgarie (Berlitz). Autres cartes chez Hallwag, IGN, Ravenstein. Plan de Sofia chez Falk.

Lectures

La Bulgarie face à l'Europe : de la transition à l'intégration (L'Harmattan, 2004), *Concertos pour phrase : 17 nouvelles contemporaines de Bulgarie* (Marie Vrinat, Editions HB, 2008), *Goût bulgare : portraits de femmes en Bulgarie* (Albéna Dimitrova, Editions HB, 2008), *Histoire de la Bulgarie : de l'Antiquité à nos jours* (Dimitrina Aslanian, Trimontium, 2003).

Images

La Fabuleuse Histoire de l'icône (Editions du Rocher, 2005).

QUEL VOYAGE ET À QUEL PRIX ?

Le voyage individuel

Les préparatifs

◆ Pour les ressortissants de l'Union européenne et suisses, carte d'identité ou passeport suffisant. Pour les Canadiens : passeport suffisant.

◆ Santé : carte CEAM opérationnelle.

◆ Monnaie : le *lev* (pluriel : *leva*). 1 EUR = 2 leva, 1 US Dollar = 1,4 lev. Emporter des US Dollars ou des euros et une carte de crédit. Conserver les bordereaux de change pour le change à la sortie du pays.

Le départ

Avion

◆ Indice de prix à certaines dates du vol Montréal-Sofia A/R : 1 200 CAD; du vol Paris-Sofia A/R : 220 EUR; Paris-Varna A/R : 370 EUR. ◆ Vols à bas prix : Bruxelles-Sofia (Sky Europe), Bruxelles-Varna (Jetairfly, Thomas Cook), Charleroi-Sofia (Wizzair). ◆ Durée moyenne du vol Paris-Sofia (1 760 km) : 2 h 45; Paris-Varna : 3 h 30. ◆ En été, nombreux vols charters et départs de villes de province pour Bourgas et pour Varna.

Bus

Eurolines va jusqu'à Sofia, bus locaux ensuite.

Sur place

Hébergement

◆ Camping (mai à octobre), chambres chez l'habitant (en agences de voyages), pensions. ◆ Chaîne d'hôtels (Orbita) pour les étudiants.

Route

◆ Réseau routier plutôt dégradé, nombreux nids-de-poule. ◆ Limitation de vitesse agglomération/route/autoroute : 50/90/120. ◆ Limite du taux d'alcoolémie : 0,5 pour mille. ◆ Autotours possibles, par exemple avec Nouvelles Frontières à partir de Varna.

Train

◆ Trains lents mais très bon marché. ◆ Pass InterRail utilisable. ◆ Train Paris/Est-Sofia (via Budapest) : compter deux jours.

Les séjours en individuel

Rappel : nous nous sommes limités à un résumé des prestations en vigueur dans les agences et chez les voyagistes présents en France. Les lecteurs des autres pays peuvent en tirer des idées d'itinéraire et les compléter auprès de leurs agences de voyages.

◆ Les voyagistes généralistes ont choisi les stations **balnéaires** autour de Varna et Albena (Look, Luxair Tours, Nouvelles Frontières), ou bien autour de Nesebar pour des séjours détente d'une semaine, en demi-pension ou en « all inclusive », coupés d'excursions. Autres prestataires : Fram, Neckermann, Plein vent, Starter, Thomas Cook, TUI.
Les propositions « famille » ne sont pas rares et les tarifs sont tirés vers le bas puisqu'une semaine en demi-pension, vol A/R compris, se trouve entre juin et septembre à moins de 650 EUR.

Ne pas oublier les possibilités de cures thermales : *les soins thalasso reviennent en moyenne à 120 EUR la semaine.*

◆ Les **skieurs** ne regrettent pas leur choix, car ils trouvent sur les domaines skiables de Bansko ou de Borovets des semaines *à moins de 400 EUR pour le vol et l'hébergement.*

Le voyage accompagné

◆ Les voyagistes qui programment la mer Noire ajoutent parfois une semaine de circuit avec Sofia, Plovdiv et Rila en points d'orgue (Look Voyages, Plein Vent, Starter). Autres prestataires sans le séjour balnéaire : Adeo, Explorator. Clio est dans les vieux quartiers de Plovdiv, les monastères et les églises (8 jours en juin, août ou septembre).

◆ Les **randonneurs** découvrent une moyenne montagne belle, aux infrastructures correctes, avec surtout l'intérêt de pouvoir couper les étapes « physiques » par des visites culturelles de haut niveau (monastères). Menu type : cinq à sept heures de marche par jour en moyenne dans le Rila et le Pirin. Quelques voyagistes dans ce cas : Allibert, Atalante, La Balaguère, Club Aventure (qui suit le principe de la « rando-balnéo » dans le Pirin), Nomade Aventure, Tamera.

Compter entre 900 et 1 100 EUR tout compris pour un séjour de 15 jours dans l'intérieur ou en randonnée.

QUE RAPPORTER ?

Deux types de souvenir dominent: les icônes et la dentelle (nappes).

LES REPÈRES

◆ Lorsqu'il est midi en France, en Bulgarie il est 13 heures. ◆ Langue officielle : le bulgare, écrit selon l'alphabet cyrillique. ◆ Langues étrangères : le russe et l'allemand; l'apprentissage du français est en bonne place dans le système scolaire bulgare. ◆ Téléphone vers la Bulgarie : 00359 + indicatif (Sofia : 2, Varna : 52) + numéro; de la Bulgarie : 00 + indicatif pays + numéro.

LA SITUATION

Géographie. Plateaux calcaires et terrasses au nord, chaîne des Balkans au centre et au sud-ouest se répartissent les 110 994 km^2.

Population. Son chiffre est modeste (7 263 000 habitants) et inclut une minorité turque relativement importante. Capitale : Sofia.

Religion. Un habitant sur quatre suit le rite orthodoxe. Minorités de musulmans, de catholiques et de protestants.

Dates. *1018* Province de l'Empire byzantin. *1396-1878* Domination ottomane. *1908* Indépendance. *1946* Proclamation de la république et alignement sur l'URSS. *1962* Todor Zivkov devient président du Conseil, puis président. *1989* Premières grandes réformes. *1990* Établissement d'une république démocratique, avec à sa tête le président Jeliou Jelev. *Décembre 1994* Les ex-communistes remportent les élections et retrouvent le pouvoir. *Novembre 1996* Petar Stoïanov (Union des forces démocratiques, droite modérée) devient président au détriment du socialiste Marazov, alors que la Bulgarie subit une forte crise économique. *1997* Ivan Kostov à la tête d'une majorité de centre droit. Le pays privatise à tout va au cours des années suivantes. *Juillet 2000* La liste du roi Siméon II est majoritaire à l'issue des législatives. *Juillet 2001* Siméon II devient... Premier ministre. *Octobre 2006* Facile réelection du socialiste Parvanov à la présidence. Sergei Stanishev (Parti socialiste) est Premier ministre. *Janvier 2007* La Bulgarie entre dans l'Union européenne.

Burkina Faso

Le Burkina Faso, le « pays des hommes intègres », s'éloigne peu à peu du tourisme timide auquel il a longtemps semblé destiné. Certes, les villes et les paysages de l'ouest sont, avec les parcs animaliers de l'est, des centres d'intérêt non négligeables. Mais généralement on décide d'une balade au Burkina Faso pour découvrir des mœurs, des traditions, des marchés et des fêtes qui, heureuse conséquence de la discrétion touristique évoquée ci-dessus, réussissent à préserver leur image.

LES RAISONS D'Y ALLER

LES VILLES ET L'HABITAT

Ouagadougou, Bobo-Dioulasso, habitat des Mossis, villages et marchés

LA NATURE

Contreforts du Sahara (Gorom-Gorom), Falaises, cascades, chutes (Takalédougou)

LES PARCS ANIMALIERS

Parcs nationaux (Arly, W, Po, Deux Balés) Éléphants, hippopotames, antilopes, crocodiles sacrés (Sabou), mare aux silures

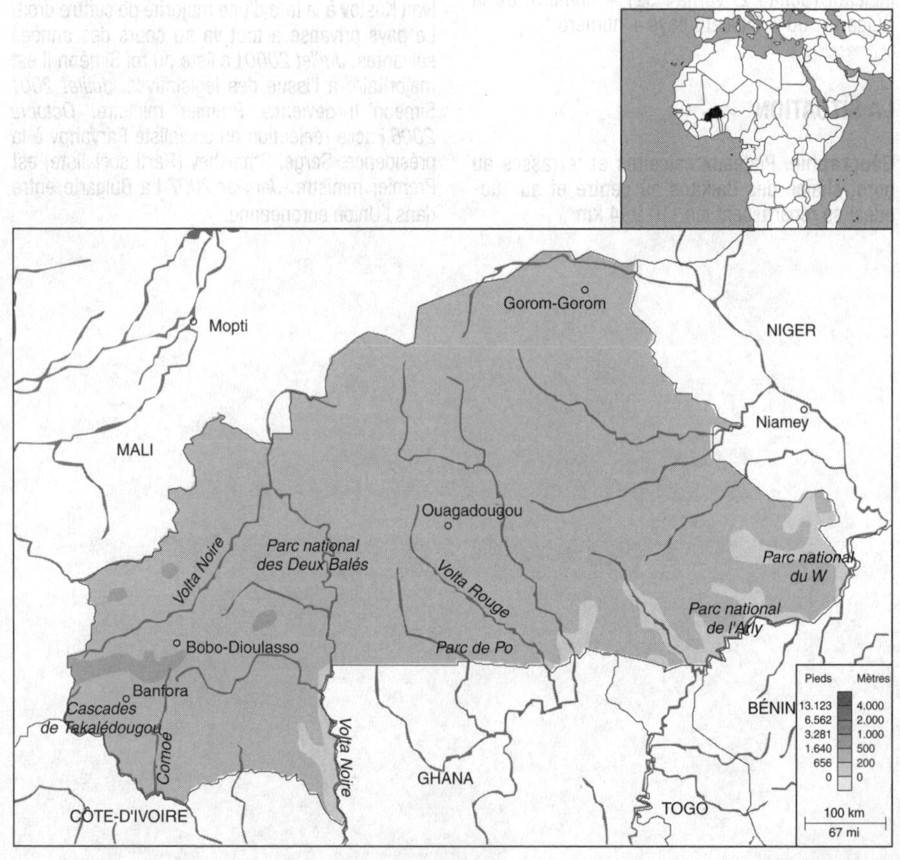

LES RAISONS D'Y ALLER

LES VILLES ET L'HABITAT

Malgré sa mosquée et l'importance de son marché, **Ouagadougou** est une capitale sans grand attrait mais s'est affirmée comme l'une des villes phares du modernisme et de la culture en Afrique de l'Ouest (Festival panafricain du cinéma tous les ans en février-mars, salon d'artisanat).

Toutefois, le développement récent du quartier huppé « Ouaga 2000 » et la refonte de quartiers emblématiques comme celui qui entoure le marché sont loin de faire l'unanimité.

Bobo-Dioulasso possède un marché animé, de longues avenues ombragées et une mosquée de terre cuite qui rappelle celle de Djenné, au Mali.

Les cases rondes et les greniers sur pilotis font l'intérêt de l'habitat des Mossis. La plupart des **villages** burkinabés sont à découvrir pour leurs **marchés** colorés et leurs traditions, nées de la présence de peuplades telles que les Touaregs, les Peuls et les Sombas. Tradition également que celle du Festival des masques de Dédougou, objet de défilés pour le moins colorés tous les deux ans.

LA NATURE

La nature sèche et désolée du Sahel, au nord, recèle des villages isolés où le voyage vrai prend tout son sens. Le **Sahara** s'annonce avec ses premières grandes dunes, comme à **Gorom-Gorom**.

Le paysage verdit au fur et à mesure que l'on se dirige vers le sud-ouest, où l'érosion a provoqué l'émergence de paysages insolites. Ainsi note-t-on la présence de **falaises** et de **cascades** près de Banfora, et des chutes de **Takalédougou**, composées de trois cascades étagées en saison des pluies.

LES PARCS ANIMALIERS

Trop peu présents, hélas ! sur les tablettes des voyagistes de la faune africaine, les parcs nationaux de l'**Arly** et du **W** recèlent une assez grande variété d'animaux, dont les représentants les plus intéressants sont les **éléphants,** les **hippopotames** et les **antilopes**. Éléphants encore dans le ranch de Nazinga (parc de **Po**), éléphants toujours et **crocodiles** dans le parc national des **Deux Balés**.

Dans les environs de Ouagadougou, la mare aux crocodiles sacrés de **Sabou** est une curiosité, comme la mare aux silures (poissons-chats), eux aussi sacrés, non loin de Bobo-Dioulasso.

LE POUR

◆ Un voyage qui se découvre peu à peu une originalité, entre autres via le tourisme solidaire.

◆ Le français comme langue de communication.

LE CONTRE

◆ Le coût du transport aérien et de l'hébergement.

◆ Une image et des infrastructures touristiques qui demandent à être mieux définies.

LE BON MOMENT

Le climat est dit soudano-sahélien : une longue saison sèche, de novembre à mai-juin et de plus en plus chaude, alterne avec une courte saison humide (surtout dans le sud, vers Banfora), de juillet à octobre. Le début de la saison sèche (**novembre-février**) est le plus favorable, sauf pour l'observation des animaux (mai-juin).

◆ Températures moyennes jour/nuit (en °C) à *Bobo-Dioulasso* (ouest) : janvier 34/16, avril 37/23, juillet 30/21, octobre 33/21. Celles de la capitale Ouagadougou (centre) sont très voisines.

LE PREMIER CONTACT

En Belgique

Ambassade, place Guy-d'Arezzo, 16, B-1180 Bruxelles, ☎ (02) 345.99.12, fax (02) 345.06.12, ambassade.burkina@skynet.be

Au Canada

Ambassade, 48, chemin Range, Ottawa, ON K1N 8J4, ☎ (613) 238.4796.

En France

Ambassade, 159, boulevard Haussmann, 75008 Paris, ☎ 01.43.59.90.63, fax 01.42.56.50.07, www.ambaburkinafrance.org

En Suisse

Consulat, Zurich, ☎ (44) 350.55.70, fax (44) 350.55.71.

Internet

www.ontb.bf (site de l'office du tourisme)

Guides

Afrique de l'Ouest (Hachette/Guide du routard, Lonely Planet France), *Burkina Faso* (Jaguar, Le Petit Futé, Olizane).

Carte

Burkina Faso (IGN).

Images

Faso Nord-Sud (L. Antoni, L'Harmattan, 2000).

Lectures

Contes sànan du Burkina Faso, la fille caillou (Suzy Platiel, L'Ecole des loisirs, 2004), *Droit de cité : être femme au Burkina Faso* (Monique Ilboudo, Ed. Remue-Ménage, 2006), *Esclaves et esclavage dans les anciens pays du Burkina Faso* (Maurice Bazémo, L'Harmattan, 2007), *Parlons mooré : langue et culture des Mossis* (L'Harmattan, 2004), *la Terre des hommes intègres* (Ugo Monticone/CRAM, 2003), *la Vie quotidienne au Burkina Faso* (Les Amitiés franco-burkinabè, L'Harmattan, 2008).

QUEL VOYAGE ET À QUEL PRIX ?

Le voyage individuel

Les préparatifs

◆ Pour les ressortissants de l'Union européenne, canadiens et suisses : passeport en cours de validité, visa obligatoire, obtenu auprès du consulat. Pour qui a entrepris un voyage au long cours en Afrique noire, il existe un visa touristique groupé, qui réduit fortement les frais (Bénin, Burkina Faso, Côte d'Ivoire, Niger, Togo). Billet de retour ou de continuation exigible. Permis de photographier nécessaire auprès de la direction du tourisme à Ouagadougou.

◆ Vaccination obligatoire contre la fièvre jaune. Vaccination vivement recommandée contre la méningite à méningocoque. Prévention indispensable contre le paludisme.

◆ Monnaie : le franc CFA (XOF). 1 EUR = 655,957 francs CFA. Emporter des euros ou des US Dollars en espèces ou en chèques de voyage.

Le départ

Prix à certaines dates du vol Paris-Ouagadougou A/R : 640 EUR. Certains vols élaborés par Point Afrique relient Paris et Marseille à Ouagadougou. Il existe aussi trois vols hebdomadaires de Paris pour la capitale et retour avec Air Burkina. Les prix montent pour les fêtes de fin d'année et les vacances de février. Durée moyenne du vol Paris-Ouagadougou (4 058 km) : 6 heures.

Sur place

Hébergement

À moins de dormir à peu de frais chez les missionnaires, l'hébergement du voyageur est plutôt cher, comme souvent dans les villes africaines. À noter la construction récente d'« auberges populaires » dans chaque chef-lieu de province.

Route

Réseau de bus, de minibus et de taxis-brousse. Location de voiture peu répandue, circulation difficile (routes encombrées, étroites, dégradées ou non asphaltées). Problème régulièrement évoqué des « coupeurs de route » (éviter de rouler la nuit).

Train

Il existe une ligne Ouagadougou-Bobo-Dioulasso.

Le voyage accompagné

Rappel : nous nous sommes limités à un résumé des prestations en vigueur dans les agences et chez les voyagistes présents en France. Les lecteurs des autres pays peuvent en tirer des idées d'itinéraire et les compléter auprès de leurs agences de voyages.

◆ Heureuse constatation : le Burkina voit désormais se diversifier les propositions de voyages, principalement entre octobre et mai. Ainsi, Point Afrique est pour une semaine en randonnée dans le nord sahélien (Gorom-Gorom) ou dans le sud chez les Gourounsi, également en pays Sénoufo avec observation possible des éléphants dans le ranch de Nazinga. Autres propositions : Nomade Aventure. *Compter environ 1 200 EUR la semaine tout compris pour ce style de voyage.*

◆ Les combinés ne sont pas rares, pour des voyages qui reviennent *aux alentours de 1 500 EUR pour 15 jours* : avec le **Mali** pour les pays Sénoufo et Dogon dans un même voyage-randonnée (Terres d'aventure); avec le Niger et le Bénin pour découvrir le parc du **W** avec Point Afrique; avec le **Bénin** et le **Togo** chez Nouvelles Frontières et Tamera.

◆ **Tourisme solidaire** avec l'association Tourisme et développement solidaires, qui reverse une partie du prix du séjour à la population locale, celle-ci gérant le village à la vie duquel participe le visiteur (quatre villages d'accueil au choix, une douzaine de propositions *aux alentours de 1 300 EUR pour 12 jours*). Autre proposition : deux semaines de découverte du pays et de vie au village avec Afrique au cœur, organisme belge (www.afrique-au-cœur.be), en partenariat avec le village sahélien de Goubré, dans le nord du pays.

QUE RAPPORTER ?

Des sculptures en bois ou en fer, des plateaux couverts de cuir, des tissus. Le marché et le Village artisanal de Ouagadougou sont des passages obligés.

LES REPÈRES

◆ Lorsqu'il est midi en France, au Burkina Faso il est 13 heures en hiver et 14 heures en été. ◆ Langue officielle et de communication : français. Un habitant sur deux parle le mossi. ◆ Téléphone vers le Burkina Faso : 00226 + numéro; du Burkina Faso : 00 + indicatif pays + numéro.

LA SITUATION

Géographie. Situé dans le Sahel, le Burkina Faso étire ses 274 000 km² sur une zone de plaines et de steppes souvent victimes de la sécheresse, sauf au sud-ouest (savane et forêt).

Population. La moitié des 15 265 000 Burkinabés sont des Mossis. On dénombre également des Peuls, des Bobos et des Sénoufos. 80 % des Burkinabés ont moins de 25 ans. Forte émigration vers les pays voisins, moins défavorisés. Capitale : Ouagadougou.

Religion. 45 % de la population obéit à des croyances traditionnelles, 43 % à l'islam, 9 % au catholicisme et 2,5 % au protestantisme.

Dates. *1200* Royaumes Mossi et Gourdmanché. *1919* La Haute-Volta est une colonie française. *1960* Indépendance. *1983* Arrivée au pouvoir du capitaine Sankara, qui installe un gouvernement progressiste et améliore la condition des femmes. *1984* La Haute-Volta devient le Burkina Faso (« Pays des hommes intègres »). *1987* Assassinat de Sankara et coup d'État qui place Blaise Compaoré au pouvoir. *1991* Compaoré est reconduit dans ses fonctions. *1996* Kadré Désiré Ouédraogo Premier ministre. *Novembre 1998* Compaoré réélu, ses adversaires boycottent l'élection. *Janvier 1999* La disparition non élucidée du journaliste Norbert Zongo secoue le pays. *2003* Les tensions en Côte d'Ivoire, où travaillent bon nombre de Burkinabés, ont des répercussions dans le pays, principalement au sud. *Novembre 2005* Blaise Compaoré est très facilement réélu. *Juin 2007* Tertius Zongo Premier ministre.

Burundi

L'espoir d'une stabilisation politique durable est bel et bien là mais le pays est en convalescence. Aussi le voyageur n'est-il pas encore vraiment revenu dans un pays aux atouts naturels et animaliers certains, qui a vu Stanley et Livingstone se rencontrer sans jamais réaliser leur rêve : découvrir les sources du Nil.

LES RAISONS D'Y ALLER

LES SITES

Sources du Nil, lac Tanganyika, Bujumbura, stèle Stanley-Livingstone

LA FAUNE ET LA FLORE

Parcs nationaux de la Rusizi (hippopotames, crocodiles), de la Kibira (forêts), de la Ruvubu (buffles, hippopotames, colobes)

LES TRADITIONS

Tambours sacrés de Gitega

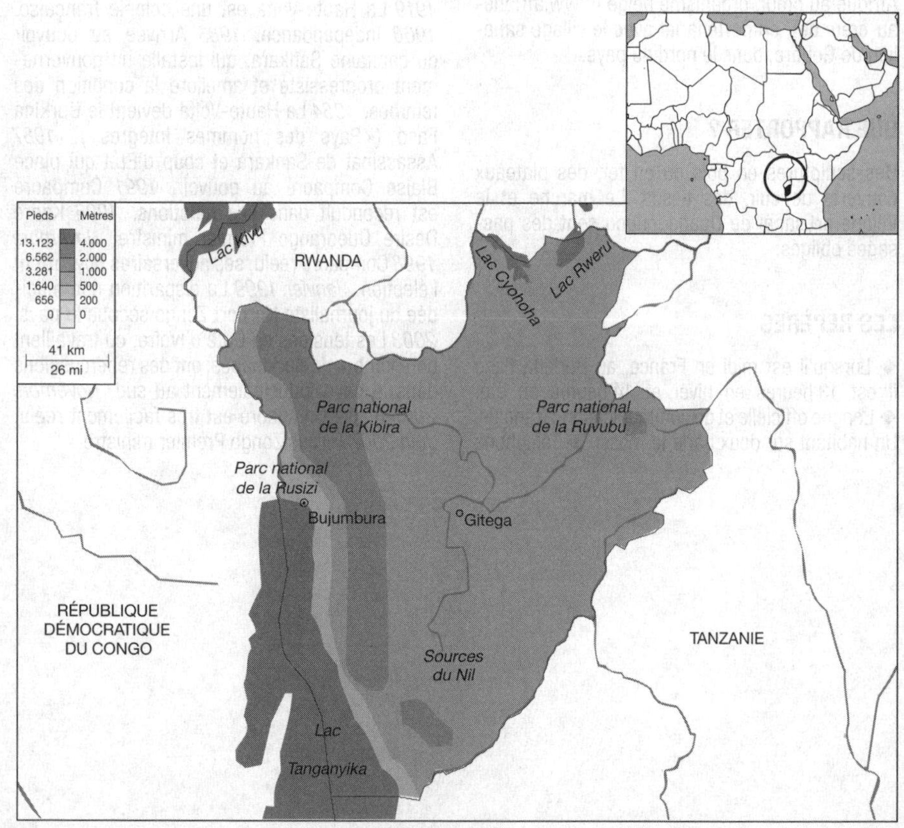

LES RAISONS D'Y ALLER

LES SITES

Le Burundi offre à la fois le site des **sources du Nil**, au sud et à plus de 2 000 m d'altitude (près de Rutovu) et les abords du **lac Tanganyika**, avec leurs plages et les villages de pêcheurs.

Du lac, la capitale **Bujumbura** a hérité des plages et des loisirs balnéaires (voile), ainsi que le spectacle de rives rehaussées de montagnes. A une dizaine de kilomètres au sud de la capitale, une **stèle** commémore la rencontre entre Stanley et Livingstone.

LA FAUNE ET LA FLORE

Trois parcs nationaux devraient valoir une bonne audience au Burundi quand le tourisme trouvera droit de cité.

Tout près de Bujumbura, le parc national de la **Rusizi** est le royaume des hippopotames, seulement contestés par les crocodiles et 350 espèces d'oiseaux.

En partant vers le nord-est, le parc national de la **Kibira**, entre 1 150 et 2 650 m, est remarquable par l'abondance de ses rivières et l'étagement de ses forêts spécifiques : forêts claires, forêts ombrophiles, forêts montagnardes. Babouins, chimpanzés et colobes ne sont pas rares.

Toujours vers l'est, à la lisière de la Tanzanie, les hautes herbes et les papyrus du parc national de la **Ruvubu**, de part et d'autre du fleuve du même nom, abritent quantité de buffles, mais aussi des babouins, des hippopotames, des colobes rouges. Antilopes et léopards sont plus difficiles à voir.

LES TRADITIONS

L'ancienne capitale, Gitega, a conservé la tradition de **tambours sacrés** chez les danseurs intorés. Les sons produits par les tambourinaires répondent aux cris des danseurs.

LE POUR

◆ Une situation qui s'améliore nettement et laisse espérer un développement du tourisme.

◆ Un excellent condensé de l'Afrique équatoriale : végétation luxuriante, faune, lacs.

◆ Un climat favorisé par l'altitude, qui rend les déplacements moins éprouvants qu'ailleurs en Afrique.

◆ Le français comme langue de communication.

LE CONTRE

◆ Un pays encore convalescent, qui doit gagner son audience et demande de bien s'informer avant de se rendre dans telle ou telle région.

◆ La modestie des structures.

LE BON MOMENT

Le Burundi jouit d'un climat tropical d'altitude : on ne fait pas mieux en Afrique, d'autant que **juin-septembre**, saison estivale en Europe, est celle de la saison sèche au Burundi, donc la plus appropriée. Il pleut de septembre à décembre et de février à juin.

◆ Températures moyennes jour/nuit (en °C) à *Bujumbura* (ouest) : janvier 27/19, avril 27/19, juillet 27/17, octobre 29/19.

LE PREMIER CONTACT

En Belgique

Ambassade, square Marie-Louise, 46, B-1000 Bruxelles, ☎ (02) 230.45.35, fax (32) 230.78.83, ambassade.burundi@skynet.be

Au Canada

Ambassade, 325, rue Dalhousie, bureau 815, Ottawa, ON K1N 7G2, ☎ (613) 789-0414, fax (613) 789-9537, ambabucanada@infonet.ca

En France

Ambassade, 10-12, rue de l'Orme, 75019 Paris, ☎ 01.45.20.60.61, fax 01.45.20.02.54, ambabu.paris@wanadoo.fr

En Suisse

Section consulaire, rue de Lausanne, 44, CH-1201 Genève, ☎ (22) 732.77.05, fax (22) 732.77.34, burundi.mission@bluewin.ch

Internet

www.burunditourisme.com/fr

Guides

Burundi (Le Petit Futé), *East Africa* (Lonely Planet).

Carte

Burundi (IGN).

Lectures

L'arbre-mémoire : traditions orales du Burundi (L. Ndoricimpa, C. Guillet, Karthala, 2000), *la Fracture identitaire. Logiques de violence et certitudes* (J.-P. Chrétien, Karthala, 2002), *le Café au Burundi au XXe siècle : paysans, argent, pouvoir* (Karthala 2005), *Histoire démographique du Burundi* (Karthala, 2004), *la Reine-Mère et ses prêtres au Burundi* (Gahama, Éd. Klincksieck, 2005).

Images

Un autre Burundi (Christel Martin/Sepia, 2000).

QUEL VOYAGE ET À QUEL PRIX ?

Le voyage individuel

Les préparatifs

◆ Passeport en cours de validité, visa obligatoire.

◆ Vaccination contre la fièvre jaune obligatoire. Vaccination recommandée contre la méningite à méningocoque. Prévention recommandée contre le paludisme.

◆ Monnaie : le *franc burundais,* à différencier du franc CFA, est subdivisé en 100 centimes. 1 US Dollar = 1 223 francs burundais, 1 EUR = 1 721 francs burundais. Emporter des euros ou des US Dollars pour le change.

Le départ

Indice de prix du vol Paris-Bujumbura A/R à certaines dates : 900 EUR. Vol direct Bruxelles-Bujumbura avec Brussels Airlines.

Sur place

Route

Réseau routier moyen, réseau de minibus (« matatus »). Location de voiture possible, de préférence tout-terrain. S'abstenir de rouler la nuit.

Train

Pas de réseau ferroviaire en fonction.

LES REPÈRES

◆ Lorsqu'il est midi en France, au Burundi il est la même heure en été et 13 heures en hiver. ◆ Langues : le kirundi est langue nationale et le français langue administrative. ◆ Téléphone vers le Burundi : 00257 + indicatif (Bujumbura : 22) + numéro; du Burundi : 90 + indicatif pays + numéro.

LA SITUATION

Géographie. Un plateau central forme l'essentiel du relief, qui se relève à l'ouest jusqu'à plus de 2 500 m avant de retomber sur le lac Tanganyika. Le pays est de dimensions modestes (27 834 km^2).

Population. Deux ethnies rassemblent la quasi-totalité des 8 400 000 habitants : les Tutsis, d'origine nilotique, peu nombreux (14 %), et les Hutus (85 %), agriculteurs bantous. Le Burundi est l'un des États les plus démunis de la planète. Capitale : Bujumbura.

Religion. Environ quatre habitants sur cinq sont catholiques. On compte 13,5 % d'animistes, 7 % de protestants et 1 % de musulmans.

Dates. *1890* Appartenance à l'Afrique-orientale allemande. *1916-1962* Le pays est sous tutelle belge. *1962* Indépendance. *1972* Heurts intercommunautaires. *1987* Coup d'État du commandant Pierre Buyoya. *1988* Massacres interethniques. *Juin 1993* Melchior Ndadayé est le premier président hutu de l'histoire du pays. *Avril 1994* Le président Ntaryamira et le président rwandais Habyarimana sont victimes d'un accident d'avion (attentat ?). Sylvestre Ntibantunganya est à la tête du pays. *Octobre 1994* Gouvernement de coalition décidé par les deux grandes tendances politiques (l'opposition est à majorité tutsie). *Juillet 1996* Pierre Buyoya revient à la suite d'un coup d'État. *Mai 2005* Accord de paix signé avec le dernier des groupes rebelles en activité, fin d'une guerre civile qui aura fait trois cent mille morts en douze ans. *Août 2005* Pierre Nkurunziza nouveau président élu. *Mai 2008* Les forces nationales de libération (FLN) et le pouvoir entament des pourparlers de paix.

Cambodge

Avertissement. – Tout déplacement sur le site de Preah Vihear doit actuellement être évité, ailleurs ne jamais s'aventurer seul sur les chemins non balisés.

Depuis quelques années, le tourisme cambodgien croît à grande vitesse (trop ?) pour découvrir les temples d'Angkor, perle du tourisme mondial qui a résisté tant bien que mal aux combats et aux pillages à la fin du siècle dernier. En marge de ce trésor, les voyageurs se voient proposer d'autres raisons de découvrir le pays, ce qui contribue à lui rendre progressivement sa place parmi les grandes destinations de l'Asie du Sud-Est.

LES RAISONS D'Y ALLER

LES MONUMENTS

Site archéologique d'Angkor : Angkor Vat, Angkor Thom (Bayon, Baphuon),
Ta Phrom, Preah Khan, groupe des Roluos, Banteay Srei
Autres vestiges khmères (Phnom Kulen, Prah Vihear)

LA CAPITALE

Phnom Penh

LES PAYSAGES ET LA CÔTE

Lac Tonlé Sap, Ratanakiri, Sihanoukville

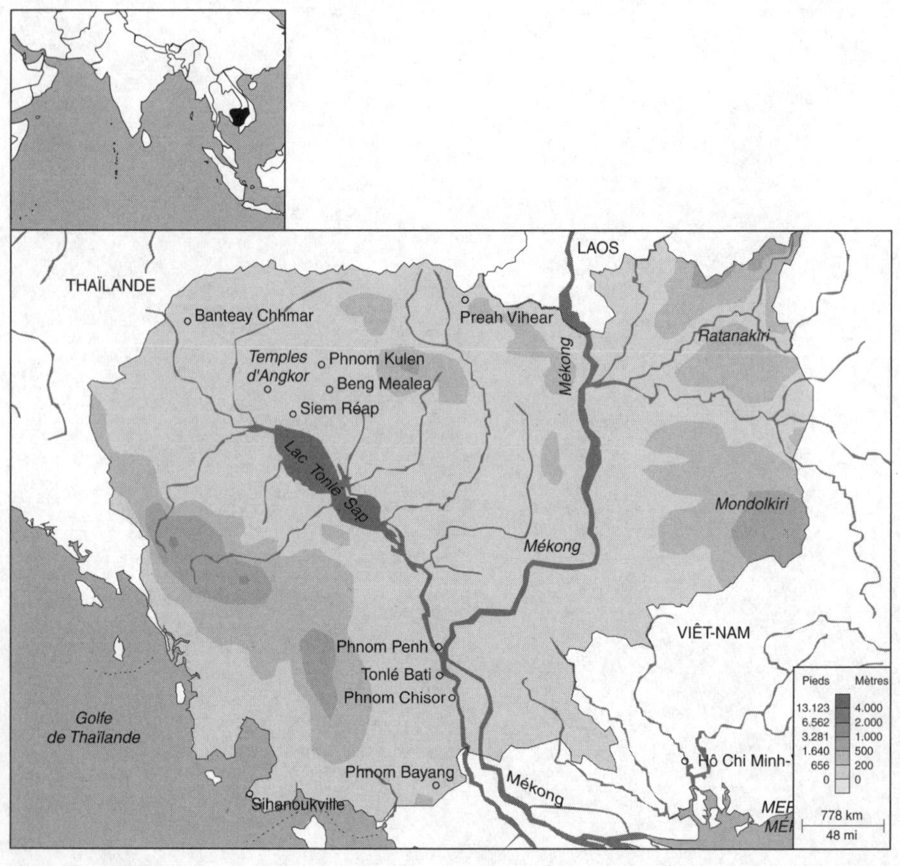

LES RAISONS D'Y ALLER

LES MONUMENTS

Le site archéologique d'**Angkor**, ancienne capitale de l'Empire khmer, construit entre le VIIIe et le XVIe siècle, est l'un des plus visités du monde. Les temples, où l'hindouisme et le bouddhisme se croisent souvent, sont disséminés dans la jungle.

Les temples royaux, dits temples-montagnes, fondés sur des techniques de construction affinées, sont les plus réputés. Avec ses cinq tours en quinconce, ses galeries et ses bas-reliefs, **Angkor Vat** est le plus prestigieux témoignage de l'art khmer. Il est suivi de près par le **Bayon**, dont les sculptures de dizaines de visages mystérieux, les tours-sanctuaires et les bas-reliefs composent un ensemble exceptionnel. Avec le Baphuon et le Palais royal, le Bayon fait partie d'Angkor Thom, «Cité des dieux de la cosmologie bouddhique».

Ta Phrom et les fromagers qui l'envahissent, **Preah Khan**, le groupe des **Roluos**, plus loin le très délicat **Banteay Srei**, qui séduisit Malraux (à l'excès...), et encore plus loin Beng Mealea et la montagne sacrée de **Phnom Kulen**, flanquée de sa rivière aux mille lingas, sont les autres passages obligés. Mais chaque site a sa personnalité et il serait présomptueux de les classer...

Si l'ensemble d'Angkor domine, on ne doit pas oublier d'autres sites d'importance, tel au nord le temple de **Preah Vihear** (accessible uniquement à partir de la Thaïlande).

Oudong, au nord de Phnom Penh, et, au sud de la capitale, les sanctuaires de Phnom Chisor et de Phnom Da, ce dernier près du site de Angkor Borei, valent aussi le détour.

LA CAPITALE

Phnom Penh, qu'on appela un temps le «Paris de l'Orient», renaît sur son site traversé par le Mékong et le Tonlé Sap. La capitale se distingue par le sanctuaire de Vat Phnom, la pagode d'Argent et ses bouddhas d'émeraude et d'or au sein du Palais royal, ses façades de style colonial, ses marchés (marché central, marché «russe»), son Musée national des Beaux-Arts (collection de bouddhas, nombreuses pièces d'Angkor). Le génocide perpétré par les Khmers rouges entre 1975 et 1979 est dramatiquement symbolisé par le camp de Chœung Ek et le musée du Crime génocidaire,

LES PAYSAGES ET LA CÔTE

Le lac **Tonlé Sap**, au sud d'Angkor, a une étrange particularité : les fantaisies des crues du Mékong font sextupler sa superficie à partir de juin, en même temps que s'inverse le cours du fleuve Tonlé Sap. La décrue, en novembre, est l'occasion de la plus grande manifestation de l'année, la fête du « Retrait des eaux », moment où les paysans peuvent procéder à une pêche abondante et à des cultures rendues prospères par un sol devenu fertile. Une course entre des centaines de pirogues et des offrandes faites au fleuve marquent l'événement à Siem Reap et à Phnom Penh.

Des régions longtemps inaccessibles comme celles de l'est du lac Tonlé Sap permettent de se rendre compte de l'intérêt du paysage cambodgien, fait de forêts de bambous, de chutes, de terres rouges. De même, une tendance récente privilégie la rencontre avec des ethnies minoritaires, comme celles de la région du **Ratanakiri**, aux confins du Viêt-nam.

La **côte** du golfe du Siam connaît un développement touristique, ce qui donne l'occasion de découvrir des villages de pêcheurs ainsi que **Sihanoukville**, site balnéaire encore préservé.

LE POUR

◆ L'attrait d'Angkor, l'un des très grand rendez-vous mondiaux de l'architecture.

◆ Un pays devenu globalement sûr et dont le tourisme se diversifie.

LE CONTRE

◆ Le développement trop rapide du grand tourisme, qui enlève à Angkor une part de sa magie.

◆ Une bonne saison climatique mal placée sur le calendrier d'un voyageur occidental.

◆ La persistance de mines antipersonnel dans les régions rurales ou isolées, ou encore aux alentours des monts Kulen.

LE BON MOMENT

Le Cambodge connaît un climat tropical chaud et humide, avec alternance d'une saison sèche (**novembre-mars**, période la plus favorable) et d'un régime de moussons (juin-septembre). Entre les deux, avril et mai sont des mois très chauds. Par endroits, il pleut beaucoup en septembre et octobre, et des crues du Mékong peuvent alors survenir.

◆ Températures moyennes jour/nuit en °C à *Phnom Penh* (sud du pays) : janvier 32/22, avril 35/25, juillet 33/25, octobre 31/24.

LE PREMIER CONTACT

En Amérique du Nord

Mission auprès des Nations unies, New York, États-Unis, ☎ (212) 223-0676, fax (212) 223-0425, www.un.int/cambodia/

En Belgique

Ambassade, avenue de Tervuren, 264A, B-1150 Bruxelles ☎ (02) 772.03.72, fax (02) 772.03.76.

En France

Bureau d'information, 4, rue Adolphe-Yvon, 75116 Paris, ☎ 01.45.03.47.20, fax 01.45.03.47.40.

En Suisse

Ambassade, chemin Taverney, 3, Case postale 213, CH-1218 Le Grand-Saconnex, ☎ (22) 788.77.73, fax (22) 788.77.74.

Internet

www.mot.gov.kh (site officiel de l'office du tourisme, en anglais)
www.arobance.com/voyages/cambodge/

Guides

Angkor (National Geographic France), *Angkor, cité khmère* (Olizane), *Cambodge* (Le Petit Futé, Lonely Planet France, Marcus), *Cambodge, Laos* (Hachette/Guide du routard, Mondeos, Nelles), *Laos, Cambodge* (Gallimard/Bibl. du voyageur).

Cartes

Cambodia and Laos (ITM), *Cambodge* (IGN), *Thaïlande, Malaisie, Vietnam, Cambodge, Laos, Myanmar* (Berlitz).

Lectures

Histoire et politique

Cambodge : les clés d'un royaume (Sébastien Braquet/Pages du monde, 2007), *Une brève histoire du Cambodge* (François Ponchaud, Siloë, 2007).

Romans, récits, divers

Une enfance en enfer : Cambodge, 17 avril 1975 - 8 mars 1980 (Malay Phcar, Ed. Robert Laffont, 2005), *J'ai vécu la guerre du Cambodge* (Bayard Jeunesse, 2005), *la Voie royale* (A. Malraux, Livre de poche, 1976), *Voyages dans les royaumes de Siam, du Cambodge, du Laos* (Olizane), *le Vrai Goût du Cambodge, une traversée du pays en 50 recettes* (Ed. Aubanel, 2008).

Images

Angkor (Olizane), *Angkor : carnets du Cambodge* (Vincent Besançon, Anne-Marie Besançon, Magellan & Cie, 2005), *Angkor, la forêt de pierre* (Bruno Dagens, Gallimard, 1989), *Angkor, résidence des dieux* (Olizane), *Cambodge* (Geneviève Marot, Gallimard, 2003), *Lendemains de cendres : Cambodge 1979-1993* (Séra, Delcourt, 2007). ◆ Cinéma : *la Déchirure* (R. Joffé, 1984) évoque les conséquences du génocide perpétré par les Khmers rouges.

DVD

Carnet de voyage : le Cambodge (Gedeon, 2008), *DVD Guides : Cambodge, le royaume des nuances* (TF1 vidéo, 2003).

QUEL VOYAGE ET À QUEL PRIX ?

Le voyage individuel

Les préparatifs

◆ Pour les ressortissants de l'Union européenne, canadiens et suisses : passeport valable encore six mois après le retour, visa obligatoire, obtenu auprès du consulat. ◆ Il est possible d'obtenir le visa à l'arrivée aux aéroports de Phnom Penh et Siem Reap, de même qu'à plusieurs postes frontières terrestres; se faire confirmer cette possibilité avant le départ.

◆ Aucune vaccination n'est obligatoire. ◆ Prévention indispensable contre le paludisme : les régions de Phnom Penh et du lac Tonlé Sap sont épargnées, mais pas celle d'Angkor. Précautions contre la dengue vivement recommandées.

◆ Monnaie : le *riel,* mais le dollar US le supplante et ne le rend nécessaire que pour les tout petits achats. Prendre de préférence des dollars US en petites coupures. 1 US Dollar = 4 042 riels, 1 EUR = 5 680 riels.

Le départ

◆ Les vols pour le Cambodge transitent par la Thaïlande (Bangkok) ou le Viêt-nam à destination de Phnom Penh ou Siem Reap. Indice de prix à certaines dates du vol Paris-Phnom Penh A/R : 850 EUR. ◆ Durée moyenne du vol Paris-Bangkok-Phnom Penh (9 931 km) : 16 heures. ◆ Vols quotidiens pour l'aéroport de Siem Reap à partir de Bangkok et de Hô Chi Minh-Ville. ◆ En cas d'arrivée à Bangkok, bus Bangkok-Siem Reap, changement de bus à la frontière, compter une journée.

Sur place

Bateau

Possibilité de rejoindre Siem Reap en bateau à partir de Phnom Penh et, depuis peu, de remonter le Mékong à partir du Viêt-nam (Hô Chi Minh-Ville).

Hébergement

La grande hôtellerie internationale croît très vite à Siem Reap, base de la visite d'Angkor, mais on peut encore y trouver des *guest houses* à un coût raisonnable.

Route

Routes souvent dégradées en dehors des grands axes. Taxis collectifs, bus. Les « aventuriers » doivent absolument suivre les chemins balisés et uniquement ceux-là (risques de mines ailleurs).

Le séjour en individuel

◆ Pour visiter Angkor par soi-même, l'une des meilleures solutions consiste à prendre une moto-taxi à la journée à Siem Reap. Une visite digne des lieux demande au minimum trois jours, via un passQ au coût élevé (20 dollars US la journée, 40 pour trois jours, 60 pour une semaine). ◆ Nombreuses agences pour Angkor à Siem Reap.

◆ Des voyages à la carte prévoient quelques jours à Angkor et à Phnom Penh avec excursions guidées et minicroisières. Quelques prestataires : Asia, Espace Mandarin, Yoketaï. ◆ Dans le cas d'un combiné avec le Viêt-nam, Angkor et Phnom Penh s'ajoutent à l'axe Hanoi-Hô Chi Minh-Ville pour des voyages de quinze jours à trois semaines, dont la plupart en voiture avec chauffeur.

Le voyage accompagné

Rappel : nous nous sommes limités à un résumé des prestations en vigueur dans les agences et chez les voyagistes présents en France. Les lecteurs des autres pays peuvent en tirer des idées d'itinéraire et les compléter auprès de leurs agences de voyages.

◆ La destination connaît un engouement, aussi un voyage exclusivement consacré au pays n'est-il pas une rareté. Angkor est certes au centre de tous les circuits, mais la diversification s'opère peu à peu, témoin la Fête du Retrait des eaux sur la rivière Tonlé Sap ou la découverte du Ratanakiri. Quelques-uns des nombreux voyagistes : Adeo, Ananta, Arts et Vie, Asia, Best Tours, Clio, Continents insolites, Espace Mandarin, Explorator, Jet Tours, Kuoni, La Maison de l'Indochine, Nouvelles Frontières, Orients, Terre Indochine, Voyageurs du monde, Yoketai.

◆ Le Cambodge intéresse aussi les **randonneurs** : ainsi La Balaguère, Club Aventure, Nomade Aventure, Terres d'aventure, Zig Zag sont-ils à Angkor et aux abords du lac Tonlé Sap, mais aussi, pour certains d'entre eux, dans le Ratanakiri, à la rencontre d'ethnies minoritaires telles que les Jarai. Atalante fait le doublé Luang Prabang-Angkor, alors qu'Allibert alterne navigation et marche d'Angkor au delta du Mékong.

◆ **Tourisme solidaire** avec l'organisme Voyager autrement : 15 jours de Phnom Penh à Siem Reap et Angkor avec entre-temps la découverte de la vie rurale ainsi que la visite d'un centre de formation et de plusieurs associations à caractère humanitaire.

◆ Chez certains voyagistes, le Cambodge est le point final d'un circuit qui a commencé dans un pays limitrophe, généralement le **Laos** mais aussi le **Viêt-nam,** parfois le Myanmar et la Thaïlande.

◆ Un bateau d'époque, le *Toum Tiou*, permet à Fleuves du monde de se balader sur le Mékong tant au Cambodge qu'au Viêt-nam.

Un voyage de 15 jours au Cambodge ou combiné à un autre pays peut se trouver aux alentours de 2 000 EUR en saison chez les grands voyagistes généralistes et de 2 500 EUR dans le cas d'un voyage-randonnée.

QUE RAPPORTER ?

Le Cambodge est l'un des pays où femmes et hommes portent le sarong, longue pièce d'étoffe que l'on peut acquérir, à défaut d'oser la porter ensuite... On trouve aussi des foulards traditionnels à carreaux, de la soie, des pierres précieuses, des bijoux en argent, de la vannerie. Bien sûr, il est formellement interdit de sortir des antiquités et témoignages d'Angkor.

LES REPÈRES

◆ Lorsqu'il est midi en France, au Cambodge il est 17 heures en été et 18 heures en hiver. ◆ Langue officielle : khmer. ◆ Langues étrangères : l'anglais est parlé dans les villes, le français l'est moins malgré l'histoire du pays. ◆ Téléphone vers le Cambodge : 00855 + indicatif (Angkor 63, Phnom Penh 23) + numéro; du Cambodge : 00 + indicatif pays + correspondant.

LA SITUATION

Géographie. Le pays est essentiellement composé d'une dépression centrale occupée par les lacs et par les « Quatre Bras » (fleuves Tonlé Sap, Bassac, Mékong supérieur et inférieur). Autour, des forêts et des savanes, et les eaux du golfe de Thaïlande au sud-est. Superficie : 181 035 km².

Population. La grande majorité des 14 242 000 habitants, dont neuf sur dix sont des Khmers, vit dans les campagnes mais la capitale Phnom Penh connaît une forte croissance.

Religion. Le bouddhisme est pratiqué par neuf Cambodgiens sur dix. Les lieux de culte des minorités musulmane et catholique ont beaucoup souffert sous les Khmers rouges.

Dates. *1863* Protectorat français. *1954* Indépendance avec Norodom Sihanouk. *1970* Régime pro-américain de Lon Nol. *1975* Pol Pot et les Khmers rouges arrivent au pouvoir et se rendent coupables d'un génocide (un million et demi à deux millions de victimes). *1979* Les Vietnamiens instaurent un nouveau régime. *1985* L'armée vietnamienne occupe le pays. *1989* Les troupes vietnamiennes se retirent. *1991* Signature d'un plan de paix entre les diverses factions et retour triomphal du prince Sihanouk à Phnom Penh. *1992* L'ONU engage le plus gros budget de son histoire pour assurer le maintien de la paix. *Septembre 1993* Sihanouk promulgue une nouvelle constitution sur la base d'une monarchie parlementaire. Son fils Ranariddh devient Premier ministre, rejoint par l'ex-communiste Hun Sen. *Juillet 1997* Coup de force de Hun Sen, qui évince Ranariddh. *Juillet 1998* Les législatives n'apportent ni la stabilité ni la coalition attendues. *Juillet 2000* De graves inondations frappent le pays. *Juillet 2003* Hun Sen et le Parti du peuple cambodgien reconduits. *Octobre 2004* Norodom Sihamoni monte sur le trône. *Juillet 2008* Hun Sen et son parti sont facilement reconduits.

Cameroun

Avertissement. – Le voyage dans les zones frontalières avec la République centrafricaine ou le Tchad, de même que dans la presqu'île de Bakassi, est fortement déconseillé.

Le tourisme camerounais mérite bien mieux que la discrétion qui l'accompagne depuis si longtemps. Ses parcs nationaux propices aux randonnées, la richesse de sa faune, ses paysages volcaniques, le mont Cameroun et des villages aux traditions encore présentes, comme dans les chefferies du nord-ouest, prouvent la diversité de ses arguments.

LES RAISONS D'Y ALLER

LES PAYSAGES ET LES RANDONNÉES

Monts Mandara, mont Cameroun, chutes du Nkam

L'HABITAT

Chefferies du nord-ouest, villages des monts Mandara et Alantika

LA FAUNE

Parcs nationaux de Boubandjida, de la Bénoué, de Waza, du Faro, de Campo, du Dja
Antilopes, buffles, élands, phacochères, crocodiles, éléphants, lions, girafes

LA CÔTE

Plages (Limbé, Kribi)

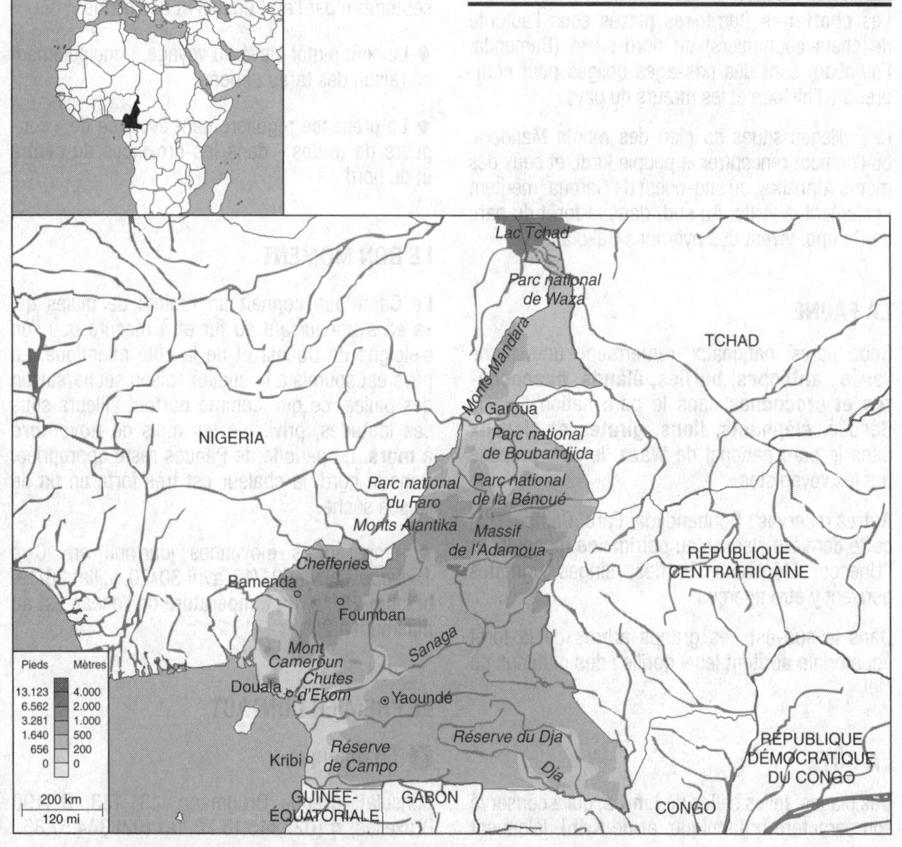

LES RAISONS D'Y ALLER

LES PAYSAGES ET LES RANDONNÉES

Au sud des monts **Mandara** et à la lisière du Nigeria, se dresse un massif où se mêlent paysages lunaires et forêts luxuriantes. Les monts Mandara sont eux-mêmes parsemés de collines (les **Kapsiki**), entourées de paysages volcaniques (dykes).

Au sud-ouest, l'ascension du **mont Cameroun**, massif volcanique actif, perché à plus de 4 000 m entre Douala et l'océan, est possible pour le marcheur moyen.

Au nord de Douala, près du village d'Ekom, entre Nkongsamba et Melong, les **chutes du Nkam** (50 m) sont les plus réputées du pays.

L'HABITAT

Les **chefferies** (territoires placés sous l'autorité de chefs coutumiers) du nord-ouest (Bamenda, Foumban) sont des passages obligés pour comprendre l'histoire et les mœurs du pays.

Les villages situés au pied des monts Mandara, où l'on peut rencontrer le peuple kirdi, et ceux des monts **Alantika**, au sud-ouest de Garoua, méritent également la visite. Au sud, dans la forêt du parc de Campo, vivent des pygmées Bakolas.

LA FAUNE

Sept parcs nationaux renferment une faune variée : **antilopes, buffles, élands, phacochères et crocodiles** dans le parc national de la Bénoué; **éléphants, lions, girafes et oiseaux** dans le parc national de Waza, le plus proposé par les voyagistes.

Autres réserves : Boubandjida, Faro, Campo, Dja, cette dernière classée au patrimoine mondial par l'Unesco. Éléphants, buffles, singes primates peuvent y être aperçus.

Dans le sud-est, les grands arbres de la forêt équatoriale abritent les « gorilles des plateaux du ciel ».

LA CÔTE

Des plages, telles celles de **Limbé**, qui a conservé son caractère britannique, et de **Kribi**, jalonnent les 400 kilomètres de la côte camerounaise. Elles connaissent toutefois un climat humide et pluvieux pendant la majeure partie de l'année.

LE POUR

◆ La diversité des pôles touristiques : parcs nationaux, villages, massifs montagneux, relief volcanique inhabituel.

◆ Un contact facilité : le français est l'une des deux langues officielles.

LE CONTRE

◆ Une activité touristique contrariée entre mai et septembre par l'état du ciel et des pistes

◆ Le coût plutôt élevé du voyage, principalement en raison des tarifs aériens.

◆ La présence régulièrement évoquée de « coupeurs de routes » dans les provinces du centre et du nord.

LE BON MOMENT

Le Cameroun connaît un régime de pluies qui va en s'amenuisant au fur et à mesure que l'on s'éloigne de Douala et de la côte atlantique. Le pays est soumis à la dualité saison sèche/saison des pluies, ce qui, comme partout ailleurs sous ces latitudes, privilégie les mois de **novembre à mars**. La période de Pâques reste appropriée. Dans le nord, la chaleur est très forte en fin de saison sèche.

◆ Températures moyennes jour/nuit en °C à *Yaoundé* : janvier 31/17, avril 30/20, juillet 26/19, octobre 28/19. La température de l'océan est au minimum à 25°.

LE PREMIER CONTACT

En Belgique

Consulat, avenue Brugmann, 131-133, B-1190 Bruxelles, ☎ (02) 345.18.70, fax (02) 344.57.35.

Au Canada

Haut-commissariat, 170, avenue Clemow, Ottawa, ON K1S 2B4, ☎ (613) 236-1522, fax (613) 236-3885.

En France

◆ Bureau d'information touristique, 26, rue de Longchamp, F-75016 Paris, ☎ 01.45.05.96.48, fax 01.47.04.49.96 ◆ Consulat, Boulogne-Billancourt, ☎ 01.46.51.89.00, fax 01.40.71.54.32.

En Suisse

Section consulaire, Brunnadernrain, 29, 3006 Berne, ☎ (031) 352.47.34, fax (031) 352.47.36.

Internet

www.cameroun-infotourisme.com/ (site de l'office du tourisme)

Guides

Cameroon (Bradt), *Cameroun* (Le Petit Futé), *le Cameroun aujourd'hui* (Jaguar).

Carte

Cameroun (IGN).

Lectures

Atlas du Cameroun (Danielle Ben Yahmed/Jaguar, 2007), *Cameroun: arts traditionnels* (Bettina Von Lintig, Ed. Gourcuff Graden, 2006), *Cameroun 2001, politique, langues, économie et santé* (L'Harmattan, 2003), *la France contre l'Afrique : retour au Cameroun* (Mongo Beti, La Découverte, 2006), *Médecine et sociétés secrètes au Cameroun : prévention et soins précoloniaux Yezum* (Nicolas Monteillet, L'Harmattan, 2007).

Images

Art tikar au Cameroun (Essomba, Elouga, L'Harmattan, 2000), *Cameroon, Cameroun* (Editions du Coin du monde, 2007), *la Case Obus* (Christian Seignobos, Parenthèses, 2004).

QUEL VOYAGE ET À QUEL PRIX ?

Le voyage individuel

Les préparatifs

◆ Pour les ressortissants de l'Union européenne, canadiens, suisses : passeport en cours de validité, visa obligatoire, obtenu auprès du consulat. Billet de retour ou de continuation exigible.

◆ Vaccination obligatoire contre la fièvre jaune, recommandée contre la méningite à méningocoque. Prévention indispensable contre le paludisme et la dengue.

◆ Monnaie : le franc CFA (BEAC). 1 EUR = 655,957 francs CFA. Emporter des euros ou des dollars US.

Le départ

◆ Indice de prix à certaines dates du vol Montréal-Douala A/R : 1 500 CAD; Paris-Douala A/R : 750 EUR. ◆ Durée moyenne du vol Paris-Douala (5 047 km) : 6 h 30; Paris-Garoua : 5 h 15.

Route

◆ Vu le risque de tomber sur des « coupeurs de route », il est conseillé d'éviter les régions isolées du centre et du nord, particulièrement si l'on roule en 4 x 4, ou de rouler en convoi. ◆ Réseau de bus et de minibus. ◆ Nombreux taxis-brousse.

Train

Réseau ferré (1 000 km) entre Douala, Yaoundé et N'Gaoundéré.

Le séjour en individuel

Comptoir d'Afrique est en voiture avec chauffeur dans le parc de Waza pour un safari photo, mais aussi dans les régions de Yaoundé et Bamenda, entre autres.

Le voyage accompagné

Rappel : nous nous sommes limités à un résumé des prestations en vigueur dans les agences et chez les voyagistes présents en France. Les lecteurs des autres pays peuvent en tirer des idées d'itinéraire et les compléter auprès de leurs agences de voyages.

◆ Les propositions de voyages au Cameroun sont discrètes mais régulièrement reconduites, avec le nord comme principal point d'ancrage.

Club Aventure marche dans les monts Alantika, Tamera propose des voyages où les monts Mandara et Alantika tiennent la vedette, avec extension possible au mont Cameroun. Terres d'aventure va de village en village dans les Kapsiki, avant le lac Tchad et le fleuve Chari en pirogue à moteur. Autres propositions : Adeo, Allibert, Explorator, Vie sauvage.

◆ **Tourisme solidaire** avec l'Alliance des femmes de la réserve de Campo Ma'an dans le sud du pays qui aide les populations locales à s'organiser en association touristique. Renseignements sur www.afrecam.ca.tc

Le prix d'un voyage accompagné au Cameroun est relativement élevé : au moins 2 000 EUR pour 10-12 jours, aux alentours de 2 500 EUR pour 15 jours.

LES REPÈRES

◆ Lorsqu'il est midi en France, au Cameroun il est la même heure en hiver et 11 heures en été. ◆ Langues officielles : français (75 %) et anglais, ce dernier pratiqué surtout dans le nord-ouest. Le français et l'anglais côtoient plus de deux cents langues et dialectes. ◆ Téléphone vers le Cameroun : 00237 + numéro; du Cameroun : 00 + indicatif pays + numéro. Couverture téléphone portable correcte.

LA SITUATION

Géographie. D'une superficie respectable (475 442 km^2), le pays s'étire sur 1 200 km du golfe de Guinée au lac Tchad. Hautes montagnes et forêt équatoriale au sud, haut plateau (Adamaoua) au centre, savane au nord.

Population. Bantous et Soudanais sont majoritaires d'un ensemble de 18 468 000 habitants répartis en plus de deux cents ethnies. Yaoundé est la capitale mais Douala, presque deux fois plus peuplée, est la ville principale.

Religion. Un Camerounais sur trois est catholique, un sur cinq musulman, un sur cinq animiste, un sur cinq protestant.

Dates. *XVe siècle* Arrivée du Portugais Fernando Poo. *1884* Le Cameroun devient colonie allemande. *1916* Les Alliés chassent les Allemands. *1919* Mandats conjoints britannique et français. *1960* Indépendance du Cameroun français. *1961* Rattachement du sud du Cameroun britannique, le reste allant au Nigeria. *1972* Sous Ahidjo, la fédération devient république. *1982* Paul Biya devient président. *1986* Un dégagement de gaz toxique au lac Nios provoque la mort de 3 000 personnes. *Octobre 1992* Majorité relative au Parlement obtenue par le Rassemblement démocratique du peuple camerounais du président Paul Biya, dont la réélection est contestée et le sera une nouvelle fois en octobre 1997. *Octobre 2004* Paul Biya réélu pour sept ans.

Canada

Il n'y a qu'une vérité pour le tourisme au Canada : la nature avec un grand N. Elle y est infinie, montagneuse, glaciaire, lacustre, forestière, parfois désertée, comme dans les plaines de l'ouest, ou bien envahie, comme au pied des chutes du Niagara. Elle est aussi, pour beaucoup de Canadiens, synonyme de trésor écologique à défendre. Sur le plan touristique, elle est parcourue été comme hiver, ce dernier invitant à des activités en vogue comme la randonnée en motoneige ou la conduite personnelle de traîneaux à chiens. Quant au Québec, l'Européen francophone apprécie sa chaleur du côté du cœur mais aussi du corps, car les étés y sont plus sereins qu'on ne l'imagine.

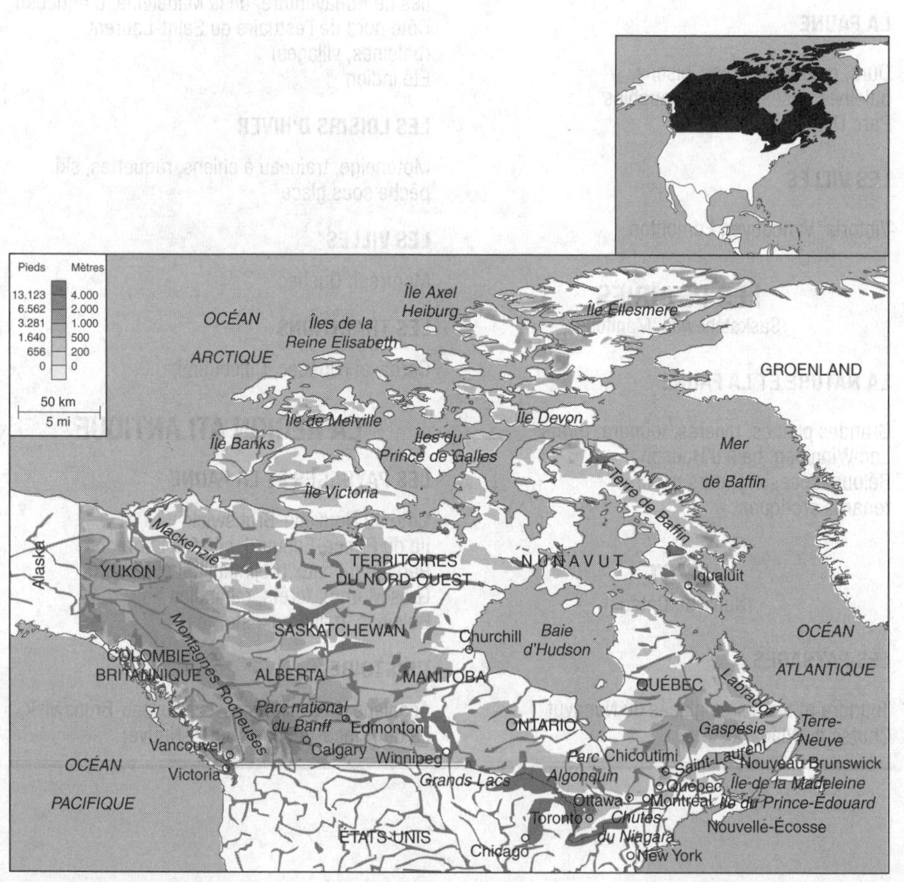

LES RAISONS D'Y ALLER, RÉGION PAR RÉGION, D'OUEST EN EST

L'OUEST

(Colombie britannique, Alberta, Yukon, Territoires du Nord-Ouest)

LES PAYSAGES

Montagnes Rocheuses (canyons, lacs glaciaires, chutes, parcs nationaux),
Badlands, île Vancouver (sapins de Douglas)
Côtes: fjords, archipels
Glaciers, icebergs, forêts boréales, lacs, canyons de la Nahanni-Sud, delta du Mackenzie
Terre de Baffin (ski nordique)
Sites des chercheurs d'or

LA FAUNE

Ours, mouflons, élans, bisons, baleines grises, orques, dauphins
Parc Dinosaur

LES VILLES

Victoria, Vancouver, Edmonton

LES PRAIRIES

(Saskatchewan, Manitoba)

LA NATURE ET LA FAUNE

Grandes plaines, rivières, toundra, forêts
Lac Winnipeg, baie d'Hudson
Bélougas, castors, ours polaires, renards arctiques

L'EST

(Nunavut, Ontario)

LES PAYSAGES

Toundra et territoires glacés du Nunavut
Chutes du Niagara
Parcs nationaux (Algonquin, parc Quetico, Grands Lacs)
Lac Ontario («Mille-Iles»), lac Huron

LES VILLES

Toronto, Ottawa

LE QUÉBEC

LES PAYSAGES ET LA FAUNE

Lacs, forêts, chutes, fleuves (Saint-Laurent, Saguenay)
Gaspésie (parc Forillon),
Iles de Bonaventure, de la Madeleine, d'Anticosti
Côte nord de l'estuaire du Saint-Laurent (baleines, villages)
Été indien

LES LOISIRS D'HIVER

Motoneige, traîneau à chiens, raquettes, ski, pêche sous glace

LES VILLES

Montréal, Québec

LES TRADITIONS

Carnaval (Québec, Chicoutimi)

LA RÉGION ATLANTIQUE

LES PAYSAGES ET LA FAUNE

Côte du Nouveau-Brunswick,
île du Prince-Édouard, côte du Labrador
Parcs nationaux (Kejimkujik, Louisbourg, Gros Morne), forêts, été indien
Baleines, macareux, sternes

L'HISTOIRE

Acadiens (Nouvelle-Écosse, Nouveau-Brunswick, île du Prince-Édouard, Terre-Neuve)

LES RAISONS D'Y ALLER

L'OUEST

(Colombie britannique, Alberta,
Yukon, Territoires du Nord-Ouest)

LES PAYSAGES

L'ouest canadien, traversé par la mythique voie de chemin de fer transcanadienne qui relie Montréal à Vancouver, est une région parsemée de ranches et dominée par les **montagnes Rocheuses,** avec leur content de panoramas et de vastes **parcs nationaux**, tels Banff (le plus ancien) et Jasper (le plus spectaculaire). Ces parcs sont reliés par une « route des glaciers » et sont à l'origine de multiples possibilités de randonnées en été ou de ski alpin et de fond en hiver.

Banff doit une grande part de sa beauté aux lacs Louise et Moraine. Avec de la chance, on peut y croiser des ours bruns, des grizzlis et des loups. **Jasper**, dominé par le mont Whistler et le glacier Athabasca (arches de glace, crevasses, cascades de séracs), a lui aussi ses lacs (Maligne, Medecine) et abrite grizzlis, wapitis, caribous et castors.

Autres sites : le **canyon** du Fraser, les formes et les couleurs violentes du chaînon Spectrum, les chutes de la Hunlen, dans le parc provincial Tweedsmuir, et les chutes de la rivière Murtle, dans le parc de Wells Gray. Une curiosité dans les **Badlands** du Red Deer, au sud-est de l'Alberta : les « hoo-doos », qui sont des cheminées de fées ou des blocs rocheux aux formes rendues insolites par le travail du vent.

Les archipels et les fjords valent aux paysages **côtiers** du Pacifique une réputation d'autant plus forte qu'ils sont parfois peu accessibles. Sur l'île **Vancouver**, la grande forêt de Cathedral Grove renferme des **sapins de Douglas**, arbres aux aiguilles vert sombre qui dépassent parfois 70 m et dont certains ont sept cents ans.

Glaciers, **icebergs**, **forêts boréales**, très grands parcs nationaux (parc Wood Buffalo, peuplé de milliers de bisons sauvages, dans les Territoires du Nord-Ouest, parc Kluane dans le Yukon), **lacs** aux noms imagés (Grand Lac de l'Ours, Grand Lac de l'Esclave) caractérisent cette région, la plus grande et la plus froide du pays.

Longtemps restés à l'écart du tourisme, les Territoires du Nord-Ouest voient se développer aujourd'hui plusieurs axes de visite : rencontre du peuple Inuit et des trappeurs, découverte des icebergs, des parcs nationaux, de la faune (Mackenzie Bison Sanctuary) et pêche dans les très nombreuses rivières. Les **randonnées** sous diverses formes (à pied, en kayak) ne sont plus une rareté, et des raids à skis ou la rencontre des Inuit sur la **Terre de Baffin** sont désormais possibles.

Après avoir traversé les reliefs tabulaires des monts Mackenzie, la rivière **Nahanni-Sud** a donné naissance à trois **canyons**, qui font le bonheur des amateurs de kayak. Autres centres d'intérêt du parc national engendré par cette rivière : la faune (ours, grizzlis), les chutes (Virginia) et les sources, dont l'une, à Rabbitkettle, est à l'origine de nappes blanches de calcaire posées sur des travertins qui rappellent ceux de Pammukale, en Turquie. La Nahanni-Sud rejoint ensuite le fleuve **Mackenzie**, qui se termine dans le Grand Nord par un delta fait d'un mélange spectaculaire d'eau, de boue et de glace.

Les amateurs de sensations fortes peuvent jouer les chercheurs d'**or** dans les lieux du **Yukon** où s'est dessinée l'histoire de la célèbre ruée au tournant du XXe siècle : Dawson, Carcross, Whitehorse, abords du fleuve Yukon.

LA FAUNE

Les Rocheuses offrent la possibilité de rencontrer une faune bien préservée et pas forcément farouche, même si elle a nom **ours**, **mouflons, élans, wapitis, orignaux, grizzlis**.

Dans l'Alberta, des troupeaux de **bisons** vivent dans des parcs ou des réserves. À Fort Macleod, a été édifié un musée historique; non loin de là, à Head Smashed-In Buffalo Jump, on peut voir le précipice au bas duquel ils étaient ramassés après avoir été incités à sauter.

Des **baleines grises** (entre mars et avril), des **orques** et des **dauphins** se laissent parfois admirer, et des saumons pêcher, le long des côtes et dans les détroits du nord de l'île de Vancouver (parc naturel Rim).

Pour avoir été découverts en grand nombre dans la région, les squelettes de dinosaures font l'objet d'une grande affluence dans le **Parc Dinosaur**, à l'est de Calgary.

LES VILLES

L'empreinte anglaise est forte à **Victoria**, capitale de la Colombie britannique sur l'île de Vancouver. Son Musée royal raconte l'histoire des Amérindiens de la côte ouest. **Vancouver**, ville cosmopolite, jeune, adossée à la montagne (elle accueille les jeux Olympiques d'hiver 2010), est plus réputée que Victoria grâce à sa baie, ses fjords, sa longue promenade côtière et son grand parc Stanley. On y trouve également un aquarium (avec orques et bélugas) et un musée (Art Gallery).

Edmonton mélange les genres: un musée des Civilisations amérindiennes et un imposant centre commercial. **Calgary** se distingue par son site agréable au pied des Rocheuses, par ses musées (musée Glenbow pour les Amérindiens, musée Tyrell pour les dinosaures), mais surtout par son *Stampede*: chaque année, pendant une dizaine de jours en juillet, s'affrontent les meilleures pointures du rodéo international au son des flonflons.

LES PRAIRIES

(Saskatchewan, Manitoba)

LA NATURE ET LA FAUNE

Deux mots symbolisent cette région centrale : le blé et le vent. Le premier s'étend sur des plaines interminables, le second profite de l'absence d'obstacles pour souffler à satiété. Le touriste qui n'aime pas l'infinité des grands espaces a peu à voir et à faire dans les Prairies mais il ne devra pas oublier les agréments des innombrables **rivières** (propices au canoë), la présence de la **faune** (castors, orignaux), les cascades et le grand lac **Winnipeg** (pêche, canoë). S'il passe par **Winnipeg**, capitale du Manitoba, au moment du Festival des voyageurs en février, il visitera le musée de l'Homme et de la Nature et il assistera, entre autres, à des courses de chiens attelés et à des spectacles musicaux dans le quartier francophone de Saint-Boniface.

En revanche, quiconque aime les paysages de **forêt** boréale et de **toundra** suivra les cours d'eau du nord du Manitoba, comme le fleuve **Churchill** qui se répand en lacs et chutes avant de gagner le port du même nom, sur la baie d'Hudson. A cet endroit, les **ours polaires** se laissent admirer à l'automne car ils se rassemblent pour gagner la banquise. Jusqu'à quand, vu les dégâts qu'exerce sur leur équilibre le réchauffement climatique?

L'EST

(Nunavut, Ontario)

LES PAYSAGES

Le Nunavut

Les intrépides ou les chercheurs de nouveaux horizons ont désormais l'occasion de satisfaire leurs exigences en découvrant la **toundra** et les immenses terres glacées du Nunavut, devenu un territoire administratif à part entière et où vivent sur deux millions de kilomètres carrés 25 000 **Inuit** entre traditions, modernité et grandes interrogations sur leur devenir, vu les premiers effets de la fonte de la banquise.

Le Nunavut, repaire des caribous et des ours polaires, connaît depuis quelque temps un mini-boom dans les programmes des voyagistes spécialistes grâce aux possibilités de **motoneige**, de **traîneau** à chiens, de ski de fond, de kayak de mer en été.

L'Ontario

L'Ontario renferme l'un des sites touristiques les plus courus du monde. En effet, après un cours large et plat, le fleuve **Niagara** laisse soudainement partir ses eaux pour un bond de 54 mètres, engendrant l'un des spectacles les plus banalement touristiques mais aussi les plus célèbres du monde. Le touriste est convié à descendre au pied des chutes et à se perdre dans leurs embruns à bord d'un bateau : cliché-souvenir garanti, surtout pour les jeunes mariés canadiens ou états-uniens, accourus ici en vertu d'une longue tradition. La partie des chutes qui appartient aux États-Unis a été remodelée mais passe inaperçue.

Les parcs nationaux sont en grand nombre pour justifier, ici aussi, la valeur touristique de la nature, avec en points d'orgue le parc **Algonquin**, près de Whitney, le parc **Quetico** et la région des **Grands Lacs**, où la qualité des sites naturels et la recherche des traditions pas tout à fait perdues des Indiens s'allient pour donner son poids touristique à l'endroit.

En lisière du lac Ontario, le labyrinthe des «**Mille-Iles**» (997 exactement) sur le Saint-Laurent entre Kingston et Brockville mérite une mini-croisière.

Le lac **Huron** varie les buts touristiques : on peut découvrir le village huron de Penetanguishene, au sud-est de la baie Géorgienne, ou arpenter les villages des Indiens Ojibwas sur l'île Manitoulin; on peut assister à des pow-wows en été, on peut également faire de la randonnée ou de la plongée le long de la péninsule Bruce. Sur la rive ouest du lac **Supérieur**, le parc provincial Sibley et, en partant vers l'ouest, les chutes de Kakabeka sont les sites les plus intéressants de cette partie de l'Ontario.

LES VILLES

Grâce à son cosmopolitisme, sa réputation de centre intellectuel, ses musées (Royal Ontario Museum) et sa ligne d'horizon urbaine (la structure autoportée de la Tour CN la fait culminer à 553 m), **Toronto** s'affiche comme la grande rivale de Montréal.

Malgré son titre de capitale, ses musées (musée des Beaux-Arts, Musée canadien des civilisations), son Parlement de style néo-gothique et l'embouchure du vénérable canal Rideau, popularisé l'hiver par le patinage, **Ottawa** est une ville qui fait peu parler d'elle, sauf pour les mélomanes qui, tous les deux ans, peuvent suivre un important festival de quatuors à cordes.

LE QUÉBEC

LES PAYSAGES ET LA FAUNE

Comme ailleurs au Canada, la nature est vaste et belle. En imposant sa couleur rouge au milieu de celles de l'automne, l'érable a rendu célèbre l'**été indien**, aussi beau que furtif (fin septembre-début octobre).

Les vallées perpendiculaires au Saint-Laurent sont bordées de forêts de sapins et parsemées de rivières, de cascades et de lacs, où l'amoureux des espaces verts comme l'amateur de descentes de rivières en canoë trouveront leur compte, avant de découvrir les institutions que sont le sirop d'érable et sa conséquence directe, les cabanes à sucre. Sans oublier les fêtes et festivals qui s'y rattachent.

Les sites les plus traditionnellement évoqués sont les **lacs** (Saint-Jean), les **chutes** (Montmorency, Sainte-Anne), les **gorges** (rivière Malbaie), les **fleuves** (le **Saint-Laurent**, épine dorsale de la province, mais aussi son affluent, le **Saguenay**, qui dessine un fjord très profond et flanqué d'à-pics). Entre la ville de Québec et le Saguenay, la région de **Charlevoix,** déclarée réserve mondiale de la biosphère, est, comme le parc national du **mont Tremblant**, au nord-ouest de Montréal, un condensé de tous les attraits de la province.

Le rocher Percé, en **Gaspésie**, falaise trouée d'une arche et dernière avancée de la chaîne des Appalaches, est le symbole d'une des régions les plus prisées du Québec avec, non loin de là, les escarpements du parc national Forillon comme points d'orgue pour les randonneurs.

Toujours en Gaspésie, qui occupe la rive sud de l'estuaire du Saint-Laurent, les amateurs de parapente et de deltaplane investissent Mont-Saint-Pierre, tandis que les paléontologues en herbe seront ravis d'examiner des fossiles animaux et végétaux vieux de 365 millions d'années dans le parc de Miguasha.

Au large, dans le golfe du Saint-Laurent, l'île de Bonaventure abrite une réserve ornithologique peuplée, entre avril et novembre, de dizaines de milliers de **fous de Bassan**, de **cormorans** à aigrette, de **macareux,** de goélands. Plus au large encore, les îles de la **Madeleine,** terre d'exil des pêcheurs acadiens, sont battues par les vents, qui découragent la végétation mais pas la faune aquatique (**phoques** et leurs **blanchons**) ni les homards.

Sur la rive nord de l'estuaire du Saint-Laurent, les **baleines** (baleines bleues) et leurs semblables (rorquals, cachalots, belugas) s'installent dans la baie de Tadoussac, entre avril et octobre, et sur le fleuve même au printemps, ravissant la vedette aux **orignaux** et aux **castors**, que l'on peut néanmoins découvrir dans le parc Forillon, évoqué plus haut. En partant vers le nord de cette région, trois passages obligés : les monolithes de Mingan, le village du bout du monde de Natashquan, patrie de Gilles Vigneault, et Blanc-Sablon, qui fut la porte d'entrée de Jacques Cartier au «Kébec».

Les adeptes de la pêche au saumon trouveront leur bonheur aux abords de la grande île **d'Anticosti**, au milieu du Saint-Laurent, où forêts et rivières voisinent avec les cerfs, les orignaux, les castors et les fous de Bassan.

Dans les environs du cap Tourmente, des centaines de milliers d'**oies sauvages** font une halte avant de gagner la Virginie.

A l'est de la province, en direction de la baie James, la route s'efface et laisse place à d'innombrables lacs et rivières, sur le territoire de légende des chercheurs d'or et des Indiens Cris.

LES LOISIRS D'HIVER

Ses étendues et l'abondance de sa neige valent au Québec une réputation justifiée de laboratoire de loisirs hivernaux (36 000 km de pistes balisées). Aujourd'hui, la mode est à la semaine «multi-activités», avec logement dans une pourvoirie, safari **motoneige** (circuit itinérant avec nuits en refuge), conduite personnelle du **traîneau à chiens**, randonnées en **raquettes** et parfois descente des pentes enneigées à bord... d'un bateau pneumatique.

Le **ski alpin** et le **ski de fond** gardent néanmoins droit de cité (stations du mont Sainte-Anne, de l'Outaouais, du lac Beauport et de la région des Laurentides). Autre « sport » en vogue : dans une cabane avec un trou percé dans la glace, on pratique la **pêche sous la glace** de lacs (lac Saint-Pierre, lac des Deux-Montagnes) où abondent les saumons.

LES VILLES

Bâtie entre le Mont-Royal et le Saint-Laurent, Montréal, deuxième ville francophone du monde, vaut par ses maisons victoriennes et de brique rouge, son pont Jacques-Cartier, son Vieux-Port, les rues branchées du plateau Mont-Royal, l'animation du «Village », sa densité culturelle (musée des Beaux-Arts, très important festival international de jazz en juillet), sa vie «souterraine» en hiver (30 km de galeries marchandes), ses coins de verdure (parc du Mont-Royal, jardin botanique), ses aptitudes à se transformer (Montréal a été déclarée récemment « ville design de l'Unesco »), son cosmopolitisme et, quelque peu oubliés dans l'ambiance futuriste de l'Amérique du Nord, ses édifices religieux, dont la basilique Notre-Dame et le vieux séminaire Saint-Sulpice.

Comme l'île d'Orléans, terre d'adoption de Félix Leclerc et l'un des premiers sites des arrivants de la Nouvelle-France, le quartier ancien de **Québec** et sa Place-Royale, berceau choisi par Champlain, ainsi que l'église Notre-Dame-des-Victoires (doyenne des églises en pierre du continent nord-américain) dégagent le plus fort parfum de culture « européenne » de l'Amérique du Nord. L'embouchure du Saint-Laurent, le château Frontenac et les plaines d'Abraham complètent le panorama.

LES TRADITIONS

« Chaleur » inattendue sous ces latitudes, mais bien réelle : le plus souvent dans la première quinzaine de février, la ville de **Québec** célèbre son carnaval dix-sept jours durant avec, entre autres, des courses en canot et de traîneaux à chiens, ainsi qu'un concours de sculptures sur neige. **Chicoutimi** possède également son carnaval.

Des traditions plus anciennes mènent certains visiteurs sur la côte nord du Québec, à la rencontre des Indiens Montagnais, ou dans la partie nord-ouest, aux confins de l'Ontario.

LA RÉGION ATLANTIQUE

(Nouveau-Brunswick, Nouvelle-Écosse, île du Prince-Édouard, Terre-Neuve-et-Labrador)

LES PAYSAGES ET LA FAUNE

Partout ou presque, la forêt ou des paysages verdoyants invitent à la randonnée, avec des haltes dans des ports de pêche où la morue et le homard sont rois.

Les buts de voyage sont multiples :

– dans les parcs nationaux (parc de Fundy et son « Fundy Trail », parc de Kouchibouguac) du **Nouveau-Brunswick**; au sud de cette même province, dans la baie de **Fundy**, se concentrent en été les baleines franches, les sternes et les macareux;

– en **Nouvelle-Écosse**, le parc national Kejimkujik (forêts et lacs) et le site des villes d'Halifax et de Sydney (grande forteresse du XVIIIe siècle) donnent à cette région une valeur touristique injustement méconnue;

– les paysages et les plages de l'**île du Prince-Édouard**;

– les sites de l'île du **Cap Breton** (Louisbourg National Historic Site, Cabot Trail).

Tant au Nouveau-Brunswick qu'en Nouvelle-Écosse, l'**été indien** est somptueux, quand l'érable et l'épinette rouge mêlent leurs couleurs à celles du sapin baumier et du bouleau jaune dans les grandes **forêts** qui longent le fleuve Saint-Jean.

La côte nord-est du **Labrador** mérite d'être connue pour ses fjords, ses falaises, ses chutes et sa faune marine. Elle est longée en été par des bateaux de **croisière**, qui y font de courtes haltes.

Terre-Neuve, sa toundra, ses tourbières, ses forêts, ses marécages et surtout, sur la côte ouest, les falaises et les fjords qui jalonnent le parc national du Gros Morne (caribous, orignaux) n'attirent pas vraiment le grand tourisme, mais les traditions de pêche à la morue et au hareng, nées de l'arrivée des pêcheurs français au XVIe siècle, restent vives, surtout sur la côte sud. Les activités hivernales (motoneige, ski de fond) ajoutent à l'intérêt de l'île.

L'HISTOIRE

C'est en Nouvelle-Écosse (Shediac), dans une partie du Nouveau-Brunswick (Grand-Pré, Port-Royal), dans l'île du Prince-Édouard et à Terre-Neuve que se rencontrent la majorité des 350 000 **Acadiens**, secoués par l'histoire depuis plus de trois siècles mais toujours attachés à leur francophonie.

LE POUR

◆ Une des plus grandes bouffées d'air pur de la planète : l'exaltation des vertus de la nature canadienne est justifiée.

◆ Un pays qui bénéficie de très nombreuses propositions de la part des voyagistes mais qui est également facile à découvrir par soi-même.

LE CONTRE

◆ Pour l'ouest et les Rocheuses, le coût encore élevé du voyage par rapport au Québec.

LE BON MOMENT

A-t-on idée qu'il peut faire chaud au Canada ? C'est pourtant vrai par endroits **entre juin et août**, période la plus favorable. L'existence d'un tourisme d'été (les parcs nationaux peuvent être vus dès fin mai jusqu'à fin septembre) et d'un tourisme d'hiver – un hiver rude – ouvre tous les choix de période de visite.

Pour l'extrême nord et le Nunavut, les meilleurs moments sont forcément très brefs mais sans nuit (juillet et août).

◆ Températures moyennes jour/nuit (en °C)

Montréal (est) : janvier -7/-17, avril 11/0, juillet 26/14, octobre 12/2.

Pond Inlet (Nunavut) : janvier -20/-45, juillet -10/25,

Toronto (sud-est) : janvier -1/-8; avril 11/2, juillet 27/16, octobre 15/6.

Vancouver (ouest) : janvier 6/1, avril 13/5, juillet 22/13, octobre 14/7.

Winnipeg (ouest) : janvier -13/-23, avril 10/-3, juillet 26/13, octobre 11/0.

LE PREMIER CONTACT

En Belgique

Ambassade, avenue de Tervuren, 2, B-1040 Bruxelles, ☎ (02) 741.06.11, fax (02) 741.06.43, www.ambassade-canada.be

En France

◆ Commission canadienne du tourisme, Paris (fermée au public), ☎ 01.43.12.80.41 ◆ Destination Québec, ☎ 0.800.90.77.77 ◆ Maison du Nunavut, c/o Grand Nord Grand Large, ☎ 01.40.46.05.14.

Au Luxembourg

Consulat honoraire, Luxembourg, ☎ 26.27.05.70, fax 26.27.06.70.

En Suisse

Consulat, 5, avenue de l'Ariana, CH-1202 Genève, ☎ (22) 919.92.00, fax (22) 919.92.71.

Autres sites Internet

www.decouvertecanada.fr (site de la Commission canadienne du tourisme)

www.bonjourquebec.com (site de Destination Québec)

www.canadatravel.ca
www.destinationnunavut.com
www.pc.gc.ca (parcs nationaux)
www.montrealplus.ca
www.city.vancouver.bc.ca
www.nunavuttourism.com
www.viarail.com (train *Le Transcanadien*)

Guides

Calgary (Éditions Ulysse),

Canada (Gallimard/Bibl. du voyageur, Le Petit Futé, Marcus, Mondeos, National Geographic France, Ulysse), *Canada Est* (Nelles),

Canada Ouest (Marcus), *Canada Ouest et Ontario* (Hachette/Guide du routard), *Destination Nunavut* (destinationnunavut.com), *Fabuleux Canada* (Ulysse), *Fabuleux Ouest canadien* (Ulysse), *Ontario* (Ulysse), *Ontario et chutes du Niagara* (Le Petit Futé), *Ottawa, Hull* (Ulysse), *Ouest canadien* (Ulysse), *Ouest canadien, Vancouver, escapade à Seattle* (Le Petit Futé), *Ouest du Canada* (JPM Guides), *Provinces atlantiques du Canada* (Ulysse), *Randonnées pédestres dans les Rocheuses canadiennes* (Ulysse), *Toronto* (Ulysse), *Vancouver, Victoria et Whistler* (Ulysse).

QUÉBEC

Balades à vélo dans le sud du Québec (Ulysse), *Balades et circuits enchanteurs au Québec* (Ulysse), *Camping au Québec* (Ulysse), *101 idées d'activités estivales au Québec* (Ulysse), *Cyclotourisme au Québec* (Ulysse), *Délices et séjours de charme au Québec* (Ulysse), *Escapades et douces flâneries au Québec* (Ulysse), *Fabuleux Québec* (Ulysse), *Gaspésie, Bas Saint-Laurent, îles de la Madeleine* (Ulysse), *Gîtes et Auberges du Passant & tables et relais du terroir* (Ulysse), *Guide des parcours canotables du Québec* (Broquet), *Kayak au Québec* (Ulysse), *les Meilleurs Spas au Québec* (Ulysse), *les Parcs nationaux de la Gaspésie et du bas Saint-Laurent* (Ulysse), *Passeport québécois* (Ulysse), *le Québec à moto* (Ulysse), *le Québec cyclable* (Ulysse), *le Québec en patins à roues alignées* (Ulysse), *le Québécois pour mieux voyager* (Ulysse), *Randonnée pédestre au Québec* (Ulysse), *Raquette et ski de fond au Québec* (Ulysse), *le Sentier transcanadien au Québec* (Ulysse), *Ski alpin au Québec* (Éditions Ulysse), *Tout savoir sur le Québec* (Ulysse),

Montréal (Gallimard/Cartoville, Hachette/Un grand week-end, Ulysse), *Montréal à vélo* (Ulysse), *Fabuleux Montréal* (Ulysse), *Montréal en métro* (Ulysse), *Montréal en tête* (Ulysse), *Montréal au fil de l'eau* (Ulysse), *Montréal pour enfants* (Ulysse), *Montréal et Québec* (Hachette/Top 10), *les Plus Belles Escapades à Montréal et ses environs* (Ulysse), *Randonnée pédestre, Montréal et environs* (Ulysse),

Québec (Gallimard/Encycl. du voyage, Gallimard/Geoguide, Hachette/Évasion, Hachette/Un grand week-end, Hachette/Voir, Lonely Planet France, Marcus), *le Québec* (Ulysse), *le Québec et l'Ontario* (Ulysse), *Québec et provinces atlantiques* (Le Petit Futé), *Québec et provinces maritimes* (Hachette/Guide du routard), *Ville de Québec* (Ulysse).

Cartes

L'*Interstate Road Atlas* de National Geographic couvre le Canada, les États-Unis et le Mexique. Penser aussi au *Canada* de l'IGN, aux *Canada est* et *Canada ouest* de Blay Foldex, au *Québec* de Map Art.

Lectures

Dictionnaire des expressions québécoises (Bibliothèque québécoise, 2005), *les Voyages de Jacques Cartier : à la découverte du Canada* (L'Ecole des loisirs, 2006).

La peinture des mœurs québécoises est l'affaire de Denise Bombardier, dont le dernier roman, *Edna, Irma et Gloria*, est chez Allbin Michel. Les romans d'Antonine Maillet, tels que *la Sagouine* (Bibliothèque québécoise, 2000), sont précieux pour comprendre l'histoire des Acadiens. Pour le Grand Nord, lire les journaux d'expédition de Jean Malaurie, *Hummocks* , chez Omnibus.

Images

Le Canada (Chêne, 2008), *Canada entre ciel et terre* (Erin McCloskey, National Geographic, 2006), Canada : une autre Amérique (Rolf Hicker, Vilo, 2005), Promenades à Québec (Pierre Caron, VLB Editions, 2008).

Vidéos et DVD

DVD Guides : Canada, la grande aventure (TF1 vidéo 2001), Canada : Découverte de l'ouest canadien, de Vancouver au parc national de Banff (Hendrick Pascal, Voyage), *Nouveau Brunswick : Découverte de l'Acadie, au cœur d'une des provinces maritimes du Canada* (Voyage).

QUEL VOYAGE ET À QUEL PRIX ?

Le voyage individuel

Les préparatifs

◆ Pour les ressortissants de l'Union européenne, passeport en cours de validité suffisant pour un séjour de moins de trois mois, billet de retour ou de continuation exigible.

◆ Monnaie : le *dollar canadien* (la « piastre » pour les Québécois) est subdivisé en 100 cents. 1 EUR = 1,72 dollar canadien. 1 US Dollar = 1,22 dollar canadien. Emporter des euros en espèces ou en chèques de voyage.

◆ Bien vérifier son assurance car le coût des soins hospitaliers est élevé.

Le départ

◆ Indice de prix à certaines dates du vol Paris-Montréal A/R : 550 EUR; Paris-Vancouver A/R (via Montréal ou Toronto): 800 EUR. Nombreux vols charters pour Montréal, Vancouver et Québec. ◆ Durée moyenne du vol Paris-Montréal (5 525 km) : 7 h 30; Paris-Vancouver : 10 h 30. ◆ Système du *pass* pour les vols intérieurs en vigueur, par exemple chez Air Canada, qui octroie des tarifs encore plus avantageux si le vol international a été effectué sur ses lignes.

Sur place

Bateau

Des bateaux rapides (compagnie « Dauphins du Saint-Laurent ») relient Montréal à Québec en quatre heures.

Hébergement

◆ Au Québec, la nuit et le petit déjeuner chez l'habitant (aux alentours de 65 EUR en chambre double) avec les « Gîtes et Auberges du passant » (renseignements auprès de Comptoir des Amériques, Tourisme chez l'habitant). ◆ Original au Québec : le logement au cœur d'un bois dans une pourvoirie, sorte de hameau fait de quelques chalets en rondins et qui, à l'origine, était un lieu destiné à la pêche et à la chasse sportives. ◆ Il existe environ 70 auberges de jeunesse à travers le pays, www.hihostels.ca/en/home.aspx

Route

◆ Circulation à droite. ◆ Système kilométrique. ◆ Le prix des carburants peut varier selon les provinces mais reste bas par rapport à l'Europe. Limitations de vitesse agglomérations/routes/autoroutes : 50/90/100 km/h. Limite du taux d'alcoolémie autorisé : 0,8 g/l, 0 pour les 16-21 ans et les nouveaux conducteurs. ◆ Pour qui choisit le bus, étudier les formules Canada Pass et Canada Hostelling Pass pour Toronto, Ottawa, Québec et les Provinces maritimes. Renseignements auprès de la Commission du tourisme.

Train

◆ Pour *le Transcanadien* et ses wagons d'acier qui, sur 4 000 km, vont de Vancouver à Toronto en 3 jours/2 nuits, comme pour tout voyage ferroviaire, il existe une carte Canrailpass (valide 30 jours pour tout le pays). ◆ Les amateurs des grands espaces de l'ouest prennent le train panoramique *Rocky Mountaineer* (2 jours de Vancouver à Calgary).

Vie quotidienne

◆ Courant 110 volts, adaptateur nécessaire. ◆ Le pourboire est monnaie courante, aux alentours de 15 %.

Le séjour en individuel

Rappel : nous nous sommes limités à un résumé des prestations en vigueur dans les agences et chez les voyagistes présents en France. Les lecteurs des autres pays peuvent en tirer des idées d'itinéraire et les compléter auprès de leurs agences de voyages.

◆ La voiture ou le motorhome est vivement recommandé au voyageur individuel : contrairement aux idées reçues, il est préférable de louer en agence de voyages *avant* le départ pour faire des économies (de 200 à 400 EUR la semaine selon le gabarit). ◆ Très nombreuses propositions d'autotours (voiture de location + hôtel à l'étape), par exemple chez Comptoir des Amériques ou Vacances Transat (pour l'ouest), Nouvelles Frontières et Vacances fabuleuses (pour le Québec). Compter environ 1 500 EUR pour un autotour de 10 jours/8 nuits dans l'ouest, moins dans l'est.

◆ Le carnaval de Québec fait désormais l'objet de programmations spécifiques en février (Jet Set, Vacances Transat).

◆ Une vogue de séjours éclair sur un grand week-end pour Montréal et Québec se développe. Si l'on prend plus de temps, une minicroisière sur le Saint-Laurent entre les deux villes est facile à trouver.

Le voyage accompagné

◆ Le voyage est physique presque partout (canoë, kayak, marche, sports de neige, traîneau à chiens, motoneige) mais il ne faut pas en déduire qu'il est réservé à une clientèle jeune : un pays aussi vaste ne connaît pas de telles restrictions...

◆ *Les premiers prix d'un circuit accompagné en été dans l'est du Canada peuvent se trouver aux alentours de 900 EUR pour 10 jours, de 1 400 EUR pour 15 jours. Le voyage dans l'Ouest, en revanche, moins couru par des francophones rivés à l'aimant du Québec, revient plus cher.*

POUR L'OUEST

◆ Le voyage le plus classique consiste en un circuit en minibus (Comptoir du Canada, Jetset/Equinoxiales, Kuoni, Nouvelles Frontières, TUI France, Vacances Transat), avec un coût des prestations plutôt élevé : *aux environs de 2 300 EUR pour 12 jours en pension complète.*

◆ Pour les **marcheurs**, grands espaces garantis en été, entre autres avec Allibert, Atalante, Club Aventure, Nomade Aventure et Terres d'aventure dans les Rocheuses via les parcs de Banff et Jasper. Le circuit se termine parfois en beauté par le duo Victoria/île de Vancouver. Durée : 15 à 20 jours. *Coût moyen : 2 500 EUR en haute saison.*

◆ Spécifiques : le **rafting**, le **kayak** ou l'observation des orques (Grand Nord Grand Large, départs entre mai et septembre); en Colombie britannique, la recherche, pour la **photo** du siècle, des ours noirs et des grizzlys avec Objectif Nature; la rencontre des **Inuit** de la Terre de Baffin avec Tamera; les **fêtes** de **fin d'année** dans le Yukon en conduisant et en gérant son propre attelage (Grand Nord Grand Large).

◆ Combiné **Canada/États-Unis** avec les glaciers de l'Alaska et le Yukon (Explorator, 17 jours en été), ou les parcs de Banff, Jasper, le Montana et Yellowstone (Club Aventure, Comptoir des Amériques). Continents insolites propose un doublé peu programmé (des Rocheuses canadiennes au Grand Canyon).

◆ En automne et en hiver, Grand Nord Grand Large attend les **aurores boréales** dans les Territoires du Nord-Ouest. La **Terre de Baffin**, une île aux grands espaces glacés, reçoit les **traîneaux** à chiens des découvreurs de la banquise à l'instigation de Grand Nord Grand Large (départs en avril et mai).

POUR LES PRAIRIES

Plutôt rares, les prestations pour cette région ! Les balades en canoë dans la région de Winnipeg sur les **rivières** Bloodvein et Gammon, coupées de rapides, n'en sont que plus recommandables (Fleuves du monde, nuits sous tente, 15 jours entre juin et août).

Un grand moment : l'attente de la formation de la banquise par les **ours polaires** à Churchill, sur la baie d'Hudson, fin octobre début novembre (Grand Nord Grand Large, Objectif Nature).

POUR L'EST

◆ Ceux qui rêvaient d'explorer le territoire autonome des Inuit, le **Nunavut**, sont désormais servis. Ses ours polaires, ses narvals, ses baleines et ses traditions restent peu connus. De telles possibilités sont données en été (raids en kayak) comme en hiver par Grand Nord Grand Large. *Coût élevé : de 2 500 EUR pour 8 jours à 3 100 EUR pour 15 jours.*

◆ Incontournables dans le sud de l'Ontario : les chutes du **Niagara**, abordables de mille façons et par tous les voyagistes présents au Canada, soit au départ de New York, soit couplées avec un voyage-découverte au Québec.

POUR LE QUÉBEC

En hiver

◆ Pleins feux sur la **motoneige** pour une initiation ou bien pour un safari d'une semaine (logement en refuge) et des centaines de kilomètres parcourus. La plupart des voyagistes sacrifient à cet engouement, souvent agrémenté de pêche, parfois de thalasso. Quelques prestataires : Arvel, Comptoir du Canada, Jetset/Equinoxiales, Jet Tours, Kuoni, Nouvelles Frontières, Vacances fabuleuses, Vacances Transat, Voyageurs du monde.

◆ On peut aussi jouer les trappeurs ou les « mushers » en apprenant à conduire un **traîneau** et son **attelage**, derrière quatre ou cinq chiens et à raison de 30 à 60 km par jour, seul ou à deux, via certains des voyagistes précités, Atalante ou Grand Nord Grand Large, qui poursuit jusqu'aux confins du Labrador. On peut aussi séjourner dans un **hôtel de glace** (Jetset/Equinoxiales). *Pour un tel voyage ou une une semaine « multi-activités », compter aux alentours de 2 500 EUR la semaine* *en période haute (fin d'année et février, par exemple), souvent avec réduction de 30 % environ pour les moins de 12 ans.*

◆ Entre décembre et mars, du **ski alpin** et du **ski de fond** dans le parc du mont Sainte-Anne sont proposés par Nouvelles Frontières, qui est aussi sur des **raquettes** à Saint-Paul-de-Montminy. Grand Nord Grand Large prend une pourvoirie comme base pour la conduite d'attelage, les raquettes et le ski de fond (décembre à mars).

En été

◆ On **marche** au cours de séjours de 15 jours en moyenne, mais à raison de 4 à 5 heures par jour et sans difficulté, sur les sentiers de Gaspésie, du Saguenay et du Bas Saint-Laurent, tout en essayant d'apercevoir des caribous et en rendant visite aux baleines dans le fjord du Saguenay (Allibert, Club Aventure, Nomade Aventure, entre autres, entre août et septembre). On fait aussi du **canot** sur la terre des Algonquins, vers la baie James (Comptoir des Amériques) ou du kayak des mers dans le fjord du Saguenay (Atalante).

◆ Il existe également un voyage non sportif avec la visite de Montréal, Québec et Ottawa (Clio), les deux villes phares étant couplées au fjord de Saguenay et à l'observation des baleines (Comptoir des Amériques). Nouvelles Frontières semble s'être spécialisé dans le Québec en **minibus**, au vu de ses nombreuses propositions estivales.

◆ Le Québec de l'**été indien** : circuits classiques pour végétation aux couleurs hors du commun, 8 à 12 jours, départ fin septembre, *environ 1 500 EUR* (Vacances Canada).

◆ Entre fin février et fin mars, Grand Nord Grand Large propose d'aller voir les **bébés phoques** aux îles de la Madeleine.

LA RÉGION ATLANTIQUE

◆ Le Haut Arctique du Canada au Groenlad : cette **croisière** est due à Grand Nord Grand Large, qui va beaucoup plus haut – mais est alors beaucoup plus cher – quand il gagne en brise-glace l'île Ellesmere. Quant au *Levant* (Compagnie des Iles du Ponant), il vogue de Terre-Neuve au lac Érié via le **Saint-Laurent**, qui fait lui-même l'objet de très nombreuses offres de mini-croisières.

◆ Atalante est en « rando-croisière » sur la côte est de la Nouvelle-Écosse. De son côté, le *MV Explorer* (Scanditours) fait le tour de Terre-Neuve avec la possibilité d'observer tant les baleines que les icebergs, et la certitude de voir les traditions de la pêche et de l'agriculture de l'île. *Le seul écueil à ces plaisirs de la croisière nordique est leur prix, qui gravite au minimum autour de 3 000 EUR pour 10 jours.*

QUE RAPPORTER ?

Les plus anciennes traditions sont indiennes, donc celles de l'artisanat le sont aussi : masques, tissus, bijoux. L'artisanat des Inuit se développe, alors qu'une bouteille de sirop d'érable ramenée du Québec est tout un symbole.

LES REPÈRES

◆ Lorsqu'il est midi en France, il est 3 heures à Vancouver et 6 heures à Montréal. ◆ Langues officielles : anglais (62 %), français (25 %, parlé par les Québécois mais aussi par un tiers des habitants du Nouveau-Brunswick). ◆ Téléphone vers le Canada : 001 + indicatif (Montréal : 514; Ottawa : 613 ; Québec : 418) + numéro; du Canada : 011 + indicatif pays + numéro sans le zéro initial.

LA SITUATION

Géographie. Avec ses 9 970 610 km^2, le Canada est le deuxième pays du monde en superficie après la Russie. D'ouest en est : les montagnes Rocheuses, les plateaux du Yukon et de la Colombie britannique, des basses terres (Ontario) relevées par le plateau laurentien au Québec et les montagnes côtières trouées de fjords.

Population. 32 852 800 habitants (dont 700 000 Indiens) : un chiffre modeste par rapport à la superficie, malgré une immigration longtemps soutenue. Les villes accueillent huit habitants sur dix et les plus grandes d'entre elles sont cosmopolites. La capitale Ottawa est nettement moins peuplée que Toronto, Montréal et Vancouver.

Religion. 46 % des Canadiens sont catholiques, 41 % sont protestants. Nombreuses minorités religieuses.

Histoire. *1497* Jean Cabot, un Italien, premier arrivant européen. *1534* Le Français Jacques Cartier prend possession de l'endroit au nom de François Ier et remonte le Saint-Laurent l'année suivante. *1608* Champlain fonde Québec. *1665* Essor de la Nouvelle-France. *1763* Les Anglais battent les Français et deviennent maîtres du pays. *1926* Indépendance du Canada dans le cadre du Commonwealth. *1984* Brian Mulroney est élu Premier ministre. *1990* L'accord de Meech Lake préserve la langue française au Québec. *Octobre 1992* Les Canadiens repoussent le projet de réforme de leur constitution. *Octobre 1993* Le parti libéral fédéral remporte largement les élections générales : Jean Chrétien est le nouveau Premier ministre. *Septembre 1994* Les souverainistes et Jacques Parizeau remportent les législatives au Québec. *Octobre 1995* Les Québécois disent non à l'indépendance (50,6 % contre 49,4 %). *Avril 1999* Création d'un nouvel État, le Nunavut, territoire des Inuit. *Avril 2003* Le Parti libéral du Québec (PLQ) et Jean Charest, qui devient Premier ministre, mettent fin à dix ans de pouvoir du Parti québécois. *Février 2006* Stephen Harper devient Premier ministre d'un pays au taux de croissance soutenu.

Cap-Vert

A 450 km de Dakar et en plein océan Atlantique, le Cap-Vert est une destination qui monte. Sa population, qui mêle des influences venues d'Afrique, du Brésil et du Portugal, voit s'accélérer le développement du tourisme balnéaire, nautique et pédestre. Si les amateurs de surf et de planche à voile trouvent ici des alizés bienveillants, les randonneurs et les écotouristes contribuent à une évolution touristique intelligente, avec les profondes vallées de l'île de Santo Antão en point d'orgue.

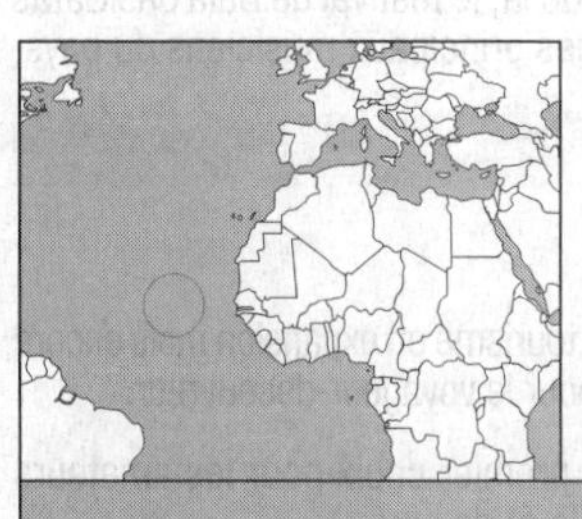

LES RAISONS D'Y ALLER

LES PAYSAGES

Randonnées (Santo Antão, Fogo, São Vicente)

LES CÔTES

Plages (Sal), windsurf (Sal, São Vicente, São Tiago), funboard, plongée, pêche

LES TRADITIONS

Danses, musique (morna), carnaval (Mindelo)

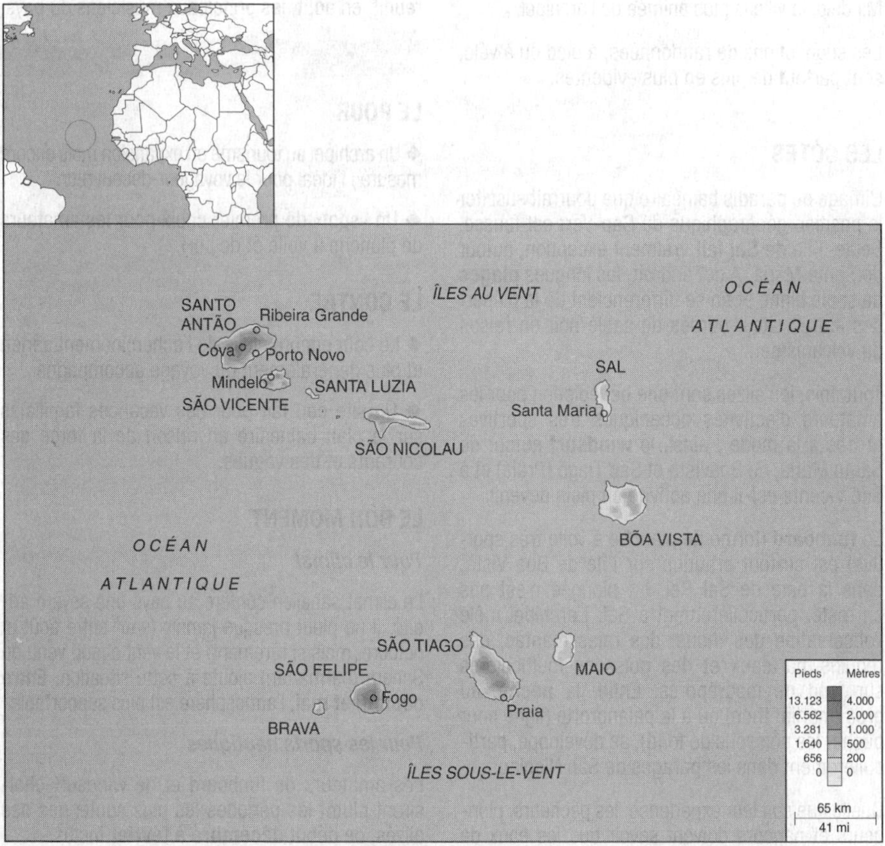

LES RAISONS D'Y ALLER

LES PAYSAGES

Santo Antão, la plus occidentale des dix îles de l'archipel, est la préférée de beaucoup. Sa partie nord est coupée de ribeiras, véritables canyons où les agriculteurs ont réussi des modèles de cultures en terrasses. La tradition de la canne à sucre et la diversité de la flore autorisent par endroits bien des espoirs d'un développement (éco)touristique intelligent et mesuré, à base de randonnées autour de Ribeira Grande (ribeiras de Paúl et de Figueiral, entre autres).

Le volcan São Felipe, sur l'île de **Fogo**, est le deuxième point d'ancrage des randonneurs. Ailleurs, se succèdent des images de plateaux désertiques et de végétation luxuriante, par exemple sur l'île de São Vicente, qui renferme également Mindelo, la ville la plus animée de l'archipel.

Les suggestions de randonnées, à pied ou à vélo, sont partout de plus en plus évidentes.

LES CÔTES

L'image de paradis balnéaire que pourrait susciter la position géographique du Cap-Vert est fausse. Seule, l'île de **Sal** fait vraiment exception, autour de Santa Maria. A cet endroit, les longues **plages** de sable blanc et fin se différencient de la plupart des autres sites, bordés de sable noir en raison du volcanisme.

Toutefois, les alizés sont une bénédiction pour les amateurs d'activités océaniques très sportives et très à la mode : ainsi, le **windsurf** autour de Santa Maria, de Boavista et São Tiago (Praia) et à São Vicente est-il une activité en plein devenir.

Le **funboard** (forme de planche à voile très sportive) est surtout pratiqué sur l'île de Boa Vista, dans la baie de Sal Rei. La plongée n'est pas en reste, particulièrement à Sal. L'archipel mêle l'observation des thons, des raies mantas, des requins-marteaux et des poissons multicolores sur fond de madrépores. Enfin, la **pêche**, au gros (marlin, thon) ou à la palangrotte (ligne pour pêcher les poissons de fond), se développe, particulièrement dans les parages de São Nicolau.

Quelle que soit leur expérience, les pêcheurs, plongeurs et nageurs doivent savoir que les eaux de l'Atlantique sont puissantes et dangereuses sous ces latitudes, surtout quand soufflent les alizés.

LES TRADITIONS

Impossible, aujourd'hui, de prononcer le mot Cap-Vert sans lui adjoindre celui de la « chanteuse aux pieds nus », Cesaria Evora. Elle a offert une réputation universelle à son archipel grâce à ses interprétations de **mornas**, qui expriment à la fois l'exil, l'amour, le désespoir, la sodade (sorte de mélancolie) mais aussi l'énergie du peuple capverdien, sur fond de pauvreté et de passé traversé par l'esclavage.

Ces traditions se vivent et s'entendent surtout à **Mindelo** (São Vicente), le berceau de Cesaria Evora. C'est de cette jolie ville, sise dans une baie et à la douce architecture colorée, que s'échappent les grands courants de pensée du Cap-Vert, avec en point d'orgue un carnaval au mois de février. Non loin de là, le festival de Baia das Gatas réunit, en août, les principaux musiciens du pays.

LE POUR

◆ Un archipel au tourisme en expansion mais encore mesuré : l'idéal pour le voyageur-découvreur.

◆ Un «spot» de premier choix pour les amateurs de planche à voile et de surf.

LE CONTRE

◆ Le coût encore élevé de l'acheminement aérien et plus généralement du voyage accompagné.

◆ Un site peu fait pour des vacances familiales sur le plan balnéaire en raison de la force des courants et des vagues.

LE BON MOMENT

Pour le climat

Le climat sahélien confère au pays une sévère aridité. Il ne pleut presque jamais (sauf entre août et octobre, mais si rarement) et le vent chaud venu du Sahara (harmattan) ajoute à cette situation. **Entre octobre et mai**, l'atmosphère est plus supportable.

Pour les sports nautiques

Les amateurs de funboard et de windsurf choisiront plutôt les périodes les plus soutenues des alizés, de début **décembre à février** inclus.

◆ Températures moyennes jour/nuit en °C à *Praia* : janvier 25/20, avril 26/21, juillet 28/24, octobre 29/24. ◆ Eau de mer : moyenne de 24°.

LE PREMIER CONTACT

En Belgique

Ambassade, avenue Jeanne, 29, B-1050 Bruxelles, ☎ (02) 643.62.70, fax (02) 646.33.85, emb.caboverde@skynet.be

En Amérique du Nord

Ambassade, Washington D.C., Etats-Unis, ☎ (202) 965-6820, fax (202) 965-1207, www.virtualcapeverde.net

En France

Consulat, 3, rue de Rigny, F-75008 Paris, ☎ 01.42.12.73.50, fax 01.40.53.04.36, ambassade-cap-vert@wanadoo.fr

Au Luxembourg

Ambassade, 46, rue Goethe, L-1637 Luxembourg, ☎ 26.48.09.48, fax 26.48.09.49.

En Suisse

Consulat, avenue Blanc, 47, Genève, ☎ (22) 731.33.36, fax (22) 731.35.40.

Internet

www.cap-vert.com
www.mindelo.info

Guides

Afrique de l'Ouest (Lonely Planet France), *Cap-Vert* (Le Petit Futé, Jaguar, Mondeos, Olizane).

Cartes

Cape Verde (ITM), *Cap-Vert* (Olizane).

Images

Découverte des îles du Cap-Vert (Sépia, 2000).

Lectures

Cap-Vert, notes atlantiques (Jean-Yves Loude, Actes Sud, 2002), *Cesaria Evora, la diva du Cap-Vert* (Sandrine Teixido, Ed. Demi-Lune, 2008), *Récits et nouvelles du Cap-Vert : Claridade* (Chandeigne, 2006), *Un domaine au Cap-Vert* (Henrique Teixeira De Sousa, Actes Sud, 2002).

QUEL VOYAGE ET À QUEL PRIX ?

Le voyage individuel

Les préparatifs

◆ Pour les ressortissants de l'Union européenne, canadiens, suisses : passeport encore valide six mois après la date prévue de leur retour, visa obligatoire, obtenu auprès du consulat. Informations aléatoires sur l'obtention possible du visa à l'arrivée, se renseigner impérativement avant le départ.

◆ Aucun vaccin n'est requis. Risque (limité) de paludisme sur l'île de São Tiago.

◆ Monnaie : l'escudo du Cap-Vert. 1 EUR = 111 escudos du Cap-Vert. 1 US Dollar = 79 escudos du Cap-Vert. Emporter des euros ou des US Dollars en espèces ou en chèques de voyage.

Le départ

◆ Indice de prix à certaines dates du vol Paris-Sal A/R : 600 EUR. ◆ Durée moyenne du vol Paris-Sal : 5 h 30. ◆ Aéroports internationaux à Praia et sur l'île de Sal.

Sur place

Avion

◆ Toutes les îles sont équipées d'un aéroport. La TACV-Cabo Verde (compagnie nationale) assure des vols interîles réguliers. ◆ Système du *pass* – coupons – en vigueur.

Bateau

Ferries entre les îles. Itinéraires réguliers mais fréquences et heures de départ aléatoires.

Hébergement

Les pensions, simples et bon marché, sont le mode de logement le plus répandu. Le logement chez l'habitant est également possible.

Route

◆ Conduite à droite, routes principales étroites mais pavées. ◆ Il existe des taxis *(aluguers)* et des taxis collectifs (*carrinhos*, la plupart tout-terrain) que l'on peut aussi louer à la journée, de préférence avec chauffeur. ◆ Location sans chauffeur possible à Santiago et São Vicente, permis de conduire international conseillé.

Le séjour en individuel

Rappel : nous nous sommes limités à un résumé des prestations en vigueur dans les agences et chez les voyagistes présents en France. Les lecteurs des autres pays peuvent en tirer des idées d'itinéraire et les compléter auprès de leurs agences de voyages.

◆ Les agences locales sont très actives. Les prestations sont axées soit sur un thème précis (par exemple la pêche ou le funboard), soit sur la randonnée, ou encore sur un circuit d'une semaine.

◆ La **plongée** est proposée principalement à partir de l'île de Sal. Des séjours d'une semaine en moyenne sont prévus par Aquarev, Nouvelles Frontières, Ultramarina, Voyageurs du monde. *De telles prestations se situent entre 1 100 et 1 400 EUR la semaine.*

◆ Le **farniente** s'étend sur l'île de Sal, qui voit poindre les hôtels-clubs et formules tout compris.

Le voyage accompagné

◆ Le voyage au Cap-Vert séduit les spécialistes de la **randonnée**, qui ont un faible pour les sentiers pavés de Santo Antão et l'ascension du volcan Fogo. Allibert (Santo Antão ou Fogo), Atalante (sur Boa Vista), La Balaguère, Club Aventure (Sal et Boa Vista), Nomade Aventure, Terres d'aventure (Fogo, Santo Antão et São Vicente dans un même voyage) sont sur les rangs pour une semaine ou quinze jours. Des journées farniente sur les plages de Sal ou la visite de Mindelo complètent souvent ce type de séjour.

Dans la plupart des cas, un tel voyage s'effectue entre novembre et juin inclus, avec une alternance minibus et marche. *Coût moyen : 1 300 EUR pour 8 jours, 2 300 EUR pour 15 jours.*

◆ Des activités spécifiques telles que le **windsurf** et le **kitesurf** trouvent ici leur lieu d'élection (Voyages Gallia).

◆ Des **croisières** touchent parfois l'archipel, comme les transatlantiques de Costa Croisières, qui l'atteint après le Maroc, les Canaries, Madère et Dakar.

QUE RAPPORTER ?

L'artisanat demeure discret, à base de textiles (broderies) et d'objets en coquillages. A Mindelo, il faut savoir prendre son temps pour trouver les meilleurs CD de mornas.

LES REPÈRES

◆ Lorsqu'il est midi en France, aux îles du Cap-Vert il est 9 heures du matin en été et 10 heures en hiver. ◆ Langue officielle : le portugais, qui s'efface derrière un créole, le *crioulo*, parlé par sept habitants sur dix; les langues internationales sont peu connues. ◆ Téléphone vers le Cap-Vert : 00238 + numéro; du Cap-Vert : 0 + indicatif pays + numéro.

LA SITUATION

Géographie. Des terres volcaniques récentes, caillouteuses et très sèches définissent cet archipel de 4 033 km². Les dix îles, dont neuf sont habitées, se partagent en Barlavento (au vent : Santo Antão, São Vicente, Santa Lucia, São Nicolau, Sal, Boa Vista) et Sotavento (sous le vent : São Tiago, Maio, Fogo, Brava). Le point culminant est le volcan São Felipe, sur l'île de Fogo (2 829 m).

Population. 427 000 habitants constituent un chiffre de population en trompe l'œil puisqu'un nombre plus élevé de Capverdiens ont émigré au Portugal, dans d'autres pays européens, aux États-Unis et au Brésil. Sept habitants sur dix sont des mulâtres, descendants de la colonisation portugaise. Capitale : Praia.

Religion. Neuf Capverdiens sur dix sont catholiques. Minorité de protestants.

Dates. *1460* Arrivée des Portugais, qui fondent en 1462 à São Tiago la première colonie européenne d'outre-mer. *XVIe siècle* Trafic des esclaves et prospérité. 1975 Indépendance, Aristides Pereira président d'un régime à coloration marxiste. *1991* António Mascarenhas Monteiro (Mouvement pour la démocratie) le devance aux élections et lui succède. *1996* Mascarenhas est réélu. *2000* Soutenu par la coopération de l'Union européenne, le Cap-Vert connaît une amélioration de sa situation économique. *2001* Le parti PAICV domine, Pedro Pires est président, José Maria Pereira Neves Premier ministre. *Février 2006* Réélection difficile de Pedro Pires aux dépens de Carlos Viega (Mouvement pour la démocratie).

Centrafricaine (République)

Avertissement. – Si la situation est calme à Bangui, les déplacements à travers le pays sont très fortement déconseillés, particulièrement dans le nord et le nord-ouest.

La République centrafricaine occupe une place très discrète dans le paysage touristique mondial. Néanmoins, des atouts existent parmi la savane et la forêt tropicale qui composent la majorité de son relief : l'agrément du fleuve Oubangui, qu'il est possible de descendre en pirogue, des réserves d'animaux, qui rassemblent les principales espèces visibles sous ces latitudes, et la possibilité d'entreprendre des randonnées dans les profondeurs de la jungle équatoriale, à la rencontre des Pygmées.

LES RAISONS D'Y ALLER

LA FAUNE ET LES PAYSAGES

Parcs nationaux Saint-Floris et Dzanga Ndoki, réserve de Dzanga Sangha
(éléphants, girafes, élands, lions, guépards)
Fleuves (Oubangui, Pipi), paysages de grès (Ouadda), chutes (Boali, Matakil)

L'HABITAT ET LES MŒURS

Villages, Pygmées (région de Bayanga)

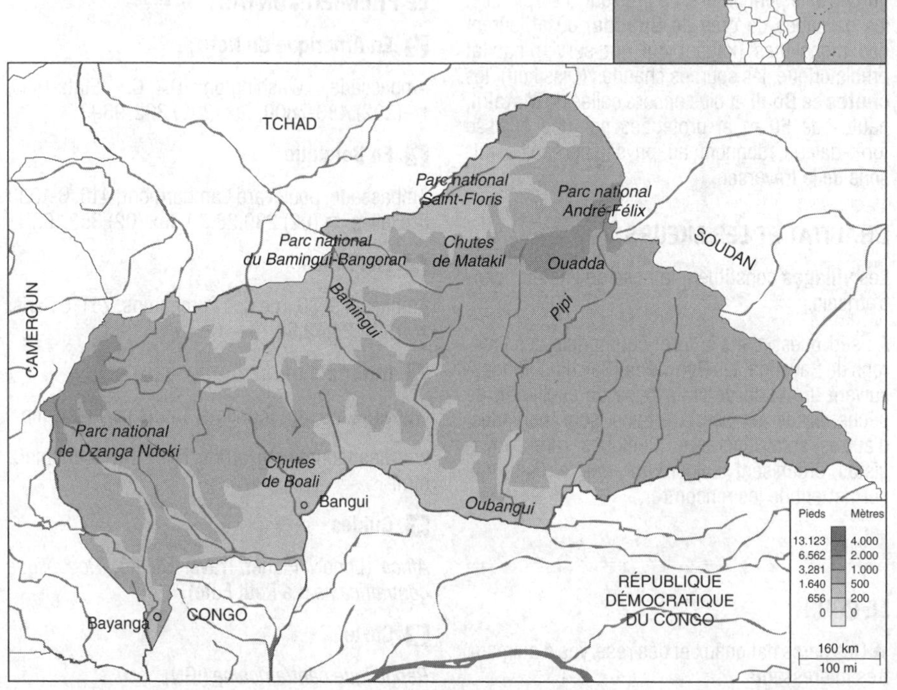

LES RAISONS D'Y ALLER

LA FAUNE ET LES PAYSAGES

La faune centrafricaine est nombreuse et diverse mais reste méconnue en raison des tensions que connaît le pays depuis longtemps. Deux réserves sont importantes :

- dans le nord, à la lisière du Tchad et du Soudan, le parc national **Gounda Saint-Floris** retrouve peu à peu ses éléphants, que côtoient girafes, élands, lions, cobs, panthères, guépards, crocodiles, hippopotames (dont une forte concentration dans la mare de Gata) et cinq cents espèces d'oiseaux;

- dans le sud-ouest, aux confins du Cameroun et du Congo, le parc **Dzanga Ndoki**, doublé de la réserve **Dzanga Sangha**, est l'apanage de la forêt équatoriale, trouée par des rivières et qui dissimule nombre d'espèces d'oiseaux, des singes, des pangolins, des hippopotames.

Autres réserves : Bamingui-Bangoran et André-Félix.

La savane, la forêt tropicale, le cours de l'**Oubangui** et celui de la **Pipi**, celle-ci réputée pour ses gorges et le pont naturel de grès qui la surplombe, les paysages de grès de **Ouadda**, où affleurent des monolithes (kagas) qui ont servi d'habitat préhistorique, les sources chaudes (Dissikou), les **chutes** de **Boali** et plus encore celles de **Matakil**, hautes de 60 m et protégées par une épaisse forêt-galerie, donnent au pays d'agréables raisons de le traverser.

L'HABITAT ET LES MŒURS

Les **villages** constituent la base de l'habitat centrafricain.

Au sud-ouest, dans la forêt équatoriale des environs de Bayanga, les **Pygmées** (Bayakas, Bingas) suivent un mode de vie à base de cueillette, de pêche et de chasse. Certains sont nomades, d'autres semi-itinérants. Quelques rares voyagistes organisent aujourd'hui des circuits qui permettent de les rencontrer.

LE POUR

◆ Des parcs nationaux et des réserves d'animaux très intéressants.

◆ Le français comme langue de communication.

LE CONTRE

◆ Le coût souvent élevé du transport aérien.

◆ Les problèmes d'insécurité dans la plupart des régions, dus à la présence des « coupeurs de route » *(zaraguinas)*.

◆ La difficulté d'observer la faune en raison de la densité de la végétation.

LE BON MOMENT

Le climat varie du type équatorial vers le type tropical. Plus on va vers le nord, plus les pluies se font rares : sept mois de saison sèche au nord, avec deux fois moins de précipitations qu'au sud. La période de **décembre à mars** est la plus indiquée, particulièrement pour les safaris photo.

◆ Températures moyennes jour/nuit (en °C) à *Bangui* : janvier 33/20, avril 33/21, juillet 30/20, octobre 31/20.

LE PREMIER CONTACT

En Amérique du Nord

Ambassade, Washington D. C., États-Unis, ☎ (202) 483-7800, fax (202) 332-9893.

En Belgique

Ambassade, boulevard Lambermont, 416, B-1030 Bruxelles, ☎ (02) 280.28.80, fax (02) 353.16.74.

En France

Ambassade, 30, rue des Perchamps, 75116 Paris, ☎ 01.42.24.42.56.

Internet

www.rcainfo.org/Tourisme/Tourisme-index.php

www.sangonet.com/afriqg/PAFF/Dic/tourismeC.html

Guides

Africa (Lonely Planet/Travel Guide), *République centrafricaine* (Le Petit Futé).

Carte

République centrafricaine (IGN).

Lectures

Centrafrique : l'instabilité permanente (L'Harmattan, 2005), *les Voies du possible en Afrique : le cas centrafricain* (Crépin Mgouli-Goumba/ L'Harmattan, 2004).

Images

La Peinture centrafricaine (M. Donon-Bourdette, L'Harmattan, 1999).

QUEL VOYAGE ET À QUEL PRIX ?

Le voyage individuel

Les préparatifs

◆ Pour les ressortissants de l'Union européenne, canadiens, suisses : passeport encore valide six mois après le retour, visa obligatoire, obtenu auprès du consulat. Billet de retour ou de continuation exigible.

◆ Vaccination obligatoire contre la fièvre jaune. Prévention indispensable contre le paludisme.

◆ Monnaie : le franc de la Commmunauté financière africaine (franc BEAC). 1 EUR = 655,957 CFA francs BEAC. Change : emporter des euros ou des US Dollars en espèces ou en chèques de voyage.

Le départ

◆ Indice de prix à certaines dates du vol Paris-Bangui A/R : 700 EUR. ◆ Durée moyenne du vol Paris-Bangui : 7 heures. Coût raisonnable du vol avec Afriqiyah Airways.

Sur place

Route

Peu de routes asphaltées, pistes difficiles entre mai et octobre, 4 x 4 nécessaire en toutes saisons, permis de conduire international nécessaire. Ne pas rouler de nuit ni isolément.

Le voyage accompagné

Grande rareté des voyagistes et donc, quand la situation politique le permet, grande originalité pour Fleuves du monde, qui propose une expédition de 17 jours, dont la plupart en pirogue sur le fleuve Oubangui et la rivière Lobaye, puis en randonnée à la rencontre des **pêcheurs** et des **Pygmées** Bayakas.

LES REPÈRES

◆ Lorsqu'il est midi en France, en République centrafricaine il est la même heure en hiver et 11 heures en été. ◆ Langue officielle : le français, mais le sango, langue véhiculaire, est parlé par un million de personnes; le lingala est également parlé. ◆ Téléphone vers la République centrafricaine : 00236 + indicatif (Bangui : 61) + numéro; de la République centrafricaine : 19 + indicatif pays + numéro.

LA SITUATION

Géographie. La République centrafricaine, qui couvre 622 984 km^2, est un plateau à la végétation contrastée : grande savane au nord, forêt au sud.

Population. Son chiffre est modeste (4 444 000 habitants). Pygmées et bantous ont été les premiers habitants du pays qui, à la fin du siècle dernier, connaissait encore la traite des esclaves. Aujourd'hui, les Bayas et les Bandas sont les plus nombreux. Capitale : Bangui.

Religion. Un Centrafricain sur deux obéit au protestantisme, un sur trois au catholicisme, 12 % sont animistes et 3 % sont musulmans.

Dates. *1877* Stanley descend le Congo. *1905* La France érige l'Oubangui-Chari en colonie. *1946* L'Oubangui-Chari devient un T.O.M. *1960* Indépendance et naissance de la République centrafricaine. *1965* Coup d'État de Bokassa. *1976* Bokassa devient empereur (!). *1979* Dacko (... et un peu la France) renverse Bokassa Ier. *1981* Coup d'État militaire de Kolingba. *Septembre 1993* Ange-Félix Patassé, ancien Premier ministre de Bokassa et membre du Mouvement de libération du peuple centrafricain, remporte la première élection multipartite depuis douze ans. *Avril 1996* Mutineries de militaires, qui se répètent dans les mois suivants. *Septembre 1999* Réelection de Patassé aux dépens de Kolingba. *Octobre 2002* Début d'une rébellion contre le président Patassé et d'une période de grande insécurité. *Mars 2003* Coup d'Etat du général Bozizé, qui s'autoproclame président. *Mai 2005* Bozizé est élu à la régulière. *Janvier 2008* Faustin-Archange Touadera devient Premier ministre.

Chili

Pays lointain et cher, le Chili a néanmoins quitté la discrétion touristique qui a longtemps été son lot : la variété de ses paysages et de son patrimoine architectural, la densité de sa faune et les énigmes des statues de pierre de l'île de Pâques sont là pour en témoigner. En outre, cette interminable bande de terre qui va des lacs de sel du désert d'Atacama au rocher noir du cap Horn développe à souhait les contrastes (salines, lacs, volcans, fjords) et offre aux marcheurs un choix très large de randonnées dans la cordillère des Andes.

LES RAISONS D'Y ALLER

LES PAYSAGES ET LES RANDONNÉES

Cordillère des Andes, lac Chungara, parc national Lauca, désert d'Atacama, Patagonie chilienne : glaciers (San Rafael), parc Torres del Paine, Terre de Feu
Geysers, volcans, vignobles, lacs, fjords

LA FAUNE ET LA FLORE

Faune terrestre (lamas, alpagas, vigognes, chinchillas, flamants roses, guanacos, pumas, aigles, condors)
Faune marine (pingouins, éléphants de mer)
Flore (forêts, araucarias)

LES MONUMENTS ET LES VILLES

Sanctuaires et statues géantes de l'île de Pâques, églises très anciennes (San Pedro de Atacama, Chiloé), architecture de Valparaiso, musées de Santiago

LA CÔTE

Arica, Vina del Mar, cap Horn

LES RAISONS D'Y ALLER

LES PAYSAGES ET LES RANDONNÉES

Le paysage chilien n'en finit pas d'étaler sa beauté du nord au sud de la mince bande de terre relevée par la cordillère des Andes :

– le très haut lac **Chungara**, encerclé par plusieurs volcans (Parinacota, Pomerape), et le parc national **Lauca**;

– le désert d'**Atacama**, le plus aride du globe et la région du pays la plus recherchée du voyageur aujourd'hui; la porte d'entrée en est le village-marché de San Pedro de Atacama, alors que les points d'orgue en sont des lacs de sel (**salares**, tels le Salar de Atacama et le salar de Surire), des **lagunes** (Miscanti et Miniques, peuplées de flamants roses), les **geysers** de la région montagneuse d'El Tatio, dont certains jaillissent à plus de 30 m, et, au nord de Calama, la mine de **cuivre** à ciel ouvert de Chuquicamata;

– l'arche de pierre de **La Portada**, comme posée sur l'océan;

– les **vignobles**, et donc une « Route des vins », dans le centre du pays;

– les **volcans** Osorno, Michimahuida, Corcovado;

– les **taffonis** de Caldera, ensemble de roches évidées par une altération chimique qui leur donne des formes étranges;

– le **lac** Todos los Santos et son anneau de forêts;

– le **glacier San Rafael**, uniquement accessible par bateau, d'un bleu saisissant et qui, sur ses 45 km de large, laisse choir des pans entiers de glace;

– le parc national **Torres del Paine** avec ses lacs bleu-vert (lac Grey), ses icebergs, ses glaciers et ses curieux pliiers de granit; c'est ici que les randonneurs qui ont choisi le sud du pays trouveront leur terrain favori;

– la **Terre de Feu** et les **fjords** de la **Patagonie** chilienne, où tout n'est que vent, pluie, tempêtes, pics acérés et rochers chaotiques, l'ensemble débouchant sur un spectacle aussi sévère que fascinant.

Sur la majorité de ces sites, les **randonnées** sont possibles, certaines se révélant toutefois éprouvantes en raison de l'altitude. Quant aux amateurs de **ski**, ils seront à leur affaire à Portillo.

LA FAUNE ET LA FLORE

Trente parcs nationaux et autant de réserves font du Chili un endroit privilégié pour la faune. Les **lamas** et les **alpagas** paissent dans la plupart des régions, et particulièrement dans le parc national Lauca.

Des espèces menacées sont de mieux en mieux préservées grâce aux efforts des écologistes : ainsi la race sauvage **(vigognes)** et la race domestique **(alpagas)** du lama, comme les **chinchillas** dans le parc national Lauca, les **flamants roses** dans le Salar de Atacama, les **guanacos** (lamas au pelage court) et les pumas dans le parc Torres del Paine. Le **condor** et l'**aigle** peuplent la cordillère. Dans les fjords, on peut apercevoir des phoques, des pingouins et des éléphants de mer, ceux-là très nombreux dans la lagune San Raphael.

Au sud-est de Concepción, la Araucanía est une région de **forêts** qui renferme le très décoratif **araucaria**.

LES MONUMENTS ET LES VILLES

Loin des côtes continentales, les **sanctuaires** et les **statues géantes** de « Rapa Nui », l'**île de Pâques**, « déposés » là par une population polynésienne il y a mille cinq cents ans, n'ont toujours pas livré leur signification. Ils demeurent un passage obligé, dans un cadre de volcans, dont le Rano-Raraku qui a servi de matière première pour les statues.

Le pays est riche en **églises**, dont certaines, très anciennes, sont inscrites au patrimoine national. Celle de **San Pedro de Atacama**, par exemple, date de 1551. L'île de **Chiloé** est parsemée d'environ cent cinquante églises, la plupart en bois peint. Toujours à Chiloé, l'habitat se distingue par de longues rangées de maisons sur pilotis.

À **Valparaiso**, ville parmi les plus attachantes du pays, les *cerros* désignent une quarantaine de collines auxquelles un habitat anarchique et des maisons pastel ont donné un charme tenace. Neruda ne s'y est pas trompé, qui avait une maison sur le Cerro Florida (visite possible).

Le modernisme échevelé de **Santiago**, grosse capitale dont on a une belle vue à partir de la colline Santa Lucia, ne laisse que peu de place au quartier historique, sa place d'Armes, son palais de la Moneda marqué par le coup d'Etat de 1973 et ses musées (Musée historique national, musée d'Art précolombien).

LA CÔTE

Malgré leurs 4 300 kilomètres de longueur, les côtes n'occupent qu'une place modeste dans l'éventail du tourisme chilien à cause d'un courant froid et de la latitude. Toutefois, autour d'**Arica**, au nord, et à **Viña del Mar**, station balnéaire en vogue, les plages sont agréables.

Le rocher noir du **cap Horn**, qui ferme le continent sud-américain, est le témoin d'histoires vraies et de légendes à la fois, qui mêlent aventuriers, baleiniers, naufragés, peur ancestrale et actes d'héroïsme perpétués par les courses de bateaux médiatisées d'aujourd'hui. La Terre de Feu et le cap Horn peuvent être survolés en petit avion au départ de Punta Arenas.

Anecdotique : au sein de l'archipel Juan Fernandez, à quelques centaines de kilomètres de la côte de Valparaiso, se situe une île qui fut déserte et que l'écrivain Daniel Defoe a mythifiée il y a près de trois siècles en en faisant le site de son *Rubinson Crusoé*. L'île est accessible en avion ou en bateau, départs très aléatoires pour Juan Bautista, l'unique village de l'endroit...

LE POUR

◆ Une cordillère des Andes capable de satisfaire aussi bien le marcheur impénitent que l'observateur de paysages.

◆ Le mythe de la Patagonie.

◆ Une faune riche, diverse et de mieux en mieux préservée.

LE CONTRE

◆ Le coût de la vie touristique le plus élevé d'Amérique latine.

◆ Une côte peu exploitable sur le plan balnéaire.

◆ Des dates de voyage favorables mal placées sur le calendrier du voyageur du nord.

LE BON MOMENT

Un pays tout en longueur ne pouvait que connaître des climats différents. Grâce à l'écran formé par la cordillère des Andes, les différences de température ne sont pas tranchées. Les saisons sont inversées. Juin-août, période de l'hiver austral, est plutôt frais et gris, **octobre-mars** chaud et radieux. L'extrême sud est froid et humide.

◆ Températures moyennes jour/nuit (en °C) à *Punta Arenas* : janvier 15/13, avril 23/8, juillet 15/4, octobre 22/8. *Santiago* : janvier 30/13, avril 23/8, juillet 15/4, octobre 22/8.

LE PREMIER CONTACT

En Belgique

Ambassade, 106, rue des Aduatiques, B-1040 Bruxelles, ☎ (02) 280.16.20, fax (02) 736.49.94.

Au Canada

Ambassade, 50, rue O'Connor, bureau 1413, Ottawa, ON K1P 6L2, ☎ (613) 235-4402, fax (613) 235-1176.

En France

Consulat général, 64, boulevard de La-Tour-Maubourg, 75007 Paris, ☎ 01.47.05.46.61, fax 01.45.51.16.27.

En Suisse

Section consulaire, Eigerplatz, 5, CH-3007 Berne, ☎ (31) 370.00.59, fax (31) 371.07.48.

Internet

www.sernatur.cl (site officiel du tourisme, en espagnol et en anglais)
www.visit-chile.org/
www.abc-latina.com/chili/tourisme.htm

Guides

Chili (Mondeos, Éditions Ulysse), *Chili, île de Pâques* (Gallimard/Bibl. du voyageur, Hachette/Guide du routard, Lonely Planet France), *Chili, île de Pâques, Patagonie* (Le Petit Futé).

Cartes

Chile (Berndtson), *Chile, Patagonia* (Nelles), *Chili, Argentine, Uruguay, Paraguay* (Berlitz), *Tierra del Fuego* (ITM).

Lectures

Adios, Tierra del Fuego (Jean Raspail/Le Livre de poche, 2003), *Araucaria : carnets du Chili* (Baudoin/L'association, 2004), *la Maison aux esprits* (Isabel Allende et al., Poche, 1986), *Nocturne du Chili* (Roberto Bolaño/Christian Bourgois, 2007).

◆ Les recueils de poésies de Pablo Neruda sont disponibles chez Gallimard. ◆ Lire également les romans de Francisco Coloane, amoureux de « son » Chili du sud.

Images

Chili (Cacimbo, 2007), *l'Île de Pâques, mille ans de solitude* (Renaissance du livre, 2007), *Patagonie : histoires du bout du monde* (Grégoire Korganow, Gilles Dusouchet/Solar, 2004), *Révélations, 365 pensées d'Amérique latine* (Föllmi, La Martinière, 2006), *les Trains vont au purgatoire* (Hernán Rivera Letelier/Métailié, 2003).

Vidéos et DVD

Au rythme de l'Amérique du sud - Brésil/Argentina, le tango des gauchos/Chili, île de Pâques, le feu et la glace (TF1 Vidéo, 2003), *Chili, terre de Huasos : des chevaux Corralero aux cavaliers Huesos* (Vodeo TV).

QUEL VOYAGE ET À QUEL PRIX ?

Le voyage individuel

Les préparatifs

◆ Pour les ressortissants de l'Union européenne, canadiens, suisses : passeport suffisant (valable encore six mois après le retour), billet de retour ou de continuation exigible.

◆ Aucune vaccination n'est requise.

◆ Monnaie : le *peso chilien*. Emporter des euros ou des US Dollars pour le change ou retirer des pesos dans les distributeurs. 1 US Dollar = 625 pesos chiliens. 1 EUR = 878 pesos chiliens.

Le départ

◆ Indice de prix à certaines dates du vol Montréal-Santiago A/R : 1 050 CAD ; Paris-Santiago A/R : 1 000 EUR. ◆ Durée moyenne du vol Paris-Santiago (11 831 km, direct) : 13 heures; avec escale : 19 heures.

Sur place

Avion

Système des coupons appliqué par Lan Chile pour qui a effectué le vol international sur ses lignes.

Hébergement

◆ Pensions, chambres d'hôtes, refuges (ces derniers dans les parcs nationaux). ◆ Il existe des auberges de jeunesse, www.hostelling.cl

Route

◆ Conduite à droite. ◆ Location possible, tout-terrain recommandé pour la Patagonie. ◆ Réseau de bus fourni et de qualité.

Train

◆ Réseau très quelconque, lui préférer nettement le bus. ◆ Expérience intéressante avec l'express Santiago-Puerto Montt, aux décorations raffinées.

Le séjour en individuel

Rappel : nous nous sommes limités à un résumé des prestations en vigueur dans les agences et chez les voyagistes présents en France. Les lecteurs des autres pays peuvent en tirer des idées d'itinéraire et les compléter auprès de leurs agences de voyages.

◆ Les **autotours**, avec ou sans chauffeur, se répandent parmi les voyagistes cités plus loin, même si *le prix flirte souvent avec les 2 500 EUR minimum pour un séjour de 15 jours* (vol + voiture + hébergement). Australie Tours, Arroyo, Kuoni sont sur les rangs.

◆ De Punta Arenas à Ushuaia ou de Puerto Montt à la lagune San Raphael, des **croisières** organisées par des voyagistes locaux longent les glaciers.

Le voyage accompagné

◆ Le voyage est axé d'une part sur le désert d'Atacama au nord, d'autre part sur la région des lacs, au sud. Ceux qui ont du temps... et des moyens supplémentaires pour un voyage déjà cher à l'origine prennent une extension pour l'île de Pâques (3 ou 4 jours en général) et la Patagonie. Quelques voyagistes pour ce style de voyage : Arroyo, Australie Tours, Dima Tours, Empreinte, Jetset/Équinoxales, Je tours, Kuoni, La Maison des Amériques latines, Marsans, Nouvelles Frontières, Tourmonde, Vacances Transat, Voyageurs du monde.

◆ La **randonnée** est reine, particulièrement celle qui conduit le marcheur soit tout au nord, dans le Salar de Atacama et vers le lac Chungara, soit tout au sud, dans le massif du Paine. Allibert, Atalante, Déserts, Explorator, Terres d'aventure dissèquent les trésors de l'Atacama et de ses alentours. Les volcans sont l'affaire d'Aventure et Volcans, qui en aligne quatre (Villarica, Llaima, Lonquimay, Lascar) lors d'un séjour de 15 jours.

◆ **Tourisme solidaire** avec l'organisme Voyager autrement : 13 jours via le désert d'Atacama et l'île de Chiloé avec entre-temps la rencontre des Mapuches et des acteurs du développement.

◆ Le combiné **Argentine-Chili** est proposé par la grande majorité des voyagistes, configuration géographique oblige. Un enviable mariage Parc national des glaciers en Argentine et parc Torres del Paine au Chili dure aux alentours de 20 jours, de préférence entre octobre et février. Très nombreux voyagistes: Adeo, Allibert, Arts et Vie, Arvel, Atalante, La Balaguère, Club Aventure, Continents insolites, Nouvelles Frontières, Objectif Nature, Voyageurs du monde.

◆ Le combiné **Bolivie-Chili** joint l'Atacama à l'Altiplano bolivien (Salar de Uyuni, Potosi). Makila Voyages, Nomade Aventure, Tamera et la plupart des voyagistes énoncés ci-dessus sont sur les rangs. Atalante ajoute même le Pérou pour sa « trilogie des Andes » alors que Zig Zag propose une grande traversée des Andes (Bolivie, Chili, Argentine) en 20 jours.

◆ Le sud est marié à l'océan, aussi les **croisières** sont-elles très programmées dans les **fjords**, autour de Punta Arenas, d'Ushuaia et du détroit de Magellan (Dima Tours, Empreinte). Des croisières au long cours vont de Montevideo à Valparaiso (Jetset/Équinoxiales) ou de Buenos Aires à Santiago (Kuoni/Scanditours), d'autres encore de Valparaiso à la Patagonie (Celebrity Cruises, Hurtigruten) ou de Santiago à Ushuaia.

◆ Le **cap Horn** en voilier peut être inclus dans un voyage consacré à l'Argentine et à la Terre de Feu (Arts et Vie, Jetset/Équinoxiales) ou à la cordillère Darwin, en Antarctique (Grand Nord Grand Large).

◆ *Le voyage au Chili, y compris en autotour, se trouve rarement à moins de 3 000 EUR, surtout quand s'ajoute l'île de Pâques.* La majorité des départs ont lieu entre octobre et avril.

QUE RAPPORTER ?

Le textile est l'achat le plus tentant, sous diverses formes (ponchos, couvertures) et ses matières de base sont haut de gamme (alpaga, lama). On trouve aussi des bijoux en argent, de la vannerie... et des vins dont la réputation a depuis longtemps franchi les frontières.

LES REPÈRES

◆ Lorsqu'il est midi en France, au Chili il est 7 heures en été et 8 heures en hiver; lorsqu'il est midi au Québec, au Chili il est 13 heures. ◆ Langue officielle : espagnol. ◆ Langues étrangères : l'anglais et, dans une moindre mesure, le français. ◆ Téléphone vers le Chili : 0056 + indicatif (Santiago : 2) + numéro; du Chili : numéro compagnie locale + 0 + indicatif pays + numéro.

LA SITUATION

Géographie. Le pays totalise 756 626 km^2 pour 4 000 km du nord au sud et 200 km maximum de largeur. Il comprend deux cordillères, l'une très haute à l'est, l'autre basse à l'ouest, qui enserrent une dépression.

Population. Les 16 454 000 habitants se répartissent entre métis (92 %), Européens et Indiens. Capitale : Santiago du Chili.

Religion. Quatre Chiliens sur cinq sont catholiques. Minorités de protestants et de juifs.

Dates. Les Indiens Araucans habitent la région à la période précolombienne. *XVe siècle* Les Incas puis les Espagnols les délogent. *1814* Insurrection anti-espagnole. *1879-1884* Guerre du Pacifique contre le Pérou et la Bolivie. *1970* Avènement du gouvernement de gauche de Salvador Allende. *1973* Coup d'État, mort d'Allende et junte militaire de Pinochet, qui débouchera sur une sanglante répression. La même année, mort du poète Pablo Neruda. *1988* Un plébiscite désavoue Pinochet. *1989* Patricio Aylwin nouveau président, Pinochet reste chef de l'armée de terre. *Décembre 1993* Eduardo Frei, démocrate-chrétien et fils de l'ancien président (1964-1970), devient chef de l'État. *Octobre 1998*

Le général Pinochet est arrêté au Royaume-Uni à la demande du juge espagnol Garzon. Mais sa demande d'extradition est refusée et il peut rentrer au Chili. *Janvier 2000* Ricardo Lagos premier président socialiste depuis Allende. *Août 2000* La Cour suprême chilienne lève l'immunité parlementaire de Pinochet. *Décembre 2001* Législatives : les socialistes reculent, la droite avance. *Janvier 2006* La socialiste Michelle Bachelet devient la première femme à accéder à la présidence.

Chine

La vague touristique venue chercher la réalité de noms magiques tels que Cité interdite, Grande Muraille, Route de la soie, Tibet, Lhassa ne cesse de s'amplifier, la Chine étant appelée à devenir à moyen terme la première destination touristique mondiale. Le candidat au voyage, qui n'ignore plus rien de la réalité et des ombres sur le Tibet depuis la médiatisation olympique, va aujourd'hui à Pékin comme il va à New York et peut même parcourir l'empire du Milieu en tant que voyageur individuel. Il gagnera néanmoins à examiner les propositions des nombreux voyagistes, de plus en plus diverses.

Pour Hong Kong, rétrocédé à la Chine en juin 1997: voir sous la lettre H.

Pour Macao, à son tour rétrocédé en décembre 1999, voir sous la lettre M.

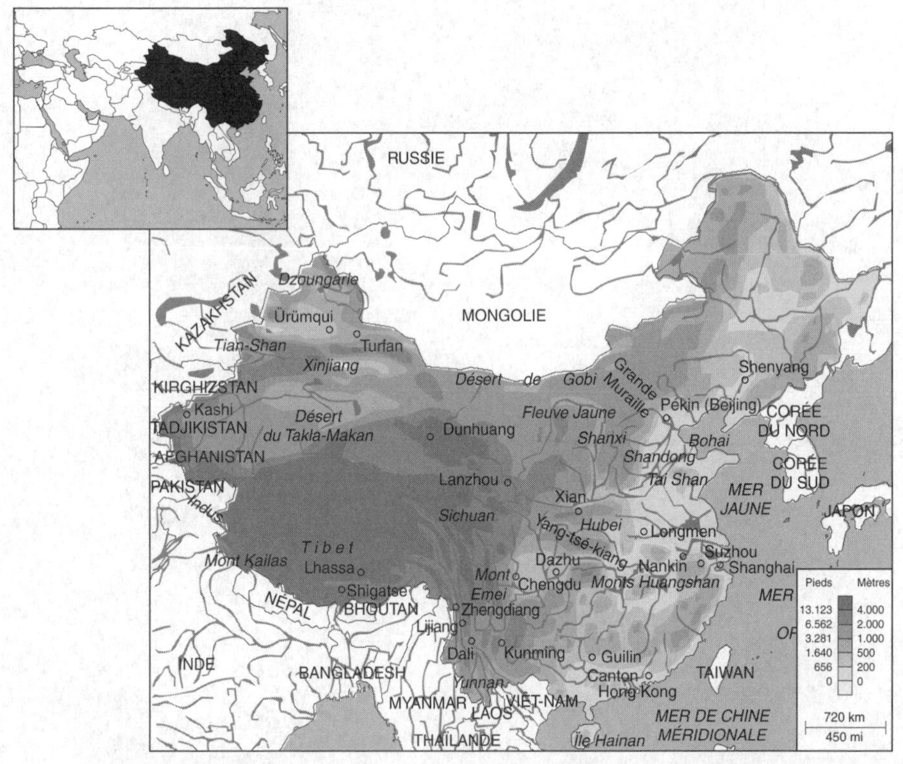

LES RAISONS D'Y ALLER

LE NORD-OUEST
(Gansu, Xinjiang)

LES VILLES ET L'HISTOIRE

Étapes de la Route de la soie : Xi'an, Lanzhou, Binglingsi, Dunhuang, Urumqi, Turfan, Kashi
Grottes de Mogao, monastère de Labrang

LES PAYSAGES ET LES RANDONNÉES

Déserts (Takla-Makan, Dzoungarie), chaîne du Tian Shan

LE SUD-OUEST
(Tibet)

LES PAYSAGES ET LES RANDONNÉES

Montagnes, lacs, mont Kailas,
Région du Kham

LES VILLES ET LES MONUMENTS

Lhassa
Ensembles monastiques (Gyantsé, Shigatsé, Kangding, Tagong), sanctuaire de Tirthapuri

LE NORD-EST
(Henan, Liaoning, Shaanxi, Shanxi)

LES VILLES

Pékin, Shenyang, Xi'an, Qufu

LES MONUMENTS

Grande Muraille, tombeaux des Ming, grottes de Longmen, temples (Tai Shan)

LES PAYSAGES

Plateaux de lœss du Shaanxi, défilés du fleuve Jaune, Wutai Shan

LE SUD-EST
(Guangdong, Guangxi)

LES PAYSAGES

Grottes de Guilin, Baiyun Shan

LES VILLES

Canton, Nanning, Wuzhou
(Hong Kong, Macao : voir sous lettre H)

LE CENTRE
(Anhui, Hubei, Jiangsu, Sichuan, Zhejiang)

LES VILLES

Shanghai, Suzhou, Nankin

LES PAYSAGES

Montagnes du Sichuan, vallée de Jiuzhaigu, cours du Yang-tsé-Kiang, monts Huangshan, mont Emei

LES MONUMENTS

Monastères et temples du Sichuan, falaise des Mille Bouddhas, bouddhas de Leshan et Dhazu

LE SUD
(Yunnan)

LES PAYSAGES ET LES RANDONNÉES

Rizières en terrasses, « forêt de pierres », vallée de la Suo

LES VILLES ET LES MONUMENTS

Lijiang, Dali, Kunming, Shangri-la

LES RAISONS D'Y ALLER

LE NORD-OUEST
(Gansu, Xinjiang)

LES VILLES ET L'HISTOIRE

De la Méditerranée jusqu'à l'ancienne capitale Xian, la **Route de la soie**, itinéraire d'échanges commerciaux entre l'Occident et l'Extrême-Orient, trouve ses endroits de légende dans la Chine du nord-ouest.

Première étape en partant de **Xian**, les grottes bouddhiques de **Binglingsi** sont ornées de sculptures en argile et de peintures murales. Suivent **Lanzhou**, capitale du Gansu, devenue très industrielle, et **Dunhuang**, jugée comme le carrefour le plus important de la Route de la soie.

A proximité, les 492 grottes de **Mogao**, leurs statues et leurs peintures murales sont l'un des sommets de l'art bouddhique. A Xiahe, dans le Gansu, le monastère de **Labrang** accueille le nombre de moines le plus important hors du Tibet.

Urumqi, la capitale du Xinjiang, et ses vingt mosquées sont un bastion de l'islam chinois. La fosse de **Turfan**, chapelet d'oasis bordé par les montagnes du désert de Gobi et important carrefour elle aussi, renferme les ruines de l'ancienne capitale impériale Gaoshung. **Kashi**, aux portes du Pamir, dernier point chinois de la Route de la soie, abrite la plus grande mosquée du pays (Id Kah).

LES PAYSAGES ET LES RANDONNÉES

Depuis que l'écrivain-baroudeur Jacques Lanzmann l'avait traversé et fait connaître par ses écrits, les randonnées dans le désert de sable de **Takla-Makan** sont recherchées : un voyage cher mais beau et, pour un temps encore, exceptionnel. Un autre désert, la Dzoungarie, occupe les confins de la Sibérie et de la Mongolie.

Entre les deux déserts précités, se dresse le **Tian Shan**, ruban montagneux bordé d'oasis qui furent de précieux points de repère pour les commerçants de la Route de la soie.

LE SUD-OUEST
(Tibet)

LES PAYSAGES ET LES RANDONNÉES

Tout voyageur au long cours a rêvé un jour d'aller au **Tibet**... Le « toit du monde », qui fait l'objet de nombreux circuits et randonnées, rassemble des paysages parmi les plus saisissants de la planète en raison de la teinte ocre jaune de sa terre et de ses roches, de ses cratères et de ses montagnes foulées par les yacks.

Ses lacs constituent également un trésor touristique (lac de Turquoise, lac Manasarovar), comme le mode de vie plus ou moins sauvegardé de ses habitants, entre prières, danses et musique monastique. Une spécificité qui est battue en brèche depuis l'ouverture, en juillet 2006 et à plus de 5.000 m d'altitude, du dernier tronçon ferroviaire entre Golmud et Lhassa.

En remontant vers l'ouest, la route transhimalayenne, point de rencontre entre le Tadjikistan, l'Inde et la Chine, aussi belle que tourmentée, rejoint le Pakistan et le Karakorum par le col de Kunjerab.

À l'ouest, le mont **Kailas** a vu naître quatre grands cours d'eau sacrés : Karnali, Indus, Brahmapoutre, Sutlej. Il est lui-même considéré comme sacré, aussi bien par les Tibétains que par les Indiens qui l'identifient au trône de Shiva et s'y rendent en pèlerinage pour en faire le tour (khora). Le touriste a le loisir de les imiter aujourd'hui, lors de randonnées à haute altitude au côté des sherpas et des yacks.

A l'opposé, aux confins du Sichuan, la région du **Kham** et de ses nomades est riche en monastères.

LES VILLES ET LES MONUMENTS

Lhassa, la « terre des dieux », ville sainte de plus en plus désenclavée par souci du gouvernement central de la contrôler et de lui faire oublier qu'elle attend toujours le dalaï-lama en exil, est un lieu mythique.

Le Potala, palais-montagne du Bouddha, le Jokhang (le plus ancien des temples), le Norbulingka (résidence d'été du dalaï-lama), le Drépung (autrefois le plus grand monastère du monde) et le Sera sont les principaux monuments d'une ville qui a du mal à préserver l'authenticité de son quartier tibétain traditionnel.

Guru Rimpoche, « doublure » de Bouddha, a transporté le bouddhisme de l'Inde au Tibet au VIIIe siècle en méditant dans une centaine de grottes sur son chemin. Bien que le soulèvement des Tibétains en 1959 ait eu pour lourdes conséquences une tragique répression et la destruction de la plupart des grands monastères, les lieux de culte qui ont échappé au désastre reçoivent de plus en plus de visiteurs.

Sur la route entre Katmandou et Lhassa, il faut s'arrêter à **Gyantsé** et ses très grands stoupas, ainsi qu'à **Shigatsé**, avec le Tashilumpo et ses innombrables statues de Bouddha. Non loin du mont Kailash, le sanctuaire de **Tirthapuri** mérite lui aussi une visite.

A l'est, du côté du peuple khampa, **Kangding** et ses monastères de l'ordre des Gelugpas, et **Tagong** renferment, avec les deux villes précitées, les ensembles monastiques les plus connus en dehors de Lhassa.

LE NORD-EST

(Henan, Liaoning, Shaanxi, Shandong, Shanxi)

LES VILLES

La grande majorité des voyages en Chine passent par **Pékin** (Beijing), qui mue à grande vitesse malgré ses huit millions de vélos. La capitale, aux monuments célèbres et stimulée par le bon déroulement des Jeux Olympiques en 2008, a hélas ! l'âme flétrie par la pollution et par son nouvel urbanisme qui détruit les « hutongs », vieux quartiers historiques, tel Nanchizi, les venelles et les maisons traditionnelles (siheynans) du quartier de la tour de la Cloche.

Restent tout de même au Pékin historique la Cité interdite (ancien palais impérial truffé de trésors), la place Tian'anmen avec le monument aux héros du peuple et le mémorial de Mao, le temple du Ciel (aux milliers de tuiles bleues) et le Palais d'été, résidence de la dernière impératrice de Chine. Un autre argument de poids est donné par le célèbre Opéra de Pékin et ses costumes.

Au nord-est de la capitale, **Shenyang**, imposante et méconnue alors qu'elle est la troisième ville du pays et la porte de la Mandchourie, vaut par ses vieux quartiers.

Xi'an, qui fut capitale pendant mille deux cents ans et point de départ de la Route de la soie, a beaucoup à offrir : site néolithique de la culture de Yangshao, allée d'animaux sculptés précédant la tombe du général Han Huo Qubing (Ier siècle avant J.-C), armée de terre cuite de l'empereur Qin Shi Huangdi (six mille figures de guerriers grandeur nature et mille chevaux avec leurs cavaliers), monuments de la dynastie des Tang (pagodes, temple, mosquée, tumulus de l'impératrice Wu Zetian).

Dans le Shandong, la ville de **Qufu** connaît l'insigne honneur d'être le lieu de naissance présumé de Confucius, qui a droit à un temple et à des pavillons célèbres, dont celui des Bibliothèques.

LES MONUMENTS

Hormis les monuments précités, il faut admirer un rendez-vous majeur du tourisme mondial, la **Grande Muraille**, soit 6 000 km de pierres, érigée par les États du Nord à partir du IIIe siècle av. J.-C. pour se protéger des Barbares. Elle part du golfe du Bohai et se poursuit jusqu'à la bordure sud du désert de Gobi.

Deuxième ensemble célèbre non loin de Pékin : les treize tombeaux de la dynastie des Ming et leurs allées d'animaux en pierre.

Troisième joyau : les grottes bouddhiques rupestres de **Longmen**, travaillées entre le Ve et le XIe siècle; on y trouve bon nombre de statues taillées dans le roc, dont un bouddha colossal datant de la période Tang (Ve siècle).

Dans la péninsule du Shandong, à mi-distance entre Pékin et Shanghai, les pentes du massif du **Tai Shan**, le « pic sacré de l'Est », qui fait l'objet d'un culte national, sont parsemées de temples.

LES PAYSAGES

La province de **Shaanxi** (Chen-si), traversée par le **fleuve Jaune** (Huan He), est composée d'un grand plateau de loess, terre aussi spectaculaire que fertile, qui a valu au site le baptême de « pays de la terre jaune », région monotone jusqu'à ce qu'un ravin puis un autre ne viennent la déchirer et lui donner une forme insolite, comme dans la province voisine et presque homonyme du **Shanxi** (Chan-si).

Ce dernier est composé d'une succession de moyennes montagnes fermées au nord-est par le **Wutai Shan**, qui culmine à 2 900 m et qui constitue l'un des cinq sites sacrés du pays. Ici le cours du fleuve Jaune devient alambiqué et crée des défilés tels que la porte du Dragon.

LE SUD-EST
(Guangdong, Guangxi)

LES PAYSAGES

Encore une merveille naturelle : les collines karstiques en pain de sucre et les grottes de **Guilin**, panorama qui se laisse admirer par le biais d'une croisière de plusieurs heures sur le fleuve Lijiang, entre Guilin et Yang Shuo.

Au sud-ouest de Guilin, s'étend la province de Guangdong dont le point d'orgue est le **Baiyun Shan**, ou « monts du Nuage blanc », qu'il est possible d'escalader. La province est également connue pour ses plantations de thé et pour la qualité de celui-ci.

LES VILLES

En partant du sud, on trouve **Canton** (Guangzhou), pris autant que Pékin ou Shanghai, sinon plus, par la fièvre du béton et de l'argent. D'une ville qui perd trop vite son cœur historique, émergent quelques ensembles intéressants : pagode des Six Banians, bonsaïs centenaires du temple des ancêtres de la famille Chen.

Capitale du Guangxi, **Nanning** renferme un musée aux célèbres tambours de bronze. A **Wuzhou**, a été érigé un mémorial à la gloire de Sun Yat-sen, le fondateur du Guomindang.

LE CENTRE
(Anhui, Hubei, Jiangsu, Sichuan, Zhejiang)

LES VILLES

Shanghai, la plus grande ville du pays et la plus cosmopolite, très occidentalisée, possède une avenue branchée (Bund) et une vieille ville qui jouxte une ancienne concession française. Elle vaut également par son musée aux collections de bronzes, de porcelaine et de jade, par le jardin du mandarin Yu et par son temple du Bouddha-de-Jade.

Non loin de là, **Suzhou** est réputée pour ses canaux, qui l'ont fait comparer à Venise, et pour ses jardins. Aux alentours, sont disséminés des villages lacustres, dont le plus réputé est Zhouzuang (ponts de pierre et canaux). Autre « ville jardin » de la région : **Hangzhou**.

Situé sur le Yang-tsé-kiang, **Nankin** connut son apogée sous les Ming et en conserve la trace avec le tombeau de l'empereur Hongwu.

LES PAYSAGES

Occupant les contreforts est du Tibet, le **Sichuan** en a la beauté (montagnes, gorges, cols à plus de 4 000 m) et la piété. Il renferme aussi la vallée de **Jiuzhaigu**, truffée de lacs, de cascades et de forêts de bambous dans lesquelles vivent des pandas géants (réserve de Wolong).

Dans la province de Hubei, avec la construction de l'énorme barrage des Trois-Gorges, le plus grand du monde, le **Yang-tsé-kiang** (Yangzijiang ou Yangtze), l'ancien fleuve Bleu, perd l'attrait d'une croisière mythique qui conduit entre de hautes falaises (Qutang, Wu et Xiling) jusqu'à Yichang.

Le fleuve longe ensuite de vieilles villes (Shashi et surtout Jingzhou, entourée de remparts) avant de voir se dresser, au sud, entre Wuhan et Shanghai, les pins et les pics aux formes tourmentées des monts **Huangshan** (les « montagnes Jaunes »).

Ultime attrait de cette partie de la Chine : le mont **Emei**, haut lieu du bouddhisme chinois.

LES MONUMENTS

Comme le Tibet voisin, le Sichuan est riche de ses monastères et temples bouddhistes. Dans les environs de Nankin, un ensemble monastique rupestre de renom : la **falaise des Mille Bouddhas**.

Dans le Sichuan, en remontant le Yang-tsé-kiang et le fleuve Changjiang, on découvre des témoignages bouddhistes réputés : ainsi, à **Leshan**, la statue du Grand Bouddha assis atteint 71 m.

LE SUD
(Yunnan)

LES PAYSAGES ET LES RANDONNÉES

Aux confins du Laos et du Viêt Nam, le Yunnan est de plus en plus en vogue, grâce entre autres à une nature préhimalayenne douce (rizières en terrasse, forêts) ou prétibétaine (milliers d'éléments de la « **forêt de pierres** », ensemble karstique de colonnes calcaires de 5 à 30 m de hauteur près de la capitale Kunming).

Dans le sud de la province, la vallée de la **Suo** est flanquée de montagnes, de plateaux (Loo-Wu-Chang) et de pics (Tian-Zi-Shan).

Toujours dans le sud, vivent des minorités (Dai, Miao) qui ont préservé leurs coutumes.

LES VILLES ET LES MONUMENTS

La Chine possède sa « Petite Venise » sous les traits de la vieille ville de **Lijiang**, ses trois cent cinquante ponts et son lacis de canaux que dominent les 5 596 m du mont du Dragon-de-Jade.

Les pagodes de **Dali**, celles de la dynastie Tang et le temple taoïste de **Kunming**, le monastère tibétain de **Shangri-la**, site légendaire au cœur du « pays du sacré et de la paix » et dont ressortent les pagodes blanches, sont autant de témoignages de l'empreinte bouddhiste dans cette région qui connaît un afflux touristique important depuis quelques années.

LE POUR

◆ Un des plus grands éventails touristiques du monde.

◆ La possibilité de voyager en individuel.

◆ Un coût du voyage de plus en plus abordable.

LE CONTRE

◆ Une infrastructure hôtelière peu diversifiée et chère.

◆ Les difficultés de communication, l'anglais étant rarement pratiqué, y compris à Pékin.

◆ La pression du pouvoir central sur le Tibet, dont les traditions et l'authenticité sont mises à mal.

◆ Une tension épisodique dans la province du Xinjiang, au nord-ouest.

LE BON MOMENT

La Chine se situe dans des zones de climat continental au nord et de climat tropical au sud. Nord et nord-est : climat sec. Centre (Pékin) : hivers froids, étés chauds. Sud et sud-est : climat tiède et humide. C'est au **printemps** et à la **fin de l'automne** que l'on apprécie le mieux le pays, car juillet et août sont généralement chauds, humides et pluvieux. Pour le **Tibet**, le printemps et l'automne sont également recommandés.

◆ Températures moyennes jour/nuit (en °C)

Canton (sud-est) : janvier 18/10, avril 26/19, juillet 32/25, octobre 29/21.

Lhassa (sud-ouest) : janvier 7/-10, avril 16/1, juillet 22/10, octobre 17/2.

Pékin (nord-est) : janvier 2/-9, avril 21/7, juillet 31/22, octobre 20/7.

Urumqi (nord-ouest) : janvier -8/-18, avril 17/5, juillet 32/19, octobre 14/3.

LE PREMIER CONTACT

En Belgique

Section consulaire, boulevard du Souverain, 40, B-1160 Bruxelles, ☎ (02) 779.43.33, fax (02) 779.22.83, www.chinaembassy-org.be

Au Canada

Ambassade, 515, rue Saint Patrick, Ottawa, ON K1N 5H3, ☎ (613) 789-3434, fax (613) 789-1911, www.chinaembassycanada.org

En France

◆ Office du tourisme, 15, rue de Berri, 75008 Paris, ☎ 01.56.59.10.10, fax 01.53.75.32.88. ◆ Section consulaire, Issy-les-Moulineaux, ☎ 01.47.36.02.58, www.amb-chine.fr ◆ Centre culturel de Chine, ☎ 01.53.59.59.20, www.ccc-paris.org

Au Luxembourg

Ambassade, 2, rue Van der Meulen, L-2152 Luxembourg, ☎ 43.69.91-1, fax 42.24.23.

En Suisse

Section consulaire, Kalcheggweg, 10, CH-3006 Berne, ☎ (31) 351.45.93, fax (31) 351.82.56, www.china-embassy.ch

Internet

www.otchine.com (office du tourisme)
www.maisondelachine.fr
www.tibet.fr

Guides

Chine (Berlitz, Gallimard/Bibl. du voyageur, Hachette/Guide du routard, Hachette/Voir, JPM Guides, Le Petit Futé, Lonely Planet France, Marcus, Michelin/Voyager pratique, Mondeos, National Geographic France, Nelles, Olizane/Découverte), *Chine, de Pékin à Hong Kong* (Hachette/Guide bleu), *Chine du sud* (Le Petit Futé), *Chine du sud-ouest* (Hachette/Guide bleu).

Chinese Wildlife (Bradt), *Comprendre la Chine* (Editions Ulysse), *Hong Kong, Canton, Macao* (Le Petit Futé), *Népal, Tibet* (Hachette/Guide du routard),

Pékin (Gallimard/Bibl. du voyageur, Gallimard/Cartoville, Geo/villes, Lonely Planet France/Citiz, Le Petit Futé, Michelin/Voyager pratique, National Geographic France), *Pékin en poche : les meilleures adresses de la capitale chinoise* (You-Feng),

Route de la soie (Olizane/Découverte),

Shanghaï (Gallimard/Cartoville, Le Petit Futé, National Geographic France), *Tibet, le guide du pèlerin* (Olizane/Aventure).

Cartes

Quatre cartes de la Chine (centre, nord, nord-est, sud) existent chez Nelles. Plans de Canton et Pékin chez Falk, de Shanghaï chez Falk, de Pékin chez Cartographia. *Chine* (IGN).

Lectures

A travers le Tibet inconnu (Gabriel Bonvalot/Olizane), *Bouddhas et rôdeurs sur la route de la soie* (Peter Hopkirk/Picquier), *la Chine nouvelle : être riche est glorieux* (Larousse, 2006), *l'An prochain à Lhassa* (Picquier, 2006), *Deux regards sur le Tibet* (Gallimard/Carnets de voyage 2001), *Encres de Chine* (Xiaolong Qiu/Seuil, 2006), *Il était une fois la Chine : 4 500 ans d'histoire* (José Frèches, Xo, 2005), *Pékin en mouvement* (Autrement, 2005), *Tibet rouge* (Robert Ford/Olizane), *Voyage d'une Parisienne à Lhassa* (Alexandra David-Néel/Presses Pocket).

Images

Chine insolite des minorités (Anako, 1996), *la Grande Muraille de Chine* (Thames et Hudson, 2001), *Himalaya, monastères et fêtes bouddhiques* (Gallimard, 2003), *Huang Shan, montagnes célestes* (Actes Sud, 2006), *Sur les routes de la soie* (Albin Michel, 1995).

Vidéos et DVD

Chine : Beijing, Shanghai, provinces de Guizhou et de l'Anhui (Vodeo TV), *l'Asie : Chine, Vietnam, Thaïlande* (TF1 Vidéos), *Des trains pas comme les autres : spécial Chine* (France Télévisions, 2008), *la Grande muraille de Chine* (AK Vidéo, 2005), *Tibet, histoire d'une tragédie* (France Télévisions, 2004).

QUEL VOYAGE ET À QUEL PRIX ?

Le voyage individuel

Les préparatifs

◆ Pour les ressortissants de l'Union européenne, canadiens, suisses : passeport valable encore six mois après le retour; visa obligatoire, valable deux mois. Le visa est obtenu auprès du consulat soit par le voyagiste choisi, soit individuellement (délai à prévoir). ◆ Billet de retour ou de continuation exigible. ◆ Pour un séjour à Hong Kong ou Macao en cours de voyage, demander un visa à deux entrées. ◆ Pour passer du Népal au Tibet, nécessité de faire partie d'un groupe. ◆ Dans tous les cas, l'accès au Tibet est soumis à un permis spécial, de même que certaines provinces du nord-est et de l'ouest.

◆ Aucun vaccin n'est obligatoire. Prévention indispensable contre le paludisme pour les provinces de Hainan et du Yunnan. Risque de paludisme très limité dans des régions telles que celles de Guangdong, Guizhou, Guangxi, Sichuan, Fujian. Aucun risque dans les villes et dans les plaines à fort taux de population.

◆ Monnaie : le *renminbi yuan* est subdivisé en 10 jiao, ou 100 fen. 1 EUR = 9,6 renminbis yuans. 1 US Dollar = 6,8 renminbis yuans. Emporter des euros ou des US Dollars. Cartes de crédit : utilisables dans les commerces, les distributeurs et les hôtels de quelques grandes villes. Conserver au moins un bordereau de change pour laisser à la sortie les renminbis yuans restants. En cas d'arrivée à Hong Kong, le dollar de Hong Kong est toujours en vigueur.

Le départ

◆ Indice de prix à certaines dates du vol Montréal-Pékin A/R : 900 CAD ; Paris-Pékin A/R ou Paris-Shanghai A/R : 700 EUR; Paris-Lhassa via Katmandou (puis bus) : 850 EUR. ◆ Pour qui souhaite visiter le sud du pays, l'arrivée via Hong Kong est intéressante sur le plan des prix (voir *Hong Kong)*. ◆ Durée moyenne du vol direct Paris-Pékin (12 566 km) : 10 heures; du vol Paris-Hong Kong: 12 heures. ◆ Pour le Yunnan, les aéroports de Bangkok et de Hong Kong sont recommandés.

Sur place

Avion

Vols intérieurs nombreux et bon marché.

Hébergement

◆ Les chambres d'hôtes sont rarissimes, les modes d'hébergement typiques disparaissent et les hôtels sont plutôt chers dans les villes, mais il est possible de loger chez l'habitant à Pékin (par exemple via Tourisme chez l'habitant). ◆ Il existe des auberges de jeunesse à Pékin, Shanghai et dans la province de Guangdong (sud).

Route

◆ Location de voiture possible avec chauffeur. ◆ Le bus n'est ni cher ni rare, sur les petites comme sur les grandes distances.

Train

◆ Malgré mais aussi... grâce à sa lenteur (il faut 50 heures pour aller de Pékin à Guilin), le train est le meilleur moyen – quoique un peu cher – pour découvrir la vie rurale. Le *Transmongolien* relie Moscou à Pékin via Oulan-Bator, alors que le *Transmandchourien* poursuit le même but mais sans passer par la Mongolie. ◆ Le « train du Yunnan », sur une ligne construite par les Français dans les années 1900, va de Haiphong à Kunming. ◆ En juillet 2006, a été inauguré au Tibet le tronçon ferroviaire Golmud-Lhassa (1 142 km), le plus haut du monde (passage à 5 072 m), qui met Pékin à 48 heures de la capitale du Tibet.

Le séjour en individuel

Rappel : nous nous sommes limités à un résumé des prestations en vigueur dans les agences et chez les voyagistes présents en France. Les lecteurs des autres pays peuvent en tirer des idées d'itinéraire et les compléter auprès de leurs agences de voyages.

◆ La location de voiture n'est pas à l'ordre du jour et doit plutôt être envisagée avec chauffeur. ◆ Celle d'un vélo en ville, en revanche, est une expérience. ◆ Voyager seul en Chine est possible mais attention aux difficultés de compréhension... ◆ Un bon équilibre consiste à choisir des itinéraires individuels avec guide-chauffeur (Espace Mandarin, Yoketaï). ◆ Les formules à la carte se développent, par exemple chez Nouvelles Frontières et Voyageurs du monde.

◆ **Pékin** est devenu une destination en vogue et avantageuse si l'on choisit la période novembre-mars : des formules avion + hôtel et avion + logement chez l'habitant pour une semaine, par exemple à La Maison de la Chine, chez Asia, Jet Tours, Nouvelles Frontières, Voyageurs du monde, peuvent placer les premiers tarifs (vol + hébergement) à 750 EUR la semaine pour la capitale, avec possibilité d'un saut à la Grande Muraille. **Shanghai**, comme Pékin, entre peu à peu dans la catégorie des séjours uniquement réservés à l'une ou à l'autre ville (Asia). **Canton** est aussi dans les brochures (5 jours/3 nuits avec La Maison de la Chine).

Le voyage accompagné

Pléthore de propositions, difficiles à trier pour l'agent de voyages et son client !

Il existe quatre choix majeurs :

- l'est, de Pékin à Hong Kong;
- le Yunnan et le Sichuan;
- la Route de la soie;
- le Tibet.

◆ *L'est, de Pékin à Hong Kong*

Il s'agit d'un **axe à tiroirs**, presque toujours dirigé dans le sens nord-sud et dont les éléments sont Pékin, la Grande Muraille, Xian, Shanghai, Suzhou, le Yang-tsé-kiang, Guilin, Canton, Hong Kong. Parfois ces tiroirs sont proposés ensemble, parfois l'axe Pékin-Shanghai est seul pris en compte.

Ariane Tours, Arvel, Asia, Best Tours, Clio, Espace Mandarin, Fram, Kuoni, Nouvelles Frontières, Orients, Vacances Transat, Voyageurs du monde figurent parmi les très nombreux voyagistes à programmer ce classique et d'autres circuits. Les prix se situent aux alentours de 1 500 EUR pour 10 jours et de 2 100 EUR pour 15 jours (vol et hébergement).

Les sites voisins de Suzhou et des villages lacustres sont choyés par quelques voyagistes, dont La Maison de la Chine et Orients. A noter, chez ce dernier, la programmation d'une semaine à Shanghai, ville qui fait désormais l'objet de minicroisières ou de départs de croisières pour la Corée du Sud et le Viêt Nam (Costa Croisières).

◆ *Le Yunnan*

Le **Yunnan** est en vogue, sous la forme de circuits d'une dizaine de jours (Asia, Jet Tours, Orients), plus si on ajoute le Sichuan, comme Adeo. Les randonneurs sont également présents dans le Yunnan (Allibert, Club Aventure, Nomade Aventure, Nouvelles Frontières, Tamera), généralement pour 15 jours et environ 2 000 EUR.

◆ *La Route de la soie*

Parti de Pékin, le voyage passe par Lanzhou, Dunhuang, Urumqui et se poursuit jusqu'aux confins du Kazakhstan. Il peut durer un mois (Nouvelles Frontières, conditions de séjour très simples mais tarifs très raisonnables) ou être démultiplié (plusieurs variantes chez Orients, Tourmonde). Dans le Xinjiang, Terres d'aventure se balade entre yourtes, troupeaux de yacks et au pied de sommets de plus de 7 000 m comme le Mustaghata (départs entre mai et septembre). *Le prix moyen des prestations est élevé : au minimum 3 800 EUR pour trois semaines.* Déserts est également présent.

Les anciennes caravanes de la Route de la soie sont aussi passées par le **Takla-Makan**, désert mythique dans lequel Déserts organise un circuit de 21 jours, dont cinq de méharée, en avril et octobre. Autres propositions : Zig Zag.

◆ *Le Tibet*

Certes, le terrain favorise les marcheurs au Tibet, avec l'avantage d'aborder la vie des villages traversés, mais les autres catégories de voyageurs ne sont pas oubliées.

Quel que soit le voyagiste, les circuits randonnée s'étalent entre 18 et 25 jours, mais même les plus simples ne sont pas donnés : *au minimum 2 500 EUR pour 15 jours et autour de 3 000 EUR pour 21 jours.* Programmes chez Allibert, Ananta, Atalante, Club Aventure, Nomade Aventure, Terres d'aventure, Zig Zag. Pour les voyages plus « classiques », beaucoup de propositions également (Ikhar, La Maison de la Chine, Orients, Tirawa, Voyageurs du monde, Yoketaï). La plupart incluent le Festival de Labrang en février-mars (le grand *tangka*).

Le tout nouveau train qui va de Golmud à Lhassa est déjà sur les rails d'Asia, Espace Mandarin, Orients, Yoketaï.

◆ *La Chine avec des pays limitrophes*

◆ Les **combinés** sont multiples, à la mesure du nombre des pays frontaliers : Chine-Kazakhstan-Ouzbékistan (long périple de 25 jours avec Orients), Chine-Laos-Viêt-nam (Terre Indochine), Chine-Viêt-nam (du Yunnan au Tonkin, un classique chez Adeo, Continents insolites, Zig Zag et la plupart des voyagistes précités), Chine-Népal (Adeo va de Katmandou à Lhassa pour un voyage de 23 jours), Chine-Pakistan (pour l'Himalaya, via le col de Kunjerab avec Orients), et même Chine du nord-est (Mandchourie)-Corée du Sud avec Explorator.

◆ *Les voyages spécifiques*

◆ Le voyage en **train** gagne des adeptes sur d'aussi grands espaces : si l'on mentionne un classique Pékin-Moscou avec le *Transsibérien* via Oulan-Bator et Irkoutsk (par exemple avec Orients), on n'oubliera pas des itinéraires moins connus comme Pékin-Lhassa ou Pékin-Vladivostok (renseignements auprès de l'office du tourisme).

◆ **Tourisme solidaire** avec l'organisme Voyager autrement : 17 jours de Shanghai à Canton via Suzhou, Guilin et la vallée de Fushan, avec entre-temps la visite de villages et écoles des ethnies Miao et Dong.

◆ Le **Nouvel An chinois** est programmé par La Maison de la Chine et Orients. Le Nouvel an **tibétain** est l'affaire, entre autres, d'Explorator en février.

QUE RAPPORTER ?

Pékin est devenu un important lieu de shopping à des prix très avantageux et avec marchandage à la clé : artisanat traditionnel, perles, lainages, laques, vêtements de soie. Au Tibet, pulls en cachemire, peintures et herbes médicinales.

LES REPÈRES

◆ Lorsqu'il est midi en France, en Chine il est 18 heures en été et 19 heures en hiver; lorsqu'il est midi au Québec, en Chine il est 1 heure. ◆ Langue officielle : le mandarin, qui est parlé par sept Chinois sur dix. A l'est, on compte sept millions de musulmans turcophones, alors qu'au sud-ouest les dialectes tibétains tentent de perdurer. ◆ Langue étrangère : l'anglais, surtout dans les grandes villes mais encore bien discret. ◆ Téléphone vers la Chine : 0086 + indicatif (Pékin : 10, Shanghai : 21) + numéro; de la Chine : 00 + indicatif pays + numéro.

LA SITUATION

Géographie. Le pays est immense (9 596 961 km²). Le relief s'abaisse progressivement de la Sibérie à l'océan Pacifique : montagnes, déserts et hauts plateaux à l'ouest, collines, plaines et vallées à l'est.

Population. La Chine regroupe le cinquième de la population mondiale avec 1 330 045 000 habitants. Les Han constituent l'écrasante majorité (95 %), les miettes étant réparties entre cinquante-cinq autres ethnies, parmi lesquelles surtout les Ouïgours (huit millions), les Mandchous et les Mongols. Dans le Yunnan, vivent de nombreuses minorités. Capitale : Pékin (« Beijing »), agglomération de 15 000 000 d'habitants, peu ou prou comme Shanghai.

Religion. Le bouddhisme et le taoïsme sont les deux grandes religions pratiquées en Chine. Les musulmans et les chrétiens (catholiques et protestants) sont également présents. La liberté religieuse, battue en brèche par le communisme, n'a été rétablie qu'en 1982.

Dates. Le *Sinanthropus Pekinensis* apparaît six cent mille ans avant J.-C. *Ve-IIIe siècle avant J.-C.* Confucius. *206 ap. J.-C.* Début de l'Empire Han. *618* Les Tang. *1279* Les Yuan (Mongols). *1368* Les Ming. *1644* Les Qing. *1911* La république, avec Yuan Shikai. *1927* Tchang Kaï-chek rompt avec les communistes, qui entament leur « Longue marche ». *1949* Mao arrive. *1950* La Chine envahit le Tibet. *1958* « Grand bond en avant » et communes populaires. *1959* Soulèvement et répression au Tibet, exil du dalaï-lama en Inde. *1966* « Révolution culturelle » : gardes rouges et armée éliminent les dirigeants qui ne répondent pas à la ligne (maoïste) du Parti communiste chinois. *1976* Mao meurt. *1976* Séisme à Tangshan (242.000 victimes). *1977* Deng Xiaoping choisit l'ouverture économique. *1987* Li Peng Premier ministre. *Mai* 1989 Trois cent mille étudiants défilent sur la place Tian'anmen à Pékin pour obtenir plus de liberté et de démocratie. Instauration de la loi martiale et sanglante répression. *1993* XIVe Congrès du Parti communiste : Jiang Zemin, secrétaire général, et Li Peng, Premier ministre, restent en place. *Février 1997* Graves troubles dans la province du Xinjiang (nord-ouest) à la suite des revendications indépendantistes des Ouïgours. *Février 1997* Mort de Deng Xiaoping. *Juin 1997* Hong Kong est rétrocédé à la Chine. *Juillet 1998* Graves inondations dans le bassin supérieur du Yang-tsé-kiang. *Décembre 1999* Macao revient à la Chine. *Novembre 2002* Le XVIe Congrès du Parti communiste voit le départ de la vieille garde. *Mars 2003* Hu Jintao devient chef de l'État, Wen Jiabao est le nouveau Premier ministre. *Octobre 2003* La Chine, par ailleurs en route vers un statut de grande puissance économique, lance son premier vaisseau spatial habité. *Avril 2005* Manifestations antijaponaises à travers le pays. *Mars 2008* Emeutes et répression à Lhassa. *Mai 2008* Un tremblement de terre frappe le Sichuan (près de 90.000 victimes). *Août 2008* L'ombre de la question des droits de l'Homme plane sur des jeux Olympiques qui se déroulent néanmoins sans problème.

Chypre

Chypre ressemble à une Corse que l'on aurait retournée et couchée sur sa côte est. Son destin est à peu près identique : configuration méditerranéenne, vocation au tourisme balnéaire et remous politiques, les communautés grecque au sud et turque au nord étant toujours divisées. Il est heureux que les voyagistes poussent le touriste hors des plages et l'invitent à jeter un œil sur les églises byzantines et leurs fresques, les monastères orthodoxes et les vestiges grecs ou romains, aussi vieux qu'Aphrodite qui, selon la légende, a été apportée ici par les vents alors que le soleil inondait déjà l'« île des Amours » 340 jours sur 365.

LES RAISONS D'Y ALLER

LES CÔTES

Plages (Paphos, Limassol, Aghia Napa, Polis)
Site d'Aphrodite (Petra tou Romiou)

LES MONUMENTS

Petites églises byzantines (Asinou, Ayios Nikolaos, Panayia tou Arakou),
Monastères grecs orthodoxes (Kykko),
Sites archéologiques (Khirokitia, Kourion, Paphos)
Château de Saint-Hilarion, abbaye de Bellapaïse

LES PAYSAGES ET LES RANDONNÉES

Mont Troodos, vallée des Cèdres

LES VILLES ET LES VILLAGES

Lefkosie (Nicosie), Paphos, Larnaca
Coutumes villageoises

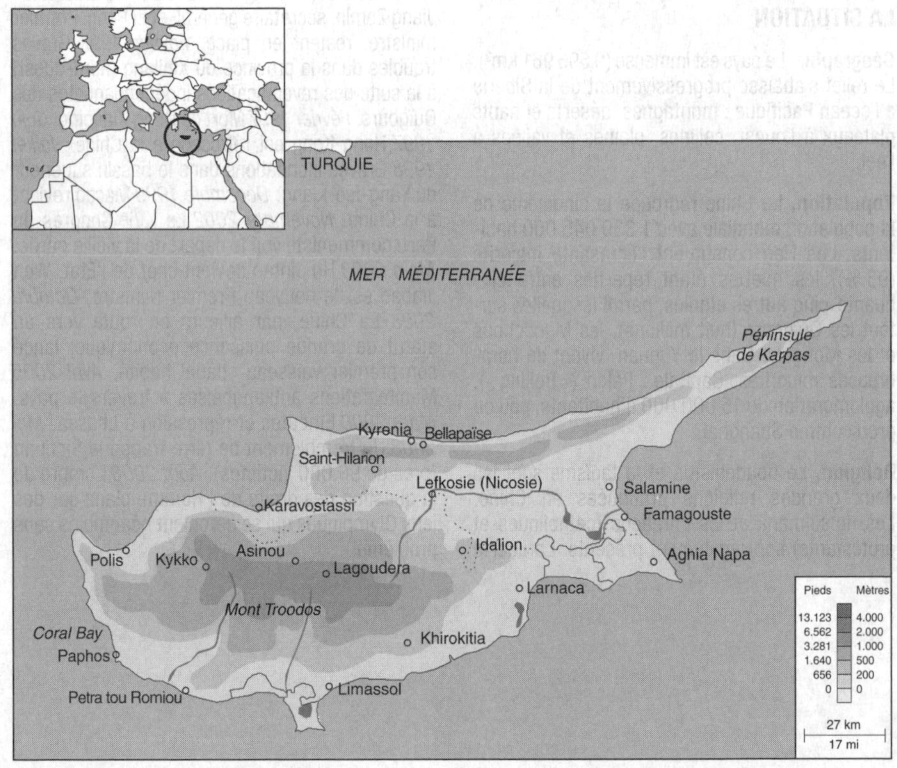

LES RAISONS D'Y ALLER

LES CÔTES

Les côtes chypriotes sont surtout constituées de plages de galets et le sable y est rare. En revanche, les sites embellis par le découpage des falaises ne manquent pas et la baignade reste possible jusqu'en novembre.

Le tourisme de masse a envahi – et enlaidi – les abords de **Limassol**. Il est légèrement plus discret aux alentours de **Paphos** (Coral Bay) et d'**Aghia Napa**. Ce sont les environs de **Polis**, au nord-ouest, qui paraissent le moins touchés par le tout-balnéaire. Quant à Aphrodite et sa légende, elles ont émergé de l'écume des vagues au sud, sur le site forcément idyllique de **Petra tou Romiou**.

L'île se met au diapason concernant le **bien-être**: les centres de thalassothérapie et les spas haut de gamme sont de plus en plus nombreux. De même, Chypre propose trois terrains de **golf** dans sa partie sud-ouest.

LES MONUMENTS

Dans le massif du Troodos, Chypre offre une jolie palette de petites **églises** byzantines dont l'état de conservation des fresques est étonnant : ainsi, **Asinou**, **Ayios Nikolaos** et **Panayia tou Arakou** sont des passages obligés parmi des dizaines d'autres, complétés par des **monastères** grecs orthodoxes tels que celui de **Kykko**, quelque peu surchargé de dorures mais qui renferme un riche musée (icônes, reliques).

Plus loin dans le temps: les sites archéologiques de **Khirokitia** (reconstitution des huttes circulaires des premiers Orientaux) et de **Kourion** (ancienne cité gréco-romaine), ainsi que celui de **Paphos**, dominé par les mosaïques des maisons de Dionysos, Thésée et Aiôn.

Dans la zone turque, deux sites s'imposent, tous deux au sud du port de Kyrenia : le château de **Saint-Hilarion** (les Byzantins s'y protégèrent de Richard Cœur de Lion) et l'abbaye de **Bellapaïse** (ordre des prémontrés). A un degré moindre : Famagouste, sa partie médiévale entourée de remparts et ses monuments gothiques (cathédrale Saint-Nicolas, transformée en mosquée), ainsi que Salamine, cité ancienne qui fut détruite au VIIe siècle.

LES PAYSAGES ET LES RANDONNÉES

Le cadre montagneux et **forestier** (pins) du **mont Troodos** est très prisé des Chypriotes qui, en été, viennent y chercher, autour du mont Olympe et à près de 2 000 m d'altitude, une alternative à la chaleur des plaines, via des chemins de randonnées faciles. En hiver, il est parfois possible de pratiquer le ski.

En quittant le Troodos par l'ouest, une piste traverse une vallée rare car peuplée de milliers de **cèdres** (Cedar Valley).

LES VILLES ET LES VILLAGES

Bien que coupée en deux depuis 1974 par une « Ligne verte » enfin franchissable par les deux communautés, **Lefkosie (**Nicosie) garde fière allure :

– côté grec grâce à un vieux quartier, un musée d'art byzantin aux exceptionnelles icônes, un Musée archéologique d'une grande diversité (Cyprus Museum), et nombre d'églises byzantines;

– côté nord, grâce à la cathédrale Sainte-Sophie, devenue mosquée, et à la maison des Lusignan, seigneurs poitevins qui édifièrent un royaume dans l'île entre le XIIe et le XVe siècle.

Outre l'agrément de ses mosaïques évoquées ci-dessus, **Paphos** propose un fort ottoman, un joli port et les tombeaux des rois, creusés dans la roche. Quant à **Larnaca**, on y découvre surtout le musée archéologique et un fort qui offre une belle vue sur la ville.

La découverte des coutumes des **villages**, qui réussissent à se préserver du tourisme de masse et connaissent nombre de fêtes traditionnelles (fête des fleurs en mai, fête du vin en septembre ou octobre), permet à Chypre de se défaire de son image stéréotypée d'île à bronzage.

LE POUR

◆ La diversité : la plupart des touristes vont à Chypre pour ses plages, mais l'intérêt culturel justifie aussi bien le voyage. En outre, la combinaison de ces deux aspects dans une même journée est facile.

◆ Une mer peu profonde, propice à des vacances familiales.

◆ Un net progrès dans le franchissement de la « Ligne verte » qui sépare les deux communautés.

◆ Un des meilleurs climats de la Méditerranée, réputé sain et doté d'un long ensoleillement.

LE CONTRE

◆ La relative rareté des plages de sable.

◆ Pour ceux qui ont du mal à s'en passer, un manque d'hôtels-clubs francophones.

LE BON MOMENT

Méditerranéen par excellence, le climat est très sec et toute pluie constitue un événement. **Avril-octobre** est la meilleure période. L'été est long et chaud, la pleine saison est même caniculaire, aussi le mois de septembre est-il un meilleur choix pour l'intérieur des terres. Éviter janvier-février mais pas mars (floraison). La température de l'eau de mer est encore un peu fraîche au moment de Pâques.

◆ Températures moyennes jour/nuit à Larnaca : janvier 16/7, avril 22/11, juillet 32/21, octobre 27/16. Eau de mer : 26° en moyenne de juillet à septembre.

LE PREMIER CONTACT

En Belgique

Office du tourisme, avenue de Cortenbergh, 61, B-1000 Bruxelles, ☎ (02) 735.06.21, fax (02) 735.66.07, cyprus@skynet.be

Au Canada

Consulat général, 2930, boulevard Édouard-Montpetit, Montréal H3T 1J7, ☎ (514) 735-7233, fax (514) 398.6294, www.cyprusembassy.net

En France

Office du tourisme, 15, rue de la Paix, 75002 Paris, ☎ 01.42.61.42.49, fax 01.42.61.65.13, cto.chypre.paris@wanadoo.fr

Au Luxembourg

Consulat, 36, rue J.-B. Fresez, L-1542 Luxembourg, ☎ 22.30.35, fax 43.03.31.82.

En Suisse

Office de tourisme, Zurich, ☎ (01) 262.33.03, Genève, fax (01) 251.24.17, ctozurich@bluewin.ch

Internet

www.cyprustourism.com (site de l'office du tourisme)

Guides

Chypre (Berlitz, Gallimard/Bibl. du voyageur, Gallimard/Spiral, Hachette/Évasion, JPMGuides, Le Petit Futé, Marcus, Mondeos).

Cartes

Chypre (IGN), *Cyprus* (Berndtson, Berlitz).

Lectures

L'art gothique en Chypre (Académie des inscriptions et belles-lettres, 2006), *Chypre dans l'Union européenne* (K. Agapiou-Josèphidès, J. Rossetto, Ed. Emile Bruylant, 2006), *Citrons acides* (L. Durrell/Buchet-Chastel), *Pages grecques* (M. Déon/Gallimard).

Images

Chypre : le jardin divisé d'Aphrodite (Olivier Bourguet/La Renaissance du livre, 2008), *l'Ile de Chypre : itinéraire photographique du XIXe au XXe siècle* (Kallimages, 2006), *Regards croisés sur Chypre : sur les pas de Louis-François Cassas* (P. Delord, C. Demillier, Gallimard Loisirs, 2004).

Vidéos et DVD

Chypre : le soleil d'Aphrodite (TF1 Vidéo, 2006), *Chypre : Nicosie, Larnaca, Paphos, la région du Troodos et du Lac salé* (Vodeo TV).

QUEL VOYAGE ET À QUEL PRIX ?

Le voyage individuel

Les préparatifs

◆ Pour les ressortissants de l'Union européenne et suisses : carte nationale d'identité ou passeport suffisant (valable encore six mois après le retour). Pour les Canadiens, passeport. ◆ Possibilité de passer dans la partie nord de l'île et d'en revenir sur simple présentation du passeport (plusieurs points de passage sur la « Ligne verte »).

◆ Monnaie : l'euro. Dans la partie nord, la livre chypriote et la nouvelle lire turque ont toujours cours, l'euro est accepté. 1 EUR = 1,5 nouvelle lire turque, 1 US Dollar = 2,1 nouvelles lires turques. Large présence de distributeurs de billets.

Le départ

◆ Indice de prix à certaines dates du vol Montréal-Larnaca A/R : 950 CAD ; Paris-Larnaca A/R : 320 EUR. Vols à bas prix : Bruxelles-Larnaca (Thomas Cook). ◆ Il existe des vols charters et des vols directs pour Larnaca au départ de plusieurs villes de province françaises. ◆ Durée moyenne du vol Paris-Larnaca (2 986 km) : 4 heures. ◆ L'aéroport d'Ercan (Tymbou) dans la partie nord n'est pas agréé par l'Organisation de l'aviation civile internationale.

Sur place

Hébergement

Hôtellerie classique ou en hôtels-clubs, peu de formules d'hébergement chez l'habitant. Une forme de séjour originale consiste à choisir les « Cyprus Villages », qui mènent le touriste au cœur de l'habitat rural traditionnel, dans des infrastructures de qualité (www.cyprusvillages.com.cy).

Route

◆ Conduite à gauche, permis de conduire national suffisant. ◆ Limitation de vitesse agglomération/route/autoroute : 50/80/100. ◆ Limite du taux d'alcoolémie : 0,9 pour mille. ◆ Possibilité de location de voiture, sur place ou avant le départ en agence de voyages. Choisir de préférence un tout-terrain pour l'intérieur des terres. Théoriquement, il est impossible de rouler dans la partie nord avec une voiture de location prise dans la partie sud.

Le séjour en individuel

◆ L'**autotour** (vol + suggestion d'itinéraire + voiture + hôtel réservé aux étapes) et la formule *fly and drive* (vol + location de voiture + hôtels) sont largement développés, par exemple chez Nouvelles Frontières ou STI Voyages. Compter 800 EUR la semaine tout compris pour un tel choix. ◆ Les propositions d'autotours concernent presque toujours la partie sud.

◆ La **plage** avec logement en **hôtel-club**, piscine et excursions possibles, pendant une semaine ou deux en demi-pension, figure chez la majorité des prestataires, pour les quatre sites clés : Aghia Napa, Larnaca, Limassol et Paphos, ce dernier plus indiqué pour les familles. De nombreux généralistes sont présents : Donatello, Fram, Golf autour du monde, Héliades, Jet Tours, Look Voyages, Marsans, Neckermann, Nouvelles Frontières, STI Voyages, Thomas Cook, TUI France. *Quelques autres voyagistes* - Belgique : Jet Air, Neckermann, Thomas Cook. Luxembourg : Luxair Tours. Suisse : Hotelplan.

◆ *Le coût d'un séjour d'une semaine en hôtel-club peut être envisagé, vol A/R et demi-pension inclus, à partir de 600 EUR par personne en saison, de 450 EUR dans des mois creux tels que mai et octobre. Les familles avec enfants de 2 à 11 ans peuvent bénéficier de formules avantageuses.*

Le voyage accompagné

Chypre est avant tout une destination balnéaire, mais on prendra garde de ne pas oublier les randonnées de l'intérieur et l'ouverture progressive à un tourisme plus large de la partie nord de l'île.

◆ La plupart des voyagistes précités proposent une approche culturelle de l'île, via des circuits en **minibus** qui permettent de découvrir les monts Troodos, les monastères, les églises et les villages. Exemples : Arvel, Clio (également dans la partie nord), Donatello, Héliades, Jet Tours, Nouvelles Frontières, Voyageurs du monde.

◆ Les **marcheurs** sont également invités à arpenter le Troodos (Allibert, Atalante, Terres d'aventure, *aux alentours de 1 200 EUR pour une semaine entre mars et novembre*).

QUE RAPPORTER ?

Broderies, objets de cuir, dentelles, vannerie et poteries dominent l'artisanat. Côté papilles, l'ensoleillement généreux est à l'origine de vins réputés et de liqueurs.

LES REPÈRES

◆ Lorsqu'il est midi en France, il est 13 heures à Chypre; lorsqu'il est midi au Québec, il est 19 heures à Chypre. ◆ Langues officielles : grec et turc. ◆ Langue étrangère : anglais. ◆ Téléphone vers Chypre : 00357 + indicatif (Larnaca : 4, Nicosie :

2) + numéro; de Chypre : 00 + indicatif pays + numéro.

LA SITUATION

Géographie. Tout à l'est de la Méditerranée, Chypre est une île de superficie relativement modeste (9 251 km²), formée par une dépression centrale et deux chaînes de montagnes autour de celle-ci.

Population. Environ les trois quarts des 792 600 habitants vivent dans la partie grecque. Capitale : Lefkosie, nom qui a succédé à Nicosie en 1995.

Religion. Les proportions sont calquées sur celles de la population. Ainsi, 77 % des habitants sont orthodoxes, 22 % sont musulmans. Minorités de maronites et d'arméniens.

Dates. *1191* Richard Cœur de Lion conquiert l'île. *1489* Chypre appartient à Venise. *1570* Au tour des Turcs. *1878* Administration des Britanniques, qui annexent l'île en 1925. *1960* Indépendance : présidence de Mgr Makarios, vice-présidence turque. *1974* Les Turcs refusent l'Énosis (réunion de l'île à la Grèce) et déclarent autonome la partie nord de l'île. Suite à une décision unilatérale des Turcs, la partie nord devient « république turque de Chypre Nord » (RTCN), non reconnue internationalement et présidée par Rauf Denktash. *1993* Glafcos Cléridès devient président de la partie grecque. *1996* Les partis de droite remportent les législatives dans la partie grecque. *Janvier 2002* Rencontre Cléridès-Denktash et premiers signes d'espoir d'un rapprochement. *Mai 2003* Les deux communautés sont invitées à passer la ligne de démarcation, source de grands espoirs de réconciliation. *Avril 2004* La partie grecque vote contre le plan de réunification soumis par l'ONU. *Mai 2004* La partie grecque de Chypre entre dans l'Union européenne. *Avril 2005* Mehmet Ali Talat, partisan de la réunification, devient président de la partie nord. *Février 2008* Demetris Christofias (candidat communiste) remporte l'élection présidentielle. *Mars 2008* Réouverture symbolique de la rue Ledra, à Nicosie.

Colombie

Avertissement. – Même s'il faut savoir nuancer l'information sur ce grand pays complexe, l'insécurité reste latente : en dehors de quelques sites côtiers et des îles de San Andres et Providencia, tout déplacement est déconseillé ou bien doit être entrepris après avoir pris les bonnes informations et précautions.

Depuis qu'elle détient le record mondial de la violence politique, la Colombie fait reculer le candidat au voyage. La résonance médiatique négative de Bogotá ou de Medellín, les affrontements entre pouvoir, guérilla et paramilitaires, le problème toujours évoqué mais jamais résolu du commerce de la drogue n'ont pas aidé le pays à faire taire les préjugés à son encontre. Dommage pour le tourisme, d'un excellent niveau : un site archéologique important (San Agustín), des édifices coloniaux, des plages et des îles au parfum caraïbe, des paysages andins ou amazoniens aussi dignes d'intérêt que ceux des pays voisins.

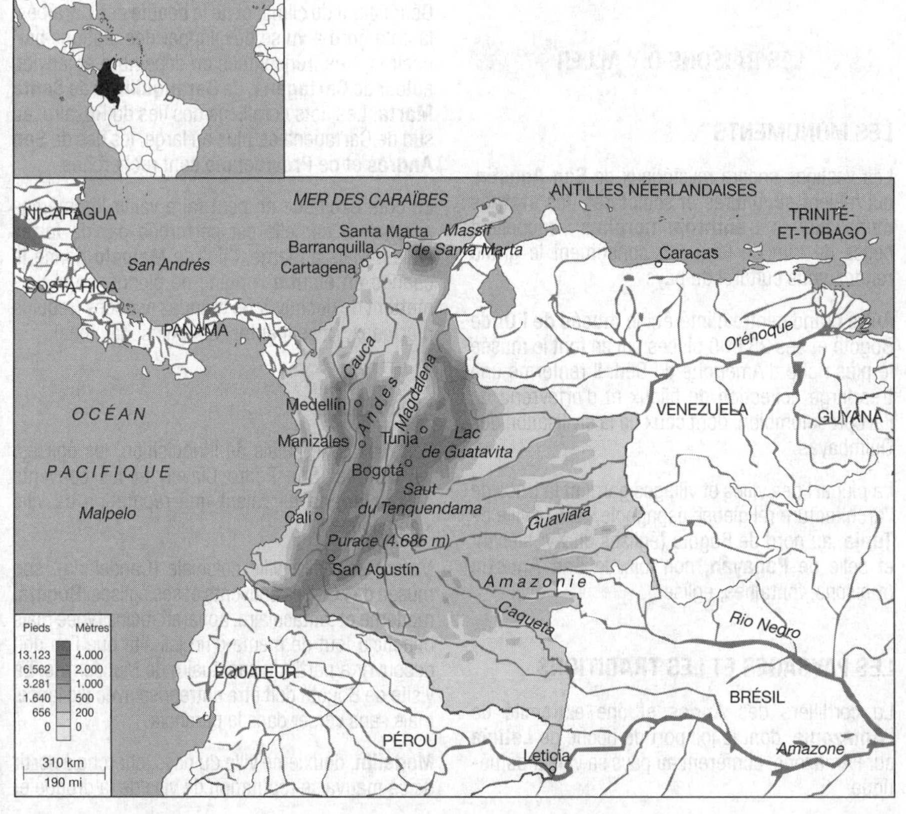

LES RAISONS D'Y ALLER

LES MONUMENTS

Statues anthropomorphes de San Agustín, musée de l'Or de Bogotá, Tunja, Popayán

LES PAYSAGES ET LES TRADITIONS

Andes (volcan Purace), Amazonie (Leticia), lac de Guatavita (Eldorado),
saut du Tenquendama
Villages et marchés indiens, ferias

LES CÔTES

Cartagena, Baranquilla, Santa Marta, San Andrés, Malpelo (plongée)

LES VILLES

Cartagena, Bogotá, Medellín, Cali, Popayán

LES RAISONS D'Y ALLER

LES MONUMENTS

Les vestiges encore mystérieux de **San Agustín**, qui mêlent sépultures et sculptures (les **statues** monolithiques **anthropomorphes** rappellent celles de l'île de Pâques), constituent le grand rendez-vous culturel du pays.

Autre grand centre d'intérêt : le **musée de l'Or** de Bogotá et ses 23 000 pièces qui en font le musée le plus riche d'Amérique du Sud. Il renferme une très large collection de bijoux et d'orfèvrerie de l'art précolombien, dont ceux de la civilisation des Quimbayas.

La plupart des villes et villages gardent la trace de l'architecture religieuse espagnole, telle la ville de **Tunja**, au nord de Bogotá (églises du XVe siècle), et celle de **Popayán**, non loin de **San Agustín** (maisons, fontaines, églises).

LES PAYSAGES ET LES TRADITIONS

La cordillère des **Andes** et une extrémité de l'**Amazonie**, dont le joli port de pêche de **Leticia** sur l'Amazone, confèrent au pays sa valeur esthétique.

Deux sites ressortent, tous deux aux alentours de Bogotá : le lac de **Guatavita**, au fond d'un entonnoir harmonieux perché à 3 000 m d'altitude, où l'on situe la légende de l'Eldorado; le saut du **Tenquendama**, barre rocheuse de 150 m de haut, franchie par le río Bogotá.

Dans le nord-ouest du pays, le parc de Los Katios et ses forêts sont riches en espèces animales et végétales.

Les reliefs sont jalonnés de **villages** où se tiennent des **marchés** dont la couleur et la présence des Indiens font l'intérêt. Les marcheurs les plus résistants s'essaient à l'ascension de quelques sommets tels que le Purace (4 686 m).

Une tradition tenace est celle des **ferias** qui, en fin d'année, voient se dérouler force corridas, principalement à Cali, Cartagena et Manizales.

LES CÔTES

Bénéficiant du climat et de la beauté des Caraïbes, la côte nord a vu se développer des stations balnéaires, très fréquentées en décembre et janvier, autour de **Cartagena,** de **Baranquilla** et de **Santa Marta**. Les îlots coralliens des îles du Rosaire, au sud de Cartagena et, plus au large, les îles de **San Andrés** et de **Providencia** sont recherchés.

La côte pacifique ne peut faire valoir les mêmes arguments car elle est perturbée par de fortes pluies. Mais au large, l'îlot de **Malpelo** donne le change en étant à l'origine de plongées qui permettent de découvrir de grandes espèces (requins marteaux, raies mantas, dauphins, baleines).

LES VILLES

Les ruelles, le palais de l'Inquisition, les églises, les cloîtres (San Pedro Claver) et les couvents de **Cartagena** lui valent une réputation de ville « andalouse ».

Malgré sa vieille ville coloniale (Candelaria), son musée de l'Or, ses couvents et ses églises, **Bogotá**, moderne et tentaculaire, apparaît moins typée mais bénéficie tout de même d'un joli site que l'on doit découvrir à partir du sanctuaire de Monserrate. La visite de Bogotá doit être entreprise avec vigilance, mais sans verser dans la paranoïa.

Medellín, deuxième ville du pays, cherche à sortir de sa mauvaise réputation de ville de la drogue et du danger pour prouver la qualité de son site au pied de la cordillère des Andes.

Cali est connue pour l'architecture de ses haciendas (fermes), pour sa feria entre Noël et le Nouvel An... ainsi que pour la plastique de ses demoiselles, réputées les plus belles du monde.

A quelques dizaines de kilomètres au sud de Cali, **Popayán** arbore des maisons coloniales et des églises baroques qui ont hélas! beaucoup souffert d'un tremblement de terre en 1983.

LE POUR

◆ Des atouts touristiques solides et divers (balnéaires, sous-marins, culturels, naturels) qui auraient dû valoir au pays une meilleure place au sein du tourisme sud-américain.

LE CONTRE

◆ La mauvaise réputation : la situation s'est améliorée mais la violence sociale et politique demeure vive, les déplacements en dehors des grandes villes sont jugés dangereux.

◆ Un intérêt touristique légèrement moindre que celui des pays limitrophes.

LE BON MOMENT

La complexité du relief (deux genres de cordillères, deux versants maritimes différents) entraîne la complexité du climat. Si le mot pluie est très employé en Colombie, surtout côté Pacifique, et si des ouragans peuvent survenir entre juin et novembre, on peut toujours trouver quelque part un climat favorable.

Décembre et **janvier** sont les mois les plus agréables sur le littoral, juillet et août proposent les saisons sèches (*veranos*) dans les Andes. Le meilleur « cocktail » climatique est obtenu par un voyage **entre décembre et mars**.

◆ Températures moyennes jour/nuit (en °C)

Barranquilla (côte atlantique) : janvier 31/23, avril 33/25, juillet 33/25, octobre 32/24. 27º en moyenne pour l'eau de mer.

Bogotá (centre, 2 550 m d'altitude) : janvier 16/6, avril 16/7, juillet 15/8, octobre 16/8.

LE PREMIER CONTACT

En Belgique

Consulat général, rue Van Eyck, 44, boîte 10, B-1000 Bruxelles, ☎ (02) 649.07.68, fax (02) 649.24.04, consulado.colombia@tiscali.be

Au Canada

Ambassade, 360, rue Albert, bureau 1002, Ottawa, ON K1R 7X7, ☎ (613) 230-3760, fax (613) 230-4416, www.embajadacolombia.ca

En France

Consulat général, 12, rue de Berri, 75008 Paris, ☎ 01.53.93.91.91, fax 01.42.89.92.92.

En Suisse

Ambassade, Dufourstrasse, 47, CH-3005 Berne, ☎ (31) 351.17.00, fax (31) 352.70.72, www.emcol.ch

Internet

www.abc-latina.com/colombie/tourisme.htm

Guides

Carthagène (Éditions Ulysse), *Colombia* (Bradt, Lonely Planet), *Colombie* (Le Petit Futé, Marcus, Éditions Ulysse).

Cartes

Colombia, Ecuador (Nelles), *Colombie* (IGN).

Lectures

Anthropologie de l'inhumanité : essai sur la terreur en Colombie (Maria-Victoria Uribe, Calmann-Lévy, 2004), *Cent Ans de solitude* (G. García Marquez, Seuil), *la Colombie aujourd'hui vue par la presse colombienne* (L'Harmattan, 2007), *Colombie, derrière le rideau de fumée* (H. Calvo Ospina/Temps Cerises, 2008), *Histoire de la Colombie: de la conquête à nos jours* (L'Harmattan, 2000).

DVD

Maux d'amour : la Colombie, pays du chagrin d'amour (Vodeo TV).

QUEL VOYAGE ET À QUEL PRIX ?

Le voyage individuel

Les préparatifs

◆ Pour les ressortissants de l'Union européenne, canadiens, suisses : passeport suffisant (valable encore six mois après le retour), billet de retour ou de continuation exigible.

◆ Vaccination vivement recommandée contre la fièvre jaune pour les contreforts est et ouest de la cordillère des Andes, pour les plaines de l'est, pour la plupart des zones côtières et des zones rurales, sauf celles de l'extrême sud-ouest du pays. ◆ Prévention indispensable contre le paludisme, surtout dans les zones rurales de moins de 800 m d'altitude.

◆ Monnaie : le *peso colombien.* 1 EUR = 3 104 pesos colombiens. 1 US Dollar = 2 206 pesos colombiens. Emporter des euros ou des US Dollars pour le change (dans les casas de cambio) et une carte de crédit. Distributeurs de billets répandus.

Le départ

◆ Indice de prix à certaines dates du vol Montréal-Carthagène : 650 CAD; Paris-Bogotá A/R : 750 EUR. ◆ Durée moyenne du vol Paris-Bogotá (8 640 km) : 13 heures. ◆ Système *Pass* pour les vols intérieurs en vigueur chez Avianca.

Sur place

Hébergement

Il existe des auberges de jeunesse. Renseignements : ☎ (57) 1 280.30.41, www.fcaj.org.co

Route

Permis de conduire international requis. Éviter de rouler de nuit ou de rouler isolément dans la journée.

Vie quotidienne

Courant 120 V, adaptateur nécessaire.

Le séjour en individuel

◆ Arroyo propose un voyage de 9 jours avec guide francophone en voiture privé, concentré sur Bogotá et Cartagena. ◆ Pour les plongeurs chevronnés, Aquarev propose une croisière-plongée autour de l'îlot de Malpelo (14 jours). ◆ *Tabler sur un minimum de 2 000 EUR tout compris pour le genre de voyage énoncé ci-dessus.*

Le voyage accompagné

Malgré une situation meilleure, la Colombie ne réussit pas actuellement à attirer les candidats au voyage et les voyagistes sont réduits à la portion congrue.

Plusieurs circuits sont proposés par Arroyo. Voyageurs du monde concocte des voyages à la carte et une série de « modules » (de 3 à 5 jours) qui mènent tantôt dans les îles caraïbes, tantôt dans les villes coloniales, ou encore en Amazonie pour des excursions en bateau et vers les villages indiens. Autre prestataire : Jetset/Équinoxiales.

LES REPÈRES

◆ Lorsqu'il est midi en France, en Colombie il est 5 heures en été et 6 heures en hiver; pas de décalage horaire avec le Québec. ◆ Langue officielle : espagnol. ◆ Langue étrangère : l'espagnol, même ânonné, est préférable à l'anglais. ◆ Téléphone vers la Colombie : 0057 + indicatif (Bogotá : 1) + numéro; de la Colombie : 00 + indicatif pays + numéro.

LA SITUATION

Géographie. La majeure partie de ce grand pays (1 138 914 km²) appartient aux forêts et aux savanes de l'est de l'Amazonie. Au centre, la cordillère des Andes termine son long parcours sous la forme d'une main aux doigts écartés, correspondant chacun à de hauts plateaux. Le littoral est agréable sur la côte nord, parfois bordé de très hauts sommets (5 775 m pour le massif de Santa Marta).

Population. Métis (58 %), Blancs (20 %), Mulâtres, Indiens et Noirs composent dans cet ordre les 45 014 000 habitants. Capitale : Bogotá.

Religion. Très forte proportion de catholiques (95 %).

Dates. *1499* Ce n'est pas Christophe Colomb qui aborde le premier en Colombie mais l'Espagnol Alonso de Ojeda. *1819* Bolivar crée la Grande-Colombie. *Années 30* Expansion économique. *1958-1970* Alternance des libéraux et des conservateurs, puis guérilla menée par les FARC (Forces armées révolutionnaires de Colombie). *1982* Betancur est élu président et lève un état de siège vieux de trente-quatre ans. *1986* Virgilio Barco devient président. *1990* César Gaviria Trujillo devient président. *Décembre 1993* Pablo Escobar, chef du cartel de Medellín, est abattu par la police colombienne. *1997* La guérilla, l'armée et les paramilitaires s'affrontent sans merci. *Juin 1998* Le conservateur Andres Pastrana nouveau président. *Février 2002* Les FARC enlèvent Ingrid Betancourt, candidate à l'élection présidentielle. *Août 2002* Alvaro Uribe devient président d'un pays où la guerre civile aura fait 200 000 morts en 38 ans. *Mai 2006* Réélection d'Alvaro Uribe. *Mars 2008* Mort de Manuel Marulanda, le chef des FARC. *Juillet 2008* Libération d'Ingrid Betancourt et de quatorze autres otages.

Comores (Union des)

Avertissement. – Il est recommandé de s'enquérir de la situation, surtout à Ndzouani (ex-Anjouan), avant d'entreprendre un voyage.

Discrètes Comores, de surcroît nerveuses sur le plan politique et au coût du séjour plutôt élevé : ce sont là quelques raisons qui laissent l'archipel en retrait de ses voisins de l'océan Indien, malgré ses plages, une faune et une flore riches et le parfum entêtant des fleurs des ylangs-ylangs. Pour **Mayotte**, voir à la lettre M

LES RAISONS D'Y ALLER

LES CÔTES

Plages de sable blanc, sports nautiques, plongée, pêche au gros

LA FAUNE

Oiseaux, makis (lémuriens roux), espadons, dauphins, tortues de mer, baleines, cœlacanthes du musée de Moroni

LES PAYSAGES ET LA FLORE

Plantations d'ylangs-ylangs, volcan Karthala, cirque de Bambao

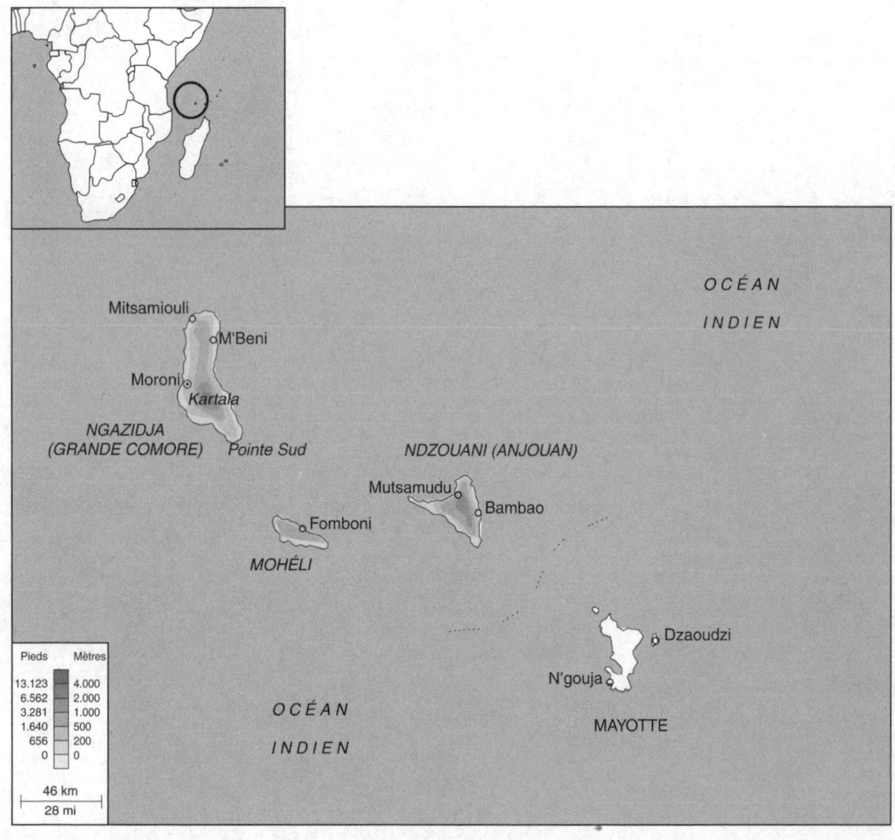

LES RAISONS D'Y ALLER

MOILI (ex-Mohéli)

Moili est sûrement celle des trois îles de l'Union des Comores qui préserve le mieux son authenticité, et l'écotourisme y trace ses premiers sillons. De surcroît, l'île offre une jolie côte sud, avec un parc marin.

A l'intérieur, forêts et cascades cachent des lémuriens et les roussettes Livingstone, considérées comme les chauves-souris les plus imposantes du monde. Ponte des tortues marines et, au large, observation des baleines et des dauphins complètent le tableau.

NDZOUANI (ex-Anjouan)

Les plages aménagées sont peu nombreuses mais dans des sites pittoresques, comme celui du village de Moya.

Alternative au farniente : les ruelles, la mosquée, les petits commerces indiens et les ruines de la citadelle de la principale ville de l'île, Mutsamudu.

Le cirque de **Bambao**, un ancien cratère, abrite des plantations d'ylangs-ylangs, arbres originaires de Malaisie et dont l'huile tirée des fleurs est convoitée par les parfumeurs du monde entier. Les ylangs-ylangs sont symboliques des paysages comoriens, surtout sur les flancs des volcans.

NGAZIDJA (ex-Grande Comore)

Les plages – de sable blanc, contrairement à Mayotte, d'origine volcanique – se trouvent surtout dans le nord. Une curiosité : le Trou du Prophète, crique où la légende situe le refuge de Mahomet.

Outre la plongée, les **sports nautiques** possibles sont variés : planche à voile, voile (surtout en juillet et en août), pêche au gros (barracudas, espadons, mérous), celle-ci préférable entre novembre et mai.

Un poisson refuse de se laisser admirer, sauf au musée de Moroni, mais il est mythique : le **cœlacanthe**. L'espèce, qui a subi peu de mutations depuis des centaines de millions d'années, ne survit qu'ici, grâce aux eaux à la fois profondes et chaudes qui entourent Ngazidja.

A l'intérieur, et à 1 000 m d'altitude, s'étend une forêt tropicale et pousse l'orchidée sauvage qui est à l'origine de la vanille.

Ngazidja possède ausi le volcan **Karthala**, qui culmine à 2 361 m. Quand il est calme (une éruption a eu lieu en novembre 2005), il fait l'objet d'ascensions enrichies d'évocations mythiques. Ainsi, le le roi Salomon et la reine de Saba sont censés y avoir jeté leurs anneaux de mariage...

Dans les trois îles, les **oiseaux** (pailles-en-queue, perruches) sont les plus nombreux, alors que la faune terrestre comprend des tortues et surtout des **makis** (lémuriens roux), une espèce rare.

Outre les coraux, aujourd'hui protégés, et les poissons tropicaux multicolores (poissons-lune, poissons-clowns), la faune aquatique est riche et diverse : espadons, dugongs, baleines à bosse (celles-ci présentes de mi-juillet à fin octobre), dauphins, tortues de mer (ponte entre juillet et octobre), raies mantas.

LE POUR

◆ Les ingrédients habituels du tourisme balnéaire sous les tropiques.

◆ Les faveurs du climat, qui coïncident bien avec la période juin-août.

LE CONTRE

◆ Le coût élevé du transport aérien et de la vie touristique.

◆ Une situation politique fragile, surtout à Ndzouani (ex-Anjouan).

LE BON MOMENT

L'archipel, à l'abri des cyclones, bénéficie d'un climat chaud mais très humide entre novembre et avril. Les pluies sont alors fréquentes dans les secteurs exposés au vent.

La période sèche, qui court d'**avril à mi-novembre** est plus « fraîche » mais plus agréable.

◆ Températures moyennes jour/nuit (en °C) à Moroni : janvier 30/23, avril 30/23, juillet 28/19, octobre 29/20.

LE PREMIER CONTACT

Au Canada

Consulat honoraire, Campbellville, ☎ (905) 319-1244, fax (905) 331-8580.

En Belgique

Consulat honoraire, 128, rue Paul Hymans, B-1200 Bruxelles, ☎ (02) 779.58.38, fax (02) 779.58.38.

En France

Consulat, 20, rue Marbeau, 75016 Paris, ☎ 01.40.67.90.54.

Internet

www.comores-online.com
www.anjouan-online.com
www.moheli-tourisme.com/

Guides

Les Comores et Mayotte (Jaguar), *Mayotte, Comores* (Le Petit Futé).

Cartes

L'IGN publie des cartes des différentes îles de l'archipel.

Lectures

Contes et légendes des Comores (Flies France Editions, 2004), *Dictionnaire français-comorien : dialecte shindzuani* (L'Harmattan, 1997), *la Transmission de l'islam aux Comores (1933-2000) : le cas de la ville de Mbéni (Grande-Comore)* de Toibibou Ali Mohamed (L'Harmattan, 2008), *Mon mari est plus qu'un fou : c'est un homme* (Nassur Attouman, Ed. Naïve, 2006), *Terre noire : lettres des Comores* (Jean-Marc Turine, Métropolis, 2008).

Images

Comores : quatre îles pour un archipel (Ed. Grandir, 2007), *l'Union des Comores : les îles de la Lune* (Orphie, 2005). Film documentaire : *la Résidence Ylang Ylang* (2007), de Hachimiya Ahamada.

Vidéos et DVD

Îles... était une fois : Seychelles, Comores, Madagascar NW (Antoine, Warner Home Vidéo, 2003).

QUEL VOYAGE ET À QUEL PRIX ?

Le voyage individuel

Les préparatifs

◆ Pour les Canadiens et les ressortissants de l'Union européenne : passeport en cours de validité suffisant, visa délivré à l'arrivée à Moroni. Dans tous les cas, billet de retour ou de continuation exigible.

◆ Prévention recommandée contre le paludisme.

◆ Monnaie : le *franc des Comores*. 1 EUR = 492 francs des Comores, 1 US Dollar = 350 francs des Comores. Emporter des euros ou des US Dollars et une carte de crédit.

Le départ

◆ Indice de prix à certaines dates du vol Paris-Moroni A/R (via Sana'a, Yémen) : 900 EUR. ◆ Durée moyenne du vol Paris-Moroni : 13 heures.

Sur place

Avion

Liaisons interîles via quatre compagnies, réservations conseillées au moins un mois à l'avance.

Route

◆ Location de voiture possible. ◆ Transports collectifs : peu de bus mais nombreux taxis.

Le séjour en individuel

Rappel : nous nous sommes limités à un résumé des prestations en vigueur dans les agences et chez les voyagistes présents en France. Les lecteurs des autres pays peuvent en tirer des idées d'itinéraire et les compléter auprès de leurs agences de voyages.

Le tourisme comorien reste confidentiel mais les amateurs du voyage improvisé trouvent sur place des propositions de séjours balnéaires et, à Ngazidja, des guides pour l'ascension du volcan Karthala.

Les amateurs de farniente avaient l'habitude de se retrouver au raffiné Galawa Beach, sur la pointe nord de Grande Comore, mais l'hôtel est en reconstruction.

Le voyage accompagné

Autant Mayotte commence à concerner les voyagistes, autant les trois îles de l'Union des Comores restent absentes de leurs propositions de séjours.

Des croisières reliant les trois îles sont possibles (renseignements en agence de voyages).

QUE RAPPORTER ?

L'artisanat ressemble à celui que l'on trouve souvent sous ces latitudes : objets réalisés à partir de coquillages et textiles. On peut le saupoudrer d'odeurs de vanille et d'ylang-ylang.

LES REPÈRES

◆ Lorsqu'il est midi en France, aux Comores il est 13 heures en été et 14 heures en hiver. ◆ Langues officielles : le shikomor (langue apparentée au swahili), le français et l'arabe. ◆ Téléphone vers les Comores : 00269 + numéro.

LA SITUATION

Géographie. Situées au nord-ouest de Madagascar, les Comores constituent un petit archipel volcanique. Composée des trois îles de Ngazidja (ex-Grande Comore, 1 184 km^2), Moili (ex-Mohéli, la plus petite avec 290 km^2), Ndzouani (ex-Anjouan, 424 km^2), l'Union des Comores atteint 1 898 km^2.

Population. Une mosaïque d'Arabes, de Malais et de Malgaches rassemble 732 000 habitants.

Religion. La religion musulmane, ici sunnite et souple, est omniprésente. Minorités de chrétiens et de baha'is.

Dates. *XIe siècle* Des navigateurs arabes découvrent l'archipel. *XVIe siècle* Différents sultans s'installent et se querellent. *1886* Protectorat français. *1946-1975* Les Comores forment un T.O.M. *1974* Indépendance. *1976* Référendum : seule Mayotte décide de rester française et devient collectivité territoriale. *1978* Proclamation de la République fédérale et islamique des Comores. Le pouvoir d'Ahmed Abdallah est « préservé » par le mercenaire Bob Denard. *1989* Abdallah est assassiné. *1990* Mohammed Djohar devient président. *Mars 1996* Mohamed Taki Abdoulkarim est élu président. *Octobre 1996* Adoption d'une nouvelle Constitution. *Juillet 1997* Graves troubles sur l'île de Ndzouani (ex-Anjouan) qui manifeste sa volonté de rattachement à la France. *Novembre 1998* Tadjidine ben Said Massonde devient président. *Avril 1999* L'armée prend le pouvoir. *Mai 2002* Azali Assoumani président. *Décembre 2002* Une nouvelle constitution prévoit l'élection d'un président pour chaque île, excepté Mayotte, et donne le nom d'« Union des Comores » à l'archipel. *2003* Mayotte devient une « collectivité départementale ». *Mai 2006* Ahmed Abdallah Sambi est élu président. *Juin 2007* Bacar nouveau président d'Anjouan, île toujours en butte au pouvoir central. *Mars 2008* L'armée comorienne récupère Anjouan.

Congo

Avertissement. – Certaines régions, particulièrement le sud-est (Pool) et le nord-est, sont déconseillées au visiteur. Il est nécessaire de bien se renseigner auprès de l'ambassade avant d'entreprendre un voyage.

Les pistes sont difficiles, la forêt est dense, le taux d'humidité est très élevé et la fatigue ainsi engendrée est une vraie fatigue : tel apparaît le Congo, pays discret où il y a peu de touristes mais beaucoup d'authenticité. Principal écueil : une situation parfois tendue, qui rend incertaine la visite des contrées de l'intérieur.

LES RAISONS D'Y ALLER

LES PAYSAGES

Chutes (Loufoulakari), gorges, forêt dense, plateaux Batéké, cirque de Diosso, monts de la Lune

LA FAUNE

Réserve de la Lefini, parc national d'Odzala (singes, éléphants, gorilles de plaine)

LES MŒURS

Rencontre des Pygmées

LA CÔTE

Plages autour de Pointe-Noire, pêche

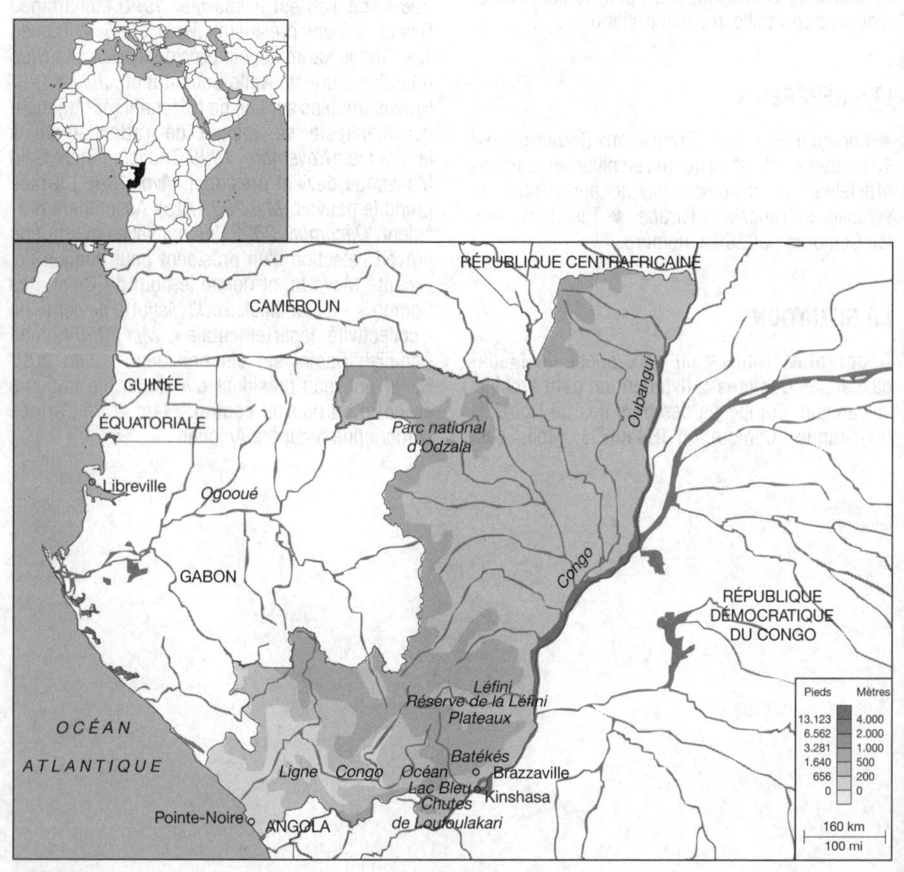

LES RAISONS D'Y ALLER

LES PAYSAGES

La variété de la nature n'est pas un vain mot : çà et là sont disséminés des **lacs** (lac Bleu), des chutes, telles celles de **Loufoulakari**, des **cascades** (fleuve Congo), des **gorges**, la **forêt dense** et des accidents de relief comme les collines rondes parsemées de grès rose des **plateaux Batékés**, les effondrements des falaises littorales du **cirque de Diosso** ou la succession des collines coniques des **monts de la Lune**.

La traversée du sud du pays par la ligne de chemin de fer **Congo-Océan**, qui relie Brazzaville à Pointe-Noire, est connue des passionnés du rail – mais elle est parfois déconseillée au visiteur. La voie ferrée longe des massifs, enjambe des gouffres et s'enfonce dans la forêt vierge. Autre possibilité : une journée passée à bord d'une pirogue ou d'un bateau de croisière sur le fleuve Congo, au départ de Brazzaville.

LA FAUNE

Les abords de la rivière **Lefini** renferment des **singes** et des **éléphants**. Dans le nord, le parc national d'Odzala abrite des **gorilles** de plaine dont la survie est hélas! compromise par la double agression de la chasse et du virus Ebola.

Les deux sites précités donnent au Congo une place intéressante sur le plan de la faune animale. Toutefois, n'oublions pas l'extrême difficulté d'un voyage à travers la forêt dense et la rareté des occasions offertes de croiser un gorille ou un éléphant...

LES MŒURS

Dans la grande forêt équatoriale du nord, il est possible de voguer en pirogue à la rencontre des **Pygmées**, mais attention à la désillusion : les Pygmées ne montrent de leur mode de vie que ce qu'ils veulent bien en montrer et le voyage est fatigant. La rencontre est également intéressante avec d'autres ethnies, tels les Bakongo et les Batéké.

LA CÔTE

Les **plages** du Congo sont loin d'être un argument touristique important. Elles sont néanmoins agréables, surtout aux alentours de Pointe-Noire, et certaines sont un point de départ pour la **pêche** (du tarpon, entre autres).

LE POUR

◆ Un soupçon d'aventure dans un pays très méconnu.

◆ Une saison sèche bien placée au calendrier.

◆ Le français comme langue véhiculaire.

LE CONTRE

◆ Un voyage rendu aléatoire en dehors des grandes villes par la fragilité de la situation politique.

◆ Le coût élevé du transport aérien international.

◆ Une infrastructure balnéaire peu connue et peu développée.

LE BON MOMENT

Le climat est tropical, humide et chaud. Janvier est le mois le plus malsain, juillet le plus agréable. La grande saison sèche, moment favorable, dure **de la mi-mai à la mi-septembre**.

◆ Températures moyennes jour/nuit (en °C) à *Brazzaville* (sud) : janvier 30/22, avril 32/22, juillet 27/17, octobre 31/22.

LE PREMIER CONTACT

En Amérique du Nord

Ambassade de la république du Congo, Washington, D.C., Etats-Unis, ☎ (202) 726-5500, fax (202) 726-1860, www.embassyofcongo.org

En Belgique

Ambassade, avenue Franklin-Roosevelt, 16, B-1050 Bruxelles, ☎ (02) 648.38.56, fax (02) 648.42.13.

En France

Ambassade, 37 bis, rue Paul-Valéry, 75016 Paris, ☎ 01.45.00.60.57, fax 01.40.67.17.33.

En Suisse

Section consulaire, rue Chabrey 8, CH-1202 Genève, ☎ (22) 731.88.21, fax (22) 731.88.17, missioncongo@bluewin.ch

Internet

www.congo-site.com/pub/fr/index.php

Guides

Congo, Democratic Republic and Republic (Bradt), *le Congo* (Jaguar/Aujourd'hui).

Cartes

Congo (IGN).

Lectures

Congo Brazzaville, du putsch au rideau de fer (L'Harmattan, 2006), *Dictionnaire général du Congo-Brazzaville* (L'Harmattan, 2000), *la Cuisine congolaise* (L'Harmattan, 2003), *la Guerre civile du Congo-Brazzaville 1993-2002 : chacun aura sa part* (Patrice Yengo, Karthala, 2006), *Partis et familles de partis au Congo-Brazzaville* (Mubuma-G-K Sheri/L'Harmattan, 2006), *Savorgnan de Brazza (1852-1905) : une épopée aux rives du Congo* (Les Indes savantes, 2006), *Vivre à Brazzaville : modernité et crise au quotidien* (Karthala, 2000).

Images

Congo-Brazzaville (Jacques Clémens/Ed. Alan Sutton, 2004), les *Peintres du fleuve Congo* (Sepia, 1995).

QUEL VOYAGE ET À QUEL PRIX ?

Le voyage individuel

Les préparatifs

◆ Passeport en cours de validité. Visa obligatoire.

◆ Vaccination obligatoire contre la fièvre jaune, recommandée contre la méningite. Prévention indispensable contre le paludisme.

◆ Monnaie : le franc CFA (XOF). 1 EUR = 655,957 francs CFA. Pour le change, emporter des euros ou des US Dollars en espèces ou en chèques de voyage.

Le départ

◆ Indice de prix à certaines dates du vol Paris-Brazzaville A/R : 950 EUR. ◆ Durée moyenne du vol Paris-Brazzaville (6 042 km) : 7 heures.

Sur place

Route

◆ Véhicule tout-terrain recommandé. ◆ Ne pas se déplacer isolément en dehors des villes.

Train

Deux liaisons quotidiennes (et lentes !) existent entre Brazzaville et Pointe-Noire par le chemin de fer Congo-Océan. Spectacle garanti mais nécessité de bien se renseigner sur les conditions de sécurité avant d'entreprendre le voyage.

Le voyage accompagné

Lorsqu'ils jugent la situation propice, des voyagistes spécialistes de la randonnée organisent des safaris photo dans le parc d'Odzala, à la rencontre des gorilles de plaine.

LES REPÈRES

◆ Lorsqu'il est midi en France, au Congo il est la même heure en hiver et 11 heures en été. ◆ Langue officielle : le français; mais le kongo et le téké se partagent l'essentiel des conversations. ◆ Téléphone vers le Congo : 00242 + numéro; du Congo : 00 + indicatif pays + numéro.

LA SITUATION

Géographie. La forêt dense, qui occupe la moitié du pays, se rencontre surtout dans une moitié sud-ouest/nord-est. La savane couvre le reste du territoire. Superficie totale : 342 000 km^2.

Population. Son chiffre est modeste (3 903 000 habitants) par rapport à la superficie. La moitié de la population vit dans les villes. Les Bantous sont majoritaires et divisés en sous-groupes ethniques. Capitale : Brazzaville.

Religion. Un Congolais sur deux est catholique, un sur quatre est protestant. Minorités de chrétiens africains (14 %) et d'animistes (5 %).

Dates. *1875* Savorgnan de Brazza explore le Congo et laissera son nom à la capitale. *1910*

Le Moyen-Congo fait partie de l'AEF. *1960* Indépendance. *1970-1979* Sous Ngouabi, le pays devient République populaire du Congo, pro-chinois. *1979* Adoption d'une constitution socialiste et arrivée au pouvoir du colonel Denis Sassou Nguesso, qui sera réélu trois ans plus tard. *1992* Pascal Lissouba nouveau président. *Juin 1997* Les forces de Sassou Nguesso et de Lissouba entrent en conflit à Brazzaville, nombreuses victimes. *Octobre 1997* Sassou Nguesso reprend le pouvoir. *Novembre 1998* Nouvelles violences au sud-ouest de Brazzaville. *Décembre 1999* Accord de cessez-le-feu. *Mars 2002* Réélection de Sassou Nguesso. *Mars 2003* Nouvel accord de cessez-le-feu.

Congo (République démocratique du)

Avertissement. – L'est (Kivu), le nord-est (Ituri) et plus globalement la zone des Grands Lacs restent sous tension. Toute idée de voyage à travers le pays reste déconseillée ou nécessite absolument de prendre contact avec l'ambassade, à même de renseigner le lecteur sur l'évolution de la situation.

Son importante superficie permet à la République démocratique du Congo de multiplier les centres d'intérêt issus d'une nature variée, qu'il s'agisse des lacs et volcans de la partie est, du cours du fleuve Congo ou de la faune et de la flore des parcs nationaux. Aussi, le jour où son image touristique sera mieux cernée, et le calme revenu, le pays devrait devenir l'un des rendez-vous du tourisme africain.

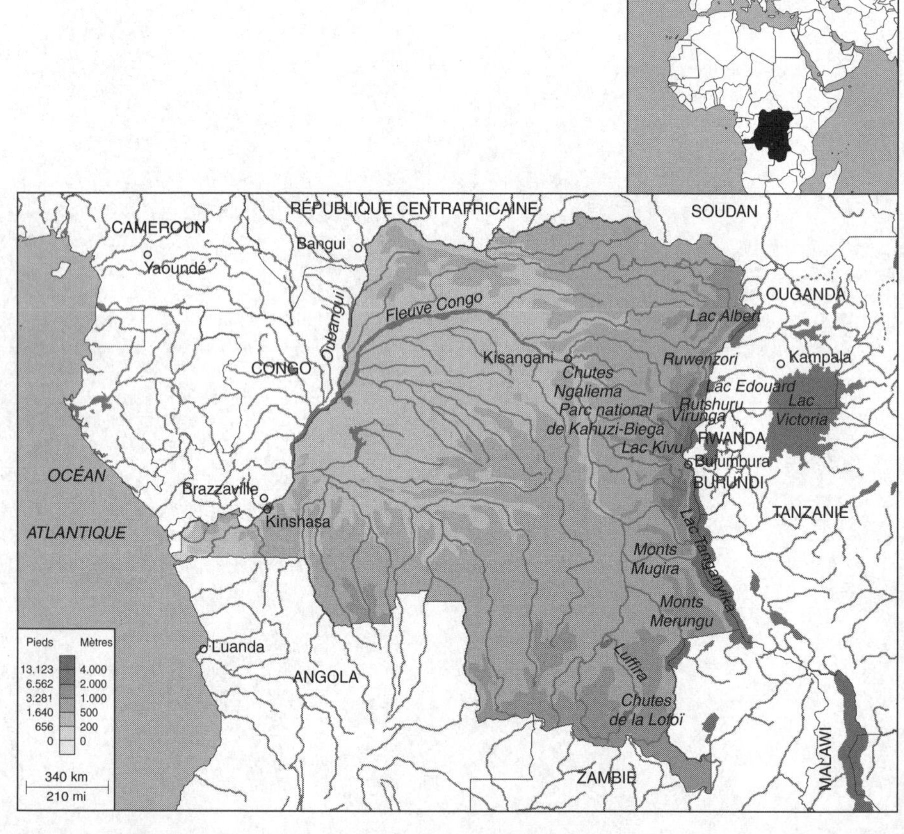

LES RAISONS D'Y ALLER

LES PAYSAGES ET LES RANDONNÉES

Lac Kivu, lac Tanganyika, chaîne des Virunga, chaîne du Ruwenzori, fleuve Congo, chutes de la Lofoï, région de Lubumbashi

LA FAUNE ET LA FLORE

Parcs nationaux de Kahuzi-Biega et des Virunga Gorilles, hippopotames, babouins, antilopes, lions, éléphants, okapis

LA VILLE

Kinshasa

LES RAISONS D'Y ALLER

LES PAYSAGES ET LES RANDONNÉES

Volcans, lacs et réserves d'animaux ont fait la réputation de la région du Kivu où, en temps normal, l'on peut aussi goûter aux joies de la baignade dans le plus beau des lacs de l'endroit, le **lac Kivu**. Sur la rive nord, se trouvent des sites naturels intéressants : champs de laves, chutes (Rutshuru), sources d'eau chaude.

Le lac Kivu doit sa naissance à la chaîne voisine des **Virunga**, groupe de huit volcans, éteints ou actifs, dont le plus connu par les randonneurs est le violent et tristement célèbre Nyiragongo. Certains sommets dépassent 5 000 m dans la chaîne du **Ruwenzori**, placée à cheval sur la République démocratique du Congo et l'Ouganda, entre les lacs Mobutu et Édouard. L'endroit, domaine de la forêt équatoriale dense et des fougères arborescentes, est propice aux randonnées et aux ascensions, dont l'une permet de découvrir les montagnes de la Lune, formées de glaciers entourés de petits lacs gris, noirs ou verts.

Au sein d'une vaste région de forêt vierge vers le mont Hoyo, dans le Ruwenzori, vivent et chassent les Bambutis, des **pygmées** qui, en temps normal, accueillent le touriste tout en s'efforçant de préserver des coutumes très anciennes.

La nature complète sa riche panoplie par la rive gauche du **lac Tanganyika**, qui demande d'être admirée à partir des pentes des monts Mugira et des monts Marungu, et le cours du **Congo**, fleuve puissant qui tantôt se dilue dans des lacs, tantôt se resserre pour libérer des chutes (Ngaliéma) et des rapides aussi spectaculaires que dangereux.

Au sud-est, un autre cours d'eau, la **Lofoï**, affluent de la Lufira, se répand en plusieurs chutes (Kaloba). Non loin de là, la région de **Lubumbashi** abrite de très jolis coins de nature et des sites remarquables comme Bunkeya ou Kambove.

LA FAUNE ET LA FLORE

C'est dans le parc national de **Kahuzi-Biega** et des **Virunga** que, en temps de paix, se vit un moment important d'un voyage en République démocratique du Congo : la rencontre des **gorilles** de plaine ou de montagne. Hélas! tués, capturés ou monnayés pendant les longues années de conflit, il n'en resterait plus qu'une cinquantaine, contre deux mille quatre cents avant les troubles.

Non loin de là, le parc national de la chaîne des Virunga renferme des **hippopotames** (surtout à l'embouchure du fleuve Semliki), des **babouins**, des **antilopes**, des **lions**, des **éléphants**.

Une exclusivité se promène dans les forêts du nord-est : les **okapis**, plus sûrement repérables depuis la station d'observation du village d'Epulu, à l'est du lac Albert.

LA VILLE

Si **Kinshasa** (« Kin » pour les locaux) ne laisse pas un souvenir impérissable, elle est souvent jugée comme l'une des villes les plus animées d'Afrique noire.

LE POUR

◆ Un climat relativement favorable pendant les mois d'été.

◆ La présence de la langue française.

LE CONTRE

◆ Une image touristique qui demeure absente, contrariée par l'insécurité et par une situation dégradée dans l'est.

LE BON MOMENT

Régime équatorial dans le centre (pluies plus ou moins fortes toute l'année), régime tropical au nord et au sud (la saison sèche dure entre trois et sept mois), irrégularité des précipitations dans l'est selon l'orientation des versants montagneux : le tout donne un ciel changeant, qui manifeste une certaine indulgence **entre avril et septembre**.

◆ Températures moyennes jour/nuit (en °C) à *Kinshasa* (ouest) : janvier 30/22, avril 32/22, juillet 27/17, octobre 31/22.

LE PREMIER CONTACT

En Belgique

Consulat général, Ankerrui, 22, B-2000 Anvers, ☎ (03) 203.08.53, fax (03) 203.08.53.

Au Canada

Ambassade, 18, rue Range, Ottawa, ON K1N 8J3, ☎ (613) 230-6391, fax (613) 230-1945, info@ambassadesrdcongo.org

En France

Section consulaire, 32, cours Albert-Ier, 75008 Paris, ☎ 01.42.25.57.50, fax (01) 43.59.30.21, ambrdcongoparis@yahoo.fr

En Suisse

Section consulaire, Sulgenheimweg, 21, CH-3001 Berne ☎ (31) 371.35.38, fax (31) 372.74.66, rdcambassy@bluewin.ch

Internet

www.congonline.com/Tourisme/tourisme.htm

Guides

Congo, Democratic Republic and Republic (Bradt), *République démocratique du Congo* (Le Petit Futé).

Cartes

Africa, East (Bartholomew), *Ruwenzori Map and Guide* (Cordée).

Lectures

Kinshasa, signes de vie (L'Harmattan, 2001), *la République démocratique du Congo : une guerre inconnue* (Editions Michalon, 2006).

Images

Congo River (La Renaissance du livre, 2006), *le fleuve Congo* (Actes Sud, 2003), *Virunga, survie du premier parc d'Afrique* (Editions Lannoo, 2007). Cinéma : *Gorilles dans la brume,* film de M. Apted avec Sigourney Weaver (1988), raconte la vie de Dian Fossey au milieu de ceux qui furent « ses » gorilles.

DVD

Congo River, au-delà des ténèbres (Les Films de la passerelle, Cinélibre 2006).

QUEL VOYAGE ET À QUEL PRIX ?

Le voyage individuel

Les préparatifs

◆ Pour les ressortissants de l'Union européenne, canadiens, suisses : passeport (valable encore six mois après le retour), visa obligatoire, obtenu auprès du consulat. Billet de retour ou de continuation exigible.

◆ Vaccination obligatoire contre la fièvre jaune, recommandée contre la fièvre typhoïde. Prévention indispensable contre le paludisme.

◆ Monnaie : le *franc congolais*. 1 US Dollar = 556 francs congolais, 1 EUR = 782 francs congolais. Pour le change, emporter des euros ou des US Dollars en espèces ou chèques de voyage.

Le départ

◆ Indice de prix à certaines dates du vol Paris ou Bruxelles-Kinshasa A/R : 900 EUR. ◆ Durée moyenne du vol Bruxelles-Kinshasa (6 300 km) : 9 heures.

Sur place

Route

◆ Location de voiture possible, de préférence avec chauffeur, le 4 x 4 s'impose, de même que s'impose la nécessité de se renseigner sur les conditions de sécurité avant d'entreprendre un déplacement.

Train

Actuellement aléatoire. Certaines lignes sont opérationnelles, d'autres sont interrompues.

Le voyage accompagné

Dans la tourmente actuelle, des initiatives tentent de se faire jour, comme 15 jours de «vélo safari» au Katanga, dans les alentours de Bunkeya et Lubumbashi. Cela avec de jeunes accompagnateurs locaux, dans le cadre du tourisme équitable. Renseignements en Belgique, «Vélo safari au Katanga», ☎ 0032.10.41.47.29.

LES REPÈRES

◆ Lorsqu'il est midi en France, en République démocratique du Congo il est la même heure en hiver et 11 heures en été. ◆ Langue officielle : français. Quatre langues (swahili, tshiluba, lingala, kikongo) sont considérées comme véhiculaires, parmi plus de 400 dialectes. ◆ Téléphone vers la République démocratique du Congo : 00243 + indicatif (Kinshasa : 12) + numéro.

LA SITUATION

Géographie. À l'ouest, le fleuve Congo et son affluent l'Oubangui bordent une vaste cuvette alluviale baignée par de nombreux cours d'eau. À la hauteur de Kisangani, la cuvette se relève pour laisser place à des plateaux, ceux-ci étant à leur tour supplantés par de hauts plateaux et des massifs qui retombent sur des fossés d'effondrement (lac Tanganyika, lac Kivu). Avec ses 2 344 858 km^2, dont la moitié sont recouverts par la forêt équatoriale, la République démocratique du Congo est le deuxième pays d'Afrique en superficie.

Population. 66 515 000 habitants. Un habitant sur deux est d'origine bantoue, parmi environ 60 groupes ethniques. Capitale : Kinshasa.

Religion. Les catholiques (14 millions) sont nettement plus nombreux que les protestants. On dénombre également des sectes chrétiennes africaines (17 %), un million d'animistes et une minorité de musulmans.

Dates. *XVIe siècle* Prédominance du royaume de Makoko. *XVIIe siècle* Extension du royaume lunda. *1876* Le roi des Belges, Léopold II, crée l'Association internationale africaine et, neuf ans plus tard, devient l'unique propriétaire du nouvel État, le Congo. *1908* Léopold II cède le pays à la Belgique. *1960* Indépendance du Congo-Kinshasa, Patrice Lumumba Premier ministre, sécession du Katanga. *1965* Coup d'État de Mobutu, qui sera déclaré maître absolu du pays cinq ans plus tard. *1971* L'État prend le nom de Zaïre. *Octobre 1996* Dégradation de la situation dans l'est du pays. *Mai 1997* Mobutu s'exile, les rebelles tutsis de Laurent-Désiré Kabila prennent le pouvoir et rebaptisent le pays République démocratique du Congo. *Septembre 1997* Mort de Mobutu. *Janvier 2001* Kabila est assassiné par son garde du corps, son fils lui succède au sein d'un pays ravagé par les affrontements interethniques (des dizaines de milliers de victimes depuis 1996). *2002* L'éruption du Nyiragongo détruit une partie de la ville de Goma. *Printemps 2003* Affrontements entre milices hema et lendu dans la province d'Ituri (nord-est). *Juin 2003* Création d'un gouvernement d'union nationale. *Octobre 2006* Joseph Kabila est élu président malgré de vives contestations par Bemba, son adversaire. *Novembre 2008* La rébellion du général Nkunda dans le Nord Kivu et les exactions de l'armée régulière sèment la désolation parmi les civils.

Corée du Nord

Voyager dans le pays façonné et fermé par le Grand Leader Kim Il-sung est chose inapplicable de manière indépendante mais possible en groupe. Un tourisme très confidentiel, très cher et très encadré… La nature et les montagnes s'annoncent belles, mais comment les apprécier vraiment à travers une forme de voyage et des contacts si restreints ?

LES RAISONS D'Y ALLER

LES VILLES ET LES MONUMENTS

Kaesong, Pyongyang, Ryongsan-ri

LA NATURE

Montagnes (Chilbo, Myohyang, Kumgang-san)

LA CÔTE

Wonsan (stations balnéaires)

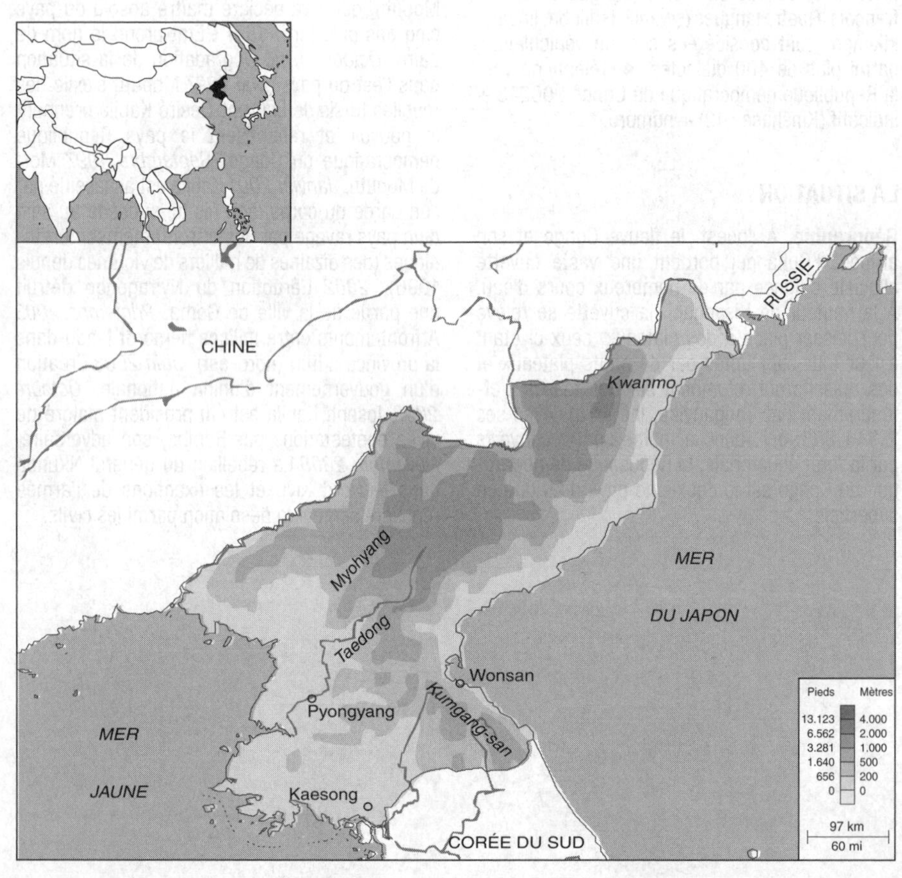

LES RAISONS D'Y ALLER

LES VILLES ET LES MONUMENTS

La ville de **Kaesong**, ancienne capitale du royaume de Koryo, est la plus intéressante du pays. La partie ancienne est riche en maisons traditionnelles et vieilles ruelles. Aux alentours, on peut découvrir des vestiges historiques du XIVe siècle (tombeaux du roi Kongmin, porte Nam).

Pyongyang, la capitale, doit être vue non pour son site, traversé par de grandes avenues sans charme, mais pour son étrange architecture, qui rappelle le Bucarest de Ceausescu et qui est tout entière calquée sur ce que furent les désirs du « Grand Dirigeant » Kim Il-sung, dont les statues de bronze parsèment les villes.

A Pyongyang, celui qui a régné sans partage pendant près de cinquante ans a droit à une énorme statue et fait l'objet d'un culte de la personnalité avec deux éléments clés : le **Mémorial**, qui abrite sa dépouille embaumée, et le **Cénotaphe** des idéaux du Djoutché (tour de granit, 150 m de haut). Autre monument important : le Musée de la Guerre de libération de la patrie, marqué par l'hostilité chronique du pays aux États-Unis.

Toutefois, le Pyongyang le plus recherché est celui de ses parcs environnants : Mansudae, avec la maison natale de Kim-Il sung et l'Institut des beaux-arts (peintres locaux), et celui du mont Taesong.

A trente kilomètres au sud-est de la capitale, **Ryongsan-ri** abrite une soixantaine de tombes du royaume de Kokuryo (Ier siècle av. J.-C.-VIIe siècle ap. J.-C.). Inscrites au Patrimoine mondial, des fresques ornent les parois des chambres funéraires. Certains objets de ces tombes se trouvent au Musée central d'histoire de la Corée, à Pyongyang.

LA NATURE

Le pays est aux trois quarts montagneux, entre 500 et 2 750 m, les plus jolis sites étant les pics du mont **Chilbo**, les monts **Myohyang** et surtout **Kumgang-san** (mont Diamant), seule région accessible depuis la Corée du Sud via un bus très encadré.

LA CÔTE

Les rivages nord-coréens sont peu connus. Toutefois, les abords de **Wonsan** possèdent quelques stations balnéaires.

LE POUR

◆ De réels arguments touristiques.

◆ Un léger réchauffement et un embryon d'ouverture.

LE CONTRE

◆ Un tourisme soumis à des règles draconiennes et onéreux.

◆ Un climat peu amène, quel que soit le moment de la visite.

LE BON MOMENT

Fichu climat ! Très froid et parfois même sibérien dans le nord-est qui peut connaître moins trente degrés en hiver, il devient chaud en été mais humide (pluies de mousson). Typhons possibles en juillet et août. Un court **automne** reste la meilleure saison.

◆ Températures moyennes jour/nuit en °C à *Pyongyang* (ouest) : janvier -1/-11, avril 17/5, juillet 29/21, octobre 18/7.

LE PREMIER CONTACT

En Amérique du Nord

Mission permanente auprès des Nations unies, 820 Second Avenue, New York, N.Y., 10017, ☎ (212) 972-3105, fax (212) 972-3154.

En Suisse

Section consulaire, Pourtalèsstrasse, 43, CH-3074 Muri b. Bern, ☎ (31) 951.66.21, fax (31) 951.57.04, dprk.embassy@bluewin.ch

Internet

www.kcckp.net/fr/
www.koryogroup.com

Guide

North Korea (Bradt, 2007).

Lectures

Au pays du grand mensonge (P. Grangereau, Payot, 2003), *Corée du Nord, voyage en dynastie totalitaire* (L'Harmattan, 2003), *Je regrette d'être née là-bas, Corée du Nord : l'enfer et l'exil* (Sophie Delaunay, Marine Buissonnière, Laffont, 2005), *les Aquariums de Pyongyang, dix ans au goulag nord-coréen* (Kang Chol-Hwan et C.H. Kang, Robert Laffont, 2000).

Images

DPRK (P. Chancel/Thames & Hudson).

QUEL VOYAGE ET À QUEL PRIX?

Les préparatifs

◆ Pour les ressortissants du Canada, de la Suisse et de l'Union européenne, passeport, visa obligatoire.

◆ Le touriste est soumis à des règles strictes : impossibilité de voyager seul et passage obligatoire par une agence de voyages accréditée, interdiction de conduire, présence d'un agent de l'État à ses côtés, obligation de demander la permission de photographier, interdiction d'utiliser la monnaie locale.

◆ Aucune vaccination n'est exigée. Risque très limité de paludisme dans certaines zones méridionales.

◆ Monnaie : le won nord-coréen. Les transactions se font surtout en euros. Les chèques de voyage ne sont pas acceptés. 1 EUR = 200 wons nord-coréens.

Le départ

◆ Les vols internationaux pour Pyongyang transitent exclusivement par Pékin ou Shenyang. ◆ Il existe une liaison ferroviaire Pékin-Pyongyang (quatre fois par semaine, 24 heures de trajet).

◆ CGTT Voyages est le seul tour-opérateur français accrédité par les autorités nord-coréennes depuis 2006. Voyage de neuf jours pour Pyongyang, Ryonggang, la mer Jaune, Kaesong, les chutes de Pakyon, le temple de Kwanum, la station de Myohyangsan, aux alentours de 2 500 EUR tout compris. Autre proposition auprès du voyagiste suisse Voyage et culture (www.reisen-und-kultur.ch).

LES REPÈRES

◆ Lorsqu'il est midi en France, en Corée du Nord il est 19 heures en été et 20 heures en hiver. ◆ Langue officielle : le coréen, qui a longtemps inclus des caractères chinois avant la création d'un alphabet au XVe siècle; les principales langues occidentales ne sont pas connues. ◆ Téléphone vers la Corée du Nord : 00850 + indicatif (Pyongyang : 2) + numéro.

LA SITUATION

Géographie. La majorité des 120 538 km² est occupée par la montagne, même si l'altitude ne dépasse jamais 3 000 m. Seul un petit quart sud-ouest y échappe.

Population. Population homogène de 23 479 000 habitants, très petite minorité de Chinois. Capitale : Pyongyang.

Religion. Officiellement, 68 % des habitants n'ont aucune appartenance religieuse. Néanmoins, les croyances traditionnelles, de même que le bouddhisme et le confucianisme, sont présents. Minorité de chrétiens.

Dates. *1637* Suzeraineté mandchoue. *1910* Le Japon annexe la Corée. *1948* Proclamation de l'actuelle République démocratique populaire de Corée et prise du pouvoir du « Grand Leader » Kim Il-sung, avec culte de la personnalité à la clé. *1950-1953* Guerre entre les deux Corées mais maintien du statu quo. *1991* Entrée à l'ONU. Timides tentatives de rapprochement avec la Corée du Sud. *Fin 1993* Nouvelles tensions entre les deux Corées. *Juillet 1994* Mort de Kim Il-sung. Son fils aîné, Kim Jong-il, est appelé à lui succéder. *1996* Début d'une famine à très grande échelle. *Septembre 1998* Kim Jong-il devient « Grand Leader » de la République populaire démocratique de Corée (RPDC). *Juin 2000* Les dirigeants des deux Corées se rencontrent pour la première fois depuis la guerre un demi-siècle auparavant. *2003* Le pays, placé par les Etats-Unis sur l'«axe du mal», reste isolé, un tiers de sa population souffre de malnutrition. *Avril 2004* Très grave accident ferroviaire à Ryongchon. *Octobre 2006* Essai nucléaire vivement dénoncé par la communauté internationale. *Octobre 2007* Sommet intercoréen, réchauffement entre les deux pays. *Février 2008* Le New York Philharmonic se produit à Pyongyang.

Corée du Sud

Le « Pays du matin clair » demeure une destination touristique moyennement courue. En effet, le voyageur qui atterrit à Séoul est plus souvent un homme d'affaires joignant l'utile à l'agréable. Les arguments sont néanmoins solides pour permettre au pays de devenir une destination plus affirmée : témoignages du bouddhisme, vestiges des époques royales, sites balnéaires, paysages de moyenne montagne.

LES RAISONS D'Y ALLER

LES PAYSAGES

Montagnes de Taebaek Sanmaek (randonnées, ski)
Parcs nationaux (Soraksan, chenal de Hallyo), région de Pusan (floraison des cerisiers), Cheju (mont Halla)

LES VILLES ET LES MONUMENTS

Temples et effigies bouddhiques
Kyongju, Séoul, Puyo

LES CÔTES

Plages des côtes est et ouest, Cheju

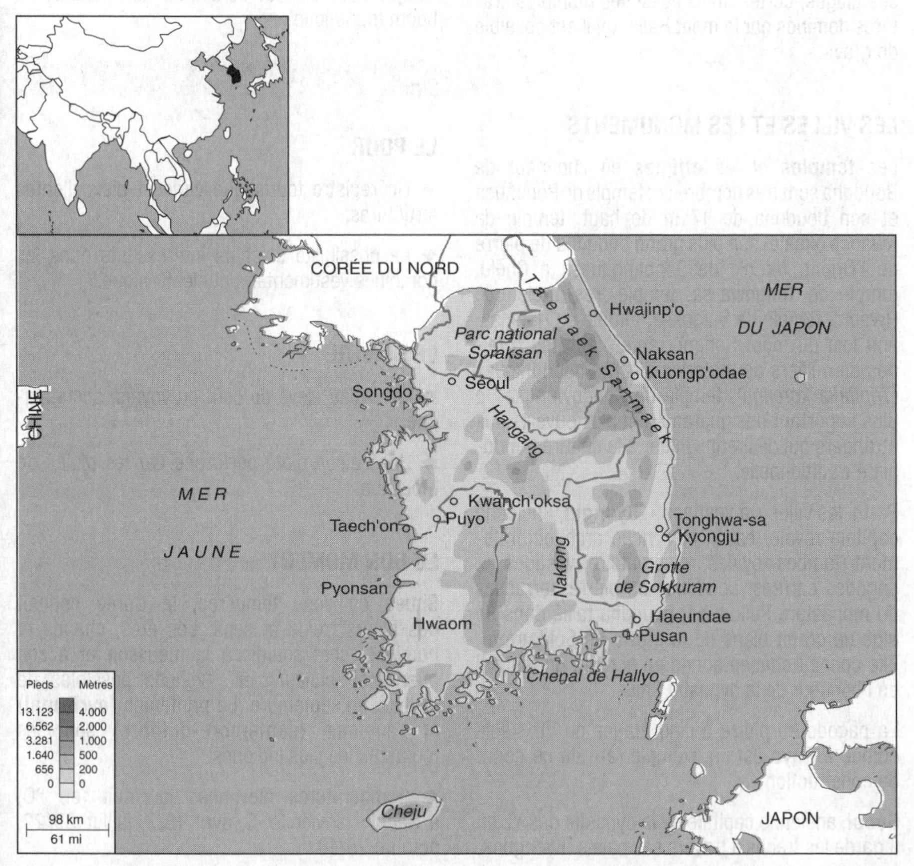

LES RAISONS D'Y ALLER

LES PAYSAGES

Sur la côte est, les **montagnes** (Taebaek Sanmaek) « plongent » dans la mer, embellissant le paysage et le rendant propice aux **randonnées**. Le ski est également d'actualité, témoin les stations de la vallée de Yongp'yong.

Les **parcs nationaux** sont en nombre : les plus connus sont **Soraksan**, propice aux randonnées, et, près de Pusan, le parc du **chenal de Hallyo** et ses îlots. La floraison du printemps coréen est réputée : l'exemple le plus remarquable en est offert par les **cerisiers** de la région de Pusan.

Au sud, l'île de **Cheju** (Jeju), l'« île des Dieux », est la favorite des Sud-Coréens et surtout des jeunes couples qui y viennent en voyages de noces pour ses plages, certes, mais aussi ses multiples cratères dominés par le mont Halla, qu'il est possible de gravir.

LES VILLES ET LES MONUMENTS

Les **temples** et les **effigies** en l'honneur de Bouddha sont très nombreux : temple de Popchusa et son bouddha de 17 m de haut, temple de Kwanch'oksa et son plus grand bouddha de pierre de l'Orient, temple de Sanbangguesa à Cheju, temple de Tonghwa-sa, temple très ancien de Hwaom, temple de Bulguksa, temple de Haiensa, non loin du mont Songni, renfermant des dizaines de milliers de tablettes d'écrits bouddhiques (*Tripitaka koreana*), temple de Songqwongsa, le plus important des quarante temples ouverts aux étrangers qui désirent s'initier à la culture bouddhiste traditionnelle.

Parmi les villes « à vestiges », **Kyongju**, ancienne capitale royale, est la plus riche architecturalement (tombes royales, observatoire, vestiges de pagodes carrées, bouddhas en pierre, terrasses du monastère Pulkuk-sa, bouddha taillé dans un bloc de granit blanc de la grotte de Sokkuram). Elle connaît chaque année en octobre un festival en l'honneur de la dynastie Shilla.

La pagode en pierre à cinq étages du VIe siècle édifiée à **Puyo** est un exemple rare de ce genre de construction.

Séoul, ancienne capitale de la dynastie des Yi, en a gardé les traces à travers ses palais (Kyongbok, Changdeokoung, Toksu), aujourd'hui transformés en musées. La capitale sud-coréenne, également riche de sanctuaires (sanctuaire confucéen de Jongmyo), de temples (Jogyesa), de marchés traditionnels et d'un Musée national avec des collections de céramiques et de sculptures bouddhiques, n'oublie pas néanmoins le présent : ainsi les quartiers voués au shopping se multiplient et le parc olympique est devenu l'un des principaux buts de visite de la ville.

LES CÔTES

Les **plages** ne doivent pas constituer l'unique raison d'un voyage en Corée du Sud. Elles n'en sont pas moins belles et relativement nombreuses, sur la côte est (Hwajinp'o, Naksan, Kuongp'odae, Haeundae) comme sur la côte ouest (Songdo, Mallip'o, Taech'on, Pyonsan). Celles de l'île de **Cheju**, dont surtout Jungmun, connaissent un boom touristique.

LE POUR

◆ Un registre touristique varié et d'excellentes structures.

◆ La possibilité d'achats intéressants dans les domaines vestimentaire et électronique.

LE CONTRE

◆ Le niveau élevé du coût du voyage accompagné.

◆ Une saison d'été perturbée par les pluies de mousson.

LE BON MOMENT

Située en zone tempérée, la Corée connaît des hivers froids et secs. Les étés, chauds et humides, sont soumis à la mousson et à son alternance pluies/soleil. Typhons possibles de juillet à fin septembre. Le printemps **(avril-mai)** et l'automne **(septembre-octobre)** sont les moments les plus indiqués.

◆ Températures moyennes jour/nuit (en °C) à Séoul : janvier 2/-6, avril 18/7, juillet 29/22, octobre 20/10.

LE PREMIER CONTACT

En Belgique

Ambassade, chaussée de La Hulpe, 173-175, B-1170 Bruxelles, ☎ (02) 675.57.77, fax (02) 675.52.21, www.koreanmissiontœu.org

Au Canada

Korea National Tourism, Toronto, ☎ (416) 348-9056, fax (416) 348-9058. ◆ Consulat, Montréal, ☎ (514) 845.2555, fax (514) 845-1118.

En France

◆ Office national du tourisme coréen, Tour Maine-Montparnasse, 33, avenue du Maine, 75755 Paris Cedex 15, ☎ 01.45.38.71.23, fax 01.45.38.74.71, knto@club-internet.fr. ◆ Un miniguide (Voyage en Corée) fournit les renseignements de base mais aussi les adresses des principaux hôtels, des restaurants et des yogwans (auberges). ◆ Centre culturel coréen, ☎ 01.47.20.84.15.

Au Luxembourg

Consulat honoraire, 10A, boulevard de la Foire, Luxembourg, L-1528 Luxembourg, ☎ 45.31.13.1.

En Suisse

Section consulaire, Kalcheggweg, 38, CH-3000 Berne 15 ☎ (31) 356.24.44, fax (31) 356.24.50, www.mofat.go.kr/switzerland

Internet

http://french.visitkorea.or.kr/fre/index.kto (office du tourisme)

www.chejuinfo.net (pour l'île de Cheju)

Guides

Corée du Sud (Le Petit Futé), *Seoul* (Lonely Planet en anglais).

Cartes

Chine, Corée, Japon (Blay Foldex), *Korea* (Nelles).

Lectures

Corée, au cœur de la nouvelle Asie (Karoline Postel-Vinay, Flammarion, 2002), *la Corée dévoilée : 15 portraits pour comprendre* (Tristan de Bourbon-Parme, Nathalie Tourret (L'Harmattan, 2004).

Images

Corée du Sud : nouvelles du matin calme (Dominique Senay/La Renaissance du livre, 2006).

QUEL VOYAGE ET À QUEL PRIX ?

Le voyage individuel

Les préparatifs

◆ Pour les ressortissants de l'Union européenne, canadiens, suisses : passeport suffisant (valable encore six mois après le retour). Billet de retour ou de continuation exigible.

◆ Aucune vaccination n'est exigée. Risque très limité de paludisme dans le nord de la province de Kyunggi Do.

◆ Monnaie : le won. 1 US Dollar = 1 328 wons. 1 EUR = 1 867 wons. Emporter des euros ou des US Dollars (espèces ou chèques de voyages) et une carte de crédit (distributeurs de billets répandus).

Le départ

◆ Indice de prix à certaines dates du vol Montréal-Séoul : 1 000 CAD; Paris-Séoul A/R : 800 EUR. ◆ Durée moyenne du vol Paris-Séoul (9 000 km) : 11 heures.

Sur place

Bateau

Pour Cheju : ferry à partir d'Incheon. Pour le Japon : liaisons fréquentes par ferry de Pusan à Fukuoka et Osaka.

Hébergement

Il existe des guest houses au prix très raisonnable. L'hébergement en auberge coréenne (*yogwan*) ou en chambre d'hôte connaît un fort développement. On peut aussi séjourner dans un temple (http://eng.templestay.com) ou en auberge de jeunesse (www.hostels.com/fr/kr.se.html).

Route

Location de voiture répandue, permis international requis. Réseau autoroutier de bonne qualité. Réseau secondaire quelconque.

Train

Le pays bénéficie d'un réseau de trains à grande vitesse (KTX) entre les principales villes.

Le séjour en individuel

Le voyage en voiture avec chauffeur pour une boucle Séoul-Séoul durant une semaine est indiqué, entre autres avec Asia.

Le voyage accompagné

Rappel : nous nous sommes limités à un résumé des prestations en vigueur dans les agences et chez les voyagistes présents en France. Les lecteurs des autres pays peuvent en tirer des idées d'itinéraire et les compléter auprès de leurs agences de voyages.

◆ Deux manières d'envisager le voyage en Corée du Sud : pour le pays seul ou bien combiné (Chine, Japon, Taiwan).

◆ Dans le premier cas, les voyagistes, longtemps restés discrets, sont aujourd'hui bien présents sur la destination. La visite des grands **temples** bouddhistes jointe à celle de la **nature** (parc de Soraksan) peut engendrer des séjours de 15 jours à trois semaines. Propositions, entre autres, chez Ariane Tours, Asia, Clio, Ikhar, Yoketai.

◆ Dans le second cas, trois semaines sont un minimum, par exemple avec Nouvelles Frontières via Séoul, Kyongju, Pusan en Corée; Tokyo, Hiroshima, Kyoto au Japon. Il existe un inhabituel Chine-Corée du Sud («Autour de la mer Jaune») chez Explorator et un Chine-Taiwan chez Ikhar.

◆ *Quel que soit le cas, on aura du mal à dégoter un voyage accompagné de 12 jours à moins de 2 500 EUR ou un Japon-Corée du Sud de trois semaines à moins de 3 000 EUR. Le budget souffrira un peu moins si l'on choisit un voyage à la carte.*

LES REPÈRES

◆ Lorsqu'il est midi en France, en Corée du Sud il est 19 heures en été et 20 heures en hiver; lorsqu'il est midi au Québec, en Corée du Sud il est 2 heures. ◆ Langue officielle : coréen. ◆ Langue étrangère : anglais. ◆ Téléphone vers la Corée du Sud : 0082 + indicatif (Séoul : 2) + numéro; de la Corée du Sud : 00 + indicatif pays + numéro.

LA SITUATION

Géographie. Le pays a beau s'étirer sur 1 000 km, sa faible largeur explique la modestie de sa superficie (99 263 km^2). Montagnes et collines sont plus nombreuses qu'en Corée du Nord, mais d'une altitude moindre.

Population. Densité record : 449 h/km^2. La majorité des 48 379 000 habitants, dont près du quart vivent dans l'agglomération de Séoul, sont issus de groupes ethniques venus d'Asie centrale. Capitale : Séoul.

Religion. Le bouddhisme et le protestantisme se partagent l'essentiel des croyances. Minorités de catholiques et de confucianistes.

Dates. *735* Silla unifie les différents royaumes de l'endroit. *1231* Invasion par les Mongols. *1392* Avènement de la dynastie des Yi. *1910* Annexion par le Japon et fin de la domination des Yi. *1948* Partage de la Corée. *1950* Début de la guerre de Corée. *1953* Armistice avec la Corée du Nord mais la division est maintenue. *1960* L'autoritaire Syngman Rhee est renversé, Park Chung-hee lui succède via un coup d'État mais sera assassiné en 1979. *1980-1988* L'autoritarisme demeure avec Chun Doo-hwan, mais s'assouplira avec Roh Tae Woo et une nouvelle constitution. *1991* Entrée du pays à l'ONU. *Février 1993* Kim Yung-san est le premier civil chef de l'État depuis trente ans. *Décembre 1993* Nouvelles tensions entre les deux Corées. *Début 1997* Le pays connaît d'importantes contestations sociales. *Décembre 1997* Kim Dae-jung (Parti démocrate du millénaire) devient chef de l'État. Le pays tente de se relever d'une grave crise économique et monétaire. *Avril 2000* Le Parti démocrate du millénaire difficile vainqueur des législatives. *Juin 2000* Les dirigeants des deux Corées se rencontrent pour la première fois depuis cinquante ans. *Décembre 2002* Roh Moo-hyun, candidat du Parti démocratique du millénaire, est élu président. *Mars 2004* Le parti de Roh Moo-hyun remporte les législatives, résultat qui annonce le retour du président déchu un temps puis de retour en mai. *Avril 2006* Han Myeong-sook est la première femme à devenir Premier ministre. *Octobre 2006* Ban ki-moon devient secrétaire général de l'ONU. *Février 2008* Lee Myung-bak devient président et Han Seung-soo Premier ministre.

Costa Rica

Il est loin, le temps où seuls quelques défricheurs passionnés de faune et de flore spécifiques arpentaient la jungle de la « côte riche », telle que l'avait baptisée Christophe Colomb! Quant aux rivages, ils n'étaient familiers qu'à des Nord-Américains avertis venus goûter la douceur tropicale, principalement sur la côte du Pacifique. Mais le pays connaît aujourd'hui une forte médiatisation touristique en Europe à la suite de la mise en avant de son double avantage nature et plages et d'un écotourisme intelligent qui séduit de plus en plus.

LES RAISONS D'Y ALLER

LES PAYSAGES ET LES RANDONNÉES

Flore (forêts pluviales, observation de la canopée)
Faune (iguanes, caïmans, quetzals, jaguars)
Volcans (Arenal, Poas, Irazú)
Randonnées pédestres, rafting

LES CÔTES

Plages atlantiques (Tortuguero)
et pacifiques (El Coco, Tamarindo, Quepos)
Plongée (Isla del Coco)

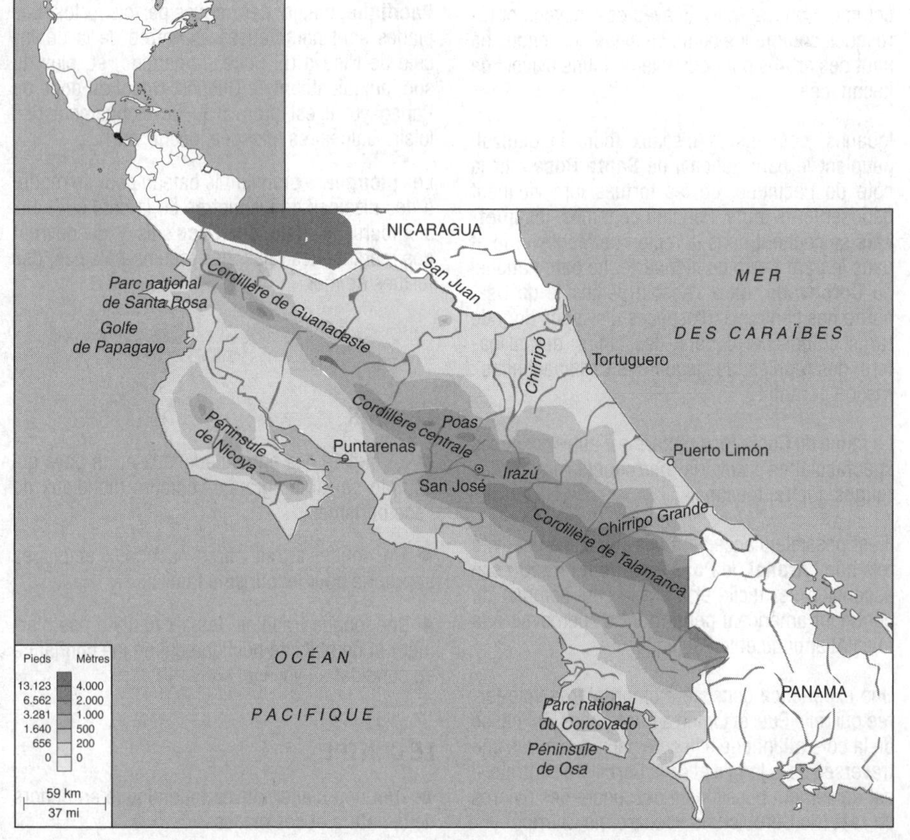

LES RAISONS D'Y ALLER

LES PAYSAGES ET LES RANDONNÉES

Trente-trois parcs nationaux sont autant de lieux où le visiteur peut découvrir une jungle, une faune et une flore d'une telle richesse que le Costa Rica est devenu un laboratoire, sinon le précurseur, de l'écotourisme. Les autorités, très soucieuses d'écologie – le quart de la superficie est considéré comme zone protégée –, en ont fait leur credo, symbolisé par l'Institut national de la biodiversité de San José.

L'axe central, qui voit se succéder des **forêts** pluviales (entre autres dans le parc biologique de **Monteverde**), des forêts « rabougries » et des cordillères (Guanacaste, Cordillère centrale, cordillère de Talamanca, parc national **Cerro de la Muerte**) est propice aux **randonnées**, à pied comme à cheval, parfois avec des moyens pittoresques comme les ponts de singe suspendus en haut des arbres pour observer la faune avicole de la canopée.

Iguanes, caïmans et oiseaux (dont le quetzal) peuplent le parc national de **Santa Rosa**, sur la côte du Pacifique, où les tortues luth viennent déposer leurs œufs. Pendant ce temps, les **quetzals** se cachent dans la région de Monteverde et dans le parc Cerro de la Muerte. Le parc national du **Corcovado**, dans l'hostile péninsule de Osa, abrite des centaines d'espèces d'oiseaux dont de rares grands perroquets, des tapirs, des alligators, des reptiles, des jaguars et des anacondas : frisson garanti !

La faune du Costa Rica renferme d'autres espèces spectaculaires : colibris, perroquets, grenouilles rouges, tapirs, toucans.

Il est possible d'accéder à des volcans en activité tels que l'**Arenal**, le **Poas** et surtout l'**Irazú** : son ascension est facile et il est le seul sommet du continent américain permettant d'apercevoir à la fois l'Atlantique et le Pacifique.

Une expérience consiste à emprunter la voie ferrée qui relie Puerto Limón à Puntarenas. On passe de la côte atlantique à la côte pacifique après une traversée de la jungle et de la Cordillère centrale. Il est également possible de descendre des rivières en **raft** (río Corobici, río Pacuare, río Chirripó).

LES CÔTES

Les plages de la côte **atlantique**, bordées de palmiers et bénéficiant de l'agrément de récifs coralliens, sont plutôt arrosées mais plairont à ceux qui veulent éviter le grand tourisme. En outre les rivages voient se succéder des parcs nationaux de renom.

Le village de **Tortuguero**, auquel on n'accède que par bateau ou avion, en est le site le plus attachant. Dans le parc national du même nom, fait de canaux, on peut observer d'août à octobre la ponte d'une espèce rare, celle des tortues vertes, auxquelles succèdent, de février à juillet, des tortues luths. Caïmans, iguanes, singes hurleurs et capucins complètent le tableau. A la lisière du Panama, le parc marin de **Cahuita** et ses coraux offrent au plongeur, même débutant, de belles images de poissons et corail en tout genre.

Le grand tourisme balnéaire a choisi les côtes du **Pacifique**, malgré des vagues parfois fortes. Les plages sont nombreuses à l'entrée de la péninsule de Nicoya (El Coco, Tamarindo) et, plus au sud, aux alentours de Quepos. Quant au golfe de Papagayo, il est promis au développement des loisirs balnéaires (plongée, pêche, surf).

Les **plongeurs** prennent le bateau pour se rendre à des dizaines de kilomètres de la côte sud, aux alentours de l'**Isla del Coco** : ils y découvrent des marlins, des raies, des requins-baleines, des tortues de mer.

LE POUR

◆ La qualité des parcs nationaux et un pays qui compte parmi les grands vecteurs mondiaux de l'écotourisme.

◆ Un double attrait parcs nationaux et plages approprié pour le tourisme familial.

◆ Une longue tradition de paix (il n'y a pas d'armée) et de stabilité politique qui donne confiance au candidat au voyage.

LE CONTRE

◆ Très peu d'alternatives touristiques en dehors de la nature et des plages.

◆ Une progression de la petite délinquance sur les lieux touristiques.

LE BON MOMENT

Les côtes connaissent un climat chaud mais très lourd en saison des pluies, alors que le centre bénéficie d'un climat relativement tempéré en raison de l'altitude. La saison sèche, la plus agréable, va de **novembre à avril**, mais la saison pluvieuse et a priori défavorable (l'été) permet de découvrir une nature alors au plus fort de son intérêt.

◆ Températures moyennes jour/nuit (en °C) à San José : janvier 23/15, avril 26/16, juillet 25/16, octobre 25/16. La température de l'eau de mer descend rarement en dessous de 27°.

LE PREMIER CONTACT

En Belgique

Ambassade, avenue Louise, 489, B-1050 Bruxelles, ☎ (02) 640.55.41, fax (02) 648.31.92.

Au Canada

Ambassade, 325, rue Dalhousie, Ottawa, ON K1N 7G2, ☎ (613) 562-2855, fax (613) 562-2582.

En France

Ambassade, 4, square Rapp, 75016 Paris, ☎ 01.45.78.50.93, www.ambassade-costarica.org

En Suisse

Consulat général, chemin de Mornex 38, Case postale 85, CH-1001 Lausanne, ☎ (21) 312.77.64, (21) 312.33.02.

Internet

www.visitcostarica.com

(site de l'office du tourisme)

Guides

Costa Rica (Gallimard/Bibl. du voyageur, Hachette/Voir, JPM Guides, Le Petit Futé, Lonely Planet France, Marcus, Mondeos, National Geographic France, Éditions Ulysse).

Cartes

Central America and Costa Rica (Nelles), *Costa Rica* (Berndtson, Berlitz, ITM).

Lectures

Le Costa Rica (Karthala, 2004), *Mourons (ensemble), Federico! (*Joaquín Gutiérez/Actes Sud, 2003).

Images

Costa Rica, voyage au cœur du vivant (Vigot, 2004), *Oiseaux du Costa Rica* (Broquet, 2007).

DVD

Balades au Costa Rica (AK Video, 2005), *Costa Rica, à l'état pur* (TF1 Vidéo, 2004).

QUEL VOYAGE ET À QUEL PRIX ?

Le voyage individuel

Les préparatifs

◆ Pour les ressortissants de l'Union européenne, candiens et suisses : passeport suffisant pour un séjour inférieur à un mois, valable encore six mois après le retour. Penser au passeport biométrique si le vol transite par les États-Unis.

◆ Aucune vaccination n'est obligatoire. Prévention recommandée contre le risque (modéré) de paludisme dans certains cantons à basse altitude.

◆ Monnaie : le *colón*, pluriel *colones*. 1 US Dollar = 552 colones. 1 EUR = 776 colones. Cartes de crédit (surtout Visa) utilisables (distributeurs). Change facile des euros, dollars US très utilisés directement sur place.

Le départ

◆ Indice de prix à certaines dates du vol Montréal-San José A/R : 750 CAD; Paris-San José A/R (pas de vol direct) : 800 EUR. ◆ Durée moyenne du vol Paris-Miami-San José : 13 heures.

Sur place

Hébergement

◆ Petits hôtels, lodges, hôtels de charme, camping, auberges de jeunesse (www.hostelling-costarica.com).

Route

Excellentes connexions en bus. Location de véhicule répandue, de préférence un tout-terrain.

Location également possible d'une moto ou d'un quad.

Le séjour en individuel

Rappel : nous nous sommes limités à un résumé des prestations en vigueur dans les agences et chez les voyagistes présents en France. Les lecteurs des autres pays peuvent en tirer des idées d'itinéraire et les compléter auprès de leurs agences de voyages.

◆ Les autotours, avec ou sans chauffeur et qui peuvent durer de 8 à 15 jours, deviennent monnaie courante. Ils sont centrés sur la découverte des parcs nationaux, trois en moyenne, et agrémentés d'un séjour balnéaire sur la côte Pacifique.

Ce mode de voyage est proposé entre autres par Arroyo, Dima Tours, Empreinte, Jetset/Équinoxiales, Kuoni, Vacances fabuleuses. *Prix moyen (vol, voiture, hébergement): 1 500 EUR pour dix jours.*

◆ Ultramarina invite les **plongeurs** (très) expérimentés dans les profondeurs des alentours de l'isla del Coco.

Le voyage accompagné

◆ La plupart des circuits marient les **parcs** nationaux, les **volcans** et la **côte** Pacifique (Dima Tours, Jetset/Équinoxiales, Marsans, Vacances Transat) pour une durée moyenne de 12 à 15 jours. Les marcheurs trouvent ici leur petit paradis, soit à la découverte de la diversité animale et végétale à base d'écotourisme, soit pour les volcans, les deux styles de voyage étant souvent liés (Allibert, Aventure et Volcans, La Balaguère, Nomade Aventure). Autres propositions : Arroyo, Continents insolites, Dima Tours, Explorator, Jetset/Equinoxiales, Kuoni, Makila Voyages, Marsans, Nouvelles Frontières, Objectif Nature, Tamera, Vacances Transat, Voyageurs du monde.

◆ Les passionnés de l'océan sont à bord d'un bateau de **croisière**, au départ de la Floride, entre autres avec Crystal Cruises ou Carnival, qui passe au Bahamas et sur l'île de Cozumel (Mexique).

◆ Les extensions du voyage vers le **Nicaragua** ne sont pas rares (Adeo, Dima Tours, Marsans, Terres d'aventure, Kuoni, ce dernier ajoutant le **Panama**). Terra Incognita réunit les volcans du Costa Rica et du **Guatemala**.

◆ *Prix moyen d'un circuit accompagné au Costa Rica : 2 000 EUR pour 15 jours.*

QUE RAPPORTER ?

Les objets en bois, en cuir, en osier, le hamac... et un café haut de gamme sont autant de sources d'achat.

LES REPÈRES

◆ Lorsqu'il est midi en France, au Costa Rica il est 4 heures en été et 5 heures en hiver; lorsqu'il est midi au Québec, au Costa Rica il est 11 heures. ◆ Langue officielle : espagnol. ◆ Langues étrangères : des bases d'espagnol sont précieuses car l'anglais et surtout le français sont peu connus. ◆ Téléphone vers le Costa Rica : 00506 + numéro; du Costa Rica : 00 + indicatif pays + numéro.

LA SITUATION

Géographie. Petit pays de 51 100 km^2, le Costa Rica est surtout formé de forêts et de montagnes, qui font place à des plaines sur la façade atlantique.

Population. Les Blancs constituent la très large majorité (85 %) des « Ticos », une population chaleureuse de 4 196 000 habitants. Minorités de Métis, de Mulâtres et de Chinois. Capitale : San José.

Religion. Le catholicisme (88 % de la population) est religion d'État. Minorité protestante.

Dates. *1503* Christophe Colomb débarque. *1821* Indépendance, obtenue pacifiquement. *1949* José Figueres Ferrer entame un long – et respecté – pouvoir de vingt-cinq années. *1986* Oscar Arias prend le pouvoir et, l'année suivante, réunit une importante conférence pour la paix en Amérique centrale. *1987* Oscar Arias reçoit le prix Nobel de la paix. *1990* Rafael Angel Calderón nouveau président. *Février 1994* José Maria Figueres (social-démocrate) est élu président. *Mai 1998* Le social-chrétien Miguel Angel Rodriguez nouveau président. *Avril 2002* Le candidat conservateur Abel Pacheco devient président. *Février 2006* Oscar Arias est élu avec difficulté aux dépens d'Otton Solis (Parti d'action citoyenne).

Côte d'Ivoire

Avertissement. – Le calme est revenu après les graves événements survenus fin 2004 mais la situation reste précaire, aussi les voyages à but touristique sont-ils prématurés. Le consulat est à même de donner des renseignements sur l'évolution de la situation.

Les rivages de la Côte d'Ivoire n'ont pas la dimension touristique de ceux du Maroc ou de la Tunisie mais s'en rapprochaient avant les secousses poitiques de ces dernières années. Lorsque la situation sera redevenue sereine, il faut souhaiter que cette évolution ne se fasse pas au détriment du tourisme de l'intérieur des terres. En effet, le voyageur trouve encore largement son bonheur dans les traditions des pays sénoufo, yacouba ou malinké.

LES RAISONS D'Y ALLER

LES PAYSAGES ET LES TRADITIONS

Pays sénoufo (Korhogo), pays yacouba (Man, Guessesso), pays malinké (Odienné)

LES CÔTES

Grand-Bassam, baie des Sirènes, lagune Ébrié

LA FAUNE

Éléphants, lions, hippopotames, parcs nationaux (Comoé, Taï, Maraoué, monts Nimba)

LES VILLES

Abidjan, Yamoussoukro

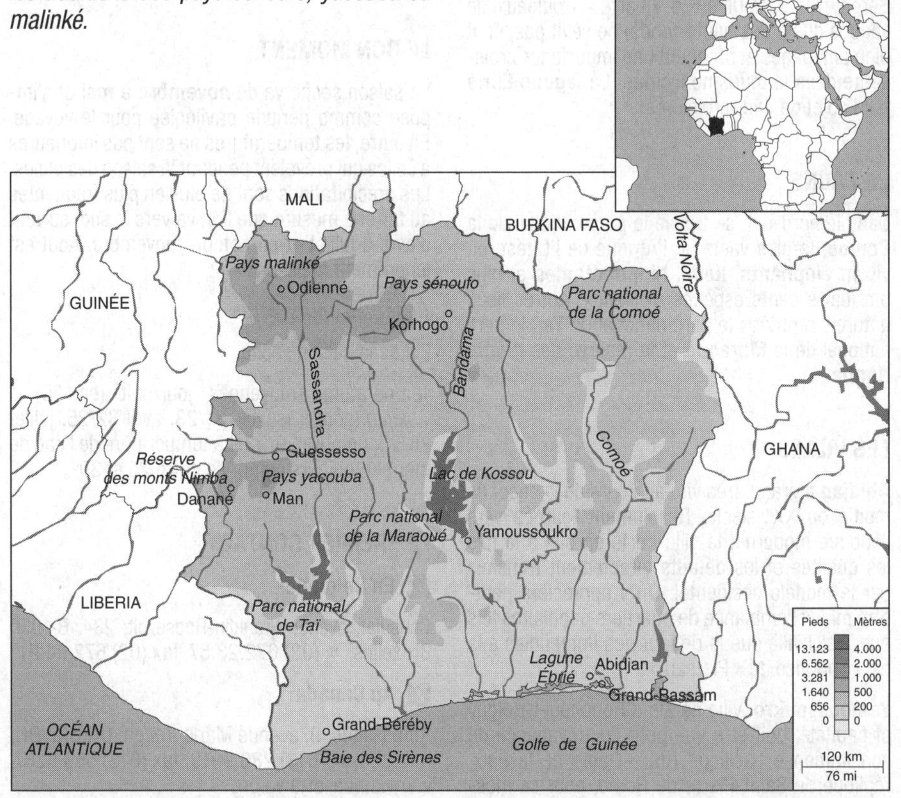

LES RAISONS D'Y ALLER

LES PAYSAGES ET LES TRADITIONS

Le tourisme de l'intérieur est centré sur la visite des villages, à la rencontre des populations et de leur artisanat.

Le **pays sénoufo**, dans les environs de Korogho, le décor montagneux du **pays yacouba** (Man, Guessesso) et le **pays malinké** (Odienné) sont les endroits les plus intéressants à découvrir.

Ailleurs, les ponts de liane de Daloa ou de Danané sont là pour rappeler la préservation du mode de vie de certaines contrées. Une curiosité dans le sud : le village lacustre de Tiagba.

LES CÔTES

Les sites balnéaires, autour de **Grand-Bassam**, dans la **baie des Sirènes** (plage de Grand-Béréby) et partout où la « barre » (rouleaux de vagues dus à des hauts-fonds) ne sévit pas, sont bien aménagés et prennent une importance croissante dans le tourisme ivoirien. La **lagune Ébrié** fait l'objet de mini-croisières.

LA FAUNE

Dans le nord-est, se trouve le parc national de la **Comoé**, le plus vaste de l'Afrique de l'Ouest, où vivent **éléphants, lions, hippopotames** et plus de quatre cents espèces d'oiseaux. Autres lieux naturels réputés : le parc national de **Taï**, le parc national de la **Maraoué** et la réserve des **monts Nimba**.

LES VILLES

Abidjan a grandi très vite au cours de la seconde moitié du XXe siècle. Résolument tournée vers l'époque moderne, la ville porte en elle à la fois les qualités et les défauts directement transmis par le modèle occidental. On y appréciera peut-être mieux l'ambiance de quartiers populaires tels que Treichville que la rigueur des immeubles à la new-yorkaise du « Plateau ».

Yamoussoukro, ville natale d'Houphouët-Boigny et capitale, doit être vue pour l'extravagance de son immense basilique Notre-Dame de la Paix, réplique de Saint-Pierre de Rome, pour sa mosquée et pour la fondation liée au nom de l'ancien président.

LE POUR

◆ Pour les amateurs de tourisme balnéaire, un développement de sites bien structurés.

◆ La langue française pour communiquer.

LE CONTRE

◆ Une situation politique encore tendue, qui rend prématuré le voyage à but touristique.

◆ Un océan dangereux en de nombreux endroits (« barre » et forts courants).

◆ Un climat défavorable entre juillet et septembre.

LE BON MOMENT

La saison sèche va de **novembre à mai** et s'impose comme période privilégiée pour le voyage. En outre, les températures ne sont pas inférieures à celles qui prévalent pendant la saison des pluies. Les précipitations sont de plus en plus fréquentes au fur et à mesure que l'on va vers le sud, surtout d'avril à juillet et en octobre-novembre. Août est légèrement meilleur.

Réserves animalières

Fin de la saison sèche.

Températures moyennes jour/nuit (en °C) à *Abidjan* (côte) : janvier 31/23, avril 32/25, juillet 28/23, octobre 29/23. La température de l'eau de mer est toujours comprise entre 25 et 30°.

LE PREMIER CONTACT

En Belgique

Consulat, avenue Franklin-Roosevelt, 234, B-1050 Bruxelles, ☎ (02) 672.23.57, fax (02) 672.04.91.

Au Canada

Ambassade, 9, avenue Marlborough, Ottawa, ON, K1N 8E6, ☎ (613) 236.9919, fax (613) 563.8287, www.amba-ottawa.org

En France

◆ Bureau d'information touristique, 24, boulevard Suchet, 75016 Paris, ☎ 01.44.14.93.93, fax 01.45.24.34.64. ◆ Consulat : 102, avenue Raymond-Poincaré, 75016 Paris, ☎ 1.53.64.62.62, fax 01.45.00.47.97, bureco-fr@cotedivoire.com

En Suisse

Consulat, avenue du Cardinal-Mermillod, 6, CH-1200 Genève, tél./fax (22) 343.90.09; ambassade à Berne, tél. (31) 350.80.80, www.acibe.org

Internet

www.tourismeci.org

Guide

West Africa (Penguin/Rough Guide).

Carte

Côte d'Ivoire (Michelin).

Lectures

Géopolitique de la Côte d'Ivoire (Christian Bouquet/Armand Colin, 2008), *la Crise en Côte d'Ivoire : dix clés pour comprendre* (Thomas Hofnung/La Découverte, 2005), *le Peuple n'aime pas le peuple* (Gallimard, 2006).

Images

Les orchidées de Côte d'Ivoire (Francisco Perez-Vera/Biotope, 2003), *Arts premiers de Côte d'Ivoire* (Ed. Sépia).

QUEL VOYAGE ET À QUEL PRIX ?

Le voyage individuel

Les préparatifs

◆ Passeport valable encore six mois après le retour, visa obligatoire. Billet de retour ou de continuation exigible.

◆ Vaccination obligatoire contre la fièvre jaune. Prévention indispensable contre le paludisme.

◆ Monnaie : le franc de la Communauté financière africaine (XOF). 1 EUR = 655,957 francs. Emporter des euros ou des US Dollars en espèces ou en chèques de voyage.

Le départ

Indice de prix à certaines dates du vol Paris-Abidjan A/R : 650 EUR. Durée moyenne du vol Paris-Abidjan (4 902 km) : 5 heures 30.

Sur place

Route

◆ C'est en taxi-brousse (woros-woros) ou en mille-kilos (camions bâchés) que les déplacements sont le plus économiques et le plus typiques. ◆ Location de voiture possible, de préférence avant le départ, mais il est actuellement déconseillé de voyager isolément.

Le voyage accompagné

Précision : nous indiquons ci-dessous les prestations qui existent lorsque la situation politique du pays le permet. Par ailleurs, nous nous sommes limités à un résumé des prestations en vigueur dans les agences et chez les voyagistes présents en France. Les lecteurs des autres pays peuvent en tirer des idées d'itinéraire et les compléter auprès de leurs agences de voyages.

◆ En temps normal, la Côte d'Ivoire est discrète mais diverse chez les voyagistes : le candidat curieux des traditions et des peuples de **l'intérieur** choisit par exemple des circuits découverte qui s'attardent quinze jours dans le pays ou bien proposent une semaine consacrée à Abidjan, Yamoussoukro et un zeste de farniente.

◆ Le voyageur qui ne résiste pas à **l'océan** se retrouve à l'est d'Abidjan (Assinie) ou à Grand Bassam, entre février et avril ou entre septembre et novembre.

◆ *Le prix moyen d'un séjour balnéaire d'une semaine peut se trouver aux alentours de 800 EUR (vol A/R + demi-pension), alors qu'un voyage dans l'intérieur des terres tourne autour de 1 200 EUR pour 15 jours.*

QUE RAPPORTER ?

Originalité garantie à Korogho, dans le nord : des toiles de coton sur lesquelles sont peints des motifs animaliers ou traditionnels. L'autre richesse artisanale du pays se compose de bijoux, de cuivres et de masques.

LES REPÈRES

◆ Lorsqu'il est midi en France, il est 10 heures en Côte d'Ivoire en été et 11 heures en hiver. ◆ Langues : le français, langue officielle, voisine avec de nombreux dialectes et langues, dont surtout le dioula et le baoulé. ◆ Téléphone vers la Côte d'Ivoire : 00225 + numéro; de la Côte d'Ivoire : 00 + indicatif pays + numéro.

LA SITUATION

Géographie. De la côte atlantique jusqu'aux confins du Mali et du Burkina Faso, le pays est recouvert par la forêt dense. Ensuite, apparaissent des plateaux et une savane de plus en plus sèche. Superficie : 332 463 km^2.

Population. Soixante ethnies cohabitent en Côte d'Ivoire, qui a connu une forte immigration en provenance des pays voisins dans les années 80. Le pays rassemble 20 180 000 habitants, dont un sur cinq vit à Abidjan ou dans sa banlieue, et ce chiffre est appelé à évoluer rapidement. Yamoussoukro a supplanté Abidjan comme capitale en 1983.

Religion. Trois religions principales : animisme (60 %), islam surtout au nord (20 %) et catholicisme surtout au sud (15 %). Minorité de protestants.

Dates. *XVIe siècle* Des mandingues islamisés rejoignent les Sénoufo. *1895* Les Français rattachent le pays à l'AOF. *1958* La Côte d'Ivoire est une république autonome. *1960* Indépendance : Houphouët-Boigny prend le pouvoir et poursuit une coopération étroite avec la France. Il a toujours été réélu. *Décembre 1993* Mort de Félix Houphouët-Boigny; le président de l'Assemblée, Henri Konan Bédié, prend la présidence. *Octobre 1995* Réélection de Konan Bédié (96 % des voix). *Décembre 1999* Un putsch donne le pouvoir au général Gueï. *Octobre 2000* Le socialiste Laurent Gbagbo, vainqueur de l'élection présidentielle, s'installe au pouvoir après deux jours de troubles graves. *Septembre 2002* Une rébellion grandit dans le nord du pays, le pouvoir réagit, la France envoie des soldats pour protéger ses ressortissants, les violences s'accroissent, une partition de fait et la confusion s'installent. *Janvier 2003* Accords de paix de Marcoussis, qui voient les « Nouvelles forces » entrer au gouvernement. *Novembre 2004* Attaque d'une position française à Bouaké (9 soldats tués), violences à Abidjan et début d'exode de plus de huit mille ressortissants français. *Avril 2005* A Pretoria, accord entre pouvoir et rebelles sur la fin des combats. *Octobre 2005* L'élection présidentielle est reportée. *Décembre 2005* Le pays est sous les auspices d'un Premier ministre de transition, Charles Konan Banny. *Novembre 2006* Processus de paix décidé à l'ONU mais sa mise en route est laborieuse. *Mars 2007* Accord de paix entre Gbagbo et la rébellion, Soro devient Premier ministre.

Croatie

Si le tourisme balnéaire de masse est en train de s'étendre – mais avec une sensible augmentation du coût des séjours – et si la beauté des îles dalmates fait se multiplier les locations de bateaux comme les croisières, on aura intérêt à varier les plaisirs : l'architecture des grandes villes côtières et les somptueux lacs de Plitvice le permettent largement.

LES RAISONS D'Y ALLER

LES CÔTES

Dalmatie (Dubrovnik, îles de Brac, Cres, Hvar, Korcula, Krk, Lošinj, Mljet), parcs nationaux Istrie (Opatija, Porec, Pula, Rovinj, Umag, îles Brijuni)

LES MONUMENTS

Dubrovnik, Pula, Sibenik, Split, Trogir, Zadar, Zagreb

LES PAYSAGES

Alpes dinariques, lacs de Plitvice

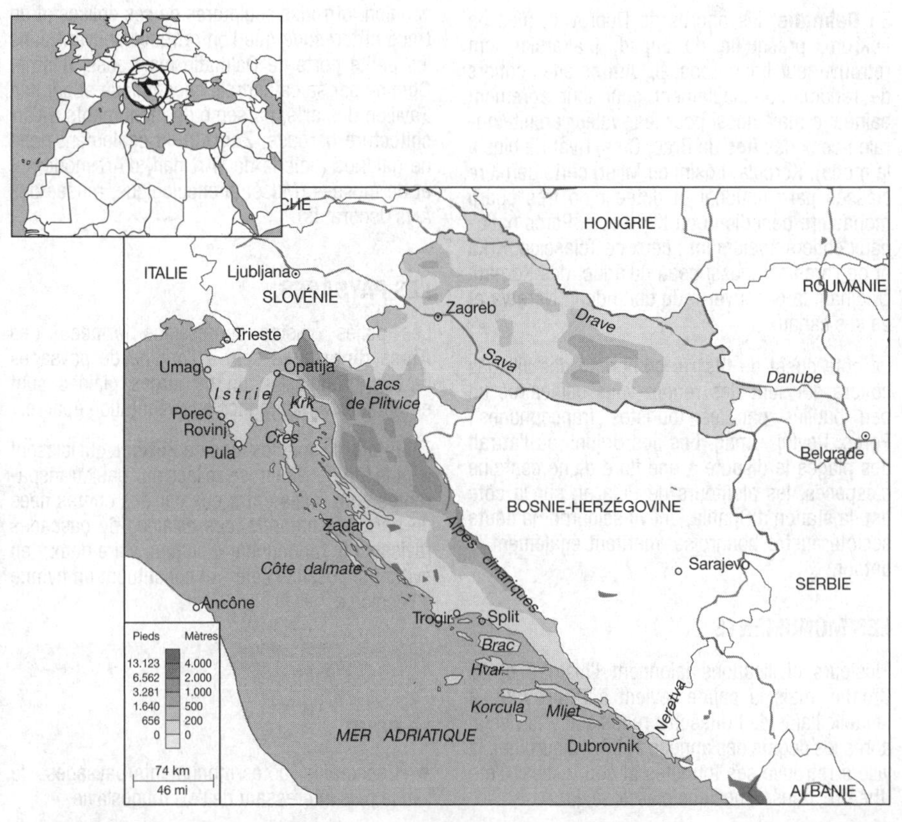

LES RAISONS D'Y ALLER

LES CÔTES

Les 1 700 kilomètres de côtes d'Istrie et de Dalmatie (sur les 5 835 km que compte en tout la « riviera croate ») sont bordés par une lisière rocheuse, des pinèdes, des criques, des golfes et des baies, avec les Alpes dinariques en toile de fond. Cela offre à ce long littoral fortement découpé et flanqué de **1 200 îles** ou îlots, dont moins de cent sont habités, une beauté certaine.

A défaut des plages de sable traditionnelles de la Méditerranée, les côtes sont une source infinie de **croisières** : escapades en voilier, avec ou sans skipper, cabotage en goélettes, petits voiliers à moteur, parfois en bois (caïques), d'une quinzaine de cabines. Une bonne initiative consiste à monter à bord d'un voilier, ou à le louer, pour faire des sauts de puce entre les îles : jolis panoramas garantis.

En **Dalmatie**, les abords de Dubrovnik (îles de Lokrum, presqu'île de Lapad, Makarska) ont retrouvé leur image passée. Autres sites côtiers de renom, non seulement pour leur agrément balnéaire mais aussi pour leur valeur architecturale : ceux des **îles** de Brac, Cres, Hvar (la plus à la mode), Korcula, Lošinj ou Mljet, cette dernière classée parc national et dotée d'un très couru monastère bénédictin du XIIe siècle. Parcs nationaux côtiers également : ceux de Telascica, Krka et de l'archipel, aussi beau qu'aride, des Kornati. Original : la découverte du delta de la Neretva et de ses canaux.

La côte ouest de l'**Istrie** comprend des villages côtiers qui sont des rendez-vous balnéaires un peu oubliés par les touristes francophones : Porec, Rovinj, Umag. Les îles Brijuni, où l'attrait des plages le dispute à une flore d'une centaine d'espèces, les alentours de Pula et, sur la côte est, la station d'Opatija, qui vit séjourner la haute société austro-hongroise, méritent également le détour.

LES MONUMENTS

Plusieurs civilisations jalonnent l'histoire de la Croatie, mais la palme revient à **Dubrovnik**, à laquelle l'aide de l'Unesco a rendu son vrai visage après les dégâts des années 1990. Aujourd'hui, la ville a retrouvé ses touristes et son festival d'été (théâtre, danse, musique classique, jazz). Outre son site fortifié, qui en fait la plus jolie ville du pays, Dubrovnik a bâti sa réputation sur une succession d'époques : fondée par les anciens habitants d'Épidaure en fuite et baptisée Raguse, elle est entourée de remparts propices à de beaux points de vue sur les toits de brique et la mer bleu profond. Dubrovnik a bénéficié successivement d'un apport architectural roman, gothique, de la Renaissance (église Saint-Sauveur, palais Sponza) et de la période baroque (maisons à arcades et pavage de marbre de l'avenue Stradun, cathédrale, église des Jésuites).

Les Romains ont laissé un amphithéâtre très bien conservé à **Pula**. La Renaissance a laissé de belles traces à **Sibenik**, tandis qu'à **Split** l'intérieur des murs du palais de Dioclétien (IIIe siècle ap. J.-C.) et la promenade côtière font l'objet d'une intense animation. **Zadar** possède des églises médiévales (Saint-Donat) et des restes de fortifications romaines et vénitiennes.

Trogir garde les traces de son passé grec puis vénitien, offre les sculptures de ses églises et un tracé pittoresque que l'on retrouve souvent dans les petits ports de Dalmatie mais aussi d'Istrie. Dominé par sa cathédrale néogothique et par son Pavillon des arts, parsemé de monuments à l'architecture baroque, **Zagreb** est également riche de galeries (galerie de l'Art naïf, d'Art moderne) et de musées (Musée archéologique, musée des Arts décoratifs).

LES PAYSAGES

Les poljés (vastes dépressions fermées) des **Alpes dinariques** sont à l'origine de paysages parfois grandioses, où de larges plaines sont entourées de montagnes à la végétation éparse.

Toutefois, ce sont les **lacs de Plitvice** qui laissent le plus fort souvenir : seize lacs aux eaux transparentes sont reliés entre eux par des chutes nées de barrages naturels, des dizaines de cascades ravissent le randonneur d'un jour, voire deux - en évitant si possible l'été - et constituent un hymne à l'écologie.

LE POUR

◆ L'ensemble côtes/monuments/paysages de loin le plus intéressant de l'ex-Yougoslavie.

◆ Un tourisme qui a retrouvé son lustre, aidé par la rénovation des équipements et la mise en place de vols à bas prix.

LE CONTRE

◆ La nette augmentation du coût des séjours au cours des dernières années.

◆ La rareté des plages de sable sur la longue côte adriatique (galets).

LE BON MOMENT

Le climat est méditerranéen pour la partie côtière, continental et rude en hiver pour l'intérieur. La période **juin-octobre** s'impose partout, mais attention à la chaleur orageuse dans l'intérieur. Pour cette partie-là, mais également partout pour mieux profiter du pays sans surcharge touristique, on doit choisir le **printemps** et le début de l'**automne**, voire octobre pour un Dubrovnik tranquille.

◆ Températures moyennes jour/nuit (en °C) à :

– *Dubrovnik* (côte) : janvier 12/7, avril 17/11, juillet 28/22, octobre 21/15. La température moyenne de l'eau de mer est de 23° en juillet, de 20° en septembre;

– *Zagreb* : janvier 3/-4, avril 16/5, juillet 27/14, octobre 16/6.

LE PREMIER CONTACT

En Belgique

Office de tourisme, place de la Vieille-Halle-aux-Blés, 38, B-1000 Bruxelles, ☎ (02) 550.18.88, fax (02) 513.81.60.

Au Canada

Ambassade, 229, rue Chapel, Ottawa, ON K1N 7Y6, ☎ (613) 562-7820, fax (613) 562-7821, ottawa@mvpei.hr

En France

Office national croate de tourisme (ouvert au public lun-ven), 48, avenue Victor-Hugo, 75116 Paris, ☎ 01.45.00.99.55, fax 01.45.00.99.56.

En Suisse

Section consulaire, Thunstrasse, 45, CH-3005 Berne, ☎ (31) 352.50.80, fax (31) 352.80.59, croemb.bern@mvpei.hr

Internet

www.ot-croatie.com

Guides

Croatie (Berlitz, Gallimard/Encycl. du voyage, Gallimard/GEOGuide, Hachette/Evasion, Hachette/Guide du routard, Hachette/Voir, JPMGuide, Le Petit Futé, Lonely Planet France, Marcus, Michelin/Guide vert, Michelin pratique, Mondeos), *Croatie chic* (Pacifique), *Croatie, Monténégro* (Nelles), *Dubrovnik* (Gallimard/Cartoville).

Cartes

Croatie (Blay Foldex, IGN, Michelin).

Images

Croatie (Romain Pagès, 2005), *la Croatie* (Chêne, 2004), *Croatie au cœur double* (Vilo, 2006), *Croatie : douceur adriatique* (Sandrine Pierrefeu/Georama, 2008), *le Goût de la Croatie* (Mercure de France, 2007), *Croatie : merveille de l'Adriatique* (Minerva, 2004).

Lectures

La politique étrangère de la Croatie, de son indépendance à nos jours, 1991-2006 (Renéo Lukic/PU Laval, 2006), *Cuisine de Croatie* (Evelyne Marty-Marinone, Edisud, 2006), *Tito est mort* (Marica Bodrozic/L'Olivier, 2004), *Voyage en Croatie, août 2004* (Géraldine Garçon, Magellan, 2005).

DVD

Croatie des îles sous le vent, la région du Kavner : Opatija, Krk, Rab, Senj et Jabalanac (Vodeo TV), *Croatie : Istrie, délices d'automne* (Vodeo TV), *Croatie, le pays nouveau* (TF1 Vidéo, 2005).

QUEL VOYAGE ET À QUEL PRIX ?

Le voyage individuel

Les préparatifs

◆ Pour les ressortissants de l'Union européenne, carte nationale d'identité ou passeport suffisant. Pour les Canadiens, passeport nécessaire.

◆ Monnaie : la *kuna*. 1 US Dollar = 5,2 kunas, 1 EUR = 7,3 kunas. Emporter des euros ou US Dollars et carte de crédit, distributeurs de billets répandus.

Le départ

Avion

◆ Indice de prix à certaines dates du vol Montréal-Dubrovnik A/R : 1 200 CAD; Paris-Dubrovnik A/R : 350 EUR. ◆ Pléiade de vols charters en été. ◆ Vols à bas prix Bruxelles-Dubrovnik : Jetair Fly, Thomas Cook; Bruxelles-Split : Jetairfly. ◆ Durée moyenne du vol Paris-Dubrovnik : 2 h 20.

Bateau

◆ À partir de l'Italie, possibilité d'embarquer la voiture sur un car-ferry : à Ancône pour Split, Zadar, Hvar; à Bari pour Dubrovnik (9 heures); de Venise, possibilité de rejoindre plusieurs ports de l'Istrie (Porec, Pula) .

◆ A partir de Dubrovnik ou Split, des ferries conduisent le visiteur vers les îles de la côte dalmate les plus fréquentées.

◆ La location d'un bateau (caïque, catamaran, voilier), seul ou avec mini-équipage, pour voguer entre les îles dalmates est en plein essor au sein de la cinquantaine de marinas existantes. Renseignements pour les formalités auprès de l'office du tourisme.

Bus

Rijeka, Zagreb, Zadar et Split sont programmés par Eurolines.

Hébergement

◆ Nombreux campings, en mesure de compenser le coût plutôt élevé de l'hôtellerie. ◆ Des hôtels de charme se font jour. ◆ Location d'appartements faciles sur le web ou auprès des voyagistes (Bemextours). ◆ L'association Tourisme chez l'habitant propose différentes sites à des tarifs intéressants, entre autres Dubrovnik, Hvar, Korcula, Krk, Lošinj. ◆ Auberges de jeunesse : www.hostels.com/fr/hr.html

Route

◆ Il est facile de se rendre en Croatie par la route via Milan et Trieste en venant du sud, via Munich et Ljubljana en venant du nord. ◆ Dans les zones qui ont connu des combats, ne pas s'éloigner des routes principales et des itinéraires balisés (risques de mines). ◆ Limitations de vitesse agglomération/route/autoroute : 50/90/130. ◆ Limite du taux d'alcoolémie : 0,5 pour mille.

Train

◆ Pass InterRail utilisable. ◆ Train de nuit Paris/Gare de Lyon-Milan-Zagreb. Il existe aussi un Paris-Munich-Zadar.

Le séjour en individuel

Rappel : nous nous sommes limités à un résumé des prestations en vigueur dans les agences et chez les voyagistes présents en France. Les lecteurs des autres pays peuvent en tirer des idées d'itinéraire et les compléter auprès de leurs agences de voyages.

◆ La location d'une voiture sur place ou via un voyagiste, de même que l'**autotour** (vol + voiture + hébergement réservé) ont de beaux jours devant eux. La plupart des voyagistes énoncés ci-dessous les pratiquent.

◆ Le tourisme, essentiellement **balnéaire**, a retrouvé son succès de naguère, particulièrement dans les stations situées autour de Dubrovnik mais aussi dans les îles. Les propositions (vol A/R et demi-pension) sont en général d'une semaine et d'un coût... de moins en moins raisonnable : *assez nettement au-delà de 700 EUR au cœur de l'été.* Très nombreux voyagistes: Am Slav, Bemextours, Club Med, Croatie Tours, Euro Pauli, Fram, Jet Tours, Kuoni, Look Voyages, Luxair Tours, Marsans Transtours, Neckermann, Nouvelles Frontières, Plein vent, TUI, Voyageurs du monde.

La péninsule d'**Istrie** voit, elle aussi, revenir les amateurs du tourisme balnéaire : le vieux village de Porec possède des hôtels-clubs où des forfaits d'une semaine en demi-pension, transport aérien compris, sont proposés entre autres par Bemextours. Autres propositions de ce même voyagiste pour plusieurs stations de la côte ouest (Pula, Umag).

◆ Les îles dalmates sont de plus en plus en vogue et les spécialistes de la **croisière** en **goélette** ou caïques mais aussi **voiliers** ou minipaquebots serpentent entre les îles, souvent au départ de Split *(aux alentours de 1 000 EUR la semaine, tout compris).* Renseignements auprès de Bemextours, Club Med, Croatie Tours, Euro Pauli, Marsans, Top of Travel.

◆ Les formules **week-end** pour Dubrovnik (*aux alentours de 450 EUR pour 3 jours/2 nuits,* vol et hébergement), mais aussi Split, Zagreb ou Zadar fleurissent, entre autres avec Bemextours, Croatie Tours, Euro Pauli, Marsans Transtours.

◆ De plus en plus d'excursions partent pour les bouches de Kotor (Monténégro), qui ne sont qu'à 50 km au sud de Dubrovnik.

Le voyage accompagné

◆ Bemextours et Croatie Tours proposent des circuits d'une semaine passant entre autres à Split et à Trogir. Arts et Vie rayonne à partir de Korcula pendant une semaine, alors qu'Allibert a choisi de marcher pendant deux semaines dans les parcs peu connus de Risjnak, Velebit et Plakenica.

La Balaguère et Club Aventure entreprennent des randonnées-sauts de puce. De son côté, Nomade Aventure fait du kayak des mers dans l'archipel Elafite, non loin de Dubrovnik.

◆ Les **croisières** des grands paquebots passent surtout à Dubrovnik à destination du Péloponnèse et de la Crète. Les bateaux phares des spécialistes (*Royal Clipper, Le Ponant, Club Med 2*) rivalisent de programmes à partir de Venise vers les arrêts paysage et culture d'Istrie et Dalmatie. Sans compter ceux qui, tel le *Jason* (Croatie Tours, Euro Pauli, Rivages du monde), longent la côte avec arrêts-culture depuis Rijeka jusqu'aux bouches de Kotor, au Monténégro (une semaine entre mai et septembre).

◆ Ultramarina plonge le long de la côte dalmate, entre autres pour les coraux de l'archipel des Komati. ◆ Une Croatie d'hiver existe chez Atalante en traîneau à chiens dans les Alpes dinariques.

◆ Des combinés se développent de plus en plus avec le **Monténégro** (Jet Tours, Nouvelles Frontières) ou la **Slovénie** (Kuoni, Nomade Aventure).

QUE RAPPORTER ?

Des broderies, des objets en cristal... et de très réputés alcools de fruits, huiles d'olives, vins blancs et rouges.

LES REPÈRES

◆ Pas de décalage horaire avec l'Europe de l'Ouest; lorsqu'il est midi au Québec, en Croatie il est 18 heures. ◆ Langue officielle : serbo-croate. ◆ Langues étrangères : l'allemand, l'italien, l'anglais; le français est peu connu. ◆ Téléphone vers la Croatie : 00385 + indicatif (Dubrovnik : 20, Zagreb : 1) + numéro; de la Croatie : 00 + indicatif pays + numéro.

LA SITUATION

Géographie. La Croatie a la forme d'un croissant en raison de l'échancrure créée par la Bosnie-Herzégovine. Du nord au sud, s'étagent les plaines de la Slavonie, des collines, les Alpes dinariques, au relief karstique, et la plaine côtière dalmate, très découpée. L'ensemble couvre 56 542 km^2.

Population. 4 492 000 habitants. Les Serbes (12 % de la population avant la guerre) ne seraient plus que 150 000. Le pays compte de nombreux réfugiés bosniaques. Capitale : Zagreb.

Religion. Au tournant du deuxième millénaire, l'église croate a choisi le rite latin au détriment du rite slave et oriental, situation qui se vérifie encore aujourd'hui.

Dates. *VIIe siècle* Les tribus croates s'implantent. *1102* La Croatie se lie à la Hongrie pour de longs siècles. *1526* Une partie de la Croatie est sous domination ottomane. *1918* Indépendance et rattachement au nouveau royaume des Serbes, Croates et Slovènes. *1942* Le roi Pavelic et les Oustachis soutiennent l'Allemagne lors de la Seconde Guerre mondiale. *1945* La Croatie entre dans la Fédération yougoslave. *1991* La Croatie déclare son indépendance et se heurte à la Serbie. *Janvier 1992* La CEE reconnaît l'indépendance de la Croatie. Franjo Tudjman est président. *Décembre 1993* La Krajina, partie est du pays habitée par 90 % de Serbes, s'autoproclame indépendante. *Août 1995* L'armée croate reprend la Krajina et les Serbes de la région sont contraints à l'exode. *Juin 1997* Réélection de Franjo Tudjman. *Décembre 1999* Décès de Franjo Tudjman. *Février 2000* Stipe Mesic devient un président prometteur quant à l'ouverture politique. *Novembre 2003* Une coalition de droite menée par Sanader s'installe. *Janvier 2005* Réélection de Stipe Mesic. *Octobre 2005* La Croatie entre dans le processus de négociation d'adhésion à l'Union européenne.

Cuba

Voilà bien des années que Fidel Castro avait décidé de relancer le tourisme pour rattraper les devises et le temps perdus. L'île table sur ses centaines de kilomètres de côtes, sur ses paysages de montagne propices à des randonnées, sur ses traditions vivaces comme la salsa, sur l'accueil éclairé de la population, sur l'image éculée du Cubain cigare aux lèvres accoudé à une vieille américaine et sur des vestiges coloniaux. Pari gagné pour l'instant, mais comment maîtriser cet afflux sans perdre son âme ?

LES RAISONS D'Y ALLER

LES CÔTES

Plages de la mer des Antilles (Varadero, Cayo Largo, Cayo Coco, Guardalavaca)
Croisières

LES VILLES

Églises baroques, cathédrales et maisons coloniales (Trinidad, La Havane, Santiago de Cuba, Cienfuegos, Sancti Spiritus, Baracoa), Biran (lieu de naissance de Castro), mausolée de Che Guevara à Santa Clara

LES TRADITIONS

Carnaval, salsa, cigares

LES PAYSAGES

Oriente (sierra Maestra, sierra del Escambray)
Sierra de los Organos, vallée de Viñales

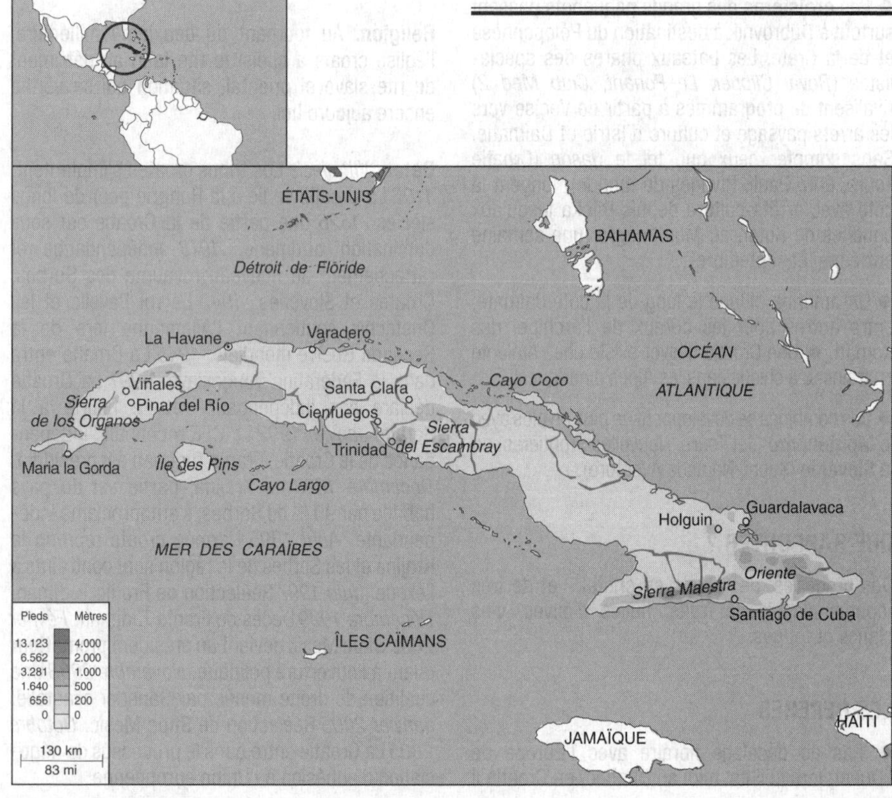

LES RAISONS D'Y ALLER

LES CÔTES

Loin de constituer le but le plus intéressant d'un voyage à Cuba, les plages en sont néanmoins, et de loin, le principal vecteur. Elles répondent à l'image caraïbe : longues, en pente douce, dotées d'un sable blond et fin, propices à la planche à voile, la voile, la plongée.

Ceux qui visitent l'île pour des raisons autres ne pourront se satisfaire de l'aspect « ghetto chic » qui prédomine sur les sites balnéaires de la côte nord et de l'archipel de Sabana. En premier lieu, **Varadero**, langue de sable étirée sur quinze kilomètres, bordée de palmiers et de flamboyants, mais aussi les cayos que sont Cayo Levisa, Cayo Las Brujas, Cayo Guillermo, Cayo Largo, Cayo Coco. Les **cayos** du nord-ouest (Cayo Jutias, Cayo Levisa) sont du même acabit, très beaux et très bien équipés.

La côte sud est moins fournie, excepté au sud-est (Playa Las Coloradas, Playa Siboney) alors que la côte nord-est (Cayo Saetia, Guardalavaca), dans l'Oriente, plaira à ceux qui souhaitent sortir des sentiers battus balnéaires.

Les possibilités de plongée sous-marine ne sont pas rares, par exemple aux abords de la côte est (Guardalavaca), de la côte sud et de l'île des Pins, tandis que la voile et la pêche au gros sont des activités courantes.

De La Havane, partent de plus en plus de croisières. Les plus classiques passent par Grand Cayman et la Jamaïque avant de revenir dans la capitale cubaine.

LES VILLES

Il y a plusieurs **Havane** en une seule. La plus classique, et la plus touristique, en est le cœur historique, La Habana Vieja, classé au patrimoine mondial, avec au premier chef la place de la Cathédrale, la place d'Armes et la place Saint-François-d'Assise. Palais, maisons à balcon, musées, églises y sont un ravissement.

Mais il faut savoir quitter La Habana Vieja pour, via le Parque Central, découvrir Centro Habana, le quartier qui paraît le plus abîmé mais aux monuments emblématiques (Capitole, Grand Théâtre). Ensuite il sera temps d'entamer la sacro-sainte promenade sur le front de mer, le romantique Malecón et ses demeures baroques souvent dégradées, avant de découvrir le moderne Vedado, ses avenues (Paseo, Los Presidentes) et l'immense place de la Révolution, où ceux qui auront eu la chance d'entendre un discours fleuve de Castro le 1er mai auront connu un moment d'histoire.

Le seul risque que court La Havane actuellement est de se voir trop « reliftée » pour cause d'un tourisme de masse qui a entraîné déjà un chapelet de restaurants et de cafés dans La Habana Vieja mais aussi, élément plus positif, l'ouverture de musées tel que le musée d'Art et d'ethnographie précoloniale.

À quelques kilomètres à l'est de La Havane, se trouvent « la Finca la Vigia », lieu où vécut et écrivit Hemingway, et le petit port de Cojimar, creuset du *Vieil Homme et la mer* et dont l'écrivain aventurier aimait le restaurant Las Terrazas.

Classée au patrimoine mondial de l'Unesco, **Trinidad** est considérée comme l'une des villes coloniales les plus intéressantes des Caraïbes grâce à ses églises baroques, ses maisons basses aux couleurs tendres et ses patios (cours intérieures des maisons coloniales) bâtis sur le modèle andalou.

Santiago de Cuba, l'ancienne capitale et la ville symbole de l'indépendance, offre sa baie, son château-forteresse (San Pedro del Morro), son parc Cespedes (cathédrale, musée Diego Vélazquez), ses églises, sa place de la Révolution (imposante statue d'Antonio Maceo), sa passion du carnaval (en juillet) et de la salsa.

Cienfuegos, la « Perle du sud », récemment placée sur la liste du patrimoine mondial, mêle son triple passé architectural français (balcons en fer forgé du centre historique), espagnol (palais Ferrer) et italien (théâtre Terry, Palacio de Valle). D'autre part, son jardin botanique renferme deux mille espèces.

Dans le centre, **Sancti Spiritus** vaut par l'atmosphère de sa vieille ville. A **Baracoa**, à l'extrême est de l'île, la pluie et le label de première ville espagnole du Nouveau Monde font bon ménage. Toujours dans l'Oriente, le hameau de **Biran** voit affluer les inconditionnels de Castro, qui y est né. Quant au mythe de Che Guevara, il est désormais entretenu à **Santa Clara**, où une statue et un mausolée, un rien pompeux, lui sont consacrés.

LES TRADITIONS

Seuls Cuba et Porto Rico sont en droit de revendiquer l'origine de la salsa, baptisée jazz afro-cubain avant les années 60. Bien que battue en brèche aujourd'hui par le *reggaeton* (pot-pourri de hip-hop et de salsa), le *son* et la *trova*, la *salsa* domine toujours à des adresses de Centro Habana ou du Vedado, ou sur les places de Trinidad. C'est elle aussi qui fait l'originalité du carnaval cubain, dont le meilleur exemple est fourni par Santiago de Cuba, en juillet.

Autre tradition : le cigare (*puro*), issu de fabriques de havanes que l'on peut visiter, particulièrement celles de Pinar del Río.

LES PAYSAGES

Les **sierras** (chaînes de montagnes) sont à l'origine d'un tourisme de l'intérieur trop longtemps négligé mais aujourd'hui en plein développement, entre autres par la programmation de randonnées pédestres.

A l'est (Oriente), la sierra **Maestra** surplombe Santiago de Cuba. Elle allie le plaisir de la randonnée au romantisme de la révolution castriste, dont elle abrita les combattants. Des randonnées autour du pico Turquino, point culminant de Cuba flanqué de conifères et d'orchidées, offrent de belles vues sur la mer des Caraïbes.

Au centre, une fort jolie route partie de Trinidad traverse la sierra del **Escambray**, ses escarpements, ses lacs et ses caféiers jusqu'à Santa Clara, tandis que la vallée de San Luis et ses moulins à sucre ont un parfum de nostalgie.

A l'ouest, la sierra de **los Organos**, entre La Havane et Pinar del Río, est non seulement souvent jugée la plus belle (vallée de Viñales et ses curieux *mogotes*, buttes de calcaire recouvertes de végétation), mais encore elle débouche sur les plantations de tabac les plus réputées de l'île (récolte de janvier à mars).

LE POUR

◆ La spécificité de l'île et de ses habitants, malgré des difficultés de tous ordres.

◆ Un des plus riches patrimoines des Antilles, tant architectural que musical, pour qui sait quitter les côtes.

LE CONTRE

◆ Pour les inconditionnels du tourisme balnéaire caraïbe, la rude concurrence tarifaire de la République dominicaine et du Mexique.

◆ Le clivage géographique, économique et humain entre visiteurs et population locale sur certains lieux touristiques côtiers.

◆ Un coût de la vie touristique élevé.

◆ Une saison climatique peu favorable entre juin et octobre.

LE BON MOMENT

Le climat tropical offre ses deux saisons classiques : une saison sèche, longue et favorable, de **fin novembre à mi-avril,** et une saison humide de juin à octobre, qui voit la pluie tomber régulièrement mais brièvement, risques de cyclone toutefois en septembre et octobre. Janvier est idéal pour l'est (Oriente).

◆ Températures moyennes jour/nuit (en °C) à La Havane : janvier 26/19, avril 29/21, juillet 31/24, octobre 29/23. L'eau de mer est en moyenne de 25° en avril et de 28° en octobre.

LE PREMIER CONTACT

En Belgique

Ambassade, rue Robert-Jones, 77, B-1180 Bruxelles, ☎ (02) 343.00.20, fax (02) 344.96.61, www.embacuba.be

Au Canada

◆ Office de tourisme, 2075, rue de l'Université, Montréal, ☎ (514) 848-0668. ◆ Ambassade, 388, rue Main, Ottawa, ON K1S 1E3, ☎ (613) 563-0141, cuba@embacuba.ca

En France

◆ Office du tourisme, 280, boulevard Raspail, 75014 Paris, ☎ 01.45.38.90.10, fax 01.45.38.99.30. ◆ Consulat : 16, rue de Presles, 75015 Paris, ☎ 01.45.67.55.35, fax 01.45.66.80.92, conscu@ambacuba.fr

En Suisse

Section consulaire, Gesellschaftstrasse, 8, CH-3012 Berne, ☎ (31) 302.21.11, fax (31) 302.98.30, http://emba.cubaminrex.cu/suiza

Internet

www.cubatourisme.fr/
(site de l'office du tourisme)

Guides

Cuba (Berlitz, Gallimard/Bibl. du voyageur, Gallimard/GEOGuide, Hachette/Guide du routard, Hachette/Guide Voir, JPMGuides, Le Petit Futé, Lonely Planet France, Michelin/Voyager pratique, Mondeos, National Geographic France, Nelles, Ulysse), *Cuba à table* (Lonely Planet France), *La Havane* (Gallimard/Cartoville, Ulysse).

Cartes

Cuba (Berndtson, IGN).

Lectures

Cent bouteilles sur un mur (Ena Lucia Portela, Seuil, 2003), *Et la nuit est tombée,* par Huber Matos, ex-compagnon d'armes de Castro (Les Belles Lettres, 2006), *la Chanson cubaine : textes et contexte* (L'Harmattan, 2000), *Cuba, le livre noir* (Reporters sans frontières/La Découverte, 2004), *Cuba, totalitarisme tropical* (Jacobo Machover, Ed. 10, 2006), *la Douleur du dollar* (Zoé Valdés, Actes Sud, 1999).

La popularité actuelle de la destination a fait sortir de l'ombre d'autres écrivains tels que Guillermo Cabrera Infante (*Dans la paix comme dans la guerre*, Gallimard, 1998) ou Jésus Diaz (*Parle-moi un peu de Cuba*, Métailié, 1999).

Images

Les Belles américaines de Cuba (Vilo, 2005), *Cuba, la isla grande* (Gründ, 2002), *Buena Vista Social Club: piano, canto, guitarra/piano, vocal, guitar* (Susan Titelman/Hal Leonard Corp, 2000), *Cuba, les chemins du hasard* (Karla Suarez, Francesco Gattoni/Le Bec en l'air, 2007), *Cuba métissage* (Romain Pagès, 2005), *Dimanche à Cuba* (Hermé, 2006). Le film *Habana Blues* (Benito Zambrano, 2005) donne une idée de la musique locale underground.

DVD

Buena Vista Social Club (Manuel «Puntillita» Licea/Road Movies Production, 2003).

QUEL VOYAGE ET À QUEL PRIX ?

Le voyage individuel

Les préparatifs

◆ Passeport valable encore six mois après la date du retour. Obligation d'acquérir une carte de tourisme (payante) délivrée par le consulat, le voyagiste choisi ou, depuis peu, sur place. Prolongation possible auprès des bureaux de tourisme des hôtels.

◆ Aucune vaccination n'est requise.

◆ Monnaie : il existe un « peso cubain » ou « monnaie nationale », non convertible, mais le touriste doit utiliser le « peso convertible » (CUC). 1 CUC = 0,77 EUR. Les chèques de voyage et les cartes de crédit émis par les banques états-uniennes ne sont pas acceptés.

Le départ

◆ Indice de prix à certaines dates du vol Montréal-La Havane A/R : 500 CAD; Paris-La Havane A/R : 700 EUR. Durée moyenne du vol Paris-La Havane (7 636 km) : 10 heures. Il existe des vols charters pour Santiago, Holguin et Cayo Coco.

Sur place

Hébergement

◆ Plutôt cher sur les côtes, plutôt bon marché dans l'intérieur via les *casas particulares* qui allient le gîte, le couvert, la rencontre des habitants et des prix modérés (15 à 20 CUC par personne en moyenne). ◆ Les voyagistes proposent un très large choix d'hôtels (Havanatour, Nouvelles Frontières).

Route

◆ Location de voiture possible (minimum 21 ans et permis de conduire depuis un an au moins). ◆ Vitesses autorisées agglom./routes/autoroutes : 50/80/100 km/h. *Autopistas* correctes, routes dégradées par endroits, signalisation souvent fantomatique mais le renseignement local fonctionne très bien. ◆ Bon réseau de bus (Astro, Viazul).

Vie quotidienne

◆ L'apparition de restaurants indépendants, les *paladares,* a permis de mieux connaître la cuisine (créole), hors des traditionnels cubas libres, daïquiris et mojitos. ◆ Électricité : 110 volts, penser à se munir d'un adaptateur avant le départ.

Train

◆ Un vénérable train à vapeur traverse l'île de La Havane à Santiago. ◆ Un petit train touristique mène de Santa Clara à Cienfuegos.

Le séjour en individuel

Rappel : nous nous sommes limités à un résumé des prestations en vigueur dans les agences et chez les voyagistes présents en France. Les lecteurs des autres pays peuvent en tirer des idées d'itinéraire et les compléter auprès de leurs agences de voyages.

◆ Les **autotours** (vol A/R, location de voiture et hôtel réservé à l'étape) se développent, à des tarifs *autour de 1 000 EUR la semaine en basse saison, 1 300 EUR en haute saison.* Exemples : Marsans, Nouvelles Frontières, Voyageurs du monde.

◆ Le séjour **balnéaire**, vecteur du boom touristique cubain, s'étend en moyenne sur 9 jours/7 nuits en « all inclusive » entre avril et octobre. Les endroits clés : Varadero, Cayo Coco, Cayo Largo. La diversification est en marche avec les plages de l'Oriente (Guardalavaca).

Prix moyen pour la semaine farniente à Varadero en saison : *aux alentours de 1 000 EUR en chambre double,* vol A/R et pension complète inclus, réductions enfants 2-12 ans possibles. En juin-juillet, donc en dehors de la saison favorable, on peut dégoter pour le couple La Havane/Varadero des « 9 jours/7 nuits » en hôtel deux étoiles *à moins de 900 EUR.* Très nombreux voyagistes : Best Tours, Croisitour, Cubanacan, Fram, Havanatour (qui ajoute la Jamaïque), Jet Tours, La Maison des Amériques latines, Look Voyages, Marsans, Neckermann, Nouvelles Frontières, Thomas Cook, TUI France, Vacances Transat, Voyageurs du monde.

Les plus chevronnés s'essaient à la **plongée** avec Aquarev (Maria La Gorda) ou Ultramarina, qui cherche les spongiaires, le gorgones, les tarpons à Maria la Gorda et aux abords de l'île de la Jeunesse.

Le voyage accompagné

◆ La plupart des voyagistes précités et d'autres comme Arts et Vie ou Clio sont également présents dans **l'intérieur** des terres, la plupart pour des circuits d'une semaine, souvent centrés sur les **plantations** de tabac de la région de Pinar del Río, la visite de La Havane et Trinidad, pour un *prix avoisinant 1 100 EUR en pension complète.* On trouve aussi des circuits spécifiques, comme celui de Zig Zag, qui entraîne son voyageur sur les chemins de la révolution. Et d'autres, plus longs qui, par exemple avec Adeo, ajoutent les villes coloniales et les sierras de l'Oriente (Santiago, Baracoa).

◆ La **randonnée** est présente chez les spécialistes du genre, partie de La Havane vers l'Oriente mais englobant souvent toute l'île, de la vallée de Vinales à l'Oriente, pour des séjours d'une ou deux semaines (Atalante, La Balaguère, Club Aventure, Nomade Aventure). *Ce type de voyage est d'un prix moyen de 1 700 EUR pour 15 jours.*

◆ Des **croisières** de 9 jours/7 nuits partent de La Havane pour le Mexique ou y passent en provenance de la Jamaïque et à destination des Bahamas (Festival Croisières et son *Caribe* relooké). Compter *aux alentours de 1 300 EUR* comme prix d'appel pour ce type de prestations.

QUE RAPPORTER ?

Une boîte de cigares (achetée dans son emballage d'origine) suffit au bonheur de beaucoup. Elle peut être complétée par du rhum, du café, des objets en terre cuite et la traditionnelle chemise blanche cubaine.

LES REPÈRES

◆ Lorsqu'il est midi en France, à Cuba il est 6 heures, été comme hiver. ◆ Langue officielle : espagnol. Langues étrangères : le français n'est pas inconnu, l'anglais peu apprécié. ◆ Téléphone vers Cuba : 0053 + indicatif (La Havane : 7, Varadero : 5) + numéro; de Cuba : 00 + indicatif pays + numéro.

LA SITUATION

Géographie. Plaines et plateaux calcaires – sauf à l'ouest et surtout au sud-est de l'île, où pointe la montagne – dessinent le relief de Cuba qui, avec ses 110 861 km^2, est l'île la plus étendue des Antilles.

Population. Sur les 11 424 000 habitants, plus de deux millions vivent à La Havane, la capitale. Répartition de la population : 66 % de Blancs, 22 % de Mulâtres et 12 % de Noirs. Depuis 1958, un million de personnes ont quitté le pays pour raisons politiques.

Religion. 40 % de catholiques, minorité de protestants et d'adeptes de cultes afro-cubains. Un Cubain sur deux ne se réclame d'aucune religion.

Dates. *1492* Christophe Colomb débarque sur l'île. *1511* Les esclaves noirs sont déjà là, alors que l'on enterre les derniers Indiens. *1880* Abolition de l'esclavage. *1898* Sous la pression des États-Unis, l'Espagne abandonne Cuba. *1901* Cuba très dépendant des États-Unis. *1925* Dictature de Machado. *1933* Arrivée de Batista. *1959* Les guérilleros chassent Batista, Urrutia devient président et Fidel Castro Premier ministre. *1961* Opération anticastriste mise en échec (épisode de la baie des Cochons, qui a mis en péril la paix mondiale). *1965-1972* Cuba s'aligne de plus en plus sur l'URSS. *1975* Pleins pouvoirs pour Fidel Castro, président de la République. *1989* Visite de Gorbatchev. *Années 90* La fin de la tutelle soviétique et l'embargo économique imposé par les États-Unis fragilisent l'économie. *1994* Des milliers de Cubains (*balseros*) émigrent sur des embarcations de fortune. *Avril 2003* La justice requiert de lourdes peines de prison pour des dizaines de dissidents. *Août 2006* Fidel Castro, malade, délègue ses pouvoirs à son frère Raul, son cadet de cinq ans (76 ans). *Septembre 2008* Les côtes est et ouest ainsi que La Havane sont balayées par les ouragans Gustav et Ike.

Danemark

S'il est mis en concurrence avec d'autres pays du nord de l'Europe, le Danemark ne sortira pas gagnant : pays nordique pas assez au nord pour proposer des joies « polaires », il ne peut donner le change malgré ses presque cinq cents îles. Néanmoins, il mérite bien mieux que sa discrète réputation car il met en harmonie de jolies villes chargées de valeur culturelle à travers leurs châteaux et musées, des villages aux toits de chaume et une nature très douce, quoique très plate. Belle occasion pour goûter aux joies du tourisme à vélo, qui est ici une institution.

LES RAISONS D'Y ALLER

LES VILLES ET LES MONUMENTS

Copenhague, Århus, Ålborg, Odense, Ribe, Helsingør (château de Kronborg), Hillerød (château de Frederiksborg), Billund (Legoland)

LA NATURE ET LES CÔTES

Lacs, forêts, dunes, falaises, plages, pêche

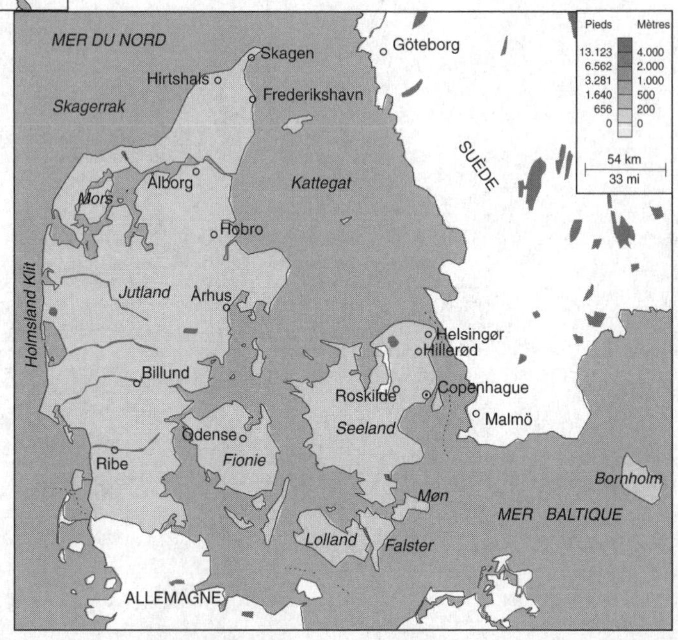

LES RAISONS D'Y ALLER

LES VILLES ET LES MONUMENTS

Découverte par une belle journée d'été, **Copenhague** apparaît comme l'une des villes les plus jeunes et les plus souriantes d'Europe. Elle conduit son visiteur vers d'autres images que celles, certes élégantes et incontournables, de la Petite Sirène et des maisons colorées de Nyhavn, l'ancien quartier de pêcheurs.

Si le site de Christiania, qui fut à l'avant-garde sociale dans les années 70, semble à la recherche d'un lien avec son passé, les rues centrales du Quartier latin et du Strøget sont très animées, comme le quartier branché Vesterbro, ou le Tivoli, vénérable parc d'attractions depuis plus de cent cinquante ans.

Copenhague est également riche des canaux de Christianhavn (à parcourir en bateau-mouche), du château de Rosenborg, qui renferme les joyaux de la Couronne, des palais de la place Amalienborg et d'importants musées : Glyptotek (antiquités égyptiennes, grecques et romaines, collections de peinture et de sculpture françaises, dont une collection privée de Gauguin), musée des Beaux-Arts (Matisse), musée National (histoire du Danemark), villa d'Ordrupgaard (Cézanne, Corot, Courbet, Degas, Gauguin, entre autres). A voir aussi le nouveau Dansk Design Center et le Carlsberg Visitors Centre.

À une trentaine de kilomètres au nord de Copenhague, est établi le Louisiana, important musée d'art moderne (Dubuffet, Max Ernst, Giacometti, Andy Warhol).

Une vieille ville qui reconstitue l'habitat ancien du pays, sa cathédrale (1201) et son musée préhistorique offrent à **Århus** une bonne audience. Plus au nord, **Ålborg** vaut par ses quartiers anciens, par la réussite architecturale de son musée des Beaux-Arts et, à quelques kilomètres, par le Lindholm Hoje, un important cimetière viking. **Odense** est réputée pour le retable et les tombeaux royaux de l'église Saint-Knud, ainsi que pour la maison d'Andersen. À **Ribe**, l'une des plus vieilles villes du pays, on s'attardera sur les sculptures de la cathédrale romane et gothique (XIIe siècle).

La plupart des **châteaux** sont des XVIe et XVIIe siècles. Les plus connus sont ceux de **Frederiksborg**, près d'Hillerød, et de **Kronborg**, à Helsingør, où Shakespeare a situé l'action d'*Hamlet*.

À l'ouest de Copenhague, **Roskilde**, ancienne capitale, possède une cathédrale romane et gothique dans laquelle sont inhumés une centaine de membres de la royauté. Roskilde possède également un musée des bateaux vikings.

L'un des plus grands succès de fréquentation est un monument... de petits éléments de plastique disséminés dans un parc d'attractions pour enfants, le **Legoland**, installé à Billund (Jutland).

LA NATURE ET LES CÔTES

Le voyageur doit s'attendre à découvrir des horizons très dégagés, conséquence d'une platitude quasi générale et parfois monotone, coupée néanmoins par des **lacs** et des **forêts**.

Cette géographie ne doit pas faire oublier les atouts de certaines **côtes**. Pour le Jutland : longs rivages du Skagerrak, réserve naturelle et ornithologique de Tipperne, région de Skagen, cordon de **dunes** couvertes de landes à bruyère d'Holmsland Klit, fjord et région de Hobro. Pour l'île de Møn : les **falaises** de craie de Møns Klint.

Pour ceux que la latitude n'effraie pas, les **plages** les plus propices à la baignade sont dans l'est du pays : côtes de Fionie, du sud du Seeland, de Lolland et de la petite île de Bornholm, sous la pointe sud de la Suède. D'autre part, la **pêche** est une activité très prisée, en eau douce ou en mer.

LE POUR

◆ Des raisons de visite culturelles et naturelles harmonieusement partagées.

LE CONTRE

◆ Une belle saison plutôt brève et un coût du séjour plutôt élevé.

LE BON MOMENT

Le climat est relativement doux et humide. Voilà qui surprendra agréablement ceux qui, vu la latitude, comparaient le pays à un réfrigérateur. Mais la belle saison dure peu : **juillet et août** s'imposent, **mai** et **septembre** sont acceptables.

◆ Températures moyennes jour/nuit (en °C) à *Copenhague* : janvier 2/-2, avril 10/2, juillet 20/13, octobre 12/7. Maximum de la température de l'eau de mer (mer du Nord) : 17º.

LE PREMIER CONTACT

En Belgique

Office national danois de tourisme, rue d'Arlon, 73, B-1040 Bruxelles, ☎ (02) 233.09.00, fax (02) 233.09.32.

Au Canada

Ambassade, 1, place Ville-Marie, Montréal, H3B 4M4, ☎ (514) 877-3041, fax (514) 871-8977.

En France

Conseil du tourisme (par téléphone seulement) ☎ 01.42 56 18 72, paris@dt.dk

Au Luxembourg

Ambassade, 4, rue des Girondins, L-1626 Luxembourg, ☎ 22.21.22-1, fax 22.21.24.

En Suisse

Consulat, rue de la Gabelle, 9, CH-1227 Carouge, ☎ (22) 827.05.00, fax (22) 301.57.52, www.ambbern.um.dk

Internet

www.visitdenmark.com

Guides

Copenhague (Gallimard/Cartoville), *Danemark* (Gallimard/Encycl. du voyage, Hachette/Évasion), *Danemark, Copenhague* (Mondeos), *Danemark, îles Féroé* (Le Petit Futé), *Danemark, Suède* (Hachette/Guide du routard), *Norvège, Suède, Danemark, Finlande et îles Féroé* (Lonely Planet France), *Scandinavie* (Michelin/Guide vert).

Cartes

Danemark (Eurocarte, IGN, Marco Polo, Ravenstein), *Danemark, Suède du sud* (Berlitz), *Scandinavie, Finlande* (Michelin).

Images

Scandinavie (Vilo, 2006).

Lectures

Lettres du Danemark 1931-1962 (Karen Blixen, Gallimard, 2002), *la Petite Sirène de Copenhague* (Boris Cyrulnik/Editions de l'Aube, 2005), *Sept contes gothiques* (K. Blixen/Le Livre de poche).

QUEL VOYAGE ET À QUEL PRIX ?

Le voyage individuel

Les préparatifs

◆ Carte nationale d'identité ou passeport suffisant pour les ressortissants de l'Union européenne. Les ressortissants canadiens doivent être munis d'un passeport valide.

◆ Monnaie : en attendant l'euro, la *couronne danoise* (en danois *krone*, pluriel *kroner*) a toujours cours et elle est subdivisée en 100 øre. 1 EUR = 7,45 couronnes danoises. Emporter des euros en espèces ou en chèques de voyages et une carte de crédit pour commerces, hôtels et distributeurs de billets.

Le départ

◆ Indice de prix à certaines dates du vol Montréal-Copenhague. 750 CAD; Paris-Copenhague A/R : 150 EUR. ◆ Vols à bas prix Bruxelles-Copenhague : Brussels Airlines, Sterling; Chambéry-Billund ou Copenhague : Sterling; Paris-Billund : Sterling; Paris-Copenhague : Air Berlin, Sterling. ◆ Durée moyenne du vol Paris-Copenhague A/R : 1 h 45.

Bus

Paris-Copenhague A/R via Lille et Bruxelles (Eurolines, qui dessert également Ålborg).

Voiture

◆ Luxembourg-Copenhague : 915 km, via Dortmund, Brême et Hambourg. ◆ Paris-Bruxelles-Copenhague : environ 1 200 km via Liège et Hambourg. ◆ En attendant le pont qui reliera Puttgarden à Rodby en 2018, la traversée en ferry Allemagne-Danemark augmente le temps du trajet d'environ une heure. ◆ Le pont très long de l'Öresund relie Copenhague à Malmoe, en Suède.

Sur place

Bateau

Paquebots-ferries pour la Norvège à partir de Hirtshals (Color Line), autres possibilités pour les Féroé et pour les îles Shetland (Smyril Line).

Hébergement

Comme dans les autres pays scandinaves, il faut savoir compenser le haut niveau des prix de l'hébergement par des formules telles que le camping ou le logement chez l'habitant : renseignements auprès des offices de tourisme locaux, de l'organisme « Use it » à Copenhague, de l'association Tourisme chez l'habitant. Très nombreuses auberges de jeunesse, renseignements www.hostels.com/fr/dk.html

Route

◆ L'allumage des codes en permanence est obligatoire. ◆ Limitation de vitesse agglomération/route/autoroute : 50/80/110. ◆ Limite du taux d'alcoolémie : 0,5 pour mille. ◆ Location de voiture préférable avant le départ. ◆ Se rappeler que la bicyclette est une institution au Danemark : on peut la louer dans les villes et, quand les trajets deviennent un peu longs, l'emmener avec soi dans les bus, les ferries et les trains.

Train

◆ Pass InterRail utilisable. ◆ Train de nuit Paris/Gare du Nord-Copenhague. ◆ Si l'on souhaite prendre les trains qui vont sur les ferry-boats chargés de relier entre elles les nombreuses îles danoises, il est prudent de réserver.

Le séjour en individuel

◆ Copenhague écrase – injustement – le reste du pays dans l'esprit de beaucoup de voyageurs... et de voyagistes. Aussi, les formules **week-end** pour la capitale danoise sont-elles la règle, programmées par, entre autres, Bennett Voyages, Euro Pauli, Luxair/Metropolis, Nouvelles Frontières, Transeurope, TUI France, Visit Europe, Voyageurs du monde. Voyagistes en Belgique : Bureau Scandinavia, Seagull, Thomas Cook.

Coût moyen de la formule vol + hébergement à Copenhague : 300 EUR le séjour de 3 jours/2 nuits, coût moindre en choisissant le bus A/R + une nuit d'hôtel (Eurolines). L'achat de la « Copenhagen Card » à l'office de tourisme permet un accès libre à certains musées, transports ou attractions, agrémenté de nombreuses réductions.

Le voyage accompagné

◆ Copenhague est parfois placée au terme d'un circuit Norvège, Suède et Finlande (Kuoni).

◆ Objectif Nature est dans le parc de Dyrehaven fin septembre pour photographier le **cerf** à l'heure du brame.

◆ Pressés de gagner la Norvège entre juin et septembre, les spécialistes de la croisière font tout de même **escale** à Copenhague, tel Costa Croisières. Autres prestations : MSC Croisières.

LES REPÈRES

◆ Pas de décalage horaire avec la Belgique, le Luxembourg, la France ou la Suisse; lorsqu'il est midi au Québec, au Danemark il est 18 heures. ◆ Langue officielle : danois. ◆ Langues étrangères : anglais surtout, allemand souvent, français parfois. ◆ Téléphone vers le Danemark : 0045 + numéro; du Danemark : 00 + indicatif pays + numéro.

LA SITUATION

Géographie. Le Danemark est presque aussi plat que la Belgique. Il est truffé de 483 îles, dont une centaine sont habitées, mais il est peu étendu (43 077 km^2).

Population. Descendants directs des Vikings, les Danois sont aujourd'hui 5 485 000, ce qui donne une densité de population non négligeable. Capitale : Copenhague.

Religion. Neuf Danois sur dix obéissent à la doctrine de Luther.

Dates. *IXe siècle* Danois plus Norvégiens égalent Vikings, qui vont ravager les côtes ouest-européennes pendant que le pays devient un royaume. 1375 Début de l'Union des États scandinaves. *1440* Début d'une longue rivalité avec la Suède. *1972* Margrethe II monte sur le trône. *1973* Le Danemark entre dans la CEE. *1982* Arrivée au pouvoir d'un homme de centre-droit, Schlüter, qui met fin à la tradition de pouvoir social-démocrate. *Juin 1992* Le Danemark dit non au traité de

Maastricht. Un gouvernement de centre gauche, dirigé par Rasmussen (parti social-démocrate), revient au pouvoir. *1993* Un deuxième référendum dit « oui » au traité de Maastricht. *Septembre 2000* Les Danois refusent l'euro. *Novembre 2001* Le parti libéral en tête des législatives, Rasmussen Premier ministre. *Novembre 2007* Le parti libéral l'emporte de peu devant les sociaux-démocrates.

Djibouti

De Djibouti, on a souvent l'image d'une bourgade écrasée de chaleur où s'ennuient quelques militaires français, où s'affairent trafiquants et pirates des mers, et où Rimbaud et Henri de Monfreid auraient perdu leur âme. Il est temps de relativiser ce cliché et de construire une opinion par-dessus : celle d'un pays presque aussi étendu que la Belgique, cosmopolite, et qui mue à grande vitesse. Le tourisme tente de suivre, avec des atouts : à l'extérieur, des eaux de la mer Rouge qui sont un paradis pour les plongeurs; à l'intérieur, des lacs chargés de sel, d'une étrange beauté, et des possibilités de randonnées chamelières dans des régions semi-désertiques.

LES RAISONS D'Y ALLER

LES FONDS MARINS ET LES CÔTES

Coraux et poissons de la mer Rouge (archipel des Sept-Frères)
Golfe de Tadjoura (plage d'Obock), îles Moucha

LES PAYSAGES

Lacs (lac Assal, lac Abbé),
Tumulus, forêt du Day, massif des Mablas

LES VILLES

Djibouti, Obock, Ali Sabieh

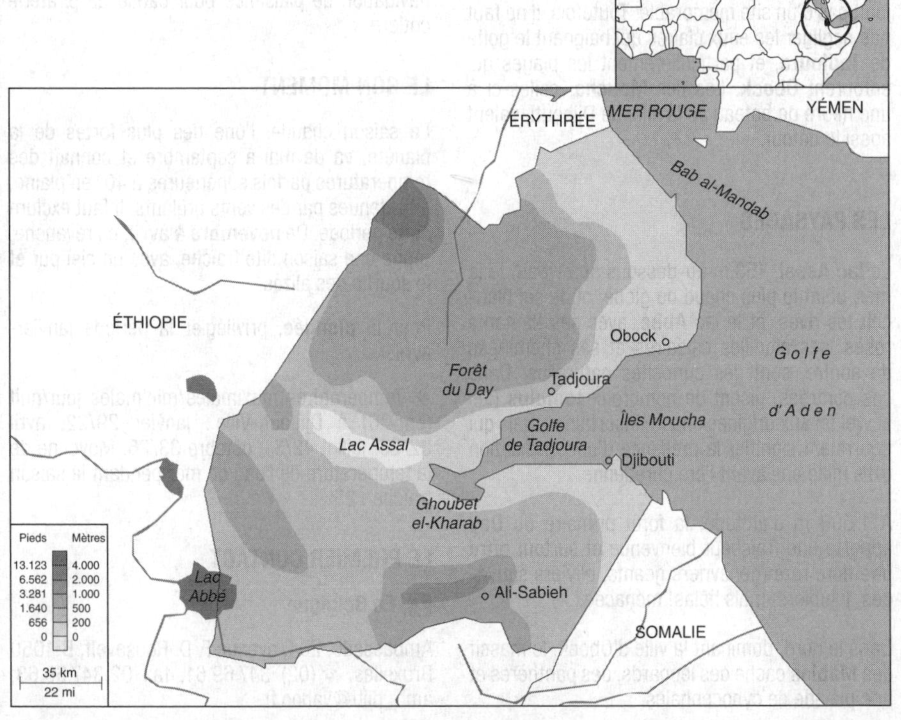

LES RAISONS D'Y ALLER

LES FONDS MARINS ET LES CÔTES

Au large de Djibouti, la mer Rouge jouit d'une double réputation:

– de nombreuses espèces de **coraux**, souvent jugés par les spécialistes parmi les plus beaux de la planète, et des **poissons** multicolores (mais aussi des requins-baleines, surtout en janvier-février) en font le digne pendant des rivages égyptiens, voire mieux; l'archipel des **Sept-Frères**, dans le golfe de Tadjoura, et les tombants au large d'Obock sont les sites les plus réputés;

– d'autre part, le mythe des pêcheurs de **perles** et de leurs **boutres** (petits navires à voiles, très relevés à l'arrière) est encore bien présent, subjugué par l'évocation des exploits et frasques de Rimbaud et de l'aventurier Henri de Monfreid sur son bateau, l'*Altaïr*.

La république de Djibouti n'est pas connue pour ses sites balnéaires et la capitale elle-même ne jouit pas d'un site mémorable. Toutefois, il ne faut pas négliger les eaux claires qui baignent le golfe de **Tadjoura**, et particulièrement les plages qui entourent **Obock**. Les îles **Moucha**, celles-ci à une heure de bateau de la ville de Djibouti, valent aussi le détour.

LES PAYSAGES

Le **lac Assal**, 153 m au-dessous du niveau de la mer, point le plus chaud du globe, où le sel blanchit les rives, et le lac **Abbé**, avec ses flamants roses, ses aiguilles calcaires et ses cheminées de soufre, sont des curiosités naturelles. Dans ces contrées, gisent de nombreux **tumulus** (les aowelos) aux origines encore incertaines mais qui pourraient signifier la présence d'une civilisation trois mille ans avant l'ère chrétienne.

A 1 500 m d'altitude, la forêt primaire du **Day** apporte une fraîcheur bienvenue et surtout offre une flore rare (genévriers géants, oliviers sauvages, jujubiers) mais hélas! menacée.

Dans le nord, dominant la ville d'Obock, le massif des **Mablas** cache des léopards, des panthères et une pléiade de cynocéphales.

LES VILLES

Djibouti vit plus sur ses légendes (Rimbaud et sa place du même nom, aujourd'hui Mahmoud-Harbi) que sur son intérêt actuel. **Obock**, sur la pointe nord du golfe de Tadjoura, garde une empreinte coloniale plus séduisante et un étonnant cimetière marin. A voir aussi la ville en altitude d'**Ali-Sabieh**.

LE POUR

◆ Des fonds marins exceptionnels mais aussi des paysages qui sont un gage d'insolite.

◆ Le français comme langue de communication.

LE CONTRE

◆ Des infrastructures touristiques encore rares, des déplacements aériens et terrestres coûteux.

◆ Les dangers de plus en plus évidents de la navigation de plaisance pour cause de piraterie côtière.

LE BON MOMENT

La saison chaude, l'une des plus fortes de la planète, va de mai à septembre et connaît des températures parfois supérieures à 40° en plaine, entretenues par des vents brûlants. Il faut exclure cette période. De **novembre à avril**, en revanche, règne une saison dite fraîche, avec un ciel pur et le souffle des alizés.

Pour la **plongée**, privilégier la période janvier-avril.

◆ Températures maximales/minimales jour/nuit (en °C) à Djibouti-Ville : janvier 29/22, avril 32/25, juillet 42/31, octobre 33/26. Moyenne de la température de l'eau de mer pendant la saison fraîche : 25°.

LE PREMIER CONTACT

En Belgique

Ambassade, 204, avenue F. D. Roosevelt, B-1050 Bruxelles, ☎ (02) 347.69.61, fax 02.347.69.63, amb_djib@yahoo.fr

Au Canada

Consulat honoraire, Montréal, tél/fax (514) 288-8297.

En France

◆ Ambassade, 26, rue Emile-Menier, 75116 Paris, ☎ 01.47.27.49.22, fax 01.45.53.50.53, webmaster@ambdjibouti.org ◆ Association Djibouti Espace Nomade, tél. 01.48.51.71.56, aden@club-internet.fr, qui entre autres place son action dans le cadre du tourisme solidaire.

En Suisse

Chancellerie, chemin Louis-Dunant 19, 1202 Genève, ☎ (22) 749.10.90, mission.djibouti@djibouti.ch

Internet

www.office-tourisme.dj

Guides

Djibouti (Le Petit Futé), *Manuel de conversation somali-français et guide de Djibouti* (L'Harmattan, 2000).

Lectures

L'Aleph-Ba-Ta, récits de Tadjoura (L'Harmattan, 2000), *Djibouti* (Atlas de l'Afrique/Jaguar, 2007), *Ourrou-Djibouti, 1991-1994; du maquis afar à la paix des braves* (L'Harmattan, 2002). On peut aussi piocher çà et là les impressions de grandes pointures qui sont passées à Djibouti : Joseph Kessel, Arthur Rimbaud, Henri de Monfreid, Albert Londres.

Images

En Mer Rouge (G. de Monfreid, Gallimard, 2005). Cinéma : le film de Claire Denis, *Beau travail* (2000), met en scène et en musique des guerriers dans le désert.

Carte

Djibouti (IGN).

QUEL VOYAGE ET À QUEL PRIX ?

Le voyage individuel

Les préparatifs

◆ Pour les ressortissants de l'Union européenne, passeport valable encore six mois après le retour, visa (valable un mois) obtenu à l'arrivée à l'aéroport, se faire confirmer cette possibilité avant le départ. Pour les Canadiens, visa nécessaire, obtenu auprès de l'ambassade. ◆ Dans tous les cas, billet de retour ou de continuation exigible.

◆ Aucune vaccination n'est exigée, mais se prémunir contre le paludisme est indispensable.

◆ Monnaie : le franc de Djibouti. 1 EUR = 248 francs de Djibouti. 1 US Dollar = 176 francs de Djibouti. Emporter des euros ou des US dollars en espèces ou en chèques de voyage et une carte de crédit.

Le départ

◆ Indice de prix à certaines dates du vol Paris-Djibouti A/R (5 588 km) : 600 EUR. Durée moyenne du vol Paris-Djibouti : 11 heures (escale).

Sur place

Route

◆ Les grands axes sont asphaltés. Beaucoup de pistes. Un 4 x 4 est vivement recommandé. ◆ Éviter de s'écarter des pistes et de rouler isolément, surtout aux abords des frontières.

Train

Le train qui relie Djibouti à Addis-Abeba (740 km) est très lent et peu sûr.

Le voyage accompagné

Rappel : nous nous sommes limités à un résumé des prestations en vigueur dans les agences et chez les voyagistes présents en France. Les lecteurs des autres pays peuvent en tirer des idées d'itinéraire et les compléter auprès de leurs agences de voyages.

◆ Programmation rare pour les **randonnées**, mais très spécifique : sur place, des campements touristiques sont gérés par des Djiboutiens et permettent de partir à la découverte de la faune et de la flore, ainsi que vers le lac Abbé et la forêt du Day (renseignements auprès de Djibouti Espace Nomade). Toujours pour le pays seul, voir les propositions du voyagiste local Djibouti Divers (www.djiboutidivers.com). Par ailleurs, le programme de Tamera est fondé sur le lac Assal, la faille de Goubet et la plage de Tadjoura (11 jours).

◆ Le voyage à Djibouti est très souvent couplé avec une première partie en **Éthiopie**. Ainsi, Atalante propose « une caravane Afar », avec alternance de marche et de dromadaire au sein d'un combiné hauts plateaux éthiopiens, lac Assal et golfe de Tadjoura (17 jours). Sous la conduite de nomades afars et danakils, Terra Incognita associe le lac Assal et le volcan éthiopien Erta Ale. Explorator place le lac Abbé et Djibouti-Ville au milieu de son périple éthiopien (18 jours en décembre). Voyageurs du monde termine par le lac Abbé et les rivages d'Obock un séjour de trois semaines commencé au Kenya et poursuivi en Éthiopie.

◆ **L'eau** est le second élément touristique. Les clients chevronnés embarquent pour des **croisières-plongées** : dauphins, tortues (janvier-mars), raies mantas (avril-mai) et requins-baleines (septembre-décembre) sont au rendez-vous. Exemples de prestations : Aquarev ou Nouvelles Frontières, qui passe aux îles Musha et Maskali, aux Sept-Frères et dans le golfe de Tadjoura.

◆ *Le voyage à Djibouti est plutôt cher : entre 2 500 et 2 700 EUR en moyenne pour 15 jours en voyage-randonnée, 1 800 EUR pour une croisière plongée d'une semaine.*

LES REPÈRES

◆ Lorsqu'il est midi en France, il est 13 heures à Djibouti en été et 14 heures en hiver. ◆ Langues officielles : arabe et français. ◆ Téléphone vers Djibouti : 00253 + numéro; de Djibouti : 00 + indicatif pays + numéro.

LA SITUATION

Géographie. Placé à la jonction de deux importantes fractures de l'écorce terrestre, à l'entrée sud de la mer Rouge, le pays est fait de nombreux dénivelés. Superficie : 23 200 km^2.

Population. Dans ce petit pays aux grands problèmes (analphabétisme, chômage), deux ethnies sont dominantes : les Afars (38 %), au nord, et les Issas (47 %). Ils sont antagonistes depuis longtemps et composent l'essentiel des 506 200 habitants, qui comptent aussi des nomades. Aujourd'hui, une population cosmopolite vit à Djibouti-Ville, la capitale.

Religion. Presque tous les Djiboutiens sont d'obédience musulmane (sunnites). Minorités de catholiques, de protestants et d'orthodoxes.

Dates. *1862* La France achète Djibouti au chef des Afars. *1896* Création de la Côte française des Somalies. *1946* Djibouti devient un TOM (Territoire français des Afars et des Issas). *1977* Indépendance (République de Djibouti) : Hassan Gouled Aptidon président. *1992* Embryon de guerre civile entre les rebelles du Front pour la restauration de l'unité et de la démocratie (FRUD), à majorité afar, et les partisans du gouvernement, à majorité issa. *Avril 1999* Ismaël Omar Guelleh (Rassemblement populaire pour le progrès, RPP) remporte l'élection présidentielle. *Septembre 2002* Reconnaissance du multipartisme. *Janvier 2003* Le RPP majoritaire aux législatives. *Avril 2005* Guelleh est réélu, mais l'opposition a proposé un important « boycottage actif ».

Dominicaine (République)

Même si elle se cherche désormais une autre image, la «Rép Dom» reste « la » destination clé aux Antilles des plaisirs balnéaires au coût modeste. Une vraie concurrence pour les vieilles certitudes du tourisme méditerranéen ! Mais il y a deux république Dominicaine : la partie est, celle de la semaine balnéaire tout compris à des prix très attractifs mais qui ne permet pas de connaître la réalité du pays; et l'intérieur des terres, parcouru en voiture de location et où l'on se sent vite seul au monde, parmi lacs salés, airs mélos de bachata et pentes verdoyantes du pico Duarte.

LES RAISONS D'Y ALLER

LES CÔTES

Sites balnéaires de l'est (Punta Cana, Bayahibe, Boca Chica, La Romana, Isla Saona, baie de Samaná), du nord (Puerto Plata) et du sud-est
Sports nautiques (funboard, planche à voile, surf, voile), plongée, pêche en haute mer

LES PAYSAGES ET LES RANDONNÉES

Cordillère centrale (ascension du pico Duarte)
Lac Enriquillo, laguna de Oviedo,
parc de Los Haitises

LES VILLES

Saint-Domingue, Puerto Plata, Santiago

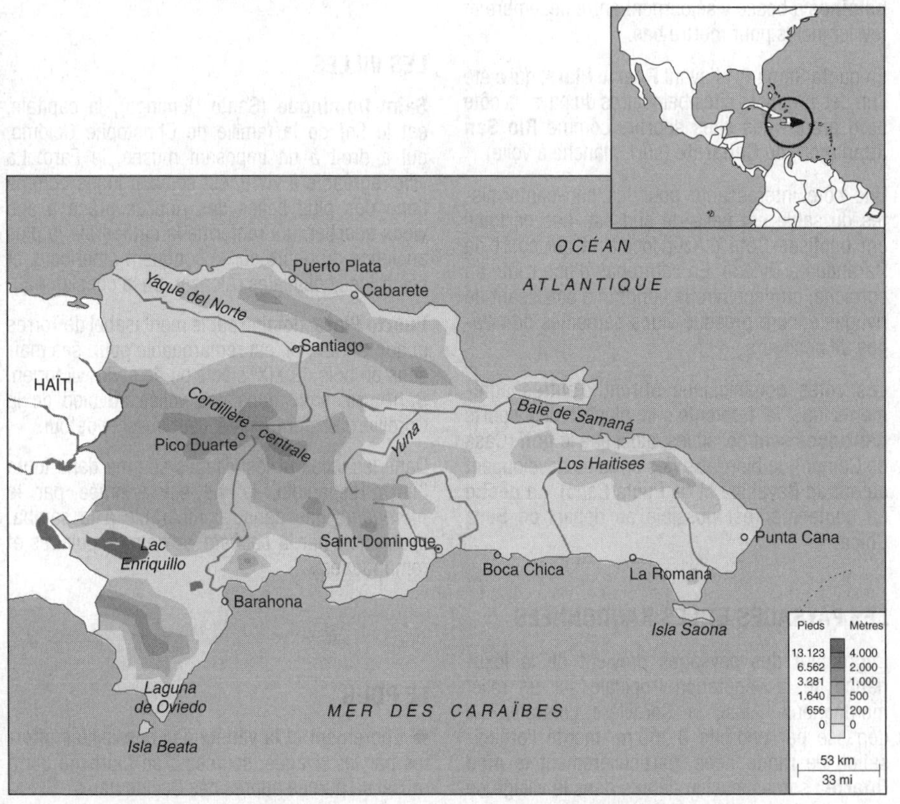

LES RAISONS D'Y ALLER

LES CÔTES

Si l'on choisit les « resorts » qui font désormais l'objet de propositions d'une semaine tout compris, on se retrouvera sur les soixante kilomètres de la côte **sud-est**, baptisée « côte des Cocotiers », avec ses grands classiques : **Boca Chica**, **Punta Cana**, **La Romana** ou encore **Bayahibe**, village de pêcheurs devenu spot balnéaire et de plongée, flanqué de l'isla Saona. La **plongée** sous-marine permet de découvrir des coraux et des poissons multicolores à partir de lieux tels que **Juan Dolio**.

Sur la côte nord-est, dans une atmosphère où se mêlent de petites plages de charme cachées aux alentours de Las Galeras et... une tendance baba cool franco-française à Las Terrenas, la jolie presqu'île de **Samaná** sert de contrepoint aux sites rectilignes du sud-est. De surcroît, les **baleines** à bosse y séjournent entre décembre et février inclus pour mettre bas.

En quitta Samana et avant **Puerto Plata**, qui a été l'un des premiers sites balnéaires du pays, la côte nord arbore des sites sportifs comme **Rio San Juan** (golf) ou **Cabarete** (surf, planche à voile).

Une côte intéressante pour les non-conformistes du sable est celle du sud-est, que certains ont baptisée Côte d'Azur locale et qui court de Barahona à Oviedo. En contrebas d'une route en corniche, on découvre le panorama saisissant de rivages encore presque vides parsemés de villages de pêcheurs.

Les côtes dominicaines offrent d'autres agréments que le farniente : la plupart des sports **nautiques** sont possibles, ainsi que le **golf** (Casa de Campo), le bien-être (les **spas** se développent autour de Bayahibe et de Punta Cana). La **pêche** en haute mer est possible au départ de Boca Chica.

LES PAYSAGES ET LES RANDONNÉES

L'agrément des paysages provient de la luxuriance de la végétation tropicale sur un relief montagneux. Ainsi, la Cordillère centrale, qui dépasse par endroits 3 000 m, mérite l'organisation de randonnées, particulièrement le **pico Duarte** : son ascension débute dans le village de La Ciénaga et se poursuit sur 18 km pour un dénivelé d'environ 2 000 m. Les mollets sont mis à rude épreuve mais au sommet un grand spectacle d'horizons verdoyants est garanti.

Dans le sud-ouest, le lac **Enriquillo** renferme une faune intéressante (crocodiles, flamants roses, iguanes), comme la **laguna de Oviedo**, grâce à ses eaux moutarde, ses flamants roses et ses iguanes.

Au nord de la baie de **Samaná**, la presqu'île du même nom mérite des randonnées dans sa partie centrale, faites de collines riantes, de rivières (canyoning possible), de forêts et de cascades (cascade del Limon).

A une demi-heure de là, au sud de la baie, le parc de **Los Haitises**, accessible uniquement en bateau, fait valoir sa mangrove, sa faune spécifique (pélicans, hérons) et ses peintures rupestres d'animaux. Celles-ci ont été laissées dans des grottes (*cuevas*) par les Taïnos, des Indiens Arawaks premiers habitants de l'île.

LES VILLES

Saint-Domingue (Santo Domingo), la capitale, est le fief de la famille de Christophe Colomb, qui a droit à un imposant musée, le Faro. La ville, agréable à vivre, est souvent jugée comme l'une des plus belles des Antilles grâce à son vieux quartier, qui renferme la cathédrale la plus ancienne du genre sur le continent américain, et ses traces coloniales (Alcazar, Casa consistorial).

Puerto Plata, dominé par le mont Isabel de Torres et son Christ Roi, est remarquable pour ses maisons en bois du XIXe siècle ou de style victorien. **Santiago**, situé dans une vallée au pied de la Cordillère septentrionale, vaut aussi le détour.

Dans les villes et les villages comme dans toute l'île d'Hispaniola, la vie est rythmée par le *mérengué*, une danse comparable à la samba, mais aussi par la *bachata*, aux airs populaires et romantiques.

LE POUR

◆ L'agrément et la variété des possibilités offertes par les rivages, sources d'un tourisme qui a réussi sa percée auprès des Occidentaux.

◆ Des prix de séjours très concurrentiels.

◆ La variété des tourismes possibles : histoire coloniale dans les villes, randonnées, observation de la faune.

LE CONTRE

◆ Le peu d'envie des voyagistes et des visiteurs de choisir une alternative – pourtant de qualité – aux séjours balnéaires.

◆ Le risque de perte d'authenticité sous la poussée du tourisme de masse, même si l'île cherche depuis peu à quitter cette image pour une autre, plus haut de gamme.

LE BON MOMENT

Le climat, tropical, offre une température moyenne idéale mais il est plutôt humide sur la côte nord et contrasté en raison des alizés. C'est **entre décembre et fin avril** (saison sèche) que le séjour est le plus indiqué. Mai et novembre connaissent des averses seulement en fin de journée. Des cyclones peuvent survenir entre septembre et novembre.

◆ Températures moyennes jour/nuit (en °C) à *Saint-Domingue* : janvier 29/20, avril 30/21, juillet 31/23, octobre 31/23. Eau de mer : quasi constamment à 27-28°.

LE PREMIER CONTACT

En Belgique

Office de tourisme, avenue Louise 271 A, B-1050 Bruxelles, ☎ (02) 646.13.00, fax (02) 646.36.92.

Au Canada

Office du tourisme, 2080, rue Crescent, Montréal H3G 2B8, ☎ (514) 499-1918.

En France

Office du tourisme, 11, rue Boudreau, F-75009 Paris, ☎ 01.43.12.91.91, fax 01.44.94.08.80, www.amba-dominicaine-paris.com/

En Suisse

Section consulaire, Weltpoststrasse, CH 43000 Berne 15, ☎ (31) 351.25.62, fax (31) 351.15.87.

Internet

www.godominicanrepublic.com/
www.la-republique-dominicaine.org/

Guides

Puerto Plata – Sosúa, Cabarete (Editions Ulysse), *République Dominicaine* (Berlitz, Le Petit Futé, Mondeos, National Geographic France, Michelin/Voyager pratique, Éditions Ulysse), *Rép. Dominicaine, Saint-Domingue* (Hachette/ Guide du routard).

Cartes

Dominican Republic (Berlitz, Berndtson), *Dominican Republic, Haiti* (Nelles), *République Dominicaine* (ITM).

Lectures

La Récolte douce des larmes (Edwige Danticat, Editions 10/18, 2001), *République Dominicaine : système politique et mouvement populaire (1961-1990)* (Laura Faxas, Editions Toulouse PU Mirail, 2005).

Images

République Dominicaine (Pierre Vidal/Les Créations du Pélican, 2005).

CD-rom et DVD

Îles... était une fois : Cuba - République Dominicaine (Antoine, Warner Home Video, 2003), *République dominicaine : tempo alizé, rythme* (DVD Guides).

QUEL VOYAGE ET À QUEL PRIX ?

Le voyage individuel

Les préparatifs

◆ Passeport suffisant, encore valable six mois après le retour, pour les ressortissants de l'Union européenne. Pièce d'identité avec preuve de citoyenneté suffisante pour les Canadiens.

Dans tous les cas, carte de tourisme obligatoire et payante, délivrée à l'aéroport d'arrivée. Le passage de la frontière terrestre pour Haïti est laborieux (taxes à prévoir des deux côtés).

◆ Aucune vaccination n'est exigée. Risque faible de paludisme dans les zones rurales de l'ouest du pays.

◆ Monnaie : le peso dominicain. 1 US Dollar = 35 pesos dominicains. 1 EUR = 50 pesos dominicains. Emporter des euros ou des US Dollars (plus courants). La plupart des grandes cartes de crédit sont utilisables sur les lieux touristiques.

Le départ

◆ Indice de prix à certaines dates du vol Montréal/Saint-Domingue A/R : 900 CAD; Paris/Saint-Domingue A/R : 550 EUR. ◆ Arrivée directe possible de Bruxelles ou Paris par vol charter à Punta Cana, Puerto Plata, Samaná. Durée moyenne du vol : 9 heures.

Sur place

Hébergement

Hôtels de luxe et villas du même acabit contrastent avec la présence de chambres et de petits hôtels abordables, y compris sur les côtes.

Route

◆ Réseau routier acceptable. Attention aux (hauts !) ralentisseurs à l'entrée des agglomérations. Vitesse limitée à 60 km/h en agglomération, 80 km/h sur route. ◆ Location de voiture (21 ans minimum) préférable avant le départ ou via internet.

Le séjour en individuel

Rappel : nous nous sommes limités à un résumé des prestations en vigueur dans les agences et chez les voyagistes présents en France. Les lecteurs des autres pays peuvent en tirer des idées d'itinéraire et les compléter auprès de leurs agences de voyages.

◆ La République Dominicaine propose des formules « all inclusive » débordantes en brochure ou sur internet, qui mettent à mal les destinations francophones traditionnelles des Antilles.

La demande s'étend et débouche sur un tourisme **balnéaire** de masse, aux structures de plus en plus affirmées (voile, planche à voile, clubs pour enfants, spas), agrémenté d'excursions vers l'intérieur du pays : en saison, un séjour 9 jours/7 nuits tout compris sur la côte des Cocotiers (Boca Chica, La Romana, Punta Cana) ou dans la baie de Samana se trouve aux alentours de *1 300 EUR* par adulte et *800 EUR* par enfant. Prévoir une réservation bien à l'avance pour les fêtes de fin d'année et les vacances de février. Hors saison, les prix descendent assez nettement. Quelques voyagistes qui proposent ce style de séjour : Austral Lagons, Club Med, Empreintes, Jet Air, Jet Tours, Kuoni/Les Sables, Look Voyages, Marsans, Neckermann, Nouvelles Frontières, Thomas Cook, Vacances Transat.

◆ Des propositions de **plongée** existent avec Nouvelles Frontières à partir de Puerto Plata, Bayahibe ou Sosua, ou avec Aquarev à Bayahibe. Le **golf** (Austral Lagons, Kuoni, Thomas Cook) se concentre sur la côte sud-est, entre autres à Punta Cana ou Casa de Campo.

◆ Les **autotours** (voiture de location, itinéraire suggéré, hôtel réservé à l'étape) sont de plus en plus courants, entre autres avec JV, Marsans, Nouvelles Frontières ou Voyageurs du monde, pour un prix avoisinant *1 300 EUR* la semaine (vol A/R, voiture, chambre double).

◆ **Grimper** au pico **Duarte**, c'est décider de choisir l'envers du décor… et c'est un bonheur d'autant plus doux qu'il est facile de trouver à La Ciénaga un guide et une mule pour deux ou trois jours de randonnée.

◆ Les amateurs de **croisière** apprécieront de partir de Saint-Domingue pour les Petites Antilles, Cuba, la Jamaïque, ou de passer une première semaine d'île en île et une deuxième sur la côte. Aux alentours de *1 500 EUR* la semaine, vol inclus.

Le voyage accompagné

Il faut parfois savoir oublier les côtes pour l'intérieur. Ainsi Jet tours propose un circuit de 9 jours pour Saint-Domingue, Barahona, le lac Enriquillo et le parc de Los Haitises.

QUE RAPPORTER ?

La République dominicaine offre une exclusivité, le *larimar*, une pierre turquoise semi-précieuse. On trouve aussi d'excellents cigares Davidoff, grands rivaux de ceux de Cuba, du rhum, du café et un petit artisanat (peintures naïves, objets en cuir et en bois) venu de chez le voisin haïtien.

LES REPÈRES

◆ Durée moyenne du vol Paris/Saint-Domingue (7 179 km) : 8 h 30. ◆ Lorsqu'il est midi en

France, en République Dominicaine il est 6 heures en été et 7 heures en hiver; au Canada : 11 heures en hiver, même heure en été. ◆ Langue officielle : espagnol. ◆ Langues étrangères : l'anglais est utile sur les lieux touristiques, le français est présent çà et là, via les immigrés haïtiens. ◆ Téléphone vers la République Dominicaine : 001809 + numéro; depuis la République Dominicaine : 011 + indicatif pays + numéro.

LA SITUATION

Géographie. Des montagnes à l'ouest, parfois élevées (3 087 m au pico Duarte, point culminant des Caraïbes), des plaines et des collines à l'est, et une côte aux plages nombreuses composent les 48 734 km^2, soit nettement plus que le voisin Haïti.

Population. Les 9 507 000 habitants sont issus d'un important métissage puisque les Mulâtres représentent les trois quarts de la population. Les Noirs, souvent des immigrés haïtiens, sont peu nombreux, les Blancs également. Capitale : Saint-Domingue.

Religion. 92 % des habitants sont catholiques.

Dates. *1492* Christophe Colomb découvre l'île (Hispaniola) lors de son tout premier voyage. *XVIe siècle* Il n'y a plus d'Indiens Taïnos, qui furent les premiers habitants. *1697* Hispaniola est partagée entre la France (Haïti) et l'Espagne. *1861* Proclamation de la République Dominicaine après une révolte contre Haïti. *1916* Le pays revient aux États-Unis pour huit années. *1930-1961* Plus de trente ans de dictature de Rafael Léonidas Trujillo. *1965* Intervention militaire des États-Unis. *1986* Joaquín Balaguer, déjà président entre 1966 et 1978, et qui appartient au Parti réformiste social-chrétien, reprend le pouvoir. *Mai 1994* Balaguer est réélu à 87 ans, malgré un vent de contestation. *Juin 1996* Leonel Fernàndez (Parti dominicain de libération) est élu président. *Septembre 1998* Le cyclone George touche Saint-Domingue et la côte est. *Mai 2000* Élection du social-démocrate Hipolito Mejia à la tête d'un État qui voit sa situation s'améliorer mais aussi les inégalités se creuser. *Mai 2002* Très large victoire du PRD (parti du président) aux législatives. *Fin 2003* Troubles sociaux épisodiques mais violents. *Mai 2004* Graves inondations à Jimani et ses environs, plusieurs centaines de victimes. *Mai 2004* Le libéral Leonel Fernàndez revient au pouvoir aux dépens de Mejia.

Égypte

Si le casanier impénitent doit faire dans sa vie une seule entorse à ses habitudes, il devra mettre l'Égypte parmi les premiers pays de son choix. Sinon pour lui-même, du moins pour ses enfants éventuels car ils trouveront leur premier livre d'histoire en grandeur nature grâce au Nil et à l'axe Le Caire-Louxor-Assouan. Mais une Égypte toute différente a pris de l'ampleur, celle de la mer Rouge, où sites balnéaires et plongée deviennent à leur tour des classiques. Le troisième volet est désertique avec le Désert blanc, les oasis et le Sinaï. Le terrorisme accable épisodiquement le pays mais ne l'empêche pas de retrouver régulièrement ses touristes.

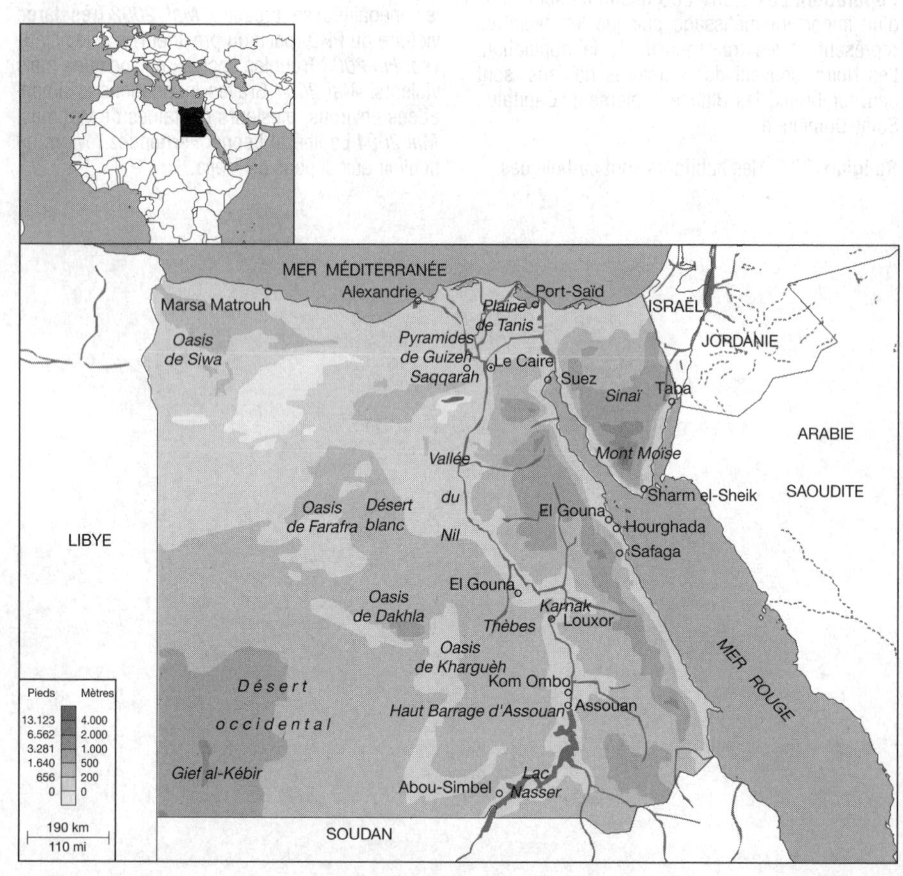

LES RAISONS D'Y ALLER

LES MONUMENTS

Pyramides des nécropoles de Gizeh
(Kheops, Khephren, Mykerinus),
de Saqqarah, du Faiyyoum, Memphis
Vestiges de l'ancienne Thèbes: temples de
Louxor, Karnak, colosses de Memnon, tombeaux
royaux (vallée des Rois, vallée des Reines)
Temples d'Edfou, Philae, Kom Ombo, Karguèh
Monastères (Sainte-Catherine, Saint-Siméon)
Temples déplacés de Nubie (Abou-Simbel)
Haut barrage d'Assouan

LES CÔTES

Plages de la mer Rouge et de la Méditerranée
Golfe de Suez, golfe d'Aqaba
Plongée (mer Rouge)

LES VILLES ET LES VILLAGES

Le Caire, Alexandrie
Villages nubiens

LES DÉSERTS ET LES OASIS

Désert du Sinaï (mont Sainte-Catherine)
Désert blanc
Oasis de Siwa et du Désert occidental
(Dakhla, Farafra, Kharguèh)

LES RAISONS D'Y ALLER

LES MONUMENTS

Du Caire à Assouan, les abords du **Nil** ressemblent à un livre d'histoire que l'on découvre aujourd'hui sous la forme de **croisières** en tout genre, le « fleuve-Dieu » recevant entre Louxor et Assouan aussi bien des cohortes de gros navires sans charme que de délicats voiliers en bois d'époque (dahabiehs) ou les traditionnelles felouques des pêcheurs reconverties pour le tourisme.

Dans la grande banlieue du Caire, la nécropole de **Gizeh**, composée des trois **pyramides** des pharaons Kheops, Khephren et Mykerinus, gardées par le **Sphinx**, constitue l'un des trésors touristiques du patrimoine architectural mondial. Toutefois, le colosse de Ramsès II et le sphinx de **Memphis**, la nécropole de **Saqqarah** (pyramide à degrés du roi Djoser, Serapeum) et celle du **Faiyyoum** (portraits funéraires) ne sauraient être oubliés, pas plus que les temples et sépultures de la plaine de **Tanis**, composante du delta du Nil. Dernière mise au jour, non loin de Saqqarah : le site d'Abou Seir, composé de pyramides et de temples royaux de la Ve dynastie.

Deuxième grand trésor archéologique de l'Egypte : les ruines de l'ancienne Thèbes, qui connut son apogée sous le Nouvel Empire avec les Aménophis et les Thoutmosis. Aujourd'hui, le temple de **Louxor** et surtout celui de **Karnak** en sont les vestiges les plus connus sur la rive droite du Nil.

Sur la rive gauche, Médinet Habou, les colosses de **Memnon**, qui furent l'une des Sept Merveilles du monde, la dizaine de temples de Gournah et le temple d'Hatshepsout à Deir el-Bahari servent de prélude à la **vallée des Rois** et à la **vallée des Reines**. Là se trouvent les **tombeaux** des souverains du Nouvel Empire. C'est là également que fut découvert le trésor de Toutankhamon en 1922 et que s'est ouvert récemment un musée de Thèbes qui renferme les momies de plusieurs rois guerriers.

En quittant Louxor pour le sud, on croise deux autres temples importants : **Edfou**, consacré au dieu faucon Horus, et **Kom Ombo**, fondé par Thoutmosis III, qui honore à la fois Horus le faucon et Sobek le crocodile. Viennent ensuite, au niveau d'Assouan, les temples de l'île de **Philae**, dédiés au culte d'Isis, et les agréments de l'île Eléphantine (temple de Khnoum, nilomètre).

Au nord d'Assouan, le contraste architectural est offert par le vieux monastère **Saint-Siméon** (VIe siècle), édifié par les Coptes. On retrouve les Coptes avec la nécropole de Bagawat, au nord de l'oasis de **Karguèh**, site dont le patrimoine est trop méconnu (temples, forts romains).

Le lac Nasser a enseveli la vallée de **Nubie**, mais le travail de déplacement des sites historiques entrepris il y a plus de trente ans par l'Unesco a permis de sauver les temples rupestres de Ramsès II et de Néfertari à **Abou-Simbel**, qui bénéficie d'un accès routier. L'Unesco a également sauvé ce qui pouvait l'être pour d'autres **temples** et trésors architecturaux : Kalabcha, Kertasi, Maharraka, Daké.

L'architecture contemporaine laissera une trace imposante mais parfois contestée : le **haut barrage d'Assouan**, dont les 111 m maîtrisent le Nil et sont à l'origine du lac Nasser, qui fait l'objet de mini-croisières.

Dans le Sinaï, au pied de la montagne **Sainte-Catherine**, le monastère byzantin du même nom est le plus ancien dans le monde à conserver son activité. Construit au VIe siècle par Justinien, il renferme des icônes et des témoignages de la vie de Moïse.

LES CÔTES

La réputation balnéaire de l'Égypte est longtemps demeurée discrète, malgré la **Méditerranée** et le sable fin des alentours d'Alexandrie ou de Marsa-Matrouh. Mais le développement récent et rapide des structures destinées à mettre en valeur les fonds exceptionnels de la mer **Rouge** a tout changé. Même le simple tourisme balnéaire, fort de 360 jours de soleil par an, prend de l'ampleur.

Plongeurs et amateurs de photo sous-marine, même débutants, se voient offrir le spectacle de multiples variétés de récifs coralliens et d'espèces de poissons parmi les plus spectaculaires du monde sous-marin (raies, requins-marteaux, poissons-clowns).

Endroits obligés : **Hurghada**, surtout familiale et au rapport qualité-prix le plus bas, et **Sharm el-Sheik**, petite station à la pointe du Sinaï, haut de gamme, idéale pour la plongée et le snorkeling. D'autres « resorts », parfois nés de rien à proximité d'un village de pêcheurs, ont vu le jour : **Safaga**, **El-Gouna, Marsa Alam** et **Taba**. La recherche du haut de gamme, à base de thalassothérapie et de golf, caractérise la plupart de ces sites.

LES VILLES ET LES VILLAGES

Le fourmillement du **Caire**, ses vieux quartiers, son souk Khan el-Khalili, ses mosquées millénaires des époques fatimide (al-Azhar, al-Hakim) et ayyoubide (mosquée Ibn Tulun), ses madrasas et palais de l'époque mamelouk (mausolée du sultan al-Nasir ibn Qalawun), ses demeures et fontaines (fontaine d'Abd al-Rahman Katkhuda) de l'époque ottomane, sa citadelle de Salah el-Dine, ses cafés, ses havres de paix comme les hammams, les jardins (des Poissons, de la Corniche) et les derniers caravansérails, son quartier et ses églises coptes – dont les célèbres El-Muallaqa et Saint-Serge, où la Sainte Famille aurait séjourné lors de sa fuite – sont les grands atouts d'une ville hypertrophiée.

La visite des musées du Caire est essentielle : ainsi, le musée national des Antiquités (auquel succède une nouvelle mouture près des Pyramides) renferme des momies et le trésor de Toutankhamon. Voir aussi le Musée copte, le musée d'Art islamique et le musée Mahmoud-Khalil (peintures impressionnistes).

Alexandrie est à la recherche de sa splendeur passée, celle que lui avaient offerte les Ptolémées, derniers pharaons, entre 360 et 30 avant J.-C. Des fouilles ont permis de mettre au jour la Cité des morts, à défaut de retrouver les rêves engloutis : le célèbre Phare, l'île de Cléopâtre et la Grande Bibliothèque de Ptolémée Ier, que la futuriste Bibliotheca Alexandrina, flanquée d'un musée gréco-romain, tente de remémorer. La ville vaut aussi par sa Corniche (longue promenade en bord de mer), les ruelles du quartier d'El-Mansheya, les catacombes des Ier et IIe siècles (Kom el-Chougafa), le théâtre romain, le palais de Ras el-Tin et la nécropole d'Anfouchi.

Si **Assouan** en elle-même n'est pas inoubliable, les rives du Nil, ses felouques et le vénérable hôtel Old Cataract (qui vit séjourner Agatha Christie, François Mitterrand) offrent de beaux panoramas, comme, aux alentours, l'île Eléphantine et l'île de Séhel.

Grâce à son musée des Antiquités de Nubie, Assouan évoque les **Nubiens**, qui furent à la base de la civilisation égyptienne et qui tentent de reconstruire les **villages** aux maisons colorées engloutis sous les eaux du lac Nasser en 1971.

LES DÉSERTS ET LES OASIS

La vallée du Nil tend à faire oublier les autres paysages de l'Egypte, particulièrement des déserts saisissants de beauté, de chaque côté du fleuve, et source de randonnées aussi prenantes que partout ailleurs au Sahara.

A l'est, dans le **Sinaï**, l'ascension du mont **Moïse** (2 285 m), sur lequel Jehovah dicta à Moïse les Dix Commandements, est désormais célèbre pour son lever de soleil. Plus haute (2 637 m), la montagne **Sainte-Catherine** fait l'objet de randonnées, avant le désert lui-même et ses paysages de grès multicolores, tel le Colored Canyon, près de Nuweiba.

A l'ouest, se déploie le **Désert blanc**, ainsi appelé à cause de la présence de craie, à l'origine de reliefs et de mélanges de couleur étonnants. Le spectacle se poursuit jusqu'aux confins de la frontière libyenne, l'oasis de **Siwa** donnant sur des lacs de sel situés au pied de la Grande Mer de sable. Siwa elle-même comprend une forteresse (Shali) et des tombes sur la Montagne des morts (XXVIe dynastie). En quittant Siwa pour retrouver le Nil, d'autres promesses de panoramas sont données par les oasis de Dakhla, Farafra et surtout **Kharguèh**.

Au sud-ouest, aux confins de la Libye et du Soudan, le plateau du Gief al-Kébir, évoqué dans le film *le Patient anglais*, renferme des grottes préhistoriques.

LE POUR

◆ La multiplicité des sources de voyage : de la croisière de luxe à la balade sur le Nil en felouque en passant par un séjour sur la mer Rouge et les randonnées dans le désert.

◆ Des fonds marins parmi les plus spectaculaires du monde.

LE CONTRE

◆ La pression de l'intégrisme islamiste et ses conséquences sur certains lieux touristiques (déplacements en convois, surveillance policière rapprochée).

◆ La rançon du succès touristique, qui banalise ou abîme des sites survisités tels Karnak ou la vallée des Rois.

◆ Un été trop chaud pour voyager.

LE BON MOMENT

Placée dans la zone tropicale aride, l'Égypte ne reçoit presque pas d'eau. Seules Alexandrie et la bande côtière connaissent quelques pluies en hiver. Pour le reste, c'est la vie de chameau, et les températures s'élèvent au fur et à mesure que l'on va vers le sud. Il n'est pas facile de supporter une moyenne de 41° à Louxor entre mai et août. Toutefois, les soirées sont, en cette saison, relativement fraîches. **D'octobre à mars** inclus, période idéale, les températures sont agréables et baissent nettement la nuit.

Au bord de la mer Rouge (meilleure saison de **mars à juin** et de **septembre à décembre**), le thermomètre oscille entre 20 et 27°.

◆ Températures moyennes jour/nuit (en °C)

Le Caire (nord, Basse Égypte) : janvier 19/9, avril 28/15, juillet 35/22, octobre 29/17.

Louxor (sud, Haute Égypte) : janvier 23/6, avril 35/16, juillet 41/24, octobre 35/18.

Sharm el-Sheik (mer Rouge) : janvier 22/13, avril 30/20, juillet 38/27, octobre 32/23.

LE PREMIER CONTACT

En Belgique

Bureau de tourisme, avenue Louise, 179, B-1050 Bruxelles, ☎ (02) 647.38.58, fax (02) 647.15.44, touregypt2@skynet.be

Au Canada

Office de tourisme, 1253, Mc Gill College Avenue, suite 250, Montréal, H3B-2Y5, ☎ (514) 861.44.20, eta@biz.videotron.ca

En France

◆ Bureau du tourisme, 90, avenue des Champs-Élysées, 75008 Paris, ☎ 01.45.62.94.42, fax 01.42.89.34.81. ◆ Centre culturel égyptien, ☎ 01.46.33.75.67.

En Suisse

Consulat général, route de Florissant, 47 *ter*, CH-1206 Genève, ☎ (22) 347.63.79, fax (22) 346.05.71.

Internet

www.egypt.travel
wwww.culture-egypte.com
(centre culturel égyptien)
www.red-sea.com (mer Rouge)

Guides

Cairo (Lonely Planet/City Guide),

Égypte (Berlitz, Gallimard/Bibl. du voyageur, Gallimard/GEOguide, Gallimard/Spiral, Hachette/Guide bleu, Hachette/Voir, JPMGuides, Le Petit Futé, Lonely Planet France, Michelin/Guide vert,

Mondeos, National Geographic France, Olizane), *Egypte + plongées* (Hachette/Guide du routard), *Egypte, vallée du Nil* (Hachette/Évasion).

Cartes

Berlitz, IGN, Marco Polo, Nelles.

Lectures

Alexandrie hier et demain (Gallimard, 2001), *Egypte, l'envers du décor* (La Découverte, 2008), *l'Egypte copte, les chrétiens du Nil* (Gallimard, 2000), *l'Egypte entre démocratie et islamisme* (Autrement, 2008), *Egypte, les guides de l'état du monde* (La Découverte, 2008), *En cheminant avec Hérodote* (J. Lacarrière, Nil Editions, 2003), *Hatchepsout, la reine mystérieuse* (C. Desroches-Noblecourt/Flammarion, 2008), *le Fabuleux héritage de l'Égypte* (C. Desroches-Noblecourt/Pocket, 2006), *Mort sur le Nil* (A. Christie, Livre de Poche, 2007), *le Voyage en Orient* (G. de Nerval, Gallimard, 1998), *les Vigies du Nil* (Lonely Planet France, 2007), *le Voyage en Égypte* (Sarga Moussa, Robert Laffont, 2004). ◆ Lire également les romans de Naguib Mahfouz, prix Nobel 1988 de littérature.

Images

Alexandrie (J.-J. Ampère/Magellan, 2004), *Bestiaire égyptien* (Citadelles § Mazenod, 2001), *Egypte, entre ciel et terre* (National Geographic, 2004), *l'Egypte, 1001 photos* (Solar, 2007), *l'Egypte, les hommes, les dieux, les pharaons* (Taschen, 2005), *Le Caire* (Chêne, 2001), *les Trésors de la vallée des Rois* (Mengès, 2006). ◆ Cinéma : les films de Youssef Chahine.

CD-rom et DVD

L'Egypte pharaonique (TF1 Vidéo, 2002), *Egypte, vivre avec l'histoire* (TF1 Vidéo, 2003), *l'Egypte secrète : les pharaons et les secrets de la momification* (PLP Vidéo, 2006).

QUEL VOYAGE ET À QUEL PRIX ?

Le voyage individuel

Les préparatifs

◆ Pour les ressortissants de l'Union européenne, carte d'identité (deux photos requises dans ce cas pour le formulaire du visa) ou passeport, valable encore six mois après le retour. Pour les Canadiens, passeport nécessaire. ◆ Dans tous les cas, visa obligatoire, avant le départ auprès de l'ambassade ou à l'arrivée dans le pays. ◆ Billet de retour ou de continuation exigible.

◆ Aucune vaccination n'est obligatoire. Prévention recommandée contre le paludisme (toutefois très rare) de juin à octobre inclus pour la région d'El Faiyyoum, située au sud-ouest du Caire.

◆ Monnaie : la *livre égyptienne*. Emporter des euros ou des US Dollars, en espèces ou en chèques de voyage. 1 US Dollar = 5,60 livres égyptiennes. 1 EUR = 7,90 livres égyptiennes.

Le départ

Avion

◆ Indice de prix à certaines dates du vol Montréal-Le Caire A/R : 950 CAD; Paris-Le Caire A/R : 450 EUR; Paris-Hourghada ou Louxor A/R : 500 EUR. Vols directs à partir des grandes villes de province. ◆ Durée moyenne du vol Paris-Le Caire (3 210 km) : 4 h 30; Paris-Sharm el-Sheik : 4 h 45. ◆ Vols charters pour Alexandrie, Hourghada, Le Caire, Marsa-Alam, Sharm el-Sheik, Taba. ◆ Combinés possibles avec arrivée au Caire et retour de Louxor, et inversement.

Bateau

La compagnie Adriatica assure un service entre l'Italie et Alexandrie via la Grèce.

Sur place

Hébergement

◆ Pour qui voyage en dehors des grands standards hôteliers, le budget hébergement est loin d'être prohibitif et s'intègre souvent dans des formules préétablies (bateaux de croisière, felouques, bivouacs). ◆ Il existe des auberges de jeunesse. Renseignements : www.hostels.com

Route

◆ Location de voiture sans chauffeur vivement déconseillée, il est préférable de louer les services d'un taxi à la journée, prix très abordable. ◆ Ne pas circuler en dehors des itinéraires balisés. ◆ Bons réseaux de bus, nombreux taxis collectifs.

Train

◆ Le train Alexandrie-Assouan est idéal pour des « arrêts-culture » tout au long de la vallée du Nil. Bien se renseigner, toutefois, sur les conditions de sécurité du voyage.

Le séjour en individuel

Une Égypte à la carte, avec une large proposition d'hôtels et des mini-escapades (Le Caire, Alexandrie, le Nil), existe chez la plupart des voyagistes cités ci-dessous. Un week-end 3 jours/2 nuits au Caire (vol, hébergement, visite guidée) peut se trouver aux alentours de 700 EUR (Autrement l'Egypte, Comptoir d'Egypte, Djosair, Fram, Nouvelles Frontières, STI Voyages).

Le voyage accompagné

Rappel : nous nous sommes limités à un résumé des prestations en vigueur dans les agences et chez les voyagistes présents en France. Les lecteurs des autres pays peuvent en tirer des idées d'itinéraire et les compléter auprès de leurs agences de voyages.

Deux formes principales de prestations caractérisent l'Égypte :

– l'une, traditionnelle, se compose d'une croisière sur le Nil ;

– l'autre, plus récente, comprend un séjour détente sur la mer Rouge, dominé par la plongée, parfois précédé ou suivi d'une croisière sur le Nil et d'une visite du Caire et des pyramides.

◆ Une **croisière** sur le Nil dure en moyenne de 3 à 11 jours, avec ou sans excursions lors des escales. Le trajet Louxor-Assouan-Louxor, avec extension à Abou-Simbel, est le grand classique, inclus dans des séjours d'une semaine en moyenne, de préférence entre octobre et mars.

Deux manières de voguer :

– soit embarquer sur un des grands navires qui se succèdent en rangs serrés et à un rythme de métronome, ce que proposent de nombreux voyagistes tels que Arts et Vie, Clio, Club Med Découvertes, Djos'Air Voyages, Étapes nouvelles, Fram, Héliades, Jet Tours, Kuoni, Nouvelles Frontières, Orients, Rev'Vacances, STI Voyages, Voyageurs du monde (et son vapeur aux boiseries raffinées, le *Steam Ship Sudan*);

– soit choisir de voguer comme le Nil l'a toujours proposé aux fellahs, c'est-à-dire en felouque ou, plus raffiné, en voilier, dahabieh ou sandal; cette forme de voyage, bien que plus onéreuse, est en plein essor. Exemples : dahabieh pour Fleuves du monde ou Oriensce, sandal pour Terres de charme, felouque pour Allibert, Atalante, Déserts, Explorator, entre autres.

Des variantes proposent des combinés randonnée/felouque entre Louxor et Assouan et des croisières sur le lac Nasser.

En croisière sur le Nil, compter entre 750 et 950 EUR pour une semaine en cabine double et pension complète, vol compris. Les prix grimpent sensiblement lors des périodes de pointe, du type Nouvel An ou vacances de février.

◆ Le **farniente** et la **plongée** le long de la **mer Rouge**, surtout à Hurghada et à Sharm el-Sheikh, constituent le deuxième point d'ancrage du tourisme égyptien. Des séjours d'une semaine entre octobre et avril sont la règle chez de nombreux voyagistes : Club Med, Fram, Jet Tours, Kuoni, Luxair Tours, Neckermann, Pégase, STI Voyages, Thomas Cook, TUI. Nouvelles Frontières s'essaie à la thalasso et à la remise en forme à Soma Bay, au sud d'Hourghada.

Le coût des séjours sur la mer Rouge est très attractif mais a tendance à grimper depuis que se multiplient les grandes chaînes hôtelières : il varie *de 700 EUR à 1 000 EUR la semaine* (vol + hébergement). En contrepartie, les à-côtés ne manquent pas : cours de plongée pour débutants, mini-croisières en goélette, excursions à destination de Louxor, du désert du Sinaï et du monastère Sainte-Catherine.

Aquarev, Nouvelles Frontières (à Marsa Alam et Safaga) et Ultramarina proposent aux plongeurs des croisières-plongées entre les divers sites. Prix moyen : *1 000 EUR la semaine tout compris*. Le combiné croisière/séjour mer Rouge peut, quant à lui, se trouver *aux alentours de 1 200 EUR pour 15 jours*.

◆ Que reste-t-il à qui veut « échapper » aux deux grandes tendances de voyage précitées ? Le **désert**, parfois en compagnie des bédouins, pour traverser des oasis, gravir le mont Moïse, visiter le monastère **Sainte-Catherine** et terminer par la baignade en mer Rouge : ce voyage-randonnée dans le **Sinaï** est la proposition la plus fréquente, pour une huitaine ou une quinzaine de jours entre octobre et avril et pour *un prix moyen de 1 100 EUR dans le premier cas, de 1 600 EUR* *dans le second*. Sont sur les rangs, entre autres : Allibert, Atalante, La Balaguère, Club Aventure, Explorator, Horizons Nomades, Nouvelles Frontières, Terres d'aventure, Voyageurs du monde.

Le voyage, à partir d'Alexandrie, pour le **Désert blanc** et les **oasis**, au sud, est très programmé (Allibert, Atalante, Club Aventure, Déserts, Nouvelles Frontières, Terres d'aventure). Balades en 4 x 4, minibus ou randonnées chamelières, selon les cas, reviennent *aux alentours de 1 200 EUR pour 11 jours*. Certains des voyagistes précités proposent un combiné Sinaï/Désert blanc/Oasis d'une quinzaine de jours. Explorator se perd - agréablement - dans la Grande Mer de sable.

◆ L'Égypte est aussi une base de départ ou une escale (pour Alexandrie, parfois Le Caire et les pyramides) de nombreuses croisières **méditerranéennes** entre avril et octobre (Costa Croisières). MSC Croisières ajoute Chypre, la Croatie et la Grèce.

◆ Alexandrie est combiné avec les sites archéologiques libyens chez Clio, Orients va d'Alexandrie à Ghadamès, Nouvelles Frontières réalise un joli cocktail avec le Sinaï et Le Caire d'une part, Pétra et Wadi Rum (Jordanie) de l'autre.

QUE RAPPORTER ?

Le papyrus et les épices, dont le karkadé, base d'une boisson typiquement locale, sont des particularités, à côté des bijoux en argent, du textile traditionnel (châles, gallabiehs, soie travaillée à la main).

LES REPÈRES

◆ Lorsqu'il est midi en France, en Égypte il est la même heure en été et 13 heures en hiver; lorsqu'il est midi au Québec, en Égypte il est 19 heures. ◆ Langue nationale : arabe. ◆ Langues étrangères : l'anglais sur les lieux touristiques, le français parfois car enseigné çà et là. ◆ Téléphone vers l'Égypte : 0020 + indicatif (Le Caire : 2) + numéro; d'Égypte : 00 + indicatif pays + numéro sans le zéro.

LA SITUATION

Géographie. Le million de kilomètres carrés (exactement 1 001 449) de désert quasi absolu est coupé de bas en haut par l'étroite bande verte de la remontée du Nil vers la Méditerranée.

Population. Son chiffre est très élevé par rapport au peu de surface habitable qu'elle doit se partager. On dénombre 81 714 000 habitants, dont près de vingt millions pour l'agglomération de la capitale Le Caire.

Religion. 94 % de la population est musulmane sunnite. On dénombre également six millions de coptes (premiers chrétiens, qui n'acceptent Jésus que sous sa forme divine) et une minorité juive.

Dates. *3200-2778 av J.-C.* Ire et IIe dynasties. *2778-2260* IIIe à VIe dynastie : c'est l'Ancien Empire et les premiers des quarante siècles qui contempleront les pyramides de Guizeh. *332* Trente dynasties se sont succédé avant qu'Alexandre ne soumette le pays. *30 av. J.-C.* L'Égypte entre sous le pouvoir de Rome. *640* Début de l'ère musulmane et islamisation; au début de ce même siècle, l'Église copte assoit son identité. *1250* Les Mamelouks entament une très longue domination avant leur massacre en 1811 par Méhémet-Ali. *1881* Début de la présence anglaise. *1936* Indépendance et début du règne nationaliste de Farouk Ier. *1954* Nasser à la tête du pays. *1956* La nationalisation du canal de Suez entraîne un conflit avec Israël et l'intervention franco-britannique. *1967* Troisième guerre israélo-arabe. Israël occupe le Sinaï. *1970* Arrivée de Sadate. *1973* Quatrième guerre israélo-arabe. *1979* Traité de paix avec Israël. *1981* Assassinat de Sadate par des extrémistes islamistes. Hosni Moubarak lui succède. *1982* Le Sinaï est rendu à l'Égypte par Israël. *Octobre 1992* Tremblement de terre au Caire, plusieurs centaines de victimes. *Octobre 1993* Moubarak obtient facilement un troisième mandat de six ans. *Avril 1996* 18 visiteurs périssent dans un attentat aux abords des pyramides de Guizeh. *Septembre 1997* Nouvel attentat au Caire après une longue période de calme. *Novembre 1997* 67 personnes, dont 57 touristes, périssent dans un attentat à Louxor. *Septembre 1999* Quatrième mandat pour Moubarak. *Janvier 2004* Le vol Sharm el-Sheikh-Paris s'abîme en mer, on dénombre 148 victimes, dont 133 Français. *Octobre 2004* Triple attentat à Taba, à la frontière israélo-égyptienne (34 morts, 120 blessés). *Juillet 2005* Près de 70 personnes périssent dans des attentats simultanés à Sharm el-Cheikh. *Septembre 2005* Moubarak est réélu lors d'une première présidentielle pluraliste, mais à peine un électeur sur cinq s'est déplacé. *Décembre 2005* Les Frères musulmans reviennent en force lors des élections locales. *Avril 2006* Nouvel attentat meurtrier (18 victimes à Dahab).

Émirats arabes unis

Après l'or noir, l'or touristique ? En deux décennies les Emirats arabes unis se sont forgé une image nouvelle, parangon à la fois d'architecture futuriste, d'extravagance hôtelière – souvent de luxe, parfois abordable – et d'un tourisme balnéaire récent et en plein essor. Des sept Emirats, Abu Dhabi et Dubaï sont les fers de lance, mais Sarjah et Ras al Khaima pointent à l'horizon.

LES RAISONS D'Y ALLER

LES VILLES

Extravagance architecturale et commerciale de Dubaï et Abu Dhabi
Quartiers anciens de Dubaï, vestiges de Ras al-Khaimah

LES PAYSAGES

Oasis d'Al 'Ain, Ras al-Khaimah

LES CÔTES

Plages de sable, snorkeling, plongée

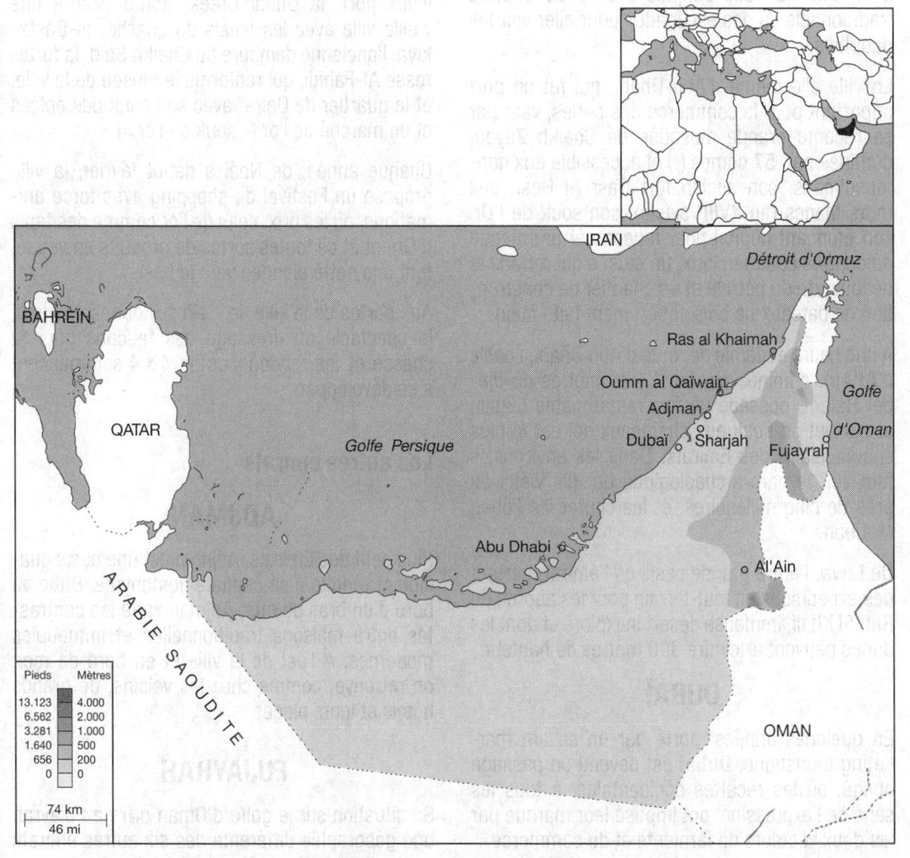

LES RAISONS D'Y ALLER

ABU DHABI

Le plus grand des Emirats est aussi celui qui en renferme la capitale, du même nom. La côte est jalonnée de marinas, d'hôtels et de spas haut de gamme, de parcours de golf, d'une longue corniche et de deux cents îles parmi lesquelles Saadiyat, l'«île du Bonheur». C'est elle qui, parmi d'autres réalisations culturelles, verra s'ouvrir en 2012 le «**Louvre** Abu Dhabi», concocté par Jean Nouvel. Il sera précédé d'un an par l'ouverture du plus grand musée **Guggenheim** au monde, né de l'imagination de Frank Gehry.

A l'ouest, Desert Islands nourrit le projet de réunir huit îles à vocation écotouristique. Les **sports nautiques**, particulièrement la voile, le ski nautique et la plongée, dominent les activités côtières, de même que des périples à bord de boutres traditionnels ou des escapades pour aller voir les dauphins.

La ville elle-même d'Abu Dhabi, qui fut un port important pour le commerce des perles, vaut par sa récente grande mosquée de Cheikh Zayed, dominée par 57 dômes (!) et accessible aux non-musulmans, son ancien fort Qasr Al Hosn aux murs blancs (fin XVIIIe siècle), son souk de l'Or, son étonnant hôpital pour faucons et une flopée de centres commerciaux, un musée qui retrace la découverte du pétrole et un chantier de construction de bateaux de bois entièrement faits main.

A une heure et demie de route d'Abu Dhabi, l'oasis d'**Al'Ain**, dominée par les 1 300 mètres du djebel Hafeet, possède un fort remarquable (Jahili) et surtout un souk aux chameaux qui est le plus spectaculaire des Emirats. Dans les environs, il faut voir le parc archéologique de Hili, vieux de près de cinq millénaires, et les chutes de l'oued Madbah.

De **Liwa**, l'autre grande oasis de l'émirat, partent des expéditions en tout-terrain pour les abords du Rub Al Khali, immense désert inexploré et dont les dunes peuvent atteindre 300 mètres de hauteur.

DUBAÏ

En quelques années, porté par un savant marketing touristique, **Dubaï** est devenu un passage obligé, où les recettes occidentales, à tous les sens de l'expression, ont imposé leur marque par les deux vecteurs du farniente et du commerce.

Les constructions hardies n'en finissent pas, témoin la tour Burji Dubai qui va s'aproprier le record mondial du genre avec 815,70 m. Elle domine les trois imposantes îles artificielles de Jebel Ali, Jumeirah et Palm Deira, toutes trois en forme de palmier, et les trois cents îlots artificiels censés composer la carte du monde.

Dans le port, dorment des boutres anciens, embarcations de bois (dhows) parfois utilisées aujourd'hui pour des mini-croisières. Alors qu'au large, ces boutres traditionnels et les pêcheurs de perles sont encore une réalité, hôtels de luxe et plages privées se succèdent sur le long rivage : au premier chef, l'hôtel Burj Al Arab, tour élégante et emblème architectural de la capitale, désormais contesté par l'inabordable Atlantic The Palm et son aquarium géant.

Toutes ces ambitions et extravagances ne doivent pas masquer l'autre Dubaï. Ainsi, le quartier du vieux port, la Dubaï Creek, abrite encore une vieille ville avec les palais du quartier al-Bastakiya, l'ancienne demeure du Cheikh Saïd, la forteresse Al-Fahidi, qui renferme le musée de la ville, et le quartier de Deira, avec son souk des épices et un marché de l'or (« souk de l'or »).

Chaque année, de Noël à début février, la ville propose un Festival du shopping avec force animations, où les prix, celui de l'or comme des tapis d'Orient et de toutes sortes de produits en vogue, font une nette plongée vers le bas.

Aux portes de la ville, le... ski sur dunes, le quad, le spectacle du dressage des faucons pour la chasse et les randonnées en 4 x 4 commencent à se développer.

Les autres émirats

ADJMAN

Plus petit des Emirats, Adjman est une oasis quasiment réduite à sa capitale homonyme. Bâtie au bord d'un bras de mer, Adjman varie les contrastes entre maisons traditionnelles et immeubles modernes. A l'est de la ville et en bord de mer, on retrouve, comme chez les voisins, de grands hôtels et leurs plages.

FUJAYRAH

Sa situation sur le golfe d'Oman offre à Fujayrah une géographie différente des six autres émirats (qui, eux, bordent le golfe Persique) avec une moyenne montagne qui incite à la randonnée. Les rivages sont faits de plages de sable blanc flanquées parfois de récifs coralliens.

OUMM AL QAÏWAÏN

Entre Ras al Khaimah et Sharjah, gratifié de quelques grands hôtels et de leurs plages, l'émirat d'Oumm al Qaïwaïn est néanmoins très discret sur le plan touristique.

RAS AL-KHAIMAH

Ras al-Khaimah verse dans l'histoire grâce à son fort du XVIIIe siècle mais surtout au site archéologique de Shimal, dont les tombes datent du IIIe millénaire av. J.-C.

La pointe nord de cet émirat discret offre des paysages vallonnés.

SHARJAH

Troisième émirat en superficie et tout près de Dubaï, Sharjah peut se targuer d'une côte plus variée que celle de sa voisine grâce à ses baies et ses collines rocheuses en toile de fond. Comme ailleurs, le snorkeling et la plongée ont droit de cité.

La ville elle-même offre une bonne dizaine de musées, dont un musée archéologique et un musée d'art contemporain. Insolite: le souk central est le plus réputé des souks... climatisés des Emirats.

LE POUR

◆ Un tourisme sans cesse en expansion, qui s'étend désormais au-delà du seul Dubaï.

◆ Un coût de séjour qui devient à peu près raisonnable pour qui décide de partir légèrement hors saison.

LE CONTRE

◆ Une forme de tourisme qui s'est développée trop vite et qui paraît parfois surfaite.

◆ Une chaleur difficilement supportable entre juin et août.

LE BON MOMENT

Le pays est en zone tropicale chaude et aride, mais les côtes du golfe Persique peuvent tout de même se prévaloir d'un semblant d'hiver et de (très rares) pluies. L'été, en revanche, est très chaud, trop pour le touriste qui choisira sans hésiter la période **de novembre à avril**.

◆ Températures moyennes jour/nuit (en °C) à *Dubaï*: janvier 24/14, avril 32/20, juillet 41/29, octobre 35/23. L'eau de mer est idéale en décembre (moyenne de 24°).

LE PREMIER CONTACT

En Belgique

Ambassade, avenue Franklin-Roosevelt, 73, B-1050 Bruxelles, ☎ (02) 640.60.00, fax (02) 646.24.73, uae-embassy@skynet.be

Au Canada

Ambassade, 45, rue O'Connor, Ottawa K1P 1A4, ☎ (613) 565-7272, fax (613) 565-8007, www.uae-embassy.com

En France

◆ Abu Dhabi Tourism Authority, c/o Interface Tourism, ☎ 01.53.25.03.52; ambassade, ☎ 01.44.34.02.00. ◆ Dubaï, département du tourisme, 15 *bis*, rue de Marignan, 75008 Paris, ☎ 01.44.95.85.00, ambassade ☎ 01.44.34.02.00, www.amb-emirats.fr

En Suisse

Consulat général, rue de Moillebeau, 56, CH-1209 Genève, ☎ (22) 918.00.00, fax (22) 734.55.62, www.mission-emirats.ch

Internet

www.exploreabudhabi.ae
www.dubaitourism.ae
www.sharjahtourism.ae

Guides

Dubaï (Antipodes, Le Petit Futé), *Dubai* (Lonely Planet en anglais), *Dubaï et Oman* (Mondeos), *Mini Abu Dhabi* (Explorer Publishing, 2008), *Pays du Golfe* (JPMGuides).

Cartes

Oman et Émirats arabes unis (ITM), *United Arab Emirates* (Hildebrand).

Lectures

Dubaï (Phaidon Press, 2007), *Dubaï : cité globale* (Editions CNRS, 2001), *les Émirats arabes unis* (Karthala, 1999), *Femmes des émirats* (Christine Sournia, Albin Michel, 1992).

DVD

Emirats arabes unis, le vol du faucon (TF1 Vidéo, 2004).

QUEL VOYAGE ET À QUEL PRIX ?

Le voyage individuel

Les préparatifs

◆ Pour les ressortissants de l'Union européenne et les Canadiens, passeport suffisant (valable encore six mois après le retour), permis de séjour délivré à l'entrée, valable un mois.

◆ Aucune vaccination n'est requise.

◆ Monnaie : le *dirham,* subdivisé en 100 fils. 1 US Dollar = 3,7 dirhams, 1 EUR = 5,2 dirhams. Emporter des euros ou des US Dollars en espèces ou chèques de voyage et une carte de crédit.

Le départ

◆ Indice de prix à certaines dates du vol Paris-Dubaï A/R : 500 EUR. ◆ Durée moyenne du vol Paris-Dubaï (5 248 km) ou Abu Dhabi : 7 heures. Emirates ou Etihad Airways assurent moult connexions.

Sur place

Bateau

Il existe des bateaux-taxis traditionnels à Dubaï.

Hébergement

L'hôtellerie très haut de gamme rivalise de nouveautés auprès des plages et aux portes du désert. Mais à l'autre bout de la chaîne il existe des hôtels centraux au coût plus abordable (« city hotels ») et des auberges de jeunesse. Renseignements : www.hostels.com/fr/ae.html

Route

◆ Excellent réseau routier, conduite à droite, location de voiture possible. Limitations de vitesse : 60 km/h en agglomération, 100 à 120 km/h sur les autoroutes selon les émirats. ◆ Alcool interdit au volant.

Le séjour en individuel

Rappel : nous nous sommes limités à un résumé des prestations en vigueur dans les agences et chez les voyagistes présents en France. Les lecteurs des autres pays peuvent en tirer des idées d'itinéraire et les compléter auprès de leurs agences de voyages.

◆ **Dubaï** a l'art de mêler les genres, si bien que la gamme des prestations va d'un long week-end à partir d'environ *800 EUR* (vol A/R + 3 nuits) à plus *de 2 000 EUR* la semaine (vol A/R et hébergement) dans les palaces haut de gamme. Les noms et le nombre des voyagistes se multiplient pour ce type de court séjour, entre autres Asia, Best Tours, Djos'Air, STI Voyages.

Depuis peu, l'endroit connaît le succès en été, saison pourtant brûlante, mais les prix attirants des séjours et les piscines réfrigérées font le reste.

◆ Le **séjour balnéaire** prend de l'ampleur, non seulement aux alentours de Dubaï mais aussi à Fujayra et à Ras al-Khaimah. Des voyagistes comme STI Voyages, TUI sont sur les rangs.

◆ Quelques voyagistes, tels STI Voyages, proposent des autotours (8 jours) qui combinent Dubaï, l'oasis d'Al'Ain et Ras al Khaimah.

Le voyage accompagné

◆ Les **combinés** de Dubaï avec le sultanat d'**Oman** se développent (Djos'Air). Compter aux alentours de 1 200 EUR la semaine. Autres combinés : Dubaï-**Yémen**, Dubaï-**Maldives**.

◆ De Dubaï à Dubaï via Mascate (Oman) et Bahreïn après avoir fait escale à Fujayra et Abu Dhabi : tel est le pari de la **croisière** de Costa sur la destination (9 jours/7 nuits pendant notre hiver). *Compter environ 1 500 EUR* pour ce type de prestation.

QUE RAPPORTER ?

Dans les souks, les produits orientaux et occidentaux rivalisent d'abondance et de diversité. Se côtoient l'or, l'argent, les parfums, les tapis, les broderies afghanes... Bien suivre les dates des festivals du shopping, celui de Dubaï étant le plus réputé.

LES REPÈRES

◆ Lorsqu'il est midi en France, aux Émirats arabes unis il est 14 heures en été et 15 heures en hiver; lorsqu'il est midi au Québec, aux Émirats arabes unis il est 21 heures en hiver. ◆ Langue officielle : arabe. ◆ Langue étrangère : l'anglais est largement répandu, le français pas du tout. ◆ Téléphone vers les Émirats arabes unis : 00971 + indicatif (Abu Dhabi : 2; Dubaï 4) + numéro; des Émirats arabes unis : 00 + indicatif pays + numéro.

LA SITUATION

Géographie. Les Émirats arabes unis font entièrement partie de la péninsule arabique. C'est donc presque partout le désert sur les 83 600 km² accrochés à la pointe sud-est de la péninsule, le long de la « côte des Pirates ». Sept émirats : Abu Dhabi (de loin le plus étendu avec 67 340 km²), Dubaï (3 885 km²), Chardja, Fujayra, Adjman, Oumm al-Qaïwaïn, Ras al-Khaimah.

Population. 4 621 400 habitants sont disséminés dans les émirats. Le pays compte 850 000 immigrés : arabes de divers pays, mais aussi Iraniens, Indiens et Pakistanais. Capitale : Abu Dhabi.

Religion. 80 % de la population obéit à l'islam sunnite, 16 % à l'islam chiite. Minorité de chrétiens.

Histoire. *1853* La Grande-Bretagne, lassée de la piraterie et du commerce des esclaves, établit les Trucial States (« États de la Trêve »). *1892* Protectorat britannique. *1971* Le cheikh al-Nahayan devient chef de l'État, qui consiste en une fédération de six émirats, rejoints l'année suivante par Ras al-Khaimah. *1996* Réélection de al-Nahayan, à nouveau reconduit en 2001. *Novembre 2004* Décès de al-Nahayan. Khalifa Bin Zayed al-Nahayan lui succède.

Équateur

Avertissement. – Les zones frontalières avec la Colombie doivent être évitées.

Malgré la discrétion de son patrimoine archéologique, le petit Équateur constitue un excellent condensé de ce que l'on peut voir et faire au cours d'un voyage en Amérique du Sud : cordillère des Andes (randonnées), Amazonie (descentes de rivières), marchés indiens, églises et maisons coloniales. Et lorsqu'on a fini, ou bien avant de commencer, on peut prendre un bateau ou l'avion pour l'archipel des Galapagos, riches d'espèces animales rares.

LES RAISONS D'Y ALLER

LES PAYSAGES ET LES RANDONNÉES

Avenue des Volcans (Chimborazo, Cotopaxi), Sangay
Petit train des Andes
Forêts et rivières amazoniennes

LA FAUNE

Galapagos (flamants roses, iguanes, lions de mer, otaries, tortues)
Parcs du Cotopaxi (condors, pumas, lamas) et du Sangay (tapirs de montagne, condors)

LES VILLES ET LES VESTIGES

Cuenca, Quito

LES TRADITIONS

Marchés et artisanat indiens (Otavalo, Cotacachi, Ríobamba), ferias, ligne de l'équateur
Traditions des populations noires du nord-ouest

LES CÔTES

Playas Salinas

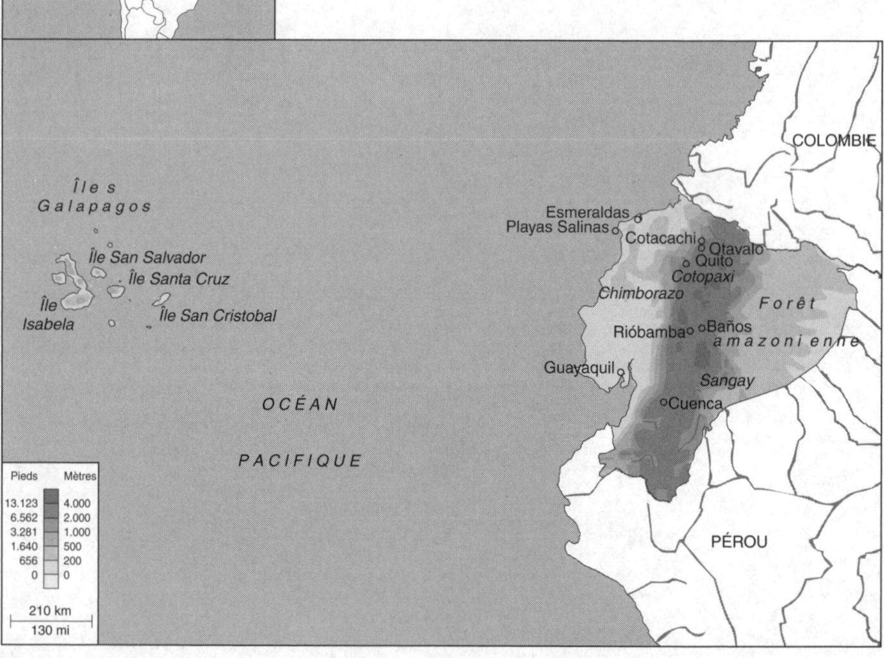

LES RAISONS D'Y ALLER

LES PAYSAGES ET LES RANDONNÉES

Pour les randonneurs qui ne craignent pas les petits désagréments dus au *soroche* (le mal de l'altitude), l'un des plus beaux défis est constitué par les 600 km et les trente sommets de l'« avenue des Volcans », de Quito à Riobamba, dont certains connaissent de temps en temps des éruptions.

Les 6 310 m du **Chimborazo,** au cône le plus pur du pays et objet de vénération des Indiens Puruhuas, ainsi que le **Cotopaxi**, qui frôle 6 000 mètres et constitue le volcan en activité le plus haut du monde, sont de vrais mythes locaux. Autres stars du genre : le Pichincha (au nord-ouest de Quito), le Pasochoa, le Fuya Fuya et le **Sangay**, celui-ci à l'activité très ancienne et situé au cœur d'un parc national intact.

Pour les amoureux du train, la voie royale est celle qu'emprunte le petit **train** des Andes : versants abrupts, vallées semi-désertiques, formation rocheuse et pentue du Nariz del Diablo.

Pour les passionnés de l'**Amazonie**, la forêt, les cascades, les ports fluviaux comme Coca, point de départ de la rivière Napo, les rivières parfois navigables en pirogue et la faune marine (dauphins d'eau douce, anancondas, caïmans) complètent une trio de buts de voyage d'une étonnante diversité pour un si petit pays.

LA FAUNE

A près de mille kilomètres du continent, les **Galapagos** (30 îles ou îlots) et leur relief volcanique renferment des espèces rares et protégées : albatros, cormorans, flamants roses, fous masqués à pattes bleues, iguanes terrestres et marins, lions de mer, otaries, pélicans, pinsons et tortues géantes. Ces dernières ont donné son nom à l'archipel et sont surtout visibles entre janvier et mai, au moment de la ponte.

Les Galapagos, déclarées patrimoine naturel de l'humanité, ont inspiré Darwin pour sa fameuse théorie sur l'évolution des espèces il y a plus d'un siècle et demi. Aujourd'hui, le naturaliste anglais est relayé par un contingent de touristes de plus en plus important. Pour qui a du temps, l'agrément est renforcé par le trajet en bateau.

Avec ses 7 500 espèces terrestres ou marines et ses 25 000 espèces végétales, l'Équateur est un laboratoire rare. Dans le parc national qui entoure le **Cotopaxi**, condors, pumas, lamas ou chevaux sauvages sont présents, à défaut d'accepter facilement de se montrer.

Le parc national du **Sangay** offre des espèces préservées comme rarement ailleurs (tapir de montagne, condor), alors que la partie amazonienne du pays regorge d'espèces d'oiseaux (aras, perroquets, perruches).

LES VILLES ET LES VESTIGES

Le centre historique dessiné en plan orthogonal, les quartiers anciens, les places, les patios et les balcons de bois de **Cuenca** l'ont fait souvent élire plus jolie ville du pays.

À **Quito**, capitale perchée à 2 850 m et entourée de volcans, le patrimoine colonial baroque et Renaissance (églises, chapelles, couvents, patios andalous, monastère Santo Domingo, église San Francisco sur la place du même nom) ainsi que ses traditions picturales font de la capitale, construite dans sa partie ancienne selon un plan en damier et classée au patrimoine mondial de l'Unesco, l'une des villes les plus attachantes d'Amérique du Sud.

L'Équateur n'a pas grande réputation sur le plan de l'architecture précolombienne mais le touriste se consolera par la présence de quelques vestiges incas (Pucara, Inca Palace) transformés... en monastères au XVIIe siècle par les colons.

LES TRADITIONS

Les plus grandes réussites de l'artisanat indien d'Amérique latine sont ici, et plus précisément sur les **marchés** des villages, entre autres à **Otavalo** (marché de la laine et des ponchos), à **Cotacachi** (marché du cuir), à **Ríobamba**. Contrairement à ce que laisse croire son nom, le panama est un chapeau qui est né et qui continue d'être fabriqué dans le sud de l'Équateur, où il est porté par les *campesinos*.

La particularité et la fidélité aux coutumes des Noirs présents à l'est d'Esmeraldas, le long des ríos Caypa et Chota, ainsi que dans la petite ville de Borbon, rappellent parfois l'ambiance de l'Afrique occidentale ou des Antilles.

Tradition née de l'époque coloniale : les **ferias**. Celle de Quito, au début du mois de décembre, dure cinq jours.

Tradition géographique : celle qui consiste à se rendre sur la ligne de l'**équateur**, au monument et au musée de la « Mitad del Mundo », non loin de Quito.

LES CÔTES

Comme au Pérou, le courant froid de Humboldt diminue l'intérêt des plages équatoriennes, où le sable est gris, les embruns fréquents et les eaux du Pacifique tourmentées. Toutefois, les stations balnéaires situées au sud d'Esmeraldas (comme **Playas Salinas**) ne manquent pas d'intérêt.

LE POUR

◆ Un condensé des agréments de l'Amérique latine : l'héritage colonial, la tradition indienne, la faune, la forêt dense, les randonnées vers les volcans.

◆ Un des pays pionniers pour le tourisme solidaire.

LE CONTRE

◆ Une côte peu appropriée pour le tourisme balnéaire.

◆ Un voyage qui a du mal à rester dans des tarifs abordables pour le plus grand nombre quand les Galapagos s'ajoutent au programme.

◆ L'insécurité dans les zones frontalières nord et nord-est et une nécessaire vigilance dans les villes et sur les lieux touristiques.

LE BON MOMENT

La période **juin-novembre**, saison sèche, est la plus favorable, sauf pour la forêt amazonienne où il pleut entre mai et août. La montagne et la plaine côtière ne sont arrosées respectivement qu'entre novembre et mars et décembre et juin.

◆ Températures moyennes jour/nuit (en °C)

Guayaquil (côte sud) : janvier 31/22, avril 31/23, juillet 28/20, octobre 29/21; eau de mer : janvier 24°, avril 25°, juillet 23°, octobre 22°.

Quito (2 890 m) : janvier 21/8, avril 21/8, juillet 21/7, octobre 21/8.

LE PREMIER CONTACT

En Belgique

Consulat, avenue Louise, 363, B-1050 Bruxelles, ☎ (02) 644.32.58, fax (02) 644.28.13, www.ecuador.be

Au Canada

Consulat général, 2055, rue Peel, Montréal H3A 1V4, QC, ☎ (514) 874-4071, fax (514) 874-9078, consecuador-montreal@iq.ca

En France

Service d'information touristique du consulat, 34, avenue de Messine, 75008 Paris, ☎ 01.45.61.10.04, www.ambassade-equateur.fr

En Suisse

Section consulaire, Kramgasse 54, CH-3011 Berne, ☎ (31) 351.17.55, embecusuiza@bluewin.ch

Internet

www.vivecuador.com (site de l'office du tourisme, en espagnol et en anglais)
www.abc-latina.com/equateur/tourisme.htm

Guides

Équateur (Le Petit Futé), *Équateur, Galapagos* (Gallimard/Bibl. du voyageur, Hachette/Guide du routard, Marcus, Lonely Planet France, Mondeos, Éditions Ulysse), *Equateur, l'art secret de l'Equateur précolombien* (Cinq Continents, 2007), *Galapagos Wildlife* (Bradt), *Pérou, Equateur, Bolivie, Colombie, Venezuela* (Berlitz).

Carte

Pérou, Équateur, Bolivie, Colombie, Venezuela (Berlitz).

Lectures

L'Agonie du condor (Meg Vinci, L'Harmattan, 2007), *Ecuador* (Henri Michaux, Gallimard, 1990), *Territoire ou nation? Equateur 1765-1830* (Federica Morelli/L'Harmattan, 2005).

Images

Chasseurs de glace en Équateur (Éditions de la Boussole, 1999), *Cordillères andines* (Glénat, 1998), *The Birds of Ecuador* (C. Helm Editions, 2001).

Vidéos et DVD

Des trains pas comme les autres : l'Equateur (Editions Montparnasse, 2005), *Equateur/Galapagos, la pureté originelle* (Media 9, 2003).

QUEL VOYAGE ET À QUEL PRIX ?

Les préparatifs

◆ Pour les ressortissants de l'Union européenne, canadiens, suisses : passeport suffisant (valable encore six mois après le retour). Dans tous les cas, billet de retour ou de continuation exigible. Taxe à acquitter pour l'entrée aux Galapagos.

◆ Prévention vivement recommandée contre le paludisme dans la plupart des zones rurales situées au-dessous de 1 500 m. Pas de risque à Guayaquil et Quito. Vaccination recommandée contre la fièvre jaune.

◆ Monnaie : l'US Dollar remplace actuellement le sucre. Acheter les US dollars avant de partir, emporter des espèces ou des chèques de voyage. Cartes de crédit les plus utilisées (dans les distributeurs, les hôtels et magasins importants) : Mastercard, Visa.

Le départ

Avion

◆ Indice de prix à certaines dates du vol Montréal-Quito A/R : 900 CAD; Paris-Quito A/R : 800 EUR. ◆ Durée moyenne du vol Paris-Quito (9 363 km, pas de vol direct, vol via Madrid ou Amsterdam) : 13 heures.

Sur place

Bateau

◆ Nombreux caboteurs le long de la côte, qui peuvent conduire le visiteur aux îles Galapagos, à tous les prix et sous toutes les formes de confort. Bien veiller, néanmoins, aux conditions de sécurité et toujours vérifier que le bateau correspond aux normes exigées. ◆ Penser également aux croisières proposées à la carte par certains des voyagistes énumérés ci-dessous.

Hébergement

Les petits hôtels avec patio central de Quito et surtout de Cuenca sont une belle alternative aux standards internationaux. On trouve aussi des haciendas, anciens domaines agricoles transformés en logements de charme.

Route

◆ Location de voiture possible, individuelle ou avec chauffeur.

Le voyage accompagné

Rappel : nous nous sommes limités à un résumé des prestations en vigueur dans les agences et chez les voyagistes présents en France. Les lecteurs des autres pays peuvent en tirer des idées d'itinéraire et les compléter auprès de leurs agences de voyages.

◆ Belle diversité, nombreux voyagistes, et deux clés pour les prestations : un circuit classique en une douzaine de jours avec extension aux îles Galapagos ou bien un séjour randonnée.

◆ Dans le premier cas, la majorité des voyagistes partent suivant l'axe constitué par la région d'Otavalo, le parc national des volcans, le petit train des Andes et les confins de l'Amazonie (Adeo, Arroyo, Continents insolites, Jet tours, Nouvelles Frontières). Dima Tours et Jetset/Équinoxiales proposent une extension sous forme de croisière fluviale sur la rivière Napo, en Amazonie, à bord du *Manatee*.

◆ Les **randonneurs** retrouvent ici les conditions habituelles de ce type de voyage : 4 à 6 heures de marche quotidienne au pied des sommets, ou en gravissant plusieurs d'entre eux aux alentours de 4 000 m. Les marcheurs les plus chevronnés s'attaqueront à des joyaux tels que le Cotopaxi, à près de 6 000 m. Villages, marchés indiens, train des Andes, balades au pied des volcans et, chez la plupart des voyagistes, quelques jours dans l'atmosphère **amazonienne** (pirogue, rafting) complètent le menu.

Les prestataires habituels répondent présents : Allibert, La Balaguère, Club Aventure, Explorator, Nomade Aventure, Tamera, Terres d'aventure, Vie sauvage. Leur nombre et la diversité de leurs propositions font que l'on peut trouver un voyage à n'importe quel moment de l'année.

◆ Le **tourisme solidaire** est une réalité de plus en plus patente en Equateur, un des pionniers en la matière. Séjours avec, entre autres, Jatari, au sein des communautés kichwas de Saraguro, et Maquita, qui propose des circuits de tous thèmes (culturel, écologique, archéologique, etc.) en partenariat avec des communautés locales. Autres propositions auprès de l'organisme local franco-équatorien Emotion Planet, via le réseau d'agences www.tourisme-alternatif.com

◆ Les **Galapagos** sont presque toujours proposées en extension des voyages précités, pour 3 à 5 jours en moyenne, souvent sous forme de **minicroisières** entre les îles (Jetset/Équinoxiales, Kuoni, Nouvelles Frontières, Voyageurs du monde), parfois de luxe (Celebrity Cruises) ou de manière plus approfondie par des spécialistes comme Objectif Nature (croisière de 12 jours). Un cocktail faune terrestre et faune marine est proposé aux **plongeurs** chevronnés par Nouvelles Frontières ou Ultramarina de novembre à mai et en août.

Le coût total du voyage accompagné varie beaucoup selon la teneur des prestations : environ 2 500 EUR pour un séjour de 12 jours, 2 300 EUR pour un voyage-randonnée de 15 jours.

Le coût du séjour dépasse souvent 3 000 EUR lorsque les Galapagos s'ajoutent au programme, en revanche il peut se situer en dessous de 2 000 EUR pour 15 jours dans le cadre du tourisme solidaire.

QUE RAPPORTER?

Les broderies et les ponchos des marchés indiens, les hamacs, les panamas, les objets en *masapan* (pâte à sel).

LES REPÈRES

◆ Lorsqu'il est midi en France, en Équateur il est 5 heures en été et 6 heures en hiver. Ajouter une heure pour les Galapagos. ◆ Langue officielle : l'espagnol, qui voisine avec les dialectes quechuas. ◆ Langue étrangère : l'anglais est peu pratiqué. ◆ Téléphone vers l'Équateur : 00593 + indicatif (Quito : 2) + numéro; de l'Équateur : 00 + indicatif pays + numéro.

LA SITUATION

Géographie. Trois régions contrastées se partagent les 283 561 km^2 : les Andes *(sierra)*, au centre, séparent la plaine littorale *(costa)* de la partie amazonienne *(oriente)* à l'est.

Population. Les 13 928 000 habitants se répartissent entre Quechuas (40 %), Métis (40 %), Blancs (10 %) et Noirs (10 %). Capitale : Quito.

Religion. Presque tous les Équatoriens sont catholiques. Minorité de protestants.

Histoire. *1533* L'Espagnol Sebastiàn de Benalcázar conquiert le pays. *1735* Le Français Charles-Marie de la Condamine définit la ligne de l'équateur. *1822* Sucre chasse les Espagnols. *1830* Indépendance. *1934* Arrivée au pouvoir du populaire José Maria Velasco Ibarra, qui sera réélu quatre fois et restera en place jusqu'en 1972. *1976* Junte militaire. *1979* Jaime Roldós (gauche modérée) prend le pouvoir. *1984* Le conservateur León Febres Cordero à la tête de l'État. *1992* Élection de Sixto Durán Ballén à la présidence. *Février 1995* Affrontements avec le Pérou pour la possession de la vallée du fleuve Cenepa, dans la zone de la cordillère du Condor. *Juillet 1996* Bucaram est élu président au détriment du candidat de droite Saadi. *Février 1997* Destitution de Bucaram pour incapacité physique et mentale; le président du Congrès Fabian Alarcon est nommé président par intérim pour dix-huit mois. *Juillet 1998* Jamil Mahuad (démocrate-chrétien) est élu président. *Janvier 2000* Mahuad est destitué, Gustavo Noboa lui succède dans un contexte de crise économique. *Janvier 2001* Un début de marée noire touche les Galapagos, mais le pire est évité. *Janvier 2003* Lucio Gutiérrez, ex-militaire mais progressiste, est élu président. *Avril 2005* Gutiérrez, en grande difficulté par rapport à la Cour de justice, est destitué par le Congrès. Le vice-président Alfredo Palacio lui succède. *Octobre 2006* L'élection de Rafael Correa confirme le virage à gauche du pays et du continent sud-américain.

Érythrée

Avertissement. – Tout voyage dans les régions frontalières avec l'Éthiopie et le Soudan doit être évité.

Les promesses d'un tourisme neuf dans un pays neuf s'étaient évanouies dès les premiers combats survenus le long de la frontière avec l'Éthiopie. Mais un accord de paix durable a été trouvé et l'on voit désormais quelques rares routards et voyagistes réapparaître sur le Plateau éthiopien pour des randonnées chamelières. Quant au tourisme côtier, mis à part la découverte des fonds marins qui entourent l'archipel des Dahlak, il reste hypothétique, tant à cause de l'absence de structures à l'occidentale sur la mer Rouge que de la chaleur accablante et d'un mode de vie des nomades afars loin de telles perspectives.

LES RAISONS D'Y ALLER

LES PAYSAGES

Plateau éthiopien

LES VILLES ET LES MONUMENTS

Asmara, Massaoua

LES CÔTES

Plongée (archipel des Dahlak, îles Hanish)

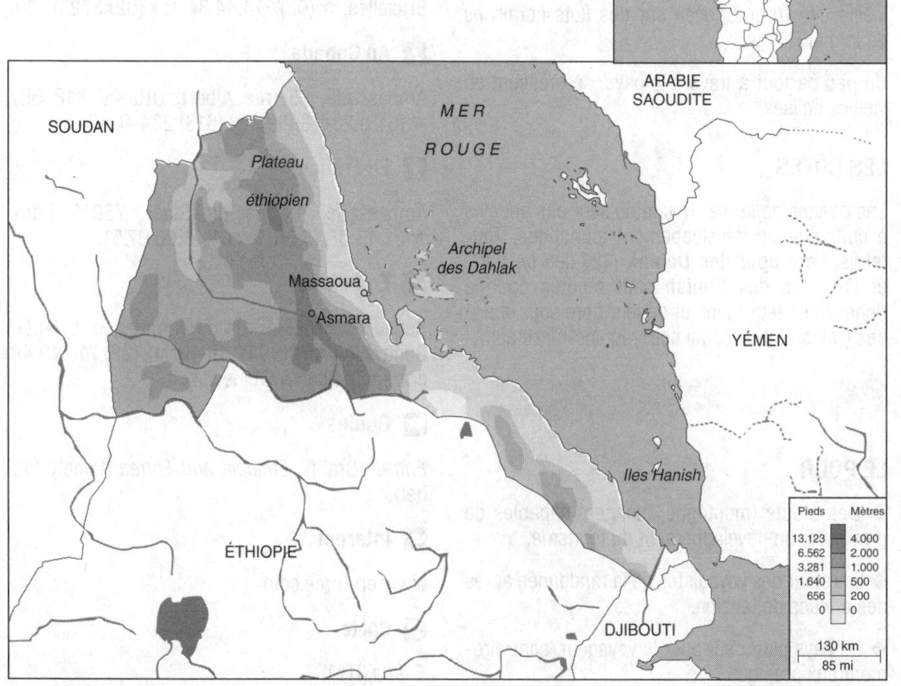

LES RAISONS D'Y ALLER

LES PAYSAGES

Les régions les plus intéressantes sont celles du **Plateau éthiopien**, dont le pays possède l'extrémité nord. Ces hauteurs surplombent la mer et voient progressivement arriver les randonneurs qui, après les avoir quittées, se dirigent vers les déserts côtiers qui bordent la mer Rouge. Un tel voyage, contrasté à souhait, devrait connaître le succès.

Une autre curiosité est la découverte des paysages entre Asmara et Massaoua en prenant le vieux train à vapeur du coin, même si l'ambiance est plus touristique que locale...

LES VILLES ET LES MONUMENTS

Vieille ville abyssinienne perchée à 2 400 m, imprégnée d'architecture italienne, **Asmara** est établie dans l'un des plus jolis sites urbains d'Afrique. Le Guebbi, l'ancien palais du Négus, a été transformé en musée.

L'autre ville intéressante, **Massaoua**, est une vieille cité turque posée sur des îlots coralliens de la mer Rouge.

Un peu partout à travers le pays, se dressent de vieilles églises.

LES CÔTES

Les rivages de la mer Rouge ne sont pas appelés à connaître un développement touristique. Toutefois, l'**archipel des Dahlak** (127 îles ou îlots) et l'archipel des **Hanish** sont réputés pour la richesse de leur faune et de leur flore sous-marines (raies-aigles, corail noir, requins-marteaux).

LE POUR

◆ Des atouts (montagne, plongée) capables de provoquer un développement du tourisme.

◆ Le retour des voyagistes de la randonnée après des années de tension.

◆ Un pays plutôt sûr pour le voyageur, contrairement aux préjugés.

LE CONTRE

◆ La nécessité de tout inventer sur le plan des structures touristiques.

◆ Les tensions aux frontières et la présence de mines aux abords de la frontière avec l'Ethiopie.

LE BON MOMENT

Il fait très chaud toute l'année en bordure de la mer Rouge et les pluies (octobre-avril) sont rares. La situation devient meilleure au fur et à mesure que l'on se dirige vers les hauts plateaux de l'intérieur. **Mai** et **septembre** sont les mois les plus appropriés.

◆ Températures moyennes jour/nuit (en °C) à Massaoua (niveau de la mer) : janvier 29/20, avril 33/24, juillet 39/29, octobre 33/25.

LE PREMIER CONTACT

En Belgique

Ambassade, avenue de Wolvendael, 15-17, B-1180 Bruxelles, ☎ (02) 374.44.34, fax (02) 372.07.30.

Au Canada

Ambassade, 75, rue Albert, Ottawa, K1P 5E7, ☎ (613) 234-3989, fax (613) 234-6213.

En France

Ambassade, 1, rue de Staël, 75015 Paris, ☎ 01.43.06.15.56, fax 01.43.06.07.51.

En Suisse

Section consulaire, rue de Vermont, 9, CH-1211 Genève 20, ☎ (22) 740.49.40, fax (22) 740.49.49, eritrean.embassy@bluewin.ch

Guides

Eritrea (Bradt), *Ethiopia and Eritrea* (Lonely Planet).

Internet

www.erythree.com

Carte

Eritrea (ITM).

Lectures

Aventures extraordinaires (H. de Monfreid, Arthaud, 2007), *Erythrée* (Glénat, 2004), *l'Erythrée* (Karthala, 2000), *Ethiopie-Erythrée : frères ennemis de la Corne de l'Afrique* (L'Harmattan, 2000), *les Secrets de la mer Rouge* (Henry de Monfreid/Grasset, 1994).

Images

Lettres d'Erythrée (Didier Schmutz, Gaël Turine, Editions La Lettre volée, 2001).

QUEL VOYAGE ET À QUEL PRIX ?

Le voyage individuel

Les préparatifs

◆ Pour les ressortissants de l'Union européenne, canadiens, suisses : passeport (valable encore trois mois après le retour), visa obligatoire, obtenu auprès du consulat. Sur place, nécessité d'un «permis de voyage» obtenu auprès du ministère de l'Information. ◆ L'entrée dans le pays à partir de l'Éthiopie ou du Soudan n'est pas possible. ◆ Dans tous les cas, billet de retour ou de continuation exigible.

◆ Protection indispensable contre la fièvre jaune et contre le paludisme au-dessous de 2 200 m. Pas de risque à Asmara.

◆ Monnaie : le nafka. 1 EUR = 23 nafkas, 1 US Dollar = 17 nafkas. Emporter des espèces ou chèques de voyage, de préférence en US dollars. Carte bancaire quasi inutile, pas de distributeurs de billets.

Le départ

◆ Indice de prix à certaines dates du vol Paris-Asmara A/R : 900 EUR. ◆ Durée moyenne du vol Paris-Asmara via Francfort : 12 heures.

Sur place

Route

◆ Ne pas s'éloigner des principales routes et pistes (risques de mines). ◆ Les frontières avec l'Éthiopie et le Soudan sont fermées.

Train

L'ancienne ligne à voie unique entre Asmara et Massaoua a été récemment remise en service pour le tourisme, à raison d'un voyage hebdomadaire : la locomotive à vapeur crée l'événement...

Le voyage accompagné

Rappel : nous nous sommes limités à un résumé des prestations en vigueur dans les agences et chez les voyagistes présents en France. Les lecteurs des autres pays peuvent en tirer des idées d'itinéraire et les compléter auprès de leurs agences de voyages.

Déserts a été le voyagiste pionnier de la reprise des randonnées en Érythrée : entre février et décembre, un voyage de 13 jours, dont la moitié en randonnée chamelière, permet de passer des villages du haut plateau à la côte.

Explorator couvre le « Masqual », la « Fête de la croix », lors d'un voyage de 13 jours en septembre.

LES REPÈRES

◆ Lorsqu'il est midi en France, en Érythrée il est 13 heures en été et 14 heures en hiver. ◆ Langues : le tigré et le tigrigna sont les plus répandues. ◆ Téléphone vers l'Érythrée : 00291.

LA SITUATION

Géographie. L'étroite plaine côtière qui borde la mer Rouge se termine rapidement sur les contreforts du plateau éthiopien. Le pays couvre 124 300 km^2.

Population. Des nomades musulmans en bordure de la mer Rouge et du Soudan, des populations chrétiennes à l'intérieur rassemblent neuf ethnies et 5 502 000 habitants. Capitale : Asmara.

Religion. Chrétiens (monophysites, catholiques, protestants) et musulmans (sunnites) sont dans d'égales proportions.

Dates. *1890* L'Érythrée est une colonie italienne. *1941* Les Anglais se heurtent victorieusement aux Italiens et mettent fin à la colonisation. *1960* L'Érythrée devient une province de l'Éthiopie et connaît ses premiers soubresauts. La guerre de libération durera trente ans. *1991* Le Front patriotique de libération de l'Érythrée se rend maître d'Asmara. *Mai 1993* L'Érythrée devient une nation souveraine à parti unique, avec à sa tête le leader du FPLE Issayas Afeworki. *Février 1999* Un début de guerre contre l'Éthiopie s'installe sur la frontière sud, stoppé par un plan de paix de l'OUA. *Mai 2000* Reprise des hostilités. *Décembre 2000* Guerre perdue pour l'Érythrée, qui signe un traité de paix avec l'Éthiopie. *2007* La tension avec l'Ethiopie n'est pas vraiment retombée.

Espagne

L'Espagne continue à fonder son tourisme sur ses infrastructures côtières, dressées à une époque où le vacancier européen trouvait sur les « costas » de la Méditerranée un exotisme à bon marché. Mais si plusieurs millions de visiteurs choisissent encore de franchir les Pyrénées chaque année, le budget à consentir n'a plus rien de commun avec celui de cette époque dorée. Belle occasion pour quitter de temps en temps les plages et pour s'aventurer vers les paysages (pics d'Europe, Pyrénées, Majorque, Tenerife, La Gomera) ou les grands atouts architecturaux de l'intérieur du pays.

LES RAISONS D'Y ALLER

L'ESPAGNE CONTINENTALE

LES CÔTES

Côte méditerranéenne, Galice, côte Cantabrique, Costa de la Luz

LES VILLES ET LES MONUMENTS

Du nord au sud : Saint-Jacques-de-Compostelle, Pampelune, León, Saragosse, Valladolid, Barcelone, Salamanque, Ségovie, Avila, Madrid, Cuenca, Aranjuez, Tolède, Almagro, Valence, Trujillo, Cáceres, Mérida, Cordoue, Séville, Grenade, Almería, Cadix, Tarifa, Vejer de la Frontera, Jerez de la Frontera

LES PAYSAGES

Parc national d'Ordesa, Sierra de Guara, pics d'Europe, grottes (Altamira), Ciudad Encantada, Torcal de Antequera, Andalousie, Guadalquivir

LES TRADITIONS

Corridas, romerías, parcours de Don Quichotte (Mancha)

L'ESPAGNE DES ÎLES

LES CÔTES

Baléares : plages de Majorque, Minorque, Ibiza, Formentera
Canaries : plages de Tenerife, Lanzarote, Fuerteventura
Funboard

LES PAYSAGES

Baléares : puigs à Majorque
Canaries : volcans (parc du Teide sur Tenerife, parc de Timanfaya sur Lanzarote), La Gomera

LES MONUMENTS ET LES MUSÉES

Baléares : cathédrale, palais royal, fondation Miró, musée d'art contemporain à Majorque

LES RAISONS D'Y ALLER

L'ESPAGNE CONTINENTALE

LES CÔTES

Les rivages méditerranéens demeurent l'argument le plus fort de la décision d'un voyage en Espagne grâce à leur ensoleillement et à leur étendue. De la Catalogne à l'Andalousie, s'égrènent les « costas » : **Costa Brava** (Cadaques, Rosas), **Costa Dorada** (Sitges, Salou et Port Aventura, le parc à thèmes d'Universal Studios en Europe, 100 km au sud de Barcelone), **Costa del Azahar**, **Costa Blanca** (Benidorm), Costa de Almeria avec le parc naturel Cabo de Gata-Nijar, **Costa del Sol** (Marbella, Torremolinos, Malaga).

Les plages atlantiques sont moins nombreuses, moins ensoleillées mais dégagent plus de charme. La **Galice** et ses 1 300 km de côtes offrent le calme et la diversité (plages, falaises, estuaires, îles du parc national des îles Atlantiques, propice à une découverte en ferry ou en voilier). D'ouest en est, la côte nord (**côte Cantabrique**) se répartit en Costa Verde, côte de Santander, côte Basque.

La côte sud-est, baptisée **Costa de la Luz** - dont Cadix et sa plage de la Caleta sont le point d'orgue - est l'un des rares sites balnéaires espagnols qui ne soient pas voués au tourisme de masse et au béton à outrance. Les sports nautiques, le surf et la pêche sous-marine y font bon ménage le long de longues plages avec arrière-plan de dunes (plages du parc de Donana, de la pointe Camarinal, Conil de la Frontera).

LES VILLES ET LES MONUMENTS

La quasi-totalité des grandes villes ont un monument et un vieux quartier de renom autour de leur *Plaza Mayor*.

Qu'il s'agisse de monuments civils ou religieux, ils sont très nombreux à mériter la visite. Nous citons ici, du nord au sud, ceux à qui l'on ferait injure si on ne les programmait pas au cours de plusieurs voyages :

– à **Bilbao**, l'avant-gardiste musée Guggenheim, dessiné par Frank Gehry et aussi admiré pour sa structure d'acier, de verre et de titane que pour ses collections d'art moderne; la ville renferme plusieurs autres musées (des Beaux-Arts, Basque, Maritime) et connaît un nouvel urbanisme dopé par le Guggenheim;

– la cathédrale de style roman de **Saint-Jacques-de-Compostelle**, objet de pèlerinage toujours si intense que le « touriste-pèlerin » est une espèce en plein développement, particulièrement lors des fêtes de Saint-Jacques à la fin juillet;

- la cathédrale (Santa Maria la Real), les églises, les musées et la convivialité de **Pampelune**;

– les vitraux de la cathédrale de **León**;

– la basilique du Pilar et l'Aljafería (ancien palais des souverains musulmans puis des Rois catholiques) à **Saragosse**;

– les retables des églises et les sculptures polychromes du collège San Gregorio de **Valladolid**;

– les clochers comme les portails des petites églises romanes qui parsèment la Catalogne, ainsi que la Vierge noire de Montserrat, « mère des Catalans »; à **Figueras**, l'extravagant musée Dali; pour compléter le « triangle dalinien », il faut se rendre dans la crique de Portlligat (maison-musée) et dans le hameau de Pubol (maison dédiée à son inséparable Gala);

– l'héritage hors du commun de Gaudí (Sagrada Familia, parc Güell, Casa Mila, Casa Batllo), le vieux quartier gothique, la place Reial et la Ribera à **Barcelone**; la capitale catalane renferme la Fondation Miró, le musée Picasso, le Musée maritime; dans le Barrio Chino, de *bodega* (bar) en restaurant, le visiteur côtoie le citadin branché;

– l'architecture de l'université (style plateresque), les deux cathédrales (Vieja et Nueva) et le musée Art nouveau (Art déco)de **Salamanque**, ville inscrite au patrimoine mondial de l'Humanité ;

– l'alcazar et l'aqueduc de **Ségovie**;

– les remparts, les églises et l'empreinte mystique (Sainte-Thérèse) d'**Avila**;

– la Plaza Mayor et ses terrasses, le Palais royal, les monuments baroques et les églises de **Madrid**, capitale encore plus réputée pour ses musées: au Prado, se côtoient les œuvres de Goya, Rubens, Velázquez, du Titien et du Greco; les impressionnistes sont à la Fondation Thyssen-Bornemisza; Dali, Miró et Picasso (dont *Guernica*) sont au Centre Reina Sofia; la capitale espagnole est aussi connue pour inventer des nuits qui n'en finissent pas, comme dans son vieux quartier autour de la Plaza Santa Ana, ou pour relancer des modes, comme dans le quartier populaire de Lavapiés ou celui, tendance, de Chueca;

– au nord-ouest de Madrid, **El Escorial** est une grande nécropole royale du XVIe siècle, qui renferme aussi des peintures, dont celles des primitifs flamands, du Titien et du Greco;

– les « maisons suspendues » de **Cuenca**;

– **Aranjuez,** son palais royal et ses jardins;

– à **Tolède**, ville du Greco (maison et musée), bâtie sur un promontoire entouré par le Tage et plus joli site urbain du pays, les vestiges mauresques, les églises mudéjares (décor tiré de l'art islamique), la cathédrale, la Juderià et la synagogue du Transito;

– les galeries en bois du Corral de Comedias d'**Almagro**;

– **Valence**, aussi réputée pour la délicatesse de ses monuments publics civils comme la Lonja de la Seda (bourse de la Soie) que pour ses édifices religieux (cathédrale aux styles divers et renfermant des tableaux de Goya) ou la hardiesse architecturale de sa Cité des arts et des sciences, due à Calatrava;

– les belles facades (palais des ducs et del Marquès) et la statue équestre de Pizarro à **Trujillo**;

– le mélange romain, arabe et chrétien (inscrit au patrimoine mondial) de **Cáceres**;

– les vestiges romains (théâtre, aqueduc) de **Mérida**;

– les joyaux religieux d'autres sites de l'Estrémadure (Guadalupe, Jerez de los Caballeros, Zafra);

– la Grande Mosquée (VIIIe au Xe siècle) et ses arcs de brique et de pierre à **Cordoue**, exemple unique du genre, mosquée dénaturée quelques siècles plus tard par la construction d'une cathédrale en son milieu;

– à **Séville**, l'immense cathédrale (XVe siècle), flanquée de la tour de la Giralda (minaret de l'ancienne Grande Mosquée), l'Alcázar du XIVe (art mudéjar), les patios et les demeures des quartiers de Santa Cruz et de la Macarena; au musée provincial des Beaux-Arts, on peut admirer les œuvres de Zurbarán et de Murillo;

– à **Grenade**, l'Alhambra (résidence des rois maures, ensemble exceptionnellement préservé de palais, de logis, de bains et de mosquées) ainsi que les jardins du Generalife;

– l'Alcazaba, ancienne forteresse mauresque, d'**Almería**;

– les deux cents œuvres du musée Picasso, l'enfant du pays, à **Malaga**;

– les maisons blanches et l'hôpital du Carmen de **Cadix**, où l'art est aussi présent grâce aux oratoires des églises, dont Santa Cueva et ses trois grands tableaux de Goya, ainsi qu'au Musée archéologique, qui renferme un sarcophage punique anthropoïde;

- le trio de la Costa de la Luz : **Tarifa**, sa rencontre de la mer et de l'océan balayés par un vent fou, la blanche **Vejer de la Frontera**, qui annonce l'Andalousie, et surtout **Jerez de la Frontera**, berceau à la fois du fameux vin cuit, du flamenco et d'une école royale d'art équestre.

LES PAYSAGES

Les **Pyrénées** offrent, à l'ouest, leur version **navarraise** avec la forêt d'Irati, les vallées (Baztan) et les plateaux (Aralar). Au centre, version **aragonaise** avec le parc national d'Ordesa, au pied du mont Perdu; les cours du río Mascún et du río Gallego sont à l'origine d'un canyon pour le premier et de hautes falaises ocre pour le second. Quant à la réserve naturelle de la Sierra de Guara, elle est très prisée des amateurs de balades en rivière (canyoning). Enfin, au sud d'Andorre, version **catalane**, avec pour les marcheurs des sentiers méconnus dans la réserve de Cadi-Moxeiro et la région volcanique de la Garrotxa.

En partant vers la Galice, on découvre les défilés des **pics d'Europe** (cordillère Cantabrique), les sierras de Montserrat, Guadarrama, Gredos et Cazorla.

Entre la côte nord-ouest et la cordillère Cantabrique, trois **grottes** méritent la visite pour des motifs divers : Altamira (la grotte d'origine est fermée mais reproduite, flanquée d'une exposition permanente pour admirer les peintures de la « salle des Bisons », qui datent du magdalénien); la torca del Carlista, qui renferme la plus grande salle naturelle du monde; la grotte d'Ojo Guarena, dont les galeries, les salles et les puits forment un vrai labyrinthe.

Entre Madrid et Valence, un détour s'impose pour admirer les formes fantasmagoriques prises par les blocs de calcaire de la **Ciudad Encantada**. Au nord de Malaga, un phénomène semblable est offert par le **Torcal de Antequera**.

Au sud, la brûlante **Andalousie** et sa **Sierra Nevada** offrent les plus beaux panoramas. Les oliveraies de la région de Jaén et leurs haciendas, les plaines arides de la région d'Almería, les gorges d'El Chorro, le mini-désert... et mini-Hollywood de Tabernas, qui a vu le tournage de scènes de western célèbres (*Il était une fois dans l'Ouest*) et les petites villes et villages aux murs de chaux et de fer forgé, tels **Arcos** de la Frontera, **Ronda**, Montefrio, Montoro: tous ces atouts se disputent la primeur d'un afflux touristique gonflé par la réputation de Cordoue, Grenade et Séville. L'ensemble a laissé une place au **Guadalquivir** et à son interminable embouchure, qu'il faut voir au printemps, quand les maquis se couvrent de fleurs et que les forêts de chênes-lièges laissent réapparaître une faune variée. Au nord, à la lisière de l'Estremadure, plusieurs sierras méconnues se prêtent à la randonnée, dont la sierra de **Aracena.**

LES TRADITIONS

Toute agglomération espagnole qui se respecte a sa plaza de toros (arènes), avec début de la **corrida** le dimanche à 17 heures. Moins protocolaire est la fête de la San Fermín, à Pampelune, au début de juillet : là, les taureaux sont dans la rue et la population aussi...

Dans un autre genre, les **romerías** (pèlerinages consacrés à la Vierge), les processions de la Semaine sainte (celle des pénitents de Séville est la plus connue), les ferias, les cavalcades très populaires qui président à la fête des Rois mages le 6 janvier à travers tout le pays, les *fallas* de Valence à la mi-mars (d'imposantes statues de papier mâché sont exhibées à travers la ville avant d'être brûlées le jour de la Saint-Joseph), la *San Jordi* et la *Festa de la Mercé* à Barcelone (le 24 septembre), le célèbre **carnaval** de Cadix dans son quartier de la Vina, et bien sûr le **flamenco** en Andalousie attirent les foules.

Au cœur du pays, en Nouvelle-Castille, la plaine de la **Mancha** compense la monotonie de son relief par le pittoresque de ses villages fortifiés et par son hymne à Cervantès : en effet, il existe un parcours « don-quichottien » qui passe par le lieu où le héros a été fait chevalier (ferme de Puerto Lapiche), la route des moulins (moulins à vent de Consuegra ou de Quintanao de la Orden), la patrie de la Dulcinée (El Tobosco), les châteaux (Belmonte, Guadamur).

L'ESPAGNE DES ÎLES

LES BALÉARES

Les côtes

Les noms de Majorque, Minorque, Ibiza et, à un degré moindre, de Formentera – qui pour beaucoup possède les plus jolis sites – font désormais partie des images d'Épinal du tourisme balnéaire européen avec leurs dix millions de visiteurs annuels. Elles bénéficient d'une température de l'eau de mer avoisinant 25° en août, soit la plus chaude du pays avec celle des côtes andalouses, et offrent d'autres plaisirs que la simple baignade : voile (surtout), plongée, planche à voile.

A **Majorque** les plages de part et d'autre de Palma sont longues et belles mais surchargées. On peut toutefois gagner un calme relatif sur les rivages et les criques de la côte nord.

Minorque offre deux cents kilomètres de côtes, avec les plages de Cala Pregonda et Vall en figure de proue. Ses calanques sont moins touchés par le grand tourisme.

Quant à **Ibiza**, les plages que l'on trouve au creux des falaises dans le nord compensent la surcharge de celles qui entourent le chef-lieu.

L'intérieur

Majorque compense la saturation de ses côtes par des chemins de randonnée insoupçonnés, qui mènent entre autres à des *puigs*, sommets à près de 1 500 m comme le puig Major ou la Massanella. Autres sites : les grottes du Drach (lacs souterrains, calcite) et le cap Formentor (falaises, calanques, pins), ainsi que les hautes falaises abruptes du nord de Minorque.

Contrairement aux idées reçues, l'**art** se manifeste doublement à Palma de Majorque. La cathédrale de Palma, la *seu*, arbore une des nefs les plus hautes du monde, alors que les bains arabes et le palais royal Almudaina attestent du passage des Maures. Par ailleurs, la fondation Miró présente une collection permanente des œuvres du peintre et le musée d'Art espagnol contemporain possède des Miró, Dali, Picasso et Barcelo.

LES CANARIES

Les côtes

La température de l'eau est moins élevée qu'aux Baléares, malgré la latitude. Mais la notion de plage béton est aussi forte, sinon plus (quatre millions de touristes par an), doublée par le statut de port franc. L'exemple type du tourisme de masse balnéaire est donné par la côte sud de **Grande Canarie** (Las Palmas, Playa des Ingles).

L'île de **Tenerife** est également très fréquentée, surtout dans sa partie sud (Los Cristianos, Playa de las Americas).

Lanzarote et **Fuerteventura** sont les îles les plus typées, cette dernière se prêtant bien à la planche à voile sur sa côte nord (Corralejo). Non loin des plages de Tenerife, Lanzarote et Fuerteventura, les amateurs de grosses vagues peuvent pratiquer le funboard. Enfin, El Hierro, la plus occidentale, est aussi la mieux préservée du tourisme de masse.

L'intérieur

Les paysages volcaniques de Tenerife et Lanzarote invitent à la randonnée. Sur Tenerife, un trek d'une petite semaine permet de traverser forêts luxuriante et massif de basalte avant de grimper jusqu'en haut du **Teide**; sur Lanzarote, quelques jours de marche offrent les caldeiras du parc de **Timanfaya** et de Los Cuervos.

Un soupçon de tranquillité existe à Fuerteventura et à La Gomera, petite île accessible uniquement par bateau à partir de Tenerife et privilégiée par les amateurs de randonnée (forêt subtropicale de lauriers ou *Laurasilva*). Même schéma confidentiel pour El Hierro et ses sentiers qui conduisent par exemple au Malpaso (1 500 m).

Canaries

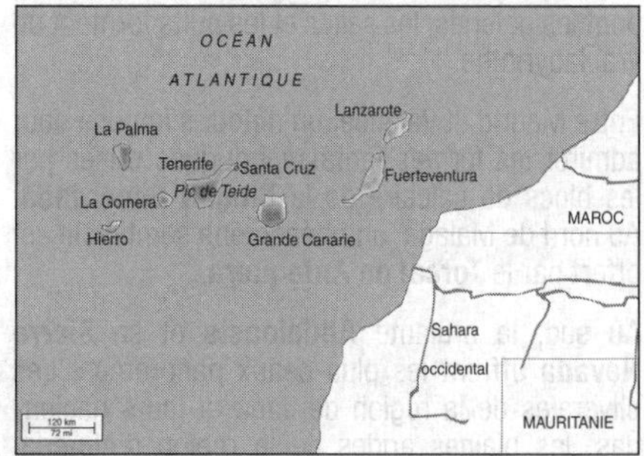

LE POUR

◆ La solidité du tourisme balnéaire : époque idéale (juin-octobre), climat idéal, espace côtier très étendu (6 000 km).

◆ Les atouts architecturaux de la plupart des villages et des villes.

◆ L'intérieur des Baléares et des Canaries, face cachée d'îles où les randonnées sont un plaisir.

LE CONTRE

◆ Une notion de côtes bétonnées qui a du mal à se dissiper et une image du tourisme de l'intérieur qui a du mal à percer.

◆ Un coût de la vie touristique de plus en plus élevé.

LE BON MOMENT

Mis à part la côte atlantique, où les étés peuvent être frais, la période **juin-octobre** est idéale pour la plage, surtout la fin du printemps et le début de l'automne, qui évitent la surcharge. L'intérieur du pays, en revanche, placé sous un régime continental, connaît des étés à la chaleur souvent accablante; le printemps et l'automne sont meilleurs. Attention aux hivers, qui peuvent être froids à l'intérieur et pluvieux sur la côte méditerranéenne.

Aux Canaries, la côte nord de Tenerife est la plus arrosée, mais les pluies sont rares en été.

◆ Températures moyennes jour/nuit (en °C)

Barcelone (côte nord-est) : janvier 13/4, avril 18/9, juillet 28/19, octobre 22/13. En été, la température moyenne de l'eau de mer est de 21°.

Madrid (centre) : janvier 10/3, avril 18/7, juillet 31/18, octobre 19/10.

Malaga (côte sud-est) : janvier 17/7, avril 21/10, juillet 30/20, octobre 24/14. Eau de mer : 21° en juillet.

Palma de Majorque (Baléares) : janvier 15/4, avril 19/7, juillet 31/17, octobre 23/12. Eau de mer : 24° en juillet.

Las Palmas (Canaries) : janvier 21/15, avril 22/16, juillet 27/21, octobre 26/20. Eau de mer : juillet 21°.

LE PREMIER CONTACT

En Belgique

Office du tourisme, rue Royale, 97, B-1000 Bruxelles, ☎ (02) 280.19.26, fax (02) 230.21.47, www.tourspain.be

Au Canada

Spanish National Tourist Office, 2 Bloor Street West, Toronto, ☎ (416) 961-3131. Consulat à Montréal, ☎ (514) 935-5235, fax (514) 935.4655.

En France

Office espagnol du tourisme, 43, rue Decamps, 75784 Paris Cedex 16, ☎ 01.45.03.82.50, fax 01.40.72.52.04, paris@tourspain.es

Au Luxembourg

Ambassade, 4, boulevard Emmanuel-Servais, L-2535 Luxembourg, ☎ 46.02.55, fax 46.12.88.

En Suisse

Office national espagnol de tourisme, 15, rue Ami-Lévrier, CH-1201 Genève, ☎ (22) 731.11.33, fax (22) 731.13.66.

Autres sites Internet

www.spain.info
www.andalucia.org
www.catalunyaturisme.com
www.ilescanaries.com
www.turismomadrid.es

Guides

• ESPAGNE CONTINENTALE

Andalousie (Gallimard/Bibl. du voyageur, Gallimard/GEOGuide, Lonely Planet France), *Andalousie, Séville* (Gallimard/Encycl. du voyage, Hachette/Évasion, Hachette/Guide du routard, Mondeos), *Andalousie, Costa del Sol* (Hachette/Top Ten); voir aussi page suivante les titres sur l'Espagne du sud,

Barcelone (Berlitz, Berlitz/Week-end, Gallimard/Cartoville, Hachette/Guide du routard, Hachette/Evasion en ville, Hachette Voir, Hachette/Un grand week-end, Hachette/Top Ten, Lonely Planet France/En quelques jours, Mondeos, National Geographic France), *Barcelone, Catalogne* (Le Petit Futé, Michelin/Voyager pratique), *Barcelone, Majorque et Minorque* (JPMGuides),

Castille, Madrid + Aragon et Estrémadure (Hachette/Guide du routard),

Catalogne (Hachette Evasion), *Catalogne + Valence et Andorre* (Hachette/Guide du routard), *Cent randonnées en Catalogne, Pyrénées espagnoles* (Éditions Randonnées pyrénéennes), *Chemins de Saint-Jacques* (Gallimard),

Costa del Sol et Andalousie (Berlitz),

Espagne (Berlitz, Gallimard/Bibl. du Voyageur, Gallimard/Spiral, Hachette/Voir, Le Petit Futé, Marcus, Michelin/Guide vert, Mondeos, National Geographic France, Nelles), *Espagne centre et nord* (Hachette Guide bleu), *Espagne côte est* (Gallimard/GEOGuide), *Espagne méditerranéenne i Valence Castellon* (Peuples du monde), *Espagne nord et centre* (Lonely Planet France), *Espagne du nord-ouest* (Hachette/Guide du routard), *Espagne du sud* (Gallimard/GEOguide, Hachette/Guide bleu), *Hôtels et maisons d'hôte de charme en Espagne* (Rivages),

Madrid (Berlitz, Gallimard/Cartoville, Hachette/Un grand week-end, Hachette/Voir, Le Petit Futé, Michelin/Voyager Pratique, Mondeos, National Geographic France),

Pays basque (Gallimard/GEOGuide), *Séville* (Gallimard/Cartoville, Hachette/Un grand week-end), *Séville et l'Andalousie* (Hachette Voir), *Valence* (Gallimard/Cartoville),

• BALÉARES

Baléares (Hachette/Voir, Hachette/Guide du routard), *Majorque et Minorque* (Berlitz, JPMGuides), *Majorque* (Gallimard/Spiral).

• CANARIES

Canaries (Hachette Evasion, Lonely Planet France, Mondeos), *Grande Canarie* (Berlitz).

Cartes

Espagne et Portugal (Berlitz, Blay Foldex, IGN, Marco Polo, Michelin), *Canaries* (IGN), *Costa Brava* (IGN), *Costa del Sol* (IGN), *Lanzarote, Gran Canaria, Fuerteventura* (Bartholomew).

Lectures

Al-Andalus, 711-1492 : une histoire de l'Andalousie arabe (Hachette, 2001), *la Civilisation espagnole aujourd'hui* (Jacqueline Ferreras/Armand Colin, 2007), *Culture et mythologie des îles Canaries* (L'Harmattan, 2004), *Géopolitique de l'Espagne* (Barbara Loyer/Armand Colin, 2006), *Passants de Compostelle* (Jean-Claude Bourlès/Payot, 2004). Penser également aux œuvres du duo de poètes andalous, Garcia Lorca et Machado.

Images

Andalousie

Alhambra, un paradis mauresque (Actes Sud, 1999), *Andalousie, art et civilisation* (Ed. Mengès, 2004), *l'Andalousie* (Chêne, 2003).

Canaries

Iles Canaries, chemin sans asphalte (Jean-Pierre Huguet Editeur, 2002).

Catalogne

Le Goût de Barcelone (Mercure de France, 2001).

Autres

Espagne, la lumière retrouvée (Vilo, 2005), *la Route de Compostelle, le chemin de Saint-Jacques* (Imprimerie nationale, 2005).

Vidéos et DVD

Andalousie : flamenco et tauromachie dans la région de Grenade (Vodeo TV), *Andalousie* (TF1 Vidéo, 2004), *Espagne du Sud, Madrid – Andalousie – Cadix* (Editions Montparnasse, 2005).

QUEL VOYAGE ET À QUEL PRIX ?

Le voyage individuel

Les préparatifs

◆ Pour les autres pays de l'Union européenne et les Suisses, carte nationale d'identité ou passeport. Pour les Canadiens, passeport encore valide six mois après leur retour.

◆ Monnaie : l'*euro*.

Le départ

Avion

◆ Les vols à bas prix sont légion. Exemples à partir de la Belgique ou de la France : Beauvais-Madrid; Beauvais-Valence; Bruxelles-Barcelone, Bruxelles-Madrid; Charleroi-Madrid; Charleroi-Saragosse; Charleroi-Tenerife; Bruxelles-Séville;

Paris-Barcelone; Paris-Madrid; Paris-Séville, Paris-Saint-Jacques-de-Compostelle.

Indice de prix à certaines dates du vol Montréal-Madrid ou Montréal-Barcelone A/R : 700 CAD; Paris-Barcelone A/R : 100 EUR; Paris-Madrid A/R : 100 EUR; Paris-Malaga A/R : 150 EUR; Paris-Palma de Majorque (Baléares) A/R : 150 EUR; Paris-Tenerife (Canaries) A/R : 300 EUR. Nombreux départs des grandes villes de province.

◆ Durée moyenne du vol Paris-Barcelone (840 km) : 1 h 35; Paris-Madrid (1 044 km) : 1 h 50; Paris-Las Palmas (Canaries, 2 767 km) : 4 heures; Paris-Palma de Majorque (Baléares) : 2 heures. Pas de vol direct pour Minorque.

Bateau

◆ Pour qui souhaite se rendre aux **Canaries** en prenant son temps et, le cas échéant, en mettant sa voiture dans le bateau, une liaison (2 jours) existe entre Cadix et plusieurs îles de l'archipel. ◆ Chemin des écoliers également possible pour les **Baléares** à partir de Valence (avec la compagnie Trasmediterránea), de Barcelone pour Ibiza avec cette même compagnie et de Sète pour Palma de Majorque (16 heures de traversée). Renseignements auprès de l'office du tourisme.

Route

Paris-Barcelone 1 070 km; Paris-Madrid : 1 260 km; Paris-Séville : 1 800 km. Limitation de vitesse agglomération/route/autoroute: 50/90/120. Limite du taux d'alcoolémie : 0,5 pour mille (0,3 pour les conducteurs ayant le permis de conduire depuis moins de deux ans).

Sur place

Bateau

Dans les archipels, des liaisons-ferries existent entre les îles.

Bus

La majorité des grandes villes touristiques espagnoles sont desservies par Eurolines via les axes Bruxelles-Paris-Saint-Sébastien et Bruxelles-Lyon-Perpignan.

Hébergement

◆ Des suggestions de *Bed and Breakfast* existent pour 25 villes de l'Espagne continentale auprès de Tourisme chez l'habitant. ◆ Il existe près de 200 auberges de jeunesse. Renseignements : www.mtas.es/injuve ◆ Les *fondas* (pensions) et les *hostales* (auberges) sont indiquées par des panneaux bleus. Elles sont plus abordables que les *paradores,* anciens châteaux ou abbayes transformés en hôtels. En Andalousie, le logement dans des *haciendas* des XVIIe-XVIIIe siècles et dans des *cortijos* (propriétés agricoles) est devenu tendance.

◆ Les **autotours** (vol A/R, mise à disposition d'une voiture de location à l'aéroport, suggestion d'itinéraire, bons d'hôtels) et les voyages à la carte sont légion chez les voyagistes. Exemples : Donatello, Frantour, Jet Tours, Luxair Tours, Marsans, Mundicolor, Nouvelles Frontières. Ils sont généralement proposés pour une semaine *(aux alentours de 450 EUR vol A/R + voiture)* et sont parfois combinables avec une semaine en bord de mer avant ou après.

◆ Pour ceux qui souhaitent suivre les fameux 768 km du *Camino frances* entre Puenta la Reina et **Saint-Jacques-de-Compostelle**, les topoguides de la Fédération française de randonnée pédestre (☎ 01.44.89.93.93, www.ffrandonnée.fr) ou de la Société française des Amis de Saint-Jacques-de-Compostelle (☎ 01.43.54.32.90, www.compostelle.asso.fr) sont de précieux atouts, cette dernière association proposant des formules de logement en gîte.

Train

◆ Pass InterRail utilisables Disponible dans la plupart des gares. ◆ Nombreuses possibilités de tarifs réduits, renseignements et ventes dans les gares RENFE (☎ en France, 01.40.82.63.63) et SNCF. ◆ « Trainhôtels » Elipsos *Joan Miró*, de Paris à Barcelone (séjours possibles de 2 jours/1 nuit), et *Francisco de Goya*, de Paris à Madrid. ◆ L'*AVE*, le TGV local, relie Madrid à Séville en 2 h 25. ◆ Luxe dans l'*Al Andalus Expreso*, un train de style Belle Époque qui passe à Séville, Cordoue et Madrid.

Le séjour en individuel

Rappel : nous nous sommes limités à un résumé des prestations en vigueur dans les agences et chez les voyagistes présents en France. Les lecteurs des autres pays peuvent en tirer des idées d'itinéraire et les compléter auprès de leurs agences de voyages.

Espagne continentale

Une Espagne, celle des plages, écrase l'autre, celle des randonnées. Mais dans une vie de voyageur, on aurait tort de privilégier la première et de ne pas envisager la seconde.

◆ Pour les séjours **balnéaires**, la saison va d'avril à octobre et les locations proposés sont en moyenne d'une ou deux semaines. Réductions conséquentes pour les enfants de 2-11 ans et baisse sensible si l'on prend deux semaines au lieu d'une. Une semaine en hôtel-club, vol compris, en chambre double et en demi-pension, peut se trouver, sur la Costa Brava, *aux alentours de 400 EUR (en avril-mai et fin septembre-octobre) et de 650 EUR en haute saison.* En Andalousie (Costa del Sol) : *aux alentours de 400 EUR (en mai et fin septembre) et de 700 EUR en haute saison.*

Très grands classiques : Marbella et Torremolinos sur la Costa del Sol, Benidorm sur la Costa Blanca, Salou et Sitges sur la Costa Dorada. Pour éviter la grande foule, la Costa de la Luz, entre Cadix et Tarifa, est tout indiquée. Quelques voyagistes pour les séjours balnéaires : Club Med (villages à Cadaquès et Marbella), Fram, Hotelplan, Iberica, Jet Air, Jet Tours, Look Voyages, Luxair Tours, Neckermann, Rev'Vacances, Thomas Cook.

◆ Les propositions de séjours **week-end** dans les **villes**, particulièrement **Barcelone** et **Madrid**, abondent : pour Madrid, avion A/R + une ou deux nuits (Donatello, Euro Pauli, Fram, Jet Tours, Mundicolor, Transeurope); pour Barcelone et Madrid, avion A/R + deux nuits (Donatello, Fram, Frantour, Luxair Tours, Mundicolor, Nouvelles Frontières, Transeurope) ou chez l'habitant (Tourisme chez l'habitant). *Un forfait 3 jours/2 nuits* (transport et hébergement) coûte *aux alentours de 300 EUR pour Barcelone et Madrid, de 350 EUR pour Séville.* Autres propositions : Iberica, Transhotel.

Barcelone, Madrid, Grenade ou Séville, entre autres, sont desservies en bus par Eurolines (trajet A/R + 2 nuits). Frantour propose des formules train + une nuit d'hôtel pour Barcelone et Madrid. Enfin, des villes naguère peu programmées trouvent désormais preneurs, telles Valence (Mundicolor) et Bilbao (Nouvelles Frontières).

Le voyage accompagné

◆ L'Espagne des **randonneurs** est très programmée par le voyagiste La Balaguère qui les conduit en Sierra Nevada et dans l'Aragon. Les **rivières** des Pyrénées aragonaises et les **canyons** de la Sierra de Guara sont encore plus programmés, entre autres par Allibert, Club Aventure, Nomade Aventure ou Terres d'aventure pour une alternance de sauts, de marches et de nage. Le prix moyen de ces voyages-randonnées de *8 jours/7 nuits se situe autour de 1 000 EUR* (vol A/R et demi-pension).

◆ L'Espagne des **croisières** : sur un voilier pour la Costa Brava et les Baléares (Nouvelles Frontières, une ou deux semaines), avec Costa Croisières pour une mini-Méditerranée qui va de Marseille à Marseille via Barcelone, les Baléares, Tunis et l'Italie (8 jours, départs de mai à novembre) ou pour un ensemble Barcelone, Malaga, Canaries et Maroc. Les premiers prix pour une croisière estivale en Méditerranée se situent *aux environs de 1 000 EUR* mais on peut grignoter quelques sous et bénéficier de plus de calme en choisissant le printemps.

◆ L'Espagne **architecturale** et **artistique** est disséquée entre autres par Clio, qui est en Andalousie, comme Oriensce, qui est sur les routes, les places baroques et les villages de montagne de la région. Les **chemins** de Saint-Jacques sont, eux, de plus en plus en vogue et font l'objet d'une pléiade de propositions (renseignements auprès de l'office de tourisme).

Baléares

◆ Très grands classiques pour les séjours **balnéaires** : les côtes est, ouest et sud de Majorque, la côte sud-ouest d'Ibiza, Formentera, la côte sud de Minorque. Départs entre avril et octobre. Une semaine en hôtel-club, vol compris, en chambre double et en demi-pension, peut se trouver, à Majorque, *aux alentours de 450 EUR* (en avril-mai et fin septembre-octobre) *et de 600 EUR* en haute saison. Quelques voyagistes pour les séjours balnéaires : Club Med (village à Ibiza et à Majorque), Fram, Hotelplan, Iberica, Jet Air, Jet Tours, Look Voyages, Luxair Tours, Marsans, Mundicolor, Thomas Cook.

◆ Contre... pied au tourisme balnéaire, celui des **randonneurs** est privilégié dès le début mars et jusqu'en octobre par Allibert et La Balaguère à Majorque et à Ibiza au printemps et en automne (8 jours d'une randonnée facile), par Club Aventure (8 ou 15 jours en toutes saisons), par Terres d'aventure et par l'UCPA. A Majorque, Akaoka Voyages s'essaie au canyoning. *Compter 900 EUR en basse saison pour une semaine randonnée.*

Canaries

◆ Très grands classiques pour les séjours **balnéaires** : La Gomera (Playa Santiago), la côte sud de Tenerife, la côte sud de Grande Canarie, les côtes sud de Lanzarote et Fuerteventura. Une semaine en hôtel-club, vol compris, en chambre double et en demi-pension, peut se trouver, à Grande Canarie, *aux alentours de 450 EUR* (en avril-mai et fin septembre-octobre) *et de 650 EUR* en saison. Quelques voyagistes pour les séjours balnéaires : Donatello, Fram, Jet Air, Jet Tours, Look Voyages, Luxair Tours, Mundicolor, Pégase, Thomas Cook, TUI.

◆ Les **randonneurs** partent à l'assaut du pic du Teide (Tenerife) mais sont aussi tentés par le relief et les forêts de La Gomera. Sont sur les rangs pour l'une ou l'autre destination : Allibert, Club Aventure, La Balaguère (présent à El Hierro, comme Terres d'aventure), Nomade Aventure, Nouvelles Frontières. *Aux alentours de 1 100 EUR* en haute saison pour une semaine tout compris.

QUE RAPPORTER ?

Des objets symboliques comme une vraie guitare classique ramenée de chez un vrai luthier, ou un éventail en bois peint, ou encore des castagnettes pas trop touristiques... Penser aussi aux produits de tradition culinaire tels que l'huile d'olive, le xérès, le jambon, le fromage.

LES REPÈRES

◆ Pas de décalage horaire avec la Belgique, la France ou la Suisse, excepté pour les Canaries (moins 1 heure); lorsqu'il est midi au Québec, en Espagne il est 18 heures. ◆ Langue : l'espagnol, ou castillan, mais le bilinguisme est de règle au Pays basque (langue basque), en Catalogne et aux Baléares (catalan); 7 % des habitants parlent le galicien. ◆ Langues étrangères : les similitudes entre l'espagnol et le français facilitent les contacts, alors que la pratique de l'anglais se répand. ◆ Téléphone vers l'Espagne : 0034 + indicatif (Barcelone : 93; Madrid : 91; Valence : 96) + numéro; d'Espagne : 07 + indicatif pays + numéro.

LA SITUATION

Géographie. Un vaste plateau intérieur, la Meseta, définit le relief de l'Espagne, relevée au nord par les Pyrénées (3 404 m au pic d'Aneto) et au sud par la sierra Nevada (3 478 m au Mulhácen). Quant aux Canaries, qui renferment le point culminant du pays (3 718 m au pico del Teide), elles sont d'origine volcanique. Au total, l'Espagne couvre 504 782 km^2.

Population. 40 491 000 habitants se partagent les quinze provinces, avec des particularismes parfois très marqués. Ainsi, Andalous, Catalans et surtout Basques n'ont en commun que... leur opposition au pouvoir central. L'Espagne compte désormais près de quatre millions d'étrangers. Capitale : Madrid.

Religion. Forte prépondérance catholique (97 % de la population).

Dates. *1100 av J.-C.* Les Phéniciens et les Grecs rejoignent les Celtibères, premiers habitants. *201 ap. J.-C.* Les Romains sont là, avant les Vandales et les Wisigoths. *711-1492* Longue période musulmane, qui prend fin avec la délivrance du pays par les « Rois catholiques ». *1492* Isabelle Ire, reine de Castille, offre trois caravelles à Christophe Colomb, qui découvre l'Amérique. *1588* Après le temps glorieux des conquistadores, défaite de l'invincible Armada et fin de la mainmise espagnole sur une grande partie de l'Europe. *1814* Monarchie absolue de Ferdinand VII, perte des colonies d'Amérique latine. *1923* Dictature de Primo de Rivera. *1936* Victoire du Front populaire et début de la guerre civile entre républicains et nationalistes (environ cinq cent mille morts). Prise du pouvoir par Franco, qui restera *caudillo* jusqu'à sa mort en 1975. *1975* Le roi Juan Carlos Ier hérite du trône d'Espagne et, d'abord avec A. Suarez, ensuite avec F. Gonzalez (parti socialiste) en 1982, assure la transition vers la démocratie. *1986* L'Espagne entre dans la CEE. *Mars 1996* José Maria Aznar et le Parti populaire (PP, conservateur) remportent les élections législatives. *Septembre 1998* L'ETA annonce une «trêve illimitée», rompue quatorze mois plus tard. *Mars 2000* Triomphe du PP aux législatives. *Été 2000* L'ETA multiplie les attentats. *11 mars 2004* 191 personnes périssent dans des attentats de la mouvance islamiste sur le réseau ferroviaire de Madrid. *14 mars 2004* Législatives : les électeurs sanctionnent Aznar, les socialistes l'emportent avec Zapatero qui devient président du gouvernement, à la majorité absolue. *Mars 2008* Les socialistes sont reconduits.

Estonie

Son entrée dans l'Union européenne procure à l'Estonie une meilleure audience, mais elle n'est pas appelée à devenir un pays de fort tourisme. Le plus petit des États baltes compte néanmoins sur l'attrait de sa capitale Tallinn, qui avance son double intérêt de cité médiévale fortifiée et d'ancienne ville hanséatique. Le « nouveau » touriste des pays de l'Est pourra ensuite prolonger son voyage par la découverte de forêts et de lacs, dont l'endroit n'est pas avare.

LES RAISONS D'Y ALLER

LES VILLES

Tallinn, Tartu, Narva, Kuressaare, Pärnu, Haapsalu

LES PAYSAGES

Forêts (parc national Lahemaa), lacs, île de Saaremaa, Otepää, Võru (ski de fond)

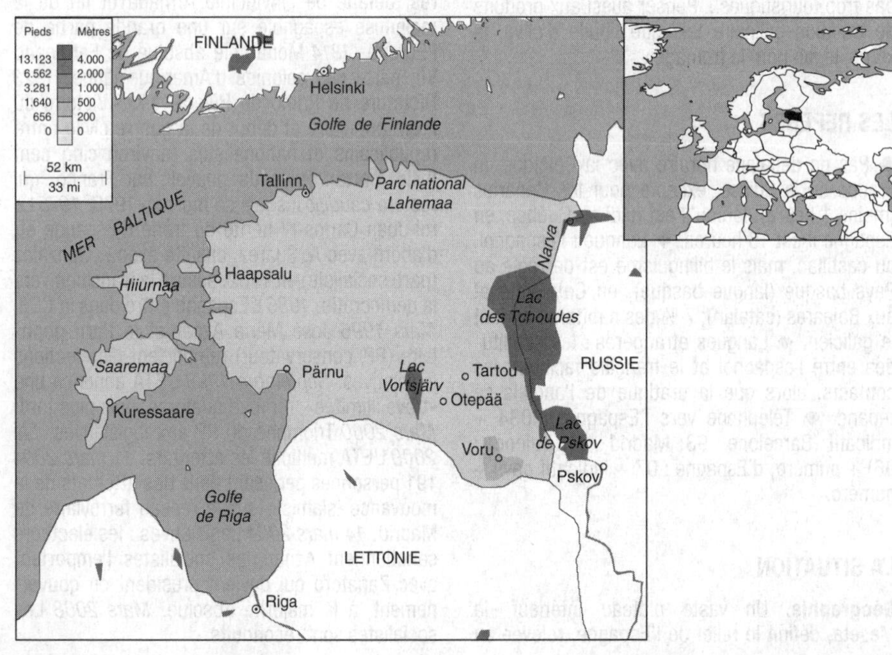

LES RAISONS D'Y ALLER

LES VILLES

Très contrastée, la capitale **Tallinn**! Si on l'aborde par bus, par exemple, on traverse d'abord des quartiers ternes, puis d'autres où les tours de la mondialisation commencent à pousser, enfin la partie historique, citadelle blottie au fond d'un golfe, protégée par des remparts et des tours, divisée en une ville basse et une ville haute, celle-ci dominée par la colline de Toompea.

Une balade sur Toompea est un vrai plaisir, tant architectural (cathédrale orthodoxe Alexander Nevski, château et sa façade baroque rose qui abritent le parlement, église luthérienne du Dôme, église Saint Olaf) qu'esthétique grâce aux terrasses panoramiques qui dominent les toits de tuiles rouges. Il est temps, alors, d'aborder la ville basse et sa place de l'Ancienne Mairie, là où se traitait le commerce avec les villes hanséatiques de la Baltique. Les maisons médiévales des XIIIe et XIVe siècles se succèdent, particulièrement le long des rues Lai et Pikk.

Dans les environs de Tallinn, deux centres d'intérêt :

- à quatre kilomètres à l'est, un palais consacré à la Grande Catherine – le palais **Kadriorg**, à l'architecture d'apparat – non loin d'une maisonnette célèbre puisqu'elle a abrité Pierre le Grand;

- à sept kilomètres au nord-est, le site balnéaire de **Pirita** avec en point d'orgue l'amphithéâtre du chant estonien qui reçoit chaque année un prestigieux festival de la chanson.

L'autre ville importante, **Tartu**, également ancien comptoir de la Hanse, héberge le Musée national estonien et connaît tous les quatre ans un Festival de la chanson, où sont arborés les costumes traditionnels de chaque village. Deux villes sont à visiter pour leurs châteaux : **Narva** (Hermann Castle) et **Kuressaare** (château épiscopal).

Sur la côte, le site balnéaire de **Pärnu**, agrémenté de maisons de bois du début du siècle, et **Haapsalu**, la « Venise de la Baltique », valent le détour.

LES PAYSAGES

Les **forêts** et la faune (ours, élans, lynx, loups) donnent au parc national Lahemaa, à l'est de Tallinn et en bordure de la Baltique, la réputation de lieu naturel le plus attractif du pays, d'autant que l'on y découvre aussi des manoirs d'anciens barons (Kolga, Palmse, Sagadi).

Le pays compte plus d'un millier de **lacs**, surtout dans la partie sud, qui complètent l'attrait de la campagne estonienne, encore inconnue ou presque du touriste.

L'île de **Saaremaa**, qui bénéficie d'une flore abondante dans une nature préservée et renferme une particularité (le cratère d'une météorite à Kaali), est l'endroit le plus agréable du pays en été. En outre, Saaremaa offre aujourd'hui ses nombreux et peu coûteux centres de thalassothérapie.

Les régions du sud-est (Otepää, Võru) sont propices à la pratique du **ski de fond**.

LE POUR

◆ L'attrait de plus en plus fort de Tallinn, ville qui devrait devenir une importante destination de week-end, d'autant que les compagnies à bas prix sont présentes.

LE CONTRE

◆ Une image touristique qui reste à peaufiner, les trois pays baltes étant trop souvent confondus.

◆ Un prix du voyage accompagné encore élevé.

◆ Un climat guère favorable.

LE BON MOMENT

Humide et frais, le climat de l'Estonie peut être comparé à celui du nord de la Pologne ou du sud de la Finlande : jamais trop froid mais jamais vraiment encourageant. **Juin-septembre** s'impose.

◆ Températures moyennes jour/nuit à Tallinn : janvier -2/-8, avril 8/0, juillet 21/12, octobre 9/4.

LE PREMIER CONTACT

En Belgique

Chancellerie, 1, avenue Isidore-Gérard, B-1160 Bruxelles, ☎ (02) 779.07.55, fax (02) 779.28.17, saatkond@estem.be

Au Canada

Consulat général, 800 place Victoria, Montréal, H4Z 1E9, ☎ (514) 397-7400, fax (514) 397.7600.

En France

Ambassade, 46, rue Pierre-Charron, 75008 Paris, ☎ 01.56.62.22.00, fax 01.49.52.05.65, www.est-emb.fr/

En Suisse

Consulat, Bergstrasse, 52, CH-8000 Zurich, ☎ (01) 926.88.37, fax (01) 926.88.38.

Internet

www.paysbaltes.com
www.visitestonia.com
www.tourism.tallinn.ee

Guides

Estonie (Le Petit Futé), *Pays baltes* (Gallimard/Bibl. du voyageur, JPMGuides, Lonely Planet France, Michelin/Guide vert, Mondeos), *Pologne et les capitales baltes* (Hachette/Guide du routard), *Tallinn* (Gallimard/Cartoville).

Cartes

États baltes (IGN, Michelin).

Lectures

Dictionnaire historique de l'Estonie (Editions Armeline, 2005), *l'Estonie, identité et indépendance* (L'Harmattan, 2003), *Histoire de l'Estonie et de la nation estonienne* (Jean-Pierre Minaudier, L'Harmattan, 2007), *Kalevipoeg : épopée nationale estonienne* (F. Kreutzwald, Gallimard, 2004).

Images

Via Baltica : Sur la route des pays baltes, Estonie, Lettonie, Lituanie (Ed. Noir sur Blanc, 2007).

QUEL VOYAGE ET À QUEL PRIX ?

Le voyage individuel

Les préparatifs

◆ Pour les ressortissants de l'Union européenne, passeport ou carte d'identité suffisant. Pour les Canadiens, passeport encore valide six mois après le retour, visa. Preuve de fonds suffisants exigible.

◆ Monnaie : la couronne estonienne (kroon). 1 EUR = 15,7 couronnes estoniennes, 1 US Dollar = 11,1 couronnes estoniennes. Emporter des euros ou des US Dollars en espèces ou en chèques de voyage et une carte de crédit (distributeurs de monnaie).

Le départ

◆ Indice de prix à certaines dates du vol Montréal-Tallinn : 1 000 CAD; Paris-Tallinn A/R : 200 EUR. Les vols à prix réduit tracent peu à peu leur chemin, tel Air Baltic à partir de Bruxelles. ◆ Durée moyenne du vol Paris-Helsinki ou Paris-Tallinn : 4 heures. ◆ Les voyageurs individuels qui ont du temps peuvent agrémenter leur séjour en prenant un vol pour Riga en Lettonie (meilleure desserte que Tallinn puis bus) ou pour Helsinki (en traversant le golfe de Finlande).

Sur place

Bateau

◆ Liaisons régulières avec Helsinki, à peine à une heure et demie de bateau.

Bus

◆ Eurolines dessert Tallinn et les capitales alentour. ◆ Bon réseau intérieur de bus.

Hébergement

◆ Beaucoup de possibilités de réserver l'hébergement via Internet. ◆ La formule *Bed and Breakfast* et les hôtels de charme gagnent peu à peu les États baltes. ◆ Renseignements sur les dix auberges de jeunesse du pays : www.eyha.jg.ec

Route

◆ Conduite à droite, codes allumés en permanence, alcool interdit au volant. ◆ Vitesse agglomération/route/autoroute : 50/90/110.

Train

◆ Train de nuit Paris/Gare du Nord-Tallinn. ◆ Réseau intérieur lent, lui préférer le bus.

Le séjour en individuel

Rappel : nous nous sommes limités à un résumé des prestations en vigueur dans les agences et chez les voyagistes présents en France. Les lecteurs des autres pays peuvent en tirer des idées d'itinéraire et les compléter auprès de leurs agences de voyages.

◆ Les week-ends pour la seule Tallinn existent, par exemple chez Fram (3 jours/2 nuits) ou Nouvelles Frontières (4 jours/3 nuits). Amslav et Eastpak ajoutent Parnu et Tartu à la capitale. La plupart des voyagistes combinent Tallinn avec Helsinki, Stockholm et Saint-Pétersbourg (Scanditours), d'autres avec les deux capitales baltes voisines et Saint-Pétersbourg (Tourmonde). *Compter entre 500 et 600 EUR* pour un séjour de ce type.

Le voyage accompagné

◆ Outre les spécialistes Bennett, Clio, CGTT ou Nortours, Donatello, Fram, Nouvelles Frontières, Scanditours et Voyageurs du monde proposent les **trois capitales** baltes dans un même voyage, généralement pour une dizaine de jours entre mai et août. Les spécialistes de la randonnée les rejoignent peu à peu, tel Allibert (13 jours pour les trois pays).

Le pays est effleuré par des navires de **croisière**, tel l'*Adriana* (Costa Croisières) qui, parti de Göteborg, passe à Tallinn puis continue vers Saint-Pétersbourg et Stockholm.

◆ *Les voyages accompagnés reviennent* aux *alentours de 1 400 EUR, tout compris. Une croisière de 15 jours revient à 2 500 EUR environ, avec excursions en option.*

LES REPÈRES

◆ Lorsqu'il est midi en France, en Estonie il est 13 heures; lorsqu'il est midi au Québec, en Estonie il est 19 heures. ◆ Langue officielle : l'estonien, qui est une langue finno-ougrienne. Un tiers de la population parle le russe. ◆ Téléphone vers l'Estonie: 00372 + indicatif (Tallinn : 2 ou 6); depuis l'Estonie : 00 + code pays + numéro sans le zéro.

LA SITUATION

Géographie. Au nord, les rives du golfe de Finlande, au sud des lacs et des marais donnent à la petite Estonie (45 227 km^2) un relief peu accidenté.

Population. Les Estoniens de souche représentent les deux tiers de la population, le troisième tiers étant presque totalement composé de Russes. Le nombre total (1 308 000 habitants) est modeste. Capitale : Tallinn.

Religion. Le luthéranisme est prédominant. Minorités de catholiques et d'orthodoxes.

Dates. *XIIe siècle* Danois et Allemands se partagent la région. *1346* Les Allemands l'occupent entièrement. *1629* Au tour de la Suède de s'approprier l'Estonie. *1721* L'Estonie revient à la Russie. *1917* Elle se déclare autonome. *1918* Lénine la cède aux Allemands. *1933* Dictature de Laidoner. *1940* Intégration à l'URSS, qui en fera sa quinzième république en 1944, après l'avoir libérée des Allemands. *1990* Profondes secousses indépendantistes. *1991* L'Estonie indépendante entre à l'ONU. *Octobre 1992* Lennart Meri est élu président de la République. *Septembre 1996* Difficile réélection de Lennart Meri, pro-Européen et partisan d'une économie de marché. *Mars 1999* Une coalition de centre droit s'installe au pouvoir. *2001* L'élection d'Arnold Ruutel, un ancien communiste, sanctionne l'échec du libéralisme ambiant. *Mai 2004* L'Estonie entre dans l'Union européenne. *Avril 2007* Le déplacement du « soldat de bronze » déclenche de graves émeutes à Tallinn.

États-Unis

Le voyageur était trop attiré par l'aimant des États-Unis pour délaisser longtemps le pays après le 11-Septembre. Et de fait il est revenu. Comme ses devanciers, il doit garder à l'esprit que le plus spectaculaire n'est pas dans la façade des villes démesurées mais bien dans l'arrière-cour des paysages naturels, préservés par l'existence d'au moins quarante parcs nationaux. La concurrence entre les compagnies aériennes et la multiplicité des formes de balades une fois sur place continuent de rendre le voyage relativement abordable.

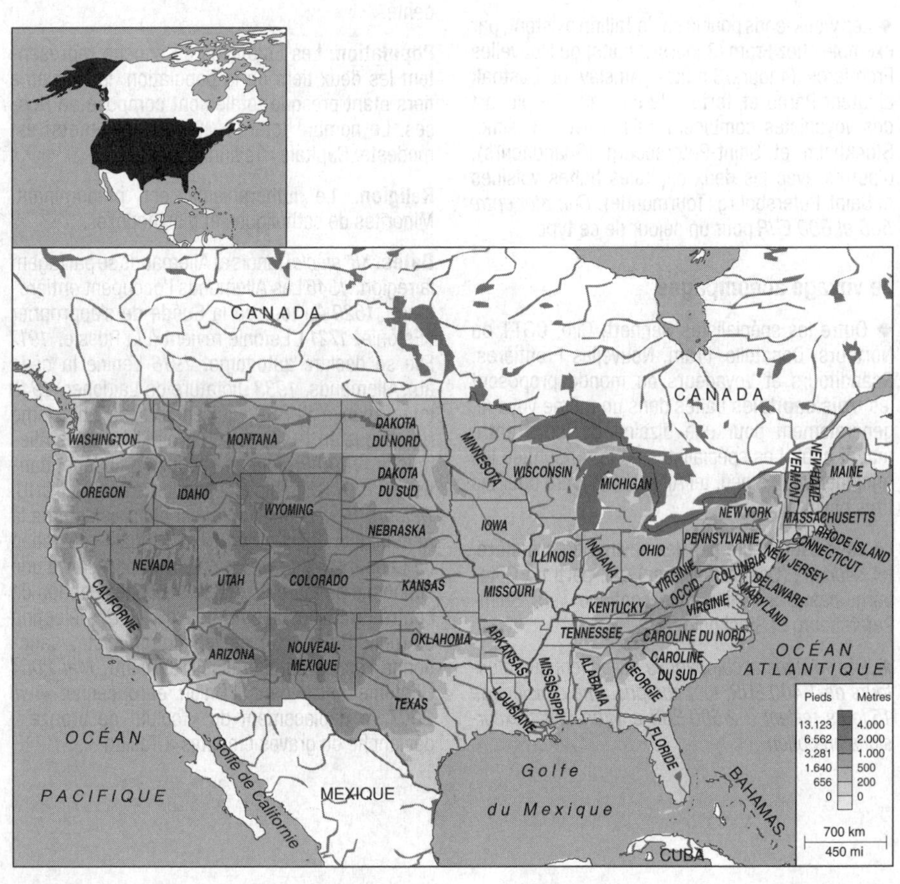

LES RAISONS D'Y ALLER

ALASKA

LA NATURE

Glaciers, montagnes, fjords, sources chaudes, croisières, pêche

LA FAUNE

Caribous, grizzlis, castors, baleines

LES TRADITIONS

Esquimaux

ARIZONA

LA NATURE

Grand Canyon du Colorado, Monument Valley, Meteor Crater, Petrified Forest, cactus géants, Old Tucson, canyon de Chelly, oasis de Phoenix

CALIFORNIE

LA NATURE

Grands parcs naturels de l'Ouest américain (Kings Canyon, Sequoia National Park, Yosemite National Park, vallée de la Mort), Napa Valley, désert de Mojave

LES VILLES

Los Angeles, San Francisco, San Diego

LA CÔTE

Plages de la partie sud, baie de Monterey

COLORADO

LA NATURE ET LES SPORTS D'HIVER

Mesa Verde, Black Canyon, Summit County

COLUMBIA

LA VILLE

Washington

DAKOTA DU SUD

LA NATURE

Grottes, Badlands, mont Rushmore

FLORIDE

LES CÔTES

Suncoast, Keys, Miami Beach

LES ATTRACTIONS

Disneyworld, cap Canaveral

LA NATURE

Marécage des Everglades

GEORGIE

LA VILLE

Savannah

LE SITE

Bas-reliefs de Stone Mountain

HAWAII

LES CÔTES

Plages, surf, funboard

LES PAYSAGES ET LES RANDONNÉES

Volcans

IDAHO

LA NATURE

Hell's Canyon, Snake River, cratères de la Lune, parcs nationaux, ski

ILLINOIS

LES VILLES

Chicago, Springfield

INDIANA

LA VILLE

Indianapolis

KANSAS

LA NATURE

Flint Hills

KENTUCKY

LE SITE

Mammoth Cave

LES RAISONS D'Y ALLER *(suite)*

LOUISIANE

L'HISTOIRE

Dixieland, cajuns, bayous

LES VILLES

La Nouvelle-Orléans, Baton Rouge, Lafayette, Natchitoches

LA NATURE

Plantations, Mississippi

MAINE

LA CÔTE

Plages, parc d'Acadie

MASSACHUSETTS

LA NATURE

Été indien

LES VILLES

Boston, Cambridge, Salem, Plymouth

LA CÔTE

Cape Cod, observation des baleines

MICHIGAN

LA VILLE

Detroit

LES PAYSAGES

Lacs (Michigan, Huron, Érié)

MINNESOTA

LE SHOPPING

Mall of America

MISSISSIPPI

LES TRADITIONS

Route 61, Clarksdale (blues), Vicksburg (coca-cola), Natchez

MONTANA

LES PAYSAGES

Indiens et bisons, Glacier National Park

NEBRASKA

L'HISTOIRE

Oregon Trail, Chimney Rock

NEVADA

LA VILLE

Las Vegas

LES TRADITIONS

National Final Rodeo

NEW HAMPSHIRE

LA NATURE

Lacs, cascades, forêts, montagnes (ski)

NEW YORK

LA VILLE

New York

LA NATURE

Été indien, Watkins Glen, Finger Lakes

NOUVEAU-MEXIQUE

LES TRADITIONS

Indiens, Santa Fe

LA NATURE

White Sands, grottes de Carlsbad

OHIO

LA VILLE

Cleveland

OREGON

LA NATURE

Crater Lake

PENNSYLVANIE

LES VILLES

Philadelphie, Pittsburgh

LES TRADITIONS

Communauté Amish

LES RAISONS D'Y ALLER *(suite)*

TENNESSEE

LES TRADITIONS

Nashville, country music, Memphis, hommage à Elvis Presley

TEXAS

LES TRADITIONS

Cow-boys, Kingsville, Fort Alamo, Austin

LES VILLES

Dallas, Fort Worth, Houston

UTAH

LA NATURE

Bryce Canyon, Grand Lac Salé, Rainbow Bridge, lac Powell, parc national d'Arches, Cataract Canyon, Capitol Reef National Park
Ski (Salt Lake City)

VERMONT

LA NATURE

Montagnes vertes

VIRGINIE

L'HISTOIRE

Williamsburg, Charlottesville

LA NATURE

Shenandoah National Park, Montagnes bleues

WASHINGTON

LA NATURE ET LA FAUNE

Mont Saint Helens, mont Rainier
Orques, baleines

WYOMING

LA NATURE

Yellowstone National Park,
chaîne du Grand Teton, Devils Tower
Grandes plaines, ranchs, vie des cow-boys

LES RAISONS D'Y ALLER

ALASKA

LA NATURE

L'Alaska, the « last frontier », dont la froidure ne fait plus peur au touriste-randonneur, doit sa beauté et sa réputation à ses milliers de **glaciers** : Columbia, Portage et surtout Malaspina et Nabesna, les plus imposants. C'est en cabotant sur de petits navires de croisière qu'on les observe le mieux, tout en ayant quelque chance de croiser les hôtes de l'endroit (baleines, lions de mer, phoques).

En septembre, avant les grands froids, la nature et ses couleurs d'automne imposent leur beauté. L'État est dominé par les 6 194 m du mont McKinley, dans le Denali National Park, et les sommets des monts Wrangell. Le mont McKinley est le point culminant de l'Amérique du Nord et fut l'un des objectifs de la ruée vers l'or, dont la route la plus connue se situe au sud-est de l'État.

Les **fjords** du parc national de la presqu'île de Kenai, la région de la rivière **Yukon**, qu'apprécient les amateurs de kayak, et les sources chaudes sont les autres aspects du spectacle, alors que l'abondance des rivières, des lacs et des torrents constitue une invitation de choix pour les amateurs de **pêche**. Sur les rivières Yukon et Tanana, ainsi que sur le Lynn Canal, des **croisières** sont proposées.

LA FAUNE

La faune du Denali National Park est riche : ours, élans, **caribous**, **grizzlis, castors**, aigles. Phoques, marsouins et **baleines** sont présents dans Glacier Bay National Monument.

LES TRADITIONS

Les **Esquimaux,** dont on visite les villages, tentent de préserver leurs traditions, mises en valeur par le musée d'art d'Anchorage.

Une tradition s'est, elle, perdue depuis bien longtemps : celle qui a vu les fous de la ruée vers l'or emprunter à partir de 1897 la courte ligne de **chemin de fer** qui relie Skagway à Whitehorse (Yukon, Canada). Mais le tourisme vient de la reprendre à son compte...

ARIZONA

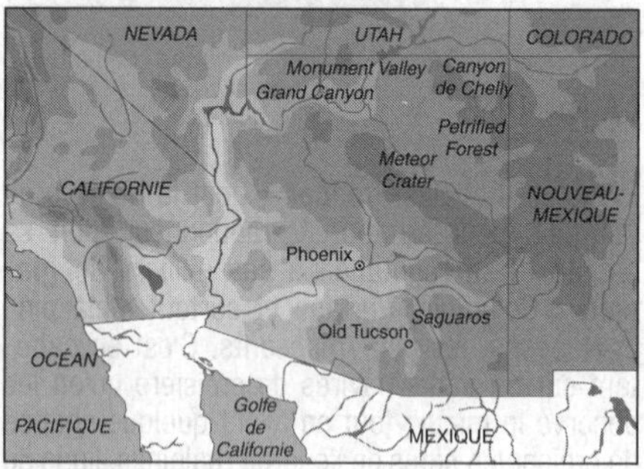

LA NATURE

C'est en Arizona que se trouve l'un des sites naturels les plus célèbres du monde : le **Grand Canyon du Colorado**. Le fleuve a creusé un sillon aujourd'hui étendu à une succession de falaises pour la plupart rouge orangé, entre 6 et 29 km de largeur pour une profondeur maximale de 1 600 m. Le survol est possible en petit avion, et des balades à pied ou à dos de mulet sont envisageables autour ou au fond du canyon. Dernière attraction, très controversée : le Grand Canyon Skywalk, un fer à cheval à fond de verre sur lequel le touriste marche 1 200 m au-dessus du fleuve.

Il y a foule également aux confins de l'Arizona et de l'Utah, où s'élèvent les piliers et les aiguilles de grès rouge de **Monument Valley**, qui ont tant servi aux réalisateurs de westerns et de films publicitaires. Non loin de là, les **réserves** des Indiens Hopis et Navajos trouvent leur symbole dans le canyon de **Chelly**, qui a vu naître les premières civilisations américaines (la White House des Anasazis, les «anciens», date du XIe siècle) et conserve un caractère sacré pour les Navajos, qui ont succédé aux Anasazis.

Évalué à quelques dizaines de milliers d'années, **Meteor Crater** est dû à la chute d'une météorite qui a creusé un trou de 180 m de profondeur et de 1 300 m de large. À quelques encablures au nord-est, **Petrified Forest** est la démonstration de ce que peut provoquer le désert une fois que les derniers cours d'eau ont disparu.

A la lisière du Mexique, les cactus dominent : les **saguaros** géants du Saguaro National Park (ils peuvent atteindre 15 m de hauteur) répondent aux cactus en forme d'orgue de la région des Ajo Mountains (**Organ Pipe** National Monument).

Au sud-est de l'Etat, le village d'**Old Tucson** tire sa célébrité du choix de la Columbia d'en avoir fait en 1939 le premier grand site des tournages de westerns. Enfin, l'**oasis** qui sert de cadre à la ville de **Phoenix** n'est pas le but le moins spectaculaire d'un des États les plus touristiques du pays.

CALIFORNIE

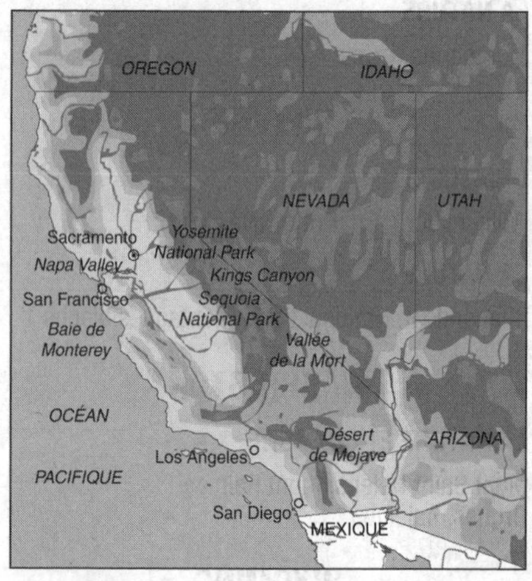

LA NATURE

La plupart des grands parcs naturels de l'Ouest américain sont ici. Du nord au sud s'étagent le **Yosemite National Park**, ses lacs, ses pins Bristlecones séculaires dans les White Mountains, ses séquoias géants (Mariposa Grove), ses escarpements tels que les 2 600 m du Half Dome; la **vallée de la Mort** (85 m au-dessous du niveau de la mer pour son point le plus bas), que l'on peut visiter à partir de l'oasis située en son milieu, havre de fraîcheur de l'un des endroits les plus chauds et les plus désolés de la planète; le **Kings Canyon** et, à proximité, le **Giant Sequoia** National Monument et le **Sequoia** National Park, créés pour préserver cet arbre vénérable, aussi haut que sont petites ses feuilles; le désert de **Mojave** et **Joshua Tree**, flanqué de ses gros cactus, à l'est de Palm Springs.

Au sud-est de ce même Palm Springs, les nostalgiques du peace and love s'attarderont à **Slab City**, popularisé par le film de Sean Penn *Into the Wild*. Ils longeront ensuite la côte californienne sur la **Pacific Coast Highway** n° 1, l'un des itinéraires les plus spectaculaires des États-Unis. De là on aborde l'océan et sa faune facilement observable (éléphants de mer, phoques, otaries, goélands et, en novembre et au printemps, les baleines grises en cours de migration). Sur la côte de Sonoma County, **Bodega Bay** et ses goélands ont acquis la célébrité depuis qu'Hitchcock en a fait le lieu de tournage des *Oiseaux*.

Non loin de San Francisco, se trouvent la **Napa Valley** et la **Sonoma Valley**, cette dernière invitant les amateurs à accroître leurs connaissances des crus californiens. Plus au nord, les amateurs d'insolite choisiront la **Gold Country**, ses vallons, ses vignes, ses rivières (kayak et raftings possibles), ses idées de randonnée et l'histoire des débuts de la Ruée vers l'or du milieu du XIXe siècle.

Le voyageur titillé par la probabilité des séismes est invité à survoler la **faille** de San Andreas, entre Point Arena et la frontière mexicaine. Quant au passionné d'astronomie, il visitera, au nord-est de San Diego, le **mont Palomar** et son télescope de plus de 5 m d'ouverture.

LES VILLES

Los Angeles est la ville de la démesure à tous les sens du terme : 100 km de long sur sa façade ouest! Les grandes légendes du cinéma et ses noms célèbres (Hollywood, Beverly Hills, Sunset Boulevard et Universal Studios, qui demande une journée de visite) s'y côtoient. Hollywood Boulevard, actuellement plutôt décrépit, conserve son cinéma chinois, sur le parvis duquel sont tracées les empreintes et les dédicaces des grandes stars américaines des dernières décennies; sur les trottoirs, les étoiles en bronze symbolisent plus de deux mille célébrités du monde du spectacle (Walk of Fame). Les branchés gagneront Melrose Avenue, quelques « blocks » plus loin. Disneyland, le plus célèbre des paradis des enfants, est moins vaste mais plus ancien que Disneyworld, en Floride. On doit aussi s'attacher à la visite de musées ou institutions renommés : Pasadena, Museum of Contemporary Art et surtout le futuriste et dense Getty Center, divisé en Villa Getty et Getty Museum (Gauguin, Greco, Poussin, Rubens, Van Gogh).

Le long de sa baie, **San Francisco** est moins impressionnant que Los Angeles mais plus attachant. Ses emblèmes touristiques (Golden Gate, Cable Cars, rues en montagnes russes, maisons victoriennes, quartiers de Lombard, de Chinatown, docks retapés de Fisherman's Wharf, pénitencier d'Alcatraz au large) et les mœurs les plus affranchies des États-Unis ont fait sa réputation. Mais les mythes vacillent : la trace du mouvement hippie ou de Jack Kerouac a du mal à résister dans Haight Street et Ashbury Street, alors que « The Mission », quartier modeste et rebelle, doit affronter l'invasion de l'informatique.

De l'autre côté du Golden Gate, se trouve Sausalito, où les hippies des années 60, puis les boutiques et les touristes, ont succédé aux pêcheurs.

San Diego est recherché pour la douceur de son climat, pour ses musées (Musée maritime, Museum of Art), pour son quartier ancien de style espagnol (Old Town) et pour le centre aquatique de Sea World, où le spectacle des grands cétacés constitue l'attraction. Spectacle moins assuré mais plus réel : entre la mi-décembre et la mi-février, la migration des **baleines** descendues des rivages de l'Alaska vers la basse Californie.

Enfin, ce n'est pas une ville mais un vrai mythe : **Bagdad Cafe**, le vrai, celui du film du même nom, à Newberry Springs, 10 miles à l'est de Barstow.

LA CÔTE

Les **plages** les plus connues des États-Unis sont autour de **Los Angeles** (Santa Monica, Malibu, Venice et, pour les surfeurs, Huntington Beach) ou au nord (alentours de Santa Barbara). Après les avoir vues et pratiquées, il faudra savoir les délaisser pour d'autres, un rien plus paisibles mais aux eaux plus fraîches, par exemple celles qui jalonnent la baie de **Monterey**, où se trouve par ailleurs un aquarium réputé et de beaux sites le long de la route *(Seventeen Miles Drive)* qui relie Pacific Grove à **Carmel**. Quelques kilomètres au sud de la ville richissime de Clint Eastwood, il en est une autre également chère à bien d'autres artistes : **Big Sur**.

COLORADO

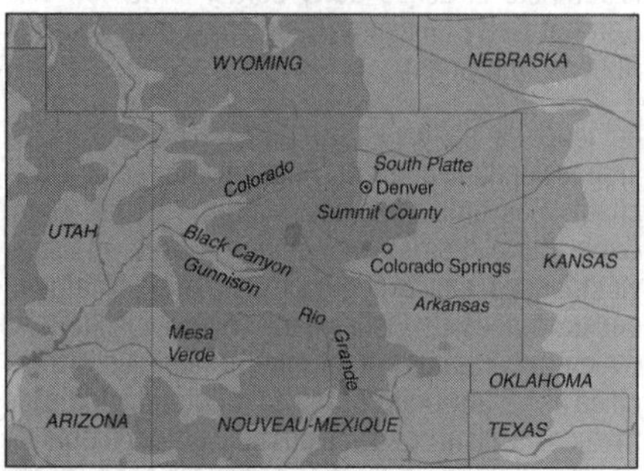

LA NATURE ET LES SPORTS D'HIVER

Si les plus beaux panoramas du Grand Canyon ne sont pas dans l'État qui porte son nom mais bien dans l'Arizona voisin, le Colorado donne le change avec, à l'extrême sud-ouest, la **Mesa Verde** (« Table verte »), grand plateau gréseux entaillé par une dizaine de canyons boisés. Dans leurs parois, des abris sous roche creusés par les eaux et le vent ont vu les Indiens nomades venus des vallées s'y réfugier puis s'y installer du VIe au XIVe siècle. Aujourd'hui, on peut visiter les habitations troglodytiques (Cliff Palace) et les maisons à étages de Sun Point Pueblo.

L'État du Colorado renferme plusieurs parcs nationaux (Great Sand Dunes, Rocky Mountain) et a aussi son canyon, plus sauvage que l'autre : le **Black Canyon**. Au fond, la rivière Gunnison a du mal à se laisser admirer, tant les versants sont étroits et vertigineux.

A l'ouest de Denver, apparaissent les stations de **ski** les plus élégantes du pays : Aspen, Vail, Beaver Creek, Breckenridge, Keystone. La motoneige y a largement creusé son sillon. Une curiosité à l'extrême nord-ouest de l'Etat : le **Dinosaur** National Monument.

COLUMBIA (Washington D. C.)

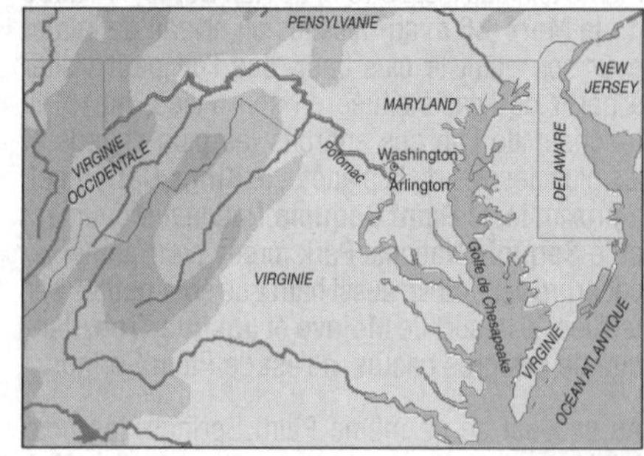

LA VILLE

Washington essaie de tempérer sa réputation de ville violente par des atouts touristiques de première valeur : Maison Blanche, Lincoln Memorial, Capitole. On y visite également de riches musées, dus à la générosité de la Smithsonian Institution, entre autres la National Gallery of Art (œuvres de Miró, Raphaël, Rembrandt, Rubens, Van Gogh, Velázquez, Vermeer), le musée de l'Art et de l'espace (avec la capsule Apollo 11, la première à s'être posée sur la Lune) et le musée national des Indiens d'Amérique. Non loin de là, le cimetière national d'Arlington renferme des tombes célèbres, dont celles de Bob, Jackie et John Kennedy.

DAKOTA DU SUD

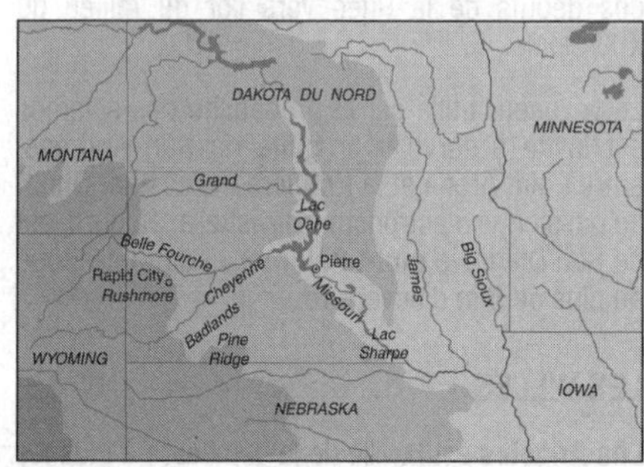

LA NATURE

82 km de **grottes**, dont une partie est classée monument national, et plusieurs salles souterraines ornées de fleurs de gypse permettent à **Jewel Cave** de n'avoir qu'une seule rivale dans l'État, à quelques kilomètres : **Wind Cave**. La « grotte du

Vent », ainsi appelée à cause de l'air qui s'échappe de l'une de ses anfractuosités, vaut par la calcite fine de ses parois, pareille à du cristal.

Ces deux grottes sont situées à la lisière d'un plateau de steppes, les **Badlands**, hérissé de pitons et de pics surplombant des ravins.

Dans les Black Hills, au sud-ouest de Rapid City, se trouve le mont **Rushmore**, réputé pour les visages, taillés dans le roc, des présidents Washington, Jefferson, Lincoln et Roosevelt. Au sud du mont Rushmore, s'étend Pine Ridge, l'une des réserves de la Grande Nation sioux.

FLORIDE

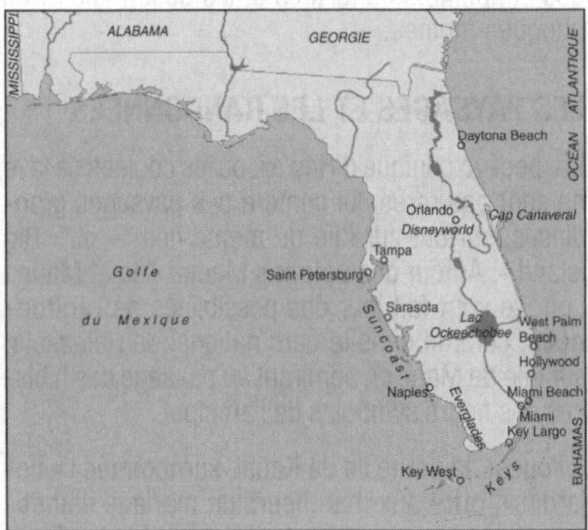

LES CÔTES

C'est parce qu'ils ont déjà la saveur des plages caraïbes que les rivages de sable blanc de Floride, le « Sunshine State », ont si grande réputation. Sur la côte ouest, la **Suncoast**, de Tampa à la pointe sud de la presqu'île, se retrouvent les heureux élus du système américain, souvent du troisième âge, dans des stations balnéaires aux noms prestigieux (Naples, Sarasota, Saint Petersburg où a été ouvert un musée Salvador-Dali) et truffées de parcours de golf.

Point le plus méridional des États-Unis, les **Keys** forment un groupe de 42 îles rendues célèbres par Humphrey Bogart et le film *Key Largo*, ou encore par Hemingway qui, en arrivant en 1931 et en séjournant neuf ans à Key West, kilomètre zéro de la route n° 1, en a fait le port d'attache des écrivains de tous styles au milieu des contrebandiers. Key Largo renferme un parc naturel de récifs coralliens, le parc John-Pennekamp, devenu un paradis pour les plongeurs amateurs d'images de poissons tropicaux.

Au large de Saint Petersburg, **Sanibel Island** est réputée pour ses grandes plages, ses coquillages et son parc naturel Ding Darling National Wildlife Refuge.

Sur la côte est, Miami Beach étire dans sa baie la « rangée des millionnaires » et ses maisons inaccessibles au commun des habitants de **Miami**, ville traversée par toutes les tendances (shopping, fêtes, vie nocturne). La ville est victime d'une réputation équivoque qui fait parfois oublier sa créativité architecturale, la qualité de son quartier Art déco (Ocean Drive, Lincoln Road, Washington Avenue), de ses musées (Bass Museum of Art, Miami Art Museum, Wolfsonian Museum), de Little Havana, de Coconut Grove et de South Beach, capitale mondiale du snobisme. Autres lieux réputés de la côte est : Daytona Beach, West Palm Beach.

LES ATTRACTIONS

Plus récent (1971) et plus vaste (10 000 ha) que son homologue californien Disneyland, **Disneyworld**, devenu Walt Disney World Resort et situé à proximité d'Orlando, offre ses attractions : Magic Kingdom, Disney's Hollywood Studios, Epcot Center (le Monde du futur), Disney Animal Kingdom. Il existe également des parcs aquatiques (Seaworld, Disney's Typhoon Lagoon).

À mi-chemin de Titusville et de Palm Bay, les passionnés des navettes du type Discovery patientent pour assister à l'un de ses derniers lancements sur la Space Coast, face à cap **Canaveral**.

LA NATURE

Le marécage sauvage des **Everglades** (les « marécages éternels »), transformé en parc national, est une bonne alternative pour qui veut échapper un temps à l'océan. Il est possible de le visiter à pied, à vélo et surtout en *air boat*, sorte de canoë à fond plat. Parmi les cyprès et une faune surtout avicole, on peut apercevoir des alligators, plus sûrement dans les fermes tenues par les Indiens Séminoles. Avec beaucoup de chance, on verra le museau de panthères, lynx ou chats sauvages.

GEORGIE

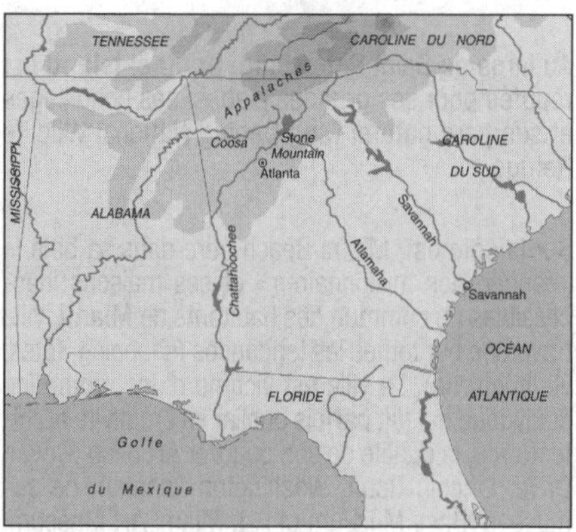

LA VILLE

On imagine souvent toutes les villes américaines tracées au cordeau, comme ici la très futuriste Atlanta, forte de son State Capitol, de son State Museum of Art et de son musée... du Coca-Cola. Mais il existe aussi une architecture classique, par exemple à **Savannah**, fondée en 1733. La plupart de ses maisons, typiquement géorgiennes, sont de petites bâtisses de bois posées sur des piles de maçonnerie, parmi de nombreux squares et églises.

LE SITE

Non loin d'Atlanta, **Stone Mountain** est un imposant rocher de granit qui renferme, sur l'un de ses flancs, les **bas-reliefs**, taillés à même le roc, de trois dirigeants de la Confédération.

HAWAII

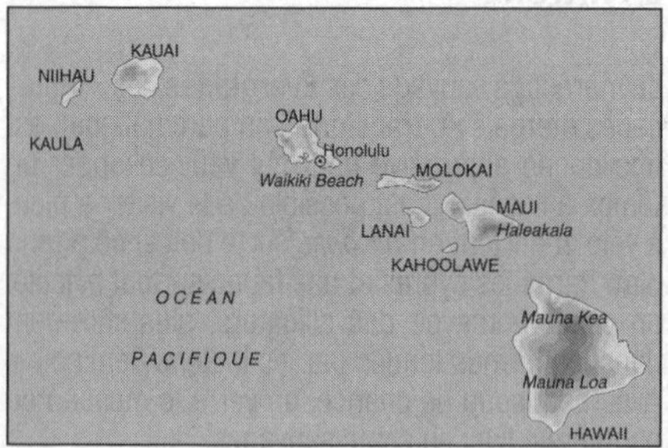

LES CÔTES

Le tourisme balnéaire et la puissance exotique de cet archipel (sept îles habitées sur une vingtaine), au climat tropical et au cœur du Pacifique, peuvent être comparés à ceux des Bahamas : **plages** de sable blanc et fin (dont, sur l'île d'Oahu, la célèbre Waikiki), cocotiers, récifs de corail et... quatre millions de touristes par an.

Le **surf**, principalement pratiqué sur les rivages de l'île de Maui, connaît à Hawaii ses plus grandes compétitions mondiales. La planche à voile et surtout le **funboard** trouvent également ici leur terre d'élection. Enfin, le nord-ouest de l'archipel s'est vu doter d'une grande **réserve naturelle** marine où vivent de nombreuses espèces, dont des dauphins, des tortues et les désormais rares phoques moines.

LES PAYSAGES ET LES RANDONNÉES

L'aspect volcanique d'Hawaii, où les coulées de lave ne sont pas rares, lui confère des paysages grandioses, surtout sur l'île du même nom – ou « Big Island ». Autour des **volcans** Mauna Kea et Mauna Loa, se sont fait jour des possibilités de **randonnées**, comme dans le parc national de Haleakala, sur l'île de Maui, en admirant au passage des hibiscus, les fleurs symboles de l'archipel.

A l'ouest, la petite île de Kauai, surnommée l'« île-jardin », offre aux marcheurs un mariage esthétique rare entre la vallée de Kalalau (Kalalau Trail) et les plages de la côte nord.

IDAHO

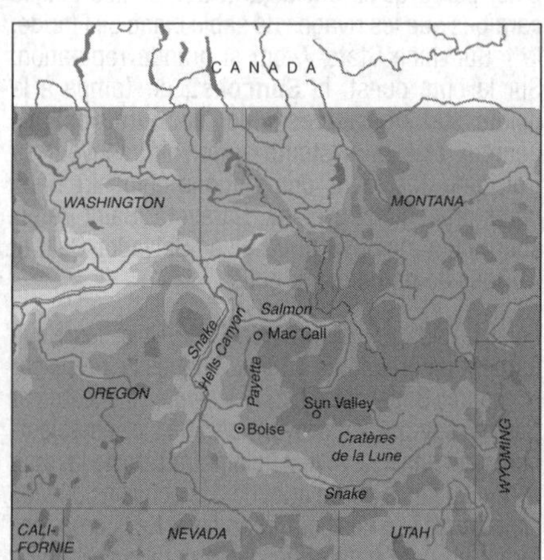

LA NATURE

L'Idaho est inclus dans les États du nord-ouest ignorés du tourisme de masse, l'« Undiscovered America ». Presque entièrement recouvert de forêts de conifères et de bouleaux, il est traversé par la large plaine de la Snake River, qui longe les **cratères de la Lune**, troués de tunnels de lave, et offre deux parcs (Sawtooth, Birds of Prey).

Deux **parcs nationaux** réputés : le parc national des Nez-Percés et surtout le parc de Ponderosa, où s'élancent les *yellow pines*, des pins qui montent parfois jusqu'à 45 m.

Les adeptes du rafting se retrouvent sur les rivières Payette et Salmon. Mais l'Idaho accueille également les **skieurs**, à Sun Valley et à Mac Call.

ILLINOIS

LES VILLES

Il faut avoir de **Chicago** une autre idée que celle de berceau du crime. Née de rien à la fin du XVIIIe siècle, la ville, fière de son «Loop» (quartier des gratte-ciel), a conservé un esprit pionnier et un site qui a vu intervenir de grands architectes après le grand incendie de 1871 (constructions de Frank Lloyd Wright). Elle renferme de nombreux parcs et musées, dont l'Arts Institute, qui présente des œuvres des grands impressionnistes (Degas, Manet, Monet, Pissaro, Renoir), et le Musée d'art contemporain (œuvres de Bacon, Calder, Klee, Picasso). Située sur les rives du lac Michigan (nombreuses plages, excursions en bateau incontournables), la ville s'est longtemps enorgueillie de posséder la plus haute tour du monde grâce aux 527 m de la Sear Tower.

A l'instar de La Nouvelle-Orléans, Chicago est un creuset du jazz des années 20 (festival fin août) et du blues des années 40. Elle est aussi le point de départ de la célèbre **Route 66**, une pionnière qui court sur près de 4 000 km jusqu'à Los Angeles. La « 66 » n'apparaît plus aujourd'hui sur la carte routière des grands «Interstates» mais le touriste est toujours invité à la suivre et à traverser des lieux mythiques tels que Saint Louis et le Nouveau Mexique.

Springfield, la capitale de l'Etat, est une destination historique recherchée car elle renferme la maison et le tombeau d'Abraham Lincoln.

INDIANA

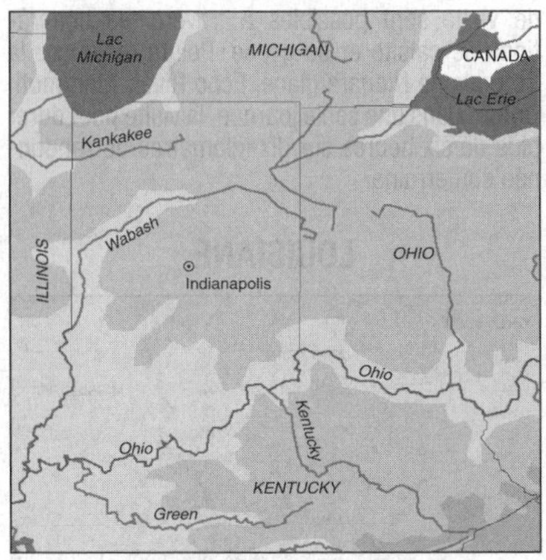

LA VILLE

Sa célèbre course automobile (en mai) a fait connaître **Indianapolis**, mais on doit aussi visiter son Museum of Art, dédié à Turner.

KANSAS

LA NATURE

Les **Flint Hills**, collines aux hautes herbes battues par les vents, font la particularité de cet Etat parsemé de vastes plaines.

KENTUCKY

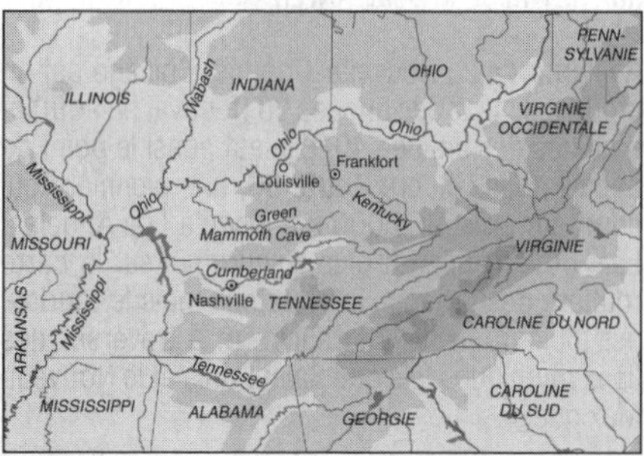

LE SITE

À mi-chemin de Louisville et de Nashville, a été découvert le plus grand labyrinthe naturel du monde, **Mammoth Cave**, une grotte à laquelle on attribue 450 km de galeries. Plusieurs itinéraires de visite sont possibles à travers les concrétions de calcite et de gypse. Points majeurs : la Rotonde, le Niagara glacé, Echo River, Mammoth Dome. Dans une seule journée, la visite peut durer plus de six heures sur dix kilomètres de randonnée souterraine.

LOUISIANE

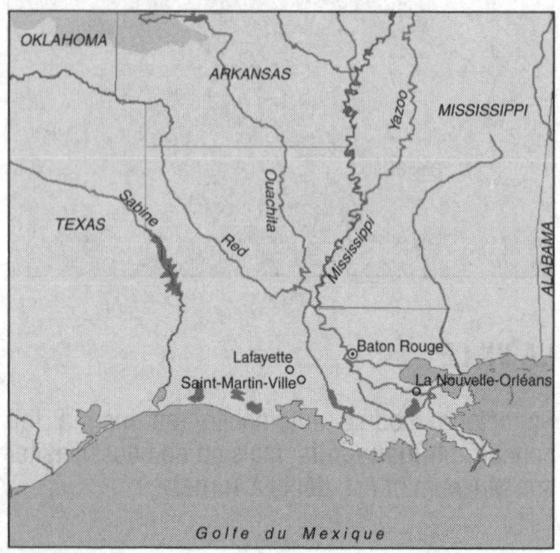

L'HISTOIRE

Le **dixieland**, le style de jazz le plus traditionnel, est né dans le sud des États-Unis. Aujourd'hui, son souvenir se perpétue tant bien que mal dans les bistrots du « Vieux Carré » (French Quarter) de **La Nouvelle-Orléans**, mais il est battu en brèche par les boîtes de strip-tease de Bourbon Street. Certains creusets des grandes heures du jazz, comme le *Preservation Hall*, demeurent mythiques, mais les notes et les accents les plus sincères se sont réfugiés au-delà de Canal Street, dans les salons des grands hôtels, ou vers Frenchmen Street et Snug Harbor. En revanche, la force du *Jazz and Heritage Festival*, tous les ans au mois d'avril, ne se dément pas. Il est précédé, en février ou mars, d'un carnaval tout aussi réputé.

Autre histoire : celle de la colonisation, française d'abord, espagnole ensuite. Au détour des villages, par exemple à Saint-Martin-Ville, près de Lafayette, on peut entendre quelques mots de français sortis de la bouche des **cajuns**, chassés du Canada en 1755 lors du « Grand Dérangement » et qui se sont installés dans la région hostile du delta du Mississippi. « Laissez les bons temps rouler » : l'adage des cajuns s'adresse au visiteur qui peut découvrir leur mode de vie (musique traditionnelle, bals du samedi soir symbolisés par la gigue, pêche des écrevisses, cuisine épicée) mais aussi envisager des *swamp tours* en air boat ou en canot dans les **bayous**, bras morts du Mississippi (Atchafalaya, Lafourche) où se rencontrent parfois des alligators plus assoupis que belliqueux, des aigrettes et des aigles.

LES VILLES

Défigurée par l'ouragan Katrina en août 2005, **La Nouvelle-Orléans** se reconstruit et tente de restituer le parfum de nostalgie né de sa fondation et de son peuplement par les Français au début du XVIIIe siècle. Dans le «Vieux Carré», les demeures miraculeusement préservées de la catastrophe, mâtinées du style espagnol que l'on retrouve joliment exprimé par les balcons en fer forgé, tentent de contrebalancer l'atmosphère surfaite de Bourbon Street et, non loin de là, de Jackson's Square. Des rives du Mississippi, partent des mini-croisières sur des bateaux à aubes.

Autres villes qui évoquent la vieille France (la Louisiane a été vendue en 1803 aux États-Unis pour 80 millions de francs) : **Baton Rouge, Lafayette** et surtout, dans le nord-ouest de l'Etat, **Natchitoches**, chargée d'histoire car fondée peu avant La Nouvelle-Orléans (vieux quartier, rives de la Cane River).

LA NATURE

Les **plantations**, grandes demeures à portiques et à colonnes entourées de champs de coton ou de canne à sucre travaillés par les esclaves au XVIIIe siècle, symbolisent une histoire tourmentée. Les plus connues sont, à Vacherie, Oak Alley, flanquée de deux impressionnantes rangées de chênes, et la très élégante Laura Plantation. A Cheyneville, non loin d'Alexandria, on découvre Loyd Hall Plantation.

La plupart des plantations sont bordées par le **Mississippi**, qui cache aujourd'hui sa gloire commerciale des siècles passés sous les palettes rouge vif des bateaux à aubes, chéris des touristes lors de mini-croisières aux accents de jazz.

MAINE

LA CÔTE

Deux centres d'attraction dans cet État situé à la pointe nord-est du pays : les **plages** et les **rivages** (Kennebunk, Ogunquit, Old Orchard Beach) et le parc national d'**Acadie**, vieille région granitique dont les fjords, les lacs et les côtes déchiquetées valent le détour.

MASSACHUSETTS

LA NATURE

Avec le Connecticut, une partie de l'État de New York et les États qui jouxtent la frontière de l'est du Canada, le Massachusetts est l'endroit où se vivent le mieux les charmes de l'**été indien**, dus en grande partie au rouge des érables. La qualité de la couleur des feuilles atteint son apogée de la fin septembre à la mi-octobre, soit un peu avant la survenue de l'été indien proprement dit.

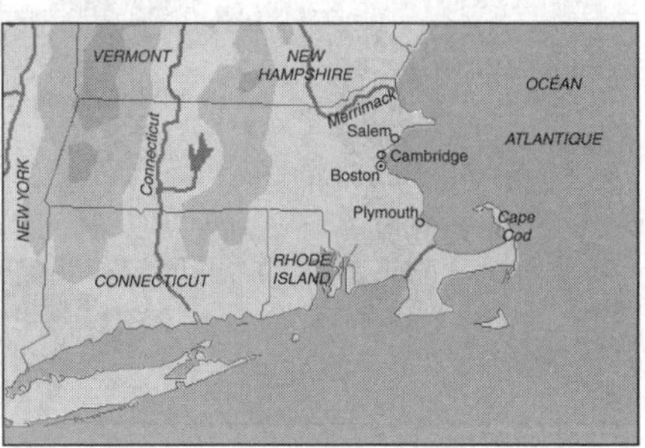

LES VILLES

Boston est la plus ancienne des villes neuves des États-Unis. Un parfum d'Angleterre toujours vivace, dans l'habitat (Beacon Hill) comme dans les habitudes, et des musées de renom (Museum of Fine Arts, Isabella Stewart Gardner Museum) font l'intérêt de la ville, à visiter en suivant, inscrits sur les trottoirs, le « Freedom Trail », le « Beacon Trail » et le « Black Heritage Trail ». Aux portes de Boston, Cambridge abrite **Harvard**, la plus ancienne et la plus prestigieuse université du pays, qu'il est possible de visiter.

Plus de trois siècles après leurs supposés méfaits, les sorcières de **Salem** offrent son succès touristique (musées, maisons, boutiques) à cette petite ville côtière située non loin de Boston.

LA CÔTE

La presqu'île de **Cape Cod** est connue pour l'agrément de son parc national et de ses stations balnéaires. A quinze kilomètres au large, Martha's Vineyard arbore ses maisons « pain d'épices » et son cachet jet set.

A quelques encablures au nord, se trouve le port de Plymouth, où débarquèrent du **Mayflower** les Pères Pèlerins en 1620. Un musée vivant, à Plimoth Plantation, rappelle leur habitat type.

Pour l'observation des **baleines**, des croisières («Whale Watching Cruises») sont organisées entre avril et octobre à partir de Cape Cod mais aussi de Boston et de Plymouth.

MICHIGAN

LA VILLE

À **Detroit**, le musée Henry Ford, le plus grand musée automobile des États-Unis, et le Detroit Art Institute valent le détour.

LES PAYSAGES

L'État le plus «lacustre» des États-Unis est cerné par le lac Michigan à l'ouest, le Huron à l'est et le lac Érié au sud : autant de possibilités **balnéaires** en été et de paysages côtiers à découvrir.

MINNESOTA

LE SHOPPING

Situé à l'ouest des Grands Lacs, eux-mêmes bordés de stations balnéaires et entourés de forêts, cet État doit sa réputation actuelle au **Mall of America**, le plus grand centre commercial des États-Unis. Ce temple de la consommation, situé à Bloomington, dans la banlieue de Minneapolis, comprend cinq cents boutiques, quatre étages et un grand aquarium.

MISSISSIPPI

LES TRADITIONS

Un fleuve légendaire par sa puissance et son importance économique, la fameuse **Route 61** qui vient de Memphis, des champs de coton : le décor est toujours prêt pour perpétuer le **blues**, dont les sons et les souvenirs-cultes (Muddy Waters, Bessie Smith, Tennessee Williams) sont surtout ressentis dans de petites villes comme **Clarksdale**, à large majorité noire de condition modeste et où l'on peut visiter un Delta Blues Museum rempli de supports musicaux. L'authenticité du Sud, résumée par le circuit « Mississippi Delta Blues », souvent proposé au visiteur, est mieux préservée dans ce genre d'endroit.

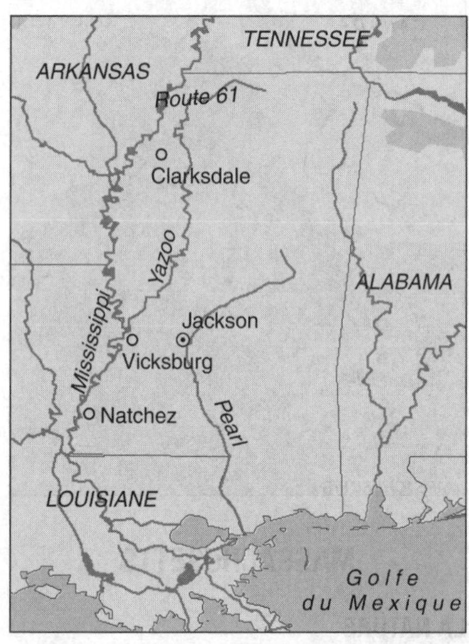

Retour à la réalité avec **Vicksburg**, qui abrite un musée du Coca-Cola (né ici en 1894) et, plus romantiques, les demeures coloniales de **Natchez**, souvent transformées en hôtels.

MONTANA

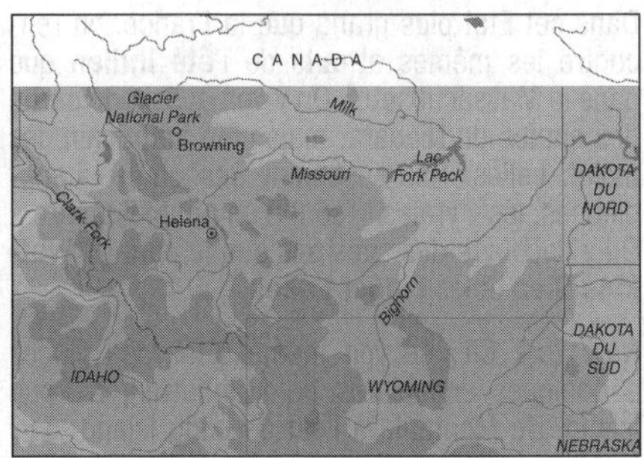

LES PAYSAGES

Au fil des siècles, les Indiens et les bisons ont toujours fait route ensemble. Parmi la vingtaine de parcs et de réserves de bisons qui existent encore, beaucoup sont dans le Montana et quelques-uns dans l'État voisin de l'Idaho. Le National Bison Range, à Moiese, et le musée des Indiens des plaines, à Browning, renferment des témoignages. Au nord de Browning, le **Glacier National Park**, exposé aux menaces du réchauffement climatique et où cohabitent élans, grizzlis ou pumas, tous très difficiles à voir, est parsemé de lacs et de forêts. Autres parcs : le Bighorn Canyon et l'Upper Missouri River National Monument.

NEBRASKA

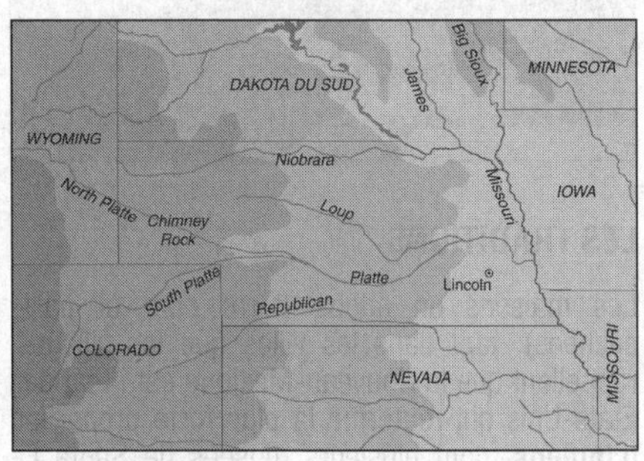

L'HISTOIRE

L'**Oregon Trail** était l'une des grandes routes suivies par les pionniers, partant du Mississippi pour rejoindre Portland, dans l'Oregon. À mi-distance, une étrange aiguille rocheuse de 46 m de haut, **Chimney Rock**, seule au milieu de la plaine, servait de point de repère.

NEVADA

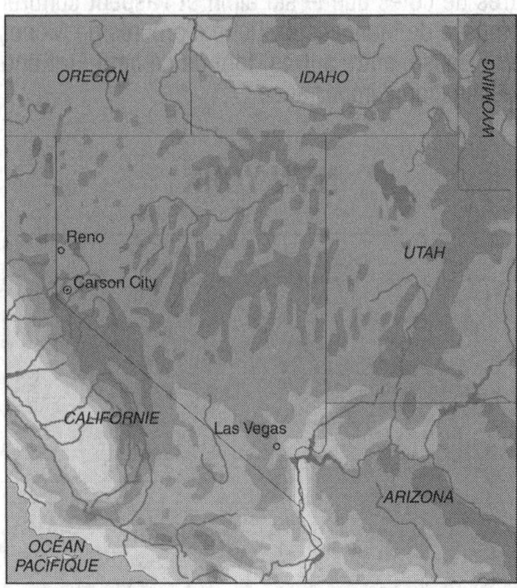

LA VILLE

Au cœur du désert est née **Las Vegas**, la ville du jeu, où tout va très vite : la ronde des « quarters » emmagasinés par les trente mille machines à sous, mais aussi le mariage et le divorce. Question poudre aux yeux, jeux de lumière et extravagance des palaces alignés sur le *Strip*, la ville est sans égale dans le monde. Au cours des dernières années, elle a multiplié les folies évocatrices (reconstitution des immeubles de Manhattan et de sites parisiens) et les « méga(lo)-hôtels ».

LES TRADITIONS

Chaque année, au début du mois de décembre, se tient à Las Vegas le **National Final Rodeo**, où se retrouve pendant dix jours la fine fleur de ce « sport » né dans l'Ouest à la fin du XIXe siècle et toujours populaire à travers le pays. Les vrais cow-boys, mais aussi de plus en plus les cow-girls, y démontrent leur adresse sur le dos du taureau.

NEW HAMPSHIRE

LA NATURE

Les lacs (tel le Winnipesaukee), les cascades, les forêts, les montagnes (White Mountains et leur mont Washington) font du « Granite State » une destination comparable au Connecticut et au Vermont voisins. Tant la trentaine de kilomètres de côtes que le ski alpin et l'aspect culturel (musée de Manchester, riche d'œuvres de Monet et Picasso, entre autres) font de ce petit Etat une destination d'importance.

NEW YORK

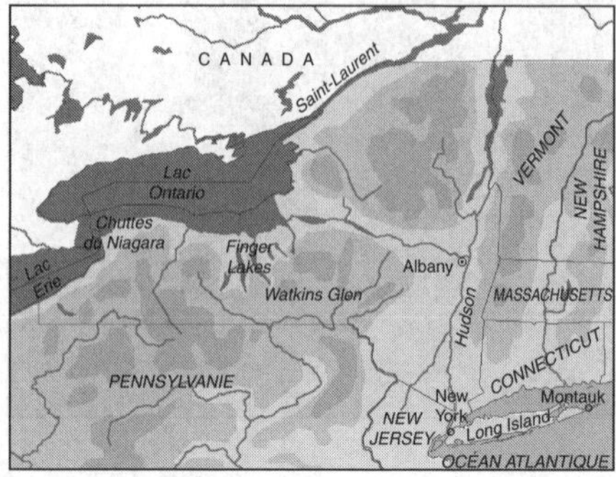

LA VILLE

New York a été baptisée « la ville des villes » et doit justifier sans cesse cet honneur. Accablée par la tragédie et la destruction du World Trade Center le 11 septembre 2001 – le site renaîtra en 2011 avec un mémorial et cinq tours dont une « tour de la Liberté » –, New York veut continuer à prouver ses multiples et uniques attraits : on y vit toujours intensément dans les quartiers branchés (Soho, Tribeca, East Village, Dumbo, Columbus Avenue), on s'y cultive toujours plus (quarante musées dont le Metropolitan Museum of Art, le Musée d'art moderne, le musée Guggenheim, le Musée américain d'histoire naturelle, le Museum of the American Indian), on y écoute toujours mieux (Lincoln Center, accents des comédies musicales de Broadway, airs de jazz dans les clubs et les églises de Harlem, de plus en plus banalisé par la « gentrification »).

On y trouve aussi les symboles de l'immigration européenne : ainsi, à l'entrée du port, la statue de la Liberté, debout depuis 1886; à quelques encablures, sommeille Ellis Island, qui fut un sas sévère pour 17 millions de futurs Américains entre 1890 et 1920 et dont les bâtiments reçoivent aujourd'hui le musée de l'Immigration. Cosmopolite et pétrie de culture européenne, New York est la moins américaine des villes du pays.

LA NATURE

Dans cet État plus grand que la France, on rencontre les mêmes attraits de l'**été indien** que dans le Massachusetts. On y voit aussi une partie des chutes du Niagara, mais côté américain, les moins belles. Heureusement, les chutes canadiennes, les « vraies », sont à un petit kilomètre... On y découvre des sites tels que le parc de **Watkins Glen** et les **Finger Lakes**.

New York City se voit même offrir des plages à quelques encablures de Manhattan, à Long Island. De Montauk, à l'est de Long Island, partent des croisières de quatre heures environ à la découverte des baleines.

NOUVEAU-MEXIQUE

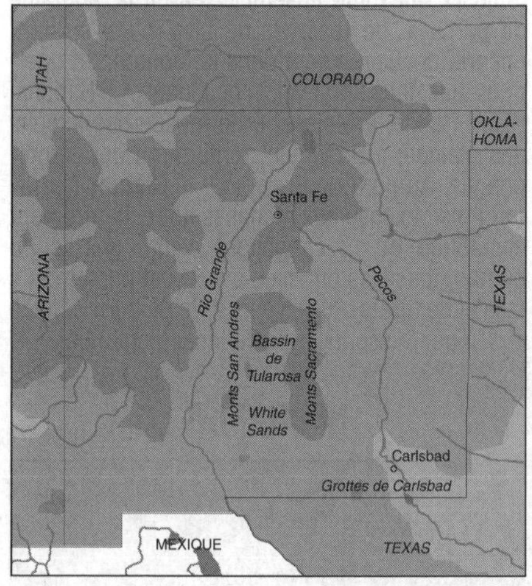

LES TRADITIONS

Les maisons en adobe (terre ocre et paille séchées), tant dans les villes que les villages, rappellent que le Nouveau-Mexique est l'État des États-Unis qui renferme la plus forte proportion d'**Indiens**, dont plusieurs musées de Santa Fe racontent l'histoire. La petite ville de **Taos**, sur le rio Grande et au pied des Rocheuses, mêle les ateliers de peintres et les décors de westerns. Dans l'ouest de l'Etat, le site de Chaco Canyon, édifié par les Anasazis à l'ère précolombienne, et le village d'Acoma méritent le détour.

Santa Fe est une ville mythique, berceau des Anasazis et des tribus Pueblos (Hopis), puis carrefour légendaire de la conquête de l'Ouest, du western et de la terre promise californienne (Santa Fe Trail, Old Spanish Trail, El Camino Real). Carrefour également, à l'intersection du Rio Grande et de la mythique route 66, **Albuquerque** passe d'une vieille ville aux maisons en adobe aux quartiers modernes de Nob Hill ou Downtown.

LA NATURE

Au-delà de l'aspect historique de la prospérité minière, symbolisée par la ligne de chemin de fer qui relie Santa Fe à la Californie, le tourisme s'étend à la randonnée à pied ou à cheval, au ski et au rafting. Avec ses grands espaces désertiques, ses reliefs de grès rouge, ses lacs de montagne, ses forêts, ses cow-boys et ses tribus indiennes, le Nouveau-Mexique, qui a vu arriver les premiers Européens après la conquête du Mexique, a séduit les scénaristes du western.

Au centre du bassin de Tularosa, entre les monts San Andres et les monts Sacramento, s'étend une sorte de mer de gypse : **White Sands**. Seuls les yuccas et quelques autres espèces du genre ont le droit d'y pousser. Au sud-est, on découvre les **grottes de Carlsbad**, dont les grandes salles souterraines offrent le spectacle de concrétions serrées et de gros piliers de calcite.

OHIO

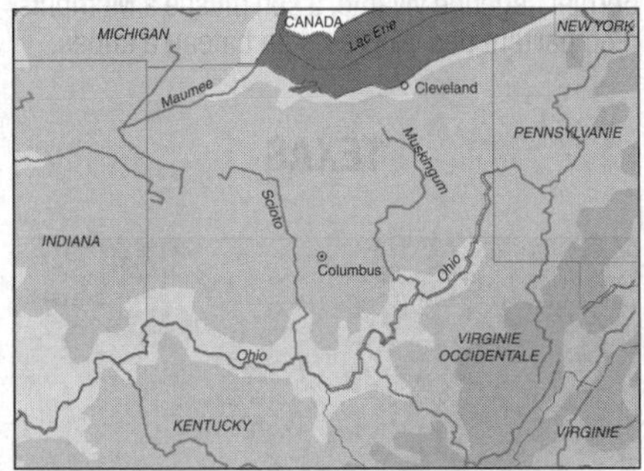

LA VILLE

Si **Cleveland** est plutôt fréquentée par les industriels, on ne saurait négliger son Museum of Art (Picasso, Cézanne, Seurat).

OREGON

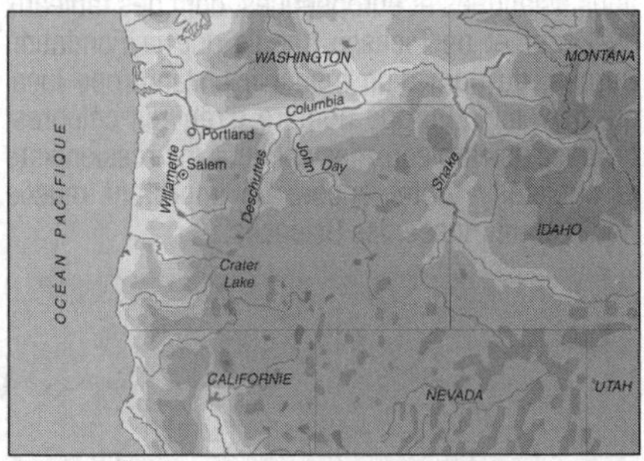

LA NATURE

Un volcan dont le cône s'est affaissé et qui est devenu un vaste cratère de 8 km de large au centre d'un plateau de laves : tel est le **Crater Lake**, désormais inclus dans un parc national, dans la chaîne des Cascades. Dans les Blue Mountains, voir aussi le **Hells Canyon**, par endroits comparable au Grand Canyon du Colorado. Ses gorges, profondes de plus de 1 600 m, ont été creusées par la **Snake River**. Tout au sud de l'Etat, Cascade Siskiyou et Lava Beds National Monument méritent le détour.

LA CÔTE

L'une des côtes les plus méconnues des États-Unis est celle qui, sur près de 600 km, est longée par la belle Highway 101 : les falaises, les estuaires, les baies (Depoe Bay) et les caps (Cape Foulweather), ponctués de phares et d'embruns, les paysages de dunes, les larges plages (Gold Beach), la diversité de la faune marine (baleines, lions de mer, otaries) compensent la difficulté de la baignade pour cause de latitude trop haute.

PENNSYLVANIE

LES VILLES

Philadelphie est la ville «mémoire» des États-Unis : son quartier historique, l'Independence National Historic Park, renferme le hall de l'Indépendance, qui y fut signée en 1776, d'élégantes demeures coloniales de style géorgien dans le quartier de Society Hill et d'importants musées. La ville est également l'une des plus riches du pays en musées de renom : le Museum of Art renferme des collections asiatiques et européennes, dont des tableaux de Léger et de Picasso, tandis que la Fondation Barnes, du nom d'un médecin philanthrope local qui fit venir d'Europe nombre d'œuvres célèbres, propose des tableaux des époques impressionniste et cubiste. A noter encore un important musée Rodin et un musée des Sciences.

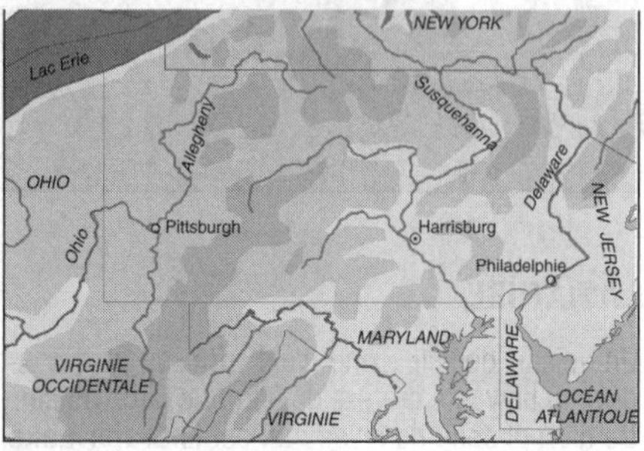

Si **Pittsburgh** vit surtout par son travail de l'acier, elle arbore une palette fournie de maisons victoriennes. Par ailleurs, elle a vu naître Andy Warhol, à la fois peintre, cinéaste et prince du pop'art, et a eu le bon goût de lui consacrer un musée, comme c'est le cas pour le philanthrope Carnegie avec les quatre musées qui portent son nom.

LES TRADITIONS

Les traditions perpétuées par la communauté **Amish**, secte chrétienne d'origine allemande, fondées sur l'austérité et le refus du monde moderne, suscitent la curiosité. Les mentalités, le mode de vie, la façon de se déplacer avec des *buggies* (chevaux attelés) et l'art d'une technique particulière d'applique du tissu *(quilt),* le tout bien dépeint par le cinéaste Peter Weir en 1985 dans *Witness*, n'ont pas bougé depuis le XVIIe siècle.

TENNESSEE

LES TRADITIONS

Les échangeurs autoroutiers qui entourent **Nashville** sont en forme de guitare, pour bien signifier sa vocation de capitale de la **country music**. Ces accents de l'Amérique profonde ont leur musée (Country Music Hall of Fame), leurs deux cents studios d'enregistrement et leurs lieux célèbres (studio B de RCA), dans une ville vouée à un genre musical dont les racines dépassent les frontières d'un État qui est lui-même l'épicentre du jazz, du rock'n roll et du rhythm and blues. Une curiosité entre toutes : le Grand Ole Opry, studio de la fameuse émission radio du même nom. Chaque année, en juin, a lieu une grande fête, la Fan Fair en l'honneur du King **Elvis Presley**.

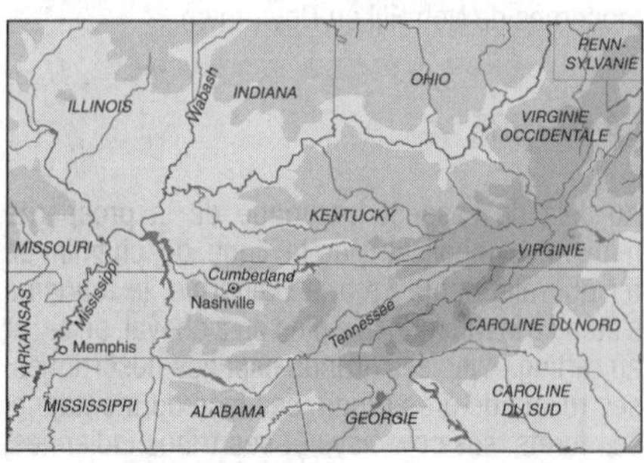

Le rock et le blues ont élu domicile à **Memphis**, plus exactement à Beale Street. Le fantôme d'Elvis Presley rôde dans sa villa de Graceland, au Sun Studio, où est né le rock, et dans les boutiques de souvenirs remplies de gadgets en son honneur. Néanmoins, elles sont très loin du prestige du Trophy Building, où sont ses disques d'or et de platine.

La soul music est également omniprésente à Memphis (Rock n'Soul Museum, Stax Museum of American Soul Musics). Quant aux inconditionnels du blues, ils empruntent la route 61 qui, de Memphis, les conduit au delta du Mississippi. Ce dernier, légende vivante, a son musée à Memphis, d'où partent des croisières en bateau à aubes.

TEXAS

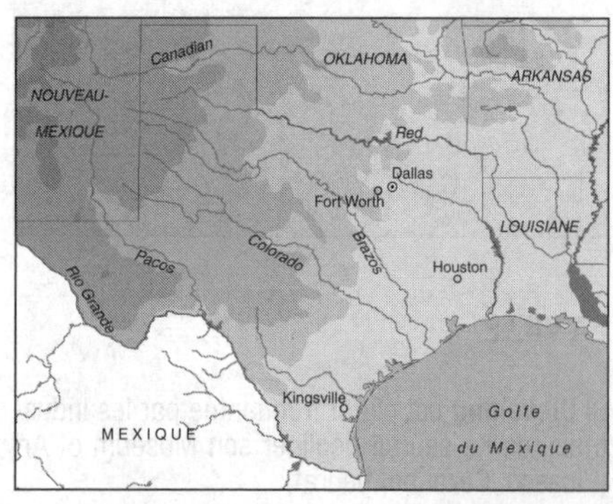

LES TRADITIONS

S'il lui fallait un dernier refuge, le cow-boy choisirait le Texas, ses prairies, ses ranchs et ses rodéos. Il irait, par exemple, à **Kingsville**, où se trouve le plus grand ranch du monde, ou à **Fort Alamo**, en souvenir de Davy Crockett. Tradition liée à la précédente : les concerts de *country music*, dont les meilleurs sont donnés à **Austin**.

LES VILLES

Bien que chacune d'elles possède un important musée, Dallas, Fort Worth et Houston (qui abrite un *Space Center* où la NASA et la Lune sont à l'honneur) ne font pas partie des grandes villes touristiques des États-Unis. Mais on ne saurait les ignorer car les défauts et les qualités de l'exacerbation de la modernité américaine s'y trouvent réunis.

UTAH

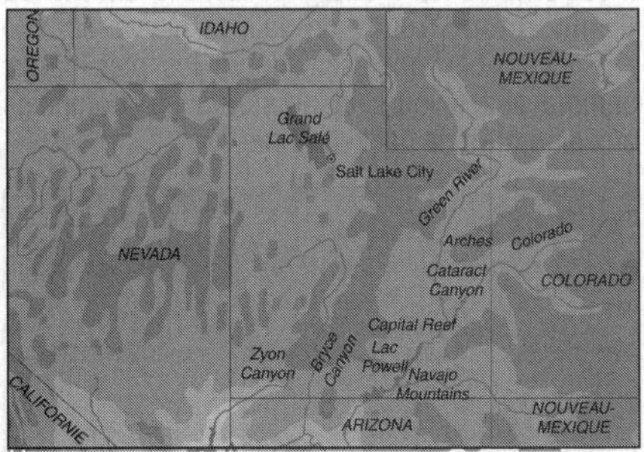

LA NATURE

Bryce Canyon, l'un des grands rendez-vous du voyage dans l'Ouest, est un site naturel moins grandiose mais plus typique géologiquement que le Grand Canyon, en raison de son argile rougie par l'oxyde de fer et de ses spirales rocheuses. Dans son prolongement, le Colorado a engendré Glen Canyon, Canyonlands et le parc national d'**Arches**, où des sculptures de grès dues au vent traversent le paysage, telle Landscape Arch, une lame de roche de 100 m de long au-dessus d'un amphithéâtre de grès. Ne pas manquer d'emprunter la route 12, de Bryce Canyon à Torrey, à travers les cheminées de fées du parc d'Escalante.

Autres sites majeurs : le **Grand Lac Salé**, qui s'est asséché au fil des siècles, dominé à l'est par les stations de ski aux alentours de Salt Lake City; **Rainbow Bridge**, dans les Navajo Mountains, sorte de pont suspendu de grès rose; le lac **Powell**, lac artificiel très long et très profond; **Cataract Canyon**, confluence du Colorado et de la Green River; les falaises rouges et ocre de **Capitol Reef** National Park; le **Zyon Canyon**, d'une configuration plus classique.

VERMONT

LA NATURE

Petit État qui a connu une longue présence française au XVIIe siècle et qui borde le Québec, le Vermont, son lac Champlain et les stations de ski (Stowe) de ses **montagnes Vertes**, d'où le nom de l'État, sont connus pour leur quiétude, leur engagement pour la préservation de la nature et leur capacité à attirer le visiteur-randonneur, été comme hiver.

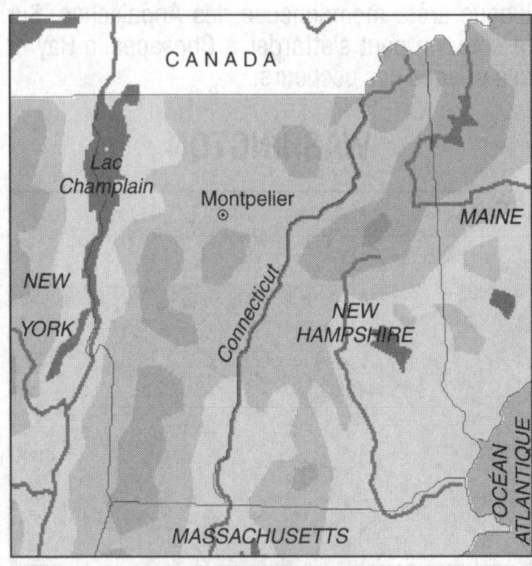

VIRGINIE

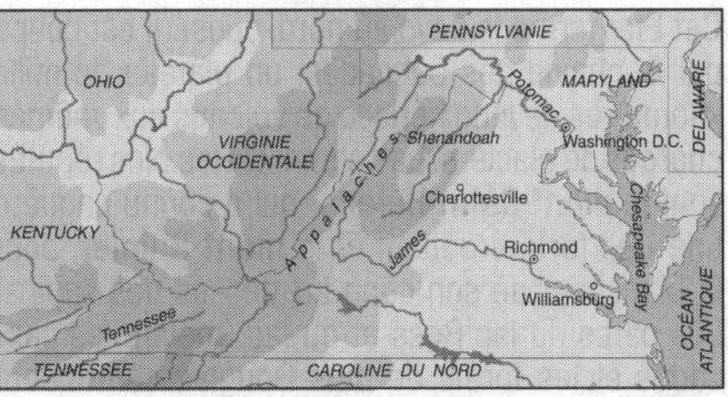

L'HISTOIRE

En Virginie, la nostalgie est toujours ce qu'elle était. Premier État de l'histoire du pays, lieu du premier « Thanksgiving » rendu par les émigrants (les « Pilgrim Fathers » venus d'Angleterre) pour remercier Dieu de les avoir conduits ici puis protégés, la Virginie est pour beaucoup un lieu de « pèlerinage », particulièrement **Williamsburg**, ancienne capitale restaurée dans le style colonial en 1927 grâce à la générosité de J. D. Rockefeller.

Également ville du souvenir, **Charlottesville** renferme l'Université de Virginie, non loin de laquelle a été érigée, à Monticello, la maison de Jefferson. Autre demeure célèbre: celle de George Washington à Mount Vernon.

LA NATURE

Dans le centre-ouest de l'État, le parc national de **Shenandoah** est une source réputée de balades. Il est le point de départ de la Blue Ridge Parkway, route qui suit la crête des **montagnes Bleues**, longue arête montagneuse des Appalaches. Sur la côte, on peut s'attarder à Chesapeake Bay et ses villages des pêcheurs.

WASHINGTON

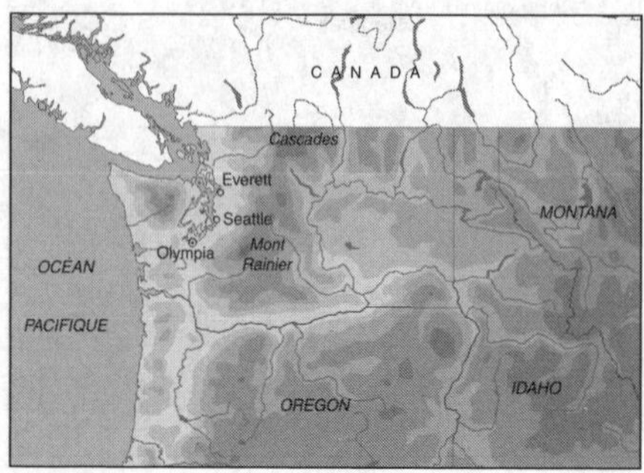

LA NATURE

Cet État ferme le pays au nord-ouest. Il est coupé par la chaîne des Cascades, un plateau de mille kilomètres de long hérissé de volcans eux-mêmes chargés de glaciers. Les sommets les plus réputés sont le **mont Saint Helens**, qui a connu naguère une très forte éruption, et le **mont Rainier**, pour la blancheur de son cône au-dessus des sapins. Les parcs du lac Ross et du lac Chelan, les cascades et les forêts de pins Douglas contribuent à la beauté d'un État trop ignoré par le tourisme international, hormis par les randonneurs.

À partir d'Everett, situé non loin de Seattle, des croisières conduisent aux îles San Juan, à la découverte des **orques** et des **baleines** dans leur élément naturel.

WYOMING

LA NATURE

Le **Yellowstone** National Park est le plus vaste et le plus prestigieux des parcs nationaux des États-Unis, ouvert été (randonnées) comme hiver (motoneige). Ses forêts recèlent des pins Douglas, vieux de cent cinquante ans, et des pins Lodgepole, avec lesquels les Indiens construisaient leurs tipis. Les sources, les geysers (dont Old Faithfull) et la faune (ours, wapitis, élans, loups, coyotes, bisons) ajoutent à sa diversité.

Le parc, à moitié détruit par un incendie en 1988, mettra cinquante ans à retrouver son visage mais certaines espèces s'en trouveront revigorées. Il est entouré de montagnes dont la **chaîne du Grand Teton**. Trouée de vallées glaciaires, elle est accessible aux escaladeurs les plus hardis comme aux skieurs et amateurs de motoneige aux alentours de Jackson Hole.

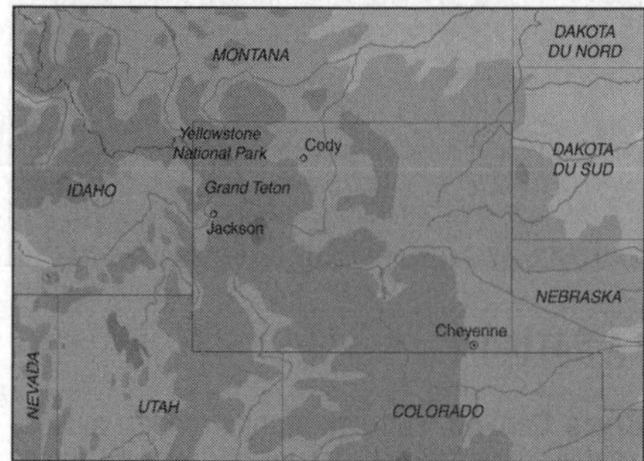

À l'autre extrémité de l'État, se dresse une curiosité géologique, la **Devils Tower**, tour de basalte de 265 m de haut, favorite des escaladeurs et embellie par des colonnes verticales pareilles à de longs tuyaux d'orgue.

Pour beaucoup, le Wyoming est l'État type des grandes plaines du Far West, des **ranchs**, des chevaux et des cow-boys. On peut même décider de participer à cette vie mythique en logeant et en travaillant dans certains ranchs (*working ranchs*). On peut se contenter d'admirer les lieux et en particulier Cody, la ville de Buffalo Bill, où est ouvert un musée d'arts et des traditions populaires.

LE POUR

◆ Un des plus larges éventails touristiques du monde.

◆ Un pragmatisme hors du commun pour le tourisme : ainsi les États-Unis ont-ils inventé plusieurs façons de voyager, entre autres le motorhome et le *pass* aérien, qui ont fait école.

◆ Pour le voyageur européen, l'aubaine d'un euro assez fort par rapport au dollar.

◆ Les bienfaits de la concurrence aérienne, qui maintient des tarifs modestes, eu égard à la distance.

LE CONTRE

◆ L'absence de vieilles pierres et de passé lointain à contempler : les États-Unis sont nés il y a seulement un peu plus de deux siècles.

◆ Les petites tracasseries, voire la sévérité des contrôles imposés aux visiteurs dans les zones d'accès depuis la mise en pratique des mesures antiterroristes.

◆ Les menaces qui pèsent sur la pureté des grands parcs nationaux de l'ouest (pollution, surfréquentation, coupes budgétaires).

LE BON MOMENT

La variété des climats est une évidence dictée par la superficie, mais la majorité d'entre eux sont de type continental : aussi, quelle que soit la région, la période **juin-septembre** est favorable. Mais attention aux différences :

– en août, la chaleur humide accable New York, si bien que la ville est nettement plus agréable – et plus vivante – en mai-juin et septembre-octobre;

– le thermomètre est très élevé en été à Las Vegas et dans le Grand Canyon, pendant que Miami (meilleure période : janvier-avril) ou Los Angeles, placées en climat subtropical, connaissent des périodes agréables, ce qui n'est déjà plus le cas de San Francisco. Quant à la Louisiane, on aura intérêt à privilégier le printemps et l'automne.

◆ Températures moyennes jour/nuit (en °C)

Anchorage (Alaska) : janvier -6/-13, avril 6/-2, juillet 18/11, octobre 5/-2.

Boston (côte nord-est) : janvier 2/-6, avril 13/5, juillet 28/18, octobre 17/8.

Chicago (nord-est) : janvier -2/-11, avril 15/4, juillet 29/17, octobre 17/6.

Dallas (sud-est) : janvier 12/0, avril 25/13, juillet 36/23, octobre 26/13.

Denver (centre) : janvier 6/-9, avril 17/1, juillet 31/15, octobre 19/2.

Honolulu (Hawaii) : janvier 27/19, avril 28/20, juillet 31/23, octobre 31/22.

Las Vegas (désert ouest) : janvier 14/1, avril 25/10, juillet 41/25, octobre 28/12.

Los Angeles (côte sud-ouest) : janvier 19/9, avril 20/12, juillet 24/17, octobre 24/15.

Miami (côte sud-est) : janvier 24/15, avril 28/20, juillet 31/25, octobre 29/22.

New Orleans (côte sud) : janvier 16/5, avril 26/15, juillet 33/23, octobre 26/15.

New York (côte nord-est) : janvier 3/-4, avril 15/6, juillet 28/20, octobre 18/10.

San Francisco (côte ouest) : janvier 13/5, avril 18/8, juillet 22/12, octobre 21/11.

Washington (nord-est) : janvier 6/-3, avril 19/8, juillet 31/22, octobre 21/10.

LE PREMIER CONTACT

En Belgique

◆ Visit USA Marketing & Promotion Bureau : PO Box 1, Berchem, 3, Berchem 2600, fax (03) 230.09.14, www.visitusa.org ◆ Ambassade, Information Service, boulevard du Régent, 27, B-1000 Bruxelles, ☎ (02) 508.21.11, fax (02) 513.04.09.

Au Canada

Ambassade, 490, promenade Sussex, Ottawa, ON K1N 1G8, ☎ (613) 238-5335, fax (613) 688-3080, www.usembassycanada.gov

En France

◆ Visit USA Committee France, ☎ 0.899.70.24.70, www.office-tourisme-usa.com ◆ Consulat,

☎ 0892-23-84-72 (serveur vocal), fax 01-42-86-82-91. ◆ Bureau de Louisiane, via Express Conseil, ☎ 01.44.77.87.00, www.expressconseil.com

Au Luxembourg

Ambassade, 22, boulevard Emmanuel-Servais, L-2535 Luxembourg, ☎ 46.01.23, fax 46.14.01.

En Suisse

Ambassade, Jubilaumstrasse, 95, 3005 Berne, ☎ (31) 357.70.11, fax (31) 357.73.98.

Dans le pays même, les offices de tourisme *(Visitor's Center, Convention and Visitors Bureau)* sont efficaces. La plupart sont bien approvisionnés en cartes routières.

Internet

www.office-tourisme-usa.com
www.nycvisit.com (pour New York)
www.ecltd.com (pour la Louisiane)
www.disney.go.com/disneyworld
www.flausa.com (pour la Floride)
www.chaperon.com (pour San Francisco)
www.lasvegasfreedom.fr
www.wildwestusa.com (pour les Rocheuses)
www.visitflorida.com
www.louisianatravel.com
www.newmexico.org

Guides

• CENTRE

Chicago (Éditions Ulysse), *Chicago, Grands Lacs* (Le Petit Futé).

• EST

Boston (Gallimard/Cartoville), *Boston et la Nouvelle-Angleterre* (Gallimard/Spiral), *Etats-Unis côte est* (Hachette/Guide du routard, Le Petit Futé), *Etats-Unis est* (Mondeos),

New York (Berlitz, Berlitz/week-end, Gallimard/Cartoville,Gallimard/Encyclopédie du voyage, Gallimard/Spiral, Geo/Villes, Hachette/Top 10, Hachette/Evasion, Hachette/Evasion en ville, Hachette/Guide du routard, Hachette/Un grand week-end, Hachette/Voir, Mondeos, Le Petit Futé, Lonely Planet en français, Lonely Planet/En quelques jours, Michelin/Voyager pratique, National Geographic France, Éditions Ulysse),

Nouvelle-Angleterre (Éditions Ulysse), *USA Côte est* (Nelles),

Washington (Gallimard/Cartoville, Hachette/Guide Voir, Éditions Ulysse).

• OUEST

Arizona et Grand Canyon (Éditions Ulysse),

Californie (Gallimard/Encycl. du voyage, Hachette/Evasion, Hachette/Guide du routard, Hachette/Voir, National Geographic France), *Californie, Arizona, Nevada, Utah* (Le Petit Futé),

États-Unis, Ouest américain (Hachette/Guides bleus), *Ouest américain* (JPMGuides, Lonely Planet France), *Fabuleux Ouest américain* (Editions Ulysse), *Parcs nationaux de l'Ouest américain + Las Vegas* (Hachette/Guide du routard),

Las Vegas (Gallimard/Cartoville, Hachette/Top Ten, Editions Ulysse), *Los Angeles* (Editions Ulysse), *USA Ouest et centre* (Marcus), *San Diego* (Éditions Ulysse),

San Francisco (Gallimard/Cartoville, National Geographic France, Éditions Ulysse), *Seattle* (Éditions Ulysse), *Sud-Ouest américain* (Editions Ulysse), *USA Ouest* (Nelles).

• SUD

Disney World (Éditions Ulysse),*Etats-Unis est et sud* (Hachette/Guides bleus), *Etats-Unis sud et Bahamas* (Mondeos),

Floride (Gallimard/Spiral, Hachette/Guide du routard, Hachette/Guide Voir, Le Petit Futé, Marcus, Éditions Ulysse),

Louisiane (Le Petit Futé, Marcus, Éditions Ulysse), *Louisiane et les villes du sud* (Hachette/Guide du routard),

Miami (Gallimard/Cartoville), *Miami et Fort Lauderdale* (Éditions Ulysse), *Texas* (Marcus).

• ALASKA

Alaska (JPMGuides, Le Petit Futé, Lonely Planet en anglais).

• HAWAII

Hawaii (Éditions Ulysse, Lonely Planet/Diving and Snorkeling), *Hawai'i, the big island* (Lonely Planet).

Cartes

Au premier chef : les cartes de Rand Mac Nally, dont l'indispensable *Road Atlas*. Également l'*Atlas routier* de Hildebrand et *l'Interstate Road Atlas*

USA, Canada, Mexique de National Geographic. Plans de *New York* chez Falk, IGN, Marco Polo, R.V. Verlag, de *Los Angeles* et de *Washington* chez R. V. Verlag. Autres : cartes des différentes îles hawaiiennes chez Nelles, *Alaska* (ITM), *Death Valley National Monument* (Cordée, qui possède de nombreuses cartes des grands parcs nationaux).

Lectures

En Alaska (Payot, 1992), *Dans les pas de l'ours : une traversée solitaire de l'Alaska sauvage* (Emeric Fisset/Transboréal, 2007), *Dans les prairies du Far West* (H. Irving, Editions Viviane Hamy, 1992), *De la démocratie en Amérique* (Alexis de Tocqueville/Folio, 1986), *les Canyons du Colorado* (John Wesley Powell/Actes Sud, 1999), *Civilisation des Etats-Unis* (Marie-Christine Pauwels/ Hachette, 2005), *New York : chronique d'une ville sauvage* (J. Charyn, Gallimard, 1994), *Old Man River* (J. Raban, Payot, 1994), *Québec et La Nouvelle-Orléans : paysages imaginaires français en Amérique du Nord* (Martine Geronimi/Belin, 2003), *la Vie sur le Mississippi* (M. Twain, Payot, 2003), *Voyage en Amérique* (C. Dickens, Phébus, 1994).

Images

Est

Historic photos of Chicago (Russell Lewis, Turner Publishing Company, 2006), *Histoire de New York* (François Weil, Fayard, 2005), *New York* (Christopher Bliss/Te Neues, 2005), *New York : entre ciel et terre* (Michael Yamashita/National Geographic, 2007), *New York Vertical* (Horst Hamann/Te Neues, 2001).

Ouest

Alaska : sur les traces des pionniers (Arthaud, 2004), *les Deux Californies, États-Unis, Mexique* (Anako, 1997), *le goût de Los Angeles* (Mercure de France, 2005), *les Parcs américains de l'ouest* (Pélican, 2003), *San Francisco et nulle part ailleurs* (Geneviève Gaillard/Ed. Pippa, 2007).

Autres

Voyages en Amérique du Nord (Antony Shugaar, Catherine Donzel/Chêne, 2008). Voir aussi les photos anticonformistes de William Klein, dont celles sur New York parues dans *New York, 1954-55* (Marval, 1999), ou celles de D. Arbus, R. Frank, G. Winogrand.

Vidéos et DVD

Des trains pas comme les autres : les Etats-Unis (Éditions Montparnasse, 2005), nombreux «DVD Guides» dans la série TF1 Vidéo, entre autres sur la Floride (*Attractions en Floride*), la Louisiane, le Mississippi, New York, les parcs nationaux, San Francisco et la côte Ouest, le Texas (*Texas/Nouveau-Mexique*).

QUEL VOYAGE ET À QUEL PRIX ?

Le voyage individuel

Les préparatifs

◆ Pour les ressortissants de l'Union européenne et suisses : passeport en cours de validité suffisant. Nécessité d'un passeport à lecture optique émis avant le 25 octobre 2005 ou d'un passeport électronique; sinon un visa est nécessaire, à demander au consulat. Pour les Canadiens, preuve de citoyenneté ou (mieux) passeport. ◆ Depuis le 12 janvier 2009, nécessité de remplir un formulaire électronique sur le site ESTA (https://esta.cbp.dhs.gov) au minimum trois jours avant le départ pour les voyageurs dispensés de visa, y compris les voyageurs en transit. ◆ Preuves de solvabilité et billet de retour exigibles.

◆ Monnaie : le *dollar* (USD) est subdivisé en 100 *cents*. 1 EUR = 1,40 US Dollar. Se munir de dollars avant le départ, en espèces ou en chèques de voyage, mais surtout utiliser une carte de crédit, tant pour les retraits que pour les paiements directs.

Le départ

◆ Indice de prix à certaines dates du vol régulier Montréal-New York : 180 CAD; Montréal-Miami ; 250 CAD; Paris-Honolulu A/R : 850 EUR; Paris-Los Angeles A/R : 600 EUR; Paris-Miami A/R : 500 EUR; Paris/La Nouvelle-Orléans A/R : 550 EUR; Paris-New York A/R : 500 EUR; Paris-Orlando A/R : 500 EUR; Paris-San Francisco A/R : 600 EUR.

◆ Durée moyenne des vols Paris-Boston (5 531 km) : 7 h 40; Paris-New York (5 837 km) : 8 heures (une heure de moins au retour); Paris-Los Angeles (9 107 km) : 12 heures; Paris-San Francisco (8 971 km) : 12 heures.

◆ Destinations clés pour les meilleurs tarifs aériens : Boston, Los Angeles, New York, Orlando, Saint Louis, San Francisco, Seattle, Washington.

◆ Les tarifs des vols intérieurs sont fondés sur le *Pass*, achetable uniquement avant le départ. Il s'agit d'un prix forfaitaire, basé sur un certain nombre de coupons, généralement entre trois et dix. Certaines compagnies n'appliquent le *Pass* que si le vol transatlantique est effectué sur leurs lignes.

Bateau

Les transatlantiques ont toujours le vent en poupe, surtout la luxueuse liaison Cherbourg ou Southampton-New York (6 nuits à bord) sur le *Queen-Mary-II*, plus grand paquebot du monde. Renseignements en agences de voyages ou auprès de la Compagnie internationale de croisières. Variante : Southampton-Fort Lauderdale (Royal Caribbean).

Bus

La compagnie Greyhound sillonne le pays : bus rapides, confortables, idéaux pour qui a du temps. Ceux qui envisagent ce moyen de transport doivent demander, avant leur départ, la carte *Ameripass* (renseignements en agences de voyages), qui est une sorte de forfait (parcours illimité de 7 à 60 jours).

Hébergement

◆ Le *Mobil Travel Guide*, que l'on obtient dans la plupart des automobiles-clubs ou à la Librairie Brentano's, 37, avenue de l'Opéra, 75002 Paris, ☎ 01.42.61.52.50, www.brentanos.fr, recense, région par région, des hôtels de toutes catégories. Même objectif, État par État, pour *AAA*, guide de l'American Automobile Association.

◆ Les hôtels américains « fonctionnent » par chaînes : Best Western (www.bestwestern.com), Days Inn (www.daysinn.com), Motel 6 (www.motel6.com), etc. Chacune réussit à établir un bon rapport qualité/prix pour les budgets moyens et édite un fascicule, disponible dans chaque établissement et destiné à fournir les adresses à travers le pays. Il est également possible d'acheter, avant le départ, des coupons, source de réductions intéressantes. Renseignements dans les agences de voyages. ◆ Pour l'arrivée dans une grande ville, il est préférable de louer avant le départ une chambre d'hôtel dans une agence de voyages plutôt que de chercher sur place. Double avantage : le tarif, inférieur la plupart du temps, et la liberté de ne pas devoir courir pour des adresses qui affichent souvent complet. ◆ Partout, on trouve des motels sans grâce mais sans excès tarifaire: 60 dollars US la nuit lorsqu'on voyage à quatre personnes est une aubaine. Difficile, toutefois, de trouver de la place à l'improviste sur les lieux touristiques. ◆ Dans les grandes villes, les nuitées les moins chères sont à rechercher dans les YMCA/YWCA (semblables aux auberges de jeunesse), dans les Bed and Breakfast (www.bbtravel.com), dans les motels de la lointaine périphérie et, plus rarement, chez l'habitant, par exemple via l'association Tourisme chez l'habitant, qui couvre tout le pays. ◆ Environ 140 auberges de jeunesse (AYH). Renseignements : www.hostels.com ◆ Le camping est de mise dans les parcs nationaux, mais une réservation précoce s'impose, entre autres sur www.nps.gov

Jobs ou séjours linguistiques

Les bacheliers et étudiants de plus de 18 ans peuvent espérer suivre des stages ou travailler durant l'été, par exemple dans l'hôtellerie, la restauration ou les parcs nationaux. Renseignements, entre autres, auprès du British American Institute (www.british-american-institute.com/).

Parcs nationaux

Les parcs nationaux bénéficient d'une excellente structure d'accueil *(Visitor's Center)*. En outre, il existe un pass (80 USD) que l'on peut acheter dans le premier parc visité.

Pour le Walt Disney World Resort de Floride, il existe un pass intéressant, le *Florida Fun in the Sun Pass*, pour visiter la succession des parcs à thème; pass à acquérir avant le départ.

Route

◆ La location de voiture est une institution, en principe réservée aux plus de 25 ans. De la plus petite à la plus grande : A *(Subcompact)*, B *(Compact)*, C *(Mid-Size)*, D *(Full Size,* 2 portes), F *(Full Size,* 4 portes). ◆ Éventail des prix de A à F mais aussi selon la saison et l'État choisi : de 200 à 450 EUR la semaine, avec assurance (CDW) souvent incluse.

◆ La location en agence de voyages *avant* le départ aux États-Unis et le choix d'un autotour (voiture de location, itinéraire suggéré et hôtel réservé à l'étape) permettent de faire des économies. Ainsi peut-on trouver un *autotour* pour la Floride (vol A/R, kilométrage illimité et hébergement) *aux alentours de 750 EUR la semaine* chez la plupart des voyagistes cités page suivante ou sur www.autoescape.com. *Compter 1 000 EUR* pour un vol et autotour d'une semaine autour de Los Angeles.

◆ Le motorhome est également une institution. Il doit supporter quelques inconvénients, par exemple l'interdiction de traverser la vallée de la Mort en été. Les modèles sont de 2 à 6 places et sont loués *de 500 à 800 EUR* la semaine selon la catégorie, la saison et l'État choisis. ◆ Des variantes existent : location d'une américaine des années 50, d'une Harley Davidson, d'une voiture + un set de camping. ◆ Le carburant est calculé en gallons (1 gallon = 3,78 litres); son prix laisse moins rêveur depuis les remous pétroliers. ◆ Les limitations de vitesse ont longtemps été très strictes et variables selon les États : en général 55 miles, soit 90 km/h environ, parfois 110 km/h sur autoroute.

Train

Les trains de la compagnie Amtrak (réductions possibles avec l'*USA Rail Pass*) sont peu prisés des habitants. Le touriste, en revanche, peut y trouver son compte, par exemple pour les circuits des canyons du Colorado ou de l'Utah, ou pour rejoindre San Francisco à partir de Chicago avec le *Californian Zephyr.* Renseignements auprès de l'office du tourisme. Un train célèbre en Alaska : le *Denali Star,* qui relie Seward, Anchorage et Fairbanks sur près de 800 km. Le *Santa Fe Express,* en revanche, n'a pas de descendant.

Vie quotidienne

◆ Nécessité de vérifier la situation de son assurance ou de prendre une assurance complémentaire avant le départ, le coût de l'hospitalisation étant élevé aux États-Unis. ◆ Adaptateur et transformateur nécessaires pour les appareils électriques (110 V). ◆ Se rappeler que souvent les prix affichés n'incluent pas les taxes (par exemple 8,5 % pour l'État de New York) et que, sur les lieux touristiques mais aussi ailleurs, il est très mal vu d'oublier le pourboire dans les restaurants et taxis (autour de 15 %) et pour les bagagistes dans les hôtels. ◆ La consommation d'alcool est interdite sur la voie publique.

Le voyage individuel

Rappel : nous nous sommes limités à un résumé des prestations en vigueur dans les agences et chez les voyagistes présents en France. Les lecteurs des autres pays peuvent en tirer des idées d'itinéraire et les compléter auprès de leurs agences de voyages.

◆ **New York** a retrouvé l'engouement d'avant 2001. Les formules avion + hôtel pour des séjours courts (4 jours/3 nuits) sont avantageuses en basse saison : *aux alentours de 600 EUR* en chambre double, nettement plus pour les fêtes de fin d'année et en juillet-août, cette dernière période n'étant pas la meilleure à plusieurs points de vue. New York fait également l'objet de forfaits spéciaux en agences pour Thanksgiving, Halloween, le réveillon du Nouvel An. Exemples : Comptoir des États-Unis, Jet Set/Equinoxiales, Kuoni, Nouvelles Frontières, Tourmonde, Vacances Transat, Vacances Fabuleuses, Voyageurs du monde.

◆ Si on sait ne pas se limiter à la « ville des villes», on imaginera des mini-séjours à Boston, Chicago, La Nouvelle-Orléans, Miami ou Washington, voire Los Angeles ou San Francisco. Mais ne pas rester au moins une semaine dans les régions qui entourent ces rendez-vous urbains serait regrettable. Voilà pourquoi les **autotours** tiennent la corde. La plupart passent par les quatre mousquetaires de la « **Mégalopolis** » (Washington, Philadelphie, New York, Boston). A titre d'exemple : compter aux alentours de *700 EUR* la semaine pour le vol A/R et l'hébergement à Miami.

◆ Des **croisières** d'une dizaine de jours partent de Boston pour le Saint-Laurent et Québec, d'autres quittent New York pour le Maine, la Nouvelle-Écosse ou les Caraïbes (ces dernières avec le *Queen-Mary-II* de Cunard).

◆ Certains voyagistes proposent des visites éclair avec des **minitrips** de 3 ou 4 jours pour Los Angeles, San Francisco, San Diego ou Las Vegas, *aux alentours de 800 EUR* hors saison.

Le voyage accompagné

Malgré l'étendue du pays, la majorité des prestations ne s'exercent, massivement il est vrai, que sur **trois pôles** : le nord-est (New York), l'ouest (Californie et parcs nationaux) et le sud (Floride, Louisiane). L'Alaska et Hawaii, traités à la fin de ce chapitre, sont deux destinations en pleine progression.

• EST

Combiné classique en circuit accompagné : celui qui associe New York, Boston, Montréal, Québec, Toronto et les chutes du Niagara (entre autres Comptoir des États-Unis, Jet Tours, Kuoni). Des circuits spécifiques existent, comme les chemins de **l'indépendance** américaine ou les grands **musées**.

• OUEST

Les villes **côtières** (Los Angeles, San Francisco), **Las Vegas** et les **parcs** nationaux (Bryce Canyon, Grand Canyon entre autres) sont assemblés pour l'un des circuits, en bus ou en minibus, les plus classiques mais aussi les plus recherchés des États-Unis (15 à 23 jours). Programment parmi bien d'autres ce genre de circuit : Arvel, Aventuria, Comptoir des États-Unis, Continents insolites, Directours, Fram, Jetset Equinoxiales, Jet Tours, Kuoni, La Maison des Etats-Unis, Vacances Transat, Vacances Fabuleuses, Voyageurs du monde. Nouvelles Frontières joue la carte des économies avec une série de circuits en **minibus** et une alternance **camping/hôtel** à travers le pays.

Le prix moyen d'un circuit accompagné de *15 jours* aux États-Unis tourne *autour de 1 900 EUR* pour l'est et *de 2 100 EUR* pour l'ouest. Bien suivre les annonces de promotions en saison creuse : on peut y trouver des autotours d'une semaine pour la Californie ou la Floride à des prix étonnants.

◆ Foule de propositions pour les **randonneurs** dans les grands parcs de l'Ouest américain, généralement entre mai et octobre. Yosemite, Vallée de la Mort, parc de Zion, Bryce Canyon, Monument Valley, Colorado sont réunis chez Allibert, Club Aventure, Nomade Aventure (de 15 à 22 jours selon le voyagiste).

Les traces de l'histoire **indienne** (Anasazis et Navajos) sont revisitées à travers le parc de Chaco, le canyon de Chelly, le Mesa Verde National Park (Allibert), alors que Terres d'aventure est dans le désert de Mojave et du sud de l'Arizona. Pour ce type de voyage-randonnée, compter *aux alentours de 1 600 EUR pour 10 jours et de 2 500 à 3 000 EUR* pour trois semaines. Variantes : des balades en motoneige dans le parc de Yellowstone, du **ski** dans le Colorado ou les Rocheuses (Jet Set, Scanditours).

◆ Les **glaciers** des États de Washington et du Montana attirent également les **randonneurs** entre juillet et septembre (Allibert, Club Aventure). À cette même période, les randonneurs sont aussi avec Allibert, Club Aventure ou Terres d'aventure dans la chaîne du Grand Teton et dans le parc de Yellowstone.

◆ Combinés États-Unis-Canada **:** des grands parcs de l'ouest canadien (Banff, Jasper) à l'Arizona chez Continents insolites (21 jours); Vancouver, nord de la Californie et Alberta chez Jet Tours.

• SUD

◆ Miami, Key West, les Everglades, Epcot Center, Cap Canaveral, les plages : il ne manque aucun rendez-vous important de la **Floride** au programme des circuits organisés par de nombreux voyagistes. Exemples : Compagnie des Etats-Unis, Jet Air, Jet Set, La Maison des Etats-Unis, Vacances Fabuleuses, Vacances Transat. Compter *aux alentours de 800 EUR* pour un week-end à rallonges à Miami (vol et hébergement) et *1 400 EUR* pour un circuit de 9 jours/7 nuits.

◆ Miami est le point de départ de grands navires de **croisières** pour la mer des Antilles, avec escales à Cozumel (Mexique), Grand Cayman et Ocho Rios (Jamaïque). Costa Croisières et Celebrity Cruises sont sur cet itinéraire entre novembre et avril. Norwegian Cruises Line avance plusieurs programmes. On trouve également une croisière Floride-Californie avec Radisson Seven Seas Cruises via le Panama, le Costa Rica et le Mexique.

◆ La Nouvelle-Orléans, les bayous, les plantations : tiercé immuable de la **Louisiane**, généralement sur une semaine à dix jours (Comptoir des Etats-Unis, Jetset, La Maison des Etats-Unis, Kuoni, Nouvelles Frontières, Voyageurs du monde). Vacances Fabuleuses ajoute une semaine « Carnaval » en février.

◆ Certains voyagistes proposent des **combinés** Louisiane-Floride ou New York, Louisiane, Floride auxquels ils ajoutent les **traditions musicales** du Mississippi et du Tennessee en bifurquant parfois vers Savannah et la Georgie (renseignements en agences de voyages). Il existe également des combinés **blues** et **jazz** qui passent par Memphis et La Nouvelle-Orléans, ainsi que des programmes de croisière sur un bateau à aubes au départ de Memphis ou de La Nouvelle-Orléans (Jet Set).

• ALASKA

La vague Alaska reste chère (*près de 3 000 EUR* pour 15 jours) mais, de juin à septembre, les organisateurs de **randonnées** attirent de plus en plus leurs clients (Allibert, Explorator). Le voyage peut se concevoir de manière moins physique, car basé sur le minibus et les nuits sous tente (Comptoir des États-Unis). Le plus « pointu » des voyagistes pour la région reste toutefois Grand Nord Grand Large, qui propose plusieurs longs séjours pour des raids en **kayak** et la rencontre de la faune arctique, dont les caribous.

Les côtes de l'Alaska attirent les amateurs de **croisière**, qui peuvent admirer les glaciers, par exemple à partir du *Serenade of the Seas* (Royal Caribbean), qui part de Vancouver pour Juneau, ou à bord du *Sauvage*, un sloop (voilier) qui cabote dans la baie du Prince William pendant une dizaine de jours (Grand Nord Grand Large). Prix moyen de ce genre de croisière, prévue entre juin et août inclus : *de 1 700 à 2 200 EUR* en cabine double, tout compris. Autres prestations avec les navires de Princess Cruises et Regent Seven Seas Cruises.

• HAWAII

Effort léger : farniente à Waikiki ou visite du parc des volcans avec Jet Tours, qui propose deux extensions à des circuits dans l'Ouest américain. Effort certain mais récompense visuelle garantie avec une marche près des volcans actifs tels que le Mauna Kea (Allibert), le même plus le Mauna Loa, le Kilauee, le Haleakala et le Pu'uo'o avec Aventure et Volcans. Ce style de voyage dure 15 jours en moyenne, entre août et novembre, et son prix se situe *entre 2 500 et 3 000 EUR*. A noter un combiné inhabituel Hawaii-San Francisco chez Arts et Vie.

• DIVERS

Quelques voyages spécifiques : le **marathon** de New York, en novembre (parfois le forfait comprend le vol, 4 nuits d'hôtel, le dossard et l'assistance d'une équipe médicale); les grandes finales de **football** américain, qui se déroulent chaque année aux alentours de la Saint-Sylvestre, à La Nouvelle-Orléans (Sugar Bowl), à Miami (Orange Bowl) et à Pasadena, Californie (Rose Bowl); la route du **jazz** et du **blues**, de La Nouvelle-Orléans à Chicago; un séjour dans un **ranch**. Renseignements en agences de voyages.

QUE RAPPORTER ?

En fonction de la spécificité des États, la légendaire habileté commerciale du pays trouve toujours de quoi séduire son client, mais on ne manquera pas de privilégier l'artisanat indien (bijoux, colliers, bracelets, tapis). Dans les grandes villes, se présentent des affaires à ne pas manquer pour l'habillement (chaussures, jeans, tee-shirts) comme dans les *outlets* (vente à prix d'usine). L'électronique et la téléphonie sont très recherchées mais attention aux (in)compatibilités de certains matériels.

LES REPÈRES

◆ Lorsqu'il est midi en France, il est minuit (douze heures de moins) à Hawaii, 3 heures à Los Angeles (côte ouest) et 6 heures à New York (côte est). ◆ Langue officielle : l'anglais s'est progressivement mué en « anglo-américain »; le français est rare, y compris en Louisiane, les anglophones se préoccupant davantage d'apprendre l'espagnol, vu la répartition démographique (14,8 % d'hispanophones, dont 60% à Miami). ◆ Téléphone vers les États-Unis : 001 + indicatif (New York : 212; Los Angeles : 213; Miami : 305, Washington : 202) + numéro du correspondant; des États-Unis : 011 + indicatif pays + numéro. Possibilité d'appeler d'Europe les indicatifs 800 ou 1-800 en les remplaçant par 880 ou 881. ◆ GSM : mobile tribande nécessaire.

LA SITUATION

Géographie. Seuls la Russie, le Canada et la Chine font mieux que les 9 363 520 km² du pays, qui ferait entrer seize fois la France dans ses frontières. Le relief est d'un dessin général assez simple : les Appalaches, à l'est, et les montagnes Rocheuses, à l'ouest, enserrent les Grandes Plaines du centre. Les Rocheuses laissent place à des chaînes côtières, au-dessus de San Francisco, et à des plateaux, tel le Colorado.

Population. 50 États et 303 825 000 habitants, dont les trois quarts vivent dans les villes (200 villes dépassent 100 000 habitants). Parmi les minorités, les Noirs (12 % de la population totale) sont les plus nombreux, devant les Indiens et les Asiatiques. Capitale : Washington, loin derrière les agglomérations de New York (16 300 000 habitants) et de Los Angeles (12 200 000 habitants).

Religion. Un Américain sur deux est protestant, un sur trois est catholique. Les autres grandes religions du monde sont représentées dans des proportions allant, pour chacune d'entre elles, de 1 à 4 % de la population.

Dates. *1492* Christophe Colomb aborde sur les côtes de l'Amérique centrale. *1607* Début de la colonisation anglaise, alors que les Français s'affairent en Louisiane. *1626* Peter Stuyvesant fonde New York. *1763* Les Anglais, qui ont écarté les Français, sont de plus en plus contestés. *1776* Indépendance. *1787* Élaboration de la Constitution. *1797* George Washington premier président. *1803* La France vend la Louisiane aux États-Unis pour trois fois rien. *1818* Au tour de l'Espagne de vendre la Floride. *1861* Guerre de Sécession, victoire des Nordistes et assassinat de Lincoln. *1867* Nouvelle vente : celle de l'Alaska par la Russie. *1867* Début de l'« âge doré ». *1929* Krach de Wall Street. *1963* Assassinat de John Kennedy. *1968* Nixon président. *1974* Scandale du Watergate et démission de Nixon. Ford puis Carter lui succéderont. *1981* Début de huit années de politique ultralibérale du président Reagan. *1988* George Bush président. *Printemps 1992* Émeutes dans les quartiers défavorisés de Los Angeles (52 morts). *Novembre 1992* Bill Clinton (parti démocrate) devance Bush. *Janvier 1994* Séisme à Los Angeles. *Novembre 1996* Clinton est réélu aux dépens de Dole. *Automne 1998* L'affaire Lewinsky accable Clinton. *Décembre 2000* George W. Bush déclaré président aux dépens de Gore après un scrutin très serré et des tergiversations rocambolesques. *Septembre 2001* Un double attentat-suicide, attribué à la mouvance intégriste islamiste al-Qaida d'Oussama Ben Laden, détruit les tours jumelles du World Trade Center à New York et une partie du Pentagone à Washington, provoquant la mort de près de 3 000 personnes. *Octobre 2001* Les Etats-Unis ripostent et frappent le réseau al-Qaida en Afghanistan après avoir contribué à la chute des talibans. *20 mars 2003* Les États-Unis, sous le faux prétexte de possession par l'Irak d'armes de destruction massive, déclenchent une guerre contre ce pays, où ils renversent Saddam Hussein mais s'enlisent peu à peu. *Novembre 2004* Bush réélu aux dépens de Kerry. *Août 2005* Le cyclone Katrina dévaste La Nouvelle-Orléans et ses alentours. *Novembre 2008* Large victoire du démocrate Barack Obama aux dépens de John Mac Cain. Obama devient ainsi le premier président noir de l'histoire des Etats-Unis.

Ethiopie

Avertissement. – Les zones frontalières avec l'Érythrée et la Somalie sont fortement déconseillées au voyageur.

Ressentie comme le pays de tous les malheurs, l'Éthiopie a du mal à s'occuper de l'autre image que l'on devrait en avoir : un pays aux atouts architecturaux rares en Afrique en raison d'une très ancienne histoire religieuse. Église pourrait être le maître mot de l'endroit : le pays en compte quinze mille, la plupart très vieilles, comme sont vieilles sa diversité ethnologique et sa réputation d'avoir préservé son écosystème, sa faune et sa flore, le tout dans des paysages et sous un des climats les plus agréables d'Afrique.

LES RAISONS D'Y ALLER

LES MONUMENTS

Sites historico-religieux de Lalibela et Aqsoum, vieilles cités (Gondar, Harrar)
Musée d'archéologie (Addis-Abeba)

LES PAYSAGES ET LA FAUNE

Chutes du Nil Bleu (Tississat), hauts plateaux (parc national du Simien), lac Tana, volcans et lacs du Danakil
Faune des parcs nationaux d'Awash et de la vallée de l'Omo

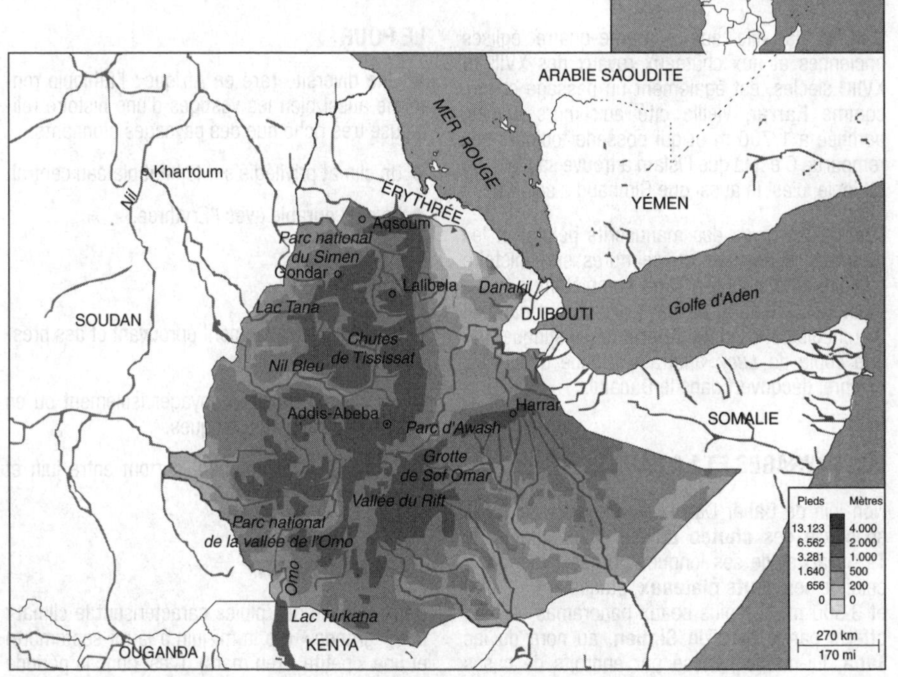

LES RAISONS D'Y ALLER

LES MONUMENTS

Les onze églises rupestres (XIIe siècle) de la cité monastique de **Lalibela**, la « Jérusalem noire », sont taillées à même le tuf et communiquent entre elles par d'étroits tunnels : elles sont l'un des sites architecturaux les plus intéressants d'Afrique. En outre, sur ce même lieu au début janvier, la fête de l'Épiphanie copte (Timkat) est un grand moment, marqué par des processions au son des tambours, la couleur des costumes des prêtres et des diacres coptes, ainsi que la rare sortie des tables et des pierres sacrées.

Aqsoum, berceau du royaume des Sabéens au VIe siècle et où la légende place un palais de la reine de Saba, est d'un intérêt au moins égal à Lalibela : la ville vaut par ses imposantes stèles (33,5 m pour la plus haute), ses ruines du palais Dongour et son église Sainte-Marie-de-Sion. Son obélisque du IVe siècle en basalte, la « Flûte de Dieu », lui a été récemment restitué par l'Italie. Non loin de là, en partant vers l'est, se dresse le monastère de Debre Damo, le plus vieux du pays.

Gondar, la ville aux quarante-quatre églises anciennes et aux châteaux royaux des XVIIe et XVIIIe siècles, est également un passage obligé, comme **Harrar**, vieille cité aux murs blancs, perchée à 1 700 m et qui possède toujours ses remparts. C'est là que l'islam a trouvé sa place en Éthiopie, c'est là aussi que Rimbaud a séjourné.

Les églises (avec des manuscrits peints) et les monastères décorés de peintures sur l'histoire biblique autour du **lac Tana** complètent le patrimoine architectural du pays. Le Musée national d'archéologie d'**Addis-Abeba** se distingue par une copie de *Lucy*, australopithèque désormais célèbre, découvert dans le Danakil.

LES PAYSAGES ET LA FAUNE

Non loin de Bahar Dar, l'Éthiopie offre certes le spectacle des **chutes du Nil Bleu** (chutes de Tississat) et de ses longues gorges, mais aussi celui de ses **hauts plateaux**, étagés entre 2 000 et 3 500 m. Les plus beaux panoramas en sont offerts par le parc du **Simien**, au nord du lac **Tana**, lui-même hérissé par endroits de cases lacustres et parsemé de canots de papyrus sur lesquels se déplacent les pêcheurs.

Aux confins de l'Erythrée, dans une région rude et aride, les caravanes de sel des Afars longent des paysages chauffés à blanc, surtout lorsqu'on gagne la caldeira puis le cratère de lave du volcan **Erta Ale**, au cœur de la dépression **Danakil** (130 m au-dessous du niveau de la mer). Les couleurs fantastiques des montagnes du **Dallol**, riches en soufre, complètent le tableau.

L'Éthiopie renferme de nombreuses variétés **d'oiseaux** qui, tel le gypaète, sont réputés pour se laisser facilement approcher car ils n'ont pas été chassés par l'homme à travers l'histoire. Les espèces les plus nombreuses se rencontrent autour des lacs de la vallée du Rift, à 200 km environ au sud d'Addis-Abeba (aigles pêcheurs, flamants roses, ibis, marabouts). La **faune** classique d'Afrique (lions, girafes, éléphants, crocodiles, hippopotames) peuple le parc de la vallée de l'**Omo** et le parc d'**Awash**, tous deux propices à des safaris photo. Le fleuve Omo, qui finit par un delta dans le lac Turkana, au Kenya, fait l'objet de remontées en bateau.

LE POUR

◆ Une diversité rare en Afrique : l'Éthiopie renferme aussi bien les vestiges d'une histoire religieuse très riche que des paysages étonnants.

◆ Un climat privilégié sur le haut plateau central.

◆ La paix durable avec l'Érythrée.

LE CONTRE

◆ Un voyage relativement éprouvant et des prestations d'un coût élevé.

◆ Un certain risque à voyager isolément ou en dehors des zones touristiques.

◆ Des pluies qui tombent surtout entre juin et septembre.

LE BON MOMENT

Deux saisons des pluies caractérisent le climat : une « grande » (de la mi-juin à la mi-septembre) et une « petite » (en mars). C'est donc la période d'**octobre à mai** qui est la plus appropriée (octobre à février pour le désert de Danakil). Mais la force du climat éthiopien est de pouvoir proposer des mois de soleil sans que la température dépasse 25° ou descende à moins de 7°, cela grâce à une situation en altitude.

◆ Températures moyennes jour/nuit (en °C) à Addis-Abeba (haut plateau central) : janvier 24/5, avril 24/10, juillet 21/10, octobre 23/7.

LE PREMIER CONTACT

En Belgique

Ambassade, avenue de Tervuren, 231, B-1150 Bruxelles, ☎ (02) 771.32.94, fax (02) 771.49.14, etebru@brutele.be

Au Canada

Ambassade, 151, rue Slater, bureau 210, Ottawa, ON K1P 5H3, ☎ (613) 235-6637, fax (613) 235-4638, www.ethiopia.ottawa.on

En France

Ambassade, 35, avenue Charles-Floquet, 75007 Paris, ☎ 01.47.83.83.95, fax 01.43.06.52.14, embeth@free.fr

En Suisse

Section consulaire, rue de Moillebeau, 56 CH-1211 Genève 19, ☎ (22) 919.70.10, fax (22) 919.70.29, www.ethiopianmission.ch

Internet

www.tourismethiopia.org

Guides

Ethiopia (Bradt), *Éthiopie* (Le Petit Futé, Marcus, Olizane/Découverte).

Carte

Cartographia.

Lectures

Histoire de l'Éthiopie, l'œuvre du temps (Karthala, 2004), *l'Ethiopie contemporaine* (Gérard Prunier, Karthala, 2007), *Rimbaud en Abyssinie* (Seuil, 2004). *Carnet de trek Erta Ale* (NVB, 2006).

Images

L'Afrique de Rimbaud (Textuel, 1999), *Ethiopie* (Favre Editions, 2007), *les Oubliés du Grand Rift : Soudan-Ethiopie-Kenya-Tanzanie* (Editions Pages du Monde, 2005).

CD-rom et DVD

Annales d'Ethiopie (Editions de La Table Ronde, 2006), *Des trains pas comme les autres : Ethiopie/Djibouti* (Warner Home Video, 2004). Le documentaire *Athar* part sur les traces d'Arthur Rimbaud (Circulo Films, France).

QUEL VOYAGE ET À QUEL PRIX ?

Le voyage individuel

Les préparatifs

◆ Pour les ressortissants canadiens, suisses et de l'Union européenne : passeport (valable encore six mois après le retour), visa obligatoire, obtenu auprès du consulat ou à l'arrivée dans l'un des deux aéroports internationaux du pays, Addis Abeba et Dire Dawa (se faire confirmer cette possibilité avant le départ). ◆ Dans tous les cas, billet de retour ou de continuation exigible.

◆ Vaccination vivement recommandée contre la fièvre jaune en dehors des zones urbaines. Prévention indispensable contre le paludisme (qui a rapidement progressé au cours des dernières années) au-dessous de 2 000 m. Pas de risque à Addis-Abeba.

◆ Monnaie : le birr. Il est conseillé de se munir de dollars US en espèces ou en chèques de voyage mais on peut également emporter des euros. 1 US Dollar = 10 birrs, 1 EUR = 14 birrs.

Le départ

◆ Indice de prix à certaines dates du vol Montréal/Addis-Abeba A/R : 1 700 CAD; Paris/Addis-Abeba A/R (pas de vol direct) : 720 EUR. ◆ Vol direct de Francfort et de Londres avec Ethiopian Airlines.

Sur place

Avion

A privilégier, vu les distances. Ethiopian Airlines assure l'essentiel des connexions.

Route

Conduite à droite. Location de voiture (de préférence un tout-terrain et avec chauffeur).

Train

Le chemin de fer à voie unique qui relie Addis-Abeba à Djibouti via Dire Dawa fait partie des légendes du rail. Toutefois, la fragilité sociale et politique que connaît parfois l'un ou l'autre pays impose de se renseigner sur les conditions de sécurité.

Le voyage accompagné

Rappel : nous nous sommes limités à un résumé des prestations en vigueur dans les agences et chez les voyagistes présents en France. Les lecteurs des autres pays peuvent en tirer des idées d'itinéraire et les compléter auprès de leurs agences de voyages.

◆ Le style de voyage qui mêle déplacements en **tout-terrain** et **randonnée**, entre septembre et février, domine les propositions : le parc du Simien, Lalibela, Gondar et le lac Tana en sont les pièces maîtresses. Atalante, Chemins de sable, Club Aventure, Explorator, Nomade Aventure, Terres d'aventure, Zig Zag sont présents, avec des tarifs plutôt élevés (*au moins 2 500 EUR* pour 15 jours).

◆ Les fêtes religieuses connaissent un intérêt croissant. Arts et Vie propose la fête de **Timkat** en janvier à Lalibela, comme Ananta, qui ajoute un Noël à Lalibela couplé à la visite de la vallée de l'Omo et des inédits comme le **Meskal** à Addis-Abeba (en l'honneur de la découverte de la croix du Christ) et le **Maryam Tsion** à Aqsoum (culte célébrant les tables de la loi).

◆ L'Éthiopie est parfois couplée avec **Djibouti**. Ainsi, Atalante propose « une caravane Afar », avec alternance de marche et de dromadaire au sein d'un combiné hauts plateaux éthiopiens, lac Assal et golfe de Tadjoura (17 jours). Sous la conduite de nomades afars et danakils, Terra Incognita associe le lac Assal et l'Erta Ale. Explorator place le lac Abbé et Djibouti-Ville au milieu de son périple éthiopien (18 jours en décembre). Voyageurs du monde termine par le lac Abbé et les rivages d'Obock un long séjour de 22 jours commencé au Kenya et poursuivi en Éthiopie. De leur côté, Aventure et Volcans, Nomade s'intéressent à l'Erta Ale et au Danakil.

QUE RAPPORTER ?

Des bijoux anciens en argent et en ambre, des croix éthiopiennes, des peintures sur parchemin, des vêtements de coton... et un excellent café.

LES REPÈRES

◆ Lorsqu'il est midi en France, en Éthiopie il est 13 heures en été et 14 heures en hiver. ◆ Langue officielle : l'amharique. Très nombreux dialectes. ◆ Langues étrangères : l'italien et l'anglais dans les villes. ◆ Téléphone vers l'Éthiopie : 00251; indicatif Addis-Abeba : 1; de l'Éthiopie : 00.

LA SITUATION

Géographie. Ce grand pays (1 104 494 km²) est surtout montagneux : Addis-Abeba, la capitale, culmine à 2 500 m et beaucoup d'autres villes ou villages sont en altitude.

Population. Les 82 545 000 habitants sont répartis en une mosaïque sans liens véritables : Amharas (majoritaires), Gallas, Somalis, Danakils, Noirs, Tigréens, Afars. Capitale : Addis-Abeba.

Religion. L'Église éthiopienne orthodoxe, qui s'est détachée des coptes d'Égypte au milieu du siècle dernier, regroupe 52 % de la population, l'islam sunnite 31 %, les croyances traditionnelles 11 %. Il existe également une communauté de juifs (falachas).

Dates. *Ier au IXe siècle.* Royaume d'Aqsoum avec, à sa tête, un négus. *XVIe siècle* Les Portugais libèrent le pays de la tutelle musulmane. *1855* Théodoros II « roi des rois ». *1885* Arrivée des Italiens. *1930* Haïlé Sélassié empereur. *1941* Les troupes franco-anglaises battent les Italiens et rendent le trône au négus. *1974* Renversement d'Haïlé Sélassié. *1977* Menguistu prend le pouvoir, soutenu par Cuba et l'URSS, alors que le pays connaît les conflits internes de l'Érythrée et de l'Ogaden, ce dernier soutenu par la Somalie. *1987* L'Éthiopie est une république populaire et démocratique à parti unique. *Mai 1991* Menguistu quitte le pays, le général Tesfaye Gabre Kidane lui succède pour une transition vers la démocratie. *Mai 1993* L'Éthiopie perd l'Érythrée. *Mai 1995* Le Front démocratique révolutionnaire des peuples éthiopiens (FPDRE) remporte les élections, Negasso Guidada devient président. *1996* Les relations avec le Soudan se détériorent. *Février*

1999 Une situation de guerre contre l'Érythrée s'installe dans les montagnes du nord. Un plan de paix de l'OUA stoppe le conflit. *Mai 2000* Reprise des hostilités sur la frontière nord. *Décembre 2000* Signature d'un accord de paix après la défaite de l'Érythrée. *Octobre 2001* Woldegiorgis Girma devient président. *Mai 2005* La coalition au pouvoir remporte les législatives face à une opposition nouvelle, la Coalition pour l'unité et la démocratie. Les résultats en sont contestés, la police réprime une manifestation à Addis-Abeba (22 morts).

Féroé (îles)

Dès le nord de l'Écosse, les brumes s'épaississent. À la hauteur des îles Shetland, c'est la purée de pois. Et lorsque, encore plus au nord, on atteint les îles Féroé, on n'y voit plus guère... Trêve de plaisanterie, mais tout de même : il faut être très amoureux des petits matins blêmes pour séjourner longtemps aux Féroé, là où même les arbres n'ont pas le droit de pousser à cause de la violence des vents. Rester sur des a priori défavorables serait toutefois coupable : on manquerait, entre autres délices romantiques, les changements incessants de la lumière du ciel et le spectacle dispensé par une grande variété d'oiseaux le long des côtes et des falaises.

LES RAISONS D'Y ALLER

LA FAUNE

Oiseaux (macareux, fous de Bassan)
Mykines (« île aux oiseaux »)

LES PAYSAGES ET LES RANDONNÉES

Falaises de basalte, fjords
Ascensions

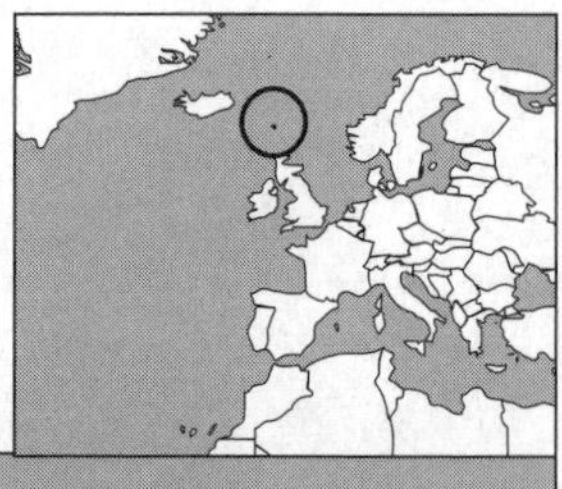

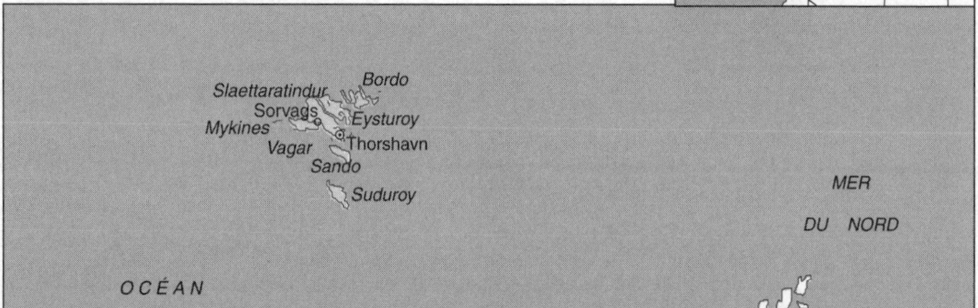

LES RAISONS D'Y ALLER

LA FAUNE

De nombreuses espèces d'oiseaux peuplent les dix-huit îles, dont des **macareux moines** et des **fous de Bassan**.

Un véritable spectacle ornithologique est offert par les falaises de basalte à partir d'un bateau naviguant le long des côtes lorsque la brume daigne se lever. L'endroit type pour cela est l'île de **Mykines**, baptisée l'« île aux oiseaux », et ses falaises de Vestmanna.

La faune aquatique (truites, saumons) attire les amateurs de pêche. Autre variété faunique, pour l'anecdote : les moutons (*far* en danois), qui ont donné leur nom aux Féroé. C'est dire leur omniprésence...

LES PAYSAGES ET LES RANDONNÉES

Le relief volcanique, hérissé de **falaises de basalte,** coupé de **fjords,** battu par les vents et sujet aux fantaisies climatiques qui changent sans cesse la lumière du ciel, ne plaît pas qu'aux seuls romantiques. En effet, les anciens chemins balisés servent aujourd'hui pour les **randonnées**, dont certaines mènent au lac Sörvágs Vatn et à la cascade de Bösdalafossur.

Les amateurs d'**ascensions** choisissent le Slaettaratindur ou le Gráfelli, sur l'île d'Eysturoy. Par temps clair, ces sommets (882 m pour le premier nommé) permettent de voir toutes les îles de l'archipel.

LE POUR

◆ Des coins de nature souvent comparables à ceux de l'Islande.

◆ Un voyage qui conserve un aspect insolite.

LE CONTRE

◆ Des conditions climatiques peu engageantes, quelle que soit la période.

◆ Peu de propositions de voyage et un coût de séjour élevé.

LE BON MOMENT

Si les hivers ne sont pas froids en raison du Gulf Stream, les étés restent frais et l'atmosphère humide. Les brumes sont fréquentes et les vents ne veulent pas cesser. La« belle saison » va de **mai à septembre**.

◆ Températures moyennes jour/nuit (en ºC) à Torshavn : janvier 5/1, avril 7/3, juillet 13/8, octobre 9/5.

LE PREMIER CONTACT

En Belgique

Office national danois de tourisme, rue d'Arlon, 73, B-1040 Bruxelles, ☎ (02) 233.09.00, fax (02) 233.09.32.

Au Canada

Ambassade du Danemark, 1, place Ville-Marie, Montréal, H3B 4M4, ☎ (514) 877-3041, fax (514) 871-8977.

En France

Conseil du tourisme danois (par téléphone ou fax) ☎ 01.42.56.18.72, fax 01.53.43.26.23.

En Suisse

Consulat du Danemark, rue de la Gabelle, 9, CH-1227 Carouge, ☎ (22) 827.05.00, fax (22) 301.57.52, www.ambbern.um.dk

Internet

www.faroeislands.com

Guides

Danemark, îles Féroé (Le Petit Futé), *Norvège, Suède, Danemark, Finlande et îles Féroé* (Lonely Planet France).

Lectures

Les Îles Féroé (Benoît Raoulx, Presses univ. de Caen, 1992), *Passage aux Iles Féroé avec des bottes en caoutchouc* (Karin Huet/Ed. La Part commune, 2007).

Images

Treks dans les îles de l'Atlantique Nord : Ecosse, Féroé, Islande, Groenland, Spitzberg (Philippe Patay, Arnaud Guérin/Ouest France, 2007).

▢ DVD

Le grand Nord : les îles Lofoten et Féroé, le Groenland, les îles Vestmann et Reykjavik (Vodeo TV).

QUEL VOYAGE ET À QUEL PRIX ?

Le voyage individuel

Les préparatifs

◆ Carte nationale d'identité ou passeport suffisant pour les ressortissants de l'Union européenne. Passeport valide pour les Canadiens.

◆ Monnaie : la *couronne danoise* (en danois *krone*, pluriel *kroner*) est subdivisée en 100 øre. 1 EUR = 7,45 couronnes danoises. Billets de banque des Féroé différents mais valeur identique. Emporter des espèces ou des chèques de voyage en euros. Il existe quelques distributeurs de billets.

Le départ

Avion

◆ Indice de prix du vol Paris-Vágar A/R : 400 EUR. ◆ Il n'existe pas de vols directs, ce qui oblige à un crochet par le Danemark ou l'Islande *(voir ces mots)*. ◆ Durée moyenne du vol Paris-Copenhague-Vágar : 3 h 30. ◆ Vols assez fréquents entre Copenhague et Vágar et entre Reykjavik et Vágar.

Bateau

En été uniquement, on peut accoster à Torshavn en provenance d'Esbjerg (Danemark, 34 heures de bateau), d'Hanstholm (Danemark) via Bergen (Norvège, 38 heures), de Scrabster (Royaume-Uni, 15 heures) et de Seydisfjörour (Islande, 17 heures). La plupart des voyages sont assurés par la compagnie Smyril Line (un départ par semaine entre juin et septembre), avec possibilité d'embarquer la voiture.

Sur place

Bateau

◆ Des ferries assurent le transport inter-îles. ◆ Une *Visitor Travel Card* permet d'obtenir des réductions pour les bus et les ferries.

Hébergement

◆ Le nombre des hôtels est réduit. Le prix moyen d'une nuit en chambre double se situe autour de 220 couronnes danoises. ◆ Il est possible de loger chez l'habitant (renseignements auprès du bureau de tourisme à Tórshavn).

Le séjour en individuel

Des autotours sont possibles, tel celui imaginé entre mai et septembre par Grand Nord Grand Large pour une semaine voiture/ferries en partant du nord jusqu'à l'île de Suduroy. Pour ce type de voyage, compter au moins *1 200 EUR la semaine.*

Le voyage accompagné

Rappel : nous nous sommes limités à un résumé des prestations en vigueur dans les agences et chez les voyagistes présents en France. Les lecteurs des autres pays peuvent en tirer des idées d'itinéraire et les compléter auprès de leurs agences de voyages.

◆ Peu de séjours et de circuits. Bel effort, toutefois, de 66° Nord qui consacre une semaine à la randonnée de village en village avec vue sur les falaises et balades en bateau au pied de celles-ci pour admirer les **oiseaux** (départs entre juin et août). De son côté, Grand Nord Grand Large propose de courts séjours qui permettent de découvrir Torshavn et la falaise de Vestmanna.

◆ L'archipel est désormais mieux connu grâce aux bateaux de **croisière** qui, en été, longent les côtes des pays scandinaves et gagnent ensuite le nord de l'Écosse via les Féroé.

LES REPÈRES

◆ Pas de décalage horaire. ◆ Langue officielle : le danois, mais le féroïen, langue locale et écrite depuis le milieu du XIXe siècle, s'est imposé à ses côtés. ◆ Langue étrangère : anglais. ◆ Téléphone vers les îles Féroé : 00298; des îles Féroé : 009.

LA SITUATION

Géographie. À 450 km de l'Islande et à 250 km de l'Écosse, cet archipel volcanique de 1 399 km^2 se compose de dix-huit îles, dont dix-sept sont habitées.

Population. Le climat et l'isolement expliquent pour une grande part le faible chiffre de la population (48 700 habitants). Chef-lieu : Tórshavn, dans l'île de Strömö.

Religion. La majorité des habitants sont luthériens.

Dates. *800* Les Norvégiens débarquent. *1380* Les îles deviennent danoises. *XVIe siècle* Les habitants se convertissent au luthéranisme. *1948* Autonomie, avec une assemblée législative et un statut de « territoire extérieur » du Danemark. *1973* Les Féroé restent en marge de la Communauté européenne au moment où le Danemark la rejoint. *1998* Une coalition pro-indépendantiste remporte les élections. *Novembre 2001* Le Parti de l'Union et le Parti républicain envoient chacun un représentant au Folketing danois. *Février 2004* Joannes Eidesgaard premier ministre. *Janvier 2008* L'Union Party remporte de peu les législatives. *Septembre 2008* Kaj Leo Johannessen Premier ministre.

Finlande

Randonneurs, skieurs de fond, écologistes de toutes tendances, unissez-vous car ce pays est fait pour vous ! Là où l'être humain a rarement eu autant de lacs et de place – l'équivalent de quatre hectares de forêt et de cent mètres de plage par tête d'habitant –, on peut passer un moment d'été, avec en prime la lumière unique du soleil de minuit, ou bien vivre l'engouement qui prévaut désormais pour un moment d'hiver composé de ski de fond, de traîneau à rennes ou de motoneige. Si l'on ajoute le sauna, que l'on trouve à chaque coin de rue ou presque, on peut être certain de retrouver un homme nouveau au retour de Finlande...

LES RAISONS D'Y ALLER

LES PAYSAGES ET LES RANDONNÉES

Laponie: traîneau, motoneige, attelages de chiens ou de rennes, ski de fond
Mont Saana, lac Inari
Soleil de minuit, aurores boréales
Lacs: canoë, mini-croisières, sports nautiques
Forêts de conifères
Archipel des Äland

LES VILLES

Helsinki, Tampere, Turku, Imatra, Kuopio, Kerimäki

LES TRADITIONS

Sauna, père Noël, courses de rennes

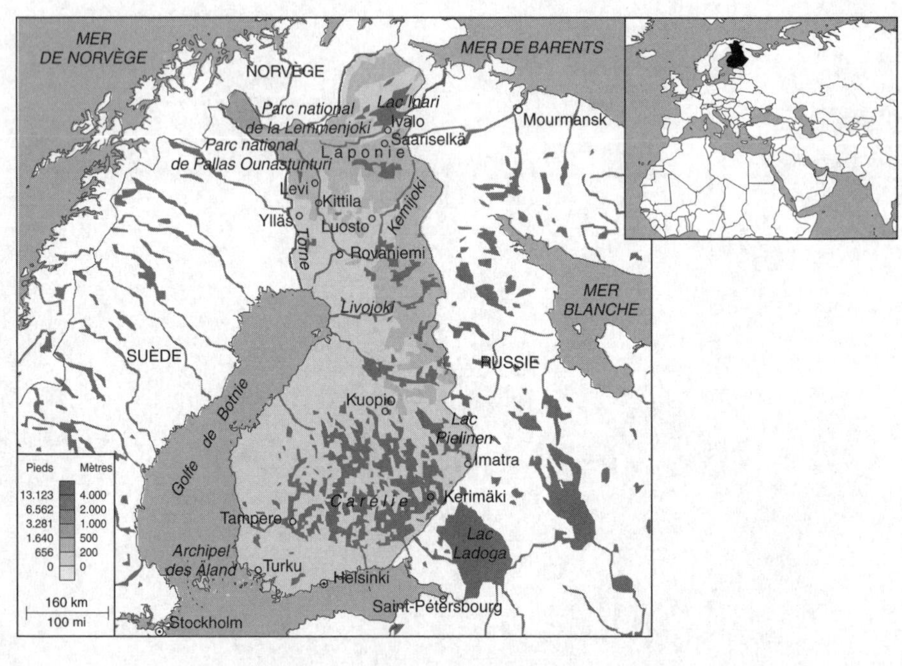

LES RAISONS D'Y ALLER

LES PAYSAGES ET LES RANDONNÉES

Au-delà du cercle polaire, s'étend la **Laponie**, qui connaît un engouement de plus en plus fort en automne, lors de son été indien *(ruska)* et surtout en hiver. On la découvre à partir de stations de sports d'hiver telles que Luosto, non loin de Rovaniemi, Levi ou Ylläs, près de Kittila, ou encore Saariselkä, non loin d'Ivalo. L'abord touristique en est varié : en motoneige, derrière un attelage de chiens ou de rennes, en croisière sur un brise-glaces, en luge, en raquettes ou en ski de fond, grande spécialité locale de la mi-janvier à la mi-mai, surtout près d'Ylläs (parc national de Pallas-Yllästunturi) et de Saariselkä.

Les plus jolis paysages de Laponie sont ceux où les grandes étendues plates de la taïga couvertes de neige laissent soudain apparaître des reliefs aux sommets dénudés, dont le **mont Saana**, la montagne sacrée des Lapons. Il résume bien l'austère beauté de cette région, qui connaît aussi un tourisme d'été à base de randonnées en 4 x 4 ou en VTT le long de la rivière Tenojoki, dans les parcs nationaux de la Lemmenjoki (la plus vaste étendue forestière d'Europe) et de Pallas Ounastunturi, ou encore aux abords du lac **Inari**, qui comprend l'île sacrée d'Uko et un vieux cimetière lapon.

La nature est partout préservée et les lois sont strictes, même pour le touriste. Elle est truffée de **lacs** (près de deux cent mille !), surtout dans le sud-est et en Carélie, embellis par la couleur vert sombre des **forêts** de conifères (deux tiers du territoire) qui leur donnent des rivages au dessin insolite. Les lacs permettent aussi bien de se baigner que de pêcher (« pêche au trou ») ou de voguer en **canoë**. Il est également possible de partir en minicroisière ou de se livrer aux sports nautiques.

Dans l'archipel des **Äland**, en face de Turku, plus de 6 500 îles ou îlots de granit émergent de la mer Baltique, dont la plupart sont recouverts de lichens et de forêts. L'agrément du voyage sur l'archipel est renforcé par la présence de châteaux, d'églises... et la possibilité de bénéficier d'achats hors taxes.

Le **soleil de minuit** est une exclusivité partagée avec les autres pays nordiques : de la mi-mai à la fin juillet selon les endroits, le soleil est présent en permanence et offre en moyenne 73 jours de clarté ininterrompue. En hiver, le spectacle s'inverse : nuit polaire et, de temps en temps, aurores boréales.

LES VILLES

Helsinki, ville d'intérêt moyen, abîmée par la Seconde Guerre mondiale, est bâtie sur une presqu'île qui offre la possibilité de balades en bateau dans l'archipel avoisinant ou, en hiver, de promenades sur... l'eau prise par les glaces. La capitale finlandaise, pour la visite de laquelle on gagnera à acheter une « Helsinki Card », renferme ses plus beaux bâtiments classiques autour de la place du Sénat. Mais l'originalité est à rechercher dans la cathédrale orthodoxe Uspenski et surtout l'église Temppeliaukio, creusée dans le rocher. A un quart d'heure en ferry, la forteresse Suomenlinna abrite plusieurs musées.

Au carrefour de deux grands lacs, **Tampere** vaut par son musée Sara Hildén et l'église Kaleva. À **Turku**, la plus ancienne ville du pays, l'histoire a laissé un château, une cathédrale du XIIIe siècle et aujourd'hui un musée en plein air. En Carélie et à la lisière de la Russie, **Imatra** mérite le détour. Plus à l'ouest, **Kuopio** vaut par son hôtel de ville, ses halles et sa cathédrale blanche. Quant à la petite ville de **Kerimäki**, elle possède la plus grande église en bois du monde.

LES TRADITIONS

Le **sauna** est une invention finlandaise et une institution respectée. On prend d'abord un bain de vapeur et de chaleur sèche, puis on plonge dans l'eau froide de la Baltique ou d'un lac, et c'est reparti pour un tour... de sang régénéré. Lieu le plus typique : un bâtiment de bois au bord d'un lac.

Le **père Noël** est également une institution. Près de Rovaniemi, en Laponie, a été ouvert un véritable parc d'attractions, Santa Park, pour grands et surtout petits, avec cabane du père Noël, maison de la mère Noël, ferme de rennes, ateliers et poste où des elfes façon XXIe siècle s'affairent chaque année à décacheter des dizaines de milliers de lettres adressées au père Noël.

Une tradition plus récente : les **courses de rennes**, qui se déroulent entre janvier et mars.

LE POUR

◆ Un pays où l'expression grand air prend tout son sens : l'écologie n'est pas jugée comme une composante politique mais comme une philosophie.

◆ L'ouverture de nouvelles lignes aériennes en hiver, qui placent les joies lapones à moins de quatre heures d'avion.

LE CONTRE

◆ Le coût élevé du tourisme scandinave.

◆ La faiblesse relative du patrimoine architectural.

◆ Pour ceux qui n'y sont pas prêts, les rigueurs du climat et le manque de lumière vive.

LE BON MOMENT

Le climat est subarctique : températures basses et étés brefs. En été, il pleut nettement plus au sud qu'au nord. En hiver, la neige s'installe de novembre jusqu'à fin avril. En Laponie, la période novembre-janvier *(kaamos)* est glaciale (-15º en moyenne) et les jours très courts. Aussi, quoique mai, juin et septembre soient acceptables, **juillet** et **août** sont les seuls vrais moments favorables du tourisme d'été : le thermomètre dépasse vingt degrés dans le sud et la végétation connaît une embellie.

◆ Températures moyennes jour/nuit (en °C)

Cercle polaire : janvier -9/-20, avril 3/-7, juillet 19/9, octobre 2/-4.

Helsinki (sud) : janvier -2/-7, avril 7/0, juillet 21/14, octobre 9/4.

LE PREMIER CONTACT

En Belgique

Office de tourisme, ☎ (02) 711.98.30.

Au Canada

Finnish Tourist Board, Toronto, ☎ (416) 964-9159. Consulat à Montréal, ☎ (514) 282-9798, www.finland.ca

En France

Office national du tourisme (non ouvert au public), BP 283, 75425 Paris Cedex 9, ☎ 01.55.17.42.70, fax 01.47.42.87.22, finlande@mek.fi

Au Luxembourg

Ambassade, 2, rue Heine, L-1720 Luxembourg, ☎ 49.55.51, fax 49.46.40.

En Suisse

Office de tourisme, ☎ (44) 654.51.33.

Internet

www.visitfinland.com (site de l'office du tourisme)
www.santapark.com

Guides

Finlande (Gallimard/Bibl. du voyageur, Hachette/Guide du routard, JPMGuides, Le Petit Futé, Marcus), *Finlande et Laponie* (Mondeos), *Laponie* (Le Petit Futé), *Norvège, Suède, Danemark, Finlande et îles Féroé* (Lonely Planet France).

Cartes

Finlande (Hallwag, IGN), *Scandinavie, Finlande* (Michelin).

Lectures

La Finlande (Michel Cabouret/Karthala, 2005), *le Malheur d'être un Skrake* (Gaïa, 2003), *Voyage en Laponie* (Carl von Linné/La Différence, 2002).

Images

L'art de vivre en Finlande (Tim Bird, Ingalill Snitt/Flammarion, 2005), *Scandinavie* (Vilo, 2006).

DVD

Finlande, soleil de minuit (TF1 Vidéo, 2004), *Laponie, l'âme Same : rencontre avec les Lapons* (Vodeo TV).

QUEL VOYAGE ET À QUEL PRIX ?

Le voyage individuel

Les préparatifs

◆ Pour les ressortissants de l'Union européenne : carte d'identité ou passeport suffisant. ◆ Pour les ressortissants canadiens, passeport suffisant, encore valide trois mois après le retour. ◆ Pour les voyageurs au long cours, attention : passeport nécessaire pour l'Estonie, visa nécessaire pour la Russie.

◆ Monnaie : l'*euro*. Cartes de crédit et chèques de voyage couramment acceptés.

Le départ

Avion

◆ Indice de prix à certaines dates du vol Montréal-Helsinki A/R : 1 400 CAD; Paris-Helsinki A/R : 200 EUR; Paris- Rovaniemi A/R : 350 EUR. ◆ Vols à bas prix : Nice ou Paris-Helsinki (Air Berlin, Blue 1, Niki). ◆ Durée moyenne du vol Paris-Helsinki (1 894 km) : 2 h 30; Paris-Rovaniemi : 3 h 30. ◆ Les vols directs en hiver pour des aéroports d'autres villes lapones connaissent un essor, telles Ivalo ou Kittila à partir de Paris en 3 h 30.

Bateau

Embarquement à Rostock (Allemagne) pour Hangö, à l'ouest d'Helsinki (22 heures de traversée, Superfast Ferries); à Travemünde (en Allemagne, près de Hambourg) pour Helsinki, ou via la Suède (Stockholm-Turku). Renseignements auprès de l'office du tourisme. Sont également envisageables des traversées quotidiennes de Stockholm à Helsinki (15 heures).

Bus

Eurolines va jusqu'à Helsinki via Stockholm.

Hébergement

◆ Le camping, le logement à la ferme (voir Scanditours), le logement chez l'habitant (voir Tourisme chez l'habitant), la location d'un chalet (voir Voyageurs du monde) et le logement en auberge lapone (voir Bennett Voyages), voire... dans un igloo avec sauna sont autant de preuves d'une grande diversité en la matière. ◆ Il existe environ 120 auberges de jeunesse, dont la plupart sont équipées d'un sauna. Renseignements: www.srmnet.org ◆ Bons d'hôtels *Finncheques* (renseignements auprès de l'office du tourisme).

Route

◆ Arrivé à Travemünde (Allemagne), possibilité d'embarquer la voiture jusqu'à Helsinki. Le trajet dure entre 22 et 37 heures (renseignements auprès de l'office du tourisme). ◆ Limitations de vitesse agglomération/route/autoroute : 50/100/120. ◆ Limite du taux d'alcoolémie : 0,5 pour mille. ◆ La circulation codes allumés et les pneus d'hiver de novembre à avril inclus sont la règle.

Train

◆ Le train va jusqu'à Rovaniemi et Kolari. ◆ Avantages à retirer du *Finnrail Pass* (voyage illimité pour 3, 5 ou 10 jours) et du *Scanrail Pass.* ◆ Pass InterRail utilisable. ◆ Train Paris/Gare du Nord-Helsinki, via Copenhague et Stockholm.

Le séjour en individuel

Rappel : nous nous sommes limités à un résumé des prestations en vigueur dans les agences et chez les voyagistes présents en France. Les lecteurs des autres pays peuvent en tirer des idées d'itinéraire et les compléter auprès de leurs agences de voyages.

◆ Favorisée par un double tourisme été/hiver d'un égal intérêt, la Finlande reste une destination **nature** et donc plus recherchée par le randonneur. Mais la diversité des prestations et la qualité des infrastructures satisfont tout le monde, en premier lieu ceux qui optent pour une formule à la carte (avion + hébergement).

◆ Pour admirer le **soleil de minuit**, la compagnie Finnair programme un vol Helsinki-Rovaniemi tous les jours entre le 15 mai et le 15 juillet, avec diverses prestations. Pour les **aurores boréales**, certains hôtels proposent des « chambres igloos » à Luosto (Bennett, Comptoir des pays scandinaves).

◆ La visite d'**Helsinki** est proposée sur un weekend (3 jours/2 nuits), à des prix qui se situent *aux alentours de 450 EUR* (Bennett, Nortours, Scanditours).

◆ Pour les **châteaux** et les **lacs** du sud, propositions de location de voiture et d'autotours (vol A/R, voiture et hôtel réservé à l'étape, premiers prix *aux alentours de 950 EUR* la semaine). Quelques prestataires : Norvista, Nouvelles Frontières, Scanditours, Voyageurs du monde.

Le voyage accompagné

En hiver

◆ De février à avril de préférence, une Finlande d'**hiver** existe dans les grandes étendues lapones. Les vacances en famille, sous forme de semaines **multi-activités** en formule club (ski de fond, raids à motoneige, traîneau à chiens ou de rennes, sauna), connaissent de plus en plus de succès, surtout la région de Kittilä. Quelques prestataires : Atalante, Austro Pauli, Bennett Voyages, Bureau Scandinavia, Continents insolites, Fram, Grand Nord Grand Large, Hurtigruten, Nortours, Nouvelles Frontières, Scanditours, Voyageurs du monde.

Ce style de voyage hivernal, avec logement en chalets-hôtels, reste tout de même onéreux en raison de la logistique mise en œuvre : *aux alentours de 1 500 EUR* pour une semaine classique tout compris, mais *au-delà de 2 000 EUR* pour un safari motoneige ou derrière un attelage de chiens de traîneaux.

◆ Le **père Noël** s'offre aussi aux réveillonneurs sur ses terres d'élection, à Santapark (Rovaniemi), via Bennett, Nortours, Nouvelles Frontières ou Scanditours, également présents pour le Nouvel An. Sous ces même latitudes, Grand Nord Grand Large propose une semaine Nouvel An à Paljakka, non loin de Kajaani, région où Objectif Nature invite ses clients à tenter de mettre l'ours de Carélie sous le viseur de l'appareil photo.

En été

◆ Outre la Laponie et son double tourisme hiver/été (canoë, pêche, randonnée, rafting et VTT en juillet et août, entre autres avec Nouvelles Frontières), la Finlande des **lacs** est l'autre grand argument de voyage. Elle peut être vue au cours de circuits organisés par la plupart des voyagistes précités. L'archipel des **Äland** est l'affaire, entre autres, de Grand Nord Grand Large, qui y combine la randonnée en kayak et à pied. Ce même voyagiste fait du canoë sur la rivière Kiiminkijoki, jusqu'au golfe de Botnie.

◆ Les **combinés** entre les trois pays scandinaves sont possibles, entre autres via un circuit en bus avec Nouvelles Frontières ou Kuoni, qui ajoute le Danemark (15 jours en juillet).

◆ Des **croisières** qui incluent les côtes polonaises, baltes et suédoises (Kuoni), parfois avec les côtes polonaises et russes (MSC Croisières), passent par Helsinki. Compter au minimum *2 500 EUR la semaine.*

QUE RAPPORTER ?

Le bonnet lapon est le symbole des achats le plus souvent mis en avant, qui incluent aussi le costume traditionnel, les bottes fourrées et les peaux de renne.

LES REPÈRES

◆ Lorsqu'il est midi en France, en Finlande il est 13 heures; lorsqu'il est midi au Québec, en Finlande il est 19 heures. ◆ Langues officielles : le finnois, le suédois et le lapon (*sâme*), ce dernier depuis 1988 seulement. ◆ Langue étrangère : l'anglais. ◆ Téléphone vers la Finlande : 00358 + indicatif (Helsinki : 9) + numéro; de Finlande : 990 + indicatif pays + numéro.

LA SITUATION

Géographie. Un plateau de roches anciennes troué de milliers de lacs compose l'essentiel des 338 144 km². La toundra est présente dans le Grand Nord, ensuite la forêt de conifères s'impose sur les deux tiers du territoire.

Population. On dénombre 5 245 000 Finlandais, dont l'histoire et la langue se différencient nettement de celles de la Norvège et de la Suède. Environ 1 500 Lapons. Peu d'étrangers. Capitale : Helsinki.

Religion. 90 % des habitants sont évangéliques luthériens.

Dates. *Ier siècle ap. J.-C.* Les Finnois arrivent dans ce qui deviendra « leur » Finlande. *1323* La Suède fait de la Finlande un duché, qui deviendra grand-duché deux siècles et demi plus tard avec Jean Vasa. *1809* Russification du pays. *1917* Indépendance. *1941* La Finlande avec le Reich contre la Russie. *1982* Mauno Koivisto, social-démocrate, devient président de la République. *Février 1994* Ahtisaari (social-démocrate) président. *Octobre 1994* La Finlande approuve à plus de 57 % son adhésion à l'Union européenne. *Février 2000* Tarja Halonen (social-démocrate) est élue présidente, elle est la première femme à recevoir un tel honneur. *Mars 2003* Les législatives débouchent sur la victoire du centre et de Matti Vanhanen. *Janvier 2006* Tarja Halonen réélue. *Mars 2007* Législatives : la droite progresse, les sociaux-démocrates reculent.

France

Le Français attaché à la belle diversité de ses régions n'a de cesse de demander à son congénère baroudeur pourquoi il s'escrime à partir si loin alors qu'il a déjà tout chez lui... Il n'a pas raison mais il ne manque pas de raisons : en effet, l'harmonie géographique du pays entraîne une pléiade de buts touristiques, qu'il s'agisse d'admirer un paysage, de s'adonner à des vacances actives, de se prélasser sur une plage, ou encore de s'attaquer au large éventail du patrimoine architectural. Et comme, avec ses soixante millions de visiteurs par an, la France possède le titre de pays le plus visité du monde, elle n'a pas fini d'avancer des arguments, tenant en réserve, pour l'assaut final, celui de la gastronomie...

◆ Départements d'outre-mer : **Guadeloupe, Guyane française, Martinique, Réunion** : voir à leurs entrées alphabétiques respectives.

◆ Territoires ou collectivités d'outre-mer (**Mayotte, Nouvelle-Calédonie, Polynésie française, Saint-Pierre-et-Miquelon**) : voir sous leurs entrées alphabétiques respectives.

◆ *Terres australes et antarctiques françaises* (inhabitées) : voir Antarctique ; *Saint-Barthélemy, Saint-Martin* : voir Antilles (Petites) ; *Wallis-et-Futuna* : voir Océanie ; *Clipperton* (dans l'Atlantique) et les *îles Eparses* (cinq îles de part et d'autre de Madagascar) sont inhabitées et ne connaissent pas actuellement de vie touristique.

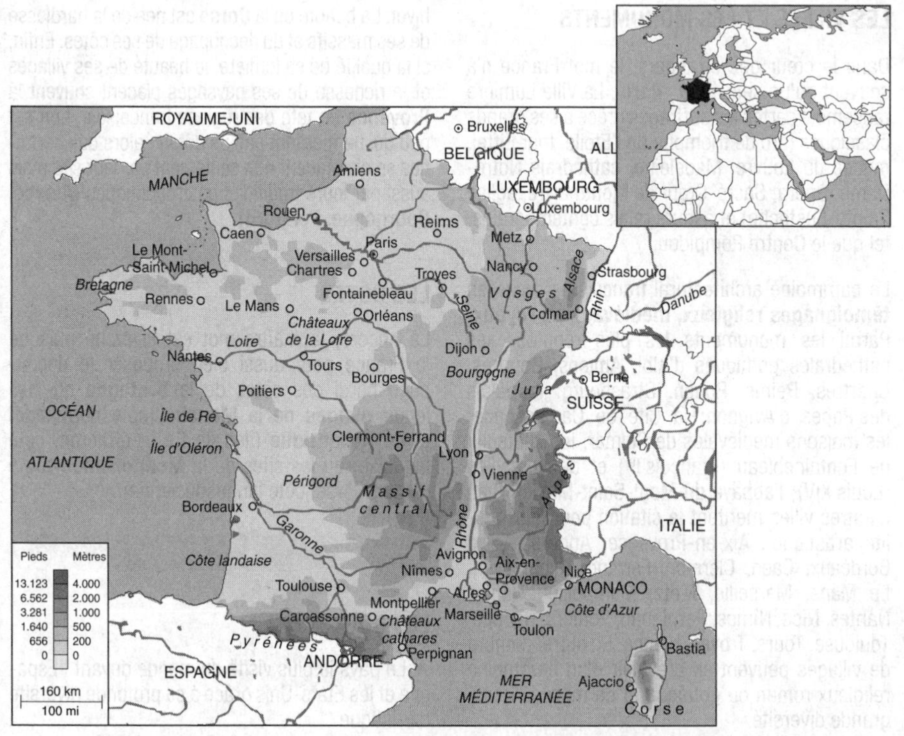

LES RAISONS D'Y ALLER

LES VILLES ET LES MONUMENTS

Paris
Albi, Amiens, Avignon, Bourges, Carcassonne, Chartres, Colmar, Fontainebleau, Mont-Saint-Michel, Reims, Rouen, Strasbourg, Versailles
Châteaux de la Loire, châteaux cathares

LES PAYSAGES

Alpes, Corse, Jura, Massif central, Provence, Pyrénées, Vosges

LES CÔTES

Atlantique, Bretagne, Manche, Méditerranée

LES RAISONS D' Y ALLER

LES VILLES ET LES MONUMENTS

Dans le cœur des étrangers, le mot France n'a souvent qu'un seul écho : **Paris**. La Ville Lumière rassemble certes les suffrages grâce à ses grands classiques (arc de triomphe de l'Étoile, tour Eiffel, musée du Louvre, Madeleine, cathédrale Notre-Dame, Opéra, Sacré-Cœur de Montmartre, église Sainte-Eustache) et à leurs relais contemporains, tel que le Centre Pompidou.

Le patrimoine architectural français est riche en **témoignages religieux, médiévaux ou royaux**. Parmi les monuments les plus réputés : les cathédrales gothiques d'Albi, Amiens, Bourges, Chartres, Reims, Rouen, Strasbourg; le palais des Papes d'Avignon; la Cité de Carcassonne; les maisons médiévales de Colmar; les châteaux de Fontainebleau (François Ier) et de Versailles (Louis XIV); l'abbaye du Mont-Saint-Michel. Bien d'autres villes méritent la citation pour leur qualité artistique : Aix-en-Provence, Angers, Arles, Bordeaux, Caen, Clermont-Ferrand, Dijon, Lyon, Le Mans, Marseille, Metz, Montpellier, Nancy, Nantes, Nice, Nîmes, Perpignan, Poitiers, Rennes, Toulouse, Tours, Troyes, Vienne. En outre, nombre de villages peuvent se prévaloir d'un patrimoine religieux roman ou gothique et de musées d'une grande diversité.

Un rendez-vous touristique important est fourni par les **châteaux de la Loire**, édifiés aux XVe et XVIe siècles. Les plus célèbres sont Amboise, Azay-le-Rideau, Blois, Chambord et Chenonceau. La plupart des régions de France sont parsemées d'édifices de caractère, tels que les châteaux d'Auvergne et, dans le Languedoc, les châteaux **cathares**, haut perchés.

Châteaux... contemporains : ceux de Disneyland Paris (qui est devenu la première destination européenne), le parc Astérix (à 35 km au nord de la capitale) et le Futuroscope (dans le centre-ouest, près de Poitiers).

LES PAYSAGES

La valeur esthétique de la France est née de l'harmonie de son relief, qui fait se succéder sans heurts les côtes, les plaines et les montagnes, d'où la création de 31 parcs naturels régionaux. Les **Alpes et les Pyrénées** multiplient les stations de sports d'hiver mais aussi les buts de randonnée en été, alors que le **Jura**, le **Massif central** et les **Vosges** connaissent également un double tourisme été/hiver. La beauté de la **Corse** est née de la hardiesse de ses massifs et du découpage de ses côtes. Enfin, si la qualité de sa lumière, la beauté de ses villages et la richesse de ses paysages placent souvent la **Provence** en tête des régions françaises, il en est peu qui ne méritent pas un détour, alors que certaines se distinguent non seulement par leur site mais aussi par leurs traditions gastronomiques **(Alsace, Bourgogne, Périgord)**.

LES CÔTES

Là encore, le maître mot est diversité puisque la France peut aussi bien proposer le découpage hardi des côtes de la **Bretagne** que les longs **rivages** de la **Manche** (côte normande) et de l'**Atlantique** (îles de Ré et d'Oléron, côte landaise) ou les sites de la **Méditerranée** (Côte d'Azur, Corse, côte languedocienne).

LE POUR

◆ Le pays le plus visité du monde devant l'Espagne et les États-Unis grâce à sa profonde diversité touristique.

LE CONTRE

◆ Aux yeux de ses visiteurs, un pays cher et trop peu rompu aux langues étrangères.

LE BON MOMENT

La France étant placée sous un régime climatique tempéré, les moments les plus propices pour la visite se placent **entre mai et septembre** inclus. Pour la partie méridionale, on peut ajouter les mois d'avril et d'octobre.

◆ Températures moyennes jour/nuit (en °C)

Lille (nord) : janvier 6/1, avril 13/5, juillet 23/13, octobre 15/7.

Nice (sud-est) : janvier 12/5, avril 17/9, juillet 26/19, octobre 20/13.

Paris : janvier 7/3, avril 15/7, juillet 24/16, octobre 16/8.

LE PREMIER CONTACT

En Belgique

Maison de la France, avenue de la Toison-d'Or, 21, B-1050 Bruxelles, ☎ 0902.88.025, fax (02) 505.38.29, info.be@franceguide.com

Au Canada

Maison de la France, 1981, McGill College, Montréal, H3A 3J6, ☎ (514) 288-2026, fax (514) 845-4868, canada@franceguide.com

Au Luxembourg

Ambassade, 8b, boulevard Joseph-II, L-1840 Luxembourg, ☎ 45.72.71-1, fax 45.73.72.244.

En Suisse

Maison de la France, c/o SNCF, rue de Lausanne, 11, CH-1201 Genève, ☎ 0900.900.699, info.ch@franceguide.com

Sur place

Maison de la France, 23, place de Catalogne, 75001 Paris, ☎ (33) 1.42.96.70.00. Fédération des comités départementaux du tourisme (qui édite un annuaire), ☎ (33) 1.44.11.10.20, fax (33) 01.45.55.96.66.

Internet

www.franceguide.com
www.parisinfo.com (office de tourisme de Paris)
www.disneylandparis.com
www.visit-corsica.com

Cartes

Blay Foldex avance plus de 150 plans de villes, des atlas routiers, des cartes régionales, des cartes routières et des cartes à thèmes. Collections de cartes également chez IGN (cartes routières, plans de villes, cartes topographiques, cartes touristiques), Michelin (locales, régionales).

Guides et images

• Dans la collection « Encyclopédies du voyage » de Gallimard, on trouve environ 60 titres consacrés aux régions françaises, une vingtaine d'ouvrages thématiques, d'autres consacrés à l'histoire, aux sites protégés et aux parcs naturels. Les grandes villes apparaissent dans la collection Cartoville. La collection GEOGuide s'étoffe, celle des albums chargés de privilégier la gastronomie également.

• La collection Hachette Tourisme comprend, pour la France, ses régions et Paris, 23 « Guides bleus » et 36 « Guides du routard ». Autres « Routards » notables : *Campings, Chambres d'hôtes en France, Hôtels et restos en France, Meilleures tables à la ferme, Petits Restos des grands chefs.* On trouve aussi les collections « Hachette Un grand week-end » (12 titres) et « Guide Voir » (7 titres).

• Guides Michelin : les guides verts pour chaque région restent de grands classiques, tandis que la collection « Voyage pratique » s'étoffe. Michelin possède également une collection de « Guides gourmands ».

• Le Petit Futé propose une centaine de titres pour les régions et villes françaises et des guides thématiques dont *Gastronomie, Gay et Lesbien, Hébergement*.

• Chez Lonely Planet France, on relève une quinzaine de titres pour les régions et villes.

• Chez Mondeos, la collection « Balado » renferme une quinzaine de titres.

• Chez Olizane, plusieurs guides existent sur le ski de randonnée dans les Alpes. Beau livre : *Mont-Blanc* (D. Duret, 2003).

• Les Éditions Privat (Toulouse) sont riches de plusieurs collections, dont la plupart consacrées au sud du pays.

QUEL VOYAGE ET À QUEL PRIX ?

Le voyage individuel

Les préparatifs

◆ Carte nationale d'identité ou passeport pour les ressortissants de l'Union européenne. ◆ Pour les ressortissants suisses : carte d'identité suffisante. ◆ Pour les ressortissants canadiens : passeport encore valide six mois après le retour suffisant.

Le départ

Avion

◆ Indice de prix à certaines dates du vol Montréal-Paris A/R : 450 EUR. ◆ Vols à bas prix : de Charleroi (Belgique), desserte par Ryanair de plusieurs aéroports du sud de la France.

Route

Bruxelles-Paris : environ 200 km; Genève-Paris : environ 500 km.

Train

De Bruxelles, Anvers, Liège, liaisons rapides via le Thalys.

Sur place

Bateau

Pour la Corse, départs toute l'année de Marseille, Nice et Toulon pour Bastia ou Ajaccio (plus Calvi et l'Ile-Rousse en été). Durée minimale : 3 heures en été (Nice-Calvi); maximale : 14 heures (Marseille-Porto Vecchio). Compagnies : Corsica Ferries, SNCM.

Hébergement

◆ Les campings et les gîtes ruraux sont très nombreux mais il est conseillé de réserver longtemps à l'avance. Renseignements : Maison des Gîtes de France, ☎ 01.49.70.75.75, fax 01.49.70.75.76, www.gites-de-france.fr/ ◆ Il existe près de 200 auberges de jeunesse. Renseignements : Paris, ☎ 01.44.89.87.27, www.fuaj.org

Route

◆ Limitations de vitesse agglomération/route/autoroute : 50/90/130. ◆ Limite du taux d'alcoolémie : 0,5 pour mille.

Train

◆ Pass InterRail utilisable, disponible dans la plupart des gares. ◆ Chaque région est désormais peu ou prou concernée par le réseau TGV.

Le séjour en individuel

Rappel : nous nous sommes limités à un résumé des prestations en vigueur dans les agences et chez les voyagistes présents en France. Les lecteurs des autres pays peuvent en tirer des idées d'itinéraire et les compléter auprès de leurs agences de voyages.

◆ La tendance à des vacances **nature** ou sport est largement servie par les voyagistes, en général pour une semaine : randonnées vers les lacs et les volcans d'Auvergne (Nouvelles Frontières), dans les Pyrénées (La Balaguère, Club Aventure), en Ardèche et en Bourgogne (Nomade Aventure), dans les Cévennes (Explorator), en Corse (Allibert, Atalante, Club Aventure), randonnée à **cheval** dans les Landes (Nouvelles Frontières) ou dans le Haut Queyras (Terres d'aventure), sur un **âne** en Ardèche (Nouvelles Frontières), **golf** en Provence (Club Med), **kayak** de mer en Corse (Atalante), **rafting** dans les Alpes ou le Massif central (Atalante), séjours **ski** dans les Alpes (Allibert, Nouvelles Frontières), traversée du Jura en raquettes de mi-décembre à fin mars (Nomade), séjour de toutes sortes avec La Balaguère et ses Pyrénées, séjour d'initiation à la **volcanologie** en Auvergne (Aventure et Volcans).

◆ Les vacances **farniente** ne leur cèdent en rien : croisière en voilier au large de la Côte d'Azur ou en Corse (Nouvelles Frontières, qui propose également des séjours dans des villages de vacances ou des hôtels, entre autres en Corse et sur la Côte-d'Azur). Autres propositions : Club Med, Luxair Tours, Neckermann.

◆ Des **week-ends** à Paris et dans certaines villes touristiques (2 jours/1 nuit) sont proposés, entre autres par Frantour. Propositions également pour 3 jours/2 nuits à Cannes, Nice ou Paris (Luxair Tours).

◆ Marseille, Nice et Toulon sont les trois ports de départ pour des **croisières** méditerranéennes menant le plus souvent en Espagne, Italie, Maroc,

Tunisie. Compter *1 000 à 1 200 EUR la semaine* au cœur de l'été, un peu mois au printemps et en automne, de surcroît plus agréables. Quelques prestataires: Compagnie des îles du Ponant, Costa Croisières, MSC Croisières, Plein Cap.

Le voyage accompagné

◆ Vacances à **thème** : La Balaguère suit les chemins de Compostelle du Puy à Saint-Jean-Pied-de-Port (15 jours), Clio est dans le pays cathare, tandis qu'Arts et Vie part sur la trace des écrivains bordelais.

LES REPÈRES

◆ Lorsqu'il est midi au Québec, en France il est 18 heures. Téléphone vers la France : 0033 + indicatif (Paris : 1; Marseille : 4; Toulouse : 5) + les huit chiffres du correspondant; depuis la France : 00 + indicatif pays + numéro. ◆ Monnaie : l'*euro*.

LA SITUATION

Géographie. Ses 543 965 km^2 font de la France le troisième pays d'Europe en superficie après la Russie et l'Ukraine. Si l'on trace une diagonale entre la Lorraine et le pays Basque, le contraste est net entre la partie ouest, région de plaines, et l'est, où émergent les Vosges, le Jura et surtout les Alpes (4 808 m au mont Blanc). Au sud, les Pyrénées forment une frontière naturelle avec l'Espagne.

Population. 63 753 000 habitants. Capitale : Paris (9 400 000 habitants pour l'agglomération).

Religion. 76 % de la population est catholique. Les protestants et les musulmans constituent les principales minorités.

Dates. *52 av. J.-C.* Vercingétorix et les Gaulois sont battus par César. *Ve siècle* Grandes invasions et fin de la domination romaine. *800* Naissance de l'Empire carolingien. *987* Mise en place de la dynastie capétienne. *1328* Guerre de Cent Ans et affaiblissement du pays. *1589* Henri IV et les Bourbons s'installent. *1789* Révolution française, abolition des privilèges et Déclaration des droits de l'homme. *1804* Sacre de Napoléon Ier. *1852* Napoléon III empereur. *1870* Proclamation de la IIIe République et guerre perdue contre l'Allemagne. *1914-1918* La France théâtre de la Première Guerre mondiale. *1936* Front populaire et réformes sociales. *1939-1945* Seconde Guerre mondiale. *1958* Le général De Gaulle au pouvoir, début de la Ve République. *Mai 1968* Crise sociale, les mouvements étudiant et ouvrier se retrouvent pour un temps côte à côte. *1969* Démission de de Gaulle, qui disparaîtra l'année suivante. G. Pompidou lui succède. *1974* V. Giscard d'Estaing président. *1981* Élection de F. Mitterrand et retour de la gauche au pouvoir. *1988* F. Mitterrand est réélu après deux années de « cohabitation ». *Mai 1995* J. Chirac président de la République aux dépens de L. Jospin (52,64 % contre 47,36 %). *Janvier 1996* Décès de F. Mitterrand. *Juin 1997* La gauche remporte les législatives anticipées, Lionel Jospin devient Premier ministre. *Avril 2002* La présence surprise de l'extrême droite au premier tour de la présidentielle est effacée par un second tour « républicain » : J. Chirac est réélu avec plus de 80 % de voix, J.-P. Raffarin devient Premier ministre peu après. *Automne 2005* De Villepin devient Premier ministre à l'heure où une vague de violence secoue les banlieues. *Mai 2007* Nicolas Sarkozy (UMP, droite) élu président aux dépens de Ségolène Royal (Parti socialiste).

Gabon

Le taux d'humidité de l'air au Gabon est inversement proportionnel à la fréquentation touristique du pays, pourtant non dénué d'intérêt. Pour en avoir une première idée, on peut le traverser à bord du Transgabonais qui, en trouant l'épaisse forêt vierge, a rejoint les « grands » de la légende ferroviaire. On peut aussi y découvrir une flore et une faune très spécifiques, s'égarer sous les hautes voûtes de la forêt équatoriale ou, inconditionnel des latitudes africaines peu fréquentées, rechercher ici les traits d'un mode de vie encore fidèle aux traditions en de nombreux endroits.

LES RAISONS D'Y ALLER

LES PAYSAGES ET LA FAUNE

Forêt équatoriale dense
Parc national de Petit Loango, lagunes (gorilles de plaine, baleines à bosse), réserve de la Lopé (mandrills, gorilles de plaine)
Rapides (Nyanga, fleuve Ogooué)

LES CÔTES

Baignade (Ekwata), pêche au gros, observation des tortues marines

L'HISTOIRE

Hôpital de Lambaréné (Albert Schweitzer)
Chemin de fer (Transgabonais)

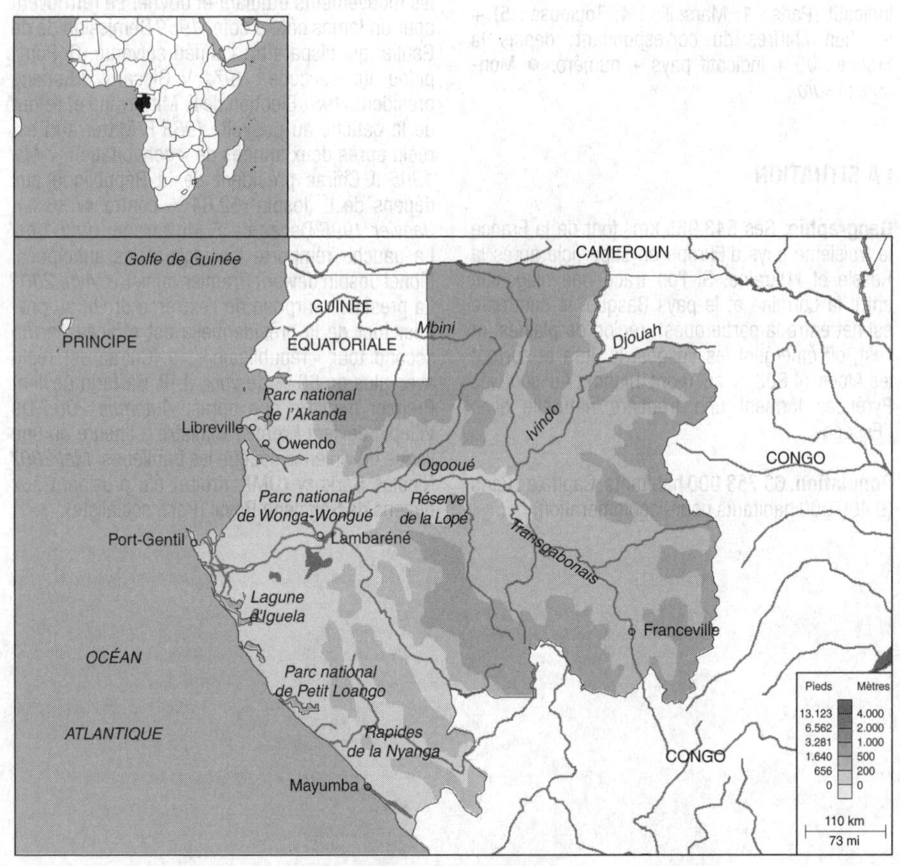

LES RAISONS D'Y ALLER

LES PAYSAGES ET LA FAUNE

La **forêt dense**, qui recouvre 85 % du territoire et devient le prétexte d'un développement de l'écotourisme, est parsemée d'espèces particulières (okoumé, parasolier), de marigots, de pistes de latérite et de plus de quatre cents espèces végétales. Parfois, elle est interrompue par des clairières marécageuses (« bais ») ou des savanes, telles que celles de la région des Bam-Bam et ses falaises de sable ocre.

Treize parcs nationaux couvrent le territoire, dont deux surtout méritent l'attention. Ainsi, le parc de **Petit Loango** renferme cinq mille espèces, dont des éléphants, des buffles et des hippopotames. Il est flanqué, à l'ouest, de la lagune Iguela, où se dissimulent des crocodiles du Nil, et de la lagune Fernan Vaz, où sont acclimatés des gorilles. Au large, entre juillet et septembre, des baleines à bosse se rassemblent.

Dans la réserve de la **Lopé**, il faut avoir beaucoup de chance pour découvrir les mandrills, des singes au museau rouge, et plus encore les gorilles de plaine, espèce menacée. Ils ne sont plus que vingt mille, sous le coup de la chasse et du virus Ebola.

La visite du parc national de l'**Akanda** permet d'entr'apercevoir des antilopes, des crocodiles, des singes et... des pythons. Autres parcs nationaux : **Wonga-Wongué** (éléphants, buffles) et **Ivindo** (éléphants et gorilles de plaine).

Les **rapides** sont une autre attraction, particulièrement ceux de la **Nyanga,** en traversant la chaîne du Mayombe, et ceux de l'**Ogooué**, jalonnés de lacs et de canyons. Dans les deux cas, un passage en pirogue est possible, avec des guides locaux... et une grande prudence à certains endroits.

LES CÔTES

La **baignade**, par exemple à Ekwata ou le long de la pointe Denis, face à Libreville, est possible toute l'année.

Toutefois, la **pêche au gros** (barracudas, bonites, espadons, tarpons, thons) et l'observation des **tortues marines**, aujourd'hui menacées, est l'activité côtière la plus connue.

L'HISTOIRE

En 1913, Albert Schweitzer fonde l'hôpital, mondialement célèbre, de **Lambaréné** qui est devenu aujourd'hui un musée. La ville elle-même, entourée par deux bras du fleuve Ogooué, est intéressante.

Construit entre Owendo, près de Libreville, et Franceville sur 944 km, le **Transgabonais** est à inclure dans les trains de légende. Il troue la forêt équatoriale avec force ponts sur le fleuve Ogooué, en traversant des gorges et en permettant de voir de temps en temps une faune aquatique (hippopotames) en vraie liberté.

LE POUR

◆ Un tourisme certes confidentiel mais qui, à l'inverse, garantit un voyage original.

◆ Une saison sèche qui coïncide bien avec les dates des vacances estivales.

◆ La langue française pour faciliter les contacts.

LE CONTRE

◆ Le coût élevé du billet d'avion international et des rares prestations proposées.

◆ La trop grande discrétion actuelle des voyagistes.

LE BON MOMENT

Le climat équatorial chaud, humide et pluvieux connaît une double alternance des saisons sèches et des saisons des pluies. La période allant de la mi-janvier à la mi-mai est pluvieuse, le ciel se dégage **de la mi-mai à la mi-septembre** (période la plus favorable), il pleut de nouveau en octobre et novembre, avant une nouvelle période sèche jusqu'à la mi-janvier.

Observation de la faune

Baleines à bosse du parc de Loango : de juillet à septembre. Ponte des tortues : octobre à mars.

◆ Températures moyennes jour/nuit en °C à Libreville (côte nord) : janvier 30/24, avril 31/23, juillet 28/22, octobre 29/23. Eau de mer : 25° en moyenne.

LE PREMIER CONTACT

En Belgique

Consulat, avenue Winston-Churchill, 112, B-1180 Bruxelles, ☎ (02) 340.62.10, fax (02) 346.46.69, ambassadedugabon@brutele.be

Au Canada

Ambassade, 4, chemin Range, Ottawa, ON, K1N 8J5, ☎ (613) 232-5301, fax (613) 232-6916.

En France

Consulat, 26 *bis*, avenue Raphaël, 75016 Paris, ☎ 01.72.70.01.50, fax 01.72.81.05.89.

Internet

www.gabontour.ga/
www.tourisme-gabon.com

Guides

Gabon, Sao Tomé et Principe (Le Petit Futé), *le Gabon* (Jaguar).

Cartes

Gabon (IGN), *Gabon and Equatorial Guinea* (ITM).

Lectures

Les Aventures d'Imya, petite fille du Gabon (Edna Merey-Apinda/L'Harmattan, 2004), *Contes et légendes fang du Gabon* (Karthala, 2003), *Le docteur Schweitzer et son hôpital à Lambaréné : l'envers d'un mythe* (André Audoynaud, L'Harmattan, 2005), *la Mémoire du fleuve* (Phébus, 1999), *la Valeur des rêves et autres contes du Gabon* (L'Harmattan, 2005).

Images

Gabon, présence des esprits (Dapper, 2006).

DVD

Gabon, Opération Loango : La Mecque de la nature (Vodeo TV).

QUEL VOYAGE ET À QUEL PRIX ?

Le voyage individuel

Les préparatifs

◆ Pour les ressortissants de l'Union européenne et les Canadiens : passeport, valable encore six mois après le retour, visa obligatoire et payant, établi sur place. Justification d'une réservation d'hôtel, preuve de moyens suffisants et billet de retour ou de continuation exigibles.

◆ Vaccination obligatoire contre la fièvre jaune. Prévention indispensable contre le paludisme.

◆ Monnaie : le franc CFA (XAF). Emporter des euros en espèces ou en chèques de voyage. 1 EUR = 655,957 francs CFA. Les cartes bancaires sont de peu d'utilité.

Le départ

◆ Indice de prix à certaines dates du vol Paris-Libreville A/R : 1 000 EUR. ◆ Durée moyenne du vol Paris-Libreville (5 437 km) : 7 heures.

Sur place

Bateau

Le fleuve Ogooué, long de 1 200 km, constitue une voie de communication importante et peut être emprunté sur de grandes distances.

Hébergement

Alternative aux hôtels pour les budgets modestes : les missions.

Route

◆ Location de voiture possible, principalement à Franceville, Libreville et Port-Gentil (4 x 4 vivement recommandé). ◆ Parmi les transports collectifs, le taxi-brousse est une institution.

Le voyage accompagné

Rare, le voyage au Gabon est surtout centré sur le parc de Petit Loango, qui attire de plus en plus les organismes spécialisés dans l'écotourisme. Voir à ce sujet Opération Loango (www.operation-loango.com), voir également Mistral Voyages, qui propose plusieurs circuits centrés sur la réserve de la Lopé, le parc de Loango et l'Ogooué (pirogue).

Vie sauvage est également dans le parc de Loango au cours de son circuit de 12 jours (« Le sanctuaire des primates »).

De tels voyages se trouvent rarement en dessous de 3 000 EUR.

LES REPÈRES

◆ Lorsqu'il est midi en France, au Gabon il est la même heure en hiver et 13 heures en été.
◆ Langue officielle : français; le fang et le sira-punu sont les langues locales les plus courantes.
◆ Téléphone vers le Gabon : 00241 + numéro; du Gabon : 00 + indicatif pays + numéro.

LA SITUATION

Géographie. Traversé par l'équateur, le Gabon repose sur le vieux socle africain (ici le plateau de l'Ogooué, traversé par le fleuve du même nom), qui se relève légèrement à l'ouest (monts de Cristal). 85 % des 267 668 km^2 sont recouverts d'une épaisse végétation forestière.

Population. 1 486 000 habitants. On dénombre au minimum quarante ethnies, dominées en nombre par les Fang. 400 000 clandestins seraient au Gabon, venus chercher leur bonheur via le pétrole. Capitale : Libreville.

Religion. Deux Gabonais sur trois sont catholiques. Minorités de protestants, d'animistes et de musulmans.

Dates. *1473* Arrivée des Portugais sur les côtes. *1843* La France s'installe. *1849* Fondation de Libreville par des esclaves libérés (d'où son nom). *1886* Le Gabon colonie française puis, en 1910, membre de l'AEF. *1960* Indépendance. *1961-1967* Présidence de Léon M'Ba. *1967* À la tête d'un parti unique (le Parti démocratique gabonais), Omar Bongo prend le pouvoir. *1986* Bongo est réélu pour la quatrième fois. *1990* Oye-Mba Premier ministre, le principe du parti unique est abandonné. *Décembre 1993* La réélection d'Omar Bongo est violemment contestée. *Décembre 1998* Nouveau mandat de sept ans pour Omar Bongo. Le pays reste dans une situation précaire malgré ses richesses naturelles. *Novembre 2005* Omar Bongo est réélu.

Gambie

Ce Lilliput anglophone de l'Afrique de l'Ouest, enserré dans le Sénégal, subit l'attrait qu'exerce son voisin auprès des touristes francophones et reste donc méconnu. Il n'a d'autre ambition que de faire profiter le visiteur de ses cinquante kilomètres de côtes et de sa faune, surtout avicole, qui vit le long du fleuve Gambie. Mais il y parvient, surtout grâce à ses bonnes infrastructures balnéaires.

LES RAISONS D'Y ALLER

LA CÔTE

Plages de sable blanc, sports nautiques

LES PAYSAGES ET LA FAUNE

Fleuve Gambie, forêts
Oiseaux, crocodiles, hippopotames, singes

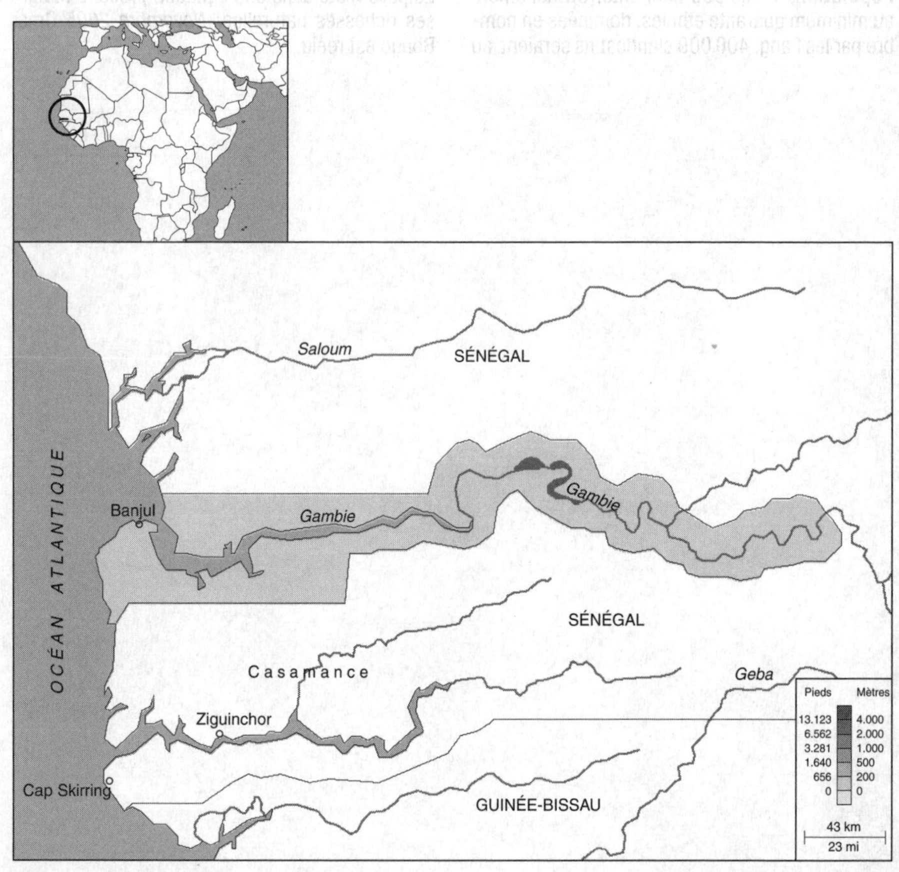

LES RAISONS D'Y ALLER

LA CÔTE

Les **plages** bénéficient d'un sable blanc et de l'un des meilleurs climats d'Afrique de l'Ouest pendant la saison sèche.

Les sites balnéaires, tels ceux situés sur la presqu'île qui englobe la capitale Banjul, sont bien équipés pour l'hébergement mais aussi pour les sports nautiques.

LES PAYSAGES ET LA FAUNE

La plupart des paysages sont façonnés par le **fleuve Gambie**, qui traverse le pays sur toute sa largeur et sinue dans la **forêt**, celle-ci par endroits hérissée de fromagers.

Le long de ce fleuve, particulièrement dans la réserve d'Abuko, vivent et se laissent admirer des centaines d'espèces d'**oiseaux**, plus aisément repérables par le touriste que les **crocodiles,** les **singes** et les **hippopotames**.

LE POUR

◆ Une destination balnéaire de bonne facture, intéressante par exemple pour des vacances familiales.

LE CONTRE

◆ La « concurrence » du Sénégal voisin et francophone, qui laisse le tourisme gambien dans la confidentialité.

◆ Une saison des pluies mal placée pour le touriste européen.

LE BON MOMENT

Le climat est tropical. La classique alternance saison sèche/saison des pluies fait que celles-ci tombent entre juin et octobre (hivernage), alors que la période **décembre-mai** connaît un ciel bleu et une chaleur supportable, particulièrement sur la côte.

◆ Températures moyennes jour/nuit en °C à Banjul (côte) : janvier 32/16, avril 33/19, juillet 31/24, octobre 32/22. Eau de mer : de 22° en mars à 27° en septembre.

LE PREMIER CONTACT

En Amérique du Nord

Haut-commissariat, Washington DC, ☎ (202) 785-1399, fax (202) 785-1430, www.gambiaembassy.us

En Belgique

Ambassade, avenue Franklin-Roosevelt, 126, B-1050 Bruxelles, ☎ (02) 640.10.49, fax (02) 646.32.77.

En France

Ambassade, 117, rue Saint-Lazare, F-75008 Paris, ☎ 01.72.74.82.61, fax 01.53.04.05.99.

En Suisse

Consulat général, Rütistrasse 13, CH-8000 Zurich, ☎ (01) 755.40.48, fax (01) 755.40.41.

Internet

www.visitthegambia.gm (site de l'office du tourisme)

Guides

Afrique de l'Ouest (Lonely Planet France), *la Gambie* (Jaguar/Aujourd'hui), *Sénégal, Gambie* (Gallimard/Bibl. du voyageur, Hachette/Evasion, Hachette/Guide du routard).

Cartes

Sénégal, Gambie (Berlitz, ITM).

Lectures

Coniagui, Guinée, Sénégal et Gambie, 1904-2004 : l'histoire d'une diaspora (Sepia, 2004), *Ethnographie, histoire et colonialisme en Gambie* (L'Harmattan, 2002).

QUEL VOYAGE ET À QUEL PRIX ?

Le voyage individuel

Les préparatifs

◆ Pour les ressortissants de l'Union européenne, canadiens, suisses : passeport (valable encore six mois après le retour), visa obligatoire et payant, obtenu auprès du consulat. Billet de retour ou de continuation exigible.

◆ Vaccination recommandée contre la fièvre jaune en dehors des zones urbaines. Prévention indispensable contre le paludisme.

◆ Monnaie : le *dalasi*. 1 US Dollar = 27 dalasis. 1 EUR = 38 dalasis. Emporter des euros ou des chèques de voyage pour le change. Peu de distributeurs. Le franc CFA est bien accepté.

Le départ

◆ Indice de prix à certaines dates du vol Paris-Banjul A/R : 700 EUR. ◆ La proximité de Dakar permet d'envisager l'arrivée via la capitale sénégalaise, ce qui varie l'intérêt du voyage et réduit le coût du billet d'avion. C'est la solution à adopter lorsqu'on a du temps.

Sur place

Route

◆ Routes asphaltées mais surtout nombreuses pistes, difficiles pendant et après la saison des pluies. ◆ Véhicule tout-terrain vivement conseillé.

Le séjour

◆ Pas de bousculade sur les plages gambiennes entre touristes occidentaux francophones, surtout parce que le Sénégal est tout proche et que les traditions de vacances balnéaires y sont bien plus marquées.

◆ Quelques voyagistes, particulièrement en Belgique, essaient toutefois de démentir cette tendance. Voir par exemple www.terredafrique.com/fr/home.html

◆ Les premiers prix pour un séjour balnéaire sont relativement raisonnables : aux alentours de 1 000 EUR la semaine en chambre double et demi-pension. Mais ils grimpent vertigineusement lors des congés scolaires et des fêtes de fin d'année.

LES REPÈRES

◆ Lorsqu'il est midi en France, en Gambie il est 10 heures en été et 11 heures en hiver. ◆ Langue officielle : anglais; le malinké est parlé par quatre habitants sur dix. Vu la proximité du Sénégal, le français n'est pas totalement absent des conversations. ◆ Téléphone vers la Gambie : 00220 + numéro; de la Gambie : 00 + indicatif pays + numéro.

LA SITUATION

Géographie. La Gambie est une mince langue de terre de 11 295 km^2, enserrée dans le Sénégal et traversée par le fleuve Gambie.

Population. Les 1 735 000 habitants se répartissent entre Malinkés (majoritaires), Peuls, Ouolofs, Dioulas et Soninkés. Capitale : Banjul.

Religion. Quatre habitants sur cinq sont d'obédience musulmane. Minorités de chrétiens et d'animistes.

Dates. *1455* Les Portugais découvrent le pays. *XIXe siècle* La Grande-Bretagne le contrôle. *1965* Indépendance dans le cadre du Commonwealth. *1970* Dawda Jawara président de la République. *1982* Création de la Sénégambie. *Août 1994* Une junte de lieutenants, conduite par Yahya Jammeh, renverse Jawara. *Septembre 1996* Yahya Jammeh est élu président. *2000* Le pouvoir présidentiel est plusieurs fois mis à mal (complot, tentative de coup d'État). *Octobre 2001* Réélection de Yahya Jammeh. *Septembre 2006* Jammeh est reconduit pour la troisième fois (67,4% des suffrages) après une vague de répression préelectorale.

Géorgie

Avertissement. – Il est actuellement impossible de se rendre en Ossétie du Sud et en Abkhazie à partir du reste du pays. En tout état de cause, il faut éviter de voyager dans ces régions et aux abords de la frontière avec la Russie.

C'est sur le sol géorgien que, selon la légende, Jason vint conquérir sa Toison d'or. Le voyageur, quant à lui, entrevoit à peine la conquête de la Géorgie nouvelle, accablée par les violences de l'été 2008 en Ossétie du Nord. La situation est toutefois redevenue à peu près normale et devrait permettre au pays de relancer le tourisme qu'il mérite en vertu de ses paysages souriants, de la beauté du Grand Caucase, propice au ski, et surtout de son très ancien patrimoine architectural religieux.

LES RAISONS D'Y ALLER

LES MONUMENTS

Églises (Ateni), cathédrales (Kutaisi), monastères (Guelati), cavernes troglodytes (Ouplistsikhe)

LES PAYSAGES

Svanétie, abords du Grand Caucase (ski, alpinisme, randonnées), gorges de Darial, Terek

LA CÔTE

Mer Noire (Batoumi, Gagra, Soukhoumi)

LES VILLES

Tbilissi, Gori

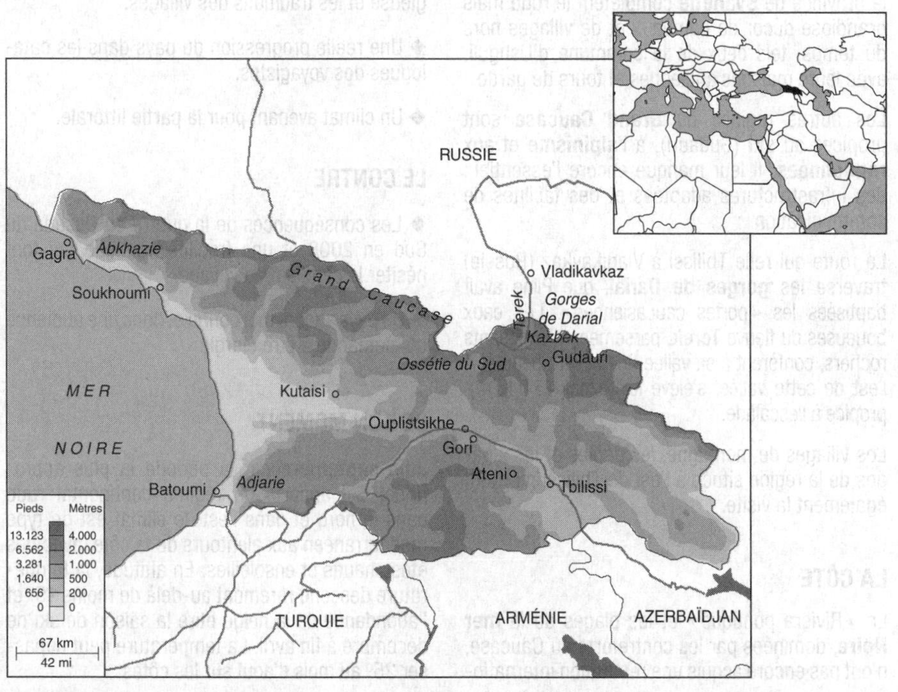

LES RAISONS D'Y ALLER

LES MONUMENTS

Ce sont les **églises** qui, les premières, ont fait la réputation et la richesse architecturale de la Géorgie, à commencer par celle de Sion, à **Ateni** (coupole rouge sur tambour, frises sculptées sur les murs extérieurs). Plus tard, les **cathédrales** ont pris le relais, par exemple à **Kutaisi** (cathédrale de Bagrat, avec motifs sculptés sur les façades) et à Tbilissi (cathédrale Sioni, orthodoxe). Plus tard encore, des **monastères**, dont celui de Guelati (et sa Vierge à l'Enfant), ont confirmé l'importance de l'art religieux géorgien.

Ouplistsikhe, fondée au Ier millénaire avant J.-C., est l'un des principaux attraits de la Géorgie. Ville troglodyte, elle possède des cavernes reliées entre elles par des rues et des escaliers. L'une de ces cavernes contient une basilique du IXe siècle.

LES PAYSAGES

Au nord, à la lisière de l'Abkhazie et à 4 000 m d'altitude, les gorges (Ingouri) et les torrents de la province de **Svanétie** complètent le rude mais grandiose décor de hameaux et de villages hors du temps, tels ceux de la commune d'Ushguli, avec leurs maisons anciennes et tours de garde.

Les autres régions du **Grand Caucase** sont propices au **ski** (Gudauri), à l'**alpinisme** et aux **randonnées**. Il leur manque encore l'essentiel : des infrastructures adaptées et des facilités de communication.

La route qui relie Tbilissi à Vladikavkaz (Russie) traverse les **gorges de Darial**, que Pline avait baptisées les « portes caucasiennes ». Les eaux boueuses du fleuve **Terek**, parsemées d'imposants rochers, confèrent à sa vallée une sévère beauté. A l'est de cette vallée, s'élève le Kazbek (5 047 m), propice à l'escalade.

Les villages de montagne, les défilés et les alpages de la région située à l'est de Tbilissi méritent également la visite.

LA CÔTE

La « Riviera pontique » et les plages de la **mer Noire**, dominées par les contreforts du Caucase, n'ont pas encore acquis une réputation internationale, malgré leur atmosphère méditerranéenne. Le littoral est jalonné de stations balnéaires telles que **Batoumi**, **Gagra** et **Soukhoumi**, cette dernière renfermant les restes de la forteresse et d'une enceinte que lui ont données les Turcs au XVIe siècle.

LES VILLES

L'atmosphère orientale de la capitale **Tbilissi**, ses maisons de bois, ses musées, sa cathédrale de Sion et sa très vieille basilique d'Antchiskhati (VIe siècle) en font une ville de grand intérêt.

Gori a vu naître Staline, dont la maison natale est aujourd'hui un musée. Les ruines d'une forteresse et d'une église du XIIe siècle sont les autres centres d'intérêt.

LE POUR

◆ Un potentiel touristique important, qui mêle la beauté des sites caucasiens, l'architecture religieuse et les traditions des villages.

◆ Une réelle progression du pays dans les catalogues des voyagistes.

◆ Un climat avenant pour la partie littorale.

LE CONTRE

◆ Les conséquences de la guerre en Ossétie du Sud en 2008 et une fragilité politique qui font hésiter le candidat au voyage.

◆ Un pays encore mal connu et donc une audience qui demande à être élargie.

LE BON MOMENT

Juin-septembre est la période la plus appropriée. S'il apporte un régime continental rude dans le nord et dans l'est, le climat est de type méditerranéen aux alentours de la côte, avec des étés chauds et ensoleillés. En altitude, la température descend rarement au-delà de moins 15° et l'abondance de la neige étire la saison de ski de décembre à fin avril. La température peut dépasser 25° au mois d'août sur les côtes.

◆ Températures maximales/minimales (en ºC) à Tbilissi : janvier 7/-1, avril 17/8, juillet 31/19, octobre 20/9.

LE PREMIER CONTACT

En Amérique du Nord

Ambassade, Washington DC, Etats-Unis, ☎ (202) 387-2390, fax (202) 387.0864, www.georgiaemb.org

En Belgique

Ambassade, 58, avenue Orban, B-1150 Bruxelles, ☎ (02) 761.11.91, fax (02) 761.11.99, sconsulaire.georgie@skynet.be

En France

Ambassade, 104, avenue Raymond-Poincaré, 75116 Paris, ☎ 01.45.02.16.16, fax 01.45.02.16.01, ambassade.georgie@mfa.gov.ge

En Suisse

Section consulaire, rue Richard Wagner 1, CH-1202 Genève, ☎ (22) 919.10.10, fax (22) 733.90. 33.

Internet

www.georgian-caucasus-tours.com/
www.caucasustravel.com/indexfrench.html

Guides

Arménie, Géorgie, Karabagh (Peuples du monde, 2007), *Georgia* (Bradt), *Géorgie* (Le Petit Futé).

Carte

Géorgie /Russie méridionale (IGN).

Lectures

Géorgie : sortie d'Empire (Silvia Serrano, CNRS, 2007), *l'Import-Export de la démocratie : Serbie, Géorgie, Ukraine, Kirghizistan* (Camille Gangloff/ L'Harmattan, 2008).

Images

La Géorgie (Brépols, 1996).

QUEL VOYAGE ET À QUEL PRIX ?

Le voyage individuel

Les préparatifs

◆ Pour les ressortissants de l'Union européenne et les Canadiens, passeport suffisant, valable six mois après le retour.

◆ Monnaie : le lari. Emporter des euros ou, de préférence, des US Dollars. 1 US Dollar = 1,4 lari, 1 EUR = 1,9 lari.

Le départ

◆ Indice de prix à certaines dates du vol Paris-Tbilissi A/R : 600 EUR. ◆ Durée moyenne du vol Paris-Tbilissi : 6 h 30.

Sur place

Route

◆ Réseau de bus étendu mais vétuste. ◆ En voiture, éviter de voyager isolément. ◆ Location de voiture possible (de préférence avec chauffeur). ◆ Alcool au volant interdit.

Train

◆ Ligne internationale de Tbilissi à Bakou (Azerbaïdjan). Pour les autres lignes, bien se renseigner avant le départ pour connaître leur situation, surtout dans le nord.

Le voyage accompagné

Rappel : nous nous sommes limités à un résumé des prestations en vigueur dans les agences et chez les voyagistes présents en France. Les lecteurs des autres pays peuvent en tirer des idées d'itinéraire et les compléter auprès de leurs agences de voyages.

Quand la situation le permet, les voyagistes sont de moins en moins timides avec la Géorgie, surtout quand il s'agit d'étudier son histoire **architecturale** religieuse. Clio est dans cette voie, tandis que Tamera se penche plus sur l'histoire médiévale, la visite de villages traditionnels et la randonnée dans la région du Kazbek et de la Svaténie (18 jours). Autres prestations : CGTT Voyages.

◆ Le voyage couplé avec **l'Arménie** est de plus en plus d'actualité. Ainsi, Adeo termine sur la plage de Batoumi un périple commencé à Erevan et poursuivi à travers les monastères géorgiens (21 jours). Explorator découvre également la Géorgie après les sites arméniens du lac Sevan et du Haut Karabakh.

◆ *Les prix du voyage restent relativement élevés : environ 2 500 EUR pour 18 jours.*

LES REPÈRES

◆ Lorsqu'il est midi en France, en Géorgie il est 15 heures. ◆ Langue officielle : le géorgien, divisé en géorgien oriental et géorgien occidental. Le russe, l'arménien et l'abkhaze sont minoritaires. Les langues étrangères sont peu pratiquées. ◆ Téléphone vers la Géorgie : 00995 + indicatif (Tbilissi : 32) + numéro; de la Géorgie : 00 + indicatif pays + numéro. Bonne couverture téléphone portable.

LA SITUATION

Géographie. Bordée par la mer Noire, la plaine de l'ancienne Colchide, aujourd'hui Abkhazie, laisse place vers l'intérieur au bassin de Tbilissi et à la haute vallée de la Koura, alors que sur la frontière nord, apparaissent les premières fortes altitudes du Grand Caucase. La Géorgie couvre 69 700 km^2.

Population. Les 4 631 000 habitants ne constituent pas une population homogène puisque l'Abkhazie et l'Adjarie sont des républiques autonomes, alors que l'Ossétie du Sud revendique son identité. Capitale : Tbilissi.

Religion. La religion orthodoxe est aujourd'hui dominante, mais la Géorgie conserve une forte minorité catholique, de tradition très ancienne.

Dates. *650* La Géorgie est conquise par les Arabes. *1184* Le règne de la reine Thamar vaut son âge d'or à la région. *XVIe siècle* L'Iran et l'Empire ottoman érodent les frontières. *1783* La Géorgie est sous la protection de la Russie, qui l'annexe dix-huit ans plus tard. *1918* Indépendance. *1922* La Géorgie sous le boisseau de l'Union soviétique. *1936* République fédérée. *Avril 1991* Indépendance, Zviad Gamsakhourdia président, mais la volonté sécessionniste de l'Abkhazie et de l'Ossétie du Sud ne tarde pas à plonger le pays dans la guerre. *Janvier 1992* Gamsakhourdia doit s'enfuir. *Octobre 1992* Édouard Chevardnadze, l'ancien ministre des Affaires étrangères de Gorbatchev, est élu président du Parlement. *Octobre 1993* Très violents affrontements à Soukhoumi entre les forces indépendantistes abkhazes et le pouvoir central, qui provoquent l'exil de dizaines de milliers de personnes. *Novembre 1995* Chevardnadze est reconduit pour cinq ans à la tête du pays. *Avril 2000* Réelection de Chevardnadze. *Novembre 2003* Chevardnadze est poussé à la démission par un mouvement populaire non armé. *Janvier 2004* Un jeune président, Mikhaïl Saakachvili, pro-occidental, est élu et promet moult réformes dans un pays gêné par les exigences russes en matière économique. *Août 2008* L'armée géorgienne intervient en Ossétie du Nord, les troupes russes répliquent en investissant la province. Un cessez-le-feu intervient peu après.

Ghana

Il aura fallu attendre longtemps pour corriger une anomalie : ce qui fut longtemps la « Côte-de-l'Or » n'intéressait pas les voyagistes francophones jusqu'à ces dernières années. Le Ghana commence donc à sortir de l'ombre, mais timidement alors qu'il a de quoi plaire, par exemple à l'amateur d'animaux sauvages, de forêts tropicales, ainsi qu'à l'ethnologue ou historien en herbe à la recherche des traditions, des rites et de l'artisanat de la population Achanti.

LES RAISONS D'Y ALLER

LES TRADITIONS

Coutumes des Achantis à Kumasi
Orfèvrerie, marchés

LES PAYSAGES

Parc national Mole (éléphants, antilopes), parc national Kakum
Lac Volta, forêts

LA CÔTE

Côte des châteaux
Plages, estuaire de la Volta

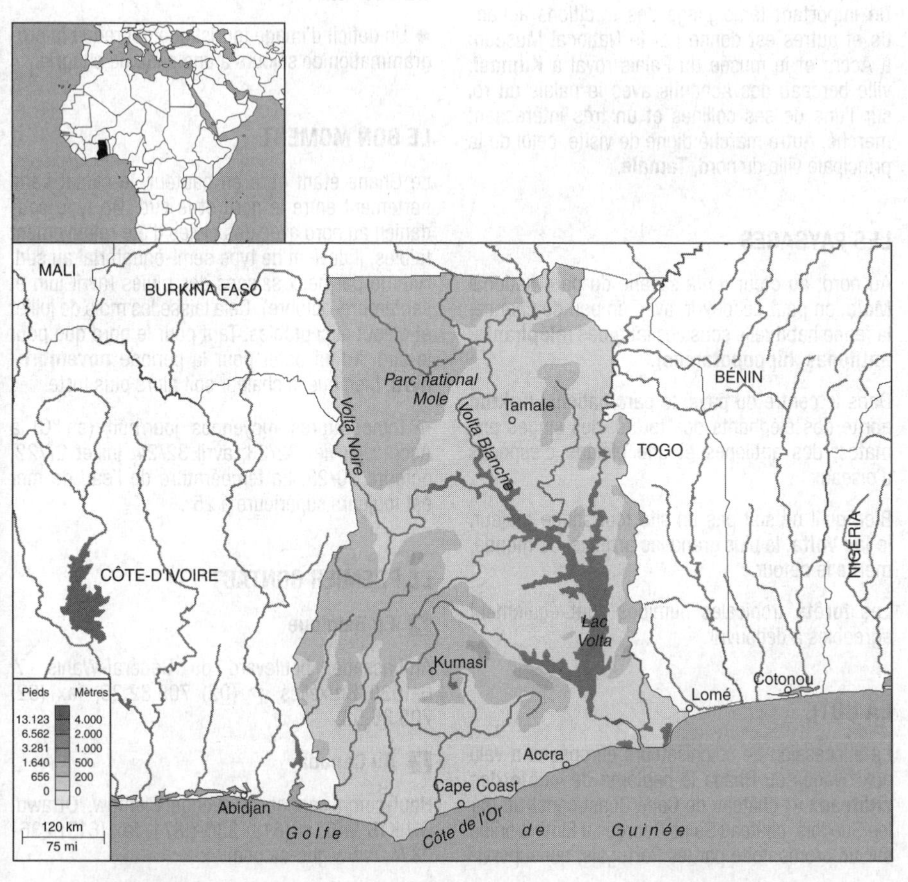

LES RAISONS D'Y ALLER

LES TRADITIONS

Le Ghana, plus précisément la région de Kumasi, est la terre d'élection des **Achantis**, une population akan qui préserve ses coutumes et qui prospéra surtout au XVIIIe et au XIXe siècle. Sa particularité est d'être fondée sur une royauté symbolisée par l'or, dont la poudre servit de monnaie à partir du XVe siècle. Un tabouret en or est le symbole du rayonnement des Achantis, aux côtés de têtes en terre cuite, pendentifs et ustensiles divers.

Du coup, l'orfèvrerie, dont on trouve les produits sur les marchés d'Accra, est la plus prestigieuse activité artisanale du pays. Le voyageur doit prendre le temps de bien se renseigner pour savoir où trouver le bon produit et à quel prix.

Un important témoignage des traditions achantis et autres est donné par le National Museum à Accra et le musée du Palais royal à **Kumasi**, ville berceau des Achantis avec le palais du roi sur l'une de ses collines et un très intéressant marché. Autre marché digne de visite, celui de la principale ville du nord, **Tamale**.

LES PAYSAGES

Au nord, au cœur de la savane du parc national **Mole**, on peut découvrir, avec un peu de chance, la faune habituelle sous ces latitudes (**éléphants, antilopes, hippopotames**).

Dans le centre du pays, le parc national **Kakum** abrite des éléphants des forêts, des singes primates, des antilopes et une pléiade d'espèces d'oiseaux.

Bien qu'il ne soit pas un site touristique majeur, le **lac Volta**, le plus grand lac artificiel du monde, mérite le détour.

Les **forêts** tropicales humides sont également agréables à découvrir.

LA CÔTE

La succession de colonisateurs européens a valu aux rivages du Ghana le baptême de « **côte des châteaux** » : château de Cape Coast construit par les Suédois; château Saint-Georges à Elmina édifié sur un promontoire par les Portugais, qui supervisaient le commerce de l'or; fort construit ensuite à la place de ce même château par les Néerlandais.

Si elles ne connaissent pas une réputation et un développement que l'on retrouve dans plusieurs pays de l'Afrique de l'Ouest, certaines **plages** sont tout de même bien équipées. En outre, l'**estuaire** de la Volta permet de découvrir les traditions des pêcheurs dans leurs villages.

LE POUR

◆ Un pays idéal pour qui aime les destinations hors de sentiers battus et un écotourisme en devenir.

LE CONTRE

◆ Un déficit d'image touristique qui réduit la programmation de séjours à une peau de chagrin.

LE BON MOMENT

Le Ghana étant étiré en hauteur, le climat varie nettement entre le nord et le sud. De type soudanien au nord avec des pluies d'été relativement faibles, il devient de type semi-équatorial au sud, rythmé par deux saisons des pluies (avril-juin et septembre-octobre). Cela laisse les mois de juillet et d'août acceptables. Tant pour le nord que pour le sud, il faut opter pour la période **novembre-avril**, bien que la chaleur soit alors plus forte.

◆ Températures moyennes jour/nuit (en °C) à Accra : janvier 32/23, avril 32/24, juillet 27/22, octobre 30/23. La température de l'eau de mer est toujours supérieure à 25°.

LE PREMIER CONTACT

En Belgique

Ambassade, boulevard du Général-Wahis, 7, B-1030 Bruxelles, ☎ (02) 705.82.20, fax (02) 705.66.53.

Au Canada

Haut-commissariat, 1, avenue Clemow, Ottawa, ON K1S 2A9, ☎ (613) 236-0871, fax (613) 236-0874, www.ghc-ca.com

En France

Ambassade, 8, villa Saïd, 75116 Paris, ☎ 01.45.00.09.50, fax 01.45.00.81.95.

En Suisse

Chancellerie, Belpstrasse 11, CH-3001 Berne, ☎ (31) 381.78.52, fax (31) 381.49.41.

Internet

www.touringghana.com/

Guides

Afrique de l'Ouest (Lonely Planet France), *Ghana* (Bradt en anglais, Le Petit Futé).

Carte

Ghana (ITM).

Lectures

Les Enfants pêcheurs au Ghana (France Manghardt/L'Harmattan, 2006), *Grandir à Nima (Ghana) : les figures du travail dans un faubourg populaire d'Accra* (Karthala, 2005), *la Mort Akan, Étude ethno-sémiotique des textes funéraires* (L'Harmattan, 2001), *l'Or et les esclaves : histoire des forts du Ghana du XVI*[e] *au XVIII*[e] *siècle* (Karthala, 2005).

Images

Ghana hier et aujourd'hui (Editions Dapper, 2003).

QUEL VOYAGE ET À QUEL PRIX ?

Le voyage individuel

Les préparatifs

◆ Pour les ressortissants de l'Union européenne, canadiens, suisses : passeport (valable encore six mois après le retour), visa obligatoire et payant. Obtention du visa possible à l'aéroport d'Accra (se renseigner avant le départ). Billet de retour ou de continuation exigible.

◆ Vaccination obligatoire contre la fièvre jaune. Prévention indispensable contre le paludisme.

◆ Monnaie : le (nouveau) cédi ghanéen. 1 US Dollar = 1,3 cédi; 1 EUR = 1,8 cédi. Emporter des dollars (de préférence aux euros) en espèces. Les chèques de voyage et les cartes de crédit sont de peu de secours.

Le départ

◆ Indice de prix à certaines dates du vol Paris-Accra A/R (escale) : 750 EUR. ◆ Pour les tarifs et les fréquences des vols, Lomé (voir *Togo)* et surtout Abidjan (voir *Côte-d'Ivoire)* sont des points d'arrivée appropriés.

Sur place

Route

◆ Réseau routier en mauvais état. ◆ Ne pas rouler la nuit (« coupeurs de route » possibles).

Le voyage accompagné

◆ Longtemps muets ou presque, les voyagistes découvrent très timidement le Ghana, axant leur programme sur l'**histoire** et les **rites** (masques, danses, cérémonies).

Ils joignent la visite du Ghana à celle d'un ou plusieurs pays voisins, généralement en minibus et tout-terrain. Ainsi, Ananta est aussi au Bénin, au Burkina Faso et au Togo pour un **combiné** de trois semaines.

Explorator est dans ce même registre (Bénin et Togo en sus) et propose même d'assister à une fête liée aux rois Ashantis, l'Akwasidae.

◆ L'**écotourisme** fait ses premiers pas au Ghana, particulièrement dans le parc national Kakum.

◆ *Le voyage au Ghana reste relativement cher, les prix pour 15 jours se situant aux alentours de 2 500 EUR.*

QUE RAPPORTER ?

Les bijoux en or et argent, faits à la main, sont typiques de l'artisanat ghanéen, de même que le tabouret, symbole historique. Bien se renseigner sur les lieux appropriés pour de tels achats.

LES REPÈRES

◆ Lorsqu'il est midi en France, au Ghana il est 10 heures en été et 11 heures en hiver. ◆ Langue officielle : anglais; l'akan est connu par près de la moitié de la population. ◆ Téléphone vers le

Ghana : 00233 + indicatif (Accra : 21) + numéro; du Ghana : 00 + indicatif pays + numéro.

LA SITUATION

Géographie. Comme le Togo voisin, le Ghana étire ses 238 533 km² du golfe de Guinée au Burkina Faso. Il se compose d'une région de savanes au nord, d'une région de forêts au sud-ouest et d'une plaine côtière au sud-est.

Population. D'un chiffre relativement modeste (23 383 000 habitants), la population ghanéenne réunit plusieurs peuplades. Un habitant sur deux est un Akan, un sur six est un Mossi. Capitale : Accra.

Religion. Deux Ghanéens sur trois sont des chrétiens, dont 30 % de protestants et 18 % de catholiques. Minorités d'animistes (21 %) et de Musulmans (16 %).

Dates. *1471* Les Portugais débarquent et baptisent le pays Côte-de-l'Or en raison des nombreuses mines qu'il recèle. *XIXe siècle* La *Gold Coast* est un protectorat anglais. *1957* Indépendance avec Nkrumah, de tendance socialiste. *1966* Un coup d'État renverse Nkrumah. *1981* Après une succession de coups d'État lors des dix années précédentes, le capitaine Jerry Rawlings prend le pouvoir. *Novembre 1992* Élection de J. Rawlings au suffrage universel. *Janvier 1993* Proclamation de la république, qui met fin à onze années de régime militaire. *Décembre 1996* Réélection de J. Rawlings. Au même moment, à New York, le Ghanéen Kofi Annan devient secrétaire général de l'ONU. *Décembre 2000* John Kufuor remporte la présidentielle aux dépens du candidat du parti de Jerry Rawlings. *2004* Réélection de John Kufuor. *Janvier 2009* John Atta-Mills (Congrès national démocratique) est élu président.

Grèce

L'hypermarché du soleil qu'est devenue la Méditerranée trouve en Grèce l'une de ses succursales les plus traditionnelles. Voilà longtemps, en effet, que le tourisme balnéaire a envahi les îles grecques. L'attrait des vacances « farniente » est tel que l'image des îles aux maisons blanches sur fond bleu occulte souvent celle de l'Acropole et du très riche patrimoine architectural. Aussi, puisqu'il ne faut manquer la Grèce à aucun prix, même si celui-ci est parfois plus élevé que dans des pays méditerranéens de même niveau économique, proposons un programme standard dans une vie de voyageur : un bref séjour à Athènes et ses environs au moment de Pâques, un séjour plus long quelques années plus tard aux Cyclades, à Rhodes ou en Crète, un séjour encore plus long en Grèce continentale pour ses vestiges, avant de décider d'une vie contemplative au mont Athos.

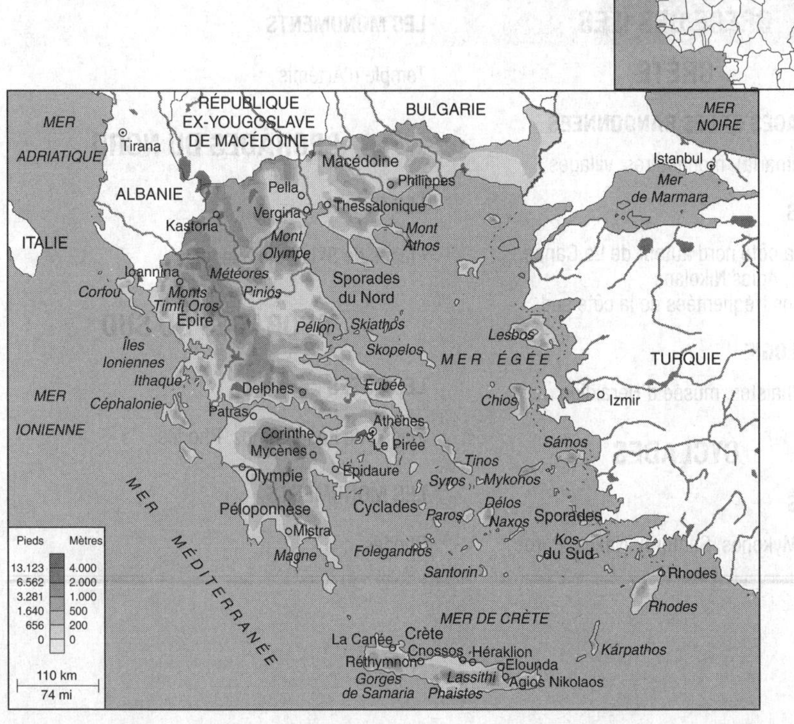

LES RAISONS D'Y ALLER

GRÈCE CONTINENTALE

LES MONUMENTS ET LES VESTIGES

La Grèce antique, du nord au sud: Philippes, Delphes, les monuments d'Athènes, le cap Sounion, Olympie, Corinthe, Mycènes, Épidaure

Les autres grands sites: mont Athos, Météores, Nauplie, Mystras

LES VILLES

Athènes, Thessalonique, Ioannina

LES PAYSAGES ET LES RANDONNÉES

La partie nord: monts du Pinde (gorges de Vikos), massif du Pélion, mont Olympe

Le Péloponnèse: canal de Corinthe, Magne

LES CÔTES

Péloponnèse, Macédoine, Chalcidique

GRÈCE DES ÎLES

CRÈTE

LES PAYSAGES ET LES RANDONNÉES

Gorges (Samaria), monastères, villages

LES CÔTES

Plages de la côte nord autour de La Canée, Rethymnon, Agios Nikolaos

Plages moins fréquentées de la côte sud

L'ARCHÉOLOGIE

Cnossos, Phaistos, musée d'Héraklion

CYCLADES

LES CÔTES

Plages de Mykonos, Santorin, Naxos, Paros

LES MONUMENTS

Délos (grand sanctuaire d'Apollon), Santorin (Akrotiri)

EUBÉE

LES CÔTES ET LES PAYSAGES

Baies, criques, randonnées

LES MONUMENTS

Érétrie

ÎLES IONIENNES

LES CÔTES

Plages de Corfou, Céphalonie, Ithaque, Meganisi

LES MONUMENTS

Temple d'Artémis

SPORADES DU NORD

LES CÔTES

Plages de Skiathos, Skopelos

SPORADES DU SUD

LES CÔTES

Plages de Kos, Patmos, Rhodes

LES MONUMENTS

Rhodes

LES RAISONS D'Y ALLER

LA GRÈCE CONTINENTALE

LES MONUMENTS ET LES VESTIGES

La Grèce antique

Concernant l'Antiquité, du nord au sud, le visiteur ne saurait passer à côté des grands sites suivants :

– les ruines de **Philippes** (théâtre, forum, thermes) et ses basiliques paléochrétiennes;

– le site grandiose de **Delphes**, siège du sanctuaire d'Apollon, auquel les pèlerins venaient poser leurs questions par l'intermédiaire de la célèbre Pythie, qui rendait alors ses oracles;

– les monuments **d'Athènes** (voir ci-contre);

– au sud d'Athènes, s'élèvent le promontoire du cap **Sounion** et les quinze colonnes restantes du temple de Poséidon;

– à **Olympie**, dominé par le grand temple de Zeus, plane le souvenir des premiers Jeux olympiques il y a plus de deux mille cinq cents ans (gymnase, palestre, stade et Musée olympique);

– **Corinthe** offre son site antique (temple d'Apollon, fontaine Pirène) et le vaste ensemble de ruines de l'Acrocorinthe;

– **Mycènes**, la « riche en or » d'après Homère, est le cœur du royaume des Atrides, ville-forteresse du deuxième millénaire avant J.-C.; il n'en reste plus grand-chose mais, passé la porte des Lionnes, l'imagination gambade à travers des sépultures et des noms aussi célèbres que Ménélas, Agamemnon, Clytemnestre ou Oreste;

– **Épidaure**, site du sanctuaire d'Esculape, dieu de la Médecine qui rendit de fameux oracles, offre le théâtre le plus élégant et le mieux conservé de toute la Grèce antique, avec la meilleure acoustique qui soit.

Les autres grands sites

Le **mont Athos** est une sorte d'État dans l'État : il abrite plus de mille moines gardiens d'une sévère orthodoxie et œuvres d'art en tout genre, et répartis dans une vingtaine de monastères; hélas! il est quasi impossible de le visiter, à moins d'arguer de convictions religieuses ou culturelles solides; en outre, les femmes comme les animaux femelles n'y sont pas admis depuis près d'un millénaire.

Les monastères cénobitiques des **Météores** forment un ensemble grandiose de sept bâtiments perchés en haut d'énormes rochers gris audessus de la vallée du Pénée.

Non loin de Mycènes, le joli site balnéaire et l'agréable vieille ville de **Nauplie** sont rehaussés de forteresses grecque (Akronauplie) et vénitienne (fort Palamède).

Près de Sparte l'oubliée, la citadelle de **Mystras**, prise par les Français lors d'une croisade en 1204 et orgueil du despotat de Morée, arbore des monastères byzantins, des couvents, des palais, une forteresse et des églises des XIVe et XVe siècles, plus tard remodelés par les Ottomans.

LES VILLES

Qui dit **Athènes** dit Acropole. Aménagé il y a deux mille cinq cents ans environ par Périclès, il émerge au-dessus de la ville avec un trio de monuments parmi les plus visités du monde : les Propylées à l'entrée, ensuite le Parthénon, dédié à Athena (dont les célèbres frises exposées au British Museum de Londres sont réclamées pour le nouveau musée de l'Acropole), enfin l'Érechthéion, flanqué des statues des caryatides. L'ensemble est complété, à deux pas, par le temple d'Athéna Niké.

Légèrement en contrebas, se trouvent la colline de l'Aréopage ainsi que le théâtre de Dionysos et l'odéon d'Hérode Atticus, qui reçoit les spectacles lyriques du Festival estival d'Athènes. Au bas de l'Acropole, le Theseion et l'Agora parachèvent la richesse architecturale antique de la capitale grecque.

La ville moderne n'est jamais mieux perçue que du haut de Lycabette, la « colline des Loups », ou de la colline de Philopapos. Revigorée par les Jeux olympiques de 2004, elle essaie de compenser sa réputation de creuset de pollution par l'animation des ruelles et placettes du quartier moyenâgeux de Plaka et, à peine moins touristique, de Monastiraki, l'ancien quartier turc. Un peu en retrait du point de vue intérêt, le quartier de Kolonaki renferme la place Syntagma et le marché central, à la saisissante animation.

A travers la ville, on découvre des musées de grand renom : le Musée archéologique national, qui renferme presque toutes les grandes œuvres d'art de la Grèce antique, et au premier chef les antiquités mycéniennes; le musée Benaki, consacré à l'art oriental (icônes); le musée d'Art cycladique, le Musée byzantin, la Pinacothèque (tableaux du Greco), la fondation Melina Mercouri, le musée d'art contemporain Frissiras et le nouveau palais de la Musique Mégaron.

Les autres grandes villes ont du mal à rivaliser. On se gardera, toutefois, d'oublier les églises byzantines, les remparts et la « tour Blanche (XVe siècle), les anciennes mosquées et les musées (archéologique et byzantin) de **Thessalonique**, comme le site de la tranquille **Ioannina**, son lac, ses monastères, ses mosquées et sa forteresse.

LES PAYSAGES ET LES RANDONNÉES

Le nord

Tant dans le nord que dans le Péloponnèse, la nature montagneuse de la Grèce continentale est à l'origine de paysages injustement méconnus par le touriste, décidément trop occupé par l'Antiquité et les plages.

Dommage, donc, de trop souvent passer à côté de sites comme, au nord-ouest, l'Épire, les monts du **Pinde**, ou pays des Zagoria. Là se mêlent des sites villageois (Vitsa, Monodendri), de vieux ponts et surtout les gorges de **Vikos**, aux falaises qui surplombent la rivière de près de mille mètres.

Dommage, également, de trop souvent ignorer, à l'est, le massif du **Pélion**, aux villages pétris de charme, et dont les forêts comme les vergers sont propices à la randonnée.

Plus arpenté est, au nord-est, le **mont Olympe**, séjour des déesses et des dieux, montagne sacrée et haut lieu de la mythologie grecque. Aujourd'hui, il est plus prosaïquement et assez facilement escaladé par les randonneurs.

Le Péloponnèse

Plus couru que la partie nord, le Péloponnèse s'ouvre sur une curiosité : l'étroit canal de **Corinthe**, aux parois impressionnantes. Il voisine avec le golfe du même nom, que l'on se doit de découvrir à partir des pentes du cap de l'Iraio.

Mais la presqu'île vaut surtout par les trois « doigts » qui la terminent au sud, et plus particulièrement celui du milieu, le **Magne**. Cette région isolée présente un relief tourmenté, aussi hostile que prenant. Elle est parsemée de petites églises byzantines et de centaines de tours de défense érigées dans des villages qui se dépeuplent inexorablement.

LES CÔTES

Les côtes du **Péloponnèse** (côte de l'Arcadie, à l'est) et de la **Macédoine** n'ont pas la prétention de rivaliser avec celles des îles sur le plan du tourisme balnéaire mais elles restent trop mal connues. On en arrive ainsi à des situations inhabituelles : les plages de sable blanc de la **Chalcidique**, au nord, voient séjourner autant de Grecs que de touristes étrangers...

LA GRÈCE DES ÎLES

CRÈTE

LES PAYSAGES ET LES RANDONNÉES

L'intérieur de la Crète, accidenté et souvent montagneux, est un terrain de choix pour les marcheurs comme pour les passionnés des mœurs d'une île dont peu d'endroits restent préservés de l'invasion estivale.

Certaines balades, surtout dans l'ouest, conduisent à de très beaux sites (**gorges** de Samaria), à des **monastères** étonnants (Moni Toplou), à des **villages** embellis par leurs chapelles et à des terroirs inattendus. Mais les « grands » marcheurs auront intérêt à prendre contact avec des voyagistes spécialistes de la randonnée pour trouver des sites moins fréquentés que Samaria. Insolite : le plateau de Lassithi et ses moulins à vent, même si la plupart ne fonctionnent plus aujourd'hui que pour le tourisme.

LES CÔTES

Les sites de la côte nord, surchargés en été, sont souvent considérés comme riches et guindés, Agios Nikolaos et plus encore Elounda en étant la démonstration. Il existe toutefois des exceptions, comme les plages plus familiales de Gouvès et Hersonissos, et l'île de Spinalonga, aux fortifications vénitiennes. A l'ouest d'Héraklion, l'atmosphère est jugée plus attachante à Aghia Pelaghia, à La Canée, Rethymnon et leurs grandes plages.

La côte sud, moins sablonneuse et dotée de moins d'infrastructures, est plus appropriée pour qui recherche une certaine tranquillité.

L'ARCHÉOLOGIE

Le site historique le plus important est **Cnossos**, non loin d'Héraklion. C'est là que s'est épanouie la civilisation minoenne, dont il reste les ruines du palais de Minos, le prêtre-roi. Autre site minoen d'importance : **Phaistos**, dont le disque d'argile aux 210 signes pictographiques et toujours énigmatiques est au **musée d'Héraklion**. La visite de ce musée, riche de collections de la civilisation minoenne, est indispensable avant d'entreprendre un voyage culturel dans l'île.

CYCLADES

LES CÔTES

Mykonos, Santorin, Naxos, Paros : autant de noms qui évoquent le soleil, la grande bleue, le sable, les maisons aux murs blancs. Avec la Crète, nul autre endroit que les Cyclades et leurs trente-quatre îles n'est aussi prisé du touriste, surtout le quatuor précité.

Syros, Amorgos (lieu de tournage du film *le Grand Bleu*), Folegandros, Tinos et Andros sont moins fréquentés, bien que les deux derniers soient proches d'Athènes. A l'opposé, les nuits jeunes de Mykonos sont très agitées.

Le succès de Santorin est dû au cadre de l'archipel, secoué par des éruptions et des séismes mais qui en a retiré un relief inhabituel. Aujourd'hui, les îlots enferment la mer dans une grande baie ovale, bordée de falaises où les couleurs blanche, ocre et noire rivalisent d'attrait.

Autour des Cyclades comme entre les autres groupes d'îles grecques, il est possible et même recommandé d'envisager des **croisières** plus ou moins longues et sous plusieurs formes (caïques, voiliers, etc.).

LES MONUMENTS

A **Délos**, se trouve le plus important témoignage historique de l'archipel : le **grand sanctuaire d'Apollon**. Quoique mal en point, il présente l'un des ensembles les plus complets du pays (temples, trésors et monuments votifs). Les pièces les plus significatives sont conservées dans un musée.

À Santorin, la ville d'**Akrotiri**, dégagée des cendres d'une éruption qui l'avait recouverte en 1500 av. J.-C., conserve les traces d'un habitat raffiné.

EUBÉE

LES CÔTES ET LES PAYSAGES

Moins connues que celles des Cyclades, peu fournies en plages de sable mais riches de baies et de criques (surtout au sud), les côtes de l'Eubée constituent une bonne alternative à la surcharge de la mer Égée. En outre, elles sont agrémentées de ports de pêche intéressants.

L'intérieur de l'île est fait d'une moyenne montagne (Dirfi Oros) propice aux randonnées.

LES MONUMENTS

Les ruines de l'acropole, du théâtre et des temples d'**Érétrie** dominent l'intérêt architectural de l'île. L'art byzantin apparaît dans les nombreuses églises et chapelles, ainsi que dans les monastères.

ÎLES IONIENNES

LES CÔTES

Corfou, l'île où Nausicaa recueillit Ulysse, n'a pas de rivale tout au long de cet archipel du nord-ouest qui, comme les Sporades du Nord, échappe relativement au flot touristique de la mer Égée. Situées plus bas que Corfou, les îles de **Céphalonie**, **Ithaque** et **Meganisi** sont également moins fréquentées.

LES MONUMENTS

C'est à Corfou qu'il faut chercher les monuments les plus connus : la forteresse vénitienne, les palais Saint-Michel et Saint-Georges, ainsi que le **temple d'Artémis**, dont on peut voir le célèbre fronton de la Gorgone au musée de la ville. A travers l'île, monastères et églises byzantines ne sont pas en reste.

SPORADES DU NORD

LES CÔTES

Situées dans la partie centrale de la mer Égée, les Sporades du Nord sont relativement moins courues que la Crète et les Cyclades. **Skiathos** et **Skopelos** en sont les destinations les plus recherchées.

SPORADES DU SUD

LES CÔTES

Encore appelé Dodécanèse, ce groupe d'îles, situé au sud du trio Lesbos (l'île de Sappho), Chios et Samos, également très fréquenté, est le plus proche des côtes turques. **Kos, Patmos** et surtout **Rhodes** (plages de Faliraki et de Kolymbia sur la côte est) font le plein de touristes en été. **Kalymnos** (très propice à l'escalade et à la plongée), Karpathos, Nissiros et Symi sont un peu plus épargnées.

LES MONUMENTS

Rhodes n'a plus son Colosse, détruit par un tremblement de terre en 227 av. J.-C., mais garde sa ville murée, son palais des Grands Maîtres et ses « auberges » de style gothique, maisons des provinces de l'ordre de Saint-Jean. Autre site : le village de Lindos et son château médiéval.

LE POUR

◆ Une richesse archéologique qui place la Grèce parmi les premiers pays touristiques du monde.

◆ Des côtes morcelées, nombreuses (15 000 km) et bien équipées depuis longtemps (hôtels-clubs, campings, etc.).

◆ Le nombre et le prix des vols, y compris à partir des villes autres que la capitale.

LE CONTRE

◆ La difficulté de prendre des vacances au pied levé en haute saison : hôtels et, par endroits, transports d'île en île sont à réserver longtemps à l'avance.

◆ La nette augmentation du coût du séjour à Athènes.

LE BON MOMENT

La Grèce connaît le climat méditerranéen par excellence : étés chauds et secs, hivers doux et pluvieux. La période **juin-octobre** inclus s'impose, la température de l'eau étant encore convenable en octobre. Attention aux idées préconçues : il peut faire froid en janvier et février à Athènes, et plus encore dans le nord du pays. Pour la Crète, dès avril le touriste-randonneur sera comblé. Pour les Cyclades, l'arrière-saison est idéale.

◆ Températures moyennes jour/nuit (en °C)

Athènes (centre-est) : janvier 13/5, avril 20/10, juillet 34/21, octobre 23/13.

Corfou (côte nord-ouest) : janvier 14/5, avril 19/6, juillet 31/18, octobre 23/13. L'eau de mer atteint 23 à 24° au cœur de l'été.

Thessalonique (nord) : janvier 9/1, avril 19/8, juillet 32/19, octobre 21/11.

LE PREMIER CONTACT

En Belgique

Office national hellénique du tourisme, avenue Louise, 172, B-1050 Bruxelles, ☎ (02) 647.57.70, fax (02) 647.51.42.

Au Canada

Hellenic Tourism Organization, 1500, Don Mills Road, Toronto, ON, M3B 3K4, ☎ (416) 968-2220, fax (416) 968-6533.

En France

Office national du tourisme hellénique, 3, avenue de l'Opéra, 75001 Paris, ☎ 01.42.60.65.75, fax 01.42.60.10.28.

Au Luxembourg

Ambassade, 27, rue Marie-Adelaïde, L-2128 Luxembourg, ☎ 44.51.93-1, fax 45.01.64.

En Suisse

Griechsche Zentrale für Fremdenverkher, Loewenstrasse, 25, CH-8001 Zurich, ☎ (41) 44-2210105, fax (41) 44-2120516.

Internet

www.gnto.gr (office du tourisme)
www.grece.infotourisme.com
www.athensguide.gr

Guides

Athènes (Gallimard/Cartoville, Hachette/Un grand week-end, Lonely Planet France/Citiz,

Michelin/Voyager pratique), *Athènes et les îles grecques* (Hachette/Guide du routard),

Crète (Gallimard/Cartoville, Gallimard/Encycl. du voyage, Gallimard/GEOGuide, Gallimard/Spiral, Hachette/Guide du routard, Le Petit Futé, Lonely Planet France, Marcus, Michelin/Voyager pratique, Nelles), *Crète et Rhodes* (Hachette/Evasion),

Grèce*, Athènes et le Péloponnèse* (Gallimard/Encyclopédie du voyage, *Grèce* (Berlitz, Gallimard/Bibl. du voyageur, Hachette/Guide bleu, Hachette/Voir, Lonely Planet France, Michelin/Guide vert, National Geographic France), *Grèce continentale* (Hachette/Evasion, Hachette/Guide du routard, JPMGuides, Le Petit Futé, Michelin/Voyager pratique), *Grèce et les îles* (Mondeos),

Iles grecques (Gallimard/Spiral, Hachette/Evasion, Hachette/Voir, Le Petit Futé), *Iles grecques et Athènes* (Gallimard/GEOGuide, Lonely Planet France, Michelin/Voyager pratique), *Iles grecques de la mer Egée* (Berlitz).

Cartes

Athènes (Gallimard/Cartoville, IGN), *Crète* (Cordée, Gallimard/Cartoville, IGN, Nelles), *Grèce* (Freytag, IGN, Michelin). Plusieurs cartes des îles chez Freytag.

Lectures

Histoire grecque (Claude Orrieux, Pauline Schmitt-Pantel/PUF, 2004), *le Peintre et le Pirate* (Còstas Hadziaryìris/Le Serpent à plumes, 2001), *l'Univers, les dieux, les hommes : récits grecs des origines* (Jean-Pierre Vernant /Seuil, 2002).

Images

Alexis Zorba (N. Kazantzakis/Pocket, 2002), *Archéologie historique de la Grèce antique* (Ellipse, 2006), *les Iles grecques* (Titouan Lamazou, Gallimard, 2002), *Majestueuses îles grecques* (Atlas, 2002), *Mont Athos : sur le chemin de l'Infini* (Jean-Yves Leloup, Ferrante Ferranti/Ed. Philippe Rey, 2007).

CD-rom et DVD

Grèce & Istanbul (Editions Montparnasse, 2005), *Grèce continentale* (TF1 Vidéo, 2003), *Grèce, Athènes et les îles* (TF1 Vidéo, 2004).

QUEL VOYAGE ET À QUEL PRIX ?

Le voyage individuel

Les préparatifs

◆ Carte nationale d'identité ou passeport périmé depuis moins de cinq ans suffisant pour les ressortissants de l'Union européenne. Passeport nécessaire pour les Canadiens. ◆ Carte européenne d'assurance maladie. ◆ Pour les ressortissants canadiens, passeport encore valide pendant au moins six mois après le retour. ◆ Permis de conduire national, carte grise et carte verte.

◆ Monnaie : l'*euro.*

Le départ

Avion

◆ Indice de prix à certaines dates du vol Montréal-Athènes A/R : 1 100 CAD; Paris-Athènes A/R : 250 EUR; Paris-Héraklion A/R : 350 EUR. ◆ Vols à bas prix Bruxelles-Athènes (Brussels Airlines), Paris-Athènes (Air Berlin, EasyJet). ◆ Abondance de vols charters en été, surtout à destination d'Athènes et d'Héraklion. ◆ Durée moyenne du vol Paris-Athènes (2 096 km) : 3 heures; Paris-Héraklion : 3 h 20.

Bateau

◆ Départs d'Italie (Ancône, Bari, Brindisi, Venise) à destination de Corfou, Igoumenitsa et Patras, avec possibilité d'embarquer sa voiture. Selon le port et les moyens choisis, les traversées durent de 7 h 30 (Brindisi-Corfou) à 32 heures (Venise-Patras). Les plus longues d'entre elles s'apparentent à des croisières.

Route

◆ Quand on a du temps, Paris-Athènes (3 000 km) peut être envisagé via l'embarquement de la voiture en Italie (voir ci-dessus).

Train

◆ Pass InterRail utilisable. ◆ Train Paris/Gare de l'Est-Athènes via Budapest et Thessalonique.

Sur place

Bateau

◆ Nombreuses possibilités pour le passage en Crète : Le Pirée-Héraklion, Rethymnon ou La Canée (9 heures de trajet, réserver assez longtemps en avance en été). ◆ Trajets interîles : nombreux ferries et catamarans, prix et horaires disponibles auprès de l'office du tourisme.

Hébergement

◆ Le logement chez l'habitant ou en Bed and Breakfast est courant. ◆ Autres possibilités : location d'un studio, maison d'hôte, pension, villa (renseignements auprès de l'office du tourisme). ◆ Nombreuses auberges de jeunesse, renseignements : www.hostels.com

Route

◆ Limite du taux d'alcoolémie : 0,5 pour mille. ◆ Limitations de vitesse agglomération/route/autoroute : 50/110/120. ◆ Entre avril et octobre, des autotours (vol A/R, location de voiture et hôtel réservé à l'étape) sont proposés par la plupart des voyagistes énumérés ci-dessous.

Le séjour en individuel

Rappel : nous nous sommes limités à un résumé des prestations en vigueur dans les agences et chez les voyagistes présents en France. Les lecteurs des autres pays peuvent en tirer des idées d'itinéraire et les compléter auprès de leurs agences de voyages.

◆ Les séjours **balnéaires** restent la base du tourisme grec. La formule des hôtels-clubs, aménagés aussi bien pour le repos des parents que pour les loisirs des enfants, est très répandue, particulièrement en Crète, à Corfou, à Rhodes et dans les Cyclades. Au printemps, un séjour d'une semaine en pension complète peut se trouver *aux alentours de 600 EUR, au-delà de 800 EUR* en été. Les enfants de 4-12 ans bénéficient de réductions conséquentes.

Nombreux voyagistes sur le pont pour des formules très diverses, souvent avec thalassothérapie et spas : Air Sud Découverte, Club Med (villages en Eubée et à Kos), Fram, Héliades, Hotelplan, Jet Air, Jet Tours, Look Voyages, Luxair Tours (Corfou, Cos, Rhodes, Santorin), Neckermann, Nouvelles Frontières, Starter, STI Voyages.

◆ Air Sud, Héliades, Jet Tours, Luxair Tours, Nouvelles Frontières ou Visit Europe, entre autres, proposent de découvrir **Athènes** mais aussi les sites environnants le temps d'un **week-end** prolongé (forfait comprenant le vol A/R et 3 jours/2 nuits en chambre double pour *400 EUR en moyenne*).

Le voyage accompagné

◆ La plupart des voyagistes cités dans le cadre du tourisme balnéaire organisent des circuits dans l'intérieur des terres, à la découverte d'une Grèce **historique** : l'Acropole mais aussi Épidaure, Olympie, Delphes, ces deux derniers dans le cadre de circuits au Péloponnèse qui mêlent culture et balnéaire (Air Sud, Fram, Héliades, Jet Tours, STI Voyages).

Les férus d'histoire trouvent leur bonheur dans l'un des nombreux circuits de Clio (Crète, Dodécanèse, Macédoine, Santorin) avec, dans certains cas, des professeurs d'histoire ancienne ou de civilisation égéenne comme guides. Nouvelles Frontières diversifie les circuits : Péloponnèse et Cyclades (15 jours), Grèce antique et olympique (8 jours), mont Olympe (8 jours). Orients (pour tous les grands sites en 15 jours) et STI Voyages sont également présents.

◆ En contrepoint des séjours farniente, les **randonnées** gagnent du terrain. Elles se déroulent entre avril et septembre et sont fondées, la plupart du temps, sur une alternance marche et baignade. La **Crète**, et particulièrement les gorges de Samaria, est très (trop ?) fréquentée par les marcheurs : les propositions sont légion entre avril et octobre, entre autres avec Atalante, La Balaguère, Club Aventure.

Les spécialistes réussissent néanmoins à conduire le marcheur hors des sentiers battus. Atalante est dans les îles peu connues d'Andros et Tinos (8 jours entre avril et septembre) et les combine au mont Olympe et aux Météores (15 jours), Allibert est à Karpathos et Naxos, Terres d'Aventure à Karpathos, Andros et Naxos, Nomade Aventure à Naxos, Amorgos et Santorin, Terra Incognita à Santorin, Paros et Delos.

Les prix pour un voyage en randonnée tout compris se situent aux alentours de 1 100 EUR pour une semaine et de 1 600 EUR pour 15 jours.

◆ Athènes est une base importante de **croisières** en Méditerranée orientale d'une douzaine de jours et quatre ou cinq escales parmi lesquelles Malte,

Chypre, Turquie, l'Egypte, la Libye, Odessa, Yalta (premiers prix *aux alentours de 1 200 EUR*). ◆ De Venise, Costa Croisières navigue l'été jusqu'à Santorin, Mykonos et Rhodes, avec retour à Venise via Dubrovnik. ◆ Le *Queen Victoria* de Cunard part d'Athènes en décembre pour un périple dans la Mare Nostrum. ◆ Programmes couleur locale pour les îles de la mer Égée avec Héliades à bord de caïques, Nouvelles Frontières en voilier. Le *Club-Med 2* suit un trajet Kusadasi, Rhodes, Santorin. ◆ Une mer « physique » est proposée par Grand Nord Grand Large qui fait du **kayak** de mer dans les îles Ioniennes.

QUE RAPPORTER ?

Les céramiques, les poteries, les tapis, les bijoux en argent, les bijoux anciens, les icônes, le cuir : autant de classiques artisanaux. Classiques d'un autre genre : l'ouzo, le retsina, les olives et leur huile.

LES REPÈRES

◆ Lorsqu'il est midi en France, en Grèce il est 13 heures en hiver et 14 heures en été; lorsqu'il est midi au Québec, en Grèce il est 19 heures. ◆ Langue officielle : le grec. ◆ Langues étrangères : l'anglais; le français reste confidentiel. ◆ Téléphone vers la Grèce : 0030 + indicatif (Athènes : 1; Mykonos : 289) + numéro; de Grèce : 00 + indicatif pays + numéro.

LA SITUATION

Géographie. La présence de la mer Égée fait souvent oublier que les quatre cinquièmes du pays sont montagneux. 25 000 des 131 957 km^2 appartiennent aux nombreuses îles. La Crète, d'une superficie voisine de celle de la Corse, est l'île la plus étendue.

Population. 10 723 000 habitants, dont le tiers vit dans l'agglomération d'Athènes, la capitale.

Religion. Très forte majorité de chrétiens orthodoxes. Petites minorités de catholiques, de musulmans et de protestants.

Dates

Avant J.-C. *2000* Arrivée des Achéens et des Doriens. *443* Apogée d'Athènes (« Siècle de Périclès »). *336* Règne d'Alexandre le Grand. *146* La Grèce devient province romaine mais sa culture ne cessera d'influencer Rome pendant quatre siècles.

Après J.-C. *395* La Grèce dans l'Empire romain d'Orient. *1204* Prise de Constantinople par les Croisés. *1456* Les Ottomans conquièrent Athènes et le Péloponnèse. *1822* Congrès d'Épidaure et indépendance, mais les Turcs réagiront avant d'être battus par la Grande-Bretagne, la France et deux fois par la Russie. *1921* Guerre perdue contre la Turquie. *1946* Guerre civile et déroute des communistes. *1967-1974* Autoritarisme du « régime des colonels », auquel succède la démocratie avec Karamanlis. *1981* Arrivée des socialistes de A. Papandréou et adhésion de la Grèce à la CEE. *1985* Sárdzetakis, socialiste, est président de la République. *1990* Karamanlis président, Mitsotakis Premier ministre. *Octobre 1993* Papandréou et le Pasok (mouvement socialiste panhellénique) reviennent au pouvoir. *Janvier 1996* Costas Simitis, membre des rénovateurs du Pasok, devient Premier ministre à la place de Papandréou, qui décède cinq mois plus tard. *Avril 2000* Le Pasok remporte les législatives, talonné par la droite (Nouvelle Démocratie). La Grèce adhère à la zone euro. *Mars 2004* Costas Karamanlis et la Nouvelle Démocratie battent les socialistes.

Groenland

Qui n'a pas rêvé d'un endroit où l'on puisse longer le museau d'un iceberg, faire des expéditions sur un traîneau à chiens, voire admirer l'arc d'une aurore boréale ? Le Groenland est cet endroit-là. Il est si parfumé d'aventure – les grandes explorations de l'île datent d'un siècle et demi à peine – que l'on reste étonné de la rapidité avec laquelle les organisateurs de voyage ont mis sur pied des circuits très divers, jusqu'à la lisière de l'Arctique. A en oublier presque le grave problème de la fonte des glaciers et de la banquise.

LES RAISONS D'Y ALLER

LES PAYSAGES

Icebergs, montagnes, lacs, fjords, toundra, soleil de minuit
Randonnées et croisières : baie de Disko, région de Thulé

LA FAUNE

Fulmars, morses, narvals, phoques, pingouins, sternes

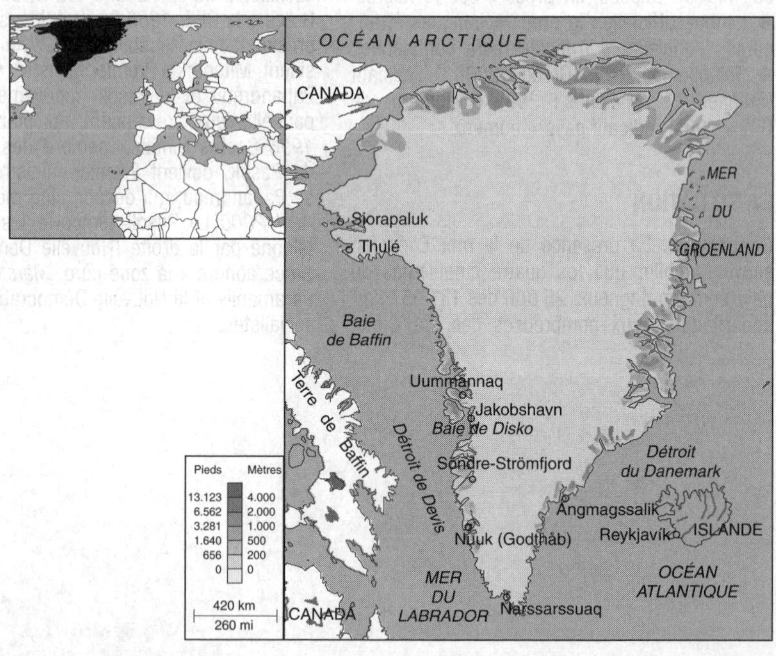

LES RAISONS D'Y ALLER

LES PAYSAGES

Les paysages du Groenland sont certes grandioses mais avant tout inhabituels : le spectacle des **icebergs**, aux formes et aux couleurs changeantes, est le plus recherché, mais les **montagnes**, les **lacs**, les **fjords** et la **toundra** verdoyante des abords de la côte sud (lichens, mousses, fleurs), qui a valu son baptême de « terre verte » au pays, constituent autant d'originalités. Quant au **soleil de minuit**, il est visible à la latitude de Jakobshavn (centre-ouest de l'île) à partir du mois de juin.

Devant tant de promesses, randonnées et croisières se sont développées au fil des années. C'est à partir de la baie de **Disko**, au nord du cercle arctique sur la côte ouest, que sont généralement proposées des **mini-croisières** entre les icebergs - la vue depuis la petite ville d'Ilulissat est saisissante - et des **randonnées** vers les montagnes, les lacs et les abords de l'inlandsis, au moment où la végétation et les oiseaux connaissent un brusque et bref regain de vie. Dans le sud, les randonnées se transforment en alpinisme pour les amateurs du genre.

Les limites de l'impossible voyage sont également effleurées puisque des randonnées en kayak abordent désormais la région de la base polaire de **Thulé**, chère à Jean Malaurie.

LA FAUNE

Le Groenland demeure un paradis écologique pour la faune arctique. Le spectacle de colonies de **fulmars, morses, narvals, phoques, pingouins, sternes** n'est pas rare lors des croisières et des randonnées.

LE POUR

◆ Une destination hors du commun : icebergs, fjords, banquise, aurore boréale sont des lieux ou des phénomènes longtemps demeurés dans le domaine du rêve pour le voyageur.

◆ Un environnement unique : la beauté de la nature certes, mais aussi l'absence de routes et de voies ferrées.

LE CONTRE

◆ La brièveté de la haute saison touristique et la rudesse des conditions climatiques : il faut savoir estimer ses capacités de résistance au froid et/ou de marcheur avant de se décider.

◆ Les tourments nés du réchauffement et de la fonte de la banquise et des glaciers.

◆ Le coût élevé du voyage.

LE BON MOMENT

Le climat arctique est dû à la permanence de courants froids le long des côtes et au rayonnement glacial de l'inlandsis. C'est au fond des fjords et dans des lieux bien précis, comme la baie de Disko, que le temps est le plus « clément » : moins 4° C en moyenne sur les rivages, les minima pouvant atteindre moins 29° C.

Quant au vent, il ne tombe jamais complètement. Il faut sauter sur le court été **(juin-juillet)** et ses vingt-quatre heures de clarté sur vingt-quatre qui permet les randonnées, le regain de la vie animale et, pour les férus de botanique, l'émergence brève et rapide de la flore. En hiver, au-dessus d'une certaine latitude, c'est la nuit (nuit polaire). Les aurores boréales sont visibles en automne et en hiver.

◆ Températures maximales/minimales (en °C)

Godthab (sud-ouest) : janvier -6/-11, avril 0/-6, juillet 11/3, octobre 2/-2.

Thulé (nord-ouest) : janvier -16/-26, avril -12/-22, juillet 8/2, octobre -4/-12.

LE PREMIER CONTACT

En Belgique

Office national danois de tourisme, rue d'Arlon, 73, B-1040 Bruxelles, ☎ (02) 233.09.00, fax (02) 233.09.32.

Au Canada

Ambassade du Danemark, 1, place Ville-Marie, Montréal, H3B 4M4, ☎ (514) 877-3041, fax (514) 871-8977.

En France

Conseil du tourisme danois (par téléphone seulement), ☎ 01.42561872, fax 01.53.43.26.23. ◆ Voir aussi La Maison du Groenland, 15, rue du Cardinal Lemoine 75005 Paris, ☎ 01.40.46.05.14, www.maisondugroenland.com

Au Luxembourg

Ambassade, 4, rue des Girondins, L-1626 Luxembourg, ☎ 22.21.22-1, fax 22.21.24.

En Suisse

Consulat, rue de la Gabelle, 9, CH-1227 Carouge, ☎ (22) 827.05.00, fax (22) 301.57.52, www.ambbern.um.dk

Internet

www.greenland-guide.gl/fr/default.htm
www.greenland.com

Guides

Groenland (GNGL), *Greenland and the Arctic* (Lonely Planet).

Carte

Groenland (ITM).

Lectures

En skis à travers le Groenland (Fridtjof Nansen/Hoëbeke, 1999), *Groenland, terre des Inuit* (Erik Bataille/Ed. du Dauphin, 1998), *Hummocks - Nord Groenland Arctique central canadien* (Jean Malaurie, Plon, 1999), *Sila naalagaavoq, le temps est le maître. Avec les inuits du Nord Groenland* (Jocelyne Olliviers-Henry, Diabase, 2002), *Ultima Thulé* (Jean Malaurie, Pocket, 2001). ◆ Les ouvrages de Jean Malaurie, qui a partagé la vie des Inuit (Esquimaux), font référence pour la connaissance de ces derniers. ◆ Lire aussi les ouvrages de Paul-Émile Victor, tels que *l'Iglou* (PBP Voyageurs) ou, chez Grasset, *Boréal et Banquise.*

Images

La Civilisation du phoque (Paul-Émile Victor, Joëlle Robert-Lamblin, Éditions Colin, 1997), *Treks dans les îles de l'Atlantique Nord : Ecosse, Féroé, Islande, Groenland, Spitzberg* (Ouest France, 2007), *Vagabond, voilier polaire au Groenland* (Georama, 2002).

DVD

Au royaume de Thulé, les chasseurs de narvals : voyage chez les Inuits du Groenland (Vodeo TV), *le Grand Nord : les îles Lofoten et Féroé, le Groenland, les îles Vestmann et Reykjavik* (Vodeo TV).

QUEL VOYAGE ET À QUEL PRIX ?

Le voyage individuel

Les préparatifs

◆ Pour les ressortissants de l'Union européenne, carte nationale d'identité ou (mieux) passeport. Pour les ressortissants canadiens, passeport valide suffisant.

◆ Monnaie : la *couronne danoise* (en danois *krone*, pluriel *kroner*) est subdivisée en 100 øre. 1 EUR = 7,45 couronnes danoises. Emporter des euros en espèces ou en chèques de voyage. L'usage des cartes de crédit est encore limité.

Le départ

◆ De l'Europe continentale, le vol, plutôt cher, s'effectue en deux temps : Reykjavík (Islande), puis Reykjavík-Angmagssalik pour la côte est; Copenhague (Danemark), puis Copenhague-Söndre Strömjford pour la côte ouest; Copenhague puis Copenhague-Narsarsuaq pour la côte sud.

Sur place

Transports intérieurs

Pas de réseaux routiers ou ferroviaires. L'avion (Air Greenland), le bateau (express côtiers), les skis, la motoneige ou le traîneau donnent le change.

Le séjour

La compagnie islandaise Icelandair propose des séjours libres à Narsarsuaq à partir de Reykjavík.

Le voyage accompagné

Rappel : nous nous sommes limités à un résumé des prestations en vigueur dans les agences et chez les voyagistes présents en France. Les lecteurs des autres pays peuvent en tirer des idées d'itinéraire et les compléter auprès de leurs agences de voyages.

◆ Le **raid à skis** et le trekking à travers toundra, glaciers, fjords et lacs du sud (Narsarsuaq), ou sur la côte est (fjord d'Angmassalik), ont trouvé en vingt ans une clientèle qui ne lésine ni sur le rêve ni sur la dépense : *au moins 2 500 EUR* pour un séjour d'une douzaine de jours.

A l'ouest, la baie de **Disko** constitue également l'un des grands buts touristiques de l'île : on y **navigue** en été entre les **icebergs** et, une fois à terre, on effleure **l'inlandsis** ou part en **randonnée**.

◆ Grand Nord Grand Large, fidèle à sa réputation, est le voyagiste le plus présent au Groenland : au moins une quinzaine de propositions à base de raids à skis, de randonnées en kayak ou à pied. Il propose aussi, comme Nomade Aventure, un voyage sur les traces de Paul-Émile Victor et une royale randonnée en kayak dans la région de Thulé. Autres propositions chez Allibert, Atalante, Club Aventure.

◆ Les bateaux de **croisière** longent le plus souvent la côte sud-ouest, comme le *Diamant* : parti d'Islande, il longe les icebergs et les fjords de Narsarsuaq à Jacobshavn (Scanditours). Grand Nord Grand Large invite à monter à bord de l'Express côtier groenlandais ou longe la côte nord-est, ce qui donne une idée de la taille de la calotte glaciaire, du découpage des Alpes de Stauning et de la richesse de la faune (oiseaux, phoques, ours polaires). Une autre de ses périples va même jusqu'à Thulé, à un prix hélas! aussi élevé que la latitude.

◆ Partager la vie des **Inuit** est un rêve certes chèrement acquis mais possible, entre autres avec 66° Nord lors d'un trek à Sermilik-Icefjord, sur la côte est.

◆ L'île a beau être immense, elle est parfois également proposée en combiné, soit avec l'**Islande** (Comptoir d'Islande), soit avec la **Terre de Baffin** et **Terre Neuve** (Grand Nord Grand Large).

LES REPÈRES

◆ Langue officielle : le groenlandais, parlé par neuf habitants sur dix, est devenu langue officielle en novembre 2008 aux dépens du danois. ◆ Langue étrangère : anglais. ◆ Téléphone vers le Groenland : 00299 + numéro; du Groenland : 009 + indicatif pays + numéro.

LA SITUATION

Géographie. Cette île imposante (2 175 600 km^2) est située à 300 km à l'ouest de l'Islande. Le Groenland est recouvert aux quatre cinquièmes par une calotte de glace *(inlandsis)* atteignant par endroits trois kilomètres d'épaisseur. Seules les côtes voient pousser une maigre végétation de toundra (graminées, lichens) et sont entaillées par des fjords qui relient l'inlandsis à l'océan Arctique.

Population. Sur les 57 600 habitants, neuf sur dix vivent sur la côte sud-ouest et 40 000 sont des Esquimaux qui vivent de chasse et de pêche. On compte aussi 9 000 Européens. Capitale : Nuuk, 11 650 habitants.

Dates. *986* Erik le Rouge, chassé d'Islande, fonde une colonie viking sur la côte sud-ouest alors que les Esquimaux arrivent presque en même temps sur la côte nord-ouest. *1585* L'Anglais John Davis « redécouvre » l'île et les Européens commencent une pêche effrénée à la baleine. *1721* Les Danois colonisent l'île. *1953* Le Groenland n'est plus une colonie mais un département danois. *Janvier 1972* Margrethe II du Danemark chef de l'État. *1979* Statut d'autonomie interne : le Groenland est représenté au Folketing (Parlement danois) par deux députés et a même droit à un député européen. *1981* Mise en place d'un gouvernement autonome. *1985* Un référendum entraîne la sortie du Groenland de l'Union européenne. *1991* Lars Emil Johansen est chef de l'exécutif. *Décembre 2002* Hans Enoksen, social-démocrate, devient Premier ministre. *Novembre 2008* Les Groenlandais votent à 75 % pour une autonomie élargie qui devrait les placer sur les rails de l'indépendance à moyen terme.

Guadeloupe

(et ses dépendances :
la Désirade, Marie-Galante, les Saintes)

Les deux ailes du papillon de la Guadeloupe sont très différentes, sinon antagonistes : autant la droite, Grande-Terre, est plate et vouée au tourisme balnéaire, autant la gauche, Basse-Terre, est montagneuse et propice aux randonnées comme à l'écotourisme. La Désirade, Marie-Galante et les Saintes sont un bon compromis des deux îles phares.

***Saint-Barthélemy, Saint-Martin** (collectivités d'outre-mer) : voir Antilles (Petites).

LES RAISONS D'Y ALLER

BASSE-TERRE

Les paysages

Forêt pluviale, chutes du Carbet, volcan de la Soufrière

Les côtes

De Pointe-Noire à Sainte-Rose

GRANDE-TERRE

Les côtes

Gosier, Sainte-Anne, Saint-François

LA DESIRADE, MARIE-GALANTE, LES SAINTES

Plages, farniente, sports nautiques
Particularités : cimetière marin de la Désirade, rhum de Marie-Galante, maisons pastel des Saintes

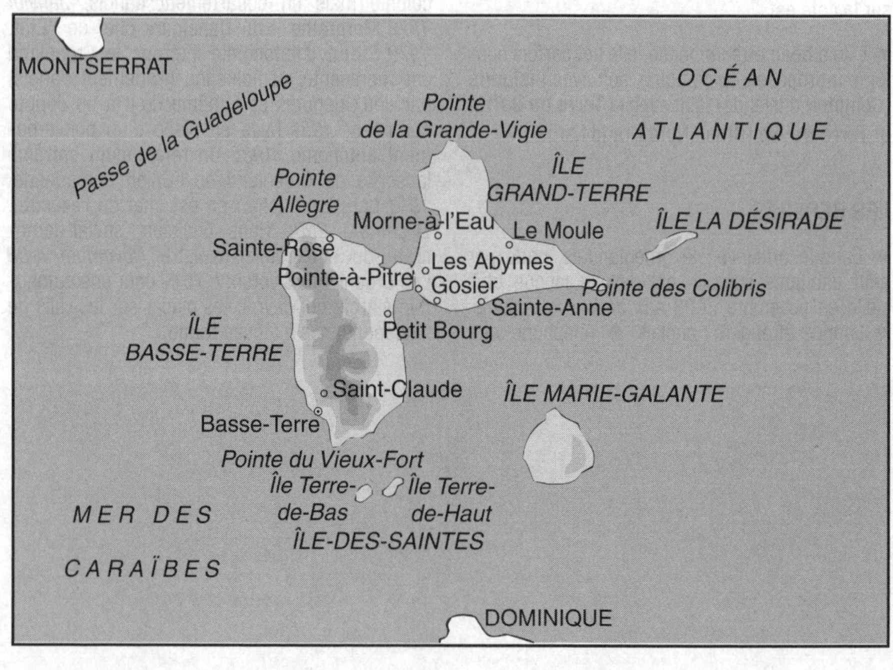

LES RAISONS D'Y ALLER

BASSE-TERRE

La forêt pluviale et ses chemins de randonnée, les chutes du Carbet, l'ascension du volcan de la Soufrière, la réserve naturelle du Grand Cul-de-Sac marin : le parc national de la Guadeloupe, devenu Réserve de la biosphère, multiplie les sources de tourisme actif. Randonnée, canyoning, accrobranche n'y sont pas de vains mots, comme l'écotourisme, qui est en progression.

GRANDE-TERRE

Le tourisme côtier reste le vecteur clé, surtout sur la côte sud : Sainte-Anne, Saint-François, Gosier. Farniente, croisière, scooter des mers et plongée en constituent les bases.

Pointe-à-Pitre connaît des marchés pittoresques et voit aussi partir la majorité des croisières vers le nord ou le sud des Petites Antilles.

LA DESIRADE, MARIE-GALANTE, LES SAINTES

Ces autres parties de l'archipel sont souvent oubliées dans les projets de voyage alors qu'elles ont de quoi plaire :

– à la **Désirade**, les lagons tranquilles, la barrière de corail et la réserve naturelle des îles de la Petite-Terre;

– à **Marie-Galante**, l'« habitation » Murat, les champs de canne à sucre et, dit-on, les plus jolies plages et le meilleur rhum des Antilles;

– aux **Saintes**, les neuf îlots dont deux habités, la plage de Grande-Anse (sur Terre-de-Bas), la quiétude (pas de voitures) et les maisons pastel.

Partout dans l'archipel, les marchés, les anciennes plantations de café, la cuisine créole, le carnaval (du premier dimanche de janvier au mercredi des Cendres), la flore, la musique (le zouk mais aussi les tambours du gwo-ka) apportent une alternative aux clichés du soleil et du farniente.

LE POUR

◆ Une destination idéale au moment de l'hiver européen et un lieu de prédilection pour les croisières.

LE CONTRE

◆ La surcharge touristique au moment des vacances de fin d'année et la montée des prix en conséquence.

LE BON MOMENT

L'archipel bénéficie d'un climat chaud (eau de mer à 27° en moyenne), plutôt humide, mais tempéré par les alizés. **Janvier-juin** (saison sèche, ou « carême ») s'impose aux dépens de mai-novembre (saison des pluies, ou « hivernage »). La saison théorique des ouragans va de juin à novembre.

◆ Températures maximales/minimales (en °C)

Pointe-à-Pitre : janvier 28/19, avril 29/21, juillet 30/23, octobre 30/22.

LE PREMIER CONTACT

Au Canada

Maison de la France, 1981 avenue McGill College, Montréal, Canada H3A 2W9, ☎ (514) 288.4264, fax (514) 845.4868.

En métropole

Comité du tourisme de la Guadeloupe, 23-25, rue du Champ-de-l'Alouette 75013 Paris, ☎ 0820.017.018 ou 01.40.62.99.07, infoeurope@lesilesdeguadeloupe.com

Internet

www.lesilesdeguadeloupe.com

Guides

Antilles françaises (JPMGuides),

Guadeloupe (Gallimard/GEOGuide, Gallimard/Encycl. du voyage, Hachette/Evasion, Hachette/Guide du routard, Hachette/Voir, Le Petit Futé), *Guadeloupe et Dominique* (Lonely Planet France, Marcus), *Guadeloupe : les plus belles plongées* (Vagnon), *la Guadeloupe et ses îles... à pied : 49 promenades & randonnées* (Féd. franç. de randonnée pédestre).

Cartes

Guadeloupe (IGN), *Guadeloupe, Martinique, Petites Antilles* (Berlitz).

Lectures

L'Ame prêtée aux oiseaux (G. Pineau, Stock, 1998), *la Mulâtresse Solitude* (André Schwarz-Bart, Seuil, 1996), *Soufrières* (Daniel Maximin, Seuil, 1995).

Images

La Guadeloupe vue du ciel : trésors cachés et patrimoine naturel (HC Editions, 2008), *la Guadeloupe entre terre et mer* (Daniel Kempa, Dakota Editions, 2008).

Vidéos et DVD

Guadeloupe : Basse Terre, Grande Terre, Marie Galante, la Désirade (Vodeo TV), *DVD Guides : Guadeloupe, papillon caraïbe* (TF1 Vidéo).

QUEL VOYAGE ET À QUEL PRIX?

Le voyage individuel

Les préparatifs

◆ Carte d'identité suffisante pour les ressortissants de l'Union européenne, mais le passeport est préférable car il devient nécessaire lors des croisières ou de la visite d'autres îles des Antilles. Pour les Canadiens, passeport suffisant.

◆ Aucune vaccination n'est requise.

◆ Monnaie : outre l'euro, la possession de dollars US s'impose en cas de visite d'autres îles des Antilles.

Le départ

◆ Indice de prix à certaines dates du vol Paris-Pointe-à-Pitre A/R : 420 EUR. ◆ Durée moyenne du vol Montréal-Pointe-à-Pitre : 5 heures; Paris-Pointe-à-Pitre : 8 heures. ◆ Les prix atteignent leur maximum au moment des fêtes de fin d'année et des vacances scolaires.

Sur place

Avion

◆ Nombreux vols inter-îles, à acheter de préférence avant le départ en agence de voyages ou en ligne. ◆ Il existe un « pass Caraïbes », valable 7 à 14 jours, à acheter avant le départ.

Bateau

◆ Nombreux services de ferries entre les îles, surtout avec les grands catamarans de la compagnie « L'Express des îles ». ◆ Renseignements pour les locations de bateau à l'office du tourisme (locations possibles pour la semaine).

Hébergement

◆ Il existe des « Relais créoles » (petits hôtels au prix raisonnable), des « Gîtes de France », des formules de logement chez l'habitant. Le mode de logement dans le style créole est courant également aux Saintes, à la Désirade ou à Marie-Galante (Nouvelles Frontières, entre autres).

Route

La location de voiture est un choix qui s'impose, à moins de choisir la formule autotour (vol, logement, location de voiture), très répandue chez la plupart des voyagistes cités ci-après.

Séjours

Ils sont généralement fondés sur le vol A/R et l'hébergement en bord de mer, à des tarifs qui peuvent descendre *en dessous de 700 EUR* hors saison. La planche à voile, la plongée (à partir de l'îlet Pigeon et de la réserve Cousteau), les promenades en mer, etc., s'ajoutent au menu et à la dépense. Quelques prestataires : Croisitour, Exotismes, Fram, Jet Tours, Kuoni, Nouvelles Frontières, Tourinter, TUI France, Voyageurs du monde.

Le voyage accompagné

◆ La majorité des **croisières** pour les francophones partent de Pointe-à-Pitre, entre novembre et avril. Un programme de 9 jours/7 nuits, comprenant le vol A/R, les transferts, le séjour en pension complète et en cabine double intérieure, peut se trouver aujourd'hui à un tarif moyen, tout compris, de *1 600 EUR par personne* en haute saison et de *1 200 EUR* en période creuse (mai, juin et septembre, par exemple).

Les fêtes de fin d'année correspondent à la très haute saison et les prix grimpent en conséquence. Souvent, les enfants de moins de 18 ans logés avec les adultes paient moitié prix et ceux de moins de 12 ans voguent gratuitement, excepté l'acheminement. Escales types vers le nord : Antigua, Saint-Barthélemy, Saint-Martin, les îles Vierges britanniques; vers le sud : Sainte-Lucie, Saint-Vincent et Grenadines, Trinité-et-Tobago, la Barbade.

◆ Les **navires** sont de tous types : on peut se retrouver sur un paquebot de deux à trois mille passagers chez de grands voyagistes du genre, type Carnival Cruise Lines ou Royal Caribbean International; à l'inverse, on peut prendre place à bord d'un navire de moins de 400 passagers comme *le Bleu de France* (Croisières de France), voire d'un catamaran, d'un voilier *(Club Med II),* d'un clipper haut de gamme de Star Clippers.

La plupart des navires précités connaissent une clientèle francophone, mais pour varier les coutumes, les conversations et les trajets, on peut embarquer sur un paquebot venu des États-Unis, au départ de Miami (Princess Cruises).

◆ Si la mer est partout, l'intérieur des terres n'est pas ignoré. Des voyagistes multiplient les activités telles que le canyoning, le VTT (Austral Lagons), le scooter des mers, l'accrobranches (Tourinter). Les **marcheurs** peuvent envisager un séjour de 12 jours avec Terres d'aventure et les amateurs d'**ascensions** (La Soufrière) peuvent trouver leur bonheur, entre autres avec La Balaguère, qui prolonge le séjour de 9 ou 14 jours aux Saintes ou à la Désirade. Prix moyen de ce type de séjour : *1 600 EUR pour 15 jours.*

QUE RAPPORTER ?

Si l'on ne craignait de verser dans le poncif capiteux, on écrirait « Rhum à tous les étages ». Heureusement, on peut lui adjoindre les bijoux (dont les boucles d'oreilles créoles), les épices, les fleurs et les tissus (madras).

LES REPÈRES

◆ Langues : le créole et le français. ◆ Téléphone vers la Guadeloupe : 0590 et numéro; de la Guadeloupe : 00; pour les habitants de la métropole, de la Guadeloupe, uniquement les dix chiffres du correspondant.

LA SITUATION

◆ 1 705 km^2, 431 170 habitants, chef-lieu : Basse-Terre. ◆ Population : Noirs, Mulâtres, Indiens, Créoles. ◆ Religion : majorité de catholiques.

DATES

1493 Christophe Colomb découvre l'archipel. *1635* La France le colonise. *1946* Département français. *1967* Manifestations autonomistes. *1983* Création d'un conseil régional. *Décembre 2003* La Guadeloupe dit non à une collectivité territoriale unique. Saint-Barthélemy et Saint-Martin se prononcent pour l'autonomie de leurs communes et deviennent collectivités d'outre-mer.

Guatemala

Tapi dans les pieds du Mexique, le petit Guatemala est digne de son grand frère. Les lacs, la jungle, les volcans, la richesse archéologique de Tikal et la fidélité des Indiens Mayas à leurs traditions en sont les atouts maîtres. Au cours des trente dernières années, cette façade idyllique a été lézardée par de violentes secousses, sismiques comme politiques. La période actuelle est plus propice.

LES RAISONS D'Y ALLER

LES PAYSAGES

Lacs (Atitlán), jungle (Petén)
Randonnées, volcans (Agua)
Sierra de Los Cuchumatanes

LES MŒURS

Mœurs mayas (villages, marchés)
Population caraïbe (Livingston)

LES MONUMENTS

Temples-pyramides mayas de Tikal, El Mirador, Uaxactun, Ceibal
Antigua (ancienne capitale coloniale)

LES FÊTES

Pâques à Antigua, Toussaint dans les villages mayas, Jour des morts à Todos Santos, Santo Tomas à Chichicastenango

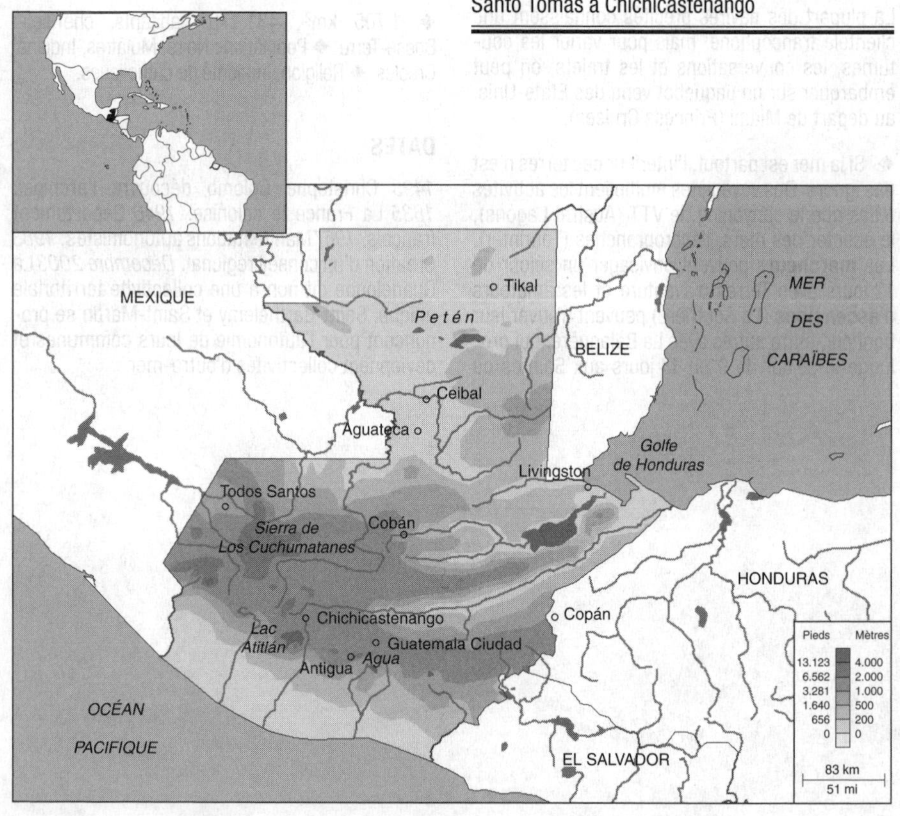

LES RAISONS D'Y ALLER

LES PAYSAGES

Le **lac Atitlán**, entouré de trois volcans (Atitlán, San Pedro, Toliman), est dans un cadre idyllique, propice aux randonnées et à la découverte des villages mayas.

La contemplation des **volcans** (le cône de l'**Agua** confine à la perfection) et l'**ascension** possible de certains d'entre eux dans les « hautes terres » (Acatenango, Fuego, Pataya, San Pedro, Santiaguito) ont de quoi occuper les yeux et les muscles, comme les paysages dénudés de la **sierra de Los Cuchumatanes**, où les horizons ainsi que les traditions et les rituels mayas composent un ensemble idéal pour le touriste.

Le cadre d'**Antigua** et la région de **Cobán** (cours souterrain du río Candelaria, gouffres, grottes) sont également dignes d'intérêt.

La faune est surtout remarquable dans le nord. Ainsi est-il possible qu'un jaguar laisse voir son museau, mais plus probable qu'un coati ou un toucan fasse la fête au touriste.

LES MŒURS

Les **Indiens** composent près de la moitié de la population. Que ce soit dans les **villages**, sur les **marchés** (« tanguis »), au travers des couleurs des étoffes ou dans l'atmosphère de leurs fêtes religieuses, ils sont encore à l'abri de la caricature, même si des villages comme ceux de la région du lac Atitlán (Santa Cruz, San Pedro) sont très visités et risquent de perdre leur authenticité.

Les tissages, les broderies et les masques en bois sont les attraits des marchés dont les principaux – mais pas les moins touristiques – sont ceux de Chichicastenango (jeudi et dimanche) et d'Antigua. Les marchés des hautes terres, au nord de ces deux villes, ne leur cèdent en rien.

Aux abords du golfe de Honduras, dans la région de **Livingston**, vit une population caraïbe, les Garifunas, majoritairement des pêcheurs. Maisons de bois aux couleurs vives et goût pour la musique les caractérisent.

LES MONUMENTS

De 430 à 830,**Tikal** a été la plus grande métropole **maya**. Emergeant d'une végétation tropicale exubérante, ce site, l'un des plus imposants du genre et que l'on a intérêt à découvrir tôt le matin, laisse apparaître, parmi bien d'autres, deux **temples-pyramides** de 40 et 50 m de hauteur.

Au nord de Tikal et au sein de la « Réserve biosphère maya », se cache le site archéologique du **Mirador**, supposé d'une très grande importance. Encore inaccessible au grand tourisme, il possède les plus hautes pyramides (147 m) et certains archéologues en font le berceau de la civilisation maya tout en se demandant comment le préserver du galvaudage. Autres sites mayas importants : **Uaxactun, Ceibal**.

La réputation des sites mayas efface parfois celle des sites urbains, où l'art colonial et baroque a laissé une trace profonde. Ainsi **Antigua**, classée au patrimoine mondial de l'Unesco et qui fut la première capitale de l'Amérique centrale, affiche un plan en damier (sous l'influence de la Renaissance italienne) et une architecture baroque de haut niveau : palais des Capitaines-généraux, cathédrale Santiago, églises, couvents.

LES FÊTES

La procession du Vendredi Saint à **Antigua**, la célébration festive de la **Toussaint** dans les villages mayas des hauts plateaux, tel le Jour des morts à **Todos Santos** – précédé d'une feria d'une semaine où la ferveur maya le dispute à des parades à cheval très arrosées –, la fête de Santo Tomas à Chichicastenango en décembre, le pèlerinage du « Christ noir » à Esquipulas à la mi-janvier : autant de réjouissances qui soulignent combien le Guatemala est attaché à ce genre de traditions.

LE POUR

◆ Un pays aux spécificités très marquées (traditions mayas, volcans), qui le placent parmi les tout premiers choix de voyage en Amérique latine.

◆ La persistance des accords de paix.

LE CONTRE

◆ Une côte pacifique peu attirante.

◆ Une réputation d'insécurité pour le voyageur individuel isolé ou en dehors des grands axes.

LE BON MOMENT

Pour le climat

Le climat tropical, qui engendre de fortes températures sur les plaines côtières, est, en revanche, agréable dans les régions montagneuses. Une saison sèche de **novembre à avril** succède à une atmosphère humide et pluvieuse entre mai et octobre, surtout dans le Petén et au bord de la mer des Caraïbes. Les mois les plus arrosés sont juin, juillet et septembre.

◆ Températures moyennes jour/nuit (en °C) à *Guatemala Ciudad* (centre du pays) : janvier 24/12, avril 28/15, juillet 25/16, octobre 24/15.

Pour les fêtes

Avril: Semaine sainte; 1er **novembre**: Fête des morts; **décembre**: Santo Tomas à Chichicastenango.

LE PREMIER CONTACT

En Belgique

Consulat, avenue Winston-Churchill, 185, B-1180 Bruxelles, ☎ (02) 345.90.58, fax (02) 344.64.99.

Au Canada

Ambassade, 130, rue Albert, Ottawa K1P 5G4, ☎ (613) 233-7188, fax (613) 233-0135, www.embaguate-canada.com

En France

Ambassade, 2, rue Villebois-Mareuil, 75017 Paris, ☎ 01.42.27.78.63, fax 01.47.54.02.06, www.ambassadeduguatemala.com

En Suisse

Consulat, rue du Vieux-Collège, 10 *bis*, CH-1204 Genève, ☎ (22) 311.99.45, fax (22) 311.74.59.

Internet

www.visitguatemala.com (site de Inguat, l'institut national de tourisme)

Guides

Guatemala (Le Petit Futé, Lonely Planet France, Marcus, Editions Ulysse), *Guatemala, Belize, Yucatan* (Gallimard/Bibl. du voyageur), Monde maya (Gallimard/Encycl. du voyage), *Guatemala, Yucatan et Belize* (Hachette/Guide du routard).

Carte

Mexico, Guatemala, Belize, El Salvador (Nelles).

Lectures

Légendes du Guatemala (Miguel Angel Asturias, Gallimard, 2004), *Moi, Rigoberta Menchú* (E. Burgos, Gallimard, 2001).

Images

Guatemala, terre maya : de l'Altiplano à la côte caraïbe (Emmanuel Michel/Gallimard, 2004).

Vidéos et DVD

Guatemala, couleur maya (Media 9, 2004).

QUEL VOYAGE ET À QUEL PRIX ?

Le voyage individuel

Les préparatifs

◆ Pour les ressortissants de l'Union européenne, canadiens, suisses : passeport encore valable six mois après la date du retour suffisant. Billet de retour ou attestation de voyage exigible.

◆ Prévention vivement recommandée contre le paludisme au-dessous de 1 500 m.

◆ Monnaie : le *quetzal*, subdivisé en 100 *centavos*. Les dollars US s'échangent mieux que les euros. Carte de crédit recommandée, possibilité de retirer directement des quetzals dans les distributeurs. 1 US Dollar = 7,8 quetzals; 1 EUR = 10,8 quetzals.

Le départ

◆ Indice de prix à certaines dates du vol Montréal-Guatemala Ciudad : 700 CAD; Paris-Guatemala Ciudad A/R (via Madrid, Dallas ou Miami selon les compagnies) : 620 EUR. ◆ Durée moyenne du vol Paris-Guatemala Ciudad : 13 heures.

Sur place

Hébergement

Les petits hôtels familiaux ne sont pas rares. Egalement chambres chez l'habitant.

Route

◆ Réseau de bus étendu mais état des véhicules souvent dégradés. ◆ Location de voiture possible (25 ans minimum, permis de conduire international conseillé).

Le séjour en individuel

Rappel : nous nous sommes limités à un résumé des prestations en vigueur dans les agences et chez les voyagistes présents en France. Les lecteurs des autres pays peuvent en tirer des idées d'itinéraire et les compléter auprès de leurs agences de voyages.

Nouvelles Frontières programme des miniséjours pour Tikal, Antigua et les marchés des hauts plateaux. Arroyo et Voyageurs du monde proposent les services d'un guide-chauffeur.

Le voyage accompagné

◆ L'axe qui comprend Antigua, Chichicastenango, les villages indiens autour du lac Atitlan et les vestiges mayas (Tikal, souvent complété par Copán au Honduras) est la règle, pour des voyages qui peuvent aller d'une douzaine de jours à trois semaines. Quelques voyagistes : Arroyo, Clio, Continents insolites, Dima Tours, Explorator, Jetset/Équinoxiales, Kuoni, Nouvelles Frontières, Tamera, Voyageurs du monde. Compter *aux alentours de 2 000 EUR* tout compris pour un tel voyage.

◆ Vu que les trésors **mayas** d'Amérique centrale sont visités ensemble, le pays est souvent **combiné** avec le **Mexique** pour des voyages de 18 à 25 jours dans lesquels le Guatemala est concerné pour un tiers du séjour en moyenne. On retrouve aussi des combinés Guatemala-**Belize** (Arroyo), Guatemala-**Honduras** (Adeo, Kuoni), Mexique, Belize, Guatemala (Atalante, Explorator).

◆ Les **marcheurs** longent les rives du lac Atitlán, visitent Tikal et, entre-temps, s'attaquent aux **volcans** des hauts plateaux. Ainsi, Aventure et Volcans est présent sur trois sommets entre novembre et la mi-avril. Club Aventure, Nomade Aventure (avec le Mexique) et Terres d'aventure (dans la Sierra Madre) sont également sur les chemins gualtémaltèques. Le prix moyen par personne, tout compris, pour un voyage de ce style de 15 jours se situe *aux alentours de 2 500 EUR*.

QUE RAPPORTER ?

Dans l'atmosphère prenante des marchés indiens, abondent les bijoux, les sculptures, les masques, le cuir et les tissages aux couleurs vives.

LES REPÈRES

◆ Lorsqu'il est midi en France, au Guatemala il est 4 heures du matin en été et 5 heures en hiver; lorsqu'il est midi au Québec, au Guatemala il est 11 heures. ◆ Langue officielle : l'espagnol, qui voisine avec les dialectes indiens. ◆ Langues étrangères : une mauvaise pratique de l'espagnol plaît toujours plus qu'un bon anglais. ◆ Téléphone vers le Guatemala : 00502 + indicatif (Guatemala Ciudad : 2) + numéro; du Guatemala : 00 + indicatif pays + numéro.

LA SITUATION

Géographie. Les 108 889 km^2 sont divisés en trois régions géographiques assez bien délimitées : au nord, le plateau du Petén (forêts); à l'ouest, les Hautes Terres avec une kyrielle de volcans actifs; au sud, une plaine côtière fertile qui borde le Pacifique.

Population. Les 13 002 000 habitants vivent en grande majorité dans les régions montagneuses et sont nettement juxtaposés : à l'ouest, sur les hautes terres, *los Indios*, une vingtaine de groupes ethniques mayas qui représentent 56 % de la population, taux record en Amérique latine; à l'est, les *Ladinos,* métis d'Indiens et d'Espagnols. Capitale : Guatemala Ciudad.

Religion. La population mêle rituels catholiques et animistes. Ces rituels persistent mais les Églises évangélistes tracent leur sillon et les affaiblissent.

Dates. *1524* L'Espagnol Pedro de Alvarado conquiert le pays, habité jusqu'alors par les Maya-Quiché. *1931* La dictature du général Ubico succède à près de cinquante ans de libéralisme (Barrios, Cabrera). *1960* Début d'une longue guérilla rurale née d'une opposition mi-castriste mi-sandiniste au pouvoir des militaires. *1986* Après deux coups d'État militaires (Montt en 1982, Victores en 1983) et de nombreuses disparitions, un démocrate-chrétien, Arévalo, prend le pouvoir. *Octobre 1992* Rigoberta Menchú, opposante indienne de longue date, est élue prix Nobel de la paix. *Janvier 1996* Élection d'Alvaro Arzu à la présidence (62 % d'abstentions). *Décembre 1996* Le pouvoir et l'Union révolutionnaire nationale guatémaltèque signent un accord de paix censé mettre fin à trente-six ans de guerre civile : estimation de cent mille victimes et quarante mille disparus, des paysans indiens pour la plupart. *1998* Le Guatemala est touché par l'ouragan Mitch. *Janvier 2000* Alfonso Portillo (Front républicain guatémaltèque) devient président. Son gouvernement de coalition, souvent accusé de corruption, rassemble des tendances très diverses. *Décembre 2003* Oscar Berger, candidat conservateur, est élu président. *Octobre 2005* L'ouragan Stan frappe la côte sud et le haut plateau occidental (plusieurs centaines de victimes). *Janvier 2008* Alvaro Colom (parti « Unité nationale pour l'espoir ») devient président.

Guinée

Comme les richesses naturelles, le tourisme de la « Guinée-Conakry » a longtemps été dans l'attente d'une mise en valeur que justifiait amplement l'un des pays les plus pittoresques et les plus harmonieux d'Afrique. La situation change : le splendide massif du Fouta Djalon connaît de plus en plus de randonnées, le tourisme durable et équitable voit le jour, tandis que les îles de Los assurent le contrepoint balnéaire.

LES RAISONS D'Y ALLER

LES PAYSAGES

Forêts-galeries, chutes et rapides du massif du Fouta Djalon

LES CÔTES

Plages (îles de Los)

LES TRADITIONS

Djembé, marchés

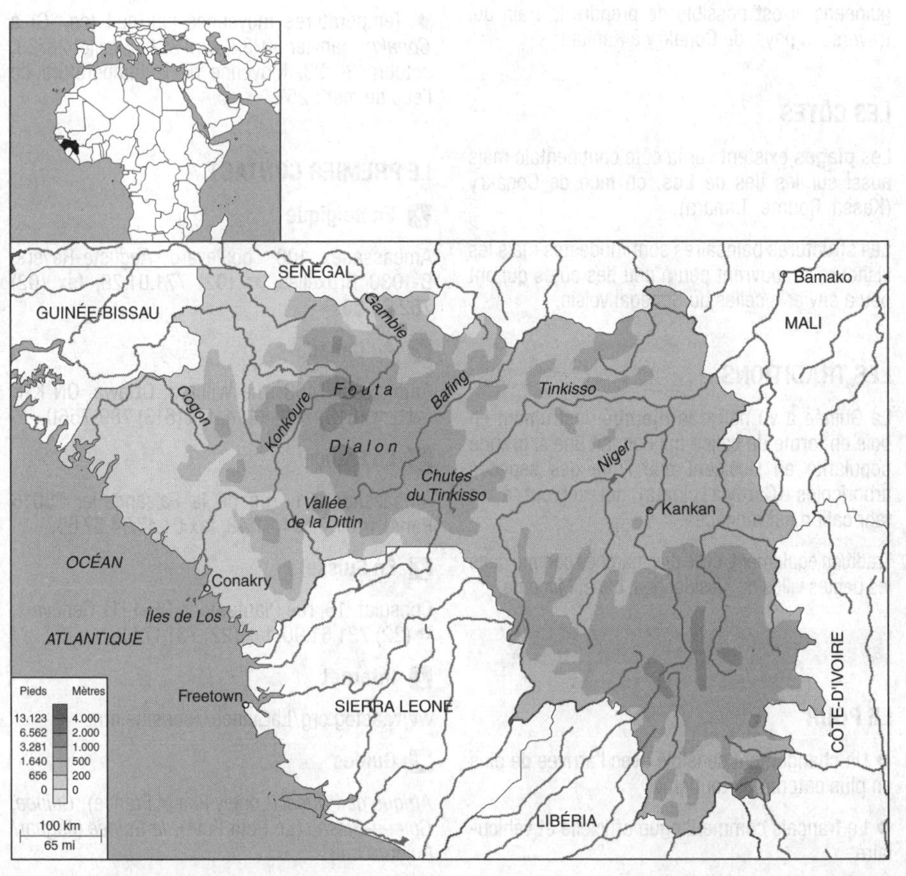

LES RAISONS D'Y ALLER

LES PAYSAGES

La Guinée est l'un des pays les plus verdoyants d'Afrique. En son centre, le **Fouta Djalon** est un massif d'une très grande beauté mais au tourisme longtemps empêché par les circonstances politiques. Aujourd'hui, il s'ouvre enfin, la plupart du temps sous forme de randonnées.

Du Fouta Djalon, composé de **forêts-galeries** et où vivent les Peuls, partent une kyrielle de cours d'eau et fleuves – dont le Niger – qui dessinent des paysages riants. Les eaux se manifestent parfois sous forme de **chutes** (Dinkon, Ditinn, Kambadaga, Tinkisso) ou de **rapides** (La Fétoré) au moment de la saison des pluies.

Pour avoir une idée plus générale des paysages guinéens, il est possible de prendre le train qui traverse le pays, de Conakry à Kankan.

LES CÔTES

Les **plages** existent sur la côte continentale mais aussi sur les îles de **Los**, en face de Conakry (Kassa, Roume, Tamara).

Les structures balnéaires sont modestes mais les visiteurs découvrent peu à peu des côtes qui ont peu à envier à celles du Sénégal voisin.

LES TRADITIONS

La Guinée a vu naître le **djembé**, instrument en bois en forme de calice qui connaît une si grande popularité en Occident que l'une des espèces arboricoles (Cordyla pinata) qui servent à sa fabrication est menacée.

Tradition également, celle des marchés comme dans les petites villes de Kissidougou, Labé, Macenta.

LE POUR

◆ Un changement sensible avec l'arrivée de plus en plus patente du tourisme.

◆ Le français comme langue officielle et véhiculaire.

LE CONTRE

◆ Une situation touristique encore modeste et des structures qui demandent à être étendues.

◆ Une situation sociale parfois tendue, comme fin 2008, et qui peut entraîner une dégradation des conditions de sécurité.

◆ Un climat défavorable en juillet et en août.

LE BON MOMENT

Le climat est typiquement tropical, avec alternance classique d'une saison sèche (décembre-avril) et d'une saison des pluies (mai-novembre). Plus on avance vers l'intérieur à partir de Conakry, moins les pluies sévissent. Il faut fuir les fortes averses des mois de juillet-août sur la côte et envisager le voyage **entre décembre et avril**.

◆ Températures moyennes jour/nuit (en °C) à *Conakry* : janvier 30/22, avril 32/24, juillet 28/23, octobre 30/23. Moyenne de la température de l'eau de mer : 25°.

LE PREMIER CONTACT

En Belgique

Ambassade, 108, boulevard Auguste-Reyers, B-1030 Bruxelles, ☎ (02) 771.01.26, fax (02) 762.60.36.

Au Canada

Ambassade, 483, rue Wilbrod, Ottawa, ON K1N 6N1, ☎ (613) 789-8444, fax (613) 789-7560.

En France

Ambassade, 51, rue de la Faisanderie, 75016 Paris, ☎ 01.47.04.81.48, fax 01.47.04.57.65.

En Suisse

Consulat, 16, rue Plantamour, CH-1211 Genève 1, ☎ (22) 731.61.90, fax (22) 731.17.53.

Internet

www.actog.org/LaGuinee/Tourisme.htm

Guides

Afrique de l'Ouest (Lonely Planet France), *Guinée, Guinée-Bissau* (Le Petit Futé), *la Guinée* (Jaguar/Aujourd'hui).

Carte

Guinée (IGN).

Lectures

Conakry, porte de la Guinée (Edicef/Aupelf, 1999), *Guinée Conakry 2008* (StrategiCo/L'Harmattan, 2007), *Lexique historique de la Guinée-Conakry* (L'Harmattan, 1992), *M comme métis: des idéalistes en Guinée-Conakry* (L'Harmattan, 1995), *Une vie au Fouta-Djalon* (Al-Hadji Thierno Mouhammadou Baldé, Bernard Salvaing/Grandvaux, 2008).

Images

Niger, la magie d'un fleuve (Vilo, 2004).

QUEL VOYAGE ET À QUEL PRIX ?

Le voyage individuel

Les préparatifs

◆ Pour les ressortissants de l'Union européenne, les Suisses et les Canadiens, passeport valable encore six mois après le retour, visa obligatoire, obtenu auprès du consulat, adresse ci-dessus.

◆ Vaccination vivement recommandée contre la fièvre jaune. Prévention indispensable contre le paludisme.

◆ Monnaie : le franc guinéen. 1 EUR = 6 940 francs guinéens, 1 US Dollar = 5 010 francs guinéens. Importation et exportation interdites. Emporter des euros en espèces ou en chèques de voyage.

Le départ

◆ Indice de prix à certaines dates du vol Paris-Conakry A/R : 600 EUR. ◆ Durée moyenne du vol Paris-Conakry (4 838 km, escale) : 7 heures.

Sur place

Route

◆ Déplacements en taxis brousse. ◆ En location, un tout-terrain est indispensable. ◆ Ne pas rouler isolément ni de nuit.

Le voyage accompagné

Le réveil de la Guinée est en train de sonner, surtout dans le **Fouta Djalon**, via les voyagistes spécialistes de la randonnée. Entre octobre et avril, ils arpentent le massif sous forme d'une alternance de balades en 4 x 4 et de randonnées. La durée moyenne est de 12 à 15 jours et les premiers prix se situent *aux alentours de 1 800 EUR*. Exemple : Nomade Aventure (quatre propositions), Terres d'aventure.

De son côté, Allibert a composé un **combiné** Sénégal-Guinée de 15 jours avec un trekking dans le nord du Fouta Djalon après le parc de Niokolo-Koba au Sénégal.

Les îles de Los commencent à sortir de la confidentialité, entre autres grâce à Comptoir d'Afrique.

LES REPÈRES

◆ Lorsqu'il est midi en France, en Guinée il est 10 heures en été et 11 heures en hiver. ◆ Langue officielle : le français, qui voisine avec de nombreux dialectes (fulani et maninka surtout). ◆ Téléphone vers la Guinée : 00224 + numéro.

LA SITUATION

Géographie. De l'Atlantique à la Côte-d'Ivoire, la Guinée dessine un arc de cercle de 245 857 km^2, divisé en quatre régions naturelles : une basse plaine côtière; le Fouta Djalon, massif riche en cours d'eau et baptisé de ce fait le « château d'eau de l'Afrique »; une savane herbeuse; la forêt dense.

Population. Son chiffre est modeste par rapport à la superficie : 9 806 000 habitants, dont les Peuls, les Malinkés et les Soussous constituent l'essentiel. Comme certains Guinéens, qui sont près de deux millions hors de leurs frontières, les Français ont peu à peu quitté le pays du temps de Sékou Touré. Capitale : Conakry.

Religion. Large majorité de musulmans (85 %). Minorités d'animistes et de chrétiens.

Dates. *XIIe siècle* Le pays est en partie englobé dans l'Empire du Mali. *1461* Arrivée des Portugais et début de la traite des Noirs. *1889* La Guinée est colonie française, avant d'être intégrée à l'AOF puis au Soudan français. *1958* Indépendance avec Sekou Touré, qui maintiendra le pays sous le boisseau jusqu'en 1984, date de sa mort. *1984* Le colonel Lansana Conté nouveau chef de l'État. *Juin 1995* Élections législatives pluralistes. *Décembre 1998* Conté est réélu. Arrestation de l'opposant de longue date Alpha Condé. *Novembre 2000* L'opposition boycotte les législatives. *Mai 2001* Alpha Condé est amnistié. *Juin 2002* Le parti de Lansana Conté vainqueur des législatives. *Février 2007* Graves troubles à Conakry. *Novembre 2008* Climat social tendu, manifestations dans la capitale. *Décembre 2008* Décès de Lansana Conté. S'ensuit un coup d'Etat militaire avec Moussa Dadis Camara, qui prend la tête de l'Etat.

Guinée-Bissau

Des trois Guinées, la Guinée-Bissau est théoriquement la plus touristique. Mais tout est relatif : malgré une situation géographique favorable, ses graves difficultés politiques et économiques ne lui ont pas permis d'envisager un tourisme d'envergure alors qu'au nord, par exemple, le relief et les sites sont d'un même intérêt que ceux de la Casamance voisine. L'archipel des Bijagós et ses quarante îles pourraient donner le change, mais les propositions de voyages sont actuellement discrètes.

LES RAISONS D'Y ALLER

LES CÔTES

Archipel des Bijagós (baignade, voile, croisières, pêche)

LES PAYSAGES

Abords du río Corubal (villages, chutes, faune)

LES VILLES

Bissau, Bafatá

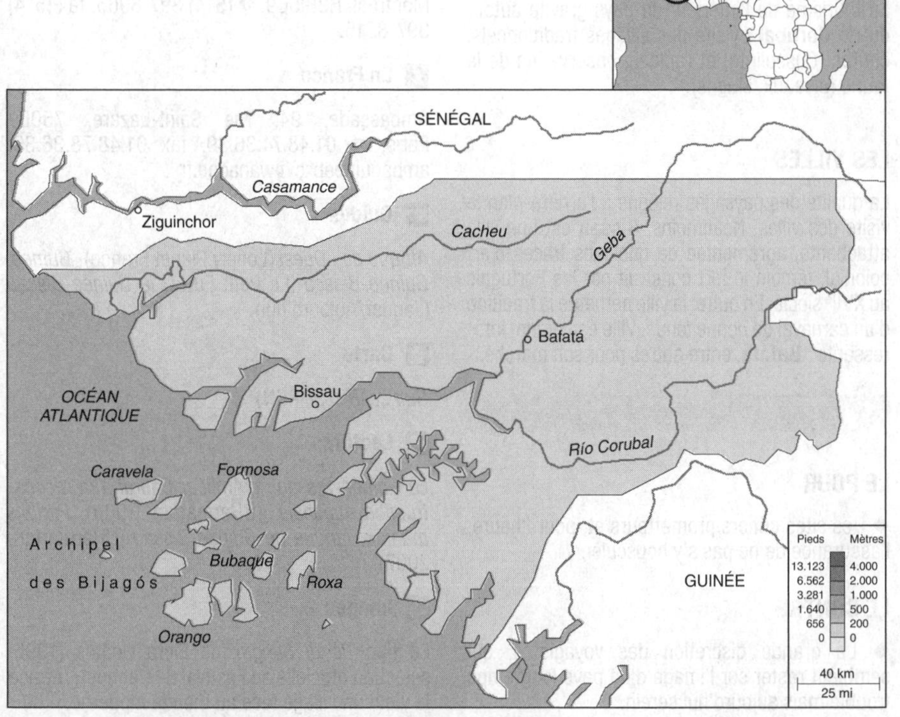

LES RAISONS D'Y ALLER

LES CÔTES

Les quatre-vingts îles ou îlots de l'**archipel des Bijagós**, habités par diverses ethnies animistes, classés patrimoine écologique mondial par l'Unesco et sacrés pour certains, sont non seulement bordés de plages tranquilles mais également peuplés de nombreuses espèces d'oiseaux, entourés d'une faune riche (flamants roses, dauphins, rares hippopotames de mer, tortues vertes) et couverts de forêts de flamboyants et de fromagers géants.

En outre, ils offrent des possibilités aux amateurs de **croisière**, de **voile** et de **pêche** (barracudas, caranques, tarpons). Même si les quelques structures de l'île de Bubaque ne doivent pas faire oublier que l'archipel reste très isolé, des initiatives se font jour, entre autres dans le cadre du tourisme solidaire.

LES PAYSAGES

Le tourisme de l'intérieur du pays gravite autour du río **Corubal** : visite des villages traditionnels, chutes (Cusselinta) et rapides, observation de la faune (oiseaux, singes).

LES VILLES

La qualité des paysages relègue à l'arrière-plan la visite des villes. Néanmoins, **Bissau** est une ville attachante, agrémentée de quelques traces d'art colonial, témoin le fort construit par les Portugais au XVIIe siècle. En outre, la ville perpétue la tradition d'un carnaval de bonne tenue. Ville également intéressante : **Bafatá**, entre autres pour son marché.

LE POUR

◆ Des sites côtiers prometteurs et, pour l'heure, l'assurance de ne pas s'y bousculer.

LE CONTRE

◆ La grande discrétion des voyagistes, qui semblent rester sur l'image d'un pays longtemps troublé mais aujourd'hui serein.

◆ Une bonne saison climatique mal placée au calendrier.

LE BON MOMENT

Le climat est chaud et humide, avec une (forte) saison des pluies qui va de la mi-mai à la mi-novembre. C'est donc dans l'intervalle **(novembre-mai)** qu'il faut choisir son voyage.

◆ Températures moyennes jour/nuit (en °C) à *Bissau* : janvier 31/19, avril 33/23, juillet 29/23, octobre 31/23. Eau de mer : février 22°, septembre 28°.

LE PREMIER CONTACT

En Belgique

Secion consulaire, avenue Brugmann, 80, B-1190 Bruxelles, ☎ (02) 347.62.76, fax (02) 343.68.23.

Au Canada

Consulat, 1100, boulevard René-Lévesque Ouest, Montréal, H3B 5C9, ☎ (514) 397-6905, fax (514) 397-8515.

En France

Ambassade, 94, rue Saint-Lazare, 75009 Paris, ☎ 01.48.74.36.39, fax 01.48.78.36.39, ambaguineebxo@wanadoo.fr

Guides

Afrique de l'Ouest (Lonely Planet France), *Guinée, Guinée-Bissau* (Le Petit Futé), *la Guinée-Bissau* (Jaguar/Aujourd'hui).

Carte

Guinée-Bissau (IGN).

Lectures

La Guinée-Bissau : d'Amilcar Cabral à la reconstruction nationale (L'Harmattan, 2000), *Parlons manjak, langue de Guinée-Bissau* (L'Harmattan, 2007).

Images

Le film *Po di Sangui*, de Flora Gomes (1996, sélection officielle au Festival de Cannes), retrace la vie d'un village face au monde moderne.

QUEL VOYAGE ET À QUEL PRIX ?

Le voyage individuel

Les préparatifs

◆ Pour les ressortissants de l'Union européenne, les Canadiens, les Suisses, passeport en cours de validité, visa obligatoire, obtenu auprès du consulat.

◆ Vaccination vivement recommandée contre la fièvre jaune. ◆ Prévention indispensable contre le paludisme.

◆ Monnaie : le franc CFA. 1 euro = 655,957 francs CFA (XOF). Emporter des euros en espèces ou en chèques de voyage. Cartes de crédit de peu d'utilité.

Le départ

Indice de prix à certaines dates du vol Paris-Bissau A/R : 700 EUR. Vols Bruxelles-Bissau via Dakar (Brussels Airlines) ou Paris-Bissau via Lisbonne (Air Portugal).

Sur place

Bateau

Des pirogues relient Bubaque (Bijagós) au continent deux fois par semaine.

Route

◆ Taxis brousse. ◆ En location, tout-terrain vivement recommandé, nombreuses pistes impraticables entre juillet et septembre.

Le séjour

Des propositions locales existent, diversifiées puisque en mesure de promouvoir le tourisme banéaire et la pêche mais aussi l'écotourisme et le tourisme solidaire dans le cadre d'une découverte de la faune de l'îlot de Kéré (http://decouverte.bijagos.free.fr).

Par ailleurs, l'*Africa Queen* est un bateau de 47 m qui propose des croisières dans les Bijagós (www.africa-queen.com).

LES REPÈRES

◆ Lorsqu'il est midi en France, en Guinée-Bissau il est 9 heures en été et 10 heures en hiver. ◆ Langue officielle : le portugais, parlé seulement par un habitant sur dix, le créole local (crioulo, mélange afro-portugais) et les dialectes (balanta, peul) occupant les conversations. ◆ Langue étrangère : l'anglais. ◆ Téléphone vers la Guinée-Bissau : 00245 + numéro.

LA SITUATION

Géographie. Plateaux et collines boisées dominent une plaine côtière profondément entaillée par les estuaires des fleuves Cacheu et Geba, et envahie par la mangrove (un quart de la superficie du pays). L'archipel des Bijagós (40 îles dont la moitié sont inhabitées) complète cet ensemble de 36 125 km^2, coincé entre le Sénégal au nord et la Guinée au sud.

Population. Les 1 503 000 habitants se répartissent en une vingtaine d'ethnies dont les Balantes sont majoritaires. Sur les plateaux, vivent des éleveurs peuls et des agriculteurs mandingues. Capitale : Bissau.

Religion. Deux habitants sur trois sont animistes. On compte également 30 % de musulmans et 5 % de chrétiens.

Dates. *1446* Arrivée du Portugais Nuno Tristão. *1879* La contrée prend le nom de Guinée portugaise et devient colonie. *1963* Guerre de libération nationale lancée par Amilcar Cabral et le Parti africain pour l'indépendance de la Guinée et du Cap-Vert. *1973* Cabral est assassiné mais son frère, Luís de Almeida, proclame l'indépendance. La Guinée-Bissau prend de plus en plus une orientation marxiste-léniniste. *1980* Coup d'État du commandant João Bernardo Vieira. *Août 1994* João Bernardo Vieira est élu. *Octobre 1998* Les rebelles du général Mané relancent la lutte contre le pouvoir. *Mai 1999* Le nouveau président, Malam Bacaï Sanha (Assemblée nationale populaire), appelle à la réconciliation nationale. *Janvier 2000* Kumba Yalla (Parti pour la rénovation sociale) remporte la présidentielle mais l'armée reste omniprésente. *Septembre 2003* Un coup d'État porte Henrique Rosa à la présidence. *Octobre 2005* João Bernardo Vieira est élu président.

Guinée-Équatoriale

Anonyme parmi les anonymes du tourisme, subissant presque toute l'année une atmosphère chargée d'humidité, l'ancienne Guinée espagnole a du mal à échapper à la confidentialité. Elle est mieux connue aujourd'hui grâce à sa manne pétrolière mais le tourisme ne semble pas devoir suivre cet élan.

LES RAISONS D'Y ALLER

LES PAYSAGES

Forêt équatoriale (éléphants, gorilles, oiseaux)
Parc national de Monte Alen
Fleuve Mbini, mont Mitra, pico de Santa Isabel

LES CÔTES

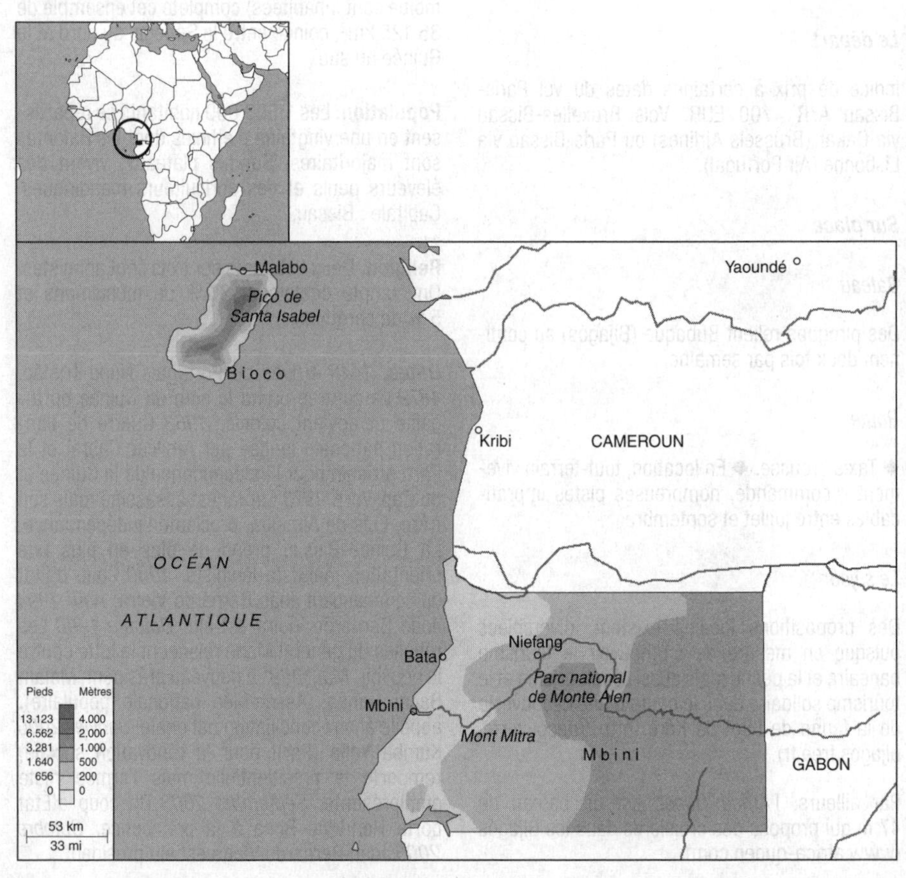

LES RAISONS D'Y ALLER

LES PAYSAGES

La **forêt équatoriale** primaire et secondaire recouvre presque entièrement la partie continentale. Mais elle est si humide et si insalubre qu'il faut en être un adepte inconditionnel pour l'apprécier. Cependant, pour qui fait l'effort de la découvrir, la récompense est de poids : ainsi, au sud de Niefang, le parc national de **Monte Alen** est un bel exemple de forêt dense humide, avec une faune (éléphants, gorilles de plaine) et une flore spécifiques, ainsi que des cascades sur les rivières Uoro et Lana.

Le cours du **Mbini**, les abords du **mont Mitra** et, sur l'île de Bioco, les alentours du pico de Santa Isabel – qui culmine à plus de 3 000 m – sont les autres endroits intéressants.

LES CÔTES

Malgré la taille réduite du pays, la côte atlantique est assez longue car elle comprend les rivages de l'île de Bioco (ex-Fernando Poo). Sa fréquentation, en revanche, est encore confidentielle.

LE POUR

◆ Une des destinations les plus insolites d'Afrique.

LE CONTRE

◆ Un tourisme qui reste à inventer.

◆ Un climat éprouvant.

LE BON MOMENT

Climat subéquatorial chaud et très humide, particulièrement sur l'île de Bioco qui n'offre guère que **novembre-mars** comme alternative à des pluies diluviennes.

Dans la partie continentale, la situation est légèrement meilleure sur le plan des périodes de pluies : **juin-septembre** en connaît peu.

◆ Températures moyennes jour/nuit (en °C) à *Malabo* (Bioco) : janvier 31/19, avril 32/21, juillet 29/21, octobre 30/21. Eau de mer : de 30º en avril, elle descend à 23º en juillet.

LE PREMIER CONTACT

En Amérique du Nord

Ambassade, Washington, États-Unis, ☎ (202) 518-5700, fax (202) 518-5252.

En Belgique

Ambassade, place Guy-d'Arezzo, B-1180 Bruxelles, ☎ (02) 346.25.09, fax (02) 346.33.09.

En France

Ambassade, 29, boulevard de Courcelles, 75008 Paris, ☎ 01.45.61.98.20, fax 01.45.61.98.25.

Internet

www.guineequatoriale-info.net/

Guide

La Guinée-Équatoriale (Jaguar/Aujourd'hui).

Lectures

Brève histoire de la Guinée équatoriale (Max Liniger-Goumaz/L'Harmattan, 2000), *la Guinée équatoriale opprimée et convoitée : aide-mémoire d'une démocrature 1968-2005* (Hélène Charton et Claire Médard/L'Harmattan, 2005).

Images

Guinée équatoriale (Emmanuel Rioufol, Jean-Luc Le Bras/Sepia, 2001).

QUEL VOYAGE ET À QUEL PRIX ?

Le voyage individuel

Les préparatifs

◆ Pour les ressortissants de l'Union européenne, les Canadiens, les Suisses, passeport en cours de validité, visa obligatoire, obtenu auprès du consulat.

◆ Vaccination obligatoire contre la fièvre jaune. Prévention indispensable contre le paludisme.

◆ Monnaie : le franc CFA (XAF). 1 euro = 655,957 francs CFA. Emporter des euros en espèces. Les chèques de voyage et les cartes de crédit n'ont guère d'utilité.

Le départ

◆ Indice de prix à certaines dates du vol Paris-Malabo A/R (escale) : 1 000 EUR. ◆ Douala (voir *Cameroun*) et Libreville (voir *Gabon*) possèdent les aéroports internationaux les plus proches.

Sur place

Route

◆ Réseau routier en nette amélioration. ◆ Tout-terrain recommandé entre juin et novembre.

LES REPÈRES

◆ Lorsqu'il est midi en France, en Guinée-Équatoriale il est la même heure en hiver et 11 heures du matin en été. ◆ Langue officielle : espagnol; le fang, langue bantoue, est parlé par trois habitants sur quatre; nombreux dialectes. Le français est parfois de mise dans les villes. ◆ Téléphone vers la Guinée-Équatoriale : 00240 + indicatif (Bata : 8) + numéro.

LA SITUATION

Géographie. Une partie continentale (le Mbini, anciennement Río Muni) et, à 200 km au nord-est, une partie insulaire montagneuse (l'île de Bioco, anciennement Fernando Poo), à laquelle il faut rattacher une petite île (Pagalu) et quelques îlots, composent les 28 051 km^2 du pays. Le Mbini repose sur un vieux socle précambrien et contraste avec la jeunesse volcanique de l'île de Bioco.

Population. Son chiffre est modeste (616 500 habitants). La partie continentale est habitée par les Fangs, la partie insulaire par les Boubis. Capitale : Malabo, anciennement Santa Isabel, au nord de Bioco.

Religion. Le catholicisme, dû à l'influence espagnole, est largement majoritaire (82 % de la population). Minorités d'animistes et de musulmans.

Dates. *XVe siècle* Le Portugal occupe Annobón et Fernando Poo. *1778* L'Espagne reçoit de son voisin les deux îles précitées. *1858* Tout est espagnol sauf le Río Muni, annexé en 1926 seulement. *1959* Le pays passe du statut de colonie à celui de province espagnole. *1964* Autonomie. *1968* Indépendance et dictature sanglante de Macias Nguema. *1979* Régime militaire de Nguema Mbasogo. *1982* Établissement d'un régime constitutionnel, Seriche Bioko Malabo est Premier ministre. *Novembre 1993* Premières élections pluralistes depuis 1968. *Février 1996* Nguema Mbasogo est élu avec 99 % des voix, mais les grands partis d'opposition ont boycotté les élections. *Décembre 2002* Reconduction de Nguema Mbasogo à la présidence d'un pays qui sort de l'ombre grâce à la manne pétrolière. *Mars 2004* Tentative de coup d'État contre le président, autocrate et qui s'enrichit via le pétrole.

Guyana

Un pays peut occuper un site a priori privilégié entre Atlantique et Amazonie et ne connaître aucune activité touristique d'envergure : c'est le cas du Guyana. Quasiment vide d'habitants dès que l'on quitte la zone côtière, l'ancienne Guyane britannique offre pourtant une nature exubérante et surtout quelques chutes nées de ses nombreuses rivières le long desquelles vivent çà et là des Amérindiens. Cela ressemble beaucoup à la Guyane française mais ne suffit pas à attirer les organisateurs de voyage. Une situation qui incitera peut-être quelques curieux en voyage au Venezuela ou dans le nord du Brésil à franchir la frontière.

LES RAISONS D'Y ALLER

LES PAYSAGES

Chutes (Kaieteur), monts Pakaraima, rapides

LA CÔTE

Plages

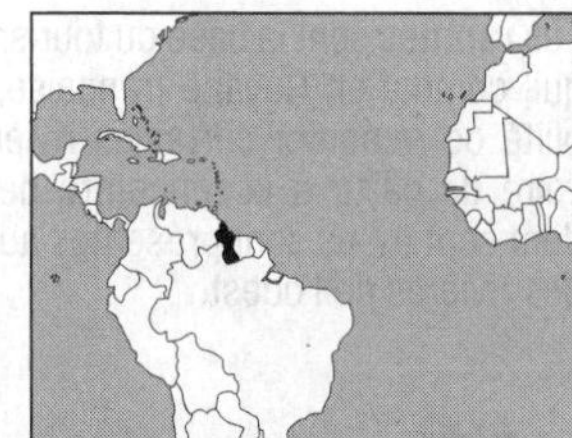

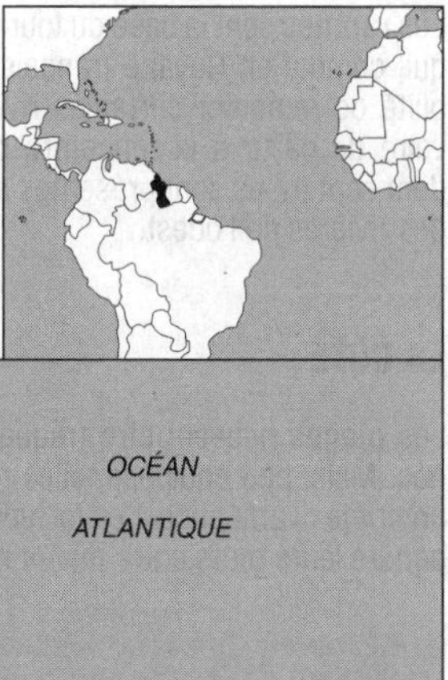

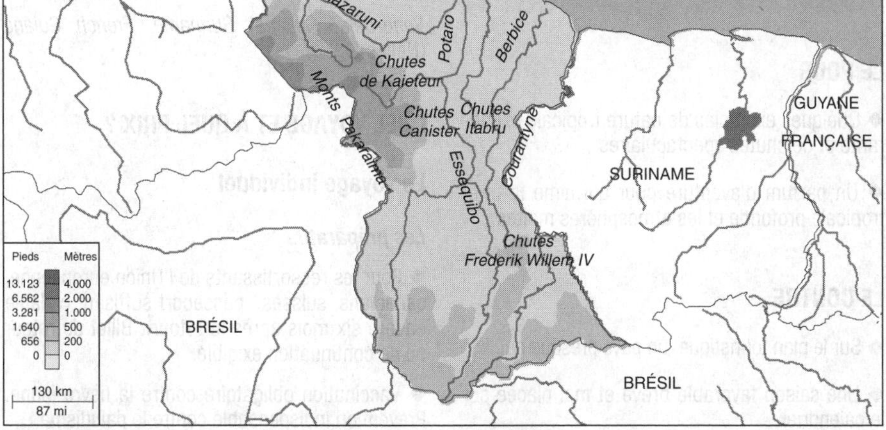

LES RAISONS D'Y ALLER

LES PAYSAGES

Hormis le carnaval en janvier-février, les **chutes de Kaieteur** sont la raison majeure d'une visite du pays : le fleuve Potaro franchit une falaise de 224 m, soit les mêmes proportions que les chutes du Niagara.

Ces chutes sont à la lisière des monts **Pakaraima** et du mont Roraima, dont certains sites continuent de faire rêver les chercheurs d'or, un siècle et demi après les grands mythes californiens et sud-américains.

Autres chutes : Canister (fleuve Essequibo), Itabru (fleuve Berbia), Frédéric Willem IV (fleuve Coeroeni).

Les **rapides** sont la base du tourisme de l'intérieur qui, comme en Guyane française, offre la possibilité de remonter certaines rivières en pirogue, voire de partir à la rencontre des Amérindiens, dont sept tribus sont présentes au Guyana le long des rivières de l'ouest.

LA CÔTE

Les **plages** peuvent être fréquentées toute l'année. Mais, peu équipées, elles ne connaissent ni notoriété ni affluence. Les tortues luths viennent y pondre leurs œufs entre mai et mi-juin.

LE POUR

◆ Quelques exemples de nature tropicale exubérante et de chutes spectaculaires.

◆ Un parfum d'aventure pour qui aime la forêt tropicale profonde et les atmosphères moites.

LE CONTRE

◆ Sur le plan touristique, un pays presque oublié.

◆ Une saison favorable brève et mal placée sur le calendrier.

LE BON MOMENT

De type équatorial chaud et humide, le climat est pluvieux presque partout. Il ne laisse place qu'à une très courte saison relativement sèche, **entre septembre et novembre**.

◆ Températures moyennes jour/nuit (en °C) à *Georgetown* : janvier 29/24, avril 30/25, juillet 30/24, octobre 31/25. Moyenne de la température de l'eau de mer : 28°.

LE PREMIER CONTACT

En Belgique

Ambassade, avenue du Brésil, 12, B-1000 Bruxelles, ☎ (02) 675.62.16, fax (02) 672.55.98.

Au Canada

Haut-commissariat, 151, rue Slater, bureau 309, Ottawa, ON K1P 5H3, ☎ (613) 235-7249, fax (613) 235-1447.

Au Royaume-Uni

Ambassade, Londres, ☎ (207) 229.7684, fax (207) 727.98.09.

Internet

www.barima.com/
www.guyana-tourism.com/

Guides

Guyana (Bradt), *The South American Handbook* (Footprint).

Carte

Venezuela, Guyana, Suriname, French Guiana (Nelles).

QUEL VOYAGE ET À QUEL PRIX ?

Le voyage individuel

Les préparatifs

◆ Pour les ressortissants de l'Union européenne, canadiens, suisses : passeport suffisant (valable encore six mois après le retour). Billet de retour ou de continuation exigible.

◆ Vaccination obligatoire contre la fièvre jaune. Prévention indispensable contre le paludisme.

◆ Monnaie : le dollar de Guyana. 1 US Dollar = 203 dollars de Guyana; 1 EUR = 282 dollars de Guyana. Emporter des dollars US de préférence, en espèces ou en chèques de voyage. Cartes de crédit utilisables dans certains grands hôtels.

Le départ

◆ Indice de prix à certaines dates du vol Montréal-Georgetown A/R : 900 CAD; Paris-Georgetown : 1 000 EUR. ◆ Le voyageur individuel qui peut prendre son temps aura intérêt à choisir un vol pour Cayenne (voir *Guyane française*) et à gagner le Guyana en minibus ou taxi collectif via le Suriname.

Sur place

Route

◆ Conduite à gauche, permis de conduire international nécessaire. ◆ Réseau routier en mauvais état. ◆ Route côtière jusqu'au Suriname et en Guyane française, longues attentes à prévoir pour traverser les bacs. ◆ Tout-terrain recommandé.

LES REPÈRES

◆ Lorsqu'il est midi en France, au Guyana il est 7 heures du matin en été et 8 heures en hiver. ◆ Langue officielle : anglais. L'anglais créole est prédominant, parlé par huit habitants sur dix. Sont également utilisés l'hindi, l'urdu et une dizaine de dialectes. ◆ Téléphone vers le Guyana : 00592 + indicatif (Georgetown : 223) + numéro; du Guyana : 001 + indicatif pays + numéro.

LA SITUATION

Géographie. Une plaine côtière de 450 km de long précède une région de savanes et de forêts, qui se relève au sud-ouest (monts Pakaraima). Avec 214 969 km^2, le pays est plus étendu qu'une carte ne le laisse supposer de prime abord.

Population. Le (ou la) Guyana, longtemps insalubre, ne rassemble aujourd'hui que 770 800 habitants partagés entre une communauté noire et les Indiens d'Inde, venus pour la culture de la canne à sucre il y a un siècle et demi. Capitale : Georgetown.

Religion. L'hindouisme rassemble 37 % des habitants. Suivent les protestants (30 % dont la moitié sont des anglicans), les catholiques (11 %) et les musulmans (9 %).

Dates. *1595* L'Anglais Sir Walter Raleigh arrive dans la région, la compagnie des Indes occidentales (hollandaise) le relaiera pendant près de deux siècles. *1814* La Grande-Bretagne reçoit cette partie des Guyanes et la baptise British Guiana, alors que les Indiens d'Inde commencent à affluer. *1961* L'Indien Cheddi Jagan Premier ministre. *1966* Indépendance dans le cadre du Commonwealth et nouveau nom de Guyana. *1970* « République coopérative » de Chung. *1978* Plus de 900 personnes périssent dans le suicide collectif de la secte « Temple du peuple ». *1980* Burnham président. *1985* Hugh Desmond Hoyte prend le pouvoir. *1992* Victoire de Cheddi Jagan, qui devient président, et de l'opposition de gauche (Parti progressiste populaire) aux élections législatives, au moment où les deux tiers de la population vivent en dessous du seuil de pauvreté. *1997* Bharrat Jagdeo (Parti progressiste du peuple) lui succède. *Mars 2001* Réélection de Jagdeo et apaisement des tensions entre les deux principales communautés. *Août 2006* Jagdeo est reconduit.

Guyane française

La Guyane française fait partie de l'« enfer vert » amazonien, et c'est là qu'elle trouve son vecteur touristique, même si sa réputation est inférieure à celle qui prévaut du côté de Manaus, au Brésil. En dépit de la monotonie du relief, née d'une forêt dense étouffante, un tourisme à base de descentes de rivières en pirogue se développe, aidé par la curiosité soulevée par des buts aussi divers que la visite des anciens bagnes et du centre spatial de Kourou.

LES RAISONS D'Y ALLER

LES RIVIÈRES ET LES PAYSAGES

Remontée des rivières en pirogue (Maroni, Oyapock, Approuague, Mana, Inini)
Parc amazonien
Marais de Kaw

LA FAUNE

Agoutis, anacondas, caïmans noirs, ibis rouges, paresseux, perroquets, urubus, tortues luths, toucans

LES MONUMENTS

Bagne de l'île Royale, pénitencier de Saint-Laurent-du-Maroni
Centre spatial de Kourou, musée de l'Espace

LES TRADITIONS

Carnaval

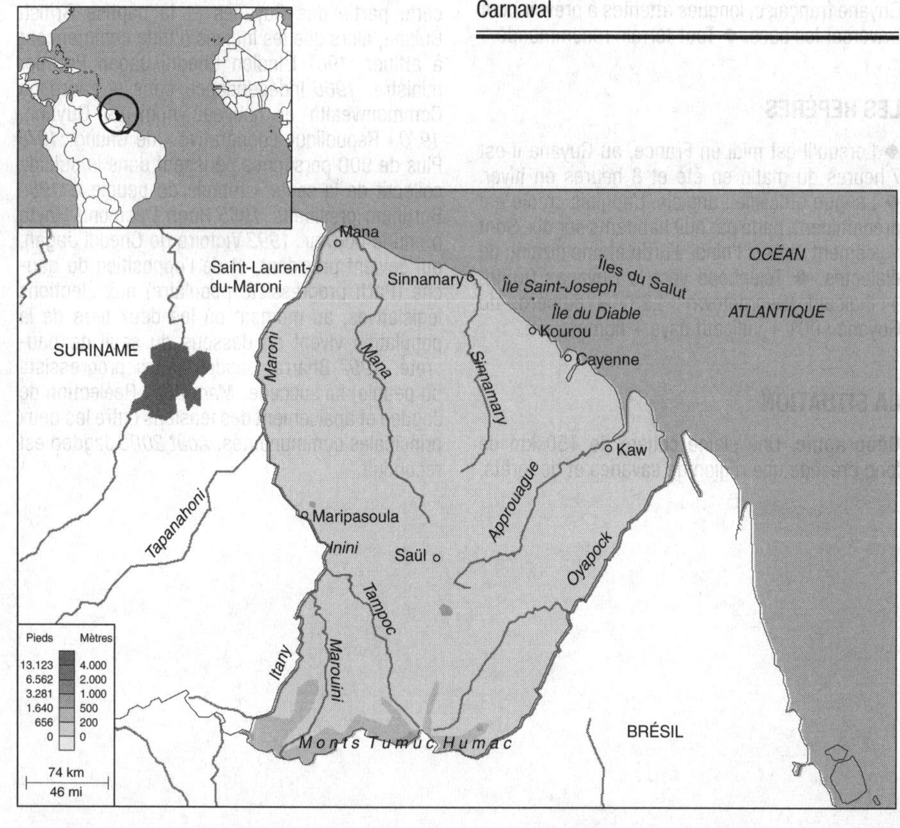

LES RAISONS D'Y ALLER

LES RIVIÈRES ET LES PAYSAGES

Les rivières sont la base du tourisme guyanais : accidentées, coupées de rapides (« sauts »), elles font l'objet de remontées en canoë ou en **pirogue**. Les plus connues : le **Maroni** (quatre jours de pirogue entre Maripasoula et Saint-Laurent-du-Maroni), **l'Oyapock**, l'**Approuague** (riche faune de caïmans et d'oiseaux), le **Mana**, **l'Inini**.

Depuis 2007, avec la création du **parc amazonien** de Guyane et de son espace cœur, au sud, le plus grand des départements français tente de protéger au mieux sa forêt humide primaire et son histoire, particulièrement le mode de vie des Amérindiens, afin qu'ils ne soient pas muséifiés par le tourisme ou intoxiqués par le mercure des zones de l'orpaillage clandestin.

La pirogue est à la fois moyen de transport local et attrait touristique, comme l'est le carbet, une grande case ouverte qui sert d'abri et de gîte d'étape (nuit dans un hamac).

Outre son aspect sportif et parfois aventurier, la remontée des rivières permet la rencontre des peuplades amérindiennes, telles que les Wayanas, ou celle des «Noirs Marrons», descendants d'esclaves, du côté de Maripasoula, le long du Maroni.

Sur la côte nord-est, les réserves des marais de **Kaw** et de l'île du Grand Connétable sont remarquables par leurs mangroves et leurs palmiers.

LA FAUNE

Si on n'est ni Guyanais, ni chasseur, ni connaisseur de la forêt tropicale humide, on aura du mal à repérer, parmi les centaines d'espèces de reptiles, poissons ou oiseaux disséminés dans les 80 000 km^2 de jungle, les **agoutis**, les **anacondas** ou, au nord-ouest, les **caïmans noirs**, les **jaguars** et les **ibis rouges**, ces derniers également présents dans l'estuaire de la rivière Sinnamary.

Les randonneurs ne doivent pas s'attendre à découvrir des espèces animales à chaque détour de rivière. En outre, la présence d'un guide est indispensable, non seulement pour ne pas se perdre mais aussi pour avoir plus de chances, particulièrement à partir de Saül, de rencontrer les espèces précitées, également les **paresseux,** les **singes hurleurs**, les **perroquets,** les **urubus**, les **jacanas** et les **toucans**.

Autre pôle d'attraction, sur la côte nord-ouest: la ponte des **tortues luths** entre avril et fin juillet dans la réserve naturelle d'Amana ou sur la plage des Haltes, dans la commune d'Awala-Yalimapo.

Pour qui aura tout loupé, la visite à Cayenne du zoo Eugène Bellony, du musée Franconi ou de la Fauna Flora Amazonica est impérative.

LES MONUMENTS

Le **bagne**, fermé en 1954, se trouve au large de Kourou, sur **l'île Royale** qui, avec Saint-Joseph et l'île du Diable, forme les îles du Salut. Les bâtiments du bagne, où furent enfermés Dreyfus et Seznec, font l'objet de la visite la plus insolite du département, et un petit musée en raconte l'histoire. Le pénitencier de Saint-Laurent-du-Maroni connaît, quant à lui, le « privilège » de posséder la cellule la plus célèbre de toutes, celle de Papillon.

Un futur vestige... dans quelques siècles : le Centre spatial guyanais à **Kourou**, que l'on peut visiter le mercredi, sur rendez-vous, avec l'éventualité d'assister gratuitement au lancement d'une fusée Ariane en se renseignant longtemps à l'avance. Une autre visite intéressante à Kourou, en rapport avec la précédente : le **musée** de l'Espace.

LES TRADITIONS

Sans atteindre la réputation de ceux du Brésil ou de Trinidad, le **carnaval** guyanais, autour de Vaval, le roi carnaval, vaut le déplacement. Il a lieu lors des week-ends qui sont compris entre l'Épiphanie et le mercredi des Cendres, lui-même précédé de quatre « jours gras » intenses.

Autres traditions : celles que maintiennent des réfugiés du Laos, les Hmongs, qui cultivent des fleurs locales et fêtent leur Nouvel An.

LE POUR

- ◆ La « vraie » Amazonie à portée de pirogue.
- ◆ Des infrastructures touristiques affirmées.
- ◆ La langue française pour la facilité des contacts.

◆ Une assez bonne coïncidence entre les dates de l'été de l'hémisphère nord et celles de la saison favorable.

LE CONTRE

◆ Une humidité et un climat difficiles à supporter pour les non-habitués.

◆ Pour la descente des rivières, des conditions de voyage qui ne conviendront pas à ceux qui ne se font pas à l'idée de dormir dans un hamac et de parfois bivouaquer.

◆ Une côte (mangroves) non aménagée pour le tourisme et peu intéressante pour la baignade.

LE BON MOMENT

Le type même du climat équatorial chaud et très humide, toutefois adouci par les alizés, ne favorise pas la durée de la saison sèche. Il s'agit donc de trouver une date **entre août et décembre** et de bannir la période janvier-juillet (excepté mars, qui connaît assez régulièrement un passage ensoleillé d'une quinzaine de jours).

Au sud, c'est la zone équatoriale, avec alternance de saisons sèches (février-avril et août-décembre) et de saisons des pluies (décembre-février et avril-juillet).

Rendez-vous hors périodes favorables: janvier-février (**carnaval**) et mai à mi-juin (**ponte** des tortues luths).

◆ Températures moyennes jour/nuit (en °C) à *Cayenne* : janvier 29/23, avril 29/23, juillet 30/22, octobre 32/21. Eau de mer : 27º.

LE PREMIER CONTACT

En Belgique

Maison de la France, avenue de la Toison-d'Or, 21, B-1050 Bruxelles, ☎ 0902.88.025, fax (02) 505.38.29.

Au Canada

Maison de la France, 1981, McGill College, Montréal, H3A 3J6, ☎ (514) 288-2026, fax (514) 845-4868.

Au Luxembourg

Ambassade, 8b, boulevard Joseph-II, L-1840 Luxembourg, ☎ 45.72.71-1, fax 45.73.72.244.

En Suisse

Maison de la France, c/o SNCF, rue de Lausanne, 11, CH-1201 Genève, ☎ 0900.900.699.

En métropole

Comité du tourisme, 1, rue Clapeyron, 75008 Paris, ☎ 01.42.94.15.16 ou 0.800.043.043, fax 01.42.94.14.65.

Sur place

12, rue Lalouette, BP 801, 97338 Cayenne, ☎ 05.94.29.65.00. Voir aussi l'Office national des forêts.

Internet

www.tourisme-guyane.com
www.parc-guyane.gf

Guides

Guyane (Le Petit Futé, Marcus), *la Guyane* (Adret/Peuples du monde, Orphie, 2007), *Randonnées en Guyane* (Ed. Philippe Boré, 2007).

Cartes

L'IGN propose de nombreuses cartes.

Lectures

Contes et légendes de Guyane (Auxence Contout/Maisonneuve & Larose, 2003), *De soleil et de silences. Histoire des bagnes de Guyane* (Danielle Donet-Vincent, Boutique De L'histoire, 2003), *Guyane française : l'or de la honte* (Axel May/Calmann-Lévy, 2007), *Histoire générale de la Guyane française* (Serge Mam Lam Fouck/Ibis rouge, 2002), *le Créole guyanais de poche* (Assimil, 2006), *Papillon* (H. Charrière/Presses Pocket, 2002), *Vie et survie en milieu tropical : Amazonie française, Guyane* (Philippe Gilabert/Ibis rouge, 2008),

Images

Carnet de Guyane (Michel Montigné/Sépia, 2003), *Faune de Guyane* (Ed. Le Guen, 2007). *Guyane, les îles du Salut* (Emmanuel Michel/Gallimard, 2002).

Vidéos et DVD

Biotiful Planet : Guyane française (Gedeon, 2007), *Guyane, l'espace nature* (Media 9, 2003).

QUEL VOYAGE ET À QUEL PRIX ?

Le voyage individuel

Les préparatifs

◆ Pour les ressortissants de l'Union européenne : carte nationale d'identité ou passeport suffisant. Pour les ressortissants canadiens et suisses : passeport valide six mois au moins après le retour. Dans tous les cas, billet de retour ou de continuation exigible.

◆ Vaccination obligatoire contre la fièvre jaune. Prévention indispensable contre le paludisme dans les régions de l'intérieur.

◆ Monnaie : l'*euro*. Présence de distributeurs de monnaie, cartes de crédit bien acceptées. Prévoir des espèces en petites coupures pour les villages de l'intérieur.

Le départ

◆ Indice de prix à certaines dates du vol Montréal-Cayenne : 1 500 CAD; Paris-Cayenne A/R : 700 EUR. ◆ Durée moyenne du vol Paris-Cayenne (7 094 km) : 8 heures. ◆ Compagnie intérieure : Air Guyane, entre autres pour Maripasoula et Saül.

Sur place

Hébergement

En dehors de l'hôtellerie classique, possibilité de trouver des gîtes, chambres d'hôtes, B and B.

Route

◆ Location de voiture : 23 ans minimum, permis de conduire depuis plus de deux ans. Penser également à la location d'un camping-car. ◆ Vitesse limitée à 90 km/h. ◆ Autotours d'une semaine (voiture et hôtel réservé à l'étape) avec, entre autres, Arroyo, Tourisme chez l'habitant, Visit France. Compter *1 500 EUR pour 10 jours.* ◆ Il existe des minibus et des taxis collectifs.

Le voyage accompagné

Rappel : nous nous sommes limités à un résumé des prestations en vigueur dans les agences et chez les voyagistes présents en France. Les lecteurs des autres pays peuvent en tirer des idées d'itinéraire et les compléter auprès de leurs agences de voyages.

◆ Le voyage en Guyane est centré avant tout sur la forêt amazonienne et ses **rivières**, souvent l'Approuague. Il peut s'agir de balades en **pirogue** ou – surtout – de remontées en **canot**, avec découverte de l'orpaillage, baignade, observation de la flore et de la faune. Exemples : Club Aventure, Tamera. Voyagistes spécialistes : Couleurs Amazone (www.couleursamazone.fr), Takari Tour (www.takaritour.gf).

Fleuves du monde met son client sur une pirogue au fil du fleuve Approuague avant de rejoindre Kourou, alors que Nouvelles Frontières part en pirogue sur la Mana ou en trekking et bivouac dans les environs de Saül.

◆ L'autre voyage en Guyane est celui qui profite de l'engouement pour le Centre spatial guyanais, souvent combiné à la visite des îles du Salut et, quand le cas se présente, au lancement de la fusée **Ariane** (Nouvelles Frontières). D'autres voyagistes, comme Adeo, abordent la forêt mais aussi Cayenne et sa région avant le trio Saint-Laurent-du-Maroni, Kourou, îles du Salut.

◆ Le prix moyen d'un voyage en Guyane est relativement élevé. S'il existe des semaines « aventure » à des prix raisonnables chez quelques voyagistes, il est difficile de tabler sur un coût moyen inférieur à *2 300 EUR pour 15 jours.*

QUE RAPPORTER?

Un hamac du Brésil, des calebasses et... des pépites pour ceux qui auront choisi une initiation à l'orpaillage.

LES REPÈRES

◆ Lorsqu'il est midi en Europe de l'Ouest, en Guyane française il est 7 heures en été et 8 heures en hiver. ◆ Langue : la langue de la rue est un français créole parlé par neuf Guyanais sur dix. Le taki-taki est parlé autour du Maroni. ◆ Téléphone vers la Guyane française : 00594; de la Guyane française : 00 + indicatif pays + numéro; pour les Français métropolitains, vers et depuis la Guyane française : uniquement les dix chiffres du correspondant.

LA SITUATION

Géographie. Passé l'étroite plaine côtière (40 km maximum), on atteint un plateau presque entièrement recouvert par la forêt dense (90 % de la superficie totale), trouée uniquement par les rivières et les marécages. Les 86 504 km^2 du territoire en font un très grand département français...

Population. Vu la topographie et le désert humain de l'intérieur, son chiffre ne pouvait qu'être modeste : 195 500 habitants. Environ un quart des habitants résident à Cayenne.

Au côté des Créoles, majoritaires, et des métropolitains, vivent des Indiens, des Noirs et des Chinois. Quant aux peuplades amérindiennes, elles ne sont plus que six dont, aux alentours de Maripasoula, deux mille Wayanas qui vivent sur un territoire protégé et interdit au tourisme. L'histoire récente a amené une importante colonie d'Haïtiens, de Brésiliens et de Surinamiens.

Religion. 87 % des Guyanais sont catholiques. Minorités de protestants, d'animistes, de musulmans, de spiritistes et de baha'is.

Dates. *1500* Vincent Pinson découvre la Guyane. *1604* Les Français s'installent, précédant Espagnols, Anglais et Hollandais. *1643* Fondation de Cayenne par... des Normands. *1663* Colonisation française. *1852* Cayenne se voit offrir son bagne. *1946* La Guyane département français d'outre-mer. *1983* Établissement d'un conseil régional (Antoine Karam en est l'actuel président). *Novembre 1996* Cayenne connaît plusieurs nuits d'affrontements entre lycéens et forces de l'ordre. *Mars 2001* Joseph Ho-Ten-You président du Conseil général. *Mars 2004* Pierre Désert (Divers gauche) lui succède, puis Alain Tien-Long (également Divers gauche) quatre ans plus tard.

Haïti

Avertissement. – Quoique la situation générale connaisse une amélioration depuis un an, violence et délinquance exigent du visiteur non professionnel qu'il reporte ses projets de voyage à des jours plus sereins.

En proie à la pauvreté, à des secousses politiques, à de récentes catastrophes naturelles et à une insécurité qui fait reculer les candidats au voyage, Haïti ne parvient pas à se forger l'image touristique qui aurait dû lui échoir depuis bien longtemps. La première vraie république noire de l'histoire attend donc des jours meilleurs pour mettre en valeur les atouts qui lui avaient valu le baptême de « Perle des Antilles » : des plages aussi attirantes que celles de sa voisine dominicaine et des particularités telles que les rites vaudous et l'art pictural naïf.

LES RAISONS D'Y ALLER

LES CÔTES

Plages (Jacmel, Cap-Haïtien, Cayes, île de la Tortue)

LES TRADITIONS

Peinture naïve, danse (mérengué), vaudou

LES PAYSAGES

Cascades (Saut-d'eau), rizières (Artibonite)
Montagnes (massif de la Selle)

LES VILLES

Port-au-Prince, Cap-Haïtien, Jacmel

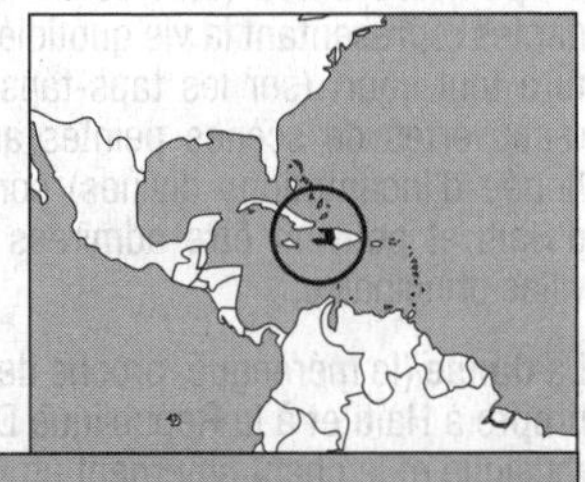

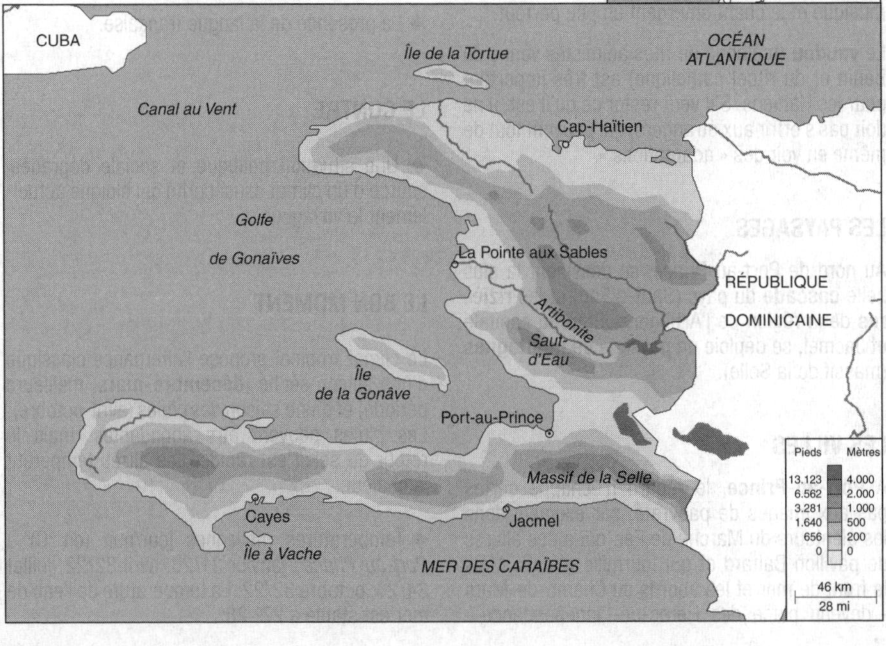

CUBA
Île de la Tortue
OCÉAN ATLANTIQUE
Canal au Vent
Cap-Haïtien
Golfe de Gonaïves
La Pointe aux Sables
RÉPUBLIQUE DOMINICAINE
Artibonite
Saut-d'Eau
Île de la Gonâve
Port-au-Prince
Massif de la Selle
Cayes
Jacmel
Île à Vache
MER DES CARAÏBES

Pieds	Mètres
13.123	4.000
6.562	2.000
3.281	1.000
1.640	500
656	200
0	0

46 km
28 mi

LES RAISONS D'Y ALLER

LES CÔTES

Haïti offre une alternance de côtes déchiquetées aux plages peu sablonneuses et de côtes aux **plages** de sable blanc très fin. Sur chaque rivage, se retrouve la marque des Caraïbes : températures stables, chaleur tempérée par les alizés, corail.

Certaines plages sont bien équipées, particulièrement dans les alentours de Jacmel et de Cap-Haïtien, d'autres sont encore désertes ou presque, comme celles de la région des **Cayes**, au sud, de Labadie et de l'île de la Tortue, au nord, célèbre pour avoir connu le passage des flibustiers.

LES TRADITIONS

La **peinture naïve** (œuvres de peintres autodidactes représentant la vie quotidienne) et la peinture tout court (sur les taps-taps, voitures-taxis recouvertes de scènes peintes aux côtés d'une flopée d'incantations divines) sont des fleurons d'Haïti et peuvent être admirées dans ses trois villes principales.

La **danse** (le mérengué, proche de la samba mais propre à Haïti et à la République Dominicaine), la musique et le chant émergent un peu partout.

Le **vaudou** (mélange de rites animistes venus du Bénin et du rituel catholique) est très important pour les Haïtiens. S'il veut rester ce qu'il est, il ne doit pas s'offrir aux étrangers, qui peuvent tout de même en voir des « adaptations ».

LES PAYSAGES

Au nord de Port-au-Prince, se dessinent la plus belle **cascade** du pays (Saut-d'Eau) et les **rizières** de la région de l'Artibonite. Entre la capitale et Jacmel, se déploie un paysage de **montagnes** (massif de la Selle).

LES VILLES

A **Port-au-Prince**, le regard n'échappe certes pas aux images de pauvreté, par exemple dans les alentours du Marché de Fer, qui a des allures de pavillon Baltard et qui fourmille d'étals. Mais le front de mer et les abords du Champ-de-Mars – devenu place des Héros-de-l'Indépendance – sont agréables, avec, au hasard des rues, de vrais trésors d'art pictural comme les fresques de la cathédrale Sainte-Trinité. La visite des musées (musée d'Art haïtien et Mupanah) ainsi que celle des galeries d'art du quartier aisé de Pétionville est vivement recommandée.

Haïti a gardé d'un XVIIIe siècle prospère des forts et des monuments intéressants à **Cap-Haïtien** (la cathédrale, le palais Sans-Souci et surtout la citadelle Laferrière, véritable pyramide pour la famille du roi Christophe dans les années 1800).

Les vieilles maisons en stuc et aux balcons en fer forgé font le charme de **Jacmel**, qui bénéficie en outre d'un carnaval réputé.

LE POUR

◆ Un des pays des Antilles riches en traditions et en témoignages historiques.

◆ Des sites balnéaires qui portent la marque des Caraïbes.

◆ La présence de la langue française.

LE CONTRE

◆ Une situation politique et sociale dégradée, source d'un climat d'insécurité qui éloigne actuellement le voyageur.

LE BON MOMENT

Le climat tropical propose l'alternance classique d'une saison sèche (**décembre-mars**, meilleure période) et d'une saison des pluies (avril-octobre). Les pluies peuvent être abondantes, mais le retour du soleil est rapide. Les alizés tempèrent la chaleur.

◆ Températures moyennes jour/nuit (en °C) à *Port-au-Prince* : janvier 31/20, avril 32/22, juillet 34/23, octobre 32/22. La température de l'eau de mer est stable à 27°-28°.

LE PREMIER CONTACT

En Belgique

Chancellerie, chaussée de Charleroi, 139, B-1060 Bruxelles, ☎ (02) 649.73.81, fax (02) 640.60.80.

Au Canada

Consulat, 1100 boulevard René-Lévesque Ouest, Montréal H3B 4N4, ☎ (514) 499-1919, fax (514) 499.1818, www.haiti-montreal.org

En France

Ambassade, 10, rue Théodule-Ribot, 75017 Paris, ☎ 01.47.63.47.78, fax 01.42.27.02.05.

Internet

www.haititourisme.org/

Guides

Dominican Republic & Haïti (Lonely Planet), *Haïti* (Le Petit Futé).

Cartes

Dominican Republic, Haiti (Nelles), *Haïti* (IGN).

Lectures

Haïti, une nation pathétique (Jean Metellus/ Maisonneuve & Larose, 2003), *l'île magique : en Haïti, terre du vaudou* (William Seabrook/Phébus, 1997), *Nouvelles d'Haïti* (Magellan & Cie, 2007), *la Récolte douce des larmes* (Edwige Danticat, Grasset, 1999). *Le Maître des carrefours*, de Madison Smartt Bell (Actes Sud) est un hommage rendu à Toussaint Louverture et constitue le deuxième volume d'une trilogie sur l'histoire d'Haïti.

Images

Haïti (Jane Evelyn Atwood, Lyonel Trouillot /Actes Sud, 2008), *Haïti, images d'une colonisation, 1492-1804* (Orphie, 2004).

QUEL VOYAGE ET À QUEL PRIX ?

Le voyage individuel

Les préparatifs

◆ Pour les ressortissants de l'Union européenne, canadiens, suisses : passeport en cours de validité, valable six mois après le retour, visa délivré à l'aéroport ou aux postes frontière. ◆ Nécessité d'acquitter une taxe d'entrée si l'on entre par un poste frontière terrestre en provenance de la République dominicaine.

◆ Prévention recommandée contre le paludisme dans certaines zones forestières de Gros-Morne, Hinche, Maïssade, Chantal et Jacmel.

◆ Monnaie : la *gourde*. Même si l'euro peut être changé, le dollar US (en petites coupures) est vivement recommandé. 1 US Dollar = 39 gourdes, 1 EUR = 55 gourdes.

Le départ

◆ Indice de prix à certaines dates du vol Montréal/Port-au-Prince A/R : 800 CAD; Paris/Port-au-Prince A/R : 700 EUR. ◆ Durée moyenne du vol Paris/Port-au-Prince (7 743 km) : 12 heures. ◆ Pour qui a du temps, l'arrivée à Saint-Domingue est plus avantageuse et la fréquence des vols plus importante.

Sur place

Route

◆ Conduite difficile (réseau routier en mauvais état) et location de voiture déconseillée. ◆ Minibus et taps-taps vétustes mais, en temps normal, très intéressants, tant pour leurs couleurs exubérantes que pour leur atmosphère.

Le voyage accompagné

Une situation politique longtemps troublée et les récents événements font que la programmation de voyages à destination d'Haïti est actuellement inexistante.

Quand la situation le permet, des circuits rassemblent Haïti et la République Dominicaine, avec Cap-Haïtien, Port-au-Prince et Jacmel comme rendez-vous haïtiens du voyage.

LES REPÈRES

◆ Lorsqu'il est midi en France, à Haïti il est 5 heures en été et 6 heures en hiver; pas de décalage horaire avec le Québec. ◆ Langue officielle : le créole a récemment succédé au français, qui est parlé ou compris par une personne sur trois. ◆ Téléphone vers Haïti : 00509 + numéro; de Haïti : 00 + indicatif pays + numéro.

LA SITUATION

Géographie. L'île entière s'appelle Haïti (ex-Hispaniola) mais la république d'Haïti n'en occupe que la partie ouest, inférieure en superficie à la partie est (République Dominicaine). Avec les quelques îles et îlots avoisinants, la république d'Haïti couvre 27 750 km^2, composés d'une alternance de chaînes de montagnes et de basses plaines.

Population. Avec 8 925 000 habitants, Haïti n'est pas loin de la surpopulation. Des Mulâtres et quelques milliers de Blancs complètent la forte majorité de Noirs (95 %). Capitale : Port-au-Prince.

Religions. Quatre Haïtiens sur cinq sont des catholiques qui, dans leur grande majorité, suivent également les rites vaudous. Minorités de protestants (baptistes, pentecôtistes).

Dates. *1492* Christophe Colomb découvre l'île et la baptise Hispaniola. *1697* La France occupe l'ouest d'Hispaniola. *Fin XVIIIe siècle* Toussaint Louverture mène la révolte des Noirs. *1804* Dessalines chasse les Français et proclame la première république noire du monde, dont tout Haïtien tire fierté. *1915* Les États-Unis maîtres du pays. *1957* François Duvalier (« Papa Doc ») dictateur et président à vie. *1971* Son fils Jean-Claude Duvalier (« Bébé Doc ») prend la relève. *Décembre 1990* Le père Aristide est élu président avec 70 % des voix. *Octobre 1991* Coup d'État militaire. Le père Aristide s'exile, le général Cedras prend le pouvoir. *Octobre 1994* Aristide retrouve le pouvoir et doit entreprendre la reconstruction du pays. *Décembre 1995* René Préval est élu président (moins de 30 % de votants). *Juillet 2000* Les législatives consacrent la famille Lavalas, parti de l'ex-président Aristide, mais la communauté internationale ne valide pas le résultat. *Novembre 2000* Aristide est élu président, mais l'opposition boycotte l'élection. *Janvier 2004* Haïti célèbre le bicentenaire de son indépendance. *Février 2004* Aristide s'en va sous la double pression des insurgés et de la communauté internationale, un gouvernement provisoire s'installe, Gérard Latortue devient Premier ministre d'un pays qui reste dans une situation d'insécurité malgré la présence de la Mission des Nations unies pour la stabilisation en Haïti (Minustah). *Mai 2004* Graves inondations aux confins de la frontière dominicaine, plusieurs centaines de victimes. *Septembre 2004* La tempête Jeanne frappe le nord-ouest du pays : au moins 1 650 morts et 800 disparus. *2006* René Préval est élu président d'un pays où, même si la violence recule, les gangs continuent de sévir et la situation demeure précaire. *Août 2008* La tempête Fay frappe le sud du pays, plusieurs dizaines de victimes. Nouveaux ouragans le mois suivant, plus de 600 morts au total. *Septembre 2008* Michèle Pierre-Louis nouveau Premier ministre.

Honduras

Mal connu, le Honduras gagnerait à renforcer sa politique touristique car il a suffisamment d'atouts pour la soutenir : le site de Copán est l'un des plus importants de la période maya classique, les paysages de montagnes abondent et la côte caraïbe est dotée d'îlots et d'une barrière de corail propices à la plongée. Il faut donc savoir se persuader de l'intérêt touristique de ce pays discret.

LES RAISONS D'Y ALLER

LES MONUMENTS

Site maya de Copán, églises, fortifications

LES CÔTES

Islas de la Bahia, côte caraïbe, barrière de corail, golfe de Fonseca

LES PAYSAGES

Montagnes (Opalaca, Espiritu Santo, Agalta), forêt dense et habitat (Mosquitia)

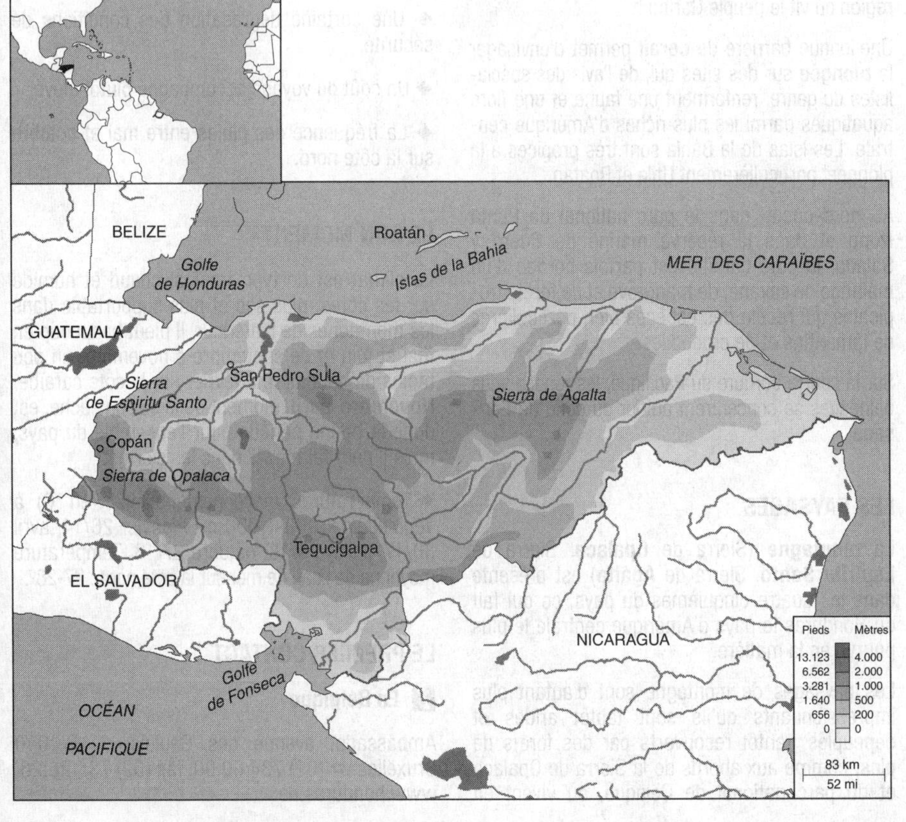

LES RAISONS D'Y ALLER

LES MONUMENTS

Le site maya de **Copán** (pyramides, sanctuaires, stèles, escalier monumental, terrain de jeu de balle) est de la même période (classique, 250-950) et aussi digne d'être visité que ceux de Tikal au Guatemala et de Palenque au Mexique. Moins connus sont les églises, les fortifications et les monuments publics de la période coloniale.

LES CÔTES

Les **Islas de la Bahia**, « îles de la Baie » (Guanaja, Roatán), ainsi que la **côte caraïbe** et ses îlots offrent des plages de sable comparables à celles des autres pays de la mer des Antilles et sur des sites de plus en plus luxueux. Mais attention à la dénaturation des côtes que menace par exemple le projet «Micos Beach», près de Tela, dans une région où vit le peuple Garifuna.

Une longue barrière de **corail** permet d'envisager la **plongée** sur des sites qui, de l'avis des spécialistes du genre, renferment une faune et une flore aquatiques parmi les plus riches d'Amérique centrale. Les Islas de la Bahia sont très propices à la plongée, particulièrement Utila et Roatan.

Au nord-ouest, dans le parc national de Punta Izopo et dans la réserve marine de Cuero y Salado, la côte caraïbe est parfois bordée d'un mélange de savane, de mangrove et de forêts tropicales qui recèle des espèces bien particulières de lamantins et de crocodiles.

Sur la courte bordure du Pacifique, les rendez-vous balnéaires se concentrent autour du golfe de **Fonseca**.

LES PAYSAGES

La **montagne** (Sierra de **Opalaca**, Sierra de **Espiritu Santo**, Sierra de **Agalta**) est présente dans les quatre cinquièmes du pays, ce qui fait du Honduras le pays d'Amérique centrale le plus pourvu en la matière.

Les paysages de montagne sont d'autant plus impressionnants qu'ils sont tantôt arides et dépeuplés, tantôt recouverts par des forêts de pins, comme aux abords de la Sierra de Opalaca et du parc national de Celaque, où vivent en nombre les quetzals, oiseaux emblématiques de l'Amérique centrale.

A la lisière du Nicaragua, de petits groupes d'Indiens, dont les Mosquitos, descendants des Mayas, habitent la forêt dense de la **Mosquitia**. La région, faite de canaux et de rares maisons de paille et de bois au bord du fleuve, se visite à partir de Palacios.

LE POUR

◆ Des atouts qui méritent mieux et auraient dû valoir au pays de rejoindre le Guatemala et le Costa Rica sur le plan des grands rendez-vous de l'Amérique centrale.

LE CONTRE

◆ Une certaine dégradation des conditions de sécurité.

◆ Un coût du voyage accompagné plutôt élevé.

◆ La fréquence des pluies entre mai et octobre sur la côte nord.

LE BON MOMENT

Le climat est de type tropical chaud et humide sur les côtes, plus sec et plus supportable dans les montagnes de l'intérieur. Il pleut beaucoup en mai et juin et de septembre à novembre, un peu moins de décembre à février sur la côte caraïbe. **Novembre-avril**, moment de la saison sèche, est donc la bonne période pour l'ensemble du pays, mais il peut faire froid dans les sierras.

◆ Températures moyennes jour/nuit (en °C) à *Tegucigalpa* (900-1 000 m) : janvier 26/14, avril 30/17, juillet 28/18, octobre 27/18. Température moyenne de l'eau de mer sur la côte nord : 27-28°.

LE PREMIER CONTACT

En Belgique

Ambassade, avenue des Gaulois, 3, B-1040 Bruxelles, ☎ (02) 734.00.00, fax (02) 735.26.26, www.honduras.be

Au Canada

Consulat général, 1650, boulevard de Maisonneuve Ouest, Montréal, ☎ (514) 937-1138, fax (514) 937.2194, www.embassyhonduras.ca

En France

Ambassade, 8, rue Crevaux, 75116 Paris, ☎ 01.47.55.86.45, fax 01.47.55.86.48.

Internet

www.letsgohonduras.com/
www.abc-latina.com/honduras/tourisme.htm

Guides

Adventure Honduras & the Bay Islands (Hunter Publishing), *Honduras* (Editions Ulysse), *Monde maya* (Gallimard/Encycl. du voyage), *Nicaragua, Honduras, El Salvador (*Le Petit Futé).

Cartes

Central America (Nelles), *Honduras* (ITM).

Lectures

Ecologie politique d'un désastre : le Honduras après l'ouragan Mitch (Karthala, 2005), *Sur les chemins du Honduras et de Bora Bora* (L'Harmattan, 2006).

QUEL VOYAGE ET À QUEL PRIX ?

Le voyage individuel

Les préparatifs

◆ Pour les ressortissants de l'Union européenne, canadiens, suisses : passeport suffisant, valable encore six mois après le retour. Billet de retour ou de continuation exigible.

◆ Aucune vaccination n'est exigée. Risques de paludisme dans la plupart des régions, y compris les îles de la Baie. Augmentation des cas de dengue en saison humide. Risque faible à Tegucigalpa et à San Pedro Sula.

◆ Monnaie : le lempira. 1 US Dollar = 19 lempiras, 1 EUR = 26 lempiras. Emporter des euros ou, de préférence, des dollars US. Chèques de voyage en dollars US bien acceptés. Quelques distributeurs de monnaie dans les villes importantes.

Le départ

◆ Indice de prix à certaines dates du vol Montréal-San Pedro Sula A/R : 500 CAD; Paris-San Pedro Sula A/R : 600 EUR.

Sur place

Route

◆ Les conditions de circulation sur le réseau secondaire sont difficiles. ◆ Éviter de voyager isolément.

Le voyage accompagné

◆ Peu nombreux sont les voyagistes qui se consacrent exclusivement au Honduras, et sans **Copán** le pays verrait passer peu de visiteurs. Mais grâce à cet important site maya, le Honduras fait l'objet d'une série de combinés : avec le Guatemala chez Club Aventure et Nomade Aventure, avec le Guatemala et le Mexique chez Clio.

Terres d'aventure voit plus loin en incluant le pays dans une grande traversée de l'Amérique centrale (20 jours entrecoupés de courtes randonnées). Même style de voyage chez Club Aventure qui va du canal de Panama à Copán.

◆ De son côté, Ultramarina **plonge** autour de l'île de Roatan (Sandy Bay) et invite à nager en compagnie d'un groupe de dauphins semi-captifs.

◆ Le coût d'un voyage accompagné au Honduras est plutôt élevé : environ 2 500 EUR pour 15 jours. Il grimpe rapidement pour des prestations du type plongée.

LES REPÈRES

◆ Lorsqu'il est midi en France, au Honduras il est 4 heures en été et 5 heures en hiver. ◆ Langue officielle : espagnol. L'anglais est relativement compris dans les villes et sur les lieux touristiques. ◆ Téléphone vers le Honduras : 00504 + numéro; du Honduras : 00 + indicatif pays + numéro.

LA SITUATION

Géographie. Comme dans les autres pays d'Amérique centrale, les 112 088 km^2 du Honduras sont surtout montagneux, entrecoupés de plaines à élevage. La côte pacifique est courte, occupée par le seul golfe de Fonseca. La côte atlantique est plus longue mais plus basse.

Population. 7 639 000 habitants. Neuf sur dix sont des métis, le reste étant composé de Blancs, de Noirs et d'Indiens. Un million de Honduriens vivent aux Etats-Unis. Capitale : Tegucigalpa.

Religion. 85 % de catholiques. Minorité de protestants.

Dates. *1502* Christophe Colomb premier Européen dans la région. *1838* Indépendance par rapport aux Provinces-Unies d'Amérique centrale. *1932* Dictature de Carías Andino. *1980* L'armée rend le pouvoir aux civils. *1981* Présidence d'un libéral, Roberto Suazo Córdova, auquel succède en 1986 José Simón Azcona. *1990* Rafael Leonardo Callejas prend la présidence. *Novembre 1993* Carlos Roberto Reina (Parti libéral) est élu président. *Janvier 1998* Carlos Flores au pouvoir. *Novembre 1998* Le cyclone Mitch provoque la mort ou la disparition de plusieurs milliers de personnes. *Novembre 2001* Ricardo Maduro (conservateur) l'emporte sur Rafael Pineda (Parti libéral) lors des présidentielles. *Novembre 2005* Manuel Zelaya (Parti libéral) est élu président.

Hong Kong

Dans la logique de la formule « Un pays, deux systèmes » depuis la rétrocession à la Chine en 1997, tout change et rien ne change à Hong Kong. Les enseignes et l'animation des rues, les marchandises hors taxes et les nuits tube au néon continuent de former la base de son attrait, celui-ci renforcé par l'opposition entre les traditions séculaires et les comportements modernes, entre le vieux cliché d'une jonque à voile et l'arrière-plan des gratte-ciel.

LES RAISONS D'Y ALLER

LES SITES

Pic Victoria, Nouveaux Territoires, îles

LE SHOPPING

Bijoux, photo, hi-fi

LES CÔTES

Plages (Lantau), ports

LES FÊTES

Fête de la Lanterne, carnaval

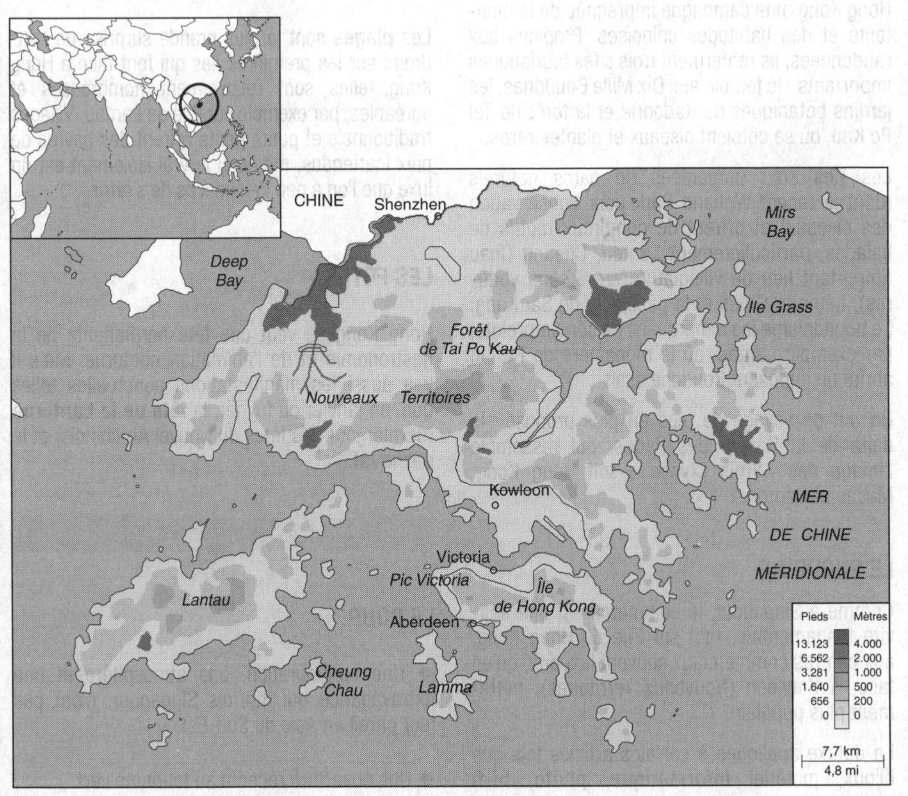

LES RAISONS D'Y ALLER

LES SITES

La ligne des gratte-ciel de **Central District**, dans la partie nord de l'île de Hong Kong, est dominée par le **pic Victoria**, que l'on atteint par le vieux funiculaire Peak Tram. Elle est devenue la carte postale de l'endroit et reste le garant de sa réputation touristique.

Mais l'île a bien d'autres atouts à dévoiler : le quartier d'Aberdeen, connu pour ses villages flottants et le passage de jonques et de sampans adaptés au tourisme; le parc d'attractions de Middle Kingdom et sa réplique du bouddha de Da Tong; les musées (Musée d'histoire, Musée des Arts du thé à Flagstaff House, Musée océanographique d'Ocean Park, Tsui Museum of Art); les décors fastueux de l'hôtel Peninsula; le parc Disneyland.

Les **Nouveaux Territoires** (New Territories) révèlent, par opposition à l'urbanisation effrénée de Hong Kong, une campagne imprégnée de la mentalité et des habitudes chinoises. Propices aux randonnées, ils renferment trois sites touristiques importants : le temple aux Dix Mille Bouddhas, les jardins botaniques de Kadoorie et la forêt de Tai Po Kau, où se côtoient oiseaux et plantes rares.

Les **îles** sont parsemées de parcs naturels (dont le récent Wetland Park pour l'observation des oiseaux) et offrent de nombreux motifs de balades, particulièrement Lantau, Cheung Chau (important lieu de villégiature car... sans voitures), Lamma, Grass et la péninsule de Sai Kung. Le bouddhisme les a marquées de son empreinte, par exemple Lantau, où le monastère de Po Lin abrite un imposant Bouddha assis.

Un but de voyage de plus en plus proposé : le delta de la Rivière des Perles, qui rassemble l'image des « Trois Chines », soit Hong Kong, Macao et Canton.

LE SHOPPING

Comme à Singapour, le commerce est une activité fondamentale, tant sur l'île de Hong Kong, aux centres commerciaux souvent luxueux, qu'en face, à Kowloon (Nouveaux Territoires), nettement plus populaire.

La détaxe appliquée à certains articles tels que bijoux, matériel **informatique**, **photo**, **hi-fi** permet d'envisager de bonnes affaires, surtout en hiver, période de soldes importants. Le site commercial le plus réputé dans ce domaine est le « Golden Mile », sur Nathan Road (Central Hong Kong), dans le quartier de Tsim Sha Tsui. Mais on aura intérêt à délaisser de temps en temps les grands centres commerciaux pour leur préférer les marchés chinois (Hollywood Street, Cat Street, marché nocturne de Temple Street, marché de nuit du quartier de Mongkok).

Il faut se renseigner impérativement auprès de l'office du tourisme, qui édite un *Official Shopping Guide*, afin de connaître la qualité (l'estampille de l'office du tourisme est un gage d'authenticité), la nature (normes européennes ou non) et la quantité de ce que l'on est en droit de ramener. Il faut aussi être conscient que les prix du matériel photo et de l'électronique ne sont plus ce qu'ils étaient.

LES CÔTES

Les **plages** sont la plus grande surprise de l'endroit : sur les premières îles qui font face à Hong Kong, elles sont relativement nombreuses et agréables, par exemple sur l'île de Lantau. Villages traditionnels et petits **ports** offrent des havres de paix inattendus, même si le vrai isolement est un luxe que l'on a peu de chances de s'offrir.

LES FÊTES

Hong Kong se veut une fête permanente de la gastronomie et de l'animation nocturne. Mais il y a aussi les manifestations ponctuelles telles que, en janvier ou février, la **fête de la Lanterne** (dernier jour des fêtes du Nouvel An chinois) et le **carnaval**.

LE POUR

◆ Une configuration, une atmosphère et une extravagance qui, hormis Singapour, n'ont pas leur pareil en Asie du Sud-Est.

◆ Une ouverture récente au tourisme vert.

LE CONTRE

◆ Un budget relativement élevé à prévoir à cause du coût de l'hébergement.

◆ De bonnes affaires qui se raréfient.

◆ Un climat défavorable entre juin et septembre.

LE BON MOMENT

Subtropical et très souvent chargé d'humidité, sauf de décembre à février, le climat offre ses meilleurs moments au printemps et plus encore à l'automne (**octobre** et **novembre**). Les journées sont alors claires et ensoleillées. L'hiver est frais, puis l'humidité réapparaît au printemps (mars à mai) pour devenir forte de juin à la mi-septembre. Elle s'accompagne alors de pluies et parfois de typhons.

◆ Températures moyennes jour/nuit (en °C) dans l'*île* de Hong Kong : janvier 19/14, avril 25/20, juillet 32/27, octobre 28/23. Température de l'eau : 26° en moyenne.

LE PREMIER CONTACT

Au Canada

Hong Kong Tourism Board, 9 Temperance Street, Toronto, M5H 1Y6, ☎ (416) 366.2389, (416) 366.1098.

En France

Hong Kong Tourism Board, 37, rue de Caumartin, 75009 Paris, ☎ 01.42.65.66.64, fax 01.42.65.66.00.

Internet

www.discoverhongkong.com/france/index.jsp

Guides

Chine, de Pékin à Hong Kong (Hachette/Guide bleu), *Hong Kong* (Gallimard/Cartoville, Hachette/Top Ten, Lonely Planet/World Food, National Geographic France), *Hong Kong, Canton, Macao* (Le Petit Futé).

Cartes

Hong Kong (Berlitz, Gallimard/Cartoville, Lonely Planet, Nelles).

Lectures

Hong Kong et Macao (Ludovic de Beauvoir/Magellan & Cie, 2004), *Hong Kong, un destin chinois* (Centurion, 1997), *Hong Kong souvenir* (Lisa Bresner/Gallimard, 1995), *les Derniers Jours de Hong Kong* (P. Théroux, Grasset, 1997).

Images

Hong-Kong : la ville en un regard (Phaidon Press/Wallpaper, 2007).

Vidéos et DVD

Hong Kong, star de Chine (Media 9, 2007).

QUEL VOYAGE ET À QUEL PRIX ?

Le voyage individuel

Les préparatifs

◆ Passeport suffisant (valable encore 6 mois après le retour) pour un séjour de moins de trois mois (mais un visa est nécessaire pour les autres parties de la Chine). Billet de retour ou de continuation exigible.

◆ Aucune vaccination n'est requise.

◆ Monnaie : le *dollar de Hong Kong* reste en vigueur. 1 US dollar = 7,8 dollars de Hong Kong, 1 EUR = 10,8 dollars de Hong Kong. Emporter des euros ou des dollars US et une carte de crédit, facilement acceptée. Distributeurs de monnaie.

Le départ

◆ Indice de prix à certaines dates du vol Montréal-Hong Kong A/R : 800 CAD; Paris-Hong Kong A/R : 650 EUR. ◆ Durée moyenne du vol direct Paris-Hong Kong (9 982 km) : 11 heures.

Sur place

Bateau

◆ Très nombreux ferries entre les îles, dont un passage spectaculaire entre Central District et Tsim Sha Tsui (Kowloon). ◆ Possibilité d'envisager des mini-croisières autour des îlots, certaines en jonque le long du port de Hong Kong. ◆ Pour se rendre à Macao : jetfoil (50 minutes), hydroglisseur ou ferry.

Hébergement

◆ Foule de propositions de logement sur Internet et auprès de la plupart des voyagistes cités ci-dessous. ◆ Possibilité de loger chez l'habitant (Tourisme chez l'habitant), option intéressante vu la difficulté de trouver des hôtels bon marché, sauf dans le quartier de Mongkok. ◆ Renseignements pour les auberges de jeunesse : www.hostels.com

Route

Conduite à gauche.

Train

Le réseau concerne aussi les Nouveaux Territoires et se poursuit vers Canton.

Le séjour en individuel

◆ Hong Kong fait l'objet de courts séjours (de 3 jours/2 nuits à 6 jours/4 nuits) chez plusieurs voyagistes, dont Asia, Best Tours, Rev'Vacances, Voyageurs associés, Yoketaï. D'autres forfaits incluent la visite de l'île de Hong Kong, des dîners-croisières et une excursion à Macao, par exemple 4 jours/3 nuits avec La Maison de la Chine. Compter *environ 800 EUR* comme prix d'appel pour ce type de séjour (vol + hébergement).

◆ Le **Nouvel An** chinois devient un motif de voyage, souvent en combinant Hong Kong et Macao pour une semaine.

◆ Les **croisières** à partir de Hong Kong sont de plus en plus d'actualité, qu'il s'agisse de voguer vers Taiwan, le Japon ou la Corée (Royal Caribbean) ou vers les Philippines et Brunei (Costa Croisières).

Le voyage accompagné

◆ Il existe des mini-circuits pour les régions voisines de Chine continentale (Yoketaï). Néanmoins, Hong Kong est presque toujours rattaché aux voyages de l'est de la Chine (*voir ce mot*), au début ou, le plus souvent, à la fin de circuits de quinze à vingt jours.

QUE RAPPORTER ?

Des produits de l'informatique, de l'électronique et de tout ce qui a trait à l'image. Joaillerie et tapis ne sont pas en reste.

LES REPÈRES

◆ Lorsqu'il est midi en France, à Hong Kong il est 18 heures en été et 19 heures en hiver; lorsqu'il est midi au Québec, à Hong Kong il est 1 heure. ◆ Langues officielles : chinois et anglais. Le cantonais (surtout) et le mandarin sont les dialectes les plus utilisés. ◆ Téléphone vers Hong Kong : 00852 + numéro; de Hong Kong : 00 + indicatif pays + numéro sans le 0.

LA SITUATION

Géographie. Les 1 075 km^2 de Hong Kong obligent à raisonner en divisions et subdivisions. En effet, la capitale Victoria et ses gratte-ciel ne constituent qu'une petite partie de l'île de Hong Kong, elle-même l'une des 235 îles et surtout îlots du territoire. Mais l'essentiel de la superficie de Hong Kong est continental : c'est la majeure partie des *New Territories,* qui constitue un appendice de la province chinoise de Guandong (Canton). Partout le paysage est vallonné, parfois hérissé de pics pouvant aller jusqu'à 1 000 m.

Population. Le surpeuplement est manifeste (7 019 000 habitants) et l'afflux de réfugiés démunis à l'issue de la Seconde Guerre mondiale l'avait accentué. Presque toute la population est chinoise. Capitale : Victoria.

Religion. Les bouddhistes et les taoïstes sont nettement majoritaires. Minorités de chrétiens (10 %), de musulmans, d'hindous, de juifs et de sikhs.

Dates. *1842* La Chine cède la péninsule de Hong Kong à l'Angleterre. *1860* Le territoire de Kowloon rejoint Hong Kong, qui sera complété en 1898 par les Nouveaux Territoires. *1982* La Chine réaffirme sa souveraineté de principe sur Hong Kong. *Octobre 1992* Chris Patten, nouveau gouverneur, avance des réformes démocratiques. *Juillet 1997* Hong Kong revient à la Chine. Le territoire devient Région administrative spéciale (RAS). *Septembre 2000* Progression du parti politique pro-Pékin lors d'élections législatives sans enthousiasme. *Juillet 2003* Des centaines de milliers de personnes manifestent contre les restrictions de Pékin à l'encontre du statut d'autonomie. *Juin 2005* Donald Tsang est élu chef du gouvernement.

Hongrie

La réputation de Budapest, qui est à classer parmi les très belles villes d'Europe, attirait déjà le voyageur du temps de l'appartenance de la Hongrie au bloc soviétique. La tendance s'est poursuivie et les week-ends à destination de la capitale conservent une bonne audience. On peut seulement regretter que le touriste néglige trop souvent les autres aspects du pays.

LES RAISONS D'Y ALLER

LES VILLES

Budapest, Szentendre, Hollokö, Sopron, Fertöd, Eger, Gyor, Pécs, Székesfehérvár

LES PAYSAGES

Puszta (parcs nationaux de l'Hortobágy et de Bugac), lac Balaton, lac Velence, monts Mátra, sources thermales, boucle du Danube, vallée de Tokaj

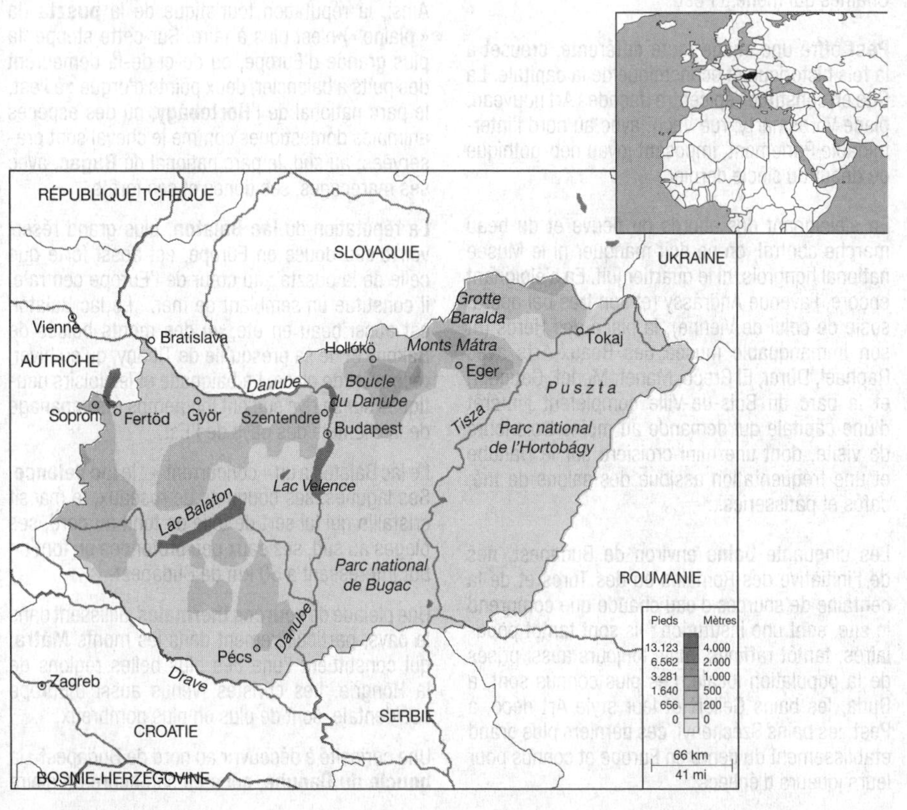

LES RAISONS D'Y ALLER

LES VILLES

Budapest, la « perle du Danube » enjambé par neuf ponts, est la réunion de trois villes (Buda, Pest, Obuda). Elle fait partie des belles capitales européennes et multiplie les contrastes entre les deux rives du fleuve.

Les amateurs d'histoire et d'architecture classique aimeront les collines de **Buda**. Le mont Gellért et sa citadelle offrent la plus belle vue de la ville, avant de gagner l'imposant Palais royal, qui abrite aujourd'hui la Galerie nationale et le musée d'Histoire, et de déambuler dans les rues anciennes de la colline du château avec leur point d'orgue, l'église Mathias, flanquée du bastion des Pêcheurs. Si l'on ne souhaite pas pousser plus au nord vers **Obuda** (et son musée Vasarely), il sera temps de franchir l'emblématique pont des Chaînes qui mène à Pest.

Pest offre une image toute différente, creuset à la fois historique et économique de la capitale. La Cité en constitue l'épicentre (façades Art nouveau, place Vörösmarty, rue Vaci), avec au nord l'interminable Parlement, imposant joyau néo-gothique du début du siècle dernier.

En s'éloignant des abords du fleuve et du beau marché central, on ne doit manquer ni le Musée national hongrois, ni le quartier juif. En s'éloignant encore, l'avenue Andrássy (et son très bel opéra, sosie de celui de Vienne), la place des Héros (et son immanquable musée des Beaux-Arts avec Raphaël, Dürer, El Greco, Manet, Monet, Gauguin) et le parc du Bois-de-Ville complètent l'intérêt d'une capitale qui demande au moins trois jours de visite, dont une mini-croisière sur le Danube et une fréquentation assidue des salons de thé, cafés et pâtisseries...

Les cinquante **bains** environ de Budapest, nés de l'initiative des Romains ou des Turcs et de la centaine de sources d'eau chaude que comprend le site, sont une institution : ils sont tantôt populaires, tantôt raffinés, mais toujours aussi prisés de la population locale. Les plus connus sont, à Buda, les bains Gellért et leur style Art déco, à Pest, les bains Széchényi, ces derniers plus grand établissement du genre en Europe et connus pour leurs joueurs d'échecs.

Chaque année en août, la capitale s'offre « Sziget », un festival pop-rock de haut calibre.

Au nord de Budapest, **Szentendre**, réputée pour la couleur de ses murs, est la plus jolie ville de la boucle du Danube, tandis que le village de **Hollokö** revendique les traditions sauvegardées de ses habitants. Tout à l'est du pays, la médiévale **Sopron** et **Fertöd** (château baroque d'Esterhazy) sont des passages obligés. **Eger** (pour son site, sa cathédrale et ses maisons baroques), **Györ** (monuments baroques), **Székesfehérvár** (baroque et néo-classique) et **Pécs**, capitale européenne de la Culture en 2010 (monuments de l'époque ottomane), sont les autres villes intéressantes.

LES PAYSAGES

La nature est la fierté des responsables du tourisme hongrois, qui la bichonnaient déjà bien avant la vague écologiste.

Ainsi, la réputation touristique de la **puszta** (la « plaine ») n'est plus à faire. Sur cette steppe, la plus grande d'Europe, où de-ci de-là demeurent des puits à balancier, deux points d'orgue : à l'est, le parc national de l'**Hortobágy**, où des espèces animales domestiques comme le cheval sont préservées; au sud, le parc national de **Bugac**, avec ses marécages, ses dunes et ses forêts.

La réputation du **lac Balaton**, plus grand réservoir d'eau douce en Europe, est aussi forte que celle de la puszta : au cœur de l'Europe centrale, il constitue un semblant de mer... Le lac Balaton est aussi beau en été, vu des monts boisés de Bakony et de sa presqu'île de Tihany, qu'en hiver, recouvert de glace. La baignade et les loisirs nautiques sur sa rive sud ont longtemps été l'apanage de la clientèle des pays de l'Est.

Le lac Balaton a un « concurrent » : le **lac Velence**. Ses lagunes, ses bouquets de roseaux, le massif cristallin qui lui sert de toile de fond au nord, ses plages au sud, ses eaux peu profondes en font un but intéressant à 50 km de Budapest.

Une pléiade de **sources thermales** jaillissent dans le pays, particulièrement dans les monts **Mátra**, qui constituent l'une des plus belles régions de la Hongrie. Les curistes, venus aussi d'Europe occidentale, sont de plus en plus nombreux.

Une curiosité à découvrir au nord de Budapest : la **boucle du Danube**, qui a eu son heure de gloire au Moyen Age et dont il faut voir, outre Szentendre, les ruines du palais royal de Visegrad et la basilique de l'archevêché d'Esztergom. Autre curiosité : la région viticole de **Tokaj**, où est produit le célèbre blanc du même nom.

LE POUR

◆ L'attrait de Budapest mais aussi un pays d'une excellente valeur touristique.

LE CONTRE

◆ Le manque d'alternatives à la visite de la seule Budapest, tant dans l'esprit du touriste individuel que chez la plupart des voyagistes.

LE BON MOMENT

Pour le climat

Le climat continental induit un hiver froid et long, mais on peut profiter de belles journées **entre mai et août**, plus encore en **septembre** qui ne connaît pas le temps parfois lourd et orageux des deux mois précédents. ◆ Températures moyennes jour/nuit (en °C) à *Budapest* : janvier 1/-4, avril 16/6, juillet 27/15, octobre 16/7. Température moyenne de l'eau du lac Balaton en été : 20°.

Pour les fêtes

15 mars : Fête nationale; 20 août : Saint-Etienne; 23 octobre: Jour du souvenir (insurrection de 1956).

LE PREMIER CONTACT

En Belgique

Bureau du tourisme, avenue Louise, 365, B-1050 Bruxelles, ☎ (02) 346.86.30, fax (02) 344.69.67.

Au Canada

Ambassade, 299, rue Waverley, Ottawa, ON, K2P OV9, ☎ (613) 230-2717, fax (613) 230-7560, www.mfa.gov/hu/emb/ottawa

En France

Office de tourisme (fermé au public), ☎ 01.53.70.67.17, fax 01.47.04.83.57.

Au Luxembourg

Consulat, 36, rue Marie-Adelaïde, L-2128 Luxembourg, ☎ 26.45.91.77, fax 26.45.82.89.

En Suisse

Chancellerie, Muristrasse, 31, CH-3000 Berne, ☎ (31) 352.85.72, fax (31) 351.20.01, www.mfa.gov/hu/emb/bern

Internet

www.hongrietourisme.com (office du tourisme)
www.budapestinfo.hu
www.bienvenue-hongrie.com

Guides

Budapest (Berlitz, Gallimard/Cartoville, Gallimard/Encycl. du voyage, Hachette/Voir, Mondeos), *Budapest et la Hongrie* (Hachette/Evasion, Michelin/Guide vert), *Budapest/Hongrie* (Le Petit Futé).

Hongrie (Gallimard/Bibl. du voyageur, Hachette/Un grand week-end, Marcus), *Hongrie, République tchèque et Slovaquie* (Hachette/Routard).

Cartes

Budapest (IGN), *Hongrie* (IGN, Michelin).

Lectures

Mémoires de Hongrie (Sandor Marai /Le livre de poche, 2006), *Vienne-Budapest, 1867-1918 : deux âges d'or, deux visions, un empire* (Autrement, 1996). Lire aussi Györgi Faludy, poète et ancien dissident.

Images

L'art de vivre en Hongrie (Jean-Luc Soulé, Alain Fleischer/Flammarion, 2003), *Vins de Tokaj. Esprit & images de la Hongrie* (Ed. Feret, 2001), *Hongrie* (Grund, 2003).

QUEL VOYAGE ET À QUEL PRIX ?

Le voyage individuel

Les préparatifs

◆ Pour les ressortissants de l'Union européenne : carte d'identité ou passeport. Penser à la carte européenne d'assurance maladie. Pour les Canadiens : passeport, valable encore six mois après le retour.

◆ Monnaie : le *forint*. 1 EUR = 264 forints, 1 US Dollar = 191 forints. Emporter des euros et une carte de crédit, distributeurs de monnaie répandus. Conserver les bons de change acquis durant le séjour, qui pourront être demandés à la sortie du pays.

Le départ

Indice de prix à certaines dates du vol Montréal-Budapest A/R : 950 CAD; Paris-Budapest A/R : 200 EUR. Les « low costs » sont présents, tels Skyeurope pour Paris-Budapest ou Wizzair pour Bruxelles/Charleroi-Budapest. Durée moyenne du vol Paris-Budapest (1 257 km) : 2 heures.

Sur place

Bateau

Sur le Danube, un hydroglisseur relie Vienne à Budapest en 4 h 30.

Bus

Eurolines va de Paris à Budapest via Vienne (21 heures de trajet).

Hébergement

◆ À Budapest, le logement chez l'habitant (Tourisme chez l'habitant), en chambre d'hôte ou en appartement (Amslav, Voyageurs du monde), devient monnaie courante. ◆ La plupart des hôtels sont équipés de centres de remise en forme où le massage, ville de bains oblige, est la règle. ◆ En y mettant le prix, on peut aussi se retrouver dans un hôtel thermal avec vue sur le Danube. ◆ La carte d'étudiant peut être utile pour le logement dans les universités. ◆ Nombreux campings. ◆ Il existe des auberges de jeunesse, renseignements : www.hostels.com

Route

◆ Distance Paris-Budapest : 1 460 km. ◆ Limitation de vitesse agglomération/route/autoroute : 50/90/130 km/h. ◆ Alcool interdit au volant.

Train

◆ Pass InterRail utilisable. ◆ Train de nuit Paris/Gare de l'Est-Budapest via Munich. ◆ Le *Venice Simplon Express* va de Paris à Budapest en avril, juin et octobre. ◆ Bon réseau local.

Le séjour

◆ Pour **Budapest**, il est facile de composer soi-même son voyage sur le web en combinant un vol à bas prix et un choix d'hôtel. Sinon, la formule avion + hôtel est largement répandue entre avril et octobre, sur la base du séjour 3 jours/2 nuits, avec des premiers prix *aux alentours de 450 EUR*. Quelques voyagistes : Amslav, CGTT Voyages, Donatello, Eastpak, Euro Pauli, Jet Tours, Look Voyages, Luxair Tours, Marsans/Transtours, Neckermann, Nouvelles Frontières, Slav'Tours. Penser à la *Budapest Kartya* qui donne accès aux transports urbains et offre diverses sortes de réductions.

◆ La visite de la capitale hongroise est assez souvent combinée avec celle de **Vienne**, rejointe parfois par **Prague** et **Cracovie** dans les propositions. Programmes chez Amslav, Clio, Donatello, Europauli, entre autres. De mai à octobre, 8 jours, *environ 1 000 EUR* pour un tel type de voyage.

◆ Les **croisières** sur le **Danube** partent très souvent de Passau, en Allemagne, et vont jusqu'à Budapest en une semaine. Sont entre autres sur le pont : Köln Düsseldorfer, Kuoni, Nouvelles Frontières. Certaines croisières, telle celle d'Arts et Vie, se prolongent jusqu'en Roumanie.

◆ Le festival pop-rock Sziget fait l'objet de forfaits (7 jours + camping). Renseignements : www.szigetfestival.com

Le voyage accompagné

Une Hongrie de l'intérieur existe chez Nouvelles Frontières, qui aborde le pays sous plusieurs angles (deux circuits, l'un pour les villes historiques, l'autre pour un duo Budapest/lac Balaton). Amslav passe par la boucle du Danube, la Puszta et le lac Balaton. A noter un combiné Roumanie-Hongrie chez Tamera qui passe par la région de Tokaj.

QUE RAPPORTER

Broderies, porcelaines, jouets en bois... et les incontournables paprika et tokaj.

LES REPÈRES

◆ Pas de décalage horaire avec l'Europe de l'Ouest; lorsqu'il est midi au Québec, en Hongrie il est 18 heures. ◆ Langue officielle : le hongrois, qui a la particularité de ressembler... au finnois (toutes deux sont des langues finno-ougriennes). La langue tsigane concerne 2 % de la population. ◆ Langues étrangères : l'allemand est bien plus répandu que l'anglais et le français. ◆ Téléphone vers la Hongrie : 0036 + indicatif (Budapest : 1) + numéro; de la Hongrie : 00 + indicatif pays + numéro.

LA SITUATION

Géographie. Transition entre les Alpes à l'ouest et les Carpates à l'est, coupé par le Danube, le relief hongrois est surtout composé de plaines, à peine hérissées des monts Mátra (1 015 m) et des monts Bakony. Ses 93 032 km² font de la Hongrie le plus petit pays d'Europe centrale. En revanche, le lac Balaton est le plus grand d'Europe.

Population. Le taux de natalité n'est pas des plus forts, ce qui laisse le nombre des Hongrois (le mot Magyars est synonyme) à 9 931 000 habitants, dont un sur cinq vit à Budapest, la capitale. Le pays compte treize minorités nationales, dont 8 % de tsiganes.

Religion. Deux habitants sur trois sont catholiques, un sur quatre est protestant calviniste. Minorités de luthériens, d'orthodoxes et d'israélites.

Dates. *35 av. J.-C.* Les Romains s'installent et créent la Pannonie. *896* Arrivée des Magyars. *1172* Apogée de la Hongrie médiévale avec Béla III. *1526* Ferdinand Ier de Habsbourg roi de Hongrie. *1540* Occupation de Buda par les Turcs. *1699* Reconquête par les Habsbourg. *1867-1918* Empire austro-hongrois, qui sera dissous à la fin de la Première Guerre mondiale. *1949* Régime stalinien de Rakosi. *1956* L'URSS envoie les chars pour réprimer les tentatives de libéralisation du régime et place J. Kádár à la tête de l'État. *1975* Développement progressif du secteur privé. *1989* La Hongrie est le premier pays de l'Est à déboulonner le communisme. *1990* Arpad Göncz devient chef de l'État. *Mai 1994* Les ex-communistes réformateurs sont majoritaires à l'Assemblée. *Mai 1998* La Fédération des Jeunes démocrates remporte les législatives. *Juin 2000* Ferenc Madl, candidat de la coalition de centre-droit du Premier ministre Viktor Orban, devient président. *Mai 2002* Péter Medgyessy, socialiste, devient président, une coalition socialo-libérale est au pouvoir. *Mai 2004* La Hongrie entre dans l'Union européenne. *Novembre 2004* Ferenc Gyurcsany, un social-démocrate, nouveau premier ministre. *Septembre 2006* Flambée de violence à Budapest à la suite d'un mensonge du Premier ministre sur les réformes à accomplir.

Inde

Avertissement. – Le conflit demeure latent entre les militants séparatistes pakistanais et l'armée indienne dans le nord-ouest de l'État de Jammu-et-Cachemire, aussi la visite de cet État doit-elle être évitée. La visite de sept Etats du nord-est est également déconseillée, le consulat étant à même de fournir des informations sur l'évolution de la situation dans cette région.

« How do you like India ? » À la question rituelle que posent au visiteur la plupart des Indiens, on peut répondre par une large affirmative. Car on ne doit pas hésiter à classer la plus grande démocratie du monde au même haut niveau que les États-Unis ou la Chine sur le plan de la densité touristique. Soutenu par un patrimoine architectural très riche, le mythe de la ferveur et du sacré a tout d'abord entraîné des générations de routards sur la défunte « Route des Indes ». Ensuite, en même temps que se multipliaient les spécialistes et les formules de voyage, des visiteurs de tous styles se sont mis à sillonner le pays. Aujourd'hui, les adeptes du trekking ont rejoint ceux des temples.

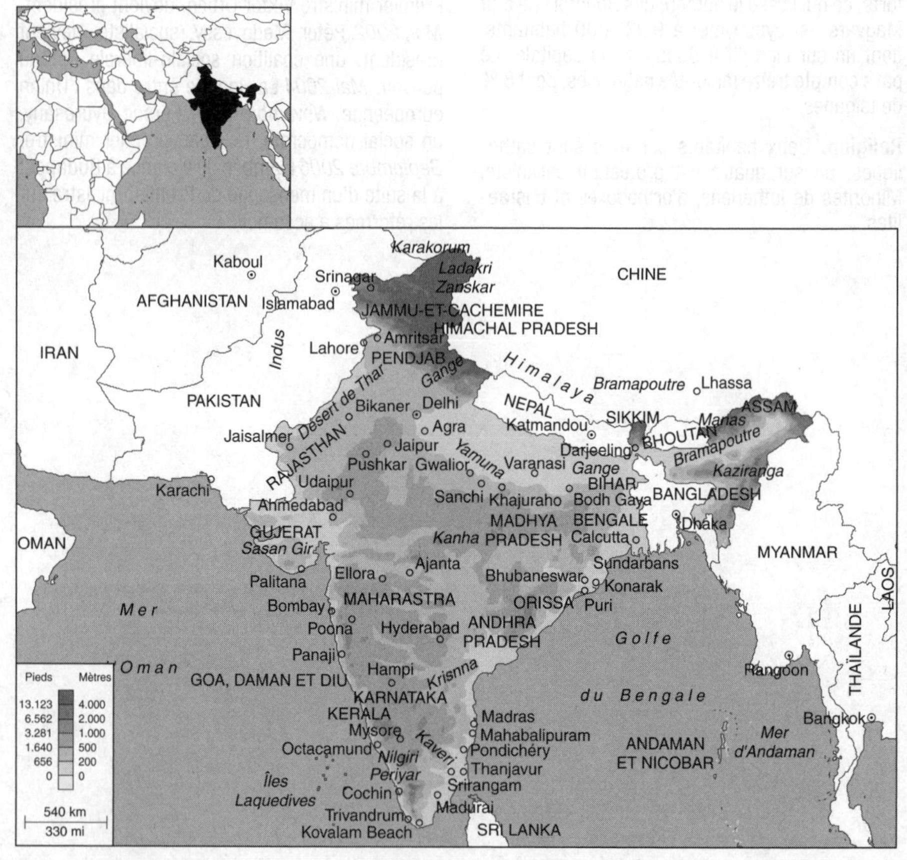

LES RAISONS D'Y ALLER

Le nord

ASSAM (nord-est)

LA FAUNE
Rhinocéros unicornes, buffles d'Asie, tigres

BENGALE-OCCIDENTAL (nord-est)

LA FAUNE
Tigre du Bengale

LES VILLES
Calcutta, Darjeeling

BIHAR (nord-est)

LE SITE
Bodh Gaya

LA FAUNE
Tigres (Palaman Tiger Reserve, Hazaribagh National Park)

DELHI (territoire de)

Delhi (Old Delhi et New Delhi)

HIMACHAL PRADESH (Himalaya)

LES PAYSAGES ET LES MONUMENTS
Randonnées himalayennes, monastères tibétains

JAMMU-ET-CACHEMIRE

LES PAYSAGES ET LES TREKKINGS
Vallée du Cachemire, Srinagar (lacs Dal et Nagin, Shalimar Gardens), Ladakh, Zanskar

LES MONUMENTS
Monastères du Ladakh

LA FAUNE
Cerfs (hanguls), ours bruns, léopards

PENDJAB (nord-ouest)

LA VILLE
Amritsar (Temple d'or)

RAJASTHAN (nord-ouest)

LES COULEURS
Costumes locaux, désert du Thar, villages du Shekawati

LES VILLES
Jaipur, Udaipur, Amber, Bikaner, Jaisalmer

LA FAUNE
Daims, antilopes, tigres (Ranthambore)

LA TRADITION
Festival de Pushkar

SIKKIM

LES MONUMENTS
Monastères tibétains

LES TREKKINGS
Autour du col de Gocha

UTTAR PRADESH

LES MONUMENTS
Agra (Taj Mahal, Fort Rouge et Grande Mosquée), Fathepur Sikri, Bénarès (temples et ghats), Allahabad

LES PAYSAGES ET LES TRADITIONS
Glaciers du Gahrwal, source du Gange

LA FAUNE
Tigres, éléphants, léopards, cheetals

LES RAISONS D'Y ALLER *(suite)*

Le centre

ANDHRA PRADESH

LES VILLES

Hyderabad, Golconde

GOA, DAMAN ET DIU

LA CÔTE

Plages

LES MONUMENTS

Nova Goa

GUJERAT

LA VILLE

Ahmedabad (mausolées, temples, ashram de Gandhi)

LES MONUMENTS

Palitana

LA FAUNE

Lions d'Asie

MADHYA PRADESH

LES MONUMENTS

Khajuraho (temples hindous et jaina), Gwalior, Sanchi (Grand Stupa)

LA FAUNE

Tigres, cerfs des marais, oiseaux, léopards

MAHARASTRA

LES MONUMENTS

Architecture bouddhique d'Ajanta et d'Ellora, sanctuaires d'Elephanta

LES VILLES

Bombay, Poona

LES PAYSAGES

Ghats occidentaux

ORISSA

LES MONUMENTS

Temples brahmaniques de Bhubaneswar,
temple du Soleil à Konarak,
temple et pèlerinage de Jagannatha à Puri

LES PLAGES

Alentours de Puri

Le sud

ANDAMAN ET NICOBAR (sud-est)

LES CÔTES

Fonds sous-marins, plages

KARNATAKA

LES VILLES ET LES MONUMENTS

Mysore, Hampi, Badami, Srirangapatnam

LES PAYSAGES

Site et chute de Sivasamudram
Ghats occidentaux

LA FAUNE

Tigres, macaques ouandérous, oiseaux, crocodiles, chitals

KERALA (sud-ouest)

LES PAYSAGES

Canaux, cocoteraies, monts Nilgiri, monts des Cardamomes

LA CÔTE

Plage de Kovalam Beach,
site lagunaire d'Alleppey

LES TRADITIONS

Cochin, Trivandrum, arts traditionnels (théâtre sanskrit, théâtre dansé)

LA FAUNE

Éléphants, tahrs

LES RAISONS D'Y ALLER *(suite)*

LAQUEDIVES (sud-ouest)

LA PLONGÉE
Îles coraliennes

TAMIL NADU (sud-est)

LES MONUMENTS

Temples de Mahabalipuram (dynastie des Pallava), Srirangam, Thanjavur, Madurai

LES PAYSAGES ET LA FAUNE

Monts Nilgiri, stations climatiques (Ootacamund, Coonor)
Tigres et panthères noires de Mudumalai

LES VILLES

Madras, Pondichéry, Auroville

LES RAISONS D'Y ALLER

Le nord

ASSAM (nord-est)

LA FAUNE

Le **Kaziranga** National Park, entre Jorath et Gauhati, est surtout connu pour ses « rhinocéros indiens » unicornes et ses buffles d'Asie (Water Buffaloes). Tigres, léopards, cerfs sont présents, se cachant du visiteur qui tente de les apercevoir juché sur le dos d'un éléphant. Nombreux oiseaux à proximité, dans le Manas Wildlife Sanctuary.

BENGALE-OCCIDENTAL (nord-est)

LA FAUNE

Le tigre du Bengale se laisse (parfois !) admirer dans la **Sundarbans** Tiger Reserve, à une centaine de kilomètres au sud de Calcutta.

LES VILLES

L'imposante **Calcutta** (rebaptisée Kalkota), ancienne capitale de l'Empire des Indes, est à la fois fascinante et inquiétante. Les contrastes violents entre misère et richesse, les sans-abri entassés dans la gare de Howrah, le grand pont métallique au-dessus du fleuve Hoogly, le marché de Mahatma Gandhi Road, le temple de la déesse Kâli et les sacrifices d'animaux destinés à la satisfaire, le quartier des sculpteurs de dieux hindous en argile de Kumartuli, la seule ligne de métro de l'Inde, les dernières traces anglaises sur la plaine du Maidan, poumon vert d'une ville polluée, le Victoria Memorial, la qualité de l'Indian Museum sont autant d'aspects de la plus grande agglomération indienne.

A l'inverse, la paisible **Darjeeling**, station d'altitude, est connue pour la qualité de son thé et pour son panorama ouvert sur l'Himalaya.

BIHAR (nord-est)

LE SITE BOUDDHISTE

Le Ficus religiosa de **Bodh Gaya** est l'un des arbres les plus vénérés qui soient : c'est sous ses branches que Gautama a acquis l'état de bouddha. Plus tard, a été érigé le Mahabodhi Temple, l'ensemble faisant de Bodh Gaya le plus grand centre bouddhiste mondial de pèlerinage.

LA FAUNE

La **Palaman** Tiger Reserve et le **Hazaribagh** National Park renferment des tigres qu'il est hélas ! très difficile d'apercevoir.

DELHI (territoire de)

Dans **Old Delhi**, le visiteur a droit à la fois au calme des lieux historiques (Fort Rouge, mémorial de Gandhi et mosquée Jama Masjid, la plus grande du pays) et à la cacophonie des rues populaires et surpeuplées, surtout aux alentours du marché de Chandni Chowk, où se côtoient commerçants, passants et vaches sacrées.

Dans **New Delhi**, « rajouté » au sud de la ville par les Anglais pour en faire la capitale fédérale de l'Inde, ledit visiteur se languit sur les longues avenues sans charme mais se rattrape en découvrant l'India Gate et le Parlement, et surtout, à la limite sud du territoire urbain, la tour du Qutb Minar, qui date du XIIIe siècle.

HIMACHAL PRADESH (Himalaya)

LES PAYSAGES ET LES MONUMENTS

Situé entre le Cachemire et le Népal, ce petit État himalayen en propose les mêmes intérêts pour l'amateur de randonnées en haute montagne. En effet, les sommets frôlent 8 000 m, tel le mythique **Nanda Devi**, fermé au trekking mais souvent approché.

Les monastères tibétains haut perchés, les abords des rivières Parvati et Spiti constituent d'autres raisons d'opter pour cet Etat où l'on trouve aussi **Dharamsala**, jadis petite villégiature anglaise, aujourd'hui capitale du « Tibet en exil » et résidence de l'actuel dalaï-lama.

JAMMU-ET-CACHEMIRE

LES PAYSAGES ET LES TREKKINGS

La **vallée du Cachemire**, enchâssée dans un écrin de sommets himalayens, a été baptisée la « Vallée heureuse ». Hélas ! périodiquement soumise à des tensions politiques depuis 1989 (une guérilla séparatiste musulmane s'oppose à l'armée indienne), elle demeure déconseillée.

Autour de **Srinagar**, principale station de l'Himalaya, connue pour ses maisons en bordure de la Jehlum River et ses mosquées de bois, s'étend un doux paysage de verdure (dominé par les prestigieux jardins de **Shalimar**), de rivières et de lacs (**Dal**, **Nagin**). Losque la situation le permet, il est recommandé de séjourner dans des bateaux (houseboats) arrimés à la rive de ces lacs.

A 40 km de là et à 2 650 m d'altitude, la station de ski de **Gulmarg** et son nouveau téléphérique promettent aux passionnés la découverte de pistes intactes.

Le **Ladakh**, région montagneuse, religieuse (monastères tibétains) et désertique du Cachemire, connaît un tourisme de randonnées, parfois ponctué de fêtes comme celles du Nouvel An (lo-sar). Son voisin, le **Zanskar**, plus haut situé (5 000 m), suit à peu près le même destin touristique.

LES MONUMENTS

Les **monastères** du Ladakh (Lamayuru, Phuktal), la plupart dispersés autour de la capitale Leh, constituent le principal atout architectural de l'État. En outre, des festivals religieux réputés (Hemis) leur sont rattachés.

LA FAUNE

À Dachigam, près de Srinagar, il est possible d'apercevoir le très rare hangul (cerf), des ours bruns et des léopards.

PENDJAB (nord-ouest)

LA VILLE

Amritsar, ville sainte des Sikhs, domine la situation touristique du « Pays aux cinq rivières ». Son joyau est le Temple d'or, sanctuaire au toit recouvert de plaques d'or et bâti au milieu du « lac Immortalité ».

RAJASTHAN (nord-ouest)

LES COULEURS

Le jaune du sol du **désert de Thar**, le bleu permanent du ciel, le rose de Jaipur, le rouge des vêtements et, dans les villages de la région du Shekawati, les teintes des maisons ont fait du Rajasthan l'État de toutes les couleurs, soustendues par le maintien des traditions nées de la civilisation rajpute.

LES VILLES

« Pays des rois », des forteresses et des palais des maharajahs, le Rajasthan est riche en monuments de renom. Jaipur et Udaipur en sont les grands classiques : **Jaipur** pour son palais des Vents et sa brique rose, **Udaipur** pour ses palais témoins de l'art rajput. À peine moins connues : **Amber**, dont le palais a été construit à l'époque des Grands Moghols, et **Jodhpur** (citadelle). Dans un autre registre, les villes de la route des caravanes du désert de Thar (**Bikaner**, **Jaisalmer**) sont devenues des pôles touristiques.

LA FAUNE

La trentaine de survivants de l'espèce Panthera tigris (tigre du Bengale), hautement protégés et très difficiles à voir, dans le parc national de **Ranthambore**, ont fait de celui-ci, autrefois terrain de chasse des maharadjahs, l'un des sites animaliers les plus prisés du pays (mais fermé entre juin et octobre). On y trouve aussi le chinkara (gazelle).

Le sambar et le nilgai, respectivement variétés de daim et d'antilope, dominent le **Sariska** National

Park. Grande variété d'oiseaux, surtout en hiver, au **Bharatpur** National Park (hérons, ibis, cigognes, grues, oies paléactiques).

LA TRADITION

Le plus grand rassemblement mondial de dromadaires a lieu chaque année à **Pushkar**, lors d'une foire où sont également présents des cavaliers du désert et des montreurs d'ours. La fête se déroule au moment de la pleine lune de novembre, lorsque des centaines de milliers de pèlerins marient commerce et religion en venant chercher la purification dans les eaux d'un lac sacré.

SIKKIM (nord-est)

LES MONUMENTS

Le bouddhisme tibétain, arrivé ici au XIIIe siècle, est le fondement culturel de ce petit État accolé au Bhoutan et au Népal. L'écrivaine-voyageuse Alexandra David-Neel ne s'y était pas trompée, qui eut un faible tenace pour le Sikkim et ses deux cents **monastères** bouddhistes, dont Rumtek et Pemayangtse sont les fleurons.

LES TREKKINGS

Moins répandus qu'au Ladakh ou au Zanskar, entre autres parce que la majorité de cet État n'est pas accessible à partir du camp de base de Kangchenjunga, les trekkings se sont tout de même développés, essentiellement autour du col de **Gocha**.

UTTAR PRADESH

LES MONUMENTS

Le Taj Mahal, à **Agra**, est à l'Inde ce que la tour Eiffel est à la France... Ce mausolée de marbre blanc, que l'empereur moghol Chah Djahan fit ériger en mémoire de son épouse, est encore plus majestueux au coucher du soleil : ses murs – qui, hélas! souffrent d'un début de pollution inquiétant – prennent alors une teinte rose. Le « Taj » relègue au second plan le Fort Rouge, la Grande Mosquée et le mausolée d'Itimad al-Dawla. Agra, qui possède en outre un riche artisanat, est la ville d'art qu'il ne faut surtout pas manquer en Inde.

Non loin de là, **Fathepur Sikri**, l'ancienne capitale d'Akbar, est l'exemple type de l'art moghol islamique : grande mosquée (Djami Masdjid) et tombeau de Salim Tchichti.

Aussi incontournable qu'Agra est **Bénarès** (Varanasi), la ville aux mille cinq cents temples, celle où Bouddha prêcha son premier sermon et où la tradition de l'étude comme des sciences du sanskrit est la plus suivie. Mais Bénarès est surtout le haut lieu de l'hindouisme avec ses célèbres ghats (escaliers) qui conduisent au Gange, le fleuve sacré, où des millions de pèlerins hindous viennent s'adonner au rite de la purification et où sont disséminées les cendres des défunts.

Moins connue, la ville sainte d'**Allahabad** n'a pas moins d'importance. Située au confluent du Gange et de la Yamuna, tous deux fleuves sacrés pour les hindous, elle renferme, dans son fort d'Akbar, un pilier d'Asoka, l'un des grands souverains de l'Inde ancienne. Mais surtout elle accueille la Khumbha Mela, gigantesque pèlerinage effectué dans un but de purification tous les douze ans (le prochain aura lieu en 2013).

LES PAYSAGES ET LES TRADITIONS

Deux torrents descendent des glaciers himalayens du **Garhwal**, se rejoignent et donnent naissance au **Gange**, fleuve sacré de l'Inde.

La région, particulièrement les villages de Gangotri, Badrinath et Kedarnath, a toujours vu affluer des foules de pèlerins pour vénérer le fleuve et lui lancer des offrandes. Aujourd'hui, les voyageurs se mêlent à eux, entre autres dans les petites villes de Haridwar et Rishikesh, où certains apprennent le yoga et la méditation dans le sillage lointain des Beatles.

LA FAUNE

Le **Corbett** National Park, au pied de l'Himalaya, renferme des tigres, des éléphants, des léopards et une grande variété de cerfs, dont le cheetal, considéré comme la plus belle espèce du genre.

Tigres, panthères et plusieurs variétés de cerfs sont également présents dans le **Dudhwa** National Park.

Le centre

ANDHRA PRADESH

LA VILLE

Gouvernée par des souverains musulmans (nizams) à partir de 1725 et pendant plus de deux siècles, **Hyderabad** a conservé leurs résidences. Une époque plus ancienne a également vu la construction de mosquées et surtout du Charminar (1591).

Golconde devint un important sultanat au début du XVIe siècle, connut ensuite la ruine mais a conservé de cette époque plusieurs mausolées.

GOA, DAMAN ET DIU

LA CÔTE

Dans les années 1960-70, la vague hippie d'abord, la vague routarde ensuite ont investi les longues et belles plages de **Goa**. Mais au fil des décennies, l'image d'« amour, de paix et de tranquillité » s'est estompée pour faire place à un tourisme balnéaire parfois luxueux, même si la jeunesse, le rock et le jazz animent encore bien des nuits.

LES MONUMENTS

Il ne reste que ruines du Vieux Goa (Velha Goa), ville commerçante et prospère jusqu'au XIVe siècle. **Nova Goa**, en revanche, qui englobe le chef-lieu **Panaji**, conserve des traces de la présence portugaise (rues en arcades, balcons ouvragés). Des édifices religieux (cathédrale Saint-Étienne, église Saint-François d'Assise, aux murs recouverts de céramique) attestent le style indo-portugais des XVIe et XVIIe siècles.

GUJERAT

LA VILLE

Riche de mausolées, de temples (temple jaina de Hathi Singh), d'un ashram fondé par Gandhi (qui y vécut de 1918 à 1930) et surtout de mosquées (Grande Mosquée, Muhafiz Khan), **Ahmedabad** demeure l'un des principaux rendez-vous touristiques urbains en dépit de la tragédie du tremblement de terre survenu en janvier 2001.

LES MONUMENTS

C'est au Gujerat que le jaïnisme a le plus laissé son empreinte. Témoin le **Palitana**, montagne sacrée surmontée de deux acropoles, elles-mêmes agrémentées de temples et de remparts.

LA FAUNE

Dans le **Sasan Gir** National Park, près de Junagarh, on tente d'apercevoir la seule population survivante de **lions** d'Asie (Panthera leo persica), qui sont encore environ deux cents.

MADHYA PRADESH

LES MONUMENTS

Érigés entre le IXe et le XIe siècle, les trente temples hindous et jaina de **Khajuraho**, ancienne capitale de la dynastie Candella, rivalisent de sculptures. La plupart figurent des thèmes érotiques et valent tous les jours au site la visite d'une foule de passionnés soudain épris de culture...

Deux autres sites méritent le détour : **Gwalior**, pour ses temples et son palais fortifié (Man-Mandir), et surtout **Sanchi**, pour son Grand Stoupa (IIe siècle avant J.-C.), agrémenté d'autres vestiges bouddhiques (monastères, temples).

LA FAUNE

Le **Kanha** National Park renferme des barasinghas (cerfs des marais, à douze cornes), espèce protégée car en voie d'extinction. Également de plus en plus rares : les **tigres**. Dans la réserve de **Bandhavgarh**, il en est encore qui voisinent avec des léopards et une grande variété d'oiseaux.

MAHARASHTRA

LES MONUMENTS

Le site d'**Ajanta**, dans les monts du même nom, renferme des viharas (logements creusés dans la roche afin d'abriter les moines bouddhistes pendant la saison des pluies) et des caityas (édifices consacrés), dont quelques-uns datent du IIe siècle avant J.-C. Certaines peintures murales sont dans un rare état de conservation.

À **Ellora**, on dénombre trente-quatre sanctuaires excavés, édifiés entre le VIe et le IXe siècle. Ils sont soit bouddhiques, soit brahmaniques, ou encore jaina. Le plus réputé est le Kailasa, temple monolithique consacré à Çiva.

Au large de Bombay, l'île d'**Elephanta** renferme sept sanctuaires avec bustes et sculptures dédiés à Çiva.

LES VILLES

Bombay, rebaptisée Mumbai, est la plus anglaise des villes indiennes. La « porte des Indes », qui voit se heurter les images d'opulence et de misère, vaut par l'élégance de son front de mer (Marine Drive), ses édifices (Gate of India), sa station balnéaire (Juhu Beach) et ses marchés (Crawford Market).

Poona, l'ancienne capitale de l'Empire marathe (XVIIIe siècle), renferme des palais, tel le Shanwarwada, palais de la dynastie des Peshwas. Poona préserve également une réputation artisanale et culturelle, le sanskrit trouvant ici sa terre d'élection.

LES PAYSAGES

Le long de la mer d'Oman, se dressent les **ghats** occidentaux, falaise rouge et noire qui se prolonge jusqu'au Kerala et dont une belle image se dessine à partir du site de Bhima Shankar, au nord-ouest de Poona.

ORISSA

LES MONUMENTS

L'Orissa offre un ensemble de temples qui rivalisent avec ceux du Tamil Nadu : dans la capitale de l'État, **Bhubaneswar**, nombreux temples brahmaniques, dont le Lingaraja; à **Konarak**, le temple en forme de char solaire consacré à Surya, le Dieu du Soleil; à **Puri**, le temple de Jagannatha, qui fait l'objet, en juin, de l'un des plus importants pèlerinages du pays et au cours duquel les fidèles tirent un grand char de bois.

LES PLAGES

Les alentours de **Puri** sont agrémentés de plages de sable fin sur le golfe du Bengale.

Le sud

ANDAMAN ET NICOBAR (océan Indien)

LES CÔTES

Cet archipel (328 îles dont 28 seulement sont habitées) a été sévèrement touché par le raz de marée de décembre 2004. Après avoir servi de colonie pénitentiaire aux Anglais à la fin du XVIIIe siècle, il offre aujourd'hui ses plages bordées par des cocotiers, délimitées par des récifs coralliens et riches de fonds sous-marins aussi prometteurs que ceux des Maldives.

KARNATAKA

LES VILLES ET LES MONUMENTS

Outre son palais de style indo-musulman et sa colline de Chamundi où trône l'imposant taureau Nandi, **Mysore** est le théâtre de la fête de Dusserah qui, chaque année au mois de novembre, célèbre la déesse Devi. Des éléphants caparaçonnés d'or et d'argent, des chameaux et des chevaux défilent dans les rues, côtoyant des danseurs et des musiciens.

Au nord de l'Etat, le site archéologique de **Hampi** révèle, dans un ensemble de grès rose, les ruines de forteresses, palais, pavillons et sanctuaires qui ont magnifié le grand empire du Vijayanagar. Non loin de là, le site de **Badami** comprend quatre sanctuaires du royaume hindou de Chalukya, creusés dans la falaise. En redescendant vers Mysore, on traverse **Srirangapatnam**, l'ancienne capitale de l'Etat, et ses temples dédiés à Vishnou.

LES PAYSAGES

Le site de **Sivasamudram**, la « mer de Çiva », a été embelli par une facétie du fleuve **Kaveri** : après avoir adopté un cours paisible, celui-ci décide soudain de se séparer en deux bras et de plonger en une chute d'une centaine de mètres, avant de se resserrer dans des gorges, de recevoir des rapides et de se calmer au terme de 80 km d'un cours nerveux.

Cette chute est jugée comme la plus belle du pays, dans cet État traversé par la moyenne montagne des Ghats occidentaux et leurs forêts très menacées.

LA FAUNE

Au nord de l'État, s'étendent la réserve de **tigres** de **Bhadra** et le parc de Kudremukh, qui abrite une espèce rare et menacée de singes (macaques ouandérous).

Sur un îlot dessiné par le Kaveri, non loin de Mysore, se trouve la réserve d'oiseaux de Ranganathittu. Au sud, le parc de **Bandipur** renferme des cerfs (chitals), des léopards et des tigres.

KERALA

LES PAYSAGES

Le Kerala est si vert que les Anglais en avaient fait leur lieu de villégiature favori. Le long de la côte de Malabar, on peut se laisser porter par les barques qui glissent sur de nombreux canaux (backwaters) conduisant à des villages de pêcheurs, eux-mêmes entourés de cocoteraies et de rizières. À l'est, la plaine laisse place aux contreforts des monts **Nilgiri** et aux monts des **Cardamomes,** couverts de caféiers et de théiers.

LES CÔTES

Kovalam Beach et son arc de cocotiers sont l'un des plus beaux sites balnéaires de l'Inde. Autres plages près de Cochin, à Kumarakom et à Marari. Moins grandioses mais plus typiques sont les sites lagunaires d'**Alleppey** et de Kottayam.

LES TRADITIONS

Les filets de pêche chinois de **Cochin** et de la péninsule de Fort Cochin voisinent avec des monuments qu'ont laissés les Portugais et les Néerlandais lors de la colonisation (XVIe au XVIIIe siècle).

Tradition d'un autre genre : celle que suivent les pèlerins hindouistes en se rendant au temple de Vishnu, dans la forteresse de **Trivandrum**.

État le plus alphabétisé de l'Inde (70 % de la population), le Kérala allie une longue tradition démocratique et communiste à une forte tolérance religieuse, alors que se sont multipliées les croyances au fil des siècles, y compris au sein de la chrétienté.

Par ailleurs, le Kerala est dépositaire de plusieurs formes d'**arts** ancestraux hindous comme le kootiyattam (théâtre sanskrit) et, plus récent, le kathakali, un théâtre dansé dont le touriste ne voit aujourd'hui que des versions imaginées... pour lui et donc édulcorées.

LA FAUNE

Prudemment installé dans une embarcation sur le lac Periyar, on peut tenter d'apercevoir les **éléphants** du Periyar Wildlife Sanctuary.

Dans les monts Nilgiri, un parc national, Eravikulam, renferme une flore et une faune fragilisées, à l'exemple des derniers spécimens d'une espèce de chèvres sauvages, les **tahrs**.

LAQUEDIVES (océan Indien)

LA PLONGÉE

Perdues dans la mer d'Oman, au large du Kerala, ces îles coraliennes, partie du territoire de Laksha Dvipa, voient désormais débarquer – en très petit nombre pour l'instant – des voyageurs avides de plongée vers des fonds aussi beaux que ceux de leurs presque voisines, les Maldives.

TAMIL NADU

LES MONUMENTS

Le plus grand ensemble de temples indiens renommés est ici : les témoignages de la dynastie des Pallava (IIIe au IXe siècle) sont parmi les sanctuaires et les temples de **Mahabalipuram**, au bord de l'océan, avec son temple du Rivage et un bas-relief, *la Descente du Gange*, complété par les vestiges d'un grand temple qu'a révélé le reflux du raz de marée de 2004.

Vishnu est honoré chaque année à **Srirangam** par les pèlerins qui convergent vers le Ranganatha Swami et ses piliers de façade ornés de sculptures de chevaux; à **Thanjavur**, le grand sanctuaire de Shiva Brihadishvara comporte une vimana (tour) de treize étages; à **Tiruchirapalli** (« Trichy »), se trouve le temple de Ranganatha, véritable ville dans la ville; enfin et surtout, le temple de **Madurai** est considéré comme le plus bel exemple de l'art dravidien.

LES PAYSAGES ET LA FAUNE

Les monts **Nilgiri** (les « Montagnes bleues ») sont un havre de fraîcheur dans l'atmosphère tropicale du sud de l'Inde. La forêt et les plantations de théiers, de caféiers et d'eucalyptus ont favorisé l'émergence de stations climatiques (**Ootacamund**, Coonor) propices aux randonnées.

Non loin d'Ootacamund (« Ooty »), on peut passer une journée à dos d'éléphant à la recherche problématique des tigres et des panthères noires du **Mudumalai** Wildlife Sanctuary, l'un des plus « fournis » de l'Inde.

LES VILLES

Aérée et étendue, **Madras**, désormais appelée Chennai, possède de riches musées et les studios de cinéma les plus réputés du pays, dont certains peuvent être visités.

Malgré son charme « colonial » et un récent regain d'intérêt, **Pondichéry** a du mal à rappeler qu'il fut le chef-lieu de l'Inde française. Non loin de là, **Auroville** (« Cité de l'aurore »), fondée en 1968 par « la Mère » pour étendre l'action du philosophe Sri Aurobindo désireux d'atteindre à l'« unité humaine », poursuit difficilement son idéal de réunir un jour 50 000 habitants venus du monde entier.

LE POUR

◆ La densité du patrimoine architectural et spirituel : nul autre pays ne réunit autant de temples, de mosquées ou de lieux de pèlerinage.

LE CONTRE

◆ Des troubles sporadiques entre communautés religieuses et surtout des périodes répétées de tension au Cachemire et dans le nord-est du pays.

◆ Un climat défavorable entre juin et septembre (mousson), sauf au Cachemire et au Ladakh.

LE BON MOMENT

Le climat tropical de mousson provoque presque partout des pluies entre juin et septembre et une atmosphère sèche **entre septembre et mars**, période à élire.

Exceptions : le Cachemire, qui connaît son maximum de pluies en hiver et dont les bonnes périodes correspondent aux saisons européennes (avril-octobre), le Kerala (pas de vraie saison sèche et beaucoup de précipitations entre juin et août) et la région de Darjeeling (printemps et automne favorables).

Les périodes qui précèdent la mousson (avril-juin, plus tard dans le Tamil Nadu) sont étouffantes, d'autant que la population indienne, rurale dans sa très grande majorité, attend la manne céleste avec impatience, voire nervosité.

◆ Températures moyennes jour/nuit (en °C)

Bombay (côte ouest) : janvier 31/16, avril 33/24, juillet 30/25, octobre 33/25.

Calcutta (côte est) : janvier 27/14, avril 36/25, juillet 32/26, octobre 32/24.

Delhi (nord) : janvier 21/7, avril 36/22, juillet 35/27, octobre 33/20.

Madras (côte sud-est) : janvier 28/21, avril 34/26, juillet 35/26, octobre 31/24.

Srinagar (extrême nord) : janvier 5/-2, avril 19/8, juillet 30/18, octobre 22/6.

La moyenne des températures de l'eau de mer sur le pourtour de l'Inde est de 26°.

LE PREMIER CONTACT

En Belgique

Ambassade, chaussée de Vleurgat, 217, B-1050 Bruxelles, ☎ (02) 640.91.40, fax (02) 648.96.38, www.indembassy.be

Au Canada

◆ India Tourism, 60, Bloor Street, M4W 3B8, Toronto, ☎ (416) 962-3787, fax (416) 962-6279.
◆ Haut-commissariat, 10, Springfield Road, Ottawa, ON K1M 1C9, ☎ (613) 744-3751, fax (613) 744-0913, www.hciottawa.ca

En France

◆ India Tourism, 13, boulevard Haussmann, 75009 Paris, ☎ 01.45.23.30.45, fax 01.45.23.33.45.
◆ Ambassade, 15, rue Alfred-Dehodencq, 75016 Paris, ☎ 01.40.50.70.70, fax 01.40.50.09.96, www.amb-inde.fr/

En Suisse

Consulat, rue du Valais 9, 1202 Genève, ☎ (22) 906.86.86, fax (22) 906.86.96. www.indembassybern.ch

Internet

www.incredibleindia.org/

Guides

Inde (Gallimard/Bibl. du voyageur, Hachette/Voir, Marcus, National Geographic France),

Inde du nord (Hachette/Guide bleu, Hachette/Routard, JPM Guides, Lonely Planet France, Marcus, Nelles), *Inde du nord et Népal* (Mondeos), *Inde du Nord, Rajasthan* (Le Petit Futé),

Delhi (Lonely Planet en anglais), *Himalaya* (Le Petit Futé),

Ladakh, Zanskar (Olizane),

Rajasthan (Gallimard/Encycl. du voyage, Olizane), *Rajasthan et Gujarat* (Hachette/Guide bleu),

Inde du sud (Hachette/Guide bleu, Hachette/Routard, Le Petit Futé, Lonely Planet France, Marcus, Mondeos, Nelles, Olizane).

Cartes

Plusieurs cartes chez Nelles (subcontinent, nord, nord-est et Bangladesh, est, ouest, sud); *Inde, Népal* (Berlitz, Marco Polo), *Ladakh, Zanskar* (Olizane).

Lectures

A la poursuite de la mousson (A. Frater/Hoëbeke, 1999), *Cette nuit la liberté* (D. Lapierre et L. Collins/Pocket, 2004), *Inde* (Rainer Krack/Pages du monde, 2008), *l'Inde au corps* (Gérard Clot/Accarias, 2008), *l'Inde, du XVIIIe siècle à nos jours* (Philippe Godard/Autrement, 2003), *Intouchables : une famille de parias dans l'Inde contemporaine* (Narendra Jadhav, Hachette, 2005), *Terminus Pondichéry* (Hubert Huertas/Libra Diffusio, 2007), *le Roman du Gange* (B. Pierre/Plon 1993). ◆ Rechercher également les livres de V. S. Naipaul, tel *l'Inde, un million de révoltes* (Plon), et les poèmes de Rabindranath Tagore.

Images

Himalaya, visages et espace (Éditions de la Boussole, 2000), *les Couleurs de l'Inde* (Boris Potschka, Peter Pannke/La Martinière, 2002), *Hommage à l'Inde* (Olivier Föllmi/La Martinière, 2005), *Inde, voyage au pays du Tigre* (En'Print, 2003), *l'Inde à fleur d'âmes* (Marion Lesage/La Martinière, 2004), *Rajasthan Delhi-Agra : Un art de vivre indo-musulman* (Renata Holzbachova, Philippe Bénet/ACR, 2003), *le Roman du Taj Mahal* (Clement C/Agnès Viénot Ed., 1997), *Saris et turbans en Inde sur les chemins du vent* (Vincent Pierre Etienne/Globe Publis, 2008). ◆ Cinéma : les films de Satyajit Ray.

Vidéos et DVD

Inde, des dieux et des hommes (France Télévisions, 2003), *l'Inde de la mer et des hommes* (France Télévisions, 2004).

QUEL VOYAGE ET À QUEL PRIX ?

Le voyage individuel

Les préparatifs

◆ Pour les ressortissants de l'Union européenne, canadiens, suisses : passeport valable encore six mois après le retour, visa obligatoire et payant, obtenu auprès du consulat, adresse ci-dessus. ◆ Pour certains États ou régions, dont le Sikkim, Darjeeling et les îles Andaman, un permis spécial est obligatoire, à demander au consulat avant le départ. ◆ Dans tous les cas, billet de retour ou de continuation exigible.

◆ Aucun vaccin n'est obligatoire. ◆ Prévention recommandée contre le paludisme toute l'année mais surtout pendant la mousson, pour toutes les régions du pays situées au-dessous de 2 000 m.

◆ Monnaie : la *roupie* indienne. Emporter des euros ou des dollars US (plus courants) en espèces ou en chèques de voyage et une carte de crédit. 1 US Dollar = 48 roupies. 1 EUR = 67 roupies. Importation et exportation de roupies interdites (conserver les reçus des banques en vue du remboursement avant le départ).

Le départ

◆ Indice de prix à certaines dates du vol Montréal-Delhi A/R : 900 CAD; Paris-Bombay A/R : 600 EUR; Paris-Calcutta A/R : 800 EUR; Paris-Delhi A/R : 500 EUR; Paris-Madras A/R : 650 EUR. ◆ Durée moyenne du vol Paris-Bombay (7 004 km) : 14 heures; Paris-Delhi (6 579 km) : 10 heures; Paris-Calcutta : 18 heures. ◆ Indian Airlines propose le système *pass* (coupons, valables 21 jours) sur les vols intérieurs à condition d'avoir voyagé sur ses lignes pour le vol international.

Sur place

Bateau

Au départ de Calcutta, possibilité de rejoindre les îles Andaman et Nicobar (3 jours).

Hébergement

Outre les petits hôtels à prix légers, des *Tourist Bungalows* abordables existent dans certaines grandes villes. On trouve aussi des auberges de jeunesse, renseignements www.yhaindia.org

Route

◆ Conduite à gauche, circulation difficile (routes en mauvais état, encombrements), permis de conduire international. ◆ Possibilité de location de voiture avec chauffeur dans plusieurs États (voir entre autres Yoketaï ou Nouvelles Frontières pour un autotour Delhi-Agra-Jaipur).

Train

◆ L'Inde a hérité de la colonisation anglaise le réseau ferroviaire le plus dense du monde. Prendre le train est une expérience, y compris dans la classe la plus modeste *(Third Class)* où un seul voyage permet de vérifier à la fois l'âme et les problèmes économiques du peuple indien. Réductions possibles *(Indian Rail Pass)* : renseignements auprès de l'office du tourisme ou dans les gares. ◆ Contraste : en témoignage du temps des maharajahs, un train de luxe, le *Palace on wheels*, évoque leur souvenir à travers le Rajasthan.

Le voyage accompagné

Rappel : nous nous sommes limités à un résumé des prestations en vigueur dans les agences et chez les voyagistes présents en France. Les lecteurs des autres pays peuvent en tirer des idées d'itinéraire et les compléter auprès de leurs agences de voyages.

La programmation est large et le choix aurait pu se révéler difficile en raison de la taille du pays, mais il n'en est rien. Deux formes de voyage se détachent nettement :

– pour le nord, un circuit Inde du Nord-Rajasthan, très souvent prolongé par le Népal;

– pour le sud, un circuit Tamil Nadu-Kerala.

◆ Le voyage dans l'Inde du **Nord**, généralement programmé entre décembre et mars, dure de 13 à 20 jours selon les voyagistes. Il part de Delhi, s'attarde dans le Rajasthan (Udaipur, Jaipur, Jaisalmer, la région du Shekawati), continue vers Agra, Khajuraho, Bénarès, et se termine soit à Calcutta, soit à Katmandou. La plupart des voyagistes possèdent un programme pour la foire de Pushkar et le parc national de Ranthambore, au Rajasthan.

◆ Dans l'Inde du **Sud**, les villes clés du Tamil Nadu (Madurai, Tiruchirapalli), Pondichéry et les sites du Kerala (Cochin, Alleppey, backwaters) constituent les repères du voyage, qui dure de 10 à 20 jours, certains circuits incluant Mysore et Goa.

Les voyagistes sont légion : Adeo, Arvel, Asia, Best Tours, Clio, Continents insolites, Espace Mandarin, Fleuves du monde, Fram, Jet Tours, Look Voyages, Kuoni, Orients, Terra incognita, Thomas Cook, Voyageurs du monde.

Au nord comme au sud, le prix moyen d'un tel voyage (15 jours à trois semaines) est de *1 800 EUR* pour la formule vol et demi-pension et hôtels de catégorie modeste, *de 2 200 à 2 600 EUR* pour un circuit accompagné dans d'excellentes conditions de confort (15 jours, vol et demi-pension).

◆ Les **randonneurs** ont l'occasion d'atteindre leur nirvana avec deux régions himalayennes clés : le **Ladakh** et le **Zanskar**. Arpentées à raison de deux à cinq heures de marche quotidiennes via les vallées de l'Indus et de la Nubra, des monastères, des villages et des cols à 4 000 et parfois 5 000 m d'altitude, ils font l'objet de voyages longs (de 18 à 25 jours) et programmés entre juin et septembre. Sont présents, entre autres : Allibert, Atalante, Club Aventure, La Balaguère, Hommes et Montagnes, Nomade Aventure, Nouvelles Frontières, Terres d'aventure, Zig Zag. Par ailleurs, Allibert et Atalante approchent le mythique Nanda Devi. Prix moyen de ce type de voyage : *autour de 2 500 EUR* pour 18 jours.

Autres rendez-vous pédestres : l'Arunachal Pradesh et l'**Assam** avec visite du parc de Kaziranga (Explorator), la rencontre des tribus de l'**Orissa** (Atalante) et le **Sikkim** (Allibert, Explorator, Nomade Aventure, Nouvelles Frontières).

◆ Le **Gange**, fleuve sacré des Hindous, est jalonné de lieux de pèlerinage. Nomade Aventure est dans l'Uttar Pradesh, sur les lieux saints qui avoisinent sa source, Adeo suit son cours pendant trois semaines, Fleuves du monde le remonte à partir d'Allahabad et jusqu'à Bénarès au cours d'un séjour de 14 jours, départs entre octobre et mars mais aussi – plus cher et climat moins favorable – en août. Le Brahmapoutre est également abordé par Fleuves du monde, sur les traces du rhinocéros unicorne.

◆ La réserve de **Ranthambore** et ses tigres sont à voir en fin de saison sèche, par exemple avec Objectif Nature, Asia, la Compagnie des Indes et de l'Extrême-Orient, la Maison des Indes, Nouvelles Frontières et Voyageurs du monde. Un voyage parfois combiné avec la visite d'Agra et de Jaipur.

◆ Les autres États ou sites trouvent preneurs çà et là : les îles **Andaman** et les **Laquedives** pour des séjours de plongée encore chers mais hors pair (Iles du monde); **Goa** pour un séjour sur ses plages mythiques après Bombay et Mysore (Nouvelles Frontières) ou avant Hampi (Adeo); le **Maharashtra** et le duo Ajanta/Ellora avec Adeo; l'**Orissa** et son célèbre triangle de temples constitué par Bhubaneswar, Konarak et Puri (Continents insolites, Orients).

◆ **Tourisme solidaire** : entre autres pour la découverte de l'Inde rurale avec l'organisme Pushmanjali (www.pushpanjaliportal.com); ou au sein de l'écolodge Apani Dhani pour l'initiation à l'artisanat et à la cuisine dans le Rajasthan rural (www.apanidhani.com).

◆ A noter un combiné Bhoutan-**Darjeeling**-Sikkim chez Adeo, Sikkim-Bhoutan-Népal chez Nouvelles Frontières, Inde-Bhoutan chez Orients, Inde-Maldives en croisière avec la Compagnie des îles du Ponant à partir de Cochin.

◆ Costa Croisières propose un périple qui inclut le trio Inde, Maldives, Thaïlande.

QUE RAPPORTER ?

De la soie au cachemire en passant par les bijoux, les pierres précieuses et les objets en bois de santal : l'éventail artisanal est large, à la mesure du pays. Pour être sûr de faire le bon choix au juste prix, il est recommandé de se rendre dans les magasins d'État (*emporiums*).

LES REPÈRES

◆ Lorsqu'il est midi en France, en Inde il est 15 h 30 en été et 16 h 30 en hiver; lorsqu'il est midi au Québec, en Inde il est 22 h 30. ◆ Langue officielle : l'hindi; toutefois, voisinant avec vingt et une autres langues reconnues comme telles et plusieurs milliers de dialectes, il n'est représentatif que d'un Indien sur trois. ◆ Langue étrangère : anglais; le français est peu connu dans les anciens comptoirs français. ◆ Téléphone vers l'Inde : 0091 + indicatif (New Delhi : 11, Bombay : 22) + numéro; de l'Inde : 00 + indicatif pays + numéro.

LA SITUATION

Géographie. Trois grandes régions naturelles composent du nord au sud le relief de l'Inde : l'Himalaya, la plaine Indo-Gangétique et le plateau du Deccan, que ses « ghats » relèvent sur ses bordures est et ouest. Cette structure est plutôt simple en regard d'une superficie qui, avec 3 287 590 km^2, vaut six fois celle de la France.

Population. Le milliard d'hommes est désormais nettement dépassé (1 147 996 000) dans ce qui reste, bon gré mal gré, la plus grande démocratie du monde, découpée en 28 Etats. L'Inde est surpeuplée, mais pas à cause de ses villes, comme certains clichés tenaces continuent de le laisser penser. Car à l'origine la population était rurale et l'est restée à 70 %, ainsi qu'en témoignent les 700 000 villages. New Delhi est la capitale fédérale, englobée dans l'agglomération de Delhi (9 500 000 habitants), celle-ci dépassée par les agglomérations de Bombay (18 millions d'habitants) et de Calcutta (11 500 000 habitants).

Religion. En Inde, les religions gouvernent tout, même les conflits, qu'elles ont longtemps engendrés entre les hindous, adeptes de la religion védique importée par les Aryens et majoritaires (83 %), et les musulmans (11 %, majoritaires dans l'Etat de Jammu-et-Cachemire). Chrétiens surtout dans le sud, sikhs au Pendjab, jaïns au Gujerat, dans le Bihar et dans l'État de Mysore, bouddhistes, parsis et juifs complètent l'une des plus grandes mosaïques religieuses de la planète.

Dates. *2000 av. J.-C.* Arrivée des Aryens qui, en faisant adopter leur culture (sanskrit, védisme) et leurs principes sociaux (système des castes), jettent les bases de l'Inde actuelle. *327 av. J.-C.* Alexandre le Grand établit des colonies grecques. *320 av. J.-C.* Apogée de l'Empire maurya avec Asoka, qui exporte le bouddhisme vers le sud. *1206* Création du sultanat de Delhi et début de l'influence musulmane, qui durera plus de cinq siècles. *1526* Fondation de la dynastie moghole qui engendrera Akbar, Chah Djahan et Aurangzeb. *1772* Colonisation du Bengale par les Anglais. *1858* L'Inde rattachée à la Couronne, Victoria impératrice dix-huit ans plus tard. *1920* Campagne de désobéissance civile lancée par Gandhi. *1947* Indépendance et partition dans la douleur entre Union indienne et Pakistan. Arrivée de Nehru. Annexion du Cachemire et début d'une contestation par le Pakistan, toujours d'actualité. *1948* Assassinat de Gandhi. *1950* L'Inde État fédéral, république, membre du Commonwealth. *1954* La France perd Pondichéry et ses quatre autres comptoirs. *1966* Indira Gandhi, fille de Nehru, est au pouvoir. *1977* Le Janata, coalition de partis, le lui prend. *1980* Indira Gandhi revient au pouvoir mais sera assassinée quatre ans plus tard. *1984* Rajiv, son fils, lui succède. *Mai 1991* Assassinat de Rajiv Gandhi. Narasimha Rao devient Premier ministre. *Janvier 1993* Affrontements entre Hindous et Musulmans à Bombay et dans sa région. *Septembre 1993* Tremblement de terre dans l'est du Maharastra (plus de 7 000 victimes). *Mai 1996* Législatives : échec du Parti du Congrès, progression des nationalistes hindous. *Automne 1999* L'Orissa est dévasté par un ouragan. *Août 2000* Rupture du cessez-le-feu au Cachemire. *Janvier 2001* Tremblement de terre à Ahmedabad et dans sa région (20 000 victimes). *Mai 2004* L'opposition (Sonia Gandhi et le Parti du Congrès) crée la surprise en remportant les législatives aux dépens des nationalistes. Manmohan Singh devient Premier ministre. *Décembre 2004* Un raz de marée dévaste les côtes de plusieurs pays, dont celles du Tamil Nadu. *Avril 2005* Des affrontements persistent au Cachemire, mais les efforts de rapprochement entre l'Inde et le Pakistan s'intensifient. *Octobre 2005* Au moins deux mille victimes d'un séisme au Cachemire. *Février 2007* Attentat contre le « train de l'amitié » indo-pakistanaise (66 victimes). *Août 2007* Le nord-est du pays connaît une de ses pires moussons (plus de 1 500 morts, vingt millions de sinistrés). *Mai 2008* Des bombes explosent à Jaïpur (80 morts). *Août 2008* Regain de violence au Cachemire. *Novembre 2008* Série d'attentats à Bombay attribués à la mouvance islamiste présente au Pakistan, près de 200 victimes.

Indonésie

Avertissement. – Le pays demeure soumis à la menace du terrorisme, par ailleurs tout voyage dans la province d'Aceh (ouest de Sumatra), le sud des Moluques, le centre de Sulawesi, l'ouest d'Irian Jaya demeure déconseillé.

Les foyers de tension et l'activisme terroriste ont changé l'image sereine que donnait au voyageur ce pays né sous une bonne étoile touristique puisque à son avantage partout. Ainsi, qui souhaite en découvrir les grands classiques ira à Java et à Bali. Qui cherche un zeste d'insolite ira à Lombok, Sumatra et à Sulawesi. Qui se sent une âme de découvreur et de marcheur arpentera Irian Jaya et plus encore Kalimantan, la partie sud de Bornéo. Une telle mosaïque est capable de répondre à de nombreuses formes de tourisme. Au cas où subsisterait un vide, des milliers d'autres îles ou îlots sont à même de le combler…

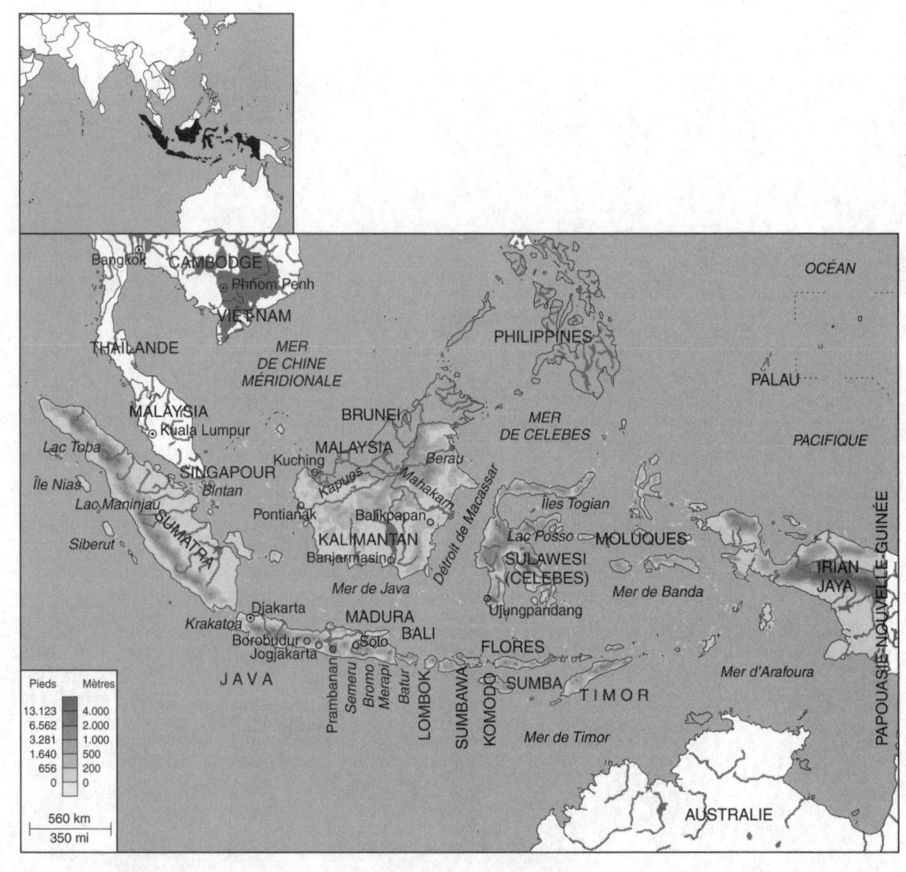

LES RAISONS D'Y ALLER

BALI

LES TRADITIONS

Traditions artisanales, fêtes religieuses, crémations, danses (barong, kechak, legong)

LES PAYSAGES ET LES RANDONNÉES

Rizières, volcans (mont Batur, mont Agung)

LA CÔTE

Plages, surf

IRIAN JAYA

LES TREKKINGS

Pyramide Carstensz, rencontre des Papous

LA FAUNE

Oiseaux de paradis

JAVA

LES MONUMENTS

Pyramide bouddhique de Borobudur, temples hindouistes de Prambanan, Dieng

LES VOLCANS ET LES TREKKINGS

Merapi, Semeru, Papandayan, Kawa Idjen, Bromo, Perbuatan

LES VILLES

Jakarta, Jogjakarta, Solo

KALIMANTAN

LES PAYSAGES

Forêt primaire, rivières

LA FAUNE

Crocodiles, pythons, dauphins, calaos, orangs-outans, singes nasiques

L'HABITAT

Banjarmasin (pilotis), Tamianglayang, Berau

MADURA

LES TRADITIONS

Courses de taureaux

MOLUQUES

LES TRADITIONS

Épices et grands navigateurs

PETITES ÎLES DE LA SONDE

LES CÔTES

Plages et coraux de Flores, Lombok, Sumbawa, Sumba

LA FAUNE

Varans de Komodo

SULAWESI (Célèbes)

LES TRADITIONS

Habitat et rites des Torajas

LES PAYSAGES

Lac Posso, îles Togian, parc de Lore Lindu

SUMATRA

LES PAYSAGES ET LES RANDONNÉES

Volcans, lacs (lacs Toba et Maninjau), Bintan

Trekkings à la rencontre des ethnies Bataks, Minang, Nias, Sakkudei

LES RAISONS D'Y ALLER

BALI

LES TRADITIONS

Outre ses milliers de temples en forme de petites tours à étages comme Besakih ou Ulun Danu, l'attachement à ses traditions et à la spiritualité fait la réputation de Bali.

Les traditions artistiques sont résumées par les **danses**, chargées de préserver l'harmonie et de transmettre les mythes sacrés. Parfois « préfabriqués » pour le visiteur, mais néanmoins captivants, sont le barong, le legon et le kechak, avec en point d'orgue le Ramayana, le plus célèbre poème épique de l'Inde, largement étendu à l'Asie du Sud-Est.

Les traditions **artisanales** sont à vivre dans la plupart des villages mais surtout (un peu trop?) dans les ateliers de peinture et les galeries d'art du village d'**Ubud**.

Les fêtes et traditions **religieuses**, outre les processions, les mariages et les cérémonies dans les temples, sont dominées par le rite de la crémation du défunt en présence de la famille, de tout le village... et de tous les touristes.

Une autre tradition veut que les musiciens des villages se rassemblent pour former un **gamelan** (gambuh), un orchestre bien particulier et propre à l'Indonésie, qui mêle les sons des xylophones en bambou et des tambours.

LES PAYSAGES ET LES RANDONNÉES

Les vertes rizières en terrasses sur fond de **volcans** ont donné à Bali la réussite géographique rêvée, un vrai musée topographique. Au-dessus de ce spectacle permanent, le mont **Batur** et le mont **Agung**, les deux volcans sacrés de l'île les plus connus, font l'objet de randonnées.

LA CÔTE

La plupart des **plages** de Bali sont ourlées de hautes vagues recherchées par les surfeurs. Elles ne sont plus désertes depuis longtemps, des endroits de la partie sud tels que Kuta Beach, Legian Beach et Sanur étant même outrageusement occidentalisés, de surcroît rejoints par de nouveaux noms (Jimbaran, Seminyak, Nusa Dua, Tanah Lot, Tuban).

Un déplacement en bemo (petit taxi collectif) vers les rivages du nord peut toutefois laisser encore entrevoir quelques havres de paix dans une île qui a retrouvé son grand tourisme après le drame de Kuta Beach en 2002 et les attentats de 2005.

IRIAN JAYA

LES TREKKINGS

Hormis les ethnologues, personne ne s'intéressait à cette moitié ouest de la Nouvelle-Guinée, qui reste une des régions les plus insolites d'Indonésie. Lorsque la situation le permet, les randonneurs vont y chercher le frisson en escaladant les 4 884 m de la pyramide de **Carstensz** (Puncak Jaya). D'autres trekkings (difficiles) conduisent à la rencontre des **Papous**.

LA FAUNE

Avec la Papouasie-Nouvelle-Guinée voisine, Irian Jaya, et plus précisément l'archipel de Biak, est le seul endroit où l'on peut apercevoir des **oiseaux de paradis**.

JAVA

LES MONUMENTS

Le vaste ensemble bouddhique de **Borobudur** (IXe siècle), en forme de pyramide, est l'un des grands rendez-vous mondiaux de l'architecture. Il se compose de quatre étages de galeries ornées de mille six cent quarante bas-reliefs racontant les vies passées et présentes du Bouddha, de trois terrasses circulaires renfermant soixante-douze stoupas et d'un grand stoupa au sommet. Chaque année, entre mai et octobre, le Borobudur reçoit les acteurs du Ramayana.

Non loin de là, les temples hindouistes de **Prambanan** (VIIIe-IXe siècle) supportent la comparaison. Le couple Borobudur/Prambanan est le « must culturel » de Java, voire du pays. Les temples des hauts plateaux de **Dieng** sont intéressants, mais la région est toutefois mieux connue pour le spectacle de ses mini-geysers de soufre.

LES VOLCANS ET LES TREKKINGS

Pour les passionnés de volcanisme, Java est le centre du monde. Plus de cent volcans hérissent son relief, dont vingt-cinq sont en activité. Les grands classiques pour l'observation d'éruptions ou pour des randonnées dans les alentours sont le **Merapi** (qui a été pris de fureur en mai 2006), le **Semeru**, point culminant de l'île, le **Papandayan**, aux grondements si réguliers qu'ils lui ont valu le qualificatif de « forge », le **Kawa Idjen**.

Une randonnée de quelques heures conduit au Bromo et à ses cratères à l'intérieur du Tengger, la « mer de Sable », qui fait l'objet d'un pèlerinage annuel en décembre. Il faut ajouter à cette longue liste le Perbuatan, sur l'îlot voisin de Krakatoa, dont le bruit de l'éruption de 1883, entendu à 2 000 km, n'a jamais été égalé. L'Anak Krakatau, que l'on peut approcher, est l'enfant naturel de son terrible père.

Trekkings peu éprouvants : Papandayan, Bromo, Kawa Idjen. Trekkings éprouvants : Merapi (souvent dangereux), Semeru.

LES VILLES

Bien plus qu'à Djakarta, capitale démesurée et plutôt quelconque, mis à part son Musée national, il faut s'attarder à **Solo** et surtout dans sa presque homonyme, **Jogjakarta**. L'intérêt culturel, l'artisanat (batik) et les traditions (danseurs, marionnettistes) se rapportant aux épopées mais aussi à la vie politique se mêlent pour faire de ces deux villes de l'intérieur les plus plaisantes de Java.

KALIMANTAN

LES PAYSAGES

La **forêt primaire** et la descente des **rivières** sont les deux atouts de Kalimantan. Deux rivières, le Kapuas et la Mahakam, font l'objet de descentes en pirogue qui durent plusieurs jours et qui débouchent sur des marches dans la jungle ou sur la visite de villages dayaks.

LA FAUNE

Qu'elle soit inquiétante (crocodiles, pythons) ou attendrissante (dauphins, calaos, **orangs-outans**), la faune du parc national de Tanjung Pating est l'un des principaux buts de visite de Kalimantan. Près de Banjarmasin, se trouve Palau Kaget, une réserve naturelle de singes nasiques.

L'HABITAT

Les constructions sur pilotis de **Banjarmasin** ont fait comparer ce grand port de commerce à Venise, le marché flottant en sus. À 200 km de là, le village de Tamianglayang, de tradition animiste, vaut par son marché où les villageois dayaks se donnent rendez-vous. À voir également l'embouchure de la rivière Berau, qui vit débarquer l'écrivain Joseph Conrad.

MADURA

LES TRADITIONS

Dans cette petite île proche de Java, le voyageur vient assister au Karapan Sapi, une course de trot attelé : ce ne sont pas des chevaux mais des **taureaux** qui mènent la danse, partout dans l'île et toute l'année.

MOLUQUES

LES PAYSAGES

La noix de muscade et le clou de girofle ont fait rêver l'Europe au XVIe siècle : ainsi les Moluques, qui en étaient les dépositaires, ont-elles vu débarquer les grands navigateurs, tel Magellan. Aujourd'hui, ce millier d'îles reste l'un des endroits les moins connus d'Indonésie par le touriste, qui souvent les découvre par des croisières parties du nord-est de Sulawesi, du moins quand s'apaisent les tensions entre chrétiens et musulmans.

PETITES ÎLES DE LA SONDE

LES CÔTES

Chapelet d'îles qui fait la jonction entre l'Indonésie et l'Australie, les petites îles de la Sonde sont appelées ainsi par comparaison avec leurs grandes voisines, Java et Sumatra. Les îles situées le plus au nord (Flores, Lombok, Sumbawa) sont les plus visitées.

La côte sud de **Flores** est formée de plusieurs baies et bordée de volcans actifs. Le plus réputé est le Kelimutu, flanqué de trois lacs de couleurs différentes et changeantes au fil du temps. Les paysages de Flores sont dominés par la forêt et parfois troués de gorges. L'intérêt de la visite de l'île est accru par la possibilité de découvrir les petits villages de pêcheurs ainsi que l'habitat traditionnel et les mœurs de plusieurs tribus de l'intérieur.

La géographie de **Lombok** est dominée par les 3 726 m du Rinjani, qui fait l'objet d'ascensions. La beauté de l'endroit s'apparente souvent à celle de sa voisine balinaise, grâce aux volcans mais aussi et surtout à l'étagement des rizières. L'île, qui possède des plages de sable blanc (Sengigi), une côte sud propice au surf et des fonds coralliens bénis des plongeurs (Gilli Islands), est souvent recherchée par ceux qui veulent échapper au surpeuplement touristique de Bali.

Sumbawa mais aussi **Sumba** méritent la visite pour la qualité de leurs paysages et de leurs rivages. Les salines de Sumbawa, de même que les maisons et l'artisanat traditionnel, tel que le procédé de tissage « ikat » dans les villages de Sumba, constituent une source d'intérêt supplémentaire.

LA FAUNE

L'île de **Komodo** doit sa réputation à son Varanus komodoensis, 3 m de long et 100 kg en moyenne, lézard préhistorique géant, descendant des dinosaures. Komodo et l'île voisine de Rincha sont les seuls endroits du monde à héberger cette espèce. À Komodo, les visiteurs sont conduits dans un observatoire du parc national de l'île pour découvrir les varans.

SULAWESI (Célèbes)

LES TRADITIONS

Parmi les populations de l'île, les Torajas sont les plus « recherchés » pour la particularité de leurs rites funéraires (tombes taillées dans les falaises, effigies en bois) ou sacrificiels (buffles, cochons). De longues maisons sur pilotis (les tongkonan), au toit en forme de proue, sont la base de leur habitat, le plus original d'Indonésie.

LES PAYSAGES

Rizières, orchidées, plantes carnivores sont autant de particularités de la nature qui, ajoutées à l'originalité du mode de vie des Torajas, suscitent les randonnées. Les alentours du lac Posso, région jusque-là restée à l'écart des grands axes touristiques, et le parc de Lore Lindu (forêts primaires, montagnes) font désormais l'objet de trekkings.

Les îles Togian (plages, lagons, faune sous-marine) méritent d'autant plus la visite qu'elles sont peu connues du grand tourisme.

SUMATRA

LES PAYSAGES ET LES RANDONNÉES

La grande île de Sumatra, dont la belle et rare forêt primaire est menacée par des coupes claires, est l'« anti-Java » dans l'esprit de ceux qui cherchent une part d'aventure en Indonésie. Elle a aussi son content de **volcans** et de lacs, ceux-ci étant le produit de ceux-là. Au cœur du pays batak, le **lac Toba**, entouré de pentes raides franchies par des cascades, est le plus réputé. Un autre lac intéressant à découvrir est le **lac Maninjau**.

On marche beaucoup à Sumatra, à la recherche des populations et de leurs coutumes. Ainsi, dans la région de Padang et de Bukittinggi, les **Minang** préservent leur originalité autant par leur manière de vivre que par leur habitat, symbolisé çà et là par de grandes maisons traditionnelles aux toits ornés de cornes de buffle. Les buffles, animaux emblématiques des Minang, s'opposent dans des combats qui ravissent autant les parieurs que les touristes. Les orangs-outangs sont moins chanceux, victimes des incendies et de la déforestation.

En vogue était la visite des villages des **Nias**, sur l'île montagneuse du même nom, avant le violent séisme qui a frappé l'île en mars 2005. Les Nias ont toujours préservé leur mode de vie (chasse, pêche, cueillette), alors que des mégalithes sculptés représentant les ancêtres sont présents dans plusieurs endroits.

En vogue également : la rencontre des « hommes fleurs » (ainsi appelés pour les motifs de leurs tatouages) de la tribu des Sakkudei, dans l'île voisine de Sibeirut. Comme les Nias, les Sakkudei ont préservé leurs traditions : chasse, pêche, vie communautaire.

Non loin de Sumatra et surtout très proches de Singapour (moins d'une heure en ferry), les îles de Batam et de **Bintan** sont devenues pour l'île-

État des exutoires souvent luxueux, parsemés de parcours de golf.

LE POUR

◆ Un pays aussi beau que divers et qui figure parmi les grands rendez-vous touristiques mondiaux.

◆ L'heureuse coïncidence des saisons favorables : l'ensoleillement et une atmosphère moins humide caractérisent la période juin-septembre.

LE CONTRE

◆ Un terrorisme latent qui vise directement les étrangers, dans un pays longtemps épargné dans ce domaine.

◆ Une chaleur et une humidité qui rendent parfois éprouvants les déplacements et les randonnées de longue durée.

LE BON MOMENT

Vu le climat équatorial typique, très chaud et très humide, le bon moment n'existe pas vraiment en Indonésie, mais le mauvais moment non plus, sauf peut-être novembre, où il pleut beaucoup, et à la rigueur décembre-mars. D'**avril à septembre**, période la plus favorable, on peut parler de saison sèche.

◆ Températures moyennes jour/nuit (en °C)

Denpasar (Bali) : janvier 33/24, avril 34/25, juillet 30/23, octobre 33/25. Eau de mer à Bali : moyenne de 28°.

Djakarta (Java) : janvier 30/24, avril 33/25, juillet 32/25, octobre 33/26.

Medan (Sumatra) : janvier 32/22, avril 33/24, juillet 33/24, octobre 32/23.

LE PREMIER CONTACT

En Belgique

Ambassade, 294, avenue de Tervuren, B-1150 Bruxelles, ☎ (02) 771.20.14, fax (02) 771.22.91.

Au Canada

Ambassade, 55, avenue Parkdale, Ottawa, K1Y 1E5, ☎ (613) 724-1100, fax (613) 724-1105, www.indonesia-ottawa.org

En France

Ambassade, 47-49, rue Cortambert, 75116 Paris, ☎ 01.45.03.07.60, fax 01.45.04.50.32, www.amb-indonesie.fr

En Suisse

Consulat, Elfenauweg, 51, CH-3006 Berne, ☎ (31) 352.09.83, fax (31) 351.67.65, www.indonesia-bern.org

Internet

www.tourismindonesia.com/
www.bali-tourisme.org

Guides

Bali (Gallimard/Encycl. du voyage), *Bali, Lombok* (Hachette/Voir, Lonely Planet France, Nelles, Pages du monde/Voyager autrement),
Indonésie (Gallimard/Bibl. du voyageur, Hachette/Routard, JPM Guides, Le Petit Futé, Mondeos, Nelles).

Cartes

Huit cartes chez Nelles. Carte de Bali chez ITM. *Indonésie, Malaisie* (Marco Polo).

Lectures

Bali, Java en rêvant (Christine Jordis/Gallimard, 2005), *Bornéo/Des « chasseurs de tête » aux écologistes* (Autrement, 1991), *les Fantômes de Joseph Conrad* (Gavin Young/Payot, 1993), *Musiques de Bali à Java, l'ordre et la fête* (Catherine Basset/Actes Sud, 1995), *Tourisme, culture et modernité en pays Toraja* (L'Harmattan/Paris).

Images

Les Batak, un peuple de l'Ile de Sumatra (Olizane, 1996), *Indonésie* (Patrick Blanche/Ed. Georges Naef, 2008), *Indonésie, variété, faste et démesure* (Anako, 2001), *l'Indonésie : archipel aux variations infinies* (Antonio Guerreiro/Hermé, 2005), *Majestueuse Indonésie* (Atlas, 2004), *Vivre à Bali* (Taschen, 2005).

Vidéo

Bali, le royaume des esprits (Media 9, 2001).

QUEL VOYAGE ET À QUEL PRIX ?

Le voyage individuel

Les préparatifs

◆ Pour les ressortissants canadiens, suisses et de l'Union européenne : passeport (valable encore six mois après la date de retour), visa obligatoire, obtenu à l'arrivée dans certains cas, bien se renseigner avant le départ pour confirmation de cette possibilité. Autorisation nécessaire pour Irian Jaya et les Moluques. Billet de retour ou de continuation exigible, taxe de sortie.

◆ Aucun vaccin n'est obligatoire. Prévention indispensable contre le paludisme en dehors de Djakarta, des autres grandes villes et des principaux lieux touristiques de Bali et de Java.

◆ Monnaie : la rupiah. L'euro est bien accepté à côté du dollar US. 1 US Dollar = 11 080 rupiahs, 1 EUR = 15 350 rupiahs. Distributeurs présents dans les villes et sur les lieux touristiques. Le change est souvent plus avantageux auprès d'un *money changer* que dans les banques.

Le départ

◆ Indice de prix à certaines dates du vol Montréal-Djakarta (Java) A/R ou Montréal-Denpasar (Bali) A/R : 900 CAD; Paris-Denpasar A/R (escale) : 800 EUR; Paris-Djakarta A/R : 700 EUR. ◆ Durée moyenne du vol Paris-Djakarta (11 587 km) : 15 heures.

Sur place

Bateau

◆ Il existe des bateaux express (catamarans) entre Bali et Lombok (3 heures de traversée). ◆ A Kalimantan, bateaux express et pirogues à moteur sont souvent le seul moyen de déplacement.

Hébergement

◆ Le *losmen* est une sorte de petit hôtel bon marché et très répandu. Les chambres chez l'habitant et le logement de charme gagnent du terrain, surtout à Bali. ◆ Propositions d'hôtels à la carte chez la plupart des voyagistes, entre autres Nouvelles Frontières.

Route

◆ Conduite à gauche. ◆ Location de voiture possible, principalement à Sumatra, Java et Bali (entre autres avec Yoketaï) et de préférence avec chauffeur. ◆ Location de vélomoteur répandue parmi les voyageurs.

Train

Le réseau est modeste (Java et quelques régions de Sumatra). Le trajet Djakarta-Jogjakarta est toutefois intéressant.

Le séjour balnéaire

Outre les plages de Bali et – de plus en plus – de Lombok, programmées par exemple chez Nouvelles Frontières pour des séjours aux alentours de *1 000 EUR la semaine* (vol et hébergement), le rendez-vous à la mode s'appelle Bintan, situé à quelques encablures de Singapour et qui multiplie les sites balnéaires.

Le voyage accompagné

Rappel : nous nous sommes limités à un résumé des prestations en vigueur dans les agences et chez les voyagistes présents en France. Les lecteurs des autres pays peuvent en tirer des idées d'itinéraire et les compléter auprès de leurs agences de voyages.

Le voyage en Indonésie, qui débute et se termine souvent par Singapour, est un puzzle formé de quatre pièces maîtresses : Sumatra, Java, Bali et Sulawesi. Les îles de la Sonde sont sur le point de rejoindre ce quatuor.

◆ Les circuits **classiques** durent entre 10 et 20 jours. Les voyagistes ci-dessous offrent très rarement le puzzle complet, mais ils en varient les fragments. Par exemple : Sumatra et Java; Java et Bali; Java, Bali et Lombok; Bali et Sulawesi; Java, Bali et Sulawesi; Java, Bali, Lombok et Sulawesi. Sont sur les rangs parmi bien d'autres : Asia, Best Tours, Continents insolites, Kuoni, Look Voyages, Nouvelles Frontières, Rev'Vacances, Terra incognita, Tirawa, Voyageurs du monde, Yoketaï.

Les circuits précités, comprenant le vol et la demi-pension, reviennent *entre 2 000 et 2 300 EUR* les deux semaines.

◆ Les îles de la **Sonde** gagnent de plus en plus de terrain, ce qui conduit Nomade Aventure, entre autres, à explorer Sumba et Sumbawa, avec alternance d'ascensions, de navigation et de baignades. Adeo est également là à un prix attractif, de même que Continents insolites. Ce genre de voyage dure en général 15 jours à trois semaines. Propositions également chez Asia, Voyageurs du monde, Ylang Tours. La rencontre avec les varans de Komodo est, entre autres, l'affaire de Continents insolites au cours d'une croisière à bord d'un voilier traditionnel dans les îles de la Sonde.

◆ L'Indonésie des **volcans** est certes l'affaire des spécialistes, tel Aventure et Volcans qui pousse le détail jusqu'aux îles Sangihé, tout au nord de Sulawesi, mais aussi des spécialistes de la **randonnée**. À Java, le Bromo, le Kawa Idjen, le Merapi et le Semeru font l'objet de la plupart des voyages, entre avril et septembre. À Bali, les monts Agung et Batur sont le plus souvent au programme, agrémentés de marches le long des rizières. Dans un cas comme dans l'autre, on retrouve de nombreuses propositions, bien diversifiées, chez Allibert, Atalante, Club Aventure, La Balaguère, Terres d'aventure.

Java et Bali peuvent être parcourues ensemble, par exemple avec Club Aventure. Le couple Bali-Java fonctionne aussi chez Nouvelles Frontières. Autre couple: Bali-Lombok (ascension du Rinjani) avec Nomade Aventure. Prix moyen : *2 100 EUR pour 15 jours, 2 800 EUR pour trois semaines.*

◆ Les **plongeurs** sont emmenés par Ultramarina au nord et au sud-est de Sulawesi. Iles du monde (à Bali, Lombok, Flores et Komodo) est également sur les rangs. Prix moyen d'un séjour plongée : *1 800 EUR pour 10 jours.*

QUE RAPPORTER ?

Une originalité entre toutes : le batik. Que ce soit sous forme de tableaux de peinture, ou encore de tissus muraux et vestimentaires, le choix le plus représentatif est à Jogjakarta (Java). Autre originalité : les marionnettes des personnages du Ramayana. Le marchandage est de rigueur.

LES REPÈRES

◆ Lorsqu'il est midi en France, en Indonésie il est, selon les endroits, 17 heures en été et 18 heures en hiver; lorsqu'il est midi au Québec, en Indonésie il est minuit ou 1 heure. ◆ Langue officielle : le bahasa indonesia, accompagné de 250 dialectes. Parlé par 80 millions de personnes, le bahasa indonesia n'est toutefois que la deuxième langue dans la plupart des îles. Ainsi le javanais le relègue-t-il loin dans les conversations à Java. ◆ Langue de communication : anglais. ◆ Téléphone vers l'Indonésie : 0062 + indicatif (Djakarta : 21; Denpasar : 361) + numéro; de l'Indonésie : 0033 + indicatif pays + numéro.

LA SITUATION

Géographie. Les 13 677 îles, qui forment un vaste ensemble volcanique de 1 904 569 km^2 mais dont à peine trois mille environ sont habitées, sont « posées » sur la Sonde, grande plate-forme peu profonde, étalée sur 5 000 km, hérissée de montagnes et de volcans. La pyramide de Carstensz (Irian Jaya) est le point culminant du pays (4 884 m).

Population. Elle est très dense : 237 512 000 habitants, dont plus de la moitié résident dans la seule île de Java. Les Malais sont les plus nombreux, qu'ils soient proto-malais, comme les Dayaks de Bornéo ou les Torajas de Sulawesi, ou deutéro-malais. Les Chinois, venus pour le commerce et la finance, sont quatre millions. Capitale : Djakarta (onze millions d'habitants pour l'agglomération).

Religion. 87 % des Indonésiens sont musulmans, 9 % sont chrétiens (protestants surtout dans le nord de Sulawesi, catholiques à Timor et à Irian Jaya), 2 % sont hindouistes, 1 % sont bouddhistes. Bali fait exception avec une forte majorité d'hindouistes, d'où la diversité des rites et des traditions qui ont fait la réputation de l'île.

Dates. *1521* Les Portugais accostent aux Moluques. *1602* Fondation de la Compagnie hollandaise des Indes orientales. *1799* Les Néerlandais colonisent le pays. *1945* Sukarno proclame l'indépendance, que les Pays-Bas reconnaîtront quatre ans plus tard. *1965* Suharto fait exterminer les membres du parti communiste et ses sympathisants. *1966* Suharto prend le pouvoir de fait, alors que Sukarno sera déchu par le Parlement l'année suivante. *1974* Début de la résistance (Fretilin) de Timor oriental contre l'annexion indonésienne. *1993* Suharto réélu pour la sixième fois. *Octobre 1996* Les Timorais Mgr Carlos Felipe Ximenes Belo et José Ramos-Horta reçoivent le prix Nobel de la paix. *Mars 1998* Réélection de Suharto. *Avril 1998* Manifestations d'étudiants, durement réprimées. Suharto quitte le pouvoir quelques jours plus tard. Il est remplacé par un proche, Jusuf Habibie. *1999* Le Timor-Oriental vote démocratiquement et largement pour son indépendance; s'ensuit une répression féroce de la part de milices à l'encontre des indépendantistes. Aux Moluques, début de conflits interreligieux. *Octobre 1999* Abdurrahman Wahid est élu président. *Août 2001* Wahid est évincé, Megawati Sukarnoputri lui succède dans un contexte économico-politique délicat. *Octobre 2002* Un attentat, attribué au réseau islamiste Jemaah Islamiyah, frappe une discothèque de Kuta Beach, à Bali, causant la mort de 202 personnes, en grande majorité des touristes étrangers. *Mai 2003* Offensive de l'armée contre les séparatistes de la province d'Aceh. *Octobre 2004* L'ancien général Susilo Bambang Yudhoyono remporte la présidentielle (60% des suffrages) aux dépens de Megawati Sukarnoputri. *Décembre 2004* Un très violent raz de marée sème la mort et la désolation dans la province d'Aceh, à Sumatra (170 000 victimes). *Octobre 2005* Nouveaux attentats sur des lieux touristiques de Bali (26 morts, plus de 100 blessés). *Mai 2006* Tremblement de terre dans la région de Jogjakarta (plus de six mille victimes).

Irak

Avertissement. – Il va sans dire que la violence et le chaos qui règnent dans le pays - sauf dans le Kurdistan irakien, à l'extrême nord-est du pays - conduisent impérativement à reporter à des jours meilleurs toute idée de voyage.

Deux guerres successives avaient rendu l'Irak exsangue et laissé dans le silence pendant près de vingt ans les sites prestigieux de la Mésopotamie et les beaux paysages du nord du pays. Le chaos actuel, qui persiste depuis plusieurs années, n'est pas près de remettre en mémoire les traces de la très vieille civilisation sumérienne, du passage des Assyriens, de la défunte Babylone et de ses Jardins suspendus.

LES RAISONS D'Y ALLER

LES VESTIGES

Bagdad (mausolée, madrasa), Babylone (ruines du palais de Nabuchodonosor), Ctésiphon, Samarra, Kerbala, Mossoul
Sites de la Mésopotamie : Our, Hatra, Assour, Ninive, Nippour, Lagash, Larsa, Éridou
Musées

LES PAYSAGES

Mésopotamie, Chatt al-Arab
Montagnes du Kurdistan irakien

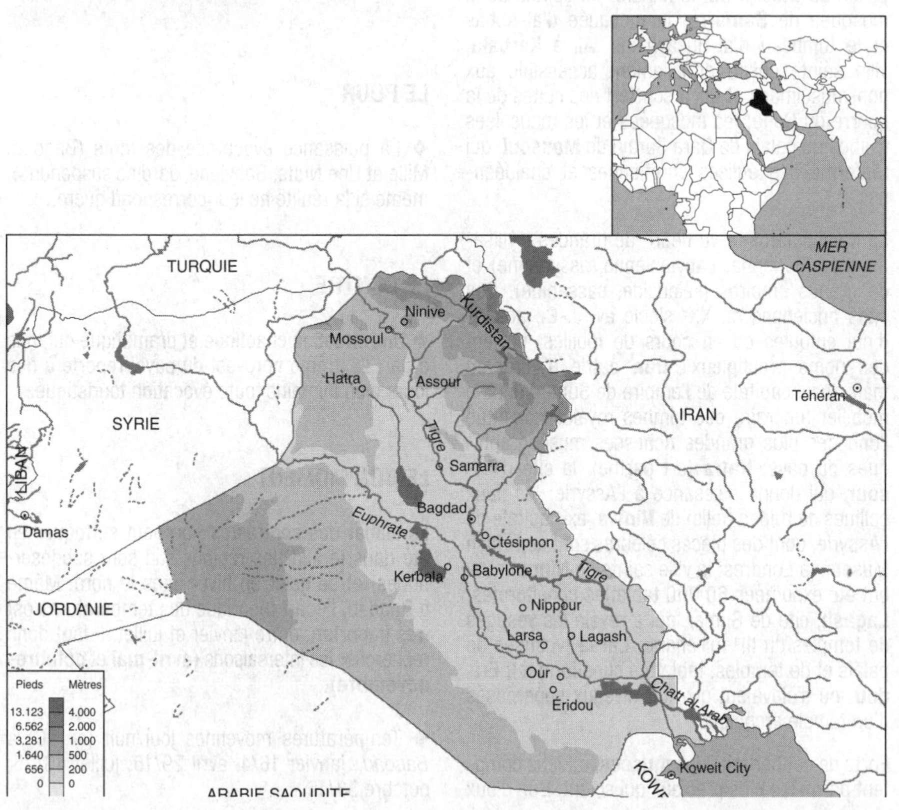

LES RAISONS D'Y ALLER

LES VESTIGES

Le mot vestige convient mieux que celui de monument, tant pour Bagdad que pour Babylone.

À **Bagdad**, le mausolée de Surhawardi et la madrasa al-Mustansiriya ont du mal à faire oublier la splendeur des monuments des Abbassides, dont il ne reste rien. En revanche, la ville s'attache actuellement à restaurer de grandes sculptures abîmées en 2003, telle celle du calife Al-Mansour ou de Shéhérazade.

À **Babylone**, le regret est pire : les ruines du palais de Nabuchodonosor ne rappellent en aucune façon la beauté des frises de brique émaillée, de la tour de Babel et des Jardins suspendus, qui constituèrent l'une des Sept Merveilles du Monde.

Sont néanmoins debout ou présentables : le palais de **Ctésiphon**, le minaret en spirale de la mosquée de **Samarra**, la mosquée d'al-Abbas et le tombeau d'al-Husayn ibn 'Ali à **Kerbala**, ville sainte chi'ite difficilement accessible aux non-musulmans et qui a souffert des suites de la guerre du Golfe; les mosquées et les mausolées (ruines du palais de Qara Saray) de **Mossoul**, qui renferme des églises chrétiennes et chaldéennes.

La Mésopotamie a vu fleurir de grandes civilisations (sumérienne, babylonienne, assyrienne) et de grands empires (séleucide, sassanide). Des cités anciennes du XXe siècle av. J.-C., aujourd'hui enfouies ou en cours de fouilles, portent des noms prestigieux : **Our**, patrie d'Abraham mais aussi capitale de l'empire de Sumer, dont le mobilier funéraire des tombes royales constitue l'une des plus grandes richesses muséographiques du pays; **Hatra** (art parthe), la cité d'**Assour**, qui donna naissance à l'Assyrie; les deux collines de ruines (tells) de **Ninive**, ex-capitale de l'Assyrie, dont des pièces célèbres sont au British Museum à Londres; la ville sainte de **Nippour**, où ont été exhumées 60 000 tablettes cunéiformes; **Lagash**, cité de Sumer, qui a révélé les vestiges de temples du IIIe millénaire; **Larsa** (vestiges de palais et de temples, tablettes cunéiformes); **Éridou**, où s'élevaient dix-huit niveaux superposés d'un temple archaïque.

Forts de cet héritage, les **musées** irakiens comptent parmi les plus précieux qui soient. L'un d'eux ne peut être ignoré : le Musée national d'archéologie de Bagdad, qui a subi d'importants pillages en avril 2003 mais dont la plupart des pièces ont été retrouvées.

LES PAYSAGES

L'Euphrate et le Tigre, fleuves de légende et symboles de la **Mésopotamie**, se rejoignent à 170 km du golfe Persique et donnent naissance à la longue embouchure du **Chatt al-Arab**, souvent intéressante en raison de ses berges plantées de palmiers et de ses roseaux géants (ils peuvent atteindre 6 m de haut).

Au nord-est, le **Kurdistan irakien**, qui est la seule région à peu près sereine aujourd'hui, offre de beaux paysages de montagne, de lacs et de régions quasi désertiques.

LE POUR

◆ La puissance évocatrice des mots (Bagdad, Mille et Une Nuits, Babylone, Jardins suspendus), même si la réalité ne leur correspond guère.

LE CONTRE

◆ Une situation chaotique et dramatique qui, mis à part l'extrême nord-est du pays, reporte à des jours bien lointains toute évocation touristique.

LE BON MOMENT

Le climat des contrastes : on peut suffoquer en été dans le sud (les régions sud sont subdésertiques) et se geler en hiver dans le nord. Même à Bagdad, l'écart théorique des températures est très important entre janvier et juillet. Il faut donc rechercher les intersaisons **(avril-mai** et **octobre-novembre)**.

◆ Températures moyennes jour/nuit (en °C) à *Bagdad* : janvier 16/4, avril 29/15, juillet 43/25, octobre 33/16.

LE PREMIER CONTACT

Aux États-Unis

Ambassade, Washington, DC, États-Unis, ☎ (202) 483-7500, fax (202) 462-0564.

En Belgique

Ambassade, avenue des Aubépines, 23, B-1180 Bruxelles, ☎ (02) 374.59.92, fax (02) 374.76.15.

En France

Ambassade, 53, rue de la Faisanderie, F-75116 Paris, ☎ 01.45.53.77.00, fax 01.45.53.33.80.

En Suisse

Chancellerie, Elfenstrasse, 6, CH-3006 Berne, ☎ (31) 351.40.43, fax (31) 351.83.12.

Internet

www.chez.com/irak/

Guide

Iraq, then and now (Bradt, 2008).

Cartes

Iran, Irak, golfe Persique (Freytag).

Lectures

Chiisme et politique au Moyen-Orient : Iran, Irak, Liban, monarchies du Golfe (Laurence Louër/ Autrement, 2008), *Hamlet en Irak* (Alexandra de Hoop Scheffer/CNRS, 2007), *l'Irak n'existe plus* (Régis Le Sommier, Ed. du Toucan, 2008), *les Kurdes : destin héroïque, destin tragique* (Bernard Dorin/Lignes de repères Editions, 2005).

QUEL VOYAGE ?

Le voyagiste français Terre entière a osé : partant du fait que le Kurdistan irakien n'est pas formellement déconseillé, il organise, au printemps et à l'automne, des voyages d'une semaine animés par un conférencier, à la rencontre des populations kurdes et des minorités religieuses.

LES FORMALITÉS

◆ Voir *Avertissement.*

◆ Prévention recommandée contre le paludisme de mai à novembre inclus dans certaines régions du nord situées au-dessous de 1 500 m et dans la province de Bassora.

LES REPÈRES

◆ Lorsqu'il est midi en France, en Irak il est 14 heures. ◆ Langue officielle : l'arabe. Le kurde et l'araméen sont parlés respectivement par 20 % et 10 % de la population. ◆ Langue de communication : anglais. ◆ Monnaie : le *dinar irakien.* 1 US Dollar = 1 160 dinars irakiens, 1 EUR = 1 605 dinars irakiens . ◆ Téléphone vers l'Irak : 00964 + indicatif (Bagdad : 1) + numéro; de l'Irak : 00 + indicatif pays + numéro.

LA SITUATION

Géographie. L'Irak et ses 438 317 km² recouvrent pratiquement la Mésopotamie. Son relief est relativement plat, quelque peu relevé au nord (Kurdistan), alors que le désert affleure sur ses bordures sud (Arabie Saoudite, Koweït) et ouest (Syrie).

Population. Les 28 221 000 habitants sont arabes dans leur grande majorité. Les Kurdes au nord, les Turkmènes et une minorité d'Iraniens complètent la distribution d'une population dont près de la moitié est âgée de moins de 15 ans. On dénombre un million de réfugiés dans la Jordanie voisine. Capitale : Bagdad.

Religion. L'islam est prépondérant : les chiites (54 %) habitent la campagne et ont d'importants lieux saints (Kerbala), alors que les sunnites (42 %) sont surtout des citadins. Les chrétiens sont répartis en chaldéens et nestoriens.

Dates. *IVe millénaire avant J.-C.* Établissement des Sumériens en basse Mésopotamie. *587 avant J.-C.* Règne de Nabuchodonosor II et apogée de Babylone. *633* Arrivée des Arabes. *1515* Arrivée des Ottomans. *1914* La Grande-Bretagne occupe le pays. *1930* Indépendance. *1958* Proclamation de la république par Kassem. *1968* Putsch militaire et prise du pouvoir par le parti Baas. *1979* Saddam Hussein président de la République. *1980* Début de la guerre contre l'Iran, qui durera huit ans. *Août 1990* Saddam Hussein décide d'envahir le Koweït. *Janvier 1991* Les Etats-Unis, le Royaume-Uni et la France sont à la tête d'une coalition chargée de libérer le Koweït : la guerre du Golfe durera deux mois et demi. *Mars 1991* Le Koweït est libéré. *Octobre 2002* Saddam Hussein, dirigeant omnipotent, est réélu avec... 100 % des voix. *20 mars*

2003 Arguant de la présence d'armes de destruction massive, les Etats-Unis passent outre aux décisions du Conseil de sécurité, avec l'appui du Royaume-Uni, déclenchent une guerre « préventive » contre l'Irak, qu'ils remportent en 22 jours. *2004* Attentats et enlèvements se multiplient, l'extrémisme sunnite radicalise ses positions. *Avril 2005* Le Kurde Jalal Talabani est élu président. *Octobre 2005* Les Irakiens disent oui à une Constitution fédérale. *Mai 2006* Nouri Al-Maliki premier ministre. *Décembre 2006* Pendaison de Saddam Hussein. *2007* Le chaos persiste, les victimes d'attentats s'additionnent. *2008* Légère amélioration de la situation générale, surtout dans le nord-est.

Iran

Avertissement. – Le sud-est (région du Sistan-Balouchistan) et les régions frontalières de l'Afghanistan, de l'Irak et du Pakistan sont formellement déconseillés aux voyageurs.

L'Iran est désormais totalement revenu sur la scène touristique après une longue éclipse. Le pays est riche de sites célèbres de l'ancienne Perse, tels que Persépolis, alors que son patrimoine culturel, architectural et religieux est important dans des villes comme Chiraz, Ispahan ou Mecched. Ces atouts sont renforcés par la beauté des paysages, qui voient se succéder hautes plaines, chaînes de montagnes, oasis et déserts.

LES RAISONS D'Y ALLER

LES VILLES ET LES MONUMENTS

Chiraz, Ispahan, Mechhed, Tabriz, Qom, Kerman, Yezd, Persépolis, Bam, Alamut, Téhéran

LES PAYSAGES

Monts Elbourz, chaîne du Zagros (randonnées) Site de Masuleh, Sahand, gouffre Ghar Parau Déserts du Dacht-e Lut et du Dacht-e Kewir, gisements de turquoise de Nichapur

LA CÔTE

Plages de la mer Caspienne

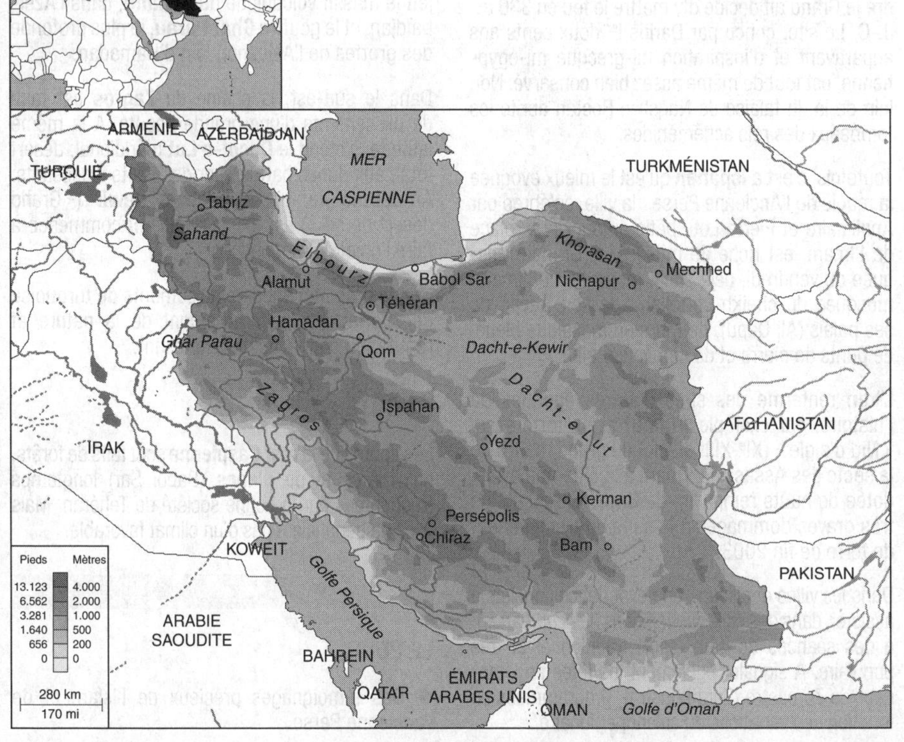

LES RAISONS D'Y ALLER

LES VILLES ET LES MONUMENTS

Chiraz, Ispahan, Mechhed, Tabriz, Qom, Kerman et Yezd dégagent une atmosphère née de leurs marchés, de leur artisanat dispensé dans de vénérables bazars (achat possible de tapis), de leur fort caractère religieux et surtout de leurs mosquées, qui comptent parmi les plus célèbres de l'Orient et dont certaines sont recouvertes de feuilles d'or : Grande Mosquée du vendredi à **Ispahan**, au décor de brique et de faïence émaillée; mausolée d'argent de l'imam Reza, avec sa coupole dorée, à **Mechhed**; grand sanctuaire chiite de la très fervente région du **Khorasan**, qui reçoit chaque année nombre de pèlerins; Mosquée bleue de **Tabriz** et sa céramique émaillée; mosquée du Régent et mausolées de Hâfez et Saadi à **Chiraz**; mausolée de Fatima, objet d'un grand pèlerinage annuel, à **Qom**; Mausolée vert, Grande Mosquée et mosquée de Pa Menar à **Kerman**, par ailleurs réputé pour ses tapis « à figures »; Grande Mosquée et tombeau des Douze Imams à **Yezd**.

Concernant **Persépolis**, il est dommage qu'Alexandre le Grand ait décidé d'y mettre le feu en 330 av. J.-C. Le site, conçu par Darius Ier deux cents ans auparavant et d'inspiration mi-grecque mi-égyptienne, est tout de même assez bien conservé. Non loin de là, la falaise de Naqsh-e Rostan abrite les tombeaux des rois achéménides.

Toutefois, c'est à **Ispahan** qu'est le mieux évoquée la magie de l'Ancienne Perse : la ville, célébrée par Apollinaire et Pierre Loti, bâtie autour de sa place de l'Imam, est riche de mosquées (Grande Mosquée du vendredi, déjà citée, mosquée de l'Imam, mosquée du cheikh Lotfollah), de son Bazar, de ses palais (Ali Qapu), de murs en mosaïque bleue, de ponts de pierre et de caravansérails.

L'Iran renferme des sites d'autres époques de l'histoire, par exemple **Alamut** et sa forteresse, « Nid d'aigle » (XIe-XIIIe siècle) du grand maître de la secte des Assassins. Quant à la cité médiévale, dotée de hauts remparts, de **Bam**, elle a subi de très graves dommages à la suite du tremblement de terre de fin 2003.

Dans les villes et ailleurs, une expérience consiste à assister, dans des salles spécifiques (les *zurkhânés*), à des séances de lutte, sport traditionnel et très populaire. A signaler également les fêtes en l'honneur de Zoroastre (Zarathoustra), programmées en fonction des variations du calendrier lunaire.

Téhéran vaut par ses musées (musée d'Art contemporain dont la réserve est riche de peintures occidentales célèbres, musée du Verre et de la Céramique, musée des Arts décoratifs, collection des Joyaux de la Couronne dans la banque Melli, Musée archéologique), ses mosquées du XIXe siècle et son palais du Golestan. La capitale renferme désormais le mausolée de Khomeyni, aux minarets en simili-or, dans le quartier de Rey.

LES PAYSAGES

Saisissants paysages ! Par endroits, on se croit transporté dans l'Ouest américain, avec des reliefs arides, des horizons lointains et des teintes brun-rouge au lever et au coucher du soleil.

Dans la partie nord (monts **Elbourz**), de hautes montagnes d'origine volcanique surplombent le désert, à des altitudes qui approchent les 5 700 m dans l'est de la chaîne, où quelques voyagistes organisent désormais des randonnées.

En continuant vers l'ouest, ils pourraient ajouter à leur programme deux sites presque ignorés : le jeune massif volcanique du **Sahand**, dans l'Azerbaïdjan, et le gouffre **Ghar Parau**, la plus profonde des grottes de l'Asie, non loin d'Hamadan.

Dans le sud-est, la chaîne du **Zagros** est faite de plissements d'une grande beauté. A la même latitude, s'étend le **Dacht-e Lut** méridional, désert total, aux dunes battues par des vents incessants. Au-dessus de lui, le **Dacht-e Kewir** (« Grand désert de sel ») est moins hostile et commence à faire l'objet de randonnées.

Non loin de Mechhed, les gisements de turquoise de **Nichapur** allient agrément de la nature et réputation d'un artisanat florissant.

LA CÔTE

Les abords de la **mer Caspienne** sont faits de forêts, de rizières et de **plages** (Babol Sar) longtemps fréquentées par la bonne société de Téhéran. Mais elles ne bénéficient pas d'un climat favorable.

LE POUR

◆ Des témoignages précieux de l'islam et de l'ancienne Perse.

◆ De belles possibilités de randonnée en montagne et à la porte des déserts.

LE CONTRE

◆ Des contraintes quant au style de vie et à la tenue vestimentaire qui peuvent gêner certains touristes occidentaux peu enclins à changer leurs habitudes.

◆ L'insécurité dans les régions frontalières de l'Afghanistan, de l'Irak et du Pakistan.

LE BON MOMENT

Comme son voisin irakien, l'Iran connaît un climat contrasté. Autant les hivers peuvent être rudes sur le plateau central et à Téhéran, autant les étés y sont très chauds. Cette distribution, typique d'un climat continental, rend les époques intermédiaires (**avril-mai** et **octobre-novembre**) les plus propices au voyage, malgré la fraîcheur des nuits. Les côtes sont peu intéressantes, en raison de la moiteur de l'air, très forte pendant les mois d'été. ◆ Températures moyennes jour/nuit à *Téhéran* : janvier 9/-1, avril 21/10, juillet 37/23, octobre 24/12.

LE PREMIER CONTACT

En Belgique

Ambassade, avenue de Tervuren, 415, B-1150 Bruxelles, ☎ (02) 762.60.60, fax (02) 779.46.66.

Au Canada

Ambassade, 245, rue Metcalfe , Ottawa, Ontario, K2P 2K2, ☎ (613) 235-6736, fax (613) 232-5712, www.salamiran.org

En France

Ambassade, 4, avenue d'Iéna, 75116 Paris, ☎ 01.47.23.64.49, fax 01.40.70.01.57, www.amb-iran.fr

En Suisse

Ambassade, Thunstrasse 68, CH-3000 Berne 6, ☎ (31) 351.08.01, fax (31) 351.56.52, www.iranembassy.ch

Internet

www.itto.org

www.iran-tourisme.com

Guides

Iran (Hachette/Evasion, Le Petit Futé, Lonely Planet France, Marcus, Olizane).

Cartes

Iran (Cartographia, ITM).

Lectures

A mon retour d'Iran... (Fariba Hachtroudi/Seuil, 2008), *Géopolitique de l'Iran* (Mohammad-Reza Djalili/Ed. Complexe, 2005), *Histoire de l'Iran et des Iraniens : des origines à nos jours* (Jean-Paul Roux/Fayard, 2006), *Sauver Ispahan* (J.-C. Rufin/ Gallimard, 2000). Dans la série *Persépolis* (Association BD Paradisio), transposée au cinéma en 2007, le regard critique de Marjane Satrapi dessine la révolution islamique telle qu'elle l'a perçue.

Images

Bam, sentinelle de sable (Bruno Le Normand/ Gallimard, 2004), *Iran aux multiples visages* (Yves Korbendau/ACR Edition, 2000), *le Grand Guide du tapis* (Hachette, 2004), *Sur les routes de la soie* (Reza, Olivier Weber, Rachel Deghati/ Hoëbeke, 2007). Voir aussi les images glanées de longue date par le photographe Abbas.

Cinéma : voir entre autres les films d'Abbas Kiarostami (*le Goût de la cerise*) et de Mohsen Makhmalbaf (*Un instant d'innocence*).

Vidéo

Iran : sous le voile des apparences (Ed. Montparnasse (2004).

QUEL VOYAGE ET À QUEL PRIX ?

Le voyage individuel

Les préparatifs

◆ Pour les ressortissants de l'Union européenne, canadiens, suisses : passeport (valable encore six mois après le retour et sans tampon israélien), visa obligatoire, obtenu auprès du consulat. Pour les ressortissants de certains pays, un visa de court séjour peut être octroyé à l'arrivée. Bien se renseigner avant le départ.

◆ Prévention recommandée contre le paludisme, de mars à novembre inclus, dans les provinces de Hormozgan, Kerman, Sistan-Baloutchistan, et en été dans les régions ouest et sud-ouest.

◆ Monnaie : le *rial*. 1 US Dollar = 9 920 rials, 1 EUR = 13 740 rials. Emporter des euros ou des dollars US en espèces. Les chèques de voyage et les cartes de crédit ne sont pas acceptés.

Le départ

◆ Indice de prix à certaines dates du vol Montréal-Téhéran A/R : 1 300 CAD; Paris-Téhéran A/R : 550 EUR. ◆ Durée moyenne du vol Paris-Téhéran (4 198 km) : 5 h 30.

Sur place

Hébergement

En dehors des grands hôtels, il existe des auberges de prix abordable. L'hébergement dans un caravansérail ou dans des anciens salons de thé transformés en hôtels est une formule qui prend de l'ampleur.

Route

Bon réseau routier. Possibilité de location de voiture avec chauffeur et de voyage à la carte : vol + hôtel + location de voiture avec chauffeur (Asia, Djos'Air, Nouvelles Frontières, Orients, STI Voyages). *Coût moyen pour une semaine : 1 400 EUR*.

Train

Les trains sont lents mais le réseau ferré est correct sur les grands axes. Train Istanbul-Téhéran : 3 jours de voyage).

Vie quotidienne

La nourriture

Contrastes : les maisons de thé (*chaikaneh*), du vrai caviar au bord de la Caspienne, des côtes d'agneau (*schichliks*), des biscuits (*sohan*).

Les vêtements

Les touristes femmes doivent porter un foulard (*roussari*), choisir des couleurs sobres, et avoir les jambes et les bras recouverts (manteau ou tunique longue). Les hommes doivent éviter le tee-shirt et le short.

Le voyage accompagné

Rappel : nous nous sommes limités à un résumé des prestations en vigueur dans les agences et chez les voyagistes présents en France. Les lecteurs des autres pays peuvent en tirer des idées d'itinéraire et les compléter auprès de leurs agences de voyages.

◆ La majorité des voyagistes qui ont repris le chemin de l'Iran visitent le **patrimoine** archéologique des villes, particulièrement Ispahan, Shiraz, Yazd et Qom, sous forme de circuits de 10 à 20 jours programmés entre avril et octobre. Exemples : Adeo, Arvel, Asia, Clio, Continents insolites, Djos'Air Voyages, Explotra, Ikhar, Jet Tours, Kuoni, Nouvelles Frontières, Orients (très présent, plusieurs circuits spécifiques), Sindbad Voyages, STI Voyages. Le prix moyen d'un circuit organisé est élevé : *1 700 EUR pour 10 à 12 jours, au-delà de 2 300 EUR* pour deux semaines.

◆ Des initiatives apparaissent : un mini-séjour sur la Caspienne (Orients) et surtout la **randonnée**. En été, Allibert est dans l'Elbourz avec l'ascension du Demavend, et Club Aventure dans le Zagros. Entre octobre et mai, Déserts marche sur les abords occidentaux du Dacht-e Kewir, tandis que Nomade et Explorator effleurent le désert du Lout. Les prix de ces horizons nouveaux restent relativement élevés : *aux alentours de 2 500 EUR* pour 15 jours.

QUE RAPPORTER ?

Est-il nécessaire de rappeler que les tapis iraniens comptent parmi les plus réputés ? Penser également aux turquoises : malgré leur nom, leur berceau est ici et leur travail remonte à des traditions très anciennes, surtout dans la ville de Nichapur, non loin de Mecched.

LES REPÈRES

◆ Lorsqu'il est midi en France, en Iran il est 14 h 30; lorsqu'il est midi au Québec, en Iran il est 20 h 30. ◆ Langue officielle : le persan, que les Iraniens nomment *farsi*, est prédominant. Langues minoritaires : azéri, kurde et une dizaine d'autres langues ou dialectes. ◆ Langue étrangère : l'anglais, mais avec parcimonie. ◆ Téléphone vers l'Iran : 0098 + indicatif (Ispahan : 311, Téhéran : 21) + numéro; d'Iran : 00 + indicatif pays + numéro.

LA SITUATION

Géographie. Un plateau central, d'une altitude moyenne de 1 000 m et désertique à l'est (Dacht-e Lut), compose la majeure partie du pays. Au nord, le massif de l'Elbourz culmine au Demavend à 5 670 m et trouve son pendant au sud avec le Zagros (4 548 m). L'ensemble débouche sur un très grand pays de 1 633 188 km^2.

Population. Sur les 65 875 200 habitants, les Persans sont les plus nombreux. On dénombre également dix millions d'Azerbaïdjanais et cinq millions de Kurdes. Dans le Zagros, on trouve encore des populations nomades ou semi-nomades. Capitale : Téhéran.

Religion. L'islam est religion d'État. Forte présence chiite (91 %) alors que les sunnites ne sont que 8 %. Minorités : chrétiens, juifs, disciples de Zarathoustra, baha'is.

Dates. *550* Cyrus II chasse les Mèdes et fonde l'Empire perse. *330 av. J.-C.* Domination d'Alexandre le Grand. *224* L'Empire sassanide s'installe pour près d'un demi-millénaire. *642* Arrivée des Arabes. *999* Arrivée des Turcs Seldjoukides. *1501* Avènement du premier chah : Séfévide Isma'il Ier. *1925* Reza Khan fonde la dynastie Pahlavi et entreprend de moderniser le pays. *1941* Mohammed Reza prend le pouvoir et le gardera trente-huit ans. *1979* Khomeyni renverse le chah et instaure une république islamique sous la protection des *pasdaran* (gardiens de la révolution). *1979* Longue prise d'otages à l'ambassade des États-Unis à Téhéran. *1980* Début de la guerre avec l'Irak, à laquelle l'Iran paiera un très lourd tribut en vies humaines. *1989* Mort de Khomeyni. Rafsanjani devient président. *1995* Les États-Unis décrètent unilatéralement un embargo commercial, l'Europe se montre moins sévère. *1997* Mohamad Khatami nouveau président et partisan d'une certaine ouverture politique. *Fin 1998* Disparition et homicides de plusieurs intellectuels iraniens. *Février 2000* Les réformateurs dominent les élections législatives. *Juin 2000* La très facile réélection de Khatami confirme la volonté de changement, même si les conservateurs détiennent toujours les rênes du pouvoir. *Juin 2003* Manifestations d'étudiants dans Téhéran et plusieurs grandes villes. *Octobre 2003* La militante des droits humains Chirine Ebadi reçoit le prix Nobel de la paix. *Décembre 2003* Un tremblement de terre frappe la ville de Bam (20 000 morts). *Février 2004* Échec d'une tentative de réformer les principes de la révolution islamique. *Juin 2005* L'ultraconservateur Mahmoud Ahmadinejad est élu président aux dépens de Rafsanjani.

Irlande

Il faut imaginer une Normandie encore plus verte, encore plus mouillée : on aime ou on n'aime pas... Mais l'île d'Emeraude a su troquer son image négative de pays pluvieux – en fait, le ciel est plus changeant qu'on ne le pense – contre celle de lieu bénéficiant de formes de tourisme originales, fondées sur le voyage à thèmes : randonnées à pied, en roulotte ou à vélo, minicroisières sur le Shannon ou la Blackwater, séjours dans un manoir ou dans un cottage, balades à cheval sur la lande, pêche en rivière et en mer, golf dans un décor de dunes. Cela lui vaut une bonne audience touristique et fait oublier la relative faiblesse de l'intérêt architectural.

LES RAISONS D'Y ALLER

LES PAYSAGES

Landes, tourbières et lacs du Connemara, massif du Burren, péninsule et archipels du Kerry, Donegal et ses falaises (Slieve League), îles d'Aran, montagne tabulaire (Benbulbin), comté de Waterford

Randonnées à pied, à cheval, en vélo

Croisières sur le Shannon

LES LOISIRS

Golf, balades à cheval, pêche (saumon)

L'HISTOIRE

Dolmens, châteaux, vestiges (Staigue Fort)

Fête de la Saint-Patrick

LES VILLES

Dublin, Kilkenny, Waterford, Cork, Galway

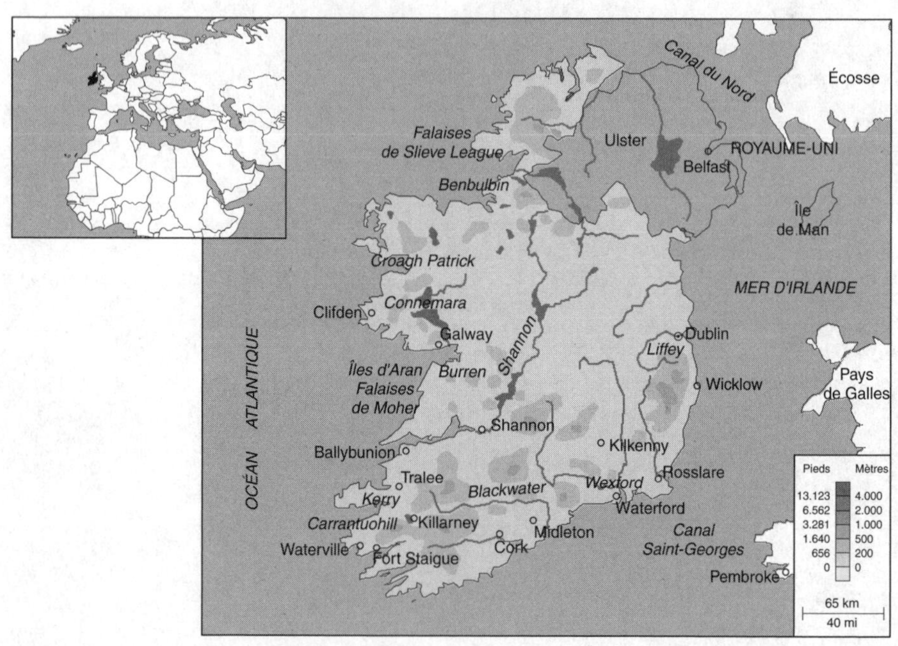

LES RAISONS D'Y ALLER

LES PAYSAGES

La quasi-totalité du tourisme irlandais est centrée sur la nature, sans doute jamais aussi belle qu'au moment où le soleil succède à une averse. Les sites de plaines et de collines se ressemblent peu ou prou et ont été découpés en six parcs nationaux : Glenveagh, Ballycroy, Connemara, The Burren, Killarney, Wicklow Mountains.

Le **Connemara** est la région la plus attachante grâce à ses **landes**, ses **tourbières**, ses **lacs**, ses bras de mer propices à la pêche, sa fidélité au gaélique, sa lumière et ses « country houses ».

Au nord, le comté du **Donegal** est aussi recherché pour les falaises de Slieve League que pour les lacs et tourbières du parc de Glenveagh. Le comté de **Sligo**, juste en dessous, attire les pêcheurs à la truite (lac Lough Gill) ou les marcheurs à l'ouest des monts Dartry, vers la montagne tabulaire de Benbulbin qui, haute de 520 m, ressemble à l'étrave d'un gigantesque navire.

Plus au sud, les falaises des îles d'**Aran** et le massif calcaire du **Burren**, qui renferme des grottes, précèdent la province du **Kerry**, à l'extrême sud-ouest, connue pour la douceur de son climat, la floraison de ses grands rhododendrons au début de juin, les lacs qui entourent la petite ville de Killarney, les plages de sable autour de Inch, au fond de la baie de Dingle, enfin les points de vue offerts par ses falaises, par des archipels de bout du monde (Blaskets, Skelligs) ou par le Carrantuohill, dont les 1 041 m en font le point culminant de l'île.

Le comté de **Waterford**, au sud-est, est fait de doux paysages traversés par les rivières Barrow, Suir et Blackwater. C'est de cette région (New Ross) que partit pour l'Amérique la famille de John Fitzgerald (« fils de Gérard ») Kennedy. De Cobh, près de Cork, sont partis dans les années 50 près de trois millions d'Irlandais pour le Nouveau Monde, ainsi que le *Titanic*. Quant à **Midleton**, elle renferme le Jameson Heritage Centre, distillerie de whisky célèbre entre toutes, avec l'alambic le plus grand du monde.

Ces divers atouts sont propices à des randonnées, dont le tourisme irlandais a su multiplier les formes : à pied, à cheval, à vélo, en **bateau** (mini-croisières sur le Shannon et sur la Blackwater).

LES LOISIRS

Un loisir d'envergure est le **golf**, la petite balle blanche pouvant être travaillée sur des parcours très nombreux et parfois réputés, tels Tralee, Ballybunion, Clifden et surtout Waterville, qui est aussi l'une des plus belles plages d'Irlande.

Le **cheval**, présent dans le pays depuis fort longtemps, promène le visiteur dans le Kerry, le Connemara et le Donegal, sur les bancs de sable de la péninsule de Dingle ou dans des gorges (Gap of Dunloe). Loisir également très prisé, parfois à bord de bateaux de location : la **pêche** (le saumon abonde dans la rivière Blackwater et le brochet dans le Shannon). Tradition également: la balade en **roulotte**.

L'HISTOIRE

Dolmens, châteaux (Kilkenny), **vestiges** (ruines de Fort Staigue, Fort noir de la falaise d'Inishmore dans les îles d'Aran) : l'Irlande laisse apparaître les témoignages, quelquefois oubliés par le tourisme, de sa longue histoire.

Pour avoir évangélisé l'Irlande au Ve siècle, **saint Patrick** est devenu une « star » encensée chaque année le 17 mars, sous une forme bruyante et débordante: à Dublin, par exemple, feux d'artifice, spectacles de rue, parade et danses irlandaises (*ceili*) sont de mise. Les Irlandais sont très attachés à cette tradition, qui devient de plus en plus populaire auprès des touristes étrangers.

LES VILLES

Dublin ne fait pas partie des grandes destinations urbaines d'Europe mais son intérêt va croissant. En outre, elle est située dans un joli site entouré de collines, au fond d'une baie. La rivière Liffey, qui coupe la ville en deux, est enjambée par des ponts parfois pittoresques, comme le Half-Penny Bridge.

Au détour des nombreux squares et jardins, les pubs invitent à déguster l'emblématique Guinness. Dublin renferme une vénérable université (Trinity College), des musées intéressants, dont le Musée national (antiquités irlandaises) et la Galerie nationale (œuvres de plusieurs grandes écoles européennes de peinture). Trois itinéraires sont recommandés pour bien pénétrer les vieux quartiers : le Georgian Trail, le Old City Trail et le

Cultural Trail. Au sud de Dublin, le raffinement des jardins du comté de Wicklow vaut le détour.

Au sud-est, **Waterford** mêle son site et ses traditions portuaires à la fierté de sa très réputée cristallerie, alors que **Kilkenny** est typique de la petite ville irlandaise aux façades gaies et aux pubs bondés, voués à la Guinness.

Au sud-ouest, **Cork** a gagné ses galons en étant capitale européenne de la culture en 2005 grâce à son passé portuaire, sa vitalité de ville étudiante, ses monuments victoriens et ses églises. Vitalité et dynamisme cosmopolite aussi à **Galway**, la ville dans le vent et... sous la pluie.

LE POUR

◆ Une aptitude à diversifier les formes de tourisme.

◆ La légendaire - et vérifiable - chaleur de l'accueil irlandais.

◆ Une nature omniprésente et bien préservée.

LE CONTRE

◆ Un ciel moins souvent gris qu'on ne le prétend, mais peu favorable.

◆ La nette et récente montée des prix.

LE BON MOMENT

C'est la fête du vent et de la pluie, pratiquement toute l'année. Toutefois, le soleil succède régulièrement aux averses. La période de **mai à août** est la plus favorable, mai et juin sont les mois les plus ensoleillés,. Les remontées estivales de la température vont rarement au-delà de 20º, surtout sur la côte ouest, région la plus soumise aux intempéries.

◆ Températures moyennes jour/nuit (en °C) à *Dublin* : janvier 8/3, avril 11/4, juillet 19/11, octobre 14/8.

LE PREMIER CONTACT

En Belgique

Irish Tourist Board, avenue Louise 327, B-1050 Bruxelles, ☎ (02) 275.01.71, fax (02) 642.98.51.

Au Canada

Irish Tourist Board, 2, Bloor Street West, Toronto, M4W 3E2, ☎ 1800-22.364.70.

En France

Office du tourisme irlandais, 33, rue de Miromesnil, 75008 Paris, ☎ 01.70.20.00.20, fax 01.47.42.01.64.

En Suisse

Office du tourisme, 36 Hindergarten, CH-8447 Darchen, ☎ (44) 210.41.53.

Internet

www.discoverireland.com/fr/
www.townandcountry.org
(pour les bed and breakfast)
www.visitdublin.com

Guides

Dublin (Gallimard/Cartoville, Hachette/Un grand week-end, Le Petit Futé, Lonely Planet France, Marcus, National Geographic France, Nelles).

Irlande (Berlitz, Gallimard/Encycl. du voyage, Gallimard/GEOGuide, Gallimard/Spiral, Hachette/Routard, Hachette/Evasion, Hachette/Voir, JPM Guides, Le Petit Futé, Michelin/Voyager pratique, Mondeos).

Cartes

Dublin (Gallimard/Cartoville), *Irlande* (Berlitz, Marco Polo, Michelin), *Royaume-Uni/Irlande* (IGN). Plusieurs cartes chez Ordnance Survey.

Lectures

A mes ennemis ce poignard (Liam O'Flaherty/Le Serpent à plumes, 2006), *Gens de Dublin* (James Joyce/Pocket, 2003), *Histoire de l'Irlande et des Irlandais* (Pierre Joannon/Perrin, 2005), *Irlande Voyage intimiste...* (Bernard Berrou, Jean Hervoche/Terre de brume, 2003), *Irlandes parallèles/ Deux histoires, deux destins, une attente* (Autrement, 1996), *Journal d'Aran et d'autres lieux* (Nicolas Bouvier/Payot, 2001), *Ulysse* (James Joyce/Gallimard, 2006). Sans oublier les œuvres du quatuor de prix Nobel de littérature : Shaw, Yeats, Beckett, Heaney...

Images

Iles d'Irlande (Nutan/Hoëbeke, 2005), *Irlande : Erin, terre des saints et des géants* (Gründ, 2004), *Irlande, carnet de bord d'un pêcheur d'images* (Chêne/2000), *les Plus Beaux Villages d'Irlande* (Bibl. des Arts, 2000), *Une rhapsodie irlandaise* (Hoëbeke, 2003).

Vidéos et DVD

Irlande, île verte (Media 9, 2003).

QUEL VOYAGE ET À QUEL PRIX ?

Le voyage individuel

Les préparatifs

◆ Pour les ressortissants de l'Union européenne : carte nationale d'identité ou passeport en cours de validité suffisant. Carte européenne d'assurance maladie. Pour les Canadiens, passeport encore valide six mois après le retour.

◆ Monnaie : l'*euro*.

Le départ

◆ Indice de prix à certaines dates du vol Montréal-Dublin A/R : 750 CAD, Paris-Dublin A/R : 150 EUR. Aer Lingus rallie Bruxelles et Paris, de même que la compagnie low cost maison Ryanair via Charleroi et Beauvais. Aer Lingus opère également depuis plusieurs villes de province françaises. ◆ Durée moyenne du vol Paris-Dublin (784 km) ou Paris-Shannon : 1 h 40.

Bateau

◆ Liaison directe : avec Irish Ferries, Cherbourg ou Roscoff-Rosslare (15 heures de trajet); avec Brittany Ferries, Roscoff-Cork d'avril à octobre inclus (13 heures de trajet).

◆ Si l'on est déjà en Angleterre, possibilité d'embarquer à Holyhead pour Dublin ou à Pembroke pour Rosslare (Irish Ferries).

◆ Dans tous les cas, tarifs avantageux jusqu'à fin juin et à partir de fin septembre. Ainsi, hors saison, le passage d'une voiture et de quatre adultes de France en Irlande peut se trouver *aux alentours de 200 EUR A/R* par personne. Tarifs plus élevés pour juillet et août et nécessité de réserver pour ces périodes.

◆ Les compagnies de ferries sont également sur le pont en ce qui concerne les forfaits : passage des personnes, de leur voiture et logement en Bed and Breakfast. Exemples : Seafrance, Irish Ferries. *Aux alentours de 600 EUR* par personne la semaine sur la base de quatre personnes en pleine saison, de *450 EUR hors saison*.

Sur place

Bateau

On peut jouer les capitaines de vaisseau en s'embarquant seul, après quelques instants d'initiation, sur le Shannon en bateau ou en péniche.

Bus

Les bus d'Eurolines vont en Irlande via Le Havre et le ferry pour Rosslare. Une fois à Rosslare, départ possible pour Cork, Dublin ou Galway. Bus de Dublin : carte à tarif réduit (mars à septembre).

Hébergement

◆ Le *Bed and Breakfast* est aussi répandu en Irlande qu'au Royaume-Uni, avec des tarifs débutant aux alentours de 30 EUR la nuit par personne. Exemples de formules : Aer Lingus, Frantour/Go Voyages, Gaéland/Ashling, Seagull, Usit. ◆ Il existe également des possibilités de logement en pension de famille, à la ferme (Irish Farm Holidays Association) et dans de nombreuses auberges de jeunesse, renseignements www.anoige.ie/ ◆ Le logement en cottage, en chambre d'hôte (guest house), dans un manoir ou dans une maison de campagne est également prisé : plusieurs organismes le proposent, tels Gaeland/Ashling, Irish Ferries, Nouvelles Frontières et Seagull (*entre 400 et 500 EUR* la semaine pour le vol A/R et l'hébergement).

Route

◆ Conduite à gauche. Permis de conduire national suffisant, plaque d'identité nationale à l'arrière, carte grise, carte verte. ◆ La vitesse est limitée à 70 miles (112 km/h) sur autoroute, 60 miles (96 km/h) sur route et 30 miles (48 km/h) dans les agglomérations. Limite du taux d'alcoolémie : 0,8 pour mille. Numéro de téléphone d'urgence : 999. ◆ Concernant la location de voiture, les formules *Fly and Drive* sont très répandues et constituent le choix de voyage le plus courant : *aux alentours de 450 EUR* la semaine. ◆ Très nombreuses formules d'autotours (vol A/R + location + B and B ou hôtel), entre autres par Bennett, Celtictours, Frantour, Gaéland Ashling. Prix moyen pour une semaine : *600 EUR*. ◆ Penser également au camping-car et, plus original, à la roulotte (Bennett).

Train

◆ Pass InterRail utilisable. ◆ Le *Irish Explorer Ticket*, en vente auprès de British Rail ou d'Usit Voyages, permet des réductions intéressantes.

Vie quotidienne

◆ Adaptateur électrique nécessaire. ◆ Pourboire recommandé dans les restaurants (10 %).

Le voyage accompagné

Rappel : nous nous sommes limités à un résumé des prestations en vigueur dans les agences et chez les voyagistes présents en France. Les lecteurs des autres pays peuvent en tirer des idées d'itinéraire et les compléter auprès de leurs agences de voyages.

◆ Ceux qui ne choisiront pas la formule reine de l'autotour (voir ci-dessus) sont peu nombreux, mais ils ne sont pas laissés à l'abandon et partent pour une semaine à quinze jours, entre juin et septembre, en **bus** (par exemple le trio Kerry, Killarney, Connemara avec Celtictours, un « panorama irlandais » avec Nouvelles Frontières). Dans cette hypothèse, les premiers prix pour la semaine en demi-pension se trouvent aux alentours de *950 EUR*.

◆ Les autres choisissent un voyage typé, dans lequel l'Irlande excelle : la **croisière** sur le Shannon, sur le Lough Erne (Celtictours) ou dans la baie de Dingle (Gaeland/Ashling); le voyage à dominante **historique** avec passage dans l'archipel d'Aran (Clio); la **marche** dans le Kerry et le Connemara (Club Aventure), les îles et les péninsules du sud-ouest (Terres d'aventure), le Donegal et la chaussée des Géants (Irlande du Nord) dans un même voyage (Allibert); le Connemara et les îles d'Aran (Atalante, La Balaguère); les îles de l'ouest (Nomade Aventure); le **cheval** dans les comtés de Clare et Galway (Usit Voyages); la **pêche** au saumon ou au brochet avec logement en guest house (Gaeland/Ashling); un séjour de **golf** (par exemple à Waterville avec le Club Med pendant une semaine); une balade en **roulotte** avec des arrêts pêche et vélo. Pour ce style de voyage, *compter 1 200 EUR pour 10 jours* tout compris.

◆ Le week-end à **Dublin** dure 3 jours/2 nuits en moyenne, avec des premiers prix *aux alentours de 350 EUR*. Quelques prestataires : Aer Lingus, Bennett, Britanny Ferries, Celtictours, Comptoir des voyages, Gaeland/Ashling, Irish Ferries, Luxair/Metropolis, Seafrance Voyages. D'autres propositions permettent de combiner l'arrivée à Dublin et le retour à partir de Shannon.

◆ Variantes : un **combiné** Irlande et Irlande du Nord (Club Aventure), la **Saint-Patrick** en forfaits de quelques jours à Dublin mais aussi à Cork, à Galway ou à Limerick (Aer Lingus).

QUE RAPPORTER ?

Un bon condensé de la production irlandaise consiste en un vêtement en tweed ou un pull en laine blanche et un échantillon local de Guinness, de whiskey et de saumon fumé. Le tout complété par un artisanat divers : bijoux, céramiques, cristal de Waterford, verreries.

LES REPÈRES

◆ Lorsqu'il est midi en France, en Irlande il est 11 heures, sauf entre fin septembre et fin octobre, où l'heure est identique; lorsqu'il est midi au Québec, en Irlande il est 17 heures. ◆ Langues officielles : le gaélique, désormais langue officielle de l'Union européenne (mais moins de dix pour cent des habitants l'utilisent tous les jours), et l'anglais. ◆ Téléphone vers l'Irlande : 00353 + indicatif (Dublin : 1) + numéro; d'Irlande : 00 + indicatif pays + numéro.

LA SITUATION

Géographie. Une plaine parsemée de lacs et relevée sur son pourtour par des collines et de petites montagnes compose les 70 273 km² du pays. Sur la terre humide, la tourbe et la lande prédominent.

Population. Il y a cent cinquante ans, les Irlandais étaient deux fois plus nombreux qu'aujourd'hui. Mais la pauvreté et la famine ont donné le signal d'une émigration, surtout vers les États-Unis, qui a duré plus d'un siècle. Aujourd'hui, boom économique aidant, la tendance s'inverse : le pays compte 4 156 100 habitants, dont près de 10% d'étrangers. Capitale : Dublin (1 100 000 habitants pour l'agglomération).

Religion. La ferveur catholique ne s'est jamais démentie (93 % de la population, très pratiquante). Minorités : adeptes de l'Église d'Irlande (anglicane), presbytériens, méthodistes.

Dates. *IVe siècle av. J.-C.* Les Gaëls, qui font partie du peuple celte, envahissent l'Irlande. *VIe siècle* Apports chrétiens et âge d'or de l'histoire irlandaise. *1690* L'Irlande perd la bataille de la Boyne et passe sous la coupe anglaise. *1918* Naissance de l'IRA (Irish Republican Army). *1921* L'île est coupée en deux par l'indépendance de l'Irlande et la création officielle de l'Irlande du Nord, rattachée au Royaume-Uni. *1932* De Valera est au pouvoir et s'oppose aux Britanniques. *1937* Nouvelle constitution : l'Irlande devient l'Eire. *1948* À son tour, le nom d'Eire est abandonné pour celui de République d'Irlande; rupture avec le Commonwealth. *1972* Entrée de la République d'Irlande dans la CEE. *1987* Le Fianna Fáil au pouvoir. *1990* Mary Robinson devient présidente. *1992* Albert Reynolds Premier ministre. *Décembre 1994* Mise en place d'un gouvernement de coalition de centre gauche, John Bruton devient Premier ministre. *Novembre 1995* La loi interdisant le divorce est abolie. *1997* Mary McAleese devient présidente. *1998* Bertie Ahern Premier ministre d'un pays à l'économie relancée. *Juin 2000* Les électeurs irlandais se prononcent contre l'élargissement de l'Union européenne. *Octobre 2002* Les électeurs revoient leur copie et acceptent largement par référendum le Traité de Nice. *2006* Bertie Ahern reconduit dans ses fonctions pour la troisième fois. *Mai 2008* Brian Cowen prend la tête d'un gouvernement de coalition. *Juin 2008* Le peuple irlandais dit non au traité de Lisbonne.

Islande

C'est dans l'instabilité de son sous-sol que l'Islande a trouvé son équilibre touristique. En effet, dans cette île qui frôle le cercle polaire arctique, on accourt pour voir le jaillissement des geysers et les chutes d'eau, le désert taché de vert et noir, les aurores boréales, les vallées glaciaires et l'échancrure des fjords. Ce théâtre permanent de la nature, paradis du géologue, conduit à une expérience typique de routard-randonneur que l'on retrouve à vélo ou à cheval sous la lumière interminable de l'été.

LES RAISONS D'Y ALLER

LES PAYSAGES ET LES RANDONNÉES

Geysers, solfatares, cascades, glaciers, lacs, fjords
Randonnées à pied ou en VTT, ski de fond, motoneige, balades à cheval, pêche
Aurores boréales, soleil de minuit

LA FAUNE

Macareux, pygargues, faucons gerfauts, rennes, renards bleus, cachalots, phoques gris, rorquals, baleines

LA VILLE

Reykjavík

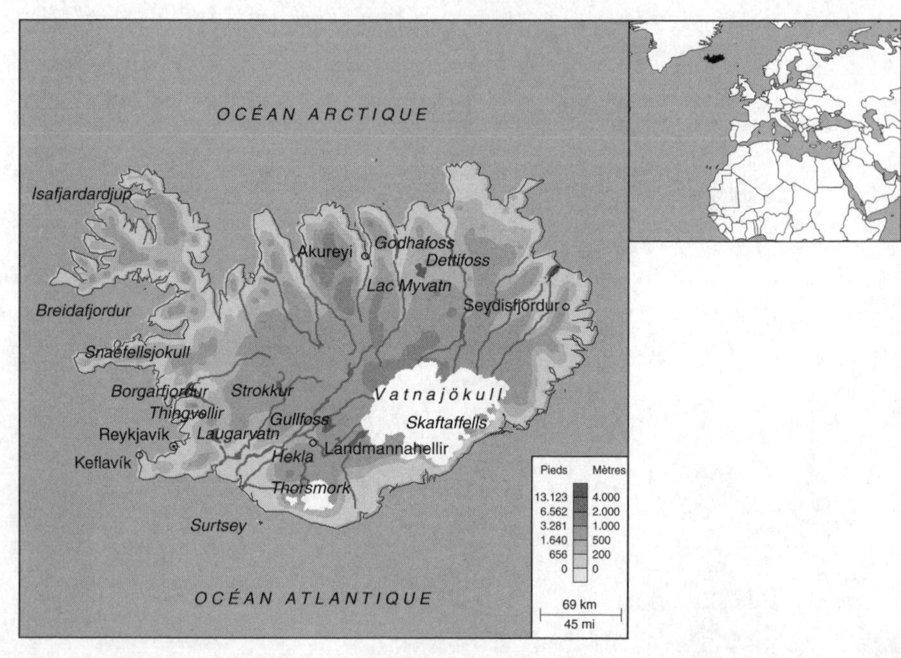

LES RAISONS D'Y ALLER

LES PAYSAGES ET LES RANDONNÉES

L'origine volcanique de l'île a eu des conséquences déterminantes sur son relief... et sur son tourisme. Dès que l'on quitte les régions côtières, il n'y a plus âme qui vive ou presque, et la nature prend tous ses droits : **geysers**, sources d'eau chaude jaillissante comme le Strokkur, dans la zone de Geysir, qui envoie des jets d'eau bouillante toutes les six à dix minutes, parfois jusqu'à 30 m de hauteur; **solfatares** (terrains propices aux dégagements de soufre); **chutes** (Godhafoss, Gullfoss et Dettifoss, qui retombe de 50 m entre deux falaises de basalte) et « piscines » naturelles d'eau chaude sulfureuse, dans lesquelles la baignade est un plaisir partagé par tous, touristes compris; **glaciers** (le Vatnajökull, qui est le plus grand d'Europe, ceux du parc national de Skaftafell, la vallée glaciaire de Thorsmörk); **lacs** (lac Myvatn); **fjords**, tels le Borgarfjordur et, tout en haut de la pointe nord-ouest, l'Isafjardardjup; **montagnes** telles que le Landmannalaugar et ses névés.

Le volcanisme, dont le symbole le plus recherché est le mont Hekla, engendre même des terres nouvelles, comme, dans l'archipel Vestman, l'île Surtsey, née en 1963 mais que le touriste ne peut admirer qu'à partir d'un avion ou d'un bateau.

Conséquence : si la découverte en tout-terrain via la piste reine nord-sud du Kjölur est difficile à éviter, la **randonnée** est devenue l'un des grands buts de voyage en été, sous des formes multiples telles que la marche, le VTT ou, plus typique, le dos confortable d'un (petit) cheval islandais habitué aux terrains difficiles et dont l'île héberge quatre-vingt mille unités...

L'hiver, le ski de fond, la motoneige et l'observation des **aurores boréales** (celles-ci parfois visibles dès septembre) prennent le relais. Le spectacle des aurores boréales succède à celui du **soleil de minuit**, visible en juin, surtout dans le nord de l'île, lorsqu'il rase l'horizon entre minuit et trois heures.

La **pêche** dans les lacs ou dans les rivières est également prisée : l'omble chevalier, la truite et le saumon sont les trois principales « victimes » désignées.

LA FAUNE

L'Islande est peuplée de plus de deux cents espèces d'oiseaux, entre autres **macareux moines** et leurs pattes rouges, **guillemots, pygargues, faucons gerfauts, pétrels**. Le lac Myvatn et l'archipel Vestman en sont des sites d'observation connus. La nidification a lieu généralement au printemps.

Parfois, des **phoques gris** se laissent admirer sur la côte sud, ainsi que des rorquals et des cachalots. Sur la côte nord, à partir du port d'Husavik, les **baleines** sont au rendez-vous. Enfin, le **renne**, sur les plateaux de l'est, et le **renard bleu** sont les autres espèces intéressantes observables.

LA VILLE

Reykjavík n'aurait rien de remarquable si ne s'y perpétuaient de petites traditions : par exemple les sorties jeunes et branchées des vendredis et samedis soir avec force bière et whisky jusqu'au bout de la nuit, ou bien le séjour en piscines de plein air, réchauffées par une eau naturellement chaude.

On ne doit pas hésiter à visiter la ville en hiver : c'est à ce moment-là qu'elle vit encore plus intensément ses nuits.

LE POUR

◆ Un petit paradis pour le randonneur : une nature quasiment intacte, des paysages rares en raison de la spécificité du relief.

LE CONTRE

◆ Le manque de centres d'intérêt architecturaux.

◆ Un coût de la vie touristique très élevé.

LE BON MOMENT

Grâce au Gulf Stream, qui vient réchauffer les côtes ouest et sud, l'Islande ne connaît pas la grande froidure présumée. Par contre, pour cause de collision entre les tendances océanique et polaire, le ciel change sans cesse et le vent souffle fort.

La position haute de l'île lui confère des jours et des nuits sans fin, les premiers en juin-juillet et les secondes d'octobre à février. La période favorable pour le tourisme est brève **(mi-juin à mi-septembre)**. Les mois de mai et septembre sont les préférés des connaisseurs de l'île.

◆ Températures moyennes jour/nuit (en °C) à *Reykjavík* : janvier 2/-3, avril 6/0, juillet 14/8, octobre 7/4.

LE PREMIER CONTACT

En Belgique

Ambassade, rond-point Schuman, 11, B-1040 Bruxelles, ☎ (02) 238.50.00, www.iceland.org/be

Au Canada

Ambassade, 360, rue Albert, Ottawa, ON K1R 7X7, ☎ (613) 482-1944, fax (613) 482-1945, www.iceland.org/ca

En France

Ambassade, 8, avenue Kléber, 75116 Paris, ☎ 01.44.17.32.85, fax 01.40.67.99.96. Compagnie Icelandair, ☎ 01.44.57.60.51.

Au Luxembourg

Consulat général, 65, boulevard Grande-Duchesse-Charlotte, L-1331 Luxembourg, ☎ 26.44.91.17.

En Suisse

Consulat, rue du Mont-de-Sion, 8, CH-1206 Genève, ☎ (22) 703.56.56, fax (22) 703.56.66.

Internet

www.icetourist.is
www.icelandair.fr
www.touristguide.is

Guides

Islande (Berlitz, Gallimard/Bibl. du voyageur, Hachette/Routard, JPM Guides, Le Petit Futé, Marcus, Mondeos), *Islande, les 50 plus belles randonnées* (Rother).

Cartes

Berlitz, Cartographia, Freytag, IGN, Marco Polo, Ravenstein.

Lectures

L'Islande des Vikings (Jesse Byock/Ed. Aubier, 2007), *Treks dans les îles de l'Atlantique Nord : Ecosse, Féroé, Islande, Groenland, Spitzberg* (Ouest-France, 2007), *Pêcheurs d'Islande* (Pierre Loti/Livre de poche), *Retour en Islande* (Olafur Jóhann Olafsson/Seuil, 2004), *le Voleur de vie*, portrait d'une femme islandaise indépendante, dû à la poétesse-romancière Steinunn Sigurdardóttir (Flammarion, 1998).

Images

L'Islande : le choc des hommes et des éléments (Anne-Marie Buston, Cyril Demange, Sophie Demange/Luc Pire, 2007), *Islande, le sublime et l'imaginaire* (Patrick Desgraupes/Aubanel, 2008), *Islande, l'île entre deux mondes* (Mathon/Anako, 1996), *Islande : Terre de feu, rêve de glace* (Ed. Romain Pagès, 2005).

Vidéos et DVD

Islande, lumière de glace (Media 9, 2004).

QUEL VOYAGE ET À QUEL PRIX ?

Le voyage individuel

Les préparatifs

◆ Pour les ressortissants de l'Union européenne et suisses : carte nationale d'identité ou passeport suffisant, valable encore six mois après le retour. Pour les ressortissants canadiens, passeport valable encore six mois après le retour.

◆ Monnaie : la *króna*, la couronne islandaise (pluriel : *krónur*), ne peut être échangée que sur l'île. 1 EUR = 168 krónur, 1 US Dollar = 122 krónur. Emporter des euros ou des dollars US et une carte de crédit. Distributeurs de monnaie répandus.

Le départ

Avion

◆ Indice de prix à certaines dates du vol Montréal-Reykjavík A/R : 750 CAD; Paris-Reykjavík (Keflavík) A/R : 350 EUR. ◆ Compagnie à bas prix : Iceland Express (entre autres à partir de Paris). ◆ Durée moyenne du vol Paris-Reykjavík (2 244 km) : 3 heures.

Bateau

De la mi-mai au début septembre, le transbordeur *Norröna*, de la Smyril Line, relie une fois par semaine l'Islande au Danemark (via les îles Féroé, escale de 2 jours) et à la Norvège. De Bergen (Norvège) à Seydisfjordur, la traversée dure 40 heures. Possibilité d'embarquer la voiture. Renseignements auprès de l'office du tourisme ou de Voyages Gallia.

Route

◆ Il est possible de partir en Islande avec sa propre voiture (voir ci-dessus). Privilégier le 4 x 4, seul moyen pour les pistes, le passage des rivières et l'intérieur des terres qui sont accessibles uniquement entre juillet et septembre, à la différence de la route côtière, asphaltée aux trois quarts.

Sur place

Avion

◆ La compagnie nationale Icelandair propose l'achat de coupons pour les vols intérieurs (valables 30 jours) et des formules de séjour. Condition : effectuer le vol international avec la compagnie.

Bus

Une carte de libre circulation permet de réaliser des économies pour qui choisit de visiter le pays en bus. Renseignements auprès de l'office du tourisme.

Hébergement

Formes de logement multiples : chez l'habitant, à la ferme, en auberge de jeunesse et surtout en camping, sans doute le plus pratiqué, topographie et « désert » intérieur aidant. Il existe des auberges de jeunesse. Renseignements : www.hostel.is ◆ Location possible de matériel de camping ou d'une maisonnette auprès de Nouvelles Frontières. ◆ Le seul vrai problème est posé par Reykjavík durant les mois d'été : réservation très conseillée. Exemples de prestations de logement à la carte : Comptoir d'Islande, Nouvelles Frontières, Tourisme chez l'habitant.

Route

◆ Interdiction de rouler hors des itinéraires balisés. ◆ Limitations de vitesse agglomération/route/quatre voies : 50/90/110. ◆ Limite du taux d'alcoolémie : 0,5 pour mille. ◆ Large éventail de location de voitures tout-terrain ou d'autotours (vol A/R, itinéraire suggéré et logement aux étapes, compter *aux alentours de 1 300 EUR* la semaine en demi-pension). Exemples : Comptoir d'Islande, Island Tours, Nouvelles Frontières.

Le séjour en individuel

◆ Pour Reykjavík, été comme hiver, on trouve des séjours de 4 jours/3 nuits *aux alentours de 550 EUR* en moyenne, voire de 5 jours avec location de voiture (Comptoir d'Islande, Island Tours). Entre septembre et mars, Icelandair invite à des « week-ends aurores boréales » à partir de la capitale.

Le voyage accompagné

Rappel : nous nous sommes limités à un résumé des prestations en vigueur dans les agences et chez les voyagistes présents en France. Les lecteurs des autres pays peuvent en tirer des idées d'itinéraire et les compléter auprès de leurs agences de voyages.

Islande d'été

◆ Est-ce le relief jeune de l'île qui conduit les concepteurs de voyage à former de (très nombreux) circuits pour sportifs dynamiques ? En grande partie, puisque le centre, quasiment inhabité et d'accès difficile, appelle toutes formes d'exploration. Les spécialistes de la **randonnée estivale** sont dans leur jardin, proposant des circuits de 15 jours en moyenne en juillet et août avec nuit sous tente, qui font alterner la marche, le 4 x 4, le minibus et le petit cheval islandais. Pour ce dernier, voir par exemple Comptoir d'Islande ou Cheval d'aventure, particulièrement fin septembre et début octobre, lors du rassemblement des moutons et des chevaux, ou lors du Landsmot, fête qui met le poney à l'honneur.

Le centre, le lac Myvatn, le Vatnajökull et le sud de l'île (mont Hekla) sont très arpentés, alors que les abords de la côte ouest et l'extrême nord-est le sont de plus en plus. Exemples : Adeo, Allibert, Atalante, 66° Nord, Club Aventure, Comptoir d'Islande, Continents insolites, Iles du monde, Island Tours, Nomade Aventure, Nouvelles Frontières, Objectif Nature, Scanditours, Terres d'aventure, Voyageurs du monde. Le nombre et la diversité des circuits ne sont pas de vains mots.

◆ Les prestations sont concentrées entre la mi-juin et la mi-septembre. Quant aux prix, ils varient *de 1 200 EUR la semaine* en circuit classique à *2 000 EUR pour 15 jours* dans le cas d'une randonnée et ils approchent *2 300 EUR pour 15 jours* dans le cas d'un circuit organisé.

◆ Une **croisière** programmée par Scanditours part de Bodo (Norvège), passe par le Spitzberg et fait deux escales en Islande avant Reykjavík (en juillet, 14 nuits à bord).

◆ Aventure et Volcans annonce une vraie leçon de **volcanisme** en passant 15 jours au Landmannalaugar, dans le Vatnajokull et en gravissant le Laki, le Helgafell et l'Eldfell.

Islande d'hiver

◆ Les propositions abondent : safaris motoneige, surf des neiges, raid à skis, raquettes. On trouve des **mini-séjours** de 4 ou 5 jours (vol A/R + hôtel), voire des week-ends de randonnée pour une découverte de l'île (Icelandair). Grand Nord Grand Large est à Myvatn en hiver pour admirer les aurores boréales et les zones volcaniques. Nouvelles Frontières propose un séjour semblable mais dans les glaciers du sud. *Compter 1 300 EUR pour ce type de voyage.*

QUE RAPPORTER ?

Les pulls en pure laine aux couleurs bleu pâle et blanc cassé ne sont pas donnés, mais quel confort en perspective! Quant au saumon, il rivalise avec celui des Norvégiens ou des Écossais.

LES REPÈRES

◆ Lorsqu'il est midi en France, en Islande il est 10 heures en été et 11 heures en hiver. ◆ Langue officielle : l'islandais, langue germanique sans grands changements depuis le Moyen Âge. ◆ Langue étrangère : l'anglais est largement pratiqué. ◆ Téléphone vers l'Islande : 00354 + numéro; d'Islande : 00 + indicatif pays + numéro.

LA SITUATION

Géographie. Volcanique est née l'Islande, volcanique elle demeure sur son plateau de 103 000 km²... et des poussières depuis qu'est née l'île Surtsey en 1963 et que s'est agrandie sa voisine Heimaey dix ans plus tard. 11,5 % du territoire sont constitués de glaciers.

Population. Les 304 400 Islandais ont théoriquement beaucoup d'espace vital, mais ils vivent surtout sur les côtes. Les quatre cinquièmes de l'île sont inhabités et la capitale Reykjavík abrite, avec sa banlieue, plus de la moitié de la population, d'origine viking.

Religion. Presque tous les habitants appartiennent à l'Église évangélique luthérienne (93 %).

Dates. *IXe siècle* Venus de Norvège, les Vikings colonisent l'île. *930* Création de l'*Althing*, assemblée des hommes libres qui, après la soumission de l'île à la Norvège puis au Danemark, sera rétablie en 1843. *1918* Royaume indépendant sous la couronne danoise. *1944* L'Islande devient une république. *1980* Vigdis Finnbogadóttir, présidente de la République, connaît une grande popularité. *Juillet 1996* Olafur Ragnar Grimsson lui succède. David Oddsson est à la tête d'un gouvernement de centre droit. *Octobre 1996* Éruption spectaculaire (sous-glaciaire) du volcan Grimsvötn. *Juin 2006* Le conservateur Geir Haarde devient Premier ministre. *Octobre 2008* L'Islande, ses banques et sa monnaie sont sévèrement secouées par la crise financière.

Israël

Avertissement. – Sous l'entrée Israël, nous incluons la Cisjordanie et Gaza tout en rappelant qu'ils constituent des territoires palestiniens occupés depuis 1967. Vu la tension actuelle, le voyage est formellement déconseillé à Gaza.

Sur la couverture des prospectus chargés de vanter la Terre promise, on voit parfois le jaillissement d'une naïade à la place d'un monument. Mais c'est là une évolution logique : Israël est à même de proposer aussi bien l'agrément de ses plages que la qualité de son architecture. En outre, les randonneurs ont à arpenter deux déserts, ceux de Judée et du Néguev. Vu la relative brièveté des distances, le voyageur peut passer en peu de temps de l'un à l'autre de ces atouts touristiques, mais les tensions récurrentes laissent en suspens bon nombre de projets.

LES RAISONS D'Y ALLER

LES SITES HISTORIQUES

Jérusalem
Terre sainte et pèlerinages : Bethléem, Nazareth, Capharnaüm, Jéricho, mont Thabor, lac de Tibériade, mont Carmel, Akko (Saint-Jean-d'Acre), Hébron, Qumran, Massada
Tel-Aviv-Jaffa

LES PAYSAGES

Mer Morte, désert de Judée, désert du Néguev, kibboutzim

LES CÔTES

Plages de la Méditerranée (Netanya, Césarée) et de la mer Rouge (Eilat), mer Morte (cures et thalassothérapie), mer de Galilée

TERRITOIRES OCCUPÉS *(Cisjordanie, Gaza)*

Bethléem, Jericho, Hébron, régions de Jénine et Naplouse

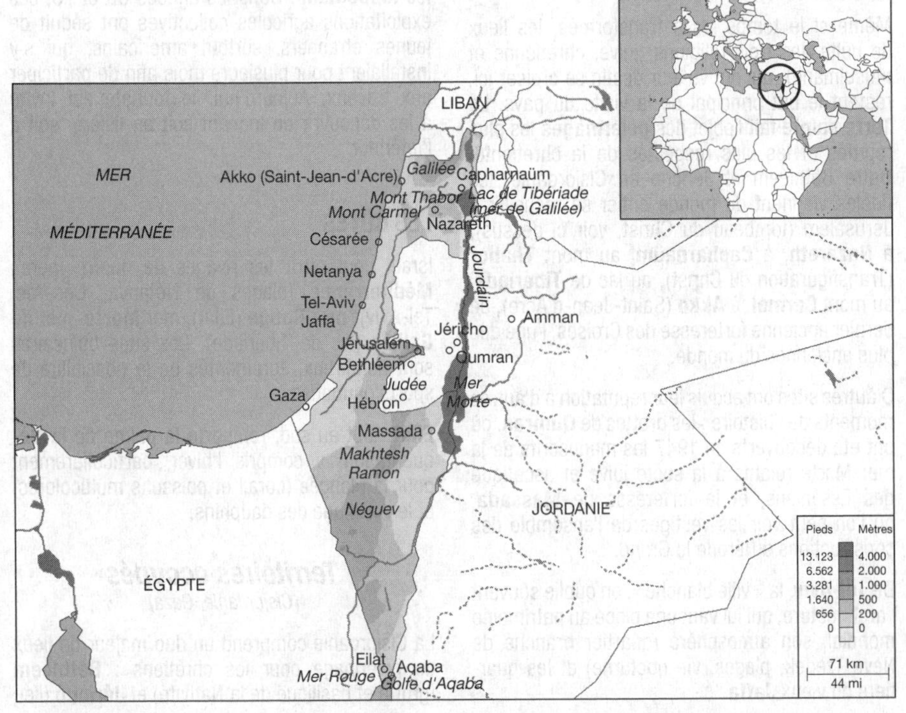

LES RAISONS D'Y ALLER

LES SITES HISTORIQUES

D'ouest en est, **Jérusalem** voit se côtoyer quatre quartiers : chrétien, arménien, juif, musulman. En regroupant ainsi les adeptes des confessions israélite, chrétienne et musulmane, la ville, que l'on englobe du regard à partir du mont des Oliviers, multiplie les monuments célèbres à très peu de distance les uns des autres : la Coupole du Rocher de la mosquée d'Omar, plus vieux monument islamique (VIIe siècle); la mosquée d'al-Aqsa, la plus grande de la ville; l'Esplanade du Temple et le Mur des lamentations, seul vestige du Second Temple (Hérode) et très important lieu de prière juif; le tombeau du Christ au Saint-Sépulcre; les portes des murailles de la vieille ville; la via Dolorosa, jalonnée par les étapes du Calvaire.

Deux musées dominent à Jérusalem : le musée Yad Vashem, consacré à l'Holocauste, et le musée Israël, qui abrite les manuscrits de la mer Morte, découverts en 1946 seulement (textes bibliques et apocryphes juifs voisinant avec ceux de la secte de Qumran).

Même si le temps les a transformés, les lieux de culte des trois religions (juive, chrétienne et musulmane), qui ont vu leur destin se croiser ici, restent le but principal de la visite du pays. La **Terre sainte** fait l'objet des **pèlerinages** les plus réputés et les plus respectés de la chrétienté. Outre Bethléem et Jéricho en Cisjordanie, les fidèles viennent du monde entier se recueillir à Jérusalem (tombeau du Christ, voir ci-dessus), à **Nazareth**, à **Capharnaüm**, au mont **Thabor** (Transfiguration du Christ), au lac de **Tibériade**, au mont **Carmel**, à **Akko** (Saint-Jean-d'Acre), ce dernier ancienne forteresse des Croisés, l'une des plus anciennes du monde.

D'autres sites ont acquis leur réputation à d'autres moments de l'histoire : les grottes de **Qumran**, où ont été découverts en 1947 les manuscrits de la mer Morte relatifs à la secte juive et ascétique des Esséniens, et la forteresse de **Massada**, où l'on peut voir les vestiges de l'ensemble des constructions d'Hérode le Grand.

De **Tel-Aviv**, la « ville blanche », on oublie souvent l'architecture, qui lui vaut une place au patrimoine mondial, son atmosphère (quartier branché de Neve Tzedek, plages, vie nocturne) et les quartiers du vieux **Jaffa**.

LES PAYSAGES

L'ensemble des atouts précités ne saurait occulter les sites naturels, dont trois au moins rivalisent d'intérêt touristique : les abords de la mer Morte, le désert de Judée, le désert du Néguev.

Les dépôts de sel, les falaises et le bleu soutenu du ciel et de l'eau de la **mer Morte** attisent la curiosité, alors que les baigneurs et les curistes sont de plus en plus nombreux. Sa situation (400 m au-dessous du niveau normal) et sa forte concentration de minéraux sont universellement connues pour leurs vertus thérapeutiques, surtout contre le psoriasis et les rhumatismes. Les offres de séjours de thalassothérapie se multiplient.

Les hauts plateaux et les canyons assurent en alternance l'intérêt du désert de **Judée**, à l'ouest de Massada et en appui sur la rive ouest de la mer Morte. Les gorges (Canyon Rouge), les pierres couleur pastel et les « sculptures » dues à l'érosion font la beauté du **Néguev**. Ce désert est également chargé d'histoire car traversé par l'ancienne route nabatéenne des parfums.

D'autres sites doivent tout à la main de l'homme : les **kibboutzim**. Dans les années 60 et 70, ces exploitations agricoles collectives ont séduit de jeunes étrangers, surtout américains, qui s'y installaient pour plusieurs mois afin de participer aux travaux. Aujourd'hui, le touriste est invité à les découvrir en logeant soit en lisière, soit à l'intérieur.

LES CÔTES

Israël peut offrir les rivages de quatre mers : **Méditerranée** (plages de Netanya, Césarée, Tel-Aviv), **mer Rouge** (Eilat), mer **Morte**, mer **de Galilée** (lac de Tibériade). Les sites balnéaires sont nombreux, agrémentés de la possibilité de sports nautiques.

Eilat, tout au sud, remporte la palme de la fréquentation, y compris l'hiver, particulièrement pour la plongée (corail et poissons multicolores) et le voisinage des dauphins.

Territoires occupés

(Cisjordanie, Gaza)

La Cisjordanie comprend un duo majeur de lieux de pèlerinage pour les chrétiens : **Bethléem** (grotte et basilique de la Nativité) et **Jéricho** (lieu de baptême du Christ mais aussi porte d'entrée de la Terre promise pour les Juifs).

Plus au nord, Jénine et Naplouse font valoir l'agrément de leur site et des paysages alentour.

Au sud, à **Hébron**, le caveau des Patriarches, vénéré aussi bien par les Juifs que par les Musulmans, renferme les cénotaphes d'Abraham, Isaac et Jacob.

A **Gaza**, site de l'ancienne Anthédon, des fouilles tentent de préserver des vestiges du Bronze ancien et de monuments byzantins du VIe siècle (Tall al-Sakan), aux céramiques intactes.

LE POUR

◆ Un tourisme dynamique, harmonieux (conjugaison des attraits culturel, balnéaire, pédestre) et original (séjour possible dans un kibboutz).

◆ La coïncidence des dates de vacances estivales et de la bonne période climatique.

LE CONTRE

◆ La persistance de la tension politique israélo-palestinienne, qui conduit beaucoup de candidats au voyage à se mettre en position d'attente.

LE BON MOMENT

Le climat est méditerranéen sur la plus grande partie du pays, mais devient de type semi-désertique au sud. Il fait très chaud en été au bord de la mer Morte, de la mer Rouge et de la mer de Galilée; il fait bon à Jérusalem grâce à l'altitude, et près de la Méditerranée grâce à la brise.

D'une manière générale, **mars-octobre** constitue une période favorable, excepté pour les randonnées dans les déserts (octobre-avril). La bonne saison se prolonge jusqu'à décembre pour la région d'Eilat. Décembre et janvier sont pluvieux et doux, mais froids en montagne.

◆ Températures moyennes jour/nuit (en °C)

Eilat (mer Rouge) : janvier 21/10, avril 31/18, juillet 40/26, octobre 33/21.

Jérusalem (centre) : janvier 12/6, avril 22/13, juillet 29/19, octobre 25/17.

Tel-Aviv/Jaffa (côte méditerranéenne) : janvier 18/10, avril 23/14, juillet 29/23, octobre 27/19. Eau de mer : moyenne de 25° en juillet.

LE PREMIER CONTACT

En Belgique

Ambassade, avenue de l'Observatoire, 40, B-1180 Bruxelles, ☎ (02) 373.55.00, fax (02) 373.56.10, www.brussels.mfa.gov.il

Au Canada

Office du tourisme, 180, rue Bloor Ouest, Toronto, ON, M5S 2V6, ☎ (416) 964-3984.

En France

Office du tourisme, 94, rue Saint-Lazare, 75009 Paris, ☎ 01.42.61.85.89.

Au Luxembourg

Consulat, 119, avenue Gaston-Diderich, L-1420 Luxembourg, ☎ 44.65.57.

En Suisse

Office de tourisme, 12, rue Linterscher, Zurich, ☎ (01) 211.23.44, fax (01) 212.20.36.

Internet

www.otisrael.com (office de tourisme)

Guides

Israël (JPM Guides, Le Petit Futé, Marcus, Mondeos), *Israël et les Territoires palestiniens* (Lonely Planet France), *Israël, Jordanie* (Nelles),

Jérusalem (Hachette/Voir),

Palestine et Palestiniens (Groupe de tourisme alternatif), *Tel Aviv* (Marcus & Guysen).

Cartes

Israël (Berlitz, Cartographia, IGN).

Lectures

L'Etat d'Israël (Fayard, 2008), *Jérusalem* (Goncalvo Tavares/Ed. Viviane Hamy, 2008), *le Nouvel Israël : un pays en quête de repères* (Emmanuel Faux/Seuil, 2008). Penser également aux romans de Yoram Kaniuk, dont *Encore une histoire d'amour* (Fayard, Paris, 1998).

Images

Israël (Chêne, 2003), *Israël entre ciel et terre* (Ivan Grinberg/National Geographic, 2008), *Jérusalem* (Le Panama Editeur, 2008), *Jérusalem* (White Star, 2008). Voir aussi les films et documentaires du cinéaste israélien du moment, Amas Gitaï.

QUEL VOYAGE ET À QUEL PRIX ?

Le voyage individuel

Les préparatifs

◆ Pour les ressortissants de l'Union européenne, canadiens, suisses : passeport suffisant – y compris pour les territoires palestiniens – valable encore six mois après le retour. ◆ Les voyageurs qui doivent se rendre dans un pays arabe opposé à Israël peuvent demander que le tampon israélien soit apposé sur une feuille volante.

◆ Aucune vaccination n'est exigée.

◆ Monnaie : le nouveau shekel. 1 US Dollar = 3,8 nouveaux shekels, 1 EUR = 5,3 nouveaux shekels. Emporter des espèces en euros ou en dollars US (ces derniers acceptés dans la plupart des commerces) et une carte de crédit (distributeurs de monnaie).

Le départ

◆ Indice de prix à certaines dates du vol Montréal-Tel Aviv-Jaffa A/R : 1 100 CAD; Paris-Tel Aviv-Jaffa A/R : 350 EUR. ◆ Vols à bas prix : Liège-Tel Aviv (Jetairfly), Paris-Tel Aviv (Air Europa, Corsairfly). ◆ Durée moyenne du vol Paris/Tel-Aviv-Jaffa (3 289 km) : 3 h 30.

Sur place

Bus

Bon réseau (*Egged*). Il existe une carte de libre circulation *(Israbus)*, valable 30 jours. Renseignements auprès de l'office du tourisme ou, sur place, dans les gares routières.

Hébergement

◆ Logement possible chez l'habitant (à Jérusalem) ou en kibboutz (en hôtel-kibboutz en lisière, mais aussi en gîte à l'intérieur, selon la formule Bed and Breakfast). ◆ Il existe une trentaine d'auberges de jeunesse. Renseignements : www. youth-hostels. org.il

Route

◆ Excellent réseau routier. ◆ Location de voiture (plus de 23 ans, permis depuis plus d'un an) intéressante avec la formule des autotours (hôtels réservés à l'étape ou choix libre de plusieurs kibboutzim). Compter *de 600 à 1 000 EUR* la semaine selon le prestataire pour le vol A/R, la location de voiture et l'hébergement.

Train

Un train d'Israel Railways relie quotidiennement Tel-Aviv à Jérusalem, sur un beau parcours.

Le séjour balnéaire

◆ La vocation balnéaire du pays s'affirme avec **Eilat** (Club Med à Coral Beach) mais aussi la mer Morte (thalassothérapie). Le prix d'un séjour « all inclusive » d'une semaine en haute saison avoisine *750 EUR*. Les **plongeurs** ne sont pas en reste, dans des centres très au point comme le *Dolphin Reef* (séjours d'une semaine entre avril et novembre).

Le séjour week-end

Les formules week-end pour **Tel-Aviv** se développent, par exemple chez Nouvelles Frontières (4 jours/3 nuits). Compter *aux alentours de 600 EUR* pour le vol et l'hébergement.

Le voyage accompagné

Rappel : nous nous sommes limités à un résumé des prestations en vigueur dans les agences et chez les voyagistes présents en France. Les lecteurs des autres pays peuvent en tirer des idées d'itinéraire et les compléter auprès de leurs agences de voyages.

◆ Quand la situation l'autorise, trois sortes de circuit dominent :

– un voyage classique pour Jérusalem et les grands sites religieux;

– un voyage à base de randonnées dans le désert de Judée ou dans le Néguev;

– un voyage à dominante balnéaire.

Outre des voyages spécifiques consacrés aux pèlerins, tels ceux de Terre entière qui propose entre autres un « Israël-Palestine », il existe des circuits qui souvent vont de la mer Rouge au lac de Tibériade en passant par la mer Morte et Jérusalem. Jet tours ou Voyageurs du monde, par exemple, sont sur les rangs. Voir également www.partirenisrael.com et www.israel-voyages.com

◆ Toujours si la situation le permet, un combiné avec la Jordanie (8 jours) est d'actualité, généralement pour Petra, parfois pour Amman, Jerash et Petra, voire le monastère Sainte-Catherine, dans le Sinaï.

◆ **Tourisme solidaire** : la visite des provinces de Jénine et Naplouse est proposée par la maison des associations de Jénine (Hakoura), tél. (972) 42.416.660. Plus généralement, Alternativ Tourism Group (www.atg.ps) propose un tourisme à travers les sites palestiniens avec rencontre des communautés locales.

QUE RAPPORTER ?

Dans les souks, le bois (olivier), le cuir et les épices ne doivent pas être ignorés, mais ils ont du mal à rivaliser avec les souvenirs liés à la religion.

LES REPÈRES

◆ Lorsqu'il est midi en France, en Israël il est 13 heures; lorsqu'il est midi au Québec, en Israël il est 19 heures. ◆ Langues officielles : l'arabe et l'hébreu. ◆ Langue étrangère : anglais. ◆ Téléphone vers Israël: 00972 + indicatif (Jérusalem : 2; Tel-Aviv-Jaffa : 3) + numéro; d'Israël : 00 + indicatif pays + numéro.

LA SITUATION

Géographie. À partir du littoral méditerranéen, le sol s'élève vers Jérusalem et la Galilée puis se creuse avec les dépressions de la mer de Galilée et surtout de la mer Morte. Plus de la moitié de la superficie (21 056 km^2) est occupée au sud par le désert du Néguev, qui se termine en pointe à Eilat, sur la mer Rouge.

Population. L'immigration juive (Europe centrale, Afrique du Nord et Moyen-Orient avant Europe occidentale, États-Unis et ex-URSS) a donné à Israël les cinq sixièmes de sa population actuelle de 7 112 000 habitants. Territoires occupés : les Palestiniens sont deux millions cinq cent mille en Cisjordanie et près d'un million cinq cent mille dans la bande de Gaza. Depuis 1980, Jérusalem, réunifiée, a été décrétée capitale par la Knesset au détriment de Tel-Aviv-Jaffa.

Religion. Environ huit personnes sur dix sont de religion juive. Minorités de musulmans, de chrétiens et de druzes.

Dates. *1948* Création de l'État d'Israël par les Pères fondateurs, dont Ben Gourion. *1949* Première guerre israélo-arabe, qui sera suivie de trois autres conflits au cours des vingt-cinq années suivantes (1956, 1967, 1973). *1949* Première assemblée (Knesset). *1969* Golda Meir Premier ministre. *1977* Menahem Begin, nouveau Premier ministre, esquisse un rapprochement avec l'Égyptien Sadate. *1982* Israël rend le Sinaï à l'Égypte. *1984* Shimon Peres Premier ministre. *1986* Yitzhak Shamir lui succède et doit faire face aux soulèvements des Palestiniens (Intifada) dans les territoires occupés. *1992* Yitzhak Rabin (travailliste) devient Premier ministre. *Septembre 1993* Poignée de main historique entre Yitzhak Rabin et Yasser Arafat et accords d'Oslo en faveur d'un processus de paix. *Décembre 1993* Israël et le Vatican se reconnaissent officiellement. *Juillet 1994* Yasser Arafat s'installe à Gaza. *Octobre 1994* Israël et la Jordanie signent un accord de paix. *Novembre 1995* Assassinat d'Yitzhak Rabin par un extrémiste juif. Shimon Peres devient Premier ministre. *Janvier 1996* Yasser Arafat est élu premier président de l'Autorité palestinienne. *Octobre 1999* Inauguration d'une route entre Gaza et la Cisjordanie. *Mai 2000* Israël se retire du Liban sud. *Octobre 2000* Début de la nouvelle Intifada. *Février 2001* Ariel Sharon élu Premier ministre (40 % d'abstentions). *Fin 2001* Attentats palestiniens et représailles israéliennes se succèdent. *Avril 2003* Mahmoud Abbas Premier ministre du gouvernement palestinien. *Novembre 2004* Décès de Yasser Arafat. *Janvier 2005* Mahmoud Abbas devient président palestinien. *Septembre 2005* L'armée israélienne quitte la bande de Gaza. *Janvier 2006* Ariel Sharon victime d'une grave attaque cérébrale. *Janvier 2006* Le Hamas vainqueur surprise des législatives palestiniennes. *Juin 2007* Le Hamas, en conflit ouvert avec le gouvernement de Mahmoud Abbas, se rend maître de la bande de Gaza. *Juillet 2007* Shimon Peres devient président. *Début 2008* Nombreuses victimes, surtout palestiniennes, lors d'affrontements au nord de la bande de Gaza. *Septembre 2008* Ehud Olmert démissionne, Tzipi Livni lui succède mais elle est contrainte d'envisager des élections anticipées. *Décembre 2008* Israël frappe le Hamas à Gaza en représailles des tirs de roquettes sur le sud du pays : environ 1 300 victimes en trois semaines de conflit, presque toutes palestiniennes.

Italie

Son patrimoine architectural et ses côtes méditerranéennes valent à l'Italie d'être l'un des grands pays touristiques du monde. Elle offre tout pour tous : des villes chargées d'histoire, des plages soit très raffinées, soit très populaires, des paysages riants comme la Toscane et des volcans en activité comme l'Etna. Devant tant de diversité à si peu de distance, comment imaginer une vie de voyageur sans passer au moins une fois par la « botte » ?

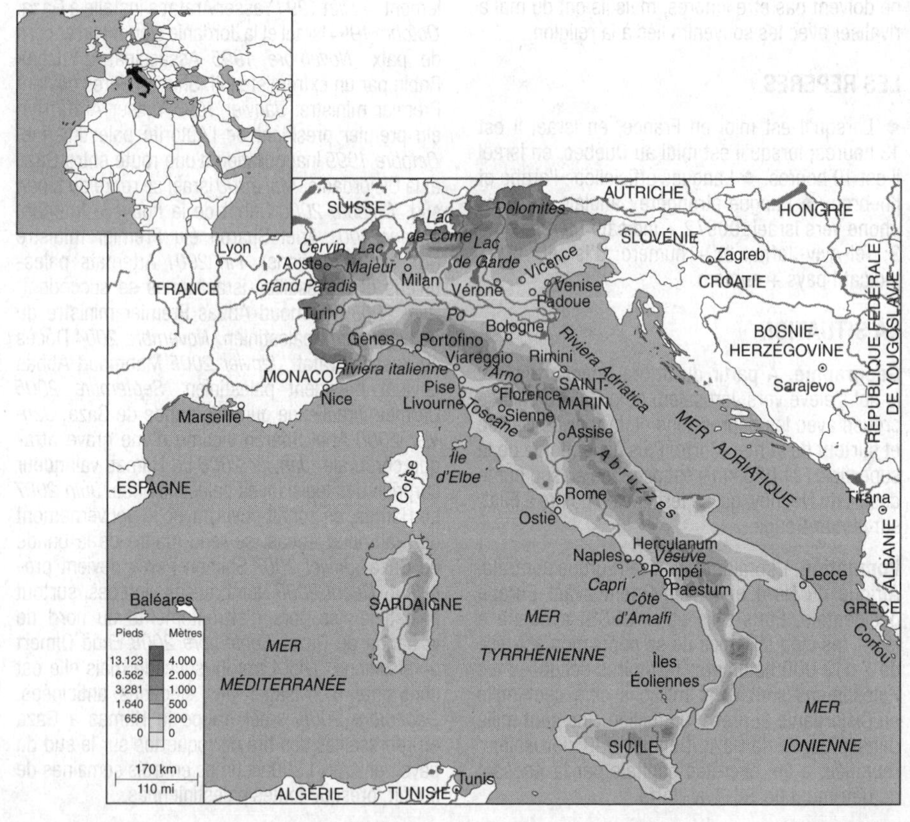

LES RAISONS D'Y ALLER

L'ITALIE CONTINENTALE

LES VILLES

Florence, Rome, Venise, Naples, Vérone, Pise, Sienne, Milan, Assise, Bologne, Padoue, Vicence, Ravenne, Turin, Trieste, Gênes, Pérouse

Vestiges de Pompéi, Herculanum, Paestum

LES CÔTES

Plages pittoresques (côte d'Amalfi, Riviera italienne)

Plages populaires (Riviera Adriatica)

Capri

LES PAYSAGES

Alpes (Cervin, Dolomites), val d'Aoste, Abruzzes, Lacs (lac de Côme, lac Majeur, lac de Garde), Toscane

LES ÎLES

LES ÉOLIENNES

Volcans (Stromboli, Vulcano)
Atmosphère de Filicudi, Panarea, Salina

LA SARDAIGNE

Plages du nord (archipel de la Maddalena, Costa Smeralda), de l'ouest et du sud
Tours de défense (nuraghes)

LA SICILE

Plages belles et très fréquentées (Taormina)
Ascension de l'Etna
Villes anciennes (Taormina, Syracuse, Agrigente, Palerme, Piazza Armerina)

LES RAISONS D'Y ALLER

L'ITALIE CONTINENTALE

LES VILLES

Les édifices, tant publics que religieux, de Florence, Rome et Venise comptent parmi les tout premiers rendez-vous mondiaux de l'art.

Le panorama de **Florence**, la ville des Médicis, n'est jamais mieux apprécié que depuis la colline de Fiesole, au nord. Florence a construit l'essentiel de son patrimoine artistique, l'un des plus riches du monde, entre le XIIe et le XVIe siècle : la piazza della Signoria, qui regroupe le plus bel ensemble architectural de la ville avec le Palazzo Vecchio, la loggia dei Lanzi et une copie du *David* de Michel-Ange; le palais Médicis, le palais Pitti et ses fresques célébrant les Médicis, la cathédrale Santa Maria del Fiore avec sa coupole due à Brunelleschi et le campanile de Giotto, les églises de San Marco (couvent et compositions de Fra Angelico), Santa Croce et Santa Maria Novella. Les musées sont dominés par la galerie des Offices, où les collections des Médicis rassemblent des œuvres de Botticelli, Dürer, Michel-Ange, Raphaël, Rembrandt.

Rome et ses sept collines, outre qu'elles constituent un site urbain d'exception, gardent des empreintes célèbres, principalement le Palatin, qui fut habité dès le VIIIe siècle av. J.-C. La Rome impériale a construit le Colisée, le Panthéon, la colonne Trajane et son imposant bas-relief, les thermes (Dioclétien, Caracalla); ont suivi les églises et les basiliques telles que Saint-Jean-de-Latran et Saint-Laurent-hors-les-Murs; la Renaissance a produit le palais de Venise, l'ébauche de la chapelle Sixtine et, avec la patte de Raphaël ou de Michel-Ange, la reconstruction de la basilique Saint-Pierre ainsi que l'édification de demeures nobles (palais Farnèse); l'art baroque s'est ensuite imposé (piazza Navona, avec ses fontaines du Bernin). La galerie et le musée Borghèse, de même que la galerie nationale d'Art ancien (palais Barberini et Corsini), sont les musées les plus connus. (Voir aussi *Vatican*.)

Venise : rien de plus banal que l'expression « plus belles villes du monde », mais Venise en fait partie. Celle dont on annonce sans cesse la fin sous le double coup de l'eau et du tourisme aligne nombre de sites célèbres : la place et la basilique Saint-Marc (mosaïques), le palais des Doges, le pont des Soupirs, les palais du Grand Canal (celui-ci long de près de 4 km et à sillonner en vaporetto), le pont du Rialto, la Ca' d'Oro, le quartier raffiné de Dorsoduro, une centaine d'églises, l'Accademia (creuset de l'École vénitienne avec Véronèse, le Titien, le Tintoret), le Palazzo Grassi (grandes expositions), le théâtre de la Fenice. Le tout, agrémenté d'une pléiade de musées, est exploré au cours de balades à pied ou en gondole, et sans la gêne des voitures. Les manifestations de Venise sont importantes : le carnaval, au début de février, n'a pas son pareil en Europe et la Fête du rédempteur, en juillet, accueille des bateaux décorés sur le canal de Giudecca et le bassin Saint-Marc.

La visite de Venise ne serait pas complète sans la découverte du quatuor d'îles au nord de la ville : Burano (dentelles), Murano (verre), San Michele, Torcillo.

« Vois **Naples** et meurs » : la phrase vaut aussi bien pour la splendeur de la baie que pour le danger potentiel du Vésuve. La ville qui a inventé la pizza, la débrouillardise et la superstition est soumise à un péril économique de tous les instants mais elle est pétrie de charme, surtout à travers ses ruelles. L'art n'en est pas absent : palais (Palais royal), églises (San Pietro a Maiella), monastères (Santa Chiara), bâtisses (Castel Nuovo, opéra San Carlo), musées (Musée archéologique, qui comprend de l'orfèvrerie et des grands vases de l'époque hellénistique, sculptures, mosaïques et peintures murales de Pompéi et Herculanum, musée archéologique, musée des Santons, musée de Capodimonte).

Moins célèbres, plusieurs autres villes sont tout de même des passages obligés :

- **Vérone**, pour ses vastes arènes du Ier siècle qui accueillent un grand festival classique (mi-juin à fin août), son théâtre romain au-dessus de l'Adige, ses places delle Erbe (ex-forum) et dei Signori (architecture gothique et Renaissance), ses églises San Zeno Maggiore et Sant'Anastasia, ses bibliothèques, son musée de Castelvecchio (peintures des écoles véronaise et vénitienne) et la légendaire fenêtre de la Maison des Capulets, à partir de laquelle la belle Juliette interpelle Roméo;
- **Pise**, pour sa Tour penchée des XIIe-XIIIe siècles – qui a fait l'objet de récents travaux de redressement très convaincants –, mais aussi pour sa cathédrale;
- **Sienne**, pour le dessin de sa Piazza del Campo, avec laquelle seule la place du Dôme, à Lecce, peut rivaliser;
- **Assise,** ville d'art par excellence, pour sa pléiade de monuments: ruines romaines (amphithéâtre, temple de Minerve) mais surtout la basilique Saint-François, dont les fresques célèbres de Cimabue et Giotto ont été durement touchées par le tremblement de terre de 1997;
- **Milan**, ville de la mode, du raffinement et des brocantes, pour sa cathédrale gothique, dont la riche construction s'est étalée sur plus de quatre siècles, pour son théâtre de la Scala et son château des Sforza;
- **Gênes**, pour son vieux port relooké, son très grand Acquario (aquarium) et son musée de la Mer;
- **Bologne**, pour son centre historique qui renferme des monuments du Moyen Âge et de la Renaissance (nombreux palais, musées et églises);
- **Padoue**, pour son palazzo della Ragione et ses édifices religieux;
- **Pérouse**, pour ses ruines étrusques et ses édifices Renaissance;
- **Vicence**, pour son édifice communal (« Basilique ») du XVe siècle, son théâtre olympique de Palladio et les villas environnantes;
- **Ravenne**, pour ses monuments romains (amphithéâtre, aqueduc) et byzantins (églises aux mosaïques réputées);
- **Turin**, pour ses édifices de style baroque (palazzo Madama, palazzo Reggia di Venaria), son musée national du Cinéma, son très riche musée égyptien et, dans la cathédrale Saint-Jean-Baptiste, le saint suaire, linceul qui aurait recouvert le Christ et dont la rare ostension publique attire la grande foule des fidèles;
- **Trieste**, pour le quadruple aspect de son architecture (vestiges romains, château fortifié, cathédrale, églises romanes et baroques).

Les témoignages de l'Antiquité retiennent le touriste en toutes régions : **Pompéi** n'a pas seulement à proposer son triste destin de ville recouverte sous une pluie de cendres en 79 ap. J.-C. mais vaut aussi par ses vestiges (via del Foro) et son habitat (maison des Mystères);

- **Herculanum** a conservé des sites de maisons remarquables comme la maison de Neptune et d'Amphitrite;
- **Ostie** possède plusieurs exemples d'architecture romaine autour de sa place des Corporations;
- **Paestum** offre le bon état de conservation de son temple de Poséidon.

Les témoignages de l'Empire romain, du Moyen Âge et de la Renaissance surgissent quel que soit l'itinéraire choisi. Ainsi, l'Ombrie renferme de jolis sites médiévaux (Spolète, Orvieto, Città della Pieve). L'Italie possède même un site rupestre, le **val Camonica**, en amont du lac d'Iseo, dont certaines représentations datent du néolithique.

LES CÔTES

L'Italie fait partie des pays méditerranéens qui connaissent une forte affluence balnéaire. Elle est aussi, avec l'Espagne et la la Grèce, une grande pourvoyeuse de croisières. Dès le printemps et jusqu'au mois d'octobre, Venise, Gênes, Naples, Palerme sont le point de départ ou escales de périples méditerranéens.

La côte la plus pittoresque est celle d'**Amalfi**, au sud de Naples, avec en points d'orgue balnéaires les sites de Ravello et de Positano, sur la presqu'île de Sorrente. De Naples ou de Sorrente, il est possible d'envisager une excursion vers **Capri**. L'île vaut plus par son site et ses grottes aux étranges effets de lumière que par son ambiance, surfaite et versée dans le luxe. Sur le plan des atouts balnéaires insulaires, Ischia, située à quelques encablures au nord-ouest, est tout aussi séduisante.

La **Riviera italienne**, prolongement de la côte d'Azur, a également bien des atouts à faire valoir, parmi lesquels Portofino. En descendant, la côte ligure offre, entre La Spezia et Levanto, le quintette des villages du **Cinque Terre**, avec vignes en terrasses et escarpements spectaculaires, longtemps difficiles d'accès mais qui ont de moins en moins de secrets.

Les côtes de **Toscane** connaissent un tourisme balnéaire plus modeste mais contrasté, allant de l'ancienne et délicate architecture du front de mer de Viareggio au tourisme de masse de Forte dei Marmi.

Le tourisme balnéaire de masse inonde la **Riviera Adriatica** et les abords de Rimini, toujours sous la menace de la pollution par les algues survenue en 1989.

LES PAYSAGES

La valeur des sites des **Alpes** ainsi que leurs structures rejoignent celles des Alpes françaises et suisses. Au fur et à mesure que l'on traverse l'arc alpin, un panorama chasse l'autre. Ainsi, entre val d'Aoste et Piémont, le parc national du **Grand Paradis** mêle vallées glaciaires, forêts, torrents et une foule de sentiers de randonnée. De la station de sports d'hiver de Cervinia, on aperçoit le cône pointu du **Cervin**, « le plus noble rocher d'Europe ». En poursuivant vers l'est, on atteint les **Dolomites**, aux raides parois de calcaire surplombant les pentes douces et les conifères.

La diversité des sports d'hiver (ski alpin mais aussi alpinisme dans les Dolomites) vaut aux Alpes italiennes une audience aussi forte que celle des pays voisins. Dans le **val d'Aoste**, les stations et les villages ont gardé un aspect traditionnel tout en accueillant le ski alpin, l'héliski et le ski de fond (stations de Courmayeur, La Thuile, Breuil-Cervinia, Pila). Le tourisme d'été permet la visite de points historiques (monuments romains, châteaux) et des balades dans le parc national du Grand Paradis (bouquetins, chamois, marmottes).

Les massifs calcaires des **Abruzzes** et surtout le parc national du même nom, où les forêts de hêtres cachent des loups, des lynx et des ours, sont propices à des randonnées.

Les abords du **lac de Côme** valent autant par le site que par l'exploitation qui en a été faite au cours de l'histoire, sous la forme de somptueuses **villas** (villa d'Este, villa Erba, où vécut Visconti jeune, villa Carlotta). Autres grands sites : le **lac de Garde** (riviera des Oliviers) et surtout le **lac Majeur**, auquel une surprenante flore méditerranéenne vient ajouter sa couleur et sa générosité à un cadre enchanteur bordé de villas.

La conjugaison du climat méditerranéen et d'un relief de moyenne montagne donne aux paysages, aux vignes et aux oliviers de la **Toscane** une harmonie et une lumière sans égales dans la péninsule italienne, sauf peut-être chez sa voisine, l'**Ombrie** (forêts, vignes, lac Trasimène).

LES ÎLES

ÎLES ÉOLIENNES

LES PAYSAGES

Ces sept îles, situées au nord de la Sicile et accessibles par hydroglisseur, proposent aussi bien l'agrément de randonnées autour ou sur les pentes de leurs **volcans – le Stromboli**, très nerveux, et le **Vulcano** – que la baignade dans leurs criques. Si l'on doit encore goûter à une part d'insolite en Italie, c'est dans ces îles-là qu'il faut aller la chercher, par exemple sur l'île de pêcheurs de **Filicudi**, sur les trois kilomètres carrés, parsemés de sources chaudes, de **Panarea** et, pour les nostalgiques du lieu de tournage du film *le Facteur* et de la maison de Neruda, sur les côtes de **Salina**.

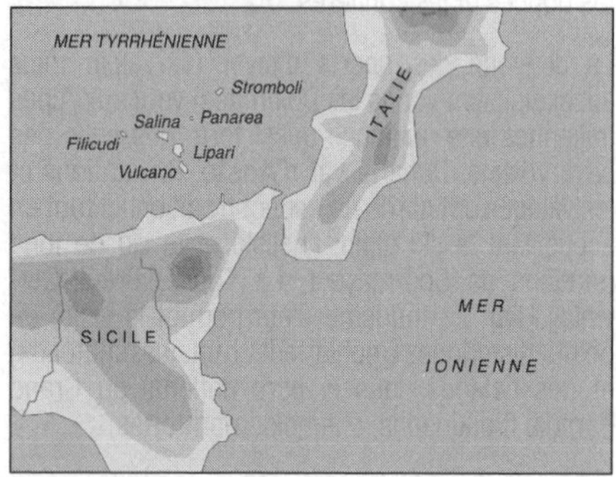

Les Éoliennes ont longtemps constitué un havre de tranquillité, en partie à cause de la rareté des plages de sable fin. Mais aujourd'hui le grand tourisme s'est imposé, surtout à **Lipari**.

SARDAIGNE

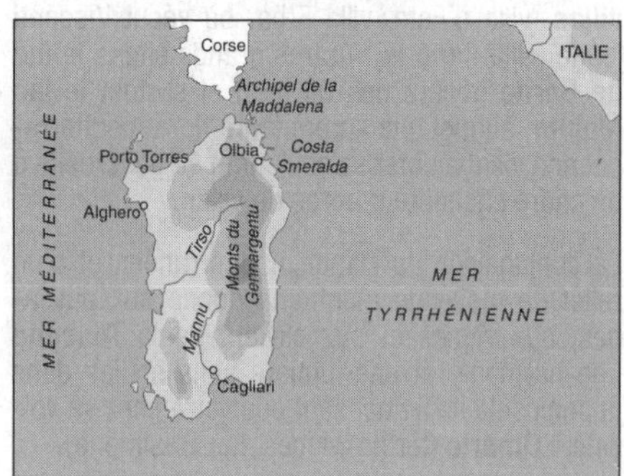

LES CÔTES

Pourvue de moins d'attraits et de moins de diversité géographique que sa voisine corse, la Sardaigne ne constitue pas un grand rendez-vous du tourisme européen. En revanche, on y trouve des criques et des plages relativement calmes, à l'abri des grandes foules estivales. Les plages du nord sont plutôt rocheuses, à l'inverse de celles du sud, longues et sablonneuses.

Au nord-est, les soixante-deux îlots de l'archipel de la Maddalena, parsemés de maquis, de pins et de chênes verts, de criques, sont propices à des balades. Dans cette même région, l'Aga Khan a transformé un désert touristique en une côte de luxe très fréquentée, la **Costa Smeralda**. Hôtels et villages de vacances y sont légion mais les côtes, rocheuses, permettent de diversifier les activités (voile, plongée, surf).

Sur la côte ouest, une succession de plages et de côtes découpées mènent jusqu'aux autres sites balnéaires les plus connus, tout au sud (Pula, Villasimius).

LES MONUMENTS

Les remparts et les ruelles étroites d'Alghero, sorte de comptoir côtier aux accents... catalans, valent la visite. Mais ce sont les six mille **nuraghes**, tours de défense en pierre sèche élevées un peu partout dans l'île à l'âge du bronze, qui font la singularité architecturale de la Sardaigne. Ils sont complétés par des temples puniques (Antas, Nora), des églises romanes (Sassari, San Giusta) ou gothiques (Alghero), la tombe de Garibaldi sur l'île de Caprera (nord-est), le château et la cathédrale baroque de Cagliari.

SICILE

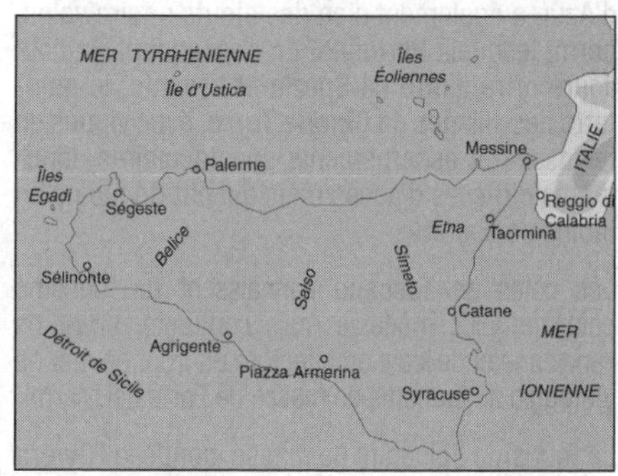

LES CÔTES

Île la plus étendue de la Méditerranée, la Sicile est un haut lieu du tourisme italien. **Taormina**, qui allie la beauté de sa baie à la qualité de ses témoignages historiques, est un site balnéaire qui n'a plus assez de secrets, comme la plupart de ceux de la côte est, la plus fréquentée. Mais la Sicile réserve la possibilité de découvrir des rivages plus intimes.

LES PAYSAGES ET LES TREKKINGS

L'ascension qui mène au cratère de l'**Etna** demande deux heures et demie de marche environ, entre autres à partir du refuge Sapienza et après avoir pris le téléphérique ou un camion tout-terrain. Elle se fait de préférence le matin et n'a rien d'exténuant mais demande au préalable de prendre tous les renseignements et tous les gages de sécurité nécessaires. Les flancs du volcan varient le spectacle: véritable désert de lave ou bien végétation particulière (pins laricio).

LES MONUMENTS

La valeur historique de la Sicile est visible :

◆ dans le site en pente de **Taormina** (théâtre grec et ruelles);

◆ à **Syracuse** (amphithéâtre, temples doriques d'Apollon à Ortygie, fortification des Épipoles, palais Beneventano, nécropole de Pantalica, collections grecques du musée archéologique); non loin de là, l'atmosphère baroque ou médiévale des petites villes et villages des provinces de Syracuse et **Raguse** (Modica, vallée de Noto);

◆ à **Agrigente**, riche de sa « vallée des temples » et de ses sanctuaires du IVe siècle avant J.-C.; autre curiosité non loin des temples : le parc littéraire Luigi Pirandello;

◆ à **Palerme**, qui réunit les trois cultures latine, grecque et musulmane, et qui connut son apogée au XIIe siècle avec l'édification de la chapelle Palatine (bois et mosaïque), de l'église byzantine de la Martorana, des églises de San Giovanni et San Cataldo et, au sud-ouest, la cathédrale de Guillaume II (mosaïques byzantines);

◆ à **Piazza Armerina**, où se laissent admirer les 3 500 m^2 de mosaïques polychromes de la villa Casale;

◆ à **Ségeste**, où le temple de Cérès constitue un grand exemple d'architecture dorique;

◆ à **Sélinonte**, cité grecque qui a conservé des vestiges de ses sept temples.

LE POUR

◆ Un pouvoir d'attraction exceptionnel : le passé (témoignages artistiques et architecturaux) et le présent (loisirs balnéaires et alpestres) se conjuguent pour multiplier les raisons de voyager.

◆ Un patrimoine artistique et culturel d'une très haute valeur : si l'on devait établir une échelle sur ce point précis, l'Italie ne serait pas loin de la palme mondiale.

LE CONTRE

◆ La surcharge touristique lors de la Semaine sainte et durant les mois d'été. La visite de Venise, par exemple, doit être absolument recherchée dans les périodes creuses de l'année.

LE BON MOMENT

Un climat classique (continental au nord avec hivers froids et étés chauds, méditerranéen au sud avec hivers doux et étés secs) fait que l'on peut considérer **juin** et **septembre** comme les mois les plus agréables, surtout dans le sud et en Sicile. Juillet et août peuvent être très chauds (et l'eau de mer atteindre 25°), alors que la période de Pâques est encore fraîche dans le nord.

◆ Températures moyennes jour/nuit (en °C)

Cagliari (Sardaigne) : janvier 14/6; avril 18/9; juillet 30/19; octobre 23/14.

Florence : janvier 10/4, avril 19/8, juillet 31/17, octobre 21/10.

Naples : janvier 13/4, avril 18/8, juillet 29/18, octobre 22/12.

Palerme (Sicile) : janvier 15/10; avril 18/13; juillet 28/23; octobre 23/18.

Rome : janvier 13/4, avril 18/8, juillet 29/18, octobre 23/12.

Venise : janvier 6/-1, avril 17/8, juillet 28/18, octobre 18/9.

LE PREMIER CONTACT

En Belgique

Office national italien de tourisme (ENIT), avenue Louise, 176, B-1050 Bruxelles, ☎ (02) 647.11.54, fax (02) 640.56.03.

Au Canada

ENIT, 1, place Ville-Marie, Montréal, ☎ (514) 866-7667.

En France

ENIT, 23, rue de la Paix, 75002 Paris, ☎ 01.42.66.66.68, fax 01.47.42.19.74.

Au Luxembourg

Ambassade, 5, rue Marie-Adelaïde, L-2128 Luxembourg, ☎ 44.36.44.1, fax 45.55.23.

En Suisse

ENIT, Urianastrasse, 32, CH-Zurich 8001, ☎ (41) 43.466.40.40, fax (41) 43.466.40.41.

Internet

www.enit.it (site de l'office du tourisme)
www.valaoste.com

Guides

• **ITALIE CONTINENTALE**

Alpes italiennes et Dolomites (Le Petit Futé),

Florence (Berlitz, Gallimard/Cartoville, Gallimard/Encycl. du voyage, Gallimard/Spiral, Hachette/Routard, Hachette/Un grand week-end, Hachette/Voir, JPM Guides, Lonely Planet France), *Florence et la Toscane* (Gallimard/GEOGuide, Michelin/Guide vert, Mondeos, National Geographic France), *Florence, Toscane, Ombrie* (Le Petit Futé),

Italie (Berlitz, Hachette/Voir, Le Petit Futé, Lonely Planet France, Marcus, Michelin/Guide rouge, National Geographic France),

Italie du nord (Gallimard/GEOGuide, Hachette/Routard, Marcus, Mondeos), *Italie du Nord, Venise* (Michelin/Voyager pratique),

Italie du sud (Gallimard/GEOGuide, Hachette/Guide bleu, Hachette/Routard, Mondeos),

Lacs italiens (Gallimard/Cartoville, Hachette/Guide bleu, Hachette/Routard),

Milan (Gallimard/Cartoville, Le Petit Futé, Lonely Planet France, Michelin/Voyager pratique), *Milan et les lacs* (Hachette/Top Ten),

Naples (Gallimard/Cartoville, Hachette/Un grand week-end, Le Petit Futé, Marcus), *Naples et la Campanie* (Hachette/Voir), *Naples et la côte Amalfitaine* (Lonely Planet France, Michelin/Voyager pratique), *Naples et l'Italie du Sud* (National Geographic France), *Naples et Pompéi* (Gallimard/Encycl. du voyage),

Pouille, Calabre, Basilicate (Le Petit Futé),

Rome (Berlitz, Berlitz/Week-end, Gallimard/Cartoville, Gallimard/Encycl. du voyage, Gallimard/GEOGuide, Gallimard/Spiral, Hachette/Evasion, Hachette/Evasion en ville, Hachette/Routard, Hachette/Top Ten, Hachette/Un grand week-end, Hachette/Voir, Le Petit Futé, Lonely Planet France/Le Guide, Lonely Planet France/Citiz, Mondeos, National Geographic France),

Toscane (Gallimard/Encycl. du voyage, Gallimard/Spiral, Hachette/Evasion, JPM Guides), *Toscane, Ombrie* (Gallimard/GEOguide, Hachette/Guide bleu, Hachette/Routard, Hachette/Top Ten, Lonely Planet France),

Turin (Gallimard/Cartoville, Hachette/Un grand week-end),

Val d'Aoste (Gallimard/Carto),

Venise (Berlitz, Gallimard/Cartoville, Gallimard/Encycl. du voyage, Gallimard/GEOGuide, Hachette/Evasion, Hachette/Evasion en ville, Hachette/Routard, Hachette/Top Ten, Hachette/Un grand week-end, JPM Guides, Lonely Planet France/Le Guide, Lonely Planet France/Citiz, Michelin/Guide vert, Mondeos, National Geographic France), *Venise et la Vénétie* (Hachette/Guide bleu, Hachette/Voir), *Venise, Padoue, Vérone* (Le Petit Futé),

Vérone, Mantoue et Padoue (Guide Autrement).

• **SARDAIGNE**

Sardaigne (Berlitz, Gallimard/Bibl. du voyageur, Hachette/Voir, Le Petit Futé, Lonely Planet France). Voir aussi «Italie du Sud».

• **SICILE et ÉOLIENNES**

Sicile (Gallimard/Bibl. du voyageur, Gallimard/Carto, Gallimard/GEOGuide, Hachette/Evasion, Hachette/Routard, Hachette/Voir, Lonely Planet France, Michelin/Voyager pratique, Mondeos, National Geographic France), *Sicile, îles Eoliennes* (Le Petit Futé). Voir aussi «Italie du Sud».

Cartes

Italie (Berlitz, Marco Polo). Nombreuses cartes régionales auprès de l'IGN. Plans de *Florence* (Berlitz, IGN), de *Milan* (IGN), de *Rome* (Berlitz, Falk, IGN), de *Venise* (Berlitz, IGN), carte de la *Sardaigne* (Michelin).

Lectures

Esquisses vénitiennes (Michel Duvoisin/Equinoxe, 2005), *Histoire de Venise : la République du Lion* (Alvise Zorzi/Perrin, 2004), *le Passant de Vérone* (Georges-Emmanuel Clancier/Éditions du Rocher, 2001), *Venise chronique* (Jean Clausel/Payot, 2007).

Voyage en Italie a été décliné par des plumes prestigieuses, de Stendhal (Ed. Diane de Selliers, 2002) à Goethe (Goethe, Éditions de Bartillat, 2003) en passant par Giono (Gallimard, 1979).

Images

Cervin, top model des Alpes (Olizane), *Couleurs et saveurs d'Italie* (Birgit Niefanger/YB Editions, 2008), *Italie : art, architecture et paysages* (Ed. Succès du livre, 2007), *Sicile* (Giuseppe Lazzaro Danzuso/Gründ, 2002), *Toscane* (La Renaissance du livre), *Venise vue du ciel* (Bertinetti Marcello/White Star, 2008). Rechercher également les travaux du photographe le plus épris et le plus connu de l'Italie : Fulvio Roiter.

Vidéos et DVD

Italie (Vodeo TV), *Venise* (LCJ Editions, 2002).

QUEL VOYAGE ET À QUEL PRIX ?

Le voyage individuel

Les préparatifs

◆ Pour les ressortissants de l'Union européenne et suisses, carte d'identité ou passeport (périmé depuis moins de cinq ans) suffisant. Pour les ressortissants canadiens, passeport encore valable six mois après le retour.

◆ Monnaie : l'*euro*.

Le départ

Avion

◆ Prix des vols classiques à certaines dates : Montréal-Rome A/R : 800 CAD; Paris-Bologne (base de départ pour la Riviera Adriatica) A/R : 200 EUR; Paris-Cagliari (Sardaigne) A/R : 250 EUR; Paris-Catane (Sicile) A/R : 200 EUR; Paris-Florence A/R : 250 EUR; Paris-Naples A/R : 200 EUR; Paris-Palerme (Sicile) : 250 EUR; Paris-Rome A/R : 150 EUR; Paris-Venise A/R : 170 EUR. ◆ Vols charters en été pour la plupart des destinations précitées. ◆ Les vols à bas prix (entre autres Air One, Easyjet, Ryanair) planent de plus en plus sur le ciel italien, particulièrement à destination de Milan, Pise, Rome, Venise.

◆ Durée moyenne du vol Paris-Bologne (830 km) : 1 h 35; Paris-Milan (619 km) : 1 h 30; Paris-Rome (1 107 km) : 2 heures; Paris-Naples (1 629 km) : 2 h 20; Paris-Olbia (nord Sardaigne) : 1 h 35, Paris-Palerme : 2 h 30; Paris-Venise (838 km) : 1 h 35.

Bateau

Départs de Marseille pour Porto Torres, en Sardaigne : environ 16 heures de ferry; de Toulon pour Civitavecchia; de Gênes pour Olbia ou Porto Torres, de Gênes, Livourne ou Naples pour la Sicile (Palerme); d'Ancône ou de Venise pour Patras, en Grèce.

Bus

Les bus d'Eurolines vont dans une bonne dizaine de villes continentales, dont Florence, Rome et Venise, et en Sicile. Des formules bus + hôtel existent pour Florence et Rome.

Train

◆ Pass InterRail utilisable. ◆ Trains de nuit Paris/Gare de Lyon-Rome et Paris-Gare de Lyon-Venise. ◆ Le TGV relie Paris à Turin en 5 h 40 et Paris à Milan en un peu plus de 7 heures. ◆ Romantique : le *Venice Simplon-Orient Express* pour un trajet Londres-Venise de rêve et de luxe (départs le jeudi en haute saison), avec une grande variété de formules (Donatello), et des combinés Rome-Venise, via Florence. ◆ Il existe des formules train + hôtel pour Rome et Venise (Nouvelles Frontières, *environ 350 EUR* pour 3 jours/2 nuits).

Sur place

Hébergement

◆ Profusion des modes d'hébergement : campings, logements de charme dans des demeures patriciennes (particulièrement en Toscane et Sicile), chambres d'hôtes et fermes (ces derniers dans le cadre d'un «agriturismo» en plein essor). Voir entre autres les propositions de CIT Evasion ou de Bed and Breakfast Italia (www.bbitalia.it). ◆ L'hôtellerie se révèle chère dans le centre des grandes villes touristiques : une nuit dans un hôtel ordinaire, sans petit déjeuner, peut avoisiner 150 EUR pour une famille de deux adultes et deux enfants. ◆ Il existe une centaine d'auberges de jeunesse. Renseignements : www.hostels-aig.org ◆ On peut aussi loger chez l'habitant (renseignements auprès de Tourisme chez l'habitant) ou dans les couvents, lieux où la simplicité n'est pas un vain mot, y compris pour les prix, pension complète possible (renseignements auprès de l'office de tourisme).

Route

◆ Limitation de vitesse agglomération/route/autoroute : 50/90/130 km/h. Limite du taux d'alcoolémie : 0,5 pour mille. ◆ Autoroutes nombreuses et payantes. ◆ Location de voiture : permis de conduire depuis plus d'un an, âge minimal : 21 ans. ◆ Autotours (location de voiture et hôtel réservé) nombreux en Italie continentale et Sicile.

Le séjour par soi-même

Rappel : nous nous sommes limités à un résumé des prestations en vigueur dans les agences et chez les voyagistes présents en France. Les lecteurs des autres pays peuvent en tirer des idées d'itinéraire et les compléter auprès de leurs agences de voyages.

• ITALIE CONTINENTALE

◆ Le choix de vacances sur les **côtes** est très répandu, généralement pour une semaine ou deux en hôtel ou hôtel-club, pour un prix moyen de 600 EUR la semaine et de 800 EUR les deux semaines en pension complète : côte de l'Adriatique (Luxair Tours, Neckermann, Thomas Cook), côte d'Amalfi (Jet Air, Luxair Tours, Neckermann, Thomas Cook), côte de la Toscane (Club Med), côte calabraise (Club Med), golfe de Venise (Luxair Tours). La plupart des voyagistes précités proposent des excursions aux alentours.

◆ **Florence**, **Rome** et **Venise** sont les trois villes les plus recherchées – mais Vérone n'est plus très loin – et voient se multiplier les formules, qu'on ne saurait trop conseiller au printemps et en automne plutôt qu'en été... Les week-ends avion pour l'une ou l'autre des villes (3 jours/2 nuits, *350 EUR* en moyenne) sont légion (Comptoir d'Italie, Donatello, Euro Pauli, Fram, Jet Tours, Luxair/Métropolis, Nouvelles Frontières, Visit Italie). Clio propose jusqu'à une semaine dans chacune des trois villes et à Sienne. **Naples** n'est pas oubliée par Nouvelles Frontières (avec extension à Capri), Donatello ou Italiatour (vol + 2 nuits avec des prix d'appel *aux alentours de 400 EUR*), pas plus que Milan, où les week-ends shopping et mode trouvent toujours preneurs.

◆ Fin février ou début mars selon les années, le **carnaval** de Venise est proposé entre autres par Clio, Comptoir d'Italie (vol + 3 nuits + bal costumé), Jet Tours ou Nouvelles Frontières (7 jours).

◆ Le **ski** alpin fait l'objet d'une multitude de propositions, tant de manière classique (Club Med) que via les spécialistes (Allibert, Atalante).

◆ Les **croisières** d'une semaine en Méditerranée, d'avril à octobre, battent des records d'affluence. L'Italie en est un point de départ clé (Venise, Gênes, Savone, Civitavecchia), qu'il s'agisse de s'attarder aux abords du pays ou de poursuivre vers des sites proches (Croatie, Slovénie), voire plus lointains (îles grecques, Malte, Monténégro, Turquie, Moyen-Orient). Les prestataires habituels (Costa Croisières, MSC Croisières, Rivages du monde, Star Clippers) sont peu à peu rejoints par les « fun ships » des prestataires états-uniens, type Carnival Cruises Lines ou Princess Cruises. Original : la croisière d'Aventure et Volcans vers les îles Éoliennes avec, au passage, l'ascension du Stromboli et du Vulcano.

Les prix d'une croisière d'une semaine peuvent varier du simple au... triple selon la catégorie du bateau. Tout dépend du prestataire, de la situation de la cabine choisie, de la saison et de la nécessité ou non de l'acheminement aérien. Pour une semaine, une croisière en Méditerranée peut débuter *aux alentours de 900 EUR*.

• SARDAIGNE

Le tourisme **balnéaire** est prédominant tout au nord, sur la Costa Smeralda, ou tout au sud (moins cher). Exemples de prestations : CIT Evasion, Club Med, Donatello, Fram, Italiatour, Jet Tours, Luxair Tours, Neckermann. Des combinés **mer-montagne** sont également proposés par la plupart des voyagistes précités pour une semaine, ainsi que des autotours.

• SICILE

Forte prédominance du tourisme **balnéaire**, principalement sur la côte est (Letojanni, Taormina). Prix moyen de la semaine estivale en hôtel-club : *700 EUR*. Exemples : CIT Évasion, Club Med, Donatello, Fram, Italiatour, Jet Air, Jet tours, Look

Voyages, Luxair Tours, Neckermann, Nouvelles Frontières, Thomas Cook, Transeurope, TUI.

Le voyage accompagné

Trois touristes sur quatre visitent l'Italie de leur propre initiative, aussi les formules accompagnées sont-elles minoritaires. Elles sont néanmoins centrées sur deux pôles : des voyages en bus d'une semaine et les croisières, dont Venise et Gênes sont les points de départ. La grande majorité des prestations sont proposées entre avril et septembre.

◆ Une Italie tranquille est celle qui, sur une semaine en bus, combine la visite des trois villes stars et des **lacs**, par exemple Venise et les lacs avec Nouvelles Frontières. Terra Diva visite l'Ombrie, les Pouilles, la Campanie et la Vénétie (une semaine dans chaque cas). Autrement l'Italie propose une semaine guidée sur la côte amalfitaine, tandis qu'Arts et Vie voyage autour du golfe de Venise.

◆ Les **randonneurs** trouvent leur bonheur dans plusieurs propositions d'une semaine, qui varient les thèmes entre avril et octobre : ainsi Allibert marche autour des Grands Lacs, en Toscane et dans les Abruzzes, ou bien dans les Cinque Terre (La Balaguère et Club Aventure également), tandis qu'Atalante est en Calabre ou dans les Dolomites. Terres d'aventure est dans des régions aussi diverses que les Dolomites, la Toscane, les abords du lac de Côme et l'île d'Elbe. Allibert (pour les *Via Ferrata*) et Grand Angle sont également présents dans les Dolomites, Objectif Nature admire le Grand Paradis. Prix moyen de la semaine en randonnée : *950 EUR*.

• ÉOLIENNES

L'endroit idéal pour qui est à la fois marcheur et passionné de volcanisme ! Aussi retrouve-t-on les spécialistes (Allibert, Atalante, Aventure et Volcans, Nomade Aventure) qui allient la croisière inter-îles à l'ascension du Stromboli et du Vulcano. Prix moyen pour la semaine : *1 100 EUR*.

• SARDAIGNE

Les **marcheurs** explorent l'île pendant 8 jours avec Club Aventure en bivouaquant dans une bergerie.

• SICILE

La plupart des voyagistes cités pour les séjours balnéaires prévoient des circuits en **bus**, généralement d'une semaine vers l'Etna et les sites historiques de l'intérieur, d'autres choisissent la marche (Club Aventure). Certains séjours se prolongent vers les Éoliennes (Donatello), d'autres se consacrent aux **volcans**, comme celui d'Aventure et Volcans qui inclut l'Etna, le Stromboli et le Vulcano (Éoliennes) dans un même voyage d'une semaine.

QUE RAPPORTER ?

Chemises, cravates, gants (de Naples), chaussures : le pays est toujours en pointe dans le domaine vestimentaire. Plus localement : les bijoux à Florence, les masques du carnaval de Venise, les objets en verre de Murano, la dentelle de Burano, les santons en terre cuite de Naples, les bijoux de corail d'Alghero en Sardaigne; la céramique, le lin et les broderies en Sicile.

LES REPÈRES

◆ Lorsqu'il est midi au Québec, en Italie il est 18 heures. ◆ Langue officielle : italien. ◆ Langues étrangères : l'allemand est majoritaire dans le Haut-Adige, le français et l'anglais sont assez bien connus sur les lieux touristiques. En Sardaigne, on parle aussi le sarde et par endroits le catalan. ◆ Téléphone vers l'Italie : 0039 + indicatif (Milan : 02; Rome : 06) + numéro; de l'Italie : 00 + indicatif pays + numéro.

LA SITUATION

Géographie. La botte italienne est hérissée des Alpes, au nord, et de l'Apennin, au centre. La Sardaigne et la Sicile permettent à l'Italie d'atteindre une superficie de 301 336 km^2.

Population. Son chiffre est important par rapport à la superficie (58 145 000 habitants). Signe des temps : l'immigration a fait son apparition dans ce pays qui a si souvent connu une forte émigration. Capitale : Rome.

Religion. Le catholicisme est ici dans son berceau. Néanmoins, 15 % des Italiens ne se réclament d'aucune obédience.

Dates. *1000 av. J.-C.* Après les Ligures deux millénaires auparavant et avant les Étrusques deux siècles après, les Italiotes annoncent le nom de baptême du pays. *400-200 av. J.-C.* Rome domine et impose le latin. L'Empire romain durera cinq cents ans. *Xe siècle* Intégration dans le Saint Empire romain germanique. *1122-1250* Temps des riches cités : Pise, Gênes, Florence, Milan, Venise. *1559* Début du déclin de l'Italie, que les voisins autrichiens puis français ne cesseront de dominer. *1861* Le *risorgimento* (Renaissance) conduit à l'unité italienne avec Victor-Emmanuel II. *1922* Arrivée de Mussolini. *1946* Proclamation de la république. *1958-1968* Dix ans de « miracle économique » avec les démocrates-chrétiens. *1976-1979* Compromis historique entre démocrates-chrétiens et communistes sur fond de terrorisme (assassinat du Premier ministre Aldo Moro par les Brigades rouges en 1978). *1983* Bettino Craxi (socialiste) devient Premier ministre. *1993* Les arrestations de responsables haut placés de la Mafia se multiplient. *Juin 1994* Silvio Berlusconi devient chef du gouvernement à l'issue de la victoire du « Pôle des libertés » aux législatives, mais l'aventure prend fin dès le mois de décembre de la même année. *Avril 1996* Une coalition de centre gauche (« l'Olivier ») remporte les élections législatives, Romano Prodi est président du Conseil. *Septembre 1997* Tremblement de terre dans la région d'Assise. *Octobre 1998* Massimo D'Alema à la tête d'un nouveau gouvernement de (large) coalition. *Avril 2000* Giuliano Amato lui succède. *Mai 2001* Un gouvernement de coalition de centre-droit s'installe, présidé par un Berlusconi omnipotent. *Avril 2006* Prodi et le centre gauche remportent les législatives. *Mai 2008* Berlusconi revient sur le devant de la scène comme Premier ministre.

Jamaïque

La Jamaïque est longtemps restée à l'écart des choix du touriste européen mais les habitudes commencent à changer. Sans doute a-t-il appris que le relief de l'île en fait l'une des plus verdoyantes des Antilles et que les sites balnéaires, particulièrement ceux de la côte nord, tentent de renvoyer une image moins élitiste. En outre, l'été jamaïquain est moins perturbé qu'ailleurs aux Antilles par les pluies. Enfin, plus que dans les autres endroits des Caraïbes, l'île est capable de mêler grande beauté et grande agitation, l'une comme l'autre attisées par le son du reggae distillé par les rastas.

LES RAISONS D'Y ALLER

LES CÔTES

Plages de la côte nord : Negril, Montego Bay, Ocho Rios, Port Antonio

LES TRADITIONS

Reggae, sound systems, carnavals

LES PAYSAGES

Blue Mountains, Cockpit Country, flore, faune, cascades, descentes de cours d'eau (río Grande)

LES MONUMENTS

Villes coloniales (Spanish Town, Port Royal)
Musée du reggae (Kingston)
Mausolée Bob Marley

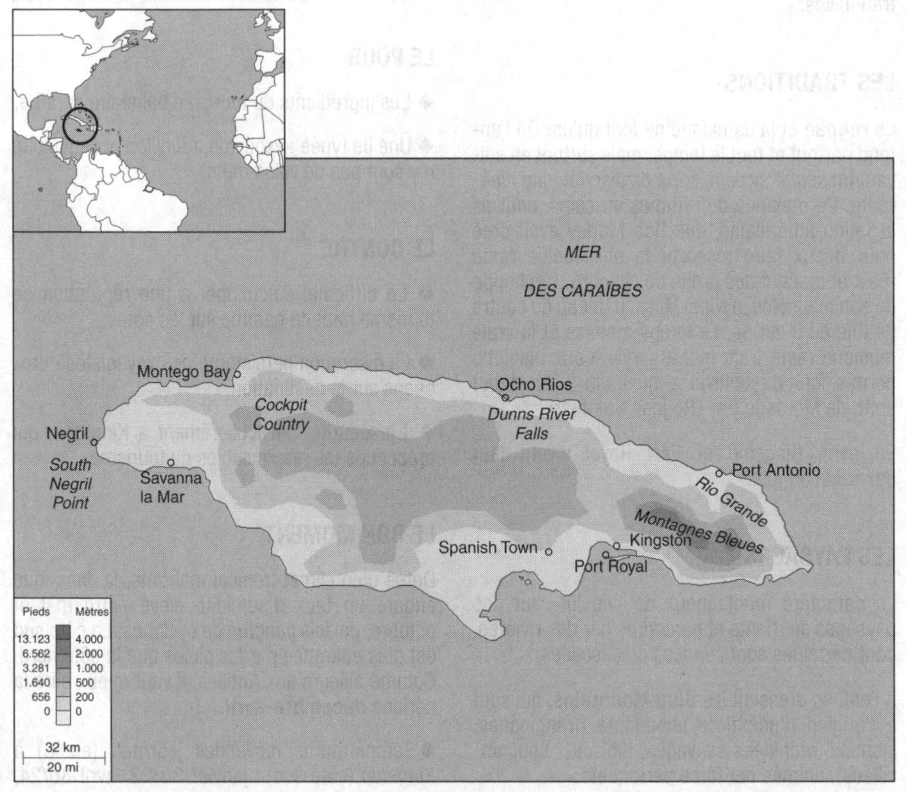

LES RAISONS D'Y ALLER

LES CÔTES

Aménagés dans le but de privilégier le haut de gamme, particulièrement sur les côtes ouest et nord, les rivages sont la raison majeure d'un séjour dans l'île. Les plus réputés sont, d'ouest en est : **Negril,** 14 kilomètres de sable blanc et des sites de plongée autour de South Negril Point, terminés par l'île de Booby Cay qui a servi de cadre au tournage de *Vingt mille lieues sous les mers*; **Montego Bay**; **Ocho Rios**, qui bénéficie d'un arrière-pays de cascades (Dunn's River Falls, accessibles en voilier), de plantations et de demeures de l'époque coloniale; **Port Antonio**. Pour les amateurs de golf, activité en vogue dans les stations balnéaires jamaïcaines, il existe des 18-trous à Montego Bay et à Ocho Rios.

Les plages du sud, telles que Savanna la Mar, sont moins nombreuses, mais généralement plus tranquilles.

LES TRADITIONS

Le **reggae** et la Jamaïque ne font qu'un. On l'entend partout et tout le temps, mais surtout en suivant un *sound system*, sorte de discothèque itinérante. Ce mélange de rythmes africains, antillais et latino-américains, que Bob Marley avait créé pour mieux faire ressortir la philosophie rasta (paix et respect des droits de chacun), s'échappe de son mausolée, à Nine-Miles, hameau du centre de l'île où il est né. Le temps a passé et la vraie musique rasta a du mal à survivre aux plagiats, hormis lors du festival annuel, fin juillet-début août, de Montego Bay (Reggae Sumfest).

En avril, Kingston et Port Royal vivent leur **carnaval** annuel.

LES PAYSAGES

Le caractère montagneux de l'île lui vaut des paysages souriants et parcourus par des rivières, dont certaines sont coupées de cascades.

À l'est, se dressent les **Blue Mountains**, qui sont à l'origine d'une flore abondante (frangipanes, jasmins, orchidées sauvages, hibiscus, bougainvillées), animée par force perroquets.

À l'ouest, un plateau calcaire, le **Cockpit Country**, offre d'agréables paysages et la possibilité de rencontrer les Maroons, descendants d'esclaves qui, au XVIIIe siècle, avaient arraché leur indépendance aux Anglais.

Au sud de Port Antonio, il est possible de visiter les Nonsuch Caves, cavernes dont certains aspects témoignent de la présence des Arawaks, et de descendre en radeau le **río Grande**, parmi les hibiscus et les bougainvillées.

LES MONUMENTS

Si les colonisations espagnole et anglaise n'ont pas laissé des traces impérissables, **Spanish Town** et **Port Royal** en constituent toutefois des témoignages intéressants. Kingston, la capitale, réputée peu sûre, est d'un intérêt moyen mais renferme un **musée du Reggae**.

LE POUR

◆ Les ingrédients du tourisme balnéaire caraïbe.

◆ Une île typée : exotisme, rébellion et sensualité n'y sont pas de vains mots.

LE CONTRE

◆ La difficulté d'échapper à une réputation de tourisme haut de gamme sur les côtes.

◆ La discrétion persistante des voyagistes européens sur la destination.

◆ L'insécurité, particulièrement à Kingston, qui préoccupe les responsables du tourisme.

LE BON MOMENT

Dotée d'un climat tropical maritime, la Jamaïque endure un taux d'humidité élevé entre mai et octobre, parfois ponctué de cyclones. La côte sud est plus épargnée par les pluies que la côte nord. Comme ailleurs aux Antilles, il vaut mieux élire la période **décembre-avril**.

◆ Températures moyennes jour/nuit (en °C) à *Kingston* (côte sud) : janvier 30/22, avril 30/24, juillet 32/26, octobre 31/25. Eau de mer : moyenne de 28°.

LE PREMIER CONTACT

En Belgique

Ambassade, avenue Hansen-Soulié, 77, B-1040 Bruxelles, ☎ (02) 230.11.70, fax (02) 234.69.69.

Au Canada

Jamaica Tourist Board, Toronto, ☎ (416) 482-7850, fax (416) 482-1730. Haut-commissariat, 275, rue Slater, Ottawa, K1P 5H9, ☎ (613) 233-9311, fax (613) 233-0611.

En France

Consulat honoraire, 60, avenue Foch, 75116 Paris, ☎ 01.45.00.62.25, fax 01.45.00.20.63.

En Suisse

Consulat, rue de Lausanne, 36, CH-1201 Genève, ☎ (22) 731.57.80, fax (22) 738.44.20.

Guides

Jamaica (Hunter/Adventure, Lonely Planet), *Jamaïque* (Le Petit Futé).

Internet

www.visitjamaica.com

Cartes

Jamaica (Berlitz, ITM).

Lectures

Jamaïque : sur la piste du reggae (Bruno Blum/ Scali, 2007), *la Fille de Kingston* (Nicole Couderc/ Hachette, 2001), *le Livre de la Jamaïque* (Russell Banks/Actes Sud, 1993).

Images

Reggae explosion : histoire des musiques de Jamaïque (Chris Salewicz, Adrian Boot/Seuil, 2001).

DVD

La Jamaïque : le pays des rastas (Vodeo TV), *Portraits de la musique jamaïcaine : un demi-siècle de création musicale en Jamaïque* (Vodeo TV).

QUEL VOYAGE ET À QUEL PRIX ?

Le voyage individuel

Les préparatifs

◆ Pour les ressortissants de l'Union européenne et suisses : passeport (valable encore six mois après le retour) suffisant pour un séjour de moins d'un mois. Les Canadiens sont simplement tenus de présenter une pièce d'identité valide et une preuve de citoyenneté. ◆ Dans tous les cas, billet de retour ou de continuation exigible.

◆ Aucune vaccination n'est requise.

◆ Monnaie : le *dollar jamaï*cain. 1 US Dollar = 80 dollars jamaïcains, 1 EUR = 111 dollars jamaïcains. Emporter des euros ou de préférence des dollars US, ces derniers étant plus courants et les commerces les acceptant parfois directement. Conserver les bordereaux de change pour pouvoir restituer les dollars jamaïcains au moment de quitter le pays. Les cartes de crédit et les chèques de voyage sont acceptés dans la plupart des grands hôtels et commerces.

Le départ

◆ Indice de prix à certaines dates du vol Montréal-Kingston A/R : 600 CAD; Paris-Kingston A/R : 900 EUR. Possibilité de trouver des vols meilleur marché au départ de Francfort. ◆ Durée moyenne du vol Europe-Jamaïque : 10 heures. ◆ La plupart des vols, qui mènent à Kingston mais aussi à Montego Bay – porte d'entrée du tourisme balnéaire –, incluent une escale à Londres puis à Miami ou Nassau.

Sur place

Hébergement

Hôtels classiques sur les côtes, lodges en montagne. Propositions d'hôtels sur les sites balnéaires, par exemple chez Austral Lagons.

Route

◆ Location de voiture possible, âge minimal : 25 ans. ◆ Conduite à gauche. ◆ Permis de conduire national suffisant. ◆ Limitations de vitesse : 50 km/h en agglomération, 80 km/h sur route.

Train

Deux trains « touristiques » existent à partir de Montego Bay : l'*Appleton Express* et le *Governor's Coach*.

Le voyage accompagné

Rappel : nous nous sommes limités à un résumé des prestations en vigueur dans les agences et chez les voyagistes présents en France. Les lecteurs des autres pays peuvent en tirer des idées d'itinéraire et les compléter auprès de leurs agences de voyages.

◆ La vocation **balnéaire** de l'île s'affirme – mais si lentement ! – auprès de la clientèle européenne. Habituellement, les séjours, plutôt chers, sont proposés entre avril et octobre, surtout à Montego Bay, Negril et à Ocho Rios.

◆ Tourisme plus spécifique : la **randonnée** avec Terres d'aventure, présent sur la côte caraïbe et les Blue Mountains pendant 14 jours.

◆ L'île est une étape de grands navires de **croisières**, venus de Floride, avec escales à Cozumel (Mexique), Grand Cayman et Ocho Rios. Costa Croisières et Celebrity Cruises sont sur cet itinéraire entre novembre et avril.

◆ Pas de miracle pour les circuits accompagnés, rarement proposés à moins de *3 000 EUR* (tout compris) pour 15 jours.

LES REPÈRES

◆ Lorsqu'il est midi en France, en Jamaïque il est 6 heures en hiver et 7 heures en été. ◆ Langue officielle : l'anglais qui, dans la rue, laisse souvent la place au créole. ◆ Téléphone vers la Jamaïque : 001876 + numéro; de la Jamaïque : 00 + indicatif pays + numéro.

LA SITUATION

Géographie. Les 10 990 km^2 de l'île sont surtout montagneux : à l'est, les Blue Mountains s'élèvent jusqu'à 2 467 m.

Population. 2 804 000 habitants. Les Espagnols d'abord, les Anglais ensuite ont poussé l'esclavage au maximum, et pour cause : les terrains fertiles étaient favorables au développement des grandes plantations de canne à sucre. Aujourd'hui, la population est à 78 % d'origine africaine, le reste se partageant entre Indiens d'Inde et Chinois, Afro-Européens et Européens. Capitale : Kingston.

Religion. L'Église réformée est légèrement majoritaire (55 %), alors que la religion anglicane n'a que 7 % d'adeptes. Les rastas, porteurs d'un message à la fois religieux et révolutionnaire, ont eu leur heure de célébrité mondiale à l'époque de Bob Marley et du reggae, leur musique spirituelle.

Dates. *1494* Christophe Colomb, qui passera un an en Jamaïque pour réparer ses bateaux, découvre *Xamayca* (« terre de forêts et d'eau ») et les Indiens Arawaks. *1513* Les premiers esclaves arrivent d'Afrique. *1655* Les Anglais chassent les Espagnols. *1866* L'île appartient à la Couronne. *1938* Début des mouvements autonomistes. *1962* Indépendance dans le cadre du Commonwealth. *1972* Gouvernement socialiste, régression de l'économie. *1980* Edward Seaga et les travaillistes au pouvoir. *1981* Mort de Bob Marley. *1992* Percival Patterson prend le pouvoir et développe le libéralisme à tout crin. *Décembre 1997* Confirmation de Patterson et de son Parti national populaire aux législatives. *Juillet 2001* Émeutes à Kingston. *Septembre 2004* Le cyclone Ivan frappe durement les côtes jamaïcaines. *Août 2007* L'ouragan Dean frappe l'île. *Septembre 2007* Bruce Golding (Jamaica Labor Party) est nommé Premier ministre.

Japon

Sur la case Japon, le cerveau d'un Occidental pose pêle-mêle l'image d'une geisha silencieuse et le cône parfait du Fuji-Yama. Si la première doit demeurer dans le domaine du fantasme, le second s'offre intact à l'admiration de tous et draine dans son sillage des paysages très beaux par endroits, ainsi que de nombreux temples et sanctuaires. Si, à l'heure des choix pour l'Asie, le Japon n'atteint pas la puissance touristique de la Chine ou de l'Inde, entre autres à cause du coût du voyage, ses atouts sont suffisamment nombreux pour le faire figurer dans le peloton de tête des pays d'Extrême-Orient.

LES RAISONS D'Y ALLER

LES PAYSAGES

Montagnes (Fuji-Yama, mont Aso, mont Asama, Alpes japonaises, Hokkaido)
Sites (baie de Matsushima), sources (Beppu), lacs, gorges (Yabaki), jardins (Kenrokuen), parc national Yoshino-Kumano

LES VILLES ET LES MONUMENTS

Tokyo, Kyoto, Osaka, Kobe, Hiroshima, Himeji
Sanctuaires bouddhistes et shintoïstes (Ise, Nara, Kamakura, Kyoto, Nikko, Miyajima, Tokyo, Koyasan)

LES FÊTES

Nouvel An (Ganjitsu), floraison des cerisiers

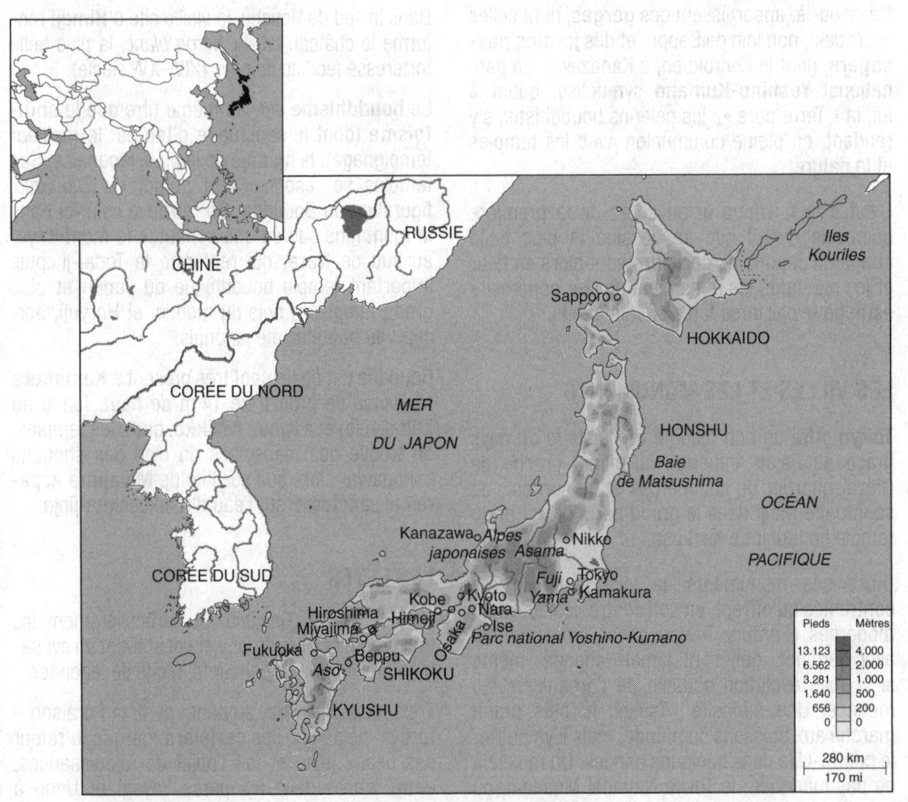

LES RAISONS D'Y ALLER

LES PAYSAGES

La situation volcanique du Japon a engendré un sommet de légende, le **Fuji-Yama** *(Fuji san)*. Aujourd'hui éteint, ce sommet de 3 776 m d'altitude reste le symbole du pays et un lieu de pèlerinage. La perfection de son cône a inspiré des artistes traditionnels et beaucoup d'estampes (Hokusai). Il est complété par le mont **Aso**, volcan actif à plusieurs cônes rassemblés dans une très large caldeira, le mont **Asama**, les **Alpes japonaises**, dont certains villages ont gardé intactes leurs maisons de bois, et les sommets d'**Hokkaido**, propices au ski (Sapporo).

Le Japon possède ses estampes au naturel comme la baie de **Matsushima**, où la mer, les îlots et les temples composent un ensemble délicat, des sites **(Beppu)** où, comme en Islande, jaillissent des sources d'eau chaude, et des **lacs**. De-ci de-là, apparaissent des **gorges**, dont celles de Yabaki, non loin de Beppu, et des **jardins paysagers**, dont le Kenrokuen, à Kanazawa. Le parc national **Yoshino-Kumano** symbolise, quant à lui, la « Terre pure » : les pèlerins bouddhistes s'y rendent, en pleine communion avec les temples et la nature.

C'est à la fin mars et au cours de la première quinzaine d'avril que se dessine la plus belle image du Japon: les **cerisiers** sont alors en fleur et les habitants les remercient de leur générosité esthétique par force fêtes et animations.

LES VILLES ET LES MONUMENTS

Tokyo offre un bon résumé de l'histoire du pays grâce au Palais impérial (lui-même proche de Ginza, quartier de commerces et de sorties), au sanctuaire Meiji dans le grand parc Yoyogi et au temple bouddhique Asakusa.

Outre ses monuments, la ville vaut par les contrastes qu'offrent, en son centre, les quartiers modernes (Century Tower) et les maisonnettes avec jardinet, qui n'ont jamais changé, même si la folle évolution actuelle de l'urbanisme les menace. Une curiosité : Tsukiji, le plus grand marché aux poissons du monde, mais il va quitter le centre-ville dans quelques années. Un musée à ne pas manquer : le Tokyo National Museum, où l'on peut voir des collections de l'art traditionnel japonais.

Parsemée de jardins plantés de cerisiers et creuset du mouvement zen, **Kyoto** est souvent comparée à une ville-musée : environ 1 500 temples bouddhistes, dont le Temple du Pavillon d'argent est le plus célèbre, et 400 sanctuaires shintoïstes. **Osaka** vaut par ses sanctuaires (Shitenno-ji), son château féodal et ses musées, alors que **Kobe**, bien que durement frappé par un tremblement de terre en 1995, met en avant ses maisons de l'ère Meiji, dans le quartier de Kitanocho.

Expérience intéressante : un séjour dans l'un des temples-auberges de **Koyasan**, sur le mont Koya (région d'Osaka), haut lieu de la secte bouddhique Shingon et sur lequel se répartissent une centaine de sanctuaires. Expérience douloureuse : la visite du parc de la Paix et du musée de la bombe A à **Hiroshima**, dont le dôme commémoratif a été intégré au patrimoine mondial de l'humanité par l'Unesco en décembre 1996.

Dans le sud de Honshu, la vieille cité d'**Himeji** renferme le château dit du *Héron blanc*, la plus belle forteresse féodale du pays (XIVe-XVe siècle).

Le **bouddhisme** est, au même titre que le **shintoïsme** (dont le sanctuaire d'**Ise** est le meilleur témoignage), la marque de la piété japonaise. Ses temples se reconnaissent autour du *Daibutsu*, figuration du Bouddha. On retrouve celui-ci dans la montagne sacrée que constitue le mont Koya, au sud de **Nara,** qui renferme le Todai-ji, plus important temple bouddhique du Japon et plus grand temple en bois du monde, et Horyuji, berceau du bouddhisme japonais.

Bouddha est également très présent à **Kamakura** (*daibutsu* de bronze de 14 m de haut, fondu au XIIIe siècle) et à Kyoto. À **Nikko**, outre les temples, on trouve des mausolées du clan des shoguns Tokugawa, alors que sur l'île de **Miyajima** apparaît le sanctuaire sur l'eau d'Itsukushima-jinja.

LES FÊTES

Le **Nouvel An** (Ganjitsu) et particulièrement les tout premiers jours de janvier constituent un événement : pèlerinages, banquets, récits de légendes.

Trois mois plus tard, au début avril, la floraison – furtive, hélas ! – des **cerisiers** marque le retour des beaux jours et fait l'objet de réjouissances, entre autres dans les parcs Yoyogi et Ueno à

Tokyo, ainsi que dans les jardins du château Nijô-jô et le long du chemin de la Philosophie à Kyoto.

LE POUR

◆ Un des contrastes les plus marqués d'Asie entre l'ancien et le moderne : les sources et les intérêts de visite en sont multipliés.

◆ La possibilité de rendre le voyage original en choisissant des lieux de vie à la japonaise *(ryokan, minshuku)*.

LE CONTRE

◆ Un coût de la vie touristique très élevé, malgré une timide tendance à la baisse.

◆ Une communication relativement malaisée, la pratique de l'anglais restant timide et celle du français confidentielle.

◆ Un ciel d'été guère enchanteur.

LE BON MOMENT

Des saisons marquées, un rythme assez proche de celui de l'Europe, mais des différences entre le nord de Honshu et Hokkaido (climat rigoureux) et les îles de Shikoku et Kyushu (climat subtropical avec mousson d'été) caractérisent le climat. **Avril-juin** et **septembre-novembre** sont les périodes les plus ensoleillées et surtout les plus intéressantes pour la flore (floraison des **cerisiers** fin mars-début avril).

◆ Températures moyennes jour/nuit (en °C)

Fukuoka (Kyushu, sud) : janvier 9/1, avril 19/8, juillet 30/23, octobre 21/12. Eau de mer : en moyenne 22° en octobre.

Kyoto (Honshu, centre) : janvier 8/-2, avril 19/6, juillet 31/21, octobre 22/11.

Sapporo (Hokkaido, nord) : janvier -1/-10, avril 11/1, juillet 25/16, octobre 16/5.

Tokyo (Honshu, centre) : janvier 9/-1, avril 18/4, juillet 29/22, octobre 20/13.

LE PREMIER CONTACT

En Belgique

Ambassade, 58, avenue des Arts, B-1000 Bruxelles, ☎ (02) 513.23.40, fax (02) 513.15.56.

Au Canada

◆ Japan National Tourist Organization (JNTO), 165 University Avenue, Toronto, ON, M5H 3B8, ☎ (416) 366-7140. ◆ Ambassade, 255, promenade Sussex, Ottawa, ON K1N 9E6, ☎ (613) 241-8541, fax (613) 241-2232.

En France

JNTO, 4, rue de Ventadour, 75001 Paris, ☎ 01.42.96.20.29, fax 01.40.20.92.79.

Au Luxembourg

Services culturels de l'ambassade du Japon, ☎ 46.41.51-51.

En Suisse

JNTO, rue de Berne, 13, CH-1201 Genève, ☎ (22) 731.81.40, fax (22) 738.13.14.

Internet

www.jnto.go.jp (site de l'office du tourisme, également en français)

Guides

Japon (Berlitz, Hachette/Voir, Le Petit Futé, Lonely Planet France, Michelin/Voyager pratique, Mondeos, National Geographic France).

Kyoto (Lonely Planet en anglais).

Tokyo (Gallimard/Cartoville, Michelin/Guide rouge en anglais), *Tokyo 2009* (Louis Vuitton/City Guide), *Tokyo et Kyoto* (Hachette/Evasion), *Tokyo, Kyoto et environs* (Hachette/Routard).

Cartes

Japan (Cartographia, Nelles), *Chine, Corée, Japon* (IGN). Plans de Tokyo chez Cartographia et Falk.

Lectures

Comprendre le Japon (Martin Beaulieu/Editions Ulysse, 2007), *Histoire du Japon et des Japonais* (Edwin Oldfather/Seuil), *le Japon contemporain* (Fayard, 2008), *le Japon : dictionnaire et civilisation* (Louis Frédéric/Robert Laffont, 1999), *Relire Bushidô, l'âme du Japon de Inazô Nitobe* (Keiko

Yamanaka/Economica, 2004), *Stupeur et tremblements* (Amélie Nothomb/Livre de poche, 2001).

Images

L'Art de vivre au Japon (Flammarion, 2002), *Japon : 206 Vues* (Géraldine Kosiak/Seuil, 2007), *Haïku, anthologie du poème court japonais* (Gallimard, 2002), *l'Hôte, l'invité et le chrysanthème blanc* (Ed. Moudarren, 2007). ◆ Cinéma : les films d'Akira Kurosawa et, en 2004, la peinture très satirique de Tokyo à travers le film de Sofia Coppola, *Lost in translation*.

CD-ROM

CD-ROM Globe Runner : Japon (Emme Interactive).

QUEL VOYAGE ET À QUEL PRIX ?

Le voyage individuel

Les préparatifs

◆ Pour les ressortissants de l'Union européenne, canadiens, suisses : passeport suffisant (séjour de trois mois maximum), valable encore six mois après le retour. Billet de retour ou de continuation exigible.

◆ Monnaie : le *yen*. 1 US dollar = 92 yens, 1 EUR = 128 yens. Pour le change, emporter des US Dollars ou des euros et une carte de crédit pour les retraits, ou bien partir avec des yens en espèces ou en chèques de voyage.

Le départ

◆ Les vols internationaux atterrissent principalement à Tokyo mais aussi à Osaka. Indice de prix à certaines dates du vol Montréal-Osaka A/R : 900 CAD ; Paris-Tokyo A/R : 850 EUR. ◆ Durée moyenne du vol Paris-Tokyo (9 998 km) : 11 heures.

Sur place

Hébergement

◆ Il est possible de loger dans des sortes de pensions de famille (*minshukus*), dans des auberges typiques mais chères (*ryokans*) et dans certains monastères (*shokubos*). Voir entre autres Nouvelles Frontières et Tourisme chez l'habitant. ◆ Concernant l'hôtellerie, il existe des *Welcome Inns* (prix raisonnable) et un forfait *Hotel Pass*. ◆ Une formule individuelle consiste à prendre un voyage à la carte comprenant le vol et l'hébergement pour une ou plusieurs nuits, par exemple avec Asia. ◆ Il existe de nombreuses auberges de jeunesse. Renseignements : www.jyh.or.jp

Route

◆ Conduite à gauche. Location de voiture très chère mais possibilité d'opter avant le départ pour un autotour (avion + hôtel + voiture), par exemple chez Asia, Jaltour, Nouvelles Frontières, Voyageurs du monde. ◆ Permis de conduire international nécessaire.

Train

Le *Japan Rail Pass* (billet forfaitaire de 7, 14 ou 21 jours, obtenu *avant* le départ auprès des agences de voyages ou dans les bureaux de Japan Airlines) permet des économies substantielles pour les trains mais aussi pour les bus et les ferries. Il peut être une bonne incitation à emprunter le *Shinkansen*, réseau rapide de lignes de chemin de fer, équivalent et prédécesseur du TGV (pas de supplément). A Tokyo, il existe des forfaits journaliers pour les bus et le métro.

Vie quotidienne

◆ Les frais médicaux sont élevés, aussi est-il recommandé de bien vérifier avant le départ ses conditions d'assurance maladie et de prendre, le cas échéant, une assurance complémentaire (maladie et rapatriement, par exemple). ◆ Il serait dommage de séjourner au Japon sans déguster sushis et tofu (pâté de soja), ou sans boire le saké ou un thé maison. ◆ La pratique de l'anglais étant peu répandue, garder sur soi le numéro de la police tokyoïte en anglais (☎ 03.3505.8484) et les cartes de visite des hôtels. ◆ Courant électrique : 110 volts (adaptateur nécessaire).

Le voyage accompagné

Rappel : nous nous sommes limités à un résumé des prestations en vigueur dans les agences et chez les voyagistes présents en France. Les lecteurs des autres pays peuvent en tirer des idées d'itinéraire et les compléter auprès de leurs agences de voyages.

◆ La plupart des **circuits** s'étagent de 10 à 15 jours. La majorité sont à vocation culturelle, dirigés vers les monastères et les temples, et passent inévitablement ou presque par Tokyo,

Kyoto, Osaka et Nara. Exemples : Ananta, Asia, Clio, Explorator, Go Voyages, Jaltour, Kuoni, Nouvelles Frontières, Terra Incognita, Voyageurs du monde, Yoketaï.

La clientèle Japon s'élargit mais reste modérée, limitée par le coût du voyage : difficile, voire impossible de s'en sortir à moins de *2 000 EUR* la semaine et de *3 000 EUR* pour 15 jours.

◆ Les formules week-ends pour un doublé Tokyo-Kyoto (5 nuits) commencent à trouver preneurs (Jaltour).

◆ Long séjour de trois semaines chez Terres d'aventure qui, au printemps, mêle **marche** et découverte culturelle. Le Club Med a ouvert un village (**golf**, sports, **ski** de novembre à avril) sur l'île d'Hokkaido, à Sahoro, mais aussi à Kabira, tout au sud, pour le **farniente** et la plongée. À l'opposé, tout au nord, sur l'île d'Hokkaido, Objectif Nature poursuit pacifiquement les **oiseaux**, entre autres les grues et les pygargues (15 jours).

QUE RAPPORTER ?

Des poupées traditionnelles ou, plus spécifique, un kimono (yukata).

LES REPÈRES

◆ Lorsqu'il est midi en France, au Japon il est 19 heures en été et 20 heures en hiver; lorsqu'il est midi au Québec, au Japon il est 2 heures. ◆ Langue officielle : japonais. ◆ Langue étrangère : l'anglais, longtemps balbutiant, s'impose peu à peu dans les grandes villes. ◆ Téléphone vers le Japon : 0081 + indicatif (Tokyo : 3) + numéro; du Japon : 001 + indicatif pays + numéro.

LA SITUATION

Géographie. Le Japon forme un archipel de 2 200 km, arc de cercle entre la mer d'Okhotsk et la mer de Chine, avec un total insoupçonné de 3 922 îles et une superficie de 377 801 km^2. Hokkaido, Honshu, Shikoku et Kyushu sont les quatre îles principales, parsemées de forêts et dominées par des montagnes dues à un volcanisme toujours actif.

Population. Le Japon frôle la surpopulation, surtout dans ses villes, où vivent quatre habitants sur cinq. La capitale Tokyo et son agglomération atteignent 35 millions d'habitants. Toutefois, le taux de natalité marque un coup d'arrêt et le chiffre total de 127 288 000 habitants se stabilise.

Religion. Le shintoïsme est une vieille religion qui n'appartient qu'au Japon et qui a pris, au fil des siècles, un caractère nationaliste. Il partage avec le bouddhisme l'assentiment quasi unanime des citoyens.

Dates. *538* Le bouddhisme est introduit au Japon, qui va connaître une succession de sectes bouddhistes et de clans. *1192* Yorimoto, chef du clan Minamoto, est nommé shogun. Les shoguns vont marquer l'histoire du pays pendant de longs siècles de fermeture à toute influence étrangère. *1867* Yoshinobu dernier shogun, l'empereur Mutsushito prend le pouvoir pour près d'un demi-siècle. *1868* Sous l'ère Meiji, le Japon s'ouvre à l'Occident. *1926* Avènement de l'empereur Hirohito. *1940* Le Japon s'allie à l'Allemagne et à l'Italie, occupe le Pacifique, mais capitule en 1945 (bombardements d'Hiroshima et de Nagasaki). *1946* Monarchie constitutionnelle. *1982* Nakasone Premier ministre. *1989* Mort d'Hirohito, auquel succède son fils Akihito l'année suivante. *Janvier 1995* Un tremblement de terre frappe Kobe et entraîne la mort de 6 500 personnes. *Octobre 1996* Le Parti libéral-démocrate du Premier ministre Hashimoto remporte les législatives. *1998* Keizo Obuchi Premier ministre d'un pays à l'économie fragilisée. *Avril 2000* Yoshiro Mori lui succède, puis Junichiro Koizumi, sur fond de récession. *Septembre 2005* Koizumi et son Parti libéral-démocrate sont largement reconduits à l'issue des législatives. *Septembre 2006* Shinzo Abe succède à Koizumi. *Septembre 2007* Le modéré Yasuo Fukuda succède à Shinzo Abe, démissionnaire. *Septembre 2008* Taro Aso devient Premier ministre.

Jordanie

Les Nabatéens ? Pas vraiment connus de la gent touristique... C'est pourtant grâce à ce peuple d'Arabie et aux temples de leur capitale Pétra, le plus beau site du Moyen-Orient, que la Jordanie connaît son engouement actuel. Mais la ville aux tombeaux taillés dans le roc n'est pas seule : les sites d'al-Karak et de Jerash, le désert du Wadi Rum, rendu célèbre par Lawrence d'Arabie et propice aux randonnées, enfin les récifs coralliens de la mer Rouge sont d'excellents compléments.

LES RAISONS D'Y ALLER

LES MONUMENTS

Temples et tombeaux de Pétra
Vestiges romains et chrétiens de Jerash, château des Croisés d'al-Karak
« Châteaux du désert », ksour,
Vestiges de Madaba, palais de Qusayr 'Amra,
Béthanie (site du baptême du Christ)

LES PAYSAGES ET LES RANDONNÉES

Désert du Wadi Rum, mont Nebo

LES CÔTES

Plages et plongée en mer Rouge (Aqaba)
Rivages de la mer Morte

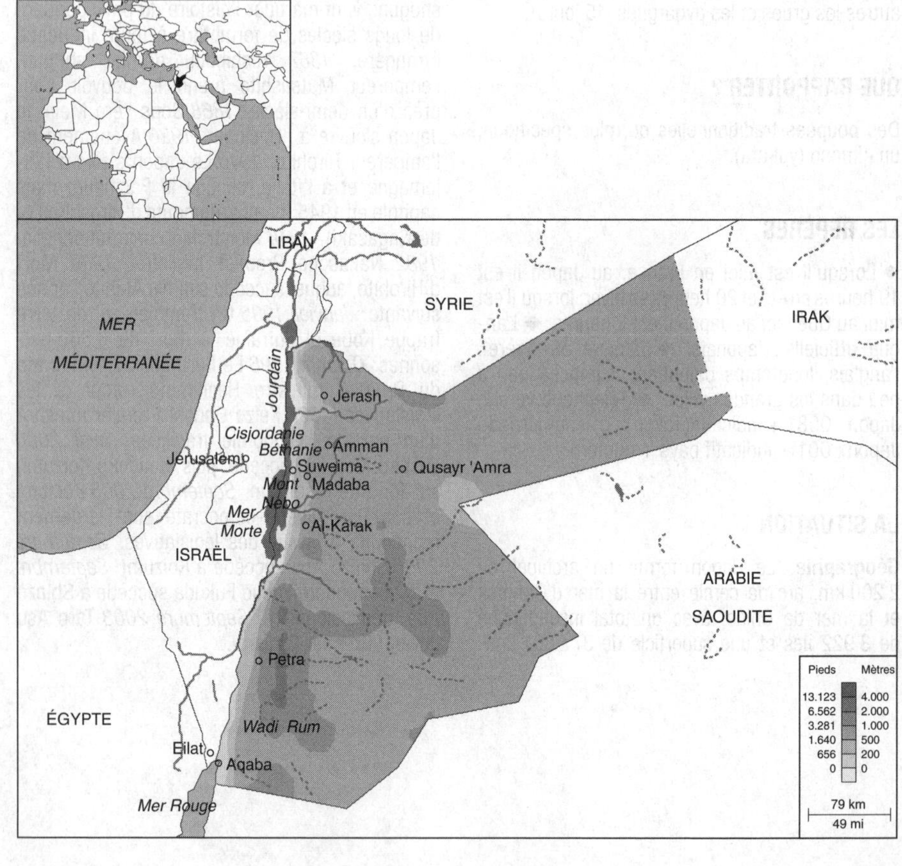

LES RAISONS D'Y ALLER

LES MONUMENTS

À **Pétra**, les **temples** funéraires et les **tombeaux**, témoins du passé prestigieux du royaume des Nabatéens (IVe siècle-IIe siècle avant J.-C.), sont taillés à même des falaises de grès rose ou rouge dans une sorte de cirque rocheux long de 3 km. Le site, placé sur la route des aromates et capitale choisie à dessein en raison de son relief tourmenté, est atteint après avoir traversé une gorge (Siq) qui ne laisse que trois quarts d'heure au soleil pour illuminer la façade sculptée du Khazné, le fleuron de l'endroit, temple funéraire célébré par Spielberg dans *Indiana Jones et la dernière croisade* et par Hergé dans *Coke en stock*.

Pétra mérite deux jours et des kilomètres de visite : outre les temples, les mausolées, les chambres funéraires et le monastère du Deir, on y trouve de hauts lieux de sacrifices et un théâtre romain. Le site est sans conteste le plus majestueux du Proche-Orient, quitte à masquer les autres atouts du pays.

Jerash (Gerasa) est le deuxième site en importance : d'abord romaine et surnommée la « Pompéi jordanienne » (excellent état de conservation du forum, des théâtres, des temples d'Artémis et de Zeus), elle connut ensuite une influence chrétienne (nombreux monuments, dont les églises accolées de Saint-Jean-Baptiste, Saint-Georges et Saints-Côme-et-Damien).

Également intéressants : **Al-Karak**, dans un site entouré de ravins, qui eut son heure de gloire au temps des Croisades et qui conserve un château (krak) des Croisés (XIIe siècle), isolé sur une colline proche; les relais de chasse (**« châteaux du désert »**); les **ksour** laissés par les sultans omeyyades; les ruines (sanctuaires et monastères) et les très anciennes mosaïques byzantines de **Madaba** (haute époque chrétienne); le palais arabe du VIIIe siècle de **Qusayr 'Amra**, édifié en grès rouge et situé dans le désert, à l'est d'Amman; le site de **Béthanie**, qui aurait vu Jean-Baptiste baptiser le Christ sur la rive gauche du Jourdain, tout près de la côte nord de la mer Morte.

LES PAYSAGES ET LES RANDONNÉES

La plupart des sites précités appartiennent à un relief contrasté, puisqu'on passe rapidement de la très basse mer Morte aux hauteurs d'Amman.

Au sud, s'étend le désert semi-aride du **Wadi Rum**, également appelé « vallée de la Lune ». En 1917, le village de Rum a vu Thomas Edward Lawrence rameuter les guerriers destinés à se battre contre les Ottomans. Aussi, avec les Sept Piliers de la sagesse à la lisière du désert, le visiteur se trouve-t-il rapidement confronté au souvenir des images qu'il a découvertes dans le film *Lawrence d'Arabie*. La rencontre des bédouins, les masses rocheuses, le mélange du sable, du granit et du grès attirent de plus en plus le randonneur, assuré de marcher et de bivouaquer au sein de la plus belle harmonie de couleurs des déserts du Proche-Orient.

Le mont **Nebo** (900 m), non loin de l'embouchure du Jourdain, est l'un des lieux célèbres du Moyen-Orient : c'est de là que Moïse contempla la Terre promise et c'est là que, traditionnellement, on situe le lieu de sa mort.

LES CÔTES

Autour d'**Aqaba**, les abords de la **mer Rouge** renferment des fonds sous-marins riches en récifs coralliens et en poissons multicolores. Les plongeurs en ramènent des images de haute tenue, par exemple aux abords du Royal Diving Center.

La **mer Morte** possède quelques plages (Suweima) et offre des panoramas intéressants.

LE POUR

◆ Un pays qui mêle idéalement l'aspect culturel, le désert et la plongée.

◆ Une destination qui a toujours connu une fréquentation touristique régulière malgré sa situation au cœur d'une région sensible.

LE CONTRE

◆ Le problème récent du terrorisme, qui contrarie la réputation de havre de paix du pays mais ne ralentit pas l'engouement actuel.

◆ La difficulté d'Aqaba à devenir une «destination mer Rouge» aussi forte que l'Egypte.

◆ Le tourisme de masse de Petra et son ombre écrasante sur les autres sites et atouts du pays.

LE BON MOMENT

Une nette différence climatique existe entre la région située à l'ouest de la capitale Amman (climat méditerranéen) et l'est (climat désertique). Dans la dépression créée par la mer Morte, la chaleur est accablante. L'automne (**mi-septembre à mi-novembre**) et, à un niveau moindre, le printemps (**mi-mars à mai-juin**) sont les saisons les plus indiquées. Toutefois, l'été est supportable à condition de bien choisir ses heures de visite.

◆ Températures moyennes jour/nuit (en °C)

Amman : janvier 12/4, avril 23/10, juillet 32/19, octobre 27/14.

Aqaba (mer Rouge) : janvier 21/9, avril 31/17, juillet 39/25, octobre 33/20; l'eau de mer est quasiment toute l'année à 22º.

LE PREMIER CONTACT

En Belgique

Ambassade, avenue Franklin-Roosevelt, 104, B-1050 Bruxelles, ☎ (02) 640.77.55, fax (02) 640.27.96.

Au Canada

Ambassade, 100, avenue Bronson, bureau 701, Ottawa, ON K1R 6G8, ☎ (613) 238-8090, fax (613) 232-3341.

En France

Ambassade, 80, boulevard Maurice-Barrès, 92200 Neuilly-sur-Seine, ☎ 01.55.62.00.00, fax 01.55.62.00.06.

Au Luxembourg

Consulat honoraire, 11, boulevard Royal, L-2449 Luxembourg, ☎ 47.19.02.

En Suisse

Section consulaire, Belpstrasse, 11, CH-3007 Berne ☎ (31) 384.04.04, (31) 384.04.05, www.jordanie.ch

Internet

www.fr.visitjordan.com/

Guides

Israël, Jordanie (Nelles), *Jordanie* (Hachette/Guide bleu, Le Petit Futé, Marcus).

Jordanie, Syrie (Hachette/Routard), *Jordanie, Syrie et Liban* (Mondeos), *Proche-Orient, Moyen-Orient* (Berlitz).

Cartes

Jordan (Cartographia), *Jordanie, Syrie et Liban* (Hildebrand).

Lectures

Jordanie, le royaume frontière (Autrement, 2001), *la Jordanie, Que sais-je?* (PUF, 2000), *Souvenirs d'une vie inattendue* (Reine Noor/Buchet Chastel, 2004). Une idée du monde romain du temps de Jerash est donnée dans *les Mémoires d'Hadrien* (M. Yourcenar, Gallimard, 1977), alors que les admirateurs de Lawrence d'Arabie ont probablement déjà lu ses *Sept Piliers de la sagesse* (T.-E. Lawrence, Gallimard, 1992).

Images

Pétra : la cité des caravanes (Christian Augé, Jean-Marie Dentzer/Gallimard, 1999), *Tu Es Petra* (Delevoy/Persée, 2008), *Pétra, métropole de l'Arabie antique* (Seuil, 1999). Cinéma : *Lawrence d'Arabie* (David Lean, 1961).

DVD

Jordanie, la mémoire du Proche-Orient (Media 9, 2003), *les Grands sites archéologiques : la Jordanie* (AK Vidéo, 2004).

QUEL VOYAGE ET À QUEL PRIX ?

Le voyage individuel

Les préparatifs

◆ Pour les ressortissants de l'Union européenne, canadiens et suisses : passeport valable encore six mois après le retour, visa obligatoire, obtenu auprès de l'ambassade, adresse ci-dessus. ◆ Un visa de 15 jours peut également être obtenu directement à l'aéroport d'arrivée ou aux frontières (prendre confirmation de cette possibilité avant le départ).

◆ Aucune vaccination n'est obligatoire.

◆ Monnaie : le *dinar jordanien*, subdivisé en 100 *piastres* ou 1 000 *fils*. 1 US Dollar = 0,7 dinar jordanien, 1 EUR = 1 dinar jordanien. Emporter des euros ou des dollars US en espèces ou en chèques de voyage. Distributeurs de billets à Amman, rares dans le reste du pays. La plupart des cartes de crédit sont acceptées sur les lieux touristiques.

Le départ

◆ Indice de prix à certaines dates du vol Paris-Amman A/R : 550 EUR. ◆ Durée moyenne du vol direct Paris-Amman (3 380 km) : 4 heures.

Sur place

Route

Location de voiture possible (permis de conduire international depuis plus d'un an), avec ou sans chauffeur, par exemple avec Nouvelles Frontières, Orients et Voyageurs du monde.

Train

Le *Hedjaz Railway* roule de la frontière syrienne à Aqaba (384 km, une dizaine d'heures de trajet).

Le voyage accompagné

Rappel : nous nous sommes limités à un résumé des prestations en vigueur dans les agences et chez les voyagistes présents en France. Les lecteurs des autres pays peuvent en tirer des idées d'itinéraire et les compléter auprès de leurs agences de voyages.

Il existe deux manières d'envisager un voyage accompagné en Jordanie :

– un circuit classique (Jerash, Madaba, le mont Nebo, Pétra et le Wadi Rum), souvent combiné avec un ou deux autres pays;

– un voyage dominé par la randonnée dans le désert du Wadi Rum, avec mini-séjour à Aqaba et extension à Pétra.

◆ Dans le premier cas, on trouve des circuits en **bus**, de 9 à 15 jours, le plus souvent entre février et septembre, et à un prix moyen plutôt élevé : *1 200 EUR* la semaine en demi-pension. Mais si on se décide à partir légèrement hors saison, ces tarifs peuvent sensiblement diminuer. Exemples : Adeo, Arts et Vie, Asia, Clio, Fram, Ikhar, Jet Tours, Nouvelles Frontières, Plein Vent, STI Voyages, Top of Travel, Voyageurs du monde.

De nombreux **combinés** existent avec plusieurs pays voisins : Jordanie et Syrie (Adeo, Arvel, Continents insolites, Explorator, Orients, Oriensce, Voyageurs du monde), Jordanie, Liban et Syrie (Jet Tours, Oriensce).

◆ Dans le second cas, les **randonnées** dans le Wadi Rum, agrémentées d'un moment à Aqaba et à Pétra, se déroulent de février à mai ou de septembre à novembre. Un voyage physique mais pas exténuant. Au choix : les véhicules porteurs, la randonnée chamelière, la méharée. Exemples : Allibert, Atalante, Club Aventure, Déserts, Explorator, Nouvelles Frontières, Terres d'aventure. Compter aux alentours de *1 200 EUR pour 9 jours* et de *2 000 EUR pour 15 jours*.

◆ Parfois, le voyage-randonnée couvre l'ensemble du pays (ainsi la « Transjordanienne » d'Atalante). ◆ Un circuit combine la Jordanie (Wadi Rum) et l'Égypte (Sinaï) chez Déserts.

◆ Les variantes sont des mini-séjours week-end à Pétra, des séjours de **plongée** dans la mer Rouge à Aqaba (Djos' Air Voyages, Ultramarina) et des **croisières** : elles partent en janvier ou février et se dirigent vers l'Égypte, Israël et la Jordanie, avec des escales aux buts prestigieux (Rhodes, Le Caire, Louxor, Pétra).

LES REPÈRES

◆ Lorsqu'il est midi en France, en Jordanie il est la même heure en été et 13 heures en hiver. ◆ Langue officielle : arabe. ◆ Langue étrangère : l'anglais est connu par un tiers de la population environ. ◆ Téléphone vers la Jordanie : 00962 + indicatif (Amman : 6) + numéro; de la Jordanie : 00 + indicatif pays + numéro.

LA SITUATION

Géographie. La mer Morte a créé un fossé d'effondrement, le Ghor, relevé par quelques hauteurs qui cèdent rapidement la place à un plateau aride et désertique dans l'est du pays. L'ensemble s'étend sur 97 740 km², dont les quatre cinquièmes sont occupés par le désert.

Population. Sur les 6 199 000 habitants qui, pour l'essentiel, vivent dans la vallée du Jourdain, environ 60 % sont des réfugiés d'origine palestinienne depuis qu'Israël a annexé la Cisjordanie. Les Bédouins chameliers sont moins de cent mille et les Kurdes circassiens, arrivés lors de la conquête du Caucase par les Russes, vingt mille environ. Capitale : Amman.

Religion. Forte majorité de musulmans sunnites (93 %). Seuls cinq habitants sur cent sont chrétiens. L'intégrisme est moins marqué que dans les pays arabes de la région.

Dates. *400 av. J.-C.* Les Nabatéens (Sémites) fondent Pétra. *105 ap. J.-C.* Le pays est annexé par les Romains (Trajan). *395* L'endroit devient un archevêché byzantin. *620* Occupation par les Arabes. *XVIe siècle* Domination ottomane. *1916* Lawrence d'Arabie soulève la population contre les Turcs. *1920* La Jordanie est un émirat. *1924* Indépendance sous mandat britannique. *1949* La réunion du royaume hachémite de Transjordanie et de la Cisjordanie crée la Jordanie. *1952* Avènement du roi Hussein. *1967* La Jordanie est entraînée dans la guerre israélo-arabe. *1970* Les Palestiniens sont expulsés vers le Liban et la Syrie. *1978* Rapprochement avec les Palestiniens et, six ans plus tard, avec l'Égypte. *1991* La Jordanie se démarque de Saddam Hussein lors de la guerre du Golfe. *Octobre 1993* La nouvelle assemblée est favorable au roi Hussein, les Frères musulmans essuient un échec. *Octobre 1994* Israël et la Jordanie signent un traité de paix. *Février 1999* La Jordanie pleure le roi Hussein, auquel succède son fils sous le nom d'Abdallah II. *Juin 2000* Ali Abou Ragheb Premier ministre. *Novembre 2005* Triple attentat à Amman (57 morts, 110 blessés). *Novembre 2007* Nader al-Dahabi devient Premier ministre.

Kazakhstan

Avertissement. – Plusieurs provinces sont interdites aux étrangers ou soumises à autorisation. Les ambassades fournissent les renseignements nécessaires à ce sujet.

La variété de son relief et le particularisme de ses habitants, longtemps nomades, auraient dû valoir au Kazakhstan une meilleure audience touristique. Mais le pays est resté en manque d'image sur la scène internationale, en outre certaines régions restent en principe interdites au visiteur. L'attrait de ses chaînes de montagnes et du cosmodrome de Baïkonour pourrait modifier cette situation négative au cours des prochaines années.

LES RAISONS D'Y ALLER

LES PAYSAGES ET LES RANDONNÉES

Montagnes : chaîne du Tien-Chan, pic Khan Tengri, chaîne Zailiyskiy Alatau, contreforts de l'Altaï
Désert : Sari-Ichik Otraou
Lac Balkhach

LES VILLES ET LE SITE

Almaty
Cosmodrome de Baïkonour

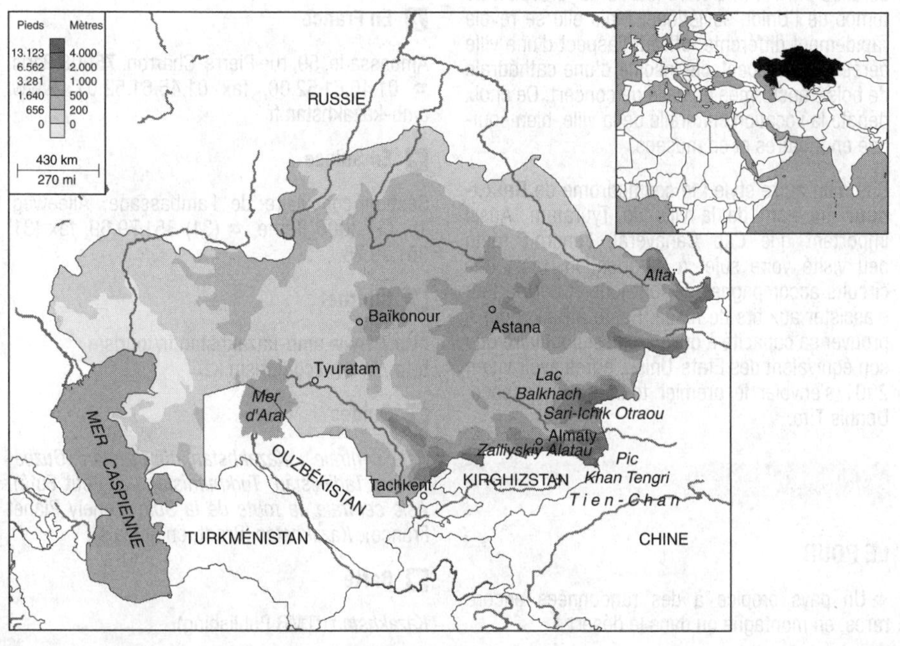

LES RAISONS D'Y ALLER

LES PAYSAGES ET LES RANDONNÉES

Aux confins du Kirghizstan et de la Chine, le relief se relève brusquement, abandonnant un paysage de grosses collines rondes pour des sommets approchant 7 000 m (pic Khan Tengri) : ainsi les vallées de la chaîne du **Tien-Chan** (les « monts Célestes ») font depuis peu l'objet de trekkings.

Au nord du Tien-Chan, la chaîne de **Zailiyskiy Alatau**, moins élevée, mérite elle aussi des randonnées. Après Almaty, elle cède le terrain à une région désertique, le **Sari-Ichik Otraou**, aussi belle que désolée et parcourue à cheval ou à dos de chameau par les nomades kazakhs. Ensuite vient le site du lac **Balkhach**, étendu mais peu profond.

Au nord-est, les contreforts des monts **Altaï** et de leurs glaciers viennent confirmer l'intérêt du pays pour les randonneurs.

LES VILLES ET LE SITE

De prime abord, **Almaty** (ex Alma-Ata) paraît écrasée par l'architecture lourde qui prévalait du temps de l'Union soviétique. Mais elle se révèle rapidement différente, offrant l'aspect d'une ville aérée avec le spectacle insolite d'une cathédrale de bois transformée en salle de concert. Ce choix dénote la vocation culturelle de la ville, bien équipée en théâtres et en musées.

Site d'un autre style : le cosmodrome de **Baïkonour**, au nord de la ville de Tyuratam. Aussi important que Cap Canaveral, l'endroit reste peu visité voire sujet à autorisation, mais des circuits accompagnés se font jour et permettent d'assister aux tirs de fusée. Reste à Baïkonour à prouver sa capacité à devenir aussi populaire que son équivalent des États-Unis... après avoir vu en 2001 s'envoler le premier touriste de l'espace, Dennis Tito.

LE POUR

◆ Un pays propice à des randonnées encore rares, en montagne ou dans le désert.

LE CONTRE

◆ La grande difficulté, voire l'impossibilité d'accès à certains sites ou régions.

◆ Le coût élevé du transport aérien et du séjour.

LE BON MOMENT

Le Kazakhstan connaît des hivers très rigoureux. Toutefois, la période **juin-septembre**, agréable, rétablit l'équilibre.

◆ Températures moyennes jour/nuit (en °C) à *Almaty* : janvier -1/1, avril 17/6, juillet 30/18, octobre 16/5.

LE PREMIER CONTACT

En Belgique

Ambassade, avenue Van Bever, 30, B-1180 Bruxelles, ☎ (02) 373.38.96, fax (02) 374.50.91, www.kazakhstanembassy.be

Au Canada

Consulat, 347, Bay Street, Toronto ON M5H 2W9, ☎ (416) 593-4043, fax (416) 593-4037.

En France

Ambassade, 59, rue Pierre-Charron, 75008 Paris, ☎ 01.45.61.52.00, fax 01.45.61.52.01, www.amb-kazakhstan.fr

En Suisse

Section consulaire de l'ambassade, Alleeweg, 15, CH-3006 Berne, ☎ (31) 351.79.69, fax (31) 351.79.75.

Internet

http://www.amb-kazakhstan.fr/tourism
http://www.ecotourism.kz/

Guides

Asie centrale : Kazakhstan, Kirghizstan, Ouzbékistan, Tadjikistan, Turkménistan (Le Petit Futé), *Asie centrale, la route de la Soie* (Lonely Planet France), *Kazakhstan* (Bradt, en anglais).

Carte

Kazakhstan (ITMB Publishing).

Lectures

Le Kazakhstan (Que sais-je ?, PUF, 2000), *les Russes du Kazakhstan* (Marlène Laruelle/Maisonneuve et Larose, 2004),

Images

Kazakhstan : bourlinguer en Asie centrale post-soviétique (Laurence Deonna/Editions Zoe, 2007), *le Chant des steppes : musique et chants du Kazakhstan* (Editions du Layeur, 2002). *Kardiogramma*, film de Darejan Ormibaev (1997), raconte la vie d'un enfant dans les steppes du Kazakhstan. *Tueur à gages* (1999), du même réalisateur, dépeint sans concession l'économie libérale du pays.

QUEL VOYAGE ET À QUEL PRIX ?

Le voyage individuel

Les préparatifs

◆ Pour les ressortissants de l'Union européenne, canadiens, suisses : passeport (valable encore trois mois après le retour), visa obligatoire, obtenu auprès du consulat. Billet de retour ou de continuation exigibles. ◆ Certaines régions sont interdites aux étrangers ou soumises à autorisation, bien se renseigner auprès de l'ambassade.

◆ Aucune vaccination n'est requise.

◆ Monnaie : le *tenge*. 1 US Dollar = 121 tenges, 1 EUR = 168 tenges. Prévoir des euros ou, de préférence, des dollars US en liquide (petites coupures). Chèques de voyage et cartes de crédit sont de peu de secours.

Le départ

Avion

Indice de prix à certaines dates du vol Montréal-Almaty A/R : 1 500 CAD; Paris-Almaty A/R : 800 EUR.

Sur place

Route

Location de voiture de préférence avec chauffeur. Limitations de vitesse routes/autoroutes : 70/120 km/h. Alcool au volant interdit.

Train

Réseau ferroviaire correct.

Le voyage accompagné

Rappel : nous nous sommes limités à un résumé des prestations en vigueur dans les agences et chez les voyagistes présents en France. Les lecteurs des autres pays peuvent en tirer des idées d'itinéraire et les compléter auprès de leurs agences de voyages.

◆ Les voyagistes qui programment l'Asie centrale sont surtout des spécialistes de la **randonnée** qui, partis d'Almaty, se dirigent peu à peu vers le massif du Tien Chan, le camp de base du Khan Tengri et le Kirghizstan voisin.

Ce style de voyage, destiné à de bons marcheurs, est souvent programmé en juillet-août, pour des périodes allant jusqu'à trois semaines (Allibert, qui invite aussi les alpinistes à s'attaquer aux 6 400 m du Marble Peak, à la lisière de la Chine). Déserts est en voiture avec chauffeur dans le désert de Sémirietché, dans le sud du Sari-Ichik Otraou, pour un circuit qui mêle dunes, bivouacs et balades à cheval.

Explorator complète le duo Kazakhstan-Kirghizstan par un passage par le XInjiang (Chine) afin de retrouver les pistes caravanières de la Route de la soie.

◆ Le séjour en randonnée, fait d'une alternance de minibus, de 4 x 4 et de marche, est cher : aux alentours de *2 600 EUR pour 15 jours*, de *3 500 EUR pour trois semaines*.

LES REPÈRES

◆ Lorsqu'il est midi en France, au Kazakhstan il est 17 heures en hiver. ◆ Le kazakh, qui est une langue turque, est la langue d'État, parlée par un tiers des habitants. Le russe est très répandu. La pratique des grandes langues étrangères est rare. ◆ Téléphone vers le Kazakhstan : 007 + indicatif (Almaty : 327) + numéro; du Kazakhstan : 810 + indicatif pays + numéro.

LA SITUATION

Géographie. De la mer Caspienne à la frontière chinoise, le Kazakhstan est un vaste pays de 2 717 300 km² formé, à l'ouest, d'un imposant massif, de plaines et de steppes; à l'est, se dressent le massif du Tien-Chan et les 6 995 m du Khan Tengri.

Population. Petit nombre d'habitants pour une telle superficie : 15 341 000. La proportion des Kazakhs (43 %), peuple nomade sédentarisé depuis les années 30, a peu à peu été rejointe par celle des Russes (37 %), qui vivent surtout dans le nord. Capitale : Astana.

Religion. L'islam (sunnite) est la religion la plus répandue. Minorité d'orthodoxes.

Dates. *XIIIe siècle* Invasion des Tatars. *1868* L'Empire russe annexe les territoires des Kazakhs. *1936* Le Kazakhstan se détache de la Kirghizie et entre dans l'URSS. *Décembre 1991* Indépendance. Nazarbaev, ancien chef du Parti communiste, devient président. *Janvier 1999* Nouveau mandat pour Nazarbaev dans un pays qui table de plus en plus sur ses réserves pétrolières. *Décembre 2005* Nazarbaev est très facilement réélu. *Janvier 2007* Karim Masimov Premier ministre. *Août 2007* Large victoire du parti au pouvoir (Nur Otan) aux législatives et place toujours aussi restreinte pour la démocratie.

Kenya

Avertissement. – Les régions frontalières du nord du pays sont formellement déconseillées.

Champion incontesté du pointage d'objectifs photographiques sur une faune abondante, mais également capable de proposer des plages tropicales ou des motifs de randonnées au nord et chez les Masaïs, le Kenya est paré des grandes vertus du tourisme exotique. Aussi le candidat voyageur a-t-il l'embarras du choix parmi les propositions des voyagistes qui se battent sur le terrain de l'éléphant, de la girafe ou de l'hippopotame, avant de proposer un repos compensateur sur les côtes de l'océan Indien.

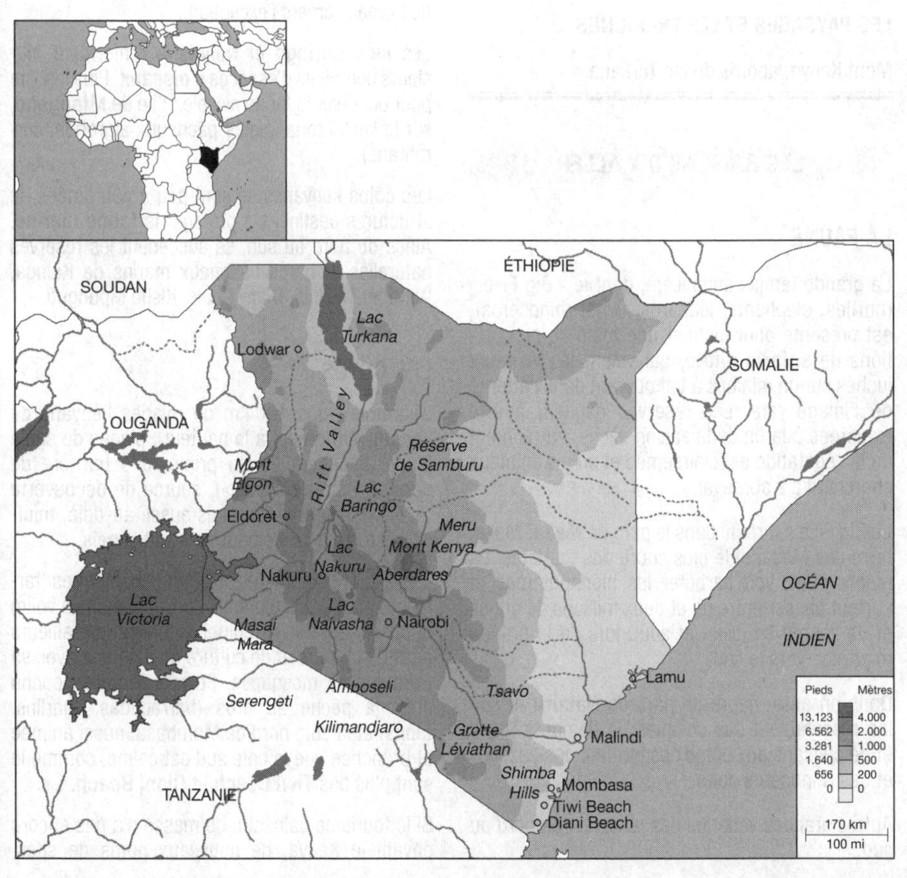

LES RAISONS D'Y ALLER

LA FAUNE

Parc de Masaï Mara et son « Big Five » (buffles, éléphants, léopards, lions, rhinocéros), migration des gnous et des zèbres, girafes, hippopotames
Parc et lac de Nakuru (flamants roses, pélicans)
Du nord au sud, parcs et réserves de Meru, Aberdares, Tsavo, Amboseli, Shimba Hills, Samburu
Lacs : Baringo, Naivasha, île de Mfangano
Réserves et parcs nationaux marins

LES CÔTES

Plages de l'océan Indien : Lamu, Malindi, Mombasa, Tiwi Beach, Diani Beach

LES PAYSAGES ET LES TREKKINGS

Mont Kenya, abords du lac Turkana

LES RAISONS D'Y ALLER

LA FAUNE

La grande famille animalière, dont le « Big Five » (buffles, éléphants, léopards, lions, rhinocéros), est présente pour justifier une foule de propositions de **safaris photo**, qui voient les visiteurs juchés sur un minibus à toit ouvrant dans l'attente de l'image rare. Les réserves gagnent à être explorées à la fin de la saison sèche, au moment où la végétation est clairsemée et où les animaux cherchent à s'abreuver.

Le Big Five est réuni dans le parc de **Masaï Mara**, terre des Masaï et le plus couru des touristes. La rivière Mara voit barboter les hippopotames et surtout passer entre un et deux millions de gnous et de zèbres en juillet et août, lors de la grande migration vers le sud.

Dans un autre genre, le parc de **Nakuru** et son lac rassemblent des colonies de flamants roses et de pélicans aux côtés des girafes, des gazelles et des rhinocéros noirs.

Autres grandes vedettes des réserves, du nord au sud :

– le parc **Meru**, non loin du mont Kenya, avec une colonie protégée de rhinocéros blancs;

– le parc national des **Aberdare** (antilopes bongo, rhinocéros noirs, panthères noires);

– le parc **Tsavo**, le plus étendu, coupé en deux; à l'ouest, vivent des léopards, des zèbres, des lions et des crocodiles; la partie est renferme des koudous, des rhinocéros noirs et nombre d'éléphants, malgré le braconnage;

– le parc d'**Amboseli** (guépards, gnous, girafes, babouins) avec vue sur le Kilimandjaro et réputation née du roman *le Lion* de Kessel;

– la réserve **Shimba Hills**, non loin de Mombasa, ave ses antilopes des sables, ses singes Sykes et de nombreux éléphants;

– la réserve de **Samburu**, intéressante car peu courue, où le léopard, l'antilope girafe et l'autruche de Somalie créent l'exception.

Les **lacs Baringo** et **Naivasha** renferment plusieurs centaines d'espèces d'**oiseaux**. Plus insolite pour observer la faune avicole : l'île de **Mfangano**, sur le lac Victoria (aigles-pêcheurs, aigrettes, cormorans).

Les côtes kenyanes se sont peu à peu dotées de structures destinées à protéger la **faune marine**. Ainsi, du nord au sud, se succèdent les réserves naturelles et parcs nationaux marins de Kiunga, Watamu-Malindi, Diani-Chale, Kisite Mpunguti.

LES CÔTES

L'agrément des 400 km de rivages kényans de l'**océan Indien** est à la hauteur : plages de sable blanc, cocotiers et, en prime, une barrière de corail (« côte de Corail »), source de découverte de la vie sous-marine mais aussi, au-delà, mini-croisières à bord de boutres traditionnels.

En partant du nord, les structures balnéaires (farniente mais aussi plongée, surf et planche à voile) apparaissent dès l'archipel de **Lamu**, par ailleurs pétri de charme et de culture musulmane avec sa trentaine de mosquées. Suivent **Malindi**, connu pour la pêche au gros (barracudas, marlins, thons) et la côte nord de Mombasa, aussi animée et branchée que la côte sud est calme, comme le sont plus bas **Tiwi Beach** et **Diani Beach**.

Si le tourisme balnéaire de masse n'a pas encore envahi le Kenya, de nouveaux noms de sites, toujours de part et d'autre de Mombasa, commencent à fleurir, tels Galu Kinondo, Shanzu, l'île de Chale ou l'îlot de Kisite, véritable parc marin (corail, poissons-clowns), où la plongée-bouteille est possible et où baleines comme dauphins s'égaillent en juillet-août.

Mombasa vaut par sa vieille ville (Fort Jésus, mosquée blanche de Basheikh) et son port, où naviguent des boutres.

LES PAYSAGES ET LES TREKKINGS

Les trois sommets qui constituent le **mont Kenya** (5 199 m), volcan éteint aussi respecté par les Kenyans que le Fuji-Yama par les Japonais, constitue un bon entraînement pour le candidat à l'ascension du Kilimandjaro dans le cas d'un voyage couplé Kenya-Tanzanie. Les autres grands trekkings se situent autour du lac **Turkana** (ex-lac Rodolphe), à la rencontre des pêcheurs El Molo et des peuplades turkana et samburu.

Ses montagnes et ses lacs offrent au Kenya des paysages attachants, dominés par la couleur jaune tendre de la savane. L'ancienneté des volcans donne çà et là des reliefs insolites tels que les vastes cavités naturelles du mont Elgon ou la grotte Leviathan, creusée dans la lave.

LE POUR

◆ L'endroit du monde, avec la Tanzanie, où le plus grand nombre de touristes peut faire le plus grand nombre de photos du plus grand nombre d'animaux.

◆ Le retour au calme après les violences interethniques de fin 2007.

◆ Des formules de voyages nombreuses et des saisons qui tombent bien.

LE CONTRE

◆ Un tourisme qui frôle la bousculade généralisée en juillet-août et qui oblige à se décider longtemps à l'avance.

◆ Des problèmes d'insécurité apparus au cours des dernières années et des régions frontalières du nord très déconseillées.

◆ La rareté des témoignages historiques.

LE BON MOMENT

De type équatorial, le climat est presque partout tempéré par l'altitude. Si la côte est chaude et humide (averses de mai à juillet, mais août et septembre évitent les pluies), le climat de l'intérieur procure, en revanche, un vrai plaisir **entre juin et octobre**, y compris pour les réserves animalières. Dans l'ensemble, il fait chaud **de janvier à mars** (période également favorable), il pleut de mars à mai et à nouveau en novembre et décembre.

Sur la **côte**, les meilleures périodes sont décembre-mars et juillet-octobre.

◆ Températures moyennes jour/nuit (en °C)
Mombasa (côte) : janvier 32/23, avril 31/24, juillet 28/20, octobre 30/22. Eau de mer : moyenne de 27°.
Nairobi (1 660 m) : janvier 25/12, avril 24/14, juillet 21/10, octobre 25/13.

LE PREMIER CONTACT

En Belgique

Ambassade, avenue Winston-Churchill, 208, B-1180 Bruxelles, ☎ (02) 340.10.40, fax (02) 340.10.50.

Au Canada

Haut commissariat, 415, avenue Laurier Est, Ottawa, ON K1N 6R4, ☎ (613) 563-1773, fax (613) 233-6599.

En France

Kenya Tourist Board, c/o Interface Tourism, 11 bis, rue Blanche, F-75009 Paris, ☎ 01.53.25.11.11.
Ambassade, 3, rue Freycinet, 75116 Paris, ☎ 01.56.62.25.25, fax 01.47.20.44.41.

En Suisse

Consulat général, avenue de la Paix, 1-3, CH-1202 Genève, ☎ (22) 906.40.50, fax (22) 731.29.05.

Internet

www.magicalkenya.com (office du tourisme, également en français)
www.kws.org (parcs nationaux)

Guides

Kenya (Berlitz, Le Petit Futé, Lonely Planet France, Nelles),

Kenya, Tanzanie (Hachette/Routard, Hachette/Voir), *Kenya, Tanzanie et Zanzibar* (Mondeos), *East African Wildlife* (Bradt), *Kenya Safari* (Ed. Guillaume Ratel).

Cartes

Kenya (IGN, Nelles), *Kenya, Tanzanie* (Cartographia), *Kenya, Tanzanie, Ouganda* (Freytag).

Lectures

Comme neige au soleil (W. Boyd, Seuil, 2003), *De Harrar au Kenya* (H. de Monfreid, Grasset, 2006), *la Ferme africaine* (Karen Blixen/Gallimard, 2006), *les Neiges du Kilimandjaro et autres nouvelles* (E. Hemingway, Gallimard, 2001), *le Lion* (Joseph Kessel, Gallimard, 1972), la *Massaï blanche* (C. Hofmann, Plon, 2000), *Nil blanc* (A. Moorehead, Gaïa, 2005), *l'Occidentalisation des Maasaï du Kenya* (X. Peron, L'Harmattan, 2000), *la Piste fauve* (J. Kessel, Gallimard, 1974).

Images

Kenya-Tanzanie (Artémis, 2004).

Le film *Out of Africa* (1986), de Sydney Pollack, avec Meryl Streep et Robert Redford, est le dernier exemple réussi du cinéma à grand spectacle qui « met en scène » le Kenya, comme le fut *Hatari* de Howard Hawks en 1962.

Vidéos et DVD

Kenya, le grand safari (Media 9, 2005), *Kenya/Tanzanie* (Media 9, 2006), *Safari au Kenya : le Kenya à travers ses parcs et ses sanctuaires* (Vodeo TV).

QUEL VOYAGE ET À QUEL PRIX ?

Le voyage individuel

Les préparatifs

◆ Pour les ressortissants de l'Union européenne, canadiens, suisses : passeport (valable encore six mois après le retour), visa obligatoire, obtenu auprès du consulat. Le visa à une entrée permet un aller-retour pour la Tanzanie. Le visa peut être obtenu à l'arrivée, précision à demander impérativement à l'ambassade. Dans tous les cas, billet de retour ou de continuation exigible.

◆ Vaccination vivement recommandée contre la fièvre jaune en dehors des zones urbaines. Prévention indispensable contre le paludisme, particulièrement pour les régions situées au-dessous de 2 500 m, excepté Nairobi, où le risque est faible.

◆ Monnaie : le *shilling kenyan* est subdivisé en 100 cents. 1 US Dollar = 79 shillings kenyans, 1 EUR = 109 shillings kenyans. Emporter des euros ou des dollars US en espèces ou chèques de voyage et une carte de crédit (distributeurs répandus). Conserver les reçus bancaires pour pouvoir échanger les sommes restantes au moment de quitter le pays.

Le départ

◆ Indice de prix à certaines dates du vol Montréal-Nairobi A/R : 1 200 CAD; Paris-Mombasa A/R ou Paris-Nairobi A/R : 700 EUR. ◆ Durée moyenne du vol Paris-Nairobi (6 487 km) : 9 heures. ◆ Nombreux vols charters pour Mombasa et Nairobi, et possibilité d'aménager les itinéraires (par exemple arrivée à Nairobi, départ de Mombasa ou d'Arusha, près du Kilimandjaro).

Sur place

Hébergement

◆ Propositions de nuits d'hôtel à l'arrivée par la plupart des voyagistes, tel Nouvelles Frontières. ◆ Dans les réserves d'animaux, le mode d'hébergement va de la tente safari dans les camps au lodge (bungalow ou chalet installé à l'entrée ou à l'intérieur de la réserve). ◆ Ailleurs, il existe des auberges de jeunesse. Renseignements : www.hostels.com

Photo

◆ L'essentiel des photos s'appliquant aux animaux, un téléobjectif (par exemple un 300 mm) convient ou, à défaut, un zoom 80-200 mm. ◆ Penser à se munir d'une paire de jumelles pour l'observation des animaux.

Route

◆ Conduite à gauche. La location individuelle de voiture est peu pratiquée et déconseillée (état des pistes, indications de direction et stations-service rares, problèmes de sécurité). La location avec chauffeur-guide est donc la règle pour les réserves. Le voyage revient à *environ 2 000 EUR* la semaine, tout compris, via un minibus à toit ouvrant pouvant contenir 7 ou 8 personnes.

Train

Il existe deux lignes, Nairobi-Mombasa et Nairobi-Kisumu. Le train relie également Mombasa à Kampala (Ouganda). Bon réseau, quoique soumis à des retards fréquents.

Le séjour

Une semaine en demi-pension est la règle pour les séjours **balnéaires**, en hôtel ou hôtel-club autour et au sud de Mombasa. Exemples : African Safari Club, Donatello, Fram, Kuoni, Neckermann, Nouvelles Frontières, STI Voyages, Thomas Cook, Vacances Transat). Une semaine « all inclusive » peut se trouver aux alentours de *1 300 EUR hors saison* mais nettement *au-dessus de 1 500 EUR* en été ou lors des fêtes de fin d'année.

Plusieurs voyagistes, tels African Safari Club, Donatello, Vacances Transat, proposent des séjours à la carte qui combinent la côte et le parc de Tsavo.

La plongée-bouteille est possible, de préférence entre novembre et mars, entre autres à partir des rivages de Lamu (Blue Lagoon, Iles du monde).

Le voyage accompagné

Rappel : nous nous sommes limités à un résumé des prestations en vigueur dans les agences et chez les voyagistes présents en France. Les lecteurs des autres pays peuvent en tirer des idées d'itinéraire et les compléter auprès de leurs agences de voyages.

◆ Schéma classique d'un circuit accompagné au Kenya : une première partie consacrée au safari photo et l'autre partie au farniente sur une plage de l'océan Indien. Mais choisir l'une ou l'autre n'est pas moins fréquent.

◆ Pour découvrir les endroits clés de la faune kenyane, il y a l'embarras du choix, certains voyagistes s'adjoignant même les services d'un guide naturaliste.

Les **safaris photo**, menés à bord de minibus, font partie de voyages de 8 ou 15 jours : les premiers prix peuvent se situer *aux alentours de 1 000 EUR* la semaine en saison creuse (vol et hébergement en chambre double) mais ils grimpent rapidement *au-delà de 1 300 EUR* pour le même type de prestation en juillet et août. Exemples : African Safari Club, Arts et Vie, Clio, Comptoir d'Afrique, Continents insolites, Explorator, Fram, Grandeur Nature, Jet Tours, Kuoni, Look Voyages, Nouvelles Frontières, Rev'Vacances, Thomas Cook, Vacances Transat, Voyageurs du monde. Spécialistes du voyage animalier : Makila Voyages, Objectif Nature. Les combinés Kenya-Tanzanie pour les réserves sont possibles auprès de la plupart des voyagistes précités.

◆ Non loin du parc Meru, le Lewa Wildlife Conservancy tente de rendre concrètes, à travers ses écolodges, les notions de conservation des espèces et d'écologie.

◆ Les marcheurs sont attirés par l'ascension du **mont Kenya**, souvent complétée, dans le cadre d'un combiné Kenya-Tanzanie, par celle du Kilimandjaro. Exemples : Allibert, Atalante, Club Aventure, Terres d'aventure, Zig-Zag. Compter *environ 2 000 EUR* les deux semaines pour un tel voyage.

La plupart des spécialistes de la marche se retrouvent, lorsque la situation le permet, dans d'autres **randonnées**, soit dans le nord, à la rencontre des peuplades qui vivent dans les régions autour du lac Turkana, soit à la rencontre des Masaïs. En général, le voyage dure de 11 à 17 jours et il est programmé tout au long de l'année. Une proposition d'Allibert inclut les trois aspects majeurs du voyage (ascensions dans le massif du mont Kenya et du Kilimandjaro, réserves animalières de Masai Mara et Nakuru, plages).

◆ Au départ de Mombasa, des **croisières** se dirigent vers Zanzibar, les Seychelles, les Comores, l'île Maurice et la Réunion (African Safari Club). Celle de Costa Croisières vient de la Réunion via Maurice, Madagascar et les Seychelles.

QUE RAPPORTER ?

Sculptures en bois, pagnes, objets en osier, bijoux masaïs se trouvent partout. Le marchandage est de rigueur.

LES REPÈRES

◆ Lorsqu'il est midi en France, au Kenya il est 13 heures en été et 14 heures en hiver. ◆ Langues officielles : le swahili, dont l'exemple le plus édifiant est le mot *safari* (voyage), et l'anglais. ◆ Téléphone vers le Kenya : 00254 + indicatif

(Mombasa : 11, Nairobi : 2) + numéro; du Kenya : 00 + indicatif pays + numéro.

LA SITUATION

Géographie. Le Kenya, dont la superficie avoisine celle de la France (583 000 km^2), est troué par la crevasse longitudinale de la Rift Valley qui sépare l'ouest, montagneux et fermé par le lac Victoria, de l'est, composé de plaines jusqu'à l'océan Indien.

Population. Les 37 954 000 habitants représentent un nombre plutôt élevé comparativement aux autres pays d'Afrique. On relève plusieurs groupes ethniques, dont les Kikuyus (21 %) sont les plus nombreux. Présence d'Asiatiques (venus essentiellement d'Inde), d'Arabes et d'Européens. Capitale : Nairobi.

Religion. Catholiques et protestants sont dans d'égales proportions (26 %). On compte près de 20 % d'animistes et 6 % de musulmans (dont quatre habitants sur cinq dans l'archipel de Lamu).

Dates. Boshimans, Bantous et Arabes se succèdent avant l'arrivée du Portugais Vasco de Gama en 1498. *1895* Protectorat britannique. *1925* Jomo Kenyatta se pose déjà en partisan de l'indépendance. *1952* Révolte des Mau-Mau, Kenyatta est arrêté. *1963* Indépendance dans le cadre du Commonwealth. *1964* Kenyatta président de la République et surtout figure emblématique du pays. *1978* Mort de Kenyatta et prise du pouvoir par Daniel Arap Moi, qui institue une république à parti unique en 1982. *Avril 1992* Troubles ethniques dans la région de Nakuru. *Mars 1995* Réouverture des régions occidentales de la vallée du Rift. *Septembre 1997* Violences dans la région de Mombasa. *Août 1998* Attentat anti-américain à Nairobi. *1999* Une sévère sécheresse frappe le pays. *Novembre 2002* Double attentat anti-israélien dans un hôtel de la côte au nord de Mombasa. *Décembre 2002* Mwai Kibaki, candidat de l'opposition, remporte la présidentielle aux dépens du fils de Jomo Kenyatta. *Décembre 2007* Réelection de Kibaki, suivie de violences interethniques entre les Kikuyus et la fédération de groupes ethniques kalenjins (plus de 1 500 victimes). *Février 2008* Un accord de gouvernement met fin à la crise. *Avril 2008* Raila Amolo Odinga, qui était l'adversaire de Kibaki durant les violences, devient Premier ministre.

Kirghizstan

Avertissement. – Les zones frontalières avec l'Ouzbékistan doivent être évitées.

Ses chevaux ont sorti le petit Kirghizstan de l'anonymat. Il est vrai que, en matière équestre, la Mongolie n'est pas loin et que les traditions sont tenaces au cœur de l'Asie. Aussi, le touriste est-il invité à goûter aux balades à cheval mais aussi à des trekkings soutenus dans ce pays de très haute montagne. La grande différence avec les mœurs occidentales garantit un voyage insolite dans un pays qui apparaît de plus en plus sur les tablettes des spécialistes de la randonnée.

LES RAISONS D'Y ALLER

LES PAYSAGES ET LES RANDONNÉES

Lacs (Issyk-Koul, Son-Koul), steppes
Montagnes (Terskey Alatau, Tien-Chan)
Balades à cheval, trekkings

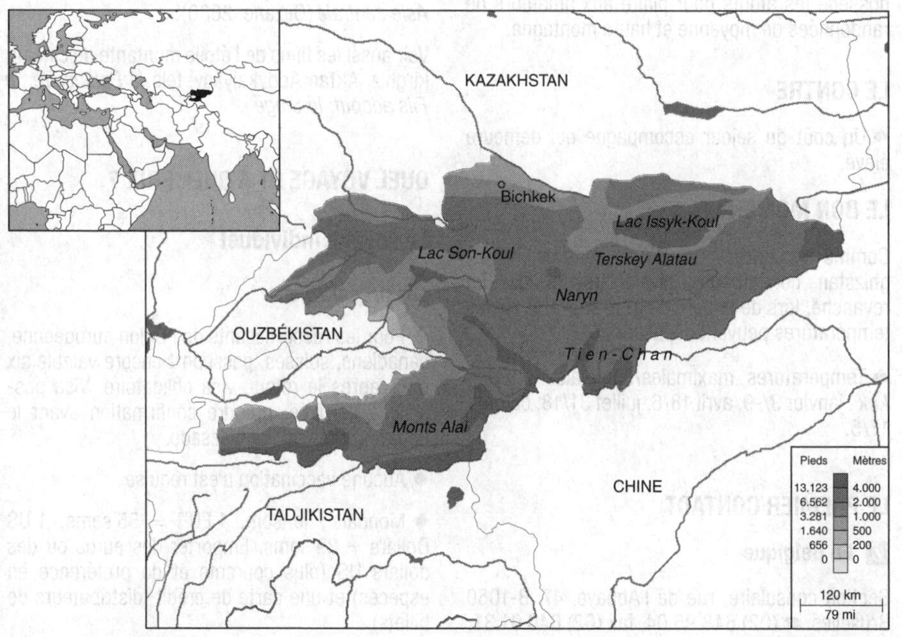

LES RAISONS D'Y ALLER

LES PAYSAGES ET LES RANDONNÉES

Les abords à la fois verdoyants et montagneux des lacs **Issyk-Koul** et **Son-Koul** résument bien ce petit pays, auquel les steppes, les bergers et leurs yourtes (tentes de feutre, ici appelées *bozus*, des nomades d'Asie centrale) donnent son originalité.

Des massifs tels que le **Terskey Alatau** et surtout le **Tien-Chan,** les « monts Célestes », lieu de passage vers le site de la route de la soie de Kashgar en Chine (Xinjiang), intéressent de plus en plus les randonneurs qui découvrent des panoramas himalayens longtemps méconnus.

Les **chevaux** qui, avec les moutons et les yacks, constituent la base de l'économie pastorale, ont donné des idées de balades à certains voyagistes.

LE POUR

◆ Un pays qui livre peu à peu ses secrets et possède les atouts pour plaire aux amateurs de randonnées de moyenne et haute montagne.

LE CONTRE

◆ Un coût du séjour accompagné qui demeure élevé.

LE BON MOMENT

Comme les autres pays d'Asie centrale, le Kirghizstan connaît des hivers très froids. En revanche, lors de la période **juin-septembre**, les températures peuvent dépasser 30°.

◆ Températures maximales/minimales à *Bishkek :* janvier 3/-9, avril 18/6, juillet 31/18, octobre 17/5.

LE PREMIER CONTACT

En Belgique

Section consulaire, rue de l'Abbaye, 47, B-1050 Bruxelles, ☎ (02) 648.95.04, fax (02) 640.01.31.

En Suisse

Section consulaire, rue du Lac 4-6, CH-1207 Genève, ☎ (22) 707.92.20, fax (22) 707.92.21, www.kyrgyzmission.org

Internet

www.asie-centrale.com/kirghizstan/

Guides

Asie centrale : Kazakhstan, Kirghizstan, Ouzbékistan, Tadjikistan, Turkménistan (Le Petit Futé), *Asie centrale, la route de la Soie* (Lonely Planet France).

Carte

Central Asia (Nelles).

Lectures

Asies nouvelles : atlas de géopolitique (Michel Foucher/Belin, 2002), *Djamilia* (Tchinghiz Aïtmatov/Gallimard, 2003) *l'Import-Export de la démocratie : Serbie, Géorgie, Ukraine, Kirghizistan* (Camille Gangloff/L'Harmattan, 2008).

Images

Contes kirghiz (Anne-Marie Passaret/L'Ecole des loisirs, 2001), *Kirghizistan : une république en Asie centrale* (Olizane, 2000).

Voir aussi les films de l'étoile montante du cinéma kirghiz, Aktan Abdykalykov, tels *la Balançoire; le Fils adoptif; le Singe.*

QUEL VOYAGE ET À QUEL PRIX ?

Le voyage individuel

Les préparatifs

◆ Pour les ressortissants de l'Union européenne, canadiens, suisses, passeport encore valable six mois après le retour, visa obligatoire. Visa possible à l'arrivée, prendre confirmation avant le départ auprès de l'ambassade.

◆ Aucune vaccination n'est requise.

◆ Monnaie : le som. 1 EUR = 55 soms; 1 US Dollars = 39 soms. Emporter des euros ou des dollars US (plus courants et de préférence en espèces) et une carte de crédit (distributeurs de billets).

Le départ

◆ Indice de prix du vol A/R Paris-Bishkek à certaines dates : 800 EUR. Durée moyenne du vol : 11 heures (escales). ◆ Alternative quand la situation le permet : un vol pour Almaty (Kazakhstan), puis le bus pour Bishkek.

Sur place

Route

◆ Bon réseau de bus, y compris pour les régions isolées. ◆ Location de voiture avec chauffeur possible.

Le voyage accompagné

Rappel : nous nous sommes limités à un résumé des prestations en vigueur dans les agences et chez les voyagistes présents en France. Les lecteurs des autres pays peuvent en tirer des idées d'itinéraire et les compléter auprès de leurs agences de voyages.

Sous réserve de l'évolution de la situation politique, nous donnnons ci-dessous les programmations qui apparaissent toujours chez les voyagistes concernés.

◆ Le tourisme progresse nettement dans ce pays qui permet de découvrir le mode de vie des bergers **nomades** kirghiz via des marches en moyenne montagne autour du **lac Son-Koul** ou l'expérience de la vie nomade à cheval. Le nombre des voyagistes progresse : Allibert, Ananta, Club Aventure, Explorator, Nomade Aventure, Orients, Tamera.

◆ Il y a aussi place pour les **randonneurs** chevronnés, particulièrement ceux qui souhaitent « tâter » le pied du Terskey Alatau et surtout du Tien-Chan, au camp de base du Khan Tengri. Des voyagistes comme Allibert ou Terres d'aventure sont présents dans ce but en été, pour des voyages commencés au Kazakhstan et qui durent trois semaines en moyenne.

◆ **Combinés** possibles avec l'Ouzbékistan (Adeo) ou le Xinjiang en Chine (Club Aventure, Nomade Aventure), voire avec les deux (Nomade Aventure). Un trio Kirghizstan, Ouzbékistan et Turkménistan existe chez Orients (20 jours) et Tamera (17 jours), un autre chez Explorator (Kazakhstan, Kirghizstan, Xinjiang en Chine).

◆ Le coût moyen du séjour reste élevé : *aux alentours de 2 600 EUR pour 15 jours.*

LES REPÈRES

◆ Lorsqu'il est midi en France, au Kirghizstan il est 16 heures en hiver. ◆ Langue officielle : le kirghiz, qui est parlé par un habitant sur deux. Un habitant sur trois parle le russe. ◆ Téléphone vers le Kirghizstan : 00996 + indicatif (Bishkek : 312) + numéro; du Kirghizstan : 00 + indicatif pays + numéro.

LA SITUATION

Géographie. La montagne est partout présente dans ce pays de 198 500 km², adossé à la Chine : chaîne de l'Alatau au nord, massif du Terskey Alatau au centre, Tien-Chan au sud.

Population. La majorité des 5 357 000 habitants est composée de Kirghiz, nomades aujourd'hui presque tous sédentarisés. Un million de Slaves, des Russes pour la plupart, et cinquante mille Ouïgours complètent cette population. Capitale : Bishkek (anciennement Frounzé).

Religion. L'islam sunnite, religion d'État, souple et peu touché par le fondamentalisme, a retrouvé droit de cité après l'effondrement de l'URSS. Minorité d'orthodoxes.

Dates. *XIXe siècle* Les Russes soumettent les Kirghiz, peuple nomade. *1924* La Kirghizie devient une république autonome au sein de la Russie. *1990* Affrontements sanglants entre Kirghiz et Ouzbeks dans la vallée d'Och. *1991* Indépendance, Askar Akaïev président. *Février 1994* Askar Akaïev, qui a opté pour le libéralisme, recueille plus de 96 % des suffrages lors d'un plébiscite. *Décembre 1995* Réelection d'Akaïev. *Août 1999* Violents affrontements entre les forces armées et des combattants islamistes qui avaient pris en otages des géologues japonais. *Octobre 2000* Réélection, contestée par l'opposition, d'Askar Akaïev. *Mars 2005* La « révolution des Tulipes » renverse Akaïev, un nouveau Parlement s'installe. *Juillet 2005* Kourmanbek Bakiev, facilement élu, promet de remettre le pays dans le droit chemin. *Novembre 2006* Nouvelle constitution qui fait du pays une république présidentielle et parlementaire. *Décembre 2007* Législatives aisément remportées par le parti AK Jol, Igor Chudinov devient Premier ministre.

KOSOVO

Précision. – La déclaration unilatérale d'indépendance par la population à majorité albanaise du Kosovo a été reconnue par une minorité de pays (54) et non avalisée à ce jour par le Conseil de sécurité des Nations unies. Des foyers de tension demeurent, aussi tout projet de voyage touristique est-il prématuré.

Au Kosovo, en pleine convalescence et incertitude, le tourisme n'est pas la priorité du moment. Lorsqu'il trouvera droit de cité, l'accent sera mis à la fois sur le patrimoine architectural et sur les paysages, agréables dans les montagnes du sud.

LES RAISONS D'Y ALLER

LES PAYSAGES

Montagnes du sud du pays
Station de ski de Brezovica

LES MONUMENTS

Art religieux orthodoxe (monastères, églises) et ottoman (mosquée de Prizren)
Eglises, monastères, fresques (Decani, Manasija, Novi Pazar, Prizren),

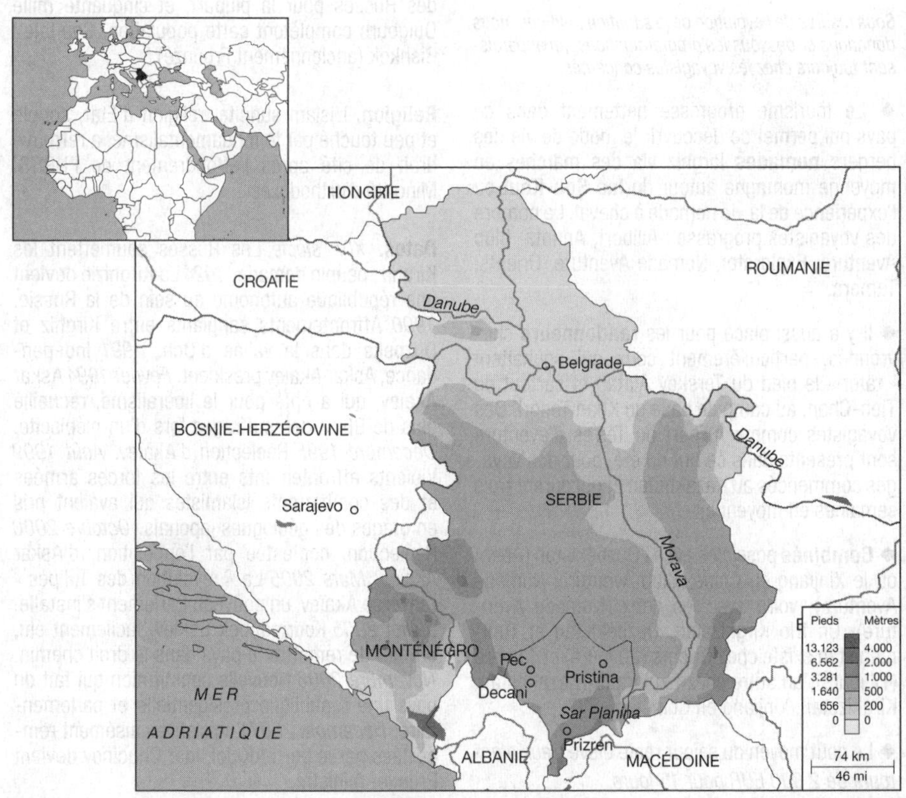

LES RAISONS D'Y ALLER

LES PAYSAGES

Le relief se relève vers le sud et c'est à la lisière de l'Albanie et de la Macédoine que se trouvent les plus beaux paysages du pays. Les **chutes** des rivières Drin et Mirusa et plusieurs **lacs** en témoignent.

Le jour où les structures touristiques reprendront droit de cité, les **skieurs** retrouveront des pentes naguère fréquentées, comme celles de la station de **Brezovica**, dans le parc national des monts Sar Planina.

LES MONUMENTS

L'Église orthodoxe serbe possède ses racines les plus lointaines (XIIIe siècle) au Kosovo, ce qui, avant le conflit, signifiait des monastères célèbres pour leur architecture et leurs fresques, et plus de mille églises.

Au sud de Prizren, le monastère des **Saints-Archanges**, incendié en 2004, est en reconstruction. L'église du monastère de **Decani** est tapissée de fresques et associe plusieurs styles (roman, byzantin et gothique). Non loin de là, la ville de **Pec** fait valoir son architecture byzantine (église des Apôtres, agrémentée de fresques).

À **Prizren**, le style byzantin s'est effacé devant l'art musulman lors de la présence turque. L'église de la Ljeviska et la mosquée de Sinan Pacha (XVIIe siècle) sont les monuments les plus connus de la ville.

LE POUR

◆ De bons arguments touristiques (randonnées, ski) le jour où la situation le permettra.

LE CONTRE

◆ Des tensions encore palpables, qui font déconseiller le voyage.

LE BON MOMENT

Entre Balkans et Méditerranée, le Kosovo connaît un climat équilibré, fait d'hivers moyennement rudes et d'étés chauds. La période **mai-septembre** est indiquée, particulièrement la fin du printemps et le début de l'automne.

Les températures, qui peuvent connaître des variations marquées, vont de 4° en hiver à 30° en été à Pristina.

LE PREMIER CONTACT

Le Kosovo n'a pas, à l'heure actuelle, de représentations diplomatiques.

Guides

Eastern Europe (Lonely Planet), *Kosovo* (Bradt, 2007).

Lectures

Kosovo : un conflit sans fin ? (Dulsan T. Batakovic, Editions L'Age d'homme, 2008), *la Transition guerrière yougoslave* (Marina Glamocak, L'Harmattan, 2002), *le Piège du Kosovo* (Jean-Arnault Dérens/ Ed. Non Lieu, 2008).

Images

Les Damnés du Kosovo, film de Vanessa Stojilkovic et Michel Collon (www.michelcollon.info).

QUEL VOYAGE ET À QUEL PRIX ?

Les préparatifs

◆ Pour les ressortissants de l'Union européenne et canadiens : passeport suffisant. Justification écrite du motif de la visite exigible.

◆ Monnaie : l'euro a cours. Dans les enclaves serbes, le *dinar* (1 EUR = 94 dinars) a droit de cité. Emporter des euros ou des US Dollars et une carte de crédit (distributeurs de monnaie).

Le départ

Avion

Prix à titre indicatif et à certaines dates du vol Paris-Pristina A/R : 300 EUR. Durée moyenne du vol Paris-Pristina : 3 h 45.

Route

Nécessité de prendre une assurance à la frontière. Pour passer du Kosovo en Serbie, nécessité de posséder un tampon des autorités serbes sur le passeport.

Sur place

Route

Routes sinueuses et circulation difficile, ne pas s'éloigner des grands axes. Réseau de bus.

Train

Il existe une liaison de Pristina à Skopje, en Macédoine. Peu de fréquences.

LES REPÈRES

◆ Pas de décalage horaire avec la Belgique, la France ou la Suisse; lorsqu'il est midi au Québec, au Kosovo, il est 18 heures. ◆ Langues officielles : l'albanais et le serbe. Le turc, le bosniaque et le tsigane sont officiels au niveau municipal. ◆ Langues étrangères : allemand, anglais.

LA SITUATION

Géographie. Deux vastes plaines (plaines du Kosovo Polje et de la Metohija), relevées sur leur pourtour, constituent l'essentiel des 10 877 km². Le sud-ouest est la partie la plus montagneuse (2 656 m au mont Gjeravica).

Population. Environ deux millions d'habitants. La population est albanaise à 88 %. Minorités de Serbes (120 000, surtout au nord-ouest), de Bosniaques, de Croates, de Gorans, de Roms et de Turcs, dont la plupart se sont exilés. Capitale : Pristina.

Religion. La grande majorité de la population est musulmane (islam sunnite). Minorités de chrétiens orthodoxes et de catholiques.

Dates. A partir du IIe siècle av. J.-C., les Illyriens puis les Romains occupent la région. *VIIIe siècle* Les Serbes s'installent. *1389* Les Ottomans battent l'armée serbe près de Pristina, au Champ des Merles, devenu emblématique pour les Serbes. *1941* L'Italie rattache la province à la Grande Albanie. *1989* Milosevic supprime l'autonomie du Kosovo, Ibrahim Rugova devient président de la Ligue démocratique du Kosovo. *Février 1998* L'Armée de libération du Kosovo (UCK) entre en rébellion contre le pouvoir central, qui la réprime. *Mars 1999* L'OTAN décide de bombarder la Serbie devant le refus de Milosevic de signer les accords de Rambouillet à propos du Kosovo. L'armée et la police serbe dévastent la province, nombreuses victimes civiles albanaises. *Juin 1999* Fin de la guerre du Kosovo, placé sous administration internationale. *Janvier 2006* Décès d'Ibrahim Rugova. *Février 2008* Les Albanais du Kosovo déclarent unilatéralement l'indépendance de la province, avec le soutien des Etats-Unis et d'une majorité de pays de l'UE. Hashim Thaçi Premier ministre. *Juin 2008* Les Serbes du Kosovo constituent leur parlement.

Koweït

Le tourisme koweïtien reste anecdotique, même si l'on peut imaginer que, à l'instar des Emirats arabes unis, une politique en la matière se dessinera dans les années à venir. Pour l'instant, les quelques arpents de plage de Koweit City et le sable du désert tout proche de la capitale demeurent des arguments mineurs.

LES RAISONS D'Y ALLER

LA VILLE

Koweit City

LES MONUMENTS

Sites archéologiques de l'île de Failakka

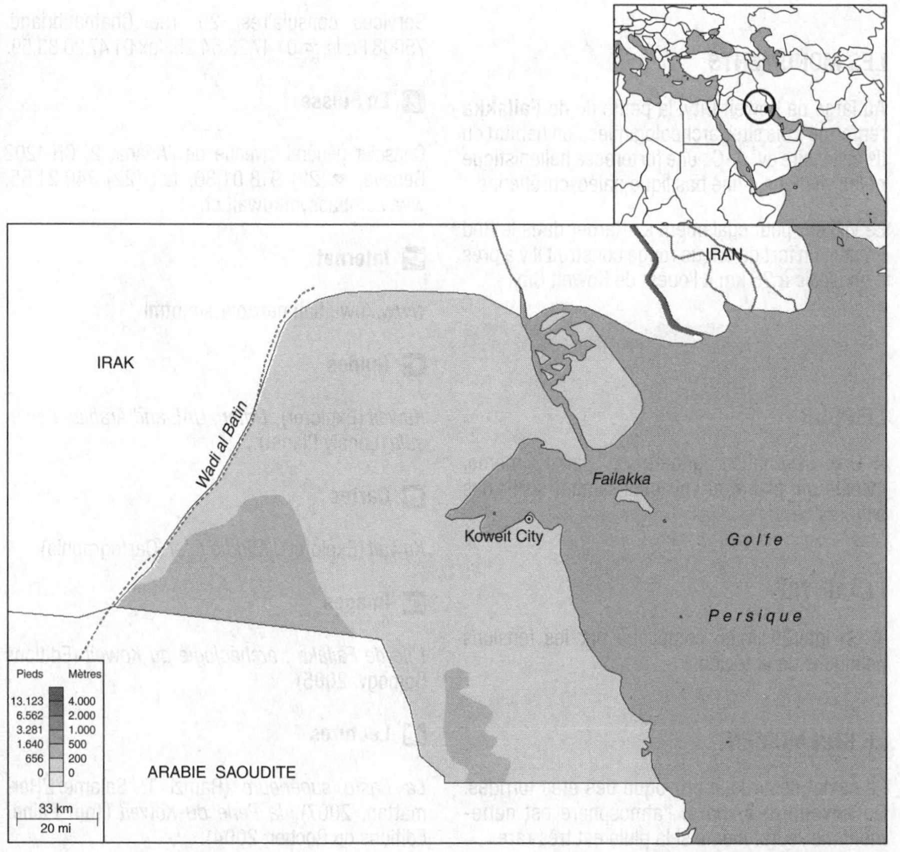

LES RAISONS D'Y ALLER

LA VILLE

La mosquée principale de **Koweit City** et ses deux bulbes bleus peuvent piquer la curiosité. Moins, sans doute, que la visite du musée d'Art islamique, produit des ressources de la famille Al-Sabba et qui renferme des milliers de pièces d'art ancien.

Quant au Koweit National Museum, il abrite désormais les découvertes archéologiques faites sur le site de Failakka. Il jouxte la Sadu House, qui abrite l'histoire du travail du textile dans le pays.

Koweit City vaut également par le parc d'attraction de Green Island et surtout ses souks: le souk ancien de Mubarakiya, le souk de l'Or et les marchés consacrés aux tapis.

LES MONUMENTS

Au large de Koweit City, la petite île de **Failakka** renferme trois sites archéologiques : un habitat du IIe millénaire av. J.-C., une forteresse hellénistique et les vestiges d'une basilique paléo-chrétienne.

Le visiteur peut également s'attarder dans le Red Palace, un fort de brique rouge construit il y a près d'un siècle à 25 km à l'ouest de Koweit City.

LE POUR

◆ Une destination ignorée et, par là même, insolite qui plaira au voyageur aimant sortir des sentiers battus.

LE CONTRE

◆ Un intérêt limité, compliqué par les tensions politiques de la région.

LE BON MOMENT

Le climat désertique provoque des étés torrides. De **novembre à mars**, l'atmosphère est nettement meilleure, même si la pluie est très rare.

◆ Températures moyennes jour/nuit à *Koweit City* : janvier 18/7, avril 32/18, juillet 44/29, octobre 35/20.

LE PREMIER CONTACT

En Belgique

Consulat, avenue Franklin-Roosevelt, 43, B-1050 Bruxelles, ☎ (02) 647.79.50, fax (02) 646.12.98.

Au Canada

Ambassade, 333, promenade Sussex, Ottawa, ON K1N 1J9, ☎ (613) 780.9999, fax (613) 780.9905, www.embassyofkuwait.ca

En France

Services consulaires, 25, rue Chateaubriand, 75008 Paris, ☎ 01.47.23.54.25, fax 01.47.20.33.59.

En Suisse

Consulat général, avenue de l'Ariana, 2, CH-1202 Genève, ☎ (22) 918.01.30, fax (22) 740.21.55, www.embassyofkuwait.ch

Internet

www.kuwaitiah.net/tourism.html

Guides

Kuwait (Explorer), *Oman, UAE and Arabian Peninsula* (Lonely Planet).

Cartes

Kuwait (Explorer), *Middle East* (Cartographia).

Images

L'île de Failaka : archéologie du Koweït (Editions Somogy, 2005).

Lectures

La Caste supérieure (Ramzi T. Salame/L'Harmattan, 2007), *la Perle du Koweït* (Tom Paine/Editions du Rocher, 2004).

QUEL VOYAGE ET À QUEL PRIX ?

Le voyage individuel

Les préparatifs

◆ Pour les ressortissants de l'Union européenne, passeport en cours de validité, valable encore six mois après le retour. Visa délivré à l'arrivée. Pour les ressortissants canadiens, visa exigé, également possible à l'arrivée mais préférable avant le départ.

◆ Aucune vaccination n'est requise.

◆ Monnaie :le *dinar koweïtien.* 1 US Dollar = 0,28 dinar koweïtien, 1 EUR = 0,38 dinar koweïtien. Emporter des euros ou des dollars US en espèces ou en chèques de voyage, carte de crédit (distributeurs).

Le départ

◆ Indice de prix à certaines dates du vol Montréal-Koweit City A/R : 1 400 CAD; Paris-Koweit City A/R : 550 EUR. Durée moyenne du vol Paris-Koweit : 9 h 30 (escale).

Sur place

Route

◆ Excellent réseau. Permis de conduire international. Dans les régions désertiques, ne jamais s'éloigner des pistes (risques de mines).

LES REPÈRES

◆ Durée moyenne du vol Paris-Koweit City (4 403 km) : 9 heures. ◆ Lorsqu'il est midi en France, au Koweït il est 13 heures en été et 14 heures en hiver. ◆ Langue officielle : l'arabe. ◆ Langue étrangère : anglais. ◆ Téléphone vers le Koweït : 00965 + numéro; du Koweït : 00 + indicatif pays + numéro.

LA SITUATION

Géographie. Les 17 818 km² de la plaine du Koweït, à laquelle il faut adjoindre neuf îles, sont quasiment désertiques. Ils se terminent à l'est par une baie et 290 km de côtes.

Population. Le nombre de 2 596 800 habitants, dont plus de la moitié sont étrangers, est inférieur d'un demi-million à ce qu'il était en 1990, surtout en raison du départ de la majorité des résidents palestiniens. Capitale : Koweit City.

Religion. L'islam (92 % des habitants, dont une large majorité de sunnites) est religion d'État. Minorité de chrétiens.

Dates. *XVIᵉ siècle* Les Portugais arrivent et laissent une forteresse. *1756* Naissance de l'émirat, qui sera longtemps tributaire de l'Empire ottoman. *1899* La Grande-Bretagne contrôle la politique étrangère. *1922* Le Koweït est protectorat britannique. *1961* Indépendance, l'émir al-Sabbah est au pouvoir. *1977* L'émir Jaber prend le pouvoir et rétablit la vie parlementaire trois ans plus tard. *Août 1990* L'Irak envahit le pays. *Janvier 1991* Expiration de l'ultimatum de l'ONU qui demandait à l'Irak de se retirer et début de la guerre du Golfe. *Mars 1991* La coalition, avec parmi les plus actifs les États-Unis, la Grande-Bretagne et la France, est victorieuse; le Koweït est libéré. *Octobre 1992* L'opposition remporte les élections législatives et fait son entrée au gouvernement. *Novembre 1994* L'Irak reconnaît officiellement le Koweït. *Octobre 1996* Les élections au Parlement confirment le gouvernement en place. *2003* Sabah Al-Ahmad Al-Sabah Premier ministre. *Avril 2005* Les femmes obtiennent le droit de vote et d'éligibilité. *2006* Décès de l'émir Jaber, Amir Sabah al-Ahmad al-Jabir al-Sabah lui succède.

Laos

Blotti entre les voisins touristiques prestigieux que sont la Thaïlande et le Viêt Nam, le « Pays au million d'éléphants » tente de rester une destination insolite du Sud-Est asiatique. Au-delà du dense patrimoine bouddhiste de l'ancienne capitale royale Luang Prabang, le visiteur découvre une vie intense autour du Mékong et un peuple chaleureux qui a su conserver ses traditions ainsi qu'un zeste de francophilie.

LES RAISONS D'Y ALLER

LES VILLES ET LES MONUMENTS

Monastères et temples bouddhistes (vats) de Luang Prabang et de Vientiane, statues de Pak Ou, site khmer de Vat Phu

LE MÉKONG

Pirogue de Houeisai à Luang Prabang au nord
Séjour dans les « quatre mille îles » au sud

LES PAYSAGES ET LES RANDONNÉES

Montagne et rencontre des minorités au nord
Plateau des Boloven (chutes, café) au sud

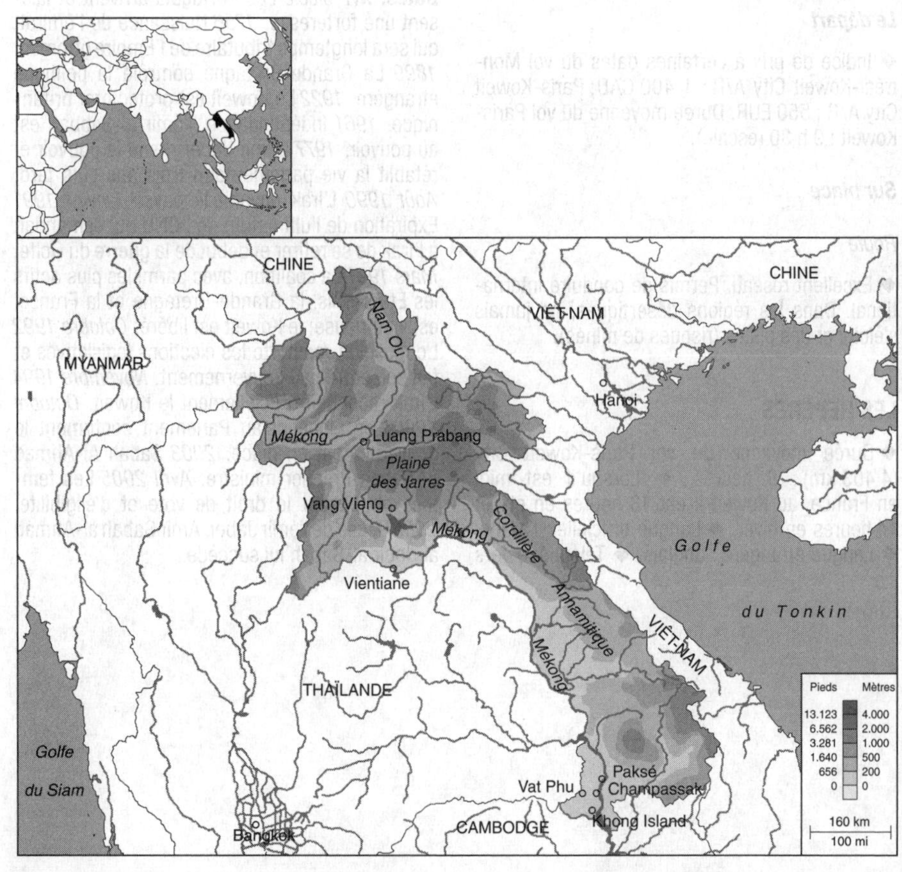

LES RAISONS D'Y ALLER

LES VILLES ET LES MONUMENTS

Site préservé et classé au patrimoine mondial de l'humanité, l'ancienne capitale royale **Luang Prabang** justifierait le voyage à elle seule.

Le mont Phousi, son temple et son stoupa dominent la petite ville nichée au confluent du Mékong et de la Nam Khane. Partout, une douce atmosphère émane des rues animées, des couleurs, de la robe safran des moines et surtout des nombreux temples (vats). Une bonne dizaine d'entre eux méritent la visite, au premier rang desquels le Vat Xieng Thong. Le site du Palais royal, devenu un riche musée, complète le tableau d'une ville qui doit désormais composer avec le grand tourisme.

Les temples, dont surtout le Vat That Luang, emblème national du bouddhisme theravada, sont aussi la marque de **Vientiane**, capitale champêtre flanquée d'un curieux arc de triomphe et à laquelle le Mékong, les villas coloniales et un imposant marché central donnent son charme, à défaut d'en faire l'un des grands centres urbains touristiques de l'Asie du Sud-Est.

Autres rendez-vous architecturaux du pays :

- à l'ouest de Luang Prabang, les grottes de **Pak Ou**, où sont conservées plus de quatre mille statues de Bouddha;
- à l'est, la plaine des **Jarres** et ses grands vases mégalithiques qui, il y a deux mille ans, auraient servi d'urnes funéraires;
- au sud, tout près de l'agréable bourgade de Champassak, le site khmer de **Vat Phu** (IXe -XIIIe siècle), dont certains aspects rappellent Angkor;
- l'histoire contemporaine permet d'ajouter le style des maisons coloniales laissées par les Français.

LE MÉKONG

Le plus fort symbole du pays reste le **Mékong**, autour duquel la vie des paysans laos garde son caractère traditionnel.

Tantôt transformé en rapide dans le nord malgré les barrages en amont, en chutes spectaculaires dans le district de Siphandone au sud, rarement calme, très souvent jauni ou rougi par les alluvions, le Mékong demeure l'un des grands arguments touristiques du pays. Tout au nord, entre Houeisai et Luang Prabang et au moment des hautes eaux, la descente à bord d'un slow boat, longue pirogue à moteur aussi inconfortable qu'attachante, offre des images saisissantes.

A l'opposé, à la lisière du Cambodge, le touriste trouve son bonheur dans les « quatre mille îles » de la région de Siphandon. La plupart des îlots émergent à la saison sèche, d'autres sites sont des havres de sérénité permanents, dont l'île de Don Khong, qui appelle la balade à vélo.

En quittant Don Khong vers le sud, on découvre les îles aux accents baba cool de Khône et de Det, avant de gagner les chutes du Mékong ou de tenter d'apercevoir les rares dauphins d'eau douce.

LES PAYSAGES ET LES RANDONNÉES

Au nord de Luang Prabang, dans un paysage de moyenne montagne et de rivières, le randonneur qui prend son temps part à la rencontre des **minorités**, ethnies montagnardes dont l'origine, les rites et les ornements sont très divers. Les ethnies Akha, Taidam, Yao sont les plus connues ou les plus visitées.

Entre Luang Prabang et Vientiane, **Vang Vieng** est devenue le rendez-vous de jeunes voyageurs qui partagent leur temps entre des balades autour des pains de sucre calcaires et la descente de la rivière sur... chambre à air.

Au sud, le plateau des **Boloven** tire sa réputation de ses villages traditionnels, de ses chutes et plus encore des plantations de son excellent café.

LE POUR

◆ Le double et puissant attrait du Mékong et de Luang Prabang.

◆ Le faible coût de la vie touristique.

◆ La réouverture de la frontière entre le nord Viêt Nam et le nord Laos en 2007.

LE CONTRE

◆ Un pays resté longtemps à part en Asie du Sud-Est et qui doit désormais apprendre à composer avec le grand tourisme.

◆ Un climat franchement défavorable en été.

LE BON MOMENT

Rythmé par la mousson avec alternance classique d'une saison sèche et d'une saison des pluies, le climat offre les meilleures périodes **entre novembre et février**. Cette période est aussi la plus favorable pour naviguer sur le Mékong. Après une chaude période mars-mai, les pluies sont importantes de mai à octobre.

◆ Températures moyennes jour/nuit (en °C) à *Luang Prabang* (nord) : janvier 28/14, avril 35/21, juillet 32/24, octobre 31/21; *Paksé* (sud) : janvier 31/18, avril 35/25, juillet 31/24, octobre 31/23.

LE PREMIER CONTACT

En Amérique du Nord

Ambassade, Washington, États-Unis, ☎ (202) 332-6416, fax (202)-332-4923, www.laoembassy.com

En Belgique

Ambassade, avenue de la Brabançonne, 19-21, B-1000 Bruxelles, ☎ (02) 740.09.50, fax (02) 734.16.66.

En France

Ambassade, 74, avenue Raymond-Poincaré, 75116 Paris, ☎ 01.45.53.02.98, fax 01.47.27.57.89, www.laoparis.com

En Suisse

Consulat, Bahnhofstrasse, 52, CH-6430 Schwyz, www.lao-suisse.ch, ☎ et fax (41) 810.16.59.

Internet

www.visit-laos.com/

Guides

Cambodge et Laos (Hachette/Routard, Mondeos, Nelles), *Laos* (Gallimard/Footprint en français, Le Petit Futé, Lonely Planet France), *Laos-Cambodge* (Gallimard/Bibl. du voyageur).

Cartes

Cambodia and Laos (ITM), *Thaïlande, Malaisie, Vietnam, Cambodge, Laos, Myanmar* (Berlitz), *Viêt-nam, Laos, Cambodge* (Nelles).

Images

Cambodge-Laos : Mekong Song (Harfang, 2005), *Flâneries sur le Mékong* (Maisonneuve & Larose, 2000), *Laos, sur les rives du Mékong, de Luang Prabang aux provinces du nord* (Chêne, 2005), *Laos : vies au monastère* (Olizane, 2005), *Luang Prabang, cité royale du Laos* (Olizane, 2008).

Lectures

Contes et légendes du Laos (Karine Amarine/Ed. You Feng, 2007), *Histoires de femmes et décalages culturels au Laos* (L'Harmattan, 2006), *Laos, la guerre oubliée* (Cyril Payen/Robert Laffont, 2007).

DVD

Laos au rythme du Mékong (DVD Guides, 2006), *Laos, le charme subtil* (DVD Guides, 2003).

QUEL VOYAGE ET À QUEL PRIX ?

Le voyage individuel

Les préparatifs

◆ Pour les ressortissants de l'Union européenne, canadiens, suisses : passeport (valable encore six mois après le retour), visa obligatoire, obtenu auprès du consulat. Le visa peut également être obtenu dans les aéroports d'arrivée de Luang Prabang et Vientiane, ainsi qu'à la frontière avec la Thaïlande (valable 15 jours, 30 dollars US). Confirmation à demander avant le départ à l'ambassade.

◆ Même si le sujet fait débat entre voyageurs, le plan antipaludisme est recommandé.

◆ Monnaie : le *kip*, aux innombrables coupures... Les bahts thaïlandais sont acceptés, les dollars US sont plus fréquemment échangés que l'euro. 1 US Dollar = 8 480 kips. 1 EUR = 11 750 kips.

Le départ

◆ Indice de prix à certaines dates du vol Montréal-Vientiane : 1 900 CAD; Paris-Vientiane A/R (via Bangkok) : 850 EUR. ◆ Durée moyenne du vol Paris-Vientiane (via Bangkok) : 14 heures.

Sur place

Hébergement

Autant le prix des hôtels des grandes chaînes internationales est à son niveau habituel, autant celui des *guest houses* et des pensions de famille est très raisonnables, voire bas.

Transports

◆ Il n'y a pas de trains et la grande majorité des routes ne sont pas asphaltées. ◆ Sur le Mékong, le moyen de déplacement, populaire et symbolique de la vie du fleuve, est la pirogue. ◆ Location de voiture avec chauffeur et/ou location de vélo recommandées. ◆ Eviter de s'éloigner des grands axes (insécurité, mines). ◆ Réseau de bus correct.

Le voyage accompagné

Rappel : nous nous sommes limités à un résumé des prestations en vigueur dans les agences et chez les voyagistes présents en France. Les lecteurs des autres pays peuvent en tirer des idées d'itinéraire et les compléter auprès de leurs agences de voyages.

◆ Le Laos que l'on retrouve de plus en plus souvent dans les programmes est celui qui, après une arrivée à Bangkok, conjugue la visite de Luang Prabang et celle des environs de Paksé, au sud (Champassak, plateau des Boloven, quatre mille îles), avec balade sur le Mékong à un moment ou à un autre du voyage. Nombreux prestataires : Ananta, Ariane Tours, Arts et Vie, Asia, Clio, Continents insolites, Espace Mandarin, Explorator, Ikhar, Kuoni, La Maison de l'Indochine, Nouvelles Frontières, Orients, Terra incognita, Terre de charme, Terre Indochine, Vacances Transat, Voyageurs du monde, Yoketaï.

◆ Le Laos est le plus souvent combiné avec le Cambodge, et donc **Angkor**, pour un voyage qui dure 15 jours en moyenne et que programment la plupart des voyagistes précités. Des combinés Laos-**Chine** (Terre Indochine, avec le Tonkin et le Yunnan), Laos-**Thaïlande** (entre autres Tamera et Continents insolites qui privilégie le Mékong), Laos/**Viêt-nam** sont également fréquents (Allibert, Nouvelles Frontières). Il existe même un trio Laos-Cambodge-Viêt-nam chez Orients et un Chine-Viêt-nam-Laos chez Tamera.

◆ Les randonneurs se retrouvent très souvent dans le nord, à la rencontre des **minorités** ethniques (Adeo, Club Aventure, Nomade Aventure, Terres d'aventure). La plupart continuent par la navigation sur le Mékong. Autres prestataires pour la randonnée : Atalante, Explorator, Tamera (qui va de Luang Prabang à Hanoi par la plaine des Jarres).

◆ Les formes de voyage sont diverses : en 4 x 4, en minibus, à dos d'éléphant, en pirogue. Ainsi, Fleuves du monde est sur le **Mékong** en sampan, avec escales dans les villages de pêcheurs et dans les forêts et montagnes environnantes

◆ **Tourisme solidaire** : « Voyager autrement » traverse le pays du nord au sud, visitant entretemps une école d'apprentissage des moines à Luang Prabang et un village de pêcheurs. De son côté Welcome Home (www.welcomehome.fr) propose de partager la vie quotidienne d'une famille.

◆ Les prix d'un voyage au Laos sont dans la moyenne : les premiers tournent *aux alentours de 1 800 EUR* pour 15 jours. Les départs ont lieu le plus souvent entre octobre et avril.

QUE RAPPORTER ?

Le coton et la soie sont à privilégier, aux côtés des bijoux en argent.

LES REPÈRES

◆ Lorsqu'il est midi en France, au Laos il est 17 heures en été et 18 heures en hiver. ◆ Langue officielle : le lao, proche du thaï. ◆ Langues étrangères : le français, qui fut longtemps langue officielle avec le lao, n'est plus parlé que par les vieux Laotiens; l'anglais n'est pas mieux loti. ◆ Téléphone vers le Laos : 00856 + indicatif (Luang Prabang : 71, Vientiane : 21) + numéro; du Laos : 00 + indicatif pays.

LA SITUATION

Géographie. Montagneux et drainé par le Mékong dans sa partie est, le haut Laos se transforme en moyen et bas Laos à l'ouest de la cordillère Annamitique. La forêt et la savane constituent l'essentiel de la végétation. Pays allongé et inséré entre la Thaïlande et le Viêt-nam, le Laos couvre 236 800 km².

Population. Sept habitants sur dix sont des Laos, peuple de cultivateurs. On trouve aussi des peuplades montagnardes, dont les Méos. Avec 6 678 000 habitants, le Laos est un pays sous-peuplé, constatation inhabituelle en Asie du Sud-Est. Capitale : Vientiane.

Religion. Les adeptes, majoritaires, du bouddhisme theravada (bouddhisme du « Petit Véhicule ») se doublent, pour certains, de pratiquants de l'animisme, surtout parmi les montagnards laos. La christianisation a eu très peu d'effet.

Dates. *1353* Installation du royaume de Lan Xang, auquel succéderont au cours des siècles plusieurs autres royaumes, souvent rivaux. *1778* Le Siam (l'ancienne Thaïlande) joue les envahisseurs. *1887* Le roi de Luang Prabang demande secours à la France contre le Siam, ce qui transforme le Laos en protectorat. *1949* Indépendance au sein de l'Union française. *1950* Création du Pathet Lao, pro Viêt-minh. *1964-1973* Le Laos dans la guerre du Viêt-nam : bombardements américains, pressions des Vietnamiens et des Thaïlandais. *1975* Proclamation d'une république populaire démocratique par le Pathet Lao, sous la présidence de Souphanouvong. *1980* Naissance du Front national de libération lao. *1986* Souphanouvong n'est plus président. *1991* Kaysone Phomvihane, leader du PRPL (Parti révolutionnaire populaire lao), est au pouvoir. *Novembre 1992* Mort de Kaysone Phomvihane, Nouhak Phoumsavanh lui succède. *Février 1998* Le général Khamtai Siphandon devient président d'un pays dont l'économie reste faible et dépendante de l'aide extérieure. *Février 2002* Khamtai Siphandon est réélu. *Mars 2006* Sayasone président. *Juin 2006* Bouphavanh Boasone nouveau Premier ministre d'un pays qui reste sous obédience communiste, avec une armée très influente.

Lesotho

Enclavé dans l'Afrique du Sud, le Lesotho, joliment baptisé « le royaume dans le ciel », est presque systématiquement visité dans la foulée de son puissant voisin. Il réussit toutefois à s'en distinguer grâce à la possibilité de randonnées en montagne et à la curiosité suscitée par sa situation de royaume d'un autre temps.

LES RAISONS D'Y ALLER

LES PAYSAGES ET LES RANDONNÉES

Montagnes (Drakensberg, chaîne des Maloti), chutes (Maletsunyane)

LES VESTIGES

Peintures rupestres des bushmen

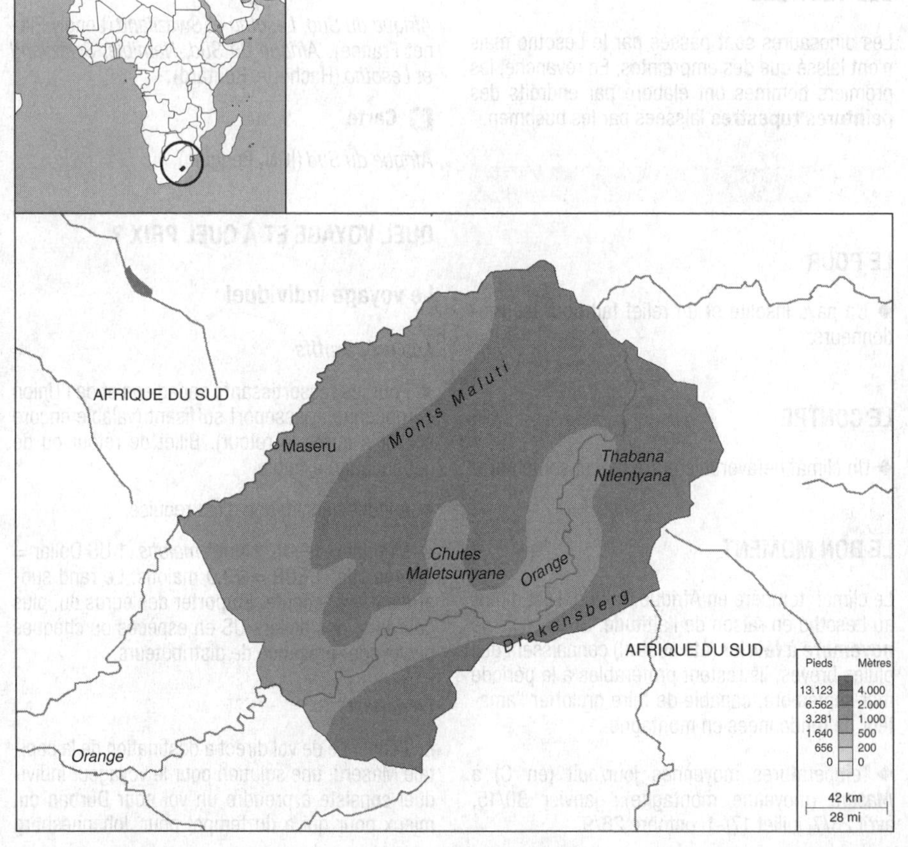

LES RAISONS D'Y ALLER

LES PAYSAGES ET LES RANDONNÉES

Dominés par la haute muraille du **Drakensberg** (la « montagne du Dragon ») et la chaîne des **Maloti**, les paysages du Lesotho sont agréables et parfois spectaculaires. Les balades à 2 000 m d'altitude et à dos d'âne constituent l'essentiel du tourisme.

Les chutes du **Maletsunyane**, dans le Sémonkong, tombent le long d'une paroi de basalte et ne sont jamais aussi belles qu'en hiver, lorsque le gel les transforme en un long ruban de glace. En outre, leur accès par des chemins longs et difficiles plaira aux chevronnés de la randonnée.

LES VESTIGES

Les dinosaures sont passés par le Lesotho mais n'ont laissé que des empreintes. En revanche, les premiers hommes ont élaboré par endroits des **peintures rupestres** laissées par les bushmen.

LE POUR

◆ Un pays insolite et un relief fait pour les randonneurs.

LE CONTRE

◆ Un climat défavorable entre mai et septembre.

LE BON MOMENT

Le climat, tempéré en Afrique du Sud, l'est moins au Lesotho en raison de l'altitude. Si les mois de **novembre à février** (été austral) connaissent des pluies brèves, ils restent préférables à la période mai-septembre, capable de faire grelotter l'amateur de randonnées en montagne.

◆ Températures moyennes jour/nuit (en °C) à *Maseru* (moyenne montagne) : janvier 30/15, avril 23/7, juillet 17/-1, octobre 26/9.

LE PREMIER CONTACT

En Belgique

Ambassade, boulevard du Général-Wahis, 45, B-1030 Bruxelles, ☎ (02) 705.39.76, fax (02) 705.67.79.

Au Canada

Haut-commissariat, 130, rue Albert, Ottawa, ON, K1P 5G4, ☎ (613) 234-0770, fax (613) 234-5665.

En France

Consulat honoraire, Cergy-Pontoise, ☎ 01. 34.24.38.20, fax 01.34.24.41.41.

Internet

www.ltdc.org.ls/

Guides

Afrique du Sud, Lesotho et Swaziland (Lonely Planet France), *Afrique du Sud, Namibie, Swaziland et Lesotho* (Hachette/Routard).

Carte

Afrique du Sud (IGN, Penguin).

QUEL VOYAGE ET À QUEL PRIX ?

Le voyage individuel

Les préparatifs

◆ Pour les ressortissants canadiens et de l'Union européenne : passeport suffisant (valable encore six mois après le retour). Billet de retour ou de continuation exigible.

◆ Aucune vaccination n'est requise.

◆ Monnaie : le *loti*, pluriel *malotis*. 1 US Dollar = 9,4 malotis, 1 EUR = 12,9 malotis. Le rand sud-africain est accepté. Emporter des euros ou, plus courants, des dollars US en espèces ou chèques de voyage; présence de distributeurs.

Le départ

En l'absence de vol direct à destination de la capitale Maseru, une solution pour le voyageur individuel consiste à prendre un vol pour Durban ou, mieux pour qui a du temps, pour Johannesburg ou Le Cap (voir *Afrique du Sud*). ◆ South African Airways assure l'essentiel des correspondances.

Sur place

Route

Conduite à gauche, location de voiture possible (4 x 4 recommandé).

Quelques prestations

Rappel : nous nous sommes limités à un résumé des prestations en vigueur dans les agences et chez les voyagistes présents en France. Les lecteurs des autres pays peuvent en tirer des idées d'itinéraire et les compléter auprès de leurs agences de voyages.

Impossible pour les voyagistes de verser dans l'originalité : le Lesotho est bien trop petit pour être visité seul. Il est donc inclus dans des circuits en Afrique du Sud, souvent pour quelques randonnées à la découverte des traditions des bergers Basothos. Exemples : Allibert (qui marche dans la chaîne des Maloti), Atalante, Terres d'aventure.

Les départs ont lieu en général entre décembre et avril, mais parfois également en juillet-août. Compter *aux alentours de 3 000 EUR* pour 18 jours.

QUE RAPPORTER ?

Le tourisme a stimulé le développement d'un artisanat local : cruches, tapis, couvertures de laine.

LES REPÈRES

◆ Lorsqu'il est midi en France, au Lesotho il est la même heure en été et 13 heures en hiver. ◆ Langues officielles : l'anglais et le sotho. Un habitant sur six parle le zoulou. ◆ Téléphone vers le Lesotho : 00266.

LA SITUATION

Géographie. Pays presque entièrement montagneux (l'altitude minimale est de 1 400 m mais le Thabana Ntlentyana, dans les monts Maloti, culmine à 3 482 m), château d'eau de l'Afrique australe, le Lesotho a quasiment la même superficie que la Belgique (30 355 km^2).

Population. 2 128 000 habitants (85 % de Sothos et 15 % de Ngunis) se rassemblent dans les quelques plaines de l'ouest du pays, malgré des déplacements de populations vers les régions montagneuses pour compenser les trop fortes concentrations. 80 % de la population a été alphabétisée (par les missions). Capitale : Maseru.

Religion. Les catholiques (quatre habitants sur dix) sont les plus nombreux. On dénombre également des protestants de l'Église évangélique du Lesotho (30 %), des anglicans (11 %) et des animistes (6 %).

Dates. *1822* Après leur dispersion due aux guerres zouloues, les Sothos se rassemblent. *1868* Moshesh, leur chef, se place sous juridiction britannique; un peu plus tard, le pays prend le nom de Basutoland. *1966* Le Basutoland devient le Lesotho et accède à l'indépendance tout en restant dans le Commonwealth. *1970* Le Premier ministre Joseph Lebua Jonathan a les pleins pouvoirs, le roi Mosheshoe n'a qu'une fonction de parade. *1986* Le général Lekhanya renverse Jonathan, le roi retrouve les pouvoirs exécutif et législatif. *1991* Premières élections démocratiques et victoire du Parti du Congrès Basotho. Mokhehle Premier ministre. *1994* Sérieuse crise politique, que tentent d'apaiser certains chefs d'État africains, dont Nelson Mandela. *Janvier 1995* Retour sur le trône de Mosheshoe II. *Janvier 1996* Mort accidentelle de Mosheshoe II, son fils Letsie III lui succède. *Septembre 1998* Conflit politique interne, violences à Maseru à la suite des élections et intervention de l'Afrique du Sud pour aider à rétablir la situation.

Lettonie

Depuis son entrée dans l'Union européenne, la Lettonie dévoile sa dimension touristique dont la capitale Riga, ville hanséatique, est le fer de lance grâce à son dynamisme, ses quartiers anciens et ses façades Art nouveau. Riga ne saurait néanmoins faire oublier les paysages lettons, qui ont droit à leur « Petite Suisse » et sont riches de lacs comme de forêts.

LES RAISONS D'Y ALLER

LES VILLES ET LES MONUMENTS

Riga, Césis
Châteaux et manoirs

LES PAYSAGES

Lacs, forêts, parc national de la Gauja
Région de Daugavpils (« Petite Suisse lettonne »)

LA CÔTE

Jurmala

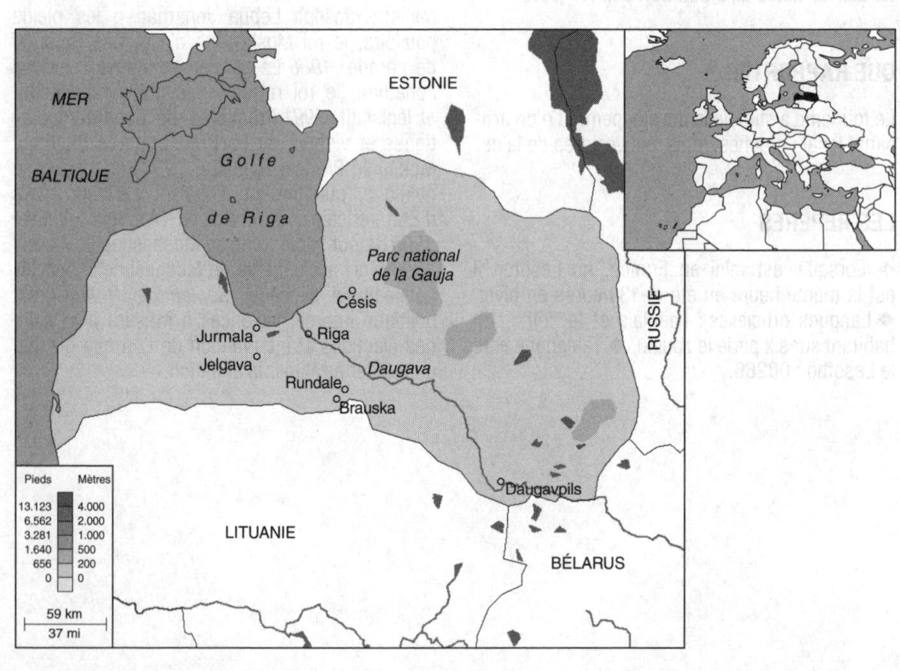

LES RAISONS D'Y ALLER

LES VILLES ET LES MONUMENTS

Riga, ancienne ville de la Hanse bâtie sur la rivière Daugava, est en train de gagner ses galons de grande ville touristique d'Europe, d'autant que l'extension rapide des vols à prix réduit donne de fortes idées de séjours week-end.

Le baroque est présent dans les vieux quartiers de Riga mais aussi les façades de style historiciste auquel a succédé un Art nouveau vraiment letton (fleurs, plantes, écussons, masques), dont la rue Alberta réunit un échantillon impressionnant.

Bien d'autres atouts architecturaux ont contribué au classement du centre de la ville sur la liste du patrimoine mondial de l'Unesco. Si la Seconde Guerre mondiale et les bombes allemandes ont détruit l'hôtel de ville et la maison des « Têtes noires », leur reconstruction a suivi. Les maisons des Guildes, la maison du Chat, les églises (Sainte-Marie-Madeleine, Saint-Pierre) et surtout la **cathédrale**, la « Dom », du XIIIe siècle, ont eu plus de chance. Enfin, la ville est connue pour offrir une pléiade de musées (musée d'Art d'Etat, musée d'Histoire et de la Navigation, émouvant musée de l'Occupation) et pour perpétuer des traditions de chanson et de danse (festival en été).

Autres lieux d'intérêt architectural : près de Bauska, l'imposant palais de **Rundale**, planifié par Rastrelli, l'architecte du palais d'Hiver à Saint-Pétersbourg; **Césis**, une ville du XIIIe siècle dont le château a été transformé en un musée qui raconte l'histoire de la Lettonie, et la région de **Jelgava**, où abondent les châteaux et les manoirs. Voir également les ruines des châteaux de Krimulda et Sigulda (XIIIe siècle).

LES PAYSAGES

Un certain agrément se dégage des trois mille **lacs** et des **forêts**, surtout des forêts de conifères qui recouvrent presque la moitié de la superficie du pays. De beaux sites se rencontrent dans le parc national de la **Gauja** (collines, grottes), mais aussi au sud-est, dans la région de **Daugavpils**, surnommée la « Petite Suisse lettonne ».

LA CÔTE

Les alentours de la station balnéaire de **Jurmala**, à 15 km de Riga, font se succéder plages, dunes, isbas et forêts de pins sur près de dix kilomètres. Les teintes changeantes de la mer Baltique et les maisons de repos y sont des arguments plus persuasifs que la température de l'eau, toutefois capable d'atteindre 20° en été.

LE POUR

◆ L'atmosphère de Riga et d'un pays au tourisme quasiment neuf, dynamisé par les vols à bas prix.

◆ Un potentiel intéressant hors de la capitale.

LE CONTRE

◆ Une image touristique encore assez floue, d'autant que le pays est souvent confondu avec ses deux voisins baltes.

LE BON MOMENT

Humidité et fraîcheur sont le lot de la Lettonie, guère servie par un climat toutefois adouci par la mer Baltique. Une courte période estivale **(juin-septembre)** s'impose, et le temps des jours sans fin, en juin, est un vrai plaisir doublé de celui des fêtes de la Saint-Jean le 24.

◆ Températures moyennes jour/nuit (en °C) à *Riga* : janvier -2/-8, avril 10/1, juillet 22/12, octobre 10/4.

LE PREMIER CONTACT

En Belgique

Ambassade, 158, avenue Molière, B-1050 Bruxelles, ☎ (02) 344.16.82, fax (02) 344.74.78.

Au Canada

Ambassade, 350, rue Sparks, Ottawa, ON K1R 7S8, ☎ (613) 238.6014, fax (613) 238.7044, www.mfa.gov.lv/fr/ottawa/

En France

Ambassade, 6, villa Saïd, 75116 Paris, ☎ 01.53.64.58.10, fax 01.53.64.58.19.

En Suisse

Consulat, Münsterhof, 13, 8001 Zurich, ☎ (01) 215.16.10, fax (01) 221.04.39.

Internet

www.latviatourism.lv/

Guides

Lettonie (Le Petit Futé),

Pays baltes (Gallimard/Bibl. du voyageur, JPM Guides, Lonely Planet France, Michelin/Guide vert, Mondeos), *Pologne et les capitales baltes* (Hachette/Routard),

Riga (Bradt en anglais, Gallimard/Cartoville), *Sur les traces de l'art nouveau à Riga* (Civa Guides).

Cartes

États baltes (IGN), *Pays baltes* (Marco Polo, Michelin), *Riga* (Freytag & Berndt).

Images

Carnet de Lettonie (Christophe Blin/Casterman, 2005), *Via Baltica : Sur la route des pays baltes, Estonie, Lettonie, Lituanie* (Aleksi Cavaillez, Viktor Vejvoda/Noir sur blanc, 2007).

Sandra Kalniete, la dame de Lettonie (Doriane Films) raconte le destin étonnant d'une Lettonne, passée du Goulag à la Commission européenne.

Lectures

Les Chiens de Riga (Henning Mankell/Seuil, 2004), *la Lettonie en Europe* (Pascal Orcier/Beli, 2005).

QUEL VOYAGE ET À QUEL PRIX ?

Le voyage individuel

Les préparatifs

◆ Pour les autres ressortissants de l'Union européenne : carte d'identité ou passeport; pour les Canadiens, passeport valable encore six mois après le retour.

◆ Monnaie : le *lats.* 1 EUR = 0,70 lats, 1 US Dollar = 0,50 lats. Emporter des euros ou des dollars US en espèces ou chèques de voyage et une carte de crédit (distributeurs de billets).

Le départ

◆ L'arrivée de compagnies à bas prix à Riga (Air Baltic à partir de Bruxelles et Paris, Ryanair à partir de Charleroi et de Hahn) a changé la donne, l'aller-retour étant parfois concevable en dessous de 150 EUR taxes comprises. ◆ Durée moyenne du vol Paris-Riga (2 200 km) : 3 heures.

Sur place

Bus

Eurolines dessert Riga et les autres grandes villes, rendant par exemple envisageable un voyage Europe de l'Ouest-Riga-Saint-Pétersbourg.

Hébergement

◆ Hôtels plutôt chers, nombreuses propositions sur le web. ◆ La formule *Bed and Breakfast* a gagné les États baltes et le logement de charme se développe.

Route

◆ Limitations de vitesse agglomérations/routes/quatre voies : 50/90/110. ◆ Limite du taux d'alcoolémie autorisé : 0,5 g/l. ◆ Feux de croisement obligatoires en toutes circonstances.

Train

Train de nuit Paris/Gare du Nord-Riga (via Cologne et Berlin).

Le voyage accompagné

Rappel : nous nous sommes limités à un résumé des prestations en vigueur dans les agences et chez les voyagistes présents en France. Les lecteurs des autres pays peuvent en tirer des idées d'itinéraire et les compléter auprès de leurs agences de voyages.

◆ Les voyagistes généralistes sont désormais en nombre mais souvent en proposant les trois capitales baltes dans un même voyage, généralement une semaine en juillet et août. Étant donné sa situation géographique, Riga se retrouve au milieu du séjour. Les « locaux » Amslav, Bennett, CGTT Voyages ou Nortours sont en première ligne. Autres prestataires : Arts et Vie, Fram, Go Voyages, Nouvelles Frontières, Scanditours (qui ajoute Helsinki et Stockholm), Tourmonde, LLVoyageurs du monde, entre autres. Compter une douzaine de jours et *au-delà de 1 000 EUR* pour un tel voyage.

◆ Néanmoins, **Riga** seule apparaît de plus en plus dans les catalogues week-end, tels Europauli, Fram, Nouvelles Frontières. Généralement, il s'agit de 3 jours/2 nuits, *à partir de 500 EUR* environ, ce qui reste assez nettement plus cher qu'un voyage composé soi-même via un vol à prix réduit. Amslav et Eastpak ajoutent Jurmala.

◆ Les voyagistes spécialistes de la randonnée pointent leur nez, tel Allibert qui passe à Riga et dans le parc national de la Gauja lors des 13 jours de voyage de Vilnius à Tallinn.

◆ Le pays est effleuré par des navires de croisière, tel l'*Adriana* qui, parti de Göteborg, passe à Riga puis continue vers Saint-Pétersbourg et Stockholm.

LES REPÈRES

◆ Lorsqu'il est midi en France, en Lettonie il est 13 heures; lorsqu'il est midi au Québec, en Lettonie il est 19 heures. ◆ Langue officielle : le letton (ou lette), qui est d'origine balte. ◆ Langues étrangères : allemand, anglais. 40 % de la population pratique ou connaît le russe. ◆ Téléphone vers la Lettonie : 00371, indicatif Riga : 2; de la Lettonie : 810.

LA SITUATION

Géographie. Lacs, herbages et forêts de conifères recouvrent un relief généralement plat, pour une superficie (64 589 km^2) légèrement inférieure à celle de la Lituanie voisine.

Population. Sur les 2 245 000 habitants, un tiers est d'origine russe. Capitale : Riga.

Religion. Église luthérienne dominante. Minorités de catholiques et d'orthodoxes.

Dates. *1621* La Lettonie passe de l'ordre Teutonique à la Suède. *1795* La Russie étend sa domination à tout le pays. *1920* Indépendance. *1940* La Lettonie devient soviétique. *1941* Occupation allemande. *1944* L'URSS revient. *1991* Le pays devient une république parlementaire indépendante. *1993* Ulmanis nouveau président. *1996* Réelection d'Ulmanis. *1999* Vaira Vike-Freiberga est élue présidente. Le gouvernement est dirigé par une coalition de centre droit. *Octobre 2002* Victoire du parti Nouvelle Ere – et du jeune Einars Repse – aux législatives. *Mai 2004* La Lettonie entre dans l'Union européenne. *Octobre 2006* La coalition du Premier ministre conservateur Aigars Kalvitis remporte les législatives. *Décembre 2007* Ivars Godmanis succède à Aigars Kalvitis, démissionnaire.

Liban

Avertissement. – La situation politique reste très fragile, aussi le voyage est-il formellement déconseillé, surtout dans la région de Tripoli et dans le sud du pays. Le consulat est à même de renseigner sur l'évolution de la situation.

Le triple aspect architecture/mer/montagne qui a longtemps fait la réputation touristique du pays semblait devoir se réinstaller durablement mais une nouvelle dégradation de la situation au cours des deux dernières années remet à des jours plus sereins la perspective d'un des voyages les plus attachants du Moyen-Orient.

LES RAISONS D'Y ALLER

LES MONUMENTS

Vestiges romains de Baalbeck et de Tyr
Temples et tombes de Byblos, château de Saïda, palais de Beiteddine, musées, monastères (vallée sainte de la Qadicha)

LES PAYSAGES

Chaîne du Liban (sources, cascades, forêts de cèdres)
Défilé de l'Oronte, grottes d'Afqa et de Jeita

LA CÔTE

Côte méditerranéenne (Jounié, Byblos, Beyrouth)

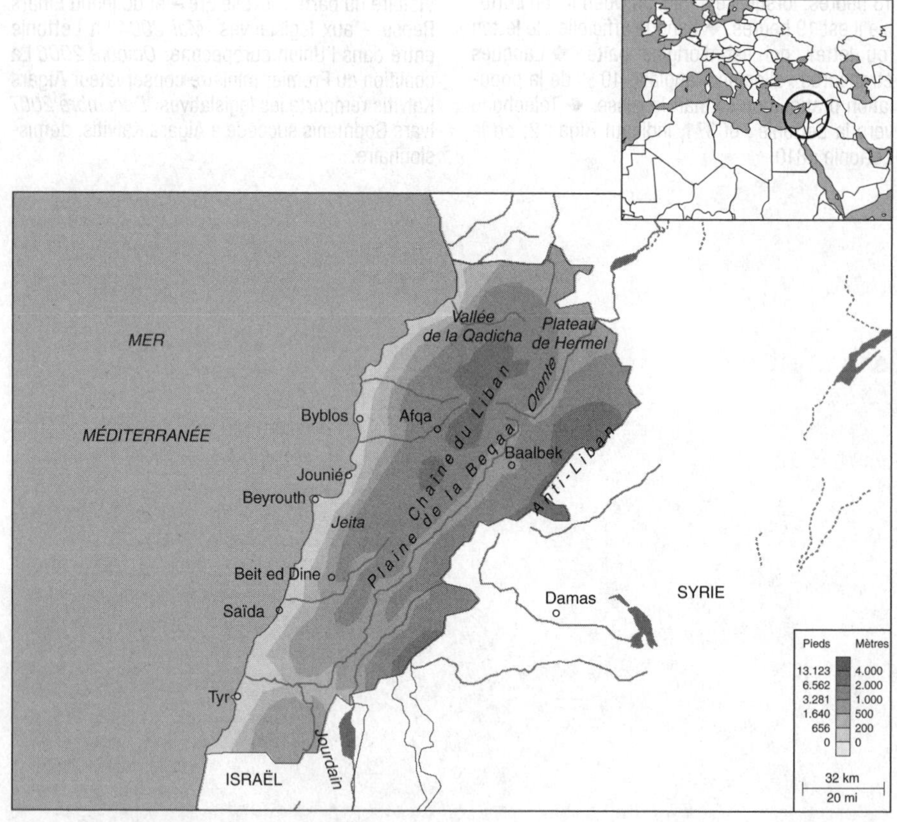

LES RAISONS D'Y ALLER

LES MONUMENTS

Le Liban est un passage obligé pour les passionnés de vestiges romains. Ainsi, **Baalbeck** offre un ensemble remarquable, lieu d'élection du dieu Soleil sous les Antonins (temples de Jupiter, Bacchus et Vénus). C'est là que, depuis 1997 en été, le célèbre Festival de Baalbeck a retrouvé son lustre après vingt ans d'interruption.

Tyr (Sour) garde également d'importants vestiges romains (arènes, hippodrome, arc de triomphe, théâtre, thermes) et un festival en été.

Les traces des brillantes périodes du « passage » de l'Égypte (temples, tombes) sont présentes à **Byblos** (Jubail), alors qu'à **Saïda** (Sidon), où ont été découverts des vestiges de l'âge du bronze, le Château de la mer symbolise le passage des Croisés. Plus près dans le temps, l'architecture orientale du palais de **Beiteddine** (construit par un émir au début du XIXe siècle), qui connaît lui aussi un festival en été, complète la richesse historique du pays, à laquelle s'ajoutent les **musées** (musée des Mosaïques à Beiteddine, Musée archéologique national de Beyrouth), les **monastères** (Qochaya, dans la Vallée sainte de la **Qadicha**, au nord du mont Liban) et les **églises**.

L'architecture moderne tend hélas! à s'imposer trop vite, et le béton comme les autoroutes mettent à mal le patrimoine et l'habitat ancien, particulièrement sur la bande côtière (Saïda, Tyr) et à Beyrouth, où les rénovations ont avalé le vieux centre historique (place des Martyrs, place de l'Étoile).

LES PAYSAGES

Si le nombre des légendaires cèdres du Liban n'est plus ce qu'il était, on peut toutefois en admirer dans le massif du Chouf et à Becharré. Des sources, des cascades et des forêts composent la **chaîne du Liban**, agréable pour des balades au printemps et en automne (mais pas en été, trop brumeux), autour de stations propices au ski.

Au nord, la région désertique du plateau de Hermel est soudain coupée par le **défilé de l'Oronte**, dont les eaux souterraines jaillissent sous la forme d'une source artésienne.

Sur les pentes du mont Liban, une falaise calcaire est trouée par la grotte d'**Afqa**, où la légende situe les amours d'Adonis et de Vénus. Outre la rivière souterraine qui s'en échappe et les ruines d'un temple d'Adonis à proximité, le site de la grotte d'Afqa constitue, avec celui de la grotte de **Jeita** (six kilomètres de galeries et de concrétions), l'un des principaux rendez-vous du tourisme libanais de l'intérieur.

LA CÔTE

La **côte méditerranéenne** offre son content de soleil et de plages : celles de **Jounié**, de **Byblos**, stations en vogue, et de **Beyrouth** sont les plus fréquentées.

LE POUR

◆ La diversité et la valeur des buts touristiques.

◆ La présence de la langue française.

LE CONTRE

◆ Une situation politique à nouveau très fragile, qui met le candidat au voyage en position d'attente.

◆ Le coût plutôt élevé des séjours.

LE BON MOMENT

Le climat libanais est agréable partout d'**avril à juin** ou de **septembre à novembre**, malgré une certaine humidité près des côtes. Les hivers, de type méditerranéen, sont doux et pluvieux sur la côte, assez rudes et neigeux dans les montagnes, les précipitations atteignant surtout les versants tournés vers la mer. La plaine de la Beqaa, proche de la Syrie, connaît un climat continental, voire désertique.

◆ Températures moyennes jour/nuit (en °C) à *Beyrouth* (côte) : janvier 17/9, avril 22/13, juillet 29/21, octobre 26/18. Moyenne de la température de l'eau de mer : 25°.

LE PREMIER CONTACT

En Belgique

Consulat, rue Guillaume-Stocq, 2, B-1050 Bruxelles, ☎ (02) 645.77.60, fax (02) 645.77.69.

Au Canada

Ambassade, 640, rue de Lyon, Ottawa, ON K1S 3Z5, ☎ (613) 236-5825, fax (613) 232-1609, www.lebanonembassy.ca

En France

◆ Office de tourisme, 124, rue du Faubourg-Saint-Honoré, 75008 Paris, ☎ 01.43.59.10.36, fax 01.43.59.11.99. Ambassade, 3, villa Copernic, 75116 Paris, ☎ 01.40.67.75.75, fax 01.40.67.16.42.

En Suisse

Section consulaire, Thunstrasse, 10, CH-3074 Muri b. Bern, ☎ (31) 950.65.65, fax (31) 950.65.66.

Internet

www.destinationlebanon.gov.lb

Guides

Liban (Le Petit Futé, Marcus), *Syrie, Liban* (Nelles), *Syria & Lebanon* (Lonely Planet).

Cartes

Jordanie, Syrie, Liban (Hildebrand), *Liban* (IGN).

Lectures

A la recherche du Liban perdu (Nahida Nakad/ Calmann-Lévy, 2008), *Géopolitique du Liban : constats et enjeux* (Masri Feki, Arnaud de Ficquelmont/Ed. Parole de sagesse, 2008), *Liban mon amour* (Jacques Beauchard/Ed. de l'Aube, 2007).

Images

Liban (Salah Stétié, Caroline Rose/Imprimerie nationale, 2006), *Liban : le tumulte des sources* (Luc Pire, 2007), *Vestiges archéologiques du Liban* (Edisud, 2004).

QUEL VOYAGE ET À QUEL PRIX ?

Le voyage individuel

Les préparatifs

◆ Pour les ressortissants de l'Union européenne, canadiens, suisses : passeport (valable encore six mois après le retour), visa obligatoire, obtenu auprès de l'ambassade. ◆ En temps normal, un visa de court séjour peut être obtenu à l'arrivée à Beyrouth, prendre confirmation avant le départ auprès du consulat. ◆ Éviter les visas, tampons ou billets d'avion ayant rapport à Israël, sous peine de refoulement à la frontière.

◆ Aucune vaccination n'est obligatoire.

◆ Monnaie : la *livre libanaise*. Emporter des dollars US de préférence aux euros, la plupart des transactions se faisant dans la monnaie états-unienne, alors que les cartes de crédit sont de peu d'utilité, hormis dans les grands hôtels. 1 US Dollar = 1 500 livres libanaises, 1 EUR = 2 080 livres libanaises.

Le départ

◆ Indice de prix à certaines dates du vol Montréal-Beyrouth A/R : 1 200 CAD; Paris-Beyrouth A/R : 450 EUR. ◆ Durée moyenne du vol Paris-Beyrouth (3 191 km) : 4 heures.

Sur place

Rappel : les propositions suivantes sont suspendues à l'évolution de la situation politique; par ailleurs, nous nous sommes limités à un résumé des prestations en vigueur dans les agences et chez les voyagistes présents en France; les lecteurs des autres pays peuvent en tirer des idées d'itinéraire et les compléter auprès de leurs agences de voyages.

Hébergement

Il existe des chambres d'hôtes aux alentours des grands sites touristiques. Renseignements auprès de l'office du tourisme.

Route

◆ Location de voiture possible, de préférence avant le départ en agence de voyages. ◆ Les autotours d'une semaine à partir de Beyrouth (vol A/R + location de voiture + hébergement) se développent, entre autres avec Djos'Air Voyages,

STI Voyages ou Terra Diva. ◆ Réseau de bus et de taxis, mais pas de trains.

Le voyage accompagné

◆ Lorsque la situation le permet, le voyage prend la forme d'un circuit en **minibus** qui comprend les grands sites historiques. Quelques prestataires : Ananta, Arts et Vie, Asia, Clio, Continents insolites, Djos'Air Voyages, Kuoni, Nouvelles Frontières, Oriensce, Sindbad Voyages, STI Voyages, Tamera, Terra Diva, Voyageurs du monde.

◆ La randonnée est aussi à l'ordre du jour, en été mais parfois en novembre, entre autres avec Allibert (massif du Chouf et vallée de la Qadisha) et Nouvelles Frontières. Compter aux alentours de *1 000 EUR* pour ce type de voyage.

◆ Le Liban est un petit pays et il fait donc l'objet de combinés, très souvent avec la **Syrie** (en général 4 ou 5 jours pour le Liban dans un voyage de 15 jours, tel celui d'Adeo), parfois avec la **Jordanie**, parfois encore en regroupant les trois pays (Jet tours, Kuoni). Renseignements auprès de la plupart des prestataires précités.

◆ Le prix moyen d'un voyage accompagné reste relativement élevé : *autour de 1 100 EUR* la semaine tout compris et de *2 000 EUR* pour un Liban-Syrie de 15 jours.

LES REPÈRES

◆ Lorsqu'il est midi en France, au Liban il est 13 heures; lorsqu'il est midi au Québec, au Liban il est 19 heures. ◆ Langue officielle : l'arabe. ◆ Langues étrangères : le français et l'anglais. ◆ Téléphone vers le Liban : 00961 + indicatif (Beyrouth : 1) + numéro; du Liban : 00 + indicatif pays + numéro.

LA SITUATION

Géographie. Petit pays (10 400 km^2), le Liban s'étire sur 210 km du nord au sud avec, en partant de la côte, une plaine étroite, le massif du Liban (qui s'élève jusqu'à 3 083 m), la haute plaine de la Beqaa et l'Anti-Liban, massif au climat aride.

Population. Une mosaïque de communautés, qui ont longtemps vécu en bonne intelligence, compose un pays de 3 972 000 habitants. La population musulmane est majoritaire, alors que les chrétiens furent longtemps les plus nombreux. Capitale : Beyrouth.

Religions. Dans l'ordre (statistiques officieuses) : musulmans chi'ites (41 %), musulmans sunnites (27 %), chrétiens maronites (16 %), druzes (7 %), grecs orthodoxes (5 %), grecs catholiques (3 %), arméniens.

Dates. *3000 av. J.-C.* Arrivée des Cananéens puis des Phéniciens. *636* Les Arabes conquièrent le pays. *1516* Annexion par l'Empire ottoman. *1861* La France crée la province du Mont-Liban. *1920* La Société des nations place le Liban (et la Syrie) sous mandat français. *1943* Indépendance et pacte national décrété entre les communautés. *1948* Arrivée des réfugiés palestiniens après la création d'Israël. *1970* Soleiman Frangié président, heurts avec les Palestiniens. *1976* Les heurts dégénèrent en guerre civile : une coalition dite de gauche (armée de fedayin, de milices druzes et du mouvement Amal) s'oppose à une coalition dite de droite (phalanges maronites et Armée du Liban-Sud). *1982* Blocus de Beyrouth par l'armée israélienne, présidence de Béchir Gemayel (assassiné peu de temps après sa prise de fonctions) puis de son frère Amin. *1985* Retrait d'Israël. *1987* Installation des troupes syriennes à Beyrouth-Ouest après de nouveaux déchirements entre tendances rivales. *1989* Accords de Taëf, censés mettre fin à la guerre civile. Elias Hraoui devient président. *Octobre 1992* Le milliardaire Rafiq Hariri devient Premier ministre, alors que la « Pax syriana » continue de régner. *Mai 2000* Israël se retire du Liban sud. *Octobre 2000* Rafiq Hariri est à nouveau nommé Premier ministre. *Février 2005* L'assassinat de Rafiq Hariri déclenche des manifestations de masse contre la Syrie, qui annonce un retrait de ses troupes, effectif deux mois plus tard. Najib Miqati devient Premier ministre. *Juin 2005* L'opposition antisyrienne remporte les législatives. *Juillet 2006* Guerre ouverte, 33 jours durant, entre le Hezbollah et Israël, une partie des infrastructures du pays sont endommagées. *Mai 2008* Violences intercommunautaires. *Fin mai 2008* Apaisement, le général Michel Sleimane devient président.

Liberia

Avertissement. – La situation du Liberia s'améliore lentement mais le pays subit toujours les conséquences d'une longue guerre civile. Aussi, toute idée de tourisme reste prématurée. Dans la rubrique *Le premier contact*, nous donnons l'adresse de l'ambassade, qui est à même de renseigner le lecteur sur l'évolution de la situation.

Le Liberia est encore trop marqué par sa tragédie pour que l'on puisse décemment parler de tourisme dans un pays qui, de toute façon, n'a jamais prétendu jouer les premiers rôles dans ce domaine en Afrique de l'Ouest. Si la visite redevenait d'actualité à moyen terme, des pluies fréquentes et un océan parfois dangereux ne laisseraient comme agrément que l'exploration de la forêt équatoriale humide et quelques savanes au nord pour apercevoir des animaux sauvages.

LES RAISONS D'Y ALLER

LA FAUNE

Réserve des monts Nimba
Lions, éléphants

LA CÔTE

Plages

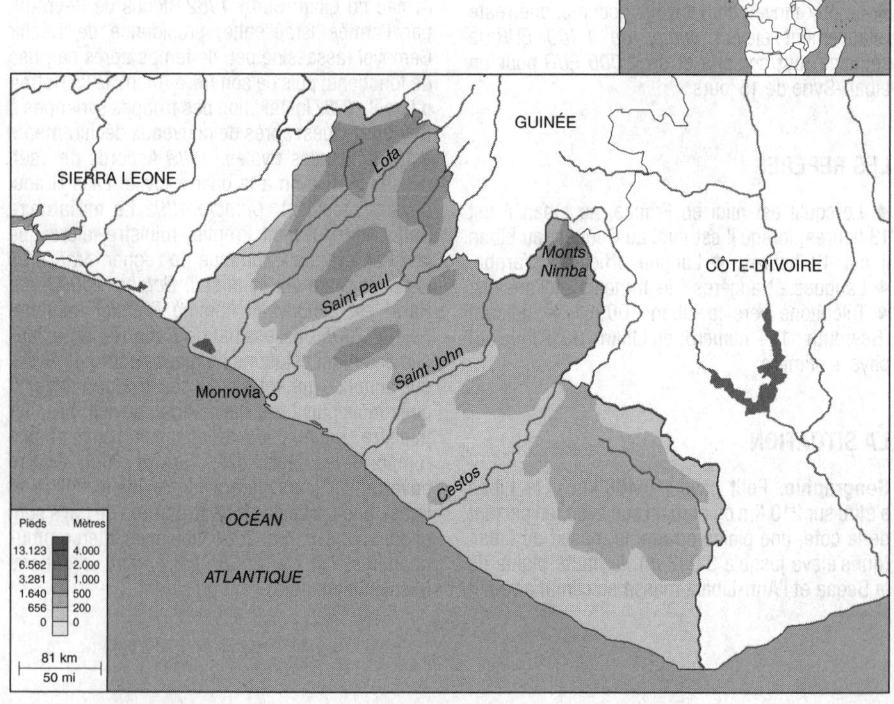

LES RAISONS D'Y ALLER

LA FAUNE

Lions et **éléphants** sont présents dans les savanes proches de la Guinée, ce qui a permis la création de quelques réserves, comme celle des monts **Nimba**, répartie entre le Liberia, la Guinée et la Côte-d'Ivoire.

LA CÔTE

La façade **atlantique** est relativement longue et possède des plages, entre autres autour de Buchanan. Mais certaines sont réputées dangereuses pour la baignade et les infrastructures font défaut.

Quant à la capitale Monrovia, qui abrite une très vieille université et a eu ses heures de gloire, elle a été en grande partie détruite pendant le conflit et entame aujourd'hui une longue période de reconstruction.

LE POUR

◆ Une timide mais réelle amélioration de la situation.

LE CONTRE

◆ Un pays encore peu sûr et fragilisé, ce qui demande de différer tout voyage touristique.

◆ Un climat défavorable entre avril et octobre.

LE BON MOMENT

Le climat subéquatorial du Liberia ne connaît qu'une constante entre avril et octobre : la chaleur humide et la pluie, surtout à proximité de la côte. À l'intérieur, la violence des averses est moindre. Une relative saison sèche autorise de meilleures possibilités de voyage **entre décembre et mars**.

◆ Températures moyennes jour/nuit (en °C) à *Monrovia* : janvier 30/23, avril 31/23, juillet 27/22, octobre 28/22.

LE PREMIER CONTACT

En Belgique

Ambassade, avenue du Château, 50, B-1080 Bruxelles, ☎ (02) 411.01.12, fax (02) 411.09.12.

Au Canada

Consulat honoraire, 1441, rue Ontario, Burlington, ON, L7S 1G5, ☎ (905) 333-4000, fax (905) 632-4000.

En France

Ambassade, 12, place du Général-Catroux, 75017 Paris, ☎ 01.47.63.58.55, fax 01.42.12.76.14.

Guide

West Africa (Lonely Planet).

Lecture

Allah n'est pas obligé (A. Kourouma, Seuil, 2002).

QUEL VOYAGE ET À QUEL PRIX ?

Le voyage individuel

Les préparatifs

◆ Voir *Avertissement*. En temps normal, passeport en cours de validité, visa obligatoire.

◆ Vaccination obligatoire contre la fièvre jaune. Prévention indispensable contre le paludisme.

◆ Monnaie : le *dollar libérien,* subdivisé en 100 cents. Pour le change, privilégier le dollar US. 1 US Dollar = 64 dollars libériens; 1 EUR = 88 dollars libériens.

Le départ

Avion

Desserte du Liberia réduite à la portion congrue actuellement, toutefois Brussels Airlines assure une liaison régulière. Indice de prix à certaines dates du vol Bruxelles-Monrovia A/R : 700 EUR. Durée du vol Bruxelles-Monrovia : 4 h 50.

LES REPÈRES

◆ Lorsqu'il est midi en France, au Liberia il est 10 heures en été et 11 heures en hiver. ◆ Langue officielle : l'anglais, qui voisine avec plusieurs dialectes, dont principalement le kpelle, le bassa et le mandingue. ◆ Téléphone vers le Liberia : 00231.

LA SITUATION

Géographie. La forêt dense laisse peu de place à une plaine côtière assez étroite au sud et à une région de savanes au nord. Elle couvre la grande majorité des 111 369 km².

Population. Les Libéro-Américains, descendants des esclaves noirs libérés en 1822 (d'où le nom du pays) et membres de la classe dirigeante jusqu'en 1980, ne représentent que 5 % des 3 390 600 habitants. Vingt-deux ethnies sont présentes. 800 000 Libériens se sont réfugiés dans les pays voisins lors de la guerre civile. Capitale : Monrovia.

Religion. Deux Libériens sur trois sont chrétiens. Minorités de musulmans et d'animistes.

Dates. *XVe siècle* Les Portugais découvrent la « côte du Poivre ». *1822* La Société américaine de colonisation installe les premiers esclaves noirs libérés. *1847* Proclamation de la république du Liberia. *1943* Tubman président. *1971* Tolbert président. *1980* Coup d'État militaire et prise du pouvoir par Samuel Doe, qui deviendra président de la République cinq ans plus tard. *1990* Rébellion ouverte des « Freedom Fighters » de Charles Taylor, début d'une guerre civile et exécution de Samuel Doe. Une Force africaine d'interposition (ECOMOG) se met en place. *Août 1995* Signature d'un accord de paix entre les factions. *Avril 1996* Reprise des affrontements. *Août 1996* Ruth Sando Perry est chargée de diriger le Conseil d'État, qui rassemble les responsables des factions. *Novembre 1996* Début d'une opération de restitution des armes. *1998* Élection de Charles Taylor. *2000* Troubles sur la frontière nord. *Juin 2003* Offensive de troupes rebelles contre Taylor, de plus en plus pressé par les Etats-Unis de quitter le pouvoir. *Août 2003* Les Libériens unis pour la réconciliation et la démocratie (LURD) déstabilisent Charles Taylor, qui s'exile au Nigeria. *Octobre 2003* La Mission des Nations unies du Liberia (MINUL) s'installe, Gyude Bryant devient un président de transition, les LURD estiment la guerre terminée. *2005* Ellen Johnson-Sirleaf devient présidente et entame courageusement la reconstruction du pays.

Libye

Longtemps, l'immense Libye a été jugée aussi vide par son désert que par le nombre de ses touristes. Cette époque est révolue : en effet, en quelques années, l'attrait des vestiges des époques hellénistique et romaine ainsi que l'ouverture du désert du Fezzan aux passionnés du Sahara ont tout changé. Seule la longue côte, désertique en son milieu, reste, avec celles de l'Albanie et de l'Algérie actuelles, la grande absente du tourisme balnéaire méditerranéen.

LES RAISONS D'Y ALLER

LES MONUMENTS

Vestiges romains (Sabratah, Leptis Magna),
Vestiges romains et grecs (Cyrène),
Sites d'Apollonia, de Ptolémaïs,
de Garama, de Ghadamès (oasis fortifiée)

LE DÉSERT ET LES RANDONNÉES

Dunes, sites rupestres, escarpements du Fezzan, festival de Ghat

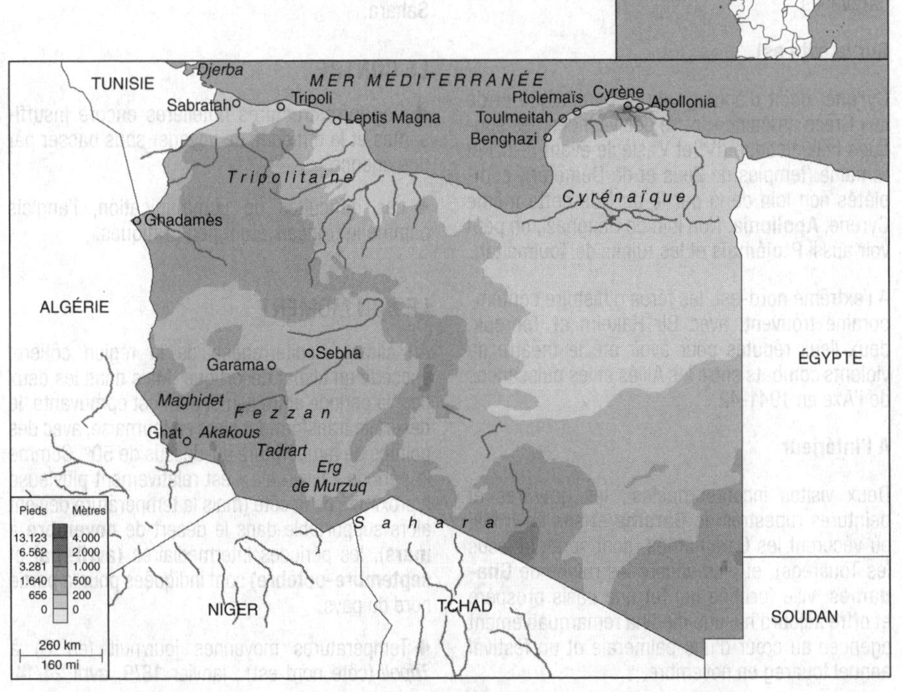

LES RAISONS D'Y ALLER

LES MONUMENTS

Sur la côte ouest

Leptis Magna, surnommée la « Rome africaine » et embellie par Septime Sévère au IIe siècle, est le plus réputé des sites archéologiques du pays : thermes d'Hadrien, Nymphée, cirque (où avaient lieu des courses de char), amphithéâtre. Un musée incontournable montre le résultat des fouilles archéologiques du site.

Autre site important de la côte ouest : **Sabratah**, d'abord carthaginoise puis romaine, qui possède le plus grand théâtre romain d'Afrique, plusieurs temples (des Antonins, de Sérapis, d'Isis) et divers édifices prestigieux, dont la basilique de Justinien.

Quant à la capitale **Tripoli**, très méconnue, elle offre un arc de triomphe construit sous Marc Aurèle mais ce sont les Ottomans qui lui ont laissé ses plus beaux édifices, entre autres des fondouks, qui étaient chargés d'accueillir les caravanes.

Sur la côte est

Cyrène, point d'ancrage de la Cyrénaïque et de la « Grèce africaine », offre des vestiges des époques hellénistique (IVe et Ve siècle avant J.-C.) et romaine (temples de Zeus et de Déméter), complétés non loin de là par le port de cette même Cyrène, **Apollonia**. Non loin de Benghazi, on peut voir aussi **Ptolémaïs** et les ruines de Toulmeitah.

A l'extrême nord-est, les férus d'histoire contemporaine trouvent, avec Bir Hakeim et Tobrouk, deux lieux réputés pour avoir été le théâtre de violents combats entre les Alliés et les puissances de l'Axe en 1941-42.

A l'intérieur

Deux visites incontournables : les gravures et peintures rupestres de **Garama** et ses environs, où vécurent les Garamantes (dont seraient issus les Touaregs), et plus encore les ruines de **Ghadamès**, ville fortifiée qui fut une oasis prospère et offre aujourd'hui une médina remarquablement agencée au cœur d'une palmeraie et un festival annuel touareg en novembre.

LE DÉSERT ET LES RANDONNÉES

Aux confins de l'Algérie, de la Libye et du Niger, se dessine, dans le prolongement du tassili n'Ajjer, une partie du Sahara aussi belle que longtemps méconnue : le **Fezzan**.

Du tassili de Maghidet à la Tadrart, au sud, en passant par le massif de l'Akakous, se succèdent les dunes, les gorges, les peintures et gravures rupestres (Messak Setaffet), les blocs de grès et les escarpements. Au pied du massif, la petite ville de Ghat organise un festival touareg en fin d'année.

L'engouement pour le voyage saharien et l'inaccessibilité du Hoggar voisin pendant de longues années ont enlevé ses secrets à cette région qui, à l'image du désert mauritanien, connaît un boom touristique entre décembre et avril.

LE POUR

◆ La valeur des sites archéologiques et la découverte du Fezzan, l'une des plus belles régions du Sahara.

LE CONTRE

◆ Des infrastructures hôtelières encore insuffisantes et la difficulté de voyager sans passer par une agence.

◆ Les difficultés de communication, l'anglais comme le français étant peu pratiqués.

LE BON MOMENT

Au climat méditerranéen de la région côtière, succède un climat désertique. Mais dans les deux cas, la période entre juin et août est éprouvante, le désert se transformant alors en fournaise, avec des pointes de température au-dessus de 50°. Comme la période « hivernale » est relativement pluvieuse à proximité de la côte (mais la température devient alors supportable dans le désert de **novembre** à **mars**), les périodes intermédiaires **(avril-mai** et **septembre-octobre)** sont indiquées pour la partie nord du pays.

◆ Températures moyennes jour/nuit (en °C) à *Tripoli* (côte nord-est) : janvier 18/9, avril 24/14, juillet 32/22, octobre 28/18; *Ghat* (Sahara) : janvier 20/4, avril 34/17, juillet 40/25, octobre 33/18.

LE PREMIER CONTACT

En Belgique

Ambassade, avenue Victoria, 28, B-1000 Bruxelles, ☎ (02) 646.53.89, fax (02) 640.90.76.

Au Canada

Consulat, 170, Laurier Avenue West, Ottawa, ON K1P 5V5, ☎ (613) 216-0136, fax (613) 216-0141.

En France

Consulat, 18, rue Keppler, 75016 Paris, ☎ 01.47.20.19.70, fax 01.40.70.18.14.

En Suisse

Section consulaire, Tavelweg, 2, CH-3006 Berne, ☎ (31) 350.01.25, fax (31) 352.39.35.

Internet

www.libyan-tourism.org/

Guides

Libye (Le Petit Futé, Lonely Planet France, Marcus, Olizane).

Carte

Libye (Freytag).

Images

Libye grecque, romaine et byzantine (Jean-Marie Blas de Roblès/Edisud, 2005), *Libye, Tripolitaine, Cyrénaïque, Fezzan* (Pages du monde, 2007).

Lectures

La Libye antique (Claude Sintès/Gallimard, 2004), *Leptis Magna* (Hermann, 2007), *le Troisième Thé* (Syros, 2005).

QUEL VOYAGE ET À QUEL PRIX ?

Le voyage individuel

Les préparatifs

◆ Pour les ressortissants de l'Union européenne, canadiens, suisses : passeport valable encore six mois après le retour, sans tampon israélien et obligatoirement accompagné d'une traduction en arabe de la page d'état civil. **Visa** obligatoire, obtenu auprès du consulat soit à titre individuel (long délai à prévoir et preuve d'une agence ou d'une personne invitante), soit par le voyagiste choisi.

◆ Aucune vaccination n'est exigée.

◆ Monnaie : le *dinar libyen* est subdivisé en 1 000 dirhams. 1 EUR = 1,7 dinar libyen, 1 US Dollar = 1,2 dinar libyen. Les euros sont très bien acceptés, en revanche les cartes de crédit sont de peu d'utilité.

Le départ

Avion

◆ Indice de prix à certaines dates du vol Montréal-Tripoli A/R : 1 300 CAD; Paris-Tripoli A/R : 550 EUR. ◆ Durée moyenne du vol Paris-Tripoli : 3 heures.

Ferry

Si l'on n'est pas pressé, penser aux bateaux qui partent régulièrement de Marseille ou de Gênes pour Tunis, puis passer la frontière terrestre libyenne (prendre néanmoins confirmation des conditions d'accessibilité avant le départ).

Sur place

Hébergement

Infrastructures encore modestes et hôtellerie chère. Il existe des auberges de jeunesse, renseignements : Tripoli, ☎ (218) 21-444.51.71, www.hihostels.com

Route

Bon réseau routier. Éviter de voyager de manière isolée, ne pas rouler dans la partie sud du pays. Excellent service de bus interurbains climatisés. Pour le nord, la location de voiture, de préférence avec chauffeur, est une bonne solution.

Vie locale

Il est interdit d'introduire des boissons alcoolisées dans le pays.

Le voyage accompagné

Rappel : nous nous sommes limités à un résumé des prestations en vigueur dans les agences et chez les voyagistes présents en France. Les lecteurs des autres pays peuvent en tirer des idées d'itinéraire et les compléter auprès de leurs agences de voyages.

L'ouverture au tourisme a débouché sur deux types de séjours, parfois conjugués : une randonnée dans le désert du Fezzan ou bien un voyage à but culturel le long de la côte méditerranéenne.

◆ Le Fezzan est exploré sous forme de **randonnées** chamelières, d'alternance de marche et de tout-terrain, plus rarement de **méharées**. Les séjours, de 8 ou 15 jours, sont proposés par des voyagistes désormais nombreux. Exemples : Acabao, Allibert, Atalante, Chemins de sable, Club Aventure, Déserts, Explorator, Horizons nomades, Intermède, Nomade Aventure, Point Afrique, Terres d'aventure.

Les premiers prix pour un voyage dans le désert libyen sont à *moins de 1 000 EUR* la semaine, avoisinent *1 300 EUR pour 10 jours* et *2 000 EUR pour 15 jours*.

◆ Leptis Magna, Sabratha, Ptolémaïs, Apollonia et Ghadamès sont les grandes étapes choisies par les voyagistes à dominante **culturelle,** pour 8 jours le plus souvent, parfois 15 jours, au printemps et à l'automne. Le voyage s'effectue en minibus, avec accompagnateur francophone. Exemples : Arts et Vie, Chemins de sable, Clio, Continents insolites, Explorator, Ikhar, Kuoni, Point Afrique, STI Voyages, TUI, Voyageurs du monde.

Les prix pour ce type de voyage peuvent varier de *1 400 EUR* la semaine tout compris à *1 800 EUR* pour 15 jours (vol et hébergement dans ce dernier cas).

◆ Certains voyagistes proposent des combinés Egypte-Libye (Clio, Explorator, Ikhar, TUI), d'autres font le lien entre les sites anciens de la Méditerranée et le désert, soit les deux faces de la Libye en un seul voyage (Adeo, Ananta).

◆ Autres idées : une **croisière** de Rome à Naples via Tripoli, une autre avec passage à Tripoli après Le Pirée et avant Malte (MSC Croisières).

QUE RAPPORTER ?

Tapis, bijoux, sacs, poteries, objets en cuir (ces derniers surtout à Ghadamès).

LES REPÈRES

◆ Lorsqu'il est midi en France, en Libye il est la même heure en été et 13 heures en hiver. ◆ Langue officielle : l'arabe, côtoyé au sud par le tamacheq, la langue des Touaregs. ◆ Langues étrangères : l'anglais, l'italien et le français, mais modestement. ◆ Téléphone vers la Libye : 00218 + indicatif (Tripoli : 21) + numéro; de la Libye : 00 + indicatif pays + numéro.

LA SITUATION

Géographie. Les neuf dixièmes de ce vaste pays (1 759 540 km²) appartiennent au nord-est du Sahara. Le Fezzan, au sud-ouest, et le désert de Libye, à l'est, sont les plus grandes étendues sahariennes. Le reste du pays est composé d'une plaine côtière méditerranéenne (Tripolitaine à l'ouest, Cyrénaïque à l'est) qui n'échappe pas au désert en son milieu (désert de Syrte).

Population. Son chiffre (6 174 000 habitants) est dérisoire par rapport à la superficie. La quasi-totalité des habitants vivent dans le nord et surtout dans les villes de Tripoli (capitale) et de Benghazi.

Religion. Presque tout le pays obéit aux règles de l'islam sunnite, qui laisse tout de même place à une poignée de chrétiens.

Dates. *Ve siècle av. J.-C.* Carthage étend sa domination en Tripolitaine. *106 av. J.-C.* Rome s'installe. *642* Les Arabes (Omeyyades et Abbassides) s'installent à leur tour. *1551* Les Turcs ottomans sont en Tripolitaine. *1911* Les Italiens entrent en Libye, ils en feront leur colonie vingt-trois ans plus tard. *1940* Campagne de Libye : l'Afrika Korps de Rommel s'oppose aux soldats franco-britanniques. *1951* Idris Ier roi de Libye. *1969* Coup d'État de Mouammar Kadhafi, qui devient le maître du pays. *1977* La Libye est un État socialiste populaire *(Jamahiriya)*. *1985* Début des discordances avec les États-Unis. *1992* L'ONU décrète un embargo économique et aérien, suite à l'enquête sur l'attentat de Lockerbie. *1999* Levée de l'embargo aérien. *Mai 2006* La Libye rétablit des relations diplomatiques avec les Etats-Unis. *Juillet 2007* La Libye libère les infirmières bulgares et le médecin palestinien qu'elle détenait depuis huit ans.

Liechtenstein

Le voyageur qui vient de Suisse ou d'Autriche s'arrête sur la place centrale de Vaduz, jette un œil sur le château-résidence princier, admire la collection d'art de la Maison anglaise, envoie une carte postale, histoire de vérifier que la réputation des timbres-poste de la principauté n'est pas usurpée, et quitte discrètement l'endroit. Mais s'il a deviné à temps l'atmosphère paisible de ce territoire lilliputien, il lui prendra peut-être l'envie d'y revenir et d'y séjourner, par exemple pour goûter à la randonnée alpestre dans ce qui constitue le dernier vestige du Saint Empire romain germanique.

LES RAISONS D'Y ALLER

LES RANDONNÉES ET LES SPORTS D'HIVER

Alpes (Vorarlberg), plaine du Rhin

LES MONUMENTS

Châteaux (Vaduz, Balzers)

LES MUSÉES

Musée postal et Maison anglaise à Vaduz

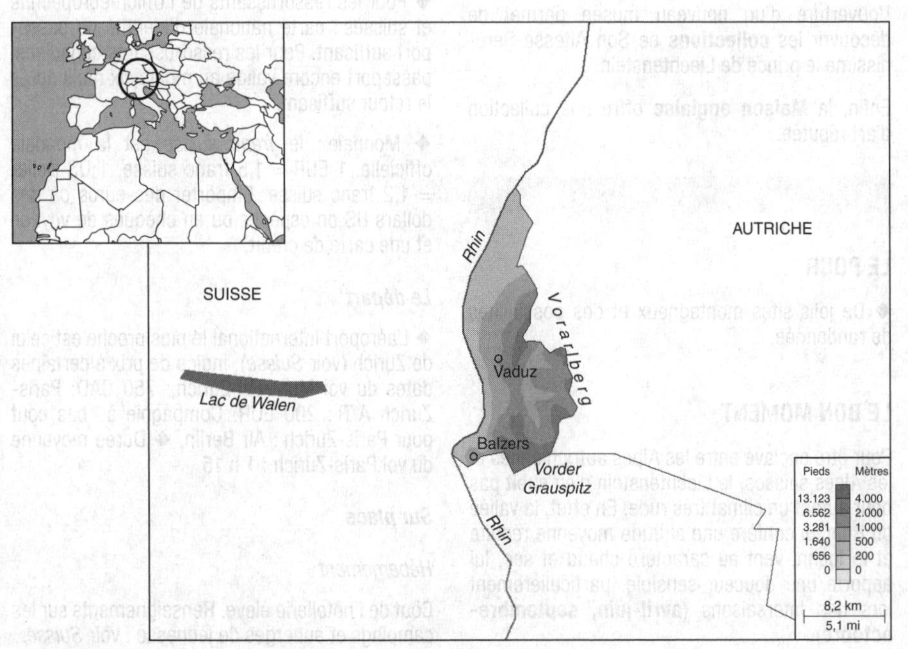

LES RAISONS D'Y ALLER

LES RANDONNÉES ET LES SPORTS D'HIVER

Les sommets de l'extrémité ouest du **Vorarlberg** (2 500 m en moyenne) se prêtent bien à des randonnées en été, alors que les pentes sont bien équipées pour la pratique du **ski**.

La frontière ouest est formée par la **plaine du Rhin**, agrémentée à l'horizon par les derniers panoramas dessinés par le Vorarlberg.

LES MONUMENTS

Si, à **Vaduz**, on doit se contenter d'admirer les murs extérieurs du château princier, près de **Balzers**, en revanche, on peut visiter le château de Gutenberg (XIe siècle).

LES MUSÉES

Le **Musée postal** de Vaduz est une curiosité : en effet, le Liechtenstein émet des timbres de réputation mondiale en raison de leur qualité esthétique.

L'ouverture d'un nouveau musée permet de découvrir les **collections** de Son Altesse Sérénissime le prince de Liechtenstein.

Enfin, la **Maison anglaise** offre une collection d'art réputée.

LE POUR

◆ De jolis sites montagneux et des possibilités de randonnée.

LE BON MOMENT

Pour être enclavé entre les Alpes autrichiennes et les Alpes suisses, le Liechtenstein n'en subit pas pour autant un climat très rude. En effet, la vallée du Rhin lui confère une altitude moyenne réduite et le foehn, vent au caractère chaud et sec, lui apporte une douceur sensible, particulièrement lors des intersaisons (**avril-juin, septembre-octobre**).

LE PREMIER CONTACT

Pas d'office de tourisme à l'étranger, mais l'office de tourisme suisse peut éventuellement répondre à la plupart des demandes d'information (voir Suisse).

Sur place

Office de tourisme, Städtle, FL-9490 Vaduz, (423) 239.63.00, fax (423) 239.63.01, info@tourismus.li

Internet

www.tourismus.li/fr/welcome.cfm

Guides

Le fascicule *Liechtenstein de A à Z*, disponible sur place, mêle informations générales et touristiques. Par ailleurs, certains guides sur la Suisse comprennent un chapitre sur le Liechtenstein.

QUEL VOYAGE ET À QUEL PRIX ?

Le voyage individuel

Les préparatifs

◆ Pour les ressortissants de l'Union européenne et suisses : carte nationale d'identité ou passeport suffisant. Pour les ressortissants canadiens, passeport encore valide au moins six mois après le retour suffisant.

◆ Monnaie : le *franc suisse* est la monnaie officielle. 1 EUR = 1,5 franc suisse, 1 US Dollar = 1,2 franc suisse. Emporter des euros ou des dollars US en espèces ou en chèques de voyage et une carte de crédit.

Le départ

◆ L'aéroport international le plus proche est celui de Zurich (voir *Suisse*). Indice de prix à certaines dates du vol Montréal-Zurich : 750 CAD; Paris-Zurich A/R : 200 EUR. Compagnie à bas coût pour Paris-Zurich : Air Berlin. ◆ Durée moyenne du vol Paris-Zurich : 1 h 15.

Sur place

Hébergement

Côut de l'hôtellerie élevé. Renseignements sur les campings et auberges de jeunesse : voir *Suisse*.

Route

Paris-Strasbourg-Karlsruhe-Bâle-Zurich-Vaduz : environ 950 km. Prévoir l'achat de la vignette suisse (voir Suisse).

Train

Le train Zurich-Vienne s'arrête à Schaan, quatre kilomètres au nord de Vaduz.

LES REPÈRES

◆ Pas de décalage horaire. ◆ Langue officielle : l'allemand, qui voisine avec un dialecte local. ◆ Langues étrangères : l'anglais et le français. ◆ Téléphone vers le Liechtenstein : 00423 + numéro; du Liechtenstein : 00 + indicatif pays + numéro.

LA SITUATION

Géographie. Entre le massif autrichien du Vorarlberg, à l'est, et le canton suisse de Saint-Gall, à l'ouest, les 160 km^2 de la principauté la relèguent parmi les plus petits États du monde. Le Rhin lui fait tout de même l'honneur de la longer, alors que les forêts, les prairies et les alpages sont les traits dominants du relief. Altitude maximale : 2 599 m au Vorder Grauspitz.

Population. Place commerciale et financière, îlot de prospérité, le Liechtenstein, dont la population est d'origine alémanique, a connu une arrivée importante de travailleurs étrangers (30 % des 34 500 habitants). Capitale : Vaduz.

Religion. La religion catholique romaine (85 %) est largement majoritaire par rapport aux protestants.

Dates. *1699* Les seigneuries de Vaduz et de Schellenberg sont acquises par la famille des Liechtenstein. *1719* Charles VI fonde la principauté, désormais indépendante. *1815* Le Liechtenstein dans la Confédération germanique. *1921* Nouvelle constitution et intégration économique à la Suisse. *1982* Hans Brunhart (Union de la patrie) Premier ministre. *1989* Mort du prince François-Joseph II. *1990* Hans Adam II lui succède, alors que la principauté entre aux Nations unies. *Octobre 1993* Le parti de l'Union politique remporte les élections législatives et appelle un jeune homme, Mario Frick, à la tête du gouvernement. *Avril 2001* Otmar Hasler Premier ministre. *Mars 2003* Le prince Hans Adam II obtient par référendum un accroissement notable de ses pouvoirs, l'opposition trouve cette situation préoccupante et anachronique.

Lituanie

Plus grande et plus peuplée que ses deux sœurs baltes, la Lituanie est surtout connue pour l'originalité de l'architecture de sa capitale Vilnius. Comme ses voisins, le pays n'a pas encore vraiment gagné une réputation touristique. Une meilleure approche de ses forêts et de ses lacs disséminés entre les collines pourrait l'y aider dans les années à venir.

LES RAISONS D'Y ALLER

LES VILLES ET L'HISTOIRE

Vilnius, Trakai, Kaunas, Kernavé

LA CÔTE

Paysages de dunes, Palanga, presqu'ile de Neringa

LES PAYSAGES

Lacs, forêts, bassin du Niémen

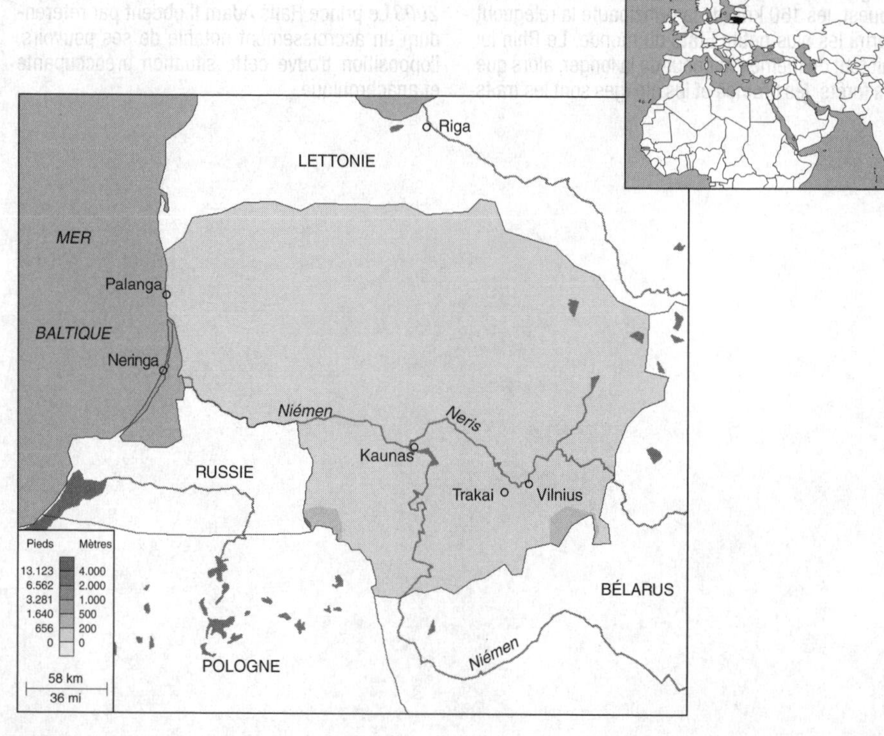

LES RAISONS D'Y ALLER

LES VILLES ET L'HISTOIRE

Un château médiéval, des églises baroques (Saint-Pierre-et-Saint-Paul, Saint-Jean, église peinte en rose et rehaussée d'une couronne dorée), une cathédrale, un cloître (Saint-Basile), la chapelle de la porte de Medininkai et une icône de la Vierge noire, plusieurs musées (dont le musée des Arts traditionnels) et un habitat où s'entremêlent brique, stuc, façades imprégnées d'art baroque, maisons de bois traditionnelles dans la vieille ville valent à **Vilnius**, capitale européenne de la Culture en 2009, une honnête réputation touristique, d'autant que les constructions les plus anciennes sont dans un bon état de conservation et que la vieille ville est inscrite au Patrimoine mondial de l'humanité.

Un « plus », contesté sinon contestable, a été apporté à Vilnius par l'ouverture du parc-musée de Grutas, à quelques kilomètres, où l'on peut voir rassemblés les monuments dédiés aux héros de la révolution de 1917 ou les statues de Lénine déboulonnées. Par ailleurs, la ville, qui abrite un musée des Victimes du génocide, attend que revive son quartier juif où le yiddish avait son importance avant que le site ne soit rasé en 1943.

Une vingtaine de kilomètres au nord de Vilnius, a été créé un parc européen des sculptures (Europos Parkas) pour symboliser le centre géographique de l'Europe continentale.

La seconde ville du pays, **Kaunas**, vaut par sa tradition culturelle, l'ancienneté de ses monuments (XIIIe siècle) et ses musées.

La bourgade de **Trakai** possède un château du XIVe siècle transformé en musée et témoin de sa situation d'ancienne capitale des grands-ducs de Lituanie. Le site du château, sur le lac de Galve, vaut le coup d'œil. Voir aussi le site archéologique de **Kernavé**, dont le musée rassemble des pièces du IXe siècle avant J.-C. au XVIIIe siècle.

LA CÔTE

En bordure de la Baltique, les **dunes** agrémentent le paysage et la petite ville côtière de **Palanga** mérite le titre de station balnéaire, plutôt insolite sous ces latitudes. Le mince filet de terre de la presqu'île de **Neringa** lui a valu le surnom de « Sahara lituanien ».

D'autres villes balnéaires (Druskininkai, Neringa, Palanga, Birstonas) mettent en avant leurs établissements de cure.

LES PAYSAGES

Disséminés dans cinq parcs nationaux, les paysages de Lituanie sont les plus divers des trois pays baltes grâce à leurs quatre mille **lacs**, leurs rivières, les **forêts** et le bassin du **Niémen**.

L'écotourisme gagne du terrain, comme la réputation des stations thermales de Druskininkai, Birstonas et Nida Palanga.

LE POUR

◆ Un pays aux atouts touristiques moyens mais variés.

LE CONTRE

◆ Un climat peu engageant.

◆ Une audience touristique qui a du mal à s'étendre.

LE BON MOMENT

Légèrement moins humide et moins frais qu'en Estonie et en Lettonie, le climat lituanien ne laisse néanmoins que la période **juin-septembre** comme moment favorable.

◆ Températures moyennes jour/nuit en °C à *Vilnius*: janvier -4/-9, avril 11/2, juillet 22/12, octobre 10/3.

LE PREMIER CONTACT

En Belgique

Ambassade, rue Maurice-Liétart, 48, B-1150 Bruxelles, ☎ (02) 772.27.50, fax (02) 772.17.01.

Au Canada

Ambassade, 130, rue Albert, Ottawa, ON K1P 5G4, ☎ (613) 567-5458, fax (613) 567-5315, www.lithuanianembassy.ca

En France

Office de tourisme, 72, rue Pierre-Demours, 75017 Paris, ☎ 08.79.36.47.01, fax 01.46.22.53.84.

En Suisse

Section consulaire, Thunstrasse 97A, CH-3006 Berne, ☎ (31) 352.52.90, fax (31) 352.52.92.

Internet

www.infotourlituanie.fr
www.travel.lt/turizmas/content/welcome.jsp
www.inyourpocket.com/lithuania/en/

Guides

Lituanie (Le Petit Futé),

Pays baltes (Gallimard/Bibl. du voyageur, JPM Guides, Lonely Planet France, Michelin/Guide vert, Mondeos), *Pologne et les capitales baltes* (Hachette/Routard), *Vilnius* (Bradt, en anglais).

Sur place, se procurer *Vilnius in your pocket*, bimestriel dans lequel figurent les bonnes adresses de la ville.

Cartes

États baltes (IGN), *Pays baltes* (Michelin).

Lectures

Contes de Lituanie (Seuil, 2005), *Vilna Wilno Vilnius : la Jérusalem de Lituanie* (Henri Minczeles, Léon Poliakov/La Découverte, 2000).

Images

Via Baltica : Sur la route des pays baltes, Estonie, Lettonie, Lituanie (Aleksi Cavaillez, Viktor Vejvoda/ Noir sur blanc, 2007).

QUEL VOYAGE ET À QUEL PRIX ?

Le voyage individuel

Les préparatifs

◆ Pour les ressortissants de l'Union européenne : passeport ou carte nationale d'identité valable encore trois mois après le retour. Pour les Canadiens, passeport nécessaire. La preuve de moyens de subsistance suffisants et de la possession d'une assurance maladie-rapatriement peut être exigée.

◆ Monnaie : le *litas*. 1 EUR = 3,5 litas, 1 US Dollar = 2,5 litas. Emporter des euros ou des US Dollars en espèces ou en chèques de voyage et une carte de crédit (distributeurs).

Le départ

Avion

Comme pour les deux autres pays baltes, l'arrivée des vols à prix réduit, tels ceux d'Air Baltic, est une réalité, mettant le vol Bruxelles-Vilnius A/R à moins de 200 EUR. Toutefois, de Paris (vol non direct), les compagnies régulières avoisinent de plus en plus de tels tarifs.

Bus

Eurolines dessert Kaunas et Vilnius.

Hébergement

La formule *Bed and Breakfast* a gagné les États baltes. Renseignements pour les auberges de jeunesse : www.hihostels.com

Route

Bon réseau intérieur de bus. Limitations de vitesse agglomérations/routes/autoroutes : 50/ 90/110 km/h. Taux maximal d'alcoolémie toléré : 0,5 g/l.

Train

Train de nuit Paris/Gare du Nord-Vilnius (via Cologne et Berlin).

Séjour en individuel

Visit Lithuania (www.tourslithuania.com) et Am Slav, entre autres, élaborent des propositions de **week-end** pour la visite de **Vilnius** et Trakai. Compter aux alentours de *500 EUR* tout compris pour une escapade de 4 jours/3 nuits.

Le voyage accompagné

Rappel : nous nous sommes limités à un résumé des prestations en vigueur dans les agences et chez les voyagistes présents en France. Les lecteurs des autres pays peuvent en tirer des idées d'itinéraire et les compléter auprès de leurs agences de voyages.

◆ Comme sa voisine lettonne, la Lituanie est en train de tirer les bienfaits de son adhésion à l'Union européenne sur le plan touristique. Comme elle également, elle connaît surtout des propositions de voyage qui englobent les trois capitales baltes dans un même voyage, généralement une semaine en juillet et août.

De plus en plus de voyagistes sont présents :Arts et Vie, Arvel, Bennett, Clio, CGTT Voyages, Fram, Go Voyages, Nortours, Nouvelles Frontières, Scanditours, Tourmonde, Transtours, Voyageurs du monde, entre autres. Compter une douzaine de jours et environ *1 000 EUR* pour un tel voyage.

◆ De son côté, Allibert passe par la presqu'île de Neringa, Trakaï et Vilnius lors de son voyage-randonnée de 13 jours dans les trois pays.

LES REPÈRES

◆ Lorsqu'il est midi en France, en Lituanie il est 13 heures; lorsqu'il est midi au Québec, en Lituanie il est 19 heures. ◆ Langue officielle : le lituanien, langue très ancienne qui appartient au groupe baltique et qui voisine avec le polonais et le russe. ◆ Langue étrangère : l'allemand. ◆ Téléphone vers la Lituanie : 00370 + indicatif (Vilnius : 5) + numéro; de la Lituanie : 810 + indicatif pays + numéro.

LA SITUATION

Géographie. Adossée à la mer Baltique, la Lituanie voit se succéder collines, lacs et plaines, l'ensemble atteignant 65 301 km^2.

Population. Quatre habitants sur cinq sont de souche lituanienne, alors que les Russes sont très peu nombreux : à peine 3 % des 3 565 000 habitants. Capitale : Vilnius.

Religion. Forte proportion de catholiques romains. Minorités d'orthodoxes et de luthériens.

Dates. *1240* Fondation du grand-duché de Lituanie. *1392* La Lituanie s'étend de la Baltique à la mer Noire. *1569* Création d'un État polono-lituanien. *1795* L'Empire russe annexe la quasi-totalité de la Lituanie. *1915* Occupation allemande. *1920* Indépendance. *1940* L'URSS envahit et intègre le pays. *1941* Nouvelle occupation allemande. *1944* Reconquête soviétique. *Mars 1990* Indépendance chèrement acquise avec Vytautas Landsbergis. *Novembre 1992* Élections législatives : les anciens communistes reviennent au pouvoir. *Mars 1993* Algirdas Brazauskas, ancien premier secrétaire du Parti communiste lituanien, est élu président. *Mai 1998* Adamkus nouveau président. *Octobre 2000* Législatives : les conservateurs sont battus, une coalition de centre droit s'installe sous l'égide du Premier ministre Rolandas Paksas. *Juin 2001* L'ancien chef communiste et ancien président Brazauskas revient comme Premier ministre. *Janvier 2003* Rolandas Paksas est le nouveau président. *Avril 2004* Paksas est destitué pour violation de la constitution de son pays, Arturas Paulauskas lui succède. *Mai 2004* La Lituanie entre dans l'Union européenne. *Juillet 2004* Valdas Adamkus est élu président. *Octobre 2004* Le parti travailliste du milliardaire d'origine russe Viktor Ouspaskitch en tête des législatives. *Juin 2006* Gediminas Kirkilas devient premier ministre au sein d'une coalition de centre gauche.

Luxembourg

L'audience touristique du Luxembourg est le plus souvent limitée aux pays avoisinants : on peut le regretter, eu égard à l'agrément du site de sa capitale et aux forêts de sapins du cœur vert de l'Europe, joli baptême que le pays doit aux contreforts des Ardennes. L'endroit est si paisible que l'on ne saurait trop le conseiller pendant quelques jours à qui veut chasser ses tourments.

LES RAISONS D'Y ALLER

LES PAYSAGES ET LES RANDONNÉES

Mullerthal (« Petite Suisse » luxembourgeoise)
Parcs nationaux de la Sûre et de l'Our
Vallée de la Moselle

LES VILLES

Luxembourg, Echternach

LES MONUMENTS

Châteaux (Vianden, vallée des Sept Châteaux)

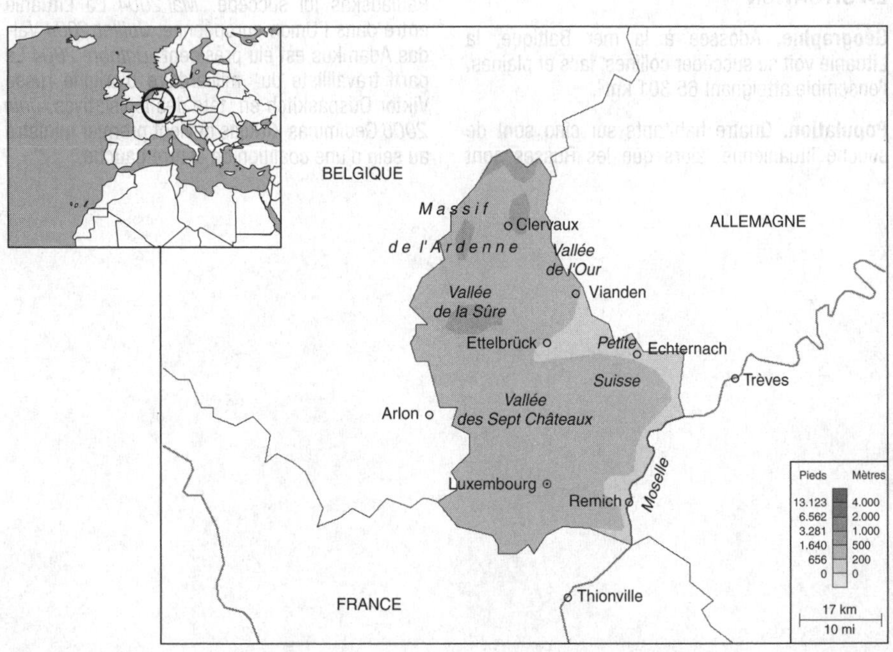

LES RAISONS D'Y ALLER

LES PAYSAGES ET LES RANDONNÉES

La partie nord (Oesling) appartient au massif de l'Ardenne : verte et vallonnée, elle est dominée par la forêt et les falaises de grès du Mullerthal, la « **Petite Suisse** luxembourgeoise », aux alentours d'Echternach.

Les parcs naturels de la **Haute-Sûre** et de l'**Our** (dans ce dernier, nichent de rares cigognes noires) valent également une escapade ardennaise qui combine détente, grand air, aspect sportif (randonnées, pistes cyclables) et gastronomie.

A l'est, la vallée de la **Moselle**, de Remich à Wasserbillig, est agréable à longer en été, via des mini-croisières entre Trèves (Allemagne) et Remich ou des « promenades viticoles ». En outre, le canotage est possible sur la Moselle.

Le pays est très bien pourvu en sentiers de randonnée pédestre et en pistes cyclables.

LES VILLES

Dans la ville de **Luxembourg**, les vestiges de fortifications et les casemates (abris construits par les Autrichiens au XVIIIe siècle) côtoient la profonde vallée de la Pétrusse. L'ensemble donne une allure séduisante à la capitale qui offre aussi, dans des registres divers, le raffinement du palais grand-ducal (visite uniquement possible de la mi-juillet à la fin août), l'habitat de sa vieille ville, l'architecture du pont Adolphe, la cathédrale Notre-Dame, le musée national d'Histoire et d'Art, le musée d'Histoire de la ville et surtout le musée d'Art moderne Grand-Duc Jean, inspiré par l'architecte Pei.

À la lisière de l'Allemagne, la petite ville d'**Echternach** vaut par son site et par son abbaye, fondée au VIIe siècle par l'archevêque saint Willibrord. Tous les ans, le mardi de Pentecôte et depuis le Moyen Âge, une procession dansante dédiée à l'illustre archevêque draine dix mille pèlerins et la grande foule touristique.

LES MONUMENTS

Le pays est parsemé de **châteaux**, dont la plupart sont situés dans la vallée des Sept Châteaux. Certains sont en ruine, d'autres sont dans un bon état de conservation, tel celui de **Vianden**, petite ville qui bénéficie d'un joli site et qui a vu séjourner Victor Hugo lors de son exil (visite possible de la maison, transformée en musée).

LE POUR

◆ Les atouts d'un bon havre de repos.

◆ Les avantages de la détaxe sur certains produits.

LE CONTRE

◆ La difficulté à changer l'image d'un tourisme de proximité.

LE BON MOMENT

Printemps bref, été passable, hiver long : le Luxembourg n'est guère favorisé par le climat. La période **mai-septembre** offre tout de même de très agréables moments.

◆ Températures moyennes jour/nuit (en °C) à *Luxembourg* : janvier 2/-3, avril 12/3, juillet 22/12, octobre 13/6.

LE PREMIER CONTACT

En Belgique

Office du tourisme, avenue de Cortenbergh, 75, B-1000 Bruxelles, ☎ (02) 646.03.70, fax (02) 648.61.00.

Au Canada

Consulat honoraire, 138, rue Villeneuve Ouest, Montréal, H2T 2R5, ☎ (514) 398-6063, fax (514) 398-7148.

En France

Office du tourisme, 28, rue Cambacérès, 75008 Paris, ☎ 01.47.42.90.56, fax 01.40.07.00.43.

En Suisse

Consulat, chemin de la Rochette, 15, CH-1202 Genève, ☎ (22) 919.19.29, fax (22) 919.19.20.

Internet

www.ont.lu
www.visitluxembourg.lu
www.lcto.lu (ville de Luxembourg)

Guides

Belgique, Luxembourg (Michelin/Guide rouge, Michelin/Guide vert), *Luxembourg* (Le Petit Futé),

Circuits auto-pédestres, 201 randonnées sélectionnées au Grand-Duché (Ed. Guy Binsfeld), *40 itinéraires cyclistes* (Ed. Guy Binsfeld).

Cartes

Belgique, Luxembourg (Berlitz, Blay Foldex, Marco Polo, Michelin), *Grand-Duché de Luxembourg* (Michelin).

Lectures

Héritage culturel Vauban à Luxembourg (Editions Saint-Paul), *Histoire du Luxembourg : le destin européen d'un «petit pays»* (sous la dir. de Gilbert Trausch/Privat, 2002).

Images

Luxembourg, Historicisme et identité visuelle d'une capitale (Editions Saint Paul Luxembourg), *Luxembourg, le Grand-Duché* (Rob Kieffer/Ed. Guy Binsfeld), *Luxembourg 180°* (Editions Saint Paul Luxembourg).

QUEL VOYAGE ET À QUEL PRIX ?

Le voyage individuel

Les préparatifs

◆ Carte nationale d'identité ou passeport suffisant pour les ressortissants de l'Union européenne et les Suisses. Pour les ressortissants canadiens, passeport encore valide six mois après le retour.

◆ Monnaie : l'*euro*.

Le départ

Avion

◆ Indice de prix à certaines dates du vol Montréal-Luxembourg : 900 CAD; Paris-Luxembourg A/R : 200 EUR. ◆ Durée moyenne du vol Paris-Luxembourg : 1 heure.

Train

Pass InterRail utilisable. Trajet Paris-Luxembourg (TGV Est): 2 h 05.

Sur place

Hébergement

◆ Le coût de l'hôtellerie est plutôt élevé, mais les gîtes et chambres d'hôte sont nombreux; par ailleurs, il existe un bel éventail de campings et dix auberges de jeunesse. Renseignements auberges de jeunesse : Luxembourg, ☎ (352) 26.27.66.40, www.youthhostels.lu

Route

Limitation de vitesse agglomérations/routes/autoroutes (celles-ci gratuites) : 50/90/130 km/h. Limite du taux d'alcoolémie : 0,5 pour mille. Les prix des carburants sont les plus bas d'Europe.

Train

Les chemins de fer (CFL) avancent des formules intéressantes train + transport du vélo de fin mai à fin septembre.

Le séjour en individuel

Sur place, une *Luxembourg Card*, valable de Pâques à fin octobre, permet, pour un prix modique, d'accéder à plus de cinquante attractions touristiques et aux moyens de transport qui les desservent.

Par ailleurs, la Centrale des auberges de jeunesse (coordonnées ci-dessus) propose des circuits de randonnée pédestre ou en VTT, à des tarifs très intéressants.

Le voyage accompagné

Rappel : nous nous sommes limités à un résumé des prestations en vigueur dans les agences et chez les voyagistes présents en France. Les lecteurs des autres pays peuvent en tirer des idées d'itinéraire et les compléter auprès de leurs agences de voyages.

◆ Les visites concernent surtout la ville de Luxembourg, via une formule train + hôtel. On trouve en agence de voyages des circuits de 2 à 4 jours en bus et en pension complète ou des courts séjours sur les sites touristiques.

LES REPÈRES

◆ Langue officielle : le luxembourgeois *(lëtzebuergesch)*, qui a acquis le statut de langue nationale en 1984. ◆ Langues de communication : l'allemand et le français. ◆ Téléphone vers le Luxembourg : 00352 + numéro; du Luxembourg : 00 + indicatif pays + numéro.

LA SITUATION

Géographie. L'Oesling au nord, région de forêts ardennaises, et le Gutland (« bon pays ») au sud, composent les 2 586 km² du pays.

Population. Avec 43,1 % d'étrangers - dont une large majorité de Portugais - parmi les 483 800 habitants, le Luxembourg est un bel exemple de cosmopolitisme en Europe, la capitale elle-même comprenant autant d'étrangers que de Luxembourgeois.

Religion. Forte obédience catholique (93 %).

Dates. *963* Naissance du comté de Luxembourg. *1354* Le comté devient duché, avant que Philippe le Bon puis l'Autriche ne l'occupent. *1795* La France annexe le Luxembourg. *1815* Au congrès de Vienne, le duché devient grand-duché, lié au roi des Pays-Bas. *1839* Indépendance du grand-duché-. *1867* Neutralité. *1890* La couronne passe aux Nassau. *1919* La grande-duchesse Charlotte donne des institutions démocratiques au pays. *1947* Le Luxembourg membre du Benelux. *1964* La grande-duchesse abdique en faveur de son fils Jean. *1984* Jacques Santer Premier ministre. *Janvier 1995* Jacques Santer prend la présidence de la Commission de l'Union européenne, Jean-Claude Juncker devient Premier ministre. *Juin 1999* Une nouvelle coalition (Parti chrétien-social et Parti démocrate) dirige un pays au niveau de vie toujours aussi élevé. *Septembre 2000* Accession au trône du grand-duc Henri. *Juin 2004* Législatives : une coalition formée des chrétiens-sociaux et des socialistes est au pouvoir, Jean-Claude Juncker reste Premier ministre. *Juillet 2005* Le Luxembourg approuve par référendum le projet de Traité constitutionnel.

Macao

Sous réserve que l'administration chinoise en conserve les particularités dans les temps à venir, Macao continuera de baser son activité touristique sur l'attrait de ses casinos. Mais à la sortie, rien à faire ou presque, sinon arpenter les ruelles pavées ou entrer dans les quelques églises de la ville, histoire de marcher sur les dernières traces de la colonisation portugaise.

LES RAISONS D'Y ALLER

LE JEU

Casinos

LE SITE ET LES MONUMENTS

Jonques (Praia Grande), maisons anciennes chinoises et portugaises (îlots de Coloane et Taipa), églises baroques, temples chinois, forteresses (Monte, Guia, Leal Senado)

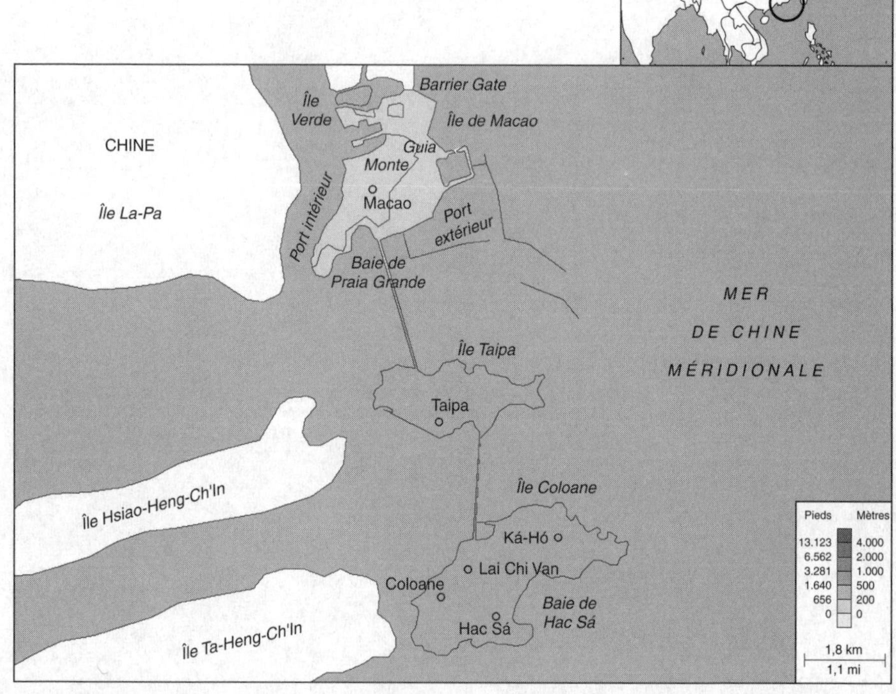

LES RAISONS D'Y ALLER

LE JEU

La ville tire de sa dizaine de **casinos**, dont la plupart sont flottants et ouverts vingt-quatre heures sur vingt-quatre, une bonne moitié de ses ressources globales.

Pour beaucoup de visiteurs, les casinos, pourtant largement inférieurs en nombre et en extravagance à ceux de Las Vegas, sont la seule vraie raison de visiter Macao, d'autant qu'ils sont interdits à Hong Kong et s'alignent peu à peu sur ceux de leur prestigieuse homologue du Nevada, témoin le projet baptisé Cotai qui verra éclore une dizaine d'établissements entre Coloane et Taipa.

LE SITE ET LES MONUMENTS

Les constructions modernes font de plus en plus de Macao un deuxième Hong Kong et l'ancien comptoir portugais a du mal à rappeler son passé. Le spectacle des **jonques** dans la baie de Praia Grande, les **maisons** anciennes chinoises et portugaises couleur pastel sur les îlots de Coloane et de Taipa constituent néanmoins un agréable dérivatif, comme la visite d'une fumerie d'opium d'antan.

On trouve également des **églises baroques** (São Domingo et São Paulo, dont il ne reste que l'étonnante façade à la suite d'un incendie), des **temples** chinois (Kun Yan) ou bouddhistes (temple A-Ma, en partie du XVIe siècle), et des témoignages de la présence portugaise (forteresses du **Monte**, de **Guia** et surtout **Leal Senado**). Une curiosité : la restauration de l'hôtel Bela Vista, le palace le plus vénérable de l'endroit.

LE POUR

◆ Le jeu, ou le simple spectacle du jeu, dans l'un des endroits du monde les plus célèbres en la matière.

LE CONTRE

◆ Les limites du tourisme, trop souvent réduit aux casinos.

LE BON MOMENT

Le climat subtropical charge la ville d'humidité entre juin et septembre, doublée d'un risque de typhons. **Octobre à décembre** reste le moment le plus favorable, janvier-mars est acceptable.

◆ Températures moyennes jour/nuit (en °C) : janvier 18/12, avril 25/20, juillet 32/26, octobre 27/22.

LE PREMIER CONTACT

Au Canada

Macau Tourist Information Bureau, Toronto, ☎ (416) 466-6552. Consulat de Chine, Ottawa, ☎ (613) 789-9608.

En France

Bureau de représentation de l'office du tourisme de Macao, 38, rue Anatole-France, F-92594 Levallois-Perret, ☎ 01.41.34.21.03, fax 01.41.34.20.72, info@macautourisme.com

Internet

www.macautourism.gov.mo/

Guides

Chine (Lonely Planet), *Hong Kong and Macau* (Lonely Planet), *Hong Kong, Canton, Macao* (Le Petit Futé).

Lectures

Eclats d'empire : du Brésil à Macao (Maisonneuve et Larose, 2003), *les Hallucinations d'Ao Ge* (Liao Zixin/Bleu de Chine, 2003), *Macao blues* (Barry Eisler/Belfon, 2006), *Macao, enfer du jeu* (Maurice Dekobra/Zulma, 2007).

DVD

Macao, l'envers du jeu (M. Mopty/L'Harmattan), *Macao*, film avec Jane Russel et Robert Mitchum (Editions Montparnasse).

QUEL VOYAGE ET À QUEL PRIX ?

Le voyage individuel

Les préparatifs

Pour les ressortissants de l'Union européenne, canadiens, suisses : passeport suffisant, valable plus d'un mois après la date d'entrée. Billet de retour et fonds suffisants exigibles. Pour qui veut se rendre en Chine continentale à partir de Macao, le visa chinois est obligatoire.

◆ Aucune vaccination n'est exigée.

◆ Monnaie : la *pataca*. 1 US Dollar = 8,2 patacas, 1 EUR = 11,4 patacas. Emporter des euros ou des dollars US et une carte de crédit (distributeurs).

Le départ

Avion

Bien que Macao ait son aéroport international, l'arrivée est préférable par Hong Kong (voir ce mot). Durée moyenne du vol Paris-Hong Kong (9 982 km) : 12 heures.

Bateau

45 minutes de ferry conduisent de Hong Kong à Macao, qui est également relié à Taiwan par bateau une fois par semaine.

Sur place

Hébergement

Hôtels et pousadas plutôt chers, souvent pourvus de leur propre casino.

Route

Circulation à gauche. Bon réseau de transports en commun.

Le voyage accompagné

◆ Dans presque tous les cas, les voyagistes qui, au début ou à la fin de circuits consacrés à la Chine, programment Hong Kong, incluent Macao, dont on fait le tour en une demi-journée, sinon une demi-nuit dans les salles de jeux. Exemples: Asia, Directours, Voyageurs du monde.

LES REPÈRES

◆ Lorsqu'il est midi en France, à Macao il est 18 heures en été et 19 heures en hiver. ◆ Langues : le portugais, très peu parlé; le cantonais occupe l'essentiel des conversations. ◆ Langue étrangère : l'anglais. ◆ Téléphone vers Macao : 00853 + numéro.

LA SITUATION

Géographie. Macao est formé de deux îles (Taipa et Coloane) et de la ville même. L'endroit, qui couvre 28 kilomètres carrés, est à 60 km à l'ouest de Hong Kong, dont il est séparé par l'estuaire du Si-Kiang.

Population. 548 000 habitants représentent un chiffre élevé par rapport à la superficie. Les Chinois sont très largement majoritaires. On dénombre environ 15 000 Macanais (métis sino-portugais) et 7 000 Portugais.

Religion. Le bouddhisme prédomine (45 %). Les catholiques représentent 6 % de la population. Un habitant sur deux ne se réclame d'aucune obédience.

Dates. *1557* Arrivée des Portugais, qui font de Macao un comptoir. *1849* Indépendance à l'égard de la Chine. *1976* Le Portugal accorde à Macao l'autonomie interne. *1987* Un accord prévoit le retour de Macao à la Chine le 31 décembre 1999, avec garantie par celle-ci de préserver le système économique actuel. *1991* Vasco Rocha Vieira est nommé gouverneur. *Décembre 1999* Retour effectif de Macao à la Chine, Edmund Ho Hau-wah devient gouverneur.

Macédoine

(Ancienne République yougoslave de)

Portée par mégarde vers l'indépendance puis soumise à une tension politique à la suite de la guerre au Kosovo, la Macédoine fait figure de terre oubliée. Les décideurs du tourisme ne la considéraient pas comme une attraction majeure avant les conflits et continueront de la traiter avec discrétion. Elle offre néanmoins d'intéressants témoignages de l'art byzantin, tapis dans les villes mais aussi dans les villages de montagne.

LES RAISONS D'Y ALLER

LES VILLES ET LES MONUMENTS

Ohrid, Bitola, Tetovo, Prilep, Skopje, Stobi
Art byzantin : églises (Nerezi), monastères
Mosquées

LES PAYSAGES

Parc national de Pelister
Lacs (Ohrid, Prespa, Dojran)
Montagnes (ski), stations thermales

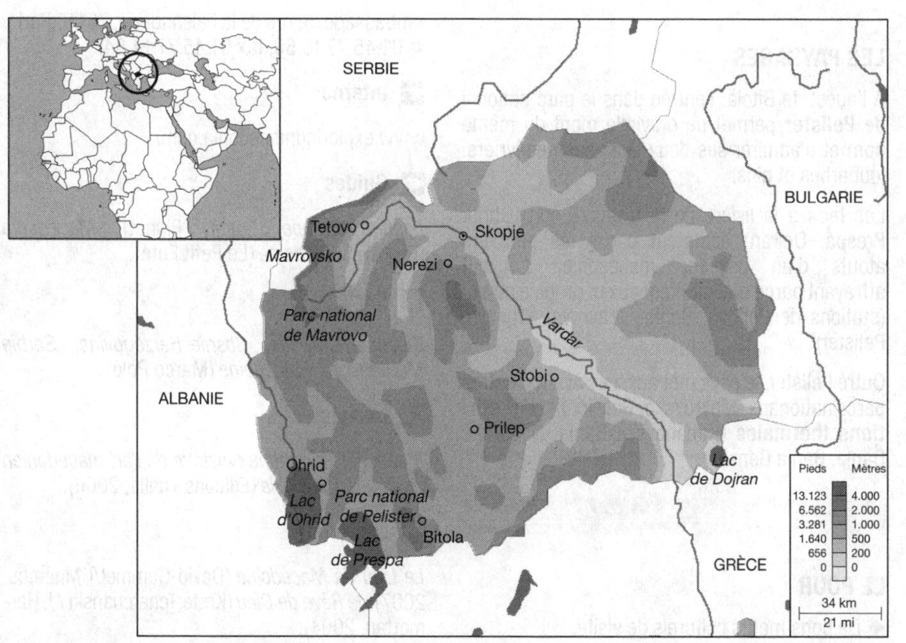

LES RAISONS D'Y ALLER

LES VILLES ET LES MONUMENTS

La petite ville d'**Ohrid** est riche de plusieurs monuments religieux byzantins (cathédrale Sainte-Sophie, églises Saint-Clément et Saint-Jean de Kaneo) dont les fresques sont réputées. Ohrid conserve également des vestiges romains et une forteresse.

Les églises orthodoxes, surtout, à **Nerezi**, celle de Sveti Pantelejmon (fresques du XIIe siècle), et les mosquées de **Bitola**, **Tetovo** et **Prilep** méritent d'être vues. La capitale **Skopje** a perdu une partie de son patrimoine architectural oriental lors du tremblement de terre de 1963 mais offre l'intérêt de ses musées (icônes) et de ses églises (icônes sur bois sculpté de l'église du Salut).

Les **mosquées** ottomanes mais surtout les **monastères byzantins** complètent la valeur architecturale des villes et des villages (le monastère de Treskavec, près de Prilep, renferme des peintures murales). Le site archéologique de **Stobi**, ville de la Macédoine hellénistique abandonnée au XIVe siècle, comprend des églises édifiées entre le IVe et le VIe siècle et laisse apparaître les vestiges d'une synagogue et d'anciens remparts.

LES PAYSAGES

A l'ouest de Bitola, l'entrée dans le parc national de **Pelister** permet de gravir le mont du même nom et d'admirer ses deux lacs, ses genévriers, joubarbes et pins.

Les **lacs** à la lisière de la frontière sud (Ohrid, Prespa, Dojran) comptent parmi les premiers atouts d'un paysage macédonien souvent attrayant parce que montagneux et propice au **ski** (stations de Popova, Sapka, Mavrovo, Krusevo, Pelister).

Outre Pelister, le pays met aussi en avant d'autres parcs nationaux (Mavrovsko, Galicica) et des **stations thermales** (Katlanovska Banja, Negorska Banja, Banja Bansko).

LE POUR

◆ De bons motifs culturels de visite.

◆ Une situation politique stabilisée.

LE CONTRE

◆ Un tourisme qui ne décolle pas dans un pays quasiment absent chez les voyagistes.

LE BON MOMENT

Le caractère continental du climat entraîne, certes, des températures froides en raison de la présence des montagnes, mais celles-ci retiennent en été une assez forte chaleur. Aussi, **mai-septembre** est-elle la saison privilégiée.

◆ Températures moyennes jour/nuit (en °C) à *Skopje* : janvier 4/-4, avril 19/5, juillet 30/15, octobre 20/6.

LE PREMIER CONTACT

En Belgique

Ambassade, avenue Louise, 209 A, B-1050 Bruxelles, ☎ (02) 732.01.98, fax 732.91.11.

En France

Ambassade, 5, rue de la Faisanderie, 75116 Paris, ☎ 01.45.77.10.50, fax 01.45.77.14.84.

Internet

www.exploringmacedonia.com/

Guides

Eastern Europe (Lonely Planet), *Macedonia* (Bradt), *Macédoine* (Le Petit Futé).

Carte

Slovénie, Croatie, Bosnie-Herzégovine, Serbie Monténégro, Macédoine (Marco Polo).

Images

Macédoine byzantine : histoire de l'art macédonien du IXe au XIVe siècle (Editions Thalia, 2006).

Lectures

Le Lion de Macédoine (David Gemmel/I Mnémos, 2007), *le Rêve de Dieu* (Krsté Tchatchanski / L'Harmattan, 2004).

QUEL VOYAGE ET À QUEL PRIX ?

Le voyage individuel

Les préparatifs

◆ Pour les ressortissants de l'Union européenne, canadiens, suisses : passeport suffisant, valable encore six mois après le retour.

◆ Monnaie : le *denar.* 1 EUR = 61 denars, 1 US Dollar = 44 denars. Emporter des euros en espèces ou en chèques de voyage et une carte de crédit (distributeurs à Skopje).

Le départ

Indice de prix à certaines dates du vol Paris-Skopje A/R (escale à Prague ou Zurich) : 260 EUR. Durée moyenne du vol : 4 h 30.

Sur place

Hébergement

Structures peu nombreuses. Il existe des chambres d'hôte, des campings et auberges de jeunesse. Renseignements : Skopje, ☎ (389) 91-114849, fax (389) 91-235029.

Route

Réseau routier correct, plus délicat en montagne. Limitations de vitesse agglomération/route/autoroute : 60/80/120. Limite du taux d'alcoolémie : 0,5 pour mille.

Train

Pass InterRail utilisable. Bon réseau ferré.

QUE RAPPORTER ?

Broderies faites main, poteries, gravures sur bois, icônes.

LES REPÈRES

◆ Pas de décalage horaire. ◆ Langues officielles : le macédonien, proche du bulgare, et l'albanais, parlé par un quart des habitants. ◆ Langues étrangères : comme dans les autres pays de l'ex-Yougoslavie, l'allemand est la langue de contact.

◆ Téléphone vers la Macédoine : 00389 + indicatif (Skopje : 2) + numéro.

LA SITUATION

Géographie. La vallée fertile du Vardar coupe en deux ce pays de moyenne montagne, dont les sommets avoisinent ou dépassent 2 000 m. La Macédoine couvre 25 713 km^2.

Population. Issue de la répartition de la région de Macédoine entre trois pays (Bulgarie, Grèce, ex-Yougoslavie), l'ex-République yougoslave de Macédoine compte 2 061 000 habitants, dont une importante minorité albanaise (23 %) au nord-ouest. Autres minorités : Roms, Serbes, Turcs, Valaques. Capitale : Skopje (500 000 habitants).

Religion. Majorité de slaves chrétiens, minorité de musulmans albanais.

Dates. *1913* À la suite des guerres balkaniques, la région historique de Macédoine est partagée entre la Bulgarie, la Grèce et la Yougoslavie. *1941* La partie yougoslave de la Macédoine est annexée par la Bulgarie, qui devra la restituer six ans plus tard. *1947* La Macédoine yougoslave devient l'une des six républiques de la République fédérative de Yougoslavie. *1991* Début des troubles dans l'ex-Yougoslavie. *Septembre 1991* La république de Macédoine proclame son indépendance, mais la Grèce conteste son nom. *Avril 1993* L'ONU reconnaît le pays, désormais dénommé Fyrom (Former Yugoslavian Republic of Macedonia) sur le plan international. *Octobre 1994* Kiro Gligorov, très populaire pour avoir su éviter le chaos au nouveau pays, est élu président. *Octobre 1995* Gligorov grièvement blessé lors d'un attentat. *Avril 1999* La guerre du Kosovo provoque l'arrivée massive d'environ 150 000 Kosovars albanais. *Novembre 1999* Tito Petkovski (Union sociale-démocrate) est élu. *Mars 2001* Début des heurts dans le nord-ouest entre la fraction macédonienne de l'UCK et l'armée. *Août 2001* Signature d'un accord de paix à Ohrid. *Septembre 2002* Victoire de l'Union sociale-démocrate (ex-communistes) de Crvenkovski aux législatives. *Février 2004* Le président Trajkovski décède dans un accident d'avion, Ljupco Jordanovski devient président par intérim. *Décembre 2005* La Macédoine obtient le statut de pays candidat à l'Union européenne. *Juillet 2006* Gruevski prend la tête d'un gouvernement avide de relancer l'économie. *Mai 2008* Les conservateurs remportent les législatives dans un climat tendu.

Madagascar

S'il n'y avait qu'une seule raison de visiter la « Grande Île », ce serait la rencontre des lémuriens, mammifères primates aujourd'hui chouchoutés à temps parce que menacés de disparition. Mais il y a bien plus : des possibilités de trekkings au cœur de paysages parmi les plus beaux d'Afrique, un tourisme vert en devenir et le farniente dans des paradis balnéaires comme l'île de Nosy Be et la baie de Diego Suarez. Décider de partir à « Mada » signifie éviter le tourisme de masse, mais pour combien de temps ?

LES RAISONS D'Y ALLER

LES PAYSAGES ET LES RANDONNÉES

Hauts plateaux, lacs de cratère (Tritriva), grottes (Andrafiabe), tsingys (Ankarana, Bemahara), massifs ruiniformes (Isalo)

LA FAUNE ET LA FLORE

Lémuriens, tortues, lézards, caméléons et papillons géants, crocodiles
Orchidées noires, népenthès, ylangs-ylangs, eucalyptus, arbres du voyageur, baobabs

LES CÔTES

Océan Indien : plages et plongée (Nosy Be, Toleara, Nosy Boraha, baie de Diego Suarez)

LES VILLES

Antananarivo, Diego Suarez, Antsirabé, Fianarantsoa

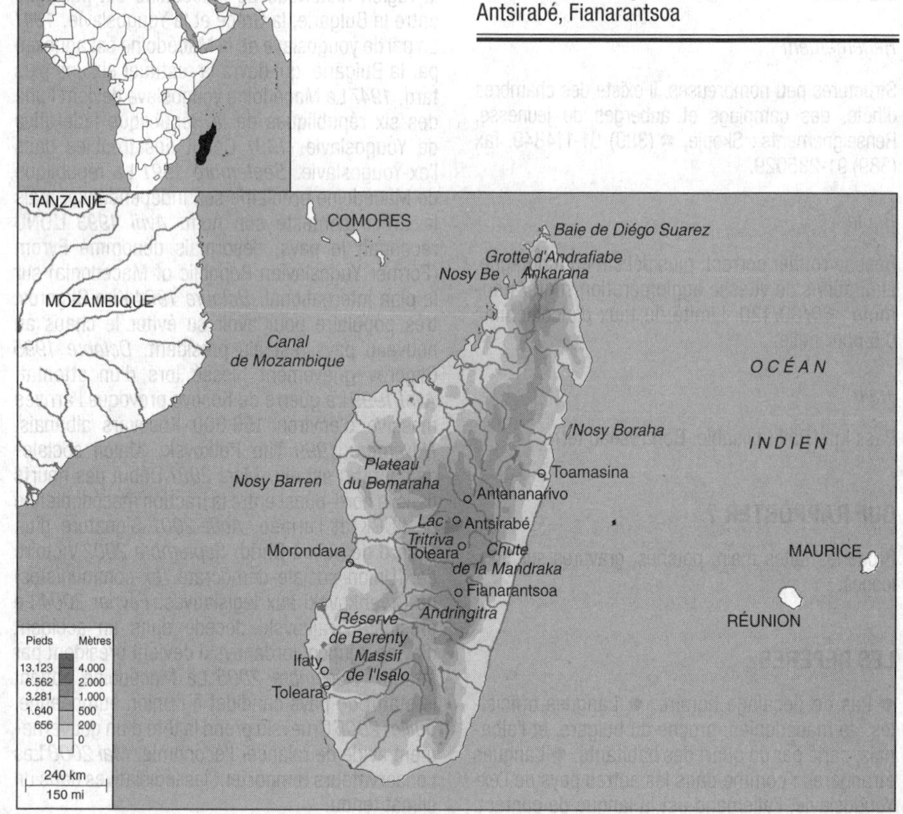

LES RAISONS D'Y ALLER

LES PAYSAGES ET LES RANDONNÉES

L'inventaire des atouts malgaches est l'un des plus inhabituels que l'on puisse imaginer car la nature s'est déployée sans apport extérieur, ce qui, par exemple, explique que quatre plantes sur cinq soient endogènes.

Au nord, le parc national de la montagne d'Ambre offre des fougères arborescentes et des plantes épiphytes. Dans cette région, on découvre également la grotte d'Andrafiabe, la plus spectaculaire du pays. Non loin de là, l'Ankarana est une muraille calcaire de 25 km de long. Là comme à l'ouest sur le plateau de Bemahara, des rochers d'origine karstique acérés, les **tsingys**, font le prix de la visite. Ailleurs on trouve des **lacs de cratère**, comme Tritriva.

Les **hauts plateaux** avec leurs rizières en escaliers et leurs collines rougies par la latérite, les massifs ruiniformes et les pitons dans le parc de **l'Isalo** sont de grands atouts du centre de l'île et constituent autant de raisons de se lancer dans des **randonnées** de plus en plus programmées par les voyagistes.

Un aperçu à la fois de l'agrément des paysages et des mœurs locales est donné tout au long du parcours de la Nationale 7 qui va d'Antananarivo à Ifaty (un millier de kilomètres), ou par le voyage en train entre Antananarivo et Toamasina (ex-Tamatave). En chemin, il faut s'arrêter le long de l'escarpement de l'Angavo pour découvrir la plus belle **chute** d'eau du pays, celle de la Mandraka.

LA FAUNE ET LA FLORE

Une faune inhabituelle et une flore riche constituent les raisons essentielles d'un voyage à Madagascar. Longtemps isolée, l'île a préservé les espèces : on en dénombre des milliers, dont certaines comptent parmi les plus anciennes de la Terre.

Les **lémuriens** (indri, aye-aye, maki) sont ici dans un de leurs rares milieux naturels encore présents dans le monde. Le touriste en voit certains représentants dans le massif de l'Ankarana, au nord, dans celui de l'Isalo, au sud-ouest, et dans des réserves comme celle de Berenty, qui abrite aussi des **tortues** et des **lézards géants**. Dans le registre imposant, les **caméléons** (entre autres dans l'Ankarana) et les **papillons** ne sont pas en reste. Toutefois, la dégradation des forêts fait craindre le pire pour l'avenir de certaines espèces.

L'isolement de Madagascar a également favorisé l'épanouissement d'une flore riche d'au moins 9 000 espèces. L'**orchidée noire**, le **népenthès** (plante carnivore), l'**ylang-ylang** (fleur odoriférante dont on tire des parfums), les forêts d'**eucalyptus** et l'**arbre du voyageur**, symbole de l'île, sont les espèces les plus intéressantes. Dans la région de Morondava, se trouve une concentration de **baobabs** semblables à de grands cierges de plus de trente mètres de hauteur.

LES CÔTES

Tout au nord, la côte offre un panorama que certains n'hésitent pas à comparer à celui de Rio de Janeiro : la **baie de Diego Suarez**. Sur des kilomètres, s'étendent des îlots sans âme qui vive et une succession de petites échancrures (Sakalava, Danas) qui découpent la côte en autant d'abris de rêve. La pêche sportive y est recommandée entre novembre et mars.

En partant vers l'ouest, les îles de l'archipel de **Nosy Be**, parsemées de flamboyants, de cacaotiers et d'ylangs-ylangs, sont considérées comme le Tahiti de l'océan Indien, avec des **plages** et des lagons favorables à la **plongée** et à l'observation des espèces (barracudas, mérous, raies mantas, requins-baleines). Non loin de Nosy Be, Nosy Komba abrite une réserve de lémuriens et Nosy Tanikely une réserve coralienne, tandis que les îles Mitsio font valoir les traditions et villages des pêcheurs.

Plaisirs balnéaires et plongée sont également au rendez-vous à **Nosy Boraha** (ex-Sainte-Marie), sur une côte est qui voit passer les baleines à bosse en juillet, août et septembre.

De l'autre côté de l'île, à **Toleara** (ex-Tuléar) et sa voisine Ifaty, on goûte à un calme plus évident que dans les stations du nord, tout en conservant l'agrément des plages et de la plongée le long d'une imposante barrière de corail.

LES VILLES

Antananarivo (ex-Tananarive), bâtie sur une colline, est faite de jolies maisons aux toits de tuile. Le quartier Analekely, les peintures murales du palais d'Argent, le parc zoologique (pour un bon résumé de la faune et de la flore de l'île) et surtout, dans la ville basse, le grand marché *(Zoma)*, foisonnant d'artisanat, de gris-gris et de couleurs, sont ses principaux atouts.

D'autres villes méritent le détour : **Diego Suarez** (aujourd'hui Antsiranana) non seulement pour les atouts balnéaires précités mais aussi pour son cosmopolitisme, son architecture et son atmosphère « postcoloniale »; **Antsirabé**, pour sa qualité de station thermale à l'architecture coloniale elle aussi prononcée (hôtel des Thermes); **Fianarantsoa**, pour sa situation sur les hauts plateaux et, comme à Antananarivo, pour le contraste entre ville haute et ville basse.

LE POUR

◆ L'importance de la faune et de la flore : si l'on doit voir encore des espèces uniques ou rares, Madagascar se situe dans les tout premiers endroits du genre.

◆ Un voyage qui a de plus en plus d'audience, tant balnéaire qu'écotouristique, tout en restant à l'abri du tourisme de masse.

◆ Le français comme langue de communication.

LE CONTRE

◆ Un confort souvent rudimentaire à l'intérieur des terres, y compris dans le cadre des circuits organisés.

◆ Un voyage dont le coût reste élevé.

LE BON MOMENT

Bien que le climat tropical s'articule sur l'alternance classique d'une saison des pluies (novembre-avril) et d'une saison sèche **(mai-octobre)**, rien n'est jamais pareil selon les endroits.

La côte est, très arrosée et généralement moins bien lotie que la côte ouest, ne connaît de répit qu'en septembre et octobre. La côte nord-ouest et l'île de Nosy Be connaissent une période mai-octobre favorable et une saison des pluies de décembre à mars. Dans les montagnes, il peut faire frais, voire froid entre juin et octobre.

◆ Températures moyennes jour/nuit (en °C) *Antananarivo :* janvier 28/17, avril 25/15, juillet 20/10, octobre 25/13; *Nosy Be* (côte nord-ouest) : janvier 31/23, avril 31/22, juillet 29/17, octobre 32/20; *Toleara* (côte sud) : janvier 32/23, avril 31/20, juillet 27/14, octobre 29/19. Température moyenne de l'océan Indien : 25°.

LE PREMIER CONTACT

En Belgique

Ambassade, avenue de Tervuren, 276, B-1150 Bruxelles, ☎ (02) 770.17.26, fax (02) 772.37.31.

Au Canada

Ambassade, 200, rue Catherine, Ottawa, ON, K2P 2K9, ☎ (613) 567-0505, fax (613) 567-2882, www.madagascar-embassy.ca/

En France

◆ Bureau touristique de l'ambassade, 4, avenue Raphaël, 75116 Paris, ☎ 01.45.04.62.11. Interface Tourism, ☎ 01.53.25.11.11.

En Suisse

Chancellerie, avenue de Riant Parc, 32, CH-1209 Genève, ◆ (22) 740.16.50, (22) 740.16.16, www.madagascar-diplomatie.ch

Internet

www.madagascar-tourisme.com/
www.madagascar-guide.com/

Guides

Madagascar (Gallimard/Encycl. du voyage, Hachette/Evasion, Hachette/Routard, Jaguar, Le Petit Futé, Lonely Planet France, Marcus, Mondeos, Olizane), *Madagascar Wildlife* (Bradt).

Cartes

Madagascar (Cartographia, IGN, ITM).

Lectures

L'arbre anthropophage (Raharimanana/Gallimard, 2004), *Au fil de la sente : récits du nord de Madagascar* (Cyprienne Toazara/L'Harmattan, 2007), *Chroniques de Madagascar* (Sépia, 2006), *Population et développement dans les Hautes Terres de Madagascar* (Frédéric Sandron/L'Harmattan, 2007), *Rade Terminus* (Nicolas Fargues/Gallimard, 2006). Lire également le poète Jacques Rabemananjara.

Images

Madagascar : chronique du Capricorne (Merlin/Albin Michel, 2007), *Madagascar* (Victor Rhandrianary/ Actes Sud, 2001), *Madagascar, ma terre oubliée* (Frank Giroud/ Glénat, 2001).

DVD

Angano Angano – Nouvelles de Madagascar (Marie-Clémence Paes/Laterit Productions, 2007), *Madagascar* (Antoine de Maximy/Media 9, 2008).

QUEL VOYAGE ET À QUEL PRIX ?

Le voyage individuel

Les préparatifs

◆ Pour les ressortissants de l'Union européenne, canadiens, suisses : passeport valable encore six mois après le retour, visa obligatoire, obtenu auprès du consulat, adresse ci-dessus. Possibilité d'obtenir le visa à l'arrivée, bien se renseigner avant le départ. Billet de retour ou de continuation exigible.

◆ Aucune vaccination n'est exigée. Prévention indispensable contre le paludisme, particulièrement dans les régions côtières.

◆ Monnaie : l'ariary, monnaie ancienne, a fait son retour en supplantant le franc malgache. 1 EUR = 2 580 ariarys, 1 US Dollar = 1 870 ariarys. Emporter des euros ou des dollars US en espèces ou en chèques de voyage et une carte de crédit (peu de distributeurs de billets). Banques rares en dehors des villes importantes.

Le départ

Avion

Indice de prix à certaines dates du vol Paris-Antananarivo A/R : 850 EUR. Durée moyenne du vol Paris-Antananarivo (8 748 km) : 13 heures. Arrivée possible à Nosy Be via la Réunion ou Mayotte.

Sur place

Hébergement

L'infrastructure hôtelière est peu étendue, si bien que se loger revient plutôt cher. Le logement chez l'habitant est toutefois possible (voir Tourisme chez l'habitant) et original. Par ailleurs, les lodges sont nombreux et le logement de charme se développe, de même que les « îles-hôtels » dans les alentours de Nosy Be.

Route

◆ Circulation difficile, routes goudronnées rares et en mauvais état. ◆ La location de voiture individuelle n'est pas répandue : mieux vaut rechercher un tout-terrain avec chauffeur-guide pour des circuits en individuel que proposent de plus en plus les voyagistes, aux alentours de *1 300 EUR* la semaine (Austral Lagons, Comptoir d'Afrique, STI Voyages, Terre malgache). Parfois, il s'agit d'autotours (Nouvelles Frontières). ◆ Les taxis-brousse et le tout-terrain sont les modes de transport les plus courants.

Train

Une ligne pittoresque (« le Petit Train du café ») relie Fianarantsoa à Manakara, sur la côte est. Aussi pittoresque est le train sur pneus de la ligne Antananarivo-Toamasina.

Le séjour balnéaire

◆ Nosy Be, Nosy Boraha et Diégo-Suarez sont, dans cet ordre, les sites **balnéaires** les plus structurés et les plus fréquentés, parfois pour une semaine exclusive d'océan (Austral Lagons, Comptoir d'Afrique, Fram, STI, Terre malgache, TUI).

Le voyage accompagné

Rappel : nous nous sommes limités à un résumé des prestations en vigueur dans les agences et chez les voyagistes présents en France. Les lecteurs des autres pays peuvent en tirer des idées d'itinéraire et les compléter auprès de leurs agences de voyages.

Les circuits couvrent tous les coins de l'île pour 10 à 15 jours. La plupart du temps, ils s'effectuent en minibus et en 4 x 4.

◆ L'itinéraire le plus souvent proposé part d'Antananarivo et se termine à Toleara après avoir traversé les hauts **plateaux**, la réserve de Berenty et le massif de l'Isalo. Pour ce type de voyage, l'alternance de mini-randonnées – à la découverte de la faune, de la flore et des tsingys – et de moments de plage n'est pas rare. Exemples : Adeo, Best Tours, Chemins de sable, Clio, Continents insolites, Comptoir d'Afrique, Donatello, Jet tours, Nouvelles Frontières, Objectif Nature, Orients, STI Voyages, Tamera, Terre malgache, TUI, Vie sauvage, Voyageurs du monde.

◆ Le relief s'y prête, aussi les spécialistes de la **randonnée** ne se font-ils pas prier. On les rencontre surtout dans les massifs de l'Ankarana ou de l'Isalo, qu'ils arpentent entre avril et novembre lors de séjours de 15 à 22 jours, dont un tiers environ consacré à la marche. Exemples : Allibert, Atalante, La Balaguère, Club Aventure, Explorator, Tamera, Terres d'aventure.

◆ Les **plongeurs** ont leur paradis : Nosy Be et les îles alentour. Ultramarina est présent pour des séjours entre avril et octobre autour des îles Mitsio. Autres propositions : Aquarev, Croisières australes, Nouvelles Frontières (croisières-plongées).

◆ Nosy Be est également une étape de **croisières** (African Safari Club) parties du Kenya avec escales à Zanzibar (Tanzanie) et Mayotte (Comores). D'autres croisières se déroulent en catamaran (Ultramarina, autour des îles Mitsio et de Nosy Iranja). Une croisière de Costa Croisières part de la Réunion via Maurice, Madagascar, les Seychelles, le Kenya.

◆ **Tourisme solidaire** : Tany Mena Tours (www.tanymenatours.com) propose de découvrir la culture malgache à travers des excursions à thème (aromathérapie, forêt pluviale, sites sacrés, etc.) De son côté, Tamadi (tél. 33.951.94.57.94, www.tamadi.org) propose de découvrir le monde rural en petits groupes.

◆ S'il est vrai que, hors saison, l'on peut dénicher des tarifs vol + hébergement aux alentours de *2 000 EUR* la quinzaine, le plus souvent on doit compter, en saison favorable et avec des prestations plus larges, environ *2 500 EUR* pour 15 jours en demi-pension selon les voyagistes, y compris pour les programmes de randonnée.

QUE RAPPORTER ?

Les objets en bois (sculptures), les broderies et les épices sont les achats les plus tentants. Original : les jouets en matériaux de bric et de broc sur le marché d'Antananarivo.

LES REPÈRES

◆ Lorsqu'il est midi en France, à Madagascar il est 13 heures en été et 14 heures en hiver. ◆ Langue officielle : le malgache, qui appartient au groupe indonésien. ◆ Langue de communication : le français. ◆ Téléphone vers Madagascar : 00261 + indicatif (Antananarivo : 2) + numéro; de Madagascar : 00 + indicatif pays + numéro. Bonnes connexions pour les portables.

LA SITUATION

Géographie. Le relief de Madagascar est d'une grande diversité : à l'ouest, des plateaux et des collines où dominent la savane et la brousse; au centre, des hauts plateaux parfois volcaniques; à l'ouest, une étroite plaine côtière chaude et humide. Madagascar est la quatrième île du monde en superficie (587 041 km^2) et justifie ainsi son baptême de « Grande Île ». Son autre nom, « Île rouge », est dû à la couleur de la latérite. Deux îlots (Nosy Be et Nosy Boraha, ex-Sainte-Marie) appartiennent au pays et sont situés à 400 km environ des côtes mozambicaines.

Population. 20 043 000 habitants, d'origine à la fois malaisienne et africaine, et répartis en une mosaïque d'ethnies. La démographie croît à un rythme soutenu. Capitale : Antananarivo (ex-Tananarive).

Religion. Près d'un habitant sur deux est animiste. Catholiques (26 %), protestants (23 %) et musulmans (2 %) composent les autres croyances.

Dates. *1500* Arrivée des Portugais qui, comme les Français un siècle et demi plus tard, ne resteront pas. *1787* Le royaume Imerina unifie l'île. *1817* Radama Ier est roi. *1883* Début du protectorat français. *1896* Annexion par la France, Gallieni gouverneur. *1946* L'île devient un T.O.M. *1947* Insurrection nationaliste, sévèrement réprimée. *1958* Indépendance : Madagascar devient la République malgache. *1975* Arrivée au pouvoir du capitaine Ratsiraka, d'obédience marxiste. *1982* Réelection de Ratsiraka. *1989* Réélu pour la troisième fois, Ratsiraka amorce une démocratisation. *Février 1993* Albert Zafy est élu président au détriment de Ratsiraka. *Février 1997* Ratsiraka retrouve le pouvoir. *Mai 1998* La coalition gouvernementale remporte de justesse les législatives. *Avril 2000* Un cyclone frappe le nord-est de l'île. *Décembre 2001* Très sérieux remous après le premier tour de l'élection présidentielle, qui vont affaiblir l'île pendant des mois. *Avril 2002* Marc Ravalomanana devient officiellement président, Jacques Sylla est Premier ministre. *Décembre 2006* Ravalomanana est réélu. *Février 2008* Le cyclone Ivan balaie la côte est. *Février 2009* Vives tensions entre le président et le maire de la capitale, près de trente victimes.

Malaisie

Entre la Thaïlande vouée au grand tourisme et Singapour la commerçante, la Malaisie offre une image paisible de l'Asie du Sud-Est. Le pays est coupé en deux, tant sur les plans géographique et administratif que touristique. Alors que la partie ouest (Malaisie occidentale dans le prolongement de la Thaïlande) propose un aspect classique, la partie est (Malaisie orientale au nord de l'île de Bornéo) distille un parfum d'aventure, préservant une couleur « amazonienne » de forêts tropicales denses et humides, où les randonnées, organisées ou non, creusent peu à peu leur sillon.

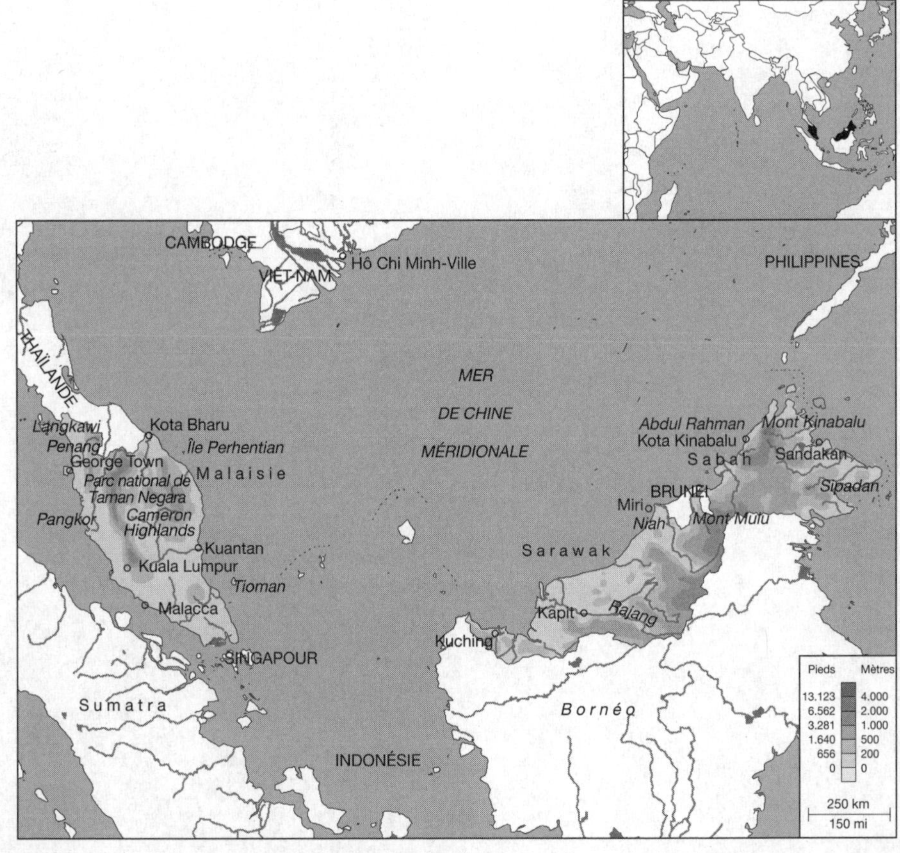

LES RAISONS D'Y ALLER

MALAISIE OCCIDENTALE

LES PAYSAGES

Forêt primaire (huit mille espèces),
montagnes (Cameron Highlands)

LES MONUMENTS

Vestiges de la colonisation portugaise (Malacca),
mosquées, palais, pagodes (Kuala Lumpur,
Malacca, Penang, Kuala Kangsar, Chah-Alam),
Petronas Towers, Putrajaya

LES CÔTES

Côte ouest : plages de Penang,
îles de Langkawi, Pangkor
Côte est : îles Perenthian, Tioman,
tortues géantes de Rantau Abang

MALAISIE ORIENTALE

SABAH

LES PAYSAGES ET LES TREKKINGS

Mont Kinabalu

LES CÔTES

Plages (îles du parc Tunku Abdul Rahman)
Plongée autour de Sipadan
(barracudas, tortues, corail)

LA FAUNE ET LA FLORE

Orangs-outans, ponte des tortues vertes
Rafflesia (plus grande fleur du monde)
Forêt pluviale

SARAWAK

LES PAYSAGES ET LES RANDONNÉES

Forêt primaire de Bornéo, pirogue,
séjours en longhouse chez les Ibans
Grottes (parc national de Gunung Mulu, Niah)

LES CÔTES

Plages (Damai Beach)

LES RAISONS D'Y ALLER

MALAISIE OCCIDENTALE

LES PAYSAGES

Lorsqu'on quitte Penang pour le centre de la péninsule, le relief s'élève et les panoramas se multiplient, surtout ceux des **Cameron Highlands**, où se succèdent des collines, des plantations de thé et la jungle.

À l'est des Cameron Highlands, le parc national du Taman Negara (plus de 4 000 km^2) renferme l'une des plus vieilles **forêts primaires** du monde, riche de huit mille espèces, dont huit cents sortes d'orchidées, des grottes (Gua Telinga, où grenouilles et chauves-souris accueillent le visiteur) et des chutes (Lata Berkoh). En continuant vers l'est, apparaissent des plantations de **thé** aménagées au siècle dernier.

LES MONUMENTS

Les monuments de la capitale **Kuala Lumpur** valent le détour : Grande Mosquée, palais Sultan-Abdoussamad et gare de style mauresque. **Malacca** est autant marquée par les empreintes arabe, indienne et chinoise (grand cimetière avec des tombes datant de la période Ming) que par les traces des colonisations néerlandaise et portugaise.

Même diversité à **Penang** : temples (Kek Lok Si), mosquées, pagodes, façades coloniales, fort Cornwallis – témoin de la prospérité de l'East Indian Company. Les maisons de bois et les palais des sultans de **Kota Bharu**, les palais et la mosquée de **Kuala Kangsar** retiennent également l'attention.

Dans les Cameron Highlands, les grottes de **Batu** abritent des sanctuaires hindous. La mosquée Saladin-Abdelaziz-Chah, à **Chah-Alam**, est une curiosité en raison de son style futuriste. Futuristes également, dans un tout autre style : les **Petronas Towers**, à Kuala Lumpur, buildings les plus hauts du monde avant que Taiwan puis Dubaï ne les détrônent.

Non loin de là, la ville nouvelle de **Putrajaya**, future capitale née de rien, au design des plus sophistiqués (palais ministériel, Millenium Monument, mosquée Putra) peine à rassembler les trois cent mille habitants espérés.

LES CÔTES

L'île de **Penang** a longtemps symbolisé le tourisme balnéaire de la Malaisie, les « routards » ayant ouvert la voie dans les années 70. Aujourd'hui, sur cette côte ouest de la péninsule, ils sont côtoyés ou supplantés par des visiteurs installés dans des structures balnéaires conventionnelles, voire luxueuses.

Le succès touristique de Penang a engendré la mise en valeur d'autres archipels ou îles de la côte ouest : **Langkawi** (atmosphère à l'anglaise, spas haut de gamme, golf, plongée sous-marine, shopping prisé grâce au statut de zone franche de l'endroit)**, Pangkor**.

Les plages de la côte est sont moins connues mais réputées aussi belles, surtout celles des îles **Perenthian**, au large de Kota Bharu, et de **Tioman**, au large de Mersing. Aux alentours de **Kuantan**, des **tortues géantes** viennent s'échouer entre juillet et septembre pour pondre leurs œufs avant de tenter de repartir, épuisées, vers la mer.

MALAISIE ORIENTALE

SABAH

LES PAYSAGES ET LES TREKKINGS

Naguère peu connu des randonneurs, le **mont Kinabalu** (4 175 m) fait désormais l'objet de **trekkings**. Il appartient au parc national du même nom, agrémenté de rizières et de plantations d'hévéas. Au sommet, un panorama sur la forêt et sur le massif de **Crocker** s'offre aux regards.

LES CÔTES

Sur la côte nord-ouest de Sabah, les **plages** des îles qui composent le parc Tunku Abdul Rahman et ses récifs de corail constituent les rendez-vous balnéaires de la mer de Chine. La **plongée** aux abords de l'île de Sipadan, à la pointe sud-est, offre le spectacle de barracudas, raies mantas, requins, tortues de mer et tortues à écailles, dans un décor de corail.

LA FAUNE ET LA FLORE

Deux espèces retiennent l'attention : les **orangs-outans** de Sepilok, non loin de Sandakan, réduits à quelques milliers mais auxquels on réapprend la vie sauvage, et les **tortues vertes**, dont la ponte se déroule entre juillet et septembre, dans des îlots de la mer de Sulu situés à trois heures de bateau de Sandakan.

Non loin du mont Kinabalu, les forêts qui enserrent les sources chaudes de Poring renferment la **rafflesia**, la plus grande fleur jamais produite par la nature : entre 45 cm et 1 m de diamètre. De couleur pourpre, elle n'est pas facile à admirer, non seulement à cause de sa rareté mais aussi de la rapidité avec laquelle elle se fane.

Les exceptions ne s'arrêtent pas là : en effet, la forêt pluviale qui s'étend dans le sud du Sabah est vieille de plus de cent millions d'années, ce qui multiplie le nombre des espèces d'arbres, de plantes et d'espèces végétales. Aussi, tout grand passionné de botanique trouvera-t-il son éden dans ces contrées, tout en déplorant les méfaits de la dérofestation grandissante.

SARAWAK

LES PAYSAGES ET LES RANDONNÉES

La jungle de Sarawak renferme une partie des trois mille espèces d'arbres et des quatre cents espèces d'oiseaux de la **forêt primaire** de Bornéo. Elle est propice à des trekkings ou à des balades en pirogue sur les rapides.

Bien que le développement du tourisme soit de plus en plus conséquent, la remontée de la rivière Rajang jusqu'à Kapit reste passionnante. Elle permet de longer les maisons communautaires (**longhouses**) de l'ethnie des **Ibans**, qui accueillent volontiers le voyageur.

Non loin du sultanat de Brunei, le parc national de **Gunung Mulu** renferme des **grottes** (Deer Cave, Clearwater Cave, Wind Cave, Wonder Cave).

Au sud de Miri, les grottes de **Niah**, dans le parc national du même nom, ont révélé un habitat datant de quarante mille ans.

LES CÔTES

Jusqu'à récemment, le nord de Bornéo n'était pas vraiment connu pour abriter des sites balnéaires mais plutôt des pêcheurs, dans leurs *kampungs* (villages en bois sur pilotis).

Le changement est là: désormais, les parcours de golf et l'hôtellerie, parfois de luxe, ont fait leur apparition le long de la mer de Chine méridionale. **Damai Bach** est l'un des sites les plus connus.

LE POUR

◆ Le contraste, tant géographique qu'humain, entre les deux parties du pays, qui accroît l'intérêt du voyage.

◆ Un tourisme en progression.

◆ La bonne période climatique au bon moment (juin-septembre).

LE CONTRE

◆ Un coût du voyage accompagné qui reste relativement élevé par rapport à d'autres destinations de l'Asie du Sud-Est.

◆ Les menaces, toutefois bien moins fortes que naguère, d'enlèvements dans les régions côtières de l'est de Sabah.

LE BON MOMENT

Le climat équatorial humide, sans véritable saison sèche, n'est pas toujours favorable. Néanmoins, les mois de **mai à septembre** sont souriants (moins de pluie qu'entre octobre et février, période à éviter à peu près partout dans le pays, néanmoins décembre est un mois chargé pour cause de vacances locales). Le long de la péninsule, la côte ouest est plus à l'abri que la côte est.

◆ Températures moyennes jour/nuit (en °C)
Kuala Lumpur (Malaisie occidentale) : janvier 32/22, avril 33/24, juillet 32/23, octobre 32/23.

Kuching (Sarawak) : janvier 30/23, avril 32/24, juillet 32/23, octobre 32/23.

Langkawi (Malaisie occidentale) : janvier 33/24, avril 32/25, juillet 31/25, octobre 31/24. Eau de mer : moyenne de 28°.

LE PREMIER CONTACT

En Belgique

Consulat, avenue de Tervuren, 414 A, B-1150 Bruxelles, ☎ (02) 776.03.40, fax (02) 762.50.49.

Au Canada

Office du tourisme, Vancouver, ☎ (604) 6898.899, fax (604) 6898.804. Consulat, 60, avenue Boteler, Ottawa K1N 8Y7, ☎ (613) 241-5182, fax (613) 241.5214.

En France

Office de tourisme, 29, rue des Pyramides, 75001 Paris, ☎ 01.42.97.41.71, fax 01.42.97.41.69. Consulat, 2 bis, rue de Bénouville, 75116 Paris, ☎ 01.45.53.11.85, fax 01.47.27.34.60.

En Suisse

Consulat, International Cointrin Centre, CH-1215 Genève 15, ☎ (22) 710.75.00, fax 710.75.01.

Internet

www.ontmalaisie.com/france/malaisie.php
www.tourismmalaysia.gov.my/
www.sabahtourism.com
www.sarawaktourism.com

Guides

Malaisie (Nelles), *Malaisie et Singapour* (Hachette/Routard, Le Petit Futé, Mondeos), *Malaisie, Singapour et Brunei* (Lonely Planet France).

Cartes

Indonésie, Malaisie (Marco Polo), *Malaysia, Brunei* (Nelles), *West Malaysia* (Nelles), *Thaïlande, Malaisie, Vietnam, Cambodge, Laos, Myanmar* (Berlitz).

Lectures

Bornéo, des chasseurs de tête aux écologistes (Autrement, 1991), *Lord Jim* (Joseph Conrad/LGF, 2007).

Images

Bornéo : au cœur de la forêt primaire (Jorge Camilo Valenzuela, Gérard Denizeau, Aurélien Denizeau/Vilo 2008), *Malaisie et Sumatra, escales en mer de Java : entre ombres et lumières* (PEMF, 2004).

DVD

Aventures de pêche en Malaisie : un pays tourné vers la mer (Eric Elléna/VodeoTV).

QUEL VOYAGE ET À QUEL PRIX ?

Le voyage individuel

Les préparatifs

◆ Pour les ressortissants canadiens, suisses et de l'Union européenne : passeport suffisant, valable encore six mois après le retour. Billet de retour ou de continuation et preuve de fonds suffisants pour la durée du séjour exigibles.

◆ Aucune vaccination n'est requise. Pas de problème de paludisme dans les zones côtières et urbaines, le risque se limitant à certaines régions de l'intérieur.

◆ Monnaie : le *ringgit malaisien*, également appelé dollar de Malaysia. 1 EUR = 4,80 ringitts malaisiens, 1 US Dollar = 3,50 ringitts malaisiens. Emporter des euros - aussi bien acceptés que le dollar US - en espèces ou en chèques de voyage. Cartes de crédit utilisable dans les grands hôtels et restaurants ainsi que sur les principaux sites touristiques.

Le départ

Avion

Indice de prix à certaines dates du vol Paris-Kuala Lumpur A/R : 850 EUR; Paris-Kuching A/R : 900 EUR. Durée moyenne du vol Paris-Kuala Lumpur (10 395 km) : 14 heures. Alternative quand on a du temps : l'arrivée par Singapour (plus grande fréquence des vols et tarifs plus concurrentiels).

Sur place

Avion

◆ Malaysia Airlines assure des vols intérieurs Kuala Lumpur-Kuching, propose des séjours via ses *Malaysia Tours* et le système *Pass* pour les vols intérieurs à condition d'effectuer le vol international sur ses lignes. ◆ Vols à coût réduit entre les deux parties du pays avec Air Asia.

Bateau

À Sarawak, les communications se font surtout par voie fluviale. Des bateaux-express relient les principales villes et les villages les plus importants.

Hébergement

◆ Possibilité de nuits d'hôtel à l'arrivée et de mini-séjour à Kuala Lumpur (Nouvelles Frontières). ◆ A Sarawak et Sabah, logement chez l'habitant dans les longhouses et lodges dans les parcs nationaux. ◆ Il existe des auberges de jeunesse, consulter www.hostels.com/fr/my.html

Route

Location de voiture possible, permis international exigé. Itinéraires en individuel avec chauffeur également prisés (Kuoni, Yoketai). Conduite à gauche. Les réseaux routier et autoroutier sont en excellent état.

Train

◆ Il existe un *Pass*, valable jusqu'à 30 jours. Renseignements auprès de l'office du tourisme ou sur place, dans les grandes gares. ◆ Pour les nostalgiques des trains de l'époque coloniale, l'*Eastern and Oriental Express*, cousin asiatique de l'*Orient Express*, relie Singapour à Bangkok via Penang et Kuala Lumpur.

Le séjour balnéaire

Le tourisme balnéaire est surtout présent sur la côte ouest, à Penang, Langkawi et Pangkor (par exemple Rev'Vacances à Penang, Asia, Nouvelles Frontières, Voyageurs du monde ou TUI à Langkawi).

Sur de tels sites, comme aux îles Perenthian ou Tioman ou encore à Kota Kinabalu (Sabah), il est possible de trouver une formule vol + hébergement aux alentours de *1 100 EUR la semaine*, mais les tarifs grimpent sévèrement en haute saison (juillet-août). Autres prestataires : Blue Lagoon, Rev'Vacances.

Le voyage accompagné

Rappel : nous nous sommes limités à un résumé des prestations en vigueur dans les agences et chez les voyagistes présents en France. Les lecteurs des autres pays peuvent en tirer des idées d'itinéraire et les compléter auprès de leurs agences de voyages.

◆ Des circuits couvrent les deux parties du pays (Asia, Continents insolites, Kuoni, TUI), mais c'est Bornéo, longtemps demeurée à l'écart du grand tourisme, qui fait aujourd'hui l'objet de plus d'égards, même si Nouvelles Frontières est dans la péninsule pour un séjour de 11 jours avec passage à Penang et Cameron Highlands.

◆ On va à **Sarawak** pour vivre le traditionnel séjour chez les **Dayaks** après une descente de rivières en pirogue, et à **Sabah** pour voir, entre autres, les orangs-outans de Sepilok (Continents insolites, Voyageurs du monde). Si l'on décide de rester plus longtemps, de préférence entre mars et octobre, on aura également droit à des **randonnées** (comme dans le parc national de Mulu avec Nomade Aventure, extension possible à Sabah) et à l'**ascension** (facile) du mont Kinabalu (Tamera). Un voyage ciblé consiste, pour les photographes, à rejoindre le voyagiste Objectif Nature qui vise placidement les orangs-outans et autres espèces de l'endroit.

◆ La plongée est théoriquement programmée par Ultramarina entre la Malaisie et les Philippines, dans les îles de Layang Layang, Lankayan ou Sipadan. Croisières-plongées chez Aquarev, qui est également à Sipadan.

◆ La côte malaise est désormais longée par des bateaux de **croisière** partis pour une dizaine de jours de Singapour à destination de Phuket (Thaïlande) ou l'inverse, et qui s'attardent entre autres à Malacca, Penang ou Langkawi. Renseignements auprès de l'office du tourisme.

◆ Malaisie-**Singapour** : cet inévitable cocktail est fabriqué par la grande majorité des voyagistes.

◆ Quel que soit le type de voyage choisi, les premiers prix avoisinent *1 300 EUR* pour une semaine balnéaire en haute saison et *1 400 EUR* pour une douzaine de jours à l'intérieur de la péninsule malaise mais frôlent *3 000 EUR* pour un séjour de 15 jours tout compris à Sarawak et Sabah.

QUE RAPPORTER ?

Des batiks, des objets en étain, de l'encens. Ne pas négliger l'ambiance des marchés de nuit.

LES REPÈRES

◆ Lorsqu'il est midi en France, en Malaisie il est 18 heures en été et 19 heures en hiver; lorsqu'il est midi au Québec, en Malaisie il est 1 heure (le lendemain). ◆ Langue officielle : le malais (bahasa), qui a donné naissance à l'indonésien, est pratiqué par un habitant sur deux; il voisine avec une kyrielle de langues : chinois, tamoul, penjabi, urdu. ◆ Langue étrangère : anglais. ◆ Téléphone vers la Malaisie : 0060 + indicatif (Kuala Lumpur : 3) + numéro.

LA SITUATION

Géographie. La partie péninsulaire de l'ouest, qui va de la Thaïlande à Singapour, est dominée par la forêt tropicale (70 % du territoire). La partie est (Sarawak et Sabah), qui couvre le nord de l'île de Bornéo, excepté le sultanat de Brunei, est également envahie par la forêt, avec un taux d'humidité plus fort. Au total, la Malaisie s'étend sur 329 758 km^2.

Population. La Fédération malaise compte treize États et deux territoires fédéraux. Les 25 274 000 habitants voient leur nombre progresser rapidement. Malais (56 %) et Chinois (33 %) sont majoritaires, Indiens (10 %) et Pakistanais sont également présents. Capitale : Kuala Lumpur, mais Putrajaya, à trente kilomètres au sud, est la nouvelle capitale administrative.

Religion. Les différentes religions sont parfois la source de tensions entre les communautés. L'islam, qui est religion officielle, est majoritaire (53 %). Il voisine avec le bouddhisme (17 %), le taoïsme (12 %), l'hindouisme (7 %) et le christianisme (6 %).

Dates. *1511* Albuquerque et les Portugais débarquent à Malacca. *1641* Les Hollandais chassent les Portugais. *1795* Les Anglais arrivent. *1830* Malacca et Penang sont colonies de la Couronne. *1942-1945* Occupation japonaise. *1957* Indépendance de la Fédération malaise dans le cadre du Commonwealth, avec Abdul Rahman comme Premier ministre. *1963* Constitution de la Malaysia. *1969* Affrontements interethniques. *1970* Abdul Razak Premier ministre. *1981* Mahathir Mohamad, président de l'United Malaysian National Organization, lui succède. *1989* Azlan Shah, le sultan de Pérak, est élu roi. *Septembre 1994* Abdul Rahman devient chef de l'État. *1996* Le mandat de Mahathir Mohamad est reconduit. *Février 2000* Vingt personnes sont prises en otages sur l'île de Sipadan et conduites sur l'île de Jolo par des séparatistes musulmans philippins. *Octobre 2003* Après vingt-deux ans de présence, Mahathir Mohamad transmet le pouvoir à son second, Abdullah Ahmad Badawi. *Mars 2008* Nouveau mandat pour Badawi, dans un contexte délicat.

Malawi

Voici sans doute le pays d'Afrique que le voyageur aurait le plus de mal à situer sur une carte. Adossé au lac qui porte son nom, enserré entre la Zambie et le Mozambique, il est d'une grande discrétion touristique. Pourtant, le lac Malawi, sur les rives duquel ont été aménagées des plages, est jugé comme l'un des plus beaux d'Afrique. Les forêts tropicales et les montagnes sont partout présentes et les quelques réserves d'animaux en valent d'autres sous ces latitudes. Aussi ne saurait-on trop conseiller le Malawi au voyageur individuel en quête de chemins encore peu courus.

LES RAISONS D'Y ALLER

LES PAYSAGES ET LES RANDONNÉES

Plages et villages de pêcheurs du lac Malawi, plateau de Zomba, massif de Mulanje

LA FAUNE

Parcs nationaux (Nyika, Kasungu, Liwonde)
Crocodiles, éléphants, léopards, hippopotames, aigles pêcheurs, faune marine

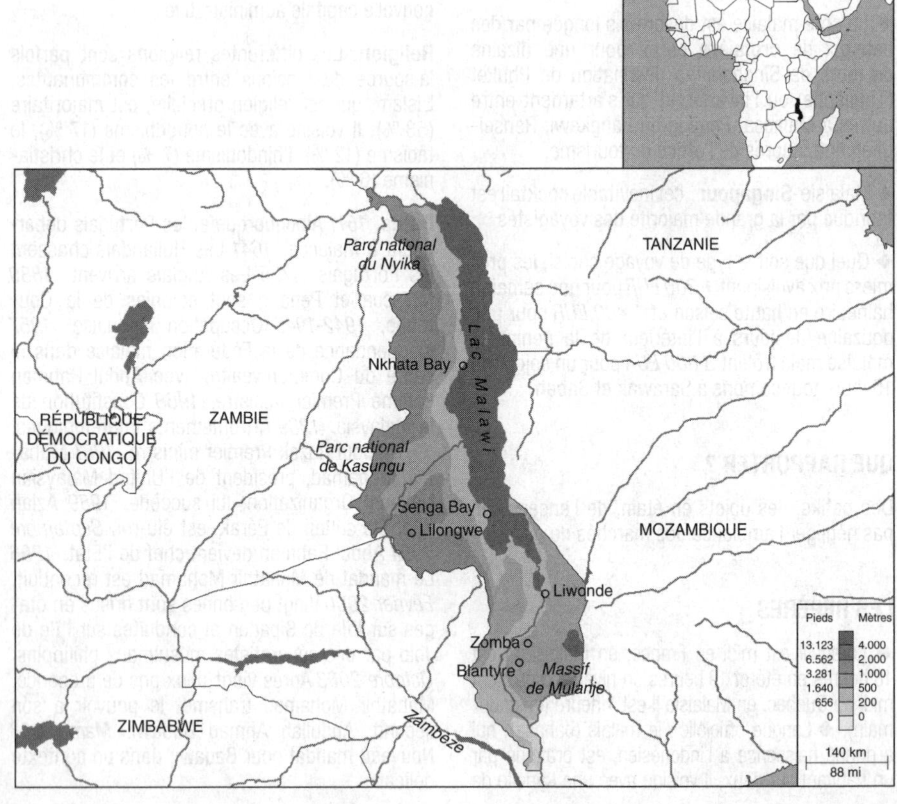

LES RAISONS D'Y ALLER

LES PAYSAGES ET LES RANDONNÉES

Les 600 kilomètres de la rive gauche du lac Malawi sont généralement plats et rectilignes, mais çà et là des escarpements rocheux et des à-pics sont à l'origine de panoramas.

Les **plages** se succèdent entre Nkhata Bay et Senga Bay et ont engendré des activités touristiques : baignade, voile, pêche. En outre, le lac est bordé par des **villages** de pêcheurs.

Les plus jolis sites de l'intérieur se rencontrent dans le sud : alentours du plateau de **Zomba**, abords du massif de **Mulanje**, l'ensemble étant dans un cadre de forêts et de lacs.

Le pays, particulièrement les abords du lac Malawi, se prête aux randonnées en 4 x 4, sur des pistes toutefois difficiles.

LA FAUNE

Les parcs nationaux du Nyika au nord (**léopards, zèbres, antilopes**), de Kasungu (**éléphants**) au centre et de Liwonde au sud rivalisent d'intérêt avec les parcs voisins de Zambie.

La faune du lac Malawi, surtout représentée par les **aigles pêcheurs**, est surprenante par la quantité et la variété des poissons tropicaux.

LE POUR

- Des attraits touristiques de bonne valeur.
- Une saison favorable qui tombe à de bonnes dates pour le voyageur occidental.
- Un voyage hors des sentiers battus.

LE CONTRE

- Des prestations rares et d'un coût élevé.
- Des problèmes de sécurité sur les sites touristiques du lac Malawi.

LE BON MOMENT

Le climat tropical offre une saison sèche idéale **entre mai et octobre** grâce à l'altitude, même si les nuits sont plutôt fraîches. Le reste de l'année est promis à des précipitations entrecoupées d'éclaircies, surtout dans le sud.

Températures moyennes jour/nuit (en °C) à *Mzuzu* (nord) : janvier 26/16, avril 24/15, juillet 20/7, octobre 20/12.

LE PREMIER CONTACT

En Amérique du Nord

Haut-commissariat, Washington, ☎ (202) 721-0270, fax (202) 721-0288.

En Belgique

Ambassade, avenue Herrmann-Debroux, 46, B-1160 Bruxelles, ☎ (02) 231.09.80, fax (02) 231.10.66.

En Suisse

Consulat, Dolderstrasse, 102, CH-8032 Zurich, ☎ (43) 817.05.82, fax (43) 817.05.83.

Internet

www.malawi-tourism-association.org.mw/

Guides

Malawi (Bradt en anglais), *Southern Africa* (Lonely Planet).

Carte

Malawi (ITMb).

Lecture

Le Malawi (Philippe L'Hoiry/Karthala, 1990).

QUEL VOYAGE ET À QUEL PRIX ?

Le voyage individuel

Les préparatifs

- Pour les ressortissants de l'Union européenne, canadiens, suisses : passeport valable encore six mois après le retour suffisant. Billet de retour ou de continuation exigible.
- Prévention indispensable contre le paludisme.

◆ Monnaie : le *kwacha du Malawi.* 1 EUR = 198 kwachas, 1 US Dollar = 143 kwachas. Emporter des euros ou des dollars US en espèces ou chèques de voyage et une carte de crédit (quelques distributeurs de monnaie à Lilongwe).

Le départ

Indice de prix à certaines dates du vol Paris-Lilongwe A/R : 1 050 EUR. Souvent via Addis Abeba (Ethiopie) ou Nairobi (Kenya). Durée moyenne du vol Paris-Lilongwe (7 640 km) : 10 heures (escale).

Sur place

Route

Conduite à gauche. Location de voiture possible (4 x 4 recommandé). Réseau routier en mauvais état.

Le voyage accompagné

Rappel : nous nous sommes limités à un résumé des prestations en vigueur dans les agences et chez les voyagistes présents en France. Les lecteurs des autres pays peuvent en tirer des idées d'itinéraire et les compléter auprès de leurs agences de voyages.

◆ Destin touristique plutôt mince pour le Malawi chez les voyagistes ! Atalante va tout de même du parc national du Nyika jusqu'au lac après avoir franchi le Rift pour suivre les traces de Livingstone. Grandeur Nature est également présent via des séjours d'une dizaine de jours, à **l'intérieur** comme sur les **rives** du lac, en 4 x 4 ou à cheval. Extension possible sur les rives mozambicaines du lac Malawi.

◆ Makila Voyages est trois fois présent pour un combiné **Zambie-Malawi** centré sur des safaris à thème.

◆ Le Malawi n'est pas bon marché, le coût du voyage accompagné se situant *entre 2 500 et 3 000 EUR* pour 15 jours.

LES REPÈRES

◆ Lorsqu'il est midi en France, au Malawi il est la même heure en été et 13 heures en hiver. ◆ Langue officielle : anglais. La langue locale la plus importante est le chewa, qui est pratiqué par un habitant sur deux. ◆ Téléphone vers le Malawi : 00265 + numéro.

LA SITUATION

Géographie. Adossé à la partie ouest du lac qui porte son nom, le Malawi s'étire du nord au sud sur 900 km et 118 484 km², dont la plupart sont constitués de hauts plateaux.

Population. Les Bantous constituent l'essentiel des 13 932 000 habitants; les nyanjas, les chewas et les tumbukas sont les principales composantes de la population. Capitale : Lilongwe.

Religion. Le pays compte 34 % de protestants, 28 % de catholiques, 19 % d'animistes, 16 % de musulmans.

Dates. *1859* Livingstone découvre le pays et y constate les méfaits de la traite des Noirs. *1889* Naissance de l'Afrique-Centrale, qui deviendra le Nyassaland dix-huit ans plus tard. *1953* Le Nyassaland et la Rhodésie sont fédérés. *1958* Autonomie du Nyassaland. *1964* Le Nyassaland devient indépendant sous le nom de Malawi. *1966* Proclamation de la république, avec parti unique et pouvoir personnel de Kamuzu Banda, nommé président à vie en 1971. *Juin 1993* Les électeurs malawites se prononcent en faveur de la démocratie et du multipartisme. *Juillet 1994* Bakili Muluzi, chef du Front démocratique uni, remporte les élections présidentielles aux dépens de Banda. *2004* Bingu wa Mutharika, du même parti que Muluzi, est élu président.

Maldives

Le mot atoll est né aux Maldives. Il y avait des raisons : 26 exemplaires du genre, regroupant près de 1 200 îles ou îlots protégés par une politique touristique stricte chargée de préserver, via une centaine d'« îles-hôtels », le fragile équilibre écologique de l'endroit. Le paysage sous-marin est jugé par la plupart des spécialistes comme le plus beau du monde avec ceux de la mer Rouge et de la barrière de corail australienne. En revanche, pour qui ne verse pas dans les joies côtières et les séances de remise en forme, rien à faire aux Maldives.

LES RAISONS D'Y ALLER

LA PLONGÉE

Faune et flore sous-marines (poissons tropicaux, corail)

LES CÔTES

Plages, sports nautiques, pêche

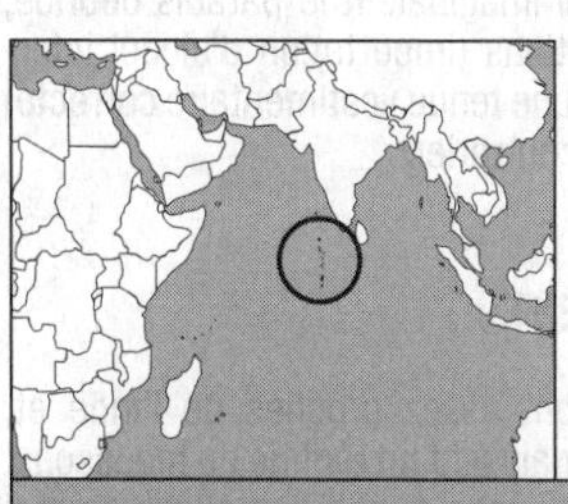

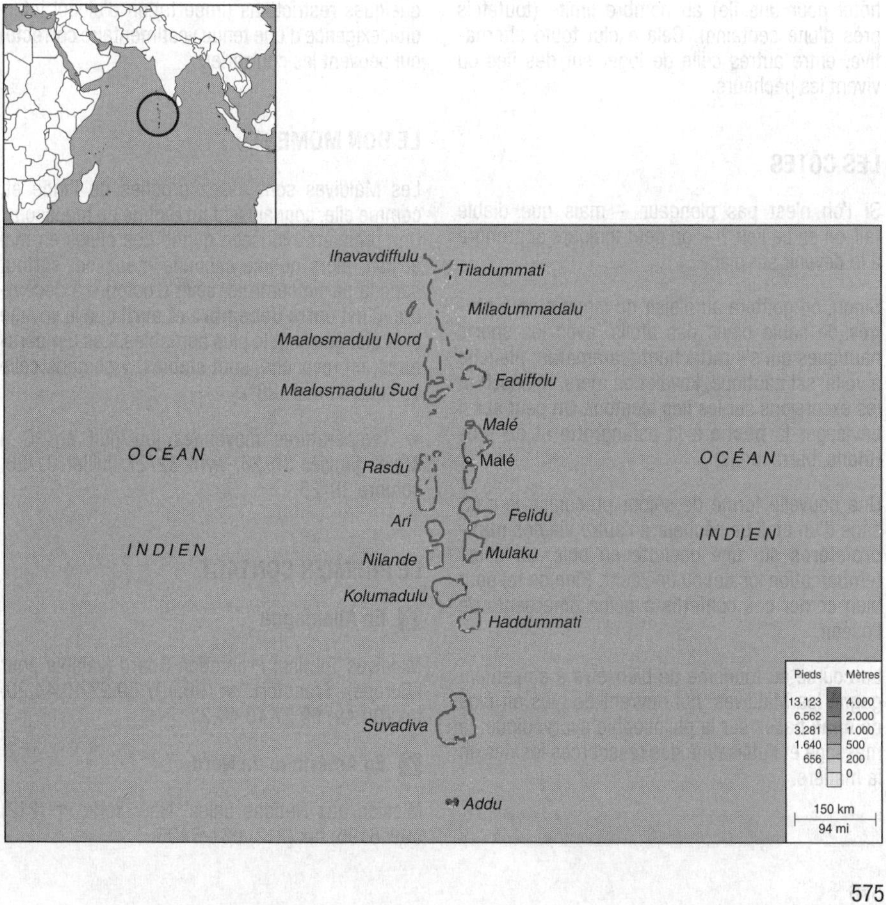

LES RAISONS D'Y ALLER

LA PLONGÉE

Que l'on soit débutant ou non, **plongée** est le maître mot du tourisme aux Maldives, à la découverte de fonds coralliens saisissants et d'un millier d'espèces sous-marines : poissons de récifs multicolores, raies mantas, barracudas, requins-marteaux, tortues.

En outre, la clarté et la propreté de l'eau garantissent une généreuse visibilité, que l'on soit chevronné (plongée-bouteille) ou non (snorkeling).

Les responsables du tourisme maldivien ont adopté une écologie bien comprise : non seulement ils interdisent le ramassage du corail et la chasse sous-marine mais ils ont développé un système d'« îles-hôtels » (selon le principe un hôtel pour une île) au nombre limité (toutefois près d'une centaine). Cela exclut toute alternative, entre autres celle de loger sur des îles où vivent les pêcheurs.

LES CÔTES

Si l'on n'est pas plongeur – mais que diable fait-on en ce lieu ? –, on peut toujours apprendre à le devenir sur place.

Sinon, on goûtera au plaisir du lagon et des **plages** de sable blanc des atolls, avec les sports nautiques qui s'y rattachent (catamaran, planche à voile, ski nautique, kayak des mers, kitesurf) et les excursions sur les îles alentour. On peut aussi envisager la **pêche** à la palangrotte et au gros (thons, barracudas).

Une nouvelle forme de séjour préconise le passage d'un atoll de pêcheur à l'autre via des **mini-croisières** sur une goélette en bois, un dhoni (embarcation locale) ou un yacht. Rien de tel pour bien cerner ces confettis à peine émergents de l'océan.

La course au tourisme de bien-être a également gagné les Maldives, qui ouvrent de plus en plus de **spas** basés sur la philosophie ayurvédique, le massage et l'utilisation des ressources locales en la matière.

LE POUR

◆ Des fonds sous-marins parmi les plus beaux du monde.

◆ Des séjours bien étudiés : à côté des prestations pour plongeurs chevronnés, les fabricants de voyages insistent sur les stages de plongée pour débutants et les mini-croisières.

◆ Une adhésion récente aux spas et programmes de remise en forme sur le mode asiatique.

LE CONTRE

◆ Un tourisme qui ne varie pas son créneau haut de gamme et qui ne peut proposer d'alternative aux joies de l'océan.

◆ Pour ceux qui imaginaient le paradis débridé, quelques restrictions (importation d'alcool interdite, exigence d'une tenue vestimentaire correcte) qui peuvent les contrarier.

LE BON MOMENT

Les Maldives sont assez proches de l'Inde et, comme elle, connaissent un régime de moussons. Une première mousson donne des pluies en mai et juin, alors qu'une seconde mousson, surtout dans la partie centrale, sévit d'octobre à décembre. C'est **entre décembre et avril** que le voyage et la plongée sont le plus agréables. Les températures, en revanche, sont stables, y compris celle de l'eau de mer (28º).

◆ Températures moyennes jour/nuit en ºC à *Malé :* janvier 30/26, avril 32/27, juillet 31/26, octobre 30/25.

LE PREMIER CONTACT

En Allemagne

Maldives Tourism Promotion Board (valable pour l'Europe), Francfort, ☎ (00.49) 69.27.40.44.20, fax (00.49) 69.27.40.44.22.

En Amérique du Nord

Mission aux Nations unies, New York, ☎ (212) 599-6195, fax (212) 661-6405.

En France

Pas de représentation touristique officielle mais des agences spécialistes telle Un monde Maldives, ☎ 01.70.37.34.21, www.unmondemaldives.com

Internet

www.visitmaldives.com/fr/

Guides

Plongée aux Maldives (Mondeos),

Maldives (JPM Guides, Lonely Planet France, Nelles).

Sri Lanka et Maldives (Hachette/Evasion, Marcus, Mondeos).

Carte

Maldives (New Holland Publishers).

Lecture

Syndrome des Maldives (Dearicke Andreani/ L'Harmattan, 2007).

Images

Mer Rouge, Maldives, Malaisie, Caraïbes (Mojetta Angelo/White Star, 2008).

Vidéos et DVD

Maldives, lune de miel avec l'océan (Media 9, 2003).

QUEL VOYAGE ET À QUEL PRIX ?

Le voyage individuel

Les préparatifs

◆ Pour les ressortissants de l'Union européenne, canadiens, suisses : passeport suffisant, valable encore six mois après le retour (visa délivré à l'arrivée). Billet de retour ou de continuation, fonds suffisants pour la durée du séjour exigibles. Importation d'alcool interdite.

◆ Aucune vaccination n'est requise. Les plongeurs expérimentés doivent être en possession d'un certificat médical (vieux de six mois maximum) et d'un brevet.

◆ Monnaie : la *rufiyaa*. Les dollars US, en espèces ou en chèques de voyage, sont vivement recommandés, au contraire de l'euro. 1 US Dollar = 12,8 rufiyaas, 1 EUR = 17,8 rufiyaas.

Le départ

◆ Indice de prix à certaines dates du vol Paris-Malé A/R : 950 EUR. ◆ Durée moyenne du vol direct Paris-Malé : 11 heures.

Sur place

Avion

Des hydravions assurent le lien entre les îlots (sauf la nuit) et sont aussi utilisés pour des vols d'agrément au-dessus de l'archipel.

Bateau

Le passage d'île en île se fait sur un *dhoni*, qui est le bateau de pêche traditionnel local. Depuis l'expansion du tourisme, des bateaux de plus en plus rapides relient les atolls entre eux.

Le séjour

Parmi les très nombreux voyagistes, chacun y va de sa proposition de séjour en **île-hôtel**, généralement pour une semaine. On y pratique la plongée pour chevronnés, bien sûr, mais aussi le snorkeling, le canoë, le catamaran, la planche à voile. On peut aussi s'arrêter à l'aspect spa, du type massage, jacuzzi, sauna. La concurrence est rude : Asia, Austral Lagons, Club Med, Continents insolites, Espace Mandarin, Fram, Iles du monde, Jet tours, Kuoni, La Maison des Maldives, Marsans, Nouvelles Frontières, Pégase, Thomas Cook, Tourinter, TUI, Voyageurs du monde, Yoketaï.

◆ Le prix d'un séjour de 9 jours/7 nuits comprenant le vol A/R et la demi-pension grimpe d'autant plus vite que les prestations (croisière-découverte, école de plongée, ski nautique, catamaran, etc.) ne sont pas comprises. Il faut donc tabler sur un minimum de *1 500 EUR la semaine* pour les seuls vol et hébergement dans un hôtel de catégorie moyenne, de *2 500 EUR* tout compris dans un hôtel de la catégorie au-dessus.

Le voyage accompagné

Rappel : nous nous sommes limités à un résumé des prestations en vigueur dans les agences et chez les voyagistes présents en France. Les lecteurs des autres pays peuvent en tirer des idées d'itinéraire et les compléter auprès de leurs agences de voyages.

◆ On ne saurait trop conseiller aux **plongeurs** dans l'âme de confier leur sort à des spécialistes comme Aquarev ou Ultramarina, qui développent de plus en plus les croisières-plongées. Si le prix risque de se révéler un peu haut, la qualité de spécialiste le compense. A noter aussi une expérience en « moteur-yacht » chez Club Aventure et le cocktail baignade, balades et plongée proposé par Nomade Aventure.

◆ Les amateurs de **farniente** commencent à emboîter le pas des plongeurs. En outre, ils se voient proposer des croisières sauts de puce entre les atolls, qui ne sont pas le moindre attrait de l'endroit, par exemple à bord du yacht *Four Seasons Explorer*, au programme de la plupart des voyagistes ci-dessus, ou d'un dhoni avec présence d'un plongeur qualifié (Nouvelles Frontières, entre autres). Certains, comme Terres d'aventure, varient les plaisirs en proposant d'embarquer sur un petit voilier (ketch) et d'alterner navigation et arrêts-baignades.

◆ **Maldives** et **Sri Lanka** : la plupart des voyagistes font d'un séjour-détente aux Maldives un complément du voyage au Sri Lanka, généralement le dernier tiers d'un séjour de 15 jours. Exemples : Continents insolites, Explotra, Jet Tours, Nouvelles Frontières. Certains, comme Kuoni, ajoutent quelques jours aux Maldives en complément d'un voyage en **Inde du Sud**. Premiers tarifs pour ce style de combinés : aux alentours de *1 700 EUR*.

◆ Costa Croisières propose une croisière qui inclut le trio Inde, Maldives, Thaïlande. Une croisière Inde-Maldives est programmée par la Compagnie des îles du Ponant.

QUE RAPPORTER ?

Tout sauf du corail, des coquillages et des objets en écaille. Les marchés des villages proposent des tissus, des objets en laque et des tambours du cru.

LES REPÈRES

◆ Lorsqu'il est midi en France, aux Maldives il est 15 heures en été et 16 heures en hiver. ◆ Langue officielle : le dhiveli (langue indo-aryenne). ◆ Langue étrangère : anglais. ◆ Téléphone vers les Maldives : 00960 + indicatif (île de Malé : 32) + numéro.

LA SITUATION

Géographie. 19 atolls qui rassemblent 1 196 îles, dont 203 sont habitées, s'étendent sur 800 km au sud-ouest de Sri Lanka mais ne couvrent que 298 km^2. Leur altitude moyenne est très faible et l'élévation réelle ou présumée du niveau des mers inquiète les habitants.

Population. La population est originaire de Sri Lanka. Le nombre des habitants (386 000) est élevé par rapport à la superficie. Capitale : Malé, sur l'atoll du même nom.

Religion. L'islam sunnite est religion officielle.

Dates. *1558* Les Portugais occupent l'endroit. *1752* Dynastie de Ghazi Hassan Izzudin. *1887* Protectorat britannique. *1965* Indépendance. *1975* Amir Ibrahim Nasi président de la République. *1978* Maumoon Abdul Gayoom lui succède. *1989* Émergence de différends interethniques. *Novembre 1998* Maumoon Abdul Gayoom est reconduit pour la cinquième fois à la tête de l'État. *Octobre 2003* Facile réélection de Maumoon Abdul Gayoom. *Août 2004* Manifestations à Male. *Décembre 2004* Un énorme raz de marée dans l'océan Indien frappe aussi les Maldives, qui ont retrouvé une situation normale. *Septembre 2007* Premier attentat du genre jamais subi par le pays : une bombe artisanale blesse 12 touristes étrangers.

Mali

Avertissement. – Le voyageur individuel doit éviter de partir isolément dans le nord du pays ainsi que dans les régions de Gao, Kidal et Tombouctou.

Si l'Afrique noire conduit plus souvent le touriste sur les pistes de la savane que sur celles de l'histoire, le Mali se pose en contestataire. Car il offre ces deux voies avec un égal intérêt. Côté culture, le pays Dogon et les falaises de Bandiagara, auxquels la vieille ville de Djenné doit être associée comme motif absolu de visite, ont offert au pays une solide réputation. Côté aventure, le voyage au Mali, que l'on soit dans un taxi-brousse surchargé ou membre d'une randonnée chamelière, reste une source de diversité.

LES RAISONS D'Y ALLER

LES PAYSAGES ET LES TRADITIONS

Falaise de Bandiagara (pays Dogon)
Fleuve Niger, monts Mandingues, gorges de Talary, parc du Baoulé
Adrar des Iforas (randonnées chamelières)

LES VILLES ET LES MONUMENTS

Djenné, Mopti, Tombouctou, Gao

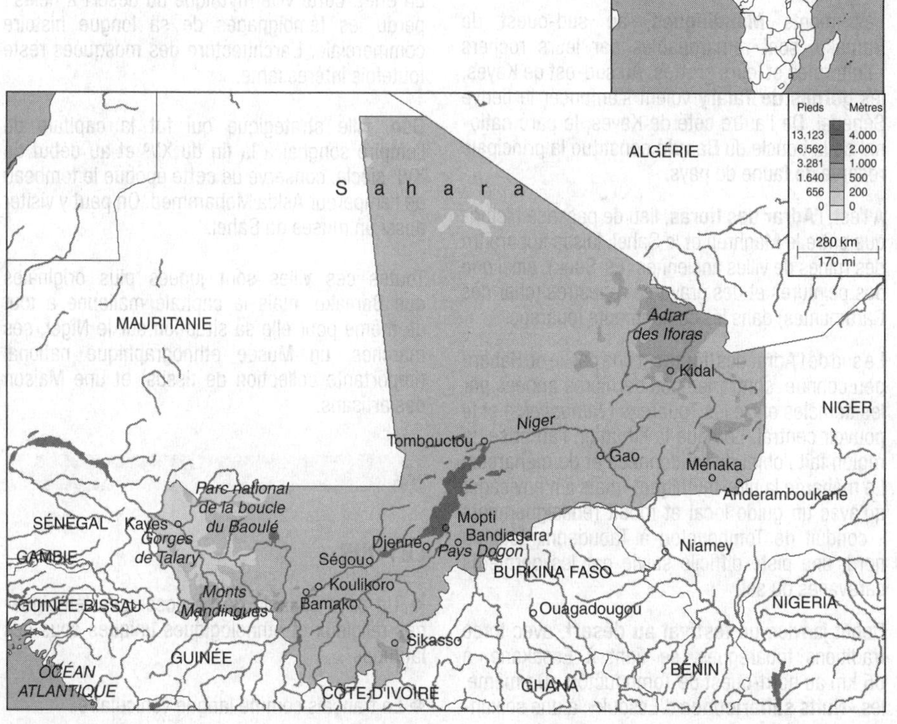

LES RAISONS D'Y ALLER

LES PAYSAGES ET LES TRADITIONS

Le pays Dogon n'est plus ce qu'il était du temps où Marcel Griaule en fit un inventaire qui remplit la plus grande partie de sa vie d'anthropologue le long de la **falaise de Bandiagara**, où s'allient la beauté du site et le poids des traditions. Aujourd'hui, cette société forte de trois cent mille agriculteurs vivant dans des villages situés au pied de la falaise, connue pour ses croyances en un dieu créateur et pour ses rituels, subit l'assaut du tourisme avec philosophie.

Surnommé « la bosse du chameau » à cause du dessin de son cours mais aussi « le Djoliba » (mot bambara qui signifie « sang »), le **fleuve Niger** charrie, entre Tombouctou et Gao, des traditions (pêcheurs Bozo, bateliers, teinturières) et voit passer les troupeaux des Peuls et des Maures, alors que des milliers d'oiseaux (aigrettes, hérons, martins-pêcheurs, pélicans) emplissent les roseaux et que des hippopotames daignent parfois montrer leur museau.

Les monts **Mandingues**, au sud-ouest de Bamako, sont remarquables par leurs rochers ruiniformes et leurs grottes. Au sud-est de Kayes, les **gorges de Talary** voient s'enfoncer le fleuve Sénégal. De l'autre côté de Kayes, le parc national de la boucle du **Baoulé** constitue la principale réserve de faune du pays.

À l'est, l'**Adrar des Iforas**, lieu de passage historique entre le Maghreb et le Sahel, laisse apparaître des ruines de villes anciennes (Es-Souk), ainsi que des peintures et des gravures rupestres (char des Garamantes) dans les campements touaregs.

Le sud de l'Adrar des Iforas est une partie du Sahara peu connue, contrariée ces dernières années par les démêlés entre les Touaregs (*Tamasheks*) et le pouvoir central. Lorsque la situation l'autorise, la région fait l'objet de randonnées et de méharées. La méharée la plus mythique - mais à n'envisager qu'avec un guide local et moult renseignements - conduit de Tombouctou à Taoudenni, tout au nord, une piste difficile suivie par les dernières caravanes du sel.

Début janvier, un **festival au désert**, avec force traditions touarègues, se tient à Essakane, à 65 km au nord-ouest de Tombouctou. De même, les «**Nuits sahariennes** d'Essouk», à une soixantaine de kilomètres de Kidal, regroupent danse, poésie et course de chameaux dans cette région ignorée alors qu'elle est le berceau d'une civilisation millénaire et fut un grand carrefour de pistes caravanières. Sans oublier un peu plus tard, dans toute la région, la fête de la *Tabaski*.

LES VILLES ET LES MONUMENTS

L'histoire de **Djenné**, où la vie aurait eu cours bien avant l'arrivée de l'islam, rend la ville attachante. La Grande Mosquée (XIIIe siècle), monument en « banco » (terre crue) le plus imposant du monde, est l'œuvre la mieux achevée de l'art islamique en Afrique. Pour l'ambiance et les couleurs, elle doit être vue le jour du marché.

Une autre ville phare est **Mopti**, la « Venise malienne », site le plus important des cinq deltas intérieurs du Niger et dont la mosquée, le port fluvial et le marché aux poissons méritent le détour.

Tombouctou vaut désormais par... la difficulté à vaincre les écueils des pistes pour l'atteindre. En effet, cette ville mythique du désert a hélas ! perdu les témoignages de sa longue histoire commerciale. L'architecture des mosquées reste toutefois intéressante.

Gao, ville stratégique qui fut la capitale de l'empire songhaï à la fin du XVe et au début du XVIe siècle, conserve de cette époque le tombeau de l'empereur Askia Mohammed. On peut y visiter aussi un musée du Sahel.

Toutes ces villes sont jugées plus originales que Bamako, mais la capitale malienne a tout de même pour elle sa situation sur le Niger, ses marchés, un Musée ethnographique national (importante collection de tissus) et une Maison des artisans.

LE POUR

◆ Un pays capable de proposer des témoignages religieux et ethnologiques uniques sous ces latitudes.

◆ Le français comme langue véhiculaire.

LE CONTRE

◆ Un voyage pénible pour qui n'est pas prêt à supporter la modestie des équipements, le climat et le dénuement.

◆ La nécessité, pour le voyageur individuel, de se renseigner absolument sur les conditions de sécurité non seulement dans le nord, mais aussi dans les régions de Tombouctou, Gao et Kidal.

◆ Un climat défavorable entre juin et septembre.

LE BON MOMENT

Le climat tropical offre l'alternance classique d'une saison sèche (de novembre à juin, la plus favorable mais pas sur sa fin, trop chaude, ce qui réduit le bon moment à **novembre-mars**) et d'une saison des pluies, l'hivernage (juillet-septembre), difficile à supporter. Le nord du pays, désertique, ne connaît presque pas de précipitations et la température y dépasse régulièrement 40° entre mai et juillet.

◆ Températures moyennes jour/nuit (en °C) à *Bamako :* janvier 33/17, avril 40/25, juillet 32/22, octobre 35/21; à *Tombouctou :* janvier 30/13, avril 40/23, juillet 39/26, octobre 39/23.

LE PREMIER CONTACT

En Belgique

Section consulaire, avenue Molière, 487, B-1050 Bruxelles, ☎ (02) 345.74.32, fax (02) 344.57.00.

Au Canada

Ambassade, 50, avenue Goulburn, Ottawa, ON K1N 8C8, ☎ (613) 232-1501, fax (613) 232-7429, www.ambamalicanada.org

En France

Consulat général, 64, rue Pelleport, 75020 Paris, ☎ 01.48.07.85.85, fax 01.45.48.53.34.

En Suisse

Section consulaire, route de Pré-Bois, 20, CH-1215 Genève 15, ☎ (22) 710.09.60, fax (22) 710.09.69.

Internet

www.malitourisme.com/

Guides

Afrique de l'Ouest (Hachette/Routard, Lonely Planet France), *Mali* (Jaguar, Le Petit Futé, Olizane), *Mali secret* (Stefano Faravelli/Gallimard).

Cartes

Mali (IGN), *Tombouctou* (IGN).

Lectures

Amkoullel, l'enfant peul (A. Hampâté Ba/J'ai lu, 2000), *Contes dogon du Mali* (Geneviève Calame-Griaule/Karthala, 2006), *Contes peuls du Mali* (Christiane Seydou/Karthala, 2005), *Dieu d'eau* (M. Griaule/Fayard), *Nouvelles du Mali* (Ousmane Diarra, Sirafily Diango, Alpha Mandé Diarra, Moussa Konaté et Yambo Ouologuem/Magellan et Cie, 2008), *Voyage à Tombouctou* (René Caillié/La Découverte).

Images

Dogon (Renaudeau/Wanono/Le Chêne, 1996), *Jusqu'à Tombouctou* (Michel Jaffrennou/Henri Gougaud/Editions du point d'exclamation, 2007), *Mali secret* (Stefano Faravelli/Gallimard, 2005), *Tombouctou : réalité d'un mythe* (Eric Milet/J.-L. Manaud/ Arthaud, 2006).

◆ Cinéma : le cinéaste malien Souleymane Cissé, qui a notamment réalisé le film *Yeelen*, s'est acquis une réputation grâce à ses dons d'observation de la société saharienne. Voir aussi, réalisé en 2006, *Bamako,* d'Abderrahmane Sissoko, un plaidoyer altermondialiste. ◆ Photo : Seydou Keïta a dépeint la société malienne profonde.

Vidéo

Echappées belles, Mali : un bateau pour Tombouctou (France Télévision Productions).

QUEL VOYAGE ET À QUEL PRIX ?

Le voyage individuel

Les préparatifs

◆ Pour les ressortissants de l'Union européenne, canadiens, suisses : passeport valable encore six mois après le retour, visa obligatoire, obtenu auprès du consulat.

◆ Vaccination obligatoire contre la fièvre jaune. Prévention indispensable contre le paludisme.

◆ Monnaie : le *franc CFA* (XOF) est subdivisé en 100 centimes. 1 euro = 655,957 francs CFA. Les espèces, en petites coupures (euros ou US dollars), sont vivement conseillées. Cartes bancaires et chèques de voyage sont négociables surtout à Bamako.

Le départ

◆ Indice de prix à certaines dates du vol Paris-Bamako A/R : 600 EUR. ◆ Durée moyenne du vol Paris-Bamako (4 158 km) : 5 h 30. ◆ Le voyagiste Point Afrique propose des vols de Paris ou Marseille pour Bamako, Gao et Mopti. Les prix, très raisonnables, montent pour les fêtes de fin d'année et les vacances de février. Réservations à prévoir longtemps à l'avance pour ces deux périodes ainsi que pour le Festival au désert, début janvier.

Bateau

Il serait dommage de ne pas envisager une balade en pinasse (longue pirogue étroite) sur le Niger.

Route

Le taxi-brousse est le transport collectif le plus indiqué. On trouve aussi des « bâchées » et des bus. Possibilité de location de voiture (très souvent un 4 x 4) avec chauffeur.

Train

Il existe un train Bamako-Dakar qui prend son temps le long du fleuve Sénégal : 43 heures pour 1 200 km.

Le voyage accompagné

Rappel : nous nous sommes limités à un résumé des prestations en vigueur dans les agences et chez les voyagistes présents en France. Les lecteurs des autres pays peuvent en tirer des idées d'itinéraire et les compléter auprès de leurs agences de voyages.

Il existe deux sortes de voyages au Mali : d'une part celui du cours du Niger et du pays Dogon – de loin le plus répandu –, d'autre part celui du désert, dans l'Adrar des Iforas.

◆ Dans le premier cas, le voyage connaît un schéma identique chez quasiment tous les prestataires :

– une première partie consacrée à la visite de Djenné et de Mopti, puis à la randonnée dans les villages **dogons** de la falaise de Bandiagara;

– une seconde partie aux abords du delta intérieur du **Niger**, ou en pirogue sur le fleuve.

Ce voyage dure 15 jours en moyenne, de préférence entre octobre et mars. Échelle des prix : *de 1 600 à 2 200 EUR*. Exemples : Adeo, Allibert, Atalante, La Balaguère, Clio, Club Aventure, Comptoir d'Afrique, Continents insolites, Fleuves du monde (sur les eaux du Niger mais aussi du Bani), Nouvelles Frontières, Tamera, Terres d'aventure, Voyageurs du monde.

On trouve aussi, comme chez Explorator, Horizons nomades, Nomade Aventure ou Point Afrique, des périodes d'une semaine soit pour des balades sur le Niger, soit pour la falaise de Bandiagara, avec des premiers prix aux environs de *900 EUR* tout compris. On trouve enfin, comme chez Adeo, des combinés Burkina Faso et Mali à la rencontre des ethnies Bozos, Dogons, Peuhls et Sénoufos.

◆ Dans le second cas, et selon la situation politique du moment, la redécouverte de l'**Adrar des Iforas** est une belle expérience : villages touaregs, montagnes et oasis donnent son intérêt au voyage, assuré sur la base de séjours d'une semaine entre décembre et avril. Les voyagistes du désert, dont Acabao, Atalante, Chemins de sable, Explorator, Nomade, Point Afrique, y programment en temps normal des randonnées chamelières ou des méharées. Certains invitent aussi le voyageur à suivre des festivals, tel le Festival au désert début janvier (Atalante, Point Afrique).

◆ **Tourisme solidaire** : partage des cultures et mode de vie des Touaregs sont les thèmes qui permettent, via Désert bleu (tél. 223.605.1633, www.desertbleu.net), de voyager tout en soutenant la scolarisation d'enfants touaregs défavorisés. Tamadi (tél. 33.951.94.57.94, www.tamadi.org) propose de découvrir le monde rural en petits groupes.

LES REPÈRES

◆ Lorsqu'il est midi en France, au Mali il est 10 heures en été et 11 heures en hiver. ◆ Langue officielle : le français; toutefois, c'est le bambara, langue nationale, que l'on entend le plus souvent dans la rue, à côté du malinké, du sénoufo, du soninké et de plusieurs autres dialectes. ◆ Téléphone vers le Mali : 00223 + numéro.

LA SITUATION

Géographie. Le Mali est un grand pays de 1 240 192 km^2, traversé par le fleuve Niger. Il est impossible d'en cultiver plus du dixième du sol (sahélien), tant le Sahara est présent (nord et centre). Seul le sud, le long d'un axe Kayes-Bamako-Sikasso, verdit.

Population. Vingt-trois ethnies regroupent 12 324 000 habitants, particulièrement les Peuls, les Dogons et les Bambaras, ces derniers les plus nombreux (quatre Maliens sur dix). Les nomades (Touaregs et Maures) sont environ 600 000. Capitale : Bamako.

Religion. Neuf habitants sur dix obéissent à l'islam. Minorités d'animistes et de chrétiens.

Dates. *VIIe-XVIe siècle* Le Mali est au centre des grands empires du Niger. *1857* La France occupe le pays. *1904* Le Haut-Sénégal-Niger est créé dans le cadre de l'AOF, il deviendra le Soudan français seize ans plus tard. *1958* La République soudanaise est établie et deviendra la Fédération du Mali l'année suivante. *1960* Statut de république, avec Modibo Keita. *1968* Coup d'État de Moussa Traoré. *Juin 1990* Début de la révolte des Touaregs. *1991* Nouveau coup d'État : le colonel Touré prend les rênes d'un gouvernement provisoire. *1992* Alpha Oumar Konaré devient président. *Mars 1996* Les mouvements armés touaregs se dissolvent après cinq années de conflit. Un accord de paix sera signé l'année suivante. *1997* Victoire du parti au pouvoir (Adema) lors des législatives. *Juin 2002* Amadou Toumani Touré devient président, le pays paraît entrer dans une nouvelle époque. *Avril 2007* Amadou Toumani Touré est réélu, la coalition adverse conteste le résultat.

Malouines

Il aurait fallu classer les Malouines sous la lettre F (Falkland), mais soyons chauvins : puisque de courageux pêcheurs malouins se sont aventurés sous ces latitudes impossibles il y a plus de deux siècles, va pour le nom de Malouines ! De toute façon, cela ne changera pas grand-chose à la situation touristique de l'archipel, proche du zéro comme l'est souvent la température quand le vent souffle. Seuls quelques fous du voyage hors normes et délivrés de soucis financiers vont arpenter ce plat pays dépourvu d'arbres. Ils partent à la découverte de la faune marine, les albatros et les manchots disputant aux moutons la supériorité numérique.

LA RAISON D'Y ALLER

LA FAUNE MARINE

Lions de mer, éléphants de mer, cormorans, caracaras sur Sea Lion
Manchots royaux, gorfous, albatros en Géorgie du Sud
Pétrels géants, skuas

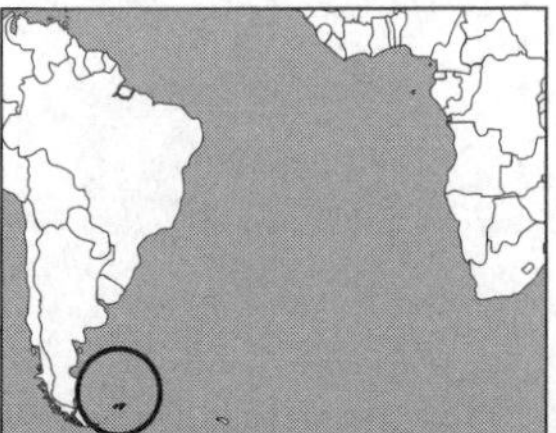

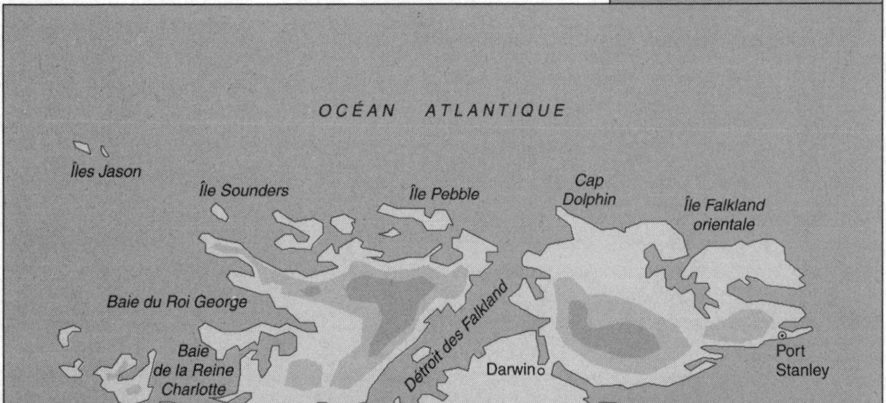

LA RAISON D'Y ALLER

LA FAUNE MARINE

En bordure de paysages dépourvus d'arbres et au sol couvert de tourbières, sous un climat frais et humide, la liste est longue des mammifères et des oiseaux de l'Atlantique sud capables de combler le photographe animalier ! Ils sont la source du mince filet touristique des Malouines, qui se répartit en quelques sites :

– l'îlot de Sea Lion, où se réunissent d'importantes colonies de **lions de mer**, d'**éléphants de mer**, de **cormorans** et des rares **caracaras** (rapaces);

– Volunteer Point, paradis des **manchots royaux**;

– Saunders, où les moutons rivalisent avec les **albatros**.

Ajoutons les **gorfous, pétrels géants, skuas**, et l'on comprendra que le chef-lieu Port Stanley vient loin derrière. Il n'a qu'un modeste musée historique à proposer et sa latitude, sur les fameux « cinquantièmes ».

A quelques centaines de kilomètres à l'est des Malouines, la **Géorgie du Sud** en est une dépendance. Les fjords de la côte nord, les baies et les glaciers sont remarquables, comme la diversité des espèces, dont d'importantes colonies de **manchots** papous et royaux (dans la baie de Saint Andrews), d'éléphants de mer, de gorfous, de pétrels et d'albatros.

LE POUR

◆ La richesse de la faune marine et la garantie d'un voyage hors normes, dans un des endroits les plus isolés de la planète.

LE CONTRE

◆ Un des voyages certes parmi les plus insolites mais aussi et surtout, hélas ! parmi les plus chers du monde.

◆ Une période mai-septembre défavorable (hiver austral).

LE BON MOMENT

L'été austral (**décembre à mars**, qui est la saison à choisir) a du mal à faire oublier la fraîcheur et l'humidité qui collent à l'archipel. Toutefois, des maxima de 21° ont été relevés en cette saison bénie, faisant oublier que la température moyenne est plutôt froide ! ◆ Températures moyennes jour/nuit (en °C) à *Port Stanley* : janvier 13/6, avril 9/3, juillet 4/0, octobre 9/2.

LE PREMIER CONTACT

Falkland Islands Tourist Board, Falkland House, 14, Broadway, Londres SW1H 0BH, ☎ (44) 207.222.2542, fax (44) 207.222.2375.

Internet

www.tourism.org.fk/
www.mysterra.org/webmag/iles-malouines.html

Guides

Falkland Islands (Bradt), *The Falklands and South Georgia Islands* (Lonely Planet).

Lectures

Carnets des Malouines (Jean-Bernard Vuillème/ Editions Zoé, 2005), *la Guerre des Malouines* (Editions Marine, 2005).

Images

Oiseaux et mammifères antarctiques et des îles de l'océan austral : Terres australes et antarctiques françaises et îles Malouines incluses (Kaméléo, 2006).

QUEL VOYAGE ET À QUEL PRIX ?

Le voyage individuel

Les préparatifs

◆ Pour les ressortissants de l'Union européenne, canadiens, suisses : passeport suffisant, valable encore six mois après le retour. Billet de retour ou de continuation exigible.

◆ Monnaie : la livre des îles Falkland (Falklands Pound) équivaut à la livre sterling (1 EUR = 0,95 livre sterling, 1 US Dollar = 0,70 livre sterling), qui est utilisable aux Malouines. Changer ses euros ou US dollars en livres sterling (y compris en chèques de voyage) avant le départ.

Le départ

Avion

Vol Montréal ou Paris-Santiago du Chili puis Santiago-Punta Arenas-Mount Pleasant. Il existe un vol régulier Londres/Port Stanley (renseignements auprès de l'office du tourisme). Dans tous les cas, prévoir un coût du billet d'avion Paris-Mount Pleasant A/R aux alentours de *1 200 EUR* minimum.

Bateau

Les voyageurs déjà présents en Argentine peuvent embarquer pour les Malouines à partir du port de Rio Gallegos, dans l'extrême sud-est de la Patagonie.

Sur place

Avion

Concernant le trafic interîles, il existe des avions-taxis pour une trentaine d'aérodromes (Falkland Islands Government Air Service).

Hébergement

Démarche très particulière en cas de voyage préparé par soi-même ! Il faut s'y prendre plusieurs mois à l'avance et prendre contact avec des agents locaux, par exemple Stanley Services (☎ 00.500.22.622, fax 00.500.22.623, www.stanley-services.co.fk/).

Route

Le 4 x 4 est de rigueur (pistes) sur East Falkland et West Falkland. Le voyagiste Objectif Nature propose des autotours comprenant le vol, la location de voiture sans chauffeur et l'hébergement.

Le voyage accompagné

Rappel : nous nous sommes limités à un résumé des prestations en vigueur dans les agences et chez les voyagistes présents en France. Les lecteurs des autres pays peuvent en tirer des idées d'itinéraire et les compléter auprès de leurs agences de voyages.

◆ La compagnie des îles du Ponant a concocté une croisière des Malouines à l'Antarctique, tandis que Grand Nord Grand Large et Scanditours sont présents pour une **croisière** partie de Ushuaia qui passe d'abord à New Island, le temps d'admirer les albatros à sourcils noirs, ensuite en Géorgie du Sud pour observer les manchots royaux.

◆ Les passionnés de **photo** auront intérêt à rejoindre les photographes animaliers d'Objectif Nature, qui ont concocté des programmes de découverte de la faune marine en voiture avec chauffeur.

◆ A moins d'être déjà en Argentine ou au Chili, il faut n'avoir que faire de ses sous pour envisager un voyage aux Malouines : des prestations à un coût minimal *de 4 500 à 5 000 EUR* pour une quinzaine de jours sont hélas ! la règle, ce montant pouvant presque doubler en cas de croisière au long cours Malouines-Antarctique...

LES REPÈRES

◆ Lorsqu'il est midi en France, aux Malouines il est 7 heures en été et 8 heures en hiver. ◆ Langue officielle : anglais. ◆ Téléphone vers les Malouines : 00500 + numéro.

LA SITUATION

Géographie. À 400 km à l'est des côtes argentines, les Malouines (Falkland en anglais, Malvinas en espagnol) se composent de deux îles principales, West Falkland et East Falkland, posées sur un sol tourbeux et que les Argentins ont plus poétiquement baptisées Gran Malvina et Soledad. Autour, sept cent quatre-vingts îlots n'évitent pas une superficie totale modeste (12 173 km²).

Population. Les Kelpers, descendants de Britanniques, sont un peu plus de trois mille, dont la moitié vivent dans le chef-lieu Port Stanley.

Religion. Un habitant sur deux est anglican. Minorité de catholiques.

Dates. *1592* L'Anglais John Davies découvre l'archipel. *1764* Colonisation par des Malouins, avec Bougainville à leur tête. *1766* Les Malouins sont chassés par les Espagnols, mais ce sont les Anglais qui colonisent l'archipel, avant de l'abandonner en 1774 aux Espagnols. *1820* Les Argentins prennent l'établissement abandonné neuf ans plus tôt par les Espagnols. *1832* Les Anglais chassent les Argentins, qui ne cesseront de revendiquer la paternité de l'endroit. *1982* Les Argentins débarquent à Port Stanley. Les Anglais ripostent et, après deux mois et demi de guerre, reprennent le contrôle de la situation. *1988* William Hugh Fullerton devient gouverneur. *Décembre 2002* Howard Pearce est le nouveau gouverneur. *Juillet 2006* Alan Huckle lui succède.

Malte

Son relatif isolement en Méditerranée, entre la Tunisie et la Sicile, aurait pu valoir à Malte une fréquentation moyenne. Il n'en est rien : ici aussi, la noria des charters amène son content de touristes accrochés au Dieu Soleil, dont une majorité d'Anglais, lien historique oblige. Pourtant, les plages de sable sont peu nombreuses. Qu'importe : la plongée et les sports nautiques donnent le change, alors que les traces d'une très vieille civilisation mégalithique et le passage des chevaliers de Saint-Jean apportent l'atout culturel.

LES RAISONS D'Y ALLER

LES CÔTES

Plages rocheuses, grottes marines, criques, villages de pêcheurs
Plongée, ski nautique, planche à voile

LES MONUMENTS

Sépultures, temples mégalithiques (Ggantija)
Architecture née de la présence des chevaliers de Saint-Jean (La Valette)
Architecture moyenâgeuse (Mdina)

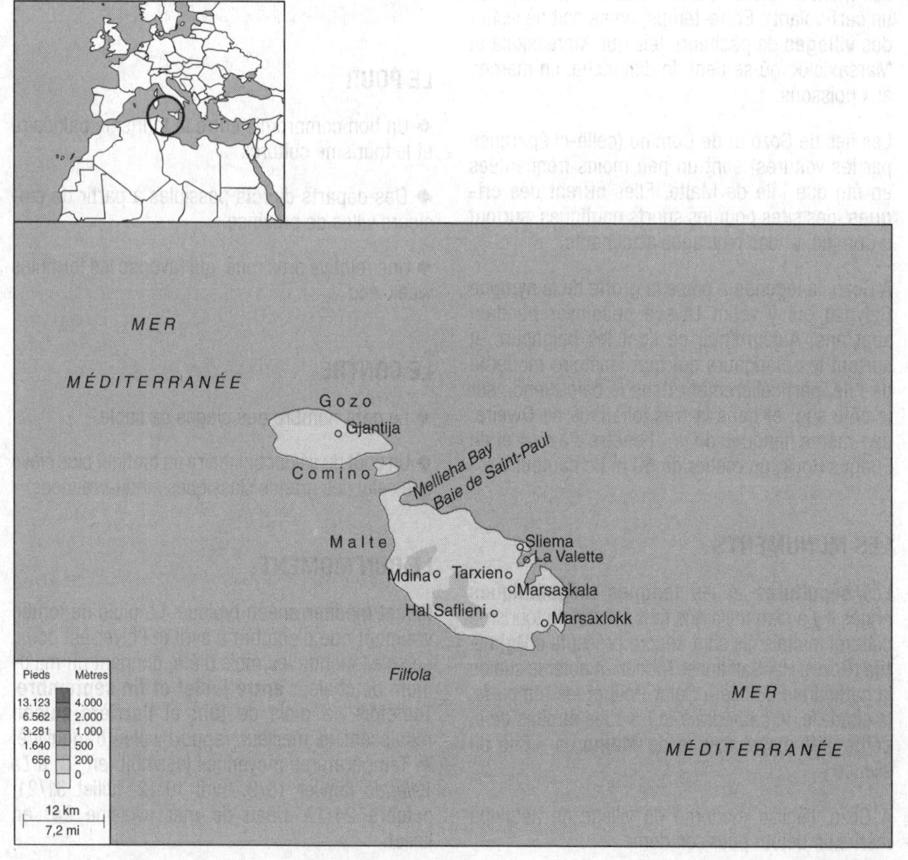

LES RAISONS D'Y ALLER

LES CÔTES

Malte fait partie des destinations méditerranéennes du printemps et de l'été, bien que ses rivages soient surtout rocheux.

Seules, sur l'île de Malte même, Mellieha Bay au nord-ouest et Golden Bay à l'ouest possèdent réellement des plages de sable, comme Ramla Bay à Gozo. Cette situation limite l'agrément balnéaire mais débouche sur le spectacle de **grottes** marines, dont la plus belle est la « Grotte bleue » (Blue Hole), sur la côte sud de Gozo.

Les sports **nautiques** sont partout au rendez-vous : canotage, ski nautique, plongée, planche à voile et désormais le très à la mode kitesurfing (ou comment se laisser entraîner sur une planche par un cerf-volant). Entre-temps, on se doit de visiter des **villages** de pêcheurs tels que Marsaskala et Marsaxlokk, où se tient, le dimanche, un marché aux poissons.

Les îles de Gozo et de Comino (celle-ci épargnée par les voitures) sont un peu moins fréquentées en été que l'île de Malte. Elles offrent des **criques**, des sites pour les sports nautiques, surtout à Comino, et des paysages attachants.

À Gozo, la légende a placé la grotte de la nymphe Calypso qui y retint Ulysse prisonnier pendant sept ans. Aujourd'hui, ce sont les baigneurs et surtout les plongeurs qui font l'histoire moderne de l'île, particulièrement dans la baie Xlendi, sur la côte sud, et dans la très jolie baie de Dwejra, elle-même flanquée de la « Fenêtre d'azur » et du Fungus Rock, un rocher de 60 m de hauteur.

LES MONUMENTS

Les **sépultures** et les **temples mégalithiques** érigés il y a cinq mille ans font l'attrait du tourisme culturel maltais. Ils sont encore présents à **Ggjantija** (Gozo), Hal Saflieni et Tarxien. À noter le site de la cathédrale dédiée à Saint-Paul et les remparts, la citadelle, la cathédrale et les rues étroites de la petite ville moyenâgeuse de **Mdina**, la « Cité du silence ».

A Gozo, l'église moderne du village de Xeurkipa mérite un détour pour son dôme.

À **La Valette**, se côtoient le baroque et une architecture militaire née de la résistance victorieuse des Chevaliers à l'envahisseur turc il y a quatre siècles. La curiosité est soulevée par le musée national des Beaux-Arts, par les objets ayant un rapport avec l'Ordre de Malte et par le palais des Grands Maîtres, anciens **chevaliers de Saint-Jean** (portraits et tapisseries des Gobelins, armurerie des Chevaliers).

Les trois cents chevaliers venus de Rhodes au XVIe siècle se sont installés aux Trois Cités, en face de La Valette. Outre son architecture militaire, Malte leur doit celle des auberges (Auberge de Provence, devenue Musée national), les chapelles et les lieux de culte (cathédrale Saint-Jean et ses pierres tombales des Grands Maîtres). Tous les ans en septembre, les fêtes de l'In-Guardia et de la Mdina en font une évocation historique.

LE POUR

◆ Un bon compromis entre le tourisme balnéaire et le tourisme culturel.

◆ Des départs directs possibles à partir de plusieurs villes de province.

◆ Une relative proximité, qui favorise les formules week-end.

LE CONTRE

◆ Le petit nombre des plages de sable.

◆ Un coût du séjour balnéaire un tantinet plus élevé que celui des grands classiques méditerranéens.

LE BON MOMENT

Climat méditerranéen typique. La pluie ne tombe vraiment que d'octobre à avril et l'hiver est doux. Le soleil inonde les mois d'été, donnant un maximum de chaleur **entre juillet et fin septembre**. Toutefois, le mois de **juin** et **l'arrière-saison** réunissent le meilleur rapport soleil/tranquillité.
◆ Températures moyennes jour/nuit (en °C) à *La Valette* : janvier 15/9, avril 19/12, juillet 31/21, octobre 24/17. L'eau de mer avoisine 24° en juillet.

LE PREMIER CONTACT

En Belgique

Ambassade, rue Jules-Lejeune, 44, B-1060 Bruxelles, ☎ (02) 343.01.95, fax (02) 343.01.06.

Au Canada

Ambassade, Toronto, ☎ (416) 207.09.22, fax (416) 207.09.86.

En France

Office de tourisme, uniquement par téléphone, courriel ou fax, ☎ 01.48.00.03.79, fax (01) 48.00.04.41. Consulat : ☎ 01.56.59.75.90.

En Suisse

Ambassade, 26, parc Château-Banquet, CH-1202 Genève, ☎ (22) 901.05.80, fax (22) 738.11.20.

Internet

www.visitmalta.com/fr

Guides

Malte (Berlitz, Gallimard/Bibl. du voyageur, Hachette/Evasion, Hachette/Routard, JPM Guides, Le Petit Futé, Marcus, Mondeos).

Carte

Malte, Gozo, Comino (Hildebrand).

Lectures

La Jeunesse du commandeur (Prevost/Flammarion, 2005), *le Fabuleux Destin de Malte* (D. Destremeau/Editions du Rocher, 2006). *les Chevaliers de Malte : des hommes de fer et de foi* (Bertrand Galimard Flavigny/Gallimard, 1998).

Images

Ile de Malte (Fabrice H/Dakota Travels, 2005), *Malte* (Citadelle et Mazenod, 2001).

DVD

Malte (LCJ Editions, 2006), *Malte, histoire de roc* (Media 9, 2005).

QUEL VOYAGE ET À QUEL PRIX ?

Le voyage individuel

◆ Pour les ressortissants de l'Union européenne, carte nationale d'identité ou passeport. Pour les ressortissants canadiens, passeport valide encore six mois après le retour.

◆ Aucune vaccination n'est requise.

◆ Monnaie : l'*euro*. Présence de distributeurs de billets, cartes de crédit bien acceptées.

Le départ

Avion

◆ Indice de prix à certaines dates du vol Paris-La Valette A/R : 190 EUR. ◆ Durée moyenne du vol Paris-La Valette (1 748 km) : 2 h 40. ◆ Nombreux vols charters entre mai et octobre à partir de Bruxelles ou de Paris. ◆ Compagnie nationale : Air Malta (vols directs, entre autres, de Lyon, Marseille, Nantes, Toulouse).

Bateau

Car-ferries au départ de Gênes (il existe un Gênes-Tunis via Malte), de Marseille, de Naples (25 heures de trajet), de Reggio de Calabre (Italie) et de la Sicile (Catane, Syracuse).

Sur place

Trafic inter-îles

Gozo est reliée à Malte par hydravion. Plusieurs traversées quotidiennes en ferry existent entre Cirkewwa (Malte) et Mgarr (Gozo).

Hébergement

◆ Logement chez l'habitant possible (voir Tourisme chez l'habitant) et larges propositions d'hôtels chez les voyagistes (par exemple Iles du monde). On peut également envisager la location d'un appartement (Donatello). ◆ Il existe des *farmhouses* (sortes de villas), des guest houses et l'équivalent des auberges de jeunesse, renseignements sur www.hostels.com/fr/mt.html

Route

Conduite à gauche, distances indiquées en miles. Location de voiture possible pour les plus de 25 ans, renseignements en agences de voyages. Nombreuses propositions d'autotours (location de voiture et réservation de l'hôtel à l'étape) chez des voyagistes tels que Donatello, Fram.

Le séjour

Rappel : nous nous sommes limités à un résumé des prestations en vigueur dans les agences et chez les voyagistes présents en France. Les lecteurs des autres pays peuvent en tirer des idées d'itinéraire et les compléter auprès de leurs agences de voyages.

Malte s'est découvert deux sortes de touristes :

– ceux (les plus nombreux) qui viennent pour une semaine ou plus en séjour balnéaire ou culturel, entre avril et octobre;

– ceux qui viennent pour un grand week-end, à des dates qui peuvent se situer hors du calendrier estival.

◆ Les séjours **balnéaires** – agrémentés de plus en plus de thalassothérapie – sont programmés à Malte et à Gozo entre avril et octobre, la plupart du temps selon la formule « all inclusive ». Exemples : Donatello, Fram, Iles du monde, Jet Air, Jet tours, Luxair Tours, Neckermann, Nouvelles Frontières, STI Voyages, Thomas Cook, TUI. Les tarifs les plus bas d'un séjour balnéaire sont aux alentours de *500 EUR* (vol A/R et hôtel de catégorie moyenne).

Presque tous ces voyagistes ajoutent un piment culturel à leur programme sous la forme d'excursions.

◆ Les **plongeurs** se retrouvent majoritairement à Gozo, grâce à des tombants et des failles qui n'ont pas leur pareil dans l'archipel. Nouvelles Frontières, par exemple, propose des programmes de plongée sur une semaine.

◆ Les formules **week-end** ou courts séjours avec excursions se sont généralisées au cours des dernières années, avec comme principaux sites de base La Valette et Sliema. Il s'agit le plus souvent de formules 4 jours/3 nuits (prix d'appel aux alentours de *400 EUR*). Renseignements auprès de l'office du tourisme ou de Donatello, Euro Pauli, Fram, Jet tours, Kuoni, entre autres.

Le voyage accompagné

◆ Le séjour en bus, à dominante **culturelle**, dure une semaine. Exemples : Arts et Vie, Clio, Donatello et la plupart des voyagistes précités. Prix moyen en haute saison : *700 EUR*.

◆ Plusieurs **croisières** méditerranéennes d'une semaine, programmées entre autres par Costa Croisières au printemps et à l'automne, voire à l'occasion des fêtes de fin d'année, font escale à La Valette. Autres escales en Italie, Grèce ou Tunisie. MSC Croisières est également de passage avec des escales en Grèce, Égypte, Libye, Sicile. L'échelle des prix débute à moins de 1 000 EUR en basse saison et en cabine intérieure double, mais elle grimpe très vite si l'on choisit la haute saison et une cabine extérieure.

◆ La **randonnée** n'est pas oubliée, La Balaguère par exemple proposant de marcher à Malte puis Gozo pendant une semaine entre mars et novembre. Compter au-delà de *1 200 EUR* pour dix jours consacrés à ce type de voyage.

QUE RAPPORTER ?

Il existe un artisanat traditionnel fait d'objets en verre (vases), de maquettes de bateaux et de dentelles.

LES REPÈRES

◆ Pas de décalage horaire. ◆ Langue officielle : l'anglais partage cet honneur avec le maltais, dialecte arabe mais qui s'écrit en caractères latins. ◆ Téléphone vers Malte : 00356 + 21 + numéro; de Malte : 00 + indicatif pays + numéro.

LA SITUATION

Géographie. Une île principale (Malte elle-même), une île secondaire (Gozo), une petite île entre les deux précédentes (Comino) et un îlot (Filfola) composent une modeste superficie de 316 km^2, d'où émerge une terre hérissée de quelques collines. Malte est à 93 km de la Sicile et à 290 km de la Tunisie.

Population. 404 000 habitants, soit un chiffre élevé par rapport à la superficie. Capitale : La Valette (Valletta).

Religion. Malte a été la terre des premiers chrétiens d'Europe. Le catholicisme (97 %) est sans rival. Minorité d'anglicans.

Dates. *4000-2000 av. J.-C.* Épanouissement d'une civilisation mégalithique qui, au fil des siècles, sera suivie des occupations phénicienne, grecque et carthaginoise. *870* Occupation par les Arabes et islamisation. *1090* Malte passe sous l'autorité du roi de Sicile, et cela pour six siècles. *1530* Charles Quint octroie Malte aux chevaliers de Saint-Jean, chassés de Rhodes. *1798* Bonaparte arrive mais les Anglais le supplantent deux ans plus tard. *1964* Indépendance dans le cadre du Commonwealth. *1974* Naissance de la république de Malte. *1987* Le Parti nationaliste est au pouvoir, le docteur Eddie Fenech-Adami Premier ministre. *1989* Censu Tabone devient président. *Octobre 1996* Élections législatives : le Parti travailliste retrouve le pouvoir, Alfred Sant devient Premier ministre. *Septembre 1998* Défaite des travaillistes lors des législatives anticipées face au parti nationaliste pro-européen. *Avril 2004* Eddie Fenech-Adami est président, Lawrence Gonzi Premier ministre. *Mai 2004* Malte entre dans l'Union européenne.

Maroc

Le Maroc dispute à l'Égypte et à la Tunisie le titre de plus grand réceptacle du monde arabe en touristes occidentaux. L'afflux est donc très important mais logique car le candidat au voyage est entraîné par le quintuple pouvoir d'attraction du pays : plages et soleil, poids historique des villes impériales de plus en plus en vogue pour les séjours week-end, randonnées dans l'Atlas et aux portes du Sahara, liens avec l'histoire et la langue françaises, coût du séjour raisonnable.

LES RAISONS D'Y ALLER

LES VILLES ET LES MONUMENTS

Villes impériales
(Marrakech, Fès, Rabat, Meknès)
Safi, Casablanca, Tanger, Essaouira
Moulay-Idriss, Volubilis

LES PAYSAGES ET LES RANDONNÉES

Haut Atlas (vallée du Dadès), Moyen-Atlas,
Anti-Atlas (vallée du Drâa)
Grand Sud : casbahs, villages fortifiés, oasis,
palmeraies, contreforts du Sahara
(erg Chebbi, Merzouga)
Rif

LES CÔTES

Plages des côtes atlantique (Agadir, Essaouira)
et méditerranéenne (Saïdia)
Parc national de Souss-Massa
Plage blanche

LES TRADITIONS

Moussems, riads

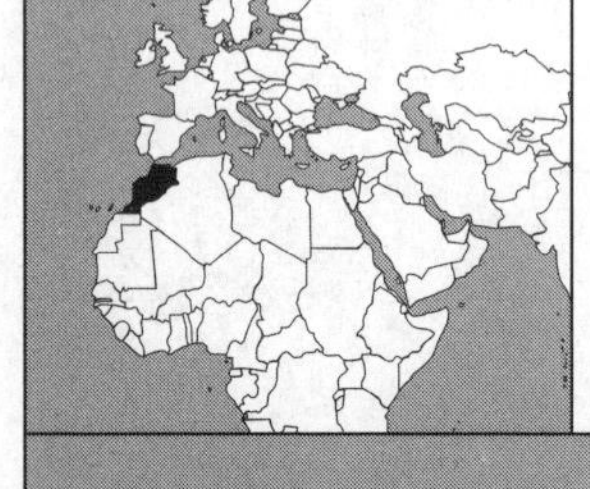

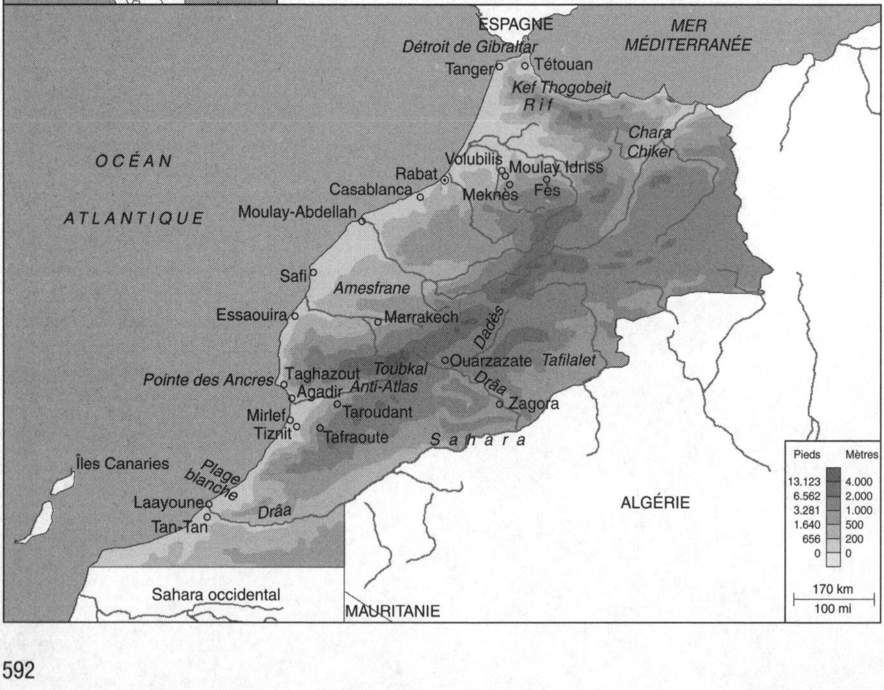

LES RAISONS D'Y ALLER

LES VILLES ET LES MONUMENTS

Le quatuor des villes impériales (Marrakech, Fès, Rabat, Meknès) justifie à lui seul un voyage au Maroc :

– **Marrakech** met en avant le minaret de la Koutoubia (élevé par les Almohades au XIIe siècle), la medersa Ben Youssef (construite par les Saadiens au XVIe siècle sur les bases de l'art arabo-andalou et à laquelle fait face la Qoubba almoravide), le mausolée des tombeaux saadiens, sa médina (un joyau architectural musulman), ses palais (El-Badi), ses jardins (Majorelle, Menara), ses souks et le folklore de la place Djemaa El Fna; la ville, qui abrite un important festival de cinéma annuel et dont le site avec l'Atlas en toile de fond augmente l'intérêt, est devenue le pivot du tourisme marocain et se lance dans le haut de gamme, avec une liste d'adresses de riads et de spas qui ne cesse de s'allonger;

– **Fès**, première capitale impériale, creuset de l'art arabo-andalou et capitale artistique et intellectuelle aujourd'hui, vaut par ses remparts et surtout par sa médina, Fès el-Bali : plus grande médina du pays avec ses presque dix mille ruelles, elle renferme la zaouïa (établissement religieux) de son fondateur Moulay-Idriss. Fès compte aussi des caravansérails (fondouks), des jardins et des palais de style andalou, des écoles coraniques (medersas Bou-Inania et el-Attarine) et la mosquée Qarawiyyin, qui peut accueillir vingt mille fidèles mais interdite aux non-musulmans; à Fès, on croise aussi les célèbres couleurs des bassins du quartier des tanneurs et les senteurs du souk du henné;

– la capitale **Rabat** offre la qualité architecturale de la porte de la casbah des Oudaïa (XIIe siècle), celle-ci délimitée par une muraille de cinq kilomètres de long qui comprend cinq portes d'accès;

– la medersa Bouinaniyya, le mausolée d'Ismaïl Ier et surtout la porte Bab al-Mansour sont les atouts majeurs de **Meknès**, toutefois la moins réputée des quatre villes impériales à cause des destructions qu'elle a subies.

En dehors des villes précitées, il faut voir le *ribat* (couvent fortifié) et les fortifications (époque portugaise) de **Safi**, **Casablanca** (pour sa médina, ses maisons Art déco et sa Grande Mosquée Hassan-II, la plus imposante d'Afrique), **Ouarzazate** pour sa kasbah du Glaoui, sa lumière et ses studios de cinéma, **Tanger** (pour sa vieille ville et sa casbah) et surtout **Essaouira**, l'ancienne Mogador, ville blanche fortifiée et tracée au cordeau par l'ingénieur français Cornut au XVIIIe siècle, aujourd'hui recherchée par des intellectuels et des peintres venus de tous horizons.

L'histoire a laissé des vestiges **andalous** en bleu dans les villages du nord-ouest, tel Chechaouen. **Moulay-Idriss** est une ville sainte qui renferme le tombeau et la zaouïa du dynaste Idriss (VIIIe siècle), tandis que le site de **Volubilis** a conservé des ruines de l'époque romaine, dont un arc de triomphe élevé au IIIe siècle en l'honneur de Caracalla.

LES PAYSAGES ET LES RANDONNÉES

Si les randonnées dans l'Atlas sont de plus en plus en vogue, l'attrait des paysages marocains a toujours été présent du nord au sud.

On découvre d'abord le Kef Thogobeit, gouffre de montagne le plus profond d'Afrique, puis, dans le **Rif,** le réseau souterrain de Chara, dû à un causse qui aspire nombre de cours d'eau et, non loin de là, les grottes du Chiker, dont les résurgences retombent sous forme de cascades.

Viennent ensuite les trois diagonales de l'Atlas, qui renferment les plus beaux paysages du pays.

Le **Haut Atlas** culmine à plus de 4 000 m, offrant la majesté de ses sommets enneigés et l'agrément de ses stations de ski. Ses autres grands atouts : la « cathédrale » d'Amesfrane, une haute falaise de strates en saillie qui lui donnent l'apparence d'une nef, et les gorges qui enserrent l'oued **Dadès**, où par endroits les falaises rouges, qui font le bonheur des escaladeurs, ressemblent à celles du canyon du Colorado. Massifs (M'Goun, Sagho), casbahs, palmeraies (Tineghir), roseraies (El Kelaa), vallées aux traditions berbères sauvegardées (Aït-Bouguemez) et traditions (moussems) ont fait la célébrité de l'endroit.

Le **Moyen Atlas** a trois attraits majeurs : ses rivières, ses forêts de cèdres et de chênes, et ses stations de montagne, telles Ifrane et Midelt.

L'**Anti-Atlas** est creusé de la **vallée du Drâa**. Parti de Ouarzazate, le voyageur se voit peu à peu transporté dans un décor grandiose, qui fait se succéder les ksour (villages fortifiés aux constructions en pisé, dont en point d'orgue les casbahs et le site d'Aït-Benhaddou), les palmeraies, les oasis, les gorges, les plantations de grenadiers, de figuiers et d'églantiers.

Parvenu à Zagora, on peut envisager une randonnée chamelière qui donne un aperçu des contreforts (surtout des regs, étendues caillouteuses), puis les premières dunes du **Sahara**. Les plus belles, au-delà du bourg de M'hamid, sont celles de l'erg Chebbi, de Merzouga, de Chigaga et de Tinfou.

LES CÔTES

L'étendue de ses **plages** de sable blanc et la possibilité de se baigner toute l'année ont fait de la **côte atlantique** l'un des grands rendez-vous du tourisme balnéaire pour les Européens.

Le symbole du genre est constitué par les neuf kilomètres de plage d'**Agadir** : le surf et la thalassothérapie y prennent de l'ampleur, tandis qu'au nord de la station les surfeurs du monde entier se donnent rendez-vous (pointe des Ancres). Au nord d'Agadir toujours, la station de balnéaire de Taghazout prend son essor.

Au sud d'Agadir, le parc national de **Souss-Massa**, formé d'un oued entouré de dunes, est le repaire d'une multitude d'oiseaux, dont certains appartiennent à des espèces rares.

Essaouira la blanche - une blancheur des murs parfois fatiguée - est l'autre site phare du tourisme balnéaire marocain mais aussi la ville des artistes, des peintres et des intellectuels. Plus au sud, Tiznit et Tan-Tan développent peu à peu leurs infrastructures côtières.

Baptisée « **Plage blanche** », une portion de cinquante kilomètres de côtes s'étend d'Agadir à Dakhla. Adossée au désert, elle est un paradis pour les surfeurs et les pêcheurs, ce qui a engendré des sites tels que Mirlef.

Les côtes du Sahara occidental commencent, elles aussi, à être équipées dans les environs de Laayoune et (surtout pour la pêche) autour de Dakhla, près de la frontière mauritanienne.

Sur la côte méditerranéenne, la hardiesse du Rif débouche sur des rivages plus rocheux (caps et criques) que sablonneux, où se nichent des villages de pêcheurs. En revanche, l'eau est plus chaude que celle de l'Atlantique, ce qui pourrait accroître la réputation de **Saïdia**, toute nouvelle station balnéaire dotée d'une quinzaine de kilomètres de plages de sable et d'une hôtellerie haut de gamme.

LES TRADITIONS

Le **moussem**, une fête consacrée à des saints marabouts, se déroule dans sept cents lieux environ à travers tout le pays, après les récoltes de juillet et août, avec en point d'orgue la *fantasia*, qui voit les cavaliers rivaliser de prouesses. Les dates des moussems varient d'une année sur l'autre et il est recommandé de bien se renseigner auprès de l'office du tourisme. Parmi les plus connus : celui de Moulay Abdellah, au sud de Casablanca, et celui de Moulay Idriss Zerhoun, non loin de Meknès.

Depuis une quinzaine d'années, les belles demeures traditionnelles que constituent les **riads** sont choyées par les touristes, qui y découvrent des patios à ciel ouvert avec fontaines centrales et décor de zelliges (briques émaillées). Essaouira, Fès et surtout Marrakech se partagent les faveurs du genre.

LE POUR

◆ Un tourisme capable de proposer aussi bien des témoignages culturels que les plages et les randonnées en montagne ou dans le désert.

◆ Un coût du séjour de plus en plus concurrentiel grâce, entre autres, à l'arrivée des compagnies aériennes à bas prix.

◆ La présence de la langue française.

LE CONTRE

◆ La saturation des grands sites touristiques en été.

◆ Les attentats ou menaces d'attentat du terrorisme islamiste.

◆ La montée du coût de la vie touristique, particulièrement à Marrakech.

LE BON MOMENT

Le climat connaît des variantes plus nombreuses que ne le laisse croire un premier coup d'œil sur une carte. Néanmoins, c'est **entre avril et octo-**

bre – et surtout au printemps – que le voyage est le plus agréable, mis à part dans les très chaudes régions intérieures et aux abords du désert.

Attention aux idées reçues : le Maroc connaît un hiver certes indulgent mais réel, y compris sur les côtes, et les nuits de décembre à janvier dans le désert sont froides.

◆ Températures moyennes jour/nuit (en °C) à *Agadir* (côte sud) : janvier 20/7, avril 23/13, juillet 27/18, octobre 26/15 (la température de l'Atlantique ne dépasse guère 22° en juillet); *Marrakech* (sud) : janvier 17/5, avril 24/11, juillet 38/20, octobre 26/13.

LE PREMIER CONTACT

En Belgique

Office du tourisme, rue du Marché-aux-Herbes, 66, B-1000 Bruxelles, ☎ (02) 646.63.20, fax (02) 646.63.76.

Au Canada

Consulat, 1010, rue Sherbrooke Ouest, Montréal H3A 2R7, ☎ (514) 288-8750, fax (514) 288-4859.

En France

Office du tourisme, 161, rue Saint-Honoré, 75001 Paris, ☎ 01.42.60.63.50.

En Suisse

Office du tourisme, Achifflande, 5, CH-8001 Zurich, ☎ (41) 1.252.77.52, fax (41) 1.252.73.16.

Internet

www.visitmarocco.com (site de l'office de tourisme)
www.tourisme-marrakech.org

Guides

Fès, Meknès (Michelin/Voyager pratique), *Grand Sud marocain* (Le Petit Futé), *Guide des aires Maroc* (Trailer's Park),

Maroc (Berlitz, Gallimard/Bibl. du voyageur, Gallimard/Encycl. du voyage, Gallimard/GEOGuide, Gallimard/Spiral, Hachette/Evasion, Hachette/Guide bleu, Hachette/Routard, Hachette/Voir, JPM Guides, Le Petit Futé, Lonely Planet France, Michelin/Guide vert, Michelin/Voyager pratique, Mondeos, Nelles),

Maroc (La Découverte/Guide de l'état du monde), *Maroc, le Grand Sud* (Jaguar),

Marrakech (Gallimard/Cartoville, Hachette/Evasion en ville, Hachette/Un grand week-end, Le Petit Futé, Lonely Planet France/En quelques jours, Mondeos),

Marrakech + Essaouira (Hachette/Routard), *Marrakech, Essaouira, Haut Atlas* (Michelin/Voyager pratique), *Marrakech, Essaouira, Randonnée dans le Haut Atlas* (Lonely Planet France), *Marrakech et le Sud marocain* (Hachette/Evasion),

Tanger (Le Petit Futé).

Cartes

Maroc (Berlitz, IGN, Marco Polo, Michelin), *Marrakech* (Berlitz), *Maroc ouest* (Nelles), *M'Goun* (Cordée), *Toubkal* (Cordée).

Lectures

Chroniques marocaines et autres histoires du royaume (Mireille Duteil/Lonely Planet Convergences), *Ecritures féminines au Maroc : continuité et évolution* (Najiib Redouane, L'Harmattan, 2006), *Gens des nuages* (Le Clézio/Gallimard, 1999), *Idées reçues : le Maroc* (Pierre Vermeren/Le Cavalier bleu), *la Nuit sacrée* (T. Ben Jalloun/Succès du Livre, 2008), *le Dernier roi* (Jean-Pierre Tuquoi/Grasset, 2001), *le Goût de Marrakech* (S.Prologeaun Wade/Mercure de France, 2006), *le Tourbillon des génies : au Maroc avec les Gnawa* (Bertrand Hell/Flammarion, 2002), *Majesté, je dois beaucoup à votre père... : France-Maroc, une affaire de famille* (Jean-Pierre Tuquoi/Albin Michel, 2006), *Notre ami le roi* (G.Perrault, Gallimard, 1992), *Quand le Maroc sera islamiste* (La Découverte), *Tanger et autres Marocs* (Daniel Rondeau/ Gallimard, 2000). Lire aussi les romans de Driss Chraïbi.

Images

Arts et Traditions au Maroc (K. Mourad/ACR, 1998), *Casablanca : mythes et figures d'une aventure urbaine* (J.-L. Cohen, M. Eleb/Hazan, 2004), *l'Art de vivre au Maroc* (Ph. Saharoff/S. Bouvet/Flammarion, 2002), *l'Architecture de terre au Maroc* (ACR, 2001), *le Maroc à travers la carte postale ancienne* (Ph. Lamarque/HC Editions, 2008), *Maroc : un art de vivre, voyage architectural de Casablanca à Marrakech* (Dennis/Galiimard, 2001), *Souss Massa Draa, l'étoile du*

Sud marocain (Marc Dugain, Thomas Goisque/ Gallimard, 2005).

Vidéos et DVD

Les Grands sites archéologiques : le Maroc (AK Vidéo), *Maroc* (Des racines et des ailes/France Télévisions Distribution).

QUEL VOYAGE ET À QUEL PRIX ?

Le voyage individuel

Les préparatifs

◆ Pour les ressortissants de l'Union européenne et suisses voyageant individuellement : passeport suffisant, valable encore six mois après le retour. La carte nationale d'identité suffit quand on voyage en groupe avec bon d'échange (bien vérifier cette possibilité avant le départ!). Pour les Canadiens : passeport valide encore six mois après le retour.

◆ Aucune vaccination n'est requise. Certains pays, telle la Belgique, ont des conventions bilatérales avec le Maroc pour le remboursement des soins de santé sur place.

◆ Monnaie : le *dirham,* subdivisé en 100 centimes. 1 EUR = 11,3 dirhams, 1 US Dollar = 8,1 dirhams. Emporter des euros ou des US Dollars et une carte de crédit. Nombreux distributeurs et bureaux de change. Les grandes cartes de crédit sont acceptées dans certains commerces et la plupart des hôtels.

Le départ

Avion

◆ Les compagnies à bas prix se sont multipliées à partir de Bruxelles (pour Agadir, Casablanca, Marrakech), Charleroi (pour Casablanca, Oujda, Nador), Paris-Orly (pour Agadir, Casablanca, Marrakech, Ouarzazate). Exemples : Aigle Azur, Air Arabia Maroc, Atlas Blue, Jet4you, Jetairfly, Thomas Cook, Transavia.

◆ Hors les vols à bas prix ci-dessus, prix moyen et à certaines dates du vol Montréal-Casablanca A/R : 850 CAD; Bruxelles-Marrakech : 250 EUR; Paris-Agadir A/R : 280 EUR; Paris-Casablanca : 330 EUR; Paris-Marrakech A/R : 230 EUR; Paris-Tanger A/R : 330 EUR.

◆ Durée moyenne du vol Paris-Casablanca : 3 heures; du vol Paris-Marrakech (2 108 km) : 3 h 20. ◆ Départs directs possibles de plusieurs villes de province pour Agadir, Casablanca et Marrakech.

Bateau

Départ possible de Sète pour Nador (près de Melilla), Tanger (Comanav/SNCM, 36 heures de trajet). D'Espagne, bateaux au départ d'Almeria, de Malaga, de Tarifa (35 minutes avec Nautas) et d'Algeciras (pour Ceuta, Melilla ou Tanger).

Bus

Des destinations aussi diverses que Casablanca, Marrakech, Oujda, Rabat et Tanger sont proposées par Eurolines à partir de la France. Exemple : environ 150 EUR Paris-Marrakech A/R.

Sur place

Hébergement

Éventail habituel des pays très touristiques : de l'hôtel ordinaire ou du camping, on passe au mode de logement en forte expansion qu'est le *riad*, construction traditionnelle faite d'une maison centrée sur un patio et un jardin, raffinée (mosaïques, bois sculpté) et transformée en maison d'hôte. On en compte désormais près de quatre cents à Marrakech, mais aussi à Fès et à Essaouira. Offres sur www.riads.fr, entre autres.

Dans l'Atlas, on trouve de nombreux gîtes et des « maisons berbères » qui accueillent les randonneurs. A travers le pays, il existe aussi des auberges de jeunesse. Renseignements : www.hostels.com

Route

◆ Pour qui se rend au Maroc en voiture, le passage du détroit de Gibraltar en ferry à partir d'Algeciras permet d'arriver soit à Tanger (2 h 30 de trajet), soit dans l'enclave espagnole de Ceuta. ◆ Location de voiture possible, de préférence avant le départ. ◆ Possibilités d'autotours (vol A/R, location de voiture et hôtel réservé à l'étape) à partir de plusieurs des principales villes. Exemples : Fram, Jet Tours, Luxair Tours, Nouvelles Frontières. Prix moyen pour 8 jours/7 nuits aux alentours de *900 EUR*. ◆ Limitation de vitesse agglomération/route/autoroute : 50/100/120.

◆ Large réseau de bus et de taxis collectifs, de toutes catégories et de tous conforts.

Train

◆ Les trains de l'Office national des chemins de fer (ONCF) ne sont pas très rapides et surtout ne couvrent pas tout le pays. Deux grands axes : Tanger-Marrakech (avec le *Marrakech Express*) et Kenitra-Oujda. ◆ Pass InterRail utilisable.

Le séjour

Rappel : nous nous sommes limités à un résumé des prestations en vigueur dans les agences et chez les voyagistes présents en France. Les lecteurs des autres pays peuvent en tirer des idées d'itinéraire et les compléter auprès de leurs agences de voyages.

◆ La majorité des séjours **balnéaires** se déroulent dans les nombreux hôtels ou hôtels-clubs d'Agadir, sur la côte atlantique, pour 8 jours et selon la formule tout compris. Exemples : Club Med, Fram, Jet Air, Jet Tours, Look Voyages, Luxair Tours, Marmara, Neckermann, Nouvelles Frontières, Thomas Cook, TUI, Voyageurs associés. Une semaine tout compris se trouve aux alentours de *650 EUR* hors saison, de *800 EUR* en été. La thalasso suit, par exemple avec Nouvelles Frontières à Agadir mais aussi à Essaouira et à Tétouan (aux alentours de *1 000 EUR* la semaine en demi-pension). Les inconditionnels de la Méditerranée ont désormais le nouveau site de Saïdia pour cette forme de séjour balnéaire.

◆ Le **golf** est en plein essor, surtout à Agadir et à Marrakech. Compter au moins *500 EUR* les 4 jours/3 nuits chez des spécialistes tels que Golf Evasion ou Voyages Gallia.

◆ **Marrakech** est la ville la plus choyée du Maroc par les voyagistes : ils sont très nombreux à y proposer des séjours d'une semaine en demi-pension, avec excursions à la clé, mais aussi et surtout des séjours **week-end** en riad (en moyenne *400 EUR* les 4 jours/3 nuits, vol + hébergement).

◆ **Fès** accompagne de plus en plus Marrakech dans les brochures pour des week-ends d'un coût à peu près semblable (par exemple Comptoir des voyages, Donatello, Fram, Jet tours), avec ses riads et palais, agrémentant le séjour de formules bien-être et golf.

◆ D'autres villes sont proposées en week-end éclair par la plupart des voyagistes précités : Ouarzazate, Essaouira, Meknès, Rabat.

◆ Les **sportifs** se voient désormais proposer des épreuves spécifiques en mars, comme la Transmarocaine ou le difficile Marathon des sables.

Le voyage accompagné

◆ La visite des villes **impériales** est très souvent proposée pour une semaine entre mars et novembre. Exemples : Arts et Vie, Clio, Fram, Jet tours, Kuoni, Luxair Tours, Nouvelles Frontières, Oriensce, Voyageurs du monde.

◆ Parfois, les circuits des villes impériales sont prolongés d'une, voire de deux semaines pour un séjour dans **l'Atlas** et le **Grand Sud** (en minibus). Prix moyen : *800 EUR* la semaine, *1 200 EUR* pour 15 jours. Exemples : Adeo, Arts et Vie, Clio, Comptoir du Maroc, Continents insolites, Fram, Kuoni, Nouvelles Frontières, Tamera, Voyageurs du monde.

◆ Les programmes des randonnées en **montagne** sont très étalés (mars-novembre). Les spécialistes de la marche, qui incitent de plus en plus la famille entière quand les conditions sont faciles, sont présents pour 8 jours, parfois 15 jours, dans les djebels de l'Anti-Atlas (Siroua, Sagho et Toubkal), du Moyen-Atlas ou du Haut-Atlas (ascension du M'Goun). Départs entre mai et septembre pour le Haut-Atlas, de préférence au printemps et à l'automne pour le Moyen-Atlas (aux alentours de *900 EUR* la semaine). Exemples : Allibert (villages du Toubkal et hébergement chez l'habitant), Atalante, La Balaguère, Club Aventure, Grand Angle, Horizons nomades, Nomade Aventure, Terres d'aventure. Le Rif, longtemps oublié, commence d'être arpenté (Club Aventure).

◆ Les contreforts du **Sahara** sont devenus un classique de la randonnée, de préférence au cours de la période novembre-mai, pour des périodes de 8 jours le plus souvent, avec alternance de tout-terrain et de randonnées chamelières. La vallée du Drâa, Ouarzazate et Zagora voient partir bon nombre de ces randonnées. Quelques voyagistes présents dans l'Atlas et/ou dans le désert : Allibert, Atalante, La Balaguère, Club Aventure, Déserts, Explorator, Horizons nomades, Jet tours, Nomade Aventure, Nouvelles Frontières, Terres d'aventure. Prix moyen en dehors des fêtes de fin d'année : *800 EUR*.

◆ **Tourisme solidaire** : en découvrant le désert et en le protégeant avec des nomades de la région de M'hamid (www.zaila.ch). Autre genre : la vie dans la vallée d'Aït Assa via des randonnées, des chantiers de jeunes, des stages de théâtre (www.aitaissa.be, tél. 0478.23.11.72).

◆ Des croisières vont de l'Espagne à Madère via le Maroc (Costa Croisières au printemps).

◆ Il existe un Maroc-Andalousie culturel (14 jours) chez Terra Diva.

QUE RAPPORTER ?

Marchander un tapis dans une médina est un plaisir de longue haleine, comme les poteries (les plats à tajine connaissent un grand succès), les broderies (surtout à Fès) ou les objets en cuir.

LES REPÈRES

◆ Lorsqu'il est midi en France, au Maroc il est 10 heures en été et 11 heures en hiver; lorsqu'il est midi au Québec, au Maroc il est 17 heures. ◆ Langue officielle : l'arabe, qui voisine avec le berbère. ◆ Langue étrangère : le français est largement répandu, l'espagnol n'est pas rare au nord. ◆ Téléphone vers le Maroc : 00212 + indicatif (Casablanca : 2; Marrakech : 4) + numéro; du Maroc : 00 + indicatif pays + numéro.

LA SITUATION

Géographie. Les chaînes de l'Atlas (du nord au sud, se succèdent le Moyen, le Haut et l'Anti-Atlas) coupent le pays en deux dans le sens de la largeur. Au nord, elles se terminent par le Rif et la côte méditerranéenne, au sud par les contreforts du Sahara. Le Maroc est un pays relativement étendu (446 550 km^2); le Sahara occidental, coupé en deux et dont le différend entre pouvoir marocain et Front Polisario n'est toujours pas réglé, couvre 252 120 km^2.

Population. Le Maroc, qui comprend des populations d'origine berbère, arabe ou soudanaise, compte 34 343 000 habitants, dont 375 000 au Sahara occidental. Capitale : Rabat.

Religion. L'islam sunnite est religion officielle. Minorités de chrétiens et de juifs.

Dates. *IXe siècle* Les Phéniciens, puis les Carthaginois trois siècles plus tard, abordent. *700* Les Arabes arrivent et islamisent le pays, malgré la révolte berbère. *1061* L'empire créé par les Almoravides unit Maghreb et Andalousie. *1666* Fondation de la monarchie alaouite. *1906* Début de l'occupation du pays par la France, qui en fait un protectorat six ans plus tard. *1955* Mohammed V exilé par la France. *1956* Indépendance. *1957* Le Maroc est un royaume, Hassan II monte sur le trône quatre ans plus tard. *1975* Annexion d'une partie du Sahara occidental (« Marche verte »), que le Maroc occupera totalement quatre ans plus tard. Le référendum sur le sort politique de la région n'a toujours pas eu lieu. *Septembre 1991* Accord de cessez-le-feu entre l'armée marocaine et les troupes du Front Polisario. *Juillet 1999* Mort du roi Hassan II, son fils Mohammed VI lui succède et engage une politique d'ouverture. *Septembre 2002* Poussée des islamistes modérés aux législatives. *Octobre 2002* Driss Jettou, sans appartenance politique, est nommé Premier ministre. *Mai 2003* Série d'attentats à Casablanca, attribués aux islamistes (45 morts). *Début 2004* Le Maroc adopte une réforme (*moudawana*) qui met femmes et hommes sur un pied d'égalité. *Février 2004* Un séisme frappe la région d'Al Hoceima, sur la côte nord (au moins 600 victimes). *Mai 2005* Violences entre forces de l'ordre et Sahraouis à El-Ayoun à propos du différend sur le Sahara occidental. *Mars et avril 2007* Attentats à Casablanca.

Martinique

«L'île aux fleurs» prouve, par ce baptême, qu'elle a plus à offrir que le farniente classique des Antilles, dont les côtes sud et sud-ouest sont les dépositaires. Les randonnées dans le nord, paradis des botanistes, et l'ascension de la montagne Pelée se posent en rivales des eaux turquoise.

LES RAISONS D'Y ALLER

LES CÔTES

Plages des côtes sud-ouest (Anse-Noire, les Anses-d'Arlet) et sud (Le Diamant, Sainte-Luce)

Plaisance (île Marin, les Trois-Îlets)

Baies du Robert et du François, fonds Blancs

LES PAYSAGES

Randonnées dans le nord, ascension de la montagne Pelée, jardins, plantations

LES RAISONS D'Y ALLER

LES CÔTES

Les côtes sud et sud-ouest, avec leurs villages de pêcheurs et leurs plages de sable blanc baignées par la mer des Antilles, remportent les suffrages des «visiteurs farniente» par rapport à la côte est, aux falaises balayées par l'Atlantique et plus propices au surf qu'à la baignade.

Le **tourisme balnéaire** se décline surtout dans les anses du sud-ouest, telles Anse Noire, les Anses d'Arlets, aux Trois-Îlets, et sur la côte sud : le Diamant, Sainte-Luce, Grande Anse des Salines.

Voile, ski nautique, quad, scooter des mers sont de rigueur, tandis que les plaisanciers se rassemblent au Marin ou aux Trois-Îlets. Quant aux **plongeurs**, ils trouvent leur bonheur dans les fonds de la côte sud et autour des épaves de Saint-Pierre.

Sur la côte est, le **surf** et désormais le kitesurf sont de mise dans la baie du Robert et la baie du François, remarquables par leurs îlets et la couleur des eaux des « **fonds blancs** » (hauts fonds de sable), où le verre de punch se laisse facilement apprécier...

Les côtes nord et nord-est, moins connues et moins fréquentées, offrent en revanche de beaux abrupts (Basse-Pointe, Grand-Rivière). Quant aux plongeurs, ils explorent, entre autres, les épaves des bateaux engloutis à la suite de l'éruption de la montagne Pelée au début du siècle.

LES PAYSAGES ET LES RANDONNÉES

Aussi intéressant que le tourisme côtier, le tourisme de l'intérieur est dominé par les paysages de montagne et de forêt du nord. L'ascension de la **montagne Pelée**, à gravir de préférence avec un guide afin d'éviter de se perdre dans le brouillard, est le clou de la fête, même si la visite du Musée vulcanologique de Saint-Pierre a de quoi la faire détester pour les méfaits commis par les cendres de son éruption en 1902.

La randonnée pédestre (une trentaine de sentiers balisés) s'impose à travers la forêt tropicale du nord, les cascades, les mornes (collines), les alentours des champs de canne à sucre, et plus encore pour les jardins et les plantations, vrais paradis pour les botanistes qui y découvrent entre autres des bougainvillées et des balisiers.

L'essor du tourisme vert est également prouvé par la récente ouverture du parc d'aventure Mangofil, le long de la rivière du Carbet.

Variation des styles: le musée du Café et du Cacao des Trois-Ilets, le jardin botanique des Ombrages, la religion du rhum (ti' punch) et partout des sons qui invitent à danser la biguine.

LE POUR

◆ Un joli cocktail de farniente, de croisières et de randonnées, à des dates idéales pour chasser les images de l'hiver européen ou nord-américain.

LE CONTRE

◆ Un coût de la vie touristique relativement élevé.

LE BON MOMENT

Le climat chaud et plutôt humide est tempéré par les alizés. **Janvier-juin** (saison sèche, ou «carême») s'impose aux dépens de mai-novembre (saison des pluies, ou «hivernage»). La saison théorique des ouragans va de juin à novembre.

◆ Températures maximales/minimales (en °C)

Fort-de-France: janvier 27/21, avril 29/22, juillet 29/23, octobre 29/23. Eau de mer : 27° en moyenne.

LE PREMIER CONTACT

Au Canada

Maison de la France, 1981 avenue McGill College, Montréal, Canada H3A 2W9, ☎ (514) 288.4264, fax (514) 845.4868.

En métropole

Comité martiniquais du tourisme, 2, rue des Moulins, 75001 Paris, ☎ 01.44.77.86.00, fax 01.49.26.03.63.

Internet

www.martiniquetourisme.com

Guides

Caraïbes (Marcus, Mondeos), *Croisières aux Caraïbes* (Berlitz), *Croisières dans les Caraïbes* (Ulysse),

Martinique (Gallimard/GEOGuide, Gallimard/Encycl. du voyage, Hachette/Routard, Hachette/Voir, Marcus, Ulysse), *Martinique, Dominique et Sainte Lucie* (Lonely Planet France), *Martinique et Dominique* (Hachette/Evasion), *37 Balades et Randonnées en Martinique* (Orphie, éditeur qui propose plusieurs autres ouvrages à thème sur l'île).

Cartes

Guadeloupe, Martinique, Petites Antilles (Berlitz), *Martinique* (IGN).

Lectures

Bienvenue en Martinique (Le Petit Futé/Carnets de voyage, 2007), *la Colonisation sans nom : la Martinique de 1960 à nous jours* (Laurent Jalabert/Les Indes savantes, 2007), *Histoire de la Martinique* (Armand Nicolas/L'Harmattan, en trois tomes), *le Goût de la Martinique* (Raphaël Confiant/Mercure de France, 2005). Lire aussi les poèmes d'Aimé Césaire et les œuvres en créole, telles celles de Patrick Chamoiseau ou Raphaël Confiant.

Images

Antilles (Fabrice et Yves Lundy/Ed. Alain Barthélemy, 2001), *Faune et flore de Martinique* (Gallimard, 1998), *la Peinture en Martinique* (HC Editions, 2007).

Vidéos et DVD

Martinique, nuances tropicales (DVD Guides).

QUEL VOYAGE ET À QUEL PRIX ?

Le voyage individuel

Les préparatifs

◆ Carte d'identité suffisante pour les ressortissants de l'Union européenne, mais le passeport est préférable car il est nécessaire lors des croisières ou de la visite d'autres îles des Antilles. Pour les Canadiens, passeport suffisant.

◆ Aucune vaccination n'est requise.

◆ Monnaie : outre l'euro, une petite réserve de dollars US s'impose en cas de visite d'autres îles des Antilles.

Le départ

Avion

Indice de prix à certaines dates du vol Paris-Fort-de-France A/R : 500 EUR. ◆ Durée moyenne du vol Paris/Fort-de-France : 8 h 30. ◆ Les prix atteignent leur maximum au moment des fêtes de fin d'année.

Bateau

Des liaisons transatlantiques existent, telle Fort-de-France-Barcelone sur le *Levant* (Compagnie des Iles du Ponant) en 13 jours/12 nuits.

Sur place

Hébergement

Logement à un prix raisonnable dans l'intérieur via la Maison du tourisme vert et des gîtes ruraux, ☎ 05.96.73.67.92 (près de 300 gîtes ou chambres d'hôtes). Voir également les propositions de demeures à l'architecture créole et d'hôtels de charme (Austral Lagons, Kuoni, Nouvelles Frontières, entre autres).

Route

Transports en commun peu nombreux. La location de voiture et les autotours (vol A/R, voiture et hébergement réservé à l'étape, aux alentours de *700 euros*) sont à privilégier.

Le séjour en individuel

Il consiste souvent en un logement en bord de mer, avec possibilité de loisirs tels que planche à voile, initiation à la plongée, pêche au gros, thalasso, etc. Compter aux alentours de *1 100 EUR* la semaine en saison creuse pour un séjour de ce type (vol A/R, chambre double, location de voiture), sinon *800 EUR* en moyenne pour le vol et l'hébergement. Quelques prestataires : Austral Lagons, Club Med, Kuoni, Nouvelles Frontières, Rev'Vacances, TUI, Visit France. Pour la plongée : Aquarev (aux Trois-Ilets), Nouvelles Frontières (au Carbet, au Diamant), Voyageurs du monde (anse Sainte-Anne, anse Caritan).

Le voyage accompagné

Certes, la croisière (voir *Guadeloupe*) et le farniente sont à l'honneur, mais il existe aussi une Martinique de l'intérieur bien faite pour les **randonneurs** qui passent de la descente des rivières à l'ascension de la montagne Pelée. Exemples : La Balaguère, Club Aventure, Terres d'aventure. Compter aux environs de *1 500 EUR* la semaine tout compris pour une semaine.

QUE RAPPORTER ?

Le rhum s'accompagne de boucles d'oreilles créoles, d'épices, de fleurs, de tissus.

LES REPÈRES

◆ Langues : créole et français. ◆ Téléphone pour la Martinique : 0596 et numéro; de la Martinique : 00; pour les habitants de la métropole, uniquement les dix chiffres du correspondant.

LA SITUATION

Géographie. D'origine volcanique et troisième île des Petites Antilles en superficie (1 128 km^2) derrière Trinidad et la Guadeloupe, la Martinique est formée de sommets élevés au nord (1 397 m pour la montagne Pelée)et de mornes (sommets arrondis de faible altitude) au sud.

Population. 432 900 habitants (Blancs créoles, Indiens, Mulâtres, Noirs). Chef-lieu : Fort-de-France, qui regroupe environ le quart de la population.

Religion. Majorité de catholiques.

Dates

1502 Christophe Colomb découvre l'île. *1635* Début de la colonisation française, que les Anglais remettront en question. *1848* Abolition de l'esclavage. *1902* Éruption de la montagne Pelée. *1946* La Martinique devient un département d'outre-mer. *1985* Revendications autonomistes. *Décembre 2003* Guadeloupe et Martinique disent non à une collectivité territoriale unique.

Maurice

L'ex-Isle de France, avec ses cocotiers, ses épices, ses eaux tièdes et calmes, sa flore et sa faune marine, reste fidèle à un tourisme haut de gamme centré sur le farniente, le golf, la plongée, les voyages de noces et, dernière mode, le mariage sur place. A côté de ces invitations à la félicité, soutenues par d'excellents équipements, l'écotourisme tente de se faire une place, tandis que la petite île de Ródrigues varie les horizons.

LES RAISONS D'Y ALLER

LES CÔTES

Plages (Grand Baie, l'Île aux Cerfs, îlot Ródrigues), lagon, barrière de corail, hôtels haut de gamme (spas), golf

LES PAYSAGES ET LA FLORE

Mornes, Trou aux Cerfs, jardin de Pamplemousses
Nénuphars géants, talipots, flamboyants, bougainvillées

LA FAUNE MARINE

Poissons-chats, poissons-chirurgiens, poissons-pyjamas
Pêche au gros

L'HABITAT ET LES MŒURS

Marchés, anciennes demeures créoles
Fêtes et pèlerinages hindous

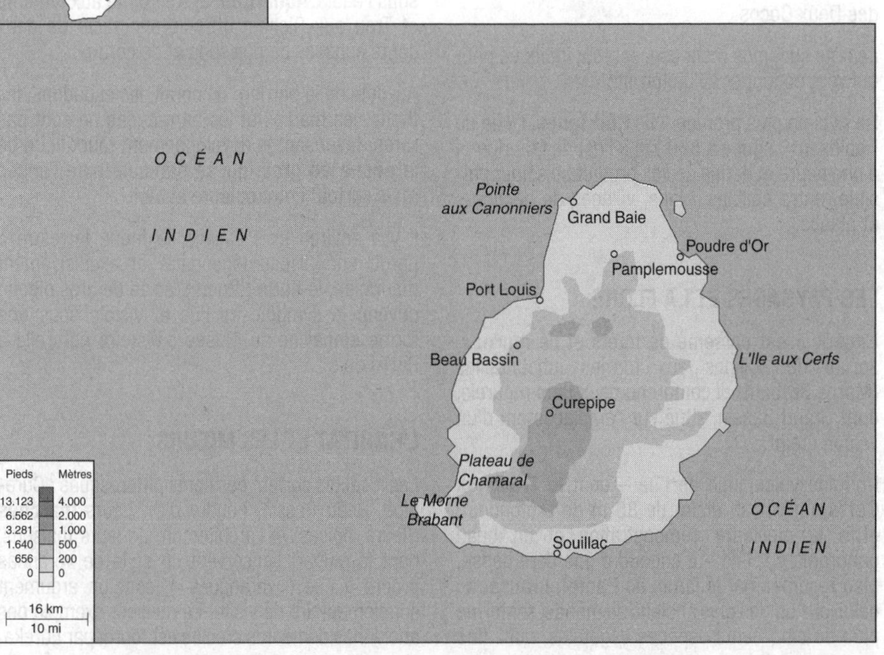

LES RAISONS D'Y ALLER

LES CÔTES

Prolongées par le lagon et une barrière coralienne, les **plages** sont bien équipées (clubs de voile, de pêche sportive, de plongée) et peuvent être fréquentées toute l'année. Les hôtels sont de haute tenue et cèdent, comme ailleurs sous ces latitudes, à la mode du spa et des séjours centrés sur le bien-être et la philosophie ayurvédique. La dizaine de terrains de golf ajoutent à l'intérêt d'un séjour.

A travers jardins de coraux, anémones et gorgones orange, les plongeurs croisent des mérous, des rascasses, des murènes, des barracudas.

La **côte nord-ouest**, abritée du vent, constitue le principal rendez-vous balnéaire de l'île : Grand Baie, Pointe aux Piments, Pointe aux Canonniers, Trou aux Biches. Plus bas, la Pointe Flic en Flac et, encore plus bas, Pointe Pêcheurs et Pointe Sud-Ouest sont aussi de grands classiques du Maurice balnéaire.

Sur la **côte est**, l'île aux Cerfs est très fréquentée, comme Pointe de Flacq, Pointe des Puits, Pointe aux Bœufs et, au sud-est, Pointe d'Esny et Pointe des Deux Cocos.

La côte sud, plus rocheuse, est tout indiquée pour qui veut échapper à l'uniformité.

De plus en plus promue, l'île **Ródrigues**, l'« île de Robinson », située à 560 km à l'est de Maurice et à une heure et demie de vol, promet un séjour paisible, entre collines, filaos, villages de pêcheurs et plages.

LES PAYSAGES ET LA FLORE

L'intérieur est parsemé de forêts et de **mornes**, sortes de collines aux formes inhabituelles (Morne Brabant). Il comprend deux **lacs** naturels, dont Grand Bassin, situé sur l'emplacement d'un volcan éteint.

L'origine volcanique de l'île – dont **le Trou aux Cerfs**, un volcan éteint de 85 m de profondeur, offre la meilleure démonstration et un beau panorama sur l'île – a engendré une flore dense, bien résumée par le jardin de **Pamplemousses** : celui-ci, l'un des plus anciens au monde, renferme plus de cinq cents espèces végétales, dont **des talipots**, qui fleurissent... tous les soixante ans, et des **nénuphars géants**. Les **flamboyants** et les **bougainvillées** sont les arbres les plus réputés et sont côtoyés par quatre-vingts espèces de palmiers.

Autres sites : les Vergers de La Bourdonnais (fleurs et fruits tropicaux en tout genre), le parc aventure du plateau de Chamarel (« Terres de Couleurs », ainsi nommées pour les variations de teintes qu'elles connaissent), le parc national des Gorges de la Rivière noire, la Réserve des Mascareignes (parc animalier comprenant tortues géantes et crocodiles), les domaines des Grands Bois et du Val, les chutes de Rochester.

La randonnée et le tourisme actif (quad, tout-terrain) se développent, de même que l'écotourisme, ce dernier s'appliquant de plus en plus aux domaines sucriers.

LA FAUNE MARINE

Le lagon et la barrière de corail renferment des espèces (**poissons-chats, poissons-chirurgiens, poissons-pyjamas**) que les non-plongeurs peuvent examiner à partir de bateaux à fond de verre, ou bien en pratiquant… la marche sous l'eau. L'**Aquarium**, entre Pointe aux Piments et Trou aux Biches, offre le spectacle de deux cents espèces de poissons et de coraux.

Au-delà de la barrière de corail, les espadons, les thons, les marlins et les barracudas ne sont pas rares, favorisant le développement touristique de la **pêche au gros**, qui se pratique toute l'année mais surtout entre octobre et avril.

Il y a environ trois siècles, la faune terrestre a perdu son oiseau légendaire et exclusivement mauricien, le **dodo** (dronte), sorte de gros pigeon devenu le symbole de l'île et visible sous une forme empaillée au Musée d'histoire naturelle à Port-Louis.

L'HABITAT ET LES MŒURS

Les localités portent des noms pittoresques : Curepipe, Beau Bassin, Poudre d'Or. Leurs **marchés** (fleurs, épices) et l'architecture de leurs maisons, dont la plupart conservent un style de vérandas propre à l'île (« varangues »), sont un argument supplémentaire de visite. Le meilleur exemple des anciennes demeures créoles est fourni par Eureka, qui rappelle les situations du roman de Bernardin de Saint-Pierre, *Paul et Virginie*. Ce romantisme est aujourd'hui transposé dans des initiatives dernier cri pour le voyageur occidental, comme le mariage sur place, tant civil que religieux.

Fêtes chrétiennes (pèlerinage dédié au père Laval en septembre), hindoues (*Cavadee*, *Maha Shivaratree* au mois de février à Grand Bassin et en l'honneur de Siva, *Divali*, fête en l'honneur de Rama en octobre ou novembre), perpétuent la réputation œcuménique de l'île.

Maurice a une tradition culturelle marquée par le séga, musique des anciens esclaves issue d'instruments du cru tels que la ravanne (équivalent de la grosse caisse).

LE POUR

◆ Une politique active du tourisme, qui garantit des équipements de haute qualité dans un strict respect de l'environnement.

◆ Les avantages d'une zone franche pour des achats tels que bijoux, textile, matériel électronique.

◆ Un contact facilité par l'emploi de la langue française.

◆ La diversification de l'acheminement aérien pour tempérer les prix en ce domaine.

LE CONTRE

◆ Une destination touristique plus chère que ses voisines car tournée vers le haut de gamme.

◆ Une période climatique favorable légèrement décalée par rapport aux grandes périodes de vacances occidentales.

LE BON MOMENT

Entre décembre et février, le climat subtropical et la latitude donnent à Maurice un été austral pluvieux, chaud et humide, et des cyclones peuvent survenir. Les précipitations sont fréquentes, mais la brièveté des averses ne gêne guère le touriste, qui élira néanmoins **juin à novembre**. Pour le farniente, privilégier la côte ouest.

◆ Températures moyennes jour/nuit (en °C) : janvier 32/24, avril 31/23, juillet 27/19, octobre 29/20. La moyenne de la température de l'eau de mer passe de 27° en janvier à 22° en août.

LE PREMIER CONTACT

En Belgique

Ambassade, 68, rue des Bollandistes, B-1040 Bruxelles, ☎ (02)733.99.88, fax (02)734.40.21.

Au Canada

Consulat général, 606, rue Cathcart, Montréal, H3B 1K9, ☎ (514) 393-9500, fax (514) 393-9324.

En France

Office du tourisme, 124, boulevard Haussmann, 75008 Paris, ☎ 01.44.69.34.50, fax 01.44.69.34.51.

Guides

Ile Maurice (Mondeos), *Ile Maurice et Rodrigues* (Hachette/Evasion, Hachette/Routard, Le Petit Futé), *Maurice* (Gallimard/GEOGuide, Marcus), *Maurice, Réunion, Seychelles* (Gallimard/Bibl. du voyageur), *Réunion, Maurice et Rodrigues* (Lonely Planet France, Michelin/Voyager pratique).

Cartes

Ile Maurice (IGN), *Réunion, île Maurice* (Berlitz).

Internet

www.ilemaurice-tourisme.info/

Lectures

Le Bal du dodo (G. Dormann/LGF, Livre de poche, 1991), *le Chercheur d'or* (J. M. G. Le Clézio/Gallimard, 1988), *Réunion, Maurice* (Le Petit Futé/Carnets de voyage), *les Rochers de Poudre d'or* (Natacha Appanah/Gallimard, 2006). *Paul et Virginie,* de Bernardin de Saint-Pierre (J'ai lu, 2004) a été écrit dans le Jardin de Pamplemousses.

Images

Ile Maurice (Fabrice H./Dakota 2005), *Madagascar, la Réunion, l'île Maurice, les Seychelles* (Chêne, 2008), *Vivre à l'île Maurice : la vie en varangue* (Ed. du Pacifique, 2002). Voir aussi les œuvres du peintre local Hervé Masson.

Vidéos et DVD

Balades dans l'île Maurice (AK Video).

QUEL VOYAGE ET À QUEL PRIX ?

Le voyage individuel

Les préparatifs

◆ Pour les ressortissants de l'Union européenne, canadiens, suisses : passeport suffisant, valable encore six mois après le retour. Billet d'avion et preuve de fonds suffisants exigibles.

◆ Aucune vaccination n'est requise. Risque faible de paludisme dans les zones rurales.

◆ Monnaie : la *roupie mauricienne.* 1 US Dollar = 32 roupies mauriciennes. 1 EUR = 44 roupies mauriciennes. Emporter des euros en espèces ou chèques de voyage et une carte de crédit (distributeurs de monnaie surtout à Port Louis).

Le départ

◆ Indice de prix à certaines dates du vol Paris-Port Louis A/R : 850 EUR. ◆ Durée moyenne du vol Paris-Port Louis (9 445 km) : 11 h 30 en vol direct. ◆ Hausse des prix conséquente lors des fêtes de fin d'année. Vol possible – et souvent moins cher – via La Réunion.

Sur place

Avion

Air Mauritius relie quotidiennement l'île Maurice à Ródrigues en 1 h 30.

Hébergement

Les grandes enseignes hôtelières sont là, avec équipements et spas très raffinés. Egalement établissements de charme et possibilités de louer villas, appartements et pensions de famille.

Route

◆ Conduite à gauche, réseau routier par endroits en mauvais état. ◆ Limitations de vitesse agglomérations/routes : 40/80 km/h. ◆ La location des petites voitures du style *Mini Moke* est répandue. ◆ La location d'une voiture (21 ans et un an de permis minimum), à effectuer de préférence avant le départ, revient à environ 250 EUR la semaine.

Le séjour

Rappel : nous nous sommes limités à un résumé des prestations en vigueur dans les agences et chez les voyagistes présents en France. Les lecteurs des autres pays peuvent en tirer des idées d'itinéraire et les compléter auprès de leurs agences de voyages.

◆ Le séjour d'une semaine dans un hôtel haut de gamme, consacré au farniente, au golf, au spa, à la plongée, tient la corde, quitte à ne pas être regardant sur des tarifs qui dépassent rapidement *2 000 EUR* pour les seuls vol, hébergement et petit déjeuner en cinq étoiles. Le coût est à peine atténué par quelques réductions pour les enfants et pour les couples en voyage de noces (la mariée ne paie que la moitié du séjour).

La diversification existe néanmoins, des sites côtiers tels que Pointe aux Piments, Grand Baie, Anse la Raie, Trou aux Biches, offrant des premiers prix pour une semaine (vol + hébergement) autour de *1 200 EUR* hors saison.

◆ La structure d'un voyage à Maurice peut se concevoir de trois autres manières :

– un **combiné** Maurice et Réunion (14 jours en moyenne), formule de loin la plus répandue; les premiers prix de ces combinés se situent aux alentours de *1 800 EUR*;

– ce même séjour complété par trois ou quatre jours sur l'île Ródrigues;

– un combiné Maurice, Réunion et Seychelles ou Maurice-Seychelles.

◆ Les voyagistes (Austral Lagons, Beachcomber Tours, Club Med, Exotismes, Fram, Iles du monde, Jet Tours, Look Voyages, Nouvelles Frontières, Odysseus, TUI France, Vacances Transat, Voyageurs du monde) sont en mesure de proposer l'une ou l'autre de ces formules mais le combiné Réunion-Maurice tend à l'emporter, avec grosso modo une semaine pour chaque île.

◆ Les spécialistes de la plongée répondent présent pour des séjours d'une semaine (Aquarev, Blue Lagoon, Ultramarina).

◆ Avec les Seychelles, Madagascar et la Réunion, Maurice est l'une des escales des **croisières** organisées par African Safari Club. Costa Croisières propose un périple venue de la Réunion via Maurice, Madagascar, les Seychelles, le Kenya.

QUE RAPPORTER ?

L'île est connue pour ses textiles raffinés (pashminas), mais aussi pour ses marchés aux épices, dominés par le safran et la vanille.

LES REPÈRES

◆ Lorsqu'il est midi en France, à l'île Maurice il est 14 heures en été et 15 heures en hiver. ◆ Langue officielle : anglais; le français est largement répandu, mais c'est un français créole, langue commune des groupes ethniques et objet de revendication pour un statut de vraie langue, que l'on entend le plus souvent dans la rue. ◆ Téléphone vers l'île Maurice : 00230 + numéro.

LA SITUATION

Géographie. Plus petite (62 km de long et 42 km de large, 2 040 km^2) que la Réunion mais de même origine volcanique, Maurice est formée d'un plateau relevé par trois chaînes de montagnes basaltiques d'altitude modeste. Les îles d'Agalega, au nord, et de Ródrigues, à l'est, ainsi que l'archipel de Saint-Brandon, au nord, dépendent de Maurice.

Population. 1 274 000 habitants : un total élevé pour une petite île et ses trois dépendances. Les Indiens d'Inde, arrivés au XIXe siècle après que les esclaves eurent été affranchis, sont majoritaires (7 habitants sur 10). On trouve également des Mulâtres, des Blancs et des Chinois. Les créoles sont souvent considérés comme appartenant à la classe sous-dominante. Capitale : Port Louis.

Religion. Les grandes religions sont toutes présentes et cohabitent sans problème. Un habitant sur deux est hindou, un sur quatre est catholique. Minorités de musulmans, de protestants et de bouddhistes.

Dates. *XVIe siècle* Le Portugais Albuquerque accoste à Maurice. *1598* Les Néerlandais s'approprient l'île et lui donnent son nom en hommage à Maurice de Nassau. *1715* Au tour de la France de s'inviter et de fonder l'« île de France ». *1810* La Grande-Bretagne prend le relais. *1968* Indépendance, mais sans s'éloigner vraiment de la Couronne. *1992* Maurice devient une république au sein du Commonwealth. *1992* Cassam Uteem devient chef de l'État. *Décembre 1995* Une coalition entre le Parti travailliste et le Mouvement militant mauricien remporte aisément les élections. *1998* La situation économique se fragilise et le Premier ministre Ramgoolam est mis en difficulté. *Septembre 2000* Ramgoolam perd les législatives anticipées, Anerood Jugnauth lui succède et dirige une nouvelle coalition. *Automne 2003* Anerood Jugnauth devient président et Paul Berenger Premier ministre. *Juillet 2005* Navinchandra Ramgoolam devient Premier ministre et doit faire face à de nombreuses divergences internes.

Mauritanie

Avant que la situation ne se dégrade dans l'Algérie voisine à la fin du siècle dernier, le désert mauritanien ne voyait passer que les passionnés des expériences de Théodore Monod. Puis les plateaux de l'Adrar et du Tagant ont vu affluer les amateurs de méharées ou de balades en tout-terrain. Jusqu'à ce que, récemment, des remous politiques ou commerciaux ne viennent freiner cet engouement avec lequel l'attachante Mauritanie doit aujourd'hui composer tout en préservant son authenticité.

LES RAISONS D'Y ALLER

LE DÉSERT ET LES RANDONNÉES

Plateau de l'Adrar (oasis, falaises, grandes dunes, Chinguetti)
Plateau du Tagant
Méharées, trekkings, Train du désert

LA CÔTE

Parc national du banc d'Arguin (oiseaux migrateurs)
Faune marine (dauphins, épaulards, requins, phoques moines)
Plages de la baie de Tanit et de la baie du Lévrier, pêche

LES VILLES

Nouakchott, Maata Moulana

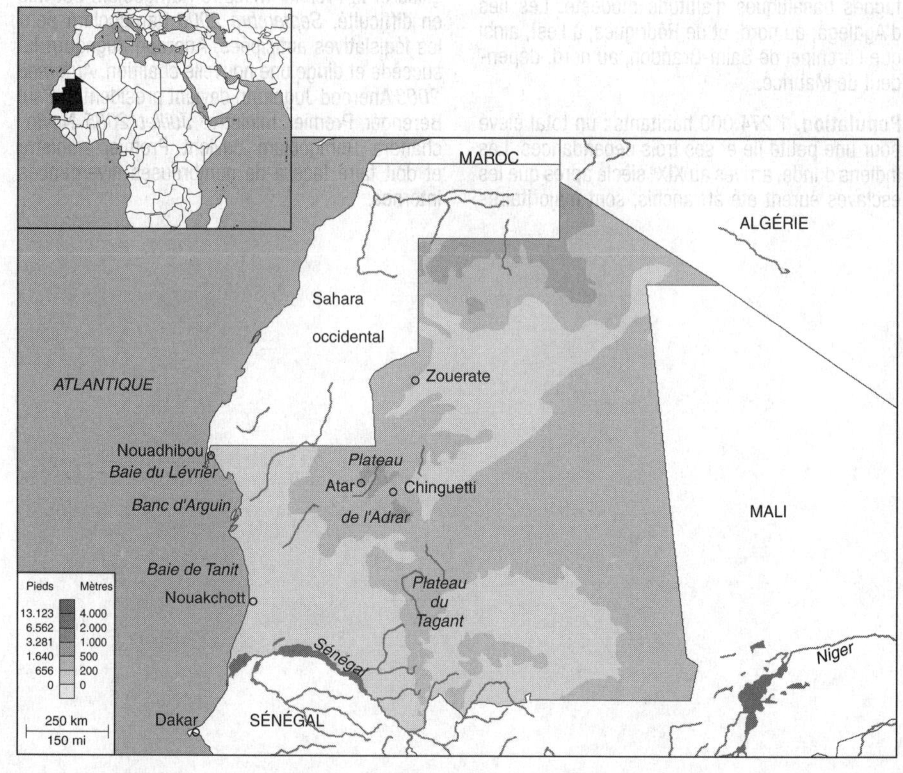

LES RAISONS D'Y ALLER

LE DÉSERT ET LES RANDONNÉES

Les passions des amoureux du désert se rejoignent sur le plateau de l'**Adrar**, à l'est d'Atar. Une randonnée ou une méharée dans ces régions laisse un grand souvenir, tant pour la beauté des paysages que pour les vertus de l'accueil des populations nomades ou sédentarisées.

Le plateau de l'Adrar multiplie les sites : grandes dunes, passes d'Ebnou et d'Amodjar qui, à travers une piste aussi rude que spectaculaire, ont parfois des airs de canyon du Colorado, oasis anciennes de Terjit – où la baignade est un vrai plaisir –, Ouadane, le volcan avorté et aux cercles concentriques du Guelb er Richat, et surtout **Chinguetti**. Cette ancienne ville sainte de l'islam renferme une mosquée et des bibliothèques gardiennes de manuscrits datant du Moyen Âge.

C'est également dans l'Adrar que se rencontrent des peintures rupestres et les ruines de Fort Saganne. Au cœur d'un été brûlant, la cueillette des dattes (*guetna*) voit affluer sur le plateau des milliers de Mauritaniens nostalgiques, qui organisent de grandes réjouissances.

Parmi dunes et palmeraies (Tidjikja), le plateau du **Tagant**, peu visité actuellement, renferme des villages **néolithiques**, ainsi que des vestiges de villes du XVIe siècle (Titchitt) et au-delà, de style architectural arabo-berbère.

LA CÔTE

Au sud de Nouadhibou et jusqu'à Nouamghar, l'océan enfonce un coin habité par les pêcheurs Imraguen et devenu en 1976 un parc national, celui du **banc d'Arguin**. Les oiseaux migrateurs, dont des flamants roses et des hérons, y viennent en grand nombre entre octobre et mars. C'est au début de cette période que la visite est la plus indiquée. Dans le parc et à sa périphérie, voisinent dauphins, requins, épaulards et les désormais rares phoques moines : cent cinquante environ de ceux-ci sur les trois cent cinquante qui restent sur la planète.

La plupart des plages se trouvent dans les baies de **Tanit** et du **Lévrier**. Elles sont sablonneuses, mais peu connues et peu aménagées. En revanche, la **pêche** (bars, dorades, mérous, murènes, raies, requins), sous des formes variées (lancer au-dessus des vagues, palangrotte), est une activité de plus en plus pratiquée, par exemple dans le centre de pêche sportive de Nouadhibou.

LA VILLE

Contrairement aux idées reçues, la capitale **Nouakchott** ne manque pas d'intérêt : son marché principal est un vrai spectacle, fait d'objets d'artisanat en tout genre et de grandes bandes de tissus multicolores. Par ailleurs, en avril, la ville abrite depuis 2004 un festival Musiques nomades.

Le moment de la pêche sur le port est également un grand spectacle, lorsque se côtoient les barques et les couleurs des vêtements de femmes et hommes venus retirer les bienfaits d'une des faunes marines les plus abondantes du monde.

Une curiosité : **Maata Moulana**, petite ville près d'Aleg dans le sud du Tagant, née de rien en 1950, où se pratique et s'enseigne une branche du soufisme tidjane dans plusieurs dizaines d'écoles.

LE POUR

◆ Pour l'inconditionnel de l'aventure saharienne, des paysages d'une grande beauté.

◆ La pratique de la langue française.

LE CONTRE

◆ Une situation politique tendue, et la baisse de la fréquentation et du nombre de vols pour Atar.

LE BON MOMENT

Un climat chaud et sec ne laisse que la période **novembre à février** pour les randonnées sahariennes. Mars est encore passable, avril déjà trop chaud. L'été est long (jusqu'à novembre), très chaud, voire torride à l'intérieur des terres. Il arrive que la sécheresse s'atténue et laisse la pluie tomber dans le sud entre juillet et septembre.

◆ Températures moyennes jour/nuit (en °C) à *Nouakchott* (côte) : janvier 29/14, avril 33/17, juillet 32/23, octobre 36/23; à *Atar* (Adrar) : 36/22 en avril, puis forte montée des températures jusqu'à octobre inclus.

LE PREMIER CONTACT

En Belgique

Consulat, avenue de la Colombie, 6, B-1000 Bruxelles, ☎ (02) 672.18.02, fax (02) 672.20.51.

Au Canada

Ambassade, 121, promenade Sherwood, Ottawa, ON K1Y 3V1, ☎ (613) 237-3283, fax (613) 237-3287, www.mauritania-canada.ca

En France

Ambassade, 5, rue de Montevideo, F-75011 Paris, ☎ 01.45.04.88.54, fax 01.40.72.82.96.

En Suisse

Chancellerie, avenue Blanc, 46, CH-1202 Genève, ☎ (22) 906.18.40, fax (22) 906.18.41.

Internet

www.terremauritanie.com/
www.mauritanie-decouverte.net/

Guides

Afrique de l'Ouest (Hachette/Routard, Lonely Planet France), *Mauritanie* (Jaguar, Le Petit Futé, Marcus, Mondeos), *Sahara* (Hachette/Évasion).

Carte

Mauritanie (IGN).

Lectures

Méharées, de Théodore Monod, pour l'approche du genre la plus authentique qui soit (Editions J'ai lu, 1999), *Nouakchott-Nouadhibou, la Mauritanie trace sa route* (P. Lepidi et P. Freund/Ibis Press, 2006), *Pieds nus à travers la Mauritanie, 1933-1934* (O. de Puigeaudau/Phébus, 2003), *Smara : carnets de route d'un fou du désert* (Ph. Vieuchange/Phébus, 2004), *Tagant : au cœur du pays maure, 1936-1938* (O.de Puigeaudau/Phébus, 2008).

Images

L'Art du cuir en Mauritanie, ou le raffinement nomade (M.-F. Delarosière/Edisud, 2005), *l'Exploration du Sahara* (Jean-Marc Durou/Actes Sud), *Horizons nomades, Mauritanie-Niger* (Anako, 2003), *Mauritanie, le pays du million de poètes* (Larivière, 2000), *Sur la route des caravanes : d'Atar à Néma par Rachid, Tidjikja et Oualata* (Sepia, 2002).

Vidéos et DVD

Mauritanie : Chinguetti, massif de l'Adrar, El Rheouya, parc national du banc d'Arguin (P. Hendrick/Vodéo).

QUEL VOYAGE ET À QUEL PRIX ?

Le voyage individuel

Les préparatifs

◆ Pour les ressortissants de l'Union européenne, canadiens, suisses : passeport valable encore six mois après le retour, visa obligatoire, obtenu auprès du consulat. Dans tous les cas, billet de retour ou de continuation exigible.

◆ Vaccination contre la fièvre jaune vivement recommandée pour le sud du pays (mais généralement tous les voyageurs qui se rendent en Mauritanie se la font administrer, en outre elle devient obligatoire pour un séjour au-delà de 15 jours). Prévention recommandée contre le paludisme, excepté autour de Nouadhibou et dans la région nord. Risque en saison des pluies (juillet-octobre) sur le plateau de l'Adrar.

◆ Monnaie : l'*ouguiya*. 1 EUR = 365 ouguiyas, 1 US Dollar= 263 ouguiyas. Emmener des euros ou des dollars US, de préférence en espèces. Cartes bancaires de peu d'utilité.

Le départ

Indice de prix à certaines dates du vol Paris-Nouakchott A/R : 620 EUR. Durée moyenne du vol Paris-Nouakchott (3 816 km) : 5 heures; Paris-Atar (un vol hebdomadaire d'octobre à mai) : 4 h 30. Les prix montent pour les fêtes de fin d'année, en février et à Pâques.

Sur place

Route

Location de voiture possible, de préférence avec chauffeur. Hors des principaux axes, ne pas s'aventurer seul, toujours faire en sorte de partir en convoi.

Train

Entre Nouadhibou et Zouerate, roule le plus long **train** du monde (200 wagons), chargé de minerai de fer. La ligne est aujourd'hui « récupérée » par le tourisme pour un périple ferroviaire des plus insolites.

Vie quotidienne

L'importation d'alcool est interdite.

Le voyage accompagné

Rappel : nous nous sommes limités à un résumé des prestations en vigueur dans les agences et chez les voyagistes présents en France. Les lecteurs des autres pays peuvent en tirer des idées d'itinéraire et les compléter auprès de leurs agences de voyages.

◆ Les spécialistes se partagent le terrain entre octobre et avril, tantôt pour des **méharées** (guides et dromadaires seulement), tantôt pour des randonnées chamelières (ravitaillement régulier par 4 x 4), ou encore pour des trekkings avec assistance d'un tout-terrain.

◆ L'**Adrar** est la région reine, particulièrement pour une semaine en méharée, devenue un classique, entre Chinguetti et Ouadane. Sont sur les rangs, entre autres : Acabao, Allibert, Atalante, Chemins de sable, Club Aventure, Déserts, Explorator, Horizons nomades, Nomade Aventure, Point Afrique, Tamera, Voyageurs du monde.

Ces voyagistes diversifient les plaisirs (par exemple la conduite momentanée d'un 4 x 4 ou le survol en montgolfière de l'Adrar avec Point Afrique) et se partagent ce que le plateau recèle d'ergs, d'oueds, de passes, de sites (« Vallée blanche »), de promontoires (Guelb er Richat).

◆ Les autres formes du voyage mauritanien sont moins connues mais ne manquent pas d'originalité, particulièrement avec Explorator qui est l'un des seuls voyagistes à gagner l'Adrar, le Tagant (Tijikja) et le parc du banc d'**Arguin** dans un même voyage (16 jours). Nouvelles Frontières est également dans l'Arguin, chez les pêcheurs Imraguen (une semaine entre octobre et mars).

De son côté, Chemins de sable a élaboré un voyage insolite d'une semaine à bord du « **train du désert** »... dans un wagon-couchettes spécialement aménagé pour l'occasion.

◆ Les prix moyens pour une semaine en randonnée chamelière se trouvent aux alentours de *850 EUR*, plus élevés si on opte pour une méharée. Les chiffres grimpent si l'on choisit les périodes de fin d'année ou de février.

QUE RAPPORTER ?

Le marché de Nouakchott est une vraie caverne d'Ali Baba. Les fumeurs ramèneront un fume-cigarettes hors normes. Ailleurs, les bijoux, les objets de bois et les grandes tentures multicolores ne sont pas en reste.

LES REPÈRES

◆ Lorsqu'il est midi en France, en Mauritanie il est 10 heures en été et 11 heures en hiver. ◆ Langue officielle : l'arabe, mais le dialecte local, le hassanya, est prédominant. On entend aussi le pulaar, le soninké et le wolof. ◆ Langue de communication : le français. ◆ Téléphone vers la Mauritanie : 00222 + numéro.

LA SITUATION

Géographie. Des regs et des ergs se succèdent dans le nord, avant de laisser place à de grands plateaux de grès et à d'imposantes dunes. Le fleuve Sénégal réussit à creuser son sillon à l'extrême sud-ouest d'un pays qui s'étale sur 1 025 520 km^2.

Population. 3 365 000 habitants, soit à peine trois habitants au kilomètre carré. Huit habitants sur dix sont des Maures dont la plupart sont métissés de Noirs. Le reste de la population se partage entre Toucouleurs, Soninkés, Ouolofs et Peuls. Capitale : Nouakchott (700 000 habitants).

Religion. La Mauritanie est une république islamique sunnite, plus précisément malékite (de Malik ibn Anas).

Dates. *IIIe siècle* Arrivée de pasteurs berbères. *VIIIe siècle* Conversion à l'islam. *1042* Abd Allah ibn Yasin est à la base d'un grand empire qui va du Sénégal à l'Espagne. *1434* Les Portugais accostent. *1854* Faidherbe et, plus tard, Coppolani affirment l'emprise française. *1920* La Mauritanie dans l'AOF. *1946* La Mauritanie devient un TOM. *1958* Proclamation de la République islamique de Mauritanie, qui sera indépendante deux ans plus tard. *1976* Occupation par la Mauritanie du sud du Sahara occidental, auquel elle renoncera trois ans plus tard. *1981* Abolition de l'esclavage auquel étaient soumis les haratines. *1984* Coup d'État du colonel Ould Taya. *Octobre 1996* Le parti du chef de l'État large vainqueur des législatives. *Octobre 2001* Nouvelle facile victoire du Parti républicain démocratique et social aux législatives. *Novembre 2003* Ould Taya est réélu dans une atmosphère de contestation. *Août 2005* Un coup d'État militaire destitue Ould Taya. *Mars 2007* Sidi Ould Abdallahi est démocratiquement élu. *Décembre 2007* Attaque de voyageurs français à Aleg, quatre victimes. *Août 2008* Coup d'Etat militaire mené par le général Mohamed Ould Abdel Aziz. *Septembre 2008* Attentat contre des militaires mauritaniens (12 morts).

Mayotte

Discrète Mayotte, longtemps restée dans l'ombre touristique des îles ou archipels de l'océan Indien et qui connaît aujourd'hui une certaine médiatisation touristique. Occasion de démontrer que le lagon et la plage ne sont pas ses seuls atouts, un tourisme de randonnée tentant de tracer son chemin.

LES RAISONS D'Y ALLER

LES CÔTES

Plages de Grande-Terre, Petite-Terre
Corail (croisières-plongées)

LES PAYSAGES ET LES RANDONNÉES

Collines, lac de cratère (Dziani)
Randonnées vers les monts

LA FAUNE ET LA FLORE

Oiseaux, makis (lémuriens roux)
Cannelle, girofle, vanille

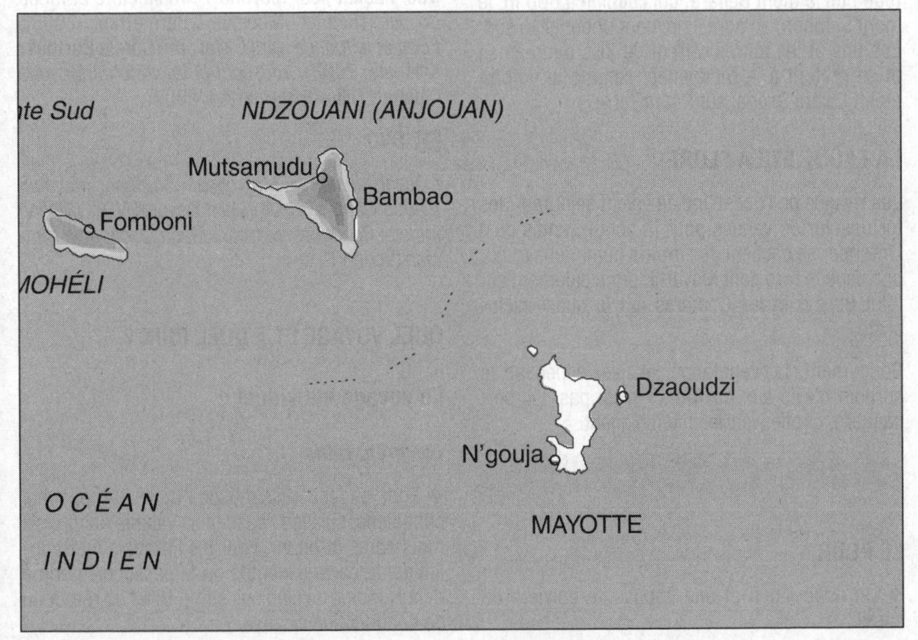

LES RAISONS D'Y ALLER

LES CÔTES

Mayotte est divisée en deux îles, Grande Terre et Petite Terre, et une vingtaine d'îlots aux côtes bordées de sable fin qui multiplient les possibilités balnéaires, au sein d'un vaste lagon fermé (1 500 km^2). Grande Terre comprend une vingtaine de sites balnéaires et de **plongée** au nord-ouest et au sud-est.

La profondeur du lagon autorise bien des découvertes de poissons tropicaux et de corail de toutes tailles, de la fosse aux requins et aux mérous en passant par les poissons-papillons et les tortues géantes, via des croisières-plongées.

Des sorties en mer sont organisées pour partir à la rencontre des dauphins et des baleines, surtout visibles d'avril à octobre.

LES paysagES et les randonnÉes

Mayotte peut se prévaloir d'un doux relief de collines et de la couleur verte du petit **lac** de cratère Dziani sur l'îlot de Pamandzi.

La nature est parsemée de **monts** de faible altitude , tel le mont Benara, qui culmine à 660 m, le mont Samboro au nord et le mont Choungi au sud. Les uns et les autres offrent de jolis panoramas et se prêtent à la randonnée, comme le **volcan** éteint Dziani Dzaha, sur Petite Terre.

LA FAUNE ET LA FLORE

Les rivages de l'océan Indien voient séjourner des tortues vertes venues pour la ponte, tandis qu'à l'intérieur se cachent des **makis** (lémuriens roux), une espèce rare dont Mayotte (principalement sur l'îlot Bouzy) et les Comores ont la quasi-exclusivité.

Concernant la végétation et les espèces, le surnom d'« île aux **parfums** » n'est pas usurpé : cannelle, girofle, vanille en témoignent.

LE POUR

- Un riche lagon et une imposante barrière de corail.
- Des contacts facilités par la langue française.
- Un certain essor du tourisme de randonnée.

LE CONTRE

- Le coût élevé de l'acheminement aérien et de la vie touristique.

LE PREMIER CONTACT

En France métropolitaine

Comité du tourisme de Mayotte, 33, rue de l'Opéra, F-75002 Paris, ☎ 01.55.03.03.03.

Internet

www.mayotte-tourisme.com

Guides

Mayotte (Le Petit Futé), *les Oiseaux de Mayotte* (Ed. Naturalistes Mayotte).

Carte

Mayotte (IGN).

Lectures

Quel habitat pour Mayotte ? Architecture et mode de vie (Richter Monique/L'Harmattan, 2005), *l'État et le monde rural à Mayotte* (Carole Barthès/Karthala, 2003), *Youssouf et le pirate de Mayotte* (Yoanne Tillier/L'Harmattan, 2007).

DVD

*L'Océan Indien : Mombasa, Zanzibar, Mayotte, Madagascar, Maurice (*Alain Dayan/DVD), *l'Océan Indien : Rodrigues, Mayotte, Madagascar et la Réunion* (Vodeo TV).

QUEL VOYAGE ET À QUEL PRIX ?

Le voyage individuel

Les préparatifs

- Pour les ressortissants de l'Union européenne, canadiens, suisses : passeport valable encore six mois après le retour. Pour les Français métropolitains, la carte d'identité ou le passeport périmé depuis moins de cinq ans suffit. Billet de retour ou de continuation exigible.

◆ Aucune vaccination n'est requise. Prévention recommandée contre le paludisme.

◆ Monnaie : l'*euro*.

Le départ

Indice de prix à certaines dates du vol Paris-Dzaoudzi A/R (via la Réunion) : 950 EUR. Les prix montent pour les fêtes de fin d'année, en février et à Pâques. La mise en place d'un vol direct à partir de Paris est régulièrement évoquée. Durée moyenne du vol via la Réunion : 14 heures. Autres choix : transiter par Madagascar ou Nairobi (Kenya).

Sur place

Bateau

Une barge relie Dzaoudzi (Petite Terre) à Mamoudzou (Grande Terre) toutes les demi-heures.

Route

Location de voiture possible.

Séjour en individuel

Rappel : nous nous sommes limités à un résumé des prestations en vigueur dans les agences et chez les voyagistes présents en France. Les lecteurs des autres pays peuvent en tirer des idées d'itinéraire et les compléter auprès de leurs agences de voyages.

◆ Pour qui improvise, il existe des bateaux équipés pour la croisière-plongée et qui proposent également des balades autour de l'archipel.

Le voyage accompagné

◆ Pour qui prépare son voyage, des spécialistes de la plongée tels que Aquarev et Ultramarina proposent l'hébergement et les à-côtés du genre. Iles du Monde et Symphonie Voyages sont également sur les rangs. Compter *aux alentours de 1 400 EUR* la semaine pour un séjour comprenant le vol A/R et la demi-pension.

◆ Pour les marcheurs, Mayotte Authentique (www.mayotte-authentique.com) propose des randonnées de 4 à 6 heures quotidiennes en moyenne vers, entre autres, les monts Benara, Combani et Choungui. Voir aussi les agences installées à Mamoudzou, telles Baobab Tours (www.baobabtour.free.fr), Bleu Ylang (www.bleuylang.com), Mayotte Vacances.

◆ Une croisière de la Compagnie des Iles du Ponant passe à Mayotte après les Seychelles et Madagascar.

QUE RAPPORTER ?

Les objets réalisés à partir de coquillages et les textiles en tout genre. Un cadeau qui ravira les amateurs d'épices : les gousses de vanille.

LES REPÈRES

◆ Lorsqu'il est midi à Paris, à Mayotte il est 13 heures en été et 14 heures en hiver. ◆ Langue officielle : le français n'est pratiqué que par un quart des Mahorais; le shimaoré, mâtiné d'arabe et qui ressemble au swahili, est prédominant. Le dialecte shibushi est également parlé. ◆ Téléphone vers Mayotte : 00 + numéro.

LA SITUATION

Géographie. Les deux îles de Grande Terre et Petite Terre dominent un ensemble d'îles et îlots de 376 km^2.

Population. 186 000 habitants. Forte proportion de jeunes.

Religion. La religion musulmane, ici sunnite, est omniprésente. Minorités de chrétiens et de baha'is.

Dates. *1503* Les Portugais découvrent l'île. *1841* Mayotte est une colonie française. *1946* Les Comores deviennent un territoire d'outre-mer. *1974* Les Comores choisissent l'indépendance par référendum, excepté Mayotte. *Juillet 2000* Les Mahorais se prononcent pour un statut de collectivité d'outre-mer française. Les projets actuels de départementalisation se heurtent à l'opposition des Comores et des Nations unies.

Mexique

L'image de paradis archéologico-balnéaire véhiculée par le Mexique est si banalisée que le candidat au voyage pourrait avoir envie d'aller chercher plus d'authenticité ailleurs. Surtout pas ! D'une part, les vestiges de la civilisation précolombienne sont ici trop riches et trop nombreux pour être ignorés; ensuite, grâce à son étendue, le pays a de multiples facettes touristiques. Veut-on, par exemple, éviter les chromos d'Acapulco ou de Cancún ? Tournons-nous vers la côte ouest et la Basse-Californie, où des forêts de cactus débouchent sur des plages quasi désertes. De tels exemples peuvent être multipliés à l'envi.

LES RAISONS D'Y ALLER

LES MONUMENTS ET LES VILLES

Centre cérémoniel précolombien (Teotihuacán)
Civilisations zapotèque (Monte Albán),
maya (Uxmal, Palenque, Chichén Itzá, Tulum),
espagnole (églises baroques, cathédrales, missions)
Mexico, Guanajuato, San Miguel de Allende, Morelia, Xalapa, San Cristobal de la Casas, Oaxaca, Taxco, Puebla, Querétaro, Mérida

LES CÔTES

Plages caraïbes de la « Riviera Maya », du Yucatán (Cancún, Isla Mujeres), plages du Pacifique (Acapulco, Basse-Californie, Ixtapa, Puerto Vallarta, Puerto Escondido, Huatulco), plongée (Cozumel), baleines grises (Basse-Californie)

LES PAYSAGES

Volcans (Paricutín, Popocatépelt, Nevado de Toluca), montagnes (Sierra Madre occidentale), canyons

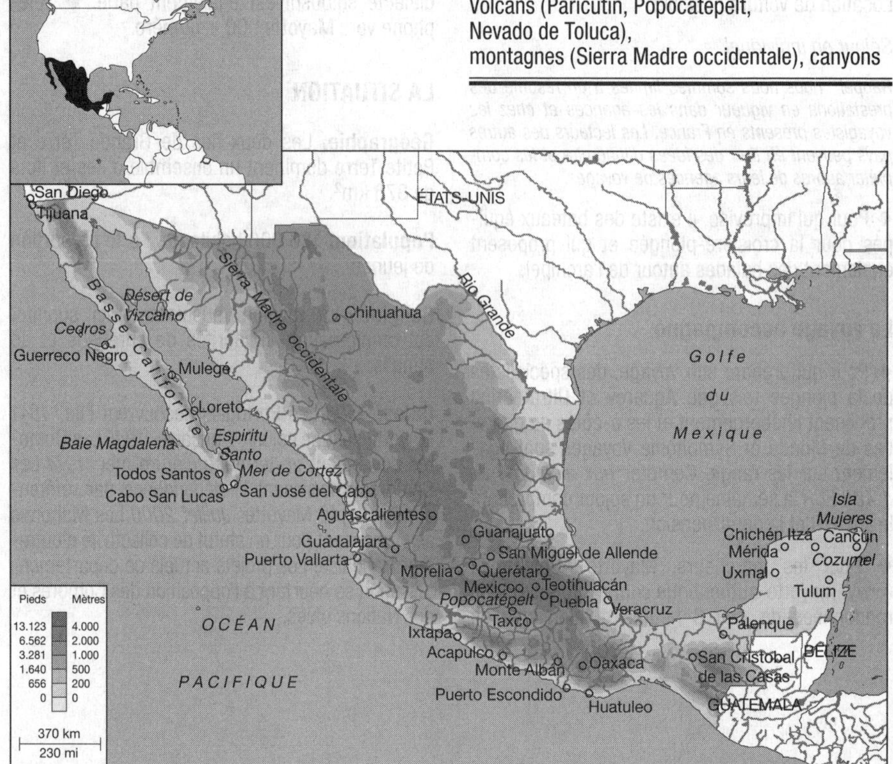

LES RAISONS D'Y ALLER

LES MONUMENTS ET LES VILLES

En Amérique latine, seul le Pérou peut prétendre rivaliser avec le Mexique sur le plan archéologique.

Les pyramides de la Lune et du Soleil, les temples et les palais de **Teotihuacán** ont inauguré l'époque des grands centres cérémoniels au VIIe siècle. Ensuite, et parfois simultanément, la civilisation **zapotèque** (Monte Albán) et surtout la civilisation **maya** ont laissé une kyrielle de sites. Les plus connus sont **Uxmal** et **Palenque** pour la période maya du classique récent (600-950), **Chichén Itzá** et **Tulum** pour la période maya post-classique (950-1500).

La civilisation espagnole, après avoir éliminé la civilisation aztèque en fondant Mexico sur le site de Tenochtitlán, a déployé un art religieux et urbain (baroque) aisément reconnaissable grâce aux nombreuses églises et cathédrales ainsi qu'aux **zócalos**, les places centrales des villes.

On a tant présenté **Mexico** – avec raison – comme une mégapole polluée et surpeuplée qu'on en oublie parfois sa valeur artistique (cathédrale et son *Sagrario*, sanctuaire de Guadalupe, place des Trois-Cultures, Zócalo, couvents, églises, palais) et culturelle, comme dans le quartier de Coyoacan, qui renferme entre autres la maison de Trotski et le musée Frida-Kahlo. Le point d'orgue reste toutefois le Musée national d'anthropologie, l'un des plus importants du monde grâce à ses collections précolombiennes et indiennes, dont le fameux « calendrier aztèque », un disque de pierre de 24 tonnes.

San Cristobal de las Casas, dans l'État du Chiapas, est l'une des quelques petites villes ou villages du Mexique dont le marché et le caractère indiens sont le mieux marqués.

Oaxaca, fondée par les Aztèques, vaut par la façade baroque des ses églises (Santo Domingo) et par ses musées (trésor de Monte Albán au musée d'État, pièces préhispaniques au musée Rufino-Tamayo).

À **Guanajuato**, surtout connue pour ses mines d'argent, on admire les églises baroques qui dominent la vieille ville. **San Miguel de Allende** a si bien préservé son caractère colonial que l'ensemble est classé monument historique national.

À **Morelia**, c'est la richesse de la flore (orchidées, lauriers d'Inde) qui rivalise avec celle de l'art (peintures murales du palais du Gouverneur). A **Xalapa**, non loin de Veracruz, le récent musée d'Anthropologie présente des collections de toutes les époques.

Autres villes coloniales qui méritent le détour : **Taxco** (site montagneux, façade et retables baroques de l'église Santa Prisca), **Puebla** (églises baroques, cathédrale, chapelle du Rosaire de l'église Santo Domingo), **Querétaro** (cathédrale baroque), **Mérida** (Palais national, vestiges coloniaux des places ou sur le Paseo de Montejo).

A la porte des Etats-Unis, **Tijuana** symbolise le dynamisme et l'ambiguïté d'une population mexicaine jeune et pressée. Au sud de la ville, impossible de rater les studios de la Fox et le parc thématique Foxexploration qui leur fait suite.

Dans la partie sud de la Basse-Californie, entre Loreto et le cap San Lucas, il est possible de visiter d'anciennes **missions** espagnoles.

Partout au Mexique, la **Vierge** de Guadalupe, née d'une apparition de la Vierge sous les yeux d'un certain Juan Diego il y a près de cinq siècles, est fêtée le 12 décembre à grand renfort de processions et danses.

LES CÔTES

Les **plages** sont l'un des grands arguments de la visite du Mexique. Souvent flanquées de cocoteraies et de récifs coralliens, elles sont nombreuses (10 000 km de côtes) et belles, comparables aux autres sites côtiers caraïbes ou du Pacifique.

Les rivages de l'est du Yucatán, désormais connus sous l'appellation de « **Riviera Maya** », sont très courus de **Cancún** jusqu'à **Tulum** (120 km), au risque de voir la surcharge touristique menacer les fonds marins et le corail. Le site de **Cozumel**, au sud de Cancún, est l'un des plus recherchés des Caraïbes pour la **plongée** sous-marine : les éponges et les gorgones voisinent avec les barracudas, les mérous, les tortues et une infinité de poissons de récifs. Il existe des sites balnéaires plus abordables sur la côte nord-est du Yucatán (**Isla Mujeres**).

Sur la côte du **Pacifique**, s'étalent les rivages chic d'**Acapulco** et sa baie légendaire qui attira les stars d'Hollywood des années 50. La réputation des plongeurs téméraires de la Quebrada a pris le relais.

Ixtapa et **Puerto Vallarta** sont les autres sites balnéaires pacifiques de haute volée, tandis que, au sud de Oaxaca, les jolis rivages de **Puerto Escondido** et **Huatulco** méritent un séjour.

Le long de la langue de terre pacifique de la **Basse-Californie**, San José del Cabo (calme), Cabo San Lucas (bruyant) ou, pour les surfeurs, Todos Santos, témoignent d'une belle diversité. La côte est de cette région, de Mulegé à Loreto, est bordée de criques.

Au cours de leur longue traversée du détroit de Bering jusqu'au Mexique, des **baleines grises** s'arrêtent, au mois de mars, dans les eaux chaudes de la Basse-Californie, particulièrement la lagune de l'Œil-du-lièvre à Guerrero Negro pour s'accoupler ou faire naître les baleineaux. Ce site est également réputé pour ses salines.

Éléphants de mer (dans l'île Cedros), rorquals, dauphins, otaries, phoques, lions de mer (aux alentours de l'île Espiritu Santo) et une grande diversité d'oiseaux sont présents dans une mer de **Cortès** souvent considérée comme un aquarium unique en son genre mais menacée par un projet qui vise à multiplier les marinas et à attirer les yachts des riches États-Uniens.

LES PAYSAGES

Entre Guadalajara, ville à l'architecture coloniale non loin de la côte pacifique, et Veracruz, station balnéaire sur le golfe du Mexique, la nature a dessiné une succession de **volcans** qui donnent au Mexique ses plus beaux panoramas.

D'ouest en est :
– le volcan Paricutín, né il y a soixante ans à peine sous les yeux d'un agriculteur incrédule;
– le lac de Pátzcuaro, dont on a la vue la plus intéressante du haut de la statue de Morelos, révolutionnaire mexicain;
– le volcan Nevado de Toluca et surtout le Popocatépelt, traduction aztèque de la « Montagne qui fume », cône de 5 432 m aux neiges éternelles et que l'on peut escalader.

La **Sierra Madre occidentale** déroule un paysage de dizaines de **canyons** au creux desquels vivent les Indiens Tarahumaras, entre autres à Batopilas. Le plus grand et le plus spectaculaire est le canyon du **Cuivre**, près de Chihuahua, la ville de Pancho Villa. D'autres canyons méritent le détour : le canyon de la Huasteca, près de Monterrey, et plus encore El Sumidero, dans le Chiapas, où le río Chiapa creuse un sillon de 800 m de profondeur avant de rejoindre le golfe du Mexique.

Le désert de **Vizcaino** ou les gorges caractérisent l'intérieur d'une **Basse-Californie** de plus en plus recherchée. Dans sa partie nord, les vignes de la vallée de Guadalupe précèdent les **cactus** de la vallée de **Los Cirios**, dont certains grimpent jusqu'à trente mètres.

LE POUR

◆ Un foisonnement de vestiges archéologiques : seul le Pérou a autant à proposer en Amérique latine.

◆ Une géographie qui, telle celle du Yucatán, permet souvent de combiner visites culturelles et séjours balnéaires.

LE CONTRE

◆ Une situation politique parfois tendue dans les États du Chiapas et d'Oaxaca.

◆ La nécessité de faire preuve de vigilance, délinquance et violence étant en progression.

LE BON MOMENT

L'alternance classique entre une saison sèche et une saison des pluies caractérise le pays. Aussi, les mois d'été sont-ils les moins favorables et la période **octobre-avril** la plus recommandable. L'altitude (Mexico est à 2 250 m) tempère la chaleur et rend même les nuits froides en hiver.

Avril-juin et septembre-novembre, périodes passables, permettent d'éviter le grand tourisme sur les **sites précolombiens**. Des cyclones peuvent survenir de juin à novembre.

◆ Températures moyennes jour/nuit (en °C) :
– *Acapulco* (côte pacifique) : janvier 30/23, avril 31/24, juillet 32/25, octobre 32/25.

– *Merida* (côte atlantique) : janvier 31/17, avril 35/20, juillet 35/21, octobre 33/21. Moyenne des températures de l'eau de mer : 27°.

– *Mexico* (2 250 m) : janvier 21/4, avril 27/9, juillet 23/11, octobre 22/9.

LE PREMIER CONTACT

En Belgique

Chancellerie, avenue Franklin-Roosevelt, 94, B-1050 Bruxelles, ☎ (02) 629.07.11, fax (02) 644.08.19.

Au Canada

Office du tourisme, 1, place Ville-Marie, Montréal QC, H3B 2C3, ☎ (514) 871.1052.

En France

Conseil de promotion du tourisme (fermé au public), ☎ 00.800.11.11.22, fax 01.42.86.05.80.

En Suisse

Ambassade, Bernastrasse, 57, CH-3005 Berne, ☎ (31) 357.47.47, fax (31) 357.47.48.

Internet

www.visitmexico.com (office du tourisme)
www.rivieramaya.com
www.discoverbajacalifornia.com

Guides

Acapulco (Éditions Ulysse), *Baja California* (Lonely Planet), *Cancun et Cozumel* (Berlitz), *Cancún et la riviera maya* (Éditions Ulysse), *Guadalajara* (Éditions Ulysse), *Guatemala, Belize, Yucatan* (Gallimard/Bibl. du voyageur), *Huatulco et Puerto Escondido* (Éditions Ulysse), *Los Cabos et La Paz* (Éditions Ulysse), *Mexico City* (Lonely Planet en anglais),

Mexique (Berlitz, Gallimard/Bibl. du voyageur, Gallimard/Encycl. du voyage, Gallimard/GEOGuide, Hachette/Bleu, Hachette/Routard, Hachette/Voir, JPM Guides, Lonely Planet France, National Geographic France, Nelles), *Mexique centre et sud* (Michelin/Voyager pratique),

Mexique et Guatemala (Mondeos), *Monde maya* (Gallimard/Encycl. du voyage).

Cartes

Mexico (Nelles Map), *Mexique, Amérique centrale* (Berlitz), *Mexique* (IGN, Rand Mac Nally), *Mexique, Guatemala, Belize, El Salvador* (Marco Polo). Les cartes de plusieurs Etats existent chez ITM.

Lectures

Filles de Mexico (Sami Tchak/Mercure de France, 2008), *le Mexique* (A.Musset/PUF, 2004), *Mexique : entre l'abîme et le sublime* (G.Mortier/Toute Latitude, 2006), *le Rêve mexicain ou la pensée interrompue* (J.-M. G. Le Clézio/Gallimard, 1992), *Mythes aztèques et mayas* (K.Taube/Seuil, 1998), *Passes magiques : les pratiques traditionnelles des chamans de l'ancien Mexique* (C.Castaneda/J'ai Lu, 2008), *Poussières mexicaines* (Pino Cacucci/Payot, 2001). Lire également les ouvrages d'Octavio Paz (prix Nobel 1990), dont *le Labyrinthe de la solitude*.

Images

Les Couleurs du Mexique (Flammarion, 2003), *les Mayas : grandeur et chute d'une civilisation* (Tallandier, 2007), *les Symboles des Incas, des Mayas et des Aztèques* (H.Owusu/Guy Trédaniel, 2001), *Mexique* (Chêne/2008).

DVD

Mexique, la piste Maya (DVD Guides).

QUEL VOYAGE ET À QUEL PRIX ?

Le voyage individuel

Les préparatifs

◆ Pour les ressortissants de l'Union européenne et suisses : passeport suffisant, valable encore six mois après le retour. Pour les ressortissants canadiens, carte de citoyenneté ou, mieux, passeport. ◆ Carte de tourisme obligatoire, délivrée gratuitement à l'arrivée.

◆ Aucune vaccination n'est obligatoire. Prévention recommandée contre le paludisme pour certaines régions rurales, principalement celles des États d'Oaxaca et du Chiapas.

◆ Monnaie : le *peso mexicain*. Emporter des euros pour le change (banques et casas de cambio) et une carte de crédit (guichets automatiques); les petites coupures ou les chèques de voyage en dollars US sont également de mise. 1 US Dollar = 14 pesos, 1 EUR = 19 pesos.

Le départ

◆ Indice de prix à certaines dates du vol Montréal-Cancún A/R : 650 CAD; Montréal-Mexico A/R : 600 CAD; Paris-Cancún A/R : 730 EUR; Paris-Mexico A/R : 750 EUR. ◆ Durée moyenne du vol Paris-Mexico (9 194 km) : 11 heures; Mexico-Cancún : 2 heures. ◆ Plusieurs propositions incluent un aller Paris-Mexico et un retour Cancún-Paris. ◆ Système *Pass* pour les vols intérieurs.

Sur place

Hébergement

Large variété des modes d'hébergement, dont des *Bed and Breakfast*, des haciendas et des hôtels de charme. Auberges de jeunesse : renseignements sur www.remaj.com

Route

◆ Bon réseau routier, plusieurs compagnies de bus. ◆ Location de voiture pour les plus de 21 ans, permis de conduire international nécessaire. ◆ Autotours (vol A/R, location, itinéraire suggéré et logement à l'étape) possibles, aux alentours de *1 300 EUR* pour 10 jours, par exemple avec Arroyo, Empreintes, Jetset/Equinoxiales, Nouvelles Frontières, Vacances fabuleuses.

Train

Réseau quelconque mais les collectionneurs de voyages en train hors du commun prendront *El Chepe,* qui parcourt la Sierra Madre occidentale de Los Mochis, sur la côte Pacifique, à Chihuahua sur 655 km et à travers près de 100 tunnels (14 à 18 heures de trajet).

Le séjour côtier

◆ Les voyagistes généralistes jouent la carte du séjour balnéaire au Yucatán, sur la **Riviera Maya** (Club Med, Jet tours, Kuoni, Look Voyages, Neckermann, Thomas Cook, Vacances Transat). La note peut descendre sous les *1 000 EUR* la semaine sur le site très fréquenté de Playa del Carmen en basse saison ou avoisiner ce chiffre tout compris à Cancún, avec l'avantage de la proximité des sites mayas du Yucatán. Les autres grands sites balnéaires tels que Acapulco ou Puerto Vallarta sont moins prisés par les Européens.

◆ Les passionnés de **plongée** se retrouvent dans le Yucatán, de préférence entre novembre et avril, à **Cozumel** avec Aquarev (également à Playa del Carmen) ou Ultramarina, Une semaine de plongée coûte environ *1 000 EUR* (vol et hébergement seulement, auxquels il faut ajouter le coût des stages de plongée éventuels).

Le voyage accompagné

Rappel : nous nous sommes limités à un résumé des prestations en vigueur dans les agences et chez les voyagistes présents en France. Les lecteurs des autres pays peuvent en tirer des idées d'itinéraire et les compléter auprès de leurs agences de voyages.

Le Mexique est un grand pays mais les choix de circuits sont relativement simples.

◆ Ils sont dominés par un itinéraire **classique** qui suit un axe à partir de Mexico et se poursuit par Teotihuacán, Puebla, Oaxaca, San Cristobal de las Casas, Palenque et le Yucatán. Souvent un mini-séjour balnéaire à Cancún ou une extension au Guatemala (Tikal, lac Atitlan, Antigua) termine ce séjour, accompli en bus ou en minibus, généralement entre avril et octobre. Exemples : Best tours, Club Aventure, Continents insolites, Fram, Jet Set/Équinoxiales, Jet tours, Kuoni, La Maison des Amériques latines, Marsans, Nouvelles Frontières, Tamera, Voyageurs du monde. Cette sorte de voyage se conçoit sur un minimum de deux semaines. Les premiers prix tournent autour de *1 700 EUR* en demi-pension et dépassent *2 300 EUR* quand le Guatemala est inclus.

◆ On ne compte plus les suggestions qui peuvent faire varier ce classique chez les voyagistes précités et d'autres : ainsi, certains font le choix des villes **coloniales**, à l'ouest de Mexico, d'autres englobent la civilisation **maya** et l'architecture coloniale (Nouvelles Frontières), d'autres encore ajoutent la Sierra Madre occidentale (Atalante, Terres d'aventure) ou se lancent sur les traces de la conquête espagnole sur l'itinéraire Veracruz-Mexico (Kuoni). Sans oublier les combinés tels que Mexique, Guatemala, Honduras chez Clio ou Mexique, Belize, Guatemala chez Explorator.

◆ Horizons divers : les **volcans** dont, chez Aventure et Volcans entre octobre et mars, six qui appartiennent à la panoplie des plus connus

(Popocatépelt et Paricutin entre autres); Allibert en gravit trois (Malinche, Iztaccihuatl, Orizaba) et possède plusieurs circuits. Nouvelles Frontières varie le caractère sportif du séjour (rafting, ascensions) lors d'un circuit aventure bénéficiant d'excellents tarifs et de nombreux départs. En moyenne, compter *2 000 EUR* pour un voyage-randonnée d'une quinzaine de jours.

◆ Quelques voyages spécifiques : l'observation des **baleines** en Basse-Californie avec Grand Nord Grand Large; le choix de grands navires de **croisières** dans la mer des Antilles, avec escales à Cozumel, Grand Cayman et Ocho Rios (Jamaïque) entre novembre et avril.

QUE RAPPORTER ?

Bijoux, poteries un peu partout. Achats plus ciblés dans le Yucatán, par exemple (hamac, vêtements brodés, sandales).

LES REPÈRES

◆ Lorsqu'il est midi en France, au Mexique il est 4 heures en été et 5 heures en hiver; lorsqu'il est midi au Québec, au Mexique il est 11 heures. ◆ Langue officielle : l'espagnol, parlé par neuf habitants sur dix. ◆ Langues étrangères : l'anglo-américain, mais avec modération; le français est peu connu. ◆ Téléphone vers le Mexique : 0052 + indicatif (Mexico : 55) + numéro.

LA SITUATION

Géographie. Vaste pays de 1 958 201 km^2, le Mexique est surtout composé d'un plateau montagneux (5 747 m au pico de Orizaba), aux abords duquel s'étendent, au nord, un sol aride et, au sud, une végétation bien plus fournie, parfois recouverte par la forêt.

Population. Le Mexique a franchi le cap des cent millions d'habitants (109 955 000), dont plus de quinze millions pour la seule agglomération de la capitale Mexico. Un Mexicain sur dix est un Indien qui vit dans les montagnes. Si les Espagnols sont encore 15 %, ce sont les Métis qui composent l'essentiel de la population.

Religion. Le pays est catholique (fervent) à une écrasante majorité (93 %). Minorité de protestants.

Dates. *1000 av. J.-C.* Implantation des premiers Mayas. *250-950* Période classique (Teotihuacán, Zapotèques) et épanouissement de la civilisation maya. *950-1150* Période postclassique (Chichimèques, Toltèques). *1325* Les Aztèques fondent Tenochtitlán sur le site actuel de Mexico. *1519* Arrivée de Cortès et début de trois siècles de domination espagnole. *1821* Indépendance. *1824* Le général Santa Anna instaure la république. *1862* La France crée pendant cinq ans un empire catholique pour Maximilien d'Autriche mais finit par échouer. *1914* Guerre civile : Pancho Villa s'incline mais Zapata développe une réforme agraire. *1917* Le Mexique devient une république fédérale de 28 Etats. *1929* Arrivée au pouvoir du Parti révolutionnaire institutionnel (PRI). *1982* Miguel de la Madrid président de la République. *1985* Tremblement de terre à Mexico (plusieurs milliers de victimes). *1988* Carlos Salinas est élu président. *Janvier 1994* Heurts violents dans l'État du Chiapas entre les Indiens de l'Armée zapatiste de libération nationale (EZLN) et les troupes gouvernementales. *Juin 1996* Émergence d'un foyer de guérilla dans l'État de Guerrero. *Juillet 1997* Le PRI perd les législatives sous la poussée du Parti d'action nationale (conservateur) et du Parti de la révolution démocratique, centre gauche. *Juillet 2000* L'élection de Vicente Fox met fin à soixante-dix ans de pouvoir du PRI. *Juillet 2003* Le PRI retrouve le sourire aux législatives. *Octobre 2005* L'ouragan Wilma abîme la côte est du Yucatán. *Juillet 2006* Les résultats de l'élection de Felipe Calderon (droite) sont très vivement contestés par le Parti de la révolution démocratique (gauche) du perdant Obrador.

Moldavie

Le bon vin est à la Moldavie ce que les chevaux sont au Kirghizstan : à chacun sa manière de se singulariser dans les pays de l'ex-URSS ! Mais c'est pratiquement tout pour la renommée de la Moldavie hors de ses frontières. En effet, les quelques villes, monuments et musées dignes de visite ne peuvent suffire à engendrer actuellement des envies de voyage que l'instabilité de la Transnistrie a encore plus éloignées.

LES RAISONS D'Y ALLER

LES VILLES ET LES MONUMENTS

Chisinau, Bendéry, Bel'tsy

LES SITES

Vallée du Dniestr

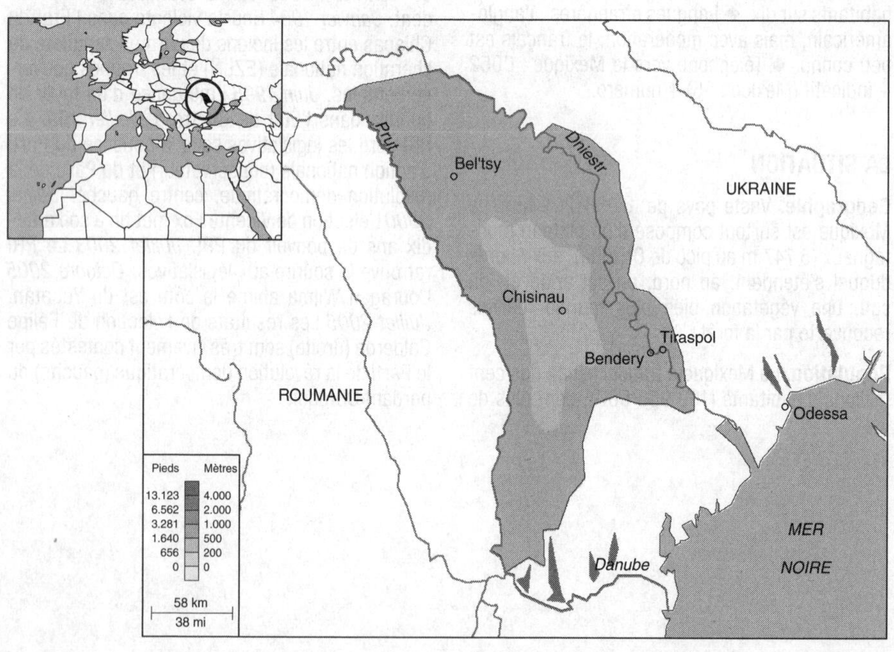

LES RAISONS D'Y ALLER

LES VILLES ET LES MONUMENTS

Chisinau, qui garde la marque architecturale du style ottoman, et **Bendéry** arborent chacune une cathédrale du XIXe siècle, alors que **Bel'tsy** possède une église arménienne.

Les musées occupent une place importante dans la mise en valeur du patrimoine moldave : maison de Pouchkine et musée des Beaux-Arts à Chisinau, musées historiques à Tiraspol et à Bel'tsy.

LES SITES

La Moldavie ne renferme pas des sites inoubliables. Toutefois, on peut apprécier les berges et la **vallée du Dniestr**.

LE POUR

◆ L'aspect insolite d'un voyage dans le pays le plus méconnu d'Europe.

LE CONTRE

◆ Un pays qui ne sort pas de sa confidentialité touristique.

◆ Une situation instable dans l'est.

LE BON MOMENT

La Moldavie est placée sous un régime climatique continental, avec hivers rudes et étés agréables. Les mois de **juillet** et **août** sont les plus favorables.

◆ Températures maximales/minimales en °C à Chisinau : janvier -1/-7, avril 16/5, juillet 27/16, octobre 17/7.

LE PREMIER CONTACT

En Amérique du Nord

Ambassade, Washington, D.C., ☎ (202) 667-1130.

En Belgique

Ambassade, 54, rue Tenbosch, B-1050 Bruxelles, ☎ (02) 732.96.59, fax (02) 732.96.60.

En France

Ambassade, 1, rue de Sfax, 75116 Paris, ☎ 01.40.67.11.20, fax 01.40.67.11.23.

En Suisse

Section consulaire, chemin du Petit-Saconnex, 28, CH-1209 Genève, ☎ (22) 733.91.03, fax (22) 733.91.04.

Internet

www.turism.md/eng/

Guide

Roumanie et Moldavie (Lonely Planet France).

Carte

Roumanie, Moldavie (Marco Polo).

Lecture

La Moldova, entre la Roumanie et la Russie : de Pierre le Grand à Boris Eltsine (A.Ruzé/ L'Harmattan, 1998).

Images

L'Europe : de l'Islande à la Moldavie (J.M.Billioud/ Gallimard Jeunesse, 2008).

QUEL VOYAGE ET À QUEL PRIX ?

Le voyage individuel

Les préparatifs

◆ Pour les ressortissants canadiens, suisses et de l'Union européenne : passeport suffisant, encore valide six mois après le retour.

◆ Monnaie : le *leu de Moldova*. 1 EUR = 14,4 lei de Moldova, 1 US Dollar = 10,4 lei de Moldova. Emporter des euros ou des dollars US en petites coupures, une carte de crédit pour les quelques distributeurs de monnaie de la capitale (mais elle est de peu d'utilité dans les autres cas).

Le départ

Indice de prix à certaines dates du vol Paris-Chisinau : 420 EUR. Durée moyenne du vol : 6 h 30 (escale).

Sur place

Route

Mauvais état du réseau routier, alcool au volant prohibé.

Train

Le voyageur qui a du temps et de la résistance peut prendre le train Paris-Moscou (voir *Russie*) et envisager un second trajet Moscou-Chisinau qui dure au moins 23 heures...

LES REPÈRES

◆ Lorsqu'il est midi en France, en Moldavie il est 13 heures; lorsqu'il est midi au Québec, en Moldavie il est 19 heures. ◆ Langue officielle : le roumain est recommandé par l'académie des sciences du pays, au détriment du moldave, qui doit être considéré comme un dialecte; un Moldave sur cinq parle le russe, un sur dix l'ukrainien. Une partie des étudiants parlent français. ◆ Téléphone vers la Moldavie : 00373 + indicatif (Chisinau : 042) + numéro.

LA SITUATION

Géographie. Enserrée entre la Roumanie au sud-ouest et l'Ukraine au nord-est, longée à l'ouest par le Prut et traversée par le Dniestr, la Moldavie est un pays de collines. Elle couvre 33 700 km^2.

Population. 4 324 000 Moldaves, qui vivent surtout de l'agriculture : à l'est, en Transnistrie, des Russes (13 % de la population totale) et des Ukrainiens (14 %) qui craignent le rattachement de la Moldavie à la Roumanie et ont fait « sécession » en 1992; à l'ouest, les Moldaves de souche (64 % de la population totale) qui souhaitent retrouver le cours de l'histoire et revenir à la Roumanie; au sud-ouest, la région autonome des Gagaouzes (3,5 %). Capitale : Chisinau (ex-Kichinev).

Religion. La religion orthodoxe est prédominante. Minorité de catholiques.

Dates. *1812* La Moldova est intégrée à l'Empire russe sous le nom de Bessarabie. *1918* La Moldova fait partie de la Roumanie. *1940* Elle devient une république de l'URSS. *Août 1991* Indépendance. *1992* La Transnistrie, région de l'est du pays à majorité russophone, s'autoproclame indépendante au prix d'un conflit meurtrier. *Décembre 1996* Petru Lucinschi, favorable à la Russie, est élu président. *Mars 1998* L'Alliance pour la démocratie et la réforme devance les ex-communistes lors des législatives. *Avril 2001* Retour en force des communistes et de l'influence économique russe sous la présidence de Vladimir Voronine. *Avril 2005* Voronine, réélu, se tourne vers l'Union européenne et les États-Unis pour tenter de résoudre le problème de la Transnistrie.

Monaco

Les footballeurs monégasques ont beau remporter parfois la coupe de... France, la principauté n'en est pas moins souveraine et bien née sur le plan touristique si l'on en juge par le nombre des motifs de visite pour un si petit bout de territoire. Les empreintes, présentes ou passées, y sont diverses : le commandant Cousteau pour le Musée océanographique, Garnier pour l'édification du casino de Monte Carlo. Le Jardin exotique complète la diversité des motifs de visite.

LES RAISONS D'Y ALLER

LE SITE ET LES MONUMENTS

Le Rocher (palais des Grimaldi, cathédrale)
Casino et palaces de Monte Carlo
(Hôtel de Paris, Hermitage)
Quartier de la Condamine

LA FAUNE ET LA FLORE

Musée océanographique, Jardin exotique

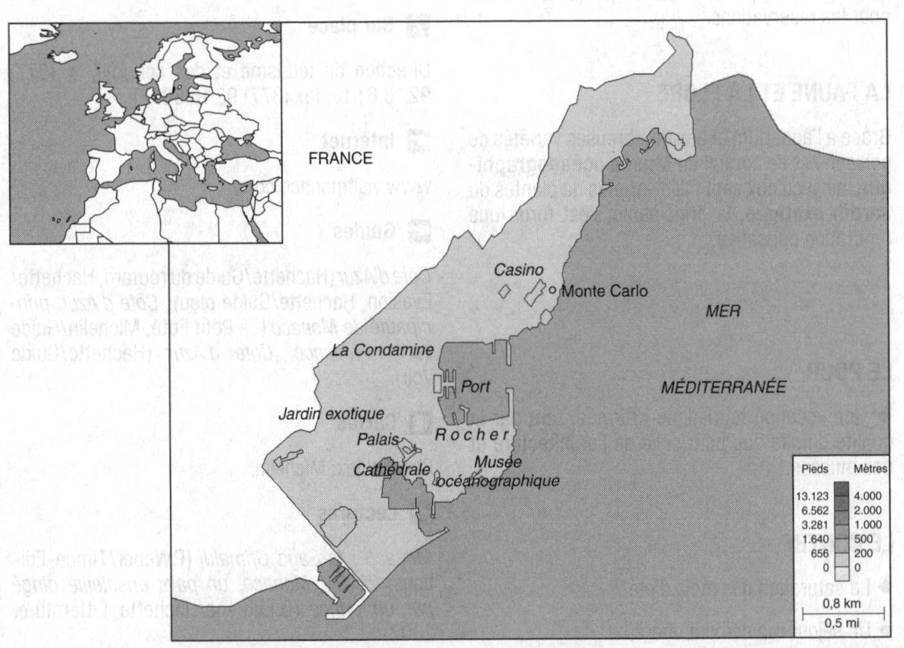

LES RAISONS D'Y ALLER

LE SITE ET LES MONUMENTS

D'une station balnéaire méconnue, l'histoire a fait un micro-Etat coincé entre pierre et mer, où chaque mètre compte et où les immeubles s'empilent en un puzzle étouffant.

Le **Rocher**, qui offre une large vue sur la Méditerranée et sur le port de plaisance, abrite le **palais** des Grimaldi (photo traditionnelle obligée de la relève de la garde en fin de matinée), alors que dans la **cathédrale** de l'Immaculée-Conception se succèdent les tombes des princesses et des princes.

A **Monte Carlo**, le **casino**, vieux de plus d'un siècle et construit par Garnier, ainsi que les **palaces** (tels que l'Hôtel de Paris et l'Hermitage), entretiennent la réputation d'État d'opérette, que viennent heureusement contrebalancer les traditions, les petits restaurants du quartier de la **Condamine** et le Nouveau Musée national.

Autre tradition, bien particulière : l'engouement qui, chaque année au printemps, préside au Grand Prix de Formule 1 au cœur de la ville et qui exige de s'y prendre très longtemps à l'avance pour les réservations.

LA FAUNE ET LA FLORE

Grâce à l'aquarium et aux nombreuses variétés de poissons et de coraux du **Musée océanographique**, ainsi qu'aux sept mille variétés de plantes du **Jardin exotique**, la principauté s'est forgé une réputation éducative.

LE POUR

◆ Une vocation touristique affirmée, tant par la qualité du site que pour celle de l'architecture et des musées.

LE CONTRE

◆ La saturation des mois d'été.

◆ Un séjour rapidement onéreux.

LE BON MOMENT

Monaco réunit les éléments de base du climat méditerranéen : étés chauds et secs, hivers doux et pluvieux. **Juin-septembre** s'impose mais **mars-mai** et **octobre-novembre** restent agréables... et sans la grande foule.

◆ Températures moyennes jour/nuit (en °C) : janvier 13/4, avril 17/9, juillet 27/18, octobre 21/12.

LE PREMIER CONTACT

Au Canada

Consulat général, 1, place Ville-Marie, Montréal, Québec, Canada, H3B 4M7, ☎ (514) 878-5878, fax (514) 878.8197.

En France

Direction du tourisme et des congrès, 9, rue de la Paix, 75002 Paris, ☎ 01.42.96.12.23, fax 01.42.61.31.52.

En Suisse

Consulat général, cours des Bastions, 4, CH-1205 Genève, ☎ (22) 708.01.01, fax (22) 708.01.05.

Sur place

Direction du tourisme et des congrès, ☎ (377) 92.16.61.16, fax (377) 92.16.60.00.

Internet

www.visitmonaco.com/

Guides

Côte d'Azur (Hachette/Guide du routard, Hachette/Evasion, Hachette/Guide bleu), *Côte d'Azur, principauté de Monaco* (Le Petit Futé, Michelin/Guide vert), *Provence, Côte d'Azur* (Hachette/Guide Voir).

Cartes

Blay Foldex, Michelin.

Lectures

Monaco : la Saga Grimaldi (P.Weber/Timée-Editions, 2007), *Monaco, un pays ensoleillé dirigé par un prince* (D.Laurens/Hachette Littérature, 2007).

Images

Fascinant Monte Carlo (I.Bazzoli/P.Erlanger/Epi Communication, 2006), *la Légende du cinéma à Monaco* (H. J. Servat/ Privat, 2007).

QUEL VOYAGE ET À QUEL PRIX ?

Le voyage individuel

Les préparatifs

◆ Pour les ressortissants de l'Union européenne : carte nationale d'identité ou passeport suffisant. Pour les ressortissants canadiens, passeport encore valide six mois après le retour.

◆ Monnaie : l'*euro*.

Le départ

Prix à titre indicatif du vol Paris-Nice A/R + transfert en bus ou en train : 100 EUR. Durée moyenne du vol Paris-Nice (675 km) : 1 h 25.

Train

Pass InterRail utilisable.

Le séjour

Destination de passage plus que de séjour, Monaco est rarement programmé en voyage accompagné.

On peut concevoir sa visite couplée à des week-ends villes, par exemple ceux de Frantour pour Nice ou de Luxair Metropolis (Luxembourg), qui s'intéresse à Monte Carlo.

On trouve parfois en agence des offres de court séjour à la mesure du raffinement du site: vol Paris-Nice A/R, transfert par hélicoptère et deux nuits d'hôtel (aux alentours de *300 EUR*).

LES REPÈRES

◆ Langue officielle : le français, mais il existe aussi un dialecte monégasque; l'italien est également parlé. ◆ Téléphone vers Monaco : 00377 + numéro; de Monaco : 00 + indicatif pays + numéro.

LA SITUATION

Géographie. La principauté et ses 2 km^2 en font l'un des Lilliput de la planète, enclavé dans le département des Alpes-Maritimes, à égale distance de Villefranche-sur-Mer et de Menton.

Population. 32 800 habitants se pressent sur le carré de terrain de la principauté, mais un cinquième d'entre eux seulement possèdent la nationalité monégasque. Les autres habitants sont surtout des Français (32 %) et des Italiens (20 %).

Religion. La religion catholique est majoritaire (90 %).

Dates. *1297* Arrivée des Grimaldi, famille d'origine génoise. *1512* Les Grimaldi obtiennent de la France l'indépendance de Monaco. *1911* Établissement d'une constitution qui assouplit le régime princier. *1949* Le prince Rainier s'installe sur le trône. *1982* Mort accidentelle de la princesse Grace. *1991* Jacques Dupont est ministre d'État. *1999* Monaco fête les cinquante ans de règne du prince Rainier. *Janvier 2000* Patrick Leclercq devient chef de gouvernement. *Octobre 2004* Monaco est admis au Conseil de l'Europe. *Avril 2005* Mort du prince Rainier, son fils Albert lui succède en juillet sous le nom d'Albert II. *Novembre 2005* Albert II devient officiellement prince-souverain.

Mongolie

Gengis Khan, Oulan-Bator : mots magiques d'un voyage pour lequel naguère les candidats étaient aussi rares que les jours sans vent, dans ce grand pays vide entre Sibérie et Chine. Longtemps peuplée d'éleveurs nomades, longtemps assujettie à Moscou et longtemps rebelle au tourisme, la Mongolie offre aujourd'hui aux regards extérieurs sa nature altière. Ses paysages sont le principal motif de visite, et les randonnées, dont certaines à cheval ou sur de vrais chameaux, sont de plus en plus à l'ordre du jour. La Mongolie fera-t-elle partie des grandes destinations asiatiques de ce début de siècle ? Elle a en les atouts.

LES RAISONS D'Y ALLER

LES PAYSAGES ET LES RANDONNÉES

Massif de l'Altaï, vallée de l'Orkhon
Lac Khövsgöl, désert de Gobi, steppes

LES MONUMENTS

Monastères (Oulan-Bator, Erdeni-Dzou)
Ruines de Karakorum, temples, musées

LES TRADITIONS

Fête du Naadam, fête du Nouvel An

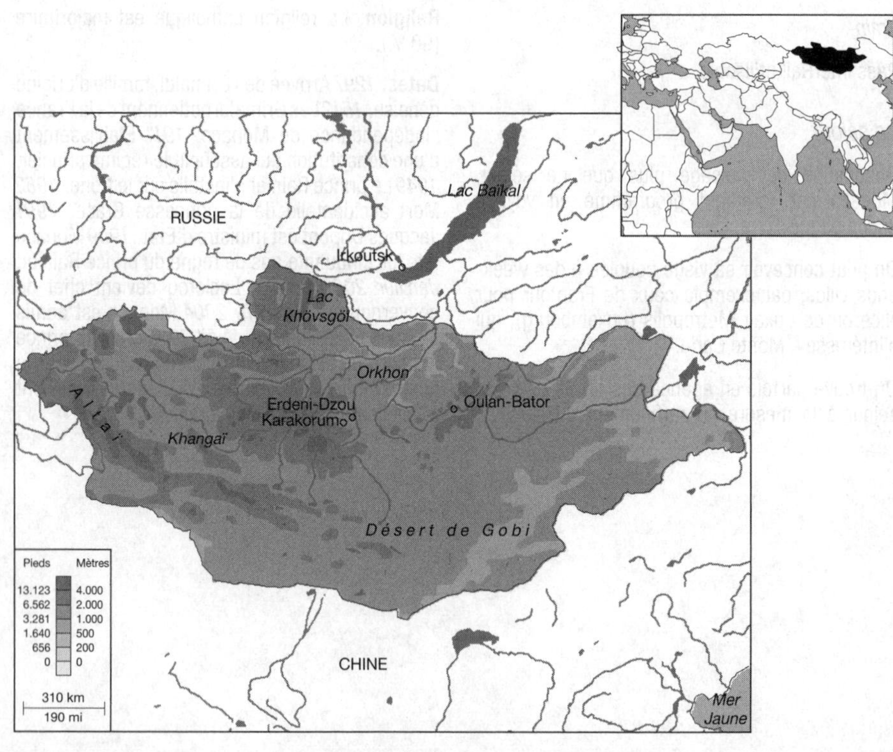

LES RAISONS D'Y ALLER

LES PAYSAGES ET LES RANDONNÉES

Le massif de l'**Altaï**, la vallée de l'**Orkhon**, la région du beau lac d'altitude **Khövsgöl**, où il est possible de faire du traîneau à chiens en hiver, le désert de **Gobi** et les immenses **steppes** herbeuses où paissent les chameaux sauvages de Bactriane (à deux bosses) semblent intacts, même si le nomadisme, victime de la libéralisation brutale de l'économie, est en grand danger.

Les randonneurs, de plus en plus nombreux, découvrent des contrées qui ressemblent (encore) à un paradis écologique parce que les Soviétiques n'ont pas privilégié l'industrialisation durant leur « protectorat ».

Les paysages, hérissés çà et là de *ghers* (yourtes), tentes de feutre traditionnelles des nomades kazakhs, peuvent aussi être admirés à partir du Transmongolien, train qui va de Pékin à la capitale Oulan-Bator via le **désert de Gobi**, celui-ci plus caillouteux que sablonneux.

Argument touristique de plus en plus fort : le **cheval**. Fondée sur une longue tradition, la pratique du cheval peut être l'un des grands atouts du tourisme mongol de demain, sous forme de **randonnées**. Les premiers visiteurs passionnés du genre sont déjà là, dans la vallée de l'Orkhon et autour des lacs et des forêts de l'Altaï. Le filon semble inépuisable : ne dit-on pas qu'en Mongolie il y a autant de chevaux que d'habitants ?

LES MONUMENTS

Libéré du joug soviétique, le bouddhisme lamaïste sort de l'ombre et ses monastères aussi. Ceux d'**Oulan-Bator** (Bogdo Gegeen, Gandan et son Bouddha géant), de Khovd (Shar Süm, reconstruit après qu'il fut détruit sous Staline en 1937) et surtout d'**Erdeni-dzou** sont les plus visités. Le site d'Erdeni-dzou est en partie occupé par les ruines de **Karakorum**, que Gengis Khan avait choisi comme capitale de l'Empire mongol au XIIIe siècle.

À Oulan-Bator, le **musée** de Choijin Lama (masques et sculptures) ainsi que le musée national sont des passages culturels obligés.

LES TRADITIONS

La Mongolie a renoué avec sa grande manifestation populaire, la **fête du Naadam**, qui revient tous les ans au mois de juillet, lors de la fête nationale, et qui honore les trois arts virils que sont la lutte, le tir à l'arc et la course de chevaux. Le Naadam a lieu à Oulan-Bator, mais aussi ailleurs dans le pays, où il a moins d'éclat mais plus d'authenticité. Autre fête importante : **Tsagaan sar**, le Nouvel An, objets de rituels alimentaires et festifs.

LE POUR

◆ Un pays intact ou presque : le voyageur a le privilège de découvrir des traditions, un habitat et des paysages encore relativement vierges.

LE CONTRE

◆ Un climat impitoyable en hiver et à peine passable en été.

◆ Une progression de la petite délinquance, qui va de pair avec l'accroissement du nombre de touristes.

LE BON MOMENT

Rarement pays aura été autant desservi par son climat : froid très vif, vent et neige sont le lot de la Mongolie de novembre à mars. Ensuite, le climat se radoucit et **juin-août** devient une période acceptable, même si elle reçoit les rares pluies de l'année. Les différences de température peuvent être très importantes par endroits : ainsi Oulan-Bator a connu des extrêmes de + 38° et de – 42°...

◆ Températures moyennes jour/nuit (en °C) à *Oulan-Bator* (1 260 m) : janvier -7/-33, avril 20/-14, juillet 31/5, octobre 18/-15.

LE PREMIER CONTACT

En Belgique

Ambassade, avenue Besme, 18, B-1190 Bruxelles, ☎ (02) 344.69.74, fax (02) 344.32.15.

Au Canada

Ambassade, 151, rue Slater, Ottawa, ON K1P 5H3, ☎ (613) 569-3830, fax (613) 569-3916.

En France

Ambassade, 5, avenue Robert-Schuman, 92100 Boulogne-Billancourt, ☎ 01.46.05.28.12, fax 01.46.05.30.16, www.ambassademongolie.fr

En Suisse

Mission permanente, 4, chemin des Mollies, Bellevue, CH-1293 Genève, ☎ (22) 774.19.74, fax (22) 774.32.01, www.missionmongolia.ch

Internet

www.terramongolia.com
www.mongoliatourism.gov.mn/

Guides

Guide de Mongolie (Editions 10-18), *Mongolia* (Bradt, Lonely Planet), *la Mongolie* (Peuples du monde), *Mongolie* (Olizane), *Transsibérien Russie, Mongolie, Chine* (Lonely Planet France).

Carte

Mongolie (ITM).

Lectures

De Gengis Khan à Qoubilaï Khan : la grande chevauchée mongole (D.Farale/Economica, 2006), *la Mongolie* (J. Thevenet/Karthala, 2007), *le Monde gris* (G. Tschinag/Métailié, 2001), *Mongolie : le Premier Empire des steppes* (Actes Sud, 2003), *Mon initiation chez les chamanes : une Parisienne en Mongolie* (C.Sombrun/Pocket, 2005), *Sous les yourtes de Mongolie : avec les fils de la steppe* (A. Marc/Transboréal, 2007).

Images

Mongolie : l'esprit du vent (S.Zenon/Bleu de Chine, 2005), *Mongolie : rêve d'infini* (M. Sedboun/La Martinière, 2006), *Sur la terre des Mongols* (Alternatives, 2008), *Voyage dans l'empire mongol : 1253-1255* (G. de Rubrouck/Imprimerie nationale, 2007). Voir aussi les photographies de Sophie Zénon.

DVD

Le Chien jaune de Mongolie (U. Batchuluun/Media 9), *les Nomades du Grand Khan : voyage à travers la Mongolie* (D.Grimblat/Vodéo TV). Le film *Au sud des nuages* (J.-F. Amiguet, Suisse, 2005) est une sorte de road-movie amusant dans le *Transmongolien*.

QUEL VOYAGE ET À QUEL PRIX ?

Le voyage individuel

Les préparatifs

◆ Pour les ressortissants de l'Union européenne, canadiens, suisses : passeport valable encore six mois après le retour, **visa** obligatoire, obtenu auprès du consulat avant le départ, pas de délivrance du visa à l'aéroport d'arrivée. Billet de retour ou de continuation exigible.

◆ Aucune vaccination n'est requise.

◆ Monnaie : le *tugrik* (pluriel : tögrös). Pour le change, emporter des euros ou des US Dollars en espèces (petites coupures) ou en chèques de voyage. Cartes de crédit de peu d'utilité. 1 US Dollar = 1 270 tögrös; 1 EUR = 1 760 tögrös.

Le départ

◆ Indice de prix à certaines dates du vol Paris-Oulan-Bator A/R : 1 100 EUR. ◆ Durée moyenne du vol Paris-Oulan-Bator (pas de vol direct) : 15 heures. ◆ Alternative à prix intéressant : vol jusqu'à Moscou, vol Moscou-Irkoutsk, puis train Irkoutsk-Oulan Bator; alternative plus typique : vol jusqu'à Moscou puis Transsibérien.

Sur place

Hébergement

Possibilité de loger chez l'habitant (renseignements auprès de Tourisme chez l'habitant) mais aussi et surtout de loger dans l'un des camps de yourtes présents à travers le pays.

Route

La piste est reine, très peu de routes asphaltées. La location de jeep ou de 4 x 4 avec chauffeur est possible, la location sans chauffeur n'est pas à l'ordre du jour. Réseau fourni de minibus.

Train

Le *Transmongolien* relie Moscou à Pékin via Oulan-Bator. Trajet Moscou/Oulan-Bator : 5 jours, trajet Pékin/Oulan-Bator : 30 heures.

Le voyage accompagné

Rappel : nous nous sommes limités à un résumé des prestations en vigueur dans les agences et chez les voyagistes présents en France. Les lecteurs des autres pays peuvent en tirer des idées d'itinéraire et les compléter auprès de leurs agences de voyages.

◆ On ne peut parler de voyage classique et « pépère » en Mongolie, on ne peut parler non plus de destination réservée aux marcheurs : la réalité se situe entre les deux.

◆ Dans la très grande majorité des cas, le voyage est programmé entre juin et août (incluant donc la Fête du **Naadam** en juillet) et dure 15 jours. Trois rendez-vous majeurs : la vallée de l'Orkhon, les ruines de Karakorum, le désert de Gobi. Et des façons de voyager bien diversifiées – bus, jeep, marche, train, cheval, moto – que l'on retrouve par exemple dans la pléiade de propositions du voyage spécialiste Terre Mongolie. Autres propositions : Adeo, Asia, CGTT Voyages, Continents insolites, Jet tours, Kuoni, Nouvelles Frontières, Orients, Starter, Tamera, Voyageurs du monde, Yoketaï.

◆ Il existe également une Fête du Naadam d'hiver en février, que suit Terra incognita chez les nomades Tsataans.

◆ Les passionnés du Transsibérien et de son frère jumeau, le **Transmongolien**, trouvent des suggestions chez la plupart des voyagistes, par exemple auprès de Salaün Holidays, Terre Mongolie ou Transtours. Le voyage, d'une quinzaine de jours au total, frôle les *3 000 EUR*.

◆ Les marcheurs sont sollicités par des spécialistes, dont Nomade et sa dizaine de programmes (cheval, trekking, 4 x 4) à des prix très raisonnables. Atalante et Déserts sont en méharée dans le Gobi pour deux semaines sur de « vrais » chameaux (de Bactriane). Autres prestataires : La Balaguère, Club Aventure, Explorator, Terres d'aventure.

◆ Des combinés existent, entre autres avec Nouvelles Frontières (circuit aventure Mongolie-Tibet) et Orients pour la Chine (Pékin).

◆ Vu la distance et la relative nouveauté de la destination, le voyage en Mongolie demeure cher. Il est difficile de trouver des prestations à moins de *2 500 EUR pour 15 jours*, durée minimale pour que le voyage en vaille la peine.

QUE RAPPORTER ?

Diversité garantie : les pulls en cachemire ou en laine de chameau, les bottes, les selles, les ceintures, les chapkas (bonnets de fourrure), les vêtements traditionnels.

LES REPÈRES

◆ Lorsqu'il est midi en France, en Mongolie il est 18 heures en été et 19 heures en hiver. ◆ Langue officielle : le khalkha, qui est parlé par les trois quarts de la population et qui est appelé à retrouver sa première forme, en lieu et place du cyrillique; il est côtoyé par plusieurs dialectes. ◆ Langue étrangère : il sera pardonné de ne connaître ni le chinois ni le russe, mais l'anglais est une bien mince planche de salut. ◆ Téléphone vers la Mongolie : 00976 + indicatif (Oulan-Bator : 1) + numéro.

LA SITUATION

Géographie. Trois fois plus étendue que la France (1 566 500 km^2), enserrée entre la Russie au nord et la Chine au sud, la Mongolie consiste en un haut plateau qui a vaguement la forme d'un ballon de rugby. A l'ouest, l'Altaï voit le mont Nayramadin culminer à 4 374 m. Au sud-est, le relief cède la place aux plaines et aux plateaux du désert de Gobi.

Population. Avec ses 2 996 000 âmes, dont la moitié vivent dans les villes, le pays a de la peine à proposer plus de 1,5 habitant au kilomètre carré... Néanmoins, quatre ethnies cohabitent, parmi lesquelles les Khalkhas sont largement majoritaires. Capitale : Oulan-Bator.

Religion. Aux côtés du chamanisme, le lamaïsme, forme du bouddhisme propre à l'Asie centrale et au Tibet, retrouve de plus en plus de couleurs depuis l'effondrement soviétique. L'islam (sunnite) est également présent mais minoritaire.

Dates. *1155* Gengis Khan vient au monde. *1206* Avènement de l'Empire mongol. *1227* Mort de Gengis Khan. *1280* La Mongolie est rattachée à la Chine. *XVII*e *siècle* Domination mandchoue. *1911* Autonomie, les deux Mongolie se séparent. *1924* La Mongolie-Extérieure devient République populaire, indépendante, dans l'ombre de l'URSS. *1946* Indépendance reconnue par la Chine. *1952* Tsedenbal au pouvoir. *1984* Batmönkh lui succède. *1990* Le pays s'ouvre à la démocratie, l'armée russe plie bagage. *1990* Premières élections libres : Ochirbat président. *1992* Nouvelle Constitution, les ex-communistes sont les plus influents. *Juillet 1996* Victoire de la Coalition des démocrates aux législatives, le Parti révolutionnaire (ex-communistes) est nettement battu après plus de trois quarts de siècle de présence au pouvoir. *1998* Crise politique ouverte entre le président Bagabandi et le gouvernement de coalition. *Juillet 1999* Législatives : les néo-communistes retrouvent le pouvoir. *Mai 2001* Le président Bagabandi est réélu. *2005* Enkhbayar président. *2008* Le MPRP (Parti révolutionnaire de Mongolie, composé d'anciens communistes) remporte les législatives, Sanjaa Bayar devient Premier ministre.

Monténégro

Indépendance : en juin 2006, ce terme a agi comme un déclencheur et offert en quelques mois seulement à la « Montagne noire » une dimension touristique inédite grâce à la côte et aux bouches de Kotor, mais aussi à des lacs et des paysages de moyenne montagne.

LES RAISONS D'Y ALLER

LA CÔTE

Bouches de Kotor
Stations balnéaires (Budva, Sveti Stefan, Ulcinj)

LES PAYSAGES

Parcs nationaux de Lovcen et Durmitor

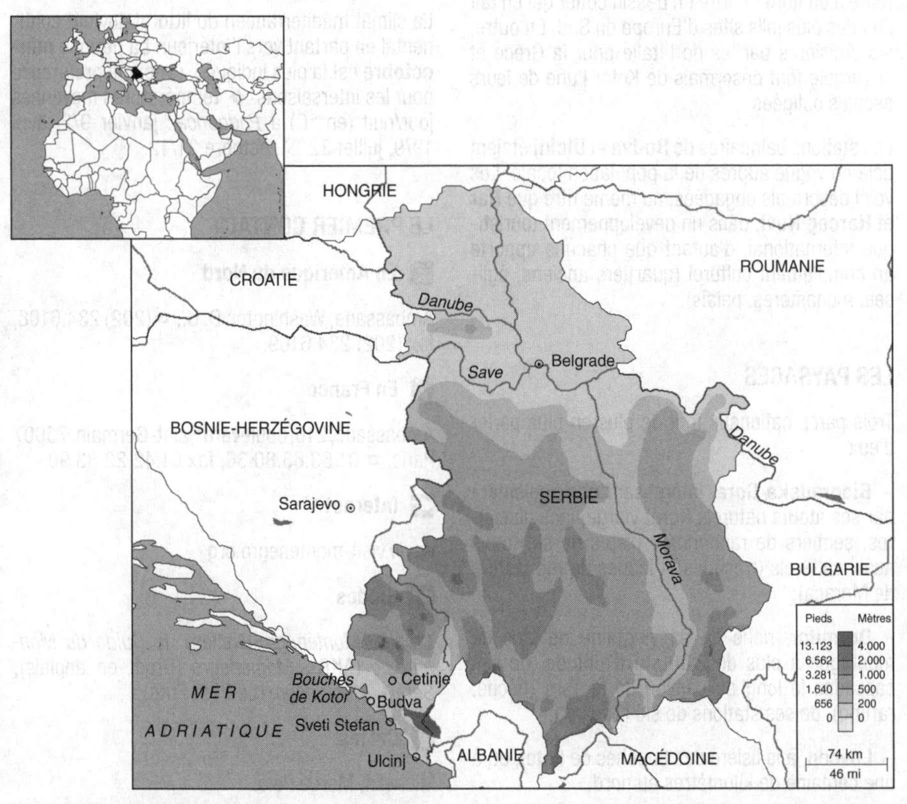

LES RAISONS D'Y ALLER

LA CÔTE

D'aucuns n'hésitent pas à comparer les rivages monténégrins à la Côte d'Azur et donc à justifier son baptême local de Riviera. Il faut dire que la géographie s'y prête : près de 300 km de rivages parsemés de villages de pêcheurs, de criques et de petites îles, telle Saint-Georges, et en toile de fond une barrière montagneuse posée à 1 500 m d'altitude.

Si les nostalgiques de la Yougoslavie aiment séjourner à **Sveti Stefan**, le berceau de Tito, ceux du Monténégro de jadis vont à Milocer, l'ancienne résidence des rois.

Le golfe créé par les **bouches de Kotor** est délimité par des montagnes et par la forteresse du mont Saint-Jean (églises et palais, cathédrale de Saint-Triphon). Parsemé de petits ports, il s'apparente à un fjord et offre un dessin côtier qui en fait l'un des plus jolis sites d'Europe du Sud. En outre, les croisières parties de l'Italie pour la Grèce et la Turquie font désormais de Kotor l'une de leurs escales obligées.

Les stations balnéaires de **Budva** et **Ulcinj** étaient déjà en vogue auprès de la population locale. Les voici désormais engagées, au même titre que **Bar** et **Herceg Novi**, dans un développement touristique international, d'autant que chacune apporte un complément culturel (quartiers anciens, églises, monastères, palais).

LES PAYSAGES

Trois parcs nationaux font de plus en plus parler d'eux :

– **Biogradska Gora**, intéressant non seulement par ses atouts naturels (forêt vierge, lacs glaciaires, sentiers de randonnée, pistes de ski) mais aussi culturels (fresques et icônes du monastère de Moraca);

– **Durmitor**, riche de sa vingtaine de lacs de montagne à plus de 2 000 m d'altitude, de ses cascades le long du canyon de la Tara (pêche, rafting), de ses stations de ski (Zabljak);

– **Lovcen**, à la lisière des bouches de Kotor, et, à une centaine de kilomètres au nord.

Les criques, la faune et la flore du lac de Skadar, les monts Biogradska, où le ski est possible, et de belles vallées comme celle de la Tara, propice entre autres au rafting, complètent le tableau.

LE POUR

◆ Un pays neuf, qui se révèle très vite sur le plan touristique et possède des atouts de taille pour les amateurs de farniente comme pour les randonneurs.

LE CONTRE

◆ Une image et des infrastructures à peaufiner.

LE BON MOMENT

Le climat méditerranéen du littoral devient continental en partant vers l'intérieur. La période **juin-octobre** est la plus indiquée, avec une préférence pour les intersaisons. ◆ Températures moyennes jour/nuit (en °C) à *Podgorica* : janvier 9/2, avril 19/9, juillet 32/21, octobre 21/12.

LE PREMIER CONTACT

En Amérique du Nord

Ambassade, Washington D. C., ☎ (202) 234.6108, fax (202) 234.6109.

En France

Ambassade, 216, boulevard Saint-Germain, 75007 Paris, ☎ 01.53.63.80.30, fax 01.42.22.83.90.

Internet

www.visit-montenegro.org

Guides

Croatie, Monténégro (Nelles), *le Guide du Monténégro* (AKR), *Montenegro* (Bradt en anglais), *Serbie, Monténégro* (Le Petit Futé).

Cartes

Michelin, Marco Polo.

Images

Adriatique : Albanie, Monténégro, Croatie, Slovénie et côte adriatique italienne (T. Thomson/Vagnon, 2005), *The Mountains of Montenegro* (R.Abraham/Cicerone Press, 2007).

QUEL VOYAGE ET À QUEL PRIX ?

Le voyage individuel

Les préparatifs

◆ Pour les ressortissants de l'Union européenne : carte nationale d'identité ou passeport suffisant. Pour les ressortissants canadiens, passeport encore valide six mois après le retour.

◆ Monnaie : l'*euro*.

Le départ

Avion

◆ Aéroports d'arrivée : Podgorica pour l'intérieur, Tivat pour la côte. Les vols à prix réduit pour Tivat se répandent, entre autres à partir de Bruxelles (Air Berlin, SN Brussels). ◆ Durée moyenne du vol Bruxelles-Tivat : 2 h 30. ◆ Alternative : l'arrivée à Dubrovnik (voir Croatie) puis trois heures de bus ou de train pour les rivages monténégrins.

Bateau

Le port de Bar est relié à Ancône (Italie).

Route

Réseau routier correct, routes secondaires étroites. Location de voiture possible.

Train

Pass InterRail utilisable.

Le séjour

Les propositions de courts séjours **balnéaires**, du type avion et trois nuits d'hôtel en demi-pension à Budva, se développent. Tabler sur *700 EUR* environ pour un voyage de ce type.

Le voyage accompagné

◆ La place accordée au tourisme balnéaire fait que l'intérieur du pays reste encore méconnu, toutefois les séjours en **randonnée** dans les parcs nationaux de Durmitor et Lovcen gagnent du terrain, par exemple avec Allibert, Nomade Aventure, Terres d'aventure (12 jours en moyenne entre juin et fin septembre). Compter environ *1 400 EUR* pour un voyage-randonnée de cet ordre.

◆ Des boucles d'une semaine Dubrovnik-Dubrovnik (Croatie) incluent les bouches de Kotor, Cetinje, Budva et l'archipel des Elaphites (Travel Europe).

LES REPÈRES

◆ Langue : le monténégrin, version locale du serbo-croate. Langues de communication : allemand, anglais, italien. ◆ Téléphone vers le Monténégro : + 382.

LA SITUATION

Géographie. Rivages méditerranéens et moyenne montagne caractérisent ce petit pays de 13 812 km^2.

Population. 678 000 habitants, dont 32% de Serbes, 8% de Bosniaques et 5% d'Albanais. Minorité croate, principalement dans la baie de Kotor. Capitale : Podgorica.

Religion. Musulmans et orthodoxes majoritaires.

Dates. *VIe siècle* Arrivée des Slaves. *1459* Intégration de la Serbie à l'empire ottoman. *1918* Rattachement du Monténégro à la Serbie. *1945* Naissance de la fédération yougoslave dont le Monténégro est l'une des entités et dont Milo Djukanovic deviendra l'homme fort jusqu'à l'indépendance. *1991* Détérioration de la situation en Yougoslavie, la Serbie et le Monténégro sont redéfinis sous le nom de République fédérale de Yougoslavie (RFY). *Mai 2006* Référendum favorable à l'indépendance, Filip Vujanovic devient président. *Septembre 2006* Victoire d'une coalition sociale-démocrate aux législatives, Zeljco Sturanovic premier ministre. *Avril 2008* Filip Vujanovic élu président, Milo Djukanovic (Coalition for European Montenegro) devient Premier ministre.

Mozambique

Depuis que le pays n'est plus en proie à la guerre civile, il retrouve peu à peu l'entrain qui, au milieu du siècle, l'avait fait juger par certains comme le « Cuba de l'Afrique ». On assiste à une embellie et même à la naissance d'un tourisme balnéaire (le pays compte 2 470 km de côtes souvent semblables aux rivages malgaches), en attendant celui de l'intérieur, poussé par l'existence de plusieurs parcs nationaux.

LES RAISONS D'Y ALLER

LA CÔTE

Plages (archipel de Bazaruto, île de Benguérua, Inhambane, Xai-Xai, Bilene, archipel des Quirimbas), Plongée (archipel de Bazaruto)

LES PAYSAGES ET LA FAUNE

Oiseaux du parc national de Vilanculos
Éléphants et oiseaux du parc national de Gorongosa, lac Malawi

LES VILLES

Maputo, Mozambique

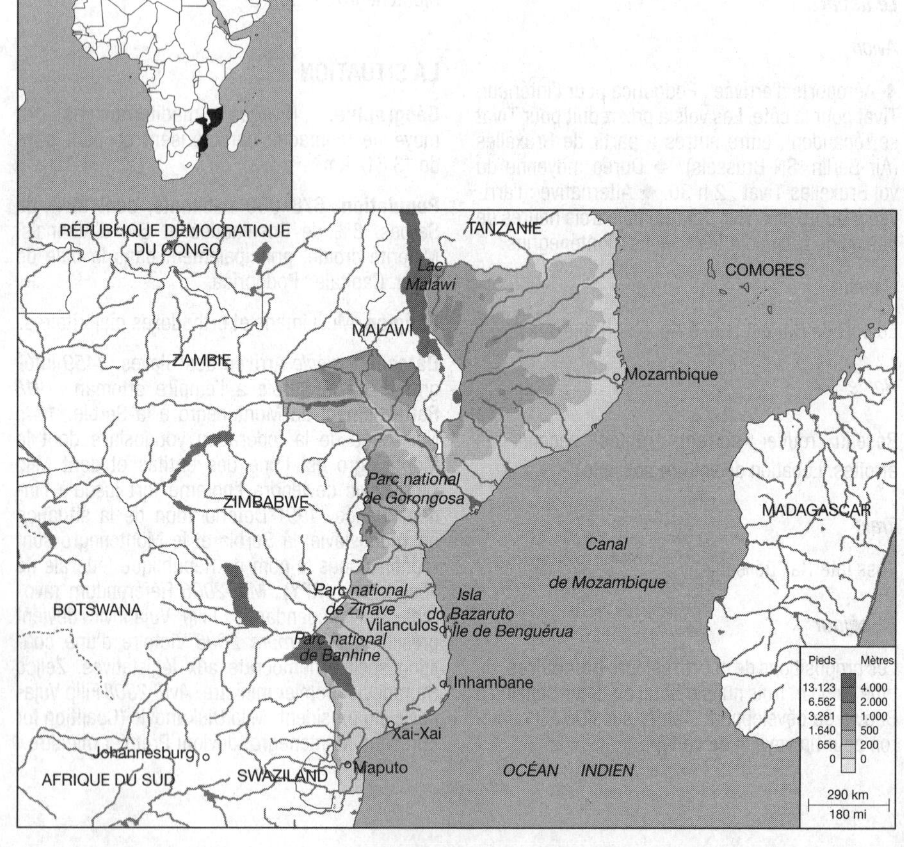

LES RAISONS D'Y ALLER

LA CÔTE

Entre Maputo et le tropique du Capricorne, la longue côte ouverte sur le canal de Mozambique possède des **plages** qui, telles celles des environs de l'archipel de **Bazaruto** (surtout l'île de Benguérua), d'**Inhambane**, de **Xai-Xai** et de **Bilene**, sont comparables aux rivages de Madagascar et des Mascareignes.

Les structures sont soit vétustes, soit inexistantes, mais la situation devrait rapidement évoluer, y compris pour des sites qui permettront la pêche au gros ou, comme dans les alentours de l'archipel de Bazaruto, la plongée sous-marine avec le requin-baleine comme star entre octobre et mars, mais aussi les raies mantas, les tortues, les barracudas, les carangues.

La côte mozambicaine conserve des recoins inexplorés, comme à l'extrême nord-est, en face des Comores, l'archipel des **Quirimbas** (îles d'Ibo, Quirimba et Quisiva).

LES PAYSAGES ET LA FAUNE

Le tourisme de l'intérieur n'a pas encore vraiment droit de cité, mais le potentiel existe.

Ainsi, le parc national de **Vilanculos**, face à l'archipel de Bazaruto, voit évoluer les flamants roses et les pélicans, parmi trois cents espèces d'oiseaux.

Le grand parc national de **Gorongosa** renferme une faune surtout composée d'**éléphants** et de nombreuses espèces d'**oiseaux**. Deux autres parcs dans le sud : ceux de Banhine et de Zinave.

Outre les parcs nationaux, une autre partie du Mozambique offre des paysages intéressants : les abords du **lac Malawi**, rendus spectaculaires par les hauteurs qui les surplombent et qui atteignent près de 2 000 m.

LES VILLES

Les villes côtières gardent certains vestiges de la colonisation portugaise. **Maputo**, la capitale, très influencée par l'Afrique du Sud et relativement épargnée par la guerre civile, ne manque pas de charme, surtout grâce à sa baie qui est en passe de retrouver l'ambiance festive du milieu du siècle.

La petite ville de **Mozambique**, au fond d'une baie, a non seulement donné son nom au pays mais a également conservé ses forteresses.

LE POUR

◆ Des promesses touristiques qui commencent à à se concrétiser.

◆ Un climat favorable entre mai et octobre.

LE CONTRE

◆ Des prestations au coût élevé et pour l'instant presque uniquement destinées au tourisme balnéaire et de plongée.

◆ La progression de la petite délinquance dans les villes.

LE BON MOMENT

Humide et chaud, le climat tropical n'en offre pas moins une saison agréable **entre mai et octobre**, particulièrement sur la côte. Le reste de l'année, il pleut beaucoup à travers tout le pays. ◆ Températures moyennes jour/nuit (en °C) à *Maputo* (côte sud) : janvier 30/22, avril 28/19, juillet 24/14, octobre 27/18.

LE PREMIER CONTACT

En Amérique du Nord

Haut-commissariat, Washington, États-Unis, ☎ (202) 293-7146, fax (202) 835-0245, www.embamoc-usa.org

En Belgique

Ambassade, boulevard Saint-Michel, 97, B-1040 Bruxelles, ☎ (02) 736.00.96, fax (02) 732.06.64.

En France

Ambassade, 82, rue Laugier, 75017 Paris, ☎ 01.47.64.91.32, fax 01.44.15.90.13.

En Suisse

Consulat général, rue J.-A. Gautier, 13, CH-1201 Genève, ☎ (22) 901.17.83, fax (22) 901.17.84.

Internet

www.visitmozambique.net/

Guides

Mozambique (Bradt en anglais, Le Petit Futé, Travellers Survival Kit).

Cartes

Mozambique (Cartographia, IGN).

Lectures

Contes traditionnels du Mozambique (E. Meideiros, M.Laban/Chandeigne, 1999), *l'Héritage Makhuwa au Mozambique* (P. Macaire/L'Harmattan, 2000), *l'Œil du faucon* (Wilbur Smith, Pocket, 2002), *le Dernier Safari* (W. Smith/Pocket, 2004), *Naissance du Mozambique : résistance et révoltes anticoloniales (1854-1918)* (R. Pélissier/Pélissier, 2007, 2 volumes).

QUEL VOYAGE ET À QUEL PRIX ?

Le voyage individuel

Les préparatifs

◆ Passeport en cours de validité, valable encore six mois après le retour, visa obligatoire, à demander auprès de l'ambassade mais obtention désormais possible du visa à l'aéroport d'arrivée ou aux postes frontière (25 US Dollars).

◆ Aucune vaccination n'est exigée. Prévention indispensable contre le paludisme.

◆ Monnaie : le *metical.* 1 US Dollar = 25 meticals; 1 EUR = 35 meticals. Emporter des euros ou des dollars US et une carte de crédit (pour distributeurs et autres prestations).

Le départ

◆ Indice de prix à certaines dates du vol Paris-Maputo A/R : 1 100 EUR. ◆ Durée moyenne du vol Paris-Maputo (environ 8 000 km) : 11 heures.

Sur place

Hébergement

Le voyagiste Grandeur Nature avance un choix de bungalows à Benguérua et d'hôtels à Bazaruto. Makila Voyages étend sa proposition à l'archipel des Quirimbas et aux abords du lac Malawi.

Route

◆ Conduite à gauche, permis de conduire international. ◆ Réseau correct, nombreuses pistes, le tout-terrain est de circonstance. ◆ Ne pas quitter les axes principaux (risques de mines). ◆ Bon réseau de bus (Greyhound, Pantera Azul).

Train

◆ Réseau lent. ◆ Il existe une ligne Maputo-Johannesburg (14 heures).

Le voyage accompagné

Rappel : nous nous sommes limités à un résumé des prestations en vigueur dans les agences et chez les voyagistes présents en France. Les lecteurs des autres pays peuvent en tirer des idées d'itinéraire et les compléter auprès de leurs agences de voyages.

◆ Actuellement, le séjour **balnéaire** domine largement les propositions. Certains voyagistes installent leur client dans l'archipel de Bazaruto, et plus particulièrement sur l'île de Benguérua pour des séjours détente.

D'autres, comme Voyageurs du monde, le choisissent pour deux jours de farniente après la Namibie d'une part, l'Afrique du Sud d'autre part. Comptoir d'Afrique part hors des rivages battus en proposant à la carte l'île d'Ibo, dans l'archipel des Quirimbas. STI Voyages est dans le même cas avec l'île de Benguérua qui fait suite à la visite du parc Kruger en Afrique du Sud. Vie sauvage passe à Inhambane et Maputo lors d'une très longue « expédition africaine ».

◆ La **plongée** s'impose aussi peu à peu, à Praia de Jangamo avec Aquarev ou à Inhambane et dans l'archipel de Bazaruto avec Ultramarina.

◆ Un voyage au Mozambique représente un investissement certain. Aux alentours de *2 000 EUR* tout compris pour un séjour balnéaire de 9 jours/7 nuits et de *3 000 EUR* pour un forfait plongée de 11 jours.

LES REPÈRES

◆ Lorsqu'il est midi en France, au Mozambique il est la même heure en été et 13 heures en hiver. ◆ Langue officielle : le portugais, qui voisine avec des langues indigènes, dont le makua (38 %) et le tsonga (24 %). ◆ Langue étrangère : l'anglais, mais timidement. ◆ Téléphone vers le Mozambique : 00258 + indicatif (Maputo : 1) + numéro.

LA SITUATION

Géographie. De taille respectable (801 590 km^2), le Mozambique s'étire sur 2 795 km entre la Tanzanie et l'Afrique du Sud. Une vaste plaine longe la côte et se relève progressivement jusqu'aux 2 419 m du Namuli.

Population. 21 285 000 habitants, dont la plupart sont des Bantous, à côté de minorités asiatique et métisse. Capitale : Maputo, anciennement Lourenço Marques.

Religion. Un Mozambicain sur deux est animiste. On compte également 40 % de chrétiens, parmi lesquels une large majorité de catholiques, et 13 % de musulmans.

Dates. *1490* Les Portugais s'installent. *1544* Lourenço Marques donne son nom à la ville qui deviendra Maputo à l'heure de l'indépendance. *1951* Le Mozambique province portugaise. *1964* Extension de l'action du Front de libération du Mozambique (Frelimo), de tendance marxiste-léniniste. *1975* Indépendance : Samora Machel, leader du Frelimo, devient président de la République. *1976* Début de la rébellion anticommuniste organisée par la Renamo (Résistance nationale du Mozambique) : pillages et massacres de civils. *1986* Mort accidentelle de Machel, prise du pouvoir par Chissano. *Octobre 1992* Accord de paix entre le président Chissano et Dhlakama, chef de la Renamo. *Octobre 1994* Premières élections générales et démocratiques depuis 1975 : Chissano l'emporte aux dépens de Dhlakama, qui reconnaît sa défaite. *1998* Confirmation du redécollage économique, toutefois insuffisant face à la grande pauvreté de la population. *Décembre 1999* Chissano est réélu. *Mars 2000* Dramatiques inondations dans le sud du pays. *2004* Luisa Diogo prend les rênes du gouvernement. Février *2005* Armando Guebuza (Frelimo) devient président.

Myanmar (ex-Birmanie)

Qu'il soit admirateur des pagodes recouvertes de feuilles d'or le long de l'axe Rangoon-Pagan-Mandalay ou féru de sites lacustres, le voyageur trouvera du caractère et de la diversité à ce grand et beau pays, si atypique, de triste réputation sur le plan politique mais où l'empreinte du bouddhisme continue de rythmer la vie de tous les jours.

LES RAISONS D'Y ALLER

LES VILLES ET LES MONUMENTS

Art bouddhique : pagode Shwedagon à Rangoon (Yangon), temples et pagodes de Pagan, pagodes et monastères de Mandalay, de sa région (Mingun, Sagaing) et de la chaîne de l'Arakan, pagodes et bouddhas géants de Pegu

LES PAYSAGES

Vallée de l'Irrawaddy, lac Inle, grottes de Pindaya, canyon de la Salouen, Maymyo, Kyaikto, mont Popa, Triangle d'or

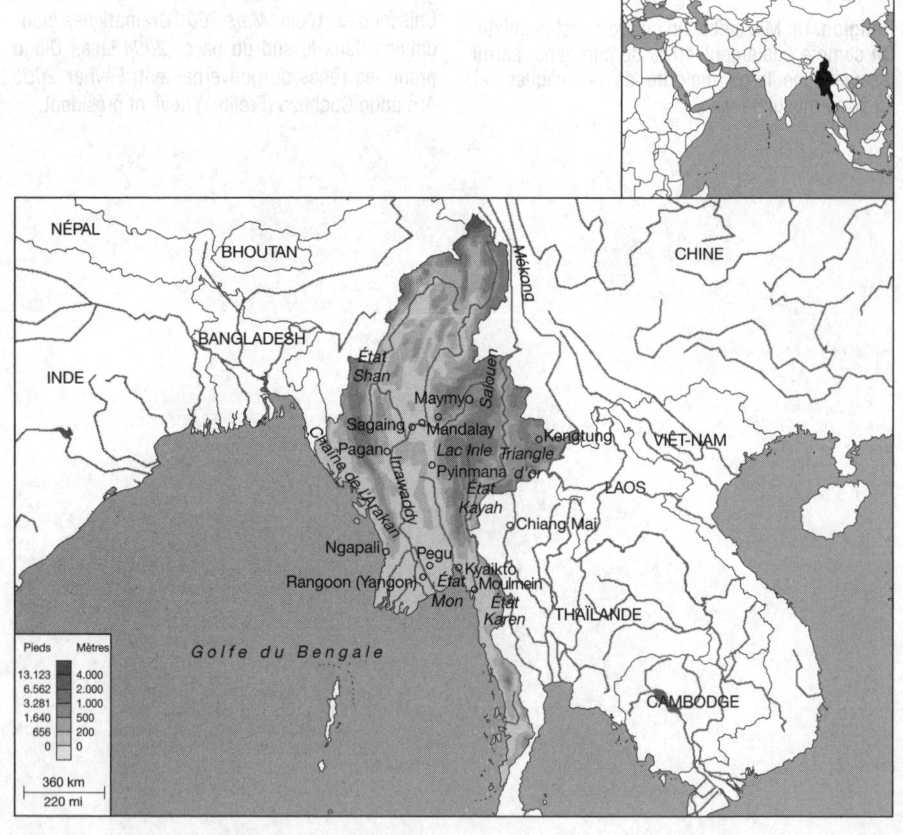

LES RAISONS D'Y ALLER

LES VILLES ET LES MONUMENTS

Des traces parmi les plus éclatantes de l'art bouddhique mondial se retrouvent un peu partout dans le pays, sous la forme de **pagodes** et de représentations de Bouddha, debout ou couché, petit ou grand.

Deux sites en point d'orgue :

– la pagode **Shwedagon** à Rangoon (plus de 400 m de périmètre) et son dôme recouvert de plus de dix mille plaques d'or (100 m de hauteur);

– les cinq mille édifices religieux, dont plus de deux mille pagodes, de **Pagan**; monastères, temples (Ananda) et zedis, ces derniers équivalents des stoupas (Shwezigon, Thatbyinnyu), se succèdent sur 42 km^2, les plus significatifs datant du XIe siècle, une seconde variété de temples ayant vu le jour au siècle suivant.

Les deux sites précités constituent des sites majeurs de l'Asie du Sud-Est et mériteraient à eux seuls le voyage au Myanmar.

Par endroits, **Rangoon** garde le charme de l'époque coloniale britannique mais vaut surtout par son marché (Bogyoke) et ses pagodes. Outre Shwedagon, on doit visiter la plus ancienne, Sule Pagoda (stupa doré), Botatong et Kabagye Pagoda.

Mandalay, l'ancienne capitale et deuxième ville du pays, vaut par la colline chargée d'histoire qui la domine. Comme Rangoon, la ville est riche en pagodes (Kyauktawgyi, Kuthodaw, Mahamuni et ses six statues de bronze représentant des guerriers, des lions et un éléphant). Elle renferme également des monastères (Atumashi).

Deux sites méritent d'être découverts autour de Mandalay : au nord, à **Mingun**, Payagyi aurait dû être la plus grande pagode jamais édifiée si en 1838 un tremblement de terre n'avait réduit le projet à néant; à défaut, l'endroit renferme la plus grosse cloche du monde (87 tonnes); au sud-ouest, **Sagaing**, ancienne capitale des Chan, abrite sur sa colline de nombreux temples et pagodes.

À **Pegu**, outre les pagodes (dont la Shwemawdaw, très ancienne), un bouddha couché de 60 m de long datant du Xe siècle (Shwethalyaung) et quatre autres bouddhas géants font la réputation de l'endroit.

Bien moins connus sont les sites de la chaîne de montagnes de l'**Arakan**. À ses pieds, le long de la rivière Kaledan, les pagodes, les monastères et le temple-forteresse de Shittaung sont des monuments édifiés entre le XVe et le XVIIIe siècle, du temps du royaume Rakhine. Dans la région, des fouilles entreprises au cœur de la jungle ont permis de mettre au jour plusieurs vestiges.

LES PAYSAGES

La majorité des paysages du Myanmar doivent une grande part de leur agrément au fleuve **Irrawaddy**, épine dorsale du pays. Lorsqu'on a du temps, il est intéressant d'embarquer dans un bateau local et de voguer sur le fleuve aux côtés des habitants. Dans le cas de circuits, la croisière Mandalay-Pagan ou l'inverse n'est pas rare.

L'un des plus jolis sites du pays est constitué par le lac **Inle** et ses îlots flottants, habités par les Inthas. Chaque année, en octobre, ils animent leurs cités lacustres et leurs maisons sur pilotis par des courses de bateaux et par la fête de la pagode Phaung Daw U (une barge dont la proue en forme d'oiseau amène des statues de Bouddha en or dans les villages avoisinants).

Dignes pendants esthétiques du lac Inle : les grottes de **Pindaya**, agrémentées de milliers de statues de Bouddha, et le canyon de la **Salouen**, l'un des plus grands du monde mais dont l'accès est interdit. Au nord de Mandalay, il faut visiter la ville en altitude de **Maymyo**, son marché, son musée forestier, ainsi que, aux alentours, les chutes de Pwekauk et le jardin botanique.

Deux autres sites où la nature et la religion s'entremêlent : **Kyaikto** et son énorme rocher en équilibre, doré parce que sacré, et objet de pèlerinages; non loin de Pagan, le mont **Popa**, au pied duquel un monastère abrite les « nats », génies à la fois du bien et du mal, célébrés au mois d'août.

La route qui rejoint la Thaïlande côtoie le Mékong et passe la frontière du Myanmar à Mae Saï et Tachilek, au cœur du **Triangle d'or**. Longtemps fermée à toute pénétration étrangère, la région est désormais libre d'accès quand la situation politique le permet. Le touriste, toléré (en groupe), a sous les yeux l'habitat de l'ethnie chan, qui est rebelle au pouvoir central, et les peuplades Akkas, semi-nomades éparpillés entre Tachilek et Kengtung. Partout dans la région, l'économie longtemps fondée sur l'opium a fortement décliné.

Le Myanmar n'est pas une destination balnéaire, toutefois on ne doit pas négliger certains très jolis sites comme Ngapali, sur la baie du Bengale, ou, à l'est de l'Arakan, l'archipel Mergui et de jolies plages sur la mer d'Andaman.

LE POUR

◆ Un tourisme qui mêle, à un haut niveau, la qualité de l'art et des paysages, ainsi que la préservation des traditions.

LE CONTRE

◆ L'impossibilité de découvrir certaines régions.

◆ La mauvaise réputation perpétuée par le régime militaire en place.

◆ Une période mai-novembre défavorable sur le plan du climat.

LE BON MOMENT

Le climat tropical de mousson dans le sud (mai-novembre) entraîne de fortes précipitations et une chaleur moite. Quant à la région du haut Myanmar, elle connaît un climat plutôt sec. **Décembre-avril** est la meilleure période dans l'ensemble du pays.
◆ Températures moyennes jour/nuit (en °C) à *Mandalay* (centre) : janvier 29/13, avril 38/24, juillet 34/26, octobre 32/24; *Rangoon* (sud) : janvier 32/18, avril 37/24, juillet 30/24, octobre 32/24.

LE PREMIER CONTACT

En Belgique

Ambassade, boulevard du Général-Wahis, 29, B-1030 Bruxelles, ☎ (02) 701.93.80, fax (02) 705.50.48.

Au Canada

Ambassade, 85, Range Road, Ottawa K1N 8J6, ☎ (613) 232-9990, fax (613) 232.6999.

En France

Consulat, 60, rue de Courcelles, 75008 Paris, ☎ 01.42.25.56.95, fax 01.42.56.49.41.

En Suisse

Consulat général, avenue Blanc, 47, CH-1202 Genève, ☎ (22) 906.98.70, fax (22) 732.89.19.

Internet

www.myanmar-tourism.com

www.myanmartravelinformation.com

Guides

Birmanie (Gallimard/Bibl. du voyageur, Hachette/Evasion, Hachette/Routard, Mondeos, Nelles), *Myanmar* (Le Petit Futé, Lonely Planet France).

Cartes

Birmanie (Nelles), *Thaïlande, Malaisie, Vietnam, Cambodge, Laos, Myanmar* (Berlitz).

Lectures

Aung San Suu Kyi : le jasmin ou la lune (T. Falise/Editions Florent Massot, 2007), *Birmane* (Christophe Ono-dit-Biot/Pocket, 2008), *Birmanie contemporaine* (G.Defert/Les Indes Savantes, 2008), *Birmanie : rêves sous surveillance* (M. Ott et G. Cohen/Autrement, 2008), *la Vallée des rubis* (J. Kessel/Gallimard, 1994), *le Goût de la Birmanie* (Mercure de France, 2005). Lire aussi les ouvrages de George Orwell et Rudyard Kipling qui ont l'Asie pour thème.

Images

Birmanie/Myanmar (Ma Thanegi, Achim Bunz/Editions de la Martinière, 2008), *Chroniques birmanes* (G. Delisle/Delcourt, 2007), *Majestueuse Birmanie* (Atlas, 2006).

QUEL VOYAGE ET À QUEL PRIX ?

Le voyage individuel

Les préparatifs

◆ Passeport encore valable six mois après le retour. Visa obligatoire, valable 28 jours, obtenu auprès du consulat (adresse ci-dessus). Impossibilité pour les étrangers d'arriver par la route. Billet de retour ou attestation d'une agence de voyages exigible. Bien se renseigner sur les possibilités d'accès ou non à certaines régions du nord.

◆ Aucune vaccination n'est obligatoire. Prévention indispensable contre le paludisme au-dessous de 1 000 m, de mars à décembre, dans de nombreuses régions.

◆ Monnaie : le *kyat* est subdivisé en 100 *pyas*. Il est possible d'échanger des euros mais le dollar US est bien plus courant. Les espèces sont de circonstance puisque ni les cartes de crédit ni les chèques de voyage ne sont acceptés. 1 US Dollar = 6,4 kyats; 1 EUR = 9 kyats.

Le départ

◆ Indice de prix à certaines dates du vol Paris-Rangoon (Yangon) A/R (pas de vol direct, connexions via Bangkok, Kuala Lumpur, Singapour) : 850 EUR. ◆ Durée moyenne du vol Paris-Rangoon (8 865 km) via Bangkok : 15 heures.

Sur place

Bateau

L'Irrawaddy est une véritable autoroute fluviale. Le touriste individuel peut multiplier les idées de parcours, par exemple Mandalay-Pagan (36 heures).

Hébergement

Nombreux petits hôtels ou guest houses à prix très raisonnables. La grande hôtellerie est encore rare. Éventail de nuits d'hôtel proposées, entre autres, par Nouvelles Frontières lors de l'arrivée à Rangoon.

Route

Conduite à droite. Bon réseau de bus. Location possible de voiture avec chauffeur-guide pour des circuits individuels (Voyageurs du monde). Compter environ *2 500 EUR* pour le vol A/R et la demi-pension.

Train

La lenteur et l'ancienneté des trains sont compensées par leur fréquence. Original : le *Mandalay Express*, 15 heures pour plus de 600 km entre Rangoon et Mandalay.

Quelques prestations

Rappel : nous nous sommes limités à un résumé des prestations en vigueur dans les agences et chez les voyagistes présents en France. Les lecteurs des autres pays peuvent en tirer des idées d'itinéraire et les compléter auprès de leurs agences de voyages.

◆ La majorité des **circuits**, qui ont surtout lieu entre novembre et avril pour des périodes de 12 à 18 jours en moyenne, comportent les sites clés que sont le lac Inle, Pagan, Mandalay et Rangoon. Exemples : Adeo, Ananta, Asia, Clio, Continents insolites, Kuoni, La Maison de l'Indochine, Look Voyages, Orients (très présent, non seulement lors du festival du lac Inle mais aussi dans l'Arakan et sur le site balnéaire de Ngwé Saung Beach), Terre birmane (une dizaine de circuits), Vacances Transat, Yoketaï (qui entre autres survole Pagan en montgolfière).

◆ Bien que la meilleure manière de côtoyer les Birmans reste de monter à bord d'un vieux *steamer* local, les **croisières** sur l'Irrawaddy (en moyenne 2 ou 3 jours d'un circuit de 12 jours) sont d'un grand intérêt : de Mandalay à Rangoon via Pagan et Sagaing, sur le *RV Pandaw* (Terre Birmane), la descente du fleuve permet d'en comprendre l'importance pour l'économie du pays tout en visitant les grands sites touristiques.

Dans le style raffiné, il existe une croisière, incluse dans la plupart des programmes précités, qui va de Mandalay à Pagan ou en sens inverse. Elle est menée entre octobre et avril sur le *Road to Mandalay* (Orient-Express Trains and Cruises).

◆ Les **randonnées** pédestres se mêlent à des mini-croisières sur l'Irrawaddy, par exemple chez Allibert et Club Aventure. Nouvelles Frontières passe à Bagan, au lac Inle et en pays shan lors d'un voyage qui alterne, bus, pirogue et randonnée.

◆ Les combinés ne sont pas rares : la **Thaïlande** rejoint souvent le Myanmar pour un mélange culturel, à base de visites de pagodes et de temples. Exemples : Asia, Voyageurs du monde. Il existe également un Myanmar-**Laos** chez Orients (Arakan, lac Inle, Luang Prabang).

◆ **Tourisme solidaire** : rencontre avec les élèves de l'école primaire du village de Mingun et passage dans un centre de méditation près de Maing Tauk font partie du circuit de 15 jours proposé par Voyager autrement à travers les grands sites du pays.

◆ Le prix d'un circuit de 15 jours au Myanmar se situe parfois aux alentours de *2 000 EUR* en basse saison (vol et demi-pension), mais très souvent au-dessus. Il a tôt fait de grimper si des prestations telles qu'une croisière sur l'Irrawaddy viennent s'ajouter.

QUE RAPPORTER ?

La palette artisanale est large : les objets en laque à Pagan, les longuis (sorte de jupe), les objets en bois sculpté, les marionnettes, les rubis (pour ces derniers, bien vérifier la qualité) et les cheerots (cigares à base de sucre et d'épices).

LES REPÈRES

◆ Lorsqu'il est midi en France, au Myanmar il est 16 h 30 en été et 17 h 30 en hiver. ◆ Langue officielle : le birman. Un habitant sur cinq parle le karen. Nombreux dialectes. ◆ Langue étrangère : l'anglais, dans les villes et sur les lieux touristiques. ◆ Téléphone vers le Myanmar : 0095 + indicatif (Mandalay : 2; Rangoon : 1) + numéro.

LA SITUATION

Géographie. Ce pays étendu (676 578 km^2) est creusé en son centre par une dépression parcourue par l'Irrawaddy et entourée de montagnes qui culminent jusqu'à 5 881 m au Hkakabo Razi, le plus haut sommet de l'Asie du Sud-Est.

Population. 69 % des 47 758 000 habitants sont des Birmans de souche, mais on rencontre aussi des ethnies aux particularismes très marqués et souvent opposées au pouvoir central : Karens, Shans, Kachins, Mons. Capitale : Naypyidaw, capitale née de rien en 2005 dans la jungle.

Religion. Forte empreinte du bouddhisme (87 %), qui est partout dans la vie quotidienne. On dénombre 5 % de chrétiens et 4 % de musulmans.

Dates. *1511* Arrivée des Portugais. *1886* Les Anglais font de l'endroit une province annexée à l'Empire des Indes. *1937* Rattachement à la Couronne. *1942-1948* Invasion japonaise. *1948* Indépendance. *1958* Ne Win Premier ministre. Il prend le pouvoir quatre ans plus tard. *1981* San Yu lui succède. *1988* Emeutes, répression et prise du pouvoir par la junte du général Saw Maung. *Juin 1989* Le pays est rebaptisé Union de Myanmar. 1990 La ligue nationale pour la démocratie remporte les élections, mais les militaires dénient sa victoire. *Octobre 1991* Aung San Suu Kyi, chef du mouvement démocratique birman, est élue prix Nobel de la paix mais reste placée en résidence surveillée. *1992* Than Shwe succède à Saw Maung, alors que les guérillas Karennis et Mons persistent. *Septembre 1996* Vague d'arrestations. *2000* Timides espoirs de négociations entre le pouvoir et son opposition. *Mai 2002* Aung San Suu Kyi est libérée. *Juin 2003* Aung San Suu Kyi à nouveau assignée à résidence après de sérieux troubles. *Mai 2007* Prolongation d'un an de l'assignation à résidence d' Aung San Suu Kyi. *Septembre 2007* Les moines descendent dans la rue pour protester contre de brutales augmentations de prix, le mouvement est sévèrement réprimé. *Octobre 2007* Thein Sein nouveau Premier ministre. *Mai 2008* Le cyclone Nargis frappe le sud du pays et le delta de l'Irrawaddy : 130.000 victimes, deux millions de sinistrés.

Namibie

Depuis quelques années, la belle Namibie connaît un essor touristique continu malgré un coût du voyage élevé. Le pays est capable de proposer à la fois des randonnées dans un désert voué aux superlatifs – plus vieux désert du monde, dunes les plus hautes du monde –, le spectacle de gorges souvent comparées à celles du Colorado et celui d'une faune diverse, allant du phoque à l'éléphant. On en oublierait presque le courant froid et les brumes qui empêchent la naissance du tourisme balnéaire, mais peut-être est-ce là un moindre mal pour un pays encore préservé du tourisme de masse.

LES RAISONS D'Y ALLER

LES PAYSAGES

Hautes dunes du désert de Namib (Sossusvlei)
Fish River Canyon
Peintures et gravures rupestres
(Brandberg, Twyfelfontein)
Kaokoland, Hoba (cratère de météorite)
Côte (Skeleton Coast, Swakopmund, Lüderitz)

LA FAUNE ET LA FLORE

Parcs d'Etosha, du Damaraland et du Waterberg (éléphants, girafes, oryx, rhinocéros, springboks, zèbres)
Cape Cross (otaries, phoques)
Lagune de Sandwich Harbour (flamants roses)
Plantes rares: welwitschia, kokerboom

LES RAISONS D'Y ALLER

LES PAYSAGES

Le vieux désert du **Namib**, hérissé d'acacias morts depuis des siècles et qui longe la côte sur plus de deux mille kilomètres pour cinquante à cent kilomètres de largeur, vaudrait le voyage à lui seul.

Inclus dans le parc national du Namib-Naukluft, Il est riche de sites grandioses, principalement dans sa partie sud où il héberge les **dunes** les plus hautes du monde : jusqu'à 300 m pour certaines, telles celles du bassin de **Sossusvlei**, avec la dune « Big Daddy » comme point culminant. Sans cesse redessinées par le vent et soumises au brouillard, changeant de couleur au gré de la lumière en passant du rose à l'ocre, admettant une faune rare (l'oryx), elles offrent des formes fantastiques, à tous les sens du terme, et sont devenues des buts de randonnées. Ce désert a entraîné une série d'activités qui sont le reflet du tourisme moderne : ski de dunes, quad, survol en montgolfière ou en petit avion.

Au sud, les dunes font place au relief de roches nues du très aride **Fish River Canyon :** ses 550 m de profondeur, ses 160 km de long et ses 27 km de large l'apparentent au canyon du Colorado et attirent de plus en plus de randonneurs, en attendant une approche plus large du sable rouge du Kalahari.

Certaines peintures rupestres comptent parmi les plus anciennes qui soient. Ainsi, la « Dame blanche », dans le massif de granit rouge du **Brandberg**, est due aux Bochimans et date de 3 500 ans. Des gravures rupestres de l'époque bochiman sont visibles sur le plateau du Waterberg, à **Twyfelfontein**, dans le **Damaraland**, région qui rivalise avec le Namib grâce aux couleurs roses et rouges de ses paysages granitiques.

De là, il est possible de se rendre soit dans le **Kaokoland**, où vit la tribu semi-nomade des Himbas, soit à **Hoba**, où se trouve le cratère d'une météorite, le troisième du monde en importance. Aux confins de la frontière angolaise, se trouvent les chutes Epupa, sur le fleuve Cunene.

Deux régions commencent à sortir de l'ombre : la bande de Caprivi, au nord (les chutes Victoria ne sont pas loin) et la partie namibienne du Kalahari.

La **côte** est généralement inhospitalière et nimbée de brouillard à cause du heurt entre la chaleur du Namib et le courant froid du Benguela, ce qui n'empêche pas de la visiter pour d'autres raisons que la baignade (**Skeleton Coast** Park, au nord).

Les petites villes de **Swakopmund**, germanisée au tournant du siècle, et de **Lüderitz** sont les stations balnéaires les plus connues. Quant à la capitale Windhoek, elle vaut par les contours de l'« Alte Feste », ancienne forteresse allemande.

LA FAUNE ET LA FLORE

Du nord au sud, l'objectif photographique ne manque pas de sujets, grâce à plusieurs réserves qui gagnent à être visitées en fin de saison (octobre) car les points d'eau se font rares et les animaux s'y regroupent.

Le spectacle débute par la très grande réserve d'**Etosha** (22 000 km^2), ouverte de la mi-mars à la fin octobre. Elle est peuplée du fameux « Big Five » (buffles, éléphants, léopards, lions, rhinocéros), d'antilopes (oryx, springboks), de girafes, de zèbres, de plus de 300 espèces d'oiseaux... et de 27 espèces de serpents. Lui succèdent le **Damaraland** (éléphants, girafes, rhinocéros), le parc national du **Waterberg** (rhinocéros blancs) ainsi que la réserve de Palmvag et ses rhinocéros noirs.

Entre le Namib et l'océan, **Cape Cross** fait valoir sa forte colonie d'otaries. La lagune de **Sandwich**

Harbour, coincée entre l'océan et les dunes, abrite une riche faune avicole (échassiers, flamants roses).

La flore est riche d'espèces rares et spécifiques au pays. Ainsi, le **welwitschia**, qui ressemble à une pieuvre aux ramifications de près de deux mètres, peut dater de deux mille ans et doit être rangé parmi les plus vieilles plantes de l'univers. Il rivalise avec le **kokerboom** (l'« arbre à carquois »), un aloès géant au dessin insolite qui émerge sur les roches granitiques de la forêt de Kokerboom. Les deux espèces précitées constituent les principaux spécimens d'une flore peu commune.

LE POUR

◆ Des paysages dunaires uniques en leur genre.

◆ La diversité, la particularité et la préservation de la faune et de la flore.

◆ Un hiver austral si timide que le voyage est indiqué quasiment toute l'année.

◆ La qualité des infrastructures.

LE CONTRE

◆ Une volonté délibérée de maintenir le coût du voyage à un niveau très élevé.

◆ Une côte inhospitalière.

LE BON MOMENT

Été austral oblige, c'est entre octobre et mars que le pays connaît les plus fortes chaleurs, mais la côte reste fraîche. Ceux qui voudront découvrir la faune ou la végétation du nord choisiront la période d'« hiver » **avril-octobre**, d'autant que les réserves sont généralement fermées entre novembre et mars. Juillet et août sont très prisés par les touristes locaux.

◆ Températures moyennes jour/nuit (en °C) à *Windhoek* (1 728 m) : janvier 30/17, avril 26/13, juillet 20/6, octobre 29/15. La température de l'eau de mer ne dépasse pas 18° sur la côte sud mais peut monter jusqu'à 22° sur la côte nord.

LE PREMIER CONTACT

En Belgique

Ambassade, avenue de Tervuren, 454, B-1150 Bruxelles, ☎ (02) 771.14.10, fax (02) 771.96.89.

Au Canada

Consulat, 122, Avondale Avenue South, Waterloo, Ontario, N2L 2C3, ☎ (514) 578-5932, fax (519) 578-7799.

En France

Consulat (fermé au public), 80, avenue Foch, 75116 Paris, ☎01.44.17.32.65, fax 01.44.17.32.73.

Internet

www.namibiatourism.com.na/

Guides

Afrique australe (JPM Guides), *la Namibie* (Jaguar), *Namibie* (Gallimard/Bibl. du voyageur, Le Petit Futé, Nelles).

Cartes

Namibia (ITM, Nelles Map).

Lectures

Namibie : une histoire, un devenir (Igolf Diener/ Karthala, 2000), *Windhoek capitale de la Namibie* (E. Peyroux/Karthala, 2004).

Images

Namibie, de l'Okavango aux chutes Victoria : carnet de voyages dans le Caprivi (Eric Alibert/ Slatkine, 2007),

Vidéos et DVD

Carnets de voyage : la Namibie (Gedeon/2008), *Retour en Namibie* (C.Cailloux/Media 9, 2002).

QUEL VOYAGE ET À QUEL PRIX ?

Le voyage individuel

Les préparatifs

◆ Pour les ressortissants de l'Union européenne, canadiens et suisses : passeport suffisant, valable encore six mois après le retour. Billet de retour ou de continuation exigible.

◆ Aucune vaccination n'est obligatoire. Prévention recommandée contre le paludisme de novembre à juin dans les régions du nord, et toute l'année le long des fleuves Kavango et Cunene.

◆ Monnaie : le *dollar de Namibie*; le rand (Afrique du Sud) est également de rigueur. 1 US Dollar = 9,7 dollars de Namibie, 1 EUR = 13,7 dollars de Namibie. Emporter des euros ou des US Dollars. Les cartes de crédit sont très bien acceptées, distributeurs de monnaie dans les villes.

Le départ

◆ Indice de prix à certaines dates du vol Paris-Windhoek A/R (via Francfort, Johannesburg ou Londres, pas de vol direct) : 800 EUR. ◆ Durée moyenne du vol Paris-Windhoek (8 384 km) : 16 heures.

Sur place

Avion

Survol possible (mais très cher) du désert du Namib en montgolfière ou en avion de tourisme.

Hébergement

◆ Il est coûteux mais les formes en sont variées : pensions (mode le moins onéreux), hôtels (éventail proposé par certains voyagistes tels que Nouvelles Frontières), guest houses, logement à la ferme (guest farms), rest camps, lodges, camping (matériel indispensable dans les réserves). ◆ Logement possible à l'intérieur des camps (bungalows) ou en lisière.

Route

◆ Conduite à gauche. Pistes excellentes mais prudence requise (difficiles entre décembre et février), tout-terrain de rigueur (sauf en saison sèche). ◆ Limitations de vitesse agglomérations/pistes/routes : 60/100/120. Alcool au volant prohibé. ◆ Quelques voyagistes, tels Afrique authentique, Grandeur Nature, Nouvelles Frontières, STI Voyages ou Voyageurs du monde, proposent des autotours : vol A/R, location du véhicule, camping-car ou motorhome avec ou sans chauffeur et lodge réservé à l'étape reviennent à environ *2 000 EUR* pour 12 jours.

Train

◆ Réseau correct mais lent. ◆ Un train de luxe, le *Desert Express*, relie Windhoek à Swakopmund.

Le voyage accompagné

Rappel : nous nous sommes limités à un résumé des prestations en vigueur dans les agences et chez les voyagistes présents en France. Les lecteurs des autres pays peuvent en tirer des idées d'itinéraire et les compléter auprès de leurs agences de voyages.

◆ Le voyage en Namibie se présente sous des auspices favorables : nombreux voyagistes et nombreuses dates possibles tout au long de l'année.

◆ Le circuit **classique** en minibus, qui s'adresse aussi à un tourisme familial, dure de 11 à 21 jours selon les voyagistes et suit du sud au nord un même itinéraire, à quelques variantes près : désert du Namib, dunes de Sossusvlei, Swakopmund, parcs de Waterberg, Damaraland et Etosha. Exemples : Adeo, Aventuria, Clio, Comptoir des voyages, Continents insolites, Donatello, Jet tours, Makila Voyages, Nomade Aventure, Nouvelles Frontières, Objectif Nature, STI Voyages, Tamera, TUI, Vie sauvage, Voyageurs du monde. Les prix peuvent faire tiquer : difficile de s'en sortir à moins de *3 000 EUR* pour 15 jours.

◆ Un voyage plus « physique » est l'affaire des spécialistes de la **randonnée** qui, tels Atalante, Club Aventure, Explorator, choisissent le 4 x 4, la marche et le bivouac. Une randonnée dans le Fish River Canyon est le dernier rêve à la mode mais elle est éprouvante. Pour ce style de voyage, compter environ *1 800 EUR* pour 10 jours, départs entre avril et octobre.

◆ Nouvelles Frontières propose une traversée originale (mais chère) du pays à bord du train *Dune Express.*

◆ Chez la plupart des voyagistes précités, la Namibie est souvent combinée avec le **Botswana** (Grandeur Nature, Nouvelles Frontières), voire le **Zimbabwe**, pour la découverte du plus beau trio d'Afrique australe : les chutes Victoria, le delta de l'Okavango et le désert du Namib (Allibert, Explorator). Ananta s'essaie à un combiné avec l'**Angola**.

QUE RAPPORTER ?

Qui dit Afrique australe dit pierres précieuses ou semi-précieuses (améthyste, topaze) mais aussi cuir, vanneries, textiles (coton, bracelets), objets en bois.

LES REPÈRES

◆ Lorsqu'il est midi en France, en Namibie il est la même heure en été et 13 heures en hiver. ◆ Langue officielle : anglais. L'afrikaans est toutefois la langue la plus répandue, aux côtés de dialectes dont le kwanyama, pratiqué par un habitant sur deux. L'allemand est parlé et compris dans les villes. ◆ Téléphone vers la Namibie : 00264 + indicatif (Windhoek : 61) + numéro; de la Namibie : 00 + indicatif pays + numéro.

LA SITUATION

Géographie. Grand pays de 824 292 km², la Namibie possède 1 250 km de côtes atlantiques longées par un désert, le Namib, auquel succèdent un vaste plateau central et le Kalahari.

Population. En raison des données géographiques, son chiffre est faible (2 089 000 habitants). Les Noirs, dont les pasteurs Hereros, sont largement majoritaires. Les Afrikaners et les Allemands représentent 7,5 % de la population. Capitale : Windhoek.

Religion. Un Namibien sur deux obéit à l'église luthérienne, un sur cinq est catholique. Minorité d'anglicans et d'adeptes de l'Église calviniste néerlandaise.

Dates. *XVe siècle* Les Portugais Diogo Cão et Dias abordent; le pays est alors sous la domination des Bantous. *1892* Les Allemands occupent la région et la baptisent Sud-Ouest africain. *1914* L'Union sud-africaine reçoit la région sur mandat de la Société des nations. *1949* L'ONU refuse l'annexion du pays et l'installation de l'apartheid. *1966* L'ONU révoque le mandat de la Société des nations et baptise le pays Namibie, mais l'Afrique du Sud n'en a cure, ce qui provoque la formation de la SWAPO, parti indépendantiste. *1990* Fin de la mainmise sud-africaine et indépendance officielle après de longues années de guérilla et de négociations; présidence de Samuel Nujoma. *Décembre 1994* Nujoma et la SWAPO remportent confortablement les élections. *2000* La Namibie laisse l'armée angolaise utiliser le nord de son territoire dans sa lutte contre l'Unita. *2005* Election de Pohamba, un proche de Nujoma, à la présidence. Nahas Angula devient premier ministre.

Népal

Avertissement. – Le pouvoir et la guérilla maoïste ont mis fin au conflit qui les opposait, mais l'atmosphère politique demeure nerveuse. Concernant l'Himalaya, il est recommandé aux randonneurs de ne jamais s'aventurer seul et de toujours partir avec une agence reconnue.

Hier l'un des buts de la « route des Indes », aujourd'hui paradis des randonneurs : le Népal doit s'adapter aux mœurs et humeurs des Occidentaux alors que le mode de vie de ses habitants en est très éloigné. Ainsi, traditions et populations côtoient désormais les milliers de marcheurs annuels partis à l'assaut de l'Himalaya et qui renvoient à une époque révolue les chemins de Katmandou et les « paradis artificiels ».

LES RAISONS D'Y ALLER

LES PAYSAGES ET LES TREKKINGS

Randonnées dans l'Himalaya :
tour des Annapurnas, Dhaulagiri, Dolpo, Mustang, Kangchenjunga, vues sur l'Everest
Expéditions et grands trekkings :
Ama Dablam, Baruntse, Everest, Makalu

LES VILLES ET LES MONUMENTS

Katmandou, Patan, Bhadgaun
Lieux et fêtes bouddhistes (Svayambunath, Bodnath, Pasupatinath, Lumbini)

LA FAUNE

Plateau du Terai (parcs de Chitwan et de Bardia) : singes, buffles, rhinocéros unicornes, éléphants, crocodiles, tigres, dauphins du Gange

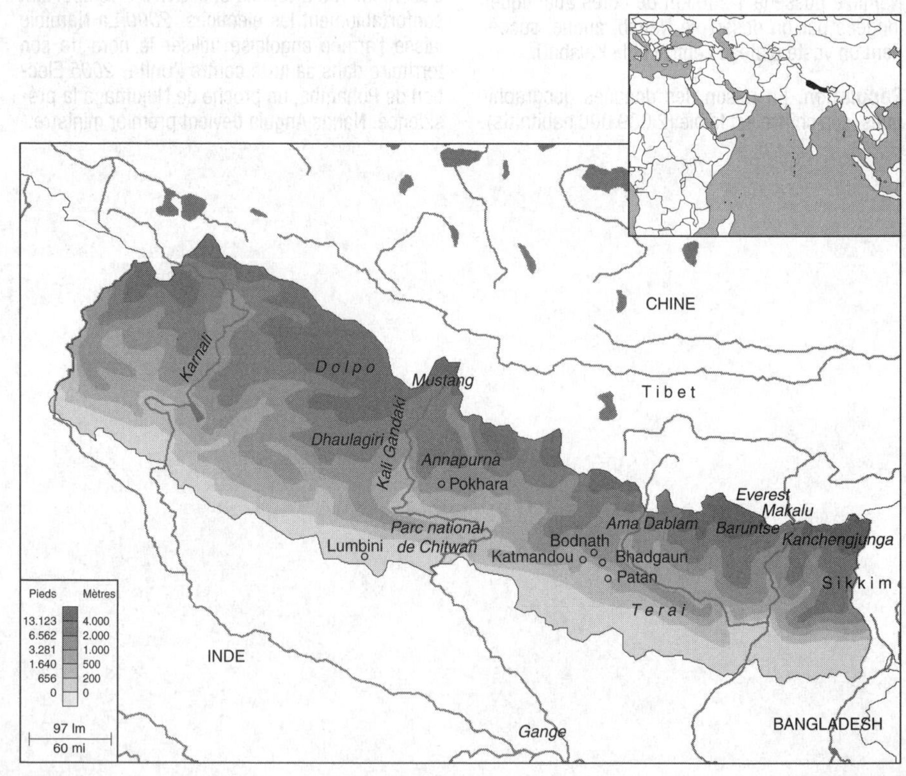

LES RAISONS D'Y ALLER

LES PAYSAGES ET LES TREKKINGS

La **vallée de Katmandou**, cernée par les sommets de l'**Himalaya** qui prennent une teinte orangée au coucher du soleil, est un des grands mariages mondiaux de la nature et de la beauté. Mais elle n'est pas la seule : ainsi la vallée de **Pokhara** (lacs, gorges) et surtout celle de la **Karnali** (canyons) ont peu à lui envier.

Les paysages vont de pair avec les **trekkings**, multiformes. Tous les styles de marcheurs, du plus inexpérimenté au plus résistant, sont invités dans les vallées et sur les sentiers himalayens, les plus hauts du monde.

Trois sortes de trekkings sont envisageables : jusqu'à 3 000 m, jusqu'à 4 500 m, jusqu'à 5 500 m. Les exigences d'une bonne condition physique et de l'expérience augmentent avec l'altitude, pour une marche qui dure environ 5 heures par jour. Durée moyenne d'un séjour à consacrer au trekking pour que le jeu en vaille la chandelle : 15 à 20 jours.

Grands classiques :

– le tour des **Annapurnas**, dont une belle vue se dessine à partir du lac de Pokhara après l'agrément des rizières et des rhododendrons;

– le **Dhaulagiri**, non loin du fleuve sacré Kali Gandaki;

– le camp de base de l'**Everest**, à plus de 5 500 m d'altitude (Kala Pattar), atteint après trois semaines de randonnée et d'où la vue sur le trio Everest, Lothse (8 545 m) et Nuptse (7 879 m) est somptueuse; dans la région, vivent les célèbres sherpas, qui souvent ont troqué leur existence traditionnelle pour le tourisme (ils sont guides, porteurs, propriétaires de lodges, entre autres); si les 8 848 m de l'Everest (quatre mètres de moins d'après les Chinois), *« prodigieuse dent blanche [qui] émerge de la mâchoire du monde »*, selon les mots de l'alpiniste Mallory, sont inaccessibles au commun des randonneurs, ils peuvent être devinés via une modeste randonnée vers Nagarkot, à quelques heures de marche de Katmandou.

D'autres chemins mènent à deux régions de population d'origine tibétaine et de tradition bouddhiste : le **Dolpo** et la principauté du **Mustang**, agrémentée de monastères, de grottes sacrées et de vues sur l'Annapurna. Des itinéraires s'ouvrent également à l'extrême nord-est, aux alentours du **Kangchenjunga**, troisième sommet de la planète (8 586 m).

Dans le nord-est, les randonneurs chevronnés et les alpinistes tutoient les *trekking peaks*, aux alentours de 6 000 m, les « 7 000 » (Ama Dablam, Baruntse) et les « 8 000 » (Makalu et certaines faces de l'Everest).

LES VILLES ET LES MONUMENTS

Katmandou, mythe des années 70, offre son vieux quartier, le Thamel (devenu très commerçant et très touristique), ses portes et ses balcons de bois sculptés, sa *Living Goddess* (déesse vivante apparaissant régulièrement à son balcon sur Durbar Square, la place de l'ancien palais royal), ses échoppes, ses temples bouddhiques et brahmaniques.

Dans les environs, **Patan** (Lalitpur) garde des traces de sa qualité de haut lieu du bouddhisme tantrique (« temple d'or », fontaines), alors que **Bhadgaun** (Bhaktapur) est une « ville-musée », avec en point d'orgue sa Porte d'or. Les deux villes témoignent de l'art des Newars, qui formèrent avec Katmandou autant de royaumes.

Autres rendez-vous, disséminés dans la région de Katmandou : les stoupas (monuments funéraires en forme de dôme) de **Svayambunath** et du village de **Bodnath**; le temple au double toit en bronze doré de **Pasupatinath**, haut lieu hindouiste (sanctuaire de Shiva); le site archéologique de **Lumbini**, où serait né Bouddha, six siècles avant l'ère chrétienne, et qui est devenu de ce fait un lieu très important de pèlerinage.

La vie de la plupart des villes et villages népalais est rythmée par les **fêtes religieuses** : on en dénombre plus de cent par an à travers le pays.

LA FAUNE

Une faune nombreuse vit dans le **Terai**, région tropicale située à la lisière de l'Inde, et plus précisément dans les parcs nationaux de Chitwan et de Bardia.

Dans le parc de **Chitwan**, on peut apercevoir des **singes**, des **buffles**, des **rhinocéros unicornes** (dont l'espèce a été sauvegardée de justesse), des **éléphants**, des **crocodiles** et, avec beaucoup de chance, des **tigres**.

À **Bardia**, sont présents des éléphants, des singes et des **dauphins** du Gange.

LE POUR

◆ L'un des plus beaux ensembles montagneux de la planète et le plus réputé des lieux de trekking.

◆ Un tourisme qui se diversifie (tourisme solidaire, tourisme de la philosophie bouddhiste).

LE CONTRE

◆ L'éventualité d'extorsion de fonds lors des randonnées («dons») malgré la situation nouvelle.

◆ L'envers du succès : fragilité de l'économie locale et forts besoins du tourisme ne vont pas de pair.

◆ Le réchauffement des glaciers et les dangers qui en découlent.

LE BON MOMENT

D'est en ouest, se succèdent un climat humide et un climat de mousson. Qui ne pourra se rendre au Népal **en mars-avril** ou **en octobre-novembre** pour le **trekking** sera malheureux car le soleil est alors présent partout et l'atmosphère sèche, même si le froid se fait sentir la nuit. Ensuite, les conditions se détériorent, surtout de la mi-juin à la mi-septembre, moments où il faut gagner les hautes vallées (Dolpo, Mustang) pour éviter pluies et chemins détrempés par la mousson. ◆ Températures moyennes jour/nuit (en °C) à Katmandou (1 337 m) : janvier 18/2, avril 27/11, juillet 28/20, octobre 26/13.

LE PREMIER CONTACT

En Belgique

Ambassade, 210, avenue Brugmann, B-1180 Bruxelles, ☎ (02) 346.26.58, fax (02) 344.13.61.

Au Canada

Consulat, 1200, rue Bay, Toronto, Ontario, M5R 2A5, ☎ (416) 975-9292.

En France

Consulat, 45 *bis*, rue des Acacias, 75017 Paris, ☎ 01.46.22.48.67, fax 01.42.27.08.65, www.nepalembassy.org

En Suisse

Consulat, rue de la Servette, 81, CH-1202 Genève, ☎ (22) 733.26.00, fax (22) 733.27.22.

Internet

www.welcomenepal.com/ (office du tourisme)

Guides

Grands treks au Népal (Ed. de la Boussole), *Himalaya, Népal, Tibet, Bhoutan* (Le Petit Futé), *Inde du Nord et Népal* (Mondeos), *Népal* (Lonely Planet France, Marcus, Nelles), *Népal, Tibet* (Hachette/Routard).

Cartes

Inde, Pakistan, Népal (Berlitz), *Népal* (Nelles). Cordée propose plusieurs cartes relatives aux trekkings.

Lectures

Annapurna, premier 8 000 (M.Herzog/Arthaud, 2005), *Femmes et politique en Inde et au Népal* (Karthala, 2004), *la Marche dans le ciel : 5 000 kilomètres à pied à travers l'Himalaya* (A. Poussin, S. Tesson/Pocket, 2006), *les Chemins de Katmandou* (R. Barjavel/Pocket, 2005), *Partir en hiver : Inde-Népal* (Göran Tunström/Actes Sud, 2007), *Une racine entre deux pierres : le Népal* (Chanati Detcherry/ Federop, 2008).

Images

Everest : le rêve accompli (Stephen Venables/Glénat, 2003), *Himalaya* (É. Valli, A. De Salle/Editions de la Martinière, 2001), *Népal : le tour des Annapurnas* (Christophe Migeon/Glénat, 2007), *Sommets du Népal : les plus belles ascensions* (P. Grobel, J. Annequin/Glénat, 2007). Cinéma : des images somptueuses du Dolpo apparaissent dans le film *Himalaya, l'enfance d'un chef* d'Eric Valli (2000).

DVD

Kundun, l'épopée du quatorzième Dalaï-Lama (TT Tsarong/Fox Pathé Europa, 2000), *les Sages de l'Himalaya* (J. Gaguerre/VodeoTV), *Népal, le tourisme 25 ans après la vague hippie* (Vodéo TV).

QUEL VOYAGE ET À QUEL PRIX ?

Le voyage individuel

Les préparatifs

◆ Pour les ressortissants de l'Union européenne, canadiens, suisses : passeport valable encore six mois après le retour, visa obligatoire, obtenu auprès du consulat. ◆ Possibilité d'obtenir le visa à l'arrivée à Katmandou (30 dollars US et photo récente). ◆ Obligation de déclarer toute somme supérieure à 2 000 dollars US. ◆ Possibilité de passer la frontière pour le Tibet, mais via une agence et pas avec un véhicule personnel. ◆ Assurance de rapatriement sanitaire vivement conseillée pour les randonneurs.

◆ Aucune vaccination n'est requise. Prévention recommandée contre le paludisme dans les zones rurales du Terai et le long de la frontière indienne.

◆ Monnaie : la *roupie népalaise.* 1 US Dollar = 77 roupies népalaises, 1 EUR = 109 roupies népalaises. Emporter des euros ou des US Dollars. Distributeurs automatiques dans certaines villes, dont Katmandou et Pokhara.

Le départ

◆ Indice de prix à certaines dates du vol Paris-Katmandou A/R : 800 EUR. ◆ Durée moyenne du vol Paris-Katmandou (environ 7 500 km) : 13 heures.

Sur place

Bus

Au sein d'un tel relief, les bus sont forcément lents mais leur nombre et leurs itinéraires couvrent bien le pays.

Hébergement

Dans la capitale, le Thamel est le quartier des hôtels, à prix très abordables. Partout, il existe des lodges.

Route

◆ Conduite à gauche. ◆ Plusieurs possibilités de voyage avec chauffeur existent, par exemple chez Nouvelles Frontières et Yoketaï. Moto et vélo sont également de mise. Compter aux alentours de 1 400 EUR pour un autotour de 11 jours (vol + hébergement + location de véhicule).

Quelques prestations

Rappel : nous nous sommes limités à un résumé des prestations en vigueur dans les agences et chez les voyagistes présents en France. Les lecteurs des autres pays peuvent en tirer des idées d'itinéraire et les compléter auprès de leurs agences de voyages.

Trekkings à gogo ! Entre octobre et mars, le Népal en est devenu le grand pourvoyeur à l'échelle mondiale, pour des candidats auxquels il est réclamé une condition physique de plus en plus satisfaisante s'ils choisissent la haute altitude.

Les itinéraires ne cessent de se diversifier au fil des années car les grands spécialistes rivalisent d'ingéniosité pour tenter de s'éloigner des grands axes de fréquentation.

La durée moyenne des voyages varie de 12 jours à trois semaines. Un circuit randonnée de 15 jours est proposé aux alentours de *2 000 EUR* en pension complète, un circuit de trois semaines entre *2 500 et 2 800 EUR.* Plus le séjour s'allonge, plus le coût moyen quotidien diminue.

Il existe, à Katmandou, de nombreuses **agences** de trekkings qui multiplient les choix et proposent des lodges. La moyenne des prestations tourne autour de 50 dollars US par jour, présence d'un guide-porteur comprise.

◆ Le mythe de **l'Everest** est approché par des trekkings qui suivent le chemin du camp de base et permettent ainsi à des marcheurs pas forcément chevronnés d'avoir une vue sur le toit du monde. La plupart des voyagistes énoncés dans ces lignes ont un tel programme.

◆ Chacun s'accorde sur le fin du fin : le tour des **Annapurnas**. Exemples parmi bien d'autres pour des voyages de 15 jours à trois semaines en moyenne : Allibert, Atalante, La Balaguère, Club Aventure, Continents insolites, Nomade Aventure, Nouvelles Frontières, Tamera, Terres d'aventure, Tirawa.

◆ Les Annapurnas ont un grand cousin, le **Dhaulagiri**, sur l'autre versant de la Kali Gandaki. Le camp de base du Dhaulagiri, la « Montagne blanche », est atteint à partir de Pokhara par Allibert, qui a préparé un séjour de 22 jours. Les deux massifs sont parfois proposés ensemble, par exemple par Terres d'aventure qui avance une dizaine d'itinéraires, de la vallée de Katmandou aux plus hauts sommets de l'Himalaya.

◆ Encore cher et réglementé mais possible en juillet et août : le voyage au **Mustang**, programmé par Allibert, Nomade Aventure, Explorator, Ikhar. Autre isolement possible : le **Dolpo** (Nomade Aventure), les abords du Kangchenjunga (Nouvelles Frontières).

◆ Les **alpinistes** chevronnés trouveront leur bonheur chez Atalante ou Allibert, avec des expéditions dans le nord-est du pays aux alentours de 7 000 m (Ama Dablam, Baruntse, Kang Guru) et de 8 000 m (Cho Oyu, Makalu et, top du top, la face nord de l'Everest). De telles expéditions demandent du temps (aux alentours de deux mois) et beaucoup d'argent...

◆ Il existe un autre Népal, celui des touristes qui n'ont pas forcément envie de marcher et qui se voient proposer la vallée de Katmandou et le parc de Chitwan.

◆ Un **combiné** très recherché, qui allie l'**Inde du Nord** (Khajuraho, Agra, Varanasi, Rajasthan) et le Népal (vallée de Katmandou et ses environs, parc de Chitwan) est la règle, à des prix qui peuvent débuter à *2 000* EUR pour 14 jours. Exemples : Arts et Vie, Best Tours, Clio, Fram, Kuoni, Nouvelles Frontières. Autres combinés : **Tibet** et Népal (Adeo, Nomade Aventure).

QUE RAPPORTER ?

L'artisanat est d'origine cachemirienne (pulls), tibétaine (bijoux en argent) ou indienne. Les petites rues commerçantes du quartier du Thamel, à Katmandou, sont parsemées de boutiques où l'on trouve un bric-à-brac dont on peut extraire par exemple des sacs à main en laine et des mandalas (images peintes bouddhiques).

LES REPÈRES

◆ Lorsqu'il est midi en France, au Népal il est 15 h 45 en été et 16 h 45 en hiver. ◆ Langue officielle : le népali, côtoyé par une soixantaine de dialectes. ◆ Langue étrangère : l'anglais, dans les villes et sur les lieux touristiques. ◆ Téléphone vers le Népal : 00977 + indicatif (Katmandou : 1) + numéro.

LA SITUATION

Géographie. Le Népal est un pays à la superficie modeste (140 797 km^2), mais très étiré (800 km). Du sud vers le nord, trois étages bien distincts : le Terai, prolongement de la plaine du Gange; les hauts plateaux centraux, qui comprennent Katmandou; la chaîne himalayenne, avec les 8 848 m de l'Everest, point culminant de la planète, à cheval sur le Népal et le Tibet.

Population. Les 29 519 000 habitants sont d'origines mongole, tibétaine et indo-aryenne. La population, qui connaît le taux d'agriculteurs le plus fort du monde (93 %), croît à un rythme soutenu dans la région de Katmandou, la capitale. Le pays compte 70 % d'illettrés.

Religion. L'hindouisme est religion d'État et rassemble neuf Népalais sur dix. Minorités de bouddhistes lamaïstes et de musulmans.

Dates. *IVe-VIIIe siècle* Apogée des Newars. *XIIe siècle* Colonisation par les Indo-Népalais. *1816* La Grande-Bretagne exerce une sorte de protectorat. *1846* Établissement de la dynastie des Rana. *1923* Indépendance. *1953* Hillary et son sherpa vainquent l'Everest. *1972* Birendra Bir Bikram, qui deviendra Birendra Ier, présumé incarner Vishnou, prend le pouvoir. *Avril 1990* Proclamation du multipartisme à la suite d'émeutes populaires qui font des dizaines de victimes. *1996* Début d'une rébellion maoïste, qui va durer dix ans et faire 13 000 victimes. *Novembre 1994* Les communistes remportent les élections, Adhikari devient Premier ministre. *Juin 2001* Le roi, la reine et six autres membres de la famille royale abattus par le prince héritier. Gyanendra monte sur le trône. *Juillet 2001* Accord entre le nouveau Premier ministre Saer Bahadur Deuba et une guérilla maoïste de plus en plus influente. *Novembre 2001* Rupture de l'accord de paix. *Octobre 2002* Deuba, destitué par le roi, est remplacé par un monarchiste, Lokenda Bahadur Chand. *Février 2005* Le roi Gyanendra démet le gouvernement et s'arroge les pleins pouvoirs. *Septembre 2005* Les maoïstes décrètent un cessez-le-feu. *Avril 2006* Un mouvement populaire réduit la monarchie à un rôle protocolaire. *Novembre 2006* Nouvel accord de paix entre le pouvoir et la guérilla, toujours en vigueur. *Mai 2008* Le Népal devient une république démocratique fédérale. *Août 2008* Gouvernement de coalition dirigé par un maoïste, Pushpa Kamal Dahal.

Nicaragua

Longtemps troublé politiquement, le Nicaragua forge peu à peu sa nouvelle image touristique. Comme les autres pays d'Amérique centrale, il est traversé par un axe volcanique pourvoyeur d'ascensions et qui commence d'attirer les spécialistes du genre. Ses plages caraïbes, ses paysages, ses lacs et ses villes coloniales sont en passe de sortir définitivement le pays de sa confidentialité.

LES RAISONS D'Y ALLER

LES PAYSAGES

Axe volcanique (cordilleras), lac Nicaragua, île d'Ometepe, forêt tropicale

LES CÔTES

Plages caraïbes (Corn Islands) et de la côte pacifique (San Juan del Sur)

LES VILLES

Vestiges coloniaux (Granada, León)

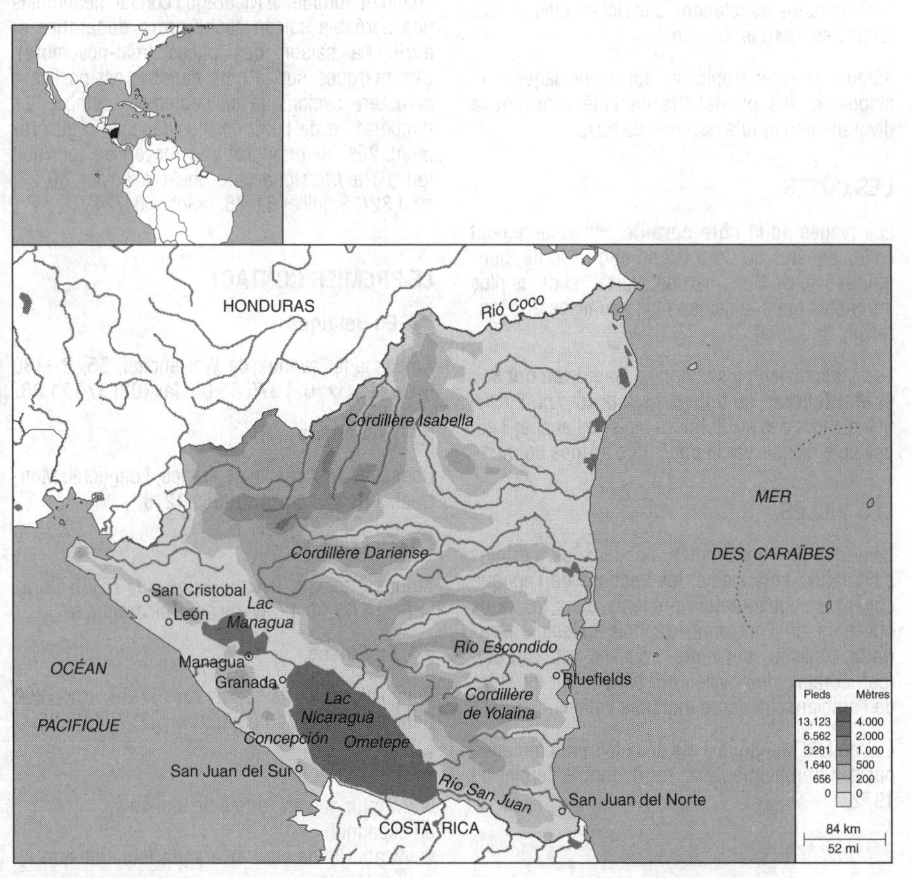

LES RAISONS D'Y ALLER

LES PAYSAGES

Le Nicaragua est traversé par un axe **volcanique** qui lui offre une ribambelle de sommets, dont quelques cratères plus ou moins actifs mais tous en mesure d'être gravis selon les conditions éruptives du moment : entre autres le Masaya, le Mombacho, le Cerro Negro et le San Cristobal.

D'autres sites sont source de panoramas (cordillera Isabelia, cordillera Dariense, cordillera de Yolaina). Toutefois, c'est au sud de ces cordillères, sur l'une des deux îles du lac Nicaragua, **Ometepe**, que se trouvent les plus beaux paysages du pays, grâce aux cônes jumeaux de deux volcans, l'un encore en activité (Concepción), l'autre éteint (Madera). L'île d'Ometepe voisine avec la centaine d'îles et d'îlots que renferme le lac Nicaragua et qu'anime une riche faune avicole (aigrettes, hérons, toucans).

Ailleurs la forêt tropicale, qui cache jaguars et singes, et les plantations de café prouvent la diversité des atouts naturels du pays.

LES CÔTES

Les plages de la **côte caraïbe**, particulièrement celles des îles de Corn Island et du sud de Bluefields (baie de San Juan del Norte), sont les plus agréables mais aussi les plus soumises aux fantaisies du climat.

Les stations les plus connues, **San Juan del Sur** et **Montelimar**, se trouvent sur la côte du Pacifique où, lors des six derniers mois de l'année, il est possible d'observer la ponte des tortues de mer.

LES VILLES

Loin d'avoir l'importance de ceux de certains pays latino-américains, les vestiges de l'époque coloniale sont toutefois présents dans les vieux quartiers de l'ancienne capitale coloniale **Granada** (églises, couvents, musées) ou à **León** (cathédrale), deux villes qui bénéficient en outre de l'ambiance de leurs marchés indiens.

La capitale Managua a été deux fois endommagée par des tremblements de terre, dont le dernier en 1972.

LE POUR

◆ Un tourisme en progression dans un pays qui efface l'image de ses longues années de troubles.

◆ L'arrivée progressive de voyagistes autres que les spécialistes de la randonnée et des volcans.

LE CONTRE

◆ La nécessité d'être vigilant, le pays connaissant une progression de la délinquance.

◆ Une saison favorable mal placée au calendrier.

LE BON MOMENT

Soumis à un climat tropical généralement très chaud et humide, le Nicaragua connaît néanmoins une agréable saison sèche **entre décembre et avril**. La saison des pluies (mai-novembre), très marquée sur la côte caraïbe, est parfois à caractère cyclonique en septembre-octobre. La température de l'eau de mer dépasse régulièrement 25°. ◆ Températures moyennes jour/nuit (en °C) à *Managua* (sud-ouest) : janvier 30/23, avril 32/28, juillet 31/26, octobre 31/24.

LE PREMIER CONTACT

En Belgique

Ambassade, avenue de Wolvendael, 55, B-1180 Bruxelles, ☎ (02) 375.65.00, fax (02) 375.71.88.

Au Canada

Consulat, 489, rue Ile de France, Longueuil, Montréal, J4H 3S4, ☎ (450) 651-1218.

En France

Ambassade, 34, avenue Bugeaud, 75116 Paris, ☎ 01.44.05.90.42, www.amb-nicaragua.fr/

En Suisse

Consulat, rue de Vermont, 37-39, CH-1200 Genève, ☎ (22) 740.51.60, fax (22) 734.65.85.

Internet

www.intur.gob.ni/ (office de tourisme, en espagnol)
www.abc-latina.com/nicaragua/tourisme.htm

Guides

Nicaragua (Editions Ulysse), *Nicaragua, Honduras, El Salvador* (Le Petit Futé).

Cartes

Amérique centrale (Cartographia), *Central America* (Nelles Map), *Nicaragua* (ITM).

Lectures

Démocratie et révolution au Nicaragua (José Luis Coraggio/L'Harmattan, 2000), *Miskito Coast, un voyage chez les pirates, les guérilleros et les pêcheurs de tortues* (Peter Ford/Payot, 1994). Lire les œuvres du poète Ruben Dario.

DVD

La route des volcans : à la découverte des volcans du Nicaragua (O. Lacaze/VodeoTV), *Pour tout le vert du Nicaragua : entre désillusion et espoir* (P. Belet/Vodeo TV).

Cinéma : *Carla's Song* (Ken Loach, 1996) montre en toile de fond l'état de guerre né de l'action violente de la Contra en 1987 face aux sandinistes.

QUEL VOYAGE ET À QUEL PRIX ?

Le voyage individuel

Les préparatifs

◆ Pour les ressortissants de l'Union européenne, canadiens, suisses : passeport suffisant, valable encore six mois après le retour. Billet de retour ou de continuation exigible.

◆ Aucune vaccination n'est obligatoire. Prévention recommandée contre le paludisme.

◆ Monnaie : le *córdoba oro.* Il est vivement recommandé de se munir de dollars US, le change des euros étant nettement moins évident. 1 US Dollar = 20 córdobas. 1 EUR = 28 córdobas.

Le départ

Indice de prix à certaines dates du vol Montréal-Managua A/R : 750 CAD; Paris-Managua A/R (pas de vol direct) : 650 EUR.

Sur place

Route

Location de voiture possible, de préférence avec chauffeur. Un véhicule tout-terrain est recommandé sur les itinéraires autres que la transaméricaine.

Le voyage accompagné

Rappel : nous nous sommes limités à un résumé des prestations en vigueur dans les agences et chez les voyagistes présents en France. Les lecteurs des autres pays peuvent en tirer des idées d'itinéraire et les compléter auprès de leurs agences de voyages.

Le Nicaragua a désormais gagné sa place chez les voyagistes grâce à un mélange de visite des îles (Ometepe), de découverte de la faune et de la flore, de farniente sur les plages du Pacifique. Cet ensemble se retrouve par exemple chez Explorator avec extension possible au Honduras, au Panama et au Salvador. Tamera va jusqu'à 18 jours pour une « découverte aventure ». Voyageurs du monde prend la route des volcans ou se pose entre volcans et nature.

◆ Les spécialistes des volcans sont présents, et au premier chef Aventure et Volcans qui, entre décembre et mars, envoie son client tutoyer des **sommets** tels que Concepción, Cerro Negro et San Cristobal. Allibert alterne les îles du lac Nicaragua et la randonnée (14 jours). Compter *2 200 EUR* en moyenne pour quinze jours.

◆ Adeo, Club Aventure, Explorator, Vacances fabuleuses partagent le voyage avec le **Costa Rica**, en se fondant sur les volcans, les forêts, les plages, les villes coloniales des deux pays. Le trio Costa Rica, Nicaragua, **Panama** n'est pas rare.

◆ Les premiers prix se trouvent aux alentours de *2 000 EUR* pour 15 jours (vol + hébergement) mais la moyenne se situe *entre 2 000 et 2 500 EUR*.

LES REPÈRES

◆ Lorsqu'il est midi en France, au Nicaragua il est 4 heures en été et 5 heures en hiver. ◆ Langue officielle : espagnol. ◆ Langue étrangère : l'anglais, surtout sur la côte caraïbe où il est toujours pratiqué. ◆ Téléphone vers le Nicaragua : 00505 + indicatif (Managua : 2) + numéro.

LA SITUATION

Géographie. Pays moins petit qu'il n'y paraît (130 000 km²), le Nicaragua est traversé par une épine dorsale montagneuse qui, à l'ouest, retombe sur les lacs Nicaragua et Managua avant la côte du Pacifique; à l'est, s'étendent des forêts tropicales et les marécages de la côte atlantique.

Population. 5 786 000 habitants, essentiellement composés de métis (71 %) et de Blancs (17 %). On trouve également des Noirs et 145 000 Indiens, les Miskitos, dont les territoires occupent près de la moitié du pays. Capitale : Managua.

Religion. Neuf habitants sur dix sont catholiques, un sur dix est protestant.

Dates. *1521* Les Espagnols arrivent au Nicaragua. *1821* Indépendance. *1838* Le pays devient république. *1893* Dictature de Zelaya. *1912* Les Américains sont appelés à la rescousse. *1934* Assassinat de Sandino, qui voulait chasser les Américains. *1936* Prise du pouvoir par Somoza. *1979* Le Front sandiniste renverse Somoza et se rapproche peu à peu de Cuba et de l'URSS. *1983* Soutien apporté par les États-Unis aux contre-révolutionnaires *(Contra)*. *1984* Daniel Ortega président. *Février 1990* Violeta Chamorro est élue au détriment de Daniel Ortega et met fin au pouvoir sandiniste. *Octobre 1996* Arnoldo Aleman (Alliance libérale) est élu, Daniel Ortega est à nouveau battu. *Novembre 1998* Le cyclone Mitch laisse derrière lui des milliers de morts ou disparus. *Novembre 2001* Le libéral Bolaños remporte la présidentielle aux dépens de Daniel Ortega. *Novembre 2006* Daniel Ortega retrouve le pouvoir seize ans après. *Septembre 2007* Le cyclone Felix cause la mort de 38 personnes et fait cinquante mille sinistrés. *Novembre 2008* Les opposants d'Ortega contestent violemment le résultat des municipales.

Niger

Avertissement. – Il est formellement déconseillé de voyager dans l'Aïr et le nord pour cause de conflit entre le pouvoir central et la rébellion touarègue. Plus généralement les zones frontières du Mali, de l'Algérie et de la Libye sont à éviter. Les ambassades ou consulats nigériens donnent toute précision sur l'évolution de la situation.

C'est ici que s'étend le Ténéré, la plus nue et la plus mythique des régions sahariennes. C'est ici aussi, dans le massif de l'Aïr, que l'amateur d'art rupestre trouve des gravures du néolithique. C'est ici, enfin, que l'explorateur en herbe dépiste les animaux sauvages dans l'extrême sud. Un écueil : les Touaregs et le pouvoir central sont de nouveau en opposition, ce qui compromet les randonnées dans le désert.

LES RAISONS D'Y ALLER

LES PAYSAGES ET LES RANDONNÉES

Randonnées et méharées dans l'Aïr,
Traversée du Ténéré en tout-terrain
Descente du fleuve Niger

LA FAUNE

Éléphants, lions, antilopes, babouins
et hippopotames du parc national du W

LES TRADITIONS

Gravures rupestres de l'Aïr et du Djado,
marché d'Ayorou, fête des éleveurs Bororos

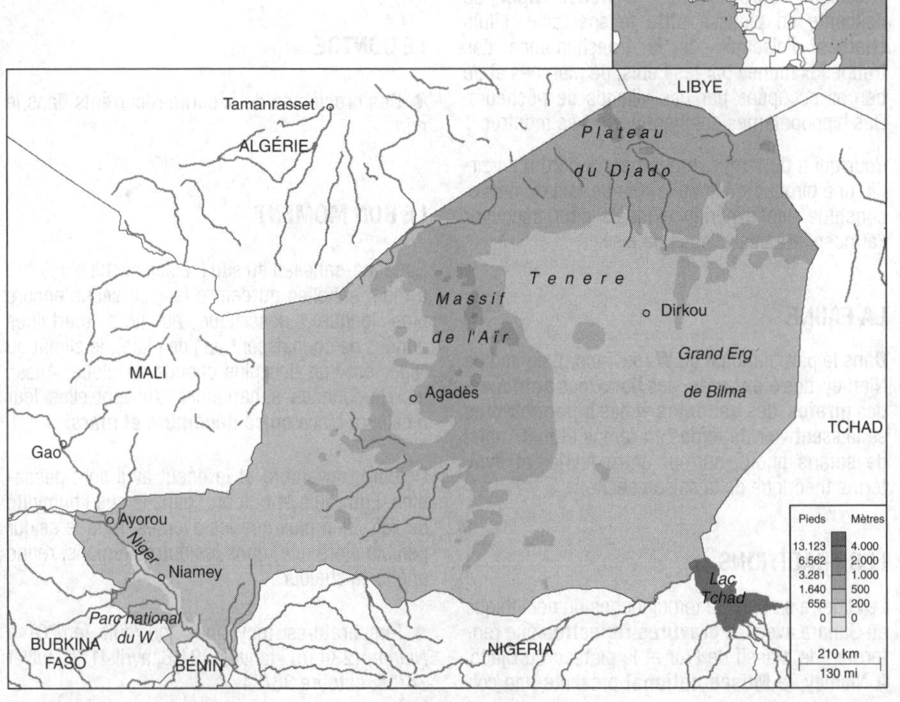

LES RAISONS D'Y ALLER

LES PAYSAGES ET LES RANDONNÉES

Au nord d'Agadès, le Sahara offre à son visiteur, via des méharées, des randonnées chamelières ou une alternance de tout-terrain et de randonnées, la terre d'élection des Touaregs : le **massif de l'Aïr**, ses deux mille mètres d'altitude, ses « Montagnes bleues » (massif des Bagzanes, mont Gréboun), ses oasis de montagne, sa « pince de crabe » de l'Arakao, ses sources chaudes, ses lacs, ses coupoles de granit, ses palmeraies et ses oueds, le long desquels sont nichés les villages.

Au pied de l'Aïr, le **Ténéré** s'étale sur plusieurs centaines de kilomètres d'un horizon nu. Il fut une époque où, après de longs mois de préparation, des fous du Sahara équipaient leur 2 CV et le traversaient d'Agadès à Dirkou en suivant l'itinéraire des caravanes de sel (Azalaï) entre l'Aïr et l'oasis de Bilma, passant à mi-chemin sous le célèbre « arbre du Ténéré », dernier puits avant l'infini. Aujourd'hui, certains voyagistes reconduisent ce mythe en tout-terrain.

Troisième centre d'intérêt : le **fleuve Niger**. Sa descente en pinasse offre le spectacle d'îlots chargés d'oiseaux, de la transhumance des troupeaux menés par les Peuls, de marchés et de berges occupées par des villages de pêcheurs. Des hippopotames daignent parfois se montrer.

Pour qui a du temps, embarquer à bord d'un zirdji, une pirogue qui joue le rôle de taxi du fleuve, constitue une expérience idéale pour découvrir l'atmosphère des villages de pisé.

LA FAUNE

Dans le parc national du **W** (ou Tapoa), au sud de Niamey, des **éléphants**, des **lions**, des **antilopes**, des **girafes**, des **babouins** et des **hippopotames** se laissent voir de temps en temps et font l'objet de safaris photo, surtout entre février et avril, terme théorique de la saison sèche.

LES TRADITIONS

Le Niger a sa part de témoignages du néolithique au Sahara avec les **gravures rupestres** que renferment le massif de l'Aïr et le plateau du Djado. À Niamey, le **Musée national** présente une collection de fossiles recueillis dans le sol africain et vieux de cent millions d'années. À **Ayorou**, le **marché** est l'un des plus réputés d'Afrique noire.

Les Bororos, des éleveurs appartenant à un sous-groupe peul, vivent en fonction de leurs troupeaux. En septembre, ils honorent les bienfaits de la saison des pluies par le *Guerewol*, la « cure salée », qui a lieu à Ingall, à 120 km d'Agadès. Outre les rencontres entre éleveurs Bororos et Touaregs et l'apport de sels minéraux pour les animaux, les danses, les défilés costumés et les jeux de séduction sont les principales manifestations.

LE POUR

◆ La diversité : le désert total avec le Ténéré, les montagnes et oasis avec l'Aïr, le fleuve Niger, les traditions des éleveurs nomades.

◆ Le français comme langue de communication.

LE CONTRE

◆ Des problèmes de sécurité récurrents dans le nord.

LE BON MOMENT

Soudano-sahélien au sud (saison sèche d'octobre à mai), sahélien au centre (saison sèche encore plus longue), désertique au nord (certaines années ne connaissent pas de pluie), le climat du Niger est l'un des plus chauds du globe. Aussi, les randonnées sahariennes trouvent-elles leur meilleure place **entre décembre et mars**.

Octobre, novembre et le début avril sont passables. Entre juin et octobre, dans le sud l'humidité de l'air, bien plus que les averses, rend le séjour pénible alors que, dans les autres régions, règne une forte chaleur.

◆ Températures moyennes jour/nuit (en °C) à *Niamey* (234 m) : janvier 33/16, avril 41/27, juillet 34/24, octobre 38/24.

LE PREMIER CONTACT

En Belgique

Consulat, avenue Franklin-Roosevelt, 78, B-1050 Bruxelles, ☎ (02) 648.59.60, fax (02) 648.27.84.

Au Canada

Ambassade, 38, avenue Blackburn, Ottawa, ON K1N 8A3, ☎ (613) 232-4291, fax (613) 230-9808, www.ambanigeracanada.ca/

En France

Ambassade, 154, rue de Longchamp, 75116 Paris, ☎ 01.45.04.80.60, fax 01.45.04.79.73, www.ambassadeniger.org ◆ Consulat à Marseille, ☎ 04.91.54.14.92.

En Suisse

Consulat, rue Abraham-Gevray, 6, CH-1201 Genève, ☎ (22) 908.93.11, fax (22) 908.90.90.

Internet

www.niger-tourisme.com/accueil.php
www.agadez-niger.com/

Guides

Afrique de l'Ouest (Hachette/Guide du routard, Lonely Planet France), *Niger* (Bradt en anglais), *Sahara* (Hachette/Evasion, Marcus).

Carte

Niger (IGN).

Lectures

Contes et légendes du Niger (B. Hama/Présence Africaine, 1976), *Islam, sociétés et politique en Afrique subsaharienne : les exemples du Sénégal, du Niger et du Nigeria* (Les Indes Savantes, 2007), *l'Extrême pauvreté au Niger : mendier ou mourir* (P. Gilliard/Karthala, 2005), *Peuls* (T. Monénembo/Seuil, 2004), *Sur les rives du fleuve Niger* (K. Mariko/Karthala, 2000), *Ténéré : avec les caravaniers du Niger* (J.-P. Valentin/Transboréal, 2008), *Touaregs du Niger : le destin d'un mythe* (E. Grégoire/Karthala, 2000).

Images

Femmes dans les arts d'Afrique (Dapper, 2008), *la Caravane du sel* (M. Dortès/ Vilo, 2005), *Niger, la magie d'un fleuve* (E. Sellato/Vilo, 2004), *Touareg, le souffle bleu* (V. Driessche/Larivière, 1999).

DVD

Niger, le plus beau désert du monde : sur la route des nomades (T. Caillibot/Vodeo TV).

QUEL VOYAGE ET À QUEL PRIX ?

Le voyage individuel

Les préparatifs

◆ Passeport en cours de validité, visa obligatoire, obtenu auprès du consulat, adresse ci-dessus. Billet de retour ou de continuation exigible.

◆ Vaccination obligatoire contre la fièvre jaune. Prévention indispensable contre le paludisme.

◆ Monnaie : le *franc CFA* (XOF) est subdivisé en 100 centimes. 1 euro = 655,957 francs CFA. Emporter des euros ou des US Dollars en espèces ou chèques de voyage, cartes de crédit de peu d'utilité.

Le départ

◆ Indice de prix à certaines dates du vol Paris-Niamey A/R : 650 EUR. ◆ Lorsque la situation le permet, vols de Paris, Marseille ou Bâle-Mulhouse pour Agadès et Niamey avec Point Afrique à des tarifs très raisonnables mais qui grimpent nettement pour les fêtes de fin d'année et les vacances de février. ◆ Durée moyenne du vol Paris-Niamey (3 942 km) : 4 heures.

Route

◆ Bon réseau routier entre les villes. ◆ Pour des raisons de sécurité, ne pas voyager seul. ◆ Pour le désert, toujours confier son sort à une agence locale reconnue ou à un voyagiste.

Le voyage accompagné

Rappel : nous nous sommes limités à un résumé des prestations en vigueur dans les agences et chez les voyagistes présents en France. Les lecteurs des autres pays peuvent en tirer des idées d'itinéraire et les compléter auprès de leurs agences de voyages.

◆ Deux clés pour les randonneurs du désert : le massif de l'Aïr et le Ténéré. Le premier surplombe le second et la très grande majorité des voyagistes organisent leurs séjours en lisière de ces deux rendez-vous, l'Adrar Chiriet, le massif des

Bagzanes et la pince d'Arakao en étant les points d'orgue.

Le voyage se déroule entre octobre et avril sous forme de **méharées**, de **randonnées chamelières** ou d'une alternance **marche** (5 à 6 heures quotidiennes) et déplacements en tout-terrain. Nombreux voyagistes spécialistes de la randonnée sur le pont : Allibert, Atalante, Club Aventure, Déserts, Point Afrique. Acabao, Ananta, Chemins de sable, Nouvelles Frontières, Tamera sont également présents, pas seulement pour le désert. L'échelle des prix d'une randonnée dans le désert débute aux environs de *900 EUR* la semaine.

◆ Le **Ténéré** lui-même n'est pas abordé en méharée mais en tout-terrain avec de mini-moments de marche. Ainsi, Explorator est en hors piste jusqu'à Bilma et au plateau du Djado, tandis que Horizons nomades ou Point Afrique suivent les dernières caravanes du sel, le fameux itinéraire de l'Azalaï, via l'arbre du Ténéré et l'oasis de Fachi.

◆ Certains voyagistes entreprennent la remontée du fleuve **Niger** jusqu'au parc du **W**, avec visite de celui-ci, entre autres Comptoir d'Afrique, Point Afrique et Tamera. Chemins de sable part du fleuve Niger, passe par le W et termine au Bénin via le « le train d'ébène » jusqu'à Grand Popo. Les premiers prix d'un voyage sur le fleuve Niger avoisinent *900 EUR* tout compris, entre fin septembre et fin avril.

◆ La **fête** du Guerewol est suivie par Explorator lors d'un voyage de 12 jours en septembre.

LES REPÈRES

◆ Lorsqu'il est midi en France, au Niger il est la même heure en hiver et 11 heures en été. ◆ Langue officielle : le français; mais le haoussa, qui emprunte beaucoup à l'arabe, est majoritaire. Autres dialectes : songhai, peul, tamasheq, kanouri. ◆ Téléphone vers le Niger : 00227 + numéro.

LA SITUATION

Géographie. Le Niger est un grand pays saharien (1 267 000 km^2), fait d'une succession de plaines et de dunes, dominées au nord par le massif de l'Aïr (2 020 m) et le plateau du Djado. Au sud, l'importante vallée du fleuve Niger fait exception.

Population. Sur les 13 273 000 habitants, un peu plus de la moitié sont des Haoussas. Zarma-Songhai, Peuls, Touaregs et Kanouris complètent ce chiffre. Capitale : Niamey.

Religion. Les Musulmans sont largement majoritaires (85 %). Minorité d'animistes.

Dates. *1000 av. J.-C.* Les Berbères s'installent. *VIIe siècle* Empire des Songhaï, que les Marocains détruiront en 1591. *1897* Arrivée des premiers Français. *1922* Le Niger entre dans l'AOF. *1960* Indépendance avec Hamani Diori. *1974* Coup d'État militaire de Seyni Kountché. *1987* Ali Saïbou lui succède. *1992* Rébellion des Touaregs dans le nord du pays. *1993* Mahamane Ousmane, candidat de la gauche réformiste, est élu président. *Octobre 1994* Le gouvernement et les rebelles touaregs concluent une trêve. *Janvier 1996* Un putsch mené par le colonel Maïnassara renverse Ousmane. *Juillet 1996* Maïnassara est élu président, l'opposition conteste la régularité du vote. *Avril 1999* Maïnassara trouve la mort dans une embuscade. Un coup d'Etat place les militaires au pouvoir mais le Premier ministre reste en place. *2000* Mamadou Tandja remporte une élection présidentielle qui signe le retour des civils. *Février 2007* Reprise de l'opposition des Touaregs (Mouvement des Nigériens pour la justice) dans le nord.

Nigeria

Avertissement. – Les Etats du delta du Niger sont à éviter absolument. Concernant le reste du pays, il est conseillé de se renseigner auprès du consulat avant d'entreprendre tout voyage en raison de conflits intracommunautaires toujours possibles.

Comment un pays si étendu et si bien situé peut-il passer si inaperçu sur le plan touristique ? En effet, les anciennes cités de Kano et surtout d'Ife, dont les musées s'enrichissent de têtes en bronze des XIe-XVe siècles, portaient la promesse d'un élan touristique étendu aux larges régions de forêt, de savane ou de montagne. Hélas ! Peu favorisé par une côte atlantique tourmentée et par un climat d'insécurité latent, le Nigeria ne sort pas actuellement de sa discrétion touristique.

LES RAISONS D'Y ALLER

LES PAYSAGES ET LA FAUNE

Monts du Mandara, parc national Yankari (sources chaudes, éléphants, antilopes), plateau de Jos, mangrove du delta du Niger

LES VILLES

Kano, Ife, Lagos

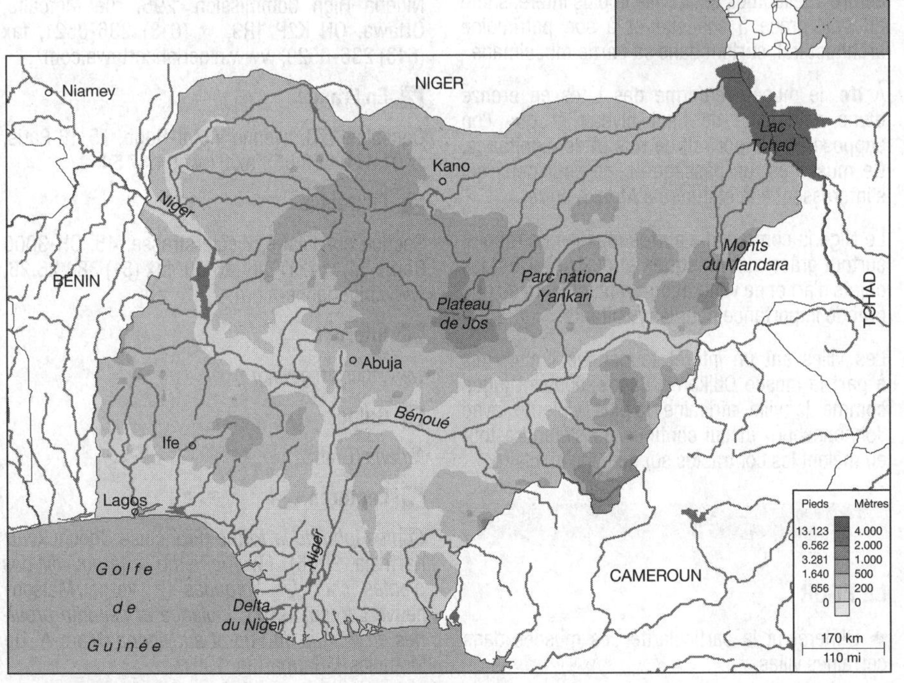

LES RAISONS D'Y ALLER

LES PAYSAGES ET LA FAUNE

Le Nigeria ne possède que le versant occidental des **monts du Mandara**, la plus grande partie appartenant au Cameroun. Ces monts, d'altitude modeste, tirent leur intérêt de la forme de leurs pitons d'origine volcanique qui se dressent au-dessus des collines et des vallées.

Dans un joli cadre parsemé de sources chaudes naturelles, le parc national **Yankari** abrite, entre autres, des éléphants et des antilopes. En partant vers l'ouest, on découvre le très verdoyant plateau de **Jos**, hérissé de curieux rochers.

L'autre centre d'intérêt géographique du pays est à rechercher dans la mangrove – forêt de palétuviers les pieds dans l'eau – qui occupe le vaste **delta du Niger**, hélas! en situation d'insécurité pour le voyageur actuellement.

LES VILLES

Kano, ancienne capitale des Haoussas et ancien centre intellectuel, est la ville la plus intéressante du pays grâce à son site et à son patrimoine architectural, surtout dans sa partie musulmane.

À **Ife**, le musée renferme des têtes en bronze d'une esthétique de haut niveau et que l'on suppose être le portrait de rois et de dignitaires. Ce musée est un passage obligé pour ceux qui s'intéressent à la statuaire d'Afrique noire.

Le Nigeria comprend d'autres musées de renom, surtout grâce aux **masques** et aux **poteries**, les objets d'art et de vénération ayant toujours eu une grande importance pour les habitants.

Les villes ont un intérêt touristique limité, mis à part le musée Obikan à Lagos, souvent jugée comme la ville africaine la plus violente avec Johannesburg et qui continue de s'étendre tout en mêlant les contrastes sur son site insulaire.

LE POUR

◆ L'intérêt et la particularité des musées dans certaines villes.

LE CONTRE

◆ Un climat d'insécurité latent.

◆ Une côte atlantique tourmentée.

LE BON MOMENT

Où que l'on soit dans le sud (climat subéquatorial), la période avril-novembre subit des précipitations. Le centre et le nord (climat soudanien) sont alors mieux lotis, mais c'est la saison sèche, **entre novembre et mars**, qui est la plus propice au voyage, malgré les caprices de l'harmattan aux abords de la frontière nigérienne. ◆ Températures moyennes jour/nuit (en °C) à *Lagos* (38 m) : janvier 32/22, avril 32/24, juillet 28/22, octobre 30/22.

LE PREMIER CONTACT

En Belgique

Consulat, avenue de Tervuren, 288, B-1150 Bruxelles, ☎ (02) 762.52.00, fax (02) 762.37.63.

Au Canada

Nigeria High Commission, 295, rue Metcalfe, Ottawa, ON K2P 1R9, ☎ (613) 236-0521, fax (613) 236-0529, www.nigeriahcottawa.com/

En France

Consulat, 173, avenue Victor-Hugo, 75116 Paris, ☎ 01.47.04.68.65, fax 01.47.04.47.54.

En Suisse

Section consulaire, Zieglerstrasse, 45, CH-3000 Berne 14, ☎ (31) 384.26.00, fax (31) 384.26.26, www.nigerianbern.org

Internet

www.tourism.gov.ng/

Guide

Nigeria (Bradt).

Lectures

Contes igbo de la tortue (Françoise Ugochukwu/Karthala, 2006), *Ewe, le verbe et le pouvoir des plantes chez les Yoroubas* (P. Verger/Maisonneuve Larose, 1997), *Violence et sécurité urbaines en Afrique du Sud et au Nigéria* (Marc-A. De Montclos/L'Harmattan, 1997).

Images

Maternité africaine : sculpture urhobo, Nigeria (Bérénice Geoffroy-Schneiter/Scala, 2004).

QUEL VOYAGE ET À QUEL PRIX ?

Le voyage individuel

Les préparatifs

◆ Pour les ressortissants de l'Union européenne, canadiens, suisses : passeport valable encore six mois après le retour, visa obligatoire, obtenu auprès de l'ambassade, adresse ci-dessus. Billet de retour ou de continuation exigible.

◆ Vaccination recommandée contre la fièvre jaune en dehors des zones urbaines. Prévention indispensable contre le paludisme.

◆ Monnaie : le *naira*. 1 US Dollar = 137 nairas, 1 EUR = 192 nairas. Emporter de préférence des US dollars en espèces, les chèques de voyage et les cartes de crédit n'étant quasiment d'aucune utilité.

Le départ

◆ Indice de prix à certaines dates du vol Paris-Lagos A/R : 850 EUR. ◆ Durée moyenne du vol Paris-Lagos (4 716 km) : 6 heures.

Sur place

Route

◆ Réseau routier en mauvais état. ◆ Ne pas circuler isolément.

Train

Réseau dégradé et déconseillé.

LES REPÈRES

◆ Lorsqu'il est midi en France, au Nigeria il est la même heure en hiver et 11 heures en été. ◆ Langue officielle : l'anglais; 250 langues ou dialectes locaux, dont principalement le haoussa, l'ibo, le yoruba et un pidgin english, sont parlés au Nigeria. ◆ Téléphone vers le Nigeria : 00234 + indicatif (Lagos : 1) + numéro; du Nigeria : 009 + indicatif pays + numéro.

LA SITUATION

Géographie. Du sud vers le nord, la forêt équatoriale laisse progressivement la place à des forêts plus claires et à la savane. Quelques massifs peu élevés apparaissent (Jos, au centre du pays) et le long de la frontière camerounaise. Superficie : 923 768 km^2.

Population. Avec ses 146 255 000 habitants, le Nigeria est, de loin, le pays le plus peuplé d'Afrique. Cette importante population est composée pour un tiers d'Haoussas, les Yorubas et les Ibos formant ensuite les deux ethnies les plus importantes. Environ 250 autres ethnies cohabitent. Capitale : Abuja. L'agglomération de Lagos, l'ancienne capitale, compte plus de dix millions d'habitants.

Religion. L'islam (45 %) domine dans le nord, la chrétienté au sud (26 % de protestants, 12 % de catholiques). Les affrontements interreligieux sont récurrents. Adeptes de sectes indigènes et religions tribales existent également.

Dates. *VIIe siècle* Installation des Haoussas dans le nord et des Yorubas dans le sud-ouest. *1486* Les Portugais premiers arrivants européens. *1553* L'Angleterre les chasse. *XVIIe siècle* Les Peuls fondent un empire. *1879* Création de l'United African Company par les Anglais, qui affirment de plus en plus leur influence. *1914* Le Nigeria est à la fois colonie et protectorat anglais. *1960* Indépendance, mais le Nigeria décide peu après de demeurer dans le Commonwealth. *1967-1970* Guerre du Biafra (sécession de l'ethnie Ibo, plusieurs centaines de milliers de victimes). *1970* Début d'une cascade de coups d'État militaires, excepté la période 1979-1983. *1985* Gouvernement du général Babangida. *1986* Wole Soyinka prix Nobel de littérature. *Novembre 1993* Coup d'État du général Sani Abacha. *Novembre 1995* L'écrivain Saro-Wiwa et huit autres opposants sont exécutés. *Avril 1997* Graves affrontements entre les ethnies Ijaw et Itsekiri dans le sud. *Mars 1999* Olusegun Obasanjo élu président d'un pays impatient de retrouver la démocratie. *Mars 2000* Dramatiques affrontements entre chrétiens et musulmans dans le nord. *Avril 2003* Réélection fortement contestée d'Obasanjo. *Avril 2007* Umaru Musa Yar'Adua et le Parti démocratique du peuple remportent les élections, l'opposition conteste vivement les résultats. *Novembre 2008* Affrontements entre communautés religieuses à Jos, nombreuses victimes.

Norvège

Comment s'étonner de l'origine norvégienne du mot fjord ? Ces anciennes vallées glaciaires que la mer a recouvertes sur plus de deux mille kilomètres font la réputation du pays et son grand motif de visite. Mais les fjords ne sont pas seuls : un autre voyage se dessine au-delà du cercle polaire arctique, par exemple quand le soleil de minuit est au faîte de l'horizon et de sa réputation, ou encore dans les îles Lofoten, au Spitzberg, sur le site de Bergen ou dans les musées d'Oslo. Il est dommage que ces plaisirs doivent se gagner au prix fort, le haut niveau des tarifs de l'hébergement et de la vie touristique en général n'ayant pas son pareil en Europe.

LES RAISONS D'Y ALLER

LA NATURE ET LES RANDONNÉES

Fjords (Hardangerfjord, Sognefjord, Norfjord, Geirangerfjord)
Parcs nationaux et ski (Jotunheim, Rondane, Hardanger)
Pêche, chutes, lacs
Soleil de minuit, aurores boréales
Îles Lofoten et Vesterålen,
Laponie, cap Nord, Spitzberg

LES VILLES ET LES MONUMENTS

Bergen, Oslo, Lillehammer
Églises en bois de bout (Heddal, Lom, Ringebu, Røldal)

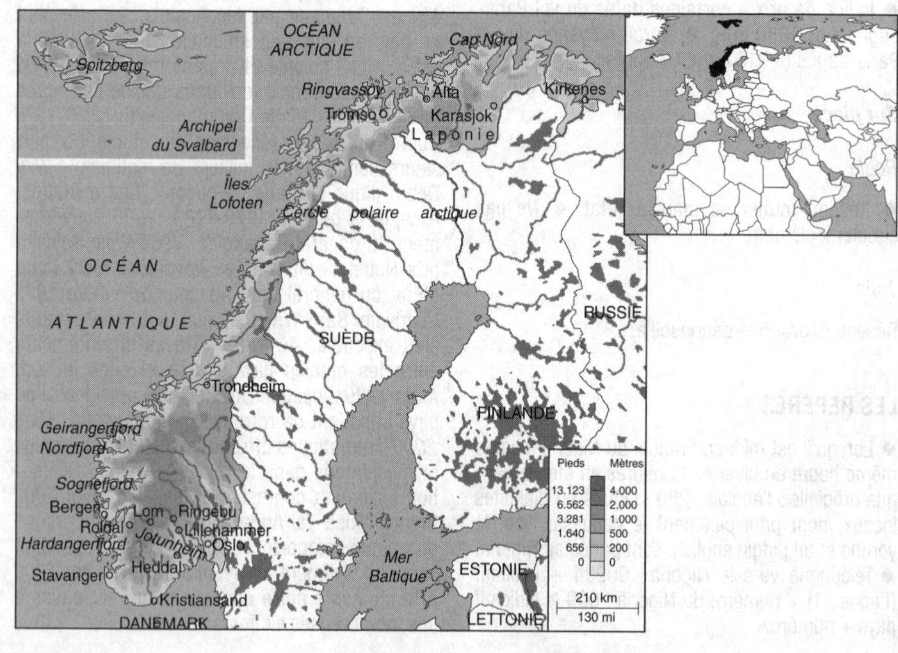

LES RAISONS D'Y ALLER

LA NATURE ET LES RANDONNÉES

Le **fjord** est une « propriété » norvégienne. Le tourisme du pays tourne autour de cette curiosité naturelle qui voit la mer s'enfoncer entre deux falaises et renouveler ce spectacle en moult exemplaires. L'eau est mise en valeur par l'alternance de ses couleurs bleu profond et vert tendre, et parfois par le miroitement des glaciers.

C'est dans le sud, aux alentours de Bergen, que se dessinent les fjords les plus réputés : le **Hardangerfjord,** le **Sognefjord** (le plus long et le plus profond) et le **Nordfjord**. La plupart s'articulent autour de plusieurs bras, dont les plus étroits sont souvent les plus spectaculaires : ainsi en est-il, dans le prolongement du Slorfjord, du **Geirangerfjord**, sorte d'auge glaciaire très profonde dont les parois sont coiffées de neige et laissent s'écouler de longues cascades.

Pour qui ne se lasse pas d'admirer le découpage des rivages, l'*Express côtier,* qui relie Bergen à Kirkenes en six jours quelle que soit la saison, avec étapes possibles dans trente-quatre ports dont vingt-deux au-delà du cercle polaire, est le moyen idéal. Représentant d'un service de ferries vieux de plus de cent ans, il est aussi utile pour les habitants qu'agréable pour les touristes.

En quittant les fjords pour l'intérieur, la route longe de nombreux lacs qui sont autant de traits d'union esthétiques avec des montagnes culminant au-delà de 2 000 m. Elles sont situées dans les **parcs nationaux** du Jotunheim (cirques, falaises et forêts), de Rondane et de Hardanger, où toutes les formes de ski sont une institution, ainsi que l'a démontré Lillehammer en 1994, mais le tourisme d'été, à base de randonnées, a aussi sa part. La Norvège est également truffée de lacs et de rivières, dans lesquelles le **pêcheur** peut taquiner force truites et saumons.

Le passage du cercle polaire arctique marque le début de l'observation possible du **soleil de minuit**, qui provoque un jour sans fin de la mi-mai à fin juin. Quelques mois plus tard, en novembre ou en décembre et jusqu'en février, vient le temps des **aurores boréales,** visibles par temps clair. Ces deux phénomènes, qui n'appartiennent qu'à l'Arctique, sont des « musts » du voyage en Norvège.

Les **îles Lofoten** ont souvent été comparées à un massif alpin qui serait posé sur l'eau : cirques, aiguilles, petits fjords, pâturages aux couleurs douces, habitat coloré et sur pilotis des pêcheurs de morue composent un ensemble de choix, adouci par le Gulf Stream. L'ensemble fait que les peintres et les galeries de peinture y sont légion.

On peut également y entreprendre des randonnées en kayak, observer la nidification des pétrels fulmars ou des macareux et, en novembre, suivre l'arrivée des orques dans l'un des fjords (Tysfjord). Les trois îles de l'est des Lofoten (Flakstadoy, Moskenesoy où se situe Reine, le Saint-Tropez local, et Vestvagoy, aux plages de sable blanc) remportent la palme.

Au nord des Lofoten, les îles **Vesterålen** sont moins courues, sauf par les baleines qui s'attardent dans leurs parages entre mai et septembre.

Plus haut, on atteint la **Laponie** (Finnmark), où les Samés et leurs coutumes, entre autres celle de la période des mariages en avril et mai, se fondent peu à peu dans l'époque moderne. Les rennes sont présents, certains quittant parfois l'endroit pour prendre leurs quartiers d'été sur l'île de Ringvassoy. Les touristes, quant à eux, conduisent une motoneige, un traîneau à chiens. Certains vont jusqu'à Kirkenes pêcher le crabe royal ou... plonger sous la glace.

Viennent enfin le **cap Nord** et son symbole de bout du monde, aujourd'hui démythifié par un flot d'automobilistes obstinés, parvenus au terme d'un périple estival de deux bons milliers de kilomètres à partir d'Oslo.

Le **Spitzberg** est une île de l'extrême nord, la plus grande de l'archipel du Svalbard. Glaciers, icebergs et montagnes noires y déploient un grand spectacle, rehaussé au printemps par une brève mais éclatante floraison, alors que la faune marine (morses, phoques, ours blancs) est parfois au rendez-vous.

On peut atteindre le Spitzberg à la faveur d'une croisière en bateau polaire. Sur place, les plaisirs varient, telles les randonnées en traîneau ou les descentes dans un glacier.

LES VILLES ET LES MONUMENTS

Dans son quartier moyenâgeux de Bryggen, agrémenté de maisons de bois, **Bergen** conserve les traces reconstituées de l'important comptoir de la Hanse qu'il fut au XIIIe siècle. Placée entre une kyrielle d'îles et la montagne, la ville bénéficie d'un joli site sur plusieurs collines et justifie sa réputation de capitale intellectuelle de la Norvège en proposant, à la fin mai, un festival (musique, danse, théâtre, folklore).

Oslo offre un intérêt touristique moindre mais la ville est riche en musées : outre le Munchmuseet, qui rend hommage à Edvard Munch, peintre expressionniste dont la réputation a largement dépassé les frontières de son pays, le musée national des Beaux-Arts fait la part belle aux impressionnistes et possède également des tableaux de Picasso et Van Gogh, alors que le musée en plein air du parc Frogner permet d'admirer une pléiade de sculptures (« Cycle de la vie ») de Gustav Vigeland.

Le quartier insulaire de Bigdøy comprend plusieurs musées, dont le musée Viking (drakkars). A voir aussi le musée d'Histoire sur les peuples de l'Arctique et le Norsk Folkmuseum sur les traditions populaires.

Lillehammer et sa rue piétonne centrale vivent sur les lauriers des jeux Olympiques d'hiver de 1994, dont on peut visiter les installations. L'autre atout de la petite ville est le Musée de plein air de Maihaugen, qui présente une fresque de 140 habitations nordiques, du Moyen Âge à nos jours.

Certains villages renferment de petites **églises** dites en bois de bout (la planche a été découpée perpendiculairement au sens des fibres). Les plus beaux spécimens de ces *stavkirke* se rencontrent à Heddal, Lom, Ringebu et Røldal.

LE POUR

◆ La particularité des atouts touristiques (fjords, soleil de minuit, aurores boréales), dans des cadres majestueux.

◆ Un climat côtier adouci par le Gulf Stream.

LE CONTRE

◆ Le coût de la vie touristique, à la mesure d'un pays qui connaît l'un des niveaux de vie les plus élevés d'Europe.

LE BON MOMENT

Le Gulf Stream et son apport d'air tiède ont fait la juste réputation du climat côtier norvégien. La période de **début juin à la mi-août**, certes très agréable, reste un bref moment favorable. Mai voit débuter la période du **soleil de minuit**, visible jusqu'à fin juin. Septembre peut se révéler acceptable, tandis que novembre et février sont idéaux pour les **aurores boréales**.

◆ Températures moyennes jour/nuit (en °C) : *Tromsoe* (nord) : janvier -2/-7, avril 3/-2, juillet 15/9, octobre 5/1; *Oslo* (sud): janvier -2/-7, avril 9/1, juillet 22/12, octobre 9/4.

LE PREMIER CONTACT

En Belgique

Ambassade, 17, rue Archimède, B-1000 Bruxelles, ☎ (02) 646.07.80, fax (02) 646.28.82, www.norvege.be

Au Canada

Centre Banque Royale 90, rue Sparks, Ottawa, Ontario, Canada, K1P 5B4 , ☎ (613) 238-6571, fax (613) 238-2765, www.emb-norway.ca

En France

Office du tourisme, BP 497, F-75366 Paris Cedex 08 (par courrier ou téléphone), ☎ 01.53.23.00.54, fax 01.53.23.00.59.

En Suisse

Consulat, rue Jargonnant, 2, CH-1211 Genève 6, ☎ (22) 736.16.12, fax (22) 707.18.11, www.ambnorwegen.ch

Autres sites Internet

www.visitnorway.fr (office du tourisme)
www.svalbard.net (Spitzberg)
www.visitoslo.com
www.lofoten.info
www.fjordnorway.com

Guides

Norvège (Gallimard/Bibl. du voyageur, Hachette/Guide bleu, Hachette/Voir, JPM Guides, Le Petit Futé, Lonely Planet France, Marcus, Mondeos, Nelles),

Norvège, Suède, Danemark (Hachette/Guide du routard), *Oslo* (Gallimard/Cartoville), *Scandinavie* (Michelin/Guide vert).

Cartes

Norvège (IGN, Marco Polo, Ravenstein), *Norvège, Suède* (Berlitz), *Spitzberg* (Cordée).

Lectures

Contes norvégiens : le château de Soria Moria (Nils Ahll/L'école des Loisirs, 2002), *Hareng des steppes : voyages au pays de l'autre côté* (Bjorn Gabrielsen/Gaïa, 2007), *le Troll et autres créatures surnaturelles dans les contes populaires norvégiens* (V. Amélien/Berg International, 1998), *les Aventures des Worse,* suivi du *capitaine Worse* (A.Kielland/Belles Lettres, 2003), *Mon péché n'appartient qu'à moi* (H. Wassmo/Editions 10/18, 2003), *Vagabonds* (Knut Hamsun/Grasset).

Images

Munch, dessins et aquarelles (Citadelles et Mazenod, 2004), *Scandinavie : Danemark, Norvège, Spitzberg, visions d'un baladin des glaces* (Emmanuel Hussenet/Transboréal, 2003), *Suède, Finlande, Islande* (J.-F. Battail, C. Boisvieux, M. Battail/Vilo, 2006).

DVD

Le grand Nord : les îles Lofoten et Féroé, le Groenland, les îles Vestmann et Reykjavik (Vodeo TV), *Norvège, les chemins du nord* (P.Brouwers/DVD Guides).

QUEL VOYAGE ET À QUEL PRIX ?

Le voyage individuel

Les préparatifs

◆ Pour les ressortissants de l'Union européenne : carte nationale d'identité ou passeport suffisant (la Norvège fait partie de l'espace Schengen). Pour les ressortissants canadiens, passeport encore valide six mois après le retour.

◆ Monnaie : la *couronne norvégienne* est subdivisée en 100 *øre.* 1 EUR = 10 couronnes norvégiennes, 1 US Dollar = 7,1 couronnes norvégiennes. Emporter des euros ou des US Dollars et une carte de crédit (distributeurs).

Le départ

Avion

◆ Indice de prix à certaines dates du vol Montréal-Oslo A/R : 1 250 CAD; Paris-Oslo A/R : 250 EUR; Paris-Alta (Laponie) : 450 EUR; Bruxelles-Longyearbyen (Spitzberg) A/R : 650 EUR. ◆ Ces tarifs sont à relativiser, la compagnie à bas coût Norwegian atterrissant désormais à Bergen, Oslo et Trondheim à partir de Paris, de même que Brussels Airlines pour Oslo à partir de Bruxelles. ◆ Durée moyenne du vol Paris-Oslo (1 800 km) : 2 h 20. ◆ A noter des formules avion + hébergement chez Bennett, Hurtigruten, Scanditours, TCH Voyages.

Bateau

◆ Possibilité d'embarquer la voiture à Kiel (Allemagne) à destination d'Oslo (départ quotidien, 20 heures de trajet); à Copenhague (16 heures de trajet) et Frederikshavn pour Oslo; à Hirtshals (Danemark) pour Kristiansand (4 h 15, trajet le plus court); à Newcastle (Angleterre) pour Stavanger et Bergen (trois fois par semaine, 18 à 25 heures de trajet); à Amsterdam (Pays-Bas) pour Kristiansand (une fois par semaine, 18 heures de trajet). Renseignements auprès de l'office du tourisme ou de Scanditours. ◆ L'aller et retour Frederikshavn-Oslo pour une voiture et cinq personnes peut se trouver aux alentours de 150 EUR. ◆ Pour les îles Lofoten, prendre le ferry à Bodo.

Sur place

Bateau

L'Express côtier, ou comment longer les fjords tout en prenant le bateau local, vogue de Bergen à la frontière russe en multipliant les escales. Voir entre autres www.hurtigruten.fr

Bus

Eurolines se rend de Paris à Oslo via Göteborg.

Hébergement

◆ Se loger en Norvège n'est pas une sinécure : on peut se rabattre sur les auberges de jeunesse, elles-mêmes plutôt chères et où les réservations sont vivement recommandées. Renseignements : www.vandrerhjem.no ◆ Des chèques-hôtels et des *pass* (à acheter en agence avant le départ) tentent de compenser le prix des hôtels. ◆ La meilleure alternative reste le camping, sous la tente ou dans un *hytter*, sorte de bungalow en bois, bien équipé. ◆ Original : le séjour dans un *rorbuer* (village de cabanes de pêcheurs) aux îles Lofoten et, au nord du pays, dans un hôtel de glace, par exemple à Alta.

Route

◆ La mentalité et le réseau routier norvégiens sont un régal pour qui milite contre l'agressivité au volant... Il n'y a quasiment pas d'autoroutes et les limitations de vitesse sont globalement respectées ! ◆ Limitations de vitesse agglomération/route/ autoroute : 50/80/100. ◆ Limite du taux d'alcoolémie : 0,2 pour mille. ◆ Obligation de conduire en codes et de rouler avec des pneus hiver de novembre à mi-avril. ◆ Il existe des autotours (location, itinéraire suggéré, hôtel réservé à l'étape), par exemple chez Bennett et Nouvelles Frontières.

Train

◆ Pass InterRail utilisable. Train Paris/Gare du Nord-Oslo (via Copenhague). Le train longe les fjords d'Oslo à Bodo via Bergen ou Narvik, ensuite le bus prend le relais.

Le voyage accompagné

Rappel : nous nous sommes limités à un résumé des prestations en vigueur dans les agences et chez les voyagistes présents en France. Les lecteurs des autres pays peuvent en tirer des idées d'itinéraire et les compléter auprès de leurs agences de voyages.

Fjords, randonnées, Lofoten, croisières, Spitzberg : la Norvège mélange les genres et ravit les prestataires, dont le seul souci sera de convaincre ensuite le candidat au voyage car celui-ci revient cher.

◆ Si les **fjords** sont parfois découverts selon une alternance bateau et bus, la **croisière**, quoique plus chère, est le moyen le plus répandu. *L'Express côtier* constitue l'un des points d'orgue du tourisme norvégien, sous de multiples formules. Rien n'empêche de le prendre de sa propre initiative (en réservant bien à l'avance), mais on peut aussi confier son sort à un voyagiste. Le périple aller dure huit jours, dont six à bord, et coûte aux alentours de *1 400 EUR* tout compris.

La compagnie locale Hurtigruten avance une quinzaine de navires : nombreux programmes de Bergen à Kirkenes pour des croisières et des « circuits-croisières » qui incluent des excursions en train ou en bus avec guide francophone. Un forfait A/R tout compris Paris-Paris, ou Bruxelles-Bruxelles, avec croisière Bergen-Kirkenes-Bergen, 13 jours en tout dont 11 à bord, revient *de 1 800 à 2 300 EUR* selon la cabine.

◆ On peut aussi choisir de se faire dorloter dans l'un des navires de Costa Croisières, qui va par exemple de Copenhague au Geirangerfjord en une semaine. Ou aller bien plus haut avec la croisière îles Lofoten-cap Nord-Spitzberg-Islande (Grand Nord Grand Large).

◆ La **Laponie** reçoit de plus en plus de séjours multi-activités (randonnées, raquettes, traîneau à chiens, etc.). Il s'agit là du meilleur compromis, à des tarifs de *1 800 EUR* en moyenne pour une semaine, entre autres avec Comptoir des voyages et Scanditours.

◆ Le **Spitzberg** est très courtisé par les spécialistes du voyage « sportif », entre autres Atalante, Club Aventure, Nomade Aventure, Grand Nord Grand Large (qui randonne ou fait du kayak). Ce même voyagiste tourne autour de l'archipel en goélette, mêlant cabotage, raquettes et randonnées. Le prix d'un voyage au Spitzberg est souvent, hélas ! à la hauteur du spectacle : *au-delà de 2 000 EUR* pour 10 jours.

◆ Les **randonnées** les plus recherchées se déroulent dans les îles **Lofoten**, entre juin et août. Exemples : Allibert, La Balaguère, Club Aventure, Terres d'aventure (réservations à prévoir bien à l'avance, vu les capacités hôtelières réduites). Insolite : Grand Nord Grand Large poursuit les orques, qui eux-mêmes poursuivent les harengs... Compter un minimum de *1 300 EUR* pour un séjour de huit jours tout compris dans les Lofoten.

◆ Randonnées d'été dans le **Jotunheim** avec Terres d'aventure, dans les Alpes de **Lyngen** avec Atalante ou autour du cap Nord via un un combiné Norvège-Finlande (Allibert).

◆ Les séjours brefs existent, par exemple un week-end à **Oslo** (Bennett, Nortours, Scanditours, Voyageurs du monde), environ 350 EUR pour 3 jours/2 nuits) ou le **réveillon** de Noël ou du Nouvel An à bord de *L'Express côtier* (Hurtigruten).

QUE RAPPORTER ?

Belle variété artisanale, qui va des objets en bois peints aux gros pulls (motifs gais et bariolés). Plus spécifiques : le saumon et surtout les trolls, reproduction des lutins, malveillants mais incontournables, de la légende scandinave.

LES REPÈRES

◆ Pas de décalage horaire avec la Belgique, la France ou la Suisse; lorsqu'il est midi au Québec, en Norvège il est 18 heures. ◆ Langues : le bokmaal et le nynorsk sont les deux variantes du norvégien, qui est langue officielle, comme le sâme des Lapons. ◆ Langue étrangère : l'anglais est aussi répandu qu'est rare le français. ◆ Téléphone vers la Norvège : 0047 + numéro; de Norvège : 095 + indicatif pays + numéro.

LA SITUATION

Géographie. Aussi long (1 752 km) que mince, et plutôt grand (323 877 km^2), le pays est surtout formé de montagnes et de forêts. Au nord, apparaissent des plateaux.

Population. 4 644 000 Norvégiens, dont 20 000 Lapons, ne se retrouveront jamais à l'étroit car le pays n'est pas appelé à connaître un fort taux de peuplement. Capitale : Oslo.

Religion. L'église luthérienne, religion d'État, draine neuf Norvégiens sur dix.

Dates. *IXe siècle* Début de l'époque viking. *995* Olav Ier est proclamé roi. *1523* Les rois du Danemark gouvernent la Norvège. *1814* La Norvège devient suédoise, mais avec sa propre constitution. *1905* Rupture avec la Suède. *1935* Les travaillistes prennent le pouvoir mais le perdront, d'abord au profit d'une coalition, ensuite des conservateurs. *1986* Les travaillistes à nouveau au pouvoir. *1990* Gro Harlem Brundtland est reconduite dans ses fonctions de Premier ministre, alors que Harald V est chef de l'État. *Novembre 1994* 52,2 % des Norvégiens votent contre l'entrée de leur pays dans l'Union européenne. *Octobre 1996* Gro Harlem Brundtland démissionne, Thorbjörn Jagland (travailliste) lui succède. *Septembre 1997* Les travaillistes remportent les législatives. *Mars 2000* Le Premier ministre Bondevik démissionne, le travailliste Stoltenberg lui succède. *Septembre 2001* Les travaillistes subissent un revers lors des législatives. *Octobre 2001* Bondevik à nouveau Premier ministre. *Septembre 2005* La gauche social-démocrate remporte les législatives, Jens Stoltenberg devient Premier ministre.

Nouvelle-Calédonie

Avec ses plages et le corail de son interminable lagon annoncé comme le plus grand du monde, le « Caillou », flanqué de l'île des Pins, des îles Bélep et Loyauté, et riche de la culture canaque, rivalise avec la Polynésie française comme point de chute favori du voyageur francophone en Océanie. On en oublierait presque le coût du voyage...

LES RAISONS D'Y ALLER

LES CÔTES ET LE LAGON

Barrière de corail, plages de sable blanc, Nouméa (anse Vata)
Plongée, surf autour de Grande-Terre, des îles Bélep, Loyauté et de l'île des Pins

LES PAYSAGES

Région de Hienghène (rencontre des tribus canaques), « stockmen » du sud
Mont-Dore, parc de la Rivière bleue

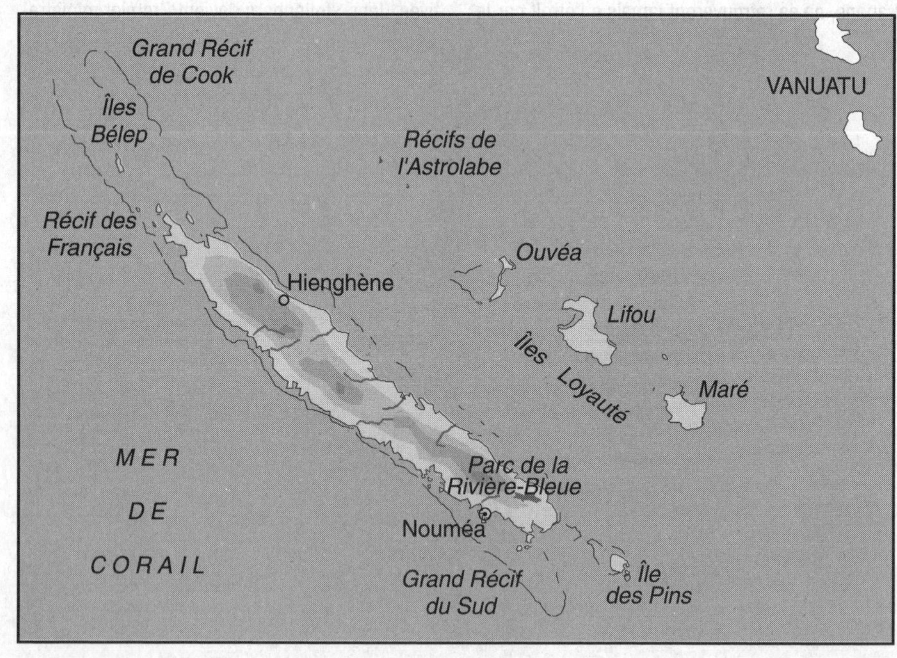

LES RAISONS D'Y ALLER

LES CÔTES ET LE LAGON

Grande Terre, l'île principale, est entourée d'une barrière de corail de 800 km de long qui a engendré l'un des plus grands lagons du monde, riche en poissons tropicaux, tortues carets, dugongs, récifs, grottes.

Du sud jusqu'aux baies de Poum, tout au nord, les plages de sable blanc et les criques se succèdent. La seule différence est une pluviosité plus forte sur la côte est, mais une différence très relative.

La côte est parfois couverte de mangrove, hérissée de palétuviers, cocotiers et pins colonnaires. La photo aérienne de la mangrove de Voh, en forme de cœur, a fait le tour du monde. Parfois, cette végétation est échancrée par des baies, comme celles de Hienghène.

Nouméa, chef-lieu de la « Californie française », profite de sa situation proche des plages raffinées de l'anse Vata et de la baie des Citrons. Baignade, plongée et surf y battent leur plein. En 1998, a été inauguré le Centre culturel kanak Jean-Marie-Tjibaou. Il abrite aussi bien des collections du patrimoine kanak que des réalisations contemporaines. A Nouméa, on peut aussi admirer les sculptures et les masques du musée Néo-Calédonien.

Les îles **Bélep** au nord, l'**île des Pins** au sud et les **îles Loyauté** à l'est (Lifou, Maré, Ouvéa) supportent la comparaison avec Grande Terre et sont autant de points d'ancrage pour qui veut mêler farniente sur des plages de sable blanc, spectacle des fonds coralliens en plongée, planche à voile, observation des baleines et cachalots durant l'hiver austral à Lifou, perruches à Ouvéa.

LES PAYSAGES

Sur Grande Terre, la province **nord** vaut par une succession de savane, de niaoulis (arbres au tronc blanc), de marécages, de montagnes, de rivières, de cascades et de forêts.

La région de Hienghène, dans un **nord-est** dominé par le mont Panié, point culminant de l'île, est privilégiée par beaucoup parce qu'elle offre un mélange d'intérêt côtier (baignade, plongée) et de possibilités d'accueil des touristes dans les tribus. Désormais, des voyagistes invitent leur client à choisir leur hébergement dans un habitat traditionnel, avec rencontre des populations et découverte de la culture mélanésienne.

La province **sud** est la terre des « stockmen », cavaliers chargés de rassembler les troupeaux et, autour de Sarraméa, celle de tribus kanakes et de forêts propices aux randonnées.

Une autre région remarquable de Grande Terre, entre autres pour sa flore, est celle qui s'étend au sud de Nouméa : lac de Yaté, chutes de la Madeleine, région du Mont-Dore, zone inondée du parc de la Rivière bleue, où niche le cagou, oiseau sans envol possible, emblème de l'archipel, rare mais visible au parc zoologique Michel Corbasson à Nouméa.

L'**est** de l'île est connu pour ses forêts de hêtres et de fougères arborescentes, tandis que l'**ouest** se singularise par une savane parsemée de niaoulis.

LE POUR

◆ Une diversité insoupçonnée qui mêle randonnées et découverte de la culture mélanésienne.

LE CONTRE

◆ Le coût élevé de la vie touristique et de l'acheminement aérien.

LE BON MOMENT

De préférence d'**avril à juin** et de **septembre à novembre**, le « Caillou » rivalise avec la Polynésie française comme point de chute du voyageur francophone en Océanie. Observation des **baleines** : de juillet à septembre.

◆ Températures moyennes jour/nuit (en °C) à *Nouméa* : janvier 29/23, avril 26/21, juillet 23/17, octobre 25/19. Dans le sud de Grande Terre, la température de l'eau de mer oscille de 22° (en juillet) à 26° (en février).

LE PREMIER CONTACT

En France métropolitaine

Nouvelle-Calédonie Tourisme Point Sud, 7, rue du Général-Bertrand, 75007 Paris, ☎ 01.42.73.69.80, fax 01.42.73.69.89.

Internet

www.nouvellecaledonietourisme-sud.com

Guides

Nouvelle-Calédonie (Hachette/Evasion, Le Petit Futé, Lonely Planet France).

Cartes

Atlas de la Nouvelle-Calédonie (Orstom); plusieurs cartes à l'IGN.

Lectures

Double Calédonie, d'une utopie à l'autre (J.-M. Colombani/Denoël, 1999), *Histoire de la Nouvelle-Calédonie : nouvelles approches, nouveaux objets* (Frédéric Angleviel/L'Harmattan, 2006), *Légendes canaques* (Louise Michel/Cartouche, 2006), *Nouvelle-Calédonie, horizons pacifiques* (Anne Pitoiset, Jean-François Marin/Autrement, 2000).

Images

La France des mers tropicales (National Geographic, 2006), *le Plus Beau Lagon du monde* (Éditions Catherine Ledru, 2002), *Nouvelle-Calédonie, à ciel ouvert* (Solaris, 2006).

Vidéo

Nouvelle-Calédonie, le rouge et le noir (Media 9, 2007).

QUEL VOYAGE ET À QUEL PRIX ?

Les préparatifs

◆ Pour les ressortissants français, le passeport s'impose comme pour les autres ressortissants de l'Union européenne, les Canadiens, les Suisses. Billet de retour ou de continuation exigible.

◆ Aucune vaccination n'est exigée, protection antimoustiques recommandée.

◆ Monnaie : le *franc Pacifique (FCP)*. 1 EUR = 119 francs Pacifique, 1 US Dollar = 90 francs Pacifique. L'euro est accepté, en attendant sa totale adoption. Les principales cartes de crédit le sont également, plus rarement dans certains sites de l'intérieur des îles.

Le départ

Avion

◆ Indice de prix du vol Paris-Nouméa A/R (pas de vol direct, vol via Auckland, Osaka, Singapour, Sydney ou Tokyo) : 1 450 EUR. La période juillet-août voit monter les prix. ◆ Durée moyenne du vol Paris-Nouméa (18 368 km) : 22 heures.

Sur place

Hébergement

Il existe des campings bon marché, des chambres d'hôtes, des gîtes ruraux (www.gitesnouvellecaledonie.com), des possibilités de loger au sein des tribus (renseignements auprès de Nouvelle-Calédonie Tourisme). Il existe également des auberges de jeunesse. Renseignements : www.fuaj.org/Nouvelle-Caledonie-Noumea

Route

Location de voiture possible (21 ans et deux années de permis minimum). L'autotour (location de voiture avec ou sans chauffeur, itinéraire suggéré et hôtel à l'étape) est de plus en plus en vogue et proposé par la plupart des voyagistes ci-dessous, essentiellement sur Grande Terre (Australie Tours, Voyageurs du monde). Le coût moyen (vol + hébergement) est de *1 900 EUR* la semaine en basse saison.

Le séjour

Rappel : nous nous sommes limités à un résumé des prestations en vigueur dans les agences et chez les voyagistes présents en France. Les lecteurs des autres pays peuvent en tirer des idées d'itinéraire et les compléter auprès de leurs agences de voyages.

◆ L'océan est omniprésent et donc source de diversité dans la manière d'en user, entre autres en alternant le farniente et les sports nautiques. Chez les voyagistes, Grande Terre et l'île des Pins sont très souvent associées, Lifou venant parfois en complément.

Le Club Med (villages à Hienghène et dans l'Anse Vata, près de Nouméa), TUI France (combiné Nouméa et île des Pins) ou Voyageurs du monde, qui programme l'archipel à la carte ou en voyage accompagné (passage à l'Ile des Pins et à celle de Lifou) sont présents parmi d'autres, tels Asia, Australie Tours, Austral Lagons, Kuoni, Nouvelles Frontières, Ultramarina.

◆ Le lagon accueille les plongeurs, qui ont le loisir de découvrir ses centaines d'espèces de coraux et de poissons, les baleines étant de passage entre juillet et septembre.

◆ Difficile de trouver un circuit de 15 jours à moins de *3 000 EUR*, en outre les tarifs grimpent rapidement en haute saison.

QUE RAPPORTER ?

Moins de variété qu'en Australie, mais des particularités telles que les objets en bois de santal, les sculptures... de savon et les coquillages. Bijoux et vannerie sont les principaux domaines de l'artisanat.

LES REPÈRES

◆ Lorsqu'il est midi à Paris, en Nouvelle-Calédonie il est 21 heures en été et 22 heures en hiver. ◆ Langue : le français est langue officielle et cohabite avec une trentaine de dialectes d'origine mélanésienne. ◆ Téléphone vers la Nouvelle-Calédonie : 00687 + numéro ; depuis la Nouvelle-Calédonie : 00 + indicatif pays + correspondant sans le zéro.

LA SITUATION

Géographie. Grande Terre (400 km sur 60) est coupée par une chaîne de montagnes centrale et sa côte ouest est nettement plus sèche. L'île en forme de baguette de pain est entourée de miettes de terres, dont le groupe des îles Loyauté, à l'est, constitue l'essentiel. La superficie totale est de 19 058 km^2.

Population. Sur les 225 000 habitants, 44,1 % sont des Mélanésiens (les Canaques, qui habitent souvent dans les montagnes) et 34,1 % des Européens (les Caldoches). Wallisiens, Tahitiens, Indonésiens et Vietnamiens constituent les minorités. Près de la moitié de la population vit dans le chef-lieu Nouméa.

Religion. Trois Néo-Calédoniens sur quatre sont catholiques. Minorités de protestants (16 %) et de musulmans (4 %).

Dates. *1774* Cook découvre l'île et l'appelle Calédonie en souvenir de cette région... d'Écosse. *1853* Rattachement à la France. *1860* Les Canaques se soulèvent. *1946* La Nouvelle-Calédonie devient un Territoire d'outre-mer. *1985* Affrontements sévères entre le FLNKS (Front de libération kanak et socialiste) et le RPCR (Rassemblement pour la Calédonie dans la République). *1988* Graves événements (dix-neuf Canaques tués à Ouvéa, quatre gendarmes tués à Fayaoué). *Mai 1988* Accord sur un statut d'autonomie interne. *Novembre 1998* La population approuve à plus de 70 % un processus d'émancipation qui préfigure un référendum sur l'indépendance entre 2014 et 2018. *Mai 1999* Jean Lèques président du gouvernement, Pierre Frogier lui succède deux ans plus tard. *2004* Marie-Noëlle Thémereau (« Avenir ensemble ») devient présidente du gouvernement. *2007* Harold Martin élu en remplacement de Marie-Noëlle Thémereau, démissionnaire.

Nouvelle-Zélande

Bien lointaine, Aoetearoa, la « terre du long nuage blanc », ainsi que l'avaient baptisée les premiers maoris ! Un touriste sur deux est australien et il a déjà dû parcourir 2 000 km pour l'atteindre. Mais, un peu pour les mêmes raisons que sa grande voisine, cet éloignement attise la curiosité. En outre, la Nouvelle-Zélande a des atouts : on y pêche et on y surfe beaucoup, on s'y balade dans des coins de nature protégés et blanchis par la laine des moutons au pied des montagnes, des volcans, des geysers et des glaciers.

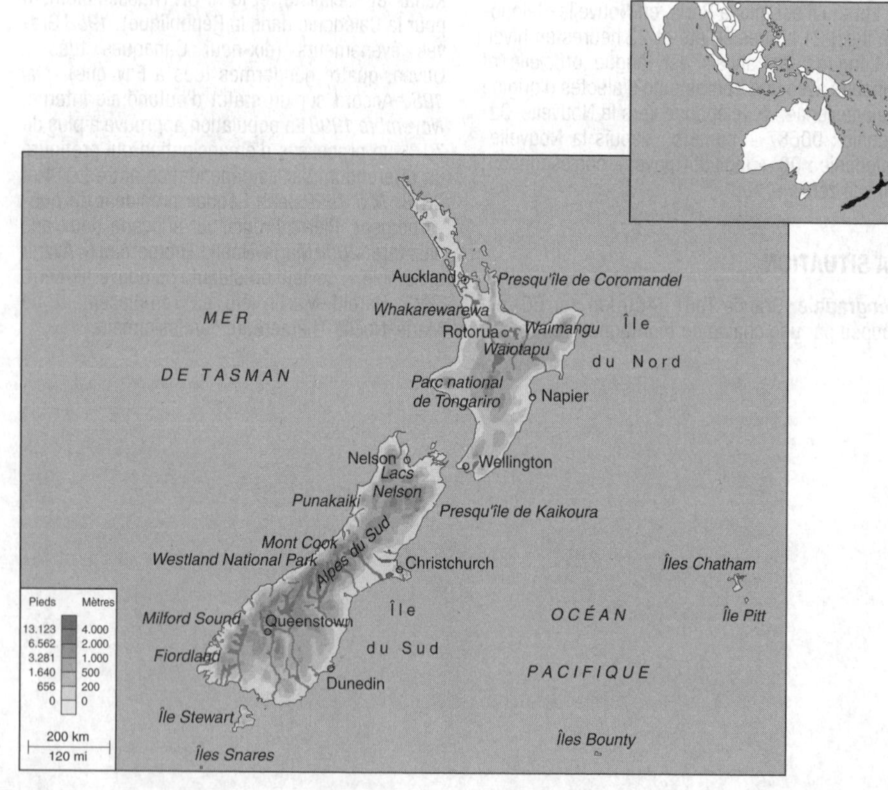

LES RAISONS D'Y ALLER

LES PAYSAGES

Sites volcaniques de Rotorua : geysers (Pohutu), Waimangu, Waiotapu, Whakarewarewa
Parcs nationaux : montagnes, forêts (Punakaiki), lacs (Nelson), rivières, glaciers (Westland National Park, Alpes du Sud), chutes (Sutherland)
Randonnées, ski

LA FAUNE

Faune terrestre (kiwis, moutons), faune marine (baleines à bosse, cachalots, dauphins, orques)

LES CÔTES

Fjords (Milford Sound)
Plages (presqu'île de Coromandel, péninsule du Northland, Napier)
Surf, pêche
Île océanienne de Tokelau

LES TRADITIONS

Mœurs maories, villages de l'île de Niue

LES VILLES

Auckland, Christchurch, Dunedin, Queenstown, Wellington

LES RAISONS D'Y ALLER

LES PAYSAGES

La nature est l'argument clé du tourisme néo-zélandais. Montagnes, glaciers, forêts et lacs rassemblent autant de thèmes de randonnées, voire de ski, au sein de paysages préservés par la présence d'une douzaine de parcs nationaux et des lois de protection de la nature rigoureuses.

L'île du Nord

Elle est aussi appelée l'« Île fumante », un baptême justifié : en effet, dans un périmètre restreint autour de Rotorua, ville empreinte de culture maorie, on peut admirer des **geysers**, des sources chaudes, le « chaudron » de **Waimangu**, un lac bouillant né d'une éruption volcanique du début du siècle; le Lady Knox Geyser, à **Waiotapu**; le Pohutu Geyser, à **Whakarewarewa**, dont le jet peut dépasser trente mètres. Dans le parc national de **Tongariro**, propice à la randonnée et au ski, s'élèvent des volcans, dont le Ruapehu, le plus haut du pays.

L'île du Sud

Joliment surnommée l'« île de Jade », elle a ses **Alpes** à elle, qui lui procurent ses plus beaux paysages : **glaciers** du **Westland** National Park, très proches des côtes (Franz Josef, Fox), aux alentours des 3 754 m du mont Cook, et **chutes** (les 580 m des chutes Sutherland, en trois paliers, les classent parmi les plus hautes du monde).

L'île du Sud est riche en parcs nationaux, dont ceux des lacs **Nelson**, du col Arthur, du mont Cook, du mont Aspiring, de Tasman et de la forêt primitive de **Punakaiki**. Autour de Queenstown, la pratique du ski et du rafting est de mise.

LA FAUNE

La faune terrestre ou avicole est diverse, symbolisée par le **kiwi** – aujourd'hui protégé –, par les multiples variétés d'oiseaux, particulièrement dans le Fiordland, et plus prosaïquement par le mouton, infinité de taches blanches (la proportion est de vingt moutons pour un habitant...) sur le vert profond des prés.

La faune marine réserve d'agréables surprises : au large de la presqu'île de Kaikoura, il est possible d'apercevoir des **cachalots**, des **dauphins**, des **baleines à bosse** et des **orques**.

LES CÔTES

Cinq mille kilomètres de côtes ouvrent des perspectives. Toutefois, la Nouvelle-Zélande est bas située sur la carte et ses eaux ne sont pas très chaudes.

L'île du Nord

La presqu'île de **Coromandel** et, au-dessus d'Auckland, la péninsule du **Northland** offrent les rivages les plus réputés, tant pour leurs plages que pour le surf (Bay of Islands). Autre centre d'intérêt : Hawke's Bay et le port de **Napier**.

Au nord de Christchurch, il est possible d'observer dauphins et baleines, alors que la **pêche** jouit d'une grande popularité.

L'île du Sud

La côte ouest (mer de Tasman) est creusée d'une quinzaine de **fjords** qui ont donné naissance au parc national du Fiordland. Le plus accessible, le plus beau et le plus fréquenté est le fjord de **Milford Sound**, constellé de vallées « suspendues » et de cascades sur plus de vingt kilomètres. Le tournage du *Seigneur des anneaux* a eu lieu sur ce site, qu'il est possible de survoler en avion léger ou en hélicoptère.

Nelson, dans la baie de Tasman, est un site balnéaire recherché.

LES TRADITIONS

La Nouvelle-Zélande est imprégnée de la culture **maorie**, qui fait aujourd'hui l'objet de tous les égards touristiques, parfois sous forme de démonstrations de haka (le fameux chant guerrier popularisé par le rugby).

LES VILLES

Christchurch (la « cité-jardin », très anglaise), **Dunedin** (très écossaise), **Wellington** (site à flanc de montagne, maisons coloniales, Maritime Museum avec la reconstitution du bateau de James Cook, nouveau musée Te Papa), **Auckland**, bâtie sur un isthme et qui renferme un important musée maori, et **Queenstown**, dans son cadre de lacs et de montagnes propice aux sports d'hiver, sont des villes agréables à visiter.

TOKELAU

Trois minuscules atolls (12,2 km^2) isolés dans l'Océanie, au nord des Samoa, et parsemés de cocotiers. Ils sont habités par 2 000 habitants de race polynésienne, sujets britanniques mais citoyens néo-zélandais depuis 1948. Un endroit où le tourisme ne s'est pas vraiment imposé et qui reste peu connu, hormis par les spécialistes du coprah...

LE POUR

◆ Un hymne à la nature, qui est de surcroît respectée et protégée.

◆ Une destination en progression.

LE CONTRE

◆ Un éloignement désespérant : à moins d'être un joueur de rugby destiné à taquiner les All Blacks, on aura du mal à se motiver financièrement.

◆ Une météo fantaisiste, qui de surcroît dispense généreusement humidité et brumes.

LE BON MOMENT

Située aux antipodes de l'Europe, la Nouvelle-Zélande connaît un climat tempéré mais le vent règne en maître. L'été est court **(décembre à février** inclus) mais agréable, malgré l'humidité. **Septembre-octobre** et **mars-avril** réussissent à entrer dans la période favorable. L'hiver, en revanche (août-octobre), ne ménage pas l'île du Sud, où il peut faire très froid en juillet sur les hauteurs. Vents et pluies sont fréquents et capricieux.

◆ Pour l'île de Niue, dans l'Océanie, la période mai-septembre est la plus indiquée.

◆ Températures moyennes jour/nuit (en °C) :

– *Auckland* (île du Nord) : janvier 23/16, avril 20/13, juillet 14/7, octobre 18/11; moyenne de l'eau de mer : 18°;

– à *Christchurch* (île du Sud) : janvier 22/12, avril 17/7, juillet 12/2, octobre 17/7; moyenne de l'eau de mer : 15°.

LE PREMIER CONTACT

Au Royaume-Uni

Maison de la Nouvelle-Zélande, 80 Haymarket, Londres SW1Y 4TQ, ☎ (44) 207.930.1662.

En Belgique

Ambassade, square de Meeus, 1, B-1000 Bruxelles, ☎ (02) 512.10.40, fax (02) 513.48.56.

Au Canada

Haut-commissariat, Centre Clarica, 99, rue Bank, Ottawa ON K1P 6G3, ☎ (613) 238-5991, fax (613) 238-5707.

En France

Ambassade, 7 *ter*, rue Léonard-de-Vinci, 75116 Paris, ☎ 01.45.01.43.43, fax 01.45.01.43.44.

En Suisse

Consulat général, chemin des Fins, 2, 1218 Grand-Saconnex, CH-1211 Genève 19, ☎ (22) 929.03.50, fax (22) 929.03.77.

Internet

www.newzealand.com/travel/International/
www.frogs-in-nz.com

Guides

Auckland (Lonely Planet en anglais), *New Zealand Wildlife* (Bradt),

Nouvelle-Zélande (Gallimard/Bibl. du voyageur, Hachette/Voir, JPM Guides, Le Petit Futé, Nelles), *Nouvelle-Zélande, île du Nord* (Frogs in New Zealand), *Nouvelle-Zélande, île du Sud, Wellington* (Frogs in New Zealand), *Tramping in New Zealand* (Lonely Planet).

Cartes

New Zealand (Berlitz, Berndtson, Kiwimaps, Nelles), *Nouvelle-Zélande* (ITM).

Lectures

Electric (C. Taylor/Christian Bourgois Ed., 2004), *Graine de France* (G. Cush/Actes Sud, 2004), *Histoire d'un fleuve en Nouvelle-Zélande* (J. Mandres/Actes Sud, 2002), *Où en est la Nouvelle-Zélande ?* (L'Harmattan, 2004), *Princesse maorie* (B.Simonay/Presses de la Cité, 2006), *Travailler ou étudier en Australie et Nouvelle-Zélande* (P. Roy/Studyrama, 2007).

Images

New Zealand (TeNeues Publishing, 2005).

Vidéo

Antoine - Iles... était une fois : Nouvelle-Zélande (Warner Home Video, 2007).

QUEL VOYAGE ET À QUEL PRIX ?

Le voyage individuel

Les préparatifs

◆ Pour les ressortissants de l'Union européenne, canadiens, suisses : passeport suffisant, valable encore trois mois après le retour. Billet de retour ou de continuation et preuve de fonds suffisants exigibles.

◆ Aucune vaccination n'est requise.

◆ Monnaie : le *dollar néo-zélandais* est subdivisé en 100 *cents*. 1 US Dollar = 1,7 dollar néo-zélandais, 1 EUR = 2,5 dollars néo-zélandais. Emporter des euros ou des dollars US en espèces ou en chèques de voyages ainsi qu'une carte de crédit pour les retraits et autres paiements.

Le départ

◆ Indice de prix à certaines dates du vol Montréal-Auckland A/R : 1 300 CAD; Paris-Auckland A/R : 1 000 EUR (pas de vol direct). ◆ Durée moyenne du vol Paris-Auckland (20 227 km) : 27 heures. ◆ Pour les vols intérieurs, le système du *Pass* est accordé par Air New Zealand si l'on effectue le vol international sur ses lignes. ◆ Des tarifs aériens « Working Holiday » existent pour les jeunes qui partent pour un emploi saisonnier (voir www.nzvoyages.com).

Sur place

Bus

Une carte de libre circulation (*Kiwi Coach Pass*) est octroyée par la compagnie Mount Cook Lines. Renseignements auprès des voyagistes cités ci-dessous ou de l'office du tourisme.

Hébergement

◆ Il existe de nombreux campings, des *Bed and Breakfast*, des logements dans un manoir, à la ferme et des bons d'hôtels (à acheter avant le départ en agence de voyages). ◆ La Nouvelle-Zélande renferme 56 auberges de jeunesse. Renseignements : www.yha.org.nz ◆ Nécessité de réserver l'hébergement si l'on envisage le voyage en décembre et janvier, haute saison locale.

Route

◆ Conduite à gauche, limitée à 100 km/h sur autoroute. ◆ La location de voiture (25 ans minimum, permis international) ou de camping-car est très répandue.

Le séjour

◆ L'autotour (vol + hébergement + location de voiture) est un mode de voyage idéal pour couvrir les deux îles dans leurs recoins les plus réputés. Compter environ *1 700 EUR* pour 10 jours (Australie Tours, Nouvelles Frontières).

◆ Des croisières partent d'Auckland pour l'Australie et la Tasmanie (Celebrity Cruises).

Le voyage accompagné

Rappel : nous nous sommes limités à un résumé des prestations en vigueur dans les agences et chez les voyagistes présents en France. Les lecteurs des autres pays peuvent en tirer des idées d'itinéraire et les compléter auprès de leurs agences de voyages.

Pris entre la nécessité de rester au moins quinze jours pour que le jeu en vaille la chandelle et le niveau des prix qui en découle, le voyageur hésite et les voyagistes aussi.

◆ Une visite classique et complète de trois semaines est l'idéal, généralement fondée sur une boucle d'Auckland à Christchurch via les volcans de l'île du Nord et les fjords de l'île du Sud. Péninsule de Coromandel, Rotorua, glacier Franz Josef, Milford Sound sont autant de sites clés, l'éventail le plus divers ((randonnées, voyages à thème) étant avancé par le voyagiste maison Nouvelle-Zélande Voyages (www.nzvoyages.com).

Des voyagistes comme Adeo, Arts et Vie, Arvel, Asia, Australie Tours (qui privilégie aussi l'écotourisme), Nouvelles Frontières, Voyageurs du monde sont aussi dans ce créneau.

Kuoni part chèrement « sur les traces du capitaine Cook » pour trois semaines en combinant les parcs nationaux et les fjords du pays avec de grands sites touristiques de l'Australie (Grande Barrière de corail, Ayers Rock). Jet tours propose aussi un combiné Australie/Nouvelle-Zélande.

◆ La randonnée, localement appelée *tramping*, est prometteuse, entre autres avec Allibert (circuits hors la période juin-septembre), Australie Tours (qui suit le « Milford Track »), Nomade Aventure, Terres d'aventure. Aventure et Volcans attaque un quatuor de sommets entre septembre et mars.

◆ A moins de partir hors saison, le voyage en Nouvelle-Zélande revient à *2 500 EUR* minimum pour deux semaines, vol et hébergement en chambre double. Il dépasse *3 000 EUR* (vol + hébergement) lorsqu'on envisage trois semaines en saison.

QUE RAPPORTER ?

Une fois passé son cas de conscience écologique, on se retrouvera peut-être avec une peau de mouton ou un pull en laine vierge sur les bras... Poteries, vannerie, objets maoris (jade, sculptures) et vins sont les autres principaux achats.

LES REPÈRES

◆ Lorsqu'il est midi en France, pour la Nouvelle-Zélande il faut ajouter 10 heures en été et 11 heures en hiver (16 et 17 heures pour les Québécois). ◆ Langues : le maori a rejoint l'anglais comme langue officielle. Le français est de peu de secours. ◆ Téléphone vers la Nouvelle-Zélande : 0064 + indicatif (Auckland : 9; Wellington : 4); de Nouvelle-Zélande : 00 + indicatif pays + numéro.

LA SITUATION

Géographie. Île du Nord + île du Sud (la plus grande, accompagnée de la petite île Stewart) = 270 534 km², à 2 000 km au sud-ouest de l'Australie. Le pays est tout en longueur (1 600 km), tout en pâturages (le mouton est roi), tout en montagnes (les Alpes du Sud culminent à près de 4 000 m) et tout en forêts.

Population. Elle n'est pas nombreuse (4 173 000 habitants) et n'est pas appelée à le devenir. Un habitant sur dix est un Maori, descendant de peuples venus de Polynésie aux alentours de l'an 1000. Capitale : Wellington.

Religion. Anglicans (24 %), presbytériens (18 %), catholiques (15 %), méthodistes et baptistes se partagent les croyances.

Dates. *1642* Après avoir donné son nom à la Tasmanie voisine, le Néerlandais Tasman aborde et baptise le pays (où sont déjà les Maoris) du nom de sa province natale. *1769* James Cook arrive à son tour. *1843* Expansionnisme britannique et guerres maories. *1907* La Nouvelle-Zélande est un dominion britannique. *1985* Affaire Greenpeace, qui tend les relations avec la France. *1989* Geoffrey Palmer, un travailliste, est Premier ministre. *Octobre 1993* Élections générales : le Parti national de Jim Bolger vainqueur de justesse. *Décembre 1997* Jenny Shipley et le Parti national au pouvoir. *Novembre 1999* Le Parti travailliste (NZLP) retrouve le pouvoir, Helen Clark est premier ministre. *Juillet 2002* Le Parti travailliste légèrement majoritaire aux législatives. *Novembre 2008* John Key (National Party) devient Premier ministre.

Océanie

La plupart des dizaines d'îles et d'atolls qui émergent du socle du Pacifique sont inconnus du grand tourisme, d'autres sont en bonne place dans le rêve insulaire tropical. Tous ont une constante : ils sont beaux, il y fait souvent beau, le mariage entre la nature et l'océan y demeure mythique, comme le rêve d'y vivre une lune de miel. Toutefois, malgré la baisse des tarifs aériens sur certaines destinations, un voyage en Océanie reste onéreux.

◆ Australie, Nouvelle-Calédonie, Nouvelle-Zélande, Papouasie-Nouvelle-Guinée, Polynésie française : voir à leurs entrées alphabétiques respectives.

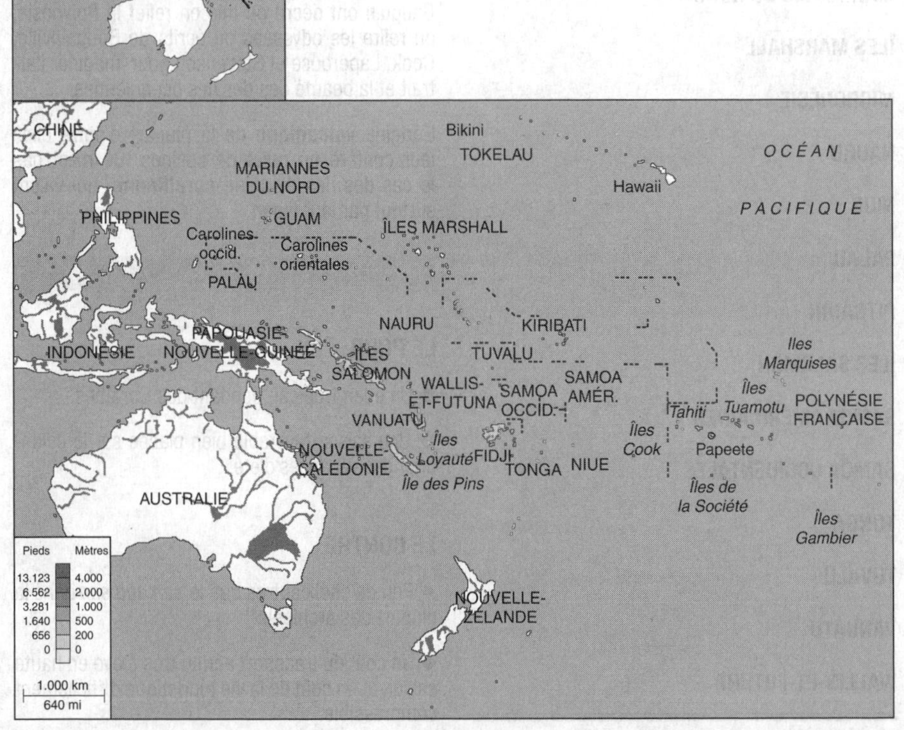

LES RAISONS D'Y ALLER

LES CÔTES

Plages, sports nautiques,
plongée sous-marine, pêche

LES PAYSAGES

Paysages d'origine volcanique, forêt primaire,
Randonnées

ÎLES COOK

FIDJI

GUAM

KIRIBATI

MARIANNES DU NORD

ÎLES MARSHALL

MICRONÉSIE

NAURU

NIUE

PALAU

PITCAIRN

ÎLES SALOMON

SAMOA AMÉRICAINES

SAMOA OCCIDENTALES

TONGA

TUVALU

VANUATU

WALLIS-ET-FUTUNA

LES RAISONS D'Y ALLER

LES CÔTES

Le **Pacifique** reproduit partout la même image lorsqu'il vient caresser une île ou un atoll de l'Océanie : une barrière de corail abrite un lagon d'un bleu transparent qui se prête au farniente ou aux sports nautiques.

Outre la **baignade**, dans une eau à la température constamment agréable, et la navigation, le **lagon** se prête à la **plongée** et à ses annexes : découverte et examen du corail, pêche sous-marine, recherche de coquillages, spectacle de poissons tropicaux multicolores.

Les **croisières** entre les îles d'un même archipel, en pirogue ou en voilier, sont une autre façon de considérer le voyage.

LES PAYSAGES

Il faut se rappeler avec quel enthousiasme Brel ou Gauguin ont décrit ou mis en relief la Polynésie, ou relire les odyssées ou écrits de Bougainville, Cook, Lapérouse et Stevenson pour imaginer l'attrait et la beauté des des îles océaniennes.

L'origine **volcanique** de la plupart d'entre elles leur confère un relief de collines. Ce n'est pas le cas des îles d'origine **corallienne**, qui valent surtout par leur lagon.

LE POUR

◆ Un éden tropical, pendant des Caraïbes.

◆ Une saison favorable bien placée sur le calendrier des vacances d'été.

LE CONTRE

◆ Peu de choix autres que le *sea and sun* dans la plupart des archipels.

◆ Un coût du transport aérien très élevé en haute saison et un coût de la vie touristique difficilement compressible.

LE BON MOMENT

De type tropical humide, tempéré par les alizés, le climat océanien connaît des variantes selon la latitude mais il est fondé sur trois constantes :

– entre novembre et avril, la saison des pluies est partout; l'atmosphère est chaude et humide, le ciel est souvent nuageux; l'océan, en revanche, atteint ses températures maximales;

– **entre avril et novembre**, saison la plus favorable, la saison sèche (ou « fraîche ») permet au soleil de s'imposer;

– quelle que soit la saison, il pleut toujours plus sur les îles d'origine volcanique car les reliefs arrêtent les alizés.

D'avril à novembre, saison favorable, la température moyenne de l'eau est plus basse (moyenne de 22°) que pendant le reste de l'année (autour de 28°).

◆ Températures moyennes jour/nuit (en °C)

Pago Pago (Samoa) : janvier 30/24, avril 31/24, juillet 30/23, octobre 30/23.

Suva (Fidji) : janvier 31/24, avril 30/23, juillet 27/21, octobre 28/22.

Lectures

Relations de voyage autour du monde (James Cook/La Découverte, 2005), *Voyage autour du monde par la frégate du Roi, la Boudeuse et la flûte l'Etoile* (Louis-Antoine, comte de Bougainville/Gallimard, 1982), *Voyage autour du monde sur l'Astrolabe et la Boussole, 1785-1788* (Jean-François de Lapérouse/La Découverte, 2004).

COOK
(îles)

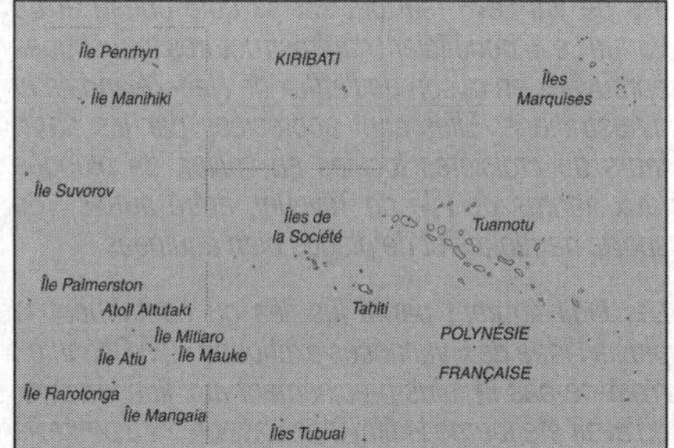

Situées entre les Samoa américaines et la Polynésie française, les îles Cook, divisées en groupe nord et groupe sud, attirent un nombre respectable de touristes, surtout néo-zélandais. Les sites les plus fréquentées – l'île Rarotonga et l'atoll d'Aitutaki, dont le lagon est cité comme l'un des plus beaux du Pacifique – font partie du groupe sud et sont aussi ceux qui présentent le plus d'attraits en raison de leur origine volcanique. Des itinéraires de randonnée et des sites de pêche existent sur Rarotonga.

La plongée reste néanmoins l'activité dominante de l'archipel, grâce à la présence de coraux et d'épaves devenues, au fil du temps, un lieu de rendez-vous de la faune marine. Insolite : la culture des perles noires.

Le premier contact

En Belgique

Ambassade de Nouvelle-Zélande, square de Meeus, 1, B-1000 Bruxelles, ☎ (02) 512.10.40, fax (02) 513.48.56.

Au Canada

Office de tourisme, ☎ (604) 541.9877. Haut-commissariat de Nouvelle-Zélande, Centre Clarica, 99, rue Bank, Ottawa ON K1P 6G3, ☎ (613) 238-5991.

En France

Ambassade de Nouvelle-Zélande, 7 *ter*, rue Léonard-de-Vinci, 75116 Paris, ☎ 01.45.01.43.43, fax 01.45.01.43.44.

En Suisse

Consulat de Nouvelle-Zélande, chemin des Fins, 2, 1218 Grand-Saconnex, CH-1211 Genève 19, ☎ (22) 929.03.50, fax (22) 929.03.77.

Internet

www.cook-islands.com
www.ck/french.htm

Guides

Les îles d'Océanie (Nelles), *Rarotonga and the Cook Islands* (Lonely Planet).

Carte

South Pacific Islands (Nelles Map).

Quel voyage et à quel prix ?

Le voyage individuel

Les préparatifs

◆ Pour les ressortissants de l'Union européenne, canadiens, suisses : passeport suffisant, valable encore six mois après le retour. Billet de retour ou de continuation exigible. ◆ Aucune vaccination n'est requise. ◆ Monnaie : le *dollar néo-zélandais* a cours. 1 US Dollar = 1,7 dollar néo-zélandais, 1 EUR = 2,5 dollars néo-zélandais. Pour le change, emporter de préférence des dollars US en espèces ou en chèques de voyages ainsi qu'une carte de crédit.

Le départ

Les vols les plus fréquents pour Rarotonga transitent par la Nouvelle-Zélande (Auckland, Christchurch) ou les Etats-Unis (Los Angeles). Prix moyen du vol Paris-Rarotonga A/R : 1 200 EUR.

Sur place

Bateau

Des bateaux opèrent entre les îles. Les horaires sont souvent fonction de la demande.

Route

Bon réseau routier, conduite à gauche. Les vitesses maximales autorisées sont très réduites.

Le séjour

Rappel : nous nous sommes limités à un résumé des prestations en vigueur dans les agences et chez les voyagistes présents en France. Les lecteurs des autres pays peuvent en tirer des idées d'itinéraire et les compléter auprès de leurs agences de voyages.

Les îles Cook sont assez bien programmées par les voyagistes occidentaux, autant pour les activités sportives que pour les séjours romantiques (mariages, lunes de miel).

Ultramarina propose des réservations d'hôtels et suggère des excursions et des séjours de plongée.

Les repères

◆ Lorsqu'il est midi en France, aux îles Cook il est 1 heure du matin. ◆ Langue officielle : le maori. ◆ Langue de communication : l'anglais. ◆ Téléphone vers les îles Cook : 00682 + numéro.

La situation

Géographie. Les îles Cook septentrionales (groupe nord), qui sont des atolls, sont assez nettement détachées et différentes des îles Cook méridionales, d'origine volcanique. En tout quinze îles, dont Rarotonga est la plus grande. L'ensemble couvre 236 km^2.

Population. 12 300 habitants, presque tous concentrés dans le sud de l'archipel. Capitale : Avarua (sur Rarotonga).

Dates. 1773 James Cook découvre les îles et leur donne son nom. *1888* Protectorat britannique. *1901* Les îles rejoignent la Nouvelle-Zélande. *1965* Autonomie dans le cadre du Commonwealth. Les îles Cook sont un État autonome librement associé à la Nouvelle-Zélande. *Février 2002* Robert Woonton devient Premier ministre. *Décembre 2004* Jim Marurai lui succède. *Septembre 2006* Le Democratic Party remporte les législatives.

FIDJI

Les lointaines Fidji poursuivent leur tentative de promouvoir leur image en Europe, d'autant que les îles de Viti Levu (surtout sur sa côte ouest) et de Vanua Levu bénéficient d'infrastructures touristiques éprouvées en raison de l'afflux de Néo-Zélandais et d'Australiens. Elles sont appréciées par les amateurs de croisières locales en voilier, de plongée (aux abords de l'île de Taveuni, entre autres), de sports nautiques et de plages bien équipées.

Les Fidji figurent parmi les îles qui contribuent le plus à l'idée de « vacances exotiques » en Océanie : n'est-ce pas là, plus précisément aux îles Yasawa, qu'avait été tourné le film Blue Lagoon *? La petite île corallienne de Beachcomber fait exception car elle est réputée accueillir une clientèle jeune et férue de nature.*

Le premier contact

En Amérique du Nord

Haut-commissariat, Washington DC, ☎ (202) 466-8320, fax (202) 466-8325, www.fijiembassydc.com

En Belgique

Ambassade, square Eugène-Plasky, 92-94, B-1030 Bruxelles, ☎ (02) 736.90.50, fax (02) 736.14.58, www.fijiembassy.be

Au Royaume-Uni

Office de tourisme, Claygate, Surrey, ☎ (44) 1.372.469.818.

Internet

www.bulafiji.com

Guides

Fidji (Le Petit Futé), *Fiji* (Lonely Planet), *les Îles d'Océanie* (Nelles).

Carte

South Pacific Islands (Nelles Map).

DVD

Océan Pacifique : séjour de rêve dans les îles Fidji (Vodeo TV).

Quel voyage et à quel prix ?

Le voyage individuel

Les préparatifs

◆ Pour les ressortissants de l'Union européenne, canadiens, suisses : passeport valable encore six mois après le retour. Visa délivré gratuitement à l'arrivée, valable 14 jours. Billet de retour ou de continuation et preuve de fonds suffisants exigible. ◆ Aucune vaccination n'est requise. ◆ Monnaie : le *dollar des îles Fidji*. Il est recommandé de se munir de dollars des États-Unis ou d'Australie. 1 US Dollar = 1,8 dollar des Fidji, 1 EUR = 2,5 dollars des Fidji.

Le départ

Indice de prix à certaines dates du vol Paris-Nadi A/R : 1 200 EUR.

Sur place

Route

Bon réseau routier, location de voiture possible.

Le séjour

Ultramarina est présent pour toutes formes d'activités aquatiques possibles : plongée près du récif de Beqa Island, de Kadavu et de Taveuni, croisières vers les îles Yasawa, pêche. Autres propositions : Asia, Australie Tours.

Les repères

◆ Lorsqu'il est midi en France, aux Fidji il est 22 heures en été et 23 heures en hiver. ◆ Langues : l'anglais est langue officielle, mais la population parle surtout l'hindi (49 %) et le fidjien (46 %). ◆ Téléphone vers les Fidji : 00679 + numéro.

La situation

Géographie. Environ quatre cents îles composent l'archipel, dont un quart sont habitées. Deux d'entre elles, Viti Levu et Vanua Levu, dominent largement les autres en importance. L'ensemble est éparpillé sur 18 274 km^2, dont plus de 10 000 pour la seule Viti Levu.

Population. Sur les 932 000 habitants, quatre sur cinq vivent sur l'une des deux îles précitées. Près de la moitié sont des Indiens d'Inde, légèrement plus nombreux que les Fidjiens de souche. Capitale : Suva.

Religion. Les chrétiens sont majoritaires (53 %), devant les hindouistes (38 %) et les musulmans (8 %).

Dates. 1643 Tasman puis Cook et Bligh accostent aux Fidji. *1774* Les Anglais maîtres des Fidji. *1874* Les plantations de canne à sucre commencent à attirer la main-d'œuvre indienne. *1970* Indépendance. *1987* Le Labour Party (FLP) devance le parti des Fidjiens ethniques. *Mai 1987* Coup d'État de Rabuka, mais un gouvernement civil est rétabli la même année. *Mai 1999* Mahendra Chaudhry, Fidjien d'origine indienne, devient Premier ministre d'un gouvernement de coalition. *Mai 2000* Renversement du Parlement par un groupe armé et prise d'otages, dont celle du Premier ministre. *Novembre 2000* Mutinerie contre le commandant des forces armées. *Septembre 2001*

Victoire du parti du Premier ministre par intérim, Laisenia Qarase, aux législatives. *Décembre 2006* Un putsch militaire renverse Qarase, Vorege Bainimarama prend le pouvoir.

GUAM

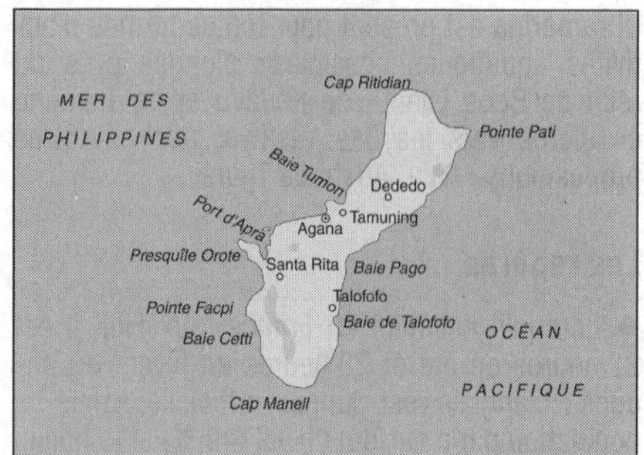

L'omniprésence des bases de l'US Navy et de l'US Air Force aurait pu éloigner le touriste mais l'île, dissociée des Mariannes du Nord, a su donner le change. Mode de vie nord-américain et éloignement géographique laissent toutefois le touriste européen peu concerné.

Le premier contact

Voir *États-Unis.*

Internet

www.visitguam.org

Guides

Diving the Pacific: Micronesia and the Western (Periplus Editions), *Pacific Islands South Pacific and Micronesia* (Lonely Planet).

Carte

South Pacific Islands (Nelles Map).

Quel voyage et à quel prix ?

Les préparatifs

◆ Pour les ressortissants de l'Union européenne et suisses : passeport en cours de validité suffisant. Nécessité d'un passeport à lecture optique émis avant le 25 octobre 2005 ou d'un passeport électronique; sinon un visa est nécessaire, à demander au consulat. Pour les Canadiens, preuve de citoyenneté ou (mieux) passeport. ◆ Depuis le 12 janvier 2009, nécessité de remplir un formulaire électronique sur le site ESTA (www.esta.cbp.dhs.gov) au minimum trois jours avant le départ pour les voyageurs dispensés de visa, y compris les voyageurs en transit. ◆ Preuves de solvabilité et billet de retour exigibles. ◆ Aucune vaccination n'est exigée. ◆ Monnaie : le *dollar* (USD) est subdivisé en 100 *cents.* 1 EUR = 1,40 US Dollar. Se munir de dollars avant le départ, en espèces ou en chèques de voyage.

Le départ

Indice de prix à certaines dates du vol Montréal-Guam A/R : 1 600 CAD; Paris-Guam A/R : 1 200 EUR.

Les repères

◆ Langues : l'anglais est langue officielle, mais le chamorro est parlé par un habitant sur deux et le tagalog par un habitant sur cinq. ◆ Téléphone vers Guam : 001671 + numéro. ◆ Aucune vaccination n'est requise.

La situation

Géographie. L'île ferme l'archipel des Mariannes du Nord, qu'elle dépasse en superficie (549 km²).

Population. 176 000 habitants. Capitale : Agana.

Religion. Les catholiques sont majoritaires (80 %). Minorité de protestants (16 %).

Dates. 1521 Magellan découvre l'endroit. *1565* Rattachement aux Philippines. *1898* Annexion par les États-Unis. *1941* Le Japon s'empare de Guam. *1944* L'île est reconquise par les États-Unis, qui s'en serviront comme base arrière lors de la guerre du Viêt Nam. *1982* Autonomie, territoire dit « non incorporé » des États-Unis. *1986* Joseph Flores Ada est nommé gouverneur. *Janvier 2003* Felix Camacho nouveau gouverneur.

KIRIBATI

(îles Gilbert, Line, Phoenix)

Le tourisme en provenance d'Europe est une donnée quasiment inconnue dans cet éclatement de trois archipels en trente-deux atolls, à l'altitude modeste : quelques mètres à peine au-dessus de l'océan. Au fond de celui-ci, des épaves, résultat de la violence de l'affrontement entre Américains et Japonais lors de la Seconde Guerre mondiale, attirent aujourd'hui l'attention des plongeurs... et de la faune marine, qui aime bien s'y dissimuler.

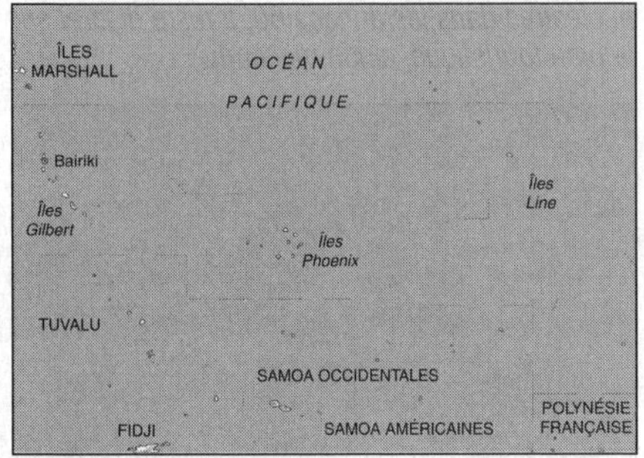

Le premier contact

Aux États-Unis

Consulat, Honolulu, Hawaii, Etats-Unis, ☎ (808) 834-6775, fax (808) 834-7604.

Au Royaume-Uni

Consulat honoraire, Londres, ☎ (44) 207.222.6952.

Guide

South Pacific and Micronesia (Lonely Planet).

Carte

South Pacific Islands (Nelles Map).

Quel voyage ?

Les préparatifs

◆ Pour les ressortissants de l'Union européenne, canadiens, suisses : passeport suffisant, billet de retour ou de continuation, preuve de fonds suffisants exigibles. ◆ Aucune vaccination n'est requise. ◆ Monnaie : le dollar australien. 1 US Dollar = 1,5 dollar australien. 1 EUR = 2,1 dollars australiens. Pour le change, emporter des US Dollars de préférence.

Les repères

◆ Langue : l'anglais est langue officielle, mais la population parle surtout l'ikiribati. ◆ Téléphone vers Kiribati : 00686 + numéro.

La situation

Géographie. Si les Kiribati avaient une frontière, elle délimiterait près de... quatre millions de kilomètres carrés ! Le pays est éclaté en trois groupes d'atolls (Gilbert, Line et Phoenix). Superficie effective : 811 km^2.

Population. 110 000 habitants. Capitale : Tarawa-Sud (atoll de Tarawa). Minorités de Métis, de Tuvaluans et d'Européens.

Religion. Un habitant sur deux est catholique, mais le pays compte une forte minorité de protestants congrégationalistes (40 %).

Dates. 1606 Les Espagnols découvrent les îles. *1892* Protectorat britannique. *1975* Sécession des îles Ellice. *1976* Indépendance. *1991* Teatao Teannaki devient président. *Septembre 1994* Teburoro Tito lui succède. *Juillet 2003* Anote Tong élu président.

MARIANNES DU NORD

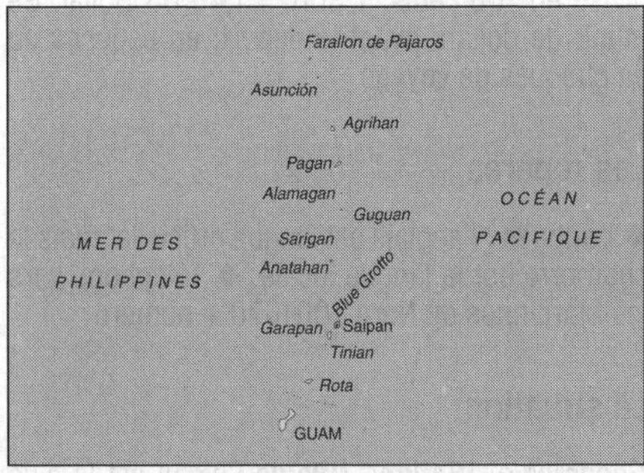

Leur baptême politique exact est Commonwealth des Mariannes du Nord. Elles constituent l'archipel océanien le plus au nord, face aux Philippines, et reçoivent chaque année près de deux cent mille touristes mais aussi beaucoup de pluie. Les plongeurs ont le choix entre l'examen d'épaves datant de la Seconde Guerre mondiale et l'exploration de la « Blue Grotto » à Saipan, grotte naturelle qui communique avec l'océan.

Le premier contact

Voir *États-Unis.*

Guide

South Pacific and Micronesia (Lonely Planet).

Carte

South Pacific Islands (Nelles Map).

Internet

www.destmic.com/mariana.html

Quel voyage ?

Les préparatifs

◆ Pour les ressortissants de l'Union européenne et suisses : passeport en cours de validité suffisant. Nécessité d'un passeport à lecture optique émis avant le 25 octobre 2005 ou d'un passeport électronique; sinon un visa est nécessaire, à demander au consulat. Pour les Canadiens, preuve de citoyenneté ou (mieux) passeport. ◆ Depuis le 12 janvier 2009, nécessité de remplir un formulaire électronique sur le site ESTA (www.esta.cbp.dhs.gov) au minimum trois jours avant le départ pour les voyageurs dispensés de visa, y compris les voyageurs en transit. ◆ Preuves de solvabilité et billet de retour exigibles. ◆ Aucune vaccination n'est exigée. ◆ Monnaie : le *dollar* (USD) est subdivisé en 100 *cents*. 1 EUR = 1,40 US Dollar. Se munir de dollars avant le départ, en espèces ou en chèques de voyage.

Les repères

◆ Langues : l'anglais est langue officielle, mais le chamorro est la langue locale. ◆ Téléphone vers les Mariannes du Nord : 001670 + numéro.

La situation

Géographie. 464 km². L'île de Saipan est la plus étendue.

Population. 71 900 habitants, population composée de Chamorros et d'immigrés venus des Carolines. Capitale : Garapan, sur l'île de Saipan.

Religion. Les habitants sont essentiellement des catholiques.

Dates. 1521 Magellan découvre l'archipel. *1668* Les Mariannes sont espagnoles mais seront vendues ensuite à l'Allemagne. *1947* L'ONU confie l'administration de l'archipel aux États-Unis. *1975* Les Mariannes du Nord deviennent un territoire organisé non incorporé des Etats-Unis.

ÎLES MARSHALL

C'est ici qu'est né le bikini, dans l'île du même nom, mais cet archipel lilliputien, formé de deux séries d'atolls, n'en a pas vu débarquer pour autant un flot de fétichistes. Plus connu – à son corps défendant – comme laboratoire d'essais nucléaires dans les années 60, il reste discret sur le plan touristique, sinon méconnu.

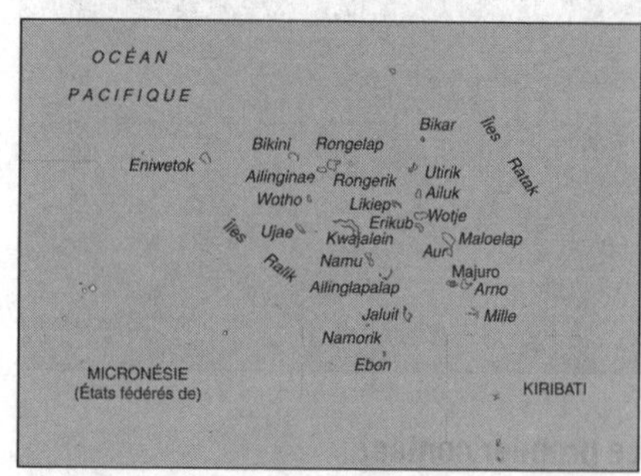

Le premier contact

En Amérique du Nord

Ambassade, Washington DC, ☎ (202) 234-5414, fax (202) 232-3236.

En Suisse

Consulat, Seehofstrasse, 4, CH-8032 Zurich, ☎ (44) 250.87.60, fax (44) 250.87.69.

Guide

South Pacific and Micronesia (Lonely Planet).

Carte

South Pacific Islands (Nelles Map).

Internet

www.destmic.com/marshall.html

Quel voyage ?

Les préparatifs

◆ Pour les ressortissants de l'Union européenne, canadiens et suisses : passeport en cours de validité suffisant, visa obtenu à l'arrivée. ◆ Aucune vaccination n'est exigée. ◆ Monnaie : le *dollar* (USD) est subdivisé en 100 *cents*. 1 EUR = 1,40 US Dollar. Se munir de dollars avant le départ, en espèces ou en chèques de voyage.

La situation

Géographie. Bikini, Eniwetok et les poussières d'îles voisines totalisent 181 km².

Population. 63 000 habitants. Chef-lieu : Uliga, sur l'atoll de Majuro.

Dates. 1899 Les Espagnols sont propriétaires de l'endroit, qu'ils vendront plus tard aux Allemands. *1919* Mandat japonais. *1947* Tutelle des États-Unis. *1980* Semi-indépendance. *1983* Libre association avec les États-Unis. *1986* Indépendance. *1991* Entrée à l'ONU. *Janvier 2004* Kessai Hesa Note élu président.

MICRONÉSIE
(États fédérés de)

Le malheur de la flotte de guerre japonaise, étrillée par l'aviation américaine en 1944, a fait le bonheur bien involontaire des plongeurs, qui découvrent autour des îles Truk de nombreuses épaves entourées d'une flore et d'une faune marines abondantes.

Le premier contact

En Amérique du Nord

Office de tourisme, New York, ☎ (212) 697.8370, fax (212) 697-8295, fsmun@fsmgov.org

Internet

www.visit-fsm.org/

Guide

South Pacific and Micronesia (Lonely Planet).

Carte

South Pacific Islands (Nelles Map).

Quel voyage ?

Les préparatifs

◆ Pour les ressortissants de l'Union européenne, canadiens, suisses, passeport suffisant. ◆ Aucune vaccination n'est requise. ◆ Monnaie : le *dollar* (USD) est subdivisé en 100 *cents*. 1 EUR = 1,40 US Dollar. Se munir de dollars avant le départ, en espèces ou en chèques de voyage.

La situation

Géographie. Kyrielle d'atolls de 702 km^2.

Population. 108 200 habitants, composés de plusieurs ethnies d'origine malayo-polynésienne. Capitale : Palikir, sur l'île de Ponape.

Dates. 1527 Arrivée des Portugais. *1686* Annexion par les Espagnols. *1899* L'archipel est vendu à l'Allemagne. *1918* Mandat japonais. *1942* Bataille de Midway entre Américains et Japonais. *1947* Tutelle de l'ONU. *1980* Une partie des Carolines, baptisée États fédérés de Micronésie, est librement associée aux États-Unis. *1986* Indépendance. *1991* Bailey Olter chef de l'État. *Mai 1995* Réelection de Bailey Olter. *Mai 2003* Joseph J. Urusemal est élu président.

NAURU

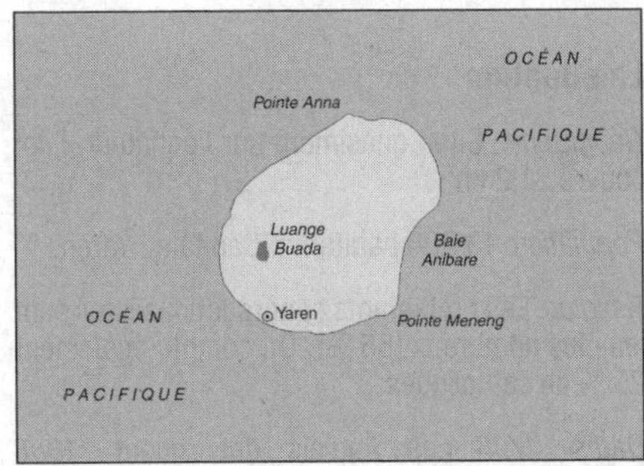

La plus petite république du monde, située entre la Papouasie-Nouvelle-Guinée et Kiribati, n'a pas la prétention d'attirer la grande foule sur sa vingtaine de kilomètres carrés. De plus, l'extraction du phosphate a endommagé son sol et ses fonds marins pendant quatre-vingts ans, laissant l'île sans vitalité ni tourisme.

Le premier contact

Nauru Tourism, Department of Economic Development, ☎ +674 444 3081, ext. 310; fax +674 444 3891, nto@cenpac.net.nr

Internet

www.discovernauru.com/nauru/cms/index.html

Guide

South Pacific and Micronesia (Lonely Planet).

Carte

South Pacific Islands (Nelles Map).

Quel voyage ?

Les préparatifs

◆ Pour les ressortissants canadiens, suisses et de l'Union européenne, passeport, visa obligatoire. ◆ Aucune vaccination n'est requise. ◆ Monnaie : le dollar australien. US Dollar = 1,5 dollar australien. 1 EUR = 2,1 dollars australiens. Pour le change, emporter des US Dollars de préférence.

Les repères

◆ Langue : le nauruan a réussi à s'imposer comme langue officielle, l'anglais servant de langue de communication. ◆ Téléphone vers Nauru : 00674 + numéro.

La situation

Géographie. Situé quasiment sur l'équateur, l'îlot couvre 21,2 km^2.

Population. 13 800 habitants. Capitale : Yaren.

Religion. Les protestants congrégationalistes sont les plus nombreux (55 %). On compte également 25 % de catholiques.

Dates. 1798 Les Anglais débarquent. *1888* Annexion par l'Allemagne. *1920* Mandat britannique. *1947* L'Australie, le Royaume-Uni et la Nouvelle-Zélande administrent conjointement l'îlot. *1968* Indépendance. *1989* Bernard Dawiyoga devient président. *Novembre 1995* Harris Lagumot lui succède. *Août 2003* Rene R. Harris est le nouveau président. *Décembre 2007* Marcus Stephen nouveau président.

NIUE

Cette île océanienne, située à l'est des Tonga, est un État associé à la Nouvelle-Zélande. Le farniente y est de rigueur mais aussi la plongée, qui permet de découvrir des coraux, des poissons tropicaux et des épaves laissées par les belligérants américains et japonais lors de la Seconde Guerre mondiale. Dans l'intérieur, la découverte de villages aux traditions intactes et la forêt vierge constituent un agréable complément.

PALAU

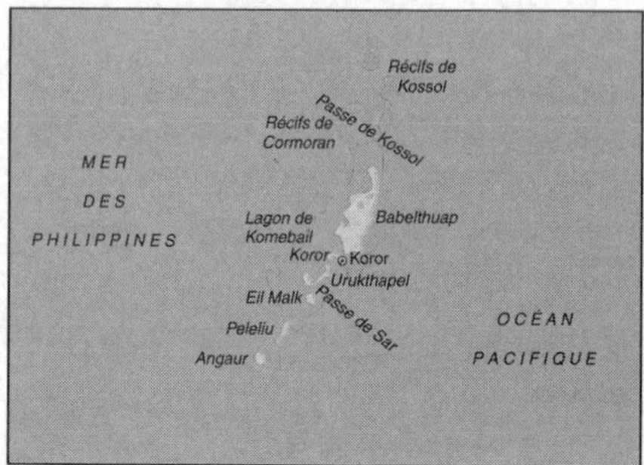

La flore (coraux) et la faune marine (dauphins, tortues, raies mantas, requins, barracudas) de cet archipel comptent parmi les plus réputées de l'Océanie. Deux mille espèces de poissons attendent le plongeur, certaines s'étant réfugiées dans de nombreuses épaves depuis 1944.

Le premier contact

En Amérique du Nord

Ambassade, Washington DC, États-Unis, ☎ (202) 452-6814, (202) 452-6281, www.palauembassy.com

Guide

South Pacific and Micronesia (Lonely Planet).

Carte

South Pacific Islands (Nelles Map).

Internet

www.visit-palau.com/

Quel voyage ?

Les préparatifs

◆ Passeport suffisant pour un séjour de moins de trente jours, visa délivré à l'arrivée. ◆ Aucune vaccination n'est exigée. ◆ Monnaie : le *dollar* (USD) est subdivisé en 100 *cents*. 1 EUR = 1,40 US Dollar. Se munir de dollars avant le départ, en espèces ou en chèques de voyage.

La situation

Géographie. Palau comprend vingt-sept îles réparties sur 488 km^2.

Population. L'archipel compte 21 100 habitants. Capitale : Koror.

Dates. 1543 Villalobos découvre l'archipel. *1899* Les Allemands le rachètent aux Espagnols. *1947* Administration des États-Unis. *1980* Octroi d'une semi-indépendance. *1990* Refus de l'accord de libre association avec les États-Unis pour raisons d'installations nucléaires potentielles dont ne veut pas l'archipel. *Janvier 1993* Kumiuro Nakamura devient président. *1994* Indépendance. *Janvier 2001* Tommy Esang Remengesau Jr devient président.

PITCAIRN

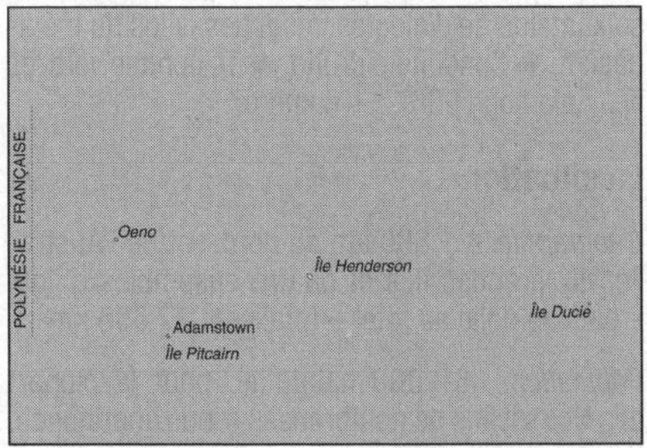

Le tourisme de cette île d'appartenance britannique est de plus en plus développé. Il le doit à son histoire : en effet, l'endroit est doublement célèbre, d'abord pour avoir recueilli les rescapés de la Bounty, *qui sont à l'origine des habitants actuels, ensuite pour constituer « le plus petit groupement humain ayant un statut constitutionnel ». L'archipel n'est accessible que par mer, ce qui jette un léger frisson d'aventure sur le dos du touriste.*

Le premier contact

i British High Commission, Wellington, Nouvelle-Zélande, ☎ (644) 924.2888, ukinnewzealand.fco.gov.uk

i Internet

www.government.pn/

Guide

South Pacific and Micronesia (Lonely Planet).

Carte

South Pacific Islands (Nelles Map).

Images

Pitcairn, l'île des révoltés de la Bounty (Christian Heinrich/Gallimard, Carnet de voyage, 2002). Voir aussi le célèbre film *les Révoltés du Bounty*, tourné en 1935 par Frank Lloyd, avec Clark Gable et Charles Laughton.

Lecture

Les révoltés de la Bounty, une trilogie de Charles Nordhoff et James Norman Hall (Phébus, 2002).

Quel voyage ?

Les préparatifs

◆ Pour les ressortissants de l'Union européenne, canadiens, suisses, passeport suffisant. ◆ Aucune vaccination n'est requise. ◆ Monnaie : les échanges se font en *dollars néo-zélandais.* 1 US Dollar = 1,7 dollar néo-zélandais, 1 EUR = 2,5 dollars néo-zélandais.

Le séjour

◆ Le *Paul Gauguin* s'écarte parfois de sa route habituelle des Marquises et des Tuamotu pour faire escale à Pitcairn.

La situation

Géographie. Pitcairn est la plus petite de quatre îles qui s'étendent sur 47 km^2. Les trois autres sont aujourd'hui désertes.

Population. Une cinquantaine de personnes vivent à Pitcairn. Descendants des mutins de la *Bounty*, ils ne paient pas d'impôts et la plupart vendent des timbres-poste... Chef-lieu : Adamstown.

Dates. 1767 Le navigateur anglais Philip Carteret découvre l'endroit. *1790* Les neuf mutins de la *Bounty* viennent s'y cacher. *1838* Colonie britannique. *1970* Les îles Pitcairn sont régies par un gouverneur désigné par le haut-commissaire britannique de Nouvelle-Zélande. *Janvier 2008* Mike Warren est élu maire et chairman du conseil de l'île.

ÎLES SALOMON

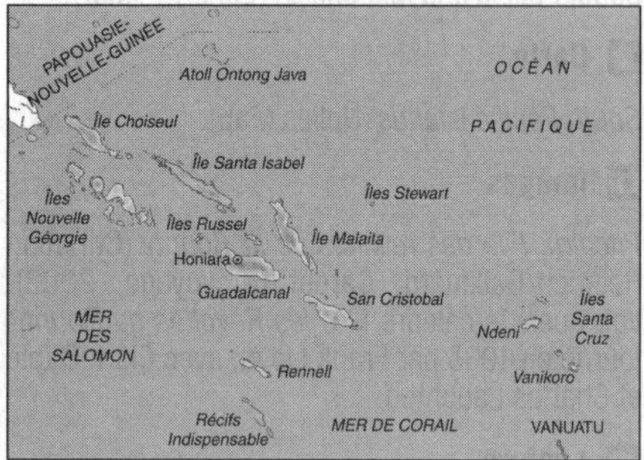

Deux longues rangées d'îles entre la Papouasie-Nouvelle-Guinée et la Nouvelle-Calédonie composent les îles Salomon. Les arbres de la forêt dense y sont bien plus nombreux que les touristes, mais cette relative confidentialité est un avantage pour qui aime le farniente (Gizo, Province-occidentale), la plongée et les balades dans l'intérieur des terres. Guadalcanal et Malaita sont les îles les plus fréquentées.

Le premier contact

En Amérique du Nord

Haut-commissariat, New York, États-Unis, ☎ (212) 599-6192.

En Belgique

Ambassade, avenue E. Lacombe, B-1040 Bruxelles, ☎ (02) 732.70.85, fax (02) 732.68.85.

Internet

www.visitsolomons.com.sb/

Guides

Les Îles d'Océanie (Nelles), *Papua New Guinea & Solomon Islands* (Lonely Planet).

Carte

South Pacific Islands (Nelles Map).

Quel voyage ?

Les préparatifs

◆ Pour les ressortissants de l'Union européenne, canadiens, suisses, passeport valable encore six mois après le retour suffisant. Billet de retour ou de continuation et justificatif de ressources exigible. ◆ Aucune vaccination n'est requise. Prévention recommandée contre le paludisme, excepté dans les îlots de l'est et du sud. ◆ Monnaie : le *dollar des îles Salomon.* Le dollar australien ou US est recommandé pour le change. 1 US Dollar = 7,6 dollars des îles Salomon, 1 EUR = 10,7 dollars des îles Salomon.

Le séjour

◆ À quelque chose malheur est bon : les combats de Guadalcanal en 1942 entre Américains et Japonais laissent aujourd'hui aux plongeurs la possibilité de visiter des épaves, entre autres un destroyer américain, un cargo japonais, un hydravion. Plus poétiques : les éponges amphores et le jardin de corail de l'île d'Uepi. Ultramarina propose des prestations.

Les repères

◆ Lorsqu'il est midi en France, aux îles Salomon il est 22 heures en hiver. ◆ Langues : l'anglais est langue officielle, ce qui résout les problèmes de compréhension qu'auraient pu entraîner la soixantaine de dialectes indigènes issus du mélanésien. ◆ Conduite à droite. ◆ Téléphone vers les îles Salomon : 00677 + numéro.

La situation

Géographie. A 1 800 km au nord-est de l'Australie, dix grandes îles et quatre ensembles d'îlots – plus de mille au total – totalisent 27 556 km^2.

Population. 581 000 habitants, pour la plupart des Noirs issus de nombreuses tribus aborigènes. Capitale : Honiara.

Religions. Protestants (77 %), catholiques (19 %).

Dates. 1568 L'Espagnol Alvaro de Mendaña découvre l'archipel et lui donne son nom actuel en l'honneur du roi Salomon. *1899* Mainmise de la Grande-Bretagne sur la partie orientale, la partie occidentale (Bougainville et Buka) revenant d'abord à l'Allemagne, plus tard à l'Australie, enfin à la Papouasie-Nouvelle-Guinée. *1921* Mandat australien. *1942* Très durs affrontements américano-japonais (Guadalcanal). *1978* Indépendance dans le cadre du Commonwealth, monarchie parlementaire. *Juin 2000* Putsch de la « Force de l'aigle de Malaita » (MEF), à laquelle répliquent les « Combattants pour la liberté d'Isatabu ». *Octobre 2000* Cessez-le-feu. *Décembre 2002* Le cyclone Zoé dévaste trois îles (dont Tikopia), entraînant des centaines de disparus. *Juin 2003* Les pays membres du Forum du Pacifique décident d'envoyer une force multinationale dirigée par l'Australie pour ramener la sérénité. *Avril 2006* Les indépendants remportent nettement les législatives. *Avril 2007* Un séisme frappe durement des villages de l'ouest de l'archipel. *Décembre 2007* Derek Sikua nouveau Premier ministre.

SAMOA AMÉRICAINES

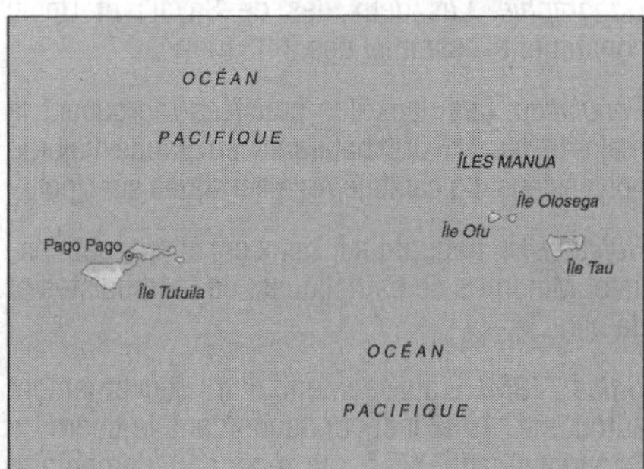

Nettement plus petites que leurs voisines occidentales, les Samoa américaines offrent de bonnes conditions de plongée. En outre, elles se sont récemment dotées, dans l'est de l'île Tutuila et sur l'île de Tau, d'un parc national où forêts tropicales, roussettes (des chauves-souris d'un mètre d'envergure) et plages désertes accueillent un tourisme qui toutefois demeure modeste.

Le premier contact

Voir *États-Unis*.

Internet

www.amsamoatourism.com/

Guide

Samoan Islands & Tonga (Lonely Planet).

Carte

South Pacific Islands (Nelles Map).

Quel voyage ?

Les préparatifs

◆ Pour les ressortissants de l'Union européenne et suisses : passeport en cours de validité suffisant. Nécessité d'un passeport à lecture optique émis avant le 25 octobre 2005 ou d'un passeport électronique; sinon un visa est nécessaire, à demander au consulat. Pour les Canadiens, preuve de citoyenneté ou (mieux) passeport. ◆ Depuis le 12 janvier 2009, nécessité de remplir un formulaire électronique sur le site ESTA (www.esta.cbp.dhs.gov) au minimum trois jours avant le départ pour les voyageurs dispensés de visa, y compris les voyageurs en transit. Preuve de solvabilité et billet de retour exigibles. ◆ Aucune vaccination n'est exigée. ◆ Monnaie : le *dollar* (USD) est subdivisé en 100 *cents*. 1 EUR = 1,40 US Dollar. Se munir de dollars avant le départ, en espèces ou en chèques de voyage.

Les repères

◆ Langue : le samoan a rejoint l'anglais comme langue officielle. ◆ Téléphone vers les Samoa américaines : 00684 + numéro.

La situation

Géographie. Les Samoa américaines comprennent les sept îles orientales des Samoa, étendues sur 199 km^2.

Population. 65 000 habitants. Ville principale : Pago Pago, sur l'île de Tutuila, qui est la plus grande et la plus peuplée.

Dates. 1722 Le Hollandais Roggeveen découvre les îles; Bougainville et La Pérouse suivront. *1900* Les États-Unis reçoivent la partie orientale des Samoa. *1988* Peter Tali Coleman gouverneur d'un territoire dit « non incorporé » des États-Unis. *Avril 2003* Togiola Tulafono élu gouverneur. *Novembre 2008* Togiola Tulafono est réélu.

SAMOA OCCIDENTALES

Quinze fois plus étendues que leurs sœurs américaines, les Samoa occidentales, largement évoquées par l'anthropologue Margaret Mead, ont pour elles d'avoir été le premier État polynésien vraiment indépendant mais connaissent aujourd'hui un régime politico-théocratique d'un autre temps. Outre la plongée et les sports nautiques, entre autres le kayak de mer, plusieurs atouts sont avancés par l'archipel : la trace célèbre de Stevenson et de son île au trésor à Upolu (maison et musée Stevenson au mont Vaea), les champs de lave de l'île de Savai'i et la particularité planétaire d'être situé juste après la ligne de changement de date.

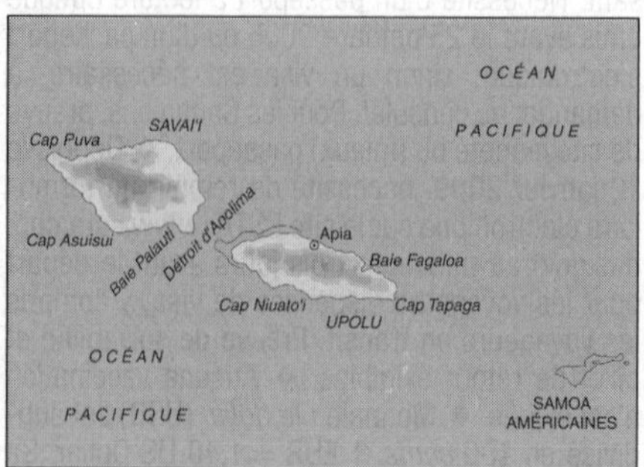

Le premier contact

En Belgique

Ambassade, avenue de l'Orée, 20, B-1000 Bruxelles, ☎ (02) 660.84.54, fax (02) 675.03.36.

Internet

http://samoa.travel/

Guide

Samoan Islands & Tonga (Lonely Planet).

Carte

South Pacific Islands (Nelles Map).

Quel voyage ?

Les préparatifs

◆ Pour les ressortissants de l'Union européenne, canadiens, suisses : passeport suffisant, valable encore six mois après le retour, pour un séjour inférieur à 30 jours. Billet de retour ou de continuation exigible. ◆ Aucune vaccination n'est requise. ◆ Monnaie : le *tala*. Dollars australiens ou US sont vivement recommandés. 1 US Dollar = 3 talas; 1 EUR = 4,2 talas.

Le départ

Indice de prix à certaines dates du vol Montréal-Apia A/R : 1 600 CAD; Paris-Apia A/R : 1 200 EUR.

Sur place

Route

Conduite à droite, excellent réseau.

Séjour

Ultramarina propose des réservations d'hôtels et suggère des excursions et des séjours de plongée.

Les repères

◆ Lorsqu'il est midi en France, aux Samoa occidentales il est minuit (le même jour). ◆ Langues : le samoan et l'anglais sont langues officielles. ◆ Téléphone vers les Samoa occidentales : 00685 + numéro.

La situation

Géographie. Les deux îles de Savai'i et Upolu constituent l'essentiel des 2 831 km².

Population. Les deux îles précitées regroupent la majorité des 217 000 habitants, en grande majorité polynésiens. La capitale Apia est située sur Upolu.

Religion. Un habitant sur deux est congrégationaliste. Minorités de catholiques, de méthodistes et de baha'is.

Dates. 1959 Établissement d'un gouvernement autonome. *1962* Indépendance dans le cadre du Commonwealth avec un régime parlementaire limité. *1963* Tanumafili devient roi. Il laisse au Premier ministre Tofilau Eti Alesana, nommé en 1988, le soin de gouverner. *1996* Sailele Malielegaoi Tuila'Epa devient Premier ministre. *Juin 2007* Tuila'Epa est reconduit.

TONGA

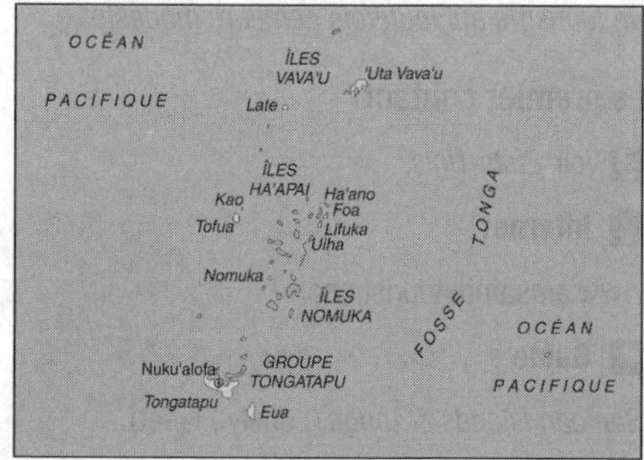

Seul archipel à n'avoir pas été colonisé, celles qui furent les « îles des Amis » constituent aujourd'hui

un ensemble de cent soixante-dix îles et îlots à près de mille kilomètres au sud-est des Fidji et divisé en trois groupes : Vava'u au nord, Ha'apai au centre et Tongatapu au sud.

Les îles Tonga ont fait du tourisme un credo économiquement indispensable, fondé sur les atouts balnéaires (plongée dans l'archipel des Vava'u) mais aussi culturels (tombeaux des rois à Tongatapu) et naturels (randonnées dans la forêt primaire de l'île d'Eua). Toutefois, comme dans la plupart des États océaniens, le voyageur européen est peu présent.

Le premier contact

Au Royaume-Uni

Chancellerie, 36, Molyneux Street, Londres WH1 5BQ, ☎ (44) 207.724.58.28, fax (44) 207.723.90.74.

Internet

www.tongaholiday.com

Guides

Les Îles d'Océanie (Nelles), *Samoan Islands & Tonga* (Lonely Planet).

Carte

South Pacific Islands (Nelles Map).

Quel voyage ?

Les préparatifs

◆ Passeport en cours de validité suffisant. Billet de retour ou de continuation exigible. ◆ Aucune vaccination n'est exigée. ◆ Monnaie : le *pa'anga*. Les dollars australiens ou US sont vivement recommandés. 1 US Dollar = 2,1 pa'angas; 1 EUR = 2,9 pa'angas.

Le départ

Vol Paris-Tonga via Londres, Los Angeles et les Samoa.

Sur place

Ultramarina propose des réservations d'hôtels et suggère des excursions et des séjours de plongée.

Les repères

◆ Lorsqu'il est midi en France, aux îles Tonga il est minuit (le jour suivant). ◆ Langue : le tongan et l'anglais sont langues officielles. ◆ Téléphone vers les îles Tonga : 00676 + numéro.

La situation

Géographie. Un tiers environ des 150 îles ou îlots, la plupart volcaniques, sont habités. Le tout couvre 747 km².

Population. Population (d'origine polynésienne) de 119 000 habitants. Capitale : Nuku'alofa, sur l'île de Tongatapu, la plus importante.

Religion. 43 % des habitants sont des méthodistes wesleyens. Minorités de catholiques et de mormons.

Dates. 1616 Le Hollandais Le Maire précède Tasman et Cook sur les côtes de Tonga, où règne une très ancienne monarchie. *1900* Protectorat britannique. *1965* Le roi Taufa'ahu Tupou IV monte sur le trône. *1970* Indépendance, monarchie héréditaire sous l'autorité de Tupou IV. *1991* Vaea Premier ministre. *Juillet 1999* Tonga devient le 187e État membre de l'ONU. *Février 2000* Prince Lavaka ata Ulukalala Premier ministre. *Septembre 2006* Mort du roi, son fils Tupouto'a lui succède dans une atmosphère de forte contestation. *Avril 2008* Les indépendants remportent les législatives.

TUVALU

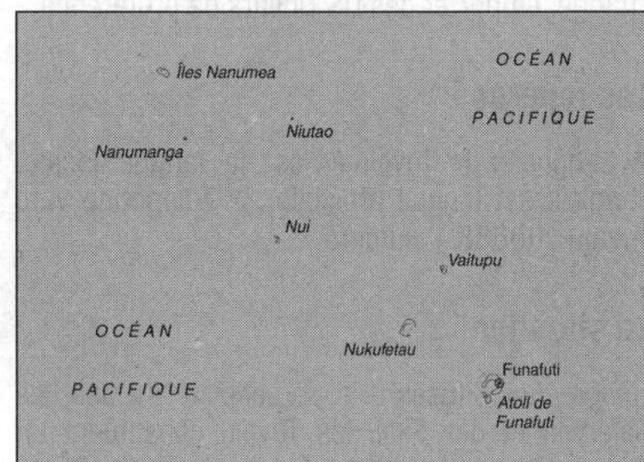

C'est après leur séparation d'avec les îles Gilbert que les îles Ellice sont devenues les Tuvalu, petit archipel spécialisé dans... les timbres de collection mais bien plus préoccupé par le réchauffement climatique et une menace d'engloutissement à moyen terme qui a déjà fait partir un millier d'habitants. Le tourisme n'est pas très important aux Tuvalu, d'où une belle occasion de sortir des sentiers battus, entre autres sur l'atoll de Funafuti.

Le premier contact

En Australie

Consulat, Sydney, ☎ (02) 9299 8997, fax (02) 9299 8978.

Internet

www.timelesstuvalu.com/

www.alofatuvalu.tv/blog/index.php (pour ceux qu'intéresse, entre autres, la sauvegarde des Tuvalu).

Guide

South Pacific and Micronesia (Lonely Planet).

Carte

South Pacific Islands (Nelles Map).

Quel voyage ?

Les préparatifs

◆ Pour les ressortissants canadiens, suisses et de l'Union européenne : passeport valide, visa délivré à l'arrivée. Billet de retour exigible, preuve de fonds suffisants. ◆ Aucune vaccination n'est exigée. ◆ Monnaie : le dollar des Tuvalu est lié au dollar australien. 1 US Dollar = 1,5 dollar australien. 1 EUR = 2,1 dollars australiens. Pour le change, emporter des US Dollars de préférence.

Les repères

◆ Langues : le tuvaluan est la langue locale, l'anglais est langue officielle. ◆ Téléphone vers Tuvalu : 00688 + numéro.

La situation

Géographie. Situées à la perpendiculaire des îles Salomon et des Fidji, les Tuvalu constituent un minuscule ensemble de neuf atolls couvrant 26 km^2 et qui émerge à trois mètres à peine au-dessus des eaux, d'où la menace de disparition à moyen terme si le réchauffement de la planète se poursuit.

Population. 12 200 habitants, soit une forte densité de population. Capitale : Vaiaku, sur l'atoll de Funafuti.

Religion. Forte majorité de protestants congrégationalistes (Eglise de Tuvalu).

Dates. 1568 L'Espagnol Alvaro de Mendana découvre l'archipel. *1892* Protectorat britannique. *1975* Séparation d'avec les îles Gilbert. *1976* Indépendance de ce qui devient les Tuvalu, l'un des plus petits États du monde, membre du Commonwealth et monarchie constitutionnelle. *1989* Bikenibeu Paeniu Premier ministre. *1991* Tupua Leupena est nommé gouverneur général. *1994* Tulaga Manuella nouveau gouverneur. *Août 2002* Saufatu Sopoanga Premier ministre. *Septembre 2003* Faimalaga Luka devient gouverneur. *Août 2006* Apisai Ielema élu Premier ministre.

VANUATU

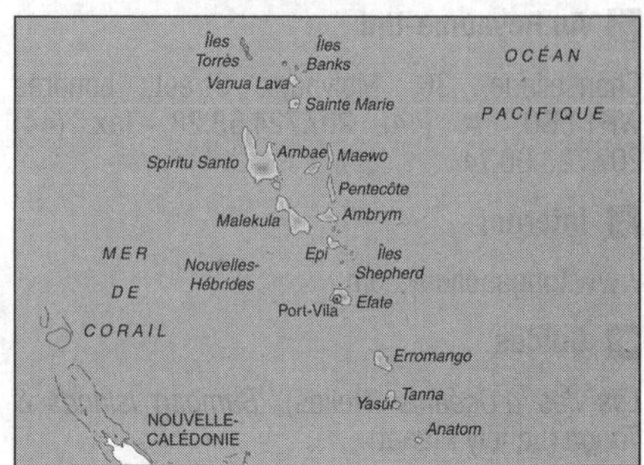

Qui se sera offert la Nouvelle-Calédonie et aura encore du temps se dirigera peut-être vers le nord pour accoster au Vanuatu, archipel de 83 îles mieux connu sous le nom de Nouvelles-Hébrides jusqu'en 1980. Il aura la chance d'y trouver des plages, des sites de plongée (Espiritu Santo) et des horizons aussi séduisants qu'en Nouvelle-Calédonie mais moins courus, des possibilités de randonnées, telle celle qui mène au volcan Yasür, sur l'île de Tanna, une boisson nationale (le kava), aux vertus multiples, et même la langue française, parlée par une partie de la population puisque l'endroit fut un condominium franco-britannique.

Quant aux plongeurs passionnés d'épaves de la Seconde Guerre mondiale, ils trouveront aux abords de l'île de Spiritu Santo, au nord, le Président Coolidge, *un paquebot de luxe qui transportait… les troupes anglaises.*

Le premier contact

En Amérique du Nord

Office de tourisme, Monteagle, TN, Etats-Unis, ☎ (931) 924-5253, fax (931) 924-1866.

En France

Consulat honoraire, 9, rue Daru, 75008 Paris, ☎ 01.40.53.82.25, fax 01.40.53.82.20.

Internet

www.vanuatutourism.com

Guides

Les Îles d'Océanie (Nelles), *Vanuatu and New Caledonia* (Lonely Planet).

Carte

South Pacific Islands (Nelles Map).

Quel voyage et à quel prix ?

Les préparatifs

◆ Pour les ressortissants de l'Union européenne, canadiens, suisses : passeport suffisant, valable encore six mois après le retour. Billet de retour ou de continuation exigible. ◆ Prévention recommandée contre le paludisme. ◆ Monnaie : le *vatu.* Les dollars australiens ou US sont recommandés. 1 US Dollar = 120 vatus; 1 EUR = 168 vatus.

Le départ

◆ Vol via Nouméa (voir *Nouvelle-Calédonie*), l'Australie ou la Nouvelle-Zélande, puis vol pour Port Vila. ◆ A l'intérieur de l'archipel, la compagnie Vanair propose des *pass* (Discover Vanuatu Pass).

Le séjour

◆ Le Yasür mais aussi des **volcans** parmi les moins arpentés du monde, ceux de la caldeira d'Ambrym, sont au programme du séjour d'Aventure et Volcans, entrecoupé de moments sur les plages.

◆ De son côté, Ultramarina propose la plongée, particulièrement autour du *Président Coolidge.* Les voyagistes fabriquent de plus en plus des combinés Vanuatu/Nouvelle-Calédonie.

◆ Le Vanuatu fait payer cher sa distance, ses volcans et ses plages paradisiaques : difficile de trouver un séjour à moins de *3 000 EUR* pour 15 jours.

Les repères

◆ Lorsqu'il est midi en France, au Vanuatu il est 21 heures en hiver et 22 heures en été. ◆ Langues : si le bichlamar (proche de l'anglais) et plus de cent dialectes locaux issus du mélanésien occupent la rue, le français (parlé par quatre habitants sur dix) et l'anglais sont également langues officielles. ◆Téléphone vers le Vanuatu : 00678 + numéro.

La situation

Géographie. Par rapport à des micro-États de l'Océanie, le Vanuatu et ses 12 189 km² font figure de grand frère. Il comprend 80 îles et îlots, mi-volcaniques mi-coralliens, souvent recouverts par une forêt tropicale dense.

Population. 215 000 habitants, essentiellement des Mélanésiens. Capitale : Port-Vila, sur l'île d'Efate.

Religion. Majorité de presbytériens (37 %), d'anglicans (15 %) et de catholiques (15 %).

Dates. 1606 Le Portugais Fernandes de Queirós devance Bougainville et Cook, ce dernier baptisant l'endroit Nouvelles-Hébrides. *1906* Établissement d'un condominium franco-britannique. *1980* Indépendance. *1989* Frederick Timakata devient président. *Mars 1994* Jean-Marie Leye devient chef de l'État. *Mars 1998* Élection d'un gouvernement anglophone de coalition. *Mars 1999* John Bani devient président. *Août 2004* Kalkot Matas Kelekele lui succède. *Août 2006* La biodiversité fait l'objet d'une étude mondiale sur l'île d'Espiritu Santo. *Septembre 2008* Edward Natapei (Our Land Party) Premier ministre.

WALLIS-ET-FUTUNA

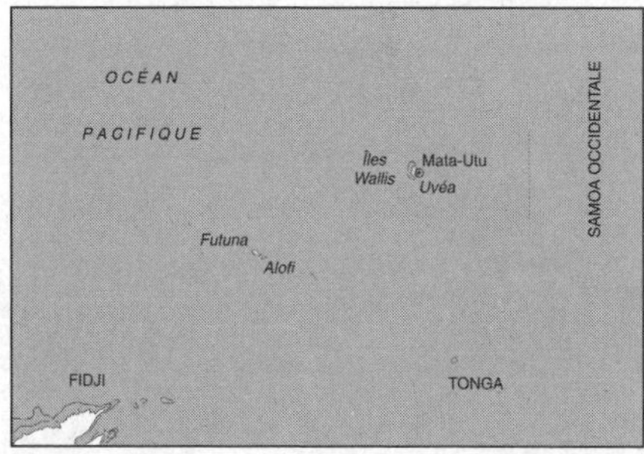

Entre les Fidji et les Samoa, ce petit bout de terre d'origine volcanique est quasiment introuvable sur une carte. Collectivité française d'outre-mer, il ne connaît pas le succès touristique de la Nouvelle-Calédonie ou de la Polynésie française, malgré le lagon et la barrière de corail de Wallis et de l'île inhabitée d'Alofi. Raison de plus pour y rechercher

un peu d'insolite, à défaut d'économies sur le prix du voyage.

Le premier contact

🛈 Iles Wallis et Futuna, 27, rue Oudinot, F-75358 Paris, ☎ 01.53.69.22.74, fax 01.53.69.27.00.

🛈 **Internet**

www.domtomfr.com/wallis-et-futuna.html

Guide

South Pacific and Micronesia (Lonely Planet).

Quel voyage ?

Les préparatifs

Pour les ressortissants de l'Union européenne, canadiens, suisses : passeport suffisant, valable encore six mois après le retour. Dans tous les cas, billet de retour ou de continuation exigible.

Le départ

◆ Prix à certaines dates du vol Paris-Wallis via Nadi (Fidji), Nouméa (Nouvelle-Calédonie) ou Papeete (Polynésie française) : 1 200 EUR. ◆ Une heure d'avion entre Wallis et Futuna.

Les repères

◆ Le français est langue officielle. ◆ Téléphone vers Wallis-et-Futuna : 00681 + numéro.

La situation

Géographie. Les deux archipels, distants de 230 km, couvrent au total 274 km^2.

Population. 15 200 habitants, dont les deux tiers vivent à Wallis. Beaucoup, cependant, émigrent régulièrement vers la Nouvelle-Calédonie et le Vanuatu. Chef-lieu : Mata-Utu, sur Uvéa, île principale de Wallis.

Religion. Forte majorité de catholiques.

Dates. 1616 Les Hollandais Lemaire et Schouten abordent à Futuna. *1767* Wallis découvre l'archipel qui portera son nom. *1887* Wallis sous protectorat français, Futuna le sera un an plus tard. *1961* L'ensemble devient un TOM. *2003* Wallis et Futuna devient une collectivité d'outre-mer, dirigée par un administrateur supérieur et un chef du territoire (préfet). *2007* Richard Didier est nommé préfet. *Juillet 2008* Philippe Paolantoni lui succède.

Oman

Pressé par l'essor du grand tourisme, le riche sultanat d'Oman s'efforce de rester fidèle à ses principes d'une politique soucieuse de préserver l'authenticité du pays. Aussi, à la manière des Émirats arabes unis, il se hâte lentement d'offrir son quintuple avantage formé par ses djebels, ses wadis, ses rivages, ses déserts et la présence du légendaire arbre à encens.

LES RAISONS D'Y ALLER

LES PAYSAGES

Djebel Akhdar, djebel Hajar, wadis
Désert de Wahiba
Sanctuaire de l'oryx arabe
Dhofar, djebel Al-Qamar (arbres à parfum d'encens et de myrrhe), Rub al-Khali

LES CÔTES

Plages (Salalah), presqu'île de Moussandam, plongée (coraux), villages de pêcheurs, tortues de mer (Ra's al-Hadd)

LES VILLES ET LES MONUMENTS

Mascate, Al-Rustaq, Nizwa, Sur, Salalah, Sumhuram, Ubar
Ksour, forts

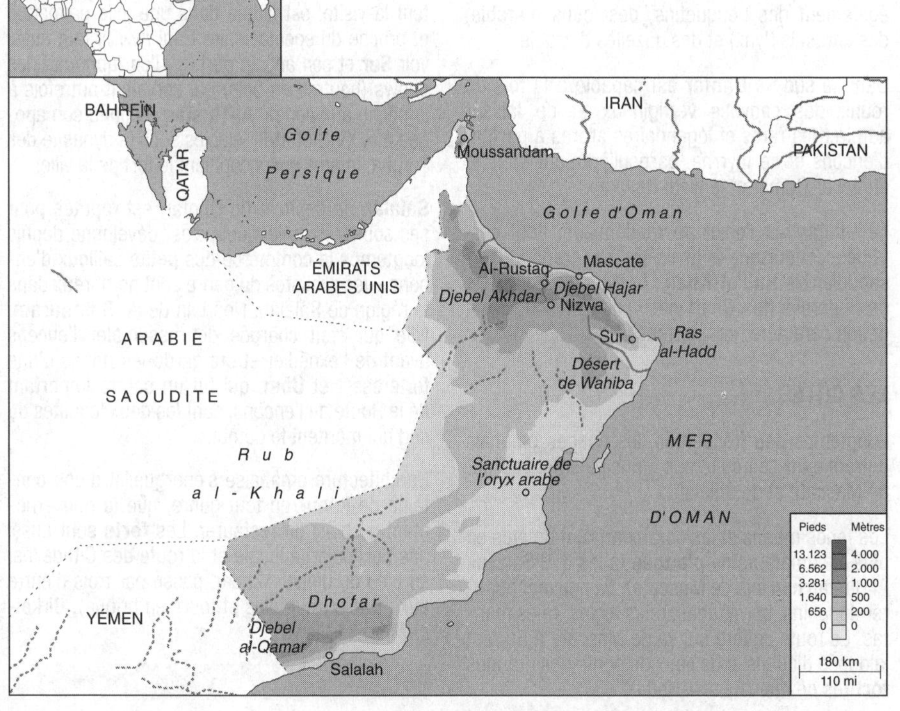

LES RAISONS D'Y ALLER

LES PAYSAGES

Deux mots clés caractérisent le paysage omanais : **djebel** (chaîne de montagnes) et **wadi** (lit de rivière) :

– à l'ouest de Mascate, le **djebel Akhdar** fait se succéder canyons, falaises, villages de montagne fortifiés et oasis (Hamz);

– à l'est, le **djebel Hajar** (oriental) fait alterner canyons très profonds et palmeraies; au fond des canyons, le lit de la rivière est parsemé de points d'eau, tel le wadi Bani Auf, le plus connu.

Djebels et wadis sont à l'origine d'un tourisme de randonnée, si bien balisé et si en vogue désormais qu'il laisse peu de place à l'improvisation et à l'isolement.

Le long de la côte est, le désert de **Wahiba**, habité par l'ethnie du même nom, est parsemé sur 80 km de dunes ocre et rougeâtres. Ensuite apparaît le Sanctuaire de l'**oryx** arabe, avec le premier troupeau du genre depuis la réintroduction de l'espèce en 1982. Dans ce parc, on trouve également des bouquetins, des loups d'Arabie, des caracals (lynx) et des gazelles d'Arabie.

Dans le sud, le **Dhofar** est capable à la fois de réunir des canyons vertigineux et de laisser admirer les rares et légendaires arbres à parfum d'encens et de myrrhe, particulièrement dans le djebel al-Qamar et le wadi Dawkah.

Le Dhofar fait l'objet de randonnées, dont certaines conduisent à la lisière du grand désert saoudien, le **Rub'al-Khali** : la traduction littérale de ce dernier (le « Quart vide ») dit bien son âpreté et son caractère hors normes.

LES CÔTES

Longtemps peu fréquentés, les rivages omanais entrent dans l'air du temps, principalement autour de Mascate et de Salalah.

Les fonds marins et les coraux attirent de plus en plus les amateurs de **plongée** (sites d'Al Sawadi, Al Bustan non loin de Mascate). Ils peuvent admirer dauphins, barracudas, raies aigles, raies mantas. La route côtière qui va de Mascate à Sur est jalonnée d'oueds et de lieux de ponte des grandes **tortues** de mer (Ra's al-Hadd).

Les **pêcheurs** ont préservé leur villages mais reconvertissent parfois leurs boutres – bateaux à fond plat traditionnels – pour le tourisme.

Entre les golfes Persique et d'Oman, la presqu'île de **Moussandam**, enclavée dans les Émirats arabes unis, est devenue un rendez-vous touristique grâce à ses falaises et au profond découpage de ses côtes, assimilées à de véritables **fjords** où l'on peut décider d'une croisière en boutre ou observer les dauphins. Elle constitue aussi un bon point de départ pour le désert tout proche et les djebels voisins.

LES VILLES ET LES MONUMENTS

Mascate, une capitale aux petits quartiers étirés sur quarante kilomètres, a longtemps été le pivot du commerce de l'encens. La ville vaut par ses souks (Muttrah), par les deux châteaux forts (Mirani et Jalali) que lui ont laissés les Portugais, seuls colons de l'endroit, et par le palais du sultan (palais Al Alam). Une curiosité : le Musée franco-omanais, précieux pour comprendre les liens avec la France, qui datent de Louis XIV.

Nizwa, dont le fort et les enchères au bétail méritent la visite, est située dans une jolie palmeraie et proche du spectaculaire Bani Awf. il faut aussi voir **Sur** et son ancien port, où l'on fabriquait des dhows (boutres en bois) qui servaient autrefois à la pêche aux perles. **Al-Rustaq** a connu son apogée aux XVIIe et XVIIIe siècles sous la dynastie des Yaruba, imams qui occupaient le fort de la ville.

Salalah, la capitale du Dhofar, est réputée pour ses souks, dans lesquels s'est développé depuis longtemps le commerce des petits cailloux d'encens – les arbustes du genre sont nombreux dans la région de Salalah. Non loin de là, **Sumhuram,** ville qui était chargée de rassembler l'encens avant de l'expédier et qui garde les ruines d'une forteresse, et **Ubar**, qui fut un centre important de la Route de l'encens, sont les deux localités du sud qui méritent le détour.

L'architecture omanaise s'enorgueillit d'une centaine de **ksour** en tout genre, que le gouvernement a choisi de restaurer. Les **forts** sont aussi une particularité locale et la route des Citadelles, au pied du djebel Akhdar, passe par trois d'entre eux : Bahla (murailles et tours en brique), Birket-el-Mouz et Nizwa.

LE POUR

◆ Des atouts touristiques très divers : baignade, plongée, désert, oasis, témoignages historiques.

LE CONTRE

◆ Une destination qui se veut haut de gamme et reste donc onéreuse.

◆ L'appel du grand tourisme, qui éloigne le sentiment d'inédit et de découverte.

◆ Une très forte chaleur entre mai et septembre dans la plupart des régions.

LE BON MOMENT

Autant la période avril-octobre est caniculaire et déconseillée, autant la période **de novembre à mars** est agréable, grâce à la fraîcheur nocturne et à quelques pluies aussi rares que bienfaisantes. Une mousson d'été sévit sur les montagnes du nord.

Février et mars sont les mois les plus propices à l'observation des **baleines** sur les rivages de la région de Mascate.

◆ Températures moyennes jour/nuit (en °C) :

- à *Mascate* (côte nord) : janvier 26/17, avril 35/24, juillet 39/30, octobre 35/25;

- à *Salalah* (côte sud) : janvier 28/19, avril 32/24, juillet 29/25, octobre 31/23. La température de l'eau de mer varie de 24° à 30°.

LE PREMIER CONTACT

En Amérique du Nord

Ambassade, Washington, Etats-Unis, ☎ (202) 387-1980, fax (202) 745-4933, www.omani.info/

En France

Services touristiques du consulat, 50, avenue d'Iéna, 75116 Paris, ☎ 01.47.20.56.06, fax 01.47.20.55.80.

Aux Pays-Bas (pour la Belgique)

Ambassade, Nieuwe Parklaan, 9, La Haye, ☎ (0031) 703615800, fax (0031) 703605364.

En Suisse

Consulat général, chemin de Roilbot 3a, CH-1200 Genève, ☎ (22) 758.96.60, fax (22) 758.96.66.

Internet

www.omantourisme.com

Guides

Dubaï et Oman (Mondeos), *Oman* (Le Petit Futé, Marcus), *Oman et les Emirats arabes unis* (Gallimard/Bibl. du voyageur), *Pays du Golfe* (JPMGuides).

Carte

Proche-Orient, Moyen-Orient (Berlitz).

Lecture

Le sultanat d'Oman : une révolution en trompe l'œil (M. Valéri/Karthala, 2007).

Images

Lumières d'Oman (B. Le Cour Grandmaison, J.-C. Crosson/Gallimard, Carnets de voyage, 2002), *Peuples des déserts d'Arabie* (P. Bonte, E. Dahau, Hermé, 2005), *la Route de l'encens* (P. et M. Maréchaux, D. Campault/Imprimerie nationale, Paris, 1996).

QUEL VOYAGE ET À QUEL PRIX ?

Le voyage individuel

Les préparatifs

◆ Pour les ressortissants de l'Union européenne, canadiens, suisses : passeport valable encore trois mois après le retour, visa obligatoire et payant, obtenu auprès du consulat ou directement à l'arrivée à Mascate (confirmation de cette possibilité à demander au consulat). Billet de retour ou de continuation exigible.

◆ Aucune vaccination n'est obligatoire. Risque très limité de paludisme dans les régions de la province de Moussandam.

◆ Monnaie : le *rial omanais* est subdivisé en 1 000 *baizas.* 1 US Dollar = 0,39 rial omanais; 1 EUR = 0,53 rial omanais. Pour le change, emporter des euros ou des dollars US et une carte de crédit.

Le départ

◆ Indice de prix à certaines dates du vol Paris-Mascate A/R : 530 EUR. ◆ Durée moyenne du vol Paris-Mascate (5 574 km, escale) : 7 heures.

Sur place

Hébergement

Le luxe et le prix élevé des hôtels sont une réalité, mais l'on trouve aussi des campements (bungalows et tentes).

Route

◆ Excellent réseau, routes asphaltées de plus en plus nombreuses. ◆ Conduite à droite. ◆ Possibilité de louer une voiture de tourisme ou, mieux, un 4 x 4. ◆ Le carburant est cinq fois moins cher qu'en Belgique ou qu'en France.

Le séjour

Le voyage en voiture avec chauffeur-guide a le vent en poupe : formules diverses chez Asia, Djos'Air, STI Voyages. Compter environ *1 100 EUR* la semaine pour le vol A/R, la location de la voiture et l'hébergement.

Le voyage accompagné

Rappel : nous nous sommes limités à un résumé des prestations en vigueur dans les agences et chez les voyagistes présents en France. Les lecteurs des autres pays peuvent en tirer des idées d'itinéraire et les compléter auprès de leurs agences de voyages.

La destination demeure chère et presque exclusivement programmée entre octobre et avril. Ce sont les spécialistes de la randonnée qui semblent tenir la corde, mais un tourisme à but culturel est également en train de se développer.

◆ Les **trois pôles** touristiques que sont le djebel Akhdar, le désert de Wahiba et le Dhofar sont le plus souvent visités au cours d'un même voyage entre octobre et avril, avec quelques incursions dans le Rub' al-Khali chez certains voyagistes. La majorité de ces séjours, qui durent deux semaines, sont d'un caractère sportif assez marqué puisque fondés sur des déplacements en tout-terrain, des mini-randonnées et des bivouacs. Allibert propose deux circuits dans les djebels Akhdar et Hajar, tandis qu'Explorator bivouaque dans ces mêmes djebels et effleure le Rub al-Khali après le Dhofar (14 jours). Autres propositions : Atalante. Compter au minimum *1 500 EUR* pour un voyage-randonnée de 8 à 10 jours, tout compris.

◆ Les circuits tentent de privilégier un mélange de buts **culturels**, de visite des villages et des oasis, d'étude de l'histoire de l'encens, le tout saupoudré d'un brin de désert. Exemples : Asia, Djos'Air Voyages, La Maison des Orientalistes, Voyageurs du monde, Sindbad Voyages. Les prix sont élevés et ne semblent pas appelés à baisser à moyen terme. Il faut tabler en moyenne sur *2 600 EUR* pour un circuit de 12 à 15 jours tout compris.

◆ Les séjours **plongée** prennent de l'ampleur. Ainsi, Aquarev et Ultramarina sont présents sur les abords côtiers de Mascate et conseillent de ne pas rater le passage des baleines (février et mars).

◆ Nouvelles Frontières est dans le **Moussandam** en multipliant les activités : randonnée, kayak de mer, plongée avec masque et tuba, approche des dauphins, découverte des villages.

◆ Les **croisières** touchent de plus en plus le sultanat, telle la croisière «Mille et une nuits» de Costa Croisières.

QUE RAPPORTER ?

Dans les souks, on retrouve la richesse artisanale du Moyen-Orient : bijoux en argent et en or, étoffes, tapis, kandjars (poignards à lame courbe), savons d'Alep et, bien sûr, parfums avec l'encens et la myrrhe sur le devant des étals.

LES REPÈRES

◆ Lorsqu'il est midi en France, il est 14 heures en été et 15 heures en hiver dans le sultanat d'Oman. ◆ Langues : l'arabe est langue officielle; langues minoritaires : baloutche, mehri, persan, ourdou, swahili. ◆ Langue étrangère : l'anglais n'est pas rare dans les villes. ◆ Téléphone vers Oman : 00968 + numéro; d'Oman : 00 + indicatif pays + correspondant sans le zéro.

LA SITUATION

Géographie. Même si le djebel Akhdar et ses 2 980 m d'altitude, au nord, et les collines du Dhofar, au sud, hérissent son relief, Oman doit être considéré comme un prolongement du Rub' al-Khali, le grand désert oriental de l'Arabie saoudite. Le pays est d'une superficie moyenne (212 457 km²).

Population. Des plaines côtières dépeuplées et un climat sec sont à l'origine d'un chiffre de population modeste (3 312 000 habitants), néanmoins appelé à s'accroître rapidement. Les travailleurs étrangers, surtout Indiens, constituent 15 % de la population. Capitale : Mascate.

Religion. L'islam (large majorité d'ibadites) est un islam moins rigoriste qu'il n'y paraît. Il est suivi par trois habitants sur quatre. On compte 13 % d'hindous et une minorité de chrétiens.

Dates. *1505* Les Portugais sont sur les côtes. *XVIIe siècle* Les sultans d'Oman établissent un empire maritime et choisissent Zanzibar comme centre. *1957* Le sultan est menacé par un mouvement révolutionnaire. *1970* Le sultan Qabous, à la fois chef de l'Etat et du gouvernement, prend le pouvoir et entreprend de moderniser le pays, dont l'économie demeure tirée vers le haut par la production de pétrole.

Ouganda

Avertissement. – Le nord et les régions frontalières de l'ouest sont formellement déconseillés au voyageur, qui par ailleurs doit s'informer auprès des autorités avant toute visite de sites touristiques tels que les parcs animaliers.

L'Ouganda possède les atouts pour faire aussi bien que son voisin kenyan sur le plan touristique : de hautes montagnes sur ses frontières, les rives de plusieurs lacs, des chutes dues aux premiers soubresauts du Nil et surtout une faune abondante, dont les gorilles de montagne. Mais les remous de la vie politique et les méfaits de la sécheresse ont longtemps obscurci l'image du pays. Les éclaircies semblent timides mais réelles.

LES RAISONS D'Y ALLER

LA FAUNE

Gorilles de montagne (Bwindi),
Parcs nationaux (Queen Elizabeth, chutes Murchison, lac Mburo, Kidepo, Kibale) renfermant, selon le parc, antilopes, babouins, chimpanzés, cobs, crocodiles, élands, éléphants, girafes, hippopotames, lions, zèbres
Lacs Albert, Mburo, George, îles Sese (oiseaux)

LES PAYSAGES

Montagnes (Ruwenzori, mont Elgon)
Chutes du Nil Victoria (Karuma, Murchison)
Lacs (Edward, George, Mburo, Victoria)

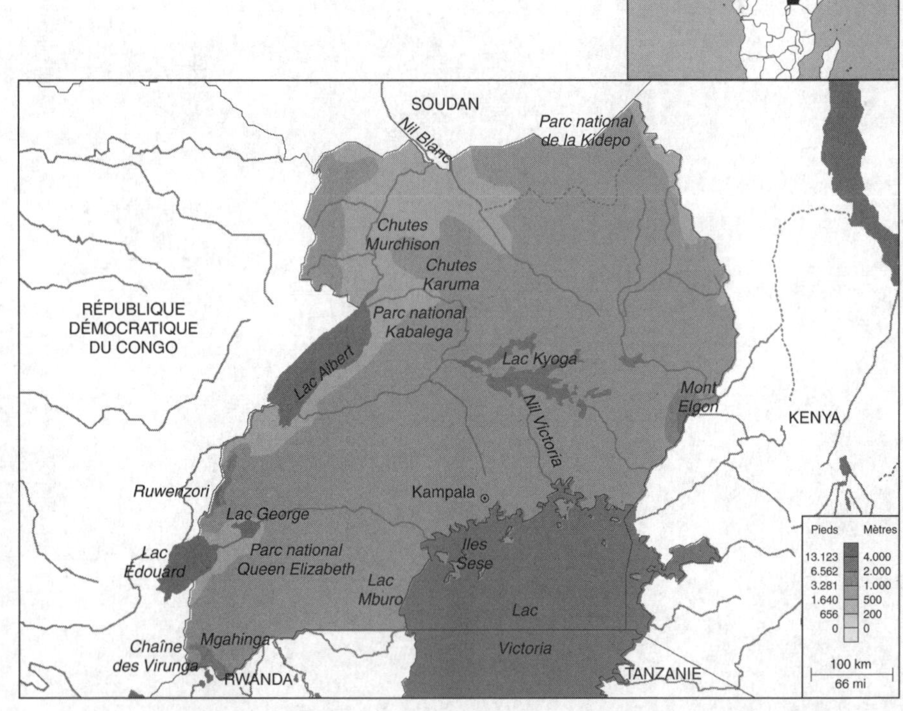

LES RAISONS D'Y ALLER

LA FAUNE

L'abondante savane qui recouvre le pays renferme des animaux et des parcs de la même veine qu'au Kenya, même si les structures sont moins éprouvées.

L'un des grands buts de visite est constitué par la « forêt impénétrable » de **Bwindi** et la région avoisinante de Mgahinga, où sont protégés trois cents gorilles de montagne environ, soit la moitié de l'espèce au niveau mondial. Seulement douze personnes par jour sont autorisées à les approcher...

Autres parcs nationaux : le parc **Queen Elizabeth** (babouins, cobs, éléphants, hippopotames, lions), le parc des chutes **Murchison** (antilopes, crocodiles, éléphants, girafes), le parc du lac **Mburo** (crocodiles, élands, hippopotames), le parc de la vallée de **Kidepo** (antilopes, buffles, éléphants, zèbres et plus de deux cents espèces d'oiseaux) et le parc de la forêt de **Kibale** (chimpanzés).

Autour du lac **Albert**, buffles, crocodiles et oiseaux forment un trio de poids. Enfin, le lac **George** et les îles **Sese** sont de grands réservoirs de faune avicole.

LES PAYSAGES

A l'ouest, les pics du **Ruwenzori** culminent à plus de 5 000 m. Neiges éternelles et végétation riche (bruyères arborescentes, lobélies, séneçons) sont une source de randonnées et font de ce massif, dont le nom signifie « faiseur de pluie », la plus belle région du pays. À l'opposé, surgissent les 4 321 m du mont **Elgon**, l'un des plus hauts volcans du monde, accessible après avoir traversé des gorges et admiré des cascades.

Les premiers soubresauts du Nil qui, à cette latitude, est encore le **Nil Victoria**, engendrent une succession de **rapides** et de **chutes** : Karuma et surtout Murchison, où le fleuve se laisse choir de 40 mètres.

Troisième centre d'intérêt : les rives des **lacs** (lacs Edward, George, Mburo, Victoria), où des balades en bateau permettent d'observer de nombreuses espèces d'oiseaux.

LE POUR

◆ Un pays qui retrouve peu à peu sa stabilité... et des touristes.

◆ Un climat tropical d'altitude propice au voyage.

◆ L'amélioration des tensions dans le nord.

LE CONTRE

◆ Des circuits encore rares et onéreux.

◆ La nécessité de prévoir son voyage au moins un an à l'avance en cas de programme pour découvrir les gorilles de montagne.

LE BON MOMENT

Situé sur l'équateur, l'Ouganda connaît un climat agréable car tempéré par l'altitude en plusieurs endroits. La période juillet-septembre est assez favorable au sud, les pluies marquant alors un répit. **Décembre-février** reste toutefois la meilleure période. Mars-mai et octobre-décembre sont à éviter.

◆ Températures moyennes jour/nuit (en °C) à *Kampala*, sur le lac Victoria : janvier 28/18, avril 26/18, juillet 25/17, octobre 27/17.

LE PREMIER CONTACT

En Belgique

Ambassade, avenue de Tervuren, 317, B-1150 Bruxelles, ☎ (02) 762.58.25, fax (02) 763.04.38.

Au Canada

Haut-commissariat, 231, rue Cobourg, Ottawa K1N 8J2, ☎ (613) 789.7797, fax (613) 789.8909, www.ugandahighcommission.ca

En France

Ambassade, 13, avenue Raymond-Poincaré, F-75116 Paris, ☎ (01) 56.90.12.20, fax (01) 45.05.21.22.

En Suisse

Section consulaire, rue Antoine-Carteret, 6 bis, CH-1202 Genève, ☎ (22) 339.88.10, fax (22) 340.70.30.

Internet

www.visituganda.com

Guide

Uganda (Bradt).

Cartes

Ouganda (ITM), *Uganda* (Nelles Map).

Lectures

De Zanzibar aux sources du Nil (Nicolas Hulot/ Gallimard, 1997), *la Fosse aux serpents* (Moses Isegawa/Albin Michel, 2003), *le Dernier Roi d'Écosse* (G. Foden/European Schoolbooks, 2000).

Images

Voir le film *Aux sources du Nil* de Bob Rafelson (1990). En 2007, Kevin Macdonald a porté à l'écran la vie d'Amin Dada (*le Dernier Roi d'Ecosse,* avec Forest Whitaker).

Vidéo

*Le Nil, le don du fleuve (*LCJ Editions, 2005).

QUEL VOYAGE ET À QUEL PRIX ?

Le voyage individuel

Les préparatifs

◆ Pour les ressortissants de l'Union européenne, canadiens, suisses : passeport valable encore six mois après le retour, visa obligatoire obtenu auprès de l'ambassade ou bien à l'arrivée à l'aéroport d'Entebbe (prendre confirmation d'une telle possibilité).

◆ Vaccination recommandée contre la fièvre jaune en dehors des zones urbaines. Prévention indispensable contre le paludisme.

◆ Monnaie : le *shilling ougandais.* Les chèques de voyage en euros, en dollars US ou en livres sterling sont les bienvenus. 1 US Dollar = 1 975 shillings ougandais, 1 EUR = 2 736 shillings ougandais.

Le départ

Avion

◆ Indice de prix à certaines dates du vol Paris-Kampala A/R : 850 EUR. ◆ Durée moyenne du vol Paris-Kampala : 8 heures (escale). ◆ Le voyageur individuel qui a du temps aura intérêt à choisir l'aéroport de Nairobi (voir *Kenya*).

Sur place

Route

◆ Limitations de vitesse : 100 km/h (50 km/h en agglomération). ◆ Réseau de bus et minibus.

Train

L'axe Kampala-Nairobi bénéficie de liaisons ferroviaires régulières.

Le voyage accompagné

Rappel : nous nous sommes limités à un résumé des prestations en vigueur dans les agences et chez les voyagistes présents en France. Les lecteurs des autres pays peuvent en tirer des idées d'itinéraire et les compléter auprès de leurs agences de voyages.

Si les voyagistes sont encore rares, les spécialistes de la randonnée ont tendance à inclure l'Ouganda dans leurs programmes Kenya-Tanzanie.

Objectif Nature va du lac Victoria à la rencontre des gorilles en passant par les parcs Murchison et Queen Elizabeth. De son côté, Clio est à la recherche des sources du Nil.

Explorator propose un combiné Ouganda-Rwanda inimaginable il y a peu, avec le parc de Murchison et le lac Albert côté ougandais, ainsi que le parc national des Volcans pour les gorilles de montagne.

Difficile d'imaginer un voyage-expédition de 15 jours à moins de *3 500 EUR*.

LES REPÈRES

◆ Lorsqu'il est midi en France, en Ouganda il est 13 heures en été et 14 heures en hiver. ◆ Langues officielles : l'anglais et le kiswahili, variante du swahili, sont accompagnés d'une trentaine de dialectes. ◆ Téléphone vers l'Ouganda : 00256 + indicatif (Kampala : 41) + numéro.

LA SITUATION

Géographie. La grande majorité des 241 038 km^2 est composée d'un vaste plateau de 1 000 m d'altitude qui s'effondre à l'ouest sur le lac Mobutu et le lac Edward. Aux frontières ouest et est, deux hauts sommets, le Ruwenzori et le mont Elgon, dominent le plateau.

Population. On dénombre 31 368 000 Ougandais, issus d'un métissage de Bantous et de Nilotiques, et répartis en plusieurs ethnies, desquelles émergent les Gandas (d'où le nom du pays). Capitale : Kampala.

Religion. Un Ougandais sur deux est catholique, un sur trois est protestant. Minorités de musulmans et d'animistes.

Dates. *1856* Le roi du Buganda accueille les Européens. *1894* Protectorat britannique. *1962* L'Ouganda est un État fédéral indépendant. *1966* Coup d'État de Milton Obote, qui proclamera la république un an plus tard. *1971* Coup d'État d'Amin Dada, qui fait régner la terreur. *1979* Yusuf Lule au pouvoir grâce à l'intervention de la Tanzanie. *1980* Obote revient au pouvoir. *1986* Museveni prend le pouvoir, toujours après un coup d'État; il met fin à cinq années de désordre politique et stabilise le pays. *1988* Début de la rébellion de l'Armée de la résistance du seigneur (LRA) dans le nord du pays face au pouvoir, on dénombrera des dizaines de milliers de morts et de nombreux déplacements de population dans les vingt années suivantes. *Mai 1996* Museveni est élu président. *Septembre 1998* L'ADF (Allied Democratic Front) mène des raids meurtriers dans l'ouest. *Juin 2000* Un référendum sur l'avenir politique du pays confirme le système en place. *Mars 2001* Réélection facile – mais contestée par son opposant – de Museveni. *Février 2006* Nouvelle réélection de Museveni malgré une progression de l'opposition. *Novembre 2006* Cessez-le-feu décrété entre le gouvernement et la LRA.

Ouzbékistan

Avertissement. – Les régions situées à la lisière du Kirghizstan et du Tadjikistan demeurent déconseillées au voyageur.

Il est permis de rêver au jour où la situation politique de l'Afghanistan permettra au voyageur de remonter l'Amou-Daria jusqu'au pied du Pamir et d'explorer ainsi une région aussi belle qu'attachante par ses traditions, son riche passé de pays traversé jadis par la Route de la soie et surtout par ses monuments. C'est ici, en effet, que se trouvent les villes de Samarcande et de Boukhara, riches de trésors architecturaux. Joints à des paysages de haute montagne mais aussi de désert et d'oasis, elles font de l'Ouzbékistan le deuxième grand rendez-vous de l'Asie du nord et du centre après la Russie.

LES RAISONS D'Y ALLER

LES VILLES

Samarcande, Boukhara, Khiva, Tachkent, Kokand, Richtan, Fergana

LES PAYSAGES

Désert du Kyzylkoum, vallée de Fergana, forêts, montagnes, oasis

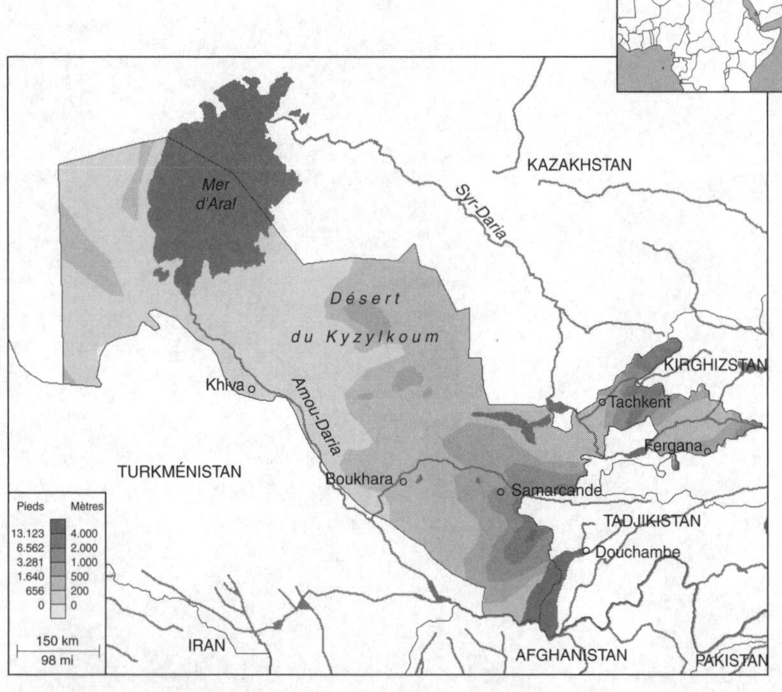

LES RAISONS D'Y ALLER

LES VILLES

Quand l'émir Tamerlan a décidé de faire de **Samarcande** la capitale de son empire au XIVe siècle, il l'a magnifiée en la parant d'édifices prestigieux. La nécropole de Chah-e Zendeh (ensemble de mausolées et de mosquées orné de céramique bleue), le Gur-e Mir (mausolée de Tamerlan où dominent les céramiques bleues et or), les madrasas (écoles coraniques dont Bibi Khanum et son dôme de céramiques) sont aujourd'hui des rendez-vous touristiques réputés et agrémentés de l'atmosphère du bazar. Sept siècles auparavant, Samarcande avait connu sa première heure de gloire sous les Sogdiens, en étant le plus brillant carrefour de la Route de la soie entre la Chine et l'Inde.

Moins connu, **Boukhara** est un centre important de l'art islamique (citadelle d'Ark qui abritait les émirs, tombeau d'Isma'il le Samanide, minaret de Kalan à la géométrie multiple, bains publics, mosquées, madrasas).

Autre ville historique de renom, entourée de murailles et ancienne étape de la Route de la soie : **Khiva** (Grande Mosquée et son minaret isolé, mausolées de Seyid Alaouddine et de Pahlavan Mahmud, madrasas).

Dans la vallée de Fergana, les cités de **Kokand**, **Richtan** et **Fergana** offrent au visiteur leurs palais (palais Khondoyar-Khan à Kokand), mausolées et mosquées.

Tachkent, en retrait des sites précédents mais centre culturel notable, fait valoir son quartier oriental (madrasas, musées, mausolée de Kaffal Chachi, palais Romanov), son musée des Arts appliqués et son « automne d'or » en septembre, une grande fête d'origine rurale.

LES PAYSAGES

Les plateaux rocheux et les dunes du désert du **Kyzylkoum** (« sable rouge ») font partie, comme la vallée de **Fergana**, des belles régions d'Asie centrale que le grand tourisme effleure à peine. Dans cette même vallée du Fergana, les routes de la Soie ont connu les échanges entre les célèbres chevaux de l'endroit et la soie venue de Chine. Ailleurs, le paysage est fait de grands champs de coton, ce dernier à la fois richesse et désastre du pays car responsable de la disparition de la mer d'Aral à la suite du détournement de deux fleuves.

LE POUR

◆ Les monuments les plus remarquables de l'Asie centrale, qui placent l'Ouzbékistan au deuxième rang des pays touristiques de l'ex-URSS après la Russie.

◆ Un climat propice au bon moment pour le voyageur occidental.

LE CONTRE

◆ Des structures touristiques chères et balbutiantes par endroits, ce qui peut gêner les inconditionnels du confort.

LE BON MOMENT

La latitude relativement basse de l'Ouzbékistan lui procure une période favorable plutôt longue (mai-septembre) mais les étés sont souvent très chauds et très secs. Les intersaisons (**mai-juin** et **septembre**) sont plus favorables. Le pays n'échappe pas à la rigueur des hivers de l'Asie centrale.

◆ Températures moyennes jour/ nuit en °C à *Samarcande* : janvier 6/-4, avril 21/9, juillet 34/18, octobre 21/6.

LE PREMIER CONTACT

En Amérique du Nord

Ambassade, Washington, D.C., États-Unis, ☎ (202) 887-5300, fax (202) 293-6804, www.uzbekistan.org/

En Belgique

Ambassade, avenue Franklin-Roosevelt, 99, B-1050 Bruxelles, ☎ (02) 672.88.44, fax (02) 672.39.46.

En France

Ambassade, 22, rue d'Aguesseau, 75008 Paris, ☎ 01.53.30.03.53, fax 01.53.30.03.54.

Internet

www.uzbektourism.uz/en/

Guides

Asie centrale (Lonely Planet France, Marcus), *Ouzbékistan* (Olizane, Le Petit Futé).

Lectures

Dix jours en Ouzbékistan : récit d'un pélerin soufi (C.-N. Brahy/Albouraq, 2004), *l'Asie centrale, histoire et civilisations* (J.-P. Roux/Fayard, 1997), *Pouvoir, don et réseaux en Ouzbékistan post-soviétique* (B. M. Pétric/PUF, 2002), *Samarcande* (A. Maalouf/Livre de Poche, 1989), *Tamerlan* (A. Blain, Librairie académique Perrin, 2007).

Images

La longue marche, de la Méditerranée jusqu'en Chine par la route de la soie, tome 2 : Vers Samarcande (Bernard Ollivier/Phébus, 2001), *la Route de Samarkand au temps de Tamerlan* (Ruy Gonzalez de Clavijo/Imprimerie nationale, 2006), *la Route de la Soie : une histoire géopolitique* (P. Barniès/Ellipses Marketing, 2008), *Sur les routes de la soie* (Weber, Reza, Deghati/Hoëbeke, 2007).

DVD

Expédition glaciologique en Ouzbékistan : la fonte des glaciers (J. Mac Kenna/Vodeo TV), *Ouzbékistan, la route de Samarcande* (DVD Guides, 2006).

QUEL VOYAGE ET À QUEL PRIX ?

Le voyage individuel

Les préparatifs

◆ Pour les ressortissants de l'Union européenne, canadiens et suisses, passeport en cours de validité. Visa obligatoire, obtenu auprès de l'ambassade. Pas de délivrance du visa à l'arrivée.

◆ Aucune vaccination n'est requise.

◆ Monnaie : le *soum*. 1 US Dollar = 1 402 soums, 1 EUR = 1 942 soums. Emporter des euros ou, de préférence, des US Dollars en liquide. Les chèques de voyage et les cartes de crédit sont de peu d'utilité.

Le départ

◆ Indice de prix à certaines dates du vol Paris-Tachkent A/R : 950 EUR. ◆ Durée moyenne du vol Paris-Tachkent : 6 h 30.

Sur place

Hébergement

Dans les villes touristiques, il existe des chambres d'hôtes, des pensions de familles et de petits hôtels. Les voyageurs du désert dorment dans des camps de yourtes.

Train

Réseau assez étendu mais trains lents. Il existe une ligne Tachkent-Boukhara et au-delà vers le Turkménistan.

Le séjour en individuel

Rappel : nous nous sommes limités à un résumé des prestations en vigueur dans les agences et chez les voyagistes présents en France. Les lecteurs des autres pays peuvent en tirer des idées d'itinéraire et les compléter auprès de leurs agences de voyages.

Déserts propose la formule voiture avec chauffeur + hébergement dans les trois villes clés, plus la traversée du Kyzylkoum. Programme du même type chez Nouvelles Frontières.

Le voyage accompagné

◆ **Samarcande, Boukhara, Khiva** : ce trio prestigieux est visité par la quasi-totalité des voyagistes présents. Seule diffère la manière, orientée la plupart du temps vers un combiné avec nombre de pays voisins. Les circuits se déroulent à une époque propice (avril à septembre), sur des périodes allant de 8 à 12 jours quand le pays est programmé seul, à 20 à 25 jours quand d'autres pays lui sont rattachés. Quelques voyagistes : Adeo, Ananta, Arts et Vie, Arvel, Asia, CGTT Voyages, Continents insolites, Ikhar, Kuoni, La Maison des Orientalistes, Nouvelles Frontières, Orients, Tamera, Voyageurs du monde.

◆ Alternance de déplacements en minibus et de courts **trekkings** sont le lot de la plupart des spécialistes : ainsi, avant la visite des trois villes clés, Nomade Aventure traverse le Kyzylkoum et dort sous la tente ou chez l'habitant. Club Aventure alterne la visite des villes et la marche dans le désert et en montagne. Autres propositions : Terres d'aventure.

◆ Les occasions de rattacher l'Ouzbékistan à d'autres pays sont légion, pour des voyages de 15 jours à trois semaines : souvent, quand la situation est sereine, avec les pays limitrophes comme le **Kirghizstan** (Adeo) et le **Tadjikistan** (Nomade Aventure), ou le **Turkménistan** (Adeo). Explorator réunit un trio Kazakhstan-Kirghizstan-Ouzbékistan.

Tamera est sur les traces des caravaniers de la Route de la soie (Kirghizstan, Ouzbékistan, Turkménistan). Orients propose un circuit de 20 jours entre mai et septembre avec l'Ouzbékistan, le Turkménistan, le Kirghizstan et un bout de Chine (Kashgar).

◆ Le coût moyen d'un voyage se situe *à 1 500 EUR* pour 8 jours en pension complète et *à 2 300 EUR* pour 15 jours.

QUE RAPPORTER ?

Les tapis vendus sur les marchés de Boukhara... mais parfois fabriqués ailleurs dominent un riche artisanat où les tissus (coton, soie) ne sont pas en reste.

LES REPÈRES

◆ Lorsqu'il est midi en France, en Ouzbékistan il est 16 heures en hiver. ◆ Langue officielle : l'ouzbek, parlé par deux habitants sur trois; il est côtoyé par le persan et le russe. Les langues occidentales sont très peu connues. ◆ Téléphone vers l'Ouzbékistan : 00998 + indicatif (Tachkent : 71) + numéro.

LA SITUATION

Géographie. L'Ouzbékistan est une grande plaine désertique coupée d'oasis et de deux fleuves importants, le Syr-Daria et l'Amou-Daria. À l'est, la montagne se dresse de plus en plus au fur et à mesure que l'on se rapproche de la frontière afghane. Superficie : 447 400 km^2.

Population. Huit habitants sur dix proviennent de la communauté ouzbèke. Des minorités russe, tadjik, tatar et kazakh complètent le chiffre de la population (27 345 000 habitants). Capitale : Tachkent.

Religion. L'islam, surtout sunnite et pratiqué par la communauté ouzbèke, est dominant (70 % de la population). Minorité d'orthodoxes.

Dates. *XIIIe siècle* Les tribus turques et mongoles, desquelles descendent les Ouzbeks, occupent la région. *XVe siècle* Après avoir fait partie de l'empire de Gengis Khan deux siècles auparavant, l'Ouzbékistan est au centre de l'empire de Tamerlan. *1918* Naissance du Turkestan, république autonome. *1991* Indépendance. *1993* Karimov président. Le processus de démocratisation se révèle lent. *Février 1999* Karimov échappe à un attentat. *Janvier 2000* Karimov est reconduit à la présidence. *Été 2000* Incursion d'islamistes armés à partir des frontières est du pays. *Mai 2005* Dramatique répression d'une manifestation à Andijan, dans l'est, où l'on aurait dénombré des centaines de victimes. *Décembre 2007* Réelection de Karimov dans un pays qui demeure bridé.

Pakistan

Avertissement. – Actions terroristes et conditions de sécurité dégradées sont le lot du nord du pays depuis deux ans, particulièrement Peshawar et ses environs, le Sud-Waziristan, la vallée de Swat. Si le reste du pays est moins touché, la situation d'ensemble conduit à déconseiller le voyage actuellement.

En temps normal, si l'on est un marcheur impénitent, on foulera les chaînes de montagnes de l'Hindu Kush et du Karakorum. Si l'on est un amateur d'art, les maîtres mots seront Gandhara et Indus, la vallée de celui-ci ayant vu des bâtisseurs faire des prodiges d'urbanisme il y a quatre mille ans. Mais on peut être marcheur et amateur d'art à la fois, et le Pakistan figurera alors en bonne place dans les prévisions d'un voyage en Asie.

LES RAISONS D'Y ALLER

LES PAYSAGES ET LES RANDONNÉES

Sommets du Karakorum (K2) et Nanga Parbat
Vallée de Hunza, Chitral (Kalash)
Baloutchistan

LES MONUMENTS ET LES VILLES

Traces de la civilisation de l'Indus (Harappa, Mohenjo Daro)
Sehwan, Taxila, Swat, Peshawar, Lahore, Multan

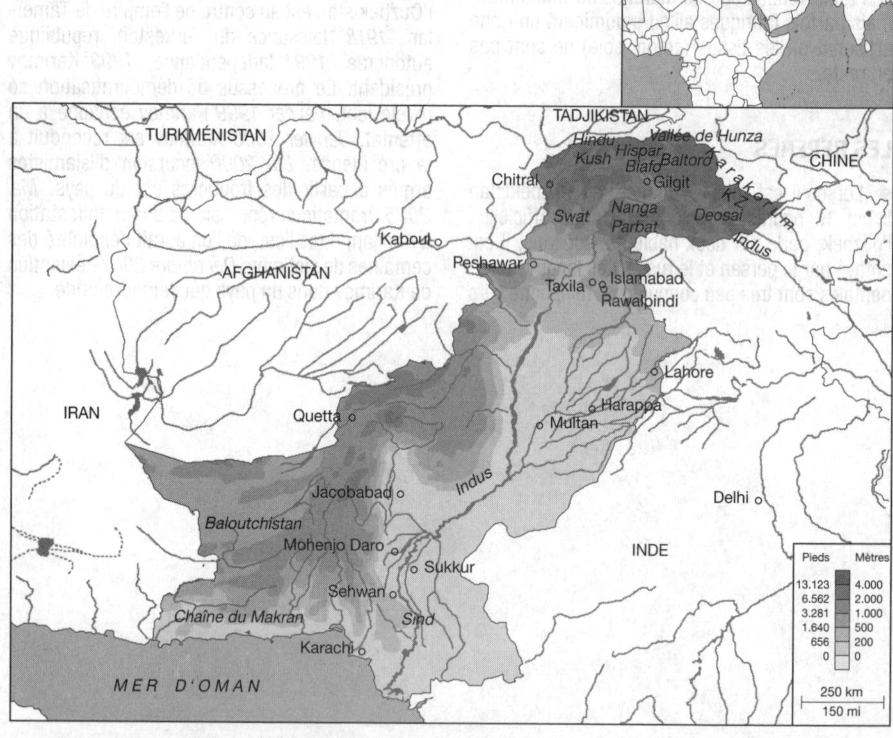

LES RAISONS D'Y ALLER

LES PAYSAGES ET LES RANDONNÉES

Quand la situation politique le permet, le nord du Pakistan, occupé par une partie de l'Himalaya, est l'un des grands rendez-vous mondiaux des randonneurs. En outre, il est situé sur un itinéraire de l'ancienne Route de la soie et attire de ce fait d'autres formes de tourisme.

Le massif du **Karakorum**, qui s'étend sur le Cachemire pakistanais, offre de hauts et célèbres sommets, dont le **K2** (8 611 m). Deuxième sommet du monde, vaincu en 1954 seulement, le K2 est devenu depuis lors l'un des favoris des alpinistes, alors que les trekkings vont jusqu'au camp de base.

Le Karakorum renferme également le **Nanga Parbat** (8 126 m) et ses impressionnants glaciers, les plus vastes du monde (Baltoro, Biafo, Hispar) après ceux des pôles. L'ensemble surplombe des vallées encaissées, qui enrichissent la beauté de la région et lui donnent un mode de vie spécifique, comme celui des villageois de l'ancien royaume de **Hunza**.

Depuis l'ouverture au tourisme de la route qui, via le col de Kunjerab (4 850 m), relie Gilgit (d'où partent les trekkings) à la ville chinoise de Taxkorgan, le voyageur découvre des sommets de granit rose, des à-pics et des villages du bout du monde. Aussi les **randonnées** de haute montagne sont-elles devenues aussi populaires que celles du Népal.

Dans la région de **Chitral**, province frontière du nord-ouest, vit le peuple **Kalash**, soit environ deux mille âmes attachées à leurs traditions païennes et à leurs fêtes (festival d'Utchao en été), et qui doivent désormais composer avec le tourisme depuis qu'a été souligné leur particularisme.

Au sud, l'une des régions les moins arpentées du Pakistan, le grand **Baloutchistan**, à cheval sur l'Iran et le Pakistan et à demi désertique, commence à être connue des randonneurs mais la sécurité n'y est pas assurée actuellement.

LES MONUMENTS ET LES VILLES

Le Pakistan a vu régner les Grands Moghols, passer les commerçants de la Route de la soie et fleurir la civilisation de l'Indus. S'il ne reste presque aucun vestige à **Mohenjo Daro** et guère plus à **Harappa**, ces deux anciens sites urbains méritent absolument la visite pour avoir été des lieux importants de la civilisation de l'**Indus** (2300-1750 av. J.-C.). Le sens de l'organisation des cités aux alentours du grand fleuve, les constructions en brique, l'art de la poterie et de la statuaire de cette époque, les traditions perpétuées par les bateliers Malla et les pêcheurs Mohana le long du grand fleuve autour de Sukkur restent un modèle.

Sehwan, haut lieu du soufisme, **Taxila** (vestiges gréco-bouddhiques) et la région du **Swat** (vestiges de monastères et de stupas) contribuent à prouver l'intérêt archéologique du pays ailleurs que dans ses grandes agglomérations.

Peshawar vaut par son musée, où est exposé l'art du Gandhara, ancienne province du nord-ouest de l'Inde qui a vu les premières représentations figurées du Bouddha historique. Autres atouts de Peshawar : son bazar, sa mosquée Mahabat Khan et les diverses traces qu'ont laissées les conquérants de l'Inde avant d'emprunter la Khyber Pass vers l'Afghanistan.

Lahore, ancienne capitale des Grands Moghols, offre ses murs roses, sa grande mosquée, l'architecture moghole de son « Palais des miroirs » (Shish Mahal), ses bazars (dont principalement Anarkali Market), son musée archéologique (art du Gandhara également), ses jardins (Shalimar) et son vieux quartier (Shahi Mohalla). Seule, **Multan** peut rivaliser pour l'art islamique (tombeau de Rukn-i 'Alam).

LE POUR

◆ Une partie himalayenne aussi spectaculaire qu'au Cachemire indien ou au Népal.

◆ Juin-octobre, période idéale pour le voyage ou le trekking dans l'Himalaya.

LE CONTRE

◆ Un pays actuellement sous forte tension et qui reste déconseillé sur le plan touristique.

◆ Un voyage himalayen dont les tarifs demeurent élevés.

LE BON MOMENT

L'étirement du Pakistan rend possible le voyage en toutes saisons selon le but recherché. Ainsi, les hautes montagnes du nord sont à arpenter **entre mai et octobre** (juillet à septembre pour les plus élevées), alors que les régions de l'est entrent dans l'alternance classique d'une agréable saison sèche **de novembre à mars** et d'une saison des pluies (mousson modérée par rapport à l'Inde) de juin à septembre. Les seuls mois à éviter dans le sud sont avril et surtout mai et juin, très chauds par endroits.

◆ Températures moyennes jour/nuit (en °C) à *Karachi* (côte sud) : janvier 26/14, avril 31/24, juillet 32/27, octobre 33/24; *Gilgit* (Himalaya) : janvier 9/-3, avril 24/9, juillet 36/19, octobre 25/7.

LE PREMIER CONTACT

En Belgique

Ambassade, avenue Delleur, 57, B-1170 Bruxelles, ☎ (02) 673.80.07, fax (02) 675.83.94.

Au Canada

Consulat, 240, Duncan Mill Road, North York, M3B 3S6, Ontario, ☎ (416) 250-1255, fax (416) 250-1321, www.pakmission.ca/

En France

Ambassade, 18, rue Lord-Byron, 75008 Paris, ☎ 01.45.62.23.32, fax 01.45.62.89.15.

En Suisse

Section consulaire, Bernastrasse, 47, CH-3005 Berne, ☎ (31) 350.17.9, fax (31) 350.17.99, www.swisspak.com

Internet

www.pak.gov.pk/

Guides

Pakistan and the Karakoram Highway (Lonely Planet), *Shangri-La: a travel guide to the Himalayan Dream* (Bradt), *Trekking in the Karakoram and Hindukush* (Lonely Planet).

Cartes

Inde, Pakistan, Népal (Berlitz), *Pakistan* (Nelles). Nombreuses cartes du Karakorum chez Cordée.

Lecture

Désirs d'Occident : la modernité en Inde, au Pakistan, au Tibet et au-delà (Buchet-Chastel, 2007), *le Pakistan* (C. Jaffrelot/Fayard, 2000), *Tragédies au K2* (P. Molgat/Flammarion, 2004), *Un islam non arabe : horizons indiens et pakistanais* (D. Matringe /Teraèdre, 2005).

Images

Himalaya, Karakoram (Gallimard/Carnets de voyage, 2002), *Hommage à l'Himalaya et à ses peuples* (O. Föllmi, B. Nacci/Editions de la Martinière, 2004).

DVD

Pakistan zindabad : longue vie au Pakistan (P. Lamche/ G.C.T.H.V.).

QUEL VOYAGE ET À QUEL PRIX ?

Le voyage individuel

Les préparatifs

◆ Pour les ressortissants de l'Union européenne, canadiens et suisses, passeport valable encore six mois après le retour, visa obligatoire. Billet de retour ou de continuation exigible. ◆ Pour le K 2, nécessité de passer par une agence et permis d'ascension obligatoire.

◆ Aucune vaccination n'est requise. Prévention recommandée contre le paludisme au-dessous de 2 000 m.

◆ Monnaie : la *roupie pakistanaise*. Pour le change, les dollars US sont plus appropriés que les euros. 1 US Dollar = 79 roupies pakistanaises, 1 EUR = 107 roupies pakistanaises.

Le départ

◆ Indice de prix à certaines dates du vol Paris-Islamabad ou Paris-Karachi A/R : 800 EUR. Durée moyenne du vol Paris-Karachi (6 130 km) : 7 heures.

Sur place

Hébergement

◆ Les *guest houses*, bâties sur le modèle britannique, sont d'un prix raisonnable, y compris pour l'Himalaya. Dans les villages de la vallée de Hunza, les responsables de ces mêmes guest houses proposent des trekkings avec des guides locaux. ◆ Il existe des auberges de jeunesse apparentées à des gîtes d'étape dans le nord. Renseignements sur www.hihostels.com/dba/country-PK.fr.htm

Route

◆ Conduite à gauche. Permission requise pour accéder à certaines régions. Tout-terrain nécessaire en dehors des grands axes. Pour atteindre le Karakorum, il existe un bus Islamabad-Gilgit (16 heures de route), puis Gilgit-Hunza. En temps normal, à Gilgit, les agences locales louent des 4 x 4, avec ou sans chauffeur pour la vallée de la Hunza.

Le voyage accompagné

Rappel : nous nous nous sommes limités à un résumé des prestations en vigueur dans les agences et chez les voyagistes présents en France. Les lecteurs des autres pays peuvent en tirer des idées d'itinéraire et les compléter auprès de leurs agences de voyages.

Pour les raisons évoquées dans notre avertissement, le Pakistan est actuellement peu présent dans les brochures et, quand il l'est, la partie himalayenne est souvent la seule concernée. Les voyagistes cités ci-dessous sont en mesure de donner les renseignements appropriés.

◆ Allibert propose deux programmes de **randonnée** dans la région du Nanga Parbat et du K2, tandis que Nomade Aventure est dans la vallée de Hunza avec extension possible à Kashgar, en Chine. Tamera va jusqu'à trois programmes : l'est du Karakorum, la vallée de Shimshal, le pays Kalash et la vallée de Hunza.

◆ Parfois, les voyagistes s'engouffrent sur la Karakorum Highway, qui permet de relier le Pakistan à la Chine : hautes vallées de l'Himalaya du côté pakistanais et centres touristiques du nord-ouest (Urumqi, Turfan) du côté chinois, avec, entre les deux, les panoramas délivrés par le col de Kunjerab.

◆ L'autre aspect du tourisme pakistanais est la découverte des témoignages de la vallée de **l'Indus**, par des moyens soit « sportifs » (4 x 4), soit plus sages, via un itinéraire très complet d'Islamabad à Karachi.

LES REPÈRES

◆ Lorsqu'il est midi en France, au Pakistan il est 15 heures en été et 16 heures en hiver; lorsqu'il est midi au Québec, au Pakistan il est 22 heures. ◆ Langues : le pendjabi est pratiqué par un Pakistanais sur deux, alors que l'urdu, langue nationale, ne l'est que par un sur dix et l'anglais par deux sur cent. ◆ Téléphone vers le Pakistan : 0092 + indicatif (Karachi : 21, Islamabad : 51) + numéro; du Pakistan : 00 + indicatif pays + numéro.

LA SITUATION

Géographie. Grand pays de 796 095 km^2, le Pakistan – le nom signifie « pays des Purs » – possède un relief aux différences nettement marquées : la haute montagne, au nord, culmine à plus de 8 600 m dans le Karakorum; la plaine alluviale de l'Indus, au centre, est la partie vitale du pays; le Baloutchistan (plateau aride), la chaîne côtière du Makran et le Sind, également aride mais irrigué grâce aux barrages sur l'Indus, définissent la partie sud.

Population. Le chiffre élevé de 172 800 000 habitants est appelé à s'accroître. Les Pendjabis (régions de Lahore et de Faisalabad) sont de loin les plus nombreux, alors que le Pakistan a vu arriver trois millions de réfugiés d'Afghanistan depuis le début du conflit dans ce pays. La capitale, Islamabad, fait partie de l'agglomération de Rawalpindi mais l'agglomération de Karachi est de loin la plus peuplée (9 500 000 habitants).

Religion. Presque tous les habitants sont musulmans, mais avec des différences : trois sur quatre sont des sunnites, alors que le quart restant est chiite, partisan d'Ali. Présence de chrétiens, d'hindous et de deux millions d'ismaélites.

Dates. *1947* Naissance du pays à l'issue de la partition de l'Inde. Ali Jinnah est le premier gouverneur, mais un conflit débute déjà avec l'Inde à cause du Cachemire. *1956* Le Pakistan république islamique. *1965* Deuxième guerre contre l'Inde. *1971* Sécession du Pakistan oriental, qui devient le Bangladesh. *1971* Ali Bhutto crée un « socialisme islamique ». *1978* Le général Zia ul-Haq président de la République. *1979* Exécution d'Ali Bhutto et proclamation de la loi islamique. *1988* Mort accidentelle de Zia ul-Haq et arrivée, comme Premier ministre, de Benazir Bhutto, fille d'Ali Bhutto et première femme à gouverner le pays. *1990* Benazir Bhutto perd les élections et le pouvoir. Nawaz Sharif est nommé Premier ministre. *Octobre 1993* Le Parti du peuple du Pakistan remporte de justesse les élections législatives. Benazir Bhutto redevient Premier ministre. *1994* Début d'une vague de violence à Karachi, née de l'opposition entre groupes religieux et ethniques. *Février 1997* Nawaz Sharif et la Ligue musulmane remportent les législatives aux dépens de Benazir Bhutto et du Parti du peuple du Pakistan. *1999* Graves affrontements au Cachemire, où le Pakistan connaît un échec. *Octobre 1999* Pervez Moucharraf et les militaires s'arrogent le pouvoir. *Fin 2001* Embellie économique à la suite de la décision de Moucharraf de se ranger aux côtés des États-Unis lors du conflit afghan. *Octobre 2002* Les partis religieux deviennent la troisième force parlementaire du pays. *Janvier 2004* Entretiens au plus haut niveau entre l'Inde et le Pakistan. *Octobre 2005* Très violent séisme dans le Cachemire, plus de soixante-dix mille victimes. *Décembre 2005* Nouveau séisme dans le nord-ouest du pays, en lisière de l'Afghanistan. *2007* Tandis que le pays reste en proie à la violence pour des motifs divers, les talibans étendent leur influence dans le nord-ouest (Waziristan). *Décembre 2007* Assassinat de Benazir Bhutto. *Septembre 2008* Son mari, Asif Ali Zardari (Parti du peuple pakistanais), devient président d'un pays en proie aux attentats. *Octobre 2008* Un séisme frappe le sud-ouest du pays, plus de 200 victimes.

Panamá

Avertissement. – La péninsule du Darién, à la lisière de la Colombie, est une zone d'insécurité, très vivement déconseillée au voyageur.

Langue de terre qui relie l'Amérique centrale et l'Amérique du Sud, le Panamá a longtemps été plus connu pour son canal que pour son tourisme. Mais depuis quelques années, les voyagistes occidentaux sortent la destination de leur chapeau, en privilégiant les chapelets d'îles des Caraïbes et du Pacifique, voire en faisant des incursions dans l'ouest, hérissé de quelques volcans, et dans le centre et l'est, où vivent des communautés indiennes.

LES RAISONS D'Y ALLER

LES PAYSAGES

Montagnes (volcan Chiriquí, serranía del Darién)
Forêts du parc national de Chagres
El Valle de Antón, parc naturel de Coiba
Canal de Panamá

LES CÔTES

Côtes du Pacifique (archipel de las Perlas, péninsule d'Azuero) et de la mer des Caraïbes (archipel de San Blas)
Croisières

LES MONUMENTS ET VESTIGES

Panamá (Casco Viejo), Portobelo, Chiriquí

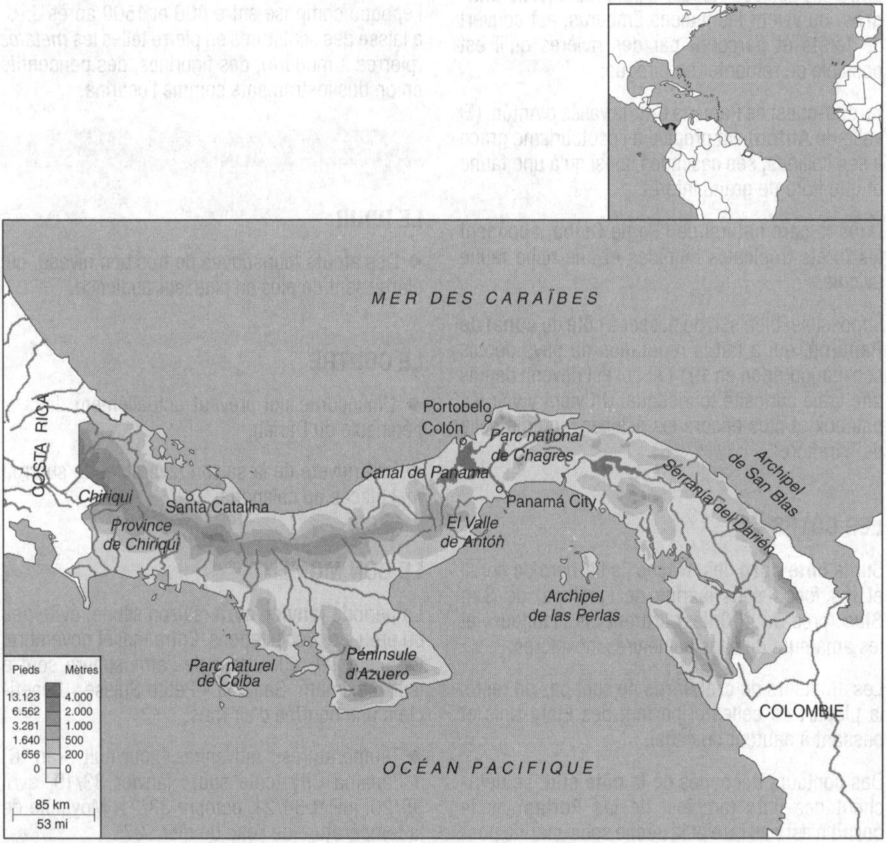

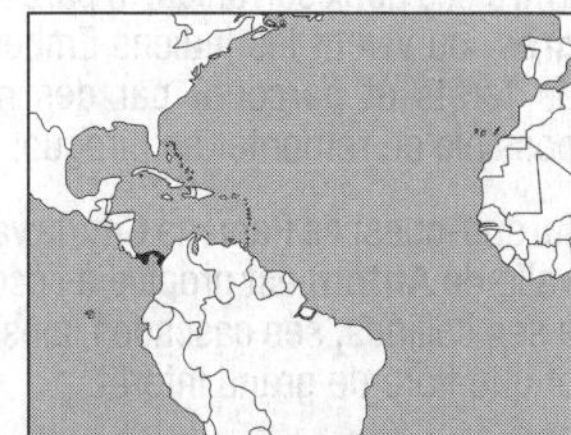

LES RAISONS D'Y ALLER

LES PAYSAGES

Comme les autres pays d'Amérique centrale, le Panamá est traversé par des montagnes, pour la plupart volcaniques comme le **Chiriquí**, qui approche 3 500 m. L'ouest du pays a gagné, parmi d'autres dans le monde, l'appellation de « Petite Suisse ».

La forêt vierge de la serranía del **Darién**, à l'est, transformée en parc national, demande un gros moral et de bonnes chaussures à qui souhaite en entreprendre la traversée, de surcroît périlleuse pour cause d'insécurité. Dans ce milieu difficile (forêts, marécages, mangroves), vivent les Indiens Waunans, qui tentent de préserver leur mode de vie.

Entre ces deux serranías, le parc national de **Chagres**, où vivent les Indiens Emberas, est couvert de forêts et parcouru par des rivières qu'il est possible de remonter en pirogue.

Au sud-ouest de Panamá City, la vallée d'Antón (El Valle de **Antón**) est propice à l'écotourisme grâce à ses collines, ses cascades, ainsi qu'à une faune et une flore de grand intérêt.

Dans le parc naturel de l'île de **Coiba**, abondent les forêts tropicales humides et une riche faune avicole.

Impossible, bien sûr, de passer à côté du **canal de Panamá**, qui a fait la réputation du pays depuis son inauguration en 1914 et qui est devenu depuis une vraie curiosité touristique. On vient y voir les bateaux et plus encore les écluses, comme celle de Miraflores.

LES CÔTES

Sur la **côte nord**, les rivages, la barrière de corail et les fonds sous-marins de l'archipel de **San Blas** (près de 400 îles) attirent les plongeurs et les amateurs de sites balnéaires inexplorés.

Les amateurs de **croisières** ne sont pas en reste, la plupart de celles-ci partant des Etats-Unis et passant à hauteur du canal.

Des contours découpés de la **côte sud**, se détachent des îlots (archipel de **las Perlas**) où le **corail** n'est pas rare et la pêche sous-marine possible. Cette côte pacifique, dont le site balnéaire de Coronado est le plus connu, est plus abritée que la côte caraïbe, mais pas partout puisque les surfeurs aiment à se retrouver dans les rouleaux qui s'écrasent sur la péninsule d'Azuero, particulièrement à Santa Catalina.

LES MONUMENTS ET VESTIGES

Panamá City conserve les traces de son passé colonial dans le « **Casco Viejo** ». Les anciennes fortifications et les vestiges du palais du gouverneur en font le prix.

A l'opposé, le village de **Portobelo** renferme des vestiges archéologiques et des traces de son rayonnement lors de l'époque coloniale, témoin un fort des XVIIe-XVIIIe siècles.

Des vestiges d'une autre nature se retrouvent dans les musées de la province de **Chiriquí :** l'époque comprise entre 800 et 1500 après J.-C. a laissé des sculptures en pierre telles les *metates* (pierres à moudre), des figurines, des pendentifs en or, des instruments comme l'ocarina.

LE POUR

◆ Des atouts touristiques de très bon niveau, qui élargissent de plus en plus leur audience.

LE CONTRE

◆ L'insécurité qui prévaut actuellement dans la péninsule du Darién.

◆ La brièveté de la saison favorable, de surcroît mal placée au calendrier.

LE BON MOMENT

La période **janvier-avril** (saison sèche) évite peu ou prou les précipitations. Entre mai et novembre, les pluies et la lourdeur de l'atmosphère sont à leur maximum. Seule la « Petite Suisse » bénéficie d'une bouffée d'air frais.

◆ Températures moyennes jour/nuit (en °C) à Panamá City (côte sud) : janvier 33/19, avril 35/20, juillet 34/21, octobre 33/21. Moyenne de la température de l'eau de mer : 27°.

LE PREMIER CONTACT

En Belgique

Ambassade, avenue Louise, 390, B-1050 Bruxelles, ☎ (02) 649.07.29, fax (02) 648.92.16.

Au Canada

Ambassade, 130, rue Albert, Ottawa, ON K1P 5G4, ☎ (613) 236-7177, fax (613) 236-5775, www.panama-embassy.ca

En France

Ambassade, 145, avenue de Suffren, 75015 Paris, ☎ 01.45.66.42.44, fax 01.45.67.99.43.

En Suisse

Consulat général, rue de Lausanne, 72, CH-1202 Genève, ☎ (22) 715.04.50, fax 738.03.63.

Internet

www.visitpanama.com
www.abc-latina.com/panama/tourisme.htm

Guides

Mexico and Central America Handbook (Footprint), *Panamá* (Éditions Ulysse, Le Petit Futé, Lonely Planet en anglais).

Cartes

Central America (Cartographia, ITM, Nelles Map).

Lectures

L'Affaire Panama (P. A Bourson/De Vecchi, 2006), *le Tailleur de Panama* (J. Le Carré/ Seuil, 1997).

Images

Le Canal de Panama : l'autre rêve de Ferdinand de Lesseps (Christophe Philibert/Ed. Non Lieu, 2007).

DVD

Amérique centrale : Guatemala, Panama, Costa Rica (P. Hendrick/Vodeo TV), *Panama la Vieja et Casco Viejo* (Unesco, 2006).

QUEL VOYAGE ET À QUEL PRIX ?

Le voyage individuel

Les préparatifs

◆ Pour les ressortissants de l'Union européenne, canadiens, suisses : passeport en cours de validité suffisant, valable encore six mois après le retour. Carte de tourisme nécessaire, avant le départ ou à l'arrivée. Dans tous les cas, billet de retour exigible.

◆ Vaccination recommandée contre la fièvre jaune pour les voyageurs désireux de se rendre dans la serranía del Darién. Prévention recommandée contre le paludisme pour les provinces suivantes : Bocas del Toro, Darién, San Blas.

◆ Monnaie : le *balboa* est subdivisé en 100 *centesimos.* 1 US Dollar = 1 balboa, 1 EUR = 1,3 balboa. Emporter des euros ou des US Dollars (de préférence) et une carte de crédit (distributeurs de monnaie et achats divers).

Le départ

Indice de prix à certaines dates du vol Montréal-Panamá City A/R : 700 CAD; Paris-Panamá City A/R : 700 EUR. Durée moyenne du vol Paris-Panamá City (pas de vol direct) : 13 heures.

Sur place

Route

Réseau routier correct, tout-terrain recommandé en dehors des grands axes. Impossibilité de passer en Colombie en voiture. L'autoroute panaméricaine se termine à Yaviza, à 200 km environ à l'est de Panamá City.

Train

Un train passe à travers la jungle ou le long du canal pour relier Panamá City à Colón en un peu plus d'une heure.

Le séjour en individuel

Les autotours (vol + location de voiture avec ou sans chauffeur + hébergement) se développent, tel celui d'Arroyo (El Valle, Cerro Punta, péninsule d'Azuero). Autres propositions : Vacances Transat.

Le voyage accompagné

Rappel : nous nous sommes limités à un résumé des prestations en vigueur dans les agences et chez les voyagistes présents en France. Les lecteurs des autres pays peuvent en tirer des idées d'itinéraire et les compléter auprès de leurs agences de voyages.

Le Panamá fait figure de petit nouveau original chez les voyagistes, qui mènent ses visiteurs soit sur les côtes, soit, de plus en plus, dans l'intérieur.

◆ Ainsi, Nomade Aventure propose deux programmes de **randonnées**, l'un à la rencontre des Indiens Kunas (San Blas) et Emberas (parc national de Chagres), l'autre – quand la situation l'autorise – dans le Darién. Arroyo propose des séjours parfois étendus au Costa Rica, pays qui figure de plus en plus dans les programmes en combiné (Nouvelles Frontières). Le Nicaragua complète même le duo chez Kuoni, alors que Club Aventure a imaginé une grande traversée d'Amérique centrale, du canal de Panamá à Copán, au Honduras.

◆ Concernant les **croisières**, entre décembre et mars la plupart partent des États-Unis (Californie ou Floride), passent par le canal de Panamá et remontent via le Yucatán.

◆ Le coût d'un séjour accompagné est plutôt élevé : pour 12 jours, il faut tabler sur *2 000 EUR* minimum.

LES REPÈRES

◆ Lorsqu'il est midi en France, au Panamá il est 5 heures en été et 6 heures en hiver; pas de décalage horaire avec le Québec. ◆ Langue officielle : espagnol; 15 % des habitants parlent un anglais créole. ◆ Langue étrangère : l'anglo-américain est aussi pratiqué que l'espagnol. ◆ Téléphone vers le Panamá : 00507 + numéro; du Panamá : 00 + indicatif pays + numéro.

LA SITUATION

Géographie. Dominé par la forêt dense et longé par plusieurs arcs montagneux, le pays s'offre plus de mille kilomètres de côtes, au nord comme au sud, et un millier d'îles, dont un tiers dans l'archipel de las Mulatas. Au total, le Panamá couvre 75 517 km^2.

Population. Sur les 3 310 000 habitants, près des deux tiers sont des métis. Les Noirs, les Blancs et les Mulâtres constituent le dernier tiers. Capitale : Panamá City.

Religion. La colonisation espagnole a laissé une large majorité de catholiques (84 %). Minorités de protestants, de musulmans, de baha'is et d'hindous.

Dates. *1501* L'Espagnol Rodrigo de Bastidas flirte avec la côte atlantique; son concitoyen Balboa découvre le Pacifique douze ans plus tard. *1510* Début de la colonisation espagnole. *1881* Ferdinand de Lesseps perce le canal de Panamá. *1903* Indépendance et établissement d'une république soutenue par les États-Unis, qui obtiennent une « zone large » de l'Atlantique au Pacifique. *1968* Le général Omar Torrijos au pouvoir. *1977* Traité avec les États-Unis, qui prévoit le retour au Panamá de la zone du canal en 1999. *1987* Noriega dirige le pays. *1989* Intervention armée américaine, qui évince Noriega. Guillermo Endara Galimany est le nouveau président. *Mai 1994* Le Parti révolutionnaire démocratique revient au pouvoir avec Ernesto Perez Balladares. *Septembre 1999* Mireya Moscoso devient présidente. *Décembre 1999* Les États-Unis restituent au pays la zone du canal. *2004* Martin Torrijos président. *Octobre 2006* Les Panaméens se prononcent pour l'élargissement de leur canal.

Papouasie-Nouvelle-Guinée

Un fort sentiment d'exotisme se dégage du nom de ce pays presque neuf sur le plan touristique, soumis à des tensions diverses et qui traîne une réputation d'insécurité. L'image, longtemps lointaine, des Papous vivant dans une jungle pluvieuse se précise pourtant, tandis que les fonds marins sont jugés parmi les plus variés du monde. Ces atouts restent néanmoins enfermés dans une grande discrétion de la part des voyagistes, de surcroît le coût du voyage demeure très élevé.

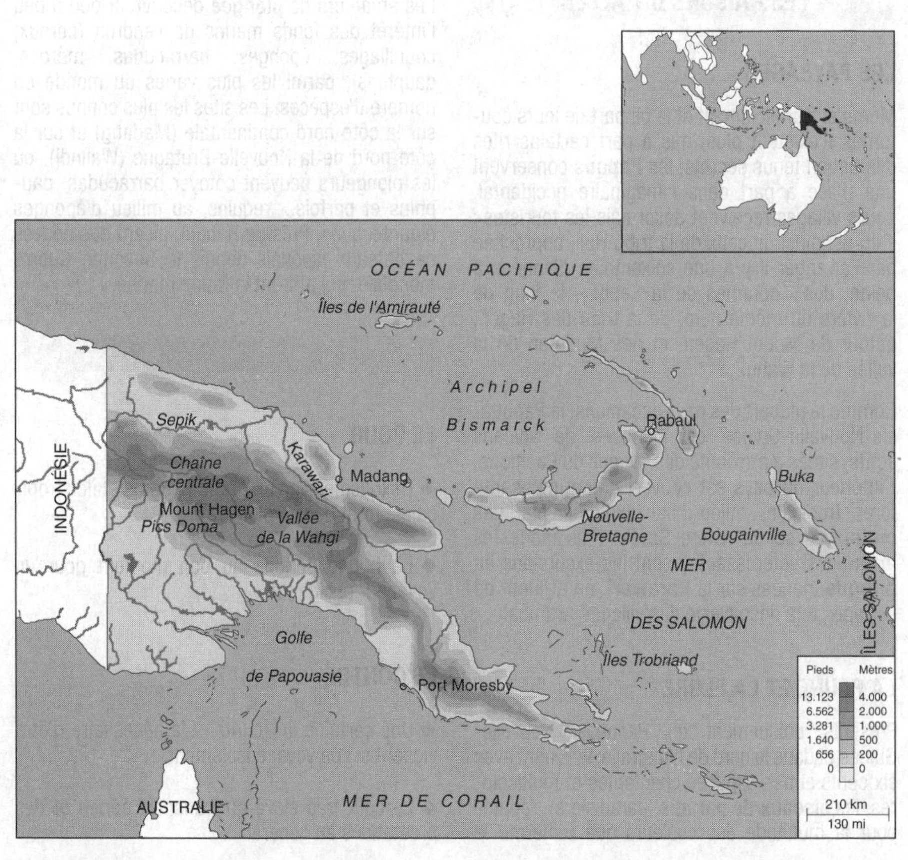

LES RAISONS D'Y ALLER

LES PAYSAGES

Volcans, forêts, archipels,
croisières sur les rivières Sepik et Karawari

LA FAUNE ET LA FLORE

Oiseaux de paradis, kangourous, casoars
Orchidées

LES CÔTES ET LES FONDS MARINS

Plages du golfe de Papouasie, des abords de Madang et des îles de l'archipel Bismarck
Plongée (Madang et côte nord de la Nouvelle-Bretagne)

LES RAISONS D'Y ALLER

LES PAYSAGES

Même si leur isolement et la plupart de leurs coutumes n'existent plus, mis à part certains rites d'initiation tenus secrets, les **Papous** conservent une place à part dans l'imaginaire occidental. Leurs villages reçoivent désormais les touristes : il en est ainsi de ceux de la tribu Huli, approchée par l'étranger il y a une soixantaine d'années à peine, des « hommes de la Sepik », le long de la rivière du même nom, de la tribu des Hagen, autour de Mount Hagen, et des Mudmen de la vallée de la Wahgi.

Comme la plupart des pays océaniens, la Papouasie-Nouvelle-Guinée est hérissée de volcans actifs, situés à proximité des rivages du Pacifique. L'intérieur du pays est couvert d'une imposante forêt tropicale, aujourd'hui explorée par des **croisières** sur la rivière **Sepik**. Plus modestes mais aussi intéressantes sont les excursions en **pirogue** menées sur la **Karawari**, un affluent de la Sepik, à la découverte des villages Arambak.

LA FAUNE ET LA FLORE

Présents uniquement en Papouasie-Nouvelle-Guinée et dans le nord de l'Australie, voisinant avec six cents autres espèces chantantes et multicolores, les **oiseaux de paradis** (paradisiers), réputés pour la multitude des couleurs que renferme la parure des mâles, sont surtout observables dans la forêt tropicale dense, autour des pics Doma. Ils sont l'emblème du pays et sont vénérés par certaines tribus papoues.

Casoars et **kangourous** sont également présents, alors que la flore est riche de deux mille cinq cents variétés d'**orchidées**.

LES CÔTES ET LES FONDS MARINS

Les **plages** du golfe de **Papouasie**, au sud, sont les plus fréquentées, mais celles situées autour de **Madang** (ville côtière souvent jugée comme la plus belle du pays) sont tout aussi agréables et agrémentées d'une barrière de corail. La plupart des nombreuses îles de l'archipel **Bismarck** sont entourées de plages de sable blanc.

Les amateurs de **plongée** découvrent peu à peu l'intérêt des fonds marins de l'endroit (coraux, coquillages, éponges, barracudas, mérous, dauphins), parmi les plus variés du monde en nombre d'espèces. Les sites les plus connus sont sur la côte nord continentale (Madang) et sur la côte nord de la Nouvelle-Bretagne (Walindi), où les plongeurs peuvent côtoyer barracudas, dauphins et parfois... requins, au milieu d'éponges gigantesques. Près de Rabaul, gisent des épaves de bateaux japonais depuis la Seconde Guerre mondiale, qui attirent la faune marine.

LE POUR

◆ L'exotisme avec un grand E (côtes et îles tropicales, forêt dense, plongée).

◆ La bonne période au bon moment pour un voyageur occidental.

LE CONTRE

◆ Une certaine insécurité et la nécessaire d'être vigilant si l'on voyage isolément.

◆ Le coût très élevé du transport aérien et des prestations en général.

LE BON MOMENT

Placée sous un climat équatorial typique, la Papouasie-Nouvelle-Guinée reçoit de très fortes précipitations. Les pluies battent même des records sur certaines hauteurs. Néanmoins, la période **juin-septembre** est acceptable un peu partout, particulièrement sur la côte sud. ◆ Températures moyennes jour/nuit (en °C) à *Port Moresby* (côte sud) : janvier 32/24, avril 30/24, juillet 27/23, octobre 28/24.

LE PREMIER CONTACT

En Belgique

Ambassade, avenue de Tervuren, 430, B-1150 Bruxelles, ☎ (02) 779.08.26, fax (02) 772.70.88.

Au Canada

Consulat honoraire, 120, rue Adelaïde Ouest, Toronto, ON, M5H 1T1, ☎ (416) 868.3585, fax (416) 367-1954.

Internet

www.pngtourism.org.pg/

Guide

Papua New Guinea and Solomon Islands (Lonely Planet).

Carte

Papua New Guinea (ITM).

Lectures

L'art des échanges : penser le lien social chez les Sulka (M. Jeudy-Ballini/Payot Lausanne, 2004), *les Argonautes du Pacifique occidental* (B. Malonowski/Gallimard, 1989), *le Sabbat des lucioles : sorcellerie, chamanisme et imaginaire cannibale en Nouvelle-Guinée* (P. Lemmonier/ Stock, 2006).

Images

A table avec les cannibales, aventure en pays papou (Corrado Ruggeri/Payot, 2001), *les Derniers Primitifs - Papous de Nouvelle-Guinée* (C. lago/ White Star, 2008).

QUEL VOYAGE ET À QUEL PRIX ?

Le voyage individuel

Les préparatifs

◆ Pour les ressortissants de l'Union européenne, canadiens, suisses : passeport valable encore six mois après le retour, visa obligatoire, obtenu auprès du consulat ou bien à l'arrivée, sur présentation d'un billet de retour (confirmation de cette dernière possibilité à demander à l'ambassade). Billet de retour ou de continuation exigible.

◆ Aucune vaccination n'est obligatoire. Prévention indispensable contre le paludisme au-dessous de 1 800 m.

◆ Monnaie : la *kina* est subdivisée en 100 *tosa*. 1 US Dollar = 2,6 kinas, 1 EUR = 3,6 kinas. Emporter des US Dollars de préférence.

Le départ

Indice de prix à certaines dates du vol Paris-Port Moresby A/R : 1 400 EUR.

Sur place

Hébergement

Se loger revient cher, mais la diversification existe, entre autres les « éco-huttes » dans les Highlands.

Route

Conduite à gauche. Réseau routier peu étendu, bien se renseigner sur les conditions de sécurité, éviter de voyager seul en dehors des grandes agglomérations.

Le séjour

Rappel : nous nous sommes limités à un résumé des prestations en vigueur dans les agences et chez les voyagistes présents en France. Les lecteurs des autres pays peuvent en tirer des idées d'itinéraire et les compléter auprès de leurs agences de voyages.

Le coût très élevé du voyage (au minimum *3 500 EUR* pour un séjour d'une dizaine de jours) et la méconnaissance de la destination font que la Papouasie-Nouvelle-Guinée connaît actuellement une audience réduite à quelques propositions de plongée.

Ainsi, Ultramarina concentre son activité sur les sites de plongée (Loloata, Walindi) où il propose des forfaits entre décembre et mars. Ce même voyagiste complète son offre par des croisières-plongées d'une semaine.

Le voyage accompagné

Quand la situation le permet, quelques rares voyagistes proposent des circuits dans les **montagnes** et les **villages** du centre du pays, tel Explorator (17 jours).

LES REPÈRES

◆ Lorsqu'il est midi en France, en Papouasie-Nouvelle-Guinée il est 20 heures en été et 21 heures en hiver. ◆ Langues : l'anglais est langue officielle, côtoyé par le néo-mélanésien, ou pidgin-english (mélange de chinois et d'anglais), et 700 dialectes. ◆ Téléphone vers la Papouasie-Nouvelle-Guinée: 00675 + numéro.

LA SITUATION

Géographie. La moitié est de l'île de la Nouvelle-Guinée appartient au pays (l'autre moitié, Irian Jaya, est indonésienne). Il faut lui ajouter l'archipel Bismarck, les îles de Buka, Bougainville et de l'Amirauté, et un demi-millier d'îlots. L'ensemble couvre 462 840 km^2, presque tous montagneux, avec une jungle importante et des volcans actifs qui laissent peu de place à de basses terres souvent insalubres.

Population. Les habitants sont peu nombreux (5 932 000), en majorité Papous et Mélanésiens. Présence d'Australiens, d'Européens, de Chinois et de Pygmées. Capitale : Port Moresby.

Religion. Les Papous pratiquent de nombreux cultes mais la majorité religieuse est chrétienne : 64 % de protestants et 33 % de catholiques.

Dates. *XVIe siècle* Les Portugais découvrent la Nouvelle-Guinée. *1884* Le nord-est de l'île devient un protectorat allemand mais sera confié à l'Australie trente-sept ans plus tard par la Société des nations. *1975* Indépendance de la partie orientale de l'île, qui devient Papouasie-Nouvelle-Guinée, État membre du Commonwealth. *1990* L'île de Bougainville est contrôlée par l'Armée révolutionnaire du même nom et déclare unilatéralement son indépendance. *1992* Élection du gouvernement de Paias Wingti. *1998* Accord de cessez-le-feu à Bougainville. *Juillet 1998* Un raz de marée sur la côte nord détruit plusieurs villages et provoque la mort de deux mille deux cents personnes. *Juillet 1999* Le réformateur Mekere Morauta s'installe au pouvoir avec l'ambition de redresser un pays très mal en point. *Août 2002* Sir Michael Somare Premier ministre. *Août 2007* Il est reconduit à la suite de la victoire du National Alliance Party aux législatives.

Paraguay

Bien qu'il dévoile des particularités intéressantes, le Paraguay demeure à l'écart des grands itinéraires touristiques de l'Amérique latine. Il existe un net contraste entre la partie est, verdoyante, et la grande plaine du Chaco, à l'ouest, souvent aride. Par ailleurs, l'empreinte des jésuites, venus propager leur foi auprès des Indiens Guaranis il y a près de quatre cents ans, est toujours apparente. Tout cela crée une ambiance spécifique qui compense la faiblesse des témoignages de l'histoire précolombienne.

LES RAISONS D'Y ALLER

LA NATURE ET LA FAUNE

Fleuves (río Paraguay), cascades, forêts, steppes (Chaco)
Jacanas, marabouts, spatules, urubus, condors royaux

LES MONUMENTS

Sanctuaires jésuites de Trinidad, habitat des jésuites et des mennonites

LES VILLES

Asunción, San Bernardino

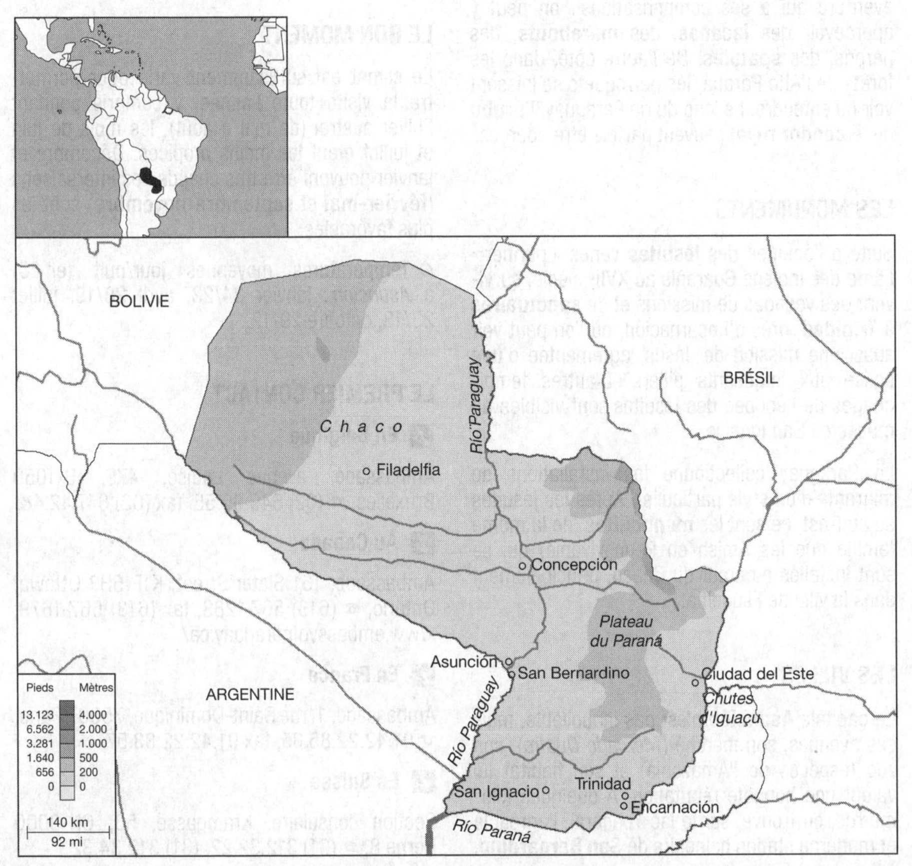

LES RAISONS D'Y ALLER

LA NATURE ET LA FAUNE

Les chutes d'Iguaçu sont à quelques encablures de Ciudad del Este, ville-frontière avec le Brésil *(voir ce mot)*. Mais c'est le fleuve Paraguay qui, en coupant le pays en deux, sert de définition au tourisme de nature en permettant d'avoir un aperçu tantôt des terres arides du Chaco, tantôt des marais du Pantanal. Aussi est-il recommandé d'opter pour une croisière fluviale jusqu'à Concepción et au-delà.

Les **cascades**, les **forêts**, les **rivières** (propices à la pêche du *dorado,* sorte de saumon) et une flore très riche ont conduit à l'élaboration de sept parcs nationaux. Le Paraguay est ainsi un endroit rêvé pour les amateurs de botanique.

Traverser les steppes du rude **Chaco** est une aventure qui a ses compensations : on peut y apercevoir des **jacanas**, des **marabouts**, des hérons, des **spatules**. De l'autre côté, dans les forêts de l'Alto Paraná, les perroquets se laissent voir ou entendre. Le long du río Paraguay, l'**urubu** ou le **condor royal** peuvent parfois être aperçus.

LES MONUMENTS

Suite à l'équipée des **jésuites** venus « purifier » l'âme des Indiens Guaranis au XVIIe siècle, survivent des vestiges de missions et de **sanctuaires** à **Trinidad**, près d'Encarnación, où l'on peut voir aussi une mission de Jésus, agrémentée d'une église aux imposants piliers. D'autres témoignages de l'épopée des jésuites sont visibles au musée de San Ignacio.

Le Paraguay collectionne les installations de migrants d'un style particulier. Après les jésuites au sud-est, ce sont les **mennonites** (de la même famille que les Amish en Pennsylvanie) qui se sont installés au cœur du Chaco, principalement dans la ville de Filadelfia.

LES VILLES

La capitale **Asunción** n'est pas inoubliable, mais ses avenues, son marché (*Mercado Quatro*), son zoo (espèces de l'Amazonie) et son habitat lui valent une honnête réputation. À quelques kilomètres, on trouve, sur le lac Ypacarai, l'agréable et moderne station balnéaire de **San Bernardino**.

Quant à la ville-frontière de **Ciudad del Este**, elle a mauvaise réputation mais elle mérite la citation : ses très nombreux magasins hors taxes suscitent la curiosité et font le bonheur des voisins brésiliens.

LE POUR

◆ Un pays riche en contrastes, tant sur le plan humain que sur celui de la nature.

LE CONTRE

◆ Une destination inexistante chez les voyagistes européens et qui reste très en retrait des autres pays sud-américains.

LE BON MOMENT

Le climat est suffisamment varié pour permettre la visite toute l'année, y compris pendant l'hiver austral (de mai à août), les mois de juin et juillet étant les moins propices. Décembre et janvier pouvant être très chauds, les intersaisons (**février-mai** et **septembre-novembre**) sont les plus favorables.

◆ Températures moyennes jour/nuit (en °C) à *Asunción* : janvier 34/23, avril 28/19, juillet 23/13, octobre 29/19.

LE PREMIER CONTACT

En Belgique

Ambassade, avenue Louise, 475, B-1050 Bruxelles, ☎ (02) 649.90.55, fax (02) 647.42.48.

Au Canada

Ambassade, 151 Slater Street, K1P 5H3 Ottawa, Ontario, ☎ (613) 567-1283, fax (613) 567-1679, www.embassyofparaguay.ca/

En France

Ambassade, 1, rue Saint-Dominique, 75007 Paris, ☎ 01.42.22.85.05, fax 01.42.22.83.57.

En Suisse

Section consulaire, Kramgasse, 58, CH-3000 Berne 8, ☎ (31) 312.32.22, (31) 312.34.32.

Internet

www.senatur.gov.py/

Guides

South America on a shoestring (Lonely Planet), *South America Rough Guide* (Penguin), *South American Handbook* (Footprint).

Cartes

Bolivia, Paraguay (Nelles Map), *Chili, Argentine, Paraguay, Uruguay* (Berlitz).

Lectures

Eldorado (L. Gaudé/Actes Sud, 2006), *Pionniers brésiliens au Paraguay* (S. Souchaud, Karthala, 2002), *Une colonie française au Paraguay : la Nouvelle-Bordeaux* (G. Rodriguez Alcala, L. Capdevila/L'Harmattan, 2005). Le roman *Eldorado 51* (M. Trillard/Phébus, 1994) brosse une vie d'Européens déracinés au cœur du Chaco. Lire aussi les romans de l'opposant aux dictatures Augusto Roa Bastos, dont *Moi le suprême.*

Images

Baroque du Paraguay (Hoëbeke, 1995). Le film *Mission*, de Roland Joffé (1986), évoque l'implantation des jésuites.

DVD

Argentine/Paraguay (France Televisions Distribution).

QUEL VOYAGE ET À QUEL PRIX ?

Le voyage individuel

Les préparatifs

◆ Pour les ressortissants de l'Union européenne et suisses : passeport suffisant, valable encore six mois après le retour. Pour les Canadiens, visa nécessaire. Billet de retour ou de continuation exigible.

◆ Aucune vaccination n'est obligatoire. Dernièrement, progression d'une épidémie de dengue et cas très localisés de fièvre jaune dans certains départements. Risque modéré de paludisme d'octobre à mai inclus dans les zones rurales des départements suivants : Alto Paraná, Amambay, Caaguazú, Canendiyú.

◆ Monnaie : le *guarani*. Emporter des euros ou, mieux, des US Dollars. Le change dans les *casas de cambio* est avantageux. 1 US Dollar = 4 900 guaranis, 1 EUR = 6 700 guaranis.

Le départ

◆ Indice de prix à certaines dates du vol Montréal-Asunción A/R : 1 300 CAD; Paris-Asunción A/R : 1 000 EUR. Durée moyenne du vol Paris-Asunción (généralement escale à Buenos Aires ou à São Paulo) : 14 heures.

Sur place

Route

Location de voiture possible, de préférence un tout-terrain.

LES REPÈRES

◆ Lorsqu'il est midi en France, au Paraguay il est 7 heures en été et 8 heures en hiver. ◆ Langue officielle : l'espagnol, mais le guarani est plus courant; les mennonites parlent le hochdeutsch, ancienne variante de l'allemand. ◆ Langue étrangère : anglais. ◆ Téléphone vers le Paraguay : 00595 + indicatif (Asunción : 21) + numéro.

LA SITUATION

Géographie. Rarement un pays aura présenté un tel contraste à cause du seul passage d'un fleuve. En effet, le río Paraguay, qui a donné son nom au pays, le coupe en deux, laissant à l'ouest le Chaco, grande plaine semi-aride, et à l'est des terres riantes, hérissées de collines. L'ensemble couvre 406 752 km^2.

Population. Le métissage est exemplaire : Espagnols et Indiens Guaranis se sont mêlés d'emblée pour le meilleur des résultats (90 %), cas unique en Amérique latine. Le pays compte 6 831 000 habitants, dont le quart vit dans la capitale Asunción et son agglomération.

Religion. Le catholicisme est prédominant (96 %). Minorité de protestants. Présence de mennonites dans le Chaco.

Dates. *1585* Les jésuites rassemblent les Indiens Guaranis dans des « réductions » et les évangélisent. *1767* Expulsion des jésuites par les Espagnols. *1813* Indépendance. *1932* « Guerre du Chaco » contre la Bolivie. *1954* Arrivée au pouvoir du général Stroessner, dont la dictature durera trente-cinq ans. *1989* Andrés Rodriguez, bras droit de Stroessner, lui enlève le pouvoir. *1993* Premières élections générales libres depuis cinquante ans : Juan Carlos Wasmosy, conservateur du parti *Colorado,* devient président. *Avril 1996* Tentative de putsch militaire. *Août 1998* Raul Cubas (parti *Colorado*) est élu président. *Mars 1999* Assassinat du vice-président, démission du président quelques jours plus tard et prise du pouvoir par Luis Gonzalez Macchi (Parti colorado). Le pays demeure dans une situation économique préoccupante. *Août 2003* Nicanor Duarte devient président. *Août 2008* Fernando Lugo (Alliance patriotique pour le changement) est élu président.

Pays-Bas

Des champs de tulipes à perte de vue au printemps, des musées de réputation mondiale, des moulins à vent, des canaux et des maisons à pignon, des villes à l'architecture douce, dynamisées par la réputation d'Amsterdam : le tourisme des Pays-Bas est d'une grande diversité. Certes, le ciel est plus souvent gris plombé que bleu azur, mais la douceur relative du climat permet un voyage agréable presque toute l'année.

◆ **Ex-Antilles néerlandaises, Aruba** : voir sous Antilles (Petites).

LES RAISONS D'Y ALLER

LES VILLES ET LES MUSÉES

Amsterdam, Delft, La Haye, Rotterdam, Haarlem, Leyde, Utrecht, Maastricht
Rijksmuseum, musée Van Gogh, Mauritshuis, musée Boymans-Van Beuningen, musée national Kröner-Müller

LES PAYSAGES ET LES RANDONNÉES

Champs de fleurs et parc floral du Keukenhof
Étangs de Loosdrecht, îles des Wadden, parc national de la Haute Veluwe, moulins de Kinderdijk, polders du Flevoland, marais du Groote Peel
Plages, randonnées à vélo

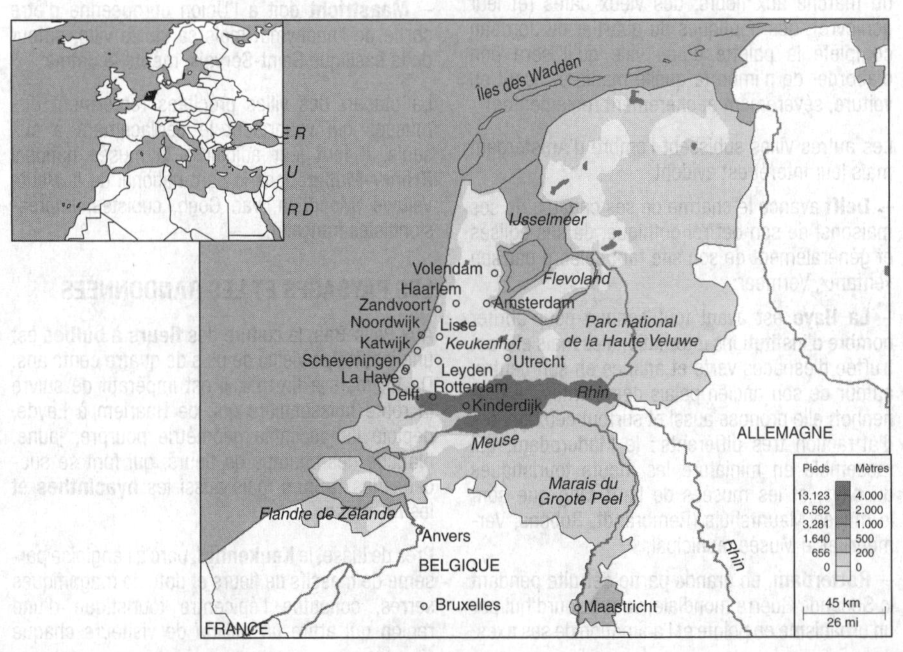

LES RAISONS D'Y ALLER

LES VILLES ET LES MUSÉES

Amsterdam, forte de sa réputation de ville jeune, branchée, romantique et permissive, est l'un des grands rendez-vous urbains européens. Elle varie les contrastes (sa «Vieille Eglise» y côtoie le «Red Light District» et les coffee shops aux petites quantités de drogues douces autorisées) et surtout elle est un enchantement à vélo ou à pied le long de ses 165 **canaux** (dont surtout Herengracht, Keizersgracht et Prinsengracht) ou au-dessus de ses... 1 289 **ponts**.

La ville offre des musées de réputation mondiale : le **Rikjsmuseum** dispose d'une grande collection de peintures des XVe au XVIIe siècles et surtout celles de Rembrandt (dont la *Ronde de nuit*), Vermeer et Frans Hals. Quant au musée **Van Gogh**, il comprend 200 peintures et 500 dessins du « peintre maudit ». A ces deux stars de la culture il faut ajouter le Stedelijk Museum (musée d'art moderne) et une annexe du musée de l'Ermitage de Saint-Pétersbourg.

La visite des maisons de Rembrandt et d'Anne Frank, du Musée maritime (navires de la célèbre compagnie des Indes orientales), du béguinage, du marché aux fleurs, des vieux cafés (et leur genièvre), des boutiques du quartier du Jordaan complète la palette d'une ville qu'il sera bon d'aborder de n'importe quelle manière... sauf en voiture, sévèrement et chèrement réglementée!

Les autres villes subissent l'ombre d'Amsterdam mais leur intérêt est évident:

– **Delft** avance le charme de ses canaux, de ses maisons, de son beffroi gothique, de ses églises et généralement de son site tant célébré par son «enfant», Vermeer;

– **La Haye** est avant tout connue pour abriter nombre d'institutions internationales mais elle est truffée d'espaces verts et animée en son centre, autour de son ancien palais des comtes, le Binnenhof; elle propose aussi et surtout deux genres d'attraction très différents : le Madurodam, qui rassemble en miniature les atouts touristiques du pays, et les musées de haut rang que sont le musée Mauritshuis (Rembrandt, Rubens, Vermeer) et le Musée municipal;

– **Rotterdam**, en grande partie détruite pendant la Seconde Guerre mondiale, vaut aujourd'hui par un urbanisme en pointe et l'animation de ses axes, Lijnbaan et Coolsingel (Hôtel de ville et Bourse miraculeusement épargnés, statue d'Erasme et pont du même nom, futuriste); mais ce sont ses abords, Delfshaven (ancien port de Delft d'où sont partis les Pères pèlerins pour l'Angleterre puis les États-Unis), Schiedam (moulins) et le port, le plus important du monde (balades possibles en bateau), qui donnent son prix à la visite; sans oublier le musée Boymans-Van Beuningen et ses tableaux de Jérôme Bosch, Van Eyck, Frans Hals, Rembrandt, Rubens;

– **Haarlem** doit être vu pour sa Grand-Place bordée de jolis édifices (église Saint-Bavon, hôtel de ville, halle aux viandes), mai surtout pour son musée Frans Hals;

– **Leyde** est une des villes les plus charmantes des Pays-Bas grâce à son moulin (De Valk) mais plus encore par son université prestigieuse et ses maisons à pignons qui longent le canal Rapenburg; à Leyde, il faut aussi visiter le Musée national d'ethnologie, le Musée municipal (arts décoratifs et œuvres de Lucas de Leyde) et le Musée national des Antiquités;

– **Utrecht** est attachante pour les canaux de sa vieille ville, son campanile (Domtoren), l'architecture audacieuse de la Maison Rietveld Schröder et sa place Vredenburg;

– **Maastricht** doit à l'Union européenne d'être sortie de l'anonymat mais sa vieille ville, autour de la basilique Saint-Servais, mérite le détour.

La plupart des villes précitées renferment des musées qui vaudraient le déplacement à eux seuls. Il faut leur adjoindre le musée national **Kröner-Müller**, dans le parc national de la Haute Veluwe (Mondrian, Van Gogh, cubistes, impressionnistes français).

LES PAYSAGES ET LES RANDONNÉES

Aux Pays-Bas, la culture des **fleurs à bulbes** est une institution vieille de plus de quatre cents ans. De fin mars à fin mai, il est impératif de suivre la route buissonnière qui, de Haarlem à Leyde, déploie l'impeccable géométrie pourpre, jaune, blanche des champs de fleurs, qui font se succéder les **tulipes** mais aussi les **hyacinthes** et les **narcisses**.

Près de Lisse, le **Keukenhof**, parc à l'anglaise parsemé de massifs de fleurs et doté de magnifiques serres, constitue l'épicentre touristique d'une région qui attire un million de visiteurs chaque année. Le tout est complété tous les dix ans par la **Floriade**, une imposante exposition universelle d'horticulture qui dure d'avril à octobre et dont le prochain épisode aura lieu en 2012.

Une fausse idée laisse croire que la platitude du sol enlève tout charme à la nature. Plusieurs éléments prouvent le contraire : non loin d'Utrecht, les étangs de **Loosdrecht**, agrémentés de ponts, de ports de plaisance et de châteaux; les îles des **Wadden**, avec leurs longues plages peuplées de réserves ornithologiques, le parc national de la **Haute Veluwe** (cerfs, chevreuils, oiseaux), la plaine marécageuse des alentours de Kinderdijk qui conserve un ensemble exceptionnel de dix-neuf **moulins**, les dunes de la Flandre de Zélande, la baie de l'IJsselmeer, ex-« mer sauvage » du Zuiderzee agrémentée de villages côtiers tels que Volendam, la mise en valeur récente du Flevoland, territoire de **polders** entièrement gagné sur la mer, le **marais** du Groote Peel (oiseaux, papillons).

Si les **plages** existent (Noordwijk, Scheveningen, Zandvoort, Katwijk), il faut attendre plus de la chaleur des casinos que de celle du sable.

Pour visiter ces lieux mais aussi pour la vie de tous les jours, une véritable industrie du loisir vélocipédique a saisi le pays : dix mille kilomètres de pistes, à la ville comme à la campagne, et des itinéraires savamment construits invitent à mettre le **vélo** sur le toit de la voiture et à utiliser celle-ci au minimum.

LE POUR

◆ Une diversité de centres d'intérêt insoupçonnée en dehors d'Amsterdam.

◆ La « religion » du vélo, celui-ci fait pour joindre l'utile à l'agréable, en ville comme à la campagne, à un point rarement atteint ailleurs en Europe.

◆ L'accès de plus en plus rapide d'Amsterdam en train.

LE CONTRE

◆ Un climat un peu trop pluvieux, qui peut mettre un frein à des projets de randonnées à vélo et à des envies de longs séjours.

◆ Les difficultés d'hébergement lors des week-ends de printemps et d'été à Amsterdam.

LE BON MOMENT

Débarrassé de tout relief, le vent se fait un plaisir de souffler sur l'ensemble du pays, entraînant nuages et pluies, même si celles-ci sont plus souvent fines que brutales. Ce climat frais et humide laisse peu de place à la saison favorable. **Avril-mai** (pour le spectacle des fleurs à bulbes) et **juillet-octobre** (pour les autres formes de tourisme) s'imposent comme moments agréables. L'eau de mer atteint rarement 20°.

◆ Températures moyennes jour/nuit (en °C) à *Amsterdam* (ouest du pays) : janvier 5/1, avril 12/4, juillet 21/13, octobre 14/7.

LE PREMIER CONTACT

En Belgique

Office néerlandais du tourisme, avenue Louise, 89, B-1050 Bruxelles, ☎ (02) 543.08.01, fax (02) 534.21.94.

Au Canada

Netherlands Board of Tourism, Toronto, ☎ (416) 363-1577, numéro gratuit 1-888-729-7227.

En France

Office néerlandais du tourisme (fermé au public), ☎ 01.43.12.34.20, fax 01.43.12.34.21.

Au Luxembourg

Ambassade, 6, rue Sainte-Zithe, L-2763 Luxembourg, ☎ 22.75.70.

En Suisse

Office de tourisme à Zurich, ☎ (01) 405.22.22, fax (01) 405.22.00.

Internet

www.holland.com/fr

www.amsterdam.info/fr

Sur place

À travers le pays, les enseignes comportant le sigle VVV annoncent l'office local de tourisme. À Amsterdam, penser à l'Amsterdam Card pour divers avantages, dont les transports. Idem pour la Rotterdam Card.

Guides

Amsterdam (Gallimard/Cartoville, Gallimard/Encyclopédie du voyage, Hachette/Evasion en ville, Hachette/Top 10, Hachette/Un grand week-end, Hachette/Voir, Michelin/Voyager pratique, National Geographic France), *Amsterdam et ses environs* (Hachette/Routard), *Amsterdam, Pays-Bas* (Le Petit Futé),

Hollande, Amsterdam, Rotterdam (Hachette/Evasion), *Pays-Bas* (Michelin/Guide vert),

Cartes

Amsterdam (Berlitz, Berndtson, IGN), *Pays-Bas* (Berlitz, Michelin).

Lectures

La perle noire : la Maison Windjammer (V. A.F Richardson/Pocket, 2001), *Ma vie rebelle* (Ayaan Hirsi Ali/Nil, 2006).

Images

Amsterdam (Te Neues-Mul, 2004), *l'Art de vivre à Amsterdam* (Flammarion, 2003), *la Maison d'Anne Frank : un voyage illustré dans le monde d'Anne* (Hansje Galesloot/Calmann-Levy, 2005), Van Gogh : l'œil des choses (Jean-Clet Martin/Les Empêcheurs de penser en rond, 2001).

DVD

Amsterdam on line (KVP, 2001).

QUEL VOYAGE ET À QUEL PRIX ?

Le voyage individuel

Les préparatifs

◆ Pour les ressortissants de l'Union européenne et suisses : carte nationale d'identité ou passeport suffisant. Penser à la carte européenne d'assurance maladie. ◆ Pour les ressortissants canadiens : passeport suffisant, encore valide trois mois après le retour.

◆ Monnaie : l'*euro*.

Le départ

Avion

◆ Indice de prix à certaines dates du vol Montréal-Amsterdam A/R : 720 CAD; Paris-Amsterdam A/R : 150 EUR. Vols à bas prix Montpellier ou Nice-Amsterdam (Transavia). ◆ Durée moyenne du vol Paris-Amsterdam (420 km) : 1 heure.

Bus

Paris-Amsterdam A/R via Bruxelles avec Eurolines.

Route

Paris-Amsterdam : environ 500 km. Autoroutes gratuites en Belgique et aux Pays-Bas.

Train

◆ Pass InterRail utilisable. ◆ Le *Thalys* relie Paris-Gare du Nord à Amsterdam Centraal en 4 h 09 via Bruxelles, Anvers, Rotterdam et La Haye.

Sur place

Bateau

Location de péniches possible.

Hébergement

◆ Réservation très conseillée pour Amsterdam, quelle que soit la nature de l'hébergement choisi (les hôtels au design dernier cri y voisinent avec un hébergement aussi ordinaire que cher). ◆ Les Bed and Breakfast dans les villages du proche Waterland avec location de vélo pour gagner Amsterdam constituent une excellente alternative. ◆ Il existe une trentaine d'auberges de jeunesse à travers le pays. Renseignements : www.njhc.org

Route

◆ Limitation de vitesse agglomérations/routes/autoroutes : 50/80-100/120. ◆ Limite du taux d'alcoolémie : 0,5 pour mille. ◆ Larges possibilités d'autotours (voiture, logement, itinéraire suggéré) chez la plupart des voyagistes cités ci-après. ◆ Les éventualités de composer un séjour en fonction du sacro-saint vélo sont variées à souhait : location du vélo et achat de bons pour 7 nuits en auberge de jeunesse, en camping, etc. Renseignements auprès de l'office du tourisme.

Le séjour

Rappel : nous nous sommes limités à un résumé des prestations en vigueur dans les agences et chez les voyagistes présents en France. Les lecteurs des autres

pays peuvent en tirer des idées d'itinéraire et les compléter auprès de leurs agences de voyages.

◆ **Amsterdam** écrase le tourisme néerlandais. La ville se visite de mille façons : en bus pour un week-end de 2 jours/1 nuit ou 3 jours/2 nuits (Eurolines), en avion (vol A/R et 2 nuits d'hôtel), en train (*Thalys* + 2 nuits). Formules entre autres chez Europauli/Visit Europe, Fram, Go Voyages, Jet tours, Nouvelles Frontières, Tourisme chez l'habitant, Transeurope.

Un week-end 3 jours/2 nuits via le train revient aux alentours de *300 EUR* selon la saison et la catégorie des hôtels.

◆ **Rotterdam** apparaît peu à peu dans les formules week-end grâce au Thalys, source de week-ends 2 jours/1 nuit, aux alentours de *150 EUR* par personne.

◆ En été, une **croisière** fluviale d'Amsterdam à Strasbourg, et vice versa, est très souvent programmée. Renseignements en agences de voyages.

QUE RAPPORTER ?

En choisissant un plant de tulipes, une paire de sabots, une faïence de Delft... et un gouda bien rond, on rassemble la parfaite panoplie du touriste en goguette aux Pays-Bas. Question magasins mode ou de deuxième main, Amsterdam n'a pas de rivale.

LES REPÈRES

◆ Lorsqu'il est midi au Québec, aux Pays-Bas il est 18 heures. ◆ Langue officielle : le néerlandais. La minorité frisonne du nord du pays s'exprime dans son dialecte. ◆ Langues étrangères : les Néerlandais manient aisément l'anglais et l'allemand, un peu moins le français. ◆ Téléphone vers les Pays-Bas : 0031 + indicatif (Amsterdam : 20, La Haye : 70) + numéro; des Pays-Bas : 00 + indicatif pays + numéro.

LA SITUATION

Géographie. Le plat pays connaît ici son prolongement, les quelques collines de l'est ne devant pas faire illusion. Les Pays-Bas (« basses terres ») ont longtemps dû se battre contre la mer du Nord afin de gagner des kilomètres carrés, d'où la naissance des fertiles polders, et de porter ainsi le chiffre de leur superficie à 40 844 km^2.

Population. 16 645 000 habitants sur une superficie aussi modeste valent aux Pays-Bas une très forte densité de population au kilomètre carré. Amsterdam est la capitale depuis 1815, mais la Cour et les pouvoirs publics sont à La Haye. Le pays est subdivisé en 12 provinces.

Religion. Les catholiques (36 %) sont plus nombreux que les protestants (32 %, dont la majorité appartient à l'Église néerlandaise réformée). Un Néerlandais sur trois ne se réclame d'aucune religion.

Dates. *1406* La Maison de Bourgogne reçoit le Brabant. *1524* Charles Quint crée un État formé de 17 provinces. *1573* Formation de la république des Provinces-Unies. *1815* Le Congrès de Vienne reconnaît le royaume des Pays-Bas. *1830* La Belgique et, neuf ans plus tard, le Luxembourg prennent leur indépendance. *1940* Occupation allemande. *1944* Le Benelux est établi. *1948* Juliana monte sur le trône. Les Pays-Bas sont une monarchie héréditaire fondée sur une démocratie parlementaire. *1957* Entrée des Pays-Bas dans la CEE. *1976* Les Pays-Bas décriminalisent la consommation et la possession de moins de 5 g de cannabis et en autorisent la vente dans les coffee shops. *1980* Beatrix succède à Juliana. *Mai 1998* Wim Kok et les sociaux-démocrates sont élus pour quatre ans. *Mai 2003* Un gouvernement de centre-droit se forme autour de M. Balkenende. *Mars 2004* Décès de la reine Juliana. *Novembre 2006* Victoire des chrétiens-démocrates aux législatives.

Pérou

Le Wayna Picchu, pain de sucre qui plante le décor du Machu Picchu, ressemble à celui qui ferme la baie de Rio. Comme pour accréditer l'idée qu'en Amérique du Sud seul le Brésil peut se prévaloir d'autant de trésors touristiques que le Pérou et ses civilisations - l'époque inca mais aussi les précédentes. En outre, son environnement montagneux attire les randonneurs dans des paysages grandioses. A celui qui, ô sacrilège ! négligerait l'Altiplano, il resterait à se perdre dans les méandres rougeâtres des cours d'eau de la forêt amazonienne.

LES RAISONS D'Y ALLER

LES VESTIGES

Vestiges incas (Machu Picchu, Cuzco)
Vestiges d'autres civilisations : Lambayeque, Pachacámac, Chanchán, Chavin
Lignes de Nazca

LES PAYSAGES ET LES RANDONNÉES

Randonnée sur le chemin de l'Inca, Altiplano, lac Titicaca, Huarón, cordillère de Vilcanota, volcan Misti, salines de Maras
Iles Ballestas
Forêt amazonienne (randonnées, rafting)

LES MARCHÉS ET LES FÊTES

Marchés indiens, fête de l'Inti Raymi, pèlerinage au sanctuaire de Qoyllur Rit'i, feria de Lima

LES VILLES

Cuzco, Lima, Arequipa, Iquitos

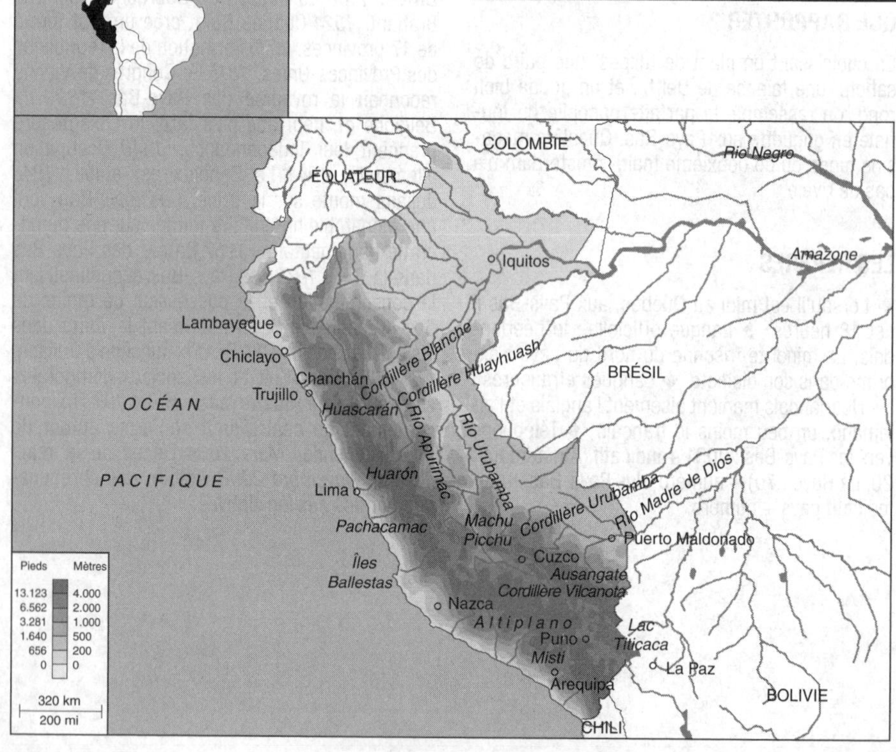

LES RAISONS D'Y ALLER

LES VESTIGES

Les **Incas** et leur empire étaient présents il y a un demi-millénaire avant d'être éconduits par le conquistador espagnol Pizarro. Mais leur souvenir demeure vivace à travers des ruines majestueuses, au premier rang desquelles le **Machu Picchu**, classique mondial du tourisme perché à 2 430 m, découvert il y a moins d'un siècle et dont on ne sait toujours pas s'il fut un centre religieux ou une forteresse.

Aborder le Machu Picchu tout de go est une règle... à ne pas suivre. La bonne idée consiste à envisager une randonnée (voir ci-contre) ou à prendre le train à Cuzco jusqu'au terminus d'Aguas Calientes. On peut alors s'attarder dans la haute vallée de l'Urubamba, la « Vallée sacrée », qui déroule des ruines majestueuses telles que Pisac et Ollantaytambo. Des sites archéologiques incas de moindre importance peuvent être découverts au hasard des itinéraires de trekkings.

Les Incas ne sont pas tout. Ils ont été précédés par des civilisations qui ont laissé des traces de première importance :

– le site archéologique de Túcume et celui de Sipán (pyramides), dans la région de **Lambayeque**, petite ville qui renferme un Musée archéologique abritant une tombe royale Sipán unique en son genre;

– au sud de Lima, il existe un centre cérémoniel, **Pachacámac**, dont les premières constructions furent posées par des populations de culture Lima;

– sur la côte nord, non loin de Trujillo, se dressent les neuf enceintes du site de **Chanchán**, ancienne capitale du royaume chimu (1200-1400); la tombe royale de l'une d'elles renferme des vestiges d'offrandes;

– toujours au nord, dans la cordillère Blanche, se dresse le centre cérémoniel de **Chavin**, fait de sculptures monumentales en pierre avec le félin comme emblème;

– entre 200 avant J.-C. et 600 après J.-C., les habitants de la vallée de **Nazca** avaient développé une riche culture artisanale et tracé sur le sol d'étranges lignes coupées de représentations d'animaux et de végétaux. Aujourd'hui, spécialistes et touristes survolent ces lignes (géoglyphes), parfois longues de plusieurs kilomètres, mais le mystère demeure.

LES PAYSAGES ET LES RANDONNÉES

La plupart des **randonnées** sont liées à la traversée des sites archéologiques. La plus recherchée est celle qui suit le **chemin de l'Inca**. Parti des environs de Cuzco, le randonneur, qui ne doit surtout pas s'attendre à être seul au monde et doit se garder du mal de l'altitude (*soroche*), gravit ou descend des escaliers de pierre vieux d'un demi-millénaire, passe par des sites tels que Ollantaytambo et termine en apothéose par le Machu Picchu.

Les paysages **andins** dominent le pays, tant par leur altitude que par leur beauté. L' **Altiplano** offre le spectacle de vallées et de sommets enneigés, ponctués par l'arrivée au **lac Titicaca**. Ce dernier, lac navigable le plus haut du monde (3 812 m) et berceau des fils du Soleil, fait l'objet de balades en bateau qui passent principalement par les îles « flottantes » des descendants des Indiens Uros et par l'île de Taquile : autant de lieux longtemps préservés et qui s'accommodent aujourd'hui de l'afflux touristique.

Au nord-est de Lima, la cordillère **Blanche** est recouverte par 200 km de glaciers. Trente sommets dépassent 6 000 m, la plupart coupés de vallées, de rivières et de lacs. Plus bas et plus au sud, un autre spectacle est offert par la forêt de pierres de **Huarón**, colonnes de pierres qui ont été figées par le gel après avoir dégringolé les pentes brûlantes des volcans.

A l'est de Cuzco, les randonneurs trouvent encore à qui parler en longeant les sommets de près de 5 000 m de la cordillère de **Vilcanota**. Au sud, dans la région d'Arequipa, des volcans tels que le **Misti** et des canyons comme celui de la **Colca** et ses rares condors sont une aubaine pour les marcheurs. Comme le sont les images blanches des salines de **Maras**, non loin de la Vallée sacrée.

La côte péruvienne est gênée par des courants froids. Toutefois, il existe quelques sites balnéaires intéressants et des villages de pêcheurs autour de Chiclay. La rencontre entre les courants de Nino et de Humboldt a engendré une atmosphère propice à l'arrivée de nombreuses **espèces** (baleines, lions de mer, raies mantas, phoques, oiseaux), regroupées sur les îles Ballestas, noires de guano, précieux engrais qui résulte des excréments des oiseaux marins.

Les plus téméraires des voyageurs s'essaient au bateau pneumatique (**rafting**) sur le fleuve sacré **Urubamba**. Un autre fleuve descendu des Andes, le río Apurímac, a creusé des canyons propices à des activités nautiques et pédestres.

Très différentes sont les escapades que l'on peut envisager dans la **forêt amazonienne**. Des noms comme celui de la ville de Puerto Maldonado, de la rivière Madre de Dios ou de la ville d'Iquitos évoquent l'« enfer vert » et sont aujourd'hui des passages obligés pour le touriste, qui embarque sur de longues pirogues, les *peque-peque*.

LES MARCHÉS ET LES FÊTES

Les **marchés indiens** sont devenus des classiques du tourisme sud-américain. Ils sont complétés par des **fêtes :** l'*Inti Raymi* à Sacsahuamán, au moment du solstice d'hiver (juin), cérémonie inca pour demander au soleil, avec force danses et sacrifices rituels, de revenir.

A Quispicanchis, à sept heures de bus de Cuzco, a lieu le pèlerinage au sanctuaire de *Qoyllur Rit'i*, destiné à la vénération d'une branche en forme de croix rappelant la légende de l'apparition, au XVIIIe siècle, de « Manuelito », assimilé dans les Andes à l'Enfant Jésus.

La feria de Lima, en octobre ou en novembre, et les danses en l'honneur de la patronne de la ville de Puno, la *Virgen de la Candelaria*, en février, méritent également d'être suivies.

LES VILLES

Cuzco, qui fut la capitale de l'Empire du Soleil mêle, à 3 400 m d'altitude, les vestiges incas et les constructions de l'ère coloniale, quand celles-ci n'ont pas recouvert ceux-là : ainsi le couvent de Santo Domingo a-t-il été élevé sur les restes du temple du Soleil. La pierre aux douze angles des vestiges du palais d'Inca Roca, la place d'Armes et le quartier populaire de San Blas sont le creuset de la plus jolie ville du Pérou. Au-dessus de Cuzco, se profile Sacsahuamán, l'imposante forteresse qui était chargée de protéger la ville.

L'architecture coloniale de son quartier historique (maisons aux balcons de bois, palais), sa cathédrale baroque, ses églises dont celle de San Francisco (azulejos et catacombes), les vestiges précolombiens de son musée de la Nation et son musée de l'Or donnent toute sa valeur touristique à **Lima**, également intéressante pour ses quartiers chic (Miraflores) ou populaire (Barranco).

Dominé par le cône élégant du volcan Misti, **Arequipa** vaut par ses églises, le couvent de Santa Catalina et le musée qui renferme le corps, découvert intact en 1975, de Juanita, la « princesse des glaces ».

Enfin, à l'orée de la *selva*, **Iquitos,** longtemps enrichie par l'hévéa, offre sa qualité d'ancienne bourgade d'Indiens devenue le point de départ du tourisme amazonien.

LE POUR

◆ Un des grands rendez-vous du tourisme mondial, diversifié à souhait : randonnées à travers les sites incas, forêt amazonienne.

◆ Les dates favorables (mai-septembre) pour le voyage sur l'Altiplano et les sites incas.

LE CONTRE

◆ Le coût de l'acheminement aérien.

◆ Le peu d'intérêt d'un séjour balnéaire : la côte péruvienne est souvent brumeuse et fraîche.

◆ La nécessité de bien se renseigner si l'on planifie de visiter certaines régions, telles celles d'Ayacucho et de la frontière nord.

LE BON MOMENT

Pays contrasté sur le plan du relief et de la végétation, le Pérou l'est aussi pour son climat.

Ainsi, pendant que Lima est noyée dans la brume avec un faible 17°, Cuzco et le Machu Picchu connaissent de **mai à septembre** un ciel bleu et des nuits froides.

De **décembre à mars**, Lima retrouve le soleil, alors qu'une pluie fine tombe assez souvent sur l'Altiplano et les sites incas.

Quant à la partie amazonienne, son humidité est intense, la période **juin-août** apportant toutefois un répit.

◆ Températures moyennes jour/nuit (en °C)
Cuzco (3 310 m, région des sites incas) : janvier 19/7, avril 20/5, juillet 19/0, octobre 21/6.

Iquitos (forêt amazonienne) : janvier 31/22, avril 31/22, juillet 30/21, octobre 30/22.

Lima (côte centrale) : janvier 26/19, avril 24/18, juillet 19/15, octobre 20/5. Moyenne de la température de l'eau de mer : 17º.

LE PREMIER CONTACT

En Belgique

Consulat, rue de Praetere, 2-4, B-1000 Bruxelles, ☎ (02) 641.87.60, fax (02) 641.87.68.

Au Canada

Consulat, 550, rue Sherbrooke Ouest, H3A 1B9, Montréal, ☎ (514) 844-5123, fax (514) 843-8425, www.embassyofperu.ca

En France

Prom Perou, via TQC, 59, rue du Faubourg-Saint-Antoine, 75011 Paris, ☎ 01.47.66.63.37, www.tqc.fr. Ambassade, ☎ 01.53.70.42.00.

En Suisse

Consulat, rue des Pierres-du-Niton, 17, CH-1207 Genève, ☎ (22) 707.49.17, fax (22) 707.49.18, www.conperginebra.ch/html/inicio.html

Internet

www.peru.info

www.perou.org/

Guides

Pérou (Gallimard/Bibl. du voyageur, JPM Guides, Le Petit Futé, Lonely Planet France, Marcus, Nelles, Editions Ulysse), *Pérou et Bolivie* (Hachette/Routard, Mondeos).

Cartes

Perou (Freytag), *Peru, Ecuador* (Nelles Map). Nombreuses cartes de la partie péruvienne de la cordillère des Andes chez Cordée.

Lectures

Pérou (Michel Braudeau/Gallimard, 1999), *Pérou : ombres et lumières* (Chrystelle Barbier/Ed. Toute Latitude, 2007). Penser aux romans de Mario Vargas Llosa et à sa manière de décrire son pays sous un angle caustique, tels, chez Gallimard, *Lituma dans les Andes* ou *la Ville et les Chiens*.

Images

Le Pérou des Incas (Larousse, 2005), *Pérou : trésors de l'Empire inca* (Mario Polia/Minerva, 2003), *Pérou : vision de l'empire du Soleil* (Etienne Dehau, Fernando Carvallo/Hermé, 2003), *Pérou, Terra Andina* (Georama, 2007).

DVD

Pérou, le temple de l'Inca (DVD Guides, 2003).

QUEL VOYAGE ET À QUEL PRIX ?

Le voyage individuel

Les préparatifs

◆ Pour les ressortissants de l'Union européenne, canadiens, suisses : passeport suffisant, valable encore six mois après le retour, billet de retour ou de continuation exigible.

◆ Aucune vaccination n'est obligatoire. Vaccination recommandée contre la fièvre jaune pour les voyageurs qui se rendent dans les zones de jungle inférieures à 2 300 m d'altitude. Prévention recommandée contre le paludisme au-dessous de 1 500 m, particulièrement dans les vallées andines, les vallées côtières, le bassin amazonien.

◆ Monnaie : le nouveau sol (*nuevo sol*) est subdivisé en 100 *centavos*. Même si l'euro est accepté sans problème dans les grandes villes, il est recommandé de se munir de dollars US en petites coupures et/ou de chèques de voyage dans cette même monnaie. 1 US Dollar = 3,2 nouveaux sols, 1 EUR = 4,3 nouveaux sols.

Le départ

Indice de prix à certaines dates du vol Montréal-Lima A/R : 700 CAD; Paris-Lima A/R via Madrid : 850 EUR. Durée moyenne du vol Paris-Lima (10 373 km, pas de vol direct) : 16 heures.

Sur place

Agences locales

Dans des villes comme Arequipa ou Puno (lac Titicaca), très large palette d'agences qui proposent des randonnées et des excursions.

Hébergement

◆ La plupart des voyagistes proposent un éventail de chambres d'hôtels. ◆ Sur les lieux touristiques, offres de chambres chez l'habitant, de pensions de famille, d'hôtels de charme, voire de grand luxe, tel le seul hôtel sur le site même du Machu Picchu. ◆ Il existe une trentaine d'auberges de jeunesse, www.hostels.com/fr/pe.html

Route

La location de voiture sans chauffeur ne fait pas partie des habitudes touristiques.

Train

Incontournable train de Cuzco à Machu Picchu Pueblo (Aguas Calientes), pour trois heures d'un trajet d'un peu plus de cent kilomètres, qui dépose le visiteur au pied du Machu Picchu! Quatre allers-retours par jour, dont un avec le train de luxe *Hiram Bingham.* Un autre train touristique relie le lac Titicaca à Cuzco (*Andean Explorer*).

Le voyage accompagné

Rappel : nous nous sommes limités à un résumé des prestations en vigueur dans les agences et chez les voyagistes présents en France. Les lecteurs des autres pays peuvent en tirer des idées d'itinéraire et les compléter auprès de leurs agences de voyages.

Le Pérou est, avec le Brésil, le pays le plus courtisé d'Amérique du Sud. Les traces de l'Empire inca, l'époque coloniale et l'Amazonie sont au cœur de propositions où la diversité joue à plein : déplacements classiques, randonnées pédestres, balades fluviales. En outre, les dates du voyage sont propices (mai-septembre).

◆ L'itinéraire le plus couru, d'une quinzaine de jours, débute à Lima, se poursuit par Arequipa, Cuzco, Sacsahuamán (y compris la fête de l'Inti Raymi en juin ou juillet), le train des Andes, le Machu Picchu, et se termine aux abords du lac Titicaca. Exemples : Adeo, Ananta, Arroyo, Arvel, Arts et Vie, Best Tours, Clio, Continents insolites, Empreinte, Jet Set/Équinoxiales, Jet tours, Kuoni, Nouvelles Frontières, Vacances Transat, Voyageurs du monde.

La plupart des voyagistes précités ajoutent l'observation des lignes de Nazca, les îles Ballestas et quelques jours dans l'Altiplano bolivien ou en Amazonie. Il faut s'attendre à *3 000 EUR* environ tout compris pour un tel type de voyage, moins pour des séjours classiques (mais trop brefs...) de 11 à 13 jours chez quelques voyagistes.

◆ Aucun randonneur ne saurait rater le « **chemin de l'Inca** », majestueux point d'orgue des programmes péruviens : Atalante, La Balaguère, Club Aventure, Explorator, Nomade, Nouvelles Frontières et Terres d'aventure, entre autres, sont présents (compter aux alentours de *1 000 EUR* pour un mini-trip de 5 jours et 42 km à partir de Cuzco, réservation avant le départ vivement conseillée!).

◆ Pour les **Andes**, il faut posséder quelque expérience de l'alpinisme et une bonne forme physique pour suivre certains itinéraires, tels ceux d'Allibert ou d'Atalante qui flirtent avec les 6 000 m autour de l'Huascaran, l'Alpamayo et le Toclaraju dans la cordillère Blanche. Nouvelles Frontières associe celle-ci et le chemin de l'Inca pour un séjour également très sportif. Quant à Aventure et Volcans, il s'attaque aux « volcans sacrés des Incas » (Ubinas, Misti, volcans d'Andahua), alors qu'Arroyo passe 15 jours uniquement dans le nord.

◆ Le Pérou et la **Bolivie** sont souvent proposés ensemble, pour un séjour de 15 à 22 jours selon les voyagistes, certains ajoutant le nord du **Chili**. Le lac Titicaca sert de trait d'union entre des paysages, des habitants et des mœurs aux origines semblables. Exemples : Best Tours, Continents insolites, Jet tours, Kuoni, Le Monde des Amériques, Nouvelles Frontières, Voyageurs du monde.

◆ **Tourisme solidaire** : logement, guide et conseils aux voyageurs à Lima sont dispensés par l'association Mano a Mano (tél. +51.15.36.22.82, http://limamam.ifrance.com), ce qui permet d'améliorer les conditions de vie dans un bidonville de la capitale.

◆ De Valparaiso à Esmeraldas, une croisière sur le *Diamant* (Compagnie des îles du Ponant) combine le Chili, le Pérou et l'Equateur.

QUE RAPPORTER ?

Tissages, chapeaux en paille ou en feutre, bonnets andins, pulls en alpaga, ponchos, flûtes de Pan, statuettes; sur le lac Titicaca, mobiles (artistiques) des artisans indiens.

LES REPÈRES

◆ Lorsqu'il est midi en France, au Pérou il est 5 heures en été et 6 heures en hiver; pas de décalage horaire avec le Québec. ◆ Langues officielles : l'aymara, l'espagnol et le quechua; ce dernier, qui fut la langue des Incas, est parlé par 40 % de la population. ◆ Langues étrangères : l'anglais est pratiqué mais peu considéré, le français n'est pas mal considéré mais peu pratiqué. ◆ Téléphone vers le Pérou : 0051 + indicatif (Lima :1) + numéro; du Pérou : 00 + indicatif pays + numéro.

LA SITUATION

Géographie. Du Pacifique vers le Brésil, le Pérou, grand pays de 1 285 216 km² étiré sur 2 000 km, se découpe en trois croissants nettement différenciés : une étroite bande côtière au climat désertique mais qui comprend les grandes villes; la cordillère des Andes, dont la partie occidentale est la plus élevée et dont la partie orientale est bordée par l'Altiplano; la forêt amazonienne.

Population. On dénombre 29 181 000 Péruviens, dont pratiquement la moitié sont des Indiens et dont un sur cinq vit avec moins de un dollar US par jour. La seconde moitié est composée de Blancs, d'Asiatiques, de Noirs et de Chinois. Capitale : Lima.

Religion. 92 % des Péruviens sont catholiques.

Dates. *XIIe siècle* La civilisation inca s'installe pour quatre siècles mais a été précédée de plusieurs autres, tout aussi inventives. *1532* Pizarro prend Cuzco. *1780* Révolte des Indiens. *1821* Indépendance. *1980* Belaúnde Terry est au pouvoir, mais la guérilla menée par le « Sentier lumineux », d'obédience maoïste, prend de plus en plus d'ampleur. *1985* Alan García président de la République. *1990* Alberto Fujimori lui succède. *Septembre 1992* Arrestation d'Abimaël Guzman, chef du Sentier lumineux. Entre 35 000 et 70 000 personnes auront péri entre 1980 et 2000 au cours de cette guérilla. *Avril 1995* Réélection d'Alberto Fujimori. *Décembre 1996* Le mouvement révolutionnaire Tupac Amaru retient plus de deux cents personnes à l'ambassade du Japon à Lima. L'armée péruvienne donne l'assaut après 126 jours. *Novembre 2000* Fujimori, pourtant réélu trois mois plus tôt, s'en va sous la menace d'une affaire de corruption. Valentin Paniagua devient président par intérim et Javier Perez de Cuellar Premier ministre. *Juin 2001* Alejandro Toledo, un centriste, est élu président aux dépens d'Alan Garcia, social-démocrate. *Juin 2006* Alan Garcia est élu président aux dépens du populaire Ollanta Humala. *Août 2007* Un séisme dans la région côtière de Pisco, au sud de Lima, fait plus de cinq cents victimes.

Philippines

Avertissement. – Tout voyage dans l'île de Mindanao et dans l'archipel de Zamboanga est vivement déconseillé actuellement.

Un archipel de plus de sept mille îles et bordé par dix-sept mille cinq cents kilomètres de côtes ne pouvait que conduire à une infinité de plages, de fonds coralliens et d'envies de plongée. Mais ces atouts côtiers sont contestés par la qualité des paysages : géométrie des rizières en terrasses de Banaue, volcans et routes de montagne de Luçon. Malgré tous ces bienfaits, les Philippines n'ont toujours pas acquis auprès du touriste occidental la dimension d'autres destinations de l'Asie du Sud-Est, en outre leur image reste froissée par les soubresauts politiques.

LES RAISONS D'Y ALLER

LES PAYSAGES

Rizières en terrasses de Banaue, volcans Pinatubo, Taal, Mayon
Chocolate Hills, chutes de Pagsanjan, Mindanao (grottes, rizières, mont Apo)

LES CÔTES

Côtes des Visayas (Cebu, Bohol, Panay, Boracay) et de Palawan, El Nido
Plongée à Mindoro (Puerto Galera) et à Palawan

LES VILLES ET LES MONUMENTS

Manille, Zamboanga, Cebu (églises, forts)

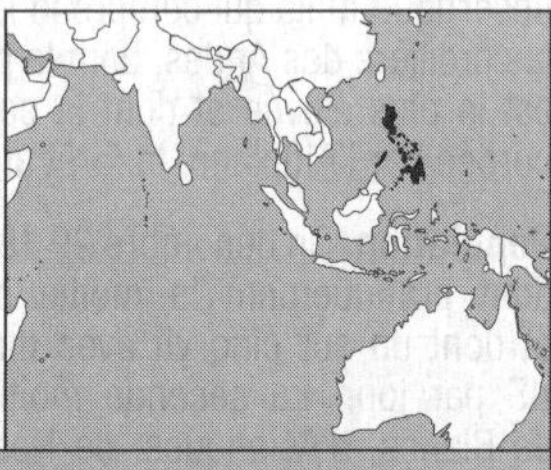

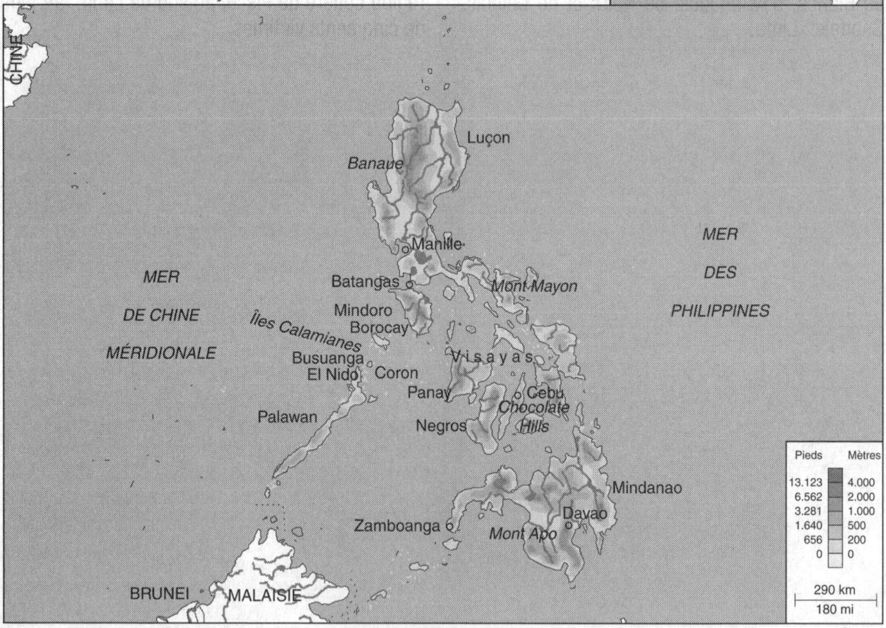

LES RAISONS D'Y ALLER

LES PAYSAGES

Les **rizières en terrasses** de la région montagneuse de **Banaue** (Luçon), dessinées par les ancêtres de l'ethnie des Ifugaos, sont souvent citées parmi les plus belles du monde. Toujours à Luçon, la route qui relie Baguio à Bontoc n'a pas volé son baptême de *mountain trail* : elle est la plus haute du pays et offre des panoramas spectaculaires.

Les Philippines rassemblent une trentaine de **volcans**. A l'ouest de Manille, l'éruption gigantesque du **Pinatubo** en 1991 a laissé un désert de cendres sans cesse redessiné par les pluies ou typhons, et arpenté aujourd'hui par les randonneurs. Au sud-ouest de la capitale, le volcan **Taal** dessine, au milieu du lac du même nom, un cône dont la pureté des lignes ne peut être contestée que par celle du mont **Mayon**, volcan dont l'approche est souvent déconseillée pour cause d'activité récente.

Dans l'île de Bohol, les **Chocolate Hills** sont de surprenantes collines rondes et qui brunissent en été, d'où leur nom. On en compte plus d'un millier, dont certaines dépassent cent mètres de hauteur.

À 100 km au sud-est de Manille, se trouvent les chutes de **Pagsanjan**, les rapides pouvant être descendus en pirogue dans un paysage qui a servi de décor au film *Apocalypse Now*.

À Mindanao, dont l'ouverture au tourisme serait bien plus forte si la situation politique le permettait, les grottes de **Davao,** le mont **Apo**, les alentours du lac **Sebu** (peuplés des tribus T'Bolis) et les rizières en terrasses (Bangaan) sont les sites clés.

Quant à **Palawan**, l'intérieur des terres (forêts, falaises, montagnes, faune) mérite autant la visite que les rivages. Au nord de Palawan, les îles **Calamianes** font valoir leurs forêts, leurs sources chaudes, la mangrove et les coraux dans les îles de Busuanga et Coron, et surtout le parc national d'**El Nido**, avec ses falaises, ses nids d'hirondelle et ses grottes qui font parfois penser à la baie d'Along vietnamienne.

LES CÔTES

Pour le **farniente**, les **côtes** bordées de plages de sable fin et leurs fonds coralliens (poissons tropicaux, coquillages, corail) sont légion. C'est dans le centre de l'archipel, parmi les îles des **Visayas**, que le tourisme balnéaire s'est le plus développé : Cebu, Bohol, Panay et Boracay.

Sous la même latitude, les plages et le lagon lumineux de l'île de **Palawan** comptent parmi les plus beaux d'Extrême-Orient. Autre rendez-vous balnéaire : les plages et les récifs de **Zamboanga**.

Encore bien discrets, les voyageurs occidentaux qui choisissent les Philippines le font surtout pour la **plongée** et les sports **nautiques**. Les sites de **Mindoro** (Puerto Galera) et de **Palawan** (épaves autour de l'îlot de Busuanga et de Coron), ceux situés autour de Batangas (Luçon), ceux des détroits de Mindoro et de Bohol, enfin le parc de Tubbataha, dans la mer de Sulu, sont réputés.

LES VILLES ET LES MONUMENTS

Manille doit vivre avec une réputation de ville surpeuplée et hypertrophiée, où sévissent misère et prostitution. Mais sa double culture (espagnole d'abord, américaine ensuite), sa partie fortifiée (« Intramuros », la vieille ville espagnole et son église San Agustin), ses églises (dont l'une renferme une statue noire du Christ), son palais (Malacanang, où sont rassemblés des chefs-d'œuvre de l'art espagnol), son marché (Quinto) et son quartier chinois s'attachent à lui valoir une autre image.

Insolites : les *jeepneys*, descendants des jeeps laissées par l'armée américaine. Ces « taxis », bariolés à souhait et qui n'appartiennent qu'à la ville, traduisent incomparablement son âme.

La longue présence de l'Espagne a laissé de solides traces, non seulement sous la forme d'églises mais aussi de forts. **Zamboanga**, qui mêle les architectures espagnole et musulmane, et surtout **Cebu** attestent de ce passé.

LE POUR

◆ Une grande diversité pour les adeptes du tourisme balnéaire et de la plongée, dans des sites et sur des plages de très haute qualité.

◆ Les mêmes avantages climatiques et esthétiques que ceux des archipels océaniens, avec les témoignages culturels en sus.

LE CONTRE

◆ Un coût du voyage et de l'hôtellerie qui demeure élevé.

◆ Une saison climatique favorable qui tombe mal pour un Occidental.

LE BON MOMENT

Sous un climat tropical chaud et humide, il faut choisir la saison sèche, entre novembre et mai, pour trouver les meilleures conditions de voyage, et plus précisément les mois de **novembre, décembre** et **janvier**, surtout pour le nord et l'ouest.

De juin à octobre, le ciel s'obscurcit, surtout lors des dernières semaines de la saison des pluies dans le nord-est de Luçon. En général, il pleut plus souvent au nord qu'au sud, quant aux plages des archipels centraux, elles peuvent être fréquentées tout au long de l'année.

◆ Températures moyennes jour/nuit (en °C) à *Manille* (Luçon) : janvier 30/21, avril 34/23, juillet 31/24, octobre 31/23. Moyenne de l'eau de mer autour de l'archipel : 27°.

LE PREMIER CONTACT

En Belgique

Ambassade, avenue Molière, 297, B-1050 Bruxelles, ☎ (02) 340.30.77.

Au Canada

Ambassade, 130, rue Albert, Ottawa, ON K1P 5G4, ☎ (613) 233-1121, fax (613) 233-4165.

En France

Ambassade, 4, hameau de Boulainvilliers, 75116 Paris, ☎ 01.44.14.57.00, fax 01.46.47.56.00.

En Suisse

Section consulaire, avenue Blanc, 47, CH-1202 Genève, ☎ (22) 731.83.20, fax (22) 731.68.88.

Internet

www.philtourism.com/
www.wowphilippines.com.ph/

Guides

Philippines (Le Petit Futé, Lonely Planet en anglais), *Tagalog Express* (Dauphin).

Cartes

Malaisie, Indonésie, Philippines (Blay Foldex), *Philippines* (Marco Polo), *Philippines, Manila* (Nelles Map).

Lectures

La Cuisine des Philippines (Publibook, 2007), *Mythes et légendes des Philippines* (L'Harmattan, 2003).

Images

Les Philippines. Un voyage à travers l'archipel (Gallimard, 1997), *Parcs nationaux des Philippines* (Könemann, 2001).

DVD

L'archipel aux 7 000 îles (DVD Guides, 2004).

QUEL VOYAGE ET À QUEL PRIX ?

Le voyage individuel

Les préparatifs

◆ Pour les ressortissants de l'Union européenne, canadiens, suisses : passeport (valable encore six mois après le retour) suffisant pour un séjour de moins de 21 jours, visa obligatoire au-delà. Billet de retour ou de continuation exigible.

◆ Aucune vaccination n'est obligatoire. Prévention indispensable contre le paludisme au-dessous de 600 m, sauf dans les zones urbaines, les plaines, Manille et sa banlieue, les provinces de Bohol, Catanduanes et Cebu.

◆ Monnaie : le *peso philippin*. 1 US Dollar = 47 pesos philippins, 1 EUR = 64 pesos philippins. Emporter des euros ou des dollars US pour le change, des chèques de voyage en dollars US, une carte de crédit pour les distributeurs de monnaie des grandes villes et pour certains autres achats.

Le départ

◆ Indice de prix à certaines dates du vol Paris-Manille A/R : 750 EUR. ◆ Durée moyenne du vol Paris-Manille (11 086 km, escales) : 16 heures.

Sur place

Bateau

Possibilité de rejoindre Sulawesi (Indonésie) à partir de Davao et de General Santos (Mindanao).

Hébergement

L'hôtellerie est chère, alternative possible avec la vingtaine d'auberges de jeunesse de l'archipel (www.hihostels.com).

Route

Location de voiture envisageable, de préférence avec chauffeur.

Le séjour individuel

◆ Les Visayas et Palawan font l'objet de séjours **balnéaires** aussi « paradisiaques » que coûteux (voir par exemple Asia ou Yoketai). Compter au-delà de *1 500 EUR* la semaine, vol A/R et hébergement.

◆ La **plongée** a les faveurs des rares voyagistes occidentaux : Ultramarina est à Puerto Galera ou dans les fonds de Busuanga à Palawan, où gisent des épaves japonaises de la Seconde Guerre mondiale. Aquarev est à Palawan pour les mêmes raisons, à Pandan Island et à Puerto Galera. Autres propositions : Voyageurs du monde. Souvent les «safaris-plongée» ont lieu à partir d'un *bangka*, embarcation locale. Compter *2 500 EUR* pour 15 jours.

Le voyage accompagné

Rappel : nous nous sommes limités à un résumé des prestations en vigueur dans les agences et chez les voyagistes présents en France. Les lecteurs des autres pays peuvent en tirer des idées d'itinéraire et les compléter auprès de leurs agences de voyages.

Les Philippines n'ont pas encore réussi leur percée auprès des touristes européens. Les quelques voyagistes qui programment l'archipel, le plus souvent au printemps et à l'automne, réussissent toutefois à bien répartir les centres d'intérêt : balnéaire, plongée, balades à la rencontre des peuplades ou vers les sites de l'intérieur.

◆ La **randonnée** se pose en contestataire des milliers de kilomètres de côtes : ainsi, Atalante est sur les rizières en terrasses de Banaue avant une détente à Puerto Galera ou Busuanga. Allibert passe par le lac Taal avant la détente à Mindoro. Entre février et avril, Aventure et Volcans s'attaque aux **volcans** mythiques (Mayon, Taal) et marche sur le désert de cendres qu'a laissé le Pinatubo.

◆ Terres d'aventure est dans les rizières et les volcans de Luçon. Yoketaï a choisi Banaue, Baguio et Boracay.

◆ Les dates des voyages sont diverses et favorables puisque étalées sur l'année. Quant au prix des séjours accompagnés, les premiers se situent rarement en dessous de *2 500 EUR* pour 15 jours.

QUE RAPPORTER ?

Tissages, poteries, vannerie, masques.

LES REPÈRES

◆ Lorsqu'il est midi en France, aux Philippines il est 18 heures en été et 19 heures en hiver; lorsqu'il est midi au Québec, aux Philippines il est 1 heure. ◆ Langue officielle : le tagalog, également appelé pilipino, émerge de près de cent langues ou dialectes. ◆ Langues étrangères : leur double passé colonial entraîne la pratique d'un peu d'espagnol et une bonne maîtrise de l'anglo-américain par les Philippins; le français est très peu connu. ◆ Téléphone vers les Philippines : 0063 + indicatif (Manille : 2) + numéro; depuis les Philippines : 00 + indicatif pays.

LA SITUATION

Géographie. Comme la plupart des archipels de la région, les Philippines connaissent un relief volcanique ainsi qu'une alternance de plages et de récifs coralliens. Luçon, au nord, et Mindanao, au sud, sont les îles les plus importantes, en superficie comme en population. Les Philippines comptent plus de 7 000 îles et s'étendent sur 300 000 km^2.

Population. Son chiffre est élevé : 96 062 000 habitants, en majorité d'origine malaise. On dénombre une vingtaine de minorités. Capitale : Manille (9 000 000 d'habitants pour l'agglomération).

Religion. L'empreinte espagnole se retrouve dans l'importante proportion de catholiques (85 %), connus pour leur ferveur. Minorités d'aglipayans (adeptes issus de l'Église indépendante philippine), de musulmans (ces derniers surtout à Mindanao) et de protestants.

Dates. *800* Arrivée de Négritos, Proto-Indonésiens et Malais. *1521* Magellan aborde. *1565* Les Espagnols imposent leur suzeraineté. *1898* Les États-Unis viennent soutenir les soulèvements locaux et se retrouvent propriétaires de l'endroit. *1916* Création du *Philippine Autonomy Act*. *1935* Quezón président. *1941* Occupation des Japonais. *1946* Indépendance. *1965* Marcos, président, se heurte à la double guérilla des communistes et des Moros musulmans. *1986* Cory Aquino, la « dame en jaune », remporte les élections, Marcos s'exile. *Juillet 1992* Fidel Ramos prend la présidence dans la lignée de Cory Aquino et préserve la démocratie ainsi que la stabilité politique. *Mai 1998* Élection de Joseph Estrada. *Avril 2000* Des musulmans rebelles du groupe Abu Sayyaf prennent en otages 28 personnes, dont 10 touristes étrangers, sur l'île de Jolo. *Janvier 2001* Gloria Macapagal-Arroyo succède à Joseph Estrada, désavoué pour corruption. *Décembre 2006* Passage du cyclone Dunan (500 morts, 700 disparus).

Pologne

La Pologne occupe une place relativement discrète sur l'échiquier touristique européen mais sa fréquentation, stimulée par l'entrée dans l'Union européenne, est en progression. Le pays renferme des villes où l'histoire a laissé des traces intéressantes, comme à Varsovie et surtout Cracovie. Les lacs et forêts de Mazurie, dans le nord-est, ainsi que la forêt très ancienne de Bialowezia sont aussi surprenants que méconnus, alors que dans le sud les Hautes Tatras invitent à la balade en été et au ski en hiver.

LES RAISONS D'Y ALLER

LES VILLES ET LES MONUMENTS

Cracovie, Gdansk, Varsovie, Malbork, Sandomierz,
Szczecin, Torun, Wroclaw, Poznan, Zakopane

LES PAYSAGES

Lacs de Mazurie, Warmie,
lacs et cours d'eau de Poméranie
Sudètes, Hautes Tatras (traditions du bois),
forêt de Bialowezia, Beskides (parc national)

LES CÔTES

Plages du nord-ouest

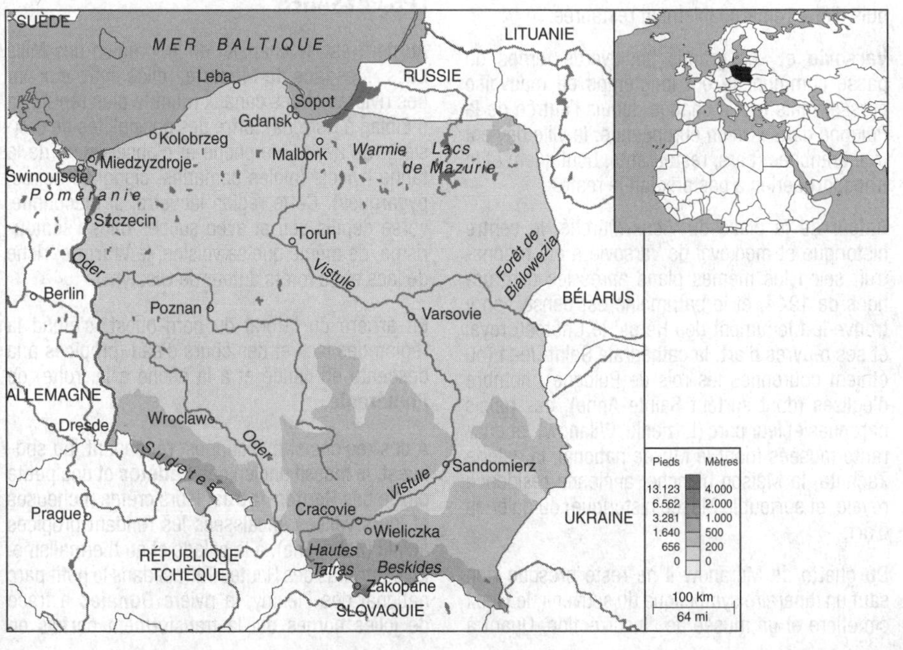

LES RAISONS D'Y ALLER

LES VILLES ET LES MONUMENTS

Cracovie (Krakow), avec sa Grand-Place (Rynek Glówny), sa halle aux draps, son ambiance médiévale, ses palais et églises baroques, Art nouveau, gothiques et Renaissance, son quartier juif (Kazimierz), son musée Czartoryski (Léonard de Vinci), sa vieille université qui vit passer Copernic, son château royal et la cathédrale, qui vit, elle, passer rois et poètes sur la colline de Wawel, est considérée comme la plus jolie ville du pays, non seulement parce qu'elle a été épargnée par les guerres mais aussi parce qu'elle a toujours été une métropole culturelle.

Trois lieux de visites très particuliers non loin de Cracovie : le bourg de Wadowice, d'où est originaire Jean-Paul II et qui fait désormais l'objet de visites guidées; l'énorme mine de sel de Wieliczka; l'innommable camp d'Auschwitz.

Gdansk, ex-Dantzig, ville qui appartint à la Hanse, possédait une architecture gothique de grande valeur (hôtel de ville, basilique Notre-Dame, maisons à colombages, demeures bourgeoises dont la Maison Dorée) avant de subir de graves dommages lors de la Seconde Guerre mondiale, puis d'être remarquablement restaurée.

Varsovie et ses grands boulevards ternes du passé communiste ont longtemps eu mauvaise presse, mais tout a changé depuis l'entrée de la Pologne dans l'Union européenne: la ville devient très branchée (bars, restaurants, boutiques) et le transport aérien à bas prix fait le reste.

Autour de la place du Vieux-Marché, le centre historique et médiéval de Varsovie a été reconstruit selon les mêmes plans après les destructions de 1944, et le patrimoine est dense : on y trouve le Monument des Héros, le Château royal et ses œuvres d'art, la cathédrale Saint-Jean (où étaient couronnés les rois de Pologne), nombre d'églises (dont surtout Sainte-Anne), des palais baroques et leur parc (Lazienki, Wilanow), et quarante musées (dont le Musée national, la galerie Zacheta, la Maison blanche, ancienne résidence royale, et surtout le Musée historique) ou galeries d'art.

Du ghetto de Muranow il ne reste presque rien sauf un itinéraire symbolique du souvenir, le vieux cimetière et un musée de l'Insurrection. Quant à l'époque soviétique, l'énorme Palais de la culture et de la science en est un symbole très contesté.

A une soixantaine de kilomètres, à Zelazowa Wola, on peut visiter la maison natale de Chopin, à qui Varsovie rend hommage l'été par des concerts.

Méritent également la visite : **Malbork** et son château fort (XIIIe et XIVe siècles), qui fut le siège des grands maîtres de l'ordre Teutonique; **Sandomierz** (cathédrale, hôtel de ville, musées); **Szczecin** (château des ducs de Poméranie, palais baroques); **Torun**, ville natale de Copernic, dont les vieux quartiers s'ornent d'églises, de belles façades, d'une étrange tour inclinée et d'un hôtel de ville à dominante gothique; **Wroclaw** et sa place du Marché; **Poznan** (vieille ville, tombeaux des premiers souverains de Pologne dans la cathédrale gothique de l'île d'Ostrów Tumski).

Tout au sud, **Zakopane**, embellie par ses maisons de bois (mélèzes), est la plus importante station de sports d'hiver. Le bois est le maître mot pour des dizaines d'églises du sud du pays ainsi que pour la plupart des villages, les charpentiers locaux se faisant fort de préserver les traditions dans ce domaine.

LES PAYSAGES

Au nord-est, le chapelet de la « région des Mille Lacs », les **lacs de Mazurie**, reliés entre eux par des rivières et des canaux (dont le plus réputé va d'Elblag à Ostróda), offre des possibilités de croisière, de kayak, de pêche et d'observation de la faune avicole (aigles pomarins, cigognes noires, pygargues). Cette région lacustre, si méconnue, verse depuis peu et avec succès dans l'écotourisme, de même que sa voisine, la **Warmie**, riche de lacs et de forêts autour de Olsztyn.

En arrière du littoral du nord-ouest, s'étend la région des lacs et des cours d'eau (propices à la descente en canoë et à la pêche à la truite) de **Poméranie**.

A ces régions si méconnues, répondent, au sud-ouest, le massif ancien des **Sudètes** et une petite partie des **Hautes Tatras**, leurs crêtes rocheuses et leurs vallées encaissées les rendant propices au ski (Zakopane), à la balade et au thermalisme. En contrebas des Hautes Tatras, dans le petit parc national des Pieniny, la rivière **Dunajec** a tracé de jolies gorges qui la transforment parfois en rapide, occasion de descentes en radeaux pilotés par les bateliers locaux.

Quelques dizaines de kilomètres à l'est, s'ouvre le gouffre Sniezna, le plus profond de l'Europe de l'Est. Ensuite s'étend la forêt de **Bialowezia**, la plus vieille forêt naturelle d'Europe, qui tente de résister à un abattage sans discernement et dont une petite partie est accessible au visiteur. Elle renferme huit cents espèces de plantes, près de trois cents espèces avicoles, des arbres parfois vieux de quatre cents ans, des lynx, des loups et les trois cent cinquante derniers bisons d'Europe, très difficiles à voir...

Aux confins de la Slovaquie et de l'Ukraine, les **Beskides** constituent une jolie région de moyenne montagne et de forêt: la faune y est intéressante (aigles, bisons, ours) et un parc national propice à des randonnées a été aménagé.

LES CÔTES

On ne s'attend pas vraiment à goûter aux joies et aux plages de sable de la mer Baltique, on doit pourtant prendre en compte l'existence de stations **balnéaires** telles que Swinoujscie, Miedzyzdroje (sur l'île de Wolin, où se trouve un parc national), Kolobrzeg et surtout **Sopot**, la plus réputée grâce à ses plages de sable blanc, sa longue jetée et son arrière-plan de forêts.

Les rivages polonais sont parsemés de réserves naturelles, où abondent les oiseaux aquatiques et une flore parfois peu commune. Une curiosité à Leba : les dunes, dont certaines se déplacent d'une dizaine de mètres chaque année.

LE POUR

◆ Des motifs de visite très intéressants sur les plans architectural et culturel, mais aussi les vertus de la nature (lacs, montagnes).

◆ Une image touristique qui s'affine au fil des années.

LE BON MOMENT

Le climat est surtout continental, malgré l'influence de la mer Baltique. Les hivers sont froids mais les étés sont agréables : **juin à septembre** inclus, moment le plus favorable, est une période assez souvent ensoleillée et modérément chaude.

◆ Températures moyennes jour/nuit (en °C) à Varsovie (centre-est) : janvier 0/-5, avril 13/3, juillet 24/13, octobre 12/4.

LE PREMIER CONTACT

En Belgique

Office de tourisme, boulevard Louis-Schmidt, 119, BP 5, B-1040 Bruxelles, ☎ (02) 740.06.20, fax (02) 742.37.35, www.polska-be.com

Au Canada

Ambassade, 443, avenue Daly, Ottawa, ON K1N 6H3, ☎ (613) 789-0468, fax (613) 789-1218, www.polishembassy.ca

En France

Office de tourisme, 9, rue de la Paix, 75002 Paris, ☎ 01.42.44.19.00, fax 01.42.97.52.25, www.pologne.travel

Au Luxembourg

Ambassade, 2, rue Pulvermühl, Luxembourg, ☎ 26.00.32-1.

En Suisse

Section consulaire, Elfenstrasse 20A, CH-3006 Berne, ☎ (31) 358.02.12, fax (31) 358.02.21, www.berno.polemb.net

Internet

www.tourisme.pologne.net

Guides

Cracovie (Gallimard/Cartoville, Hachette/Un grand week-end, Lonely Planet France/Citiz, Michelin/Guide vert),

Pologne (Berlitz, Gallimard/Bibl. du voyageur, JPM Guides, Le Petit Futé, Michelin/Guide vert, Mondeos, Nelles), *Pologne : Cracovie, Varsovie, Gdansk* (Hachette/Evasion), *Pologne et les capitales baltes* (Hachette/Routard),

Varsovie (Gallimard/Cartoville).

Cartes

Pologne (IGN, Marco Polo, Michelin), *Pologne, République tchèque, Slovaquie* (Berlitz), *Varsovie* (IGN).

Lectures

L'arbre de Cracovie (François Rosset/Imago, 1998), *la Cuisine de nos grands-mères juives polonaises* (Laurence Kersz/Éditions du Rocher, 1999), *Pologne* (James Albert Michener/Seuil, 1999), *la Pologne, histoire, société, culture* (La Martinière, 2004), *le Roman de la Pologne* (Beata de Robien/Editions du Rocher, 2007).

Une idée de Cracovie est donnée par le roman *Dans une autre beauté*, de l'écrivain polonais Adam Zagajewski (Fayard, 2000).

Images

Cracovie à vol d'oiseaux (Éditions du Rocher, 2000), *Pologne Plus* (Solilang, 2009).

DVD

Cracovie : Découverte des beautés cachées de l'ancienne capitale polonaise (Vodeo TV).

QUEL VOYAGE ET À QUEL PRIX ?

Le voyage individuel

Les préparatifs

◆ Pour les ressortissants de l'Union européenne, passeport ou carte d'identité suffisant. Pour les Canadiens et les Suisses, passeport suffisant.

◆ Monnaie : le zloty. 1 EUR = 4 zlotys, 1 US Dollar = 3 zlotys. Pour le change, emporter des euros ou des dollars US et une carte de crédit (distributeurs de monnaie).

Le départ

Avion

◆ Indice de prix à certaines dates du vol Montréal-Varsovie A/R : 750 CAD; Paris-Cracovie A/R ou Paris-Varsovie A/R (hors compagnies à coût réduit) : 240 EUR. ◆ Durée moyenne du vol Paris-Varsovie (1 360 km) : 2 heures. ◆ Quelques vols à coût réduit : Beauvais-Varsovie (Wizzair), Bruxelles-Varsovie (Brussels Airlines), Charleroi-Gdansk (Ryanair), Charleroi-Katowice (Wizzair), Charleroi-Varsovie (Wizzair), Paris-Cracovie (Transavia), Paris-Varsovie (Norwegian).

Bus

Paris-Varsovie via Poznan (25 à 28 heures de trajet), Paris-Cracovie (via Wroclaw) et Paris-Gdansk possibles avec Eurolines.

Train

Pass InterRail utilisable. Paris gare de l'Est-Varsovie via Berlin: 16 heures de trajet.

Sur place

Hébergement

◆ En été, les étudiants étrangers peuvent loger dans les cités universitaires des grandes villes. ◆ Il existe des chambres chez l'habitant, des gîtes ruraux, des possibilités de louer un studio, des bed and breakfast, plus de 200 campings et près de 150 auberges de jeunesse, renseignements pour celles-ci : www.hihostels.com

Route

◆ Paris-Varsovie : 1 600 km. Permis de conduire national suffisant. Limitations de vitesse agglomération/route/autoroute : 50/90/130. Limite du taux d'alcoolémie autorisé : 0,2 pour mille. ◆ Location de voiture possible, le plus souvent en autotours d'une semaine (vol A/R + voiture + hébergement), aux alentours de *1 100 EUR* en saison, entre autres avec CGTT Voyages, Eastpak.

Le séjour

Rappel : nous nous sommes limités à un résumé des prestations en vigueur dans les agences et chez les voyagistes présents en France. Les lecteurs des autres pays peuvent en tirer des idées d'itinéraire et les compléter auprès de leurs agences de voyages.

◆ La visite est surtout à vocation **culturelle**, soutenue par les deux villes phares du tourisme polonais que sont **Varsovie** et surtout **Cracovie**. Ce duo, qui devient parfois un trio comme chez Clio avec **Gdansk**, fait l'objet de nombreuses propositions de séjour, dont l'office du tourisme est le mieux placé pour donner l'éventail des possibilités et des prix.

◆ La formule avion + hôtel existe pour les deux villes ensemble ou non, par exemple, chez Amslav, Bennett, Eastpak, Go Voyages, Luxair Tours, Voyageurs du monde, alors que CGTT Voyages propose de fouiller le riche patrimoine des deux villes au cours d'un séjour de 4 jours, avec excursion à la mine de sel de Wieliczka (départs en mai, juin et juillet). En Belgique, citytrips proposés par Jetair, Thomas Cook. ◆ Les formules week-end avion + hôtel pour les grandes villes reviennent à environ *350 EUR*.

Le voyage accompagné

◆ A travers le pays, Nouvelles Frontières va de Gdansk à Varsovie en une semaine via Malbork, Torun et Varsovie, tandis que Travel Europe propose un combiné Cracovie/Pologne du Sud.

◆ En été, les spécialistes de la **randonnée** combinent la Pologne avec certains voisins. Ainsi, il existe un doublé Pologne-Slovaquie chez Allibert qui, côté polonais, marche dans les Hautes Tatras et termine par Cracovie. Atalante s'intéresse aux Carpates et s'aventure aussi dans des combinés Pologne-Slovaquie, auxquelles il adjoint parfois la République tchèque. Un voyage de 10 jours à base de randonnées dans les hautes Tatras se trouve aux alentours de *1 200 EUR*, tout compris.

◆ Voyages spécifiques : Adeo s'engage dans un itinéraire consacré au « peuple du **bois** » dans le sud pour 14 jours, alors que le voyagiste suisse Grands Espaces est dans la forêt de **Bialowezia**.

◆ Le pays est effleuré par des navires de croisière, tel l'*Adriana* qui, parti de Göteborg, passe à Gdynia puis continue vers Saint-Pétersbourg et Stockholm.

QUE RAPPORTER ?

L'éventail est plutôt bien fourni : bijoux (ambre de la Baltique), faïences peintes à la main, nappes et tissus brodés.

LES REPÈRES

◆ Pas de décalage horaire avec l'Europe de l'Ouest; lorsqu'il est midi au Québec, en Pologne il est 18 heures. ◆ Langue officielle : le polonais, qui fait partie des langues slaves. ◆ Langues étrangères : l'allemand est la plus répandue, comme dans la plupart des ex-pays de l'Est; l'anglais et le français sont en retrait. ◆ Téléphone vers la Pologne : 0048 + indicatif (Cracovie : 12, Varsovie : 22) + numéro; depuis la Pologne : 00 + indicatif pays + numéro.

LA SITUATION

Géographie. Le relief des trois quarts du pays ne dépasse pas 200 m. Seul le sud (Hautes Tatras) se relève progressivement pour atteindre 2 499 m au mont Rysy, sur la frontière avec la République tchèque. La Pologne couvre 323 250 km².

Population. Les Polonais sont 38 501 000, chiffre élevé si l'on considère que quinze autres millions ont émigré dans le courant du XXe siècle, dont les deux tiers aux États-Unis. Capitale : Varsovie.

Religion. 95 % des Polonais sont catholiques.

Dates. *Ve siècle* Les Slaves sont présents entre l'Oder et l'Elbe. *1772* Partage de la Pologne entre l'Autriche, la Prusse et la Russie. *1830* Répression de l'insurrection de Varsovie. *1919* Naissance de la République indépendante de Pologne. *1939* L'Allemagne envahit le pays, qui sera partagé entre son envahisseur et l'URSS. *1943* Écrasement du ghetto de Varsovie. *1948* Alignement du POUP (parti communiste) sur le système soviétique. *1970* Arrivée de Gierek. *1980* Grèves des chantiers navals de Gdansk et création du syndicat Solidarnosc, avec Lech Walesa à sa tête. *1981* Tour de vis avec l'arrivée au pouvoir du général Jaruzelski. *1990* Lech Walesa est élu président de la République. *Novembre 1995* Un ancien communiste, Alexandre Kwasniewski, est élu président aux dépens de Lech Walesa. *Septembre 1997* Victoire de la droite (AWS) aux législatives. *Octobre 2000* Kwasniewski est réélu. *Septembre 2001* Les législatives sanctionnent le gouvernement précédent, coalition hétéroclite dans un paysage économique à nouveau dégradé. *Mai 2004* La Pologne entre dans l'Union européenne. *Septembre 2005* Les conservateurs catholiques de Droit et justice dominent les législatives, les frères jumeaux Jaroslaw et Lech Kaczynski deviennent respectivement Premier ministre et président. *Août 2006* Lech Walesa quitte Solidarnosc. *Septembre 2007* Donald Tusk nouveau Premier ministre.

Polynésie française

Si l'image de la vahiné sur fond d'océan bleu-vert et le parfum des fleurs de tiaré subsistent, l'imaginaire renforcé par le passage de Gauguin, de Loti et de Brel n'a plus cours depuis que l'aventure a cédé le pas à un tourisme conventionnel. Il ne faut pas renoncer au périple pour autant : la beauté du « paradis terrestre » persiste, avec ses 118 îles, ses lagons entourés de récifs coralliens, ses possibilités de pêche et de plongée.

LES RAISONS D'Y ALLER

LES CÔTES ET LES PAYSAGES

Lagon des îles de la Société
Bora Bora (séjour et observation de la faune marine), Moorea (farniente et randonnées), Huahine, Tuamotu (plongée à Rangiroa)
Marquises (falaises, paysages)

LE PATRIMOINE

Tikis (statues de pierre) aux Marquises
Musée Gauguin et musée de la Perle à Tahiti

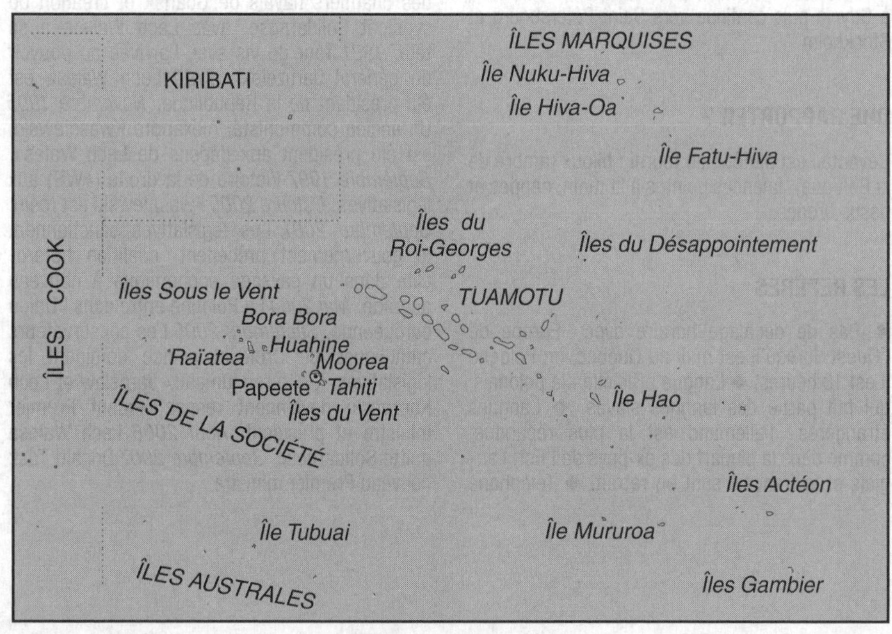

LES RAISONS D'Y ALLER

LES CÔTES ET LES PAYSAGES

Archipel de la Société

Contrairement à des clichés tenaces, **Tahiti** n'est pas la plus belle des îles de la Société. Beaucoup d'observateurs privilégient **Bora Bora**, baptisée « Perle du Pacifique » grâce à son lagon turquoise entouré de récifs coralliens et qui permet l'observation des poissons avec masque et tuba. C'est aussi le site de la Polynésie recherché par ceux qui souhaitent séjourner dans un haut de gamme... très haut.

D'autres élisent **Moorea** pour le farniente mais aussi pour les randonnées et plus encore **Huahine** pour ses plages cachées et ses traditions d'une Polynésie moins tendance.

Marquises

A la différence des autres archipels, la vingtaine d'îlots des Marquises, dont six sont habités, n'ont ni récifs coralliens ni lagon mais plutôt de hautes falaises et des plages de galets. Ce relief n'appartient qu'aux Marquises et en fait sans doute la destination la plus en marge et la plus spécifique.

Ua Huka, Fatu Hiva et Nuku Hiva sont souvent cités parmi les plus jolis sites, mais c'est le nom de Hiva Oa qui est le plus souvent évoqué, plus précisément Atuona, village dans lequel reposent Gauguin et Brel.

Tuamotu

L'atoll de **Rangiroa**, au nord, remporte la palme pour la plongée et, autour des soixante-dix-huit îlots coralliens (motu), pour la possibilité d'observer des raies mantas et des requins-marteaux.

Australes et Gambier

Tout au sud, ces deux archipels sont en retrait concernant la fréquentation touristique. Belle occasion de sortir des clichés !

Aux abords des Australes, entre juillet et octobre inclus on peut apercevoir des **baleines** à bosse.

Quiconque voudra embrasser les cinq archipels trouvera toujours un programme de croisières sur les navires de l'endroit que sont l'*Aranui III* et le *Paul Gauguin*.

LE PATRIMOINE

Outre la musique et la danse, l'argument culturel est donné par les Marquises. En effet, elles abritent des tikis, statues de pierre parfois hautes de plus de 2 mètres et représentant la déesse polynésienne du même nom, symbole de la fécondité.

A Tahiti, il ne faut pas manquer le musée Gauguin, qui présente une vingtaine d'œuvres originales de l'artiste, et le musée de la Perle. En effet, les fermes traitant la perle noire sont nombreuses à Tahiti.

LE POUR

◆ Le mythe durable de l'horizon lointain idéalisé, avec sites et images de rêve.

◆ Pour ceux qui peuvent ne pas regarder à la dépense, des hôtels de luxe et des spas qui s'appuient à la fois sur la culture et les décors locaux.

◆ Une saison favorable bien placée sur le calendrier.

LE CONTRE

◆ Une destination et un coût de la vie sur place qui demeurent à un niveau élevé, dans un souci de préserver un tourisme haut de gamme.

LE BON MOMENT

De type tropical humide, tempéré par les alizés, le climat connaît des variantes selon la latitude mais il est fondé sur deux constantes :

– entre novembre et avril, la saison des pluies est partout; l'atmosphère est chaude et humide, le ciel est souvent nuageux; l'océan, en revanche, atteint ses températures maximales, autour de 28°;

– **entre mai et septembre**, saison la plus favorable, la saison sèche (ou « fraîche ») permet au soleil de s'imposer; la température de l'eau baisse, surtout autour des îles situées le plus au sud (moyenne de 22°).

◆ Températures moyennes jour/nuit (en °C) à *Papeete* (Tahiti) : janvier 30/23, avril 31/24, juillet 28/21, octobre 29/22; moyenne de l'eau de mer : 27°.

LE PREMIER CONTACT

Au Canada

Maison de la France, 1981, McGill College, Montréal, H3A 3J6, 1 (514) 288-2026, fax (514) 845-4868.

En France métropolitaine

Maison de Tahiti et de ses îles, 28, boulevard Saint-Germain, 75005 Paris, ☎ 01.55.42.64.34, fax 01.55.42.61.20.

Internet

www.tahiti-tourisme.fr

Guides

Tahiti et la Polynésie française (Hachette Evasion, JPMGuides, Lonely Planet France), *Tahiti et les îles de la Société* (Gallimard/Encycl. du voyage), *Tahiti et Polynésie française* (Mondeos), *Tahiti, Polynésie française* (Gallimard/GEOGuide, Le Petit Futé).

Cartes

Atlas des îles et États du Pacifique (Publisud), *Tahiti et Archipel de la Société* (IGN).

Lectures

Guide des arbres de Polynésie française : bois et utilisations (Au Vent des îles, 2008), *le Voyage en Polynésie* (Jean-Jo Scemla/Robert Laffont, 1991), *Supplément au voyage de Bougainville* (Denis Diderot/Gallimard, 2002).

Images

Iles et archipels : Seychelles, Polynésie, Antilles, Mascareignes (Emmanuelle Grundmann/Empreintes et territoires, 2008), *Motifs de Polynésie à broder : 55 broderies originales* (Nadège Richier/Editions Didier Carpentier, 2007), *Polynésie française* (Empreintes et territoires, 2005).

DVD

Tahiti et les archipels de la Polynésie française (DVD Guides,2001), *Thalassa, la Polynésie vue du ciel* (France Télévisions, 2008).

QUEL VOYAGE ET À QUEL PRIX ?

Les préparatifs

◆ Pour les ressortissants de l'Union européenne, canadiens, suisses : passeport suffisant (électronique ou à lecture optique en raison du transit par les États-Unis, sinon visa nécessaire pour ce pays), valable encore six mois après le retour. ◆ Dans tous les cas, billet de retour ou de continuation exigible.

◆ Aucune vaccination n'est requise.

◆ Monnaie : le *franc Pacifique (FCP)*. 1 EUR = 121 francs Pacifique. Emporter des euros ou des dollars US. Les grandes cartes de crédit sont bien acceptées.

Le départ

Avion

◆ Indice de prix à certaines dates du vol Paris-Papeete A/R : 1 300 EUR (les prix montent à partir d'avril). ◆ Durée moyenne du vol Paris-Papeete (17 100 km) : 22 heures (souvent via Los Angeles).

Sur place

Avion

Pour les vols inter-îles (plutôt chers), il existe la compagnie Air Tahiti et un *Tahiti Air Pass*. Renseignements auprès de Tahiti Tourisme.

Bateau

Ferries, cargos-goélettes entre les différents archipels; hors-bord ou vedettes pour les distances inter-îles plus courtes. Possibilité de louer un monocoque ou un catamaran. Renseignements auprès de Tahiti Tourisme ou de Nouvelles Frontières.

Hébergement

Le coût de l'hébergement est élevé mais le camping, possible sur la plupart des îles, peut atténuer la note, de même que les pensions de famille. Plusieurs voyagistes proposent de séjourner dans un *faré*, logement polynésien typique.

Route

Location de voiture possible à Tahiti, Moorea, Huahine et Raïatea, réservation souvent plus avantageuse avant le départ. La location d'un scooter ou d'un vélo est une alternative courante.

Le séjour

Rappel : nous nous sommes limités à un résumé des prestations en vigueur dans les agences et chez les voyagistes présents en France. Les lecteurs des autres pays peuvent en tirer des idées d'itinéraire et les compléter auprès de leurs agences de voyages.

◆ Les différentes manières d'appréhender l'océan autour des archipels (croisière, plongée, séjour balnéaire classique) constituent la base d'un voyage en Polynésie française. On aura intérêt à le construire à la carte : non que les prix baissent de manière spectaculaire mais parce que la diversité des îles exige qu'on ne se limite pas à des standards. Si l'on n'a aucun souci financier, des voyagistes comme Austral Lagons, Exotismes ou Kuoni versent dans le haut de gamme, surtout pour les voyages de noces.

◆ La **croisière** est l'un des grands motifs du voyage : on peut embarquer sur un cargo mixte, l'*Aranui III*, vers les Marquises ou les Tuamotu (Compagnie internationale de croisières ou www.aranui.com). À bord d'un catamaran, la croisière de Nouvelles Frontières dure 16 jours, passe aux Tuamotu et sur les plus jolis sites des Marquises (Ua Huka, Fatu Hiva, Nuku Hiva), avec une halte à Hiva-Oa, entre autres dans le village d'Atuona.

Toujours en croisière, Tahiti, Moorea, Raïatea, Bora Bora, Rangiroa sont autant de perles caressées par le *Paul Gauguin* au cours de croisières qui relient les trois grands archipels. Souvent, les jeunes mariés et les couples qui fêtent leur anniversaire de mariage bénéficient de réductions. Les réveillons de Noël (Société, Tuamotu) et Nouvel An (Société, Tuamotu, Marquises) sont également proposés.

◆ La **plongée** est le pendant de haute volée de la croisière et du farniente. Aquarev est surtout aux alentours des Tuamotu, avec les requins blancs de Tikehau et les requins et marlins de Fakarava. Les abords de Bora Bora, les Tuamotu, les Australes, les Marquises, Huahine et Raiatea sont explorés par Ultramarina, parfois sous forme de croisières-plongées, à la découverte de raies mantas, tortues, barracudas, murènes, requins, épaves, coraux.

◆ Le séjour **classique** existe aussi, surtout sur les îles de la Société, les Tuamotu et les Marquises. Mais peut-on qualifier de classique – même si elle n'est pas hors de prix – la lune de miel à Huahine, Bora-Bora ou aux Marquises que proposent aux **jeunes mariés** certains voyagistes, tel Voyageurs du monde ? Jeune tourtereau ou pas, on peut aussi se retrouver au Club Med (un village à Bora Bora, un autre à Moorea). Sur ces deux sites, des sports nautiques (planche à voile), des promenades en bateau à fond de verre ou en pirogue, des séances de plongée et des mini-croisières sont prévus.

◆ Alternatives : des **combinés** avec la Nouvelle-Calédonie, la Nouvelle-Zélande ou les îles Cook (Australie Tours).

◆ Les tarifs d'un voyage en Polynésie française restent élevés : une croisière de 10 jours en pension complète débute à plus de *2 000 EUR* hors saison, un séjour classique de 10 jours à base de farniente (vol + hébergement à Moorea et Bora Bora) débute aux alentours de *2 200 EUR* hors saison, de *2 600 EUR* en juillet-août.

QUE RAPPORTER ?

Des particularités, mais il faudra y mettre le prix : perles noires, patchworks (couvertures), bijoux de nacre. La vannerie (paniers) et le désormais célèbre monoï (huile parfumée) sont plus abordables.

LES REPÈRES

◆ Lorsqu'il est midi à Paris, en Polynésie française il est minuit (= moins douze heures) en été et 1 heure en hiver. ◆ Langue : si le français est langue officielle, le tahitien est largement majoritaire et pratiqué par deux habitants sur trois. Minorités linguistiques : tuamotuan, austral, marquesan. ◆ Téléphone vers la Polynésie française : 00689 + numéro; de la Polynésie : 00 + indicatif pays + numéro.

LA SITUATION

Géographie. Cent dix-huit îles ou îlots volcaniques sont rassemblés en cinq archipels de 4 200 km^2

disséminés sur un grand socle de deux millions cinq cent mille kilomètres carrés. Par ordre décroissant en superficie : l'archipel de la Société (Tahiti, Moorea et Tetiaroa pour les îles du Vent; Raïatea, Tahaa, Huahine, Bora Bora et Maupiti pour les îles Sous-le-Vent); les Marquises; les îles Australes; l'archipel de Tuamotu; l'archipel des Gambier.

Population. Sur les 283 000 habitants, huit sur dix sont des Maoris, le neuvième est un Asiatique et le dixième un Européen. Chef-lieu : Papeete.

Religion. Les protestants sont légèrement majoritaires, devant les catholiques. Minorité de mormons (5 %).

Dates. 1595 Les Espagnols abordent sur les côtes des Marquises. *1767* Wallis découvre Tahiti, Bougainville passe un an après. *1843* La France établit un protectorat sur Tahiti. *1880* Les îles polynésiennes deviennent colonies françaises d'Océanie. *1946* La Polynésie française devient un TOM. *1984* Autonomie politique et administrative. *1991* Gaston Flosse président. *Mai 1996* Les élections territoriales donnent la majorité absolue à Gaston Flosse. *2003* La Polynésie française devient une collectivité d'outre-mer. *Mai 2004* Oscar Temaru devient le premier président indépendantiste de l'archipel. *Octobre 2004* Motion de censure contre Temaru, le territoire se mobilise contre le retour de Gaston Flosse. *Décembre 2006* Temaru est démis de ses fonctions, l'autonomiste Gaston Tong Sang lui succède.

Porto Rico

Île qui fut la préférée de Christophe Colomb, État libre associé aux États-Unis aujourd'hui, Porto Rico est devenu l'une des destinations tropicales favorites des voyageurs nord-américains... mais très peu des Européens. Comme dans les autres îles des Caraïbes, le soleil est toujours généreux et la mer des Antilles est bordée de sable blanc. Cela conduit au schéma classique de la plage et des sports nautiques, ici enrichi des traces d'un passé qui réunit trois cultures.

LES RAISONS D'Y ALLER

LES CÔTES

Plages, plongée, surf, windsurf, fonds sous-marins, pêche, croisières

LES VILLES

San Juan, San German, Ponce

LES PAYSAGES

Cordillère centrale, forêt d'El Yunque, grotte de Camuy

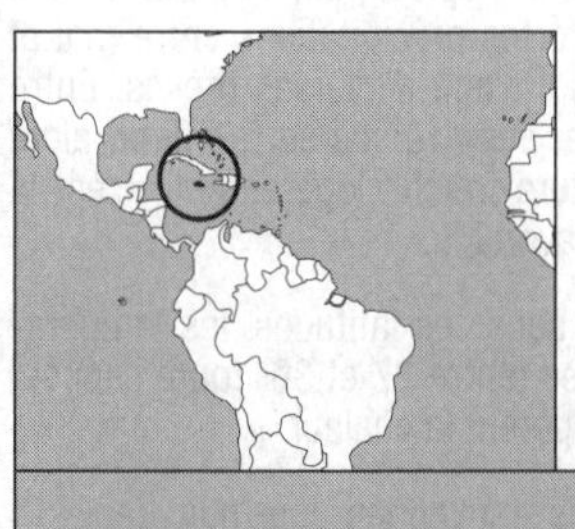

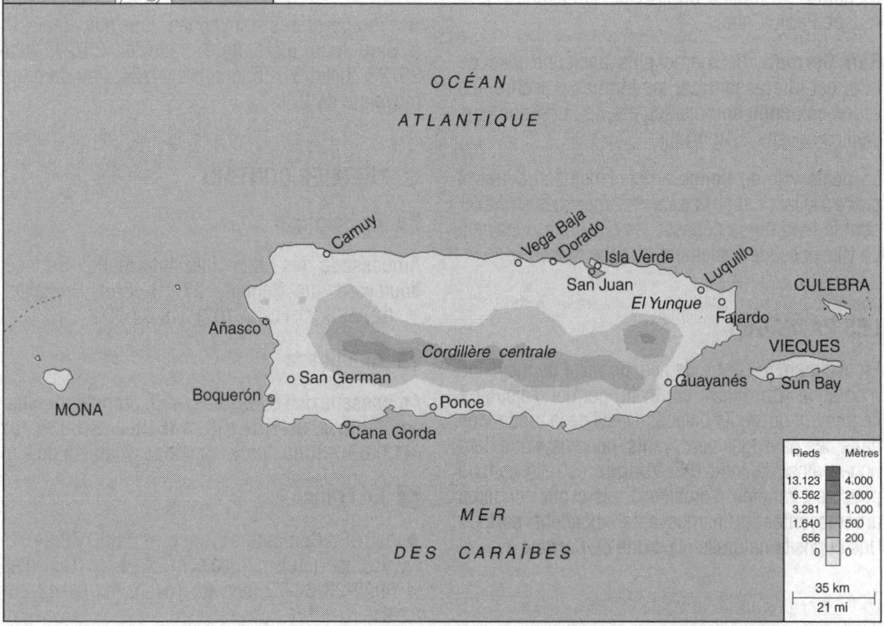

LES RAISONS D'Y ALLER

LES CÔTES

Outre le parfum de la *pina coladas* (ce célèbre cocktail de rhum, d'orange et d'ananas est né ici), les côtes portoricaines offrent la possibilité de faire de la voile, de s'adonner au **surf** et au **windsurf**, d'admirer les **fonds sous-marins**, de pratiquer la **pêche** sous-marine et la pêche au gros (marlins), de partir en **croisières** locales ou internationales, de vivre dans une atmosphère tropicale tempérée par les alizés.

Sites balnéaires de renom : sur la côte nord, Dorado, Isla Verde, Luquillo, Vega Baja; sur la côte est : Fajardo et Guayanés; sur la côte sud : Cana Gorda; sur la côte ouest : Anasco et Boqueron.

LES VILLES

La capitale **San Juan** résonne des airs de salsa et ses habitants aiment danser le mérengué, proche de la samba. La ville abrite son passé colonial dans un vieux quartier (le *pueblo*) bien préservé, typé (balcons sculptés, patios, fontaines) et riche en monuments (forteresses, dont El Morro et Fortaleza). San Juan possède deux musées intéressants : le musée de l'Art et de l'histoire et le musée Pablo Casals.

San German, deuxième plus ancienne ville de l'île, est intéressant par les statues polychromes et les colonnes en bois sculpté de l'une des plus vieilles églises d'Amérique.

La petite ville de **Ponce** a popularisé son carnaval grâce à la fabrication des *caretas*, masques en papier dont la renommée dépasse les côtes portoricaines. La ville possède également un riche musée.

LES PAYSAGES

En occupant le centre de l'île, un relief de moyenne montagne **(Cordillère centrale)** permet d'ajouter à l'agrément du séjour balnéaire celui de la randonnée dans des paysages verdoyants, pourvus d'une flore riche : ainsi, la forêt d'**El Yunque** est-elle connue pour ses variétés d'orchidées, alors que fougères arborescentes et flamboyants abondent partout. Une curiosité naturelle : la grotte de **Camuy**.

LE POUR

◆ Le climat des Caraïbes et tous ses ingrédients.

◆ La qualité de l'infrastructure touristique et hôtelière.

LE CONTRE

◆ Une des Antilles au coût de la vie touristique le plus élevé.

◆ La quasi-absence des voyagistes européens.

◆ Une saison touristique (janvier-mars) mal placée au calendrier.

LE BON MOMENT

Placé sous climat tropical humide, Porto Rico reçoit ses plus fortes précipitations entre mai et décembre, mais il s'agit d'averses brèves. Entre **janvier et mars**, ces averses se raréfient, alors que la température fraîchit légèrement : c'est la période la plus favorable.

Comme ailleurs sous ces latitudes, les températures sont stables (entre 27 et 30° toute l'année) et les alizés tempèrent la chaleur.

◆ Températures moyennes jour/nuit (en °C) à San Juan (côte nord) : janvier 28/21, avril 29/23, juillet 31/25, octobre 31/24. Eau de mer : moyenne de 27°.

LE PREMIER CONTACT

En Belgique

Ambassade des Etats-Unis, Information Service, boulevard du Régent, 27, B-1000 Bruxelles, ☎ 02) 508.21.11, fax (02) 513.04.09.

Au Canada

Ambassade des Etats-Unis, 490, promenade Sussex, Ottawa, ON K1N 1G8, ☎ (613) 238-5335, fax (613) 688-3080, www.usembassycanada.gov

En France

◆ Visit USA Committee France, ☎ 0.899.70.24.70, www.office-tourisme-usa.com ◆ Consulat, ☎ 0892-23-84-72 (serveur vocal), fax 01-42-86-82-91.

Au Luxembourg

Ambassade des Etats-Unis, 22, boulevard Emmanuel-Servais, L-2535 Luxembourg, ☎ 46.01.23, fax 46.14.01.

En Suisse

Ambassade des Etats-Unis, Jubilaumstrasse, 95, 3005 Berne, ☎ (31) 357.70.11, fax (31) 357.73.98.

Internet

www.gotopuertorico.com/

Guides

Porto Rico (Le Petit Futé), *Puerto Rico* (Lonely Planet, Rough Guides).

Cartes

Est USA, Porto Rico, îles Vierges (Blay Foldex), *Puerto Rico* (ITM).

Lectures

Stories from Puerto Rico/Historias De Puerto Rico (NTC Publishing Group, 1999, en anglais et en espagnol), *Porto Rico* (roman de Bernard Molina/ ABH Editions, 2007).

DVD

Les Aventures de Joselito : le gamin de Porto Rico, film de Miguel Morayta (AK Video).

QUEL VOYAGE ET À QUEL PRIX ?

Le voyage individuel

Les préparatifs

◆ Pour les ressortissants de l'Union européenne et suisses : passeport en cours de validité suffisant. Nécessité d'un passeport à lecture optique émis avant le 25 octobre 2005 ou d'un passeport électronique; sinon un visa est nécessaire, à demander au consulat. Pour les Canadiens, preuve de citoyenneté ou (mieux) passeport. ◆ Depuis le 12 janvier 2009, nécessité de remplir un formulaire électronique sur le site ESTA (www.esta.us) au minimum trois jours avant le départ pour les voyageurs dispensés de visa, y compris les voyageurs en transit. ◆ Preuves de solvabilité et billet de retour exigibles.

◆ Aucune vaccination n'est requise.

◆ Monnaie : le *dollar* (USD) est subdivisé en 100 *cents*. 1 EUR = 1,40 US Dollar. Se munir de dollars avant le départ, en espèces ou en chèques de voyage, et d'une carte de crédit.

Le départ

Indice de prix à certaines dates du vol Montréal-San Juan A/R : 600 CAD; Paris-San Juan A/R : 600 EUR. Durée moyenne du vol Paris-San Juan via Raleigh, New York ou Antigua : 15 heures.

Sur place

Hébergement

La meilleure manière de séjourner dans l'île à un coût raisonnable consiste à choisir les *paradores*, sortes de petites auberges.

Le séjour

Les liens historiques et politiques font que les voyagistes nord-américains sont bien plus nombreux que leurs homologues européens, très discrets sur la destination.

Porto Rico est sur l'itinéraire de l'une des **croisières** les plus courues des Caraïbes, programmée pendant l'hiver européen : partis de Fort Lauderdale en Floride, les paquebots, par exemple ceux de Celebrity Cruises, continuent vers les îles Vierges, Saint-Martin et remontent vers les Bahamas.

LES REPÈRES

◆ Lorsqu'il est midi en France, à Porto Rico il est 6 heures en été et 7 heures en hiver. ◆ Langues : l'espagnol, parlé par la presque totalité de la population, est langue officielle unique depuis 1991; l'anglais est largement pratiqué. ◆ Téléphone vers Porto Rico : 001787 + numéro.

LA SITUATION

Géographie. Avec ses 8 897 km^2, Porto Rico est à comparer à la Corse sur le plan de la superficie. L'intérieur de l'île, montagneux, retombe sur 450 km de côtes.

Population. 3 958 000 habitants représentent un chiffre élevé pour une telle superficie. Deux millions de Portoricains vivent aux États-Unis, surtout à New York. Quatre habitants sur cinq sont des Blancs, un sur cinq est un Noir. Capitale : San Juan.

Religion. 85 % des Portoricains sont catholiques. Minorité de protestants.

Dates. *1493* Christophe Colomb découvre l'île. *1508* Ponce de León baptise une baie du nom de Porto Rico (« port riche ») et fonde San Juan. *1898* L'Espagne cède l'île aux États-Unis. *1917* Le *Jones Act* donne la nationalité américaine aux Portoricains. *1947* Les Portoricains ont le droit d'élire leur propre gouvernement. *1952* Porto Rico est un État libre associé aux États-Unis. *1984* Rafael Hernandez Colón est nommé gouverneur. *Novembre 1993* Référendum : les Portoricains disent non à la possibilité de devenir le 51e État de l'Union. *Janvier 2001* Le gouverneur Sila M. Calderon devient chef du gouvernement. *Septembre 2005* Le leader indépendantiste Filiberto Ojeda est abattu par le FBI, nombreuses protestations. *Novembre 2008* Luis Fortuno est élu gouverneur.

Portugal

Le Portugal est l'un des pays européens où les buts touristiques sont le plus harmonieusement répartis. En effet, on peut le visiter aussi bien pour l'originalité de son architecture manuéline que pour le seul charme de ses villes ou de ses rivages, à moins que l'on ne soit tenté par l'isolement atlantique de Madère ou des Açores. Le Portugal sait également protéger ses symboles, qu'il s'agisse de la mise en valeur des azulejos ou de la perpétuation du fado dans l'Alfama à Lisbonne, elle-même l'une des villes les plus attachantes d'Europe.

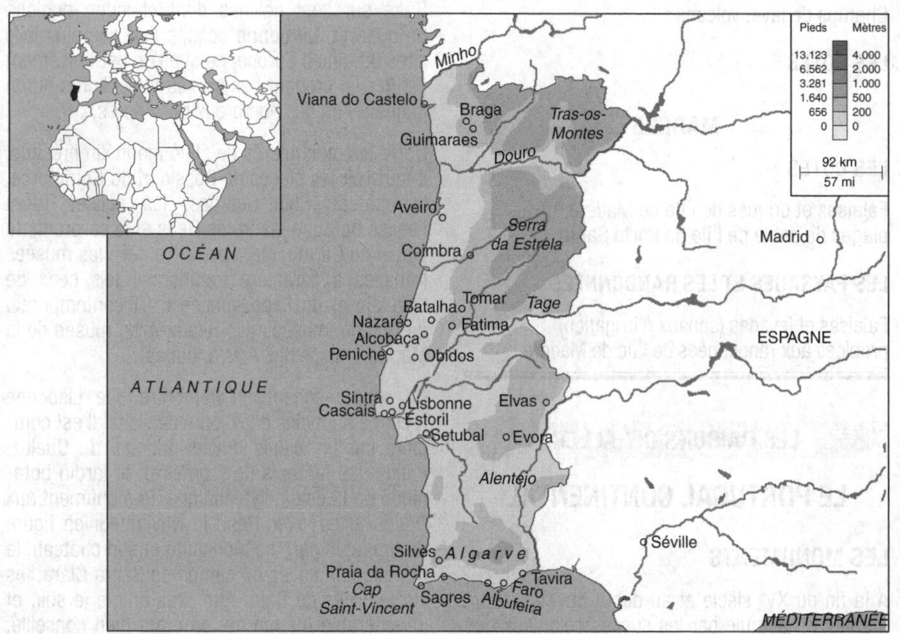

LES RAISONS D'Y ALLER

LE PORTUGAL CONTINENTAL

LES MONUMENTS

Art manuélin (Lisbonne, Tomar, Coimbra, Batalha), Alcobaça, Fatima, Art baroque (azulejos)

LES VILLES

Lisbonne, Porto, Evora, Coimbra, Braga, Guimarães, Obidos, Viana do Castelo

LES CÔTES

Algarve, Nazaré, Peniche, île Berlenga, serra da Arrábida

LES PAYSAGES ET LA FLORE

Algarve

LE PORTUGAL INSULAIRE

AÇORES

LES PAYSAGES ET LES RANDONNÉES

Champs de lave, volcans

LES CÔTES

MADÈRE

LES CÔTES

Falaises et criques de l'île de Madère, plages de sable de l'île de Porto Santo

LES PAYSAGES ET LES RANDONNÉES

Falaises et levadas (canaux d'irrigation) propices aux randonnées de l'île de Madère

LES RAISONS D'Y ALLER

LE PORTUGAL CONTINENTAL

LES MONUMENTS

À la fin du XVe siècle et au début du XVIe, le roi Manuel Ier, stimulé par les succès coloniaux des conquistadores portugais, a permis l'éclosion d'un style gothique particulier au pays, l'**art manuélin**. On en trouve les traces les plus brillantes à Lisbonne (**tour de Belém, monastère des Hiéronymites**), à **Tomar** (lieu d'élection de l'ordre des Templiers, avec la fenêtre ouvragée de la chapelle du Christ), à **Coimbra** (portail de la chapelle de l'université) et à **Batalha** (statuaire du monastère Santa Maria da Vitoria).

Autres grands rendez-vous architecturaux : **Alcobaça** (monastère de l'ordre de Cîteaux et tombeaux de Pedro et d'Inès, la « Reine morte » célébrée par Montherlant), **Fatima** (lieu de pèlerinage, sanctuaire).

A travers tout le pays, l'**art baroque** apparaît sous la forme de bois sculpté doré à l'or fin et surtout d'**azulejos**, carreaux de faïence polychromes mondialement réputés, dont on peut voir un bel échantillon au château de **Sintra**, ancienne résidence d'été du roi Ferdinand II qui a mêlé les genres (gothique, égyptien, maure, Renaissance). Aux alentours, un joli cocktail de somptueux palais, d'églises et de jardins rend incontournable la visite de Sintra et de sa région.

LES VILLES

Bâtie sur sept collines dont chacune englobe un quartier, **Lisbonne** occupe l'un des plus jolis sites urbains d'Europe, ce que l'on peut aisément vérifier en prenant l'un de ses funiculaires ou en gagnant l'un des nombreux belvédères.

Outre les monuments de style manuélin précités, il faut voir les places du Rossio et du Commerce, le château Saint-Georges, les églises (dont l'église baroque Madre de Deus et la surprenante église du Carmo, qui a perdu sa nef), les musées (musées à caractère traditionnel tels ceux de l'Azulejo et du Fado, musée d'art contemporain du Chiado, musées des Beaux-Arts, musée de la Marine, musée des Arts antiques).

Ce simple échantillon démontre que Lisbonne réclame au moins deux jours de visite. Il est complété par les palais (Palais national de Queluz, Palais des marquis de Fronteira), le jardin botanique de l'École polytechnique, le monument aux Découvertes, avec Henri le Navigateur en figure de proue, le parc de Monsanto et son château, le marché aux puces du campo de Santa Clara, les vieilles rues du Bairo Alto, très animé le soir, et le vénérable Alfama où, en étant bien conseillé, on peut entendre encore le « vrai » fado dans les casas de fado.

Le Lisbonne contemporain a créé le parc des Nations, qui héberge l'« Océanorium », la plus vaste réalisation de ce genre au monde, sur le site de l'exposition universelle de 1998, et a également transformé ses docks (*docas*), où sont nés bars et lieux branchés.

Moins réputé que Lisbonne mais peut-être plus typé, **Porto** vaut par l'étagement des maisons de sa vieille ville sur les rives du Douro (Ribeira), sa cathédrale (la Sé, cousue de l'or des navigateurs) et son cloître (azulejos), ses églises baroques (São Francisco), ses monuments (Palacio da Bolsa et son salon arabe), son monastère da Serra do Pilar, sa Torre dos Clerigos avec vue sur la ville et, bien sûr, de l'autre côté du pont Pia (œuvre d'Eiffel), les caves de Nova de Gaia, dont la course à la dégustation du porto a tôt fait de rendre plus que jovial l'amateur insouciant.

Forte de son architecture mauresque, **Évora** s'ouvre sur l'Alentejo avec ses maisons blanchies à la chaux et ses balcons en fer forgé. Plus au nord, apparaissent **Coimbra** et ses trois motifs de fierté : sa cathédrale romane (XIIe siècle), son université du XIe siècle (chapelle manuéline à azulejos, bibliothèque baroque) et sa très particulière fête des étudiants (Queima das Fitas) au mois de mai.

Autres villes intéressantes : **Braga** (aux environs de laquelle se trouvent la basilique de Bom Jesus do Monte et son escalier baroque que les pèlerins gravissent à genoux), **Guimarães** (château fort des ducs de Bragance, remarquables façades et leurs zelliges), **Lamego** (pour son site à l'entrée de la vallée du Douro et son sanctuaire dos Remédios), **Obidos** (ville médiévale entourée de remparts crénelés) et **Viana do Castelo** (grand défilé de chars fleuris lors des fêtes du 15 août).

LES CÔTES

L'**Algarve**, à l'extrême sud, multiplie les sites côtiers (Portimão, Albufeira, Faro et surtout Praia da Rocha) le long de 150 km de criques et de plages aux eaux calmes, doublées d'une trentaine de parcours de golf dont certains comptent parmi les plus renommés d'Europe.

A l'ouest, on sera impressionné par les deux promontoires de Sagrès et du cap Saint-Vincent qui, après le cabo da Roca, sur la côte de Sintra, constituent la pointe la plus occidentale de l'Europe et laissent admirer le spectacle de vagues furieuses.

La façade **atlantique** ne bénéficie pas de températures très élevées en été (cinq degrés de moins qu'en Méditerranée à la même époque). Le change est donné par le raffinement des stations : Cascais, où le surf est possible, et Estoril, celle-ci jalonnée de parcours de golf. Il faut aussi retenir l'originalité de sites tels que Nazaré, longtemps connu pour ses attelages de bœufs chargés de tirer le produit de la pêche de la plage vers le village et devenus une attraction touristique.

Autres sites côtiers intéressants : Peniche et sa citadelle; la lagune d'Aveiro; l'île Berlenga, aux tunnels marins ou grottes offrant aux amateurs de pêche sous-marine un cadre idéal; la **serra da Arrábida**, non loin de Setúbal, parée de blanches falaises au bas desquelles se découpent des grottes marines ou des criques.

LES PAYSAGES ET LA FLORE

Les paysages portugais ne sont jamais aussi séduisants qu'au printemps, lorsqu'ils sont gagnés par une importante floraison. L' **Algarve**, aux églises décorées d'azulejos, offre alors ses meilleures couleurs, mais celles-ci s'étaient déjà manifestées deux mois plus tôt sur les amandiers et les mimosas.

L'Algarve mérite mieux que sa réputation balnéaire. En effet, les particularités de sa lumière et de sa végétation, ses villages blancs aux églises baroques et riches d'azulejos et de mosaïques (Tavira), ou ceux qui gardent l'empreinte de la présence maure, comme Silvès, en font un but de visite toute l'année.

En remontant vers le nord, on peut se perdre dans la grande plaine agricole de **l'Alentejo** et ses champs de blé, d'où émergent les chênes-lièges, les oliviers et surtout des bourgs ou villages **médiévaux** haut perchés (Marvao, Monsaraz).

A l'opposé, tout au nord, la vallée du **Douro** étale ses vignobles en terrasses et ses *quintas* (propriétés), revigorées depuis peu par la médiatisation des croisières fluviales possibles.

LE PORTUGAL INSULAIRE

AÇORES

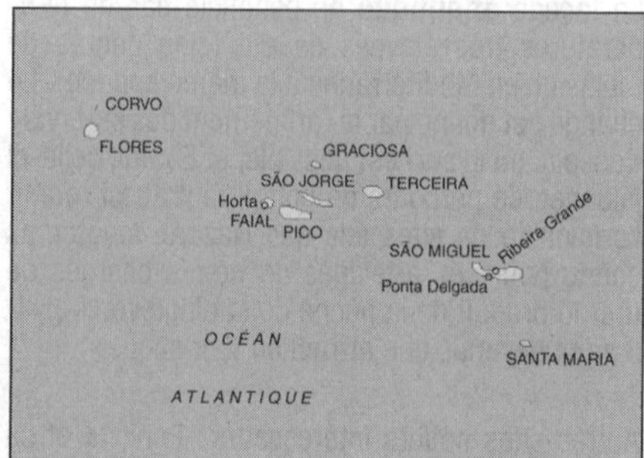

À 1 200 km de Lisbonne et à 2 000 km des États-Unis, les Açores, partagées en neuf îles, ont plus que leur célèbre anticyclone à proposer, mais moins que la plupart des archipels de l'Atlantique sur le plan balnéaire à cause d'une température modérée et de plages dépourvues de sable. En revanche, le randonneur trouve son bonheur dans l'origine volcanique du lieu, source de jolis reliefs et d'une flore spécifique, dont les hortensias qui inondent les îles de leurs couleurs vers la fin juin.

LES PAYSAGES ET LES RANDONNÉES

Dans un ensemble de paysages très verts, la nature volcaniques des Açores offre au randonneur une multiplication de montées et descentes qui varient à souhait les chemins et les sentiers, comme sur les îles de **Faial** (pointe dos Capelhinos, Caldeira) et **São Jorge** (crêtes centrales, réserve de la forêt du Pico da Esperança). En descendant vers l'océan, on rencontre sur ces deux îles les romantiques *fajas*, bandes de terre planes accolées à l'océan, parsemées de petites maisons blanches et de prés.

C'est sur l'île de **Pico** que les mollets trouvent le plus matière à s'employer avec l'ascension du fier et légendaire Pico (2 351 m), point culminant du Portugal qui offre de son sommet une vue splendide sur les îles du « Groupo Central ».

Autant les oiseaux (goélands, pinsons) sont discrets, autant la flore est variée: si les **hortensias** sont emblématiques de l'archipel (floraison fin juin et juillet), on trouve également des variétés spécifiques comme la bruyère et le polygonum.

Anecdotique : l'île de **Florès**, la plus à l'ouest, fleurie mais pluvieuse, est le siège précis de l'anticyclone.

LES CÔTES

Les plages, où le sable est inexistant et le beau temps jamais garanti, ne présentent pas un grand intérêt. Voile et plongée, en revanche, sont recommandées, par exemple autour de Horta, chef-lieu de Faial et rendez-vous mythique des plaisanciers en route pour les Antilles, qui y laissent la trace picturale de leur passage ou se donnent rendez-vous au Peter's Café.

L'Atlantique a ici un autre atout... de poids à proposer, l'observation des **cétacés** : baleines bleues ou à bosse, rorquals, dauphins et surtout cachalots, sauvés d'une vieille tradition de chasse par une loi de 1987 et dont les dents ont longtemps permis aux artisans locaux d'élaborer des gravures figurant des bateaux. Des sorties sur des Zodiacs sont proposées, entre autres, à partir de l'île de Pico et de sa petite ville côtière, Lajes do Pico, où l'on trouve un instructif musée des Baleiniers.

MADÈRE

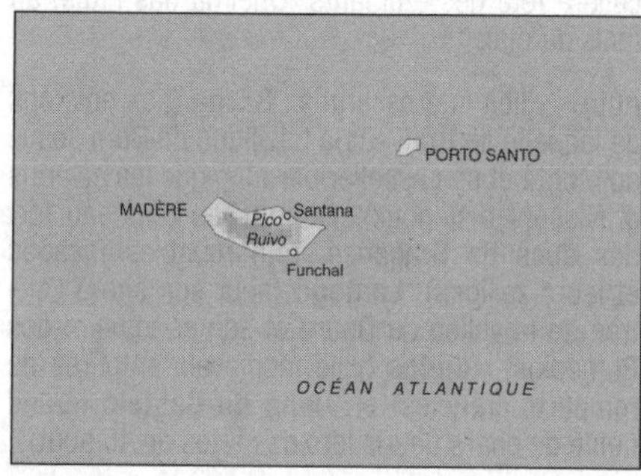

Au large du Maroc et à 1 000 km environ au sud-ouest de Lisbonne, l'archipel de Madère, né d'une poussée volcanique, convient avant tout aux amateurs de randonnées et de botanique. Il bénéficie d'un climat équilibré, les températures ne variant que de 17 à 26°, et constitue le berceau végétal des îles atlantiques. C'est ainsi que « l'île de l'éternel printemps » – grâce au Gulf Stream –, est devenue une alternative de choix aux Canaries et aux Baléares, dont elle évite de surcroît la surcharge estivale.

LES CÔTES

L'île de Madère elle-même ne possède pas de plages de sable, mais elle prend sa revanche par la beauté de ses rivages, surtout sur la côte nord. Ils sont hérissés de falaises pareilles à la proue d'un navire et au pied desquelles nichent des villages ou petites villes pittoresques : Porto da Cruz, Santana, Porto Moniz et ses « piscines naturelles » taillées dans la lave.

La côte sud-ouest, la plus chaude et la plus ensoleillée, voit se développer les activités nautiques et l'hôtellerie de bien-être et de remise en forme (Prazeres). La côte des alentours de Funchal voit, quant à elle, se multiplier les hôtels haut de gamme.

La pêche au gros (espadons, thons) est également une activité touristique affirmée, tandis que les golfeurs trouvent leur bonheur sur des greens en pente, non loin de Funchal.

A un peu plus de deux heures de bateau au nord-est de Madère, la petite île de **Porto Santo** a moins de charme mais ses neuf kilomètres de plages de sable fin lui assurent une forte fréquentation en été.

LES PAYSAGES ET LES RANDONNÉES

Certains ont baptisé Madère « l'île aux fleurs » ou « le jardin de l'Atlantique » : c'est dire combien la nature met en valeur, surtout en avril-mai mais toute l'année selon les espèces, une **flore** riche (agapanthes, aloès, amaryllis, azalées, bougainvillées, camélias) dont le grand jardin tropical (Monte Palace) fournit un bon condensé. Il domine la capitale Funchal, jolie ville qui vaut par ses vieux quartiers et son front de mer, illuminé le jour de la Saint-Sylvestre par l'un des feux d'artifice les plus renommés d'Europe.

Les itinéraires routiers, aujourd'hui jalonnés de tunnels, s'enroulent joliment autour des falaises et mènent à une infinité de ***levadas***, canaux d'irrigation qui, au fil du temps, sont devenus l'argument principal du tourisme madérien de l'intérieur et autant d'idées de randonnées. La plus physique mais aussi la plus spectaculaire est celle qui mène au sommet du **pico Ruivo** (1 861 m). Vélo tout-terrain et canyoning sont également en vogue.

Au large de Funchal, les îles Désertes, émergences volcaniques dépourvues du moindre filet d'eau, constituent une curiosité et font l'objet d'excursions.

LE POUR

◆ Un pays qui réunit un bel ensemble d'éléments favorables : jolis paysages, villes typées, monuments importants, plages raisonnablement chargées, îles perdues dans l'Atlantique.

LE CONTRE

◆ Des eaux atlantiques un peu fraîches sur la côte nord, y compris en été.

LE BON MOMENT

Portugal continental

Sur les côtes, l'air est légèrement frais, alors que les plaines de l'intérieur connaissent de fortes chaleurs. Aussi, bien que la période **de juillet à septembre** reste largement acceptable, les mois **de mai et de juin** sont souvent cités comme les périodes les plus favorables, d'autant que la douceur s'accompagne d'une riche floraison. En hiver, le Portugal continental connaît plus la pluie que le froid mais le ciel est souvent dégagé en Algarve, qui connaît 300 jours de soleil par an et un climat doux quasiment toute l'année.

◆ Températures moyennes jour/nuit (en °C)

Faro (Algarve, côte sud) : janvier 16/8, avril 20/10, juillet 29/18, octobre 23/14. Eau de mer : moyenne de 19° en juillet.

Lisbonne (centre-ouest) : janvier 15/8, avril 19/11, juillet 27/17, octobre 22/15. Eau de mer : moyenne de 18° en juillet.

Ponta Delgada (Açores) : janvier 17/12, avril 18/12, juillet 24/17, octobre 22/16.

Funchal (Madère) : janvier 19/13, avril 20/13, juillet et octobre 24/18.

Portugal insulaire

Tant les Açores que Madère autorisent le voyage toute l'année, même si le printemps (pour la floraison) et l'été sont les plus propices.

Aux *Açores*, les pluies sont relativement fréquentes. Seule la période **juin-septembre** est vraiment épargnée. Mais, grâce au Gulf Stream, l'amplitude des températures est favorable (17° en hiver, 25° en été).

À *Madère*, la période **juillet-septembre** est la plus ensoleillée. Le **printemps** est très agréable, grâce à la qualité de la floraison.

LE PREMIER CONTACT

En Belgique

Office de tourisme, rue Blanche, 15, B-1050 Bruxelles, ☎ (02) 230.52.50, fax (02) 231.04.47.

Au Canada

Consulat général, 2020, rue de l'Université, Montréal, H3A 2A5, ☎ (514) 499-0359, fax (514) 499-0366.

En France

Office du tourisme (ICEP), 135, boulevard Haussmann, 75008 Paris, ☎ 0811.653.838, fax 01.56.88.30.89, portugal.tourisme@icep.pt

Au Luxembourg

Ambassade, 24, rue Guillaume-Schneider, L-2522 Luxembourg, ☎ 46.61.90-1, fax 46.61.93.

En Suisse

Office national du tourisme, Zurich, ☎ (1) 738.72.11. Consulat, Genève, ☎ (22) 791.76.36.

Sur place

Au Lisboa Welcome Center, on peut trouver une *Lisboa Card* et des informations très détaillées sur la ville et ses environs.

Internet

www.visitportugal.com
www.portugalinsite.com
www.visitlisboa.com
www.atalgarve.pt
www.madeiratourism.com

Guides

Portugal continental

Algarve (Hachette/Top 10, JPM Guides),

Lisbonne (Gallimard/Cartoville, Hachette/Evasion en ville, Hachette/Un grand week-end, Lonely Planet France/Citiz, Michelin/Voyager pratique),

Portugal (Gallimard/Bibl. du voyageur, Gallimard/GEOGuide, Gallimard/Spiral, Hachette/Evasion, Hachette/Guide bleu, Hachette/Routard, Hachette/Voir, JPM Guides, Le Petit Futé, Lonely Planet France, Michelin/Guide vert, Michelin/Voyager pratique, Mondeos, National Geographic France, Nelles),

Açores

Açores (Le Petit Futé), *Madère et les Açores* (Mondeos),

Madère

Madère (Berlitz, Hachette/Top 10, Le Petit Futé, Marcus), *Madère et les Açores* (Mondeos),

Cartes

Espagne, Portugal (Blay Foldex), *Lisbonne* (Berlitz), *Portugal* (Marco Polo, Michelin). Carte de Madère chez Nelles.

Lectures

Histoire du Portugal (Jean-François Labourdette, Fayard, 2000), *la Splendeur du Portugal* (António Lobo Antunes/Seuil, 2000), *le Portugal* (Pierre Léglise-Costa/Le Cavalier bleu, Idées reçues, 2007), *Pérégrinations portugaises* (J. Saramago/Seuil), *Portugal, le printemps des capitaines* (L'Harmattan, 2000). Très grands classiques du patrimoine culturel : les poèmes de Camões et Pessoa.

Images

L'Art en Espagne et au Portugal (Citadelles & Mazenod, 2000), *le Goût de Lisbonne* (Mercure de France, 2001), *Portugal* (Chêne, 1998), *Portugal, sur les traces des grands navigateurs* (Alberto Bertolazzi/Minerva, 2001).

DVD

Portugal, la vallée d'or : croisière sur le fleuve Douro (Vodeo TV), *Portugal : pays des navigateurs* (Ateliers du film), *Portugal : Porto, Lisbonne, Coimbra, l'Algarve et les Açores* (Vodeo TV).

QUEL VOYAGE ET À QUEL PRIX ?

Le voyage individuel

Les préparatifs

◆ Carte d'identité ou passeport (périmé depuis moins de cinq ans) suffisant pour les ressortissants de l'Union européenne et les Suisses. Pour les ressortissants canadiens, passeport suffisant.

◆ Monnaie : l'*euro.*

Le départ

Avion

◆ Indice de prix à certaines dates des vols réguliers A/R Montréal-Lisbonne : 900 CAD; Paris-Faro (via Lisbonne) A/R : 250 EUR; Paris-Funchal (Madère) A/R : 250 EUR; Paris-Lisbonne A/R : 150 EUR; Paris-Ponta Delgada (Açores) A/R via Lisbonne : 370 EUR.

◆ Quelques vols à bas prix : Bâle-Funchal (TUIfly), Beauvais-Porto (Ryanair), Bruxelles-Lisbonne ou Porto (Brussels Airlines), Bruxelles-Faro ou Funchal (Jetairfly), Charleroi-Faro ou Porto (Ryanair), Genève-Lisbonne (Easyjet), Marseille-Porto (Ryanair), Paris-Faro (Air Berlin), Paris-Lisbonne (Easyjet).

◆ Durée moyenne du vol Paris-Lisbonne (1 438 km) : 2 h 30; Paris-Faro : 3 heures; Paris-Ponta Delgada (Açores) : 5 heures (pas de vol direct); Paris-Funchal (Madère) : 3 h 30.

Route

Les grandes villes mais également Faro et Viana do Castelo sont desservies par Eurolines. Paris-Lisbonne : 2 000 km.

Train

◆ Pass InterRail utilisable. ◆ De Paris pour Lisbonne, prendre le *TGV Atlantique* jusqu'à Irun, puis le *Sud Express.*

Sur place

Bateau

◆ Liaisons inter-îles aux Açores à partir de São Miguel : quotidiennes pour Faial et Pico, hebdomadaires pour les autres îles. ◆ Ile de Madère-île de Porto Santo : 2 h 10.

Hébergement

◆ Le mode d'hébergement le plus original – mais certes pas le moins cher – est la *pousada*, petit hôtel typique (y compris à Madère) géré par l'État (www.pousadas.pt). Penser également aux *quintas* (propriétés de la vallée du Douro mais aussi à Madère). ◆ A Lisbonne, on peut faire des économies en choisissant une *dormida*, chambre chez l'habitant, ou rechercher des hôtels de charme (www.heritage.pt). ◆ En Algarve, la plupart des voyagistes proposent un large choix d'appartements et de villas. A Madère, possibilité de loger dans des chambres d'hôtes, des fermes, des pensions, qui contrebalancent l'image des hôtels modernes de Funchal. ◆ Il existe de nombreuses auberges de jeunesse, renseignements sur www.hostels.com/fr/pt.html

Route

◆ Limitations de vitesse agglomération/route/autoroute : 50/90/120 km/h. Limite du taux d'alcoolémie : 0,5 pour mille. ◆ Les autotours sont légion (entre autres avec Jet Tours, Marsans), y compris à Madère. Ils reviennent en moyenne à *600 EUR* la semaine (vol A/R, location de la voiture, itinéraire suggéré, hôtel réservé à l'étape).

Le séjour en individuel

Rappel : nous nous sommes limités à un résumé des prestations en vigueur dans les agences et chez les voyagistes présents en France. Les lecteurs des autres pays peuvent en tirer des idées d'itinéraire et les compléter auprès de leurs agences de voyages.

Portugal continental

L'harmonie des buts touristiques se retrouve dans les propositions des voyagistes : séjours balnéaires, week-ends à Lisbonne ou Porto, circuits d'une semaine en bus et désormais croisière sur le Douro en constituent les principaux pôles.

◆ Les séjours **balnéaires** se déroulent le plus souvent en Algarve, selon un calendrier généreux (entre mars et octobre) et pour une période d'une semaine entrecoupée d'excursions. Sur la base du vol aller et retour et de la demi-pension, les prix varient de *600 EUR* la semaine en basse saison à *900 EUR* en haute saison. Des séjours sont également proposés sur la côte à l'ouest de Lisbonne (Cascais, Estoril), certains pour un week-end.

Quelques voyagistes pour les séjours balnéaires : Club Med, Croisitour, Donatello, EuroPauli, Fram, Hotelplan, Jet Air, Jet Tour, Lusitania, Luxair Tours, Mundicolor, Neckermann, Nouvelles Frontières, Thomas Cook. Très grand choix d'hôtels et d'apparts-hôtels chez Nouvelles Frontières.

◆ Les week-ends à **Lisbonne** sont généralement établis selon un forfait de 3 jours/2 nuits, le vol A/R et le séjour en demi-pension se négociant aux alentours de *350 EUR* en basse saison. Exemples : Donatello, Euro Pauli, Frantour, Luxair Métropolis. Eurolines propose des séjours en bus A/R + 2 nuits. Penser à la Lisboa Card (transports et musées).

◆ **Porto** apparaît de plus en plus en séjour week-end, également sur 3 jours/2 nuits, et sensiblement au même prix de base que Lisbonne (Donatello, Euro Pauli/Visit Europe, Lusitania, Luxair Métropolis, Marsans).

◆ Le **golf** a réussi sa percée, principalement en Algarve (Club Méditerranée ou Voyages Gallia, qui propose des forfaits d'une semaine près de Portimao). La thalasso existe aussi (Nouvelles Frontières à Vilasara, non loin de Faro).

Açores

Certains voyagistes proposent de conduire une voiture de location et de faire étape dans de petits hôtels de charme sur les îles de São Miguel, Terceira et Faial, avec extension possible à Pico. Renseignements en agences de voyages.

Madère

◆ L'archipel est devenu une destination importante, aussi les prix baissent-ils : au seuil de l'hiver, on trouve des séjours d'une semaine comprenant le vol A/R, la location de voiture et l'hébergement en chambre double aux alentours *de 600 EUR, de 900 EUR* en pension complète.

◆ Le séjour côtier est d'actualité toute l'année à Calheta ou dans les environs de Funchal (Fram, Top of Travel). Sont également envisageables des courts séjours à Funchal (3 jours/2 nuits, aux alentours de *450 EUR*).

Le voyage accompagné

Portugal continental

◆ Les **circuits** en bus le plus fréquemment proposés se déroulent pendant une semaine, suffisants pour découvrir les atouts culturels du pays. Exemples : Clio, Donatello. Certains prévoient un combiné entre l'Andalousie et le Portugal jusqu'au nord de Lisbonne, par exemple Luxair Tours. La Balaguère propose un cocktail de visites culturelles et de balades sur la côte et dans la serra de Sintra.

◆ Des **croisières** d'une semaine sur le Douro à partir de Porto sont de plus en plus au goût du jour, mêlant observation des vignobles de porto et visites historiques (Arts et Vie, CroisiEurope, Marsans, Top of Travel). Compter *1 000 EUR* environ en pension complète pour ce genre de croisière, à prévoir de préférence au printemps et à l'automne. CroisiEurope va également de Cadix (Espagne) à l'Algarve en une semaine.

Açores

◆ Le voyage aux Açores connaît un intérêt nouveau, particulièrement auprès des **marcheurs** qui se voient proposer un programme de randonnées « volcaniques ». D'avril à septembre, des voyagistes spécialistes comme Allibert (8 ou 15 jours entre mi-avril et fin septembre avec marches sur Faial et São Jorge, ascension du Pico et observation des cétacés à partir de la base de Lajes, sur Pico), Atalante, La Balaguère, Club Aventure, Nomade Aventure et Terres d'aventure sont présents. Prix moyen pour le vol et la pension complète : *1 200 EUR* pour 8 jours, *1 800 EUR* pour 15 jours.

Madère

◆ Les **randonnées** à travers les *levadas* et vers le pico Ruivo (entre juin et septembre, de *900 EUR* la semaine à *1 300 EUR* pour quinze jours) sont de plus en plus recherchées.

De nouvelles tendances se font jour : l'agrotourisme, le canyoning, l'hôtellerie de charme. Exemples : Allibert, Atalante, La Balaguère, Nomade Aventure, Terres d'aventure.

QUE RAPPORTER ?

Achat le plus original : un coq en plâtre de toutes les couleurs dans la petite ville de Barcelos. Achat le plus recherché à Lisbonne : un azulejo sur les marchés de l'Alfama. Achat le plus classique : un porto à Porto ou un madère à Madère, après une visite généreuse des caves. Autres emplettes : bijoux (or), cuir, faïences, dentelles, poteries (Algarve).

LES REPÈRES

◆ Lorsqu'il est midi en France, il est 10 heures aux Açores, 11 heures dans le Portugal continental et à Madère; lorsqu'il est midi au Québec, au Portugal il est 17 heures. ◆ Langue officielle : portugais. ◆ Langues étrangères : l'anglais et le français sont assez répandus. ◆ Téléphone vers le Portugal : 00351 + indicatif (Faro : 289 ; Lisbonne : 21; Porto : 22; Açores : Horta 292, Ponta Delgada 296 ; Madère : 291) + numéro; du Portugal : 00 + indicatif pays + numéro.

LA SITUATION

Portugal continental

Géographie. De taille modeste (92 389 km^2), le Portugal ferme à l'ouest la péninsule Ibérique. La partie nord-est est montagneuse (Trás-os-Montes, serra da Estrela), alors que la partie sud est dominée par la grande plaine de l'Alentejo. Le Tage sert de frontière géographique et climatique entre ces deux parties.

Population. Habité par une population homogène de 10 677 000 habitants, le Portugal a vu partir beaucoup des siens au fil de l'histoire (trois millions, dont près d'un million en France). Capitale : Lisbonne.

Açores

Géographie et population. Étirés sur 600 km, neuf îles habitées et plusieurs îlots d'origine volcanique composent les 2 247 km^2, dont le tiers est formé par l'île de São Miguel, qui comprend aussi la principale ville, Ponta Delgada. L'archipel compte 252 000 habitants.

Dates. 1432 Les Portugais découvrent un archipel totalement désert. *1582* Philippe II d'Espagne s'impose à Antonio do Crato. *1640* Retour des Portugais. *1976* Statut d'autonomie partielle accordé par le Portugal, qui doit faire face aux revendications du Front de libération des Açores. *Octobre 2004* Poussée des socialistes lors des élections régionales.

Madère

Géographie et population. L'île de Madère elle-même recouvre la quasi-totalité des 817 km^2. Porto Santo est l'autre île habitée de l'archipel, qui compte 267 400 habitants, dont environ un tiers dans la capitale Funchal.

Dates. 1419 Arrivée des Portugais. *XVe et XVIe siècles* Temps de prospérité de l'archipel, qui connaîtra ensuite un fort déclin. *1976* Madère est une région autonome du Portugal. *1980* L'archipel devient zone franche. Une partie des habitants réclament l'autonomie. *Octobre 2004* Alberto João Jardim (Parti social-démocrate, conservateur) réélu président de la région autonome. *Avril 2008* Alberto João Jardim reconduit.

*
* *

Religion. Neuf Portugais sur dix sont catholiques. Minorités de juifs et de musulmans.

Dates. *IIe s. av. J.- C.* Création de la province romaine de Lusitanie. *711* Conquête du pays par les musulmans. *1385* Jean Ier bat les Castillans à Aljubarrota et offre l'indépendance au pays. *XVe et XVIe siècles* Époque des grandes découvertes et âge d'or du Portugal. *1580* Philippe II d'Espagne devient roi. *1668* L'Espagne reconnaît à nouveau l'indépendance. *1910* Proclamation de la république. *1933* Arrivée de Salazar au pouvoir. *1974* « Révolution des œillets » : le général De Spinola prend le pouvoir, un régime de gauche lui succédera. *1975* Fin de la colonisation. *1976* Eanes président. *1986* Mário Soares lui succède, alors que le pays rejoint la Communauté européenne. *1990* Réélection de Mário Soares. *Octobre 1995* Le Parti socialiste et Antonio Guterres remportent les élections législatives. *Janvier 1996* Jorge Sampaio (socialiste) est élu président. *Janvier 2001* La réelection de Sampaio est contrariée par un fort taux d'abstentions. *Décembre 2001* Municipales : net recul des socialistes et nette progression des conservateurs. *Juin 2004* Le Premier ministre José Durao Barroso, nommé président de la Commission européenne, est remplacé par Pedro Santana Lopes pour diriger un gouvernement de centre-droit. *Février 2005* José Socrates et le Parti socialiste remportent les élections haut la main.

Qatar

Comme Bahreïn et les Émirats arabes unis, le Qatar fait partie des pays du Golfe au tourisme neuf, fondé sur des promesses de rivages étendus, de possibilités de plongée sous-marine et de randonnées dans le désert. Ici, plus encore que dans les États voisins, la notion de visite d'agrément reste marginale mais un processus de développement touristique est en cours.

LES RAISONS D'Y ALLER

LES CÔTES ET LES PAYSAGES

Désert
Lac (Khor al-Udayd)

LES VILLES ET LES MONUMENTS

Doha
Forts (Al Zubara, Al Wakra)

LES TRADITIONS

Marchés aux chameaux, faucons, bateaux traditionnels (dhows)

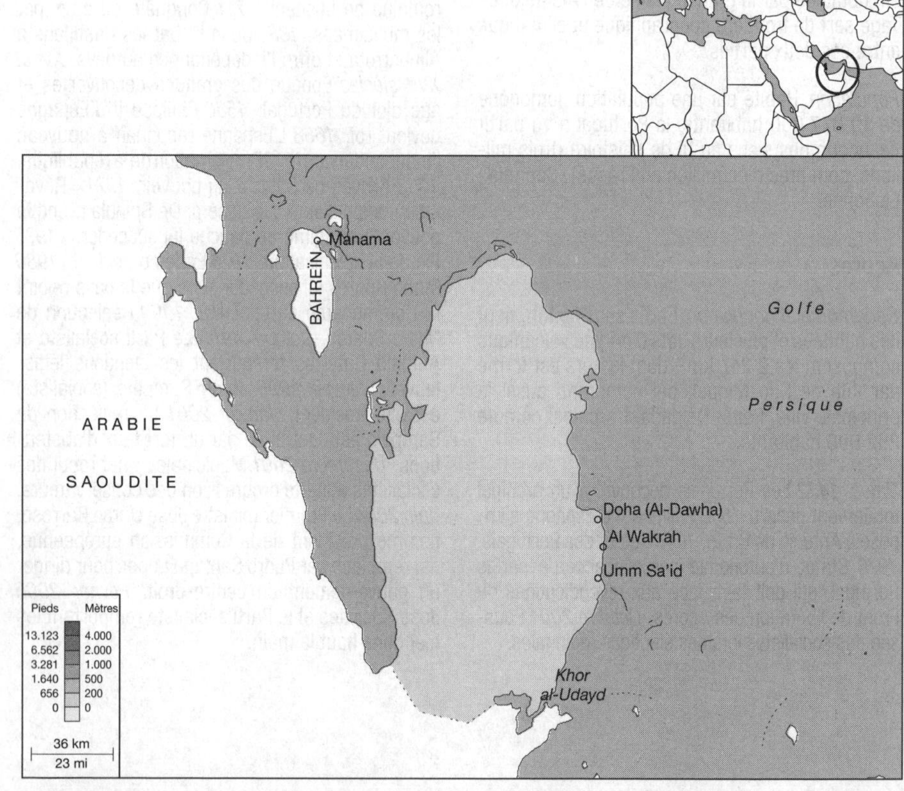

LES RAISONS D'Y ALLER

LES CÔTES ET LES PAYSAGES

Les **côtes** continentales (Umm Saïd) et des îles alentour (Haloul, Ishat) sont propices à la baignade, aux sports nautiques et à la plongée. Comme la plupart des rivages du golfe Persique, se perpétue ici le mythes des pêcheurs de perles ou des yachts de haute volée.

Quant au **désert**, qui recouvre la majeure partie du pays, il attend, à l'instar du bel oryx (antilope symbole du pays, que l'on découvre entre autres dans une ferme à Shahaniya), le développement probable d'un tourisme à base de randonnées.

Dans l'est, on peut aborder le désert à partir de Umm Saïd. Au sud, il borde le **lac** salé de Khor al-Udayd.

LES VILLES ET LES MONUMENTS

Située dans une baie, ville prospère et occidentalisée, la capitale **Doha** suscite la curiosité par ses contrastes entre une forte modernité (shopping dans des ensembles dernier cri) et de solides traditions (marché aux chameaux, souk).

Autres centres d'intérêt de Doha : la Grande Mosquée, la forteresse Al-Kout, ainsi que le nouveau et très riche musée d'Art islamique.

Les **forts** constituent l'argument historique du pays, particulièrement ceux des petites villes d'Al Zubara et de Al Wakra.

LES TRADITIONS

Au fur et à mesure que le Qatar développe ses ambitions touristiques, il fait découvrir au visiteur des traditions aussi diverses que le marché aux **chameaux**, la chasse au **faucon** entre octobre et mars et la mise en valeur des bateaux locaux (**dhows**) pour des balades destinées à admirer la longue corniche de Doha.

LE POUR

◆ Un tourisme quasiment neuf.

◆ Des rivages placés sous une latitude privilégiée et une audience qui, à l'instar de celle des Emirats arabes unis, progresse rapidement.

LE CONTRE

◆ Le coût élevé du voyage.

◆ Une saison favorable placée à l'inverse de la bonne saison européenne.

LE BON MOMENT

Un climat «frais» de décembre à mars, un ciel clair et une température raisonnable **entre novembre et mai** font de l'hiver du Qatar l'équivalent d'un bel été occidental. En revanche, la période de mai à septembre est à éviter, les températures pouvant grimper jusqu'à 45° C en juin.

◆ Températures moyennes jour/nuit (en °C) à *Doha* (côte est) : janvier 22/13, avril 32/21, juillet 42/29, octobre 35/23. L'eau de mer varie de 24° en janvier à 30° en juin.

LE PREMIER CONTACT

En Amérique du Nord

Mission auprès des Nations unies, New York, Etats-Unis, ☎ (212) 486-4335, fax (212) 358-4952.

En Belgique

Ambassade, rue de la Vallée, 51, B-1050 Bruxelles, ☎ (02) 223.11.55, fax (02) 223.11.66.

En France

Ambassade, 57, quai d'Orsay, 75007 Paris, ☎ 01.45.51.90.71, fax 01.45.55.23.51.

En Suisse

Qatar Tourist Board, Südstrasse 85/Postfach 8034 Zürich, ☎ (41) 1.388.60.80, fax (41) 1.388.60.88.

Internet

http://qatartourism.com/
www.vivreauqatar.com/tourisme.html

Guide

Oman, UAE & Arabian Peninsula (Lonely Planet).

Images

Museum of Islamic Art Doha, Qatar (Philip Jodidio/Prestel, 2008).

DVD

Qatar (DVD Guides, 2007).

QUEL VOYAGE ET À QUEL PRIX ?

Le voyage individuel

Les préparatifs

◆ Pour les ressortissants de l'Union européenne, les Canadiens et les Suisses, passeport encore valide six mois après le retour. Visa obligatoire, obtenu auprès du consulat ou directement à l'aéroport de Doha. Billet aller-retour ou de continuation exigible.

◆ Aucune vaccination n'est requise.

◆ Monnaie : le *rial du Qatar*. 1 US Dollar = 3,6 rials du Qatar, 1 EUR = 4,8 rials du Qatar. Emporter des euros ou, de préférence, des US Dollars en espèces ou en chèques de voyage et une carte de crédit.

Le départ

Indice de prix à certaines dates du vol Paris-Doha A/R : 700 EUR.

Sur place

Hébergement

L'hôtellerie haut de gamme n'est pas une légende et le logement est onéreux, mais il existe d'autres formes d'hébergement, comme les auberges de jeunesse, au nombre de cinq à travers le pays, renseignements à Doha, ☎ (974) 4867180, fax (974) 4863968, www.qyha.com.

Route

Bon réseau routier. Location de voiture possible.

Le voyage accompagné

Quelques très rares voyagistes, tels que Sinbad Voyages, proposent une semaine au Qatar : séjour à Doha et à Umm Sa'id, balades dans le désert.

LES REPÈRES

◆ Lorsqu'il est midi en France, au Qatar il est 14 heures. ◆ Langue officielle : l'arabe; le persan et l'urdu sont également pratiqués. ◆ Langue étrangère : l'anglais est très répandu. ◆ Téléphone vers le Qatar : 00974 + numéro.

LA SITUATION

Géographie. Entre Bahreïn et les Émirats arabes unis, cette petite péninsule de 11 000 km^2 est surtout formée d'un désert de pierres sous lequel dorment du pétrole et du gaz en abondance.

Population. Un habitant sur cinq est un Qatari d'origine. On compte une importante proportion d'habitants venus de l'Asie du Sud (34 %) et 25 % d'Arabes venus d'autres contrées. Population totale : 825 000 habitants. Capitale : Doha (Al-Dawhah).

Religion. L'islam, presque exclusivement wahhabite comme en Arabie saoudite, est religion officielle. Minorités de chrétiens et d'hindous.

Dates. *1916* Protectorat britannique. *1949* Début de l'exploitation pétrolière. *1971* Indépendance et signature d'un traité avec le Royaume-Uni. *1972* Cheikh Amir Khalifa bin Hamad Al Thani est à la fois chef de l'État et Premier ministre. *Juin 1995* Le souverain est détrôné par son fils, le prince héritier cheikh Amir Hamad bin Khalifa Al Thani. *Novembre 2001* Le Qatar reçoit la conférence de l'OMC. *Avril 2003* Une nouvelle constitution est adoptée. *Avril 2007* Hamad bin Jasim bin Jabir Al-Thani nouveau Premier ministre.

Réunion

« L'île intense » est née d'une généreuse poussée volcanique qui lui a offert une géographie insolite, où se mêlent gorges, cascades, cirques et reliefs lunaires. Une végétation très riche et très verte est venue tapisser l'endroit. En tirant parti de ces attraits naturels – bien plus que des ses plages, peu nombreuses –, la Réunion a réussi à promouvoir des formes de tourisme actif, entre autres via ses sentiers de grande randonnée.

LES RAISONS D'Y ALLER

LES PAYSAGES ET LES RANDONNÉES

Cirques (Mafate, Salazie, Cilaos)
Piton des Neiges, piton de la Fournaise
Sentiers de grande randonnée
Cheval, moto, 4 x 4, golf

LES CÔTES

Plages, plongée (Saint-Leu),
Farniente (Saint-Gilles, Boucan-Canot)
Pêche au gros, surf

LA FLORE

Nombreuses espèces d'arbres et de fleurs

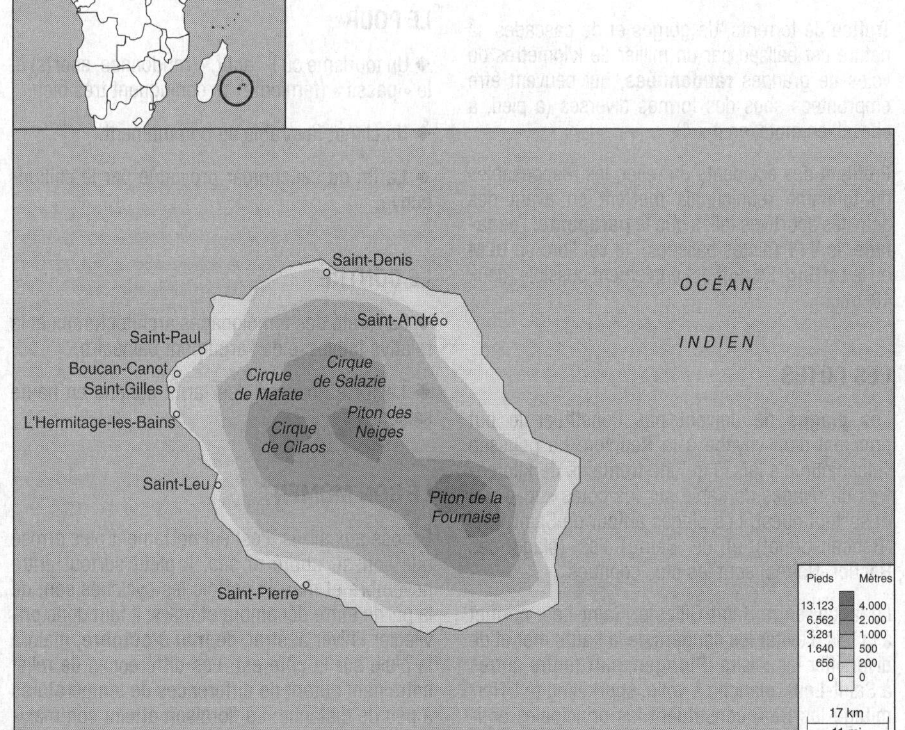

LES RAISONS D'Y ALLER

LES PAYSAGES ET LES RANDONNÉES

Les sites les plus insolites, qui gagnent à être survolés en hélicoptère, sont les trois cirques de **Mafate** (le plus isolé), **Salazie** et **Cilaos**, ce dernier le plus impressionnant avec sa « Roche merveilleuse » en point d'orgue. Les randonnées dans les «Hauts», ensemble de chutes, de forêts primaires et de paysages lunaires, où les habitants vivent dans des îlets (hameaux) difficiles d'accès, laissent un souvenir marquant.

Les cirques sont dominés par le piton des Neiges, lui-même contrebalancé par le **piton de la Fournaise**, d'accès relativement facile pour un marcheur moyen via la désertique plaine des Sables et qui multiplie les panoramas. Comme en 2007, le réveil du «Volcan» s'accompagne de coulées de lave qui rejoignent la mer et constituent un spectacle très attendu. Le phénomène est mieux compris en s'attardant dans la maison du Volcan, à Bourg-Murat.

Truffée de torrents, de gorges et de cascades, la nature est balisée par un millier de kilomètres de voies de grandes **randonnées**, qui peuvent être empruntées sous des formes diverses (à pied, à cheval, en moto, en 4 x 4).

Profitant des accidents du relief, les responsables du tourisme réunionnais mettent en avant des activités sportives telles que le **parapente,** l'**escalade**, le **VTT** (pistes balisées), le vol libre en **ULM** ou le **rafting**. Le **golf** est également possible (deux 18-trous).

LES CÔTES

Les **plages** ne doivent pas constituer le but principal d'un voyage à la Réunion. La poussée volcanique n'a laissé qu'une trentaine de kilomètres de rivages de sable sur les côtes sud-ouest et surtout ouest. Les plages autour de Saint-Paul (Boucan-Canot) et de Saint-Gilles (plage des Roches-Noires) sont les plus connues.

Le lagon, entre Saint-Gilles et Saint-Leu, permet à la fois d'éviter les dangers de la haute mer et de diversifier les loisirs. **Plongée**, surf (entre autres à Saint-Leu), planche à voile, snorkeling (à L'Hermitage-les-Bas) constituent les principales activités, alors que la pêche au gros se développe à partir des ports de Saint-Gilles et de Saint-Pierre, surtout entre octobre et mai.

LA FLORE

Riche de 600 espèces d'**arbres** et de 800 espèces de **fleurs**, dont bon nombre d'orchidées, la nature réunionnaise, surtout dans les Hauts, aligne les grands noms de la flore tropicale : vétiver, ylang-ylang, cardamome, flamboyant, bougainvillée, azalée. Toutes ces variétés se rencontrent sur le parcours de la « route des Épices ».

En outre, la cuisine réunionnaise est aussi diverse (chinoise, indienne, locale) que raffinée, tandis que plusieurs jardins et musées raviront le passionné de botanique : le jardin d'Eden à L'Hermitage-les-Bains, la Maison de la vanille à Saint-André, le muséum Stella Matutina, vers Saint-Leu, qui raconte l'histoire botanique de l'île.

LE POUR

◆ Un tourisme où l'« actif » (randonnée, sports) et le « passif » (farniente) se conjuguent très bien.

◆ Un climat favorable au bon moment.

◆ La fin du cauchemar provoqué par le chikungunya.

LE CONTRE

◆ La rareté des témoignages architecturaux et la relative faiblesse de l'argument balnéaire.

◆ La forte poussée des tarifs aériens en haute saison.

LE BON MOMENT

Exposé aux alizés, l'est est nettement plus arrosé que l'ouest, abrité et sec. Il pleut surtout entre novembre et mai, et parfois les cyclones sont de la partie entre décembre et mars. Il faut donc privilégier l'hiver austral, de **mai à octobre**, malgré la pluie sur la côte est. Les différences de relief entraînent autant de différences de températures à peu de distance. La floraison atteint son maximum entre septembre et février.

◆ Températures moyennes jour/nuit (en °C) à *Saint-Denis* (côte nord) : janvier 29/23, avril 28/22, juillet 25/18, octobre 26/19. Pendant la bonne saison, la température de l'eau de mer demeure autour de 25°.

LE PREMIER CONTACT

En métropole, Île de la Réunion Tourisme, 90, rue La Boétie, 75008 Paris, ☎ 01.40.75.02.79, fax 01.40.75.02.73, irtparis@aol.com. On y trouve une boutique à même de donner un avant-goût de l'île, à tous les sens du terme.

En Belgique

Maison de la France, avenue de la Toison-d'Or, 21, B-1050 Bruxelles, ☎ 0902.88.025, fax (02) 505.38.29.

Au Canada

Maison de la France, 1981, McGill College, Montréal, H3A 3J6, ☎ (514) 288-2026, fax (514) 845-4868.

Au Luxembourg

Ambassade, 8b, boulevard Joseph-II, L-1840 Luxembourg, ☎ 45.72.71-1, fax 45.73.72.244.

En Suisse

Maison de la France, c/o SNCF, rue de Lausanne, 11, CH-1201 Genève, ☎ 0900.900.699.

Sur place

◆ Le siège d'Ile de la Réunion Tourisme est à Saint-Denis, place du 20-Décembre-1848, 97472 Saint-Denis Cedex, ☎ 02.62.21.00.41. ◆ Autre contact important sur place : la Maison de la Montagne, Saint-Denis, ☎ 02.62.90.78.78, qui donne toute précision pour les vacances à pied, à cheval, en tout-terrain, en VTT, en canyoning.

Internet

www.la-reunion-tourisme.com

Guides

52 randonnées à la Réunion (Orphie), *l'Île de la Réunion* (Fédération française de la randonnée pédestre), *Ile Maurice, la Réunion, les Seychelles* (JPMGuides), *la Réunion* (Mondeos), *Maurice, Réunion, Seychelles* (Gallimard/Bibl. du voyageur), *Réunion* (Gallimard/GEOGuide, Hachette/Evasion, Hachette/Routard, Marcus), *Réunion, Maurice et Rodrigues* (Lonely Planet France).

Cartes

La Réunion (IGN), *la Réunion, l'île Maurice* (Berlitz).

Lectures

Bernardin de Saint-Pierre : voyages à l'île Maurice et la Réunion (E. Audouin/Magellan et Cie, 2004), *la Réunion n'est plus une île* (Sonia Chane-Kune/L'Harmattan, 2000).

Images

L'Île de la Réunion, les plus belles courses et randonnées (V. Derisse/Glénat, 2008), *Madagascar : la Réunion, l'île Maurice, les Seychelles* (Eliane Georges, Christian Vaisse/Chêne, 2008).

DVD

Balades dans l'île de la Reunion (AK Vidéo), *Réunion, passion d'île* (P. Brouwers/DVD Guides).

QUEL VOYAGE ET À QUEL PRIX ?

Le voyage individuel

Les préparatifs

◆ Pour les ressortissants de l'Union européenne, la carte d'identité suffit (mais le passeport est nécessaire pour l'île Maurice en cas de combiné). Un passeport est nécessaire et suffisant pour les ressortissants canadiens et suisses. Dans tous les cas, un justificatif de retour ou de continuation du voyage peut être demandé.

◆ Aucune vaccination n'est exigée.

◆ Monnaie : l'euro. Les principales banques françaises sont représentées et la plupart des commerces acceptent les cartes de crédit.

Le départ

◆ Indice de prix à certaines dates du vol direct Paris/Saint-Denis A/R : 750 EUR. Départ direct également de Montréal et de plusieurs villes de province françaises (Lyon, Marseille, Nantes, Toulouse). ◆ Durée moyenne du vol Paris-Saint-Denis (9 440 km) : 11 heures.

Sur place

Bateau

Des ferries des compagnies Mascarene Ferries et SCOAM relient la Réunion à l'île Maurice en 4 heures.

Hébergement

Il est très varié : gîtes ruraux (renseignements auprès de la Maison des Gîtes de France, voir *France*), chambres d'hôtes, hôtels de charme, lodges et maisons créoles (www.senteurvanille.com), fermes-auberges, villages de vacances, auberges de jeunesse. Une volonté de tourisme durable et responsable se développe, entre autres à travers les initiatives de l'association Villages créoles (www.villagescreoles.re).

Route

◆ Location de voiture possible (21 ans minimum, 25 ans minimum pour un tout-terrain, permis de conduire depuis plus d'un an). ◆ Réseau de bus étendu (« cars jaunes »). ◆ Les autotours (vol A/R, location de voiture, itinéraire prévu, hôtel réservé à l'étape) sont en vogue, à un prix moyen de *1 500 EUR* la semaine. Exemples : Austral Lagons, Fram, Nouvelles Frontières, Voyageurs du monde.

Le séjour

Rappel : nous nous sommes limités à un résumé des prestations en vigueur dans les agences et chez les voyagistes présents en France. Les lecteurs des autres pays peuvent en tirer des idées d'itinéraire et les compléter auprès de leurs agences de voyages.

◆ Même si certains voyagistes ne s'intéressent qu'à l'intérieur de l'île, la grande majorité jouent un coup double gagnant : le séjour en **bord de mer** en demi-pension, d'une semaine à 10 jours, entrecoupé **d'excursions** vers les cirques et le piton de la Fournaise. Exemples : Best tours, Fram, Jet tours, Kuoni, Look Voyages, Starter, Thomas Cook, Tourinter, Tourmonde, TUI, Vacances Transat. Possibilité de plongée, comme avec Ultramarina à Saint-Gilles et Saint-Leu, pour admirer les poissons multicolores et le corail.

Le prix moyen d'un séjour mer/excursions d'une dizaine de jours, vol et demi-pension compris, tourne autour de *1 500 EUR* en haute saison, de *1 200 EUR* pour les seuls vol et hébergement.

◆ Les **randonnées** et le VTT (www.descente-vtt.com) sont deux activités clés, le relief changeant sans cesse sous les pas du marcheur ou du vététiste.

Les cirques, le piton des Neiges et le piton de la Fournaise, avec des marches quotidiennes de 5 à 6 heures (nombreux programmes d'avril à décembre) sont la règle, pour des séjours de 10 à 15 jours. Propositions : Allibert, Atalante, Aventure et Volcans, La Balaguère, Club Aventure, Nouvelles Frontières, Terres d'aventure. Tarifs moyens en haute saison (juillet-août) : *1 800 EUR* pour 10 jours, *2 300 EUR* pour 15 jours.

◆ Réunion et Maurice : les deux îles sont très souvent **combinées** pour des séjours qui durent deux semaines, d'abord actifs, à base de randonnées (Réunion), puis fondés sur la détente (Maurice). Exemples : Austral Lagons, Fram, Kuoni, Nouvelles Frontières. Éventail des tarifs, vol compris (deux semaines) : *de 1 700 à 2 500 EUR* (moins pour la mariée dans le cas des voyage de noces, qui ont le vent en poupe). D'autres combinés existent avec les Seychelles et Maurice (Austral Lagons) ou Mayotte et Madagascar (Croisitours).

◆ La Réunion est un point de passage des **croisières** d'African Safari Club dans l'océan Indien, au même titre que Mombasa (Kenya), Zanzibar (Tanzanie), Mayotte (Comores), Madagascar, Maurice et les Seychelles. Costa Croisières propose un périple qui part de la Réunion pour Maurice, Madagascar, les Seychelles, le Kenya.

QUE RAPPORTER ?

Rhum et vanille côté goût, dentelles (de Cilao) côté textile.

LES REPÈRES

◆ Lorsqu'il est midi à Paris, à la Réunion il est 14 heures en été et 15 heures en hiver. ◆ Langues : créole réunionnais et français. ◆ Téléphone vers la Réunion : 00 + 262 + numéro; de la Réunion : 00 + indicatif pays + numéro; pour les Français métropolitains, vers et depuis la Réunion : uniquement les dix chiffres du correspondant.

LA SITUATION

Géographie. La Réunion est une petite étendue volcanique de 2 512 km^2 de l'océan Indien, entre Madagascar (distant de 880 km) et Maurice (200 km), îles avec lesquelles elle forme les Mascareignes. La poussée volcanique a été telle qu'elle fait culminer le piton des Neiges à 3 069 m.

Population. 802 000 habitants. La population, jeune, est un mélange de Cafres, de Malgaches, d'Indiens (Malabars) et d'Arabes. Les « Z'oreilles » (Français métropolitains ainsi appelés parce qu'ils font souvent répéter ce qu'on leur dit en créole) sont environ 20 000. 120 000 Réunionnais vivent en Europe. Chef-lieu : Saint-Denis.

Religion. Les catholiques sont largement majoritaires (90 %). Minorités de musulmans, d'hindous et de bouddhistes.

Dates. *1528* Le Portugais Pedro de Mascarenhas découvre l'île. *1638* Les Français s'y installent et la baptisent île Bourbon onze ans plus tard. *1793* Elle devient la Réunion en hommage à la réunion des Marseillais et des gardes nationaux l'année précédente. *1810* Les Anglais l'occupent. *1825* L'île, qui est une colonie, est placée sous l'autorité d'un gouverneur. *1946* La Réunion devient un département d'outre-mer. *1983* Premières élections régionales et succès de la gauche. *Février 1991* Émeutes dans le quartier du Chaudron, à Saint-Denis. *Mars 1993* Paul Vergès (PCR) président du Conseil régional d'une île très touchée par le chômage (36 % de la population). *Mars 1998* Jean-Luc Poudroux est président du Conseil général. *2004* Nassimah Dindar première femme à être élue au Conseil général. *Début 2006* Une épidémie de chikungunya frappe l'île. *2007* L'épidémie de chikungunya se résorbe. *Mars 2008* Réélection de Nassimah Dindar au Conseil général.

Roumanie

Beaucoup voient les côtes de la mer Noire et le circuit qui conduit sur les traces de Vlad l'Empaleur, alias Dracula, comme les attraits majeurs du tourisme roumain. C'est faire peu de cas des monastères de la Bucovine, du delta du Danube, de villes comme Sibiu ou Brasov et du caractère des villages de Transylvanie.

LES RAISONS D'Y ALLER

LES PAYSAGES ET LES RANDONNÉES

Paysages et villages saxons de Transylvanie
Carpates, Maramures, monts Apuseni, monts Bucegi (randonnées, ski)

LA FAUNE ET LA FLORE

Réserve naturelle du delta du Danube (oiseaux, poissons, plantes)

LES CÔTES

Mer Noire (Neptun, Jupiter)

LES VILLES ET LES MONUMENTS

Bucarest, Mogosaia, Iasi, Brasov, Sibiu, Bran
Monastères de la Bucovine
Eglises en bois des Maramures
Sites de la légende de Dracula

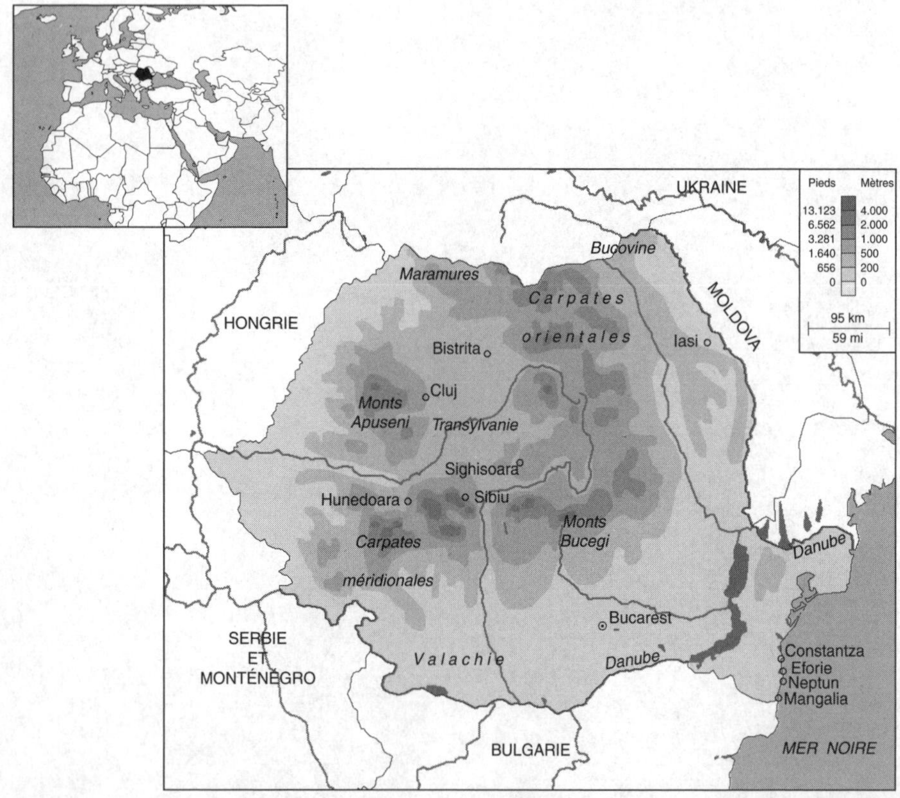

LES RAISONS D'Y ALLER

LES PAYSAGES ET LES RANDONNÉES

Entre Sibiu et Shigisoara, les **villages** de **Transylvanie**, entre autres Slimnci, Seica Mica, Medias, Viscri, ont gardé leur caractère du temps de la présence des Saxons au Moyen Age. Ils ont pour symbole la *Kirchenburg*, à la fois église et château de défense, et certains sont classés au patrimoine mondial de l'Unesco.

Les **Carpates**, qui recouvrent une importante partie du territoire, sont parsemées de stations entre 700 et 2 000 m ainsi que de réserves naturelles. Les **randonnées** d'été et le **ski** bénéficient de structures d'accueil correctes. Quant aux stations de **cures**, qui constituent un argument touristique réel pour le pays, la plupart sont certes sur la côte (voir plus bas), mais les Carpates en possèdent aussi.

Le massif de **Maramures**, couvert d'épaisses forêts, est l'un des plus intéressants à visiter, alors que les monts **Apuseni** offrent de nombreux atouts naturels : grottes (Scarisoara), chutes (Slatina), avens (plateau de Padis), dolines (Ponor), fontaines intermittentes (Ponorel). Une grande diversité de randonnées est également offerte par la région des monts **Bucegi**, qui valent par leurs murailles de grès, la richesse de la faune et de la flore, les possibilités de ski.

LA FAUNE ET LA FLORE

Le **Danube** termine sa longue course par un généreux **delta** qui est à l'origine de la plus grande **réserve naturelle** d'Europe, déclarée « Réserve de la biosphère » par l'Unesco : 300 espèces d'**oiseaux** (dont des pélicans, spatules, ibis, tadornes), 60 espèces de **poissons**, 1 100 variétés de **plantes**.

LES CÔTES

Les stations balnéaires les plus fréquentées de la **mer Noire** sont concentrées sur une cinquantaine de kilomètres entre Constantza et la frontière bulgare.

Leurs noms parfois futuristes, tel Neptun ou Saturn, contrastent avec l'architecture un peu lourde de l'époque communiste mais symbolisent aussi une volonté de reconnaissance internationale, justifiée par le sable fin de la mer Noire et les vertus curatives de l'endroit. De plus, les modes de logement y sont diversifiés, de l'hôtel haut de gamme au camping ordinaire, et le prix des séjours reste attrayant dans des lieux comme Mangalia, Olimp ou Eforie Nord.

La mer, les aérosols du type sodium ou chlore, le sel et la boue se conjuguent pour donner à certaines stations du littoral (Eforie, Neptun, Mangalia) une réputation internationale en matière de **cures**. En outre, les prix sont très avantageux. Les cures sur les sites côtiers sont destinées à combattre des affections diverses, au premier rang desquelles les rhumatismes, l'arthrose, les affections dermatologiques.

LES VILLES ET LES MONUMENTS

Trop souvent l'image de **Bucarest** se résume à l'énorme palais du Parlement, ex-maison du peuple voulue par la mégalomanie de Ceausescu qui en a profité, hélas! pour enlever à la ville ses plus beaux quartiers et églises.

Il faut donc vite quitter cette bâtisse laide pour découvrir le quartier ancien des négociants autour de la rue Lipscani, la rue Stavropoleos avec la belle petite église du même nom (arcades, balustrades de style brancovan, du nom du gouverneur de Valachie), la piata Universitatii, où eurent lieu les événements de 1989, la remarquable salle de concert de l'Athénée roumain, aux délicats escaliers en marbre de Carrare, et certaines bâtisses et places qui, un temps, valurent à Bucarest d'être comparée à Paris.

En outre, la capitale compense de mornes avenues embouteillées par des parcs charmants et populaires, tels le parc Cismigiu ou le parc Herastrau, qui renferme le « musée du Village », réunion de deux cents ensembles ruraux.

Non loin de Bucarest, le palais de **Mogosaia** est l'exemple type du style brancovan (arcades, loggias, balustrades).

Les monuments de **Iasi** méritent le détour, principalement les églises des Trois-Hiérarques et Golia ainsi que, dans les environs, le monastère de Cetatuia. Même intérêt pour **Brasov**, sa place du Conseil, ses fortifications, ses églises et son architecture tantôt baroque, tantôt gothique.

Remarquables par les fresques de leurs murs extérieurs, les cinq monastères du XVIe siècle dispersés dans la **Bucovine**, au nord (Voronet, Moldovita, Humor, Sucevita, Arbore), dominent le patrimoine architectural du pays avec les **églises en bois** des Maramures.

Les monuments, la fiction et l'histoire se rejoignent pour proposer au voyageur un frisson contrôlé dû à **Dracula**. Créés de toutes pièces par l'écrivain irlandais Stoker à la faveur de l'histoire vraie de Vlad Dracula, héros national très respecté, et d'une vieille croyance vampiresque d'Europe de l'Est, le comte... et le conte font aujourd'hui l'objet de visite en **Transylvanie**, sur des lieux à la fois historiques et évoqués par le roman :

– **Sighisoara**, lieu de naissance du vrai Vlad l'Empaleur, et qui a réussi pour l'instant à écarter la menace d'un « Draculaland »;

– **Sibiu**, ville historique des Saxes, où le héros est censé avoir passé un an mais qui est plutôt à voir pour ses remparts, ses places, ses palais (dont Brukhental et ses peintures), ses maisons anciennes, ses toits rouges et sa cathédrale;

– enfin le château de **Bran**, réputé avoir servi de repaire à Dracula, version très contestée...

LE POUR

◆ Une bonne complémentarité entre tourisme culturel et tourisme balnéaire.

◆ Des rivages de la mer Noire meilleur marché que ceux de la Méditerranée et de larges possibilités de cures.

◆ La popularité de la langue française.

LE CONTRE

◆ Les (petits) excès de l'exploitation touristique du mythe de Dracula.

LE BON MOMENT

Sous un climat continental typique, la Roumanie connaît des hivers froids et des étés chauds. Aussi, bien que les intersaisons restent acceptables, la période **juin-septembre** est-elle la plus indiquée partout. En été, l'eau de mer est d'une température idéale (de 23 à 25º).

◆ Températures moyennes jour/nuit (en °C) à *Bucarest* (sud du pays) : janvier 2/-6, avril 18/6, juillet 29/16, octobre 18/6; à *Constantza* (côte) : janvier 3/-4, avril 13/6, juillet 27/18, octobre 17/9. La température de l'eau de mer avoisine 22° en été.

LE PREMIER CONTACT

En Belgique

Office de tourisme, 17 A, avenue de la Toison-d'Or, B-1050 Bruxelles, ☎ 02.502.46.42, www.roumanie-tourisme.be

Au Canada

Ambassade, 655, rue Rideau, Ottawa, ON, K1N 6A3, ☎ (613) 789-3709, fax (613) 789-4365, www.ottawa.mae.ro

En France

Office de tourisme, 7, rue Gaillon, 75002 Paris, ☎ 01.40.20.99.33.

En Suisse

Office de la promotion du tourisme, 10, rue Schweizer, CH-8001 Zurich, ☎ 0041.1.211.17.30, fax 0041.1.211.17.45.

Internet

www.guideroumanie.com (office du tourisme)

Guides

Roumanie (Gallimard/Bibl. du voyageur, Hachette/Evasion, JPM Guides, Le Petit Futé, Marcus, Mondeos, National Geographic France), *Roumanie, Bulgarie* (Hachette/Routard), *Roumanie et Moldavie* (Lonely Planet France).

Cartes

Atlas de la Roumanie (La Documentation française), *Roumanie, Moldavie* (Freytag & Berndt, IGN), *Roumanie, Bulgarie* (Berlitz).

Lectures

*Histoire de la Roumanie (*T. Sandu/Librairie académique Perrin, 2008), *la Roumanie insolite* (A. Décotte/Editions du Rocher, 2008), *les Tsiganes : une destinée européenne* (H. Asséo/Gallimard, 1999), *Petite histoire de la Roumanie* (J.-Y Conrad, P. Morin/Ed. du Dauphin, 2007),

Savoureuse Roumanie (R. Anton/Noir sur Blanc, 2004).

Images

Voyage en Roumanie (A. Kerjean/Glénat, 2007), *Roumanie, entre rêve et réalité* (J.-C. Garnier, M. Soulard/Les Deux Encres, 2008), *Roumanie, réminiscences* (Editions Michalon, 2008), *Tsiganes en Roumanie* (B. Houliat, A. Schneck/Editions du Rouergue, 1999).

Cinéma : dans son film *Trop tard* (1997), le réalisateur roumain Lucian Pintilié a mis en scène l'immédiat après-Ceausescu.

QUEL VOYAGE ET À QUEL PRIX ?

Le voyage individuel

Les préparatifs

◆ Pour les ressortissants de l'Union européenne, carte d'identité ou passeport suffisant, valable trois mois après le retour. Pour les Canadiens, passeport suffisant, valable encore six mois après le retour.

◆ Monnaie : le nouveau *leu* (pluriel : *lei*). 1 EUR = 4,3 nouveaux lei, 1 US Dollar = 3,3 nouveaux lei. Emporter des euros ou des US Dollars. Les grandes cartes de crédit sont utilisables pour les distributeurs de monnaie (rares hors des villes) et dans certains hôtels et commerces.

Le départ

Avion

◆ Indice de prix à certaines dates du vol Montréal-Bucarest A/R : 1 000 CAD; Paris ou Bruxelles-Bucarest A/R (hors vols à bas prix) : 250 EUR. Quelques vols à bas prix : Beauvais-Bucarest (Wizzair), Bruxelles-Bucarest (Myair), Charleroi-Bucarest (Wizzair), Paris-Bucarest (Myair). ◆ Durée moyenne du vol Paris-Bucarest (1 862 km) : 2 h 30.

Bus

Bruxelles ou Paris-Bucarest via Salzbourg et Budapest (Eurolines).

Train

◆ Pass InterRail utilisable. ◆ Train de nuit Paris/Gare de l'Est-Bucarest (via Budapest), arrivée le surlendemain matin. Sur place, réseau correct et assez étendu.

Voiture

Permis national, carte verte, carte grise. Distance Paris-frontière roumaine : 1 800 km via l'autoroute jusqu'à Vienne. Variantes, plus lentes, via Prague ou la Slovénie.

Sur place

Hébergement

Hôtels et auberges, refuges dans les Carpates, camping (150 terrains), logement chez l'habitant (adresses sur le site www.echange-roumanie.com), auberges de jeunesse (www.hihostels.com/dba/country-RO.fr.htm) sont autant de points de chute.

Route

◆ Réseau routier secondaire dégradé. ◆ Autotours (vol + location + hébergement) d'une semaine proposés, entre autres, par Tourisme chez l'habitant pour les villages de Transylvanie et par la plupart des voyagistes énumérés ci-dessous. Compter aux alentours de *1 000 EUR* la semaine. ◆ Limitation de vitesse agglomération/route/autoroute : 50/90/120. ◆ Alcool au volant prohibé.

Train

Très bon marché. Réseau parfois lent mais très dense et aux lignes secondaires pittoresques.

Le séjour

Rappel : nous nous sommes limités à un résumé des prestations en vigueur dans les agences et chez les voyagistes présents en France. Les lecteurs des autres pays peuvent en tirer des idées d'itinéraire et les compléter auprès de leurs agences de voyages.

◆ La semaine **balnéaire** sur la mer Noire reste la proposition la plus répandue, attrayante sur le plan des tarifs : ainsi, une semaine dans une station proche de Constantza peut se trouver aux alentours de *650 EUR* (vol A/R et demi-pension). Exemples : Fram, Nouvelles Frontières. Les deux voyagistes précités complètent leurs propositions par des programmes de **cures** (thalassothérapie et remise en forme) au bord de la mer Noire, particulièrement à Neptun.

◆ Le **ski** dans les Carpates est proposé à des prix attractifs. Renseignements auprès de l'Office du tourisme, qui peut aussi donner des informations sur la manière d'aborder un tourisme **rural** avec logement chez l'habitant qui devient tendance.

◆ **Bucarest** commence à faire l'objet de séjours week-end, aux alentours de 400 EUR : entre autres Amslav, CGTT, Slav'tours. Des week-ends à Bucarest mais aussi Sibiu sont au programme de Hora Voyages.

Le voyage accompagné

◆ Les monastères de la Bucovine, les Maramures et le delta du Danube sont souvent abordés via des **randonnées** de niveau facile et qui, la plupart du temps, incluent la Transylvanie. Coût moyen de ce genre de voyages : *1 100 EUR* pour 15 jours en haute saison. Exemples : Allibert, La Balaguère, Club Aventure, Nomade Aventure.

◆ On peut vivre des séjours qui, tel celui de Marsans/Transtours, mêlent le delta du Danube, les villes et les Carpates, on peut aussi opter pour des voyages spécifiques comme celui qu'entreprend Adeo auprès de diverses communautés **tziganes** du centre et du nord-est du pays ou celui qui conduit Objectif nature en bateau à travers les **canaux** du delta du Danube.

◆ Plusieurs voyagistes proposent désormais des « **Dracula** Tours » et il existe même, non loin de la ville de Bistrita, en Transylvanie, un hôtel bâti sur le modèle du château évoqué dans le roman de Stoker, avec spectacles de sorcellerie et bals masqués à la clé... Renseignements auprès de l'Office du tourisme.

QUE RAPPORTER ?

Les nappes brodées, les icônes et les œufs peints sont les principaux produits artisanaux. On trouve aussi des poteries et des objets en bois sculpté.

LES REPÈRES

◆ Lorsqu'il est midi en France, en Roumanie il est 13 heures; lorsqu'il est midi au Québec, en Roumanie il est 19 heures. ◆ Langue officielle : le roumain, qui est issu du latin. ◆ Langues étrangères : l'allemand surtout, mais aussi le français, souvent étudié, et l'anglais. ◆ Téléphone vers la Roumanie : 0040 + indicatif (Bucarest : 21; Constantza : 241) + numéro; de la Roumanie : 00 + indicatif pays + numéro.

LA SITUATION

Géographie. La Roumanie, ainsi dénommée pour avoir été l'un des premiers lieux de la colonisation romaine, est occupée en son centre par les collines de Transylvanie, elles-mêmes entourées à l'est et au sud par les Carpates. Le sud est une plaine, essentiellement la Valachie, débouchant sur les 234 km de côtes de la mer Noire, qui reçoit le Danube. La Roumanie couvre 238 391 km^2.

Population. 22 247 000 habitants, parmi lesquels des minorités hongroise, allemande et serbe. Capitale : Bucarest.

Religion. Sept habitants sur dix suivent le rite orthodoxe roumain. Minorités d'orthodoxes grecs et de musulmans.

Dates. *Ier siècle av. J.-C.* Les Daces s'installent. *VIe siècle* Les Slaves succèdent aux Romains, qui étaient présents depuis cinq siècles. *XIe siècle* Les Hongrois s'emparent de la Transylvanie. *1386* Arrivée des premiers Ottomans. *1691* Les Habsbourg prennent la Transylvanie. *1866* Alors que le pays reçoit son nom actuel, le prince Charles Ier prend le pouvoir. *1916* L'Allemagne occupe le pays. *1919* La Transylvanie revient à la Roumanie. *1940* Dictature d'Antonescu. *1947* Abdication du roi Michel et proclamation d'une république populaire. *1967* Ceausescu accède au pouvoir. *1974* Il devient président de la République et pratique une politique de répression. *Décembre 1989* Le peuple roumain se soulève, ce qui entraîne le renversement puis l'exécution de Ceausescu. *1990* Iliescu devient président dans un climat troublé. *Octobre 1992* Réélection d'Iliescu. *Novembre 2000* Forte poussée de l'extrême droite lors d'une élection présidentielle boudée et remportée facilement par Iliescu. *Janvier 2001* Adrian Nastase, nouveau Premier ministre, développe les contacts avec l'Union européenne. *Décembre 2004* Le centriste Traian Basescu est élu président aux dépens d'Adrian Nastase, Calin Tariceanu Premier ministre. *Janvier 2007* La Roumanie entre dans l'Union européenne.

Royaume-Uni

Si l'on sait dépasser les faubourgs de Londres, on s'apercevra combien le cœur du Royaume-Uni mériterait d'être mieux exploré. L'Écosse, ses lacs, ses châteaux et ses îles ont acquis droit de cité parmi les premières contrées d'Europe à forte valeur touristique. Le charme de la campagne anglaise est moins souvent évoqué, mais les chemins légendaires du roi Arthur et le raffinement des jardins contribuent à la faire connaître. Le pays de Galles et l'Irlande du Nord sont encore en retrait, mais leur tourisme progresse. Dans tous les cas, la proximité géographique et la multiplication des moyens d'accès, sur ou sous la Manche, sont des atouts conséquents.

Iles du Commonwealth et autres: Bermudes, Malouines : voir sous leurs entrées alphabétiques respectives; Anguilla, îles Caïmans, Montserrat, îles Turks et Caicos, îles Vierges britanniques : voir sous Antilles (Petites); Géorgie du Sud et îles Sandwich : voir sous Malouines; Pitcairn : voir sous Océanie; Iles Anglo-Normandes, île de Man, Gibraltar, Sainte-Hélène : voir dans les pages qui suivent.

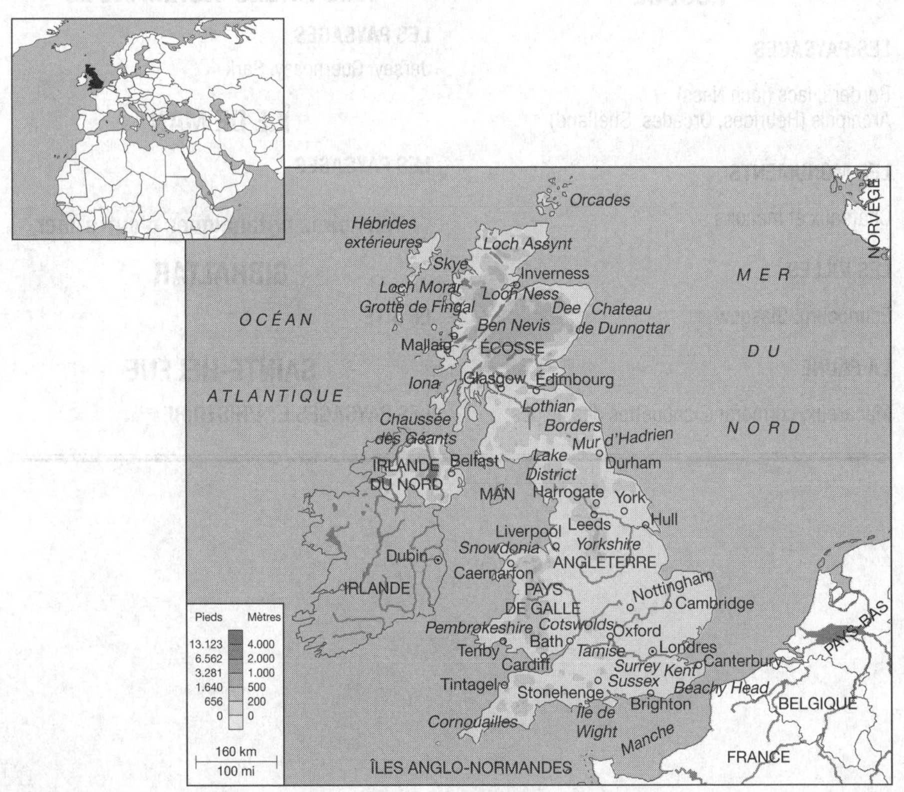

LES RAISONS D'Y ALLER

ANGLETERRE

LES VILLES ET LES MONUMENTS

Londres, York, Bath, Bristol, Derby, Liverpool, Oxford, Cambridge, Nottingham
Cathédrale de Canterbury, château de Windsor, châteaux autour d'Harrogate, légende du roi Arthur (Tintagel, Gladstonbury), mur d'Hadrien

LES PAYSAGES

Cotswolds, vallée de la Tamise, Cornouailles, Lake District, Peak District

LES CÔTES

Brighton, plages du Kent et de Cornouailles

ÉCOSSE

LES PAYSAGES

Borders, lacs (loch Ness)
Archipels (Hébrides, Orcades, Shetland)

LES MONUMENTS

Châteaux et manoirs

LES VILLES

Édimbourg, Glasgow

LA FAUNE

Macareux, cormorans, chouettes des neiges

IRLANDE DU NORD

LES PAYSAGES ET LES RANDONNÉES

Parcs nationaux
Chaussée des Géants

PAYS DE GALLES

LA NATURE

Parcs nationaux (Snowdonia, Brecon Beacons), côte sud, lac Vyrnwy

LES VILLES ET LES MONUMENTS

Cardiff
Châteaux (Caernarfon), Porthmadog

Possessions de la Couronne britannique

ÎLES ANGLO-NORMANDES

LES PAYSAGES

Jersey, Guernesey, Sark

ÎLE DE MAN

LES PAYSAGES

Territoires britanniques d'outre-mer

GIBRALTAR

LE SITE

SAINTE-HÉLÈNE

LES PAYSAGES ET L'HISTOIRE

LES RAISONS D'Y ALLER

ANGLETERRE

LES VILLES ET LES MONUMENTS

À **Londres**, la relève de la garde à **Buckingham Palace** (tous les jours d'avril à fin juillet, tous les deux jours le reste de l'année) est aussi banalement touristique que la visite de la tour Eiffel à Paris. Elle fait parfois oublier que l'on peut visiter quelques salles du palais en août et septembre, ainsi qu'une galerie de peinture (Rembrandt, Rubens) et la Queen's Gallery.

La ville, l'une des plus étendues du monde, a de quoi occuper le regard une fois quittées les grilles du palais :

– l'abbaye de **Westminster**, l'édifice auquel les Anglais sont le plus attachés car tous leurs souverains y ont été couronnés;

– le palais de **Westminster**, siège du Parlement, surmonté de la célèbre horloge Big Ben;

– en face du palais précité, le **London Eye**, grande roue panoramique avec ses trente-deux nacelles, devenue une star des attractions londoniennes;

– la cathédrale **Saint-Paul**, célèbre pour son dôme et son architecture baroque, qui domine les bureaux de la City;

– la **Tour de Londres**, forteresse aussi connue pour son rôle passé de prison que pour celui de gardienne des Joyaux de la Couronne;

– le **Tower Bridge**, avec ses tours gothiques et son système à bascule, opérationnel jusqu'en 1976;

– le **British Museum**, l'un des grands musées mondiaux, gratuit par tradition, où l'on trouve de riches collections d'antiquités égyptiennes, grecques, romaines et de l'Extrême-Orient;

– la **British Library**, avec ses livres, manuscrits et partitions célèbres;

– la **National Gallery**, qui renferme des chefs-d'œuvre des écoles de peinture italienne, flamande et hollandaise;

– la **Tate Britain** (ex-Tate Gallery), avec Turner et des œuvres des préraphaélites;

– la **Tate Modern**, chargée de donner à Londres le grand musée d'art moderne qu'il lui manquait;

– le **Victoria and Albert Museum**, musée des Arts décoratifs (célèbres coffres, lits, vaisselle);

– le musée de cire **Madame Tussaud's**, aussi populaire que le musée Grévin à Paris mais à peine plus que le musée Sherlock-Holmes, le musée Charles-Dickens, le Geffrye Museum et, pour les enfants et ados, le musée d'Histoire naturelle et le musée des Sciences;

– les **pubs**, les **quartiers** et **places** célèbres (Soho, Trafalgar Square, Piccadilly Circus);

– les **parcs** (Hyde Park, Kensington) et jardins (jardins botaniques royaux de Kew Gardens).

Ce chapelet de lieux réputés, l'ambiance nocturne, quelques traditions (le shopping dans Oxford Street et Regent Street, les vénérables magasins tels Harrods ou Selfridges), les marchés de **Covent Garden** et **Camden Town**, le carnaval de **Notting Hill** (le dernier week-end d'août, à forte consonance jamaïcaine), le marché aux puces de **Portobello**, les soldes de fin d'année (*Post-Christmas Sales*) et un site privilégié sur la Tamise font de Londres une grande destination urbaine européenne, l'égale de Paris ou de Rome.

En outre, la ville est de toutes les mutations, les précède, ou se plaît à bousculer les tendances : ainsi ne jure-t-on plus aujourd'hui que par la renaissance touristique de lieux oubliés ou modestes, témoin le populaire East End, Canary Wharf et les Docklands. Le Design Museum, le musée du Vin, le musée du Football sont également tendance. Moins réussie avait été l'ouverture, à proximité de Greenwich et de son méridien, du « Dôme du Millénaire » pour entrer en fanfare dans la génération 2000.

Les autres villes anglaises souffrent de la comparaison :

– **York** est celle qui a le mieux conservé son patrimoine médiéval (sa cathédrale, Minster, est une réussite du gothique, comme ses rues étroites, les *snickelways*, et ses maisons à colombages);

– **Bath**, ancienne station thermale romaine, fut recherchée par l'aristocratie au XVIIIe siècle et en récolta une architecture néo-classique hors pair (Royal Crescent);

– **Bristol** est dynamisé par son université, son port aux deux navires de légende (le *SS Great Britain* et le *Mathew*), ses bateaux-taxis mais aussi par la délicatesse du style gothique perpendiculaire de l'église Saint Mary Redcliffe et le Clifton Bridge, étonnant pont suspendu sur la vallée de l'Avon;

– **Derby**, ville discrète au nord de Birmingham, réunit des particularités : elle offre une très vieille cathédrale (943), elle est la capitale de l'*ale*, la plus symbolique des bières, et elle renferme la manufacture qui a fabriqué le service de table en porcelaine du *Titanic*, sur le site du Royal Crown Derby Visitor Centre;

– **Liverpool**, malgré la réputation de son architecture, de sa cathédrale en grès rouge, de son musée (Walker Art Gallery, riche des collections de peinture britannique et de plusieurs préraphaélites) est trop identifié aux **Beatles** pour ne pas promouvoir le musée qui retrace leur histoire (Britania Pavilion) et le Cavern Club, où ils ont fait leurs gammes;

– **Manchester** a quitté son habit de ville ouvrière pour faire triompher celui de son club de foot, « United », devenu aujourd'hui objet de pèlerinage au sein d'une ville en pleine mutation;

– **Oxford** et **Cambridge** valent par l'architecture et l'atmosphère de leurs célèbres collèges, ainsi que par leurs musées (Ashmolean Museum à Oxford, Fitzwilliam Museum à Cambridge);

– **Stratford on Avon** perpétue le souvenir de Shakespeare (maison natale, tombeau dans Holy Trinity Church, Shakespeare Memorial).

Si les plus célèbres monuments sont à Londres, d'autres ne leur cèdent en rien :

– le tout proche château de **Windsor**, résidence royale et plus grand château du pays, dominé par la beauté de la chapelle Saint-Georges;

– la délicate cathédrale de **Canterbury**, son dessin gothique du XIIe siècle et ses vitraux;

– la cathédrale romane de **Durham** et celle, en gothique primitif, de **Wells**;

– les **châteaux** de la région d'**Harrogate** (Castle Howard, Harewood House), au nord de Leeds;

– dans le Weltshire, non loin de Southampton, les mégalithes de **Stonehenge**, dont les premières étapes de la construction datent de la fin du néolithique; ils gardent le secret de leur origine, malgré la ferveur des « néo-druides ».

La **légende** qui gravite autour du **roi Arthur** offre un itinéraire insolite : il mène du château de Tintagel, en Cornouailles, bâti sur le site qui aurait vu naître le célèbre roi, à Gladstonbury, où seraient le tombeau du roi Arthur et le Graal « quêté » par les Chevaliers de la Table ronde. Autre site de renom : la lande du parc national des Yorkshire Dales, qui ont vu vivre et écrire les sœurs Brontë, à Haworth.

A la lisière de l'Ecosse, il reste encore une partie importante des 120 km du **mur d'Hadrien**, que celui-ci avait érigé pour protéger l'Empire romain des Barbares du nord et qui connaît aujourd'hui de pacifiques invasions touristiques depuis son classement au patrimoine de l'Unesco.

LES PAYSAGES

La modestie de l'altitude ne favorise pas les grands panoramas mais elle est compensée par le charme de la campagne et le soin qu'apportent les Anglais aux **jardins**, principalement dans le Kent, le Surrey et le Sussex. Autres centres d'intérêt : les douces vallées de la région des **Cotswolds** et, dans leur prolongement, la vallée de la **Tamise**, de Windsor à Oxford, avec un arrêt obligé à **Eton College**; la **Cornouailles**, au climat doux et aux grandes **légendes** (Lancelot, Merlin, la dame du Lac, Excalibur); les parcs nationaux du **Yorkshire** (North York Moors, Yorkshire Dales).

Au centre, dans le parc national de **Peak District**, les landes, le grès et les gorges de la Dovedale valent le déplacement.

Au nord, le **Lake District** est parsemé de 17 lacs au pied d'une jolie région de moyenne montagne, avec le Cartmel Priory (la « cathédrale des lacs ») et Kirkstone Pass en points d'orgue pour les randonneurs.

LES CÔTES

La longue plage de **Brighton** et les autres rivages du **Kent** sont très appréciés, entre autres pour leur raffinement. Les côtes du Yorkshire (Filey, Bridlington, Whitby), les stations balnéaires de l'île de **Wight**, les rivages de la **Cornouailles**, qui permettent parfois la pratique du surf (Torquay), connaissent également une activité touristique soutenue, jusqu'aux îles Scilly, où macareux et phoques gris ne sont pas rares.

Si le non-habitué trouve la Manche trop fraîche, il peut enrichir son voyage par la visite des villages de pêcheurs et de leurs pubs, par exemple à Old Leigh, ou par celle des imposantes falaises blanches qui dominent la Manche autour de **Beachy Head**.

ÉCOSSE

LES PAYSAGES ET LES CÔTES

Tourtières, marécages, bruyères, genêts : l'Écosse varie à souhait les paysages, surtout dans le nord (**Highlands**). La lande écossaise n'est jamais aussi belle que lorsque la bruyère l'envahit en automne et répond au vert des collines ou au jaune vif des genêts.

En venant d'Angleterre, le visiteur découvre les **Borders**, dont les panoramas (rivière Tweed), évoqués par Walter Scott, les châteaux et les manoirs, lui donnent un aperçu prometteur. Il poursuit avec les **lacs (lochs)** : les lacs se comptent par centaines, mais si l'on doit n'en approcher qu'un, ce sera le **loch Ness,** où le présupposé et toujours invisible monstre Nessie continue d'engendrer un fort tourisme. Aussi spectaculaires sont le loch **Morar**, qui a la forme d'un long bras de mer pénétrant loin les Hautes-Terres occidentales, et les hautes buttes dénudées de la région du loch **Assynt**. La plupart des lochs sont visibles par beau temps à partir du **Ben Nevis**, point culminant du royaume et objet de (faciles) ascensions en été, comme son « rival », le Ben Macdui, dans le parc des Cairngorms.

Aussi couru que l'itinéraire des lochs est celui du whisky, le long de la vallée du **Spey :** une manière de conjuguer l'attrait des paysages et les traditions consiste à suivre la « route du whisky » qui permet de découvrir les plus vieilles distilleries du Royaume-Uni (fin du XVIIIe siècle), au rythme de noms fameux (Chivas, Glenfiddich).

La balade se termine par le spectacle de la réserve de Beinn Eighe (cerfs, chevreuils) et des **côtes** hérissées de **falaises** des Highlands, desquelles ressortent parfois les ruines d'un château, à moins que le Gulf Stream n'ait permis, comme dans Gruinard Bay, la pousse de myosotis, d'eucalyptus ou de palmiers... La plus belle grotte du Royaume-Uni, la grotte marine de **Fingal**, se trouve ici : ses parois s'ornent de murailles de basalte qui s'apparentent parfois à des orgues.

Les chapelets de trois archipels, les **Hébrides**, les **Orcades** (avec le site du cercle de pierres de Brodgar) et les **Shetland**, rivalisent de landes, de lochs et de côtes profondément découpées, au large desquelles évoluent dauphins et baleines. L'île de **Skye** impressionne par ses falaises terminées par l'« Old Man of Hoy », une aiguille de pierre de 137 m de haut, véritable phare naturel.

LES MONUMENTS

Il n'y a peut-être pas autant de **châteaux** et de **manoirs** que de lacs, mais le millier est dépassé. Les plus réputés : Tantallon Castle, Hopeton House (région du Lothian); Floors Castle, Mellerstain House, Traquair House, Abbotsford House (Borders); Castle Campbell, Doune Castle (région du Centre); Glamis, où Shakespeare a situé *Macbeth*, Dunnottar Castle (côte est, perché sur un promontoire en bord de mer), les châteaux de la vallée de la Dee.

La plus romantique des îles Hébrides, **Iona**, qu'ont évoquée Jules Verne, Stevenson et Walter Scott, reçoit 330 jours de pluie par an mais abrite des **églises** et surtout la **nécropole** où sont enterrés quarante rois d'Écosse, dont Macbeth.

Quant aux Orcades, elles abritent des sites **néolithiques** celtes et vikings que l'on peut découvrir à l'occasion de randonnées faciles.

LES VILLES

Glasgow plaît aux amateurs d'architecture urbaine car elle garde l'empreinte du décorateur Charles Mackintosh qui, au début du XXe siècle, a achevé sa remarquable école d'art au 167, Renfrew Street. Cette école est un passage obligé lors de la visite de la ville, avec les bâtiments attenants à la réussite du décorateur, ainsi que les musées (Burrell Collection, Gallery of Modern Art, Kelvingrove, Hunterian).

Édimbourg se partage en une ville moderne (façades géorgiennes, hôtels particuliers) et Old Town, la ville ancienne (citadelle, trésors royaux, palais de Holyrood), qui offre des points de vue sur l'estuaire du Forth. La zone portuaire de Leith, au nord, devient peu à peu un quartier branché.

La ville, qui se visite en suivant le Royal Mile, est le théâtre d'un grand festival artistique en été (Fringe Festival) et d'une célèbre parade militaire (*Military Tattoo*) en août, au pied de son château. Par ailleurs, elle renferme un musée du Whisky.

LA FAUNE

Les archipels et les îles du nord sont autant de terrains de découvertes pour l'ornithologue, qui y trouve des **cormorans,** des **macareux**, des **chouettes des neiges**, des **aigles pêcheurs**.

IRLANDE DU NORD

LES PAYSAGES ET LES RANDONNÉES

L'Irlande du Nord a plus à offrir qu'on ne l'imagine : le Glenveagh National Park, les Sperrin Mountains, les Morne Mountains et les Gaeltacht

Islands multiplient les occasions de **balades** à pied ou à vélo.

La grande attraction reste toutefois la **chaussée des Géants**, sur la côte nord dans le comté d'Antrim : des milliers de prisme de basalte se succèdent, entre lesquels le vent joue à émettre les sons les plus divers les soirs de houle. L'endroit est bordé de falaises et de baies qui rajoutent à son aspect insolite.

Au sud de Belfast, dans le comté de Down, le parc national des monts Mourne se prête à la randonnée et à la pêche.

LES VILLES

Belfast a peu de grands atouts mais son port a vu la construction du *Titanic*, honoré aujourd'hui par un musée et un festival au printemps.

Deux autres villes méritent un détour : **Armagh** (église édifiée par saint Patrick) et **Derry** (vieille ville fortifiée du XVIIe siècle).

PAYS DE GALLES

LA NATURE

Le discret pays de Galles recèle de jolis coins de nature :

– le parc national de **Snowdonia** et son relief de moyenne montagne autorisent randonnées et escalades, par exemple jusqu'au sommet du Snowdon (1 085 m seulement mais pas du tout facile), après être parvenu dans les environs grâce à un train à vapeur vieux de près d'un siècle, d'où l'on a pu découvrir une infinité de moutons, de bruyères et de fougères; le village de Portmeirion (à l'architecture surprenante), les sites d'Anglesey et de Llyn sont les autres atouts de la région;
– la **côte sud**, entre Cardiff et Swansea, est très prisée des Anglais, qui établissent leurs quartiers d'été dans des stations balnéaires tranquilles, aux longues plages et aux idées de balades multiples comme The Mumbles, dans la péninsule de Gower; en continuant vers l'ouest, jusqu'à la côte du **Pembrokeshire**, les sites et les criques sont plaisants (**Saint David's** mais surtout **Tenby**). Non loin de Tenby, les îles du Pembrokeshire, entre autres Skomer, abritent des oiseaux de mer mais aussi des phoques;
– le parc national de **Brecon Beacons** Mountains ou les abords du **lac Vyrnwy** constituent d'autres motifs d'échappée.

LES VILLES ET LES MONUMENTS

Cardiff vient de retrouver un coup de jeune avec la rénovation des docks de Cardiff Bay, qui est devenu le dernier quartier branché (un peu trop). Le Millenium Stadium, qui a envoyé le légendaire Arm's Park au rayon nostalgie, est dans la même veine. Le château donne le change à cette volonté futuriste, comme le National Museum and Gallery, dont la collection d'impressionnistes vaut le détour.

À la fin du XIIIe siècle, le roi Édouard Ier a fait ériger une vingtaine de châteaux pour préserver le pouvoir des Anglais. Les châteaux de Beaumaris, Conwy, Harlech et surtout **Caernarfon** sont les mieux préservés.

Une curiosité dans le Gwynedd : **Porthmadog**, site de la plus ancienne compagnie ferroviaire du monde, la Rheilffordd Ffestiniog Railway.

Possessions de la Couronne britannique

ÎLES ANGLO-NORMANDES

LES PAYSAGES

Les îles Anglo-Normandes (195 km², 150 000 habitants) sont imprégnées du souvenir de la présence de Victor Hugo (Hauteville House, à **Guernesey**, peut être visitée d'avril à septembre inclus). Rapidement accessibles à partir de Saint-Malo, Guernesey, Jersey et Sark sont certes un lieu de shopping intéressant, mais surtout elles mêlent avec harmonie les paysages fleuris, les falaises riches de la présence d'oiseaux marins, les plages, les criques, les petits ports, un habitat coquet, des vestiges mégalithiques, des manoirs, des musées et des châteaux. Les assoiffés de romantisme et de solitude seront comblés par la visite hors saison de l'îlot de Herm, à l'est de Guernesey, et des îlots encore plus confidentiels d'Aurigny et de Jethou.

Jersey, souvent considérée comme l'un des endroits du Royaume-Uni les plus propices à la randonnée, bénéficie également d'une bonne réputation gastronomique.

Sark est avant tout une île sans voitures : elle tire de ce bienfait écologique et de ses jolies baies un juste succès touristique.

ÎLE DE MAN

Discrètement posée entre l'Irlande du Nord et l'Angleterre, l'île de Man (572 km^2, 80 000 habitants) ne manque pourtant pas d'originalité, témoin la récente mise en valeur de lignes de chemin de fer du XIXe siècle.

Elle reste trop peu connue, hormis par les randonneurs, qui y trouvent matière à un dépaysement romantique à travers les étendues tourbeuses, et par les concurrents d'une démentielle « Tourist Trophy » début juin, ou bien encore par les grands de la finance internationale qui viennent y chercher les avantages d'une situation off-shore. L'île est principalement accessible à partir de Whitehaven (Angleterre).

Dates. IXe siècle Le roi de Norvège s'empare de l'île. *979* Création du Parlement (« Tynwald »). *1266* Elle est cédée au roi d'Écosse. *1406* Elle devient propriété des Stanley, une famille anglaise. *1765* L'île devient une « dépendance » de la Couronne britannique, avec ses propres lois, parlement et monnaie.

Territoires britanniques d'outre-mer

GIBRALTAR

Plutôt que de demander au « Rocher » (400 m de haut) l'atout balnéaire qu'il n'a jamais eu, on peut apprécier les boutiques hors taxes de Main Street (Calle Real), ses canons rappelant sa longue vocation militaire, mais surtout, et plus poétiquement, la hardiesse de son site. Gibraltar (6,5 km^2, 28 000 habitants) appartient toujours au Royaume-Uni, malgré les revendications pressantes de l'Espagne et une population qui se sent une identité propre de *Llanitos*.

Langues. L'espagnol et l'anglais se partagent les conversations mais sont transformés en un mélange *(spanglish)*, sorte de dialecte mêlant l'andalou, l'anglais et l'italien.

Dates. 711 Arrivée des Maures, qui créent le « djebel al-Tarik », origine du nom, et qui resteront sept siècles. *1713* Le traité d'Utrecht donne à Gibraltar le statut de colonie de la Couronne britannique. *1969* Élargissement de l'autonomie (constitution), alors que Franco ferme la frontière espagnole. *1985* Réouverture de la frontière avec l'Espagne. *1988* Joe Bossano est Premier ministre d'un gouvernement travailliste. *Mai 1996* Peter Caruana et le Parti social-démocrate remportent les législatives. *Novembre 2002* Par référendum, les Gibraltariens rejettent le principe d'une cosouveraineté hispano-britannique.

SAINTE-HÉLÈNE

Perdu dans l'Atlantique sud, à 1 800 km de l'Angola et à 2 800 km du Brésil, cet îlot volcanique de 410 km^2 et 7 400 habitants (les « Saints ») n'aurait sans doute pas été cité ici si les Anglais n'y avaient déporté Napoléon Ier, dont il ne reste aujourd'hui que le tombeau... vide.

Les montagnes pelées et les collines couvertes de plantations de lin sont tout de même une curiosité, qui s'ajoute à la visite de la capitale Jamestown et des lieux où l'empereur a connu son dernier voyage, comme le hameau de Mount Pleasant. Sainte-Hélène est accessible en cargo mixte, le *Saint Helena*, à partir de Cardiff, Santa Cruz de Tenerife ou Le Cap.

Dates. 1502 Le navigateur portugais João da Nova Castella découvre l'îlot. *1645* Les Hollandais puis l'*East India Company* se l'approprient. *1815* Napoléon Ier est déporté à Sainte-Hélène par les Anglais, il y mourra six ans plus tard. *1834* Rattachement à la Couronne.

LE POUR

◆ La diversité géographique et culturelle (jardins, châteaux, lochs), soutenue du nord de l'Écosse jusqu'au Kent.

◆ Une proximité qui favorise les formules « week-ends » et le grand intérêt soulevé par Londres.

◆ La stabilisation de la situation politico-religieuse en Irlande du Nord.

LE CONTRE

◆ Le coût de la vie touristique à Londres.

LE BON MOMENT

Les maîtres mots du climat britannique sont pluie et humidité, surtout dans la partie ouest. Les températures sont fraîches mais rarement froides, ce qui permet d'inclure les mois de **mai** et de **juin** dans la saison favorable (**juillet-septembre**). Les hivers, plutôt cléments, laissent la possibilité d'envisager des « week-ends villes ».

◆ Températures moyennes jour/nuit (en °C)

Edimbourg (Ecosse) : janvier 6/0, avril 11/3, juillet 19/10, octobre 13/6.

Londres (sud-est) : janvier 7/2, avril 13/6, juillet 22/14, octobre 15/9.

Manchester (centre) : janvier 6/1, avril 12/4, juillet 20/12, octobre 14/7.

Jersey (îles Anglo-Normandes) : janvier 8/4, avril 13/7, juillet 21/14, octobre 16/11.

LE PREMIER CONTACT

En Belgique

Visit Britain, ☎ (02) 646.35.10, fax (02) 646.39.86, www.visitbritain.be/fr/destinations/

Au Canada

Visit Britain, Mississauga, Ontario, www.visitbritain.ca/destinations/

En France

Visit Britain, BP 154-08, F-75363 Paris Cedex 08, ☎ 0825.83.82.81, www.visitbritain.fr

Visit Britain regroupe l'ensemble de l'information touristique du Royaume-Uni et des territoires, proches ou lointains, rattachés à la Couronne. Il propose un *British Pass* qui offre plusieurs types de réductions, il peut aussi faciliter ou organiser l'hébergement, vendre des tickets de métro ou de train, ou encore vendre des places pour les concerts et les spectacles (*Global Ticket*). Il émet aussi une brochure qui répertorie les principales stations balnéaires d'Angleterre et du pays de Galles. Aux passionnés des jardins à l'anglaise, il propose une brochure, *Britain's Gardens*.

Jersey, www.jersey.com

Guernesey, ☎ (44) 1481.723552, www.visitguernsey.com/

Office de tourisme de l'**Irlande du Nord,** www.discovernorthernireland.com/; office de tourisme d'Irlande : www.discoverireland.com/fr/

Gibraltar, www.gibraltar.gi/home/

Pour l'île de **Man,** www.visitisleofman.com

Pour **Sainte-Hélène** : office de tourisme, www.discoveroursecret.co.sh/

Autres sites Internet

www.visitscotland.com (pour l'Écosse, en français)
www.visitwales.com (pour le pays de Galles, en français)
www.visitlondon.com (également en français)

Guides

• ***Guides généraux***

Grande-Bretagne (Le Petit Futé, National Geographic France), *Saint Helena, Ascension and Tristan da Cunha* (Bradt),

• ***Guides de l'Angleterre***

Angleterre et Pays de Galles (Hachette/Routard, Marcus, Michelin/Guide vert, Mondeos), *Pays de Galles, Angleterre* (Gallimard/Encycl. du voyage).

• ***Guides de Londres***

Londres (Berlitz, Berlitz/Week-end, Gallimard/Encycl. du voyage, Gallimard/Spiral, Gallimard/GEOGuide, Hachette/Evasion, Hachette/Evasion en ville, Hachette/Routard, Hachette/Top 10, Hachette/Un grand week-end, Hachette/Voir, JPMGuides, Le Petit Futé, Lonely Planet France, Lonely Planet France/En quelques jours, Michelin/Guide vert, Michelin/Voyager pratique, Mondeos, National Geographic France), *Week-end pas cher à Londres* (Les Beaux Jours).

• ***Guides de l'Ecosse***

Ecosse (Berlitz, Gallimard/Bibl. du voyageur, Gallimard/Encycl. du voyage, Hachette/Voir, JPMGuides, Le Petit Futé, Lonely Planet France, Marcus, Michelin/Guide vert, Mondeos),

Edimbourg (Gallimard/Cartoville, Hachette/Un grand week-end).

• ***Guides des îles Anglo-Normandes***

Iles Anglo-Normandes (Le Petit Futé).

• ***Guides du pays de Galles***

Angleterre et Pays de Galles (Hachette/Routard, Marcus, Michelin/Guide vert, Mondeos), *Pays de Galles, Angleterre* (Gallimard/Encycl. du voyage), *Pays de Galles* (Le Petit Futé).

Cartes

Écosse (Michelin), *Grande-Bretagne, Irlande* (Berlitz, Marco Polo), *Londres* (IGN), *Royaume-Uni, Irlande* (IGN).

Lectures

L'Étrange cas du docteur Jekyll et M. Hyde (R. L. Stevenson/Gallimard), *les Jumeaux de Black Hill* (B. Chatwin/Grasset, 1993), *Wuthering Heights; Agnès Grey; Villette* (Anne Brontë, Charlotte Brontë, Emily Brontë/Robert Laffont, 2004). Et bien sûr, pour multiplier les ambiances, les romans d'Agatha Christie, Charles Dickens, Somerset Maugham, Walter Scott...

Images

Ecosse : beauté sauvage (Editions Page du Monde, 2005), *Londres* (Gallimard, 1997), *l'Art de vivre à Londres* (S. Upton/Flammarion, 1998), *Charmes de Londres* (J. Prévert, I. Bidermanas/Editions du Cherche Midi, 2008).

DVD

Angleterre : le secret du présent (P. Brouwers/DVD Guides), *Carnets de voyage : l'Ecosse* (Gédéon/2008).

QUEL VOYAGE ET À QUEL PRIX ?

Le voyage individuel

Les préparatifs

◆ Pour les ressortissants de l'Union européenne et suisses : carte nationale d'identité ou passeport en cours de validité. Ne pas oublier la carte européene d'assurance-maladie. ◆ Pour les ressortissants canadiens: passeport encore valide six mois après le retour.

◆ Monnaie : la *livre sterling* (pound) est subdivisée en 100 *pence.* 1 EUR = 0,9 livre sterling, 1 US Dollar = 0,7 livre sterling. Les îles Anglo-Normandes, l'île de Man et l'Écosse frappent leur propre monnaie, de valeur équivalente à la livre sterling mais non acceptée dans les autres parties du Royaume-Uni.

Le départ

Avion

Angleterre

◆ Les vols à bas prix quadrillent l'Angleterre : un vol A/R pour les grandes destinations à partir de la Belgique ou de la France peut aisément se trouver à moins de *100 EUR* si l'on réserve longtemps à l'avance. Exemples : Bruxelles-Londres (Brussels Airlines, VLM), Genève-Glasgow (Easyjet), Paris-Londres : Easyjet; Ryanair est présent au départ de nombreux aéroports français pour Londres Stansted ou Londres Luton. ◆ Durée moyenne du vol Paris-Londres/Heathrow (346 km) : 45 minutes.

Écosse

◆ Beauvais-Glasgow (Flybe), Bruxelles-Glasgow (Flybe), Charleroi-Glasgow (Ryanair). ◆ Durée moyenne du vol Paris-Glasgow (896 km, direct) : 1 h 45. ◆ Vols pour les Hébrides à partir de la petite ville de Wick, tout au nord.

Ile de Man

Plusieurs vols hebdomadaires de Bruxelles ou de Luxembourg via Londres (VLM).

Irlande du Nord

Les compagnies à bas prix Easyjet et Flybe proposent des tarifs très attractifs pour Belfast.

Pays de Galles

Vols Paris-Cardiff A/R avec Flybe, compagnie à bas prix. Durée moyenne du vol Paris-Cardiff (457 km) : 1 h 50. Pour qui projette de visiter le parc de Snowdonia, l'aéroport de Manchester convient mieux que celui de Cardiff.

Bateau

Angleterre

Très nombreux départs quotidiens de ferries :

– de Calais pour Douvres : P&O Ferries ou Seafrance (90 minutes);

– de Caen (3 h 45) ou Cherbourg (3 heures) pour Portsmouth (Britanny Ferries);

– de Cherbourg (4 h 30) pour Poole (Britanny Ferries);

– de Dieppe (4 heures) pour Newhaven (LD Lines);

– du Havre pour Newhaven (de mai à septembre) et pour Portsmouth (LD Lines);

– de Dunkerque pour Douvres (Norfolkline, 1 h 45);

– de Saint-Malo pour Poole (Condor Ferries) ou Portsmouth (Britanny Ferries);

– de Roscoff pour Plymouth (Britanny Ferries).

◆ Le tarif moyen pour deux personnes et une voiture hors saison entre Calais et Douvres est aux alentours de *100 EUR*. Augmentation assez sensible en été. ◆ Vu les fluctuations et la vive concurrence entre les différentes compagnies, il vaut mieux se renseigner auprès de Visit Britain, qui édite une brochure récapitulative.

Écosse

◆ De Zeebrugge, P&O Ferries gagne Hull en 12 h 30, avec transport de la voiture, retour possible par Douvres; il existe aussi une ligne Zeebrugge-Rosyth (18 heures, Superfast Ferries). ◆ Pour les Hébrides, des ferries embarquent les voitures, ce qui n'est pas le cas de ceux qui desservent les Orcades et les Shetland (P&O Ferries).

Îles Anglo-Normandes

◆ Les ferries de Condor Ferries partent de Saint-Malo pour Jersey (embarquement possible de la voiture) et Guernesey, continuation possible vers le Dorset, dans le sud-ouest de l'Angleterre. ◆ De Saint-Malo, HD Ferries rejoint Jersey en 1 heure et Guernesey en 2 h 30. ◆ De Saint-Hélier (Jersey) à Saint-Pierre (Guernesey), le voyage dure une heure. ◆ De Guernesey, liaisons fréquentes vers les îlots de Sark et de Herm.

Irlande du Nord

De Belfast, Stena Line rejoint Stranraer (Ecosse).

Sainte-Hélène

En attendant l'avion qui va bientôt le démythifier, le cargo mixte *Saint Helena* relie le pays de Galles, les Canaries et l'Afrique du Sud à Sainte-Hélène. Renseignements auprès de Andrew Weir Shipping, Londres, ☎ 44.20.7816.4800, fax 44.20.7816.4802, www.rms-st-helena.com

Bus

◆ Paris-Londres A/R via Eurotunnel (Eurolines). Paris-Londres-Édimbourg A/R également possible avec Eurolines. ◆ Les bus de la « National Express Coaches » sillonnent le pays.

◆ La plupart des compagnies avancent des forfaits, à la journée ou à la semaine, ainsi que des cartes de réduction (Britexpress Card, Student Coach Card). Renseignements auprès de Visit Britain.

Hébergement

◆ Londres est hélas! l'une des villes les plus chères du monde. Le célèbre *B & B (Bed and Breakfast)* sauve un peu la mise et reste partout dans le pays la solution la moins onéreuse, hormis les campings et les auberges de jeunesse. Il est vivement conseillé de réserver pour juillet et août (les adresses des B & B figurent dans une brochure éditée par Visit Britain). Étudier les propositions des organismes tels que Tourisme chez l'habitant ou sur le site www.europeanconnection.com

◆ Les cottages, petites maisons de campagne datant parfois du Moyen Âge et recouvertes de chaume, constituent une solution intéressante pour qui souhaite passer des vacances en famille ou avec des amis car l'espace ne manque pas. Renseignements auprès de Visit Britain, qui informe également sur les autres modes d'hébergement : chambres d'hôte et, à l'étage financier supérieur, auberges, châteaux, gentilhommières et manoirs, surtout en Écosse.

◆ Il existe environ 240 auberges de jeunesse en Angleterre et au pays de Galles (www.yha.org.uk), environ 80 en Écosse et une dizaine en Irlande du Nord.

Route

◆ Conduite à gauche, distances indiquées en miles. Carburant en gallons (1 gallon = 4,54 litres). ◆ Limitation de vitesse agglomération/route/autoroute : 48/96/112 km/h. ◆ Limite du taux d'alcoolémie : 0,8 pour mille. ◆ Possibilité de trouver des locations de voiture (à moins de *250 EUR* par semaine en basse saison) et une foule d'autotours d'une semaine (embarquement de la voiture personnelle, itinéraire conseillé et hébergement réservé) pour l'Angleterre ou l'Écosse. Quelques voyagistes pour les autotours en Écosse (compter *800 EUR* pour une semaine) :

Britanny Ferries, Celtictours, Comptoir des pays celtes, Donatello, Gaeland Ashling; pour le pays de Galles : Bennett, Comptoir des pays celtes, Gaeland Ashling.

Train

◆ Pass InterRail utilisable. ◆ *Eurostar :* TGV de centre-ville à centre-ville Paris Gare du Nord-Londres Saint Pancras (2 h 15, jusqu'à 19 allers-retours par jour, à partir de *77 EUR* l'aller-retour) via Eurotunnel. Formules avantageuses aller et retour dans la journée les samedis, dimanches et jours fériés, week-ends, ou train + hôtel (3 jours/2 nuits aux alentours de *550 EUR* pour une famille de quatre). Renseignements et réservations dans les gares, dans les agences de voyages ou sur www.eurostar.com ◆ Bruxelles-Londres en 1 h 51, à partir de *80 EUR* l'aller-retour. ◆ Train de nuit Paris/Gare du Nord-Édimbourg.

◆ Le *Shuttle*, le service de navettes d'Eurotunnel (www.eurotunnel.com), fait traverser les passagers et leurs voitures en 35 minutes entre Calais/Coquelles et Folkestone : jusqu'à quatre départs par heure. Les billets sont en vente dans les terminaux ou dans les agences de voyages.

◆ Le *Venice Simplon Orient Express* va de Londres à Istanbul au mois d'août et en six jours. Le mythe persiste, la hauteur du prix aussi... ◆ En Écosse, le *Royal Scotsman*, un train de luxe avec des voitures victoriennes datant du début du siècle, traverse les Highlands et les lochs.

Vie quotidienne

◆ A Londres, le ticket de métro est cher (l'équivalent de près de 3 EUR), aussi vaut-il mieux prendre un forfait deux jours. ◆ Adaptateur à prévoir pour les prises de courant.

Le séjour

Rappel : nous nous sommes limités à un résumé des prestations en vigueur dans les agences et chez les voyagistes présents en France. Les lecteurs des autres pays peuvent en tirer des idées d'itinéraire et les compléter auprès de leurs agences de voyages.

1. Le bateau, la voiture et le B & B

◆ Vecteur de base de la façon la plus courante de voyager au Royaume-Uni : le bateau + le passage de la voiture personnelle + le logement. On trouve des formules multiples et des prix raisonnables chez Britanny Ferries, Euro Pauli, Jet tours, Transeurope, Seafrance Voyages, Tourisme chez l'habitant.

◆ Formules avion + hôtel chez British Airways, Nouvelles Frontières, Seafrance Voyages. Le combiné voiture/hôtel est aussi très répandu.

◆ Pour les îles Anglo-Normandes, aller et retour dans la journée pour Jersey, forfait week-end pour Guernesey (traversée + 1 nuit en B & B) ou forfait 7 jours/6 nuits pour Guernesey, Jersey et Sark. Renseignements auprès de Émeraude Vacances.

◆ Pour l'Écosse, combiné ferry et bus pour 5 jours (Seafrance Voyages).

2. Londres et les villes

◆ Il existe mille façons d'aborder **Londres**, ce qui est bien le moins pour une ville qui reçoit trente millions de visiteurs par an. Ceux-ci sont souvent des jeunes parce que toutes les modes se chevauchent ou se renouvellent ici, mais aussi des chineurs de marchés aux puces et des amateurs d'art, les expos à thèmes ou de grands peintres se succédant à un rythme échevelé.

Tant de diversité demande à être canalisée, ce que font Visit Britain et les voyagistes qu'il répertorie. Aide précieuse car l'improvisation, si elle est tentante, ne va pas sans désagréments : d'une part la ville est très chère, d'autre part le fait de ne pas réserver est source d'importantes pertes de temps.

Le grand classique pourrait être les formules week-end en avion, le vol A/R et deux nuits d'hôtel en chambre double revenant à environ *250 EUR* en haute saison. Mais ce serait oublier la commodité qu'offrent l'Eurostar – et les formules Eurostar A/R + deux nuits d'hôtel – ou les formules bus + hôtel (Eurolines, premiers prix aux alentours de *150 EUR*). Penser également aux offres qui président à des événements ponctuels, tels que les soldes d'après Noël ou les week-ends expos (et leurs précieux billets coupe-file).

Sur place, pour le voyageur individuel qui n'a pas réservé, le service de logement de la gare Victoria fait le nécessaire (longues files d'attente en été). Pour faire des économies, une *Visitor Travel Card* (à acheter avant le départ) donne le droit au voyage à volonté en bus ou en métro, ainsi qu'à des réductions pour les entrées des grands lieux de visite londoniens (renseignements auprès de Visit Britain).

◆ Les voyagistes se bousculent pour les propositions de week-ends à Londres, mais d'autres villes sont concernées, telle **Édimbourg**, visitée souvent en 3 jours/2 nuits. Quelques noms : Bennett, British Airways, Celtictours, Seafrance Voyages, Donatello, ce dernier également présent pour Glasgow. Autres villes en week-end : Cardiff, Liverpool, Nottingham, Portsmouth (renseignements auprès de Visit Britain), Canterbury, Hull ou York avec P&O Ferries.

3. La randonnée

◆ Les **randonneurs** choisissent souvent **l'Écosse**, par exemple avec Club Aventure qui arpente les vertes collines des Highlands avant l'ascension du Ben Nevis et des balades dans l'île de Skye. Terres d'aventure est également présent, pour une même durée. Les prix pour ce style de voyage avoisinent *1 500 EUR* pour 15 jours. Il existe également un programme de randonnée qui rassemble le Donegal (Irlande) et le parc de Glanveagh (**Irlande du Nord)** chez Club Aventure (12 jours).

4. Les circuits accompagnés ou spécifiques

◆ Les propositions énoncées ci-dessus prouvent combien la notion de « voyage organisée » est réduite à la portion congrue. Néanmoins, on la retrouve dans des circuits en bus comme ceux de Nouvelles Frontières, qui fouille l'Écosse (8 jours) ou va de Folkestone jusqu'à Inverness à l'issue d'une grande diagonale (11 jours).Toujours en bus, des combinés Angleterre-Écosse d'une quinzaine de jours sont proposés par Bennett Voyages. Circuits accompagnés pour l'Écosse chez Celtictours, Donatello, Seafrance Voyages.

À noter des circuits spécifiques sur les traces de Victor **Hugo** à Jersey et Guernesey, et de nombreuses propositions de séjours consacrés au golf par des spécialistes du genre, tel Voyages Gallia en Écosse. Par ailleurs, Eurolines propose un mini-séjour pour le carnaval de **Notting Hill**.

◆ Si l'on ne manque de rien, on pourra se laisser tenter par les croisières du *Queen Mary II* (365 m de long…) ou par l'« Odyssée atlantique » de Grand Nord Grand Large qui part de la péninsule Antarctique pour le Cap-Vert via Tristan da Cunha, Sainte-Hélène et l'île Ascension. Compter un bon mois et demi de vacances et plusieurs milliers d'euros... Pour dix fois moins cher et avec le même voyagiste, une petite semaine permettra de voir les phoques gris le long des rivages des îles Scilly, au large de la Cornouailles (une semaine entre juin et septembre). Une croisière de Scanditours partie de Reykjavík passe aux Shetland et aux Orcades pour se terminer à Honfleur (13 jours).

QUE RAPPORTER ?

◆ Les magasin de Londres sont rois : grand classique chez Harrods, esprit baba cool à Carnaby Street, tous styles à Oxford Street, puces du week-end à Camden Town, Portobello et Covent Garden, soldes d'après Noël (Post-Christmas Sales) et de juillet. ◆ Écosse : les vêtements en shetland ou tweed, le whisky et la bière (ale).

LES REPÈRES

◆ Lorsqu'il est midi en France, au Royaume-Uni il est 11 heures; lorsqu'il est midi au Québec, au Royaume-Uni il est 17 heures. ◆ Langues : si l'anglais est langue officielle depuis environ six cents ans, il voisine, au gré des régions, avec le gaélique (ouest de l'Écosse, îles Hébrides, en partie Irlande du Nord), le gallois (un cinquième de la population galloise), le manx dans l'île de Man et un français discret dans les îles Anglo-Normandes. ◆ Téléphone vers le Royaume-Uni : 0044 + indicatif (Edimbourg : 131; Glasgow : 141; Londres inner : 207, outer : 208) + numéro. Téléphone vers Gibraltar : 00350; vers Sainte- Hélène : 00290; du Royaume-Uni : 00 + indicatif pays + numéro du correspondant.

LA SITUATION

Géographie. Vallonnée au nord-ouest, plate au sud-est, l'Angleterre ne dépasse jamais mille mètres et aucun de ses sites n'est à plus de 120 km de la mer. Le pays de Galles réussit à passer mille mètres grâce aux monts Cambriens, mais c'est l'Écosse, avec les Grampians et les Highlands, qui possède le relief le plus élevé.

Superficie – Angleterre : 130 400 km^2; Écosse : 78 800 km^2, Pays de Galles : 20 800 km^2; Irlande du Nord : 14 120 km^2.

Population. Les Anglais représentent la grande majorité des 60 944 000 habitants du Royaume-Uni. Suivent l'Écosse (5 200 000 habitants), le pays de Galles (2 950 000 habitants) et l'Irlande du Nord (1 600 000 habitants). Londres, capitale, compte environ sept millions d'habitants (douze millions pour le Grand Londres).

Religion. Le protestantisme dominant se reconnaît dans l'Eglise anglicane (57 %), église officielle, et l'Eglise d'Écosse (presbytérienne). L'Église catholique romaine réunit 13 % de la population. En Irlande du Nord, on compte 54 % de protestants et 42 % de catholiques.

Dates. *IIIe siècle av. J.-C.* Les Celtes occupent l'Angleterre. *43* Conquête romaine. *1154* Henri II fonde la dynastie des Plantagenêts. *1337* Début de la guerre de Cent Ans. *1485* Avènement des Tudors. *1603* Avènement des Stuarts. *1653* Cromwell fonde le Commonwealth. *1660* Restauration des Stuarts. *1714* La dynastie de Hanovre au pouvoir. *1800* Formation du Royaume-Uni. *1837* La reine Victoria au pouvoir. *1921* Reconnaissance de l'Eire. *1924* Les travaillistes sont au pouvoir pour la première fois. *1940* Churchill Premier ministre. L'Angleterre est en guerre aux côtés des Alliés, son aviation (RAF) sera déterminante. *1952* Elizabeth II monte sur le trône. *1969* L'Armée républicaine irlandaise (IRA) s'oppose au gouvernement. *1972* Entrée dans le Marché commun. *1979* Arrivée au pouvoir de Margaret Thatcher et début de onze ans de libéralisme. *1990* John Major lui succède. *Septembre 1994* Cessez-le-feu conclu entre l'IRA et le pouvoir. *Mai 1997* Les conservateurs balayés lors des élections par Tony Blair et les travaillistes. *Août 1997* Mort accidentelle de la princesse Diana. *Mai 1998* L'Irlande du Nord dit oui au référendum sur la paix. *Août 1998* Attentat à Omagh (28 morts) attribué à l'« IRA véritable ». *Juin 2000* Blair et les travaillistes sont facilement réélus. *Mars 2003* Blair s'engage au côté de Bush dans la guerre en Irak. *Mai 2005* Tony Blair décroche un troisième mandat, événement inédit. *Juillet 2005* Londres est frappée par une série d'attentats attribuée aux islamistes (52 morts). *Septembre 2005* L'IRA dépose les armes. *Mars 2007* Irlande du Nord : la paix et le partage du pouvoir entre les unionistes et le Sinn Féin deviennent réalité. *Juin 2007* Gordon Brown succède à Tony Blair.

Russie

Avertissement. – Les républiques autonomes qui bordent le Grand Caucase (Tchétchénie, Ingouchie, Daghestan, Ossétie du Nord) demeurent formellement déconseillées au voyageur.

Le « pays où il ne fait jamais nuit » possède en Moscou et en Saint-Pétersbourg deux joyaux de renommée mondiale, agrémentés des villes à l'architecture médiévale de l'« Anneau d'or ». Mais le potentiel touristique du pays s'élargit sans cesse : croisières sur la Volga, balades autour du lac Baïkal et, dernière tendance en date, dans la presqu'île du Kamtchatka, en attendant une mise en valeur plus importante de la Sibérie.

LES RAISONS D'Y ALLER

LES VILLES

Moscou, Saint-Pétersbourg

LES MONUMENTS

« Anneau d'or » de la Grande Russie

LES PAYSAGES

Volga (croisières Moscou-Saint-Pétersbourg)
Carélie (lacs, motoneige, ski de fond)
Sibérie : lac Baïkal, fleuves (Léna, Ob)
Kamtchatka, îles Kouriles
Altaï, Grand Caucase

LES CÔTES

Plages de la mer Noire (Sotchi), croisières

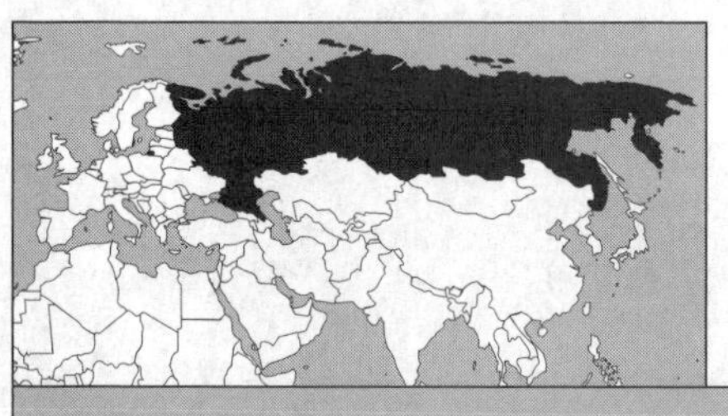

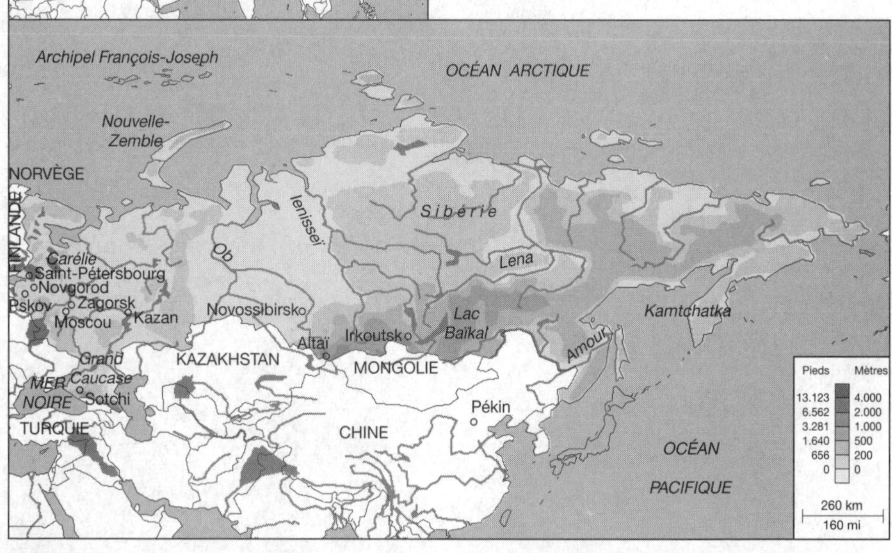

LES RAISONS D'Y ALLER

LES VILLES

Ses 150 musées (dont le musée Pouchkine et ses œuvres des grands impressionnistes ainsi que le musée Tretiakov, consacré à l'art russe) et ses 40 théâtres ou salles de concert (dont le Bolchoï) classent **Moscou** parmi les grandes villes d'art et de culture. Mais le point d'orgue de la capitale demeure le Kremlin et ses presque trente hectares parsemés de palais (dont surtout ceux des Patriarches et des Armures), de cathédrales (dont celle de la Dormition, où les tsars étaient couronnés) et d'églises, parfois presque millénaires.

Sur l'un de ses côtés, le Kremlin laisse apparaître la place Rouge et ses fleurons (mausolée Lénine, cathédrale Basile-le-Bienheureux aux bulbes splendides, centre commercial Goum). Les palais (Ostankino, Kouskovo), les églises baroques (Kadachi et ses coupoles vertes) et le monastère Novodievitchi, au pied duquel reposent entre autres Gogol, Tchekhov, Chostakovich et Krouchtchev, sont les autres grands rendez-vous de la ville.

Moscou, qui connaît sa plus forte animation dans les quartiers nord (Bolchoï, théâtre Maly, avenue Tverskaïa) et Kitaï Gorod (magasins, musées, bâtisses anciennes), efface à grands traits son passé communiste, autant dans son architecture (réhabilitation ou rénovation des édifices religieux) que dans son économie (néocapitalisme générateur d'inégalités et de criminalité).

Saint-Pétersbourg, ex-Leningrad et « Venise du Nord », est bâtie sur la Neva et sur des dizaines d'îlots ou de canaux propices à une découverte en bateau des façades baroques des palais, qui font la particularité et la célébrité de la ville. Celle-ci est la plus belle du pays parce que, au début du XVIIIe siècle, Pierre le Grand a choisi d'en faire la vitrine de la puissante Russie tsariste. Il est un moment de l'année, en juin, où elle devient encore plus belle, quand les jours s'allongent à un point tel que le crépuscule ressemble à l'aube, les nuits étant alors dites « blanches » et faisant l'objet d'un festival avec force ballets et concerts.

La perspective Nevski, bordée de palais et de théâtres, est à Saint-Pétersbourg ce que les Champs-Élysées sont à Paris. La cathédrale Saint Pierre-et-Paul (où reposent les Romanov et désormais Nicolas II), la cathédrale Saint-Isaac, l'église de la Résurrection, l'institut Smolnyi, le palais-musée de Saint-Nicolas-des-Marins, l'Amirauté et sa girouette d'or, la maison de Pouchkine, les icônes de la cathédrale Sainte-Sophie et le cimetière Piskarevo sont les autres points d'orgue de la ville, qui s'enorgueillit d'une grande réputation culturelle : avec quatre millions et demi d'entrées par an, situé sur l'emplacement du Palais d'hiver, le musée de l'Ermitage, où se côtoient les grandes époques de l'art mondial, des Renoir, des Van Gogh, des Rembrandt, des Raphaël, des Pissaro, Matisse, Léonard de Vinci et surtout le trésor des Scythes, est l'institution du genre la plus visitée du monde après Beaubourg.

Autres marques culturelles : le théâtre Pouchkine, le Mariinsky, nouveau nom du théâtre Kirov qui vit débuter Noureïev, le Musée russe et sa statue de Pouchkine, le musée de l'Arctique et de l'Antarctique. La visite de maisons ou musées de personnalités telles que Dostoïevski, Gorki, Pouchkine ou Tolstoï est possible.

LES MONUMENTS

Si Saint-Pétersbourg et Moscou possèdent les monuments les plus connus, ceux des villes de l'« **Anneau d'or** », construits le plus souvent au XIIe siècle, ne leur cèdent en rien : **Souzdal** (kremlin, cathédrale de la Nativité, monastères, églises en bois), **Yaroslavl, Kostroma, Rostov, Vladimir** et sa Porte d'or, **Zagorsk** et son monastère de la Trinité-Saint-Serge. C'est dans cette partie du pays, creuset de la Sainte Russie, que les tsars ont commencé d'établir leur puissance, celle-ci s'étant également manifestée à **Petrodvorets**, près de Saint-Pétersbourg, où Pierre le Grand a fait édifier l'équivalent du château de Versailles.

Autres monuments d'importance : le kremlin de **Kazan**, la capitale des Tatars; les icônes de la cathédrale Sainte-Sophie, la citadelle et les églises du Moyen Âge de **Novgorod**; la citadelle, les églises et les couvents de **Pskov**; l'Opéra de **Novossibirsk**, ville qui est aussi une étape importante du *Transsibérien*, le vieux kremlin d'**Astrakhan**, ville qui fut une étape de la Route de la soie, aux abords du delta de la Volga; les deux églises de l'ermitage de l'île de **Kiji**, sur le lac Onega.

LES PAYSAGES

L'ouest

Un moyen idéal d'englober les deux stars urbaines que sont Moscou et Saint-Pétersbourg est de les relier par une croisière sur la **Volga**, partie de l'une ou l'autre ville pour deux mille kilomètres avec passage du canal Volga-Baltique et de ses écluses. La Volga connaît aussi désormais des croisières de Kazan à Astrakhan, en souvenir du périple entrepris par Alexandre Dumas. Le delta du grand fleuve, qui se jette dans la mer Caspienne, est un paradis pour les castors, les loutres, les otaries et... les pêcheurs à la ligne.

Au nord de Saint-Pétersbourg, apparaissent les lacs Ladoga et Onega, aux abords desquels les isbas (maisons en bois de sapin) constituent une originalité. Non loin de là, s'étend la **Carélie**, une belle région de forêts longtemps bien peu courues, sauf par les cerfs et parfois les loups, aujourd'hui par les amateurs de motoneige et de ski de fond. Ces paysages viennent rappeler que la Russie connaît également un été indien (*bablietta*) très populaire grâce aux pins, bouleaux, ormes et peupliers.

Le sud

Le **Grand Caucase** est un véritable mur de montagnes, comparable aux Pyrénées en bien des points sauf celui de l'altitude, plus importante. Le mont Elbrouz et ses 5 633 m sont agrémentés de glaciers, alors que les stations de sports d'hiver disséminées sur ses pentes sont propices à l'alpinisme et au ski. Ainsi, Sotchi, porte d'entrée du Grand Caucase, accueillera les jeux Olympiques d'hiver en 2014.

Sur le versant nord, les alentours de la ville d'Ordjonikidzé et de celle de Naltchik laissent apparaître nombre de forêts, glaciers et chutes.

La Sibérie

Les horizons éblouissants que beaucoup pensaient découvrir à travers les vitres du **Transsibérien** sont simplement intéressants et peuvent même parfois lasser, les 7 800 km n'échappant pas toujours à l'uniformité et demandant six jours de voyage de Moscou à Pékin, via la Mongolie.

Heureusement, au bout de plus de quatre-vingts heures de voyage, il y a le **lac Baïkal**, au milieu de la toundra. Riche d'une flore et d'une faune spécifiques (dauphins et phoques d'eau douce sur les îles Ouchkany), et plus grand réservoir d'eau douce du monde, long de 600 km et large de 50 km en moyenne, il est toujours attrayant, y compris au cœur de l'hiver, quand il permet de marcher sur une couche de glace épaisse d'un mètre ou d'entreprendre des randonnées de ski de fond dans ses alentours.

Quand la Sibérie aura augmenté son audience touristique, elle permettra au visiteur de rejouer l'épopée de *Dersou Ouzala* filmée par Kurosawa. En attendant, il peut s'essayer à une **croisière** sur l'**Amour** ou la **Léna**, où le regard s'arrête autant sur les monuments que sur le paysage. Autre grand fleuve sibérien, peu côtoyé : l'**Ob**, ses eaux claires et ses berges bordées de saules.

Les frontières touristiques sibériennes reculent sans cesse : ainsi peut-on aller aujourd'hui jusqu'à Krasnoïarsk et Norilsk, à l'embouchure de l'Ienisseï, fleuve qu'il est possible de descendre en bateau l'été. Moins arpenté est le massif de l'**Altaï**, remarquable par ses rochers, ses chutes et ses glaciers.

Une extrémité de la Sibérie s'ouvre aux passionnés du volcanisme : la presqu'île du **Kamtchatka**, où plus de 200 cratères entre la mer de Bering et la mer d'Okhotsk font de l'endroit l'un des hauts lieux du volcanisme actif mondial, avec entre autres les fontaines naturelles et brûlantes de la « vallée des geysers ». Autres menus prometteurs : l'archipel François-Joseph, au nord de la Nouvelle-Zemble, où quelques privilégiés ont déjà foulé le sol arctique; à l'opposé, au nord-est du détroit de Bering, l'île de Wrangel et l'habitat des Tchoutchkes.

La plus grande aventure du futur touristique de la Russie pourrait toutefois se dérouler dans les **îles Kouriles**, entre la presqu'île du Kamtchatka et le Japon : paysages de volcans, déserts de lave, chutes, sources d'eau chaude, fjords, lacs de cratère, faune (colonies de phoques, deux cents espèces d'oiseaux).

LES CÔTES

La **mer Noire** est le seul endroit du pays vraiment propice à la baignade. La station balnéaire la plus connue, **Sotchi**, est le rendez-vous des célébrités et des élites, mais elle est aussi le lieu de départ de **croisières** sur la mer Noire.

LE POUR

◆ Une des grandes destinations touristiques mondiales.

◆ L'ouverture du pays au voyageur individuel et à la découverte de régions sibériennes longtemps ignorées.

LE CONTRE

◆ Des infrastructures touristiques encore inégales ou insuffisantes, d'où, par exemple, le coût élevé de l'hébergement touristique à Moscou.

◆ Le drame oublié de la Tchétchénie et l'absence du sud-ouest du pays dans tout projet.

LE BON MOMENT

Le climat de la Russie est typiquement continental. Dans la région de Moscou et dans la partie ouest, les hivers sont longs et froids, alors que les étés sont précoces mais courts **(juin-août)** et accompagnés d'une chaleur orageuse.

A l'ouest, les longs mois d'hiver de Carélie sont propices au séjour motoneige. Pour le lac Baïkal, soit on peut trouver une glace épaisse en février-mars mais des températures de plusieurs dizaines de degrés en dessous de zéro, soit on ira de la mi-juin à la fin juillet.

Dans la partie est, l'hiver sibérien commence en octobre et se termine début mai, avec dans le nord-est un record de froid à Verkhoïansk au siècle dernier (moins 69,8 °C). Les étés sont courts, avec des nuits fraîches.

◆ Températures moyennes jour/nuit (en °C)
Moscou (ouest du pays) : janvier -6/-12, avril 10/2, juillet 23/14, octobre 8/2.

Saint-Pétersbourg (nord-ouest) : janvier -5/-11, avril 8/1, juillet 22/14, octobre 8/3.

Vladivostok (sud-est) : janvier -9/-16, avril 9/1, juillet 21/15, octobre 12/5.

LE PREMIER CONTACT

En Belgique

Consulat, avenue De Fré, 66, B-1180 Bruxelles, ☎ (02) 374.34.00, www.belgium.mid.ru

Au Canada

Consulat général, 3685, avenue du Musée, Montréal H3G 2E1, ☎ (514) 843-5901, fax (514) 842.2012.

En France

Service consulaire, 40-50, boulevard Lannes, 75016 Paris, ☎ 01.45.04.05.50 (www.france.mid.ru). Centre culturel de Russie, ☎ 01.44.34.79.79.

En Suisse

Consulat général, rue Schaub, 24, CH-1202 Genève, ☎ (22) 734.79.55, fax (22) 740.34.70, www.switzerland.mid.ru

Internet

www.russie.net/russie/
www.russia-travel.com/
www.moscow-city.ru
www.baikal-lake.org (infos et séjours sur le lac Baïkal)

Guides

Greenland and the Arctic (Lonely Planet/Travel Guides),

Moscou (Gallimard/Cartoville, Hachette/Voir), *Moscou, Anneau d'or* (Le Petit Futé), *Moscou et Saint-Pétersbourg* (Hachette/Evasion, Hachette/Routard, Marcus),

Russie, Bélarus, Ukraine (Gallimard/Bibl. du voyageur), *Russie et Biélorussie* (Lonely Planet France),

Saint-Pétersbourg (Gallimard/Cartoville, Gallimard/Encycl. du voyage, Hachette/Un grand week-end, Hachette/Voir, National Geographic France), *Saint-Pétersbourg, Croisière sur la Volga* (Le Petit Futé),

Sibérie (Le Petit Futé), *Volga* (Marcus).

Cartes

Moscou, Saint-Pétersbourg (IGN), *Moscou, Voronej* (IGN), *Russia* (ITM), *Saint-Pétersbourg* (Freytag). Plan de Moscou chez IGN.

Lectures

Dersou Ouzala (V. Arseniev/Payot, 2007), *Histoire de la Russie : des origines à 1996* (N. V. Riasanovsky/Robert Laffont, 1999), *l'Axe du loup : de la Sibérie à l'Inde, sur les pas des évadés du Goulag* (S. Tesson/Pocket, 2006), *la Fille d'un héros de l'Union soviéti-*

que (A. Makine/Laffont, 1999), *la Nouvelle Russie* (J. Radvanyi/A. Colin, 2007), *Michel Strogoff* (Jules Verne/Livre de poche, 1974), *Sibérie, un voyage au pays des femmes* (A. Bruswick/Actes Sud, 2005). Sans compter les icônes de la littérature russe, de Dostoïevski à Tolstoï...

Images

Aphorismes sous la lune et autres pensées sauvages (Sylvain Tesson, Thomas Goisque/Arthaud, 2007), *Carnet de Sibérie : expéditions mammouths* (Glénat, 2002), *Maisons de Russie* (Flammarion, 2005), *Russie* (C. Zerdoun, A. Bouteville/Editions du Chêne, 2008).

DVD

Trains de rêve : le Transsibérien et le Venice Simplon Orient-Express (C. Mossé/Seven Sept, 2007), *Michel Strogoff : de Moscou à Irkoutsk* (Romain Pages, 2005).

QUEL VOYAGE ET À QUEL PRIX ?

Le voyage individuel

Les préparatifs

◆ Pour les ressortissants de l'Union européenne, les Canadiens et les Suisses : passeport valable encore six mois après le retour, **visa** obligatoire, obtenu auprès du consulat. Théoriquement, l'obtention du visa est liée à un « répondant » russe (agence, hôtel, personne privée). Bien se renseigner sur la persistance ou non de cette exigence selon le profil de voyage envisagé.

◆ Monnaie : le *rouble*. Les euros et les dollars US sont très bien acceptés, de préférence en petites coupures. Eviter les chèques de voyage. 1 US Dollar = 33 roubles, 1 EUR = 43 roubles. Importation et exportation de roubles interdites. Cartes de crédit dans les hôtels et les restaurants. Distributeurs de billets.

Le départ

Avion

◆ Indice de prix à certaines dates du vol Montréal-Moscou A/R : 900 CAD; Paris-Moscou A/R 200 EUR; Paris-Saint-Pétersbourg A/R : 200 EUR; Paris-Moscou-Irkoutsk A/R : 650 EUR. ◆ Vols à prix réduit : Paris ou Saint-Pétersbourg-Moscou (Air Berlin). ◆ Durée moyenne du vol direct Paris-Moscou (2 478 km) : 2 h 40; du vol direct Paris/Saint-Pétersbourg (2 143 km) : 2 h 45.

Train

Train Paris/Gare du Nord-Moscou et Paris-Saint-Pétersbourg.

Sur place

Hébergement

◆ Le logement chez l'habitant se répand à Moscou et à Saint-Pétersbourg, certains circuits d'une semaine prévoyant ce mode-là dans chacune des deux villes. Voir à ce titre les propositions de Bennett Voyages et de Tourisme chez l'habitant, voir celles de Nouvelles Frontières ou de Voyageurs du monde pour un choix d'hôtels. ◆ Il existe des auberges de jeunesse, renseignements sur www.ryh.ru

Route

La location de voiture sans chauffeur n'est pas conseillée et les propositions sont rares. En revanche, la location de voiture avec chauffeur est courante. ◆ Limitation de vitesse agglomération/route/autoroute : 60/90/110 km/h. ◆ Alcool au volant prohibé.

Trains

◆ Train de nuit (bon marché) entre Moscou et Saint-Pétersbourg. ◆ Le moins connu de tous : le chemin de fer qui relie le Baïkal au Pacifique sur 4 000 km via la BAM (Baïkal, Amour, Magistrale). ◆ La Russie a ses trains de légende, qu'il est possible de prendre seul mais le recours à un voyagiste évite bien des incertitudes. Le *Transsibérien* va de Moscou à Vladivostok en 7 jours et 9 289 km. Irkoutsk est atteint après 81 heures de trajet. ◆ On peut aussi prendre le *Transmongolien* de Moscou à Pékin via Oulan-Bator, alors que le *Transmandchourien* poursuit le même but mais sans passer par la Mongolie.

Le séjour

Rappel : nous nous sommes limités à un résumé des prestations en vigueur dans les agences et chez les voyagistes présents en France. Les lecteurs des autres pays peuvent en tirer des idées d'itinéraire et les compléter auprès de leurs agences de voyages.

◆ Malgré un coût du séjour plutôt élevé, **Saint-Pétersbourg** est de plus en plus recherchée lors des grands ponts du printemps : un séjour comprenant le vol et l'hébergement en chambre double (3 jours/2 nuits) se trouve aux alentours de *500 EUR*. Entre autres dates, Jet tours y va en juin, au moment des nuits blanches, et Transtours au Nouvel An. Autres propositions : Amslav Tourisme, Bennett Voyages, CGTT Voyages, Donatello, Eastpak, Marsans/Transtours, Slav'Tours.

◆ Les propositions pour **Moscou** sont légèrement en retrait de celles de la ville de Pierre le Grand. On y va pour des séjours de 3 jours/2 nuits entre avril et fin octobre à un prix moyen de *470 EUR* comprenant le vol et l'hébergement en chambre double. Voir les prestataires ci-dessus.

Le voyage accompagné

L'immensité du pays n'entraîne toujours pas une grande diversité de propositions. Aussi, le duo constitué par Moscou et Saint-Pétersbourg continue-t-il d'occuper le haut de l'affiche, non seulement via les séjours week-end mais aussi grâce aux croisières qui relient les deux villes via la Volga.

◆ Moscou et Saint-Pétersbourg sont souvent proposées dans un même voyage en passant de l'une à l'autre via les sites de l'**Anneau d'or** : en général 14 jours entre avril et septembre. Sont, entre autres, sur les rangs : Jet tours, Nouvelles Frontières, Voyageurs du monde. Les premiers tarifs se situent aux alentours de *1 500 EUR*.

◆ Entre mai et septembre, le moyen idéal de relier les deux villes phares du tourisme russe est une **croisière** partie du canal de Moscou pour la **Volga**. Les abords du lac Onega, du lac Ladoga et Saint-Pétersbourg sont atteints au bout d'une dizaine de jours, la croisière étant également possible en sens contraire (Austro Pauli, Bennett, Donatello, Fram, Jet tours, Kuoni, Marsans/Transtours, TUI). Prix moyen : *1 300 EUR* pour 12 jours. D'autres croisières existent sur la Léna et l'Amour (Rivages du monde).

Le bicentenaire de la naissance d'Alexandre Dumas, qui embarqua sur la Volga, a donné l'idée d'une autre croisière à Mondotours et à la plupart des voyagistes ci-dessus : ils abordent désormais le fleuve sur sa partie est, de Kazan à **Astrakhan** et à la Caspienne, pour 15 jours et à un coût moyen de *1 800 EUR*. Croisière Astrakhan-Moscou également possible, de même « De la Volga à la Neva ». D'autres croisières viennent des pays baltes et passent à Saint-Pétersbourg avant Helsinki (Scanditours).

◆ Ceux qui rêvent du **Transsibérien** seront comblés avec un Moscou-Pékin ou un Moscou-Oulan Bator-Pékin (plusieurs voyagistes entre avril et octobre dont Arvel ou Nouvelles Frontières, compter environ *2 500 EUR* pour 15 jours). Ils pourront aussi réveillonner à bord avec Grand Nord Grand Large. Variantes avec le *Transpoutnik Express* (de Moscou au lac Baïkal, renseignements auprès de Transtours) et le *Bolchoï Express*. Réservé aux grandes personnalités soviétiques ou étrangères dans les années 50, celui-ci offre aujourd'hui au touriste ses cabines en acajou (renseignements auprès de Bennett Voyages). Des prestataires varient les plaisirs, tels Grand Nord Grand Large (réveillon à bord du Transsibérien), le spécialiste Salaün Holidays ou Terre Mongolie (trajet en hiver avec séjour au bord du lac Baïkal).

◆ Les neiges de **Carélie** sont à l'origine de séjours multiactivités (motoneige, ski de fond) proposés entre autres par Tsar Voyages.

◆ Le lac **Baïkal** a de moins en moins de secrets, surtout pour le voyagiste Grand Nord Grand Large qui, au gré de divers voyages de deux semaines en été, fait du kayak autour de l'île Olkhon, observe des phoques d'eau douce, tente de voir des ours bruns, pêche ou navigue en catamaran, prévoit des croisières d'une dizaine de jours sur le lac. Cette série de voyages, exceptionnels, n'a que ses prix pour écueils, la plupart nettement au-delà de *1 500 EUR* pour 10 jours entre juin et septembre. Autres prestations : Allibert arpente les rives du Baïkal, Nomade Aventure et sa «croisière Baïkal», mélange de marche et de mini-croisières sur le lac (le voyage s'étend parfois à un combiné Russie-**Mongolie**). Belles prestations personnalisées sur www.baikal-lake.org pour des infos et des séjours très bien conçus sur le lac.

◆ Les voyagistes lèvent peu à peu les secrets de la **Sibérie** et mènent leurs clients en bateau vers l'impossible : Grand Nord Grand Large est au nord-est du détroit de Bering pour la découverte, en août, de l'île Wrangel et la rencontre des Tchouktches, habitants de l'endroit. Dans la région de Magadan, en face du Kamtchatka, Objectif Nature cherche à mettre sous l'objectif des ours bruns, des élans et des alcidés, cousins des macareux, tandis que Ultramarina fait de la plongée sous glace en mer Blanche.

◆ A l'autre bout du pays, une croisière part de Kirkenes, en Norvège, pour les stations scientifiques et les dizaines d'îles de l'archipel François-Joseph, le territoire le plus septentrional de la planète. Autres croisières possibles sur l'**Iénissei**.

◆ Le **Kamtchatka** sera-t-il le nouvel eldorado des marcheurs? Des spécialistes tels que Allibert, Aventure et Volcans, Atalante/Terra Incognita, Explorator ou Nomade Aventure prévoient désormais, entre juin et septembre, des balades sur les pentes des volcans et dans la vallée des geysers, avec parfois survol en hélicoptère. Adeo propose à ses voyageurs de faire du kayak, de se baigner dans des sources chaudes et de gravir le volcan Avachinsky quand c'est possible. Les voyages au Kamtchatka durent de 15 à 23 jours selon les voyagistes, pour *3 000 EUR* en moyenne.

◆ De Mourmansk, le touriste hautement privilégié embarque avec Grand Nord Grand Large sur un brise-glace, navigue dans la mer de Barents puis effleure la banquise en longeant les 191 îles de la Terre François-Joseph, monte à bord d'un Zodiac, a peut-être la chance de croiser des ours polaires, enfin atteint le **pôle Nord géographique** au tiers du périple en juillet-août après avoir lâché... près de 20 000 EUR.

QUE RAPPORTER ?

Quatuor de circonstance : caviar, chapka (bonnet de fourrure), matriochkas (les fameuses poupées gigognes russes) et vodka. On peut leur ajouter la guitare à trois cordes bien connue : la balalaïka.

LES REPÈRES

◆ Lorsqu'il est midi en France, en hiver il est 14 heures à Moscou et à Saint-Pétersbourg, 17 heures à Irkoutsk et 21 heures à Vladivostok. ◆ Langue officielle : le russe, qui est parlé par les quatre cinquièmes de la population, cohabite avec une centaine d'autres langues ou dialectes. ◆ Langue étrangère : l'anglais, surtout dans les villes et avec parcimonie. ◆ Téléphone vers la Russie : 007 + indicatif (Moscou : 095; Saint-Pétersbourg : 812) + numéro; de la Russie : 8.10 + indicatif pays + numéro sans le zéro.

LA SITUATION

Géographie. Ses 17 075 400 km^2 font de la Russie le plus grand pays du monde : près du double de la superficie des États-Unis, 10 000 km d'ouest en est et 4 000 km du nord au sud. La toundra, la taïga, la forêt, la steppe et la végétation méditerranéenne se succèdent de l'Arctique à l'Asie centrale. D'ouest en est, se succèdent la plaine russe, l'Oural et la Sibérie.

Population. Sur les 140 702 000 habitants, les quatre cinquièmes sont des Russes. En illustration du drame tchétchène, le désir d'autonomie des peuples qui composent le cinquième restant est vif depuis la chute de l'URSS. Capitale : Moscou.

Religion. Les chrétiens orthodoxes sont les plus nombreux. Importantes minorités juive, protestante et musulmane.

Dates. *600* Les Slaves orientaux s'installent. *988* Conversion au christianisme. *1547* Ivan le Terrible est le premier tsar. *1682* Avènement de Pierre Ier le Grand et âge d'or de Saint-Pétersbourg. *1917* Lénine et les bolcheviks font la révolution d'Octobre. *1918* Proclamation de la République socialiste fédérative soviétique. Trotski fonde l'Armée rouge. *1924* Mort de Lénine. *1929* Début de l'ère Staline, rigoureuse et répressive. *1940* Assassinat de Trotski. *1943* Victoire sur les Allemands à Stalingrad. *1953* Mort de Staline, alors que la guerre froide bat son plein. Krouchtchev devient Premier Secrétaire. *1964* Brejnev le remplace. *1979* L'URSS envahit l'Afghanistan. *1985* Gorbatchev arrive au pouvoir : perestroïka (restructuration) et glasnost (transparence). *Décembre 1991* Gorbatchev annonce son départ : l'URSS cesse d'exister. Boris Eltsine prend le pouvoir. *Octobre 1993* Émeutes au Parlement à Moscou : une alliance entre néo-communistes et extrémistes de droite est mise en échec, au prix de plus de 200 victimes. *Mai 1994* Retour en Russie de Soljenitsyne après vingt ans d'exil. *Décembre 1994* Offensive des troupes russes contre les indépendantistes tchétchènes, à l'origine de milliers de victimes parmi les civils. *Juin 1996* Eltsine réélu. *Août 1996* Accord de paix en Tchétchénie. *Septembre 1999* Offensive russe de grande ampleur en Tchétchénie, qui ne résout rien et laisse la région dévastée (plusieurs milliers de victimes). *Décembre 1999* Eltsine démissionne. *Mars 2000* Vladimir Poutine est élu président. *Octobre 2002* Des indépendantistes tchétchènes prennent des centaines de personnes en otage dans un théâtre de Moscou. L'assaut tue les preneurs d'otages ainsi que 129 de ceux-ci. *Décembre 2003* Le parti présidentiel remporte aisément les législatives. *Mars 2004* Poutine est réélu avec 70 % des voix. *Mai 2004* Kadyrov, président pro-russe de Tchétchénie, meurt dans un attentat. *Septembre 2004*

333 personnes, dont la moitié étaient des enfants, périssent dans une école à Beslan (Ossétie du Nord) dans l'assaut consécutif à une prise d'otages par 31 indépendantistes tchétchènes. *Décembre 2007* Russie unie, le parti de Poutine, remporte largement les législatives. *Mai 2008* Dmitri Medvedev remporte la présidentielle mais Poutine, Premier ministre, reste bien présent. *Août 2008* Décès de Soljenitsyne. *Août 2008* Bref conflit ouvert entre la Géorgie et la Russie.

Rwanda

Avertissement. – Il est vivement conseillé de prendre des renseignements avant de décider d'un voyage aux abords des frontières du Burundi et de la République démocratique du Congo.

« Une nouvelle aube africaine », lance sur son site l'Office rwandais du tourisme et des parcs nationaux, comme pour rappeler qu'avant le drame de 1994, le pays avait gagné sa notoriété touristique en donnant certes à son visiteur la possibilité de rencontrer les gorilles de montagne, mais aussi avec d'autres atouts : la plupart des espèces de la faune africaine et de verts paysages d'altitude au-dessus du lac Kivu. L'aube est nouvelle, c'est vrai, reste à espérer la voir s'installer dans la durée.

LES RAISONS D'Y ALLER

LA FAUNE ET LA FLORE

Chaîne des Virunga (gorilles de montagne)
Parc national de la Kagera (singes, buffles, zèbres, éléphants, rhinocéros, antilopes, lions)
Forêt primaire de Nyungwe (orchidées)

LES PAYSAGES

Chaîne des Virunga, lac Kivu

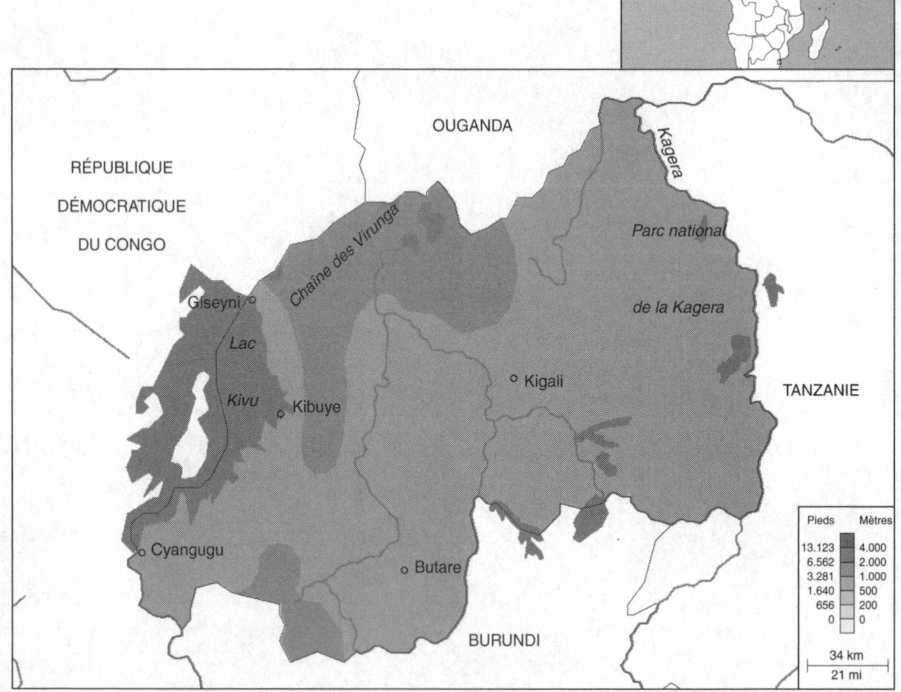

LES RAISONS D'Y ALLER

LA FAUNE ET LA FLORE

Le long de la chaîne des **Virunga**, dans le parc national des Volcans, vivent des **gorilles de montagne**. Les spécialistes ont craint leur disparition car, longtemps chassés par l'homme, ils ne sont plus que sept cents environ sur la planète. Aussi, l'engouement qui préside à leur rencontre (ils sont approchables à deux ou trois mètres) est-il à la mesure d'un problème que la paléontologue Dian Fossey a longtemps contribué à résoudre mais qui a été aggravé par les récents conflits.

Depuis peu, l'Office rwandais du tourisme et des parcs nationaux conduit à nouveau les visiteurs vers ce qui constitue le clou d'un voyage au Rwanda.

Le parc national de la **Kagera**, à l'est, est parsemé de lacs et riche d'une faune comprenant des **singes**, des **buffles**, des **zèbres**, des **éléphants**, des **rhinocéros**, des **antilopes** et des **lions**.

Dans le sud, entre Butare (deuxième ville du pays, connue pour son musée des Traditions) et Cyangugu, les amateurs de botanique s'enfoncent, quand la situation l'autorise, dans la forêt primaire de **Nyungwe**, dont la jungle recèle plus de cent espèces d'**orchidées** sauvages et plusieurs espèces de primates.

LES PAYSAGES

Comme la plupart des pays d'Afrique de l'Est, le Rwanda bénéficie de sa situation sur une faille de l'écorce terrestre, qui a engendré un relief vallonné, à l'origine du baptême de « Pays des mille collines ». Aussi, les paysages de la chaîne des **Virunga,** embellis par le dessin du **lac Kivu,** sur les rivages duquel on note même la présence de stations balnéaires (Gisenyi, Kibuye), sont-ils à classer parmi les plus pittoresques du continent africain.

Les villes rwandaises n'ont rien de marquant, toutefois le musée de Butare contient des pièces essentielles de l'art et de l'artisanat rwandais.

LE POUR

◆ Une timide mais réelle réouverture aux visiteurs, entre autres pour la découverte des gorilles de montagne.

◆ Une saison favorable bien placée au calendrier.

◆ L'usage de la langue française, au moins dans les villes.

LE CONTRE

◆ Une situation politique et humaine nettement meilleure mais qui reste à consolider.

LE BON MOMENT

L'altitude modère les pluies et stabilise les températures, offrant au Rwanda un climat agréable, surtout pendant la saison sèche **(juin-septembre)**. Il existe une double saison des pluies, de février à avril et de novembre à janvier, mais sans excès dès que l'on quitte les crêtes montagneuses de l'est.

◆ Températures moyennes jour/nuit (en °C) à *Kigali* (centre, 1 490 m) : janvier 25/11, avril 24/12, juillet 22/10, octobre 22/11.

LE PREMIER CONTACT

En Belgique

Ambassade, avenue des Fleurs, 1, B-1150 Bruxelles, ☎ (02) 763.07.21, fax (02) 763.07.53, www.ambarwanda.be

Au Canada

Ambassade, 153, rue Gilmour, Ottawa, K2P 0N8, ☎ (613) 569-5420, fax (613) 569-5421, www.ambarwaottawa.ca

En France

Ambassade (actuellement fermée), 12, rue Jadin, F-75017 Paris, ☎ 01.42.27.36.31, fax 01.42.27.74.69.

En Suisse

Section consulaire, rue de la Servette, 93, CH-1202 Genève, ☎ (22) 919.10.00, fax (22) 919.10.01.

Sur place

Office rwandais du tourisme et des parcs nationaux (ORTPN), 1, bvd de la Révolution, Kigali, ☎ (250) 57.65.14.

Internet

www.rwandatourism.com/fr/

Guides

East African Wildlife (Bradt), *Rwanda* (Bradt en anglais , Jaguar, Le Petit Futé).

Cartes

Rwanda, Burundi (ITM), *Tanzania, Ruanda, Burundi* (Nelles Map).

Lectures

L'Ombre d'Imana : voyages jusqu'au bout du Rwanda (V. Tadjo/Actes Sud, 2005), *Rwanda : contre-enquête sur le génocide* (B. Lugan/Privat, 2007), *Rwanda, l'histoire secrète* (Abdul Joshua Ruzibiza/Ed. du Panama, 2005), *Soirées d'autrefois au Rwanda : la colline des femmes* (Edouard Gasarabwe Laroche/L'Harmattan, 2000).

Images

Rwanda Nziza (Gilles Tordjeman/Sépia, 2005). Le film *Gorilles dans la brume* (1988, de M. Apted, avec S. Weaver) raconte l'histoire de Dian Fossey au milieu de « ses » gorilles. Voir aussi le documentaire *Un dimanche à Kigali* (Robert Favreau) et le film *Hotel Rwanda* (Terry George).

DVD

*Après, un voyage dans le Rwanda (*D. Gheerbrandt/Les films du Paradoxe, 2006).

QUEL VOYAGE ET À QUEL PRIX ?

Les préparatifs

◆ Pour les ressortissants de l'Union européenne, passeport en cours de validité (valable encore six mois après le retour), visa obligatoire, à demander auprès de l'ambassade ou sur le site www.migration.gov.rw Pour les Canadiens, passeport suffisant, le visa n'est pas exigé en deçà de 90 jours, prendre toutefois confirmation avant le départ.

◆ Vaccination obligatoire contre la fièvre jaune. Prévention indispensable contre le paludisme.

◆ Monnaie : le *franc du Rwanda* (RWF) est subdivisé en 100 *centimes.* 1 US = 560 francs du Rwanda, 1 EUR = 750 francs du Rwanda. Emporter des euros ou des US Dollars, ces derniers en principe plus faciles à changer.

Le départ

Indice de prix du vol Bruxelles-Kigali A/R à certaines dates : 550 EUR.

Le voyage avec prestations

Rappel : nous nous sommes limités à un résumé des prestations en vigueur dans les agences et chez les voyagistes présents en France. Les lecteurs des autres pays peuvent en tirer des idées d'itinéraire et les compléter auprès de leurs agences de voyages.

◆ La réouverture au tourisme, timide mais effective, est centrée sur les gorilles de montagne. Le voyage, très réglementé, est placé sous les auspices de l'Office rwandais du tourisme et des parcs nationaux. Sont entre autres sur les rangs : Objectif Nature, Terra Incognita/Continents insolites.

◆ Les premiers prix du voyage se trouvent aux alentours de *2 500 EUR* tout compris pour une semaine.

LES REPÈRES

◆ Lorsqu'il est midi en France, au Rwanda il est la même heure en été et 13 heures en hiver.
◆ Langues officielles : le kinyarwanda, langue bantoue également parlée dans les pays avoisinants, et le français, surtout parlé dans les villes.
◆ Téléphone vers le Rwanda : 00250 + numéro.

LA SITUATION

Géographie. Petit pays de 26 338 km^2, le Rwanda fait partie des régions de l'est africain qui ont connu de sérieux mouvements de terrain. Ainsi, le lac Kivu, qui borde le pays sur sa partie est, se voit-il brutalement dominé par une crête, celle-ci se prolongeant au nord par la chaîne des Virunga (4 507 m au Karisimbi). Ensuite, le relief s'étage vers l'ouest, d'abord avec le Plateau central, ensuite par les Basses Terres lacustres.

Population. Le pays, qui compte 10 186 000 habitants, se partage entre Hutus, agriculteurs bantous largement majoritaires (89 %), et Tutsis, pasteurs nilotiques (10 %). On dénombre également des Batwas, chasseurs appartenant à la population pygmée et premiers habitants du pays. Capitale : Kigali.

Religion. Deux Rwandais sur trois sont catholiques. Minorités d'animistes (17 %), de musulmans (9 %) et de protestants (9 %).

Dates. *XIVe siècle* La dynastie des rois Banyiginya s'installe pour cinq siècles. *1894* Von Götzen inaugure le temps de la présence allemande. *1858* Richard Burton et John Speke atteignent la région des Grands Lacs. *1898* L'Allemagne colonise le pays. *1922* La Belgique obtient un mandat sur le pays et sur l'Urundi voisin. *1925* Le Ruanda-Urundi est uni au Congo belge. *1962* Indépendance. *1973* Coup d'État militaire du général Habyarimana, qui deviendra président en 1978 et sera réélu en 1983. *Avril 1994* L'avion qui transportait les présidents burundais et rwandais est abattu. Dans les mois qui suivent, des centaines de milliers de personnes, en majorité des Tutsis et des Hutus modérés, sont exécutées. *Juillet 1994* Le Front patriotique rwandais est au pouvoir, Pasteur Bizimungu (hutu) devient président. *Novembre 1996* La plupart des réfugiés hutus créent l'Armée de libération du Rwanda. *2001* Le pays, sous la présidence de Paul Kagamé, se relève lentement mais demeure dépendant de l'aide internationale. *Août 2003* Paul Kagamé est très facilement réélu. *Novembre 2006* Sérieuse brouille franco-rwandaise à propos des responsabilités dans la disparition d'Habyarimana.

Saint-Marin

Une sorte de Mont-Saint-Michel ou de Rocher de Monaco : même site pittoresque, même forte affluence estivale, surtout lorsque la côte s'ennuage et que les vacanciers de la Riviera Adriatica cherchent des motifs de visite dans l'intérieur des terres. A dix kilomètres de la côte, la plus vieille république d'Europe répond bien à ce désir, à défaut de pouvoir retenir longtemps ses trois millions de visiteurs annuels.

LES RAISONS D'Y ALLER

LE SITE

Rocher du Titan

LES MONUMENTS

Forteresses, Palais communal, églises

LES TRADITIONS

Intronisation des capitaines régents
Fête de la fondation de la république
Philatélie, numismatique

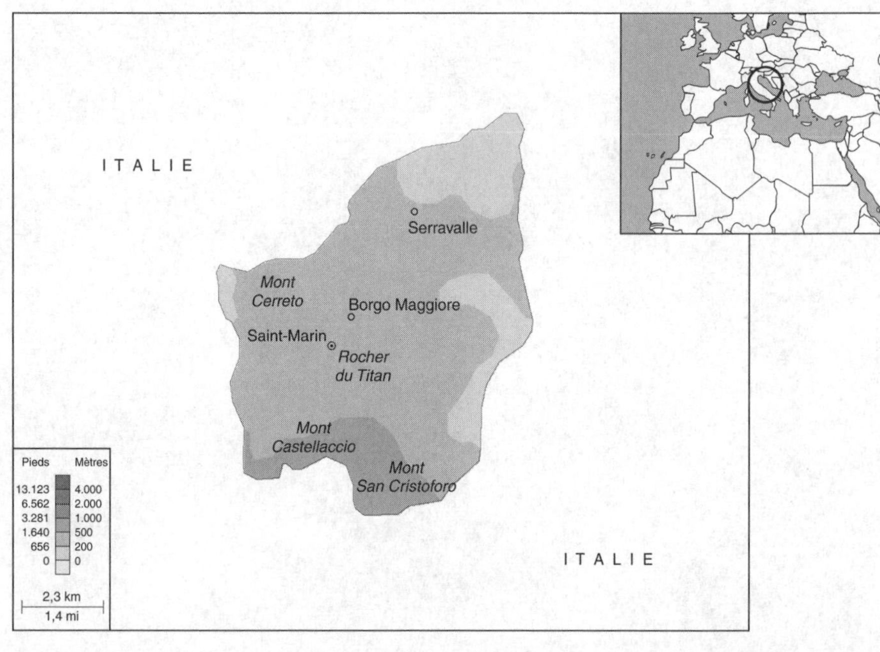

LES RAISONS D'Y ALLER

LE SITE

Le **rocher du Titan**, au pied duquel est blottie la ville de Saint-Marin, se découpe joliment à 749 m d'altitude sur la campagne des Marches. Aux alentours, sont disposés huit « castelli », qui constituent autant de petits ensembles urbains.

LES MONUMENTS

Trois forteresses crénelées – Cesta (XIIIe siècle), Guaita, Montale – et à l'atmosphère médiévale répondent au **palais communal** et aux **églises** de Saint-Pierre (qui renferme un grabat de saint Marin) et de Saint-François, qui jouxte le Musée-Pinacothèque.

LES TRADITIONS

Le 1er avril et le 1er octobre de chaque année, a lieu l'installation joyeuse et colorée des deux **capitaines régents** escortés par la Garde du Conseil, établie en 1741.

Le 3 septembre, à l'occasion de la fête marquant la fondation de la république, la relique de saint Marin fait l'objet d'une procession.

Enfin, la petite république se distingue par deux autres traditions et curiosités : d'une part ses collections de pièces et de timbres, avec des oblitérations ordinaires illustrées qui sont toujours en vigueur; d'autre part ses émissions d'« écus », pièces d'or au cours légal.

LE POUR

◆ Un joli site, des atouts divers et la curiosité soulevée par une situation de micro-État.

LE BON MOMENT

Le climat qui vaut pour l'Apennin vaut pour Saint-Marin. De **mai à octobre**, le temps est généralement beau et parfois très chaud. Ensuite, s'installe un hiver peu rigoureux. Températures moyennes jour/nuit : janvier 10/2 ; avril 19/8 ; juillet 31/17 ; octobre 21/11.

LE PREMIER CONTACT

Office du tourisme, ☎ (378) 549.88.2403, info@visitsanmarino.com

Consulat, Paris, ☎ 01.47.23.04.75.

Internet

www.visitsanmarino.com
(également en français)

Guides et cartes

La plupart de ceux consacrés à l'Italie *(voir ce mot)* valent pour Saint-Marin.

QUEL VOYAGE ?

Le voyage individuel

Les préparatifs

◆ Pour les ressortissants de l'Union européenne, carte d'identité ou passeport suffisant. Pour les ressortissants canadiens, passeport encore valide six mois après le retour.

◆ Monnaie : l'*euro*.

Le départ

Avion

Pour qui décide de se rendre dans la région par avion, les aéroports de Rimini, de Forli et de Bologne sont les plus proches.

Route

Via le tunnel du Saint-Gothard et Milan, Saint-Marin est à environ 500 km de Genève, 1 000 km de Luxembourg, 1 200 km de Bruxelles ou de Paris.

Le séjour

Saint-Marin fait rarement l'objet d'une visite indépendante de celle des régions de l'Émilie-Romagne ou des Marches voisines.

Inversement, la majorité des voyagistes qui programment l'Émilie-Romagne ou les Marches proposent de passer par Saint-Marin.

LES REPÈRES

◆ Pas de décalage horaire. ◆ Langue officielle : italien. ◆ Langues étrangères : le français et l'anglais sont assez bien compris. ◆ Téléphone vers Saint-Marin : 00378 + numéro.

LA SITUATION

Géographie. Enclavé entre les Marches et la Romagne, Saint-Marin (*San Marino*) est un micro-État de 61,2 km² qui fait géographiquement partie de l'Apennin.

Population. 30 000 habitants. Un sur cinq vit à Saint-Marin (San Marino), la capitale.

Religion. Large majorité de catholiques (95 %).

Dates. *IVe siècle* Marino (diacre d'après certains, ermite selon d'autres) fonde San Marino. *IXe siècle* Acquisition d'une certaine autonomie. *1243* Saint-Marin devient une république, la première du genre en Europe. *Début du XVe siècle* Alliance avec le pape et les ducs d'Urbino. *Milieu du XVe siècle* Création du Grand Conseil (60 membres à vie dont 20 nobles, 20 bourgeois et 20 paysans), toujours en vigueur: le Grand Conseil est renouvelé tous les quatre ans et il est présidé par deux capitaines-régents, eux-mêmes désignés tous les six mois. *1815* Reconnaissance de l'État au Congrès de Vienne. *1862* Traité d'amitié avec l'Italie. *1986* Une coalition prend le pouvoir aux communistes, qui le détenaient depuis huit ans. *Juin 2001* Le Parti démocratique chrétien (PDCS) vainqueur des législatives. *Novembre 2008* Une coalition (Pacte pour Saint-Marin) se forme à l'issue des élections au Grand Conseil.

Saint-Pierre-et-Miquelon

Vent, humidité, froid, brume : a priori de quoi chasser l'idée d'aller faire du tourisme dans cette collectivité française d'outre-mer. Mais comme souvent, c'est sur les sols défavorisés que le visiteur aime enfoncer un pas romantique au sein d'une nature rude, ici entourée de côtes dont les colonies de phoques et l'histoire de la pêche traditionnelle constituent l'attrait.

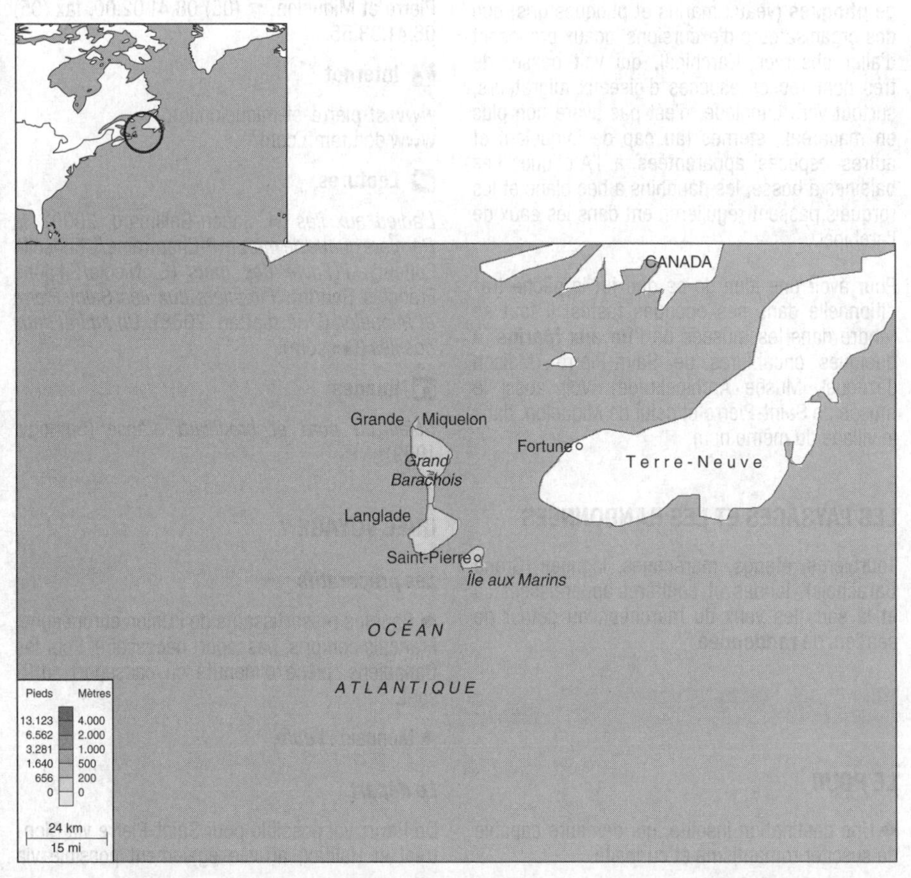

LES RAISONS D'Y ALLER

LES CÔTES

Grand-Barachois (phoques), île aux Marins

LES PAYSAGES ET LES RANDONNÉES

Tourbe, landes, conifères

LES RAISONS D'Y ALLER

LES CÔTES

Au sud de la Grande Miquelon, le site du Grand-Barachois voit souvent se rassembler des colonies de **phoques** (veaux marins et phoques gris) que des organisateurs d'excursions locaux proposent d'aller observer. L'archipel, qui voit passer de très nombreuses espèces d'oiseaux migrateurs, surtout vers Langlade, n'est pas avare non plus en macareux, sternes (au cap de Miquelon) et autres espèces apparentées à l'Arctique. Les baleines à bosse, les dauphins à bec blanc et les rorquals passent régulièrement dans les eaux de l'archipel.

Pour avoir une idée de ce que fut la pêche traditionnelle dans ses époques fastes, il faut se rendre dans les musées de l'**île aux Marins**, à quelques encablures de Saint-Pierre (Maison Jézéquel, Musée Archipélitude). Voir aussi le musée de Saint-Pierre et celui de Miquelon, dans le village du même nom.

LES PAYSAGES ET LES RANDONNÉES

Tourbières, étangs, marécages, lagunes (Grand Barachois), landes et conifères apparaissent çà et là sous les yeux du marcheur, au détour de sentiers de **randonnée**.

LE POUR

◆ Une destination insolite, qui demeure capable de susciter romantisme et curiosité.

LE CONTRE

◆ Un climat peu engageant.

LE BON MOMENT

Rien d'enthousiasmant dans ce domaine, y compris pendant la bonne saison théorique **(juillet-août)**, souvent pluvieuse et/ou brumeuse. Neige et tempêtes sont fréquentes de novembre à avril.
◆ Températures moyennes jour/nuit (en °C) à *Saint-Pierre* : janvier 1/-4, avril 4/0, juillet 17/11, octobre 11/6. L'eau de mer ne dépasse guère 15º en été.

LE PREMIER CONTACT

i Comité régional du tourisme, place du Général-de-Gaulle, BP 4274, F-97500 Saint-Pierre et Miquelon, ☎ (05) 08.41.02.00, fax (05) 08.41.33.55.

i Internet

www.st-pierre-et-miquelon.info/
www.domtomfr.com/

Lectures

L'adieu aux îles (H. Jaoen/Gallimard, 2000), *la Dernière queue de morue* (P. Chantraine/L'Étincelle Éditeur), *l'Œuvre des mers* (E. Nicole/Éditions François Bourin), *Pionniers aux Iles Saint Pierre et Miquelon* (L'Harmattan, 2008), *Un amiral dans nos îles* (Gescom).

Images

Soleil du nord et brouillard d'Anse (Somogy, 1999).

QUEL VOYAGE ?

Les préparatifs

◆ Pour les ressortissants de l'Union européenne, Français compris, passeport nécessaire. Pour les Canadiens, pièce d'identité ou passeport suffisant.

◆ Monnaie : l'*euro*.

Le départ

De Paris, vol possible pour Saint-Pierre via Montréal et Halifax, arrivée également possible via

Londres et Saint John's (Terre-Neuve). Indice de prix à certaines dates du vol A/R : 700 EUR.

Le séjour

Rappel : nous nous sommes limités à un résumé des prestations en vigueur dans les agences et chez les voyagistes présents en France. Les lecteurs des autres pays peuvent en tirer des idées d'itinéraire et les compléter auprès de leurs agences de voyages.

◆ Les voyagistes sont rares. En été, Grand Nord Grand Large propose une semaine de découverte individuelle au départ de Terre-Neuve avec passage à l'île aux Marins et au Grand Barachois, doublé de l'observation de la **faune marine**. Explorator fait sa tournée des Acadiens et des Français d'Amérique en passant de Cap Breton et Terre-Neuve à Saint-Pierre-et-Miquelon (juillet ou août).

◆ Quelques bateaux de **croisière** sur l'itinéraire transatlantique font escale à Saint-Pierre.

◆ Compter environ *2 000 euros* pour un voyage accompagné de quinze jours.

QUE RAPPORTER ?

Insolite : les objets en cuir de morue et les bijoux en pierre. On trouve aussi des patchworks et une liqueur des îles.

LES REPÈRES

◆ Distance Paris-Saint-Pierre : 4 280 km. ◆ Langue officielle : français. ◆ Téléphone vers Saint-Pierre-et-Miquelon : 00508 + numéro à six chiffres; de Saint-Pierre-et-Miquelon : 00 + indicatif pays + numéro; pour les Français métropolitains, vers et depuis Saint-Pierre-et-Miquelon : uniquement les dix chiffres du correspondant.

LA SITUATION

Géographie. Distant d'à peine 25 km de Terre-Neuve, l'archipel, dont le sol est soit rocheux, soit tourbeux, comprend huit îles et îlots. L'île de Miquelon, la plus grande, est divisée en deux (Miquelon proprement dite au nord et Langlade au sud). Saint-Pierre, au sud, est entourée des principaux îlots. Superficie totale : 242 km^2.

Population. 7 000 habitants. Quatre habitants sur cinq vivent à Saint-Pierre, le chef-lieu.

Religion. La majorité des habitants sont catholiques.

Dates. *1536* Passage de Jacques Cartier. *1670* Construction d'un fort français. *1814* Après plusieurs chassés-croisés avec les Anglais, les îles sont octroyées à la France. *1946* Territoire d'outre-mer. *1976* Département d'outre-mer. *1985* L'archipel devient une collectivité territoriale dotée d'un statut particulier. *Octobre 2002* Claude Valleix est nommé préfet. *2003* L'archipel devient une collectivité française d'outre-mer. *Février 2007* Stéphane Artano est à la tête du Conseil territorial.

Salvador (El)

Ce petit pays d'Amérique centrale est méconnu et le nombre de ses visiteurs demeure modeste, entre autres parce que la situation y est nerveuse et les conditions climatiques de sa côte Pacifique peu propices au farniente. L'intérieur des terres tente de compenser cet état de fait, grâce à une jolie série de volcans propices aux randonnées et des vestiges de la civilisation maya.

LES RAISONS D'Y ALLER

LES PAYSAGES

Volcans, lacs, forêts

LES VESTIGES

Traces de la civilisation maya (Tazumal, Los Llanitos, Joya de Cerén)
Architecture coloniale (Suchitoto)

LES CÔTES

Côte Pacifique (Costa del Sol)

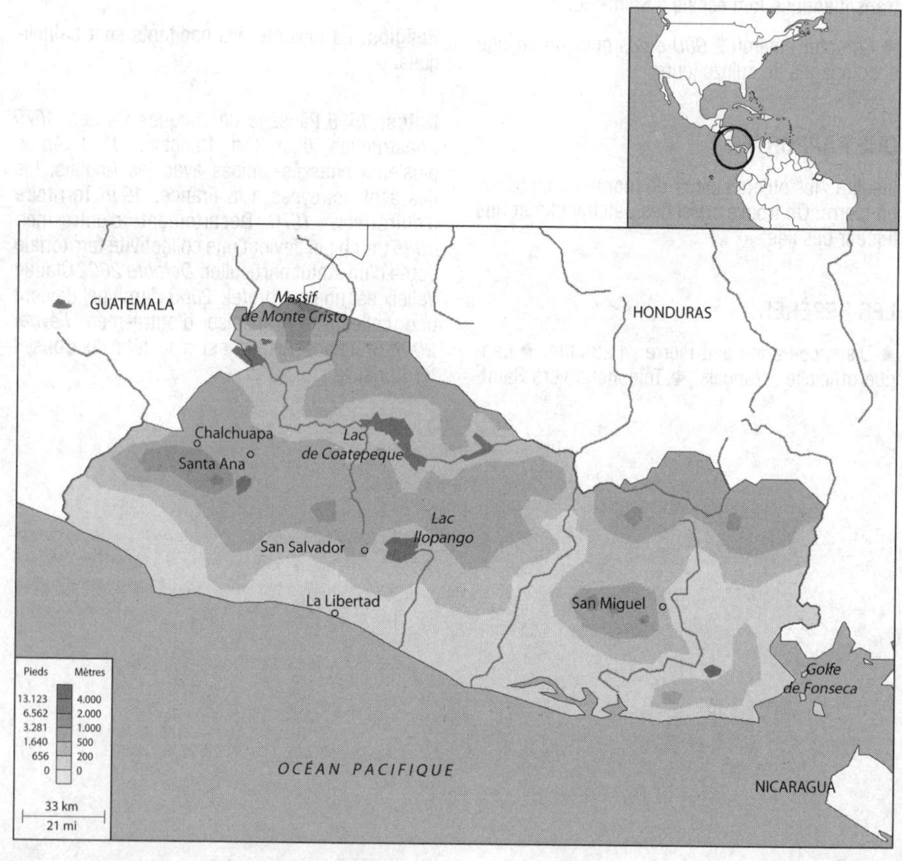

LES RAISONS D'Y ALLER

LES PAYSAGES

Le **volcanisme** a engendré une belle série de sommets. D'ouest en est : Santa Ana (2 836 m), San Salvador, San Vicente, Tecapa, San Miguel. La plupart s'élèvent au-dessus de la plaine côtière, de forêts épaisses et de quelques lacs (lac de Coatepeque, lac Llopango), qui ajoutent à leur agrément.

LES VESTIGES

Le centre cérémoniel de **Tazumal**, dans la région de Chalchuapa, a subi l'influence de l'art maya puisqu'on y trouve des plates-formes pyramidales et un terrain de jeu de balle, ce dernier également présent à **Los Llanitos**, dans l'est du pays.

Autres sites mayas : Cihuatan, Quelepa, San Andres et surtout **Joya de Cerén**, un village dont le site, recouvert par l'éruption du volcan Caldera au VIe siècle, a été mis au jour en 1976 et permet de mieux comprendre le mode de vie des Mayas.

Le passé colonial a laissé quelques traces architecturales intéressantes comme à **Suchitoto**, dans le nord, petite ville connue de surcroît pour son atmosphère agréable.

LES CÔTES

Le Salvador a sa « Costa del Sol » sur une côte Pacifique où l'agrément balnéaire (par exemple à La Libertad) est complété par des possibilités de surf, de pêche et de plongée sous-marine. Toutefois, le Pacifique est jugé dangereux à cet endroit-là.

LE POUR

◆ Des atouts montagneux de haute volée et qui ne demandent qu'à être plus souvent considérés.

LE CONTRE

◆ Un pays à la situation précaire, souvent jugé violent et encore marqué par les traces d'une longue guerre civile.

◆ La quasi-absence des voyagistes européens.

◆ Une côte pacifique peu appropriée pour les séjours balnéaires.

LE BON MOMENT

Chaud et humide, le climat laisse tout de même une assez large place à la saison sèche, qui dure **de novembre à avril** et qui constitue la période la plus favorable, surtout à son début. ◆ Températures moyennes jour/nuit (en °C) à San Salvador (ouest, 700 m d'altitude) : janvier 30/16, avril 32/19, juillet 30/19, octobre 29/19. La température moyenne de l'eau de mer est de 27°.

LE PREMIER CONTACT

En Belgique

Ambassade, avenue de Tervuren, 171, B-1150 Bruxelles, ☎ (02) 732.35.66, fax (02) 735.02.11.

Au Canada

Ambassade, 209, rue Kent, Ottawa, K2P 1Z8, Montréal, ☎ (613) 238-2939, fax (613) 238-6940.

En France

Section consulaire, 12, rue Galilée, 75116 Paris, ☎ (01) 47.20.42.02, fax 01.40.70.01.95.

En Suisse

Consulat, rue de Lausanne, 65, CH-1202 Genève, ☎ (22) 732.70.36, fax (22) 738.47.44.

Internet

www.elsalvador.travel/

www.abc-latina.com/salvador/tourisme.htm

Guides

Mexico and Central America (Footprint Handbook), *Nicaragua & El Salvador* (Lonely Planet en anglais).

Cartes

Mexique, Guatemala, Belize, El Salvador (Marco Polo), *Salvador* (ITM).

QUEL VOYAGE ET À QUEL PRIX ?

Les préparatifs

◆ Pour les ressortissants de l'Union européenne, canadiens, suisses : passeport suffisant, valable encore six mois après le retour.

◆ Faible risque de paludisme, dans la province de Santa Ana et les zones rurales.

◆ Monnaie : l'US Dollar est considéré comme la devise officielle depuis 2001. Toutefois le *colón* (pluriel : *colones*) existe. 1 US Dollar = 9 colones, 1 EUR = 11 colones.

Le départ

Avion

Indice de prix à certaines dates du vol Montréal-San Salvador A/R : 950 CAD; Paris-San Salvador A/R : 700 EUR.

Le voyage accompagné

Trop peu connu, plus petit pays d'Amérique centrale, le Salvador n'a droit chez les rares voyagistes qui le programment qu'à des extensions de circuits, par exemple chez Explorator qui le joint au Honduras et au Nicaragua, avec visite des ruines de Tazumal et passage à Suchitoto.

LES REPÈRES

◆ Distance Paris-San Salvador : 8 500 km environ. ◆ Lorsqu'il est midi en France, au Salvador il est 4 heures en été et 5 heures en hiver; lorsqu'il est midi au Québec, au Salvador il est 11 heures. ◆ Langue officielle : l'espagnol, qui voisine avec deux dialectes locaux, le nahuatl et le potom. ◆ Langue étrangère : l'anglais.◆ Téléphone vers le Salvador : 00503 + numéro.

LA SITUATION

Géographie. Seul pays d'Amérique centrale à n'être pas baigné par les deux océans, le Salvador est, en revanche, celui qui aligne l'ensemble de volcans le plus impressionnant. Au nord de cette crête volcanique, se dresse une première cordillère (avec le point culminant, le Monte Cristo, 2 418 m) et s'abaisse un fossé central; au sud, s'étire la plaine côtière. La superficie est la plus modeste des pays d'Amérique centrale (21 041 km²).

Population. Son chiffre est élevé par rapport à la superficie (7 066 000 habitants) et en nette augmentation. La population est presque entièrement composée de métis (90 %), alors qu'Indiens et Blancs se partagent les dix pour cent restants. Capitale : San Salvador.

Religion. 93 % des Salvadoriens sont catholiques.

Dates. *1524* Pedro de Alvarado entreprend la conquête du pays. *1823* Le Salvador devient l'une des Provinces-Unies de l'Amérique centrale. *1931* Grand soulèvement paysan. *1960* Coup d'État militaire, suivi d'un autre un an plus tard. *1969* Début d'un conflit avec le Honduras. *1972* José Napoleón Duarte, démocrate-chrétien, est frustré de sa victoire électorale. *1980* Assassinat de Mgr Romero. *1980* Duarte au pouvoir. *1981* Le Front Farabundo Marti, d'obédience communiste, et l'Alliance républicaine nationaliste (Arena) entrent en conflit. *Janvier 1992* Accord entre le gouvernement Christiani et le Front Farabundo Marti (FMLN) après douze années d'une guerre civile dévastatrice. *Avril 1994* Calderon Sol (droite) est élu pour cinq ans à la tête d'un pays désormais délivré de la guerre civile. *Mars 1997* L'Arena remporte de justesse les élections législatives. *1999* Élection de Francisco Flores à la présidence. *Mars 2000* Le FMLN remporte les législatives. *Janvier 2001* Un tremblement de terre secoue la région de Santa Elena (près de 3 000 morts et disparus). *Mars 2004* Antonio Saca est élu président. *Janvier 2009* Le FMLN devance l'Alliance républicaine nationaliste (Arena) lors des législatives.

São Tomé et Príncipe

Au large du Gabon et posées sur l'équateur, ces deux « îles du milieu du monde », aux trois quarts recouvertes par la jungle, au sein d'un climat constamment chaud et humide, sont peu fréquentées. Le voyageur qui aime sortir des sentiers battus et aura l'envie de parvenir un jour à São Tomé, la petite capitale de l'archipel, sera récompensé par une quasi-solitude, peut-être temporaire car le tourisme balnéaire mais aussi l'écotourisme posent leurs premiers jalons.

LES RAISONS D'Y ALLER

LES PAYSAGES

Relief volcanique, cascades
Plantations de cacao et de café

LES CÔTES

Pêche, plages (Principe), ponte des tortues de mer (côte sud de São Tomé)

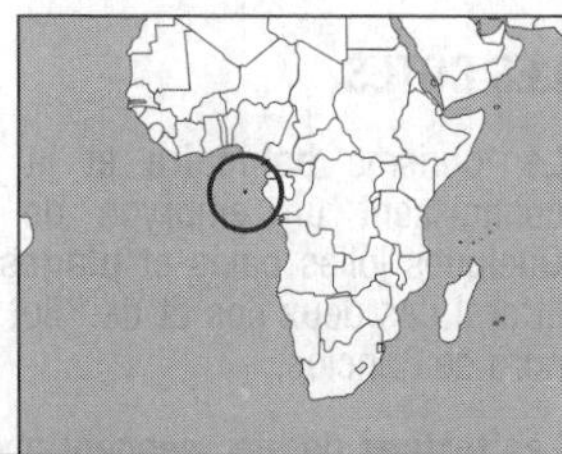

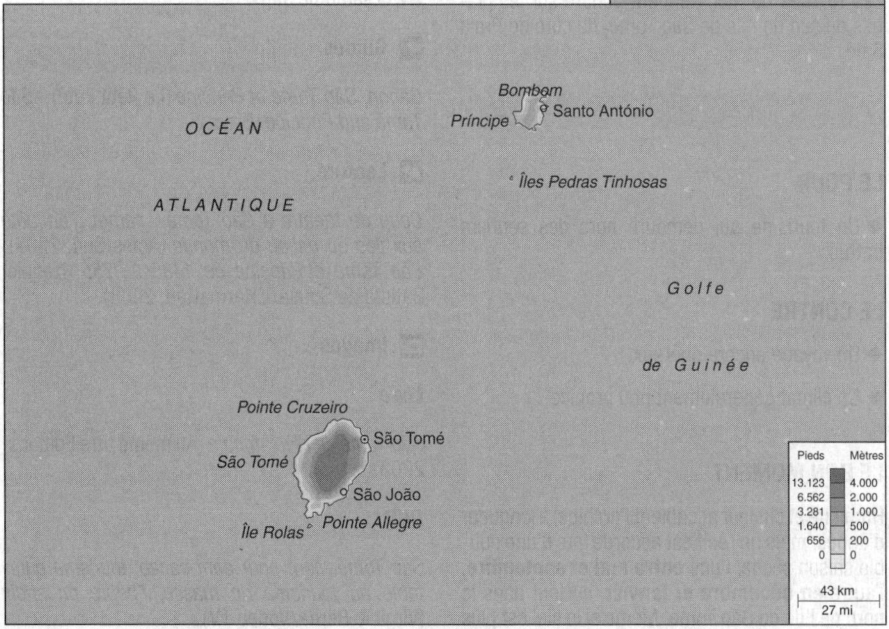

Bombom
Príncipe
Santo António
OCÉAN
ATLANTIQUE
Îles Pedras Tinhosas
Golfe
de Guinée
Pointe Cruzeiro
São Tomé
São Tomé
São João
Île Rolas
Pointe Allegre

Pieds	Mètres
13.123	4.000
6.562	2.000
3.281	1.000
1.640	500
656	200
0	0

43 km
27 mi

LES RAISONS D'Y ALLER

LES PAYSAGES

Un relief **volcanique**, la végétation luxuriante de la forêt équatoriale sur les trois quarts du territoire, la prédominance des cacaoyers, des caféiers et des cocotiers, la présence de cascades ainsi que la protection de la flore (orchidées) et de la faune (nombreuses espèces d'oiseaux et de tortues dont les tortues luths) sont des arguments prometteurs pour un tourisme de l'intérieur à base de randonnées.

Ce tourisme-là, très peu connu, tend aujourd'hui vers l'écotourisme à travers São Tomé, qui n'a pas été baptisée l'« île chocolat » pour rien. La visite des roças, **plantations** de cacao (São Jao) et de café, est là pour le prouver mais devrait rester limitée, ce qui sauvegardera le caractère insolite du lieu.

LES CÔTES

Le tourisme **balnéaire** et la **pêche** au gros connaissent un embryon de développement. Quelques jolies baies et **plages** agrémentent le littoral des deux îles et de l'îlot de Bombom, au nord de Príncipe.

Les **tortues** de mer viennent pondre sur les plages du sud de l'île de São Tomé, du côté de Praia Salé.

LE POUR

◆ Un tourisme qui demeure hors des sentiers battus.

LE CONTRE

◆ Un voyage encore onéreux.

◆ Un climat généralement peu propice.

LE BON MOMENT

Humidité et chaleur accablent l'archipel à longueur d'année, mais un répit est accordé lors d'une double saison sèche, l'une **entre mai et septembre**, l'autre **en décembre et janvier**, surtout dans le nord de l'île de São Tomé. Même si le ciel est plus souvent gris que bleu, l'atmosphère est alors plus sèche.

◆ Températures moyennes jour/nuit (en °C) à Sao Tomé : janvier 29/22, avril 30/23, juillet 28/21, octobre 29/22. Moyenne de de l'eau de mer en saison sèche : 23°.

LE PREMIER CONTACT

Au Canada

Consulat, 2, Westmount Square, Montréal, QC, H3Z 2S4, ☎ (514) 989-0395, fax (514) 989-1572.

En Belgique

Ambassade, avenue de Tervuren, 175, B-1150 Bruxelles, ☎ (02) 734.89.66, fax (02) 734.88.15.

En France

Consulat, 73, cours Pierre-Puget, F-13006 Marseille, ☎ 04.91.37.58.02, fax 04.91.53.95.72.

Internet

www.saotome.st

Guides

Gabon, São Tomé et Príncipe (Le Petit Futé), *São Tomé and Príncipe* (Bradt).

Lecture

Coup de théâtre à São Tomé : carnet d'enquête aux îles du milieu du monde (Actes Sud, 2007), *São Tomé et Príncipe de 1485 à 1755* (Izequiel Batista de Sousa/L'Harmattan, 2008).

Images

Livre

São Tomé, le rêve africain (Au même titre Éditions, 2003).

DVD

São Tomé, cent pour cent cacao, tourisme équitable ou tourisme de masse, l'heure du choix (Virginie Berda/Vodeo TV).

QUEL VOYAGE ET À QUEL PRIX ?

Les préparatifs

◆ Pour les ressortissants de l'Union européenne, canadiens et suisses : passeport valable encore six mois après le retour, visa obligatoire et payant, obtenu auprès de l'ambassade.

◆ Vaccination obligatoire contre la fièvre jaune. Prévention indispensable contre le paludisme.

◆ Monnaie : le dobra. 1 US Dollar = 14 300 dobras. 1 EUR = 18 900 dobras. Le dollar US est conseillé, mais l'euro et le franc CFA sont également acceptés. Pas de distributeurs automatiques de monnaie.

Le départ

Avion

◆ Indice de prix du vol Paris-Príncipe via Lisbonne : 800 EUR. ◆ Sur le continent, l'aéroport le plus proche est celui de Libreville (voir *Gabon*).

Sur place

Bateau

Trajets réguliers entre Libreville (Gabon) et São Tomé.

Hébergement

Pour s'imprégner de l'histoire de l'archipel, on aura intérêt à loger dans une *roça* (plantation).

Route

Location de voiture possible dans l'une ou l'autre des deux îles principales, de préférence un tout-terrain, avec ou sans chauffeur.

Le voyage accompagné

Rappel : nous nous sommes limités à un résumé des prestations en vigueur dans les agences et chez les voyagistes présents en France. Les lecteurs des autres pays peuvent en tirer des idées d'itinéraire et les compléter auprès de leurs agences de voyages.

◆ Bien rares, les voyagistes ! Club Aventure fait mentir la tendance en proposant une randonnée qui passe par les plantations de café et de cacao ainsi qu'à travers les forêts, avec logement dans des roças. Mistral Voyages fait également exception avec des séjours d'une semaine.

◆ Le voyage est cher : nettement au-delà de *2 000 EUR* pour une dizaine de jours tout compris.

LES REPÈRES

◆ Lorsqu'il est midi en France, à São Tomé et Príncipe il est 10 heures du matin en été et 11 heures en hiver. ◆ Langue officielle : le portugais; le *forro*, un créole lusophone dont le nom se réfère à la libération des esclaves, et l'*angolare*, du nom des pêcheurs locaux, sont nettement plus pratiqués. ◆ Le français s'est imposé comme première langue étrangère.◆ Téléphone vers São Tomé et Príncipe : 00239 + numéro.

LA SITUATION

Géographie. L'archipel est à 220 km environ des côtes gabonaises. L'île de Príncipe (128 km^2), au nord, et celle de São Tomé, plus grande (836 km^2) et quasiment sur l'équateur, au sud, sont complétées par quelques îlots. Là où la jungle envahissante n'est pas présente, la savane la remplace. Le Pico de Tomé culmine à 2 024 m.

Population. 206 000 Santoméens, dont beaucoup sont employés dans la culture du cacao. Capitale : São Tomé.

Religion. Quatre habitants sur cinq sont catholiques. Minorités de protestants adventistes du septième jour et d'adeptes d'une Église évangéliste locale.

Dates. *1470* João de Santarem et Pedro Escobar découvrent l'endroit. *1493* Les premiers colons arrivent de Madère. *1869* Abolition de l'esclavage. *1975* Indépendance due au Mouvement de libération de São Tomé et Príncipe (MLSTP-PSD), qui porte au pouvoir Manuel Pinto da Costa et instaure une économie de type marxiste. *1985* Réélection de Pinto da Costa, à l'unanimité. *1990* Nouvelle constitution, approuvée par référendum. *1991* Miguel Trovoada, ex-compagnon de lutte puis opposant de Pinto da Costa, est élu président de la République. *Octobre 1994* Le MLSTP-PSD remporte les élections législatives. *Juillet 1996* Réélection de Miguel Trovoada. *Novembre 1998* Législatives : nouveau succès du MLSTP-PSD. *Juillet 2001* Fradique de Menezes devient président. *Juillet 2003* Tentative de coup d'État. *2005* Maria do Carmo Silveira prend la tête du gouvernement. *Septembre 2006* Fradique de Menezes est reconduit à son poste de président dans un pays qui attend les bienfaits annoncés des pétrodollars.

Sénégal

S'il existe un tourisme affirmé depuis longtemps en Afrique de l'Ouest, c'est bien celui du Sénégal. Le pays de la « Teranga » – hospitalité – présente le double avantage d'une côte baptisée par certains « la Californie africaine » et de régions qui, telle la Casamance ou le delta du Saloum, conjuguent très bien l'habitat, la végétation et la faune aquatique. Sans oublier l'argument historique offert, entre autres, par l'île de Gorée et Saint-Louis.

LES RAISONS D'Y ALLER

LES CÔTES ET LES ESTUAIRES

Tourisme balnéaire : plages de la Petite Côte et de la Casamance (plongée, golf, thalassothérapie)
Bras de mer et mangrove du delta du Saloum (kayak, balades à marée basse, écotourisme)
Pêche au gros, pêche sportive

LES PAYSAGES

Casamance, lac Rose,
fleuve Sénégal, pays bassari

LA FAUNE

Parcs nationaux du Djoudj et de la langue de Barbarie (oiseaux migrateurs)
Parc de Niokolo-Koba (lions, éléphants, antilopes, girafes)

L'HISTOIRE, LES VILLES

Île de Gorée
Saint-Louis, Dakar, Touba

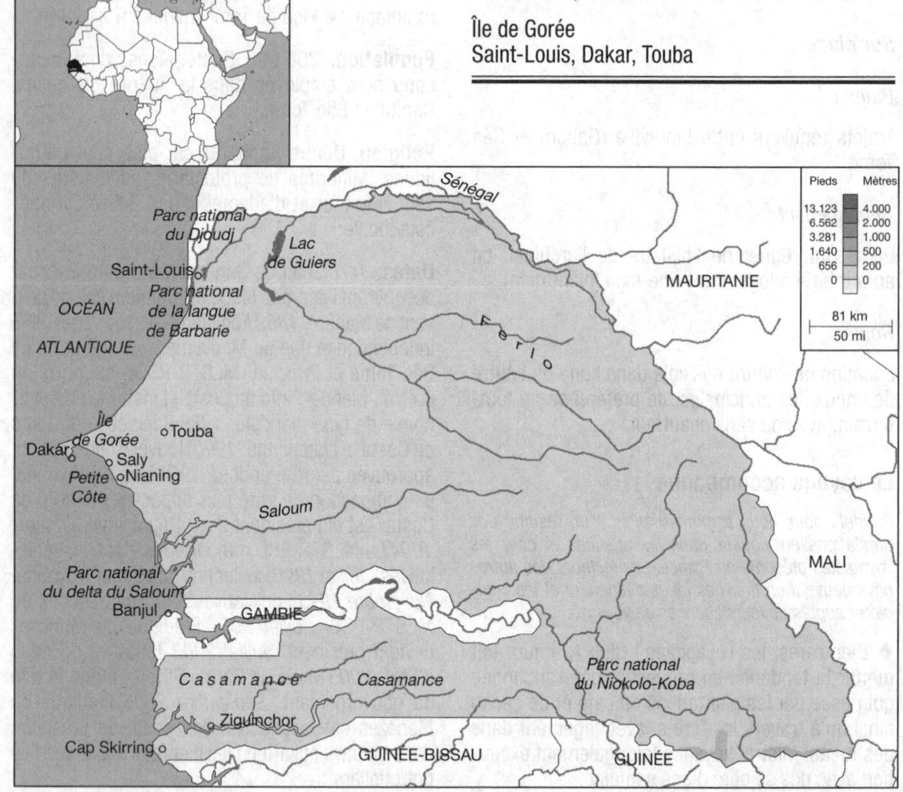

LES RAISONS D'Y ALLER

LES CÔTES ET LES ESTUAIRES

Il serait dommage de ne choisir le Sénégal que dans un but balnéaire mais le fait est là: la **Petite Côte**, au sud de Dakar, est l'épine dorsale du tourisme du pays, principalement Saly. Les adeptes d'un tourisme côtier un peu moins voué au tourisme de masse lui préfereront Toubab Dialao, La Somone, Nianing ou Joal Fadiouth, celle-ci étonnante avec son sol de coquillages et ses airs de Gorée.

Cap Skirring, situé sur la côte de la basse Casamance et où vivent les pêcheurs Diolas, est l'autre grand rendez-vous international de la côte sénégalaise.

Partout, les **plages** sont étendues, douces (sable fin), nombreuses, bien aménagées, souvent bordées de cocoteraies, ensoleillées quasiment toute l'année et rafraîchies par les alizés. La plupart ne souffrent pas des dangers nés de la « barre », mais prudence tout de même. Le golf, la thalasso, la remise en forme, la pêche sportive sont souvent à l'ordre du jour.

Le delta du fleuve **Saloum** est une belle réussite géographique; de multiples bras de mer (bolongs) sont bordés d'une mangrove où les palétuviers laissent apparaître leurs racines parées de coquillages et d'huîtres au rythme des marées.

Le kayak, les balades à marée basse, l'observation des oiseaux sont source d'un tourisme en expansion, de plus en plus mué en écotourisme comme celui, exemplaire, du campement situé dans l'aire marine protégée de Bamboung, non loin de Toubacouta.

Les eaux très poissonneuses des côtes se prêtent bien à la **pêche sportive**. Les carpes rouges, les barracudas, les lins et les carangues attendent les amateurs de **pêche au gros**. Quant à la **plongée** sous-marine, elle se pratique surtout autour de la presqu'île de Dakar, où les gorgones ne manquent pas.

LES PAYSAGES

Avec le delta du Saloum, la **Casamance** et le parc national de Basse-Casamance (qui n'a pas encore rouvert) comptent parmi les plus beaux paysages du Sénégal : mangrove, filaos, marigots, forêt, arbres des régions tropicales (baobabs, palétuviers, flamboyants, fromagers).

L'estuaire et le cours du fleuve Casamance, le long duquel l'habitat et les traditions sont bien préservés, ajoutent à l'intérêt de l'endroit, que des balades en pirogue permettent de mieux apprécier.

Non loin de Dakar, le **lac Rose** (Retba), plus ou moins rose selon les actions de son algue sur une eau hypersodée, invite à se poser comme en lévitation sur sa surface grasse mais aussi à observer le dur labeur de ses travailleurs du sel.

A la lisière de la Mauritanie, la vallée du **fleuve Sénégal**, en zone sahélienne, fait se succéder une infinité d'acacias et de sols plats et secs où sont implantés des villages peuls. La remise en service du *Bou el Mogdad* pour des croisières sur le fleuve à partir de Saint-Louis jusqu'à Podor via les anciens comptoirs a revitalisé la région.

Au sud-est, le pays **bassari**, ses villages et ses paysages de savane, avec la cascade de Dindéfelo en point d'orgue, voient se développer un écotourisme de bon aloi.

LA FAUNE

Les **oiseaux** sont rois au Sénégal : à quelques dizaines de kilomètres au nord de Saint-Louis, les pélicans du parc national du **Djoudj**, ouvert de novembre à avril, offrent un grand spectacle complété par celui de plus de trois cents autres espèces d'oiseaux migrateurs, dont les flamants roses, des aigrettes, des hérons, tous en repos ici après la longue traversée du Sahara.

On retrouve la plupart de ces espèces, des cormorans et des aigles-pêcheurs noirs dans le parc national de la **langue de Barbarie**, mince dune de sable entre fleuve et mer au sud de Saint-Louis.

La **faune** animalière du parc national du **Niokolo-Koba** est d'une richesse insoupçonnée: lions, éléphants, antilopes, girafes, hippopotames, phacochères. Pas toujours facile, hélas! d'apercevoir le museau de tous ces pensionnaires...

L'HISTOIRE, LES VILLES

Au large de Dakar, l'île de **Gorée** a été un centre important du commerce des esclaves vers l'Amérique avant 1848, ce qui fait de la visite de la Maison des esclaves l'une des plus prisées du pays. Séjourner au moins une nuit sur l'île permet d'en goûter la tranquille atmosphère à travers ses ruelles, ses façades coloniales et son site privilégié.

Trois villes au moins méritent la visite :

– **Saint-Louis**, première implantation européenne en Afrique de l'Ouest et ancienne capitale de l'Afrique-Occidentale française; accessible via les 511 m de long de son fameux pont Faidherbe, l'architecture coloniale de l'île centrale attire tous les regards mais le vieux quartier des pêcheurs, sur la langue de Barbarie, les mérite autant; un festival de jazz réputé se tient chaque année au mois de mai.

Saint-Louis fait aujourd'hui l'objet d'un engouement touristique, ainsi que les anciens comptoirs français du fleuve Sénégal (Dagana, Matam et Podor), d'autant que le bateau de ligne qui passait par là, le *Bou el Mogdad*, vient d'être remis au goût du jour.

– **Dakar** tire son intérêt de l'atmosphère de ses marchés (marché central de Sandaga, marchés de Tilène et de Kermel), de son musée ethnographique (Institut fondamental d'Afrique noire), de son village artisanal (Soumbédioune) et de son étonnant village d'artistes, non loin de Yoff; son site sur la presqu'île du Cap-Vert offre une jolie vue sur les îles de la Madeleine et des abords intéressants (île de N'Gom, Yoff);

– **Touba** et son exceptionnelle mosquée qui abrite le tombeau d'Ahmadou Bamba, fondateur de la confrérie des Mourides.

LE POUR

◆ Pour les amateurs de séjours balnéaires, des plages agréables pendant une bonne partie de l'année et des tarifs abordables.

◆ Une ouverture de plus en plus marquée vers l'écotourisme, entre autres dans le delta du Saloum.

◆ Le français comme langue de communication.

◆ La nette amélioration de la situation en Casamance, bien que la plupart des gouvernements occidentaux conseillent d'éviter de prendre la route dans la région.

LE CONTRE

◆ Quelques inconvénients climatiques entre avril et octobre dans le sud.

◆ Des conditions de voyage relativement pénibles pour qui choisit de visiter le pays par soi-même.

LE BON MOMENT

La longue saison sèche et favorable (**entre novembre et avril**) est plus ou moins marquée selon les latitudes. Elle est également favorable pour l'observation des oiseaux, la plupart des parcs étant ouverts à cette période.

La partie nord du pays, sahélienne, reste très chaude toute l'année. Les pluies (juillet-octobre) sont modérées au centre et sur la côte mais parfois gênantes dans le sud malgré la brièveté des averses. Mai-novembre, en revanche, est la bonne saison pour la photo et la pêche sportive.

◆ Températures moyennes jour/nuit (en °C) à *Dakar* : janvier 26/18, avril 25/19, juillet 27/25, octobre 31/25. Moyenne de la température de l'eau de mer : 24°.

LE PREMIER CONTACT

En Belgique

Consulat, avenue Franklin-Roosevelt, 196, B-1050 Bruxelles, ☎ (02) 673.43.97, fax (02) 675.04.60.

Au Canada

Ambassade, 57, avenue Marlborough, Ottawa, ON K1N 8E8, ☎ (613) 238-6392, fax (613) 238-2695.

En France

◆ Ambassade, 14, avenue Robert Schuman, 75007 Paris, ☎ 01.47.05.39.45, www.ambasseneparis.com ◆ Maison de l'Afrique, www.maisondelafrique.fr

En Suisse

Section consulaire, Eigerstrasse, 60, CH-3007 Berne, ☎ (31) 952.57.07, fax (31) 952.57.08.

Internet

www.au-senegal.com
www.lacasamance.info

Guides

Sénégal (Le Petit Futé, Mondeos), *Sénégal, Gambie* (Gallimard/Bibl. du voyageur, Hachette/Evasion, Hachette/Routard, Lonely Planet France).

Cartes

Sénégal (IGN), *Sénégal, Gambie* (Berlitz, ITM).

Lectures

Carnet du Sénégal (V. Broquet, G. Borhinger/Arthaud, 2007), *Il fut un jour à Gorée, l'esclavage raconté aux enfants* (J. N'Diaye/Michel Lafond, 2006), *Peuples du Sénégal, Jola, Wolof, Soninké, Bassari, Sérère, Peul et Mandingue* (Collectif/Sepia, 1997), *Sénégal, notre pirogue* (R. Colin/Présence africaine, 2007), *Une si longue lettre* (M. Ba/Le Serpent à plumes, 2001).

Images

Bassari : Guinée et Sénégal, 1927-2002 (M. Gessain/Sepia, 2003), *les Arts plastiques contemporains du Sénégal* (Saliou Démanguy Diouf/Présence africaine, 2000), *Majestueux Sénégal* (Michel Renaudeau, René Sintzel/Atlas, 1999), *Sénégal* (C. Saglio, B.et C. Desjeux/Grandvaux, 2005).

Vidéos et DVD

Destination Sénégal (LCJ Editions, 2006), *Sénégal : Dakar, l'île de Gorée, les îles Saloum, la Casamance* (P. Hendrick/Vodeo TV, 2006).

QUEL VOYAGE ET À QUEL PRIX ?

Le voyage individuel

Les préparatifs

◆ Pour les ressortissants de l'Union européenne et les Canadiens : passeport encore valable six mois après le retour suffisant. La carte d'identité peut suffire pour les voyages avec prestations (renseignements indispensables auprès du voyagiste choisi). Billet de retour ou de continuation exigible. ◆ Ne pas oublier que le passage en Gambie exige de posséder un visa pour ce pays.

◆ Vaccination contre la fièvre jaune. Prévention indispensable contre le paludisme.

◆ Monnaie : le *franc CFA* est subdivisé en 100 centimes. 1 euro = 655,957 francs CFA (XOF). Emporter des euros ou des dollars US, en espèces ou en chèques de voyage.

Le départ

◆ Indice de prix du vol à certaines dates Montréal-Dakar A/R : 1 400 CAD; Paris ou Bruxelles-Dakar A/R : 600 EUR. ◆ Durée moyenne du vol Paris-Dakar (4 206 km) : 5 heures; Paris-Cap Skirring : 5 h 30.

Sur place

Avion

Vol Dakar-Cap Skirring durant la haute saison touristique.

Bateau

Le *Wilis*, qui a succédé au tragique *Joola*, assure la liaison entre Ziguinchor et Dakar, permettant de gagner du temps à qui n'est pas intéressé par la Gambie.

Hébergement

Le tourisme chez l'habitant se développe. On peut aussi dormir dans des campements.

Route

◆ Location de voiture possible, à la journée ou à la semaine, de préférence avec chauffeur. ◆ Bon réseau routier. ◆ Éviter d'emprunter les pistes entre juillet et octobre. ◆ Les voyages à la carte en voiture avec chauffeur sont courants (entre autres avec Nouvelles Frontières).

Train

L'express Dakar-Bamako accomplit son trajet en 43 heures.

Le séjour

Rappel : nous nous sommes limités à un résumé des prestations en vigueur dans les agences et chez les voyagistes présents en France. Les lecteurs des autres pays peuvent en tirer des idées d'itinéraire et les compléter auprès de leurs agences de voyages.

◆ Les **séjours balnéaires** d'une semaine en « all inclusive » sur la Petite Côte et à Cap Skirring sont une règle suivie par bon nombre de voyagistes. Les premiers prix peuvent s'envisager aux alentours de *1 000 EUR* tout compris. Excursions possibles vers Gorée, le lac Rose, le Sine Saloum, ou en brousse. Ces séjours, au prix plutôt abordable, sont proposés toute l'année dans la plupart des cas. Exemples : Club Med (villages), Fram, Jet Tours, Look Voyages, Neckermann, Nouvelles Frontières. Aquarev est présent dans un centre de plongée aux alentours des îles de la Madeleine, au large de Dakar.

◆ **Tourisme solidaire** : le séjour dans une case au détour du bolong Bamboung, dans le Siné Saloum, permet de financer l'entretien de l'aire marine protégée qui inclut le superbe site de Keur Bamboung (tél. + 221.510.80.13). Autre proposition : partager la vie des villages de Casamance via des campements villageois (www.au-senegal.com, tél. + 221.991.12.68).

Le voyage accompagné

◆ Les circuits vers l'**intérieur**, à la découverte des villages et des populations, se sont beaucoup développés. Ils prennent comme base des balades à travers la brousse, la pêche en lagune, le parc du Djoudj, les balades en pirogue en Basse Casamance et sur le Sine Saloum. Exemples : Continents insolites, Fram, Jet tours, Look Voyages, Nouvelles Frontières, STI Voyages, Terres d'aventure, Voyageurs du monde. Chemins de sable propose une semaine à **Saint-Louis** et dans sa région, avec le parc du Djoudj en prime.

Les voyages précités peuvent se trouver autour de *1 100 EUR* pour 8 jours et de *1 500 EUR* pour 15 jours.

◆ La remise à flot du *Bou el Mogdad* a mis en vogue la croisière sur le **fleuve Sénégal** à partir de Saint-Louis via les anciens comptoirs, avec visite du lac Rose et du parc de Djoudj. Quelques prestataires : Chemins de sable, STI Voyages. Compter aux alentours de *1 300 EUR* la semaine.

QUE RAPPORTER ?

Les objets en bois et en cuir, les sacs en crocodile, les tissus (wax) et, à un degré moindre, les bijoux inondent les marchés.

LES REPÈRES

◆ Lorsqu'il est midi en France, au Sénégal il est 10 heures en été et 11 heures en hiver. ◆ Langue officielle : le français. Il est côtoyé par près de vingt langues, dont le ouolof, prédominant. ◆ Téléphone vers le Sénégal : 00221 + numéro; du Sénégal : 00 + indicatif pays + numéro.

LA SITUATION

Géographie. Quoique de superficie moyenne (196 722 km²), le pays connaît des contrastes géographiques marqués. Autant le nord rappelle le Sahel (désert du Ferlo), autant le sud est verdoyant (Casamance). Le relief ne s'élève pratiquement jamais.

Population. Les Ouolofs (40 %), les Pulaars (25 %, qui regroupent les Foulbés, les Peuls et les Toucouleurs), les Sérères (dont faisait partie l'ex-président Senghor) et les Diolas composent une mosaïque harmonieuse de 12 853 000 habitants. Capitale : Dakar.

Religion. Les musulmans sunnites sont très largement majoritaires (91 %), répartis en confréries (Tidjanes, Mourides). Minorités de catholiques et d'animistes.

Dates. *IXe siècle* Installation de royaumes successifs. *1456* Le Vénitien Ca' da Mosto, qui travaille pour les Portugais, atteint la presqu'île du Cap-Vert. *XVIe siècle* Les Hollandais fondent Gorée. *XVIIe siècle* Les Français fondent Saint-Louis. *1854* Faidherbe s'installe de plus en plus. *1895* Le Sénégal entre dans l'AOF et la plupart de ses habitants acquièrent la nationalité française. *1958* République autonome. *1960* Indépendance : Léopold Sedar Senghor est président et bénéficiera trois ans plus tard d'un régime présidentiel à parti unique. *1970* Abdou Diouf Premier ministre. *1981* Senghor laisse sa place à Diouf; légalisation du multipartisme. *1982* Fondation de la Sénégambie. *1990* Incidents de frontière avec la Mauritanie. *Octobre 1992* Intensification du mouvement indépendantiste en Casamance. *Mars 1993* Troisième élection d'Abdou Diouf à la tête de l'État. *Novembre 1996* Victoire des socialistes aux élections locales. *Automne 1997* Accrochages entre l'armée et les rebelles en Casamance. *Mai 1998* Les socialistes remportent les élections, Mamadou Lamine devient Premier ministre en juillet. *Avril 1999* Nouveaux accrochages dans les environs de Ziguinchor. *Mars 2000* La victoire d'Abdoulaye Wade aux présidentielles offre l'alternance et laisse augurer une ouverture politique. *Avril 2001* Législatives : large victoire de la coalition menée par le président Wade. *Décembre 2001* Décès de Léopold Sedar Senghor. *Septembre 2002* Plus de deux mille personnes périssent dans le naufrage du bateau emblématique local, le *Joola*. *Décembre 2004* Accord de paix entre le Mouvement des forces démocratiques de Casamance et le gouvernement. *Février 2007* Abdoulaye Wade (80 ans) est réélu dès le premier tour.

Serbie

Avertissement. – Tout projet de voyage touristique dans certaines régions du sud (Presevo, Bujanovac) et à la lisière du Kosovo doit être différé.

Les vieux quartiers de Belgrade, plusieurs monastères classés au patrimoine mondial de l'Unesco et la beauté du Danube au niveau des portes de Fer auraient dû valoir à la Serbie une bonne audience. Mais les deux dernières décennies de conflits et de tensions ont mis à mal son image, et l'essor touristique tarde à venir.

LES RAISONS D'Y ALLER

LES VILLES ET LES MONUMENTS

Belgrade, Novi Sad
Art religieux orthodoxe (monastères de Studenica, Sopocani, Djurdjevi Stupovi)
Novi Pazar

LES PAYSAGES

Vallée du Danube (Portes de Fer)
Stations et sources thermales
Monts de Zlatibor (ski)

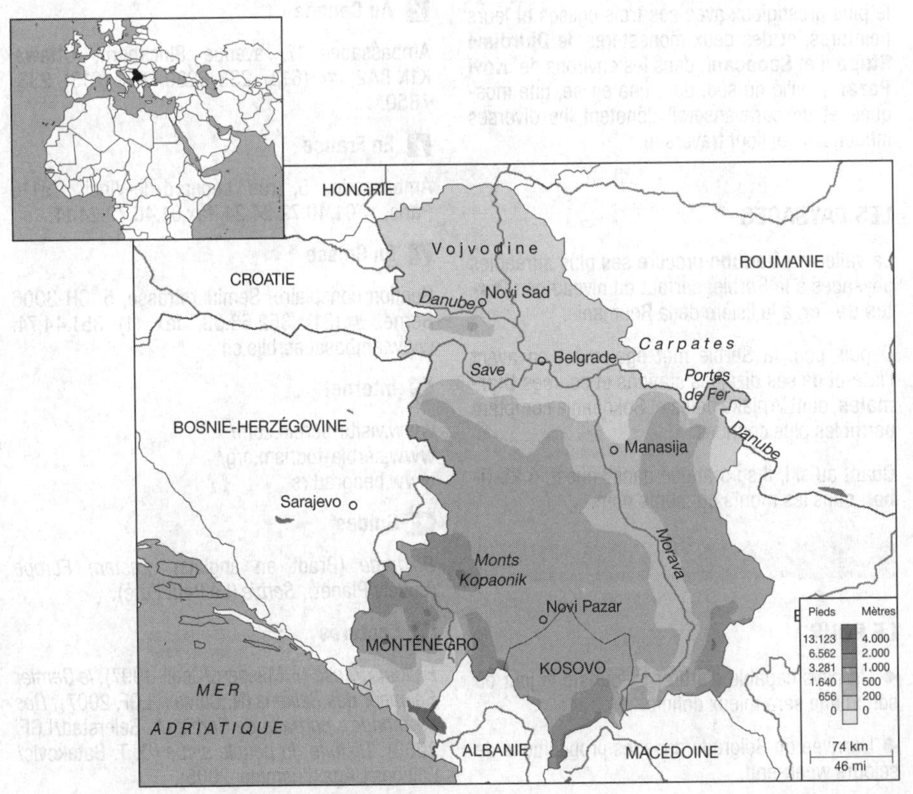

LES RAISONS D'Y ALLER

LES VILLES ET LES MONUMENTS

La confluence du Danube et de la Save à **Belgrade** n'avait pas réussi à sortir la capitale de sa discrétion touristique, mais une tendance nouvelle se dessine. La ville, qui connaît une ambiance tant culturelle que nocturne, possède des musées intéressants et de vieux quartiers où fleurit l'architecture orthodoxe. Elle commence à faire l'objet de courts séjours en week-end, comme **Novi Sad**, également sur le Danube et riche d'une belle cathédrale orthodoxe.

Novi Sad connaît chaque année en juillet un festival pop-rock de haute tenue. Autre festival : celui de Guca Gora, avec les orchestres tziganes en figure de proue.

Les monastères, dont la plupart sont nés de l'influence byzantine, sont le principal intérêt architectural de la Serbie : ainsi en est-il de **Studenica**, le plus prestigieux avec ses trois églises et leurs peintures, et des deux monastères de **Djurdjevi Stupovi** et **Sopocani**, dans les environs de **Novi Pazar**, la ville du sud, dont une église, une mosquée et un caravansérail dénotent les diverses influences qui l'ont traversée.

LES PAYSAGES

La vallée du **Danube** procure ses plus agréables paysages à la Serbie, surtout au niveau des **Portes de Fer**, à la lisière de la Roumanie.

Depuis peu, la Serbie met également en avant l'intérêt de ses dizaines stations et sources **thermales**, dont Vrnjaka banja et Sokobanja comptent parmi les plus connues.

Quant au ski, il se pratique dans l'ouest, à **Zlatibor**, dans les monts du même nom.

LE POUR

◆ Un pays capable d'attirer le touriste le jour où son image sera mieux définie.

◆ L'arrivée de Belgrade dans les propositions de séjours week-end.

LE CONTRE

◆ La persistance des tensions à la lisière du Kosovo, renforcées par la déclaration unilatérale d'indépendance de la province.

LE BON MOMENT

Le climat est méditerranéen sur le littoral monténégrin et devient continental au-delà. La période **juin-octobre** s'impose partout.

◆ Températures moyennes jour/nuit (en °C) à *Belgrade* (nord) : janvier 3/-3, avril 17/7, juillet 28/17, octobre 18/8.

LE PREMIER CONTACT

En Belgique

Ambassade, avenue Émile De-Mot, 11, B-1050 Bruxelles, ☎ (02) 647.26.52, fax (02) 647.29.41.

Au Canada

Ambassade, 17, avenue Blackburn, Ottawa, K1N 8A2, ☎ (613) 233-6289, fax (613) 233-7850.

En France

Ambassade, 5, rue Léonard-de-Vinci, 75116 Paris, ☎ 01.40.72.24.24, fax 01.40.72.24.11.

En Suisse

Section consulaire, Seminarstrasse, 5, CH-3006 Berne, ☎ (31) 352.63.53, fax (1) 351.44.74, www.ambasadasrbije.ch

Internet

www.visite-serbie.com/
www.serbia-tourism.org/
www.beograd.rs

Guides

Belgrade (Bradt en anglais), *Eastern Europe* (Lonely Planet), *Serbie* (Le Petit Futé).

Lectures

Balkans transit (F. Maspero/Seuil, 1997), *le Dernier Seigneur des Balkans* (N. Cumali/ LGF, 2007), *Dos au monde : portraits de Serbie* (A. Seierstad/LGF, 2008), *Histoire du peuple serbe* (D. T. Batakovic/ Editions L'Age d'homme, 2005).

QUEL VOYAGE ET À QUEL PRIX ?

Les préparatifs

◆ Pour les ressortissants de l'Union européenne, canadiens, suisses : passeport suffisant, valable encore six mois après le retour.

◆ Monnaie : le *dinar.* 1 EUR = 97 dinars, 1 US Dollar = 74 dinars. Emporter des euros ou des US Dollars en espèces ou en chèques de voyage et une carte de crédit.

Le départ

Avion

Prix à titre indicatif et à certaines dates du vol Paris-Belgrade A/R : 260 EUR. Durée moyenne du vol Paris-Belgrade (1 427 km) : 2 h 20.

Bus

Bruxelles ou Paris-Belgrade A/R (Eurolines) via Munich.

Sur place

Hébergement

Il existe des auberges de jeunesse. Renseignements : www.hostels.com/fr/yu.html

Route

◆ Limitation de vitesse agglomération/route/autoroute : 60/80/120 km/h. ◆ Limite du taux d'alcoolémie : 0,5 pour mille.

Séjour en individuel

On ne peut encore parler d'une mode, mais les week-ends à **Belgrade**, parfois complétés par une visite de Novi Sad, commencent à trouver preneurs. Plusieurs offres existent sur les sites internet (voir page précédente).

Train

Pass InterRail utilisable. Réseau ferroviaire vétuste.

Le voyage accompagné

Rappel : nous nous sommes limités à un résumé des prestations en vigueur dans les agences et chez les voyagistes présents en France. Les lecteurs des autres pays peuvent en tirer des idées d'itinéraire et les compléter auprès de leurs agences de voyages.

◆ Les **Portes de Fer** sont un morceau de choix des croisières sur le Danube. Elles partent souvent de Passau (Allemagne) et se poursuivent jusqu'à l'embouchure du grand fleuve. Voir entre autres les propositions de CroisiEurope.

LES REPÈRES

◆ Pas de décalage horaire avec la Belgique, la France ou la Suisse; lorsqu'il est midi au Québec, en Serbie il est 18 heures. ◆ Langue officielle : le serbo-croate. Les roms parlent le romani. ◆ Langues étrangères : allemand, anglais. ◆ Téléphone vers l'État de Serbie et Monténégro : 00381 + indicatif (Belgrade : 11) + numéro.

LA SITUATION

Géographie. La Vojvodine, au nord de la Serbie, fait partie du bassin pannonien, alors qu'apparaissent les contreforts des Carpates et des Balkans à l'extrême est. Le pays couvre 77 474 km².

Population. 8 030 000 habitants. Capitale : Belgrade. Les Hongrois et les Roms constituent les principales minorités.

Religion. Les orthodoxes sont majoritaires. Minorités de catholiques et de musulmans.

Dates. *VIe siècle* Arrivée des Slaves. *1459* Intégration de la Serbie à l'Empire ottoman. *1878* Indépendance de la Serbie. *1918* Rattachement du Monténégro à la Serbie et création du royaume des Serbes, Croates et Slovènes. *1941* L'Allemagne occupe la Yougoslavie, Mihailovic et Tito, chacun de son côté, organisent la résistance. *1945* Naissance de la Fédération yougoslave. Le maréchal Tito est au pouvoir. *1980* Mort de Tito. *1990* Milosevic (Parti socialiste) président. *1991* Grave détérioration : la Slovénie et la Croatie se heurtent à la Serbie, tandis qu'au Kosovo, Rugova appelle à la résistance passive. *Janvier 1992* L'indépendance de la Slovénie et de la Croatie est reconnue. La Serbie et le Monténégro sont redéfinis sous le nom de République fédérale de Yougoslavie (RFY). *Février 1998* L'Armée de libération du Kosovo (UCK) entre en rébellion contre le pouvoir central, qui la réprime. *Mars 1999* L'OTAN décide de bombarder la Serbie devant le refus de Milosevic de signer les accords de Rambouillet à propos du Kosovo. L'armée et la police serbe dévastent la province, nombreuses victimes civiles albanaises. *Juin 1999* Fin de la guerre du Kosovo, placé sous administration internationale. *Septembre 2000* Le peuple refuse de voir falsifier les résultats des élections et assaille le Parlement. Vojislav Kostunica est déclaré net vainqueur de la présidentielle aux dépens de Milosevic. *Juin 2001* Milosevic est transféré au Tribunal pénal international pour l'ex-Yougoslavie à La Haye. *Mars 2002* Un accord pose les bases d'un nouvel « État de Serbie et Monténégro ». *Mars 2003* Le Premier ministre Zoran Djindjic est assassiné, Zoran Zivcovic lui succède. *Décembre 2003* Les ultranationalistes dominent les législatives. *Juin 2004* Boris Tadic devient président de la République, les nationalistes essuient un échec. *2005* Svetozar Marovic lui succède. *Juin 2006* L'Etat de Serbie-et-Monténégro cesse d'exister après le référendum sur l'indépendance du Monténégro. *Février 2008* Les Albanais du Kosovo déclarent unilatéralement l'indépendance de la province, soutenue par les Etats-Unis et l'Union européenne mais non reconnue ni par la Serbie et une majorité de pays, ni par le Conseil de sécurité des Nations unies.

Seychelles

Une expression aussi plate que les rivages seychellois a été évitée dans ce livre : « la plage la plus belle du monde ». Mais de justesse, vu la couleur turquoise de l'eau, le sable très blanc et le ciel très bleu des lieux. L'argument balnéaire reste le plus fort dans cet archipel de plus de cent îles étalées sur 1 200 km, mais l'intérieur des terres n'est pas en reste car la diversité de la faune et de la flore ainsi que la richesse de la végétation luxuriante incitent à des randonnées. Le seul écueil provient d'un coût du séjour élevé car fondé sur un tourisme haut de gamme.

LES RAISONS D'Y ALLER

LES CÔTES

Plages, plongée, ski nautique, croisières, planche à voile, pêche au gros

LES PAYSAGES ET L'HABITAT

Parc national de la vallée de Mai à Praslin (palmiers et cocos de mer)
Parc national du Morne seychellois à Mahé (randonnées)
Varangues

LA FAUNE ET LA FLORE

Tortues terrestres géantes, oiseaux, poissons tropicaux, flamboyants, lataniers, takamakas, vanilliers

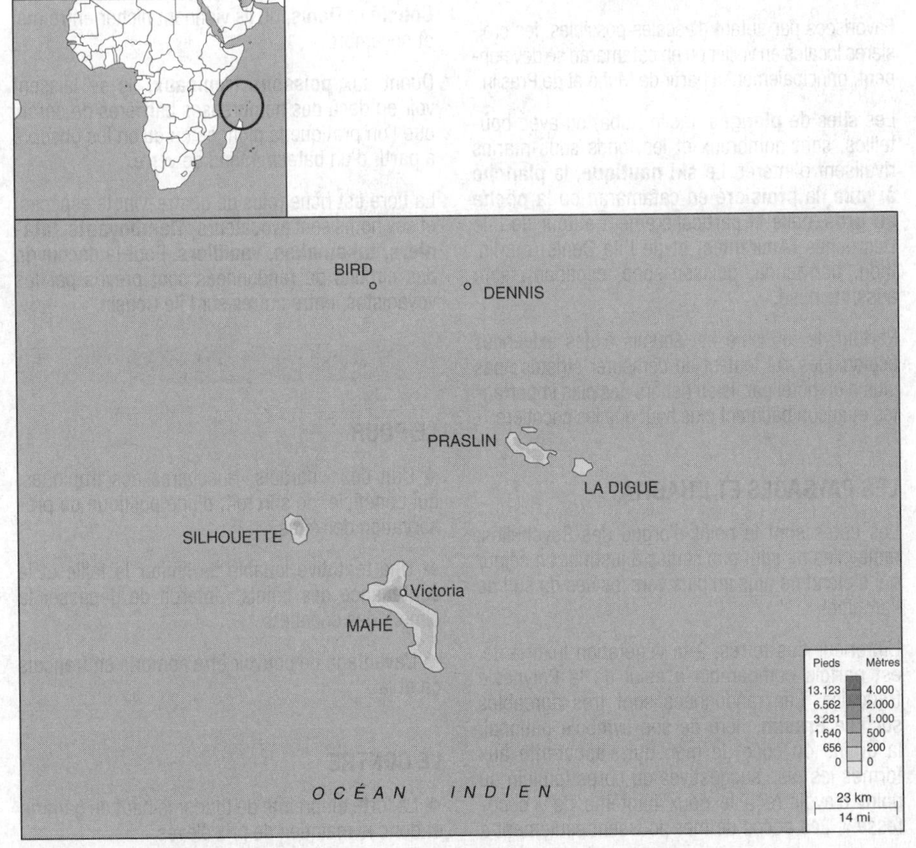

LES RAISONS D'Y ALLER

LES CÔTES

Les **plages**, disséminées sur cent quatorze îles dont trente seulement sont habitées, rivalisent d'eau turquoise, de sable blanc très fin et de rangées de filaos en arrière-plan.

Trois îles dominent : **Mahé** (la plus grande, riche de 65 plages)**, Praslin** (et ses anses, les favorites de beaucoup) et **La Digue** (qui arbore les fameux blocs de granit rose). L'île de **Silhouette** et sa forêt vierge, ainsi que Fregate, celle-ci versée dans le luxe, forment avec les trois précitées le groupe des «îles Intérieures», les plus fréquentées.

Les atolls des îles Amirantes, les reliefs coralliens des îles Aldabra et les îles Farquhar, quasi inhabités pour certains, donnent au visiteur la sensation d'être seul au monde.

Favorisées par autant d'escales possibles, les croisières locales en voilier ou en catamaran se développent, principalement à partir de Mahé et de Praslin.

Les sites de **plongée**, facile (tuba) ou avec bouteilles, sont nombreux et les fonds sous-marins rivalisent d'intérêt. Le **ski nautique**, la **planche à voile**, la **croisière** en catamaran ou la **pêche au gros**, celle-ci particulièrement autour de l'île Desroches (Amirantes) et de l'île Denis (marlin, thon, barracuda, poisson-épée, espadon), sont aussi de mise.

Partout, le tourisme est soumis à des exigences écologiques qui tentent de demeurer strictes : pas plus d'un hôtel par île en dehors des plus importantes et aucun bâtiment plus haut que les cocotiers.

LES PAYSAGES ET L'HABITAT

Les côtes sont le point d'orgue des Seychelles, mais elles ne sont pas seules à justifier un séjour qui s'étend de plus en plus vers les îles du sud de l'archipel.

L'intérieur des terres, à la végétation luxuriante, est parfois comparable à celui de la Polynésie française. Les randonnées sont très agréables sur l'île **Praslin**, fière de son symbole national, la graine du coco de mer, qui s'apparente aux formes les plus suggestives du corps féminin au point d'avoir reçu le doux baptême de « coco-fesse ». Les cocos de mer poussent seulement à Praslin, dans le parc national de la Vallée de Mai et ses sept mille palmiers.

A Mahé, le parc national du **Morne seychellois**, à près de 1 000 m d'altitude, autorise de vraies balades de montagne, qui débouchent sur la découverte de panoramas côtiers saisissants.

L'architecture des maisons créoles, visible dès la petite capitale de Victoria, vaut qu'on s'y attarde, particulièrement les **varangues** (vérandas), de même que le Festival créole, fin octobre.

LA FAUNE ET LA FLORE

La **tortue terrestre géante**, qui vit à l'état sauvage et à plus de cent cinquante mille exemplaires sur l'atoll protégé d'Aldabra ou dans l'île de Cousin, cohabite avec les **oiseaux**, partout nombreux (perroquets noirs, sternes, frégates, pailles-en-queue) mais surtout dans les îles **Bird**, **Cousin** et **Denis**, où ils viennent nicher entre mai et novembre.

Quant aux **poissons tropicaux**, ils se laissent voir en deçà des nombreuses barrières de corail, que l'on pratique la plongée ou qu'on les observe à partir d'un bateau à fond de verre.

La flore est riche (plus de quatre-vingts espèces) et ses noms sont évocateurs : **flamboyants, lataniers, takamakas, vanilliers**. Pour la découvrir, des circuits de randonnées sont prévus par les voyagistes, entre autres sur l'île Cousin.

LE POUR

◆ L'un des « paradis » insulaires des tropiques, qui bénéficie, de surcroît, d'une politique de préservation des sites.

◆ Une tentative louable de limiter la taille et la contenance des hôtels : interdit de dépasser la cime... des cocotiers.

◆ L'avantage de pouvoir être compris en français çà et là.

LE CONTRE

◆ La forte empreinte du tourisme haut de gamme et donc le maintien de prix élevés.

◆ Un océan relativement agité par les alizés et une baignade parfois dangereuse entre juin et septembre.

LE BON MOMENT

S'il pleut de temps en temps le soir entre décembre et février et si cette époque humide (mousson) est la moins propice, le reste de l'année est largement favorable. En juillet et août, les alizés du sud-est agitent l'océan, rendant parfois la baignade dangereuse.

Aussi, **avril-mai** et **octobre-novembre** sont-ils les moments les plus favorables, tant pour la plongée que pour l'observation des oiseaux.

◆ Températures moyennes jour/nuit (en °C) à Victoria (Mahé) : janvier 30/24, avril 31/25, juillet 28/24, octobre 30/24. La température de l'eau de mer est comprise entre 25 et 30°, quelle que soit la saison.

LE PREMIER CONTACT

En Belgique

Consulat honoraire, avenue Louise, 250, B-1050 Bruxelles, ☎ (02) 627.57.88, fax (02) 648.55.56.

Au Canada

Consulat, 67, rue Sainte-Catherine Ouest, Montréal H2X 1Z7, ☎ (514) 284-3322, fax (514) 845-0631.

En France

Office du tourisme, 18, rue Mogador, 75009 Paris, ☎ 01.44.53.93.20, fax 01.55.53.93.32.

En Suisse

Consulat, Général Guisan-Quai, 22, CH-8002 Zurich, ☎ (01) 285.79.29, fax (01) 202.67.38.

Internet

www.seychelles.travel/fr

Guides

Ile Maurice, la Réunion, les Seychelles (JPMGuides), *Maurice, Réunion, Seychelles* (Gallimard/Bibl. du voyageur), *les Seychelles* (Mondeos), *Seychelles* (Le Petit Futé, Lonely Planet France, Olizane).

Cartes

Les Seychelles (Freytag), *Seychelles* (Berndtson).

Lectures

Les Littoraux des îles Seychelles (Virginie Cazes-Duvat/L'Harmattan, 2000), *les Seychelles* (Karthala, 2004).

Images

Iles et archipels : Seychelles, Polynésie, Antilles, Mascareignes (E. Grundmann/Empreintes et Territoires, 2008), *Madagascar, la Réunion, l'Île Maurice, les Seychelles* (E. Georges, C. Vaisse/Editions du Chêne, 2008).

DVD

Destination Seychelles (LCG Editions, 2006), *Îles... était une fois : Seychelles – Comores* (Antoine/Warner Video, 2003), *Seychelles, le soleil turquoise* (DVD Guides, 2002).

QUEL VOYAGE ET À QUEL PRIX ?

Le voyage individuel

Les préparatifs

◆ Pour les ressortissants de l'Union européenne, canadiens, suisses : passeport suffisant, valable encore six mois après le retour. Billet de retour ou de continuation et preuve de fonds suffisants exigibles.

◆ Aucune vaccination n'est requise.

◆ Monnaie : la *roupie seychelloise* est subdivisée en 100 *cents*. 1 EUR = 22 roupies seychelloises. 1 USD = 17 roupies seychelloises. Mais la monnaie locale sert peu car le touriste règle la quasi-totalité de ses achats en devises étrangères. Emporter des euros ou des US Dollars. Les grandes cartes de crédit sont bien acceptées.

Le départ

◆ Indice de prix à certaines dates du vol Paris-Mahé A/R : 800 EUR. ◆ Durée moyenne du vol Paris-Mahé (7 842 km, direct) : 9 h 30.

Sur place

Bateau

La location (monocoque, catamaran) est une bonne idée pour ceux qui ont l'expérience du sujet et peuvent constituer un équipage. La navigation est sûre, vu les eaux calmes. Possibilité de louer avec équipage. Renseignements auprès de la plupart des voyagistes cités ci-dessous.

Hébergement

En marge des hôtels haut de gamme, il existe des petits hôtels, des guest houses ou un type de logement spécifique (maisons créoles). Mais en aucun cas ne s'attendre à des prix « cassés »...

Route

Conduite à gauche. Si la location de voiture est possible (23 ans minimum, permis de conduire obtenu depuis trois ans minimum), le moyen le plus agréable pour la découverte des îles principales est la location d'un mini-Moke ou d'un vélo.

Le séjour

Rappel : nous nous sommes limités à un résumé des prestations en vigueur dans les agences et chez les voyagistes présents en France. Les lecteurs des autres pays peuvent en tirer des idées d'itinéraire et les compléter auprès de leurs agences de voyages.

Il faut se faire une raison : les Seychelles constituent une destination chère et ont envie de le rester ! On y vit plus des séjours raffinés, tel le voyage de noces en île-hôtel, que des séjours familles. Toutefois l'écotourisme trace peu à peu son sillon, par exemple sur l'île de Bird.

◆ Une constante : la réunion de plusieurs îles, très souvent Mahé, Praslin et La Digue, pour des **séjours** d'une semaine, plus souvent de 10 jours entre avril et octobre inclus. Exemples : Austral Lagons, Donatello, Exotismes, Jet tours, Kuoni, Nouvelles Frontières, Thomas Cook, TUI, Voyageurs du monde. Silhouette et Bird s'y ajoutent parfois, certains voyagistes allant jusqu'à proposer six îles dans un même séjour.

◆ Voyages spécifiques : les jeunes **couples** sans grands soucis financiers sont de plus en plus sollicités par les voyagistes pour aller expérimenter le degré de leur attachement sous des cieux de rêve. Ainsi, Kuoni varie les endroits et les séjours, avec de petites attentions telles que corbeilles de fruits ou de fleurs, voire excursions gratuites. Pour ceux qui veulent passer à l'acte avec un vrai mariage exotique, Austral Lagons se charge des formalités et des réservations nécessaires à la cérémonie. Dans un autre genre, ce même voyagiste balade le passionné d'**oiseaux** au cours d'un circuit ornithologique qui réunit Praslin, La Digue et Bird.

◆ La **croisière** fait de plus en plus partie de la panoplie seychelloise. Elle peut se dérouler d'une île à l'autre, à bord du catamaran *Pearl of Seychelles* (une semaine de rêve... mais ruineuse, programmée par la plupart des voyagistes ci-dessus) ou du *Ponant*. Il peut aussi s'agir de **croisières-plongées** d'une semaine : ainsi, Aquarev propose deux types de programmes, l'un de mai à octobre, l'autre de novembre à avril. Des croisières parties du Kenya (African Safari Club, Royal Olympia Cruises) font escale aux Seychelles. Costa Croisières propose un périple venu de la Réunion via Maurice, Madagascar, les Seychelles, le Kenya.

◆ Des combinés avec la **Réunion,** voire avec **Maurice** sont possibles. Renseignements en agence de voyages.

◆ Les tarifs du voyage aux Seychelles sont élevés : difficile d'imaginer un séjour d'une semaine en demi-pension avec des prestations annexes (liaisons inter-îles, plongée) à moins de *1 700 EUR*. Un périple d'une douzaine de jours fondé sur la croisière dépasse *3 000 EUR*.

LES REPÈRES

◆ Lorsqu'il est midi en France, aux Seychelles il est 14 heures en été et 15 heures en hiver.
◆ Langue officielle : le créole (qui fait l'objet d'un festival de musique, de poésie et de théâtre chaque année en octobre); le français et l'anglais ne sont pas rares. ◆ Téléphone vers les Seychelles : 00248 + numéro; des Seychelles : 00 + indicatif pays + numéro.

LA SITUATION

Géographie. Presque toutes les Seychelles sont les restes d'un continent qui reliait l'Afrique à l'Asie, ce qui expliquerait la présence d'îles granitiques : un tiers des 114 îles, le reste étant d'origine corallienne. Mahé (27 km de long sur

8 de large) est la plus grande, devant Praslin et Silhouette. La superficie totale n'atteint que 455 km^2, alors que le plateau sur lequel repose l'ensemble s'étend sur environ 400 000 km^2. Les Seychelles sont à 1 100 km de Madagascar et à 1 760 km du Kenya.

Population. La quasi-totalité des 82 000 habitants, en majorité des Noirs ou des Métis, vivent dans l'île de Mahé qui comprend également la capitale, Victoria.

Religion. Neuf Seychellois sur dix sont catholiques, les autres étant surtout anglicans.

Dates. *Xe siècle* Les premiers marchands arabes visitent l'archipel. *1502* Arrivée des Portugais. *1742* Lazare Picot, envoyé de Mahé de la Bourdonnais, reconnaît... Mahé et Praslin. Mais c'est le nom corrigé du ministre des Finances de Louis XV, Moreau de Séchelles, qui demeurera pour l'ensemble de l'archipel. *1756* La France s'installe. *1811* Les Anglais prennent le relais. *1903* Les Seychelles sous la Couronne britannique. *1970* Autonomie interne. *1976* Indépendance. *1977* France-Albert René, pro-socialiste, prend le pouvoir. *1991* Le président René rétablit le pluralisme politique. *1998* Réélection aisée de France-Albert René. *Septembre 2001* France-Albert René est réélu (moins aisément). *Avril 2004* Le président choisit de céder le pouvoir à son vice-président, James Michel. *2006* Michel confirmé dans ses fonctions par les urnes.

Sierra Leone

Avant les douze années de guerre civile qui l'ont décimée, la Sierra Leone avait rejoint la Côte-d'Ivoire et le Sénégal dans le cercle des pays ouest-africains aptes à promouvoir le tourisme balnéaire. Vu la stabilisation actuelle et la paix durable, on peut penser que les plages au sud de Freetown et celles des îles de la Tortue, mais aussi les forêts, les rivières et les traditions villageoises vont peu à peu retrouver droit de cité.

LES RAISONS D'Y ALLER

LES CÔTES

Plages (Lakkal, îles de la Tortue) et sports nautiques

LES PAYSAGES

Montagnes, forêts, fleuves, marais, savanes

L'HABITAT

Villages de pêcheurs, villages de brousse Freetown

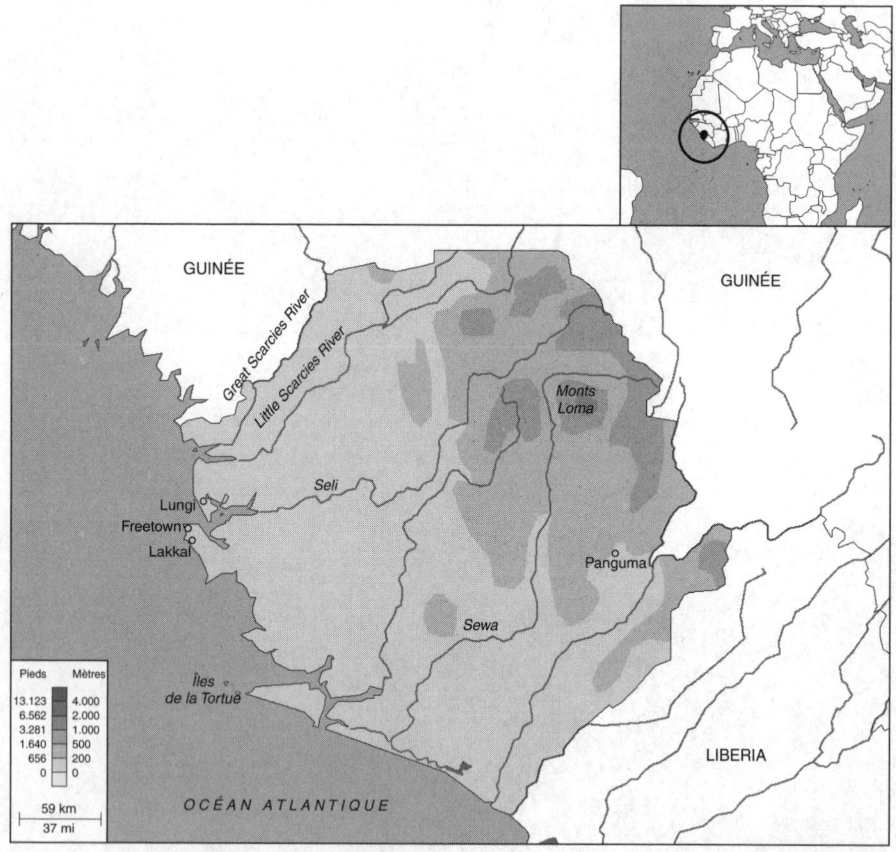

LES RAISONS D'Y ALLER

LES CÔTES

Les **plages** bordent des côtes découpées, telles celles de Lakkal ou des îles de la Tortue. Elles bénéficient, en arrière-plan, d'une végétation de frangipaniers et de palétuviers.

Toutefois, les structures balnéaires du pays peinent à retrouver leur lustre d'avant le conflit, mis à part Lumley Beach, près de Freetown.

Avantage important : le danger dû à la barre (rouleaux) n'existe pas le long des côtes du pays.

LES PAYSAGES

Montagnes (monts Loma), **forêts** (autour de Panguma) et **fleuves** (Seli, Sewa, Great Scarcies, Little Scarcies) sont désormais inclus dans les principaux atouts touristiques du pays, ainsi que le bush et les **savanes**, où les éléphants ne sont pas rares.

Des **marais**, par exemple ceux qui entourent Lungi et les bras des rivières Great Scarcies et Little Scarcies, sont peuplés d'oiseaux, d'hippopotames, de buffles et de crocodiles.

L'HABITAT

Les **villages de pêcheurs** ou de **brousse** et la rencontre des ethnies (entre autres les Mandingues) sont autant de centres d'intérêt, rehaussés par l'ambiance des marchés.

Ses maisons coloniales anglaises, ses marchés et son vénérable cotonnier (le *Cotton Tree,* vieux de cinq siècles et autrefois point de repère pour les navigateurs) font de la capitale **Freetown** un but de visite intéressant.

LE POUR

◆ Un vrai retour à la paix.

◆ Un océan sécurisant car non soumis à la « barre » à cet endroit de la côte ouest-africaine.

LE CONTRE

◆ Un pays encore convalescent, des infrastructures à reconstruire et une reprise du tourisme qui tarde à se concrétiser.

LE BON MOMENT

C'est au cours de la période la plus propice sur le calendrier du voyageur occidental que les pluies atteignent leur maximum (juin-octobre), particulièrement dans la région de Freetown. **Novembre-mai**, période de la saison sèche, est le moment le plus favorable.

◆ Températures moyennes jour/nuit (en °C) à *Freetown* : janvier 30/24, avril 31/25, juillet 29/23, octobre 30/23. La température de l'eau de mer est stable (27º).

LE PREMIER CONTACT

En Amérique du Nord

Ambassade, Washington, D.C., États-Unis ☎ (202) 939-9261, fax (202) 483-1793.

En Belgique

Ambassade, avenue de Tervuren, 410, B-1150 Bruxelles ☎ (02), 771.00.53, fax (02) 771.82.30.

En Suisse

Consulat général, quai Gustave-Ador, 62, CH-1211 Genève, ☎ (22) 735.85.78, fax (22) 736.25.41.

Internet

www.visitsierraleone.org/

Guide

Africa (Lonely Planet en anglais).

Carte

Sierra Leone (ITM).

Lectures

Les Anges cannibales (J.-C. Derey/Editions du Rocher, 2004), *la Sierra Leone* (P. Puy-Denis/Karthala, 1998), *Terres, urbanisme et architecture «créoles» en Sierra Leone : XVIII*e*-XIX*e *siècles* (Sylvie Kandé/L'Harmattan, 2000).

Images

Sierra Leone (Suzanne LeVert/Benchmark Books, 2007, en anglais).

QUEL VOYAGE ET À QUEL PRIX ?

Les préparatifs

◆ Pour les ressortissants de l'Union européenne, les Canadiens et les Suisses, passeport valable encore six mois après le retour, **visa** obligatoire. ◆ Vaccination exigée contre la fièvre jaune. Prévention indispensable contre le paludisme.

◆ Monnaie : la *leone*. 1 US Dollar = 3 010 leones, 1 EUR = 4 180 leones. Emporter des US Dollars de préférence. Quelques distributeurs de monnaie à Freetown.

Le départ

◆ Indice de prix à certaines dates du vol Bruxelles-Freetown A/R : 700 EUR. La plupart des vols pour Freetown partent de Bruxelles ou de Londres. ◆ Durée moyenne du vol Paris-Freetown (4 715 km) : 6 heures.

Sur place

Route

◆ Le réseau routier est bon dans la capitale et aux alentours, dégradé ailleurs. ◆ Location de voiture possible, de préférence un tout-terrain et avec chauffeur.

LES REPÈRES

◆ Lorsqu'il est midi à Paris, en Sierra Leone il est 10 heures en été et 11 heures en hiver. ◆ Langues : si l'anglais est langue officielle, c'est le *krio* (mélange d'anglais, de français et de portugais), le mendé et le temné que l'on entend le plus souvent. ◆ Téléphone vers la Sierra Leone : 00232 + indicatif (Freetown : 22) + numéro.

LA SITUATION

Géographie. Le pays est d'une superficie modeste (71 740 km^2) mais offre néanmoins une côte de plus de 600 km, longée par des basses terres qui se transforment en plateaux et en moyennes montagnes au fur et à mesure que l'on s'éloigne vers l'est.

Population. Les ethnies Mendés et Temnés représentent 60 % de la population. Sur les 6 295 000 habitants, on dénombre environ 300 000 Créoles, ainsi que des immigrés guinéens et libanais. Capitale : Freetown.

Religion. Majorité de musulmans sunnites, minorités protestante et catholique. Une frange de la population suit des rites animistes.

Dates. *1462* Le Portugais Pedro de Sintra aborde près d'une colline qui lui inspirera le nom de *Sierra da Léoa* (« montagne du Lion »). *XVIIe siècle* Les Britanniques délogent les Portugais, alors que le marché des esclaves se développe. *1787* Création de Freetown, en hommage aux esclaves d'Amérique libérés. *1808* Le pays appartient à la Couronne. *1924* Établissement d'une constitution. *1961* Indépendance dans le cadre du Commonwealth. *1971* Proclamation de la république avec Siaka Stevens. *1985* Stevens démissionne, le général Joseph Momoh lui succède. *1991* Début de la guérilla menée par le Front révolutionnaire uni (RUF). *1992* Le capitaine Strasser devient président. *Janvier 1996* Strasser est évincé par son adjoint, le capitaine Julius Maada Bio. *Mars 1996* Ahmad Tejan Kabbah (Sierra Leone People's Party) remporte les élections, qui doivent signifier également la fin du pouvoir des militaires. *Juillet 1999* Les partis en conflit signent l'accord de Lomé, censé rétablir la paix. *Novembre 2000* Signature d'un nouveau cessez-le-feu pour une guerre civile responsable, en dix ans, d'au moins soixante-dix mille morts. *2001* La médiation de la Mission des Nations unies (Minusil) commence à porter ses fruits. *Janvier 2002* La guerre civile est officiellement terminée. *Mai 2002* Ahmad Tejan Kabbah est élu à la tête du pays. *Septembre 2007* Ernest Bai Koroma, candidat du Congrès de tout le peuple (APC), remporte l'élection présidentielle.

Singapour

Le moindre mégot jeté dans la rue vaut une amende à son auteur : c'est ainsi que Singapour, la « Cité du Lion » créée au XIXe siècle par sir Raffles, s'est forgé une réputation rigide tout en devenant l'une des villes les plus aérées qui soient. Cette recherche d'une atmosphère lisse contraste avec la frénésie qui sourd des commerces en tout genre. En outre, comme Hong Kong, Singapour varie à souhait les contrastes entre traditions et modernité. Ainsi, au pied des immeubles où se traite la finance de l'Asie, le visiteur peut se retrouver spectateur ébahi, la nuit tombée, d'un opéra chinois en plein air auquel il ne comprend rien mais qu'il ne quitte pas des yeux.

LES RAISONS D'Y ALLER

LA VILLE ET LES MONUMENTS

Commerce et détaxes
(électronique, photo-vidéo)
Gastronomie et théâtre chinois
Temples, mosquées, hôtel Raffles,
Jardins du Baume du tigre

LA FAUNE ET LA FLORE

Parcs animaliers (Bukit Timah),
jardins japonais, botanique, zoologique

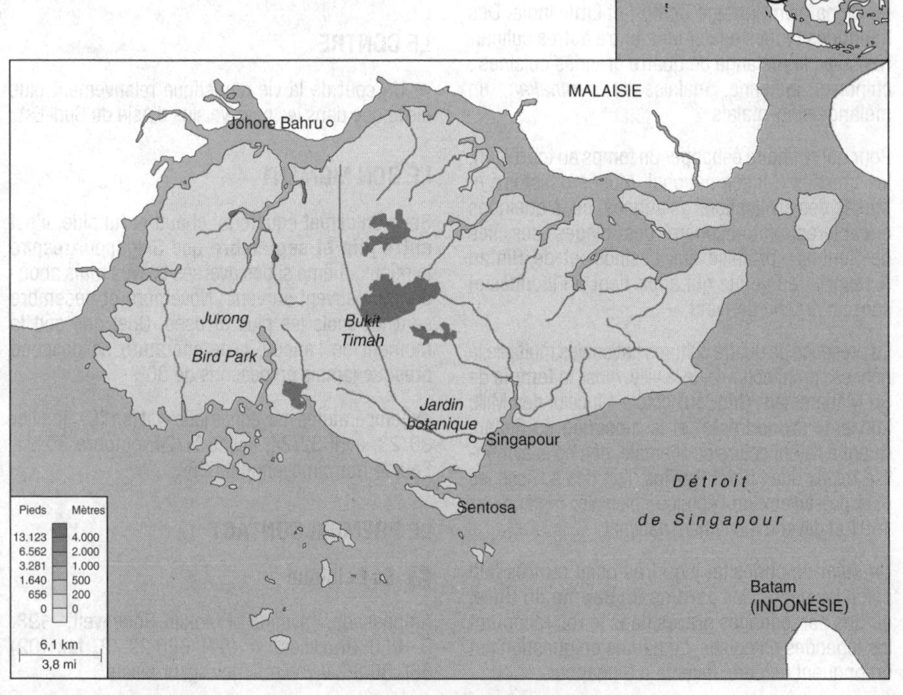

LES RAISONS D'Y ALLER

LA VILLE ET LES MONUMENTS

Singapour s'identifie au **commerce**, censé être ici l'un des plus avantageux qui soient pour le touriste. Forte de son statut de port franc, la ville écoule les produits les plus divers de la technologie moderne, avec des économies à réaliser en électronique et surtout en photo-vidéo. Ce style de shopping – auquel il faut ajouter le textile – se pratique beaucoup sur Orchard Road, mais il est possible de faire d'excellentes affaires aux alentours de Chinatown.

Quels que soient le quartier et la nature de l'achat, on doit faire preuve de discernement et relever les prix de son pays d'origine avant de partir car les économies réalisées ne sont plus aussi nettes qu'au siècle dernier, tant à cause des droits de douane que des problèmes consécutifs de garantie.

En dehors du commerce, le « Manhattan de l'Asie » vaut par une ambiance où classicisme et extravagance font bon ménage, et où les différentes communautés ont créé des quartiers typés, entre autres Chinatown (qui a engendré un Chinatown Heritage Center) et Little India. Des habitudes typées également, entre autres culinaires, avec le mélange de quatre grandes cuisines : chinoise, indienne, malaise et *peranakan*, un mélange sino-malais.

Pour qui souhaite échapper un temps au tourbillon, les musées (Musée national, Musée d'histoire et Musée des civilisations asiatiques) ou, à quelques encablures, l'atmosphère des plages des îles de Sentosa, promise aux casinos, et de Bintan (« resort » en vogue qui appartient à l'Indonésie) sont un proche dérivatif.

La présence de quatre cultures nationales multiplie la richesse architecturale de la ville. Ainsi, le **temple** de Sri Mariammam **(hindou)** côtoie-t-il celui des Mille Lumières **(bouddhiste)** et la **mosquée** du Sultan. Quant à l'architecture occidentale, rien ne la symbolise mieux que l'**hôtel Raffles**, l'un des édifices les plus prestigieux de l'époque coloniale, restauré en 1991 et devenu monument national.

Un sujet de curiosité, jugé très beau ou très laid selon les goûts : les **Jardins du Baume du tigre**, où des personnages gravés dans le roc racontent les légendes chinoises. Le baume en question est un onguent célèbre, inventé à Singapour.

Un monument récent et original : la **réplique** de la ville chinoise de **Xian** est installée dans le quartier de Jurong, avec palais-musées, rues recomposées, diseurs de bonne aventure, acrobates, etc.

LA FAUNE ET LA FLORE

Plusieurs centres d'intérêt dans ce domaine : le **Jurong Bird Park** (3 500 espèces d'oiseaux), le **Van Kleef Aquarium,** le **jardin japonais**, le **jardin botanique**, riche de nombreuses variétés d'orchidées, et le **jardin zoologique**, visible de jour comme de nuit. Autre motif de balade : la très tropicale Bukit Timah Nature Reserve.

LE POUR

◆ Un microcosme porteur des contrastes de l'Asie.

◆ Des achats de certaines catégories de produits assez nettement avantageux.

◆ Un climat avenant entre juin et septembre.

LE CONTRE

◆ Un coût de la vie touristique relativement plus élevé que dans les pays voisins d'Asie du Sud-Est.

LE BON MOMENT

Sous un climat équatorial chaud et humide, c'est **entre juin et septembre** que Singapour respire le mieux, même si des averses brèves mais abondantes peuvent survenir. Novembre et décembre sont les mois les plus arrosés. Quel que soit le moment de l'année, la température ne descend presque jamais en dessous de 30°.

◆ Températures moyennes jour/nuit (en °C) : janvier 30/23, avril 32/24, juillet 31/24, octobre 30/24. Eau de mer : moyenne de 28°.

LE PREMIER CONTACT

En Belgique

Ambassade, avenue Franklin-Roosevelt, 198, B-1050 Bruxelles, ☎ (02) 660.29.79, fax (02) 660.86.85, www.mfa.gov.sg/brussels/

Au Canada

Consulat, Vancouver, ☎ (604) 669-5115, fax (604) 669-5153.

En France

Singapore Tourist Office, 2, place du Palais-Royal, 75001 Paris, ☎ 01.42.97.16.16.

En Suisse

Consulat, route de Pré-Bois, 20, CH-1215 Genève, ☎ (22) 929.66.55, fax (22) 929.66.58.

Internet

www.visitsingapore.com (également en version française)

Guides

Malaisie, Singapour (Hachette/Routard, Le Petit Futé), *Malaisie, Singapour, Brunei* (Lonely Planet France), *Singapour* (Gallimard/Cartoville, Lonely Planet France/Citiz), *Singapour chic* (Ed. Pacifique).

Carte

Malaysia West, Singapore (Nelles Map).

Lectures

Le cinéma de Singapour (Raphaël Millet/ L'Harmattan, 2004), *Singapour, la cité-Etat ambitieuse* (R. De Koninck/Editions Belin, 2006).

DVD

Singapour, une nuit et une journée avec les habitants de Singapour (Vodeo TV).

QUEL VOYAGE ET À QUEL PRIX ?

Le voyage individuel

Les préparatifs

◆ Pour les ressortissants de l'Union européenne, canadiens, suisses : passeport suffisant, valable encore six mois après le retour. Billet de retour ou de continuation exigible.

◆ Aucune vaccination n'est requise.

◆ Monnaie : le *dollar de Singapour*, subdivisé en 100 cents. 1 US Dollar = 1,50 dollar de Singapour. 1 EUR = 2 dollars de Singapour. Emporter des euros ou des US Dollars en espèces ou chèques de voyage. Distributeurs de monnaie. Les grandes cartes de crédit sont facilement acceptées.

Le départ

Avion

Indice de prix à certaines dates du vol Montréal-Singapour A/R : 1 500 CAD; Paris-Singapour A/R : 700 EUR. ◆ Durée moyenne du vol Paris-Singapour direct (11 140 km) : 12 h 40.

Train

L'*Eastern and Oriental Express* mêle le luxe et la découverte des paysages thaïlandais et malais entre Singapour et Bangkok (environ 2 000 km et 41 heures de trajet). Renseignements auprès de Orient Express Trains & Cruises ou de l'office du tourisme.

Le séjour

Bus et métro

Il existe des forfaits à la journée (Singapore Day Ticket) et à la semaine pour les bus, à la semaine pour le métro.

Quelques formules

Singapore Airlines et quelques voyagistes proposent des escapades **éclair** (3 nuits) avec de bons tarifs hors saison (aux alentours de 850 EUR) et la possibilité d'extension du séjour sur l'île proche (indonésienne) de Bintan, celle-ci étant rattachée à la visite de la ville-État. Extensions également envisageables pour Penang et Langkawi, en Malaisie.

Le voyage accompagné

Rappel : nous nous sommes limités à un résumé des prestations en vigueur dans les agences et chez les voyagistes présents en France. Les lecteurs des autres pays peuvent en tirer des idées d'itinéraire et les compléter auprès de leurs agences de voyages.

◆ Singapour est presque toujours proposé en **complément** du voyage dans un pays voisin. Ainsi, deux ou trois jours de visite terminent un séjour d'une à trois semaines selon les voyagistes, en Malaisie (Jet tours) ou en Indonésie (Voyageurs du monde). Chez Kuoni, Singapour est au début d'un voyage de deux semaines qui se poursuit au Cambodge et au Viêt Nam. On trouve tout de même la ville-État programmée seule chez Yoketaï.

◆ Singapour accueille de plus en plus de bateaux de **croisière**. Ainsi est-il le point de départ de croisières pour le Cambodge, la Thaïlande ou le Viêt Nam (Cunard et le *Queen Mary 2*, Royal Caribbean). Singapour est aussi le port du voilier *Star Clipper* en provenance ou en direction de Phuket (Thaïlande). D'autres croisières qui longent les côtes de l'Indonésie, de la Malaisie et de la Thaïlande font également escale à Singapour ou en partent (Costa Croisières).

LES REPÈRES

◆ Lorsqu'il est midi en France, à Singapour il est 18 heures en été et 19 heures en hiver; lorsqu'il est midi au Québec, à Singapour il est 1 heure. ◆ Langues officielles : l'anglais, le malais, le mandarin et le tamoul. ◆ Téléphone vers Singapour : 0065 + numéro.

LA SITUATION

Géographie. Au sud de la péninsule malaise, à laquelle elle est reliée par un pont de plus d'un kilomètre, l'île sur laquelle se trouve la ville de Singapour est entourée de 54 îlots. L'ensemble couvre 618 km^2. Une forêt équatoriale et quelques arpents de terres pour l'agriculture et l'élevage intensif ont échappé à l'urbanisation.

Population. Son chiffre est très élevé (4 608 000 habitants) par rapport à la superficie et trois habitants sur quatre sont des Chinois. Les minorités les plus importantes sont composées de Malais, d'Indiens et de Tamouls. La ville de Singapour elle-même est peuplée d'un million d'habitants.

Religion. Les religions sont diverses : bouddhistes (28 %), chrétiens (19 %), musulmans (16 %), taoïstes (13 %), hindouistes (5 %), sikhs.

Dates. *1819* Le Britannique Raffles, qui laissera son nom à un hôtel prestigieux, occupe l'île et encourage l'immigration. *1941* Les Japonais s'emparent de Singapour, que les Anglais reprennent quatre ans plus tard. *1958* Autonomie interne. *1959* Lee Kuan Yew et le Parti d'action populaire (PAP) prennent le pouvoir. *1963* Adhésion à la Fédération de Malaisie, dont Singapour se séparera deux ans plus tard. *1965* Véritable indépendance : le PAP est parti unique. *1990* Goh Chok Tong Premier ministre, le PAP exerce toujours un pouvoir fort. *Août 1993* Ong Teng Cheong devient président. *Septembre 1999* Sellapan Rama Nathan nouveau président. *Novembre 2001* Le gouvernement de Goh Chok Tong remporte aisément les élections anticipées. *Août 2004* Nouveau gouvernement dirigé par Lee Hsien Loong, le fils du fondateur de l'Etat. *2006* Le PAP, au pouvoir depuis 1965, remporte les législatives.

Slovaquie

Avant la séparation d'avec les Tchèques, les Slovaques fondaient déjà l'essentiel de leur tourisme sur la moyenne montagne qui, aux confins de la Pologne, attire les randonneurs dans les Hautes Tatras. Aussi une telle destination pourra-t-elle convenir à ceux qui ressentent parfois une certaine lassitude sous leurs chaussures alpestres ou pyrénéennes. La visite de Bratislava, de plusieurs villes historiques et de châteaux de renom constitue un bon complément.

LES RAISONS D'Y ALLER

LES PAYSAGES, LES RANDONNÉES, LE SKI

Hautes Tatras, Basses Tatras, Malá Fatra, Beskides orientaux, Karst

LES VILLES ET LES MONUMENTS

Bratislava, Trnava, Levoca, Bardejov, Banska Stiavnica
Châteaux de Trencín et de Spis

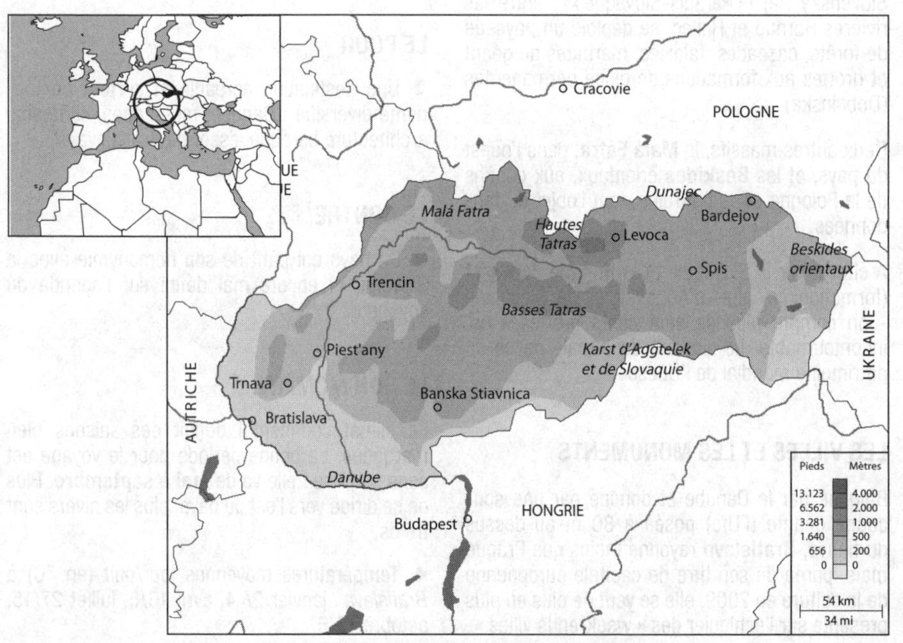

LES RAISONS D'Y ALLER

LES PAYSAGES, LES RANDONNÉES, LE SKI

La Slovaquie offre un tourisme de moyenne montagne qui compte parmi les plus intéressants d'Europe centrale.

Les **Hautes Tatras**, qui délimitent la frontière avec la Pologne, sont l'endroit le plus élevé et le plus intéressant. Vallées, lacs glaciaires, crêtes rocheuses, faune (aigles royaux, loups, ours, chamois, marmottes) et flore peuvent être découverts par le randonneur qui aura choisi d'arpenter tout ou partie des 65 kilomètres du Magistrala, sentier de grande randonnée. Autres sites des Hautes Tatras : la vallée de Roháce, avec ses quatre lacs, Zverovka et la vallée de Ziar.

Les **skieurs** se retrouvent dans des stations bien aménagées, comme Stary Smokovec, Strbské Pleso ou aux alentours de Tatranska Lomnica.

Les **Basses Tatras** (Donovaly, Certovica, Tále) rejoignent peu à peu leurs aînées sur le plan touristique grâce aux paysages du parc national Slovensky Raj (« Paradis-Slovaque ») : entre les rivières Hornad et Hnilec, se déploie un paysage de forêts, cascades, falaises, marmites de géant et grottes aux formations de glace permanentes (Dobsinska).

Deux autres massifs, le **Malá Fatra**, dans l'ouest du pays, et les **Beskides** orientaux, aux confins de la Pologne et de l'Ukraine, font l'objet de randonnées.

A cheval sur la Slovaquie et la Hongrie, le **Karst** (formation calcaire) d'Aggtelek et de Slovaquie - on compte plus de sept cents grottes - est incontournable. Le site fait désormais partie du patrimoine mondial de l'Unesco.

LES VILLES ET LES MONUMENTS

Baignée par le Danube et dominé par une soucoupe géante (l'Ufo) posée à 80 m au-dessus du fleuve, **Bratislava** rayonne moins que Prague mais, parée de son titre de capitale européenne de la culture en 2009, elle se veut de plus en plus présente sur l'échiquier des « week-ends villes ».

Le château, ancienne résidence royale qui abrite aujourd'hui le musée national, surplombe le Danube, la cathédrale Saint-Martin, le palais Mirbach (de style rococo), le palais du Primat et l'Opéra. Un festival musical, « la Lyre de Bratislava », anime la ville au mois de mai.

Les églises gothiques (Saint-Nicolas) ou baroques (Saint-Jean-Baptiste), les maisons anciennes aux façades baroques et les restes de fortifications de **Trnava** méritent le détour, comme les maisons de style gothique et l'église Saint-Jacob (dotée d'un retable majeur) de **Levoca**. Dans l'est du pays, plusieurs villages sont dominés par des églises en bois.

D'autres villes sont riches en monuments gothiques et Renaissance, telles **Bardejov** (cathédrale Saint-Égide et ses retables) et **Banska Stiavnica**. La Slovaquie possède aussi des stations thermales, telles que Piest'any.

Le château royal (XIIIe siècle) de **Trencín** et surtout celui de **Spis** (Spissky hrad), le plus imposant d'Europe centrale, partiellement reconstruit, apportent la preuve de l'importance du pays en témoignages médiévaux du genre.

LE POUR

◆ Une destination agréable et surtout un tourisme diversifié : Danube, montagnes, châteaux, architecture baroque, essor de Bratislava.

LE CONTRE

◆ Un pays qui pâtit de son homonymie avec la Slovénie et encore mal défini sur l'agenda du voyageur.

LE BON MOMENT

Le climat continental définit des saisons bien marquées. La bonne période pour le voyage est sans surprise : elle va de **mai à septembre**. Plus on se dirige vers l'est du pays, plus les hivers sont froids.

◆ Températures moyennes jour/nuit (en °C) à *Bratislava :* janvier 2/-4, avril 16/5, juillet 27/15, octobre 15/6.

LE PREMIER CONTACT

En Belgique

Consulat, avenue Molière, 195, B-1050 Bruxelles, ☎ (02) 346.35.97, fax (02) 346.63.85.

En France

Ambassade, 125, rue du Ranelagh, 75016 Paris, ☎ 01.44.14.56.00, fax 01.42.88.76.53.

En Suisse

Section consulaire, Thunstrasse, 99, CH-3000 Berne 31, ☎ (31) 356.39.36, fax (31) 356.39.33.

Internet

www.slovakiatourism.sk/

Guides

Hongrie, République tchèque et Slovaquie (Hachette/Routard), *République tchèque et Slovaquie* (Lonely Planet France), *Slovaquie* (Le Petit Futé).

Cartes

République tchèque et Slovaquie (IGN), *Slovaquie* (Marco Polo). Plusieurs cartes consacrées aux randonnées existent chez Freytag.

Lectures

Dix contes de Slovaquie (Peter Glocko, Maria Durickova/Flammarion, 2000), *la Slovaquie et ses régions, nouveaux partenaires européens* (Gilles Rouet/Ed. Bruylant, 2008), *la Slovaquie face à ses héritages : horizons critiques de la culture slovaque contemporaine* (L'Harmattan, 2004).

QUEL VOYAGE ET À QUEL PRIX ?

Le voyage individuel

Les préparatifs

◆ Pour les ressortissants de l'Union européenne et suisses : passeport ou carte d'identité suffisant. Pour les Canadiens, passeport encore valable six mois après le retour.

◆ Monnaie : l'euro.

Le départ

Avion

◆ Indice de prix à certaines dates du trajet Montréal-Bratislava A/R : 900 CAD; Paris-Bratislava A/R : 200 EUR. ◆ A noter l'arrivée des compagnies à bas prix, telles Ryanair (Bruxelles-Bratislava) et SkyEurope (Paris-Bratislava). ◆ Durée moyenne du vol Paris-Bratislava (1 500 km, via Prague) : 3 heures.

Bus

Paris-Bratislava A/R via Vienne est possible avec Eurolines.

Route

Paris-Prague-Bratislava via Nuremberg : environ 1 500 km.

Train

Pass InterRail utilisable. Train de nuit Paris/Gare de l'Est-Bratislava.

Le séjour

Hébergement

Slav' Tours et Tourisme chez l'habitant proposent des formules de logement chez l'habitant à Bratislava. Il existe également des auberges de jeunesse (www.hostels.com/fr/lo.html) et des pensions de famille.

Route

Limitation de vitesse agglomération/route/autoroute : 60/90/130 km/h. Alcool interdit au volant.

Le voyage accompagné

Rappel : nous nous sommes limités à un résumé des prestations en vigueur dans les agences et chez les voyagistes présents en France. Les lecteurs des autres pays peuvent en tirer des idées d'itinéraire et les compléter auprès de leurs agences de voyages.

◆ Vu l'intérêt très moyen de la part des voyagistes, les six voyages d'Allibert qui alternent **randonnées,** visites **culturelles** et **raquettes** dans les Tatras sont précieux. Club Aventure est peu ou prou sur les mêmes pentes.

◆ En combinant, comme Allibert, Slovaquie et Pologne, Atalante est également très présent (voyages d'une semaine en été mais aussi sur la « haute route des Tatras » en février-mars) et va jusqu'à un trio avec la République tchèque. Trio également chez Nomade Aventure avec la Hongrie et la Roumanie comme compléments pour une semaine.

Le prix d'un voyage d'une semaine basé sur la randonnée se situe aux alentours de *1 000 EUR* tout compris.

◆ **Bratislava** commence à se faire une place dans les villes européennes que l'on visite sur un week-end. Quelques prestataires : Amslav, CGTT Voyages, Slav'Tours. Compter environ *500 EUR* pour ce type de week-end (3 jours/2 nuits, vol et chambre double).

LES REPÈRES

◆ Pas de décalage horaire avec l'Europe de l'Ouest. ◆ Langue officielle : le slovaque. ◆ Langues étrangères : l'allemand; peu d'échanges en anglais. ◆ Téléphone vers la Slovaquie : 00421 + indicatif (Bratislava : 7) + numéro.

LA SITUATION

Géographie. La moyenne montagne, qui culmine à 2 655 m dans les Hautes Tatras, occupe la majeure partie des 49 034 km². Seule, la grande région de Bratislava n'est pas concernée. La forêt est très présente.

Population. 5 455 000 habitants. Importantes minorités hongroise (11 %) et rom (9 %). Capitale : Bratislava.

Religion. Deux Slovaques sur trois sont des catholiques. Minorité de protestants.

Dates. *IVe siècle* Les Slovaques, qui font partie des tribus slaves, s'installent. *XIe siècle* L'endroit fait partie de l'Empire austro-hongrois. *1918* Réunion avec les pays tchèques à la suite de l'écroulement de l'Autriche-Hongrie et fondation de la Tchécoslovaquie. *1968* À la suite de l'échec du printemps de Prague, coexistence de deux gouvernements, l'un tchèque, l'autre slovaque, à côté du gouvernement fédéral. *Juin 1992* La partie ouest (Bohême et Moravie) et la partie est (Slovaquie) de la Tchécoslovaquie décident de se séparer. *Janvier 1993* La Slovaquie devient officiellement un nouvel État, sous un régime démocratique parlementaire. *Février 1993* Michal Kovac est élu président de la République. *1994* Vladimir Meciar (centre gauche) remporte les élections législatives anticipées. *Septembre 1998* L'opposition déboulonne la coalition de Meciar. Mikulas Dzurinda, chrétien-démocrate, est le nouveau Premier ministre. *Septembre 2002* Une coalition de centre-droit ressort des législatives. *Avril 2004* Un candidat populiste, Ivan Gasparovic, devient président aux dépens de Meciar. *Mai 2004* La Slovaquie entre dans l'Union européenne. *Juin 2006* Sociaux-démocrates, nationalistes et populistes se retrouvent dans une coalition hétéroclite au sortir des législatives. Robert Fico est Premier ministre.

Slovénie

Agréable à voir et à vivre comme peut l'être un pays situé sur les contreforts des Alpes, la Slovénie fait peu à peu connaître un tourisme qui aurait déjà dû lui valoir une meilleure audience avant son entrée dans l'Union européenne. Outre une frange côtière courte mais recherchée, elle offre ses forêts et ses alpages, le site enchanteur de Bled, les grottes de Postojna, les monuments de Ljubljana et des particularités telles que la découverte des ours bruns et des chevaux lipizzans.

LES RAISONS D'Y ALLER

LES PAYSAGES ET LES RANDONNÉES

Stations des Alpes juliennes (randonnées, ski)
Site de Bled
Grottes (Postojna), stations thermales
Ours bruns, chevaux lipizzans

LES VILLES

Ljubljana, Maribor

LA CÔTE

Koper, Portoroz, Piran

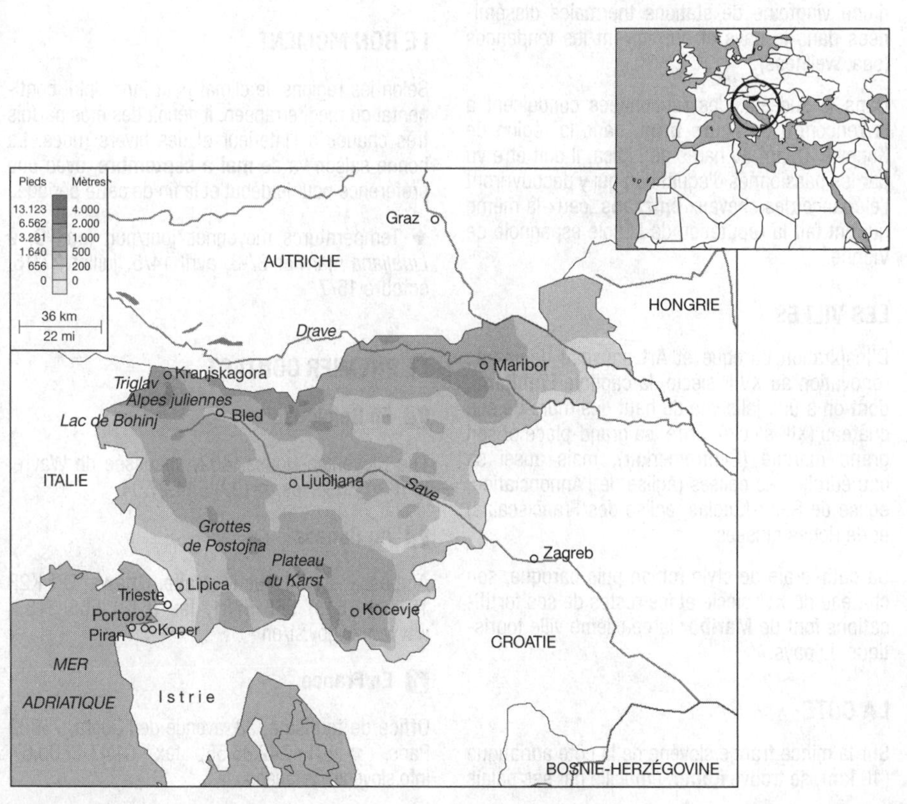

LES RAISONS D'Y ALLER

LES PAYSAGES ET LES RANDONNÉES

Les **Alpes juliennes**, couvertes de forêts, offrent en été la possibilité de gravir des sommets aux alentours de 2 000 m. Elles ne sont jamais mieux résumées que par le parc national du Triglav et les stations qui l'entourent, propices à la **randonnée** ou au **ski :** Kranjskagora, Bovec, Bohinj et son lac, et surtout **Bled**, blottie au bord d'un lac paisible et dans un site harmonieux qui vit défiler en son temps les aristocraties autrichienne et hongroise.

Hormis les sites alpestres, la Slovénie fait valoir plusieurs atouts : la présence du **karst** a favorisé le creusement des grottes de **Postojna**, les plus étendues d'Europe (20 km de long), et de celles de Skocjan, liées au cours du fleuve Rak; le Rakov Skocjan, petit canyon fermé à ses deux extrémités, est aujourd'hui un parc national.

Les eaux minérales ont engendré la création d'une vingtaine de stations thermales disséminées dans le pays et qui suivent les tendances (spa, wellness).

Dans le sud-est, des randonnées conduisent à la rencontre de l'**ours brun**, dans la région de Kocevje. Quant au haras de Lipica, il doit être vu par les passionnés d'équitation qui y découvriront l'élégance des chevaux **lipizzans**, ceux-là même qui ont fait la réputation de l'Ecole espagnole de Vienne.

LES VILLES

D'inspiration baroque et Art nouveau depuis sa rénovation au XVIIe siècle, la capitale **Ljubljana**, dont on a une jolie vue du haut des murs de son château (XIIe siècle), offre sa grand-place et son grand marché (Centromerkur), mais aussi sa cathédrale, ses églises (église de l'Annonciation, église de Saint-Nicolas, église des Franciscains) et de riches musées.

Sa cathédrale de style roman puis baroque, son château du XVe siècle et les restes de ses fortifications font de **Maribor** la deuxième ville touristique du pays.

LA CÔTE

Sur la mince frange slovène de la côte adriatique (40 km), se trouve **Koper**, embellie par ses palais de style gothique vénitien et par le musée du palais Tacco, qui renferme des peintures italiennes.

La station balnéaire et thermale de **Portoroz** est la plus importante et la plus fréquentée. Le port de pêche de **Piran** mérite également la visite.

LE POUR

◆ Un pays qui commence à mieux faire valoir ses paysages alpestres et son patrimoine architectural.

LE CONTRE

◆ Comme pour la presque homonyme Slovaquie, un tourisme qui doit encore faire valoir sa spécificité auprès des candidats au voyage.

LE BON MOMENT

Selon les régions, le climat peut être alpin, continental ou méditerranéen. Il définit des étés parfois très chauds à l'intérieur et des hivers rudes. La bonne saison va de **mai à septembre**, avec une préférence pour le début et la fin de cette période.

◆ Températures moyennes jour/nuit (en °C) à *Ljubljana :* janvier 3/-3, avril 14/5, juillet 27/15, octobre 15/7.

LE PREMIER CONTACT

En Belgique

The Slovenian House, 402, chaussée de Wavre, B-1040 Bruxelles, ☎ (02) 644.27.04.

Au Canada

Ambassade, 150, rue Metcalfe, Ottawa, ON K2P 1P1, ☎ (613) 565-5781, fax (613) 565-5783, www.mzz.gov.si/en

En France

Office de tourisme, 38, avenue de l'Opéra, 75002 Paris, ☎ 01.47.42.85.55, fax 01.47.42.00.67, info.slovenie@wanadoo.fr

En Suisse

Slowenisches Verkehrsbüro, Löwenstrasse, 54, CH-8001 Zurich, ☎ (41) 44.212.63.94, fax (41) 44.212.52.66, adria.slo@bluewin.ch

Internet

www.slovenia.info/

Guides

Adriatique : Albanie, Monténégro, Croatie, Slovénie et côte adriatique italienne (Vagnon/guide de navigation, 2005), *Slovénie* (Le Petit Futé).

Carte

Slovénie, Croatie du Nord, Istrie (Marco Polo).

Lecture

La Slovénie et l'Europe : contributions à la connaissance de la Slovénie actuelle (L'Harmattan, 2005).

Images

Slovénie, une Europe en miniature (Thalia Edition, 2008).

QUEL VOYAGE ET À QUEL PRIX ?

Le voyage individuel

Les préparatifs

◆ Pour les ressortissants de l'Union européenne et suisses : carte nationale d'identité ou passeport suffisant. Pour les ressortissants canadiens : passeport encore valide six mois après le retour suffisant.

◆ Monnaie : l'euro.

Le départ

Avion

Indice de prix à certaines dates du vol Bruxelles ou Paris-Ljubljana A/R : 250 EUR. Durée moyenne du vol Paris-Ljubljana (1 200 km) : 1 h 30.

Route

Ljublajna est à environ 1 200 km de Paris. Accès via Milan, Venise et Trieste.

Train

Pass InterRail utilisable. Train de nuit Paris/Gare de Lyon-Ljubljana.

Le séjour

Hébergement

Il existe des pensions, de petits hôtels et une petite dizaine d'auberges de jeunesse (www.hihostels.com/dba/country-SI.fr.htm)

Route

Limitation de vitesse agglomération/route/autoroute : 50/90/130 km/h. Limite du taux d'alcoolémie : 0,5 pour mille.

Les formules

Rappel : nous nous sommes limités à un résumé des prestations en vigueur dans les agences et chez les voyagistes présents en France. Les lecteurs des autres pays peuvent en tirer des idées d'itinéraire et les compléter auprès de leurs agences de voyages.

◆ Thomas Cook propose des séjours **balnéaires** entre avril et octobre. Autres prestataires : Marsans Transtours, Neckermann (réservations d'hôtels à l'intérieur et sur la côte), Slovénie Tours. Par ailleurs, la côte slovène voit de plus en de plus de bateaux de **croisières** méditerranéennes faire escale.

◆ **Ljubljana** entre peu à peu dans les propositions de week-end, par exemple avec Croatie Tours.

Le voyage accompagné

◆ Les spécialistes de la **randonnée** confirment leur intérêt pour le pays : ainsi, Atalante est dans les Alpes juliennes pendant une semaine entre mai et août inclus, Club Aventure aussi avec deux voyages dont l'un est consacré au parc national du Triglav et à l'ascension de quatre sommets. Nomade Aventure met l'accent sur les lacs alpins lors d'un combiné Croatie/Slovénie.

Le coût d'une semaine en randonnée ou en circuit organisé se situe aux alentours de *1 100 EUR*, tout compris.

◆ Le voyage en **bus** d'une semaine a ses partisans avec des voyagistes tels que Bemextours ou Croatie Tours.

LES REPÈRES

◆ Pas de décalage horaire avec la Belgique, la France ou la Suisse; lorsqu'il est midi au Québec, en Slovénie il est 18 heures. ◆ Langue officielle : le slovène, qui voisine avec le serbo-croate. ◆ Langue étrangère : l'allemand. ◆ Téléphone vers la Slovénie : 00386 + indicatif (Ljubljana : 1) + numéro; de la Slovénie : 00 + indicatif pays + numéro.

LA SITUATION

Géographie. Au nord, les Alpes slovènes, qui comprennent une partie des Alpes juliennes, culminent au Triglav (2 863 m). À l'extrême sud-ouest, l'Adriatique offre 40 km de côtes. La forêt occupe la moitié des 20 253 km^2.

Population. 2 008 000 habitants. Capitale : Ljubljana. Minorités de Bosniaques, de Croates et de Serbes.

Religion. La religion catholique est prédominante. Minorités de chrétiens orthodoxes et de musulmans.

Dates. *VIIIe siècle* Implantation des Slovènes. *XIe siècle* Les Magyars envahissent la région. *1866* Morcellement du peuple slovène entre Italie et Hongrie. *1918* Rattachement de la Slovénie au royaume des Serbes, Croates et Slovènes. *1945* La Slovénie entre dans la République fédérale yougoslave. *Juin 1991* Déclaration d'indépendance, immédiatement suivie de dix jours d'affrontements avec les forces régulières yougoslaves. *Octobre 1991* Indépendance réelle. *1992* Janez Drnovsek (Parti démocrate libéral) devient Premier ministre. *Novembre 1996* Le Parti démocrate libéral renouvelle son succès aux législatives. *Octobre 2000* Législatives anticipées et nouvelle victoire des démocrates avec Janez Drnovsek, qui devient président en décembre 2002. *Mars 2003* Le pays confirme largement par référendum son intention d'entrer dans l'Union européenne. *Mai 2004* La Slovénie entre dans l'Union européenne. *Novembre 2007* Danilo Turk remporte nettement l'élection présidentielle. *Novembre 2008* Borut Pahor (Parti social-démocrate) Premier ministre.

Somalie

Avertissement. – La situation est toujours aussi tendue dans les parties centre et sud, et la piraterie maritime a augmenté au cours des dernières années. Aussi toute idée de tourisme reste-t-elle impérativement exclue.

Les 3 200 km de côtes somaliennes auraient pu connaître un développement du tourisme, complété par la fraîcheur et l'agrément des monts Ogo le long des rivages du nord. Mais le pays a été trop accablé au cours des dernières décennies par les conflits internes pour se préoccuper d'apparaître sur la carte touristique mondiale.

LES RAISONS D'Y ALLER

LES CÔTES

Côtes du golfe d'Aden et de l'océan Indien (plages et barrière de corail)

LES PAYSAGES

Monts Ogo

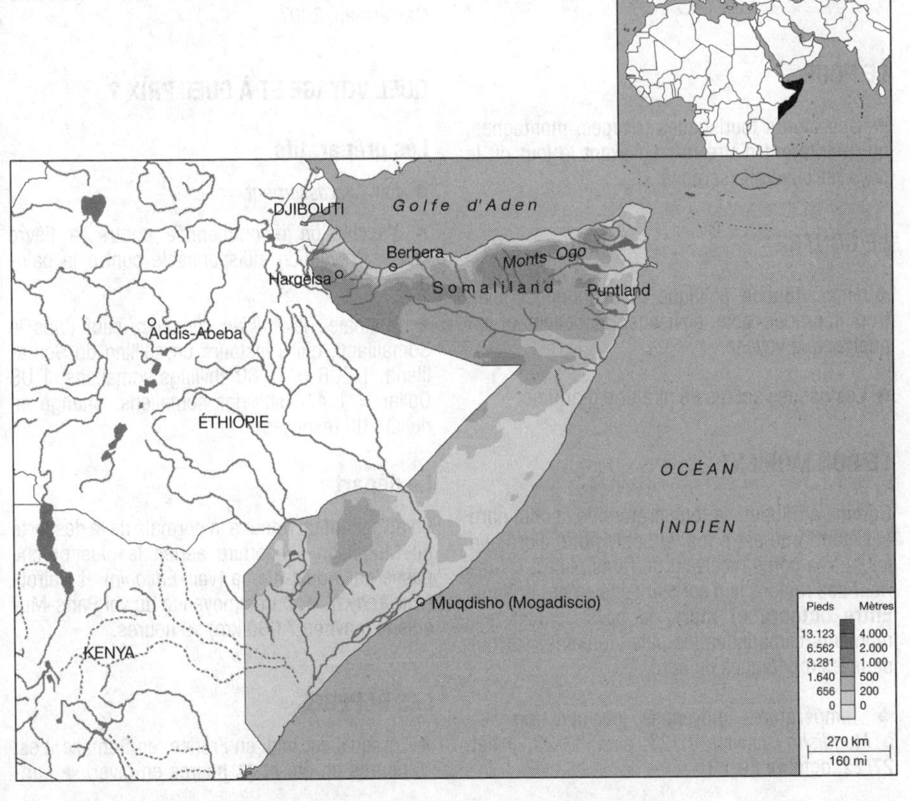

LES RAISONS D'Y ALLER

LES CÔTES

Au nord, la longue côte du golfe d'Aden reste vierge de toute fréquentation, même si des téméraires franchissent parfois la frontière aléatoire entre l'Ethiopie et la Somalie pour gagner Hargeisa et Berbera dans le Somaliland.

Entre la frontière sud et Muqdisho, les rivages de l'océan Indien sont agréables et même flanqués d'une **barrière de corail,** mais ils sont peu équipés.

LES PAYSAGES

Le golfe d'Aden est surplombé par les **monts Ogo** qui frôlent 2 500 m d'altitude et recèlent les plus beaux paysages du pays.

LE POUR

◆ Des atouts touristiques (rivages, montagnes) qui mériteront d'être mis en avant le jour où le pays retrouvera la sérénité.

LE CONTRE

◆ Une situation politique et économique bien trop dégradée pour envisager actuellement un quelconque voyage.

◆ Les risques accrus de piraterie maritime.

LE BON MOMENT

Comme à Djibouti, la température de la côte nord est étouffante entre mai et septembre, alors que les autres côtes reçoivent de rares pluies. L'intérieur des régions sud est alors également brûlant. **Entre octobre et mars**, le pays connaît ses moments climatiques les plus cléments, surtout dans les montagnes du nord.

◆ Températures moyennes jour/nuit (en °C) à *Muqdisho :* janvier 31/23, avril 32/23, juillet 27/22, octobre 29/23.

LE PREMIER CONTACT

En Amérique du Nord

Représentation auprès des Nations unies, New York, États-Unis, ☎ (212) 688-9410/5046.

En France

Services consulaires, 26, rue Dumont-d'Urville, 75116 Paris, ☎ 01.45.00.88.98.

Carte

Somalie (ITM).

Lectures

Dépêches de Somalie (J.-P. Campagne/Seuil, 1993), *Insoumise* (Ayan Irsi Ali/Laffont, 2005), *Lettres d'Afrique* (Arthur Rimbaud, illust. Hugo Pratt/Vertige d'Afrique, 2005).

Images

La Corne d'Afrique (Chêne, 1990), *Un Homme, une aventure : l'homme de Somalie* (Hugo Pratt/ Casterman, 2007).

QUEL VOYAGE ET À QUEL PRIX ?

Les préparatifs

◆ Voir *Avertissement.*

◆ Vaccination recommandée contre la fièvre jaune. Prévention indispensable contre le paludisme.

◆ Monnaie : le *shilling somalien,* sauf dans le Somaliland, qui a instauré un shilling du Somaliland. 1 EUR = 1 880 shillings somaliens, 1 US Dollar = 1 440 shillings somaliens. Change en dollars US (espèces).

Le départ

En attendant un retour à la normale de la desserte de Muqdisho, l'itinéraire aérien le plus proche passe par Addis-Abeba (voir *Éthiopie*) et Nairobi (voir *Kenya*). ◆ Durée moyenne du vol Paris-Muqdisho (environ 7 000 km) : 9 heures.

LES REPÈRES

◆ Lorsqu'il est midi en France, en Somalie il est 10 heures en été et 11 heures en hiver. ◆ Langue officielle : le somali, qui s'écrit en caractères arabes. ◆ Langues étrangères : italien, anglais. ◆ Téléphone vers la Somalie : 00252 + indicatif (Mogadiscio : 1) + numéro.

LA SITUATION

Géographie. Au nord, près du golfe d'Aden, les monts Ogo ferment un plateau qui descend en pente douce jusqu'à la rivière Djouba. La Somalie est essentiellement recouverte par la steppe. Superficie : 637 657 km^2.

Population. 9 559 000 habitants. Capitale : Muqdisho (anciennement Mogadiscio).

Religion. Pratiquement tous les habitants sont des musulmans sunnites. Minorité de chrétiens.

Dates. *IXe siècle* Les Somalis, qui sont des pasteurs, peuplent la région. *XIXe siècle* Deux Somalies (britannique et italienne) naissent des antagonismes entre colons, auxquels s'est jointe l'Égypte. *1950* L'Italie reçoit le pays sous tutelle pour dix ans. *1960* Indépendance, Aden Osman premier président. *1969* Le général Zyad Barré prend le pouvoir. *1991* Zyad Barré est renversé après de sanglantes émeutes. *1991* Le Somaliland, partie nord-est du pays, proclame unilatéralement son indépendance. *1992* Le pays est gravement touché par la guerre et par la famine. Les États-Unis débarquent à Muqdisho pour l'opération *Restore Hope*. *Janvier 1993* Accord de cessez-le-feu entre les quatorze factions rivales. *Mars 1993* Conclusion d'un accord de paix à Addis-Abeba. Les États-Unis décident de quitter le pays et laissent le champ libre au général Aïdid. *1996* Mort du général Aïdid. *Janvier 1997* Les deux principales factions s'accordent pour réunifier Muqdisho. *1998* Le Puntland s'autoproclame autonome. *Août 2000* Conférence de réconciliation et mise en place d'un nouveau Parlement, que les factions tardent à reconnaître. *Octobre 2004* Les parlementaires élisent Abdoullaï Yousouf Ahmed à la présidence d'un gouvernement de transition pour mettre fin à treize années d'une guerre civile qui aura fait de 300 000 à 500 000 victimes. *Juin 2006* Les Tribunaux islamiques prennent la majorités des régions centre et sud. *Fin 2006* Graves inondations. *Décembre 2006* Avec l'aide de l'armée éthiopienne, le gouvernement de transition renverse les Tribunaux islamiques. *Novembre 2008* Les forces éthiopiennes se retirent. *Décembre 2008* Le président Abdoullahi Youssouf démissionne, Sheikh Aden Madobe assure la transition.

Soudan

Avertissement. – Toute idée de voyage reste formellement exclue dans le sud, le Darfour et la région frontalière avec l'Érythrée.

Au Soudan, il existe encore des bouts du monde, des appels au voyage d'aventure que des conflits dramatiques ont hélas! éloignés. Seul le nord du pays connaît actuellement un tourisme prudent à base de visites de sites nubiens et de croisières-plongées au large de Port-Soudan. Le jour où le voyageur pourra embarquer à Kosti pour remonter le Nil jusqu'à Juba, entre ibis et papyrus, signifiera que le pays a retrouvé son vrai visage.

LES RAISONS D'Y ALLER

LES MONUMENTS

Temples nubiens (Naga),
nécropole de Mérowe, pyramides de Nuri

LA PLONGÉE

Mer Rouge, au large de Port-Soudan (coraux, carangues, requins de récifs, épave)

LES SITES

Désert de Nubie, Darfour
Villages et cataractes du Nil
Confluent du Nil Blanc et du Nil Bleu

LA FAUNE ET LA FLORE

Parcs nationaux (Dinder)

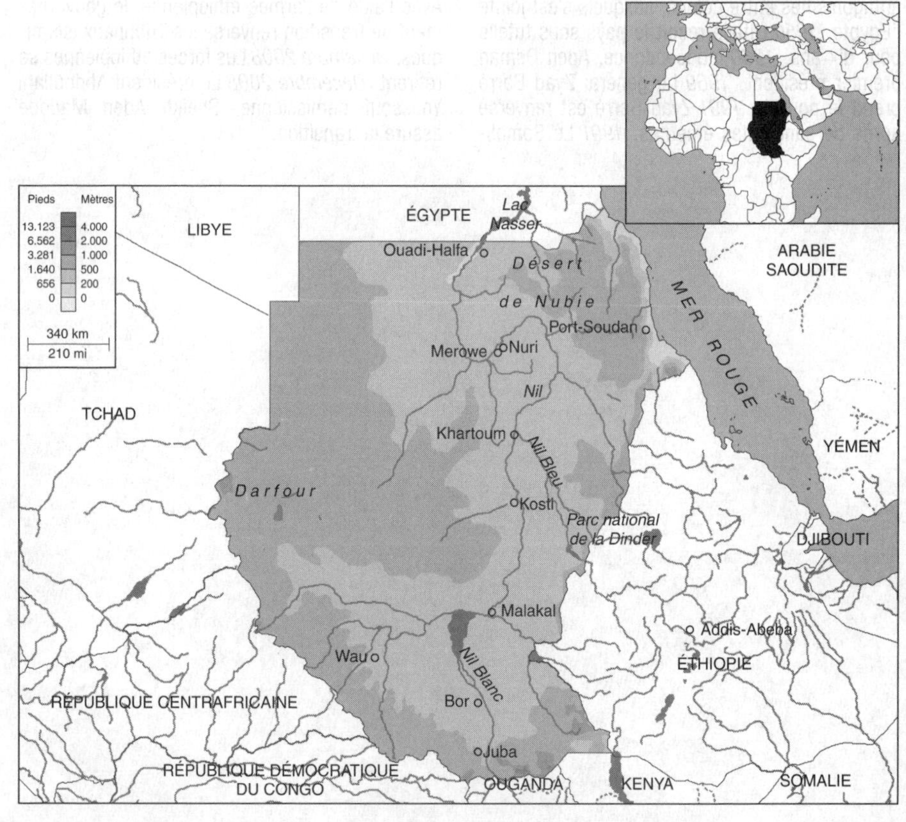

LES RAISONS D'Y ALLER

LES MONUMENTS

Bien que le Soudan renferme peu de vestiges, il conserve, au nord et plus précisément à l'endroit où le Nil dessine une large boucle, des **temples nubiens** (tel le temple du Lion et ses bas-reliefs à Naga, Ier siècle ap. J.-C.), la nécropole de **Mérowe**, capitale de l'ancien royaume de Koush, et les pyramides de **Nuri**.

Depuis la décision de construire un barrage au niveau de la quatrième cataracte du Nil, juste avant Mérowe, la formation d'un lac qui sera long de 160 kilomètres inquiète vivement les archéologues pour la sauvegarde de certains vestiges.

LA PLONGÉE

Le Soudan possède la partie médiane de la côte ouest de la **mer Rouge**. Au large de Port-Soudan, les fonds sont censés renfermer des coraux et des poissons (carangues, requins de récifs, requins-marteaux) parmi les plus spectaculaires du monde. Par ailleurs, l'épave d'un bateau italien, l'*Umbria*, est très recherchée par les poissons multicolores.

LES SITES

Le Soudan est vaste et les sites qui méritent la visite sont très éparpillés. Le voyageur, qui devient vite un aventurier, s'attarde, au nord, dans le **désert de Nubie** et sur le site des cataractes du Nil.

À l'ouest, le **Darfour**, ensemble de plateaux surmontés de volcans et jalonnés de cultures en terrasses, plaisait aux amateurs de voyage hors norme avant de connaître le destin que l'on sait.

Khartoum n'est pas une ville de grande portée touristique, mais son site vaut par la rencontre entre le **Nil Bleu**, venu d'Éthiopie, et le **Nil Blanc**, issu du lac Victoria.

De Juba, au sud, à Ouadi-Halfa, sur les rives du lac Nasser, toute agglomération traversée par le Nil mérite une visite en raison de l'ambiance qu'il engendre. Quand la situation politique le permet, une expérience consiste à remonter le Nil de Kosti à Juba.

LA FAUNE ET LA FLORE

Le parc national de la rivière **Dinder** a mission de conserver la savane dans son état premier et renferme de nombreuses espèces animales. Il faut voir aussi, dans le sud et quand la situation politique le permet, le Southern National Park et le Nimule National Park.

LE POUR

◆ En temps normal, l'un des piliers de l'« autre voyage » : l'aventurier-né a de nombreuses possibilités de sortir des sentiers battus.

◆ Entre vestiges et sites de plongée, un tourisme qui reste d'actualité dans la partie nord.

LE CONTRE

◆ Une situation par endroits dramatique et un tourisme tronqué.

◆ Un voyage rare, cher et limité à la partie nord.

◆ Une saison climatique favorable mal placée au calendrier.

LE BON MOMENT

◆ La période de **novembre à mars** regroupe partout les bonnes tendances climatiques. Dans le nord, le climat est chaud et sec. Dans le sud, il est déjà tropical, avec une saison des pluies d'avril à octobre.

◆ Températures moyennes jour/nuit (en °C) à *Juba* (sud) : janvier 37/20, avril 35/23, juillet 31/20, octobre 34/20; à *Khartoum* (centre) : janvier 32/16, avril 40/24, juillet 38/26, octobre 39/26.

LE PREMIER CONTACT

En Belgique

Ambassade, avenue Franklin-Roosevelt, 124, B-1050 Bruxelles, ☎ (02) 647.51.59, fax (02) 648.34.99.

Au Canada

Ambassade, 354, rue Stewart, Ottawa K1N 6K8, ☎ (613) 235-4000, fax (613) 235-6880, www.sudanembassy.ca

En France

Ambassade, 11, rue Alfred Dehodencq, 75016 Paris, ☎ 01.42.25.55.71, fax 01.45.63.66.73, www.ambassade-du-soudan.org

En Suisse

Consulat, avenue Blanc, 47, CH-1211 Genève, ☎ (22) 731.26.66, fax (22) 731.26.56.

Internet

www.sudan.net/tourism.shtml

Guides

Guide des poissons des récifs coralliens (Delachaux et Nestlé), *Mer Rouge, guide du récif corallien* (Ulmer), *Sudan* (Bradt).

Lectures

Le Drame du Sud-Soudan – Chronique d'une islamisation forcée (J. Monnot/L'Harmattan, 2000), *le Train des sables* (J. Mahjoub/Actes Sud, 2004). Dans son roman *Méroé* (Seuil, 1998), Olivier Rolin s'est penché avec nostalgie... et réussite sur les civilisations oubliées du nord du pays. Il a également écrit *Port-Soudan (*Seuil, 1996).

Images

Archéologie au Soudan, les civilisations de Nubie (Jacques Reinold/Errance, 2000), *Mer Rouge : jardin de corail* (Ulmer, 2004). *Darfour*, de Stéphanie Rivoal (Le Cherche Midi, 2007), est un témoignage sur le conflit actuel.

QUEL VOYAGE ET À QUEL PRIX ?

Les préparatifs

◆ Pour les ressortissants de l'Union européenne, canadiens, suisses : passeport valable encore six mois après le retour, **visa** obligatoire, obtenu auprès de l'ambassade, adresse ci-dessus. Billet de retour ou de continuation exigible.

◆ Vaccination recommandée contre la fièvre jaune. Prévention indispensable contre le paludisme (risque faible dans le nord).

◆ Monnaie : la *livre soudanaise*. 1 EUR = 300 livres soudanaises, 1 US Dollar = 270 livres soudanaises. Emporter des euros ou des US Dollars en espèces ou chèques de voyage. Les cartes de crédit sont de peu d'utilité.

Le voyage individuel

Avion

Indice de prix à certaines dates du vol Montréal-Khartoum A/R : 1 400 CAD; Paris-Khartoum A/R : 400 EUR (escale).

Bateau

Sur le lac Nasser, un bac relie Assouan à Ouadi-Halfa en quelques jours et en longeant le temple égyptien d'Abou-Simbel.

Sur place

Bateau

En temps normal, un bateau fait la liaison entre Kosti, au sud de Khartoum, et Juba en une semaine.

Hébergement

Il existe des auberges de jeunesse. Renseignements : www.hihostels.com/dba/country-SD.fr.htm

Route

Quelques grands axes asphaltés, beaucoup de pistes. Réseau de bus.

Train

Dans le nord, le voyage en train est une garantie de grande lenteur mais aussi d'insolite entre Ouadi-Halfa et Khartoum.

Le voyage accompagné

Rappel : nous nous sommes limités à un résumé des prestations en vigueur dans les agences et chez les voyagistes présents en France. Les lecteurs des autres pays peuvent en tirer des idées d'itinéraire et les compléter auprès de leurs agences de voyages.

◆ Pour les raisons politiques que l'on connaît, seul le nord rencontre l'intérêt de voyagistes, toutefois relativement nombreux pour emmener le visiteur dans le désert ou les sites historiques de Nubie, voire les deux dans un même séjour.

◆ Dans les déserts qui entourent la vallée du **Nil**, Explorator mène une expédition en tout-terrain et avec bivouac sous la tente : la vie des pêcheurs **nubiens**, les cataractes du Nil, la visite des temples nubiens et des pyramides de Mérowe et de Nuri contribuent à un voyage dense et hors des sentiers battus. Adeo et Déserts sont dans la même veine.

◆ Oriensce consacre deux semaines au nord du pays, l'aspect principal du voyage étant constitué par la visite des sites de **Mérowe** et de **Nuri**. Clio et Ikhar sont également présents pour ce type de voyage. Autres propositions : Ananta, Tamera.

◆ Lorsque la situation s'y prête, Ultramarina **plonge** au large des côtes soudanaises sous la forme de croisières-plongées de 7 ou 14 jours. Des séjours plongée sont également proposés par Aquarev.

◆ Pour les divers circuits, les départs ont lieu entre octobre et mars, leur durée moyenne est de 15 jours et l'éventail des prix se situe entre *2 300* et *3 000 EUR.*

LES REPÈRES

◆ Durée moyenne du vol Paris-Khartoum (4 602 km) : 8 heures. ◆ Lorsqu'il est midi en France, au Soudan il est la même heure en été et 13 heures en hiver. ◆ Langue officielle : l'arabe, que côtoient le dinka et deux cents dialectes. ◆ Langue étrangère : l'anglais, dans les agglomérations. ◆ Téléphone vers le Soudan : 00249 + indicatif (Khartoum : 11).

LA SITUATION

Géographie. Avec ses 2 503 813 km^2, le Soudan pourrait renfermer presque cinq fois la France. Le nord, désertique, contraste avec le centre, de type sahélien, et avec le sud, coupé par le marécage du Sadd et relevé par quelques zones montagneuses près de la frontière du Kenya. Le Nil traverse le pays sur toute sa longueur.

Population. 40 218 000 habitants. Les Noirs sont légèrement majoritaires et vivent surtout dans le sud, alors qu'un habitant sur trois est arabe, majoritairement dans le nord. Capitale : Khartoum. L'agglomération formée par Khartoum, Omdourman et Khartoum-Nord approche un million et demi d'habitants.

Religion. Deux Soudanais sur trois pratiquent l'islam sunnite, surtout dans le nord. Coptes et catholiques (nord) sont près de deux millions. Majorité de chrétiens et d'animistes dans le sud.

Dates. *XIVe siècle* Les Arabes finissent de prendre la place des chrétiens dans le nord du pays. *1820* Le vice-roi d'Égypte s'approprie la région. *1898* Le maréchal anglais Kitchener réprime la guerre sainte de Al-Mahdi mais chasse également de Fachoda la mission française de Marchand. *1899* Le Soudan est un condominium anglo-égyptien. *1956* Indépendance et proclamation de la république du Soudan. *1958* Le maréchal Abbud prend le pouvoir. *1969* Le maréchal Nemeyri chef de l'État. *1983* Dégradation des rapports entre le nord (musulmans) et le sud (chrétien et animiste). Le sud, divisé en trois régions et soumis à la loi islamique, est en insurrection. *1985* Le général al-Dhahab renverse Nemeyri. *1986* Les civils retrouvent le pouvoir avec Sadek El-Mahdi. *1989* Coup d'État du général Omar El-Bechir, partisan de l'islamisation et en butte, dans le sud, à l'opposition de l'Armée populaire de libération du Soudan (APLS). *1991* L'opposition se divise en trois factions rivales. *Décembre 2000* Le général El-Bechir est reconduit pour cinq ans et bénéficie d'un large soutien parlementaire. *Mars 2003* Début d'une rébellion au Darfour, dans l'ouest, répression exercée par des milices arabes appuyées par Khartoum. *Janvier 2005* Le pouvoir et l'APLS signent un accord de paix qui met fin à vingt et un ans d'une guerre qui aura fait deux millions de morts dans le sud du pays. *Juillet 2005* Mort accidentelle de John Garang (APLS). *Mai 2006* Signature d'un accord de paix entre le pouvoir et la principale faction rebelle au Darfour, où l'on compte 200 000 morts et deux millions et demi de personnes déplacées.

Sri Lanka

Avertissement. – Le voyage dans les parties nord et est (provinces de Jaffna, Trincomalee, Batticaloa et Ampara) reste formellement déconseillé.

Le Sri Lanka fait partie des grandes destinations du sud de l'Asie. Les atouts sont légion : possibilité d'alterner aisément, vu la modestie des distances, la visite d'importants vestiges bouddhiques et les moments de repos ou de sports nautiques sur des plages de sable blanc, et proximité des Maldives, qui place souvent les deux pays dans un même voyage.

LES RAISONS D'Y ALLER

LES MONUMENTS

« Triangle culturel » (Anuradhapura, Polonnaruwa, Dambulla)
Kandy, Madirigiriya, Aukana, Sigiriya

LES CÔTES

Plages de la côte sud-ouest
et de la côte nord-est, surf, plongée

LES FÊTES ET LES TRADITIONS

Fête du Perahera à Kandy, pèlerinage
au pic d'Adam, Poson Poya à Anuradhapura

LA FAUNE ET LA FLORE

Parcs (éléphants, léopards du parc de Yala)
Jardins botaniques (Peradeniya)
Plantations de thé (Nuwara Eliya)
Jardins d'épices

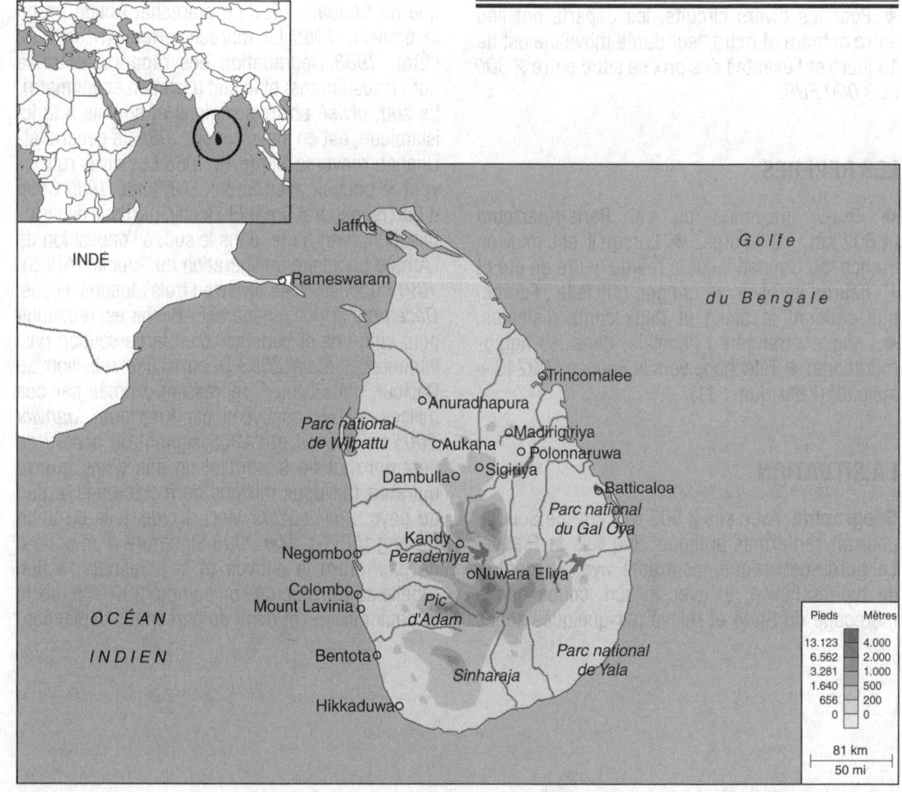

LES RAISONS D'Y ALLER

LES MONUMENTS

Sri Lanka offre des sites architecturaux de grand renom. La plupart sont consacrés au culte de Bouddha et font l'objet de pèlerinages annuels.

Outre l'arbre sacré Sri Maha Bodhi, né d'un rejeton du *Ficus religiosa* sous lequel Bouddha connut l'Illumination à Bodh-Gaya (Inde), **Anuradhapura**, l'ancienne capitale, renferme un ensemble de monastères, de stoupas (Jetavanarama, Thuparama, Ruvanvaliseya), de vestiges de palais et de bassins.

Polonnaruwa a succédé à Anuradhapura comme capitale. Parmi les quinze kilomètres carrés de vestiges, il faut admirer le palais royal mais surtout les temples et monastères. Le Kalu Gal Vihara, le « Temple du rocher », offre quatre importantes sculptures rupestres dont deux bouddhas assis, un imposant bouddha debout et un quatrième couché.

Dambulla et ses temples rupestres, dont le Temple d'or et ses grottes aux fresques bouddhiques, est le troisième élément du « triangle culturel » formé avec les deux sites précitées.

Ancienne capitale encore, mais plus récente, **Kandy** vaut par ses temples, dont le Dalada Maligawa et ses murs roses, qui renfermeraient une dent de Siddharta Gautama, le Bouddha illuminé.

Autres lieux importants pour le bouddhisme : **Madirigiriya** et ses 68 colonnes disposées en trois cercles concentriques; **Aukana** et son Bouddha géant.

D'une facture différente est **Sigiriya**, la forteresse du roi Kassapa Ier : elle s'orne de peintures murales représentant vingt et un bustes de jeunes femmes, baptisées les « demoiselles » de Sigiriya.

LES CÔTES

Plus de mille cinq cents kilomètres de côtes parsemées de **plages** font de Sri Lanka une destination tropicale importante.

Les sites balnéaires les plus fréquentés sont sur la côte sud-ouest **(Negombo, Kalutera, Bentota, Mount Lavinia)**, où se succèdent villages de pêcheurs et grandes plages. Ceux qui voudront s'éloigner un peu du tourbillon touristique pousseront jusqu'au sud, qui fait tout pour retrouver son tourisme après le raz de marée de 2004, entre autres **Galle**, **Hikkaduwa** et **Weligama**, où l'on découvre l'image de pêcheurs accrochés à leurs piquets de bois. Sur la côte nord-est, réputée pour l'observation des poissons tropicaux, **Batticaloa** et **Trincomalee** sont le plus souvent cités.

Partout, la qualité des vagues et des fonds marins autorise respectivement le **surf** (la côte sud-ouest en est un haut lieu mondial) et la **plongée**.

LES FÊTES ET LES TRADITIONS

La coexistence de quatre religions favorise la multiplication et la diversité des fêtes.

Lors de la pleine lune d'août, la procession du **Perahera** à Kandy, qui est la fête la plus spectaculaire de l'île, voit les pèlerins rendre hommage à la dent du Bouddha en transportant son reliquaire sur un éléphant sacré.

Le pèlerinage au **pic d'Adam**, lors des pleines lunes de décembre à avril, intéresse de manière égale les chrétiens (l'apôtre Thomas serait passé par là), les musulmans (pour qui Adam aurait laissé son empreinte), les hindous (Vishnu) et les bouddhistes, ces derniers y vénérant l'empreinte supposée du pied de Bouddha.

Le **Poson Poya**, à Anuradhapura, est un pèlerinage bouddhiste qui a lieu lors de la pleine lune de juin.

LA FAUNE ET LA FLORE

Les éléphants sont nombreux dans les parcs nationaux, dont les plus connus sont ceux de Gal Oya, Wilpattu et **Yala**, ce dernier renfermant aussi des léopards, des iguanes, des pélicans, entre autres. À Pinnawela, à une centaine de kilomètres de Colombo, les éléphanteaux qui n'ont pas résisté à la loi de la jungle sont regroupés dans un « orphelinat » très prisé des touristes.

Des trois jardins botaniques, **Peradeniya**, dans les environs de Kandy, est le plus connu et le plus riche (milliers d'arbres, forêts de bambous et 150 espèces d'orchidées). Dans le sud, la réserve forestière de **Sinharaja** mérite également d'être vue.

Aux alentours de la station climatique de **Nuwara Eliya**, s'étendent des plantations de **thé**, dont la réputation et le savoir-faire des cueilleuses datent de la présence anglaise, comme les grands noms (Lipton, Dilmah) dont on visite aujourd'hui les usines.

L'île est aussi généreuse en parfums (cannelle, gingembre, vanille), si bien que s'ouvrent peu à peu des itinéraires de « **jardins d'épices** », particulièrement entre Dambulla et Kandy.

LE POUR

◆ Un complément réussi entre l'intérêt balnéaire et l'intérêt culturel.

◆ Un climat contrasté, qui permet d'envisager une période favorable de visite à n'importe quel moment de l'année.

LE CONTRE

◆ Une partie est et nord de l'île en proie au conflit sans fin entre le pouvoir et les rebelles tamouls.

LE BON MOMENT

Le climat équatorial et la position de l'île lui assurent des températures élevées et stables, sauf dans le centre (Kandy, Nuwara Eliya), où la fraîcheur peut surprendre.

Les côtes connaissent un climat très contrasté : au sud de Colombo, il pleut théoriquement toute l'année mais la période **janvier-mars** est néanmoins indiquée pour un séjour balnéaire. Sur la côte nord-est, par contre, privilégiée grâce aux montagnes du centre qui arrêtent les vents de mousson, la période **mars-septembre** s'impose.

◆ Températures moyennes jour/nuit (en °C) à *Colombo* : janvier 31/22, avril 32/25, juillet 30/25, octobre 30/24. Eau de mer : moyenne de 28°.

LE PREMIER CONTACT

En Belgique

Ambassade, rue Jules-Lejeune, 27, B-1050 Bruxelles, ☎ (02) 344.53.94, fax (02) 344.67.37.

Au Canada

Haut-commissariat, 333, avenue Laurier ouest, Ottawa, K1P 1C1, ☎ (613) 233-8449, fax (613)238-8448, www.srilankahcottawa.org

En France

Office du tourisme, 8, rue de Choiseul, 75002 Paris, ☎ 01.42.60.49.99, fax 01.42.86.04.99.

En Suisse

Consulat, rue de Moillebeau, 56, CH-1209 Genève, ☎ (22) 919.12.50, fax (22) 734.90.84.

Internet

www.srilanka.fr

Guides

Sri Lanka (Hachette/Routard, JPMGuides, Le Petit Futé, Lonely Planet France), *Sri Lanka et Maldives* (Hachette/Evasion, Mondeos).

Carte

Sri Lanka (Nelles Map).

Lecture

Puspurani, une enfant du Sri Lanka (Béatrice Ingermann/L'Harmattan, 2000).

Images

La Marche du Prince, 4 500 km à pied et à vélo à travers le Sri Lanka, l'Inde et le Sikkim (LVL. Mucy/Vent du Large, 2008), *Sri Lanka : l'île radieuse* (P. Hausherr, C.Bourzat/Vilo, 2006), *Sri Lanka, vision de l'île de Ceylan* (Hermé, 1999).

DVD

Prestige Maldives, Sri Lanka (Media 9, 2007).

QUEL VOYAGE ET À QUEL PRIX ?

Le voyage individuel

Les préparatifs

◆ Pour les ressortissants de l'Union européenne, canadiens, suisses : passeport suffisant pour les voyages inférieurs à un mois, valable encore trois mois après le retour. Billet de retour ou de continuation exigible.

◆ Prévention recommandée contre le paludisme, excepté pour les districts de Colombo, Kalutara et Nuwara Eliya.

◆ Monnaie : la *roupie de Sri Lanka*. 1 EUR = 147 roupies de Sri Lanka. 1 US Dollar = 114 roupies de Sri Lanka. Emporter des euros ou des dollars US et une carte de crédit (distributeurs automatiques).

Le départ

◆ Indice de prix à certaines dates du vol Montréal-Colombo A/R : 1 200 CAD; Paris-Colombo A/R : 800 EUR. ◆ Durée moyenne du vol Paris-Colombo (8 477 km) : 11 heures.

Sur place

Bateau

Lorsque la situation politique le permet, il existe un service de ferry entre Rameswaram (Inde) et le nord-ouest de Sri Lanka (interruption en novembre et décembre).

Hébergement

L'hôtellerie de charme et les « écolodges » font leur apparition.

Route

◆ Conduite à gauche. ◆ Location possible de voiture avec chauffeur, de moto ou de minibus (par exemple avec Nouvelles Frontières). ◆ Abondance de tuks-tuks, réseau de bus étendu.

Train

◆ Bon réseau, étendu et pratique. ◆ Le *Vice Roy Special* est un train à vapeur qui traverse les plantations de thé et s'arrête sur les grands sites religieux. ◆ De Colombo à Kandy, l'*Intercity Express* emprunte l'itinéraire le plus spectaculaire de l'île.

Le séjour

◆ Une semaine exclusivement **balnéaire** commence à apparaître chez certains voyagistes pour les plages du sud-ouest (Negombo, Bentota) ou du sud (Galle). En basse saison, les prix tournent autour de *1 000 EUR* la semaine (vol A/R et demi-pension). Exemples : Marsans, Neckermann, Nouvelles Frontières, Thomas Cook. ◆ La plupart des voyagistes ajoutent quelques jours en bord de plage (par exemple Fram à Bentota, Jet tours), voire étendent le voyage aux Maldives (Jet tours, Visiteurs en Asie), ce qui porte la durée du voyage à environ 15 jours et son coût aux alentours de *1 800 EUR*.

◆ Des autotours d'une semaine avec chauffeur sont proposés. Exemples : Asia, Kuoni, Marsans, Voyageurs en Asie. Nouvelles Frontières innove via un autotour avec chauffeur-guide entre Dambulla et Hikkaduwa, ponctué par des soins ayurvédiques aux étapes.

Le voyage accompagné

Rappel : nous nous sommes limités à un résumé des prestations en vigueur dans les agences et chez les voyagistes présents en France. Les lecteurs des autres pays peuvent en tirer des idées d'itinéraire et les compléter auprès de leurs agences de voyages.

◆ La grande majorité des voyages au Sri Lanka suivent un **axe** clé qui va d'Anuradhapura à Nuwara Eliya, avec des détours par Polonnaruwa, Sigiriya et Kandy. Ce circuit, généralement effectué en bus et avec guide francophone, suffit à connaître l'essentiel du pays. Exemples : Adeo, Arts et Vie, Asia, Fram, Jet tours, Kuoni, Marsans, Nouvelles Frontières, Orients, Tourmonde, Vacances Air Transat, Voyageurs du monde. Les tarifs pour un circuit d'une petite dizaine de jours tout compris se trouvent aux alentours de *1 300 EUR*.

◆ La **randonnée** se mêle à la culture dans le programme de Club Aventure. Terres d'Aventure est en minibus, en jeep ou à pied, avant de proposer l'ascension du pic **d'Adam**, montagne légendaire surplombée d'un monastère (plusieurs départs annuels, dont l'un au moment de la fête de Perahera à Kandy). Nomade se balade dans les plantations de thé et, quand c'est possible, dans l'est et le sud-est. De tels circuits, à la programmation largement étalée sur le calendrier, durent 15 jours et coûtent *2 000 EUR* en moyenne.

QUE RAPPORTER ?

Du thé (dont l'Orange Pekoe), acheté à la plantation même, mais aussi des pierres précieuses (rubis et saphirs), des textiles (saris) et des masques en bois sculpté.

LES REPÈRES

◆ Lorsqu'il est midi en France, au Sri Lanka il est 15 h 30 en été et 16 h 30 en hiver; lorsqu'il est midi au Québec, au Sri Lanka il est 22 h 30. ◆ Langue officielle : le cinghalais, connu par trois habitants sur quatre, s'est vu adjoindre le tamoul comme langue officielle. ◆ Langue étrangère :

l'anglais. ◆ Téléphone vers le Sri Lanka : 0094 + indicatif (Colombo : 1; Kandy : 8) + numéro; du Sri Lanka : 00 + indicatif pays + numéro.

LA SITUATION

Géographie. Située à l'extrême sud-est de l'Inde, l'île de Sri Lanka s'en est détachée il y a deux millions d'années. Elle est formée de plateaux ondulés au nord et d'un massif, au sud de Kandy, qui culmine à 2 524 m. 40 % du territoire sont recouverts par la forêt. Superficie : 65 610 km².

Population. 21 129 000 habitants, dont 70 % de Cinghalais. Les Tamouls sont minoritaires (20 %) et vivent dans le nord de l'île. Capitale : Colombo (Kolamba).

Religion. Les composantes religieuses correspondent aux composantes ethniques. Ainsi, les Cinghalais sont surtout des bouddhistes et les Tamouls des hindouistes. On compte également 7,5 % de musulmans et autant de chrétiens.

Dates. *XVIe siècle* Les Portugais sont sur les côtes. *1658* Au tour des Hollandais. *1796* L'île devient britannique. *1931* Statut d'autonomie interne. *1948* Indépendance et pouvoir conservateur de Senanayake. *1956* Salomon Bandaranaike renverse la tendance. *1965* Retour au pouvoir de Senanayake. *1972* Ceylan n'est plus un dominion et devient la république de Sri Lanka. *1983* Début des affrontements entre les communautés cinghalaise et tamoule. *1992* Les « Tigres » du LTTE (mouvement indépendantiste tamoul) tiennent le nord de l'île et s'opposent radicalement au gouvernement. *Novembre 1994* Chandrika Kumaratunga est élue présidente, Sirima Bandaranaike redevient Premier ministre. *Janvier 1995* Les séparatistes tamouls et le nouveau pouvoir concluent un accord de cessation des combats. *Février 2002* Cessez-le-feu entre le pouvoir et les séparatistes, après vingt-trois ans d'une guerre qui aura fait 65.000 morts. *Avril 2004* Législatives anticipées, le parti présidentiel est légèrement majoritaire. *Décembre 2004* La côte sud est frappée de plein fouet par un très violent tsunami, nombreuses victimes. *Novembre 2005* Retour de quelques tensions dans le nord alors que Mahinda Rajapaksa devient président. *Octobre 2006* 103 personnes tuées dans un attentat des rebelles tamouls contre un convoi militaire. *Janvier 2008* Fin du cessez-le-feu décidée par le gouvernement, regain de violence. *Début 2009* L'armée s'empare de points stratégiques.

Suède

Le tourisme suédois s'appuie sur de larges horizons de forêts et de lacs ainsi que sur les vertus d'un climat vivifiant. Aussi, va pour les grandes randonnées à pied ou à vélo, les descentes de rapides en canoë ou sur un radeau, et la découverte de la Laponie, du soleil de minuit et des aurores boréales! Avec le Danemark, l'Islande et ses voisines scandinaves, la Suède offre sa réputation au tourisme vert nord-européen et fait ainsi pardonner la relative modestie de son patrimoine culturel.

LES RAISONS D'Y ALLER

LA NATURE ET LES LOISIRS

Lacs, rivières, forêts, montagnes
Laponie (randonnées, soleil de minuit, aurores boréales)
Plateau de laves de Kinnekulle
Faune (rennes, castors, lynx), pêche
Göta Canal, parc national de Tyvesta
Ile de Gotland, parc national de Gotska Sandön

LES SPORTS D'HIVER

Traîneau à chiens, motoneige, ski de fond

LES VILLES ET LES MONUMENTS

Stockholm, Malmö, Uppsala, Göteborg, Sigtuna
Manoirs, châteaux, églises médiévales

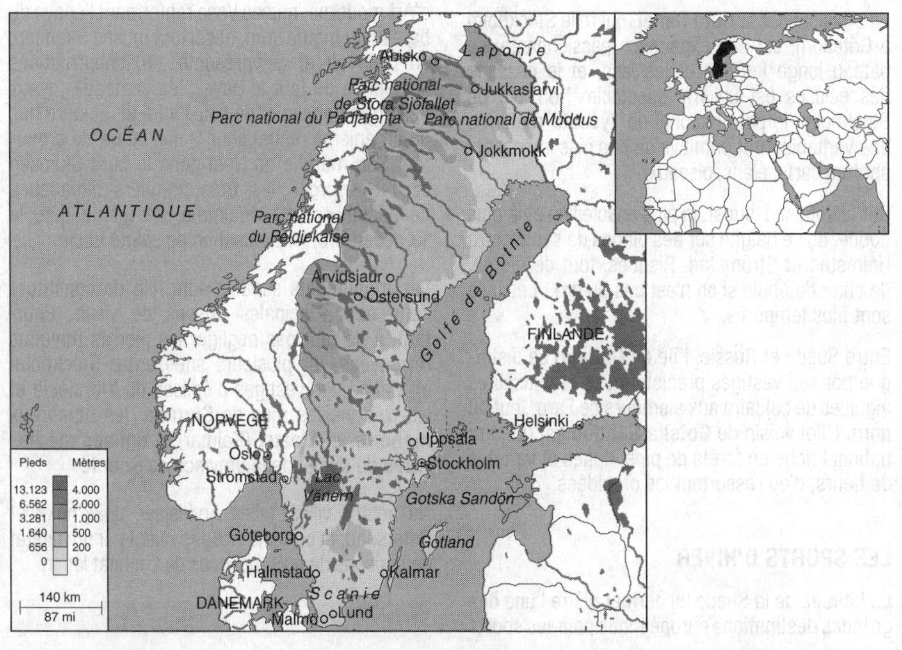

LES RAISONS D'Y ALLER

LA NATURE ET LES LOISIRS

Lacs, rivières, forêts (surtout de bouleaux) sont à l'origine de randonnées, particulièrement dans les parcs nationaux d'Abisko, Muddus, Padjalenta, Peljekaise, Sarek, Stora Sjöfallet.

Les randonnées les plus physiques, mais aussi les plus intéressantes, se déroulent en **Laponie**. Outre l'attrait unique du **soleil de minuit** et des **aurores boréales**, le voyage dans le nord permet de découvrir les traditions du peuple lapon et de croiser rennes, castors, lynx... et moustiques en été. Les passionnés de botanique vérifieront la manière avec laquelle, au mois de juin, les fleurs envahissent la nature lapone en un rien de temps.

Plus au sud, les lacs engendrent les randonnées et les sports nautiques mais aussi la **pêche**, credo touristique de l'endroit, dont les buts se nomment, entre autres, truites et ombles chevaliers.

Aux alentours du lac Vänern, le plateau de laves de **Kinnekulle** est le plus joli coin de la Suède méridionale, offrant des terrasses de lande sauvage ou, au contraire, une végétation exubérante parfois trouée de cascades.

La croisière sur le **Göta Canal**, qui relie Stockholm à Göteborg, est une expérience passionnante. Le bateau longe les îles et les lacs, et le passage des écluses est un vrai spectacle. Non loin de Stockholm, le parc national de **Tyvesta** renferme une véritable forêt primitive où des pins imposants abritent cerfs, élans, oiseaux.

Sur la côte sud-ouest, la plus ensoleillée et la plus douce, on se baigne sur des plages de sable entre Halmstad et Strömstad. Risques, tout de même, de chair de poule si on n'est pas du cru ! Les lacs sont plus tempérés.

Entre Suède et Russie, l'île de **Gotland** se distingue par ses vestiges préhistoriques et d'insolites aiguilles de calcaire aux alentours de Faro, tout au nord. L'îlot voisin de **Gotska Sandön** est un parc national riche en forêts de pins, dunes et variétés de fleurs, d'où ressortent les orchidées.

LES SPORTS D'HIVER

La latitude de la Suède lui permet d'être l'une des grandes destinations européennes pour les sports d'hiver. On y vit des expéditions en **traîneau à chiens**, en **scooter des neiges**, en **ski de fond**, par exemple à Jukkasjärvi. Certains ne manqueraient pour rien au monde la **Vasaloppet**, course populaire de ski de fond, baptisée ainsi et rendue célèbre parce que le futur roi de Suède, Gustave Ier Vasa, en effectua le parcours en 1521.

LES VILLES ET LES MONUMENTS

Malmö (église Saint-Pierre, hôtel de ville, forteresse), **Uppsala** (université ancienne, cathédrale gothique, château, tumulus funéraires des rois païens) et **Göteborg** ne manquent pas d'attrait. Les anciens chantiers et docks de Göteborg ont été reconvertis en un parc de sciences puis d'attractions (Liseberg).

Stockholm, la « Venise de la Scandinavie », est bâtie sur quatorze îles, des canaux et des ponts (balade en bateau vivement recommandée). Elle est bordée à l'est par les îles et les presqu'îles dessinées par le « jardin d'écueils » de Skärgard.

En figure de proue de la capitale suédoise : les vieux quartiers (Gamla Stan avec ses rues pavées, ses façades de style flamand et le château royal, de style baroque), les musées (musée d'Art moderne, musée Vasa renfermant l'épave du bateau du même nom, et surtout musée Skansen, en plein air et qui présente 140 constructions anciennes de tout le pays), les châteaux royaux de Drottningholm et de Gripsholm et, aujourd'hui, un urbanisme réputé pour la qualité de vie procurée. Son marché de Noël dans le parc Skansen et à Stortorget, les trois premiers dimanches de décembre, est renommé, de même que, le 13 décembre, l'intronisation de sainte Lucie.

Les monuments suédois sont loin de constituer l'une des principales raisons de visite. Pourtant, il ne faut pas négliger les pierres runiques retrouvées sur plusieurs sites entre Stockholm et Malmö, les vestiges d'églises du XIIe siècle et les très vieilles rues de **Sigtuna**, les nombreux **manoirs**, **châteaux** (Kalmar) et **églises médiévales** du sud et de la province de **Scanie**.

De petites villes, telles Arvidsjaur, Jokkmokk et Östersund, et certains villages valent par un habitat de maisons de bois, typiques de l'habitat lapon.

LE POUR

◆ Une vocation pour le tourisme de nature et des structures appropriées.

◆ Un voyage de toutes les saisons.

LE CONTRE

◆ Un coût de la vie touristique assez élevé.

LE BON MOMENT

Un bon soleil se montre **entre mi-mai et fin août**. Il amène les températures au-delà de vingt degrés dans la majorité du pays, après avoir favorisé une spectaculaire floraison. Ensuite, de novembre à avril, les lacs se couvrent de glace, et le pays de neige et de nuages. En Laponie, les intersaisons sont les plus appréciables.

Soleil de minuit visible de la mi-mai à la fin juillet au nord du cercle polaire, **aurores boréales** dans le nord et par temps clair de novembre à février.

◆ Températures moyennes jour/nuit (en °C) :

– *Kiruna* (Laponie) *:* janvier -10/-19, avril 1/-8, juillet 17/7, octobre 2/-5;

– *Stockholm (sud-est) :* janvier -1/-5, avril 9/1, juillet 22/13, octobre 10/5.

LE PREMIER CONTACT

En Belgique

Office de tourisme, ☎ (32) 2.400.68.94, www.swedenabroad.com

Au Canada

Ambassade, Mercury Court, rue Dalhousie, Ottawa, K1N 9N8, ☎ (613) 244-8200, fax (613) 241-2277, www.sweden.se

En France

Office du tourisme, ☎ 01.70.70.84.58, fax 01.53.01.84.88.

Au Luxembourg

Ambassade, 2, rue Heine, L-1720 Luxembourg, ☎ 29.68.34, fax 29.69.09.

En Suisse

Office de tourisme, ☎ (44) 580.62.94.

Internet

www.visitsweden.com
www.scandi-voyage.com
www.stockholmtown.com

Guides

Norvège, Suède, Danemark (Hachette/Routard), *Stockholm* (Gallimard/Cartoville, Hachette/Un grand week-end, Hachette/Voir),

Suède (Gallimard/Bibl. du voyageur, JPMGuides, Le Petit Futé, Mondeos).

Cartes

Norvège, Suède (Berlitz), *Suède* (IGN, Marco Polo).

Lectures

Contes et légendes de Suède (E. Balzamo/Flies France Editions, 2002), *Erik le Viking* (T. Jones/ Bragelonne, 2008), *le Merveilleux Voyage de Nils Holgersson à travers la Suède* (S. Lagerlof/ LGF, 1991). Lire aussi les romans policiers d'Henning Mankell pour les descriptions de la vie et des paysages suédois.

Images

L'Art de vivre en Suède (Collectif/Flammarion, 2002), *Scandinavie : Danemark, Norvège, Suède, Finlande, Islande* (Vilo, 2006), *Scandinavie* (Valerio Griffa/Minerva, 2003).

QUEL VOYAGE ET À QUEL PRIX ?

Le voyage individuel

Les préparatifs

◆ Pour les ressortissants de l'Union européenne et suisses, carte nationale d'identité ou passeport en cours de validité suffisant. Pour les Canadiens, passeport valide.

◆ Monnaie : la *couronne suédoise*. 1 EUR = 10,6 couronnes suédoises, 1 US Dollar = 8,2 couronnes suédoises. Emporter des euros ou des dollars US en espèces ou chèques de voyages et une carte de crédit.

Le départ

Avion

◆ Indice de prix du vol régulier Montréal-Stockholm A/R : 900 CAD; Paris-Stockholm A/R : 150 EUR. ◆ Vols à bas prix : Beauvais-Stockholm (Ryanair), Bruxelles-Goteborg ou Stockholm (Brussels Airlines), Genève-Stockholm (easyJet, Norwegian), Paris-Stockholm (Air Baltic, Air Berlin, Norwegian). ◆ Durée moyenne du vol Paris-Stockholm (1 549 km) : 2 h 30.

Bateau

◆ Possibilité d'embarquer la voiture à Amsterdam (Pays-Bas) pour Göteborg deux fois par semaine entre avril et octobre (24 heures de trajet); à Frederikshavn (Danemark) pour Göteborg (4 heures de traversée); à Travemünde (Allemagne) pour Trelleborg (deux départs quotidiens, 8 à 10 heures de traversée); à Kiel (Allemagne) pour Göteborg (1 h 45 de traversée); à Rostock (Allemagne) pour Stockholm (18 h 30).

Bus

Paris-Stockholm A/R via Copenhague avec Eurolines en haute saison.

Route

Paris-Stockholm : 1 800 km.

Train

Pass InterRail utilisable. Train Paris/Gare du Nord-Stockholm (via Copenhague) : environ 24 heures de trajet.

Le séjour

Bateau

Possibilité d'embarquer pour l'île de Gotland à partir des ports de Nynäshamn et Oskarshamn (3 heures de trajet).

Hébergement

◆ Bonnes formules de logement, surtout le week-end (hôtels moins chers) à Stockholm, entre autres avec Nouvelles Frontières ou Voyageurs du monde. ◆ Très nombreuses auberges de jeunesse, www.stfturist.se ◆ Les *Scandic Cheques* (procédé de « chèques-hôtels » ou de « chèques-auberges ») permettent de s'en sortir à des prix raisonnables (renseignements auprès de l'office du tourisme).

Route

◆ Limitations de vitesse agglomération/route/autoroute : 50/90/110. ◆ Limite du taux d'alcoolémie : 0,2 pour mille. ◆ Autoroutes gratuites. ◆ Pour la location de voiture : 25 ans minimum et le permis de conduire depuis plus d'un an. Permis de conduire national suffisant.

Train

◆ Il existe un train auto-couchettes direct de Stockholm pour la Laponie. ◆ Entre juin et août, le *Wilderness Express* transporte le voyageur de Östersund à Arvidsjaur, dans des wagons des années trente (renseignements auprès de l'office du tourisme).

Les formules

Rappel : nous nous sommes limités à un résumé des prestations en vigueur dans les agences et chez les voyagistes présents en France. Les lecteurs des autres pays peuvent en tirer des idées d'itinéraire et les compléter auprès de leurs agences de voyages.

◆ Autotours d'une semaine (vol A/R + location de voiture + hébergement, ce dernier parfois chez l'habitant), la Laponie suédoise se voyant adjoindre le cap Nord (Norvège) et la région de Rovaniemi (Finlande). Voir, entre autres, Grand Nord Grand Large, Norvista, Scanditours.

◆ **Stockholm** est souvent jugée comme la capitale la plus séduisante des trois pays nordiques. Des formules avion + 2 nuits d'hôtel sont proposées aux alentours de 450 EUR en haute saison, avec réductions pour les 2-11 ans (Bennett, Comptoir des voyages, Euro Pauli, Frantour/Citytrips, Kuoni, Luxair Tours, Scanditours). Une carte que l'on acquiert à l'office du tourisme de la ville permet d'emprunter à volonté les transports en commun et d'entrer dans les musées.

◆ Les **fêtes** de fin d'année sont prisées en **Laponie**. La plupart des voyagistes précités avancent des formules.

Le voyage accompagné

◆ La **Laponie** domine chez la plupart des prestataires, avec la **randonnée** et la **pêche** comme vecteurs de base. Scanditours a préparé un séjour dans un « hôtel-igloo » à Jukkasjärvi, au-delà du cercle polaire, alors que Bennett propose un « Noël blanc » de 4 jours, **réveillon** compris. Le ski de fond, la **motoneige**, le traîneau à chiens, les raquettes sont au programme du séjour de 8 jours/7 nuits proposé par Bennett Voyages. Idem pour Club Aventure entre février et avril. Voir aussi, pour la Belgique, les propositions de Bureau Scandinavia.

◆ Il existe une Suède de toutes les **saisons**. En été, Scanditours propose de partir en randonnée et de pêcher dans les régions qui se trouvent au-dessous du cercle polaire arctique, puis visite quelques fjords norvégiens et entre en Suède via les contrées lapones. En automne, 66° Nord rend visite aux ours du Jemtland, à la lisière de la Laponie.

◆ Le voyage sur l'eau est également recherché, comme la **croisière** sur le Gotä Canal, proposée par Scanditours entre mai et septembre. Le long des côtes, passent en été de grands navires de croisière qui ont commencé leur périple en Norvège (Club Med, Costa Croisières). Choix original, en été toujours : la rando en **kayak** (débutants compris) et à pied dans l'archipel de Stockholm (Grand Nord Grand Large).

◆ Une Suède insolite se vit dans l'île de **Gotland**, entre autres avec Norvista et Scanditours.

◆ Sous la poussée du tourisme norvégien, la plupart des voyagistes précités regroupent souvent les **trois pays** du nord. Des combinés **Helsinki**-Stockholm sont également proposés.

◆ Comme ses voisines, la Suède n'échappe pas à des tarifs élevés. Les voyages à connotation sportive en Laponie sont les moins onéreux, mais tout de même de l'ordre de *1 400 EUR* pour 10 jours.

QUE RAPPORTER ?

Les objets en verre, les sabots en bois... et les petits chevaux en pin sculpté du centre du pays sont des pièces d'artisanat typiques.

LES REPÈRES

◆ Pas de décalage horaire avec la Belgique, la France, le Luxembourg ou la Suisse; lorsqu'il est midi au Québec, en Suède il est 19 heures. ◆ Langue officielle : le suédois. ◆ Langue étrangère : l'anglais. ◆ Téléphone vers la Suède : 0046 + indicatif (Stockholm : 8) + numéro.

LA SITUATION

Géographie. Au nord-ouest, au-dessus du cercle polaire, le relief dépasse 2 000 m. Puis il s'abaisse lentement, d'abord sous la forme de plateaux entaillés par de nombreux lacs et rivières, ensuite par des collines, avant de laisser place à de basses plaines littorales. À l'extrémité de celles-ci, apparaissent des baies profondes et une multitude d'îlots. La Suède est l'un des plus grands pays d'Europe (449 964 km^2).

Population. Par rapport à la superficie, son chiffre est modeste (9 045 000 habitants). Situation climatique oblige, la population est concentrée dans le sud. On dénombre dix mille Lapons (le terme « Sames » est plus approprié) et des immigrés des pays méditerranéens (Grecs, Turcs, Italiens). Capitale : Stockholm.

Religion. Les protestants (luthériens) regroupent une large majorité de la population, alors que l'Église n'est séparée de l'État que depuis 1983. Minorités de catholiques, de pentecôtistes, d'orthodoxes grecs, de musulmans et de juifs.

Dates. *980* Les Vikings suédois s'allient aux Danois. *1523* Le roi Gustave Vasa fonde l'Église nationale (luthérienne). *1611* Début de l'apogée de la Suède avec Gustave II. *1814* Union avec la Norvège, qui la rompra en 1905. *1907* Gustave V gouverne : le « socialisme à la suédoise » est amorcé. *1950* Règne de Gustave VI. *1969* Olof Palme Premier ministre. *1973* Charles XVI est proclamé roi. *1976* Les conservateurs prennent le pouvoir. *1982* Retour d'Olof Palme. *1986* Ingvar Carlsson devient Premier ministre à la suite de l'assassinat d'Olof Palme. *1991* Carl Bildt Premier ministre. *Septembre 1994* Ingvar Carlsson et les sociaux-démocrates remportent les élections législatives. *Novembre 1994* Les Suédois disent oui (52,2 %) à l'entrée de leur pays dans l'Union européenne, effective en janvier 1995. *Septembre 1998* Les sociaux-démocrates, petits vainqueurs des législatives, sont à la tête d'un gouvernement de coalition. *Septembre 2002* Législatives : les sociaux-démocrates renouvellent leur bail, Goran Persson est reconduit dans ses fonctions de Premier ministre. *Septembre 2006* Une coalition de droite prend le pouvoir, Fredrik Reinfeldt devient Premier ministre.

Suisse

Pour savoir si l'on doit un jour s'enticher de la Suisse, il existe un test probant : on y entre en voiture au nord-ouest, à Bâle, et on en ressort quatre heures plus tard et trois cents kilomètres plus loin au sud, peu après Lugano. Entre-temps, on se sera fabriqué un film documentaire qui aura fait défiler des sommets de plus en plus majestueux, des lacs de plus en plus étendus... et des tunnels de plus en plus longs. Si on s'est laissé conquérir, on reviendra en été pour des randonnées et en hiver sur les pistes de ski alpin ou de ski de fond.

LES RAISONS D'Y ALLER

LES PAYSAGES, LES RANDONNÉES, LES SPORTS D'HIVER

Oberland bernois (gorges de l'Aar, chutes, Grand Glacier d'Aletsch)
Engadine, Valais, Tessin
Lacs et activités nautiques, ski alpin (Davos, Gstaad, Saint-Moritz, Zermatt), ski de fond

LES VILLES ET LES MONUMENTS

Genève, Lausanne, Montreux, Berne, Lugano, Bâle, Zurich
Cités médiévales

LA FAUNE ET LA FLORE

Grisons (Parc national suisse)

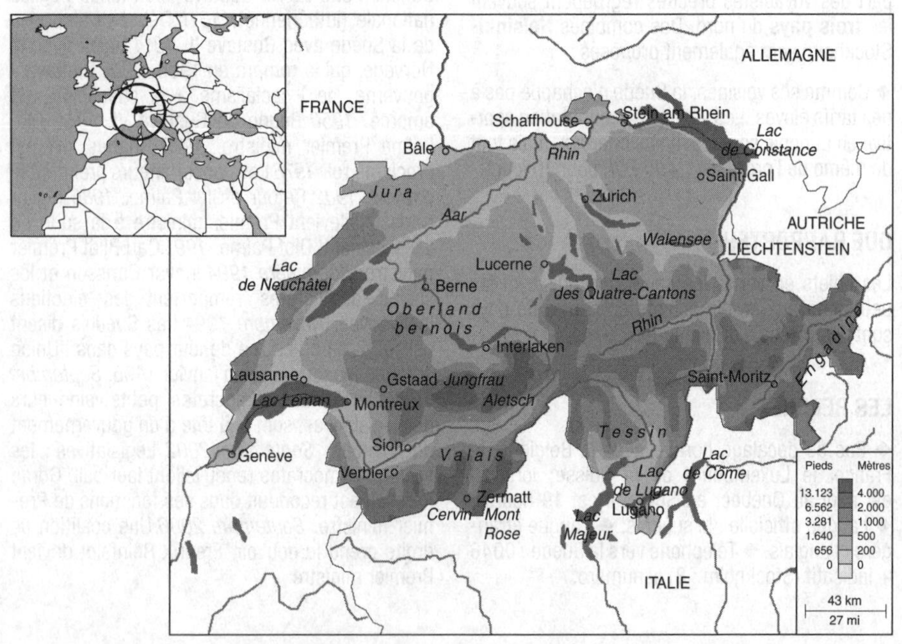

LES RAISONS D'Y ALLER

LES PAYSAGES, LES RANDONNÉES, LES SPORTS D'HIVER

Si le **ski** est la valeur refuge du tourisme suisse (Davos et Saint-Moritz dans les Grisons, Gstaad dans le canton de Berne, Les Diablerets dans le canton de Vaud, Zermatt dans le Valais), les **randonnées**, qu'elles soient d'été (très nombreux chemins balisés) ou d'hiver (ski de fond), sont un complément évident. Les sentiers les plus propices se trouvent dans l'**Engadine** (Grisons), le **Valais**, avec des sommets au-dessus de 4 000 m, et le **Tessin**, ce dernier annonçant déjà l'Italie.

Toutefois, c'est l'**Oberland bernois** qui offre la plus grande diversité touristique. Les falaises qui bordent l'Aar, parfois hautes de 50 m, ne laissent que peu de place au lit du fleuve et lui offrent ainsi sa beauté. Dans la région d'Interlaken, les chutes sont nombreuses (Giessbach, Reichenbach, Staubbach, Trummelbach). Sur le versant sud, le Grand Glacier d'Aletsch et ses 24 km de long sont capables de satisfaire aussi bien les varappeurs que les skieurs ou les simples promeneurs. Ceux-ci empruntent en été le chemin de fer à crémaillère qui les conduit dans la gare la plus haute d'Europe, à 3 454 m. Au-dessus, la Jungfrau (4 158 m), le Mönch et l'Eiger constituent un trio de choix.

Le nombre des stations des Alpes permet d'envisager aussi bien les sports d'hiver modernes (ski-bob, skeleton, bobsleigh) que traditionnels (luge, ski alpin, ski de fond).

Les rives des **lacs** constituent également des rendez-vous du tourisme suisse : lac Léman (désormais déclaré « entièrement propre à la baignade » malgré la pollution), lac de Neuchâtel, lac de Constance, lac de Lugano, lac Majeur, lac des Quatre-Cantons (de l'avis de beaucoup, le plus beau de tous grâce à son cadre de « montagnes-belvédères » et à la diversité de sa flore), Walensee. Ailleurs, l'aviron (bassin de Rotsee, près de Lucerne), le ski nautique et le canoë sont au programme.

LES VILLES ET LES MONUMENTS

Genève, sur le Rhône et à l'extrémité ouest du lac Léman, mérite le détour pour son site et son jet d'eau mais aussi pour sa vieille ville (ancienne cathédrale, maisons médiévales, palais, hôtel de ville, église de la Madeleine), ses quartiers branchés (Carouge, Pâquis), son jardin botanique et plusieurs musées, dont le musée Ariana (faïences, porcelaines), le musée de l'Horlogerie et le musée Rousseau, lui-même une étape pour qui souhaitera poursuivre l'itinéraire des témoignages sur l'écrivain après Neuchâtel (Bibliothèque publique et universitaire) et Môtiers (maison-musée). Le 6 décembre, lors de la « course de l'escalade », la ville fête la victoire des Genevois sur les Savoyards il y a plus de quatre siècles.

Lausanne vaut par sa cathédrale du XIIIe siècle et ses musées (musée du Vieux Lausanne, musées du palais de Rumine). Outre son festival musical, **Montreux** tire sa réputation de la douceur de son climat, qui a engendré la « Riviera vaudoise ». **Sion** fait valoir le site de son église fortifiée, Notre-Dame de Valère.

Le carnaval de **Bâle**, qui a lieu au mois de février, fait partie des meilleurs du genre en Europe, tandis que la foire d'art contemporain Art Basel, en juin, connaît une renommée mondiale. La ville possède également de riches musées (Schaulager, Tinguely, Vitra Design Museum, Fondation Beyeler).

La capitale **Berne** a du mal à sortir de sa discrétion malgré sa partie ancienne, son musée des Beaux-Arts et le centre Paul Klee.

À **Lugano**, la Fête des vendanges, début octobre, connaît un succès touristique notable. Lugano offre aussi, aux abords de son lac, la beauté de ses jardins et de la collection privée de la Villa Favorita.

En Suisse orientale, trois cités médiévales s'imposent : **Schaffhouse**, qui a conservé les maisons moyenâgeuses de douze corporations de métiers; **Stein am Rhein**, dont certaines façades sont décorées de fresques; **Saint-Gall**, connue pour les deux mille manuscrits de sa bibliothèque abbatiale.

Zurich bénéficie du site créé par le fleuve Limmat : outre sa cathédrale romane (Grossmünster) et sa Fraumünster, ancien couvent qui laisse apparaître des vitraux de Giacometti et de Chagall, la ville renferme d'importants musées (Rietberg, Kunsthaus). On y vit aussi l'animation du quartier de Niederdorf, la Sechseläuten en avril (fête de la fin de l'hiver), la Street Parade (electro) en août et un marché de Noël réputé.

LA FAUNE ET LA FLORE

Rhododendrons, edelweiss et jonquilles (celles-ci dans le Jura) constituent le tiercé majeur de la flore, alors que marmottes, bouquetins, cerfs et chamois peuplent, pour le bonheur du photographe animalier, le Parc national suisse dans les **Grisons**.

LE POUR

◆ Un terrain idéal pour l'amateur de sports d'hiver et le randonneur, dans des cadres montagneux parmi les plus beaux d'Europe.

◆ D'excellents réseaux routier et ferroviaire.

LE CONTRE

◆ Le coût élevé de la vie touristique.

LE BON MOMENT

Selon que l'on sera estivant ou amateur de sports d'hiver, on appréciera aussi bien la période **juin-septembre** dans le premier cas que **novembre-mars** dans le second. Et comme le printemps et l'automne sont agréables, surtout sur les pourtours (lac Léman, Tessin), le climat est constamment propice.

◆ Températures moyennes jour/nuit (en °C) à *Genève* (ouest) : janvier 4/-2, avril 14/4, juillet 25/13, octobre 15/7; à *Zurich* (nord-est) : janvier 2/-3, avril 13/4, juillet 23/13, octobre 13/6.

LE PREMIER CONTACT

En Belgique

Suisse Tourisme, BP 1600, B-1000 Bruxelles, ☎ 02.345.33.68, info@myswitzerland.com

Au Canada

Switzerland Tourism Canada, Etobicoke, ☎ (416) 695-3496, fax (416) 695-2774.

En France

Suisse Tourisme, 11 *bis*, rue Scribe, 75009 Paris (fermé au public), ☎ (gratuit) 00800.100.200.30, fax 00.800.100.200.31, info@myswitzerland.com

Suisse Tourisme publie un bulletin d'information et des brochures (dont la découverte du pays en train, car et bateau) au sein desquelles sont proposés des séjours et des circuits organisés. Il est également en mesure de fournir un bulletin d'enneigement, mis à jour trois fois par semaine.

Internet

www.myswitzerland.com
www.geneve-tourisme.ch
www.zuerich.com

Guides

Autour de Genève (Libris), *Genève* (Le Petit Futé),

Lausanne (Gallimard/Cartoville), *Lausanne et le Léman* (Gallimard/Encycl. du voyage), *Lausanne, Riviera suisse* (Le Petit Futé),

Suisse (Hachette/Routard, Hachette/Voir, Le Petit Futé),

Dans les montagnes de Suisse romande : 100 itinéraires de randonnée pédestre du Jura aux Alpes (Olizane), *les Plus Belles Randos sur les crêtes de Suisse* (Rossolis, 2006), *Ski de randonnée : Haut Valais* (Olizane), *Ski de randonnée : Ouest-Suisse* (Olizane), *Ski de randonnée : Valais central* (Olizane), *30 Balades en famille entre Genève et Evian : Thonon, pays du Léman, vallée Verte* (Ed. Didier Richard).

Cartes

Suisse (Berlitz, IGN, Kummerly + Frey, Marco Polo, Michelin). Plan de Genève chez Blay Foldex.

Lectures

Genève, portrait de ville par une Méditerranéenne (Rosa Regas/Métropolis), *le Goût de Genève* (Bertrand Lévy/Mercure de France, 2006), *Histoire de la Suisse* (Jean-Jacques Bouquet/Que sais-je?, 2007), *l'Histoire suisse en un clin d'œil* (Editions Zoé, 2007).

Images

Flore et paysages de Suisse (Rossolis, 2005), *Paradis sauvages de Suisse* (Rossolis, 2006), *le Vertige des réserves : Bibliothèques & Musées de Genève* (Alan Humerose/Glénat, 2007).

DVD

Les pendules à l'heure : balade en Suisse romande (V. Berda/Vodeo TV).

QUEL VOYAGE ET À QUEL PRIX ?

Le voyage accompagné

Les préparatifs

◆ Pour les ressortissants de l'Union européenne : carte nationale d'identité ou passeport périmé depuis moins de cinq ans suffisant. Pour les ressortissants canadiens : passeport encore valide six mois après le retour.

◆ Monnaie : le *franc suisse* est subdivisé en 100 *centimes*. 1 EUR = 1,50 franc suisse, 1 US Dollar = 1,20 franc suisse. Emporter des euros ou des US Dollars et une carte de crédit.

Le départ

Avion

◆ Indice de prix du vol Montréal-Genève A/R à certaines dates : 900 CAD; Paris-Genève A/R : 170 EUR, Paris-Zurich A/R : 180 EUR. ◆ Vols à bas prix : Bruxelles-Genève (Brussels Airlines, EasyJet), Paris-Genève (Easyjet), Paris-Zurich (Air Berlin). ◆ Durée moyenne du vol Paris-Genève (402 km) : 1 heure; Paris-Zurich (481 km) : 1 h 15.

Route

Paris-Genève : 540 km par l'autoroute via Lyon et Chambéry; 508 km par la route via le col de la Faucille.

Train

Les TGV Lyria relient Paris à Bâle, Berne, Genève, Lausanne, Zurich. Paris-Gare de Lyon-Genève (jusqu'à 7 départs quotidiens) : 3 h 22; Paris-Gare de l'Est- Zurich : 4 h 35.

Sur place

Hébergement

◆ Le logement en milieu rural est pratiqué sous diverses formes (camping à la ferme, chalets) en Suisse romande, dont la fédération du tourisme rural édite une brochure, disponible à l'office du tourisme. ◆ Il existe des auberges de jeunesse, renseignements : www.youthhostel.ch

Route

◆ Limitation de vitesse agglomération/route/autoroute : 50/80/120 km/h. ◆ Limite du taux d'alcoolémie : 0,5 pour mille. ◆ Pour qui emprunte l'autoroute, achat obligatoire d'une vignette (40 francs suisses) à apposer sur le pare-brise. Valable pour l'année en cours, avec kilométrage illimité, elle peut être obtenue à la douane, dans les bureaux de poste ou dans les stations-service. ◆ Tunnels gratuits, y compris les 17 km du Saint-Gothard.

Train

Des voyages insolites consistent à prendre des trains panoramiques à travers les Alpes.

Le *Jungfraubahn* est une institution parce qu'il mène à la gare ferroviaire la plus élevée d'Europe. De son côté, le *Bernina Express* est un petit train rouge qui, de Coire à Tirano, dans les Grisons, tutoie les mélèzes et les sapins pendant 4 h 30. Le *Glacier Express* traverse les grands paysages alpins entre Zermatt et Saint-Moritz à plus de 2 000 m, tandis que le *Guillaume Tell Express* va de Lucerne à Locarno ou Lugano.

Des cartes de libre circulation *(Swiss Pass, Swiss Flexi Pass, Swiss Youth Pass)* autorisent des réductions pour le train mais aussi pour les bus, les trams et les bateaux (renseignements auprès de l'office du tourisme).

Le séjour

◆ La **montagne** est la base du tourisme suisse. La proximité favorise les initiatives individuelles mais les formules abondent, avec une constante : des pays alpestres, la Suisse est loin d'être la moins chère pour le ski, même si, en cherchant bien sur www.myswitzerland.com ou, pour le Valais, sur www.matterhornstate.ch/fr/welcome.cfm, on peut dégoter des formules au coût raisonnable.

◆ Le Club Méditerranée est présent sur quatre sites, dont **Saint-Moritz**, pour des vacances familiales et/ou sportives en été.

◆ **Genève** fait l'objet de formules avion + 2 nuits à partir de Paris pour environ *300 EUR*. La ville est au programme de Frantour pour des week-ends en train à partir de Paris pour 2 jours/1 nuit (environ

150 EUR), par exemple pour la fête de l'Escalade. Autres propositions : Luxair/Metropolis.

Le voyage accompagné

Rappel : nous nous sommes limités à un résumé des prestations en vigueur dans les agences et chez les voyagistes présents en France. Les lecteurs des autres pays peuvent en tirer des idées d'itinéraire et les compléter auprès de leurs agences de voyages.

◆ Les spécialistes de la **randonnée** sont très présents dans un pays où tout invite à cela : en juillet et en août surtout, leurs programmes durent généralement une semaine et coûtent entre *500 et 600 EUR*. La succession des cols qui jalonnent l'itinéraire de Verbier à Zermatt n'a pas échappé à Terres d'aventure, qui propose un programme de randonnées de niveau soutenu (de cinq à neuf heures de marche quotidiennes). Ce même voyagiste et Allibert sont dans l'Oberland et dans les Grisons, alors que Club Aventure va de Chamonix à Zermatt par les sentiers, les glaciers et les alpages.

◆ Bâle est le point de départ de **croisières** d'une semaine sur le Rhin jusqu'à Amsterdam avec escales à Strasbourg et Cologne (KD/Croisirhin). On peut également envisager l'itinéraire inverse.

LES REPÈRES

◆ Lorsqu'il est midi au Québec, en Suisse il est 18 heures. ◆ Langues : la Suisse est riche de quatre langues officielles (l'allemand, qui est la langue de deux habitants sur trois, le français, l'italien et le romanche). ◆ Téléphone vers la Suisse : 0041 + indicatif (Genève : 22; Zurich : 1) + numéro; de Suisse : 00 + indicatif pays + numéro.

LA SITUATION

Géographie. Avec 60 % de sa superficie recouverts par les Alpes et 10 % par le Jura, la Suisse, bien calée au centre de l'Europe, propose rarement de lointains horizons, quel que soit l'endroit choisi de ses 41 293 km². Le Valais, avec la pointe Dufour (mont Rose), point culminant du pays à 4 634 m, et les Alpes bernoises sont les endroits les plus élevés.

Population. Sur une population de 7 582 000 habitants, répartie en 26 cantons, près d'un million sont étrangers, essentiellement italiens. Capitale : Berne. Zurich, Bâle et Genève sont, dans cet ordre, plus peuplés.

Religions. Les catholiques (47 %) sont légèrement plus nombreux que les protestants (44 %).

Dates. *58-15 av. J.-C.* Les Romains soumettent les Helvètes. *888* L'Helvétie appartient aux Bourguignons. *XIIIe siècle* Guillaume Tell et les cantons défendent leurs territoires, dont la plupart sont occupés par les Habsbourg. *1291* Naissance de la Confédération. *1513* La Confédération réunit treize cantons qui, après la bataille de Marignan perdue face à François Ier en 1515, signent une paix perpétuelle avec la France. *1648* Traités de Westphalie et indépendance de la Confédération helvétique. *1815* Congrès de Vienne et reconnaissance de la neutralité du pays. *1848* Création d'un État fédératif, avec Berne pour capitale. *1979* Création du canton du Jura. *1995* Les socialistes et les centristes progressent lors des élections fédérales. *Mars 2002* La Suisse devient le 190e État membre de l'ONU. *Octobre 2003* Lors des législatives, la droite populiste progresse avec Christoph Blocher. *Janvier 2004* Joseph Deiss est élu président. *Octobre 2007* L'Union démocratique du centre (SVP, parti conservateur et libéral) est majoritaire au Conseil national. *Décembre 2008* La Suisse entre dans l'espace Schengen. *Janvier 2009* Hans-Rudolf Merz prend la présidence.

Suriname

Au palmarès du tourisme sud-américain, le Suriname, ex-Guyane hollandaise, occupe un rang très discret. Pourtant, il est parcouru par des rapides coupés de chutes qui trouent l'imposante forêt dense et il bénéficie d'une nature qui semble avoir gardé une bonne part de ses qualités originelles. Mais le voyageur francophone n'est pas sollicité et trouve peu ou prou les mêmes ingrédients touristiques dans la Guyane française voisine.

LES RAISONS D'Y ALLER

LES FLEUVES ET LES RIVIÈRES

Remontées et descentes en pirogue
Chutes sur les fleuves Courantyne et Coppename

LES PAYSAGES

Forêt tropicale
(Central Suriname Nature Reserve)
Fleuves, réserves naturelles (Sipaliwini)
Faune et flore, réserve de Galibi (tortues luths)

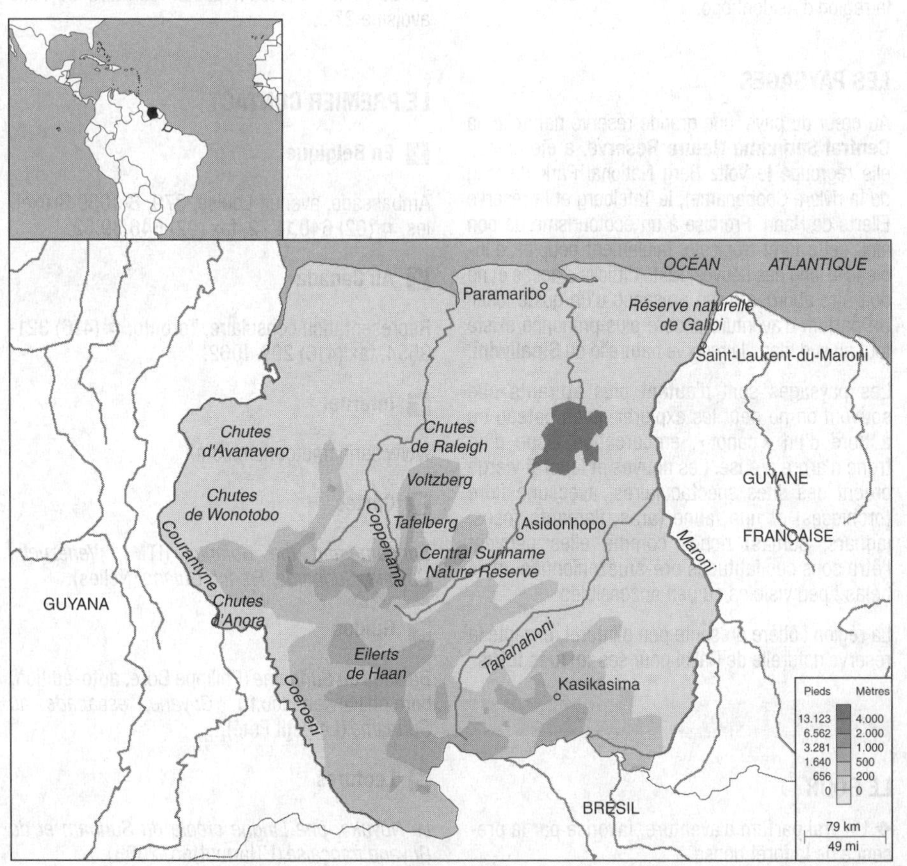

LES RAISONS D'Y ALLER

LES FLEUVES ET LES RIVIÈRES

Le nombre, le site et le cours tumultueux des **fleuves** et des **rivières** qui coupent le plateau des Guyanes ont engendré un tourisme à base de descentes en **pirogue**.

Les cours d'eau retombent parfois brutalement, tels le **Courantyne** (chutes d'Anora et de Wonotobo) ou le **Coppename** (chutes de Raleigh).

La descente de la **Tapanahoni**, affluent du Maroni, permet de franchir plusieurs rapides (« sauts ») et d'atteindre la région de la peuplade amérindienne Wajana. Il existe également des possibilités de découvrir des villages d'autres peuplades, dont les « marrons », descendants d'esclaves qui avaient fui les colonisateurs et qui vivent principalement dans la région d'Asidonhopo.

LES PAYSAGES

Au cœur du pays, une grande réserve naturelle, la **Central Suriname Nature Reserve**, a été créée : elle regroupe le Voltz Berg National Park (le long de la rivière Coppename), le Tafelberg et la réserve Eilerts de Haan. Promise à un écotourisme de bon aloi, cette forêt tropicale, faiblement peuplée d'Indiens le long des fleuves, reste difficile d'accès et ne doit être abordée qu'en présence d'un guide local. Un parfum d'aventure encore plus prononcé existe tout au sud, dans la réserve naturelle du **Sipaliwini**.

Les paysages sont d'autant plus attirants que souvent on ne peut les explorer qu'en bateau ou à bord d'un « canot », embarcation issue d'un tronc d'arbre creusé. Les fleuves et la forêt vierge créent des sites spectaculaires, avec une flore (orchidées) et une faune (aras, flamants roses, jaguars, pumas) riches comme elles peuvent l'être sous ces latitudes pré-amazoniennes, mais hélas ! peu visibles ou peu accessibles.

La région côtière présente peu d'intérêt, excepté la réserve naturelle de Galibi pour ses **tortues luths**.

LE POUR

◆ Un vrai parfum d'aventure, favorisé par la présence de la forêt dense.

LE CONTRE

◆ Un pays très peu évoqué et donc une identité touristique qui reste à définir.

◆ Un climat défavorable entre mai et août.

LE BON MOMENT

La température descend rarement en dessous de 30°. Ce type de climat équatorial, fait de chaleur humide et de pluie, est difficile. **Septembre et octobre**, voire **novembre**, sont les mois les plus acceptables. Les pluies tombent (dru) entre avril et août et décembre-février.

◆ Températures moyennes jour/nuit (en °C) à *Paramaribo* : janvier 30/23, avril 31/24, juillet 31/23, octobre 33/24. La température de l'eau avoisine 27°.

LE PREMIER CONTACT

En Belgique

Ambassade, avenue Louise, 379, B-1050 Bruxelles, ☎ (02) 640.11.72, fax (02) 646.39.62.

Au Canada

Représentation consulaire, Toronto, ☎ (416) 321-9554, fax (416) 299-1062.

Internet

www.surinametourism.com/

Cartes

Surinam and the Guianas (ITM), *Venezuela, Guyana, Suriname, French Guiana* (Nelles).

Guides

Balades au Suriname (Philippe Boré, auto-édition, bore.phil@wanadoo.fr), *Guyane, escapade au Suriname* (Le Petit Futé).

Lectures

Le Ndyuka, une langue créole du Surinam et de Guyane française (L'Harmattan, 2003).

QUEL VOYAGE ET À QUEL PRIX ?

Les préparatifs

◆ Pour les ressortissants de l'Union européenne, canadiens, suisses : passeport valable encore six mois après le retour, **visa** obligatoire, obtenu auprès du consulat. ◆ Billet de retour ou de continuation exigible.

◆ Vaccination vivement recommandée contre la fièvre jaune en dehors des zones urbaines. Prévention indispensable contre le paludisme, néanmoins le risque est faible pour le district de Paramaribo et pour certaines zones côtières.

◆ Monnaie : le *dollar surinamais* est subdivisé en 100 *cents*. 1 US Dollar = 2,8 dollars surinamais, 1 EUR = 3,5 dollars surinamais. Emporter des euros ou des US dollars et une carte de crédit (distributeurs de monnaie dans certaines banques).

Le départ

◆ Indice du prix du vol Montréal-Paramaribo A/R : 1 500 CAD. A partir de l'Europe, il existe un vol Amsterdam-Paramaribo. Indice de prix du vol A/R : 800 EUR. ◆ Durée moyenne du vol Amsterdam-Paramaribo (8 500 km) : 11 heures. ◆ Pour qui a du temps, Cayenne est la destination voisine la plus indiquée (voir *Guyane française*).

Le séjour

Route

◆ Conduite à gauche. ◆ Nombreuses pistes, le tout-terrain est de rigueur.

Les formules

Le Suriname est un pays quasiment ignoré par les voyagistes. Toutefois, le Movement for Eco-Tourism in Suriname, installé à Paramaribo (www.surinamevacations.com/), fournit des formules de voyages ou des idées d'itinéraires. Voir aussi www.couleursamazone.fr

LES REPÈRES

◆ Lorsqu'il est midi en France, au Suriname il est 7 heures en été et 8 heures en hiver. ◆ Langue officielle : néerlandais. Très nombreux dialectes et langues, vu le cosmopolitisme. ◆ Langues étrangères : anglais et espagnol. ◆ Téléphone vers le Suriname : 00597 + numéro.

LA SITUATION

Géographie. En dehors de la plaine côtière, le pays, dont la superficie est relativement modeste (163 265 km^2), repose sur le plateau – également appelé bouclier – des Guyanes, recouvert par la forêt dense.

Population. Le nombre d'habitants (476 000) est peu élevé. Les raisons : la situation géographique (les neuf dixièmes de la population vivent le long des côtes) et l'émigration vers les Pays-Bas au moment de l'indépendance. Les Indiens (de l'Inde) et les Indonésiens sont venus rejoindre les populations de Noirs et de métis pour travailler dans les plantations après l'abolition de l'esclavage. Quant aux Amérindiens, ils vivent le long des fleuves. Capitale : Paramaribo.

Religion. Les hindouistes sont les plus nombreux (27 %), précédant les catholiques (23 %), les musulmans (20 %) et les évangélistes protestants (18 %), qui sont des frères moraves.

Dates. *1650* Lord Willoughby débarque. *1667* La paix de Breda donne le pays aux Néerlandais. *1863* Abolition de l'esclavage, arrivée d'Indiens de l'Inde et d'Indonésiens. *1954* Autonomie. *1973* Victoire du parti progressiste (NPK) aux élections. *1975* Indépendance et établissement du gouvernement de Henck Arron. *1980* Coup d'État et régime militaire du colonel Desi Bouterse. *1992* Un modéré, Ronald Venetiaan (National Party Suriname), devient président de la République. *Septembre 1996* Jules Wijdenbosh (opposition) devient président d'un pays troublé. *Mai 2000* Les élections législatives anticipées ramènent Ronald Venetiaan au pouvoir. *2005* Réélection de Venetiaan.

Swaziland

Un touriste qui prendrait le temps de s'attarder dans ce petit royaume absolutiste du sud de l'Afrique découvrirait de jolis paysages de moyenne montagne qui ont valu au pays son surnom de « Suisse de l'Afrique australe ». Dans le cadre d'un voyage accompagné, en revanche, le Swaziland ne fait généralement l'objet que d'une courte visite intercalée entre celle des parcs sud-africains Kruger et Hluhluwe.

LES RAISONS D'Y ALLER

LES PAYSAGES

Drakensberg, vallée de l'Usutu

LA FAUNE

Parcs nationaux : Malolotja, Mlilwane, Ehlane, Mkhaya, Phophonyane

LES TRADITIONS

Danses et cérémonies, peintures rupestres

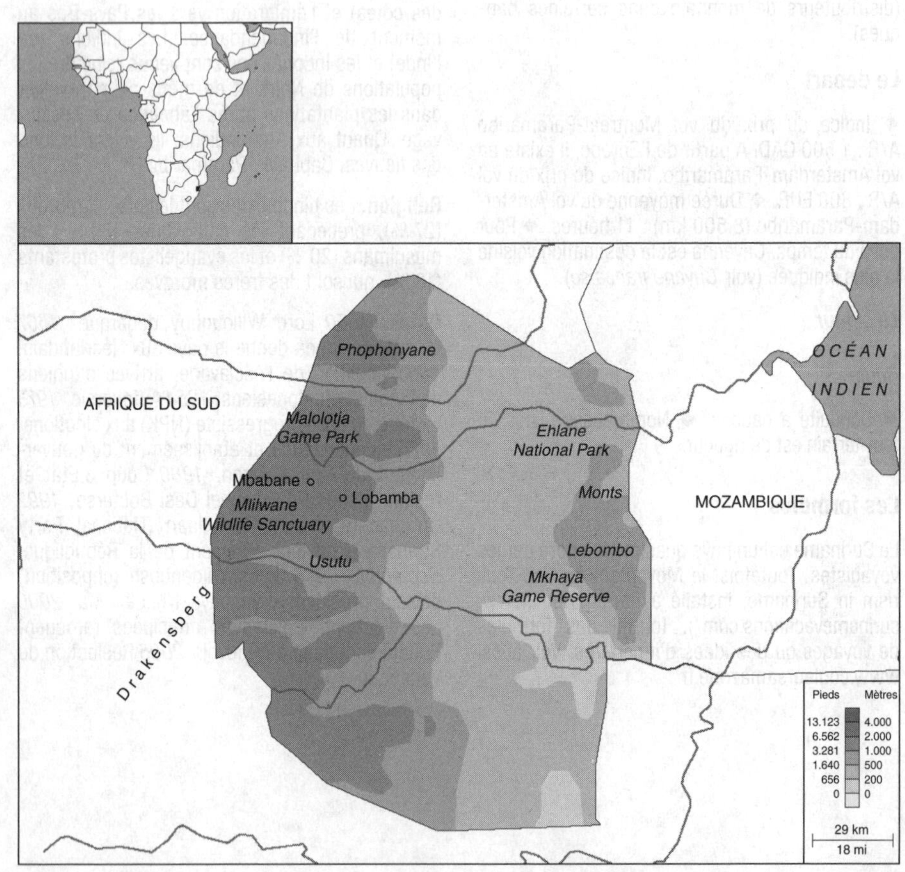

LES RAISONS D'Y ALLER

LES PAYSAGES

Le plus haut et le plus beau massif d'Afrique du Sud, le **Drakensberg**, occupe la partie ouest du Swaziland et lui offre son meilleur panorama au niveau du Grand Escarpement et de la **vallée de l'Usutu**.

LA FAUNE

S'ils n'ont pas la réputation de leurs homologues sud-africains, les **parcs nationaux** du Swaziland sont plutôt nombreux pour un si petit pays : Malolotja (qui renferme la mine de Ngwenya, la plus ancienne du monde), Mlilwane, Ehlane, Mkhaya (éléphants), Phophonyane. Leur intérêt vient à la fois de la découverte des animaux mais aussi de la nature (bush, cascades).

LES TRADITIONS

Le Swaziland poursuit chaque année la tradition de **danses** et **cérémonies** dont les plus importantes sont l'Incwala – entre décembre et janvier, qui concerne les jeunes hommes et à laquelle participe le roi – et la « Reed Dance », à la fin du mois d'août ou au début de septembre, qui concerne les jeunes filles.

Par ailleurs, dans plusieurs endroits du pays on peut découvrir des peintures **rupestres** bochimans.

LE POUR

◆ De beaux paysages de montagne.

◆ Une saison sèche bien placée au calendrier.

LE CONTRE

◆ Un pays dans l'ombre de l'Afrique du Sud et qui a du mal à se forger une identité touristique.

LE BON MOMENT

Le Swaziland est soumis à une double alternance classique saison sèche/saison des pluies et été/hiver austral. C'est **entre avril et octobre** que le climat est le plus favorable, quand la chaleur humide s'atténue et que le soleil brille généreusement.

◆ Températures moyennes jour/nuit (en °C) à *Mbabane* (Highveld, 1 380 m) : janvier 29/19, avril 27/15, juillet 23/7, octobre 28/15.

LE PREMIER CONTACT

En Amérique du Nord

Haut commissariat, Washington, États-Unis, ☎ (202) 234-5002, fax (202) 234-8254.

En Belgique

Ambassade, avenue Winston-Churchill, 188, B-1180 Bruxelles, ☎ (02) 347.47.71, fax (02) 347.46.23, www.swaziembassy.be

En Suisse

Consulat, Lintheschergasse, 17, CH-8021 Zurich, ☎ (01) 211.52.03, fax (01) 211.50.86.

Internet

www.welcometoswaziland.com/

Guides

Afrique du Sud, Lesotho et Swaziland (Lonely Planet France), *Afrique du Sud + Namibie, Swaziland et Lesotho* (Hachette/Guide du routard).

Cartes

Voir *Afrique du Sud.*

Lecture

Le Royaume de Swaziland. Un État dans l'Afrique du Sud (Aliette de Coquereaumont-Gruget/ L'Harmattan, 2000).

QUEL VOYAGE ?

Les préparatifs

◆ Pour les ressortissants de l'Union européenne, canadiens, suisses : passeport suffisant, valable encore six mois après le retour. Billet de retour ou de continuation exigible.

◆ Prévention recommandée contre le paludisme dans les régions situées à basse altitude.

◆ Monnaie : le *lilangeni*. 1 EUR = 13 lilangenis, 1 US Dollar = 10 lilangenis. Emporter des euros ou des US Dollars en espèces ou en chèques de voyage. Le rand d'Afrique du Sud est accepté.

Le départ

◆ L'aéroport international le plus proche du Swaziland est celui de Johannesburg (voir *Afrique du Sud*). ◆ Durée moyenne du vol Paris-Johannesburg direct : 10 heures 30.

Le séjour

Route

Conduite à gauche. Bon réseau asphalté, bonnes pistes.

Le voyage accompagné

Difficile de concevoir un séjour consacré au seul Swaziland, mais la proximité de l'Afrique du Sud permet au pays de recevoir pour quelques heures ou pour quelques jours les visiteurs de l'imposant voisin. Ainsi peut-on le découvrir avec, entre autres, Kuoni ou Jet tours, ce dernier lors du circuit le plus souvent programmé pour l'Afrique du Sud, qui va du Cap à Johannesburg, et vice versa, via le parc national Kruger.

De même, un programme proposé par Atalante est basé sur la randonnée en Afrique du Sud (parc Kruger, Umfolozi, Drakensberg) mais consacre un moment au Swaziland (départs entre avril et décembre).

LES REPÈRES

◆ Lorsqu'il est midi en France, au Swaziland il est la même heure en été et 13 heures en hiver. ◆ Langues : l'anglais, langue officielle, et le swazi. ◆ Téléphone vers le Swaziland : 00268 + numéro.

LA SITUATION

Géographie. Quatre régions (d'ouest en est : Highveld, Middleveld, Lowveld et monts Lebombo) caractérisent ce petit pays de 17 364 km^2, enserré entre l'Afrique du Sud et le Mozambique.

Population. La quasi-totalité des 1 129 000 habitants est composée de Swazis qui, à l'origine, faisaient partie des Bantous. Capitale administrative : Mbabane. Lobamba est la capitale royale et législative.

Religion. Quatre habitants sur cinq sont chrétiens et majoritairement protestants, le cinquième est animiste.

Dates. *1836* Le roi Mswazi II prend le pouvoir. *1894* Administration du pays par l'État sud-africain du Transvaal. *1922* Règne de Sobhuza II. *1967* Autonomie. *1968* Indépendance. *1973* Le roi Sobhuza II interdit les partis politiques et instaure l'état d'urgence, toujours en vigueur. *1978* Des assemblées tribales remplacent le Parlement. *1982* Mort de Sobhuza II. *1983* La reine Ntombi au pouvoir. *1986* Mswazi III est proclamé roi et prend l'habit du monarque absolu. *1996* Timide espoir de démocratisation sous la pression de la rue. *Novembre 2003* Absolom Themba Dlamini devient Premier ministre. *2006* L'établissement d'une nouvelle Constitution ne change pas grand-chose aux larges prérogatives du roi.

Syrie

Branche du berceau de l'humanité, la Syrie a toujours été chérie par l'histoire. Celle-ci lui a offert des civilisations diverses et, outre Damas et Alep, lui a laissé des sites tels que Palmyre, Apamée-sur-l'Oronte, le krak des Chevaliers, Ougarit. On aura compris que le voyage est à forte dominante archéologique. Toutefois, la côte méditerranéenne apporte le nécessaire élément de diversité.

LES RAISONS D'Y ALLER

LES VESTIGES

Palmyre, Hama, Apamée-sur-l'Oronte
Basilique de Saint-Siméon
Doura-Europos, royaume d'Ougarit (site du plus vieil alphabet du monde)
Bosra, Mari, Ebla
Krak des Chevaliers, Tell Mozon

LES VILLES

Damas, Alep

LES CÔTES

Plages des environs de Lattaquié, Tartous

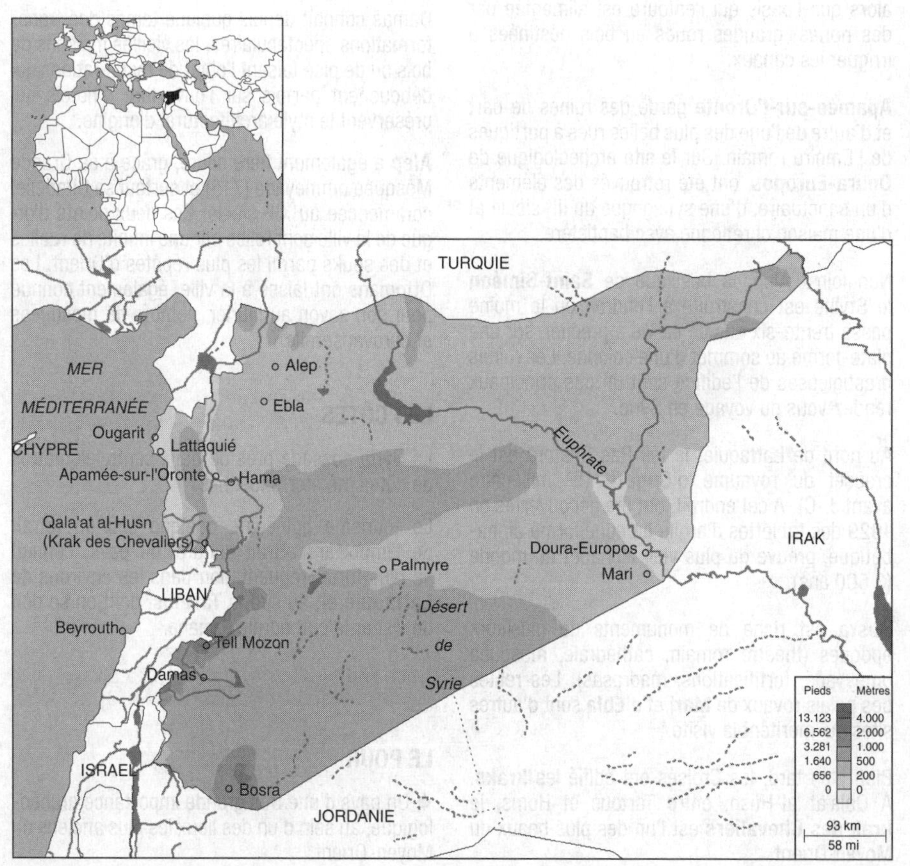

LES RAISONS D'Y ALLER

LES VESTIGES

L'une des plus vieilles contrées du Moyen-Orient ne pouvait qu'engendrer une grande richesse sur le plan archéologique. De fait, les civilisations successives ont légué à la Syrie actuelle de précieux témoignages.

Palmyre (IIe et IIIe après J.-C.), cité de la reine Zénobie, propose un vaste ensemble de ruines (grand temple de Bêl), une agora, un théâtre romain et surtout une imposante architecture funéraire (tours à étages, caveaux, bustes, chambres).

Hama conserve des sculptures du temps d'un royaume néo-hittite établi au IXe siècle av. J.-C., alors que l'oasis qui l'entoure est alimentée par des norias, grandes roues en bois destinées à irriguer les canaux.

Apamée-sur-l'Oronte garde des ruines de part et d'autre de l'une des plus belles rues à portiques de l'Empire romain. Sur le site archéologique de **Doura-Europos**, ont été retrouvés des éléments d'un sanctuaire, d'une synagogue du IIIe siècle et d'une maison chrétienne avec baptistère.

Non loin d'Alep, la basilique de **Saint-Siméon** le Stylite est construite à l'endroit où le moine passa trente-six ans de sa vie à prêcher, sur une plate-forme au sommet d'une colonne. Les ruines prestigieuses de l'édifice sont un des principaux rendez-vous du voyage en Syrie.

Au nord de Lattaquié, le tell Ras Shamra est le creuset du royaume d'**Ougarit** (IIe millénaire avant J.-C). A cet endroit, ont été découvertes en 1929 des tablettes d'argile en cunéiforme alphabétique, preuve du plus vieil alphabet du monde (3 600 ans).

Bosra est riche de monuments de plusieurs époques (théâtre romain, cathédrale, mosquée omeyyade, fortifications, madrasas). Les restes des palais royaux de **Mari** et d'**Ebla** sont d'autres sites qui méritent la visite.

Bien plus tard, les Croisés ont édifié les **kraks**. À Qala'at al-Husn, entre Tartous et Homs, le **krak des Chevaliers** est l'un des plus beaux du Moyen-Orient.

Le site de **Tell Mozon**, à 650 km au nord-ouest de Damas, deviendra peut-être un centre touristique. En effet, des fouilles ont permis d'y mettre au jour, en 1995, les restes de l'ancienne capitale Urkesh, entre autres un temple érigé aux alentours du XXe siècle avant J.-C. par le peuple hourrite dont on n'avait pu jusque-là retrouver le moindre vestige.

LES VILLES

Sur le plan architectural, **Damas** s'enorgueillit du prestige de sa Grande Mosquée des Omeyyades, la première construction et l'une des pièces maîtresses de l'islam. La citadelle, les remparts, le tombeau de Saladin, le vieux quartier chrétien, le couvent de Soliman constituent les autres centres d'intérêt de la ville. Le musée archéologique résume bien les diverses époques, dont celle de la civilisation d'Ougarit.

Damas connaît depuis quelque temps des transformations spectaculaires, les vieilles maisons de bois ou de pisé faisant l'objet de restaurations qui débouchent parfois sur l'ouverture d'hôtels qui préservent le style architectural d'origine.

Alep a également fière allure, grâce à sa Grande Mosquée ommeyade (715) et surtout sa Citadelle, commencée au XIIe siècle. Ces deux points d'orgue de la ville sont reliés par une infinité de ruelles et des souks parmi les plus réputés d'Orient. Les Ottomans ont laissé à la ville, également connue pour son savon au laurier, nombre de mosquées et caravansérails.

LES CÔTES

La Syrie possède près de deux cents kilomètres de côtes méditerranéennes.

Le tourisme balnéaire, quelque peu en retrait de l'important attrait culturel du pays, connaît sa plus forte fréquentation dans les environs de **Lattaquié** et, au sud, à **Tartous**, dont on se doit de visiter la cathédrale romane.

LE POUR

◆ Un pays d'une très grande importance archéologique, au sein d'un des lieux les plus anciens du Moyen-Orient.

◆ La langue française, appréciée et relativement pratiquée, conséquence du temps du protectorat.

LE CONTRE

◆ Même si le pays n'est pas directement concerné, une récurrence du conflit du Moyen-Orient qui peut freiner les intentions de voyage.

LE BON MOMENT

Il fait chaud, voire très chaud en Syrie entre juillet et septembre dans les régions de plaine. Aussi doit-on préférer le **printemps** et l'**automne**, aussi bien pour la côte que pour l'intérieur. L'hiver est doux et souvent pluvieux.

◆ Températures moyennes jour/nuit (en °C) à *Damas* (sud-ouest) : janvier 13/0, avril 25/7, juillet 37/17, octobre 28/9. L'eau de mer atteint 25º en été.

LE PREMIER CONTACT

En Belgique

Ambassade, avenue Franklin-Roosevelt, 3, B-1050 Bruxelles, ☎ (02) 648.09.58, fax (02) 646.40.18, www.syrianembassy.be

Au Canada

Ambassade, 151, rue Slater, Ottawa, K1P 5H3, ☎ (613) 569-5556, fax (613) 569-3800, www.syrianembassy.ca

En France

Services consulaires, 20, rue Vaneau, 75007 Paris, ☎ 01.40.62.61.00, fax 01.47.05.92.73, www.amb-syr.fr

En Suisse

Consulat général, rue de Lausanne, 72, CH-1202 Genève, ☎ (22) 732.56.58, fax (22) 738.42.75.

Internet

www.syriatourism.org/

Guides

Jordanie, Syrie (Hachette/Routard), *Jordanie, Syrie, Liban* (Mondeos), *Syrie* (Hachette/Guide bleu, JPMGuides, Le Petit Futé), *Syrie, Liban* (Nelles).

Cartes

Proche-Orient, Moyen-Orient (Berlitz), *Syria* (ITM).

Lectures

Carnets d'Orient : voyage en Syrie (J. Ferrandez/ Casterman, 2000), *la Syrie au présent : reflets d'une société* (Actes Sud, 2007), *les Secrets d'Alep : une grande ville arabe révélée par sa cuisine* (F. Ollivry/Actes Sud, 2006), *Syrie, éclats d'un mythe* (N. Galesne/Actes Sud, 2002), *Syrie, un voyage en soi* (Françoise Cloarec/L'Harmattan, 2000).

Images

Alep (J.-C. David, G. Degeorge/Flammarion, 2002), *Damas, perle et reine d'Orient* (Flammarion, 2005), *Euphrate, le pays perdu* (Actes Sud, 2000).

QUEL VOYAGE ET À QUEL PRIX ?

Le voyage individuel

Les préparatifs

◆ Pour les ressortissants de l'Union européenne, canadiens, suisses : passeport valable encore six mois après le retour et sans tampon israélien, visa obligatoire, obtenu auprès des services consulaires de l'ambassade, adresse ci-dessus. Permis nécessaire pour le plateau du Golan.

◆ Prévention recommandée contre le paludisme (risque toutefois limité) entre mai et octobre inclus pour le nord-est du pays et pour quelques régions situées le long de la frontière nord.

◆ Monnaie : la *livre syrienne*. 1 US Dollar = 47 livres syriennes, 1 EUR = 61 livres syriennes. Emporter des euros ou des US Dollars en espèces ou en chèques de voyage. Il existe des distributeurs de billets dans les grandes villes et l'usage des cartes de crédit se répand.

Le départ

◆ Indice de prix à certaines dates du vol Montréal-Damas A/R : 1 400 CAD; Paris-Damas A/R : 480 EUR. ◆ Durée moyenne du vol Paris-Damas (3 292 km) : 5 heures.

Le séjour

Route

Location de voiture possible moyennant un permis de conduire obtenu depuis un an minimum. Large réseau de bus interurbains.

Train

Damas-Lattaquié et Damas-Alep sont les lignes les plus utilisées.

Les formules

Rappel : nous nous sommes limités à un résumé des prestations en vigueur dans les agences et chez les voyagistes présents en France. Les lecteurs des autres pays peuvent en tirer des idées d'itinéraire et les compléter auprès de leurs agences de voyages.

Certains voyagistes proposent des circuits d'une semaine avec chauffeur, d'autres, tels Nouvelles Frontières ou Voyageurs du monde, un autotour (location + hôtel à l'étape) d'une semaine qui situe le prix (vol + hébergement + voiture) aux alentours de *1 100* EUR.

Le voyage accompagné

◆ La majorité des formules vont de 8 à 15 jours selon que la Syrie est combinée ou non avec soit la Jordanie, soit le Liban, parfois les deux. A chaque fois, une large découverte des **sites clés** est proposée : Damas, Alep, Palmyre, krak des Chevaliers, Apamée-sur-l'Oronte, royaume d'Ougarit. Exemples : Arts et Vie, Arvel, Asia, Explorator, Nouvelles Frontières, Oriensce Voyages, Orients, STI Voyages, Tamera, Voyageurs du monde.

L'importance de l'apport culturel du pays n'a pas échappé aux spécialistes du genre, tels Clio et Intermèdes, ce dernier proposant par exemple, comme Asia et Orients, de marcher sur les traces de la civilisation d'Ougarit.

◆ La proximité de la Jordanie et l'égale richesse de celle-ci sur le plan architectural ont conduit à une multiplication des combinés **Syrie-Jordanie**, la plupart pour 15 jours, avec Jerash et Petra en points d'orgue côté jordanien. Exemples : Adeo, Arts et Vie, Orients, Voyageurs du monde.

◆ Lorsque la situation le permet, le **Liban** est couplé à la Syrie chez Adeo pour un voyage qui va de Damas à Beyrouth via les grands sites des deux pays (15 jours). Les trois pays sont parfois réunis, entre autres chez Continents insolites, Ikhar, Nouvelles Frontières et Tamera, pour un imposant voyage culturel de deux semaines.

◆ Marseille, Malte, la Syrie (Tartous), Chypre, Israël et la Grèce constituent un cocktail inhabituel pour une **croisière** culturelle avec des personnalités invitées. Croisière organisée par Intermèdes à l'automne.

◆ Peu de voyagistes programment des voyages-**randonnée**. Akaoka Voyages avance néanmoins une «Syrie éternelle», tandis que Terres d'aventure marche dans le nord entre Apamée-sur-l'Oronte et Alep lors d'un combiné Jordanie-Syrie.

◆ Le voyage en Syrie est d'un coût qui varie sensiblement selon la nature du voyagiste choisi. Ceux qui pourront l'aborder hors saison y trouveront leur compte. Sinon il faut tabler sur *1 300 EUR* en moyenne pour un voyage d'une semaine dans le pays seul, ou sur *2 000 EUR* pour un Syrie-Jordanie de 15 jours, tout compris.

QUE RAPPORTER ?

Brocarts, broderies, verre soufflé, cuivre, argent, savon d'Alep : l'éventail de l'artisanat est large, agrémenté par l'ambiance des souks.

LES REPÈRES

◆ Lorsqu'il est midi en France, en Syrie il est 13 heures en été et 14 heures en hiver. ◆ Langue officielle : arabe. L'araméen est encore parlé dans de très rares endroits. ◆ Langues étrangères : le français et l'anglais. ◆ Téléphone vers la Syrie : 00963 + indicatif (Damas : 11) + numéro; de la Syrie : 00 + indicatif pays + numéro.

LA SITUATION

Géographie. L'étroite plaine qui borde la Méditerranée se heurte rapidement à un relief de moyenne altitude, celui-ci retombant ensuite sur un large plateau désertique qui se prolonge jusqu'à la frontière irakienne. Superficie : 185 180 km^2.

Population. Si les Arabes représentent 90 % des 19 748 000 habitants, les minorités sont nombreuses (Kurdes, Arméniens, Tcherkesses, Juifs). Capitale : Damas.

Religions. Les musulmans, surtout sunnites, sont les plus nombreux, mais l'islam voisine avec d'autres croyances. Ainsi le pays compte-t-il 9 % de chrétiens.

Dates. *IIIe millénaire av. J.-C.* Des peuples sémites s'installent. *274* La reine Zénobie est prisonnière : fin brutale de la splendeur de Palmyre. *640* Arrivée des Arabes. *XIVe siècle* Les Mamelouks s'installent à leur tour. *1860* La France intervient à la suite du massacre des chrétiens. *1916* Révolte des Arabes contre l'Empire ottoman. *1918* Double intervention franco-anglaise (respectivement en Syrie et Palestine) et protectorat français. *1943* Fin du protectorat français. *1958* Constitution de la République arabe unie avec l'Égypte. *1963* Le parti Baas aux commandes. *1971* Hafez El-Assad prend le pouvoir. *1976* La Syrie intervient au Liban et impose pour longtemps son influence. *2000* Mort d'Hafez El-Assad, son fils Bachar lui succède mais tarde à ouvrir le débat politique. *Avril 2005* La Syrie retire ses troupes du Liban.

Tadjikistan

Les problèmes politiques du pays le plus démuni d'Asie centrale ont longtemps occulté ses qualités touristiques, fondées sur le massif du Pamir et ses glaciers. Mais la situation s'est améliorée, aussi le randonneur comme l'amateur de sites historiques s'intéressent-ils à nouveau à ce pays très montagneux.

LES RAISONS D'Y ALLER

LES MONTAGNES

Massif du Fanskye (« Petit Pamir »)
Pamir, glaciers, pic Ismail Samani
Lacs de la plaine de Koulikalon

LES MONUMENTS

Pendzhikent, Adjina-tepe

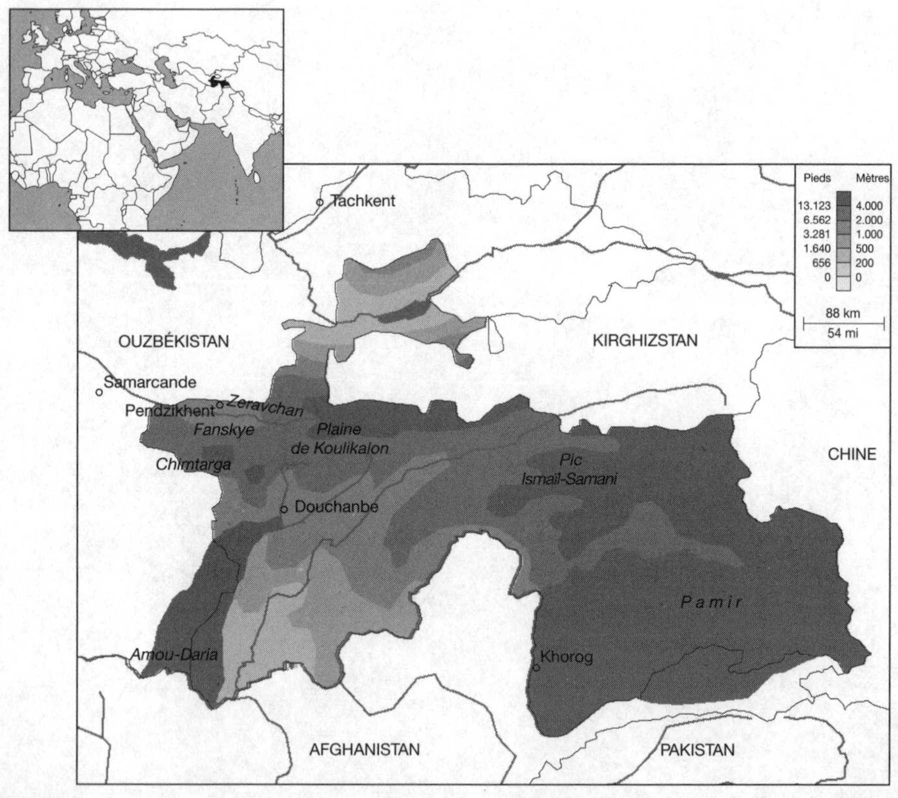

LES RAISONS D'Y ALLER

LES MONTAGNES

Le pays a une vocation montagneuse quasi absolue et recèle des promesses pour les randonneurs. Les moins expérimentés s'intéresseront, à l'ouest, au Fanskye, le « Petit Pamir », qui arbore tout de même des sommets au-delà de 5 000 m, comme le Chimtarga.

En partant vers l'est, se dresse le massif du **Pamir**, ses hauts plateaux et ses **glaciers**, qui offrent des paysages somptueux. Le symbole en est le pic **Ismail Samani**, l'ex-pic Kommunizma, plus haut sommet de l'ex-URSS (7 495 m) et débaptisé depuis la chute de celle-ci, porteur de vastes glaciers et des espoirs des alpinistes ou des randonneurs.

Les amateurs de statistiques apprendront avec intérêt que la route qui traverse le Pamir à partir de Khorog vers le Kirghizstan est la plus haute du monde, avec des passages au-delà de 4 000 m.

En marge de ces hauteurs, les hautes plaines de **Koulikalon** sont remarquables pour leurs lacs (Aloudine, Koulikalon, Moutnaya).

LES MONUMENTS

Les Sogdiens composaient une population iranienne de la région de Transoxiane, dont la capitale était Samarcande (voir *Ouzbékistan*). À **Pendzhikent**, dans la vallée du Zeravchan, ils avaient édifié une grande cité faite de temples, de maisons seigneuriales, de constructions de bois et de brique séchée, dont on retrouve aujourd'hui les traces sur le site. Certains éléments de décoration de Pendzhikent sont à Saint-Pétersbourg, au musée de l'Ermitage.

Le pays conserve également le monastère bouddhiste d'**Adjina-tepe** et des ruines de villes de l'ancienne Bactriane.

LE POUR

◆ Des promesses de randonnées de haute montagne dans le cadre majestueux du Pamir, mais aussi un intérêt culturel.

◆ Une situation politique stabilisée.

LE CONTRE

◆ Un voyage individuel qui demande à être bien étudié et encore un peu prématuré au regard de la situation du pays.

LE BON MOMENT

La rudesse du climat continental est la plus sévère de tous les pays d'Asie centrale. En revanche, dès les mois de **mai-juin**, on peut envisager le voyage, plus agréable que pendant les deux mois suivants, où la température peut dépasser 30°. ◆ Températures minimales/maximales en °C à *Douchanbe* : janvier 8/-2, avril 22/10, juillet 36/18, octobre 23/7.

LE PREMIER CONTACT

En Amérique du Nord

Ambassade, Washington, D.C., Etats-Unis, ☎ (202) 223-6090, www.tjus.org

En Belgique

Représentation tadjike, avenue Louise 363-365/14, Bruxelles, ☎ (02) 640.69.33, fax (02) 649.01.95.

En Suisse

Consulat, Bahnhofplatz, 14, CH-8000 Zurich, ☎ (52) 202.42.84, fax (52) 202.42.03, www.tajikembassy.org

Internet

www.traveltajikistan.com/

Guides

Asie centrale (Le Petit Futé, Marcus), *Asie centrale, la route de la Soie* (Lonely Planet France).

Carte

Central Asia (Nelles).

Lecture

Tadjikistan tissages (R. Hopkins/Actes Sud, 2002).

Images

Le film *le Pont du trieur* (de Charles de Meaux et Philippe Parreno, 2000) montre les images et le mode de vie du Pamir.

QUEL VOYAGE ET À QUEL PRIX ?

Le voyage individuel

Les préparatifs

◆ Pour les ressortissants de l'Union européenne, canadiens, suisses : passeport valable encore six mois après le retour, visa obligatoire.

◆ Aucune vaccination n'est obligatoire. Prévention recommandée contre le paludisme de juin à fin octobre.

◆ Monnaie : le *somoni*. Emporter des euros ou, de préférence, des dollars US. Ne pas trop tabler sur les chèques de voyage ou les cartes de crédit. 1 EUR = 4,7 somonis, 1 US Dollar = 3,7 somonis.

Le départ

◆ Vols pour Douchanbe à partir d'Istanbul, Moscou, Munich. ◆ Une solution consiste à prendre un vol pour Tachkent, puis le bus jusqu'à Douchanbe.

Sur place

◆ Routes difficiles. ◆ Bus ou taxis collectifs sillonnent correctement le pays.

Le voyage accompagné

Rappel : nous nous sommes limités à un résumé des prestations en vigueur dans les agences et chez les voyagistes présents en France. Les lecteurs des autres pays peuvent en tirer des idées d'itinéraire et les compléter auprès de leurs agences de voyages.

◆ Le Tadjikistan est encore peu programmé, sinon par des spécialistes de la **randonnée**. Nomade Aventure et Terres d'aventure sont parmi les plus présents, parfois pour le pays seul mais souvent en le combinant avec l'Ouzbékistan. Nomade Aventure va « De Samarcande au Petit Pamir » ou gravit les « sommets oubliés d'Asie centrale ». Terres d'aventure combine les trésors architecturaux de l'Ouzbékistan avec un trekking au Tadjikistan à travers cols et lacs. Le voyage peut être envisagé entre mai et octobre.

◆ Compter aux alentours de *2 200 EUR* selon le voyagiste et le moment du voyage pour un combiné Ouzbékistan-Tadjikistan de 15 jours.

LES REPÈRES

◆ Quand il est midi en France, au Tadjikistan il est 16 heures en été et 17 heures en hiver. ◆ Langue officielle : le tadjik, un dérivé du persan qui s'écrit en caractères cyrilliques; il voisine avec l'ouzbek et le russe. ◆ Téléphone vers le Tadjikistan : 00992 + indicatif (Douchanbe : 37) + numéro.

LA SITUATION

Géographie. Le pays le plus montagneux de l'ex-URSS se termine au sud-ouest par la haute vallée de l'Amou-Daria, au sud-est par le Pamir. Superficie : 143 100 km^2.

Population. Les tadjiks, persanophones sunnites, représentent environ 60 % de la population, aux côtés des Ouzbeks (23 %) et d'une minorité russe (12 %). Le pays compte 7 212 000 habitants et a pour capitale Douchanbe.

Religion. La majorité des habitants, essentiellement les tadjiks, suivent l'islam sunnite, de rite hanafite. Minorité d'orthodoxes.

Dates. *XVIIIe siècle* Invasions afghanes. *1924* République autonome. *1929* République fédérée. *Février 1990* Graves émeutes. *Septembre 1991* Indépendance. *Septembre 1992* Le président Nabiyev est chassé du pouvoir. Il est remplacé par Akbarsho Iskandarov, accusé d'avoir fomenté un « coup d'État islamiste ». *Décembre 1992* Retour du Front national au pouvoir et sévère répression. Emomali Rakhmonov, l'ancien chef du Parti communiste, devient président. *Septembre 1994* Signature d'un cessez-le-feu entre l'opposition islamiste et le pouvoir. *Novembre 1994* Réélection contestée de Rakhmonov. *Fin 1996* L'opposition entre pouvoir et guérilla islamiste tadjike conserve un caractère de guerre civile. *Juin 1997* Signature d'un accord de paix. *Avril 1998* Affrontements entre forces de l'ordre et opposants. *Novembre 1999* Nouveau mandat pour Rakhmonov. *Mars 2000* Le processus de paix connaît une heureuse conclusion. *Novembre 2006* Réélection de Rakhmonov.

Taiwan

L'île de Taiwan, que les Portugais avaient baptisée Formose – la « belle » –, est en train de changer son image sous l'impulsion de ses responsables du tourisme. Quelques très agréables régions de montagne, les traditions bouddhites ou taoïstes et le Musée national à T'ai-pei, gardien de la plus belle collection d'art chinois de l'Extrême-Orient, devraient suffire à justifier l'ambition de rejoindre les autres destinations touristiques de l'Asie du Sud-Est.

LES RAISONS D'Y ALLER

LES PAYSAGES

Parcs nationaux (Yangminshan)
Gorges (Taroko)
Lacs (lac du Soleil et de la Lune)

LES VILLES ET MONUMENTS

T'ai-pei (Musée national du palais), Tainan
Monastères (Chung Tai Chan à Puli)
Temples (temple de Confucius à Taichung)

LA CÔTE

Plages de la côte sud
Ile de Lanyu

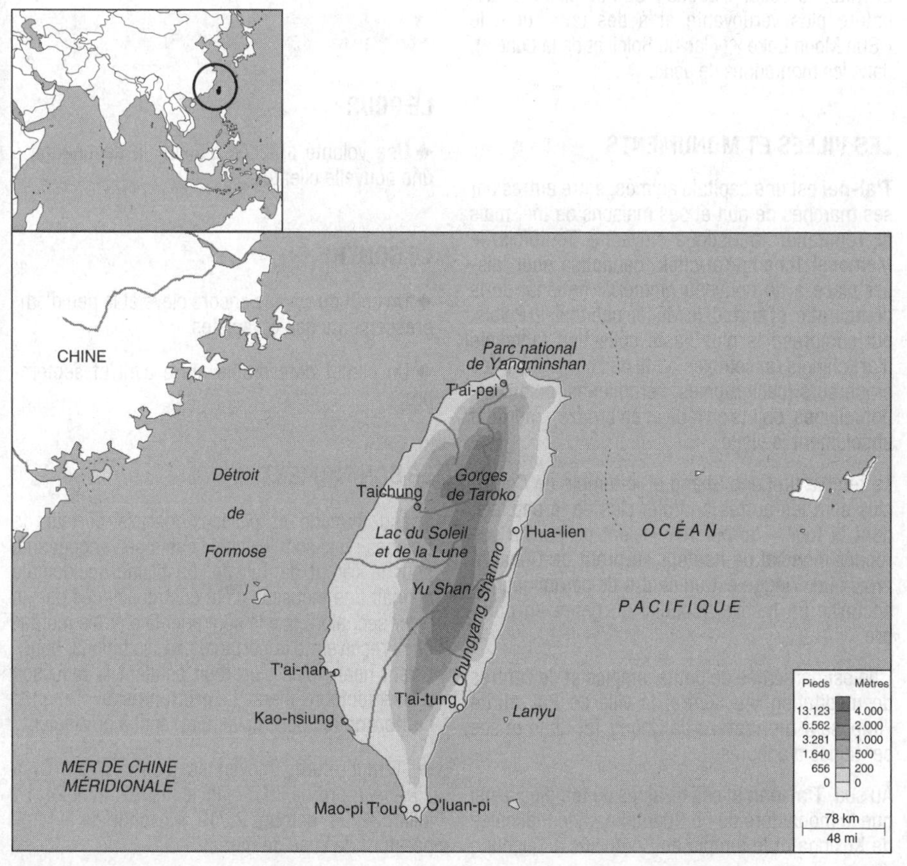

LES RAISONS D'Y ALLER

LES PAYSAGES

La nature est l'attrait principal de l'île. Elle est mise en valeur par l'existence de six parcs nationaux dont, tout près de T'ai-pei, le parc national de **Yangminshan**, l'un des plus intéressants avec ses forêts de bambous et ses sources chaudes.

Le relief parfois élevé de la partie est offre ses plus beaux sites dans le Chungyang Shanmo.

Partant de la ville côtière de Hua-lien, une route traverse les gorges de **Taroko**, longues de 20 km, jalonnées de temples et de sites au sein du parc national du même nom : pont de marbre, grotte de l'Hirondelle, sources d'eau chaude, fougères, oiseaux.

Ensuite, le relief s'adoucit et fait place à une nature plus verdoyante et à des **lacs**, dont le « Sun Moon Lake » (« lac du Soleil et de la Lune »), dans les montagnes de Jade.

LES VILLES ET MONUMENTS

T'ai-pei est une capitale animée, entre autres par ses marchés de nuit et ses maisons de thé, mais de réputation touristique moyenne. Toutefois, le Mémorial Tchang Kaï-chek, débaptisé pour laisser place à un nouveau Mémorial national de la démocratie, et surtout le Musée national du Palais, qui comprend la plus vaste collection mondiale d'art chinois rassemblée au fil de l'histoire par les empereurs (calligraphies, céramiques, peintures, porcelaines, objets en jade et en bronze), méritent absolument la visite.

Le temple de Lung Shang et le temple de Confucius sont les autres endroits clés de la capitale, dont la tour «T'ai-pei 101 » vient de perdre son record mondial de hauteur au profit de Dubai. A proximité, Yingge est un centre de céramique qui accueille un festival mondial du genre en octobre.

L'île est parsemée de petits temples et de centres de méditation. Au centre, la ville de Puli abrite l'imposant **monastère** de Chung Tai Chan et ses centaines d'adeptes.

Au sud, **T'ai-nan** et ses dizaines de temples, ainsi que le monastère de Fo Guang Shan, le mausolée de Koxinga et le temple de Confucius à Taichung sont d'autres clés historiques et religieuses de l'île.

LA CÔTE

Les **côtes** ne doivent pas constituer un argument décisif du voyage mais elles sont plutôt belles, surtout aux alentours de la pointe sud de l'île : **Mao-pi T'ou**, avec ses parois rocheuses et ses fonds propices à la plongée; **O'luan-pi** et ses formations coralliennes. En remontant la côte sud-ouest jusqu'à Kao-hsiung, on trouve des plages moins fréquentées.

De même, au large de T'ai-tung, l'île de **Lanyu** et ses habitants aborigènes – les Tao ou Yami – tentent de préserver leurs traditions, leurs sites favoris (la « Grotte des amoureux ») et leurs nombreuses espèces d'orchidées.

LE POUR

◆ Une volonté affichée d'ouvrir la destination à une nouvelle clientèle.

LE CONTRE

◆ Un coût du voyage encore élevé et le peu d'empressements des voyagistes.

◆ Un climat défavorable entre avril et septembre.

LE BON MOMENT

Chaud, humide et pluvieux, parfois porteur de typhons : tels sont les qualificatifs peu engageants pour le climat de Taiwan. La plaine occidentale connaît une mousson d'été contrebalancée par un hiver sec, alors que la côte orientale et les montagnes reçoivent d'importantes précipitations, bénéficiant néanmoins d'un répit pendant la mousson d'hiver (octobre-mars). Le **printemps** (avril-mai) et l'**automne** (octobre-novembre) sont à privilégier.

◆ Températures moyennes jour/nuit (en °C) à *T'ai-pei* (nord de l'île) : janvier 19/12, avril 24/17, juillet 32/24, octobre 27/19. Moyenne de la température de l'eau de mer : 25º.

LE PREMIER CONTACT

En Belgique

T'ai-pei Representative Office, boulevard du Régent, 40, B-1000 Bruxelles, ☎ (02) 511.06.87.

Au Canada

Bureau économique et culturel de T'ai-pei, World Exchange Plaza, 45, rue O'Connor, Ottawa, K1P 1A4, ☎ (613) 231-5080, fax (613) 231-7112.

En France

Taiwan Tourist Bureau, c/o Interface Tourism, 11 *bis*, rue Blanche, 75009 Paris, ☎ 01.53.25.12.01.

En Suisse

Délégation culturelle et économique, 56, rue de Moillebeau, CH-1209 Genève, ☎ (41-22) 919-7070.

Internet

www.taiwantourisme.com/

Guides

Taïwan (Le Petit Futé, National Geographic France), *Taiwan* (Lonely Planet en anglais, Penguin/Rough Guide).

Carte

Taiwan (Nelles).

Lectures

Histoire de Taïwan (L. H. Feng/L'Harmattan, 2004), *Taïwan de l'autre côté du détroit : une île en quête d'identités* (B. Courmont/Editions du Félin, 2008), *le Visage du vent d'est, errances asiatiques* (K. White/Albin Michel, 2007).

Images

Taïwan (J. Thompson/Magellan & Cie, 2004), *Taïwan Plus* (R. Guillet/Solilang, 2007).

DVD

La nature secrète de Taïwan : calligraphie, plantation de thé et bouddhisme dans l'île chinoise (O. Lacaze/Vodeo TV).

QUEL VOYAGE ET À QUEL PRIX ?

Le voyage individuel

Les préparatifs

◆ Pour les ressortissants de l'Union européenne, canadiens, suisses : passeport suffisant (valable encore six mois après le retour) pour un séjour inférieur ou égal à 30 jours. Billet de retour ou de continuation exigible.

◆ Prévention recommandée contre le paludisme uniquement pendant la mousson d'été.

◆ Monnaie : le *dollar de Taiwan.* 1 US Dollar = 34 dollars de Taiwan, 1 EUR = 43 dollars de Taiwan. Emporter des euros ou des US Dollars et une carte de crédit.

Le départ

◆ Prix à titre indicatif et à certaines dates du vol Montréal-T'ai-pei A/R : 1 200 CAD; Paris-T'ai-pei A/R (vol direct, environ 13 heures) : 900 EUR.

Le séjour

Hébergement

◆ L'hôtellerie de standing international est la plus connue, mais il existe des hôtels de catégorie plus abordable. ◆ Il existe également des auberges de jeunesse (www.hostels.com/fr/tw.html).

Train

Une nouvelle ligne TGV traverse l'île du nord au sud, de T'aipei à Kao-hsiung.

Les formules

Rappel : nous nous sommes limités à un résumé des prestations en vigueur dans les agences et chez les voyagistes présents en France. Les lecteurs des autres pays peuvent en tirer des idées d'itinéraire et les compléter auprès de leurs agences de voyages.

L'hébergement à T'ai-pei et un choix d'excursions existent chez Asia, comme chez Nouvelles Frontières (6 j/3 nuits pour la capitale et excursions).

Le voyage accompagné

◆ Tandis que Yoketaï propose un séjour qui fait découvrir l'essentiel (T'ai-pei, les gorges de

Taroko, le lac du Soleil et de la Lune), Ikhar a choisi de combiner l'île avec la Corée du Sud.

◆ Les premiers prix d'un circuit se situent aux alentours de *1 700 EUR* pour dix jours.

LES REPÈRES

◆ Durée moyenne du vol Paris/T'ai-pei (environ 10 500 km) : 18 heures. ◆ Lorsqu'il est midi en France, à Taiwan il est 18 heures en été et 19 heures en hiver; lorsqu'il est midi au Québec, à Taiwan il est 1 heure. ◆ Langue officielle : le mandarin, mais une autre forme de chinois, le minnan, est majoritaire car parlée par deux habitants sur trois. ◆ Langue étrangère : l'anglais. ◆ Téléphone vers Taiwan : 00886 + indicatif (T'aipei : 2) + numéro.

LA SITUATION

Géographie. La modeste superficie de l'île et des quelques îlots alentour (36 000 km^2) contraste avec l'altitude, qui frôle 4 000 m dans la chaîne centrale de Zhongyang Shan. La côte ouest est bordée par une longue plaine alluviale.

Population. 22 921 000 habitants. Forte majorité de Chinois arrivés à diverses époques. Les aborigènes d'origine malaise ou polynésienne sont les premiers habitants. Capitale : T'ai-pei.

Religion. Religions traditionnelles et croyances populaires cohabitent sans problème. Les taoïstes (42 %) et les bouddhistes (32 %), aux rites souvent proches, sont majoritaires. Minorités de chrétiens et de musulmans.

Dates. *XIIe siècle* Les premiers Chinois rejoignent les autochtones malais et polynésiens. *1590* Les Portugais découvrent l'île et la baptisent Ilha Formosa. *1624* Les Hollandais arrivent dans le sud, les Espagnols seront dans le nord deux ans plus tard. *1683* Les empereurs Qing s'installent. *1895* Formose revient aux Japonais et sera restituée aux Chinois cinquante ans plus tard. *1949* Tchang Kaï-chek et trois millions de réfugiés fuyant le régime maoïste rejoignent l'île. La Chine populaire ne cessera de la revendiquer comme l'une de ses provinces. *1975* Mort de Tchang Kaï-chek. Son fils Chiang Ching-kuo lui succède. *1987* Les Taiwanais sont autorisés à se rendre en Chine pour revoir leur famille. *1988* Mort de Chiang Ching-kuo, Lee Teng-hui lui succède. *1990* Le Kuo-ming-tang remporte les élections, Hao Pei-tsun devient Premier ministre. *1993* Plusieurs accords sont conclus entre Taiwan et la Chine. *Février 1996* Montée de la tension entre les deux pays. *Mars 1996* Élection de Lee Teng-hui à la présidence. *Septembre 1999* L'île subit un violent séisme (2 000 victimes). *Mars 2000* Chen Shui-bian (Parti démocratique progressiste) est élu président et prône la souveraineté de Taiwan vis-à-vis de la Chine. *Printemps 2000* Démission du Premier ministre Tang Fei. *Mars 2004* Chen Shui-bian devient chef de l'État. *Janvier 2008* Le Parti nationaliste (KMT) large vainqueur des législatives. *Mai 2008* Ma Ying-jeou président, Lio Chao-shiuan Premier ministre.

Tanzanie

Avertissement. – Le voyage est déconseillé dans les zones frontalières du Rwanda, du Burundi et de la République démocratique du Congo.

La Tanzanie est le digne pendant du Kenya pour la découverte des animaux sauvages et possède même les neiges du Kilimandjaro. Mais il serait vain de chercher à opposer deux destinations qui ne le demandent pas. En outre, la proximité des parcs nationaux de chacun des deux pays entraîne souvent leur visite dans un même voyage. Aussi, préparons l'appareil pour les safaris photo et, comme alternative, choisissons le sable chaud d'une plage de l'océan Indien, par exemple à Zanzibar, où abondent également les vestiges et les senteurs. A l'occasion, méditons aussi sur les bienfaits de la progression du tourisme responsable auprès des Masaïs.

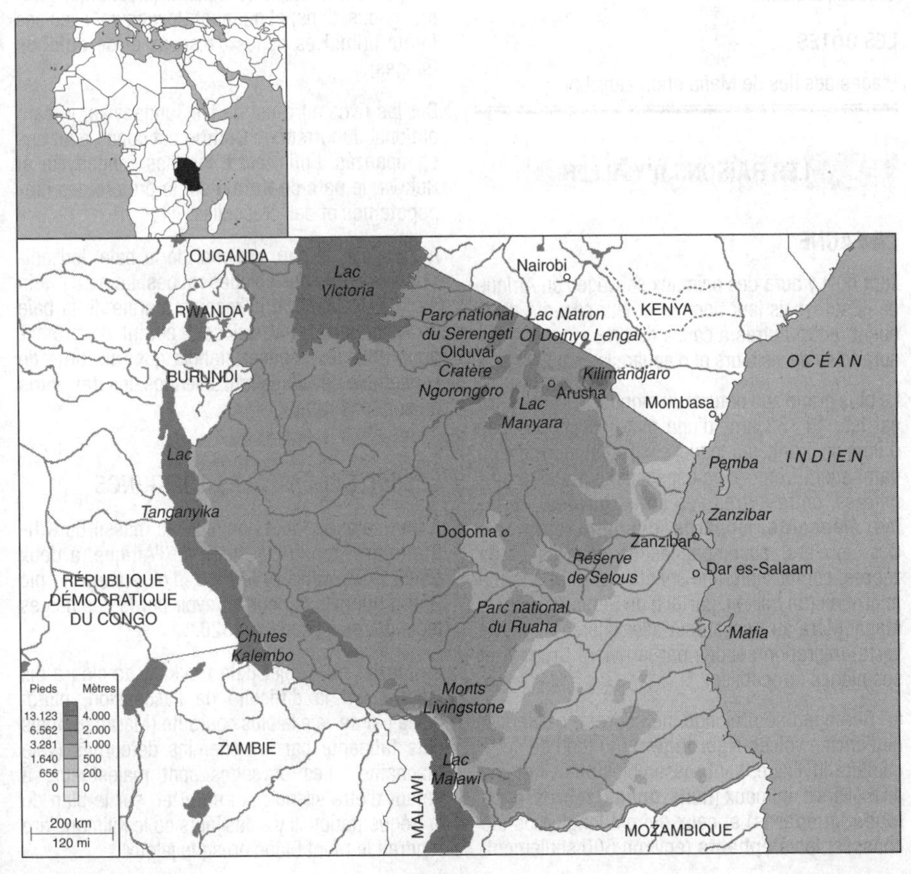

LES RAISONS D'Y ALLER

LA FAUNE

Éléphants, flamants roses, girafes, gnous, hippopotames, lions, rhinocéros, zèbres
Cratère du Ngorongoro, parc national du Serengeti, parcs nationaux du lac Manyara, d'Arusha, du Tarangire, Ruaha, réserve de Selous, parcs du torrent de Gombe et de Katavi

LES PAYSAGES ET LES TREKKINGS

Ascension du Kilimandjaro
Rift Valley, Ol Doinyo Lengai
Lac Tanganyika, lac Malawi
Route des épices à Zanzibar

LES VESTIGES

Olduvai, Zanzibar

LES CÔTES

Plages des îles de Mafia et de Zanzibar

LES RAISONS D'Y ALLER

LA FAUNE

Tant qu'il y aura des animaux sauvages en Afrique de l'Est – mais leur nombre et leur sécurité diminuent, entre autres à cause du braconnage –, il y aura foule de visiteurs et d'appareils photo.

Le plus grand zoo naturel du monde, le **Serengeti**, est ici : 14 763 km² d'une plate savane coupée d'îlots de granit, sur laquelle paissent, dorment ou gambadent trente-cinq espèces de grands mammifères, entre autres des **lions**, **girafes**, **impalas**, **éléphants, léopards, guépards** et **gnous**. Ces derniers, accompagnés de gazelles et de zèbres, connaissent une spectaculaire et énorme migration (un million, parfois) du Serengeti vers le Masai Mara au Kenya pour aller chercher l'herbe verte, migration coupée par la rivière Grumeti et ses pièges (crocodiles).

Le Serengeti se prolonge, au sud-est, par le site de l'ancien volcan **Ngorongoro**. Au fond de cette caldeira idyllique, sont rassemblés une vingtaine de milliers d'animaux (**lions, gnous, zèbres, antilopes**, **guépards**) et ceux qui ont longtemps été chassés: les **éléphants** (environ 500 seulement, contre 2 500 il y a vingt ans) et les **rhinocéros**, qui ne sont plus qu'un demi-millier – le rhinocéros noir étant, lui, rarissime. Sur les lacs en lisière du volcan, on trouve une infinité de **flamants roses** et des **hippopotames**.

Entre le Ngorongoro et le parc d'Arusha, lui-même embelli par le mont Meru et le Kilimandjaro, le parc national du lac **Manyara**, qui fit le bonheur d'Hemingway, est approprié pour l'observation des **lions, éléphants** et quatre cents espèces d'oiseaux. De l'autre côté du lac, se trouve un autre parc de renom, celui de **Tarangire**. Les grandes vedettes animalières s'y retrouvent, dont beaucoup d'éléphants et de... pythons.

Respectivement situés à l'est et au sud-est de Dar es-Salaam, deux parcs gagnent peu à peu leurs galons : le parc national **Ruaha** (et ses dix mille **éléphants**) et la réserve de **Selous**, qui englobe les parcs nationaux de Mikumi (éléphants, girafes, gnous, lions) et du mont Udzungwa, avec ses forêts primitives riches d'oiseaux et de **colobes** (singes).

Sur les rives nord-est du lac Tanganyika, le parc national du torrent de **Gombe** est connu pour ses chimpanzés. Enfin, entre les lacs Tanganyika et Rukwa, le parc de **Katavi** est le préféré des hippopotames et des crocodiles.

A Zanzibar, le parc national de la baie Jodzani-Chwaka abrite des colobes rouges. Le parc marin de l'île de Mafia et la réserve marine de la baie de Msangamkuu-Mnazi sont autant de protections pour les espèces, tandis que, au large de l'ensemble des côtes tanzaniennes, les **dauphins** ne sont pas rares.

LES PAYSAGES ET LES TREKKINGS

À tout seigneur, tout honneur : le massif du **Kilimandjaro**, grand classique de l'Afrique, à deux têtes, le Mawenzi et le Kibo, d'où émerge le pic Uhuru qui hélas ! pourrait avoir perdu ses neiges légendaires à l'horizon 2020...

Le massif fait l'objet d'un trekking de cinq à dix jours selon la difficulté de l'ascension, plutôt aisée par sa voie la plus courante (Marangu) mais plus fatigante par les chemins détournés (voie Machame). Les paysages sont majestueux, à défaut d'être silencieux : en effet, sur le plan de la fréquentation, il y a des jours où le Kilimandjaro rendrait le mont Blanc presque jaloux.

La réputation du « Kili » masque trois autres grands motifs de visite du pays :

– la **Rift Valley** et les 2 878 m de l'**Ol Doinyo Lengai**, volcan sacré des Masaïs qui crache une curieuse lave blanche et offre une vue incomparable sur le lac **Natron**;

– le **lac Tanganyika**, dont la Tanzanie possède deux tiers environ des rivages et aux abords duquel ont été créés deux parcs nationaux, le parc du Gombe et le Mahale; les rivages se révèlent spectaculaires à partir des hautes terres de l'ouest, qui retombent parfois de façon si abrupte qu'elles ont donné naissance à de hautes et minces chutes (chutes Kalambo);

– le **lac Malawi** (ex-Nyassa), qui offre ses plus beaux panoramas du côté tanzanien grâce à l'escarpement des monts Livingstone.

Depuis que le sultan d'Oman a eu l'idée de planter des girofliers à **Zanzibar** il y a quelques siècles, l'île est devenue célèbre pour ses senteurs : la **Route des épices** ajoute au clou de girofle l'anis, la bergamote, la cannelle, la vanille et une pléiade de fruits tropicaux.

Zanzibar renferme, comme l'île proche de **Pemba**, des parcs nationaux riches en **forêts** très anciennes.

LES VESTIGES

Les restes d'un australopithèque vieux de près de deux millions d'années, d'autres restes plus « récents » de *Homo habilis* et de *Homo erectus* font de **Olduvai**, dans les gorges du même nom, un passage obligé pour les passionnés d'anthropologie.

L'archéologie est un argument inattendu pour une région et un continent peu connus pour cela. C'est à la ville de **Zanzibar** qu'on le doit, avec plusieurs buts de visite : Stone Town, construite en pierre de corail noir (mais certains quartiers anciens de la « ville de pierre » souffrent d'un début de décrépitude); les hautes maisons aux portes sculptées; le vieux fort arabe; Beit el Ajaib, la « maison des Merveilles ».

LES CÔTES

Zanzibar possède des plages de sable blanc désormais très courues, surtout au nord et de plus en plus à l'est. Celles de l'île de **Mafia**, au sud de Zanzibar, sont plus confidentielles mais les récifs de corail et les décors de cocotiers de l'endroit ne cessent de voir grandir leur réputation internationale.

LE POUR

◆ Le dernier paradis de la faune sauvage : nulle part ailleurs qu'en Tanzanie et au Kenya, elle n'est aussi nombreuse et aussi variée.

◆ Le développement du tourisme éthique et équitable auprès des Masaïs, qui préserve la nature et les populations.

◆ La bonne période entre juillet et octobre, non seulement au calendrier mais aussi parce que la saison sèche est la meilleure pour observer les animaux, qui recherchent alors les points d'eau.

◆ Pour les distraits, la location possible d'un matériel photo approprié dans certains endroits.

LE CONTRE

◆ La nécessité de devoir décider de son voyage longtemps à l'avance en raison de la forte fréquentation.

◆ Un voyage au coût le plus souvent élevé.

LE BON MOMENT

◆ La double saison sèche (décembre-mars et juillet-octobre) est sans conteste la plus favorable pour l'observation de la **faune**. Septembre et octobre sont les mois les plus appropriés car les animaux se rassemblent autour des derniers points d'eau.

◆ La double saison des pluies (avril-juin et novembre) est intéressante... pour la baisse des tarifs et la migration des **gnous**, en principe entre décembre et juillet mais surtout en juin.

◆ Pour l'ascension du **Kilimandjaro**, les meilleures périodes sont janvier à mars et juillet à fin octobre. Éviter novembre-décembre et plus encore avril-juin.

◆ Températures moyennes jour/nuit (en °C) à *Dar es-Salaam* (côte) : janvier 30/25, avril 30/23, juillet 29/19, octobre 29/20. Moyenne de la température de l'eau de mer : 26°.

LE PREMIER CONTACT

En Belgique

Ambassade, avenue Louise, 363, B-1050 Bruxelles, ☎ (02) 640.65.00, fax (02) 646.80.26.

Au Canada

Haut commissariat, 50, chemin Range, Ottawa (Ontario), K1N 8J4, ☎ (613) 232-1500, fax (613) 232-5184.

En France

Ambassade, 13, avenue Raymond-Poincaré, 75116 Paris, ☎ 01.53.70.63.66, fax 01.47.55.05.46, www.amb-tanzanie.fr

Internet

www.tanzaniatouristboard.com/
www.tanzaniaodyssey.com/

Guides

Northern Tanzania: The Bradt Safari Guide with Kilimanjaro and Zanzibar (Bradt), *Tanzanie* (Nelles), *Tanzanie et Zanzibar* (Gallimard/Bibliothèque du voyageur, Le Petit Futé, Lonely Planet France), *Zanzibar* (Bradt). Des guides spécifiques sont proposés à l'entrée des grandes réserves d'animaux.

Cartes

Kenya, Tanzanie, Burundi, Rwanda (Blay Foldex), *Kilimandjaro* (ITM), *Tanzania, Rwanda, Burundi* (Nelles), *Tanzanie* (ITM), *Zanzibar* (Cordée).

Lectures

Je suis un Maasaï (X. Péron/Arthaud, 2007), *la Ferme africaine* (K. Blixen/Gallimard, 2006), *les Neiges du Kilimandjaro* (E. Hemingway/Gallimard, 1992).

Images

Kenya-Tanzanie (J.-M. Labat, E. Maurice/Artémis, 2004), *Safari* (G. Trolez, F. Potage/Magellan et Cie, 2008), *Style safari* (D. et S. Balfour/Artémis,2003), *Zanzibar : carnet de voyage* (Collectif/Seuil, 2000), *Zanzibar* (R. Colombo, J.-B. Besançon/Favre, 2005).

DVD

Kenya/Tanzanie (P. Brouwers, Media 9), *Tanzanie, au pays du Kilimandjaro* (P. Brouwers, Media 9).

QUEL VOYAGE ET À QUEL PRIX ?

Le voyage individuel

Les préparatifs

◆ Pour les ressortissants de l'Union européenne, canadiens : passeport valide encore six mois après le retour. **Visa** obligatoire, obtenu auprès du consulat. Possibilité d'obtenir le visa à certains postes frontières tel l'aéroport d'Arusha, mais bien se renseigner avant le départ. Billet de retour ou de continuation exigible.

◆ Vaccination vivement recommandée contre la fièvre jaune en dehors des zones urbaines. ◆ Prévention indispensable contre le paludisme au-dessous de 1 800 m. ◆ Une visite médicale préventive est conseillée à ceux qui ont l'intention de gravir le Kilimandjaro.

◆ Monnaie : le *shilling tanzanien.* L'euro est bien accepté mais les échanges ont lieu en US dollars, vivement conseillés. 1 US Dollar = 1 300 shillings tanzaniens, 1 EUR = 1 670 shillings tanzaniens.

Le départ

◆ Indice de prix à certaines dates du vol Montréal-Dar es-Salaam A/R : 1 600 CAD; Paris-Arusha (Kilimandjaro) A/R : 850 EUR. ◆ Durée moyenne du vol Paris-Arusha (escale) : 11 h 30; Paris/Dar es-Salaam (7 187 km) : 10 heures.

Sur place

Bateau

◆ Un bateau assure la liaison entre Dar es-Salaam et Zanzibar (1 h 20). ◆ Un vieux navire mythique, le *Liemba*, longe le lac Tanganyika de Kigoma à Mpulungu (Zambie).

Hébergement

On trouve plusieurs styles d'hébergement dans les parcs ou à leur lisière : lodges de base ou de luxe, camps de toile, cottages. Difficile d'échapper hélas ! à un coût élevé, quel que soit le mode choisi.

Photo

◆ L'essentiel des photos s'appliquant aux animaux, un téléobjectif (par exemple un 300 mm) convient ou, à défaut, un zoom 80-200 mm.

◆ Penser à se munir d'une paire de jumelles pour l'observation des animaux.

Route

◆ Conduite à gauche. ◆ La location de 4 x 4 avec chauffeur est une bonne (mais chère) formule pour les réserves. ◆ La location individuelle est inexistante et, de toute façon, vivement déconseillée.

Le voyage accompagné

Rappel : nous nous sommes limités à un résumé des prestations en vigueur dans les agences et chez les voyagistes présents en France. Les lecteurs des autres pays peuvent en tirer des idées d'itinéraire et les compléter auprès de leurs agences de voyages.

◆ La formule vol sec + agence locale dénichée sur place pour les réserves animalières (par exemple un « safari-camping » avec guide et cuisinier) a ses adeptes, néanmoins la plupart des candidats au voyage se rangent sur les propositions de séjour classique qui se composent d'un **safari photo** dans le Ngorongoro et d'un moment de détente sur une plage de **Zanzibar** : ce genre de circuit est proposé par les nombreux voyagistes.

◆ Les propositions pour les safaris photo sont légion, et des séjours d'une dizaine de jours pour le **Ngorongoro** et le **Serengeti** sont la règle. Dans la grande majorité des cas, on se retrouve soit en 4 x 4 avec chauffeur, soit en minibus à toit ouvrant, parfois en ballon (beau mais cher) au-dessus du Serengeti. Quelques voyagistes : Acabao, African Safari Club, Allibert, Ananta, Atalante, Aventuria, Club Aventure, Club Faune, Comptoir d'Afrique, Continents insolites, Grand Angle, Kuoni, Makila Voyages, Nomade Aventure, Nouvelles Frontières, Objectif Nature, Thomas Cook, Vacances Transat, Vie sauvage, Voyageurs du monde, Zig-Zag.

Face à un grand tourisme peu compatible avec la sauvegarde des coutumes masaïs et de la nature, se développe un écotourisme de bon aloi, mélangeant éthique et écologie, que pratiquent des organismes tels que Maasaicamp (www.maasaicamp.com) et Saïga (www.saiga-voyage-nature.fr).

Compter entre 1 500 et 2 500 EUR pour une dizaine de jours incluant le vol A/R, la pension complète et les déplacements. Le « tourisme responsable » est plus onéreux (au-delà de 3 000 EUR pour 15 jours).

◆ **Zanzibar** est devenu le complément balnéaire mais aussi culturel d'un safari (Chemins de sable, Continents insolites, STI Voyages, Voyageurs du monde). La plupart des voyagistes précités ont sélectionné un hôtel dans la vieille ville et un autre en bord de mer pour des séjours ponctuels. African Safari Club propose la détente dans les bungalows d'un village-club proche de Zanzibar, avec possibilités d'excursions.

◆ L'île de **Mafia** commence également à trouver sa clientèle balnéaire. Sur la côte continentale, le site de Mtwara, à la lisière du Mozambique, est tout aussi prisé, avec possibilité de plongée et de pêche à des prix très raisonnables (renseignements sur www.ruvula.net).

◆ **Kilimandjaro** est le maître mot du trekking africain. Si Allibert, Atalante, La Balaguère, Club Aventure, Comptoir d'Afrique, Nomade Aventure, Terres d'aventure et Voyageurs du monde lui consacrent un programme exclusif (une dizaine de jours dont six pour l'ascension elle-même), par la voie Marangu aussi bien que par la voie Machame, son ascension est souvent combinée avec la visite des réserves, pour des voyages de 15 à 18 jours en moyenne (Continents insolites, Nouvelles Frontières, Terres d'aventure).

◆ Certains voyages échappent au domaine animalier. Ainsi un type de randonnée ne concerne que les terres des **Masaïs**, souvent terres sacrées qu'arpente entre autres La Balaguère, du côté de la vallée du Rift et du **volcan** Ol Doinyo Lengai. Ce même sommet n'échappe pas à Aventure et Volcans, qui passe deux nuits à l'intérieur de son cratère avant de poursuivre vers le Ngorongoro (sept départs annuels). A Zanzibar aussi, on peut vivre d'autres agréments comme, tout au nord, la **plongée** aux alentours du ras Nungwi à la recherche des coraux, de gorgones et des dauphins (Ultramarina).

◆ Les combinaisons **Kenya-Tanzanie** s'imposent culturellement et géographiquement, pour 15 jours en moyenne avec le Masaï Mara (Kenya) et le Ngorongoro en points d'orgue. Exemples : African Safari Club, Jet Tours, Voyageurs du monde. A noter un doublé ascension du mont Kenya et du Kilimandjaro chez Atalante et Terres d'aventure.

◆ Le voyage sur **l'eau** existe aussi en Tanzanie : African Safari Club emmène ses heureux élus dans des **croisières** parties de Mombasa pour Zanzibar, les Seychelles, les Comores, l'île Maurice et la Réunion.

LES REPÈRES

◆ Lorsqu'il est midi en France, en Tanzanie il est 13 heures en été et 14 heures en hiver. ◆ Langues officielles : l'anglais et le swahili, dont le dialecte principal est né à Zanzibar et sur la côte continentale. Nombreux autres dialectes. ◆ Langue étrangère : anglais. ◆ Téléphone vers la Tanzanie : 00255 + indicatif (Dar es-Salaam : 22; Zanzibar : 24) + numéro.

LA SITUATION

Géographie. Ses 883 749 km² font de la Tanzanie un grand pays. Elle est formée d'une partie insulaire (Zanzibar, Pemba et l'île Mafia en constituent le trio principal) mais essentiellement d'un très grand plateau coupé de fossés d'effondrement (Rift Valley) et hérissé de volcans, dont le Kilimandjaro est le plus réputé.

Population. Une majorité d'agriculteurs composent les 40 213 000 habitants, dont 95 % sont des Bantous. Principales minorités : Masaïs, Sukumas, Chaggas. Capitale : Dodoma.

Religion. Les chrétiens (catholiques, protestants) et les musulmans sont majoritaires (respectivement 34 % et 33 %). Forte minorité d'animistes.

Dates. *XIIIe siècle* La dynastie Mahdali au pouvoir. *1498* Le Portugais Vasco de Gama découvre le pays. *XIXe siècle* Le sultanat d'Oman prend Zanzibar. C'est aussi le temps des grands explorateurs (Burton, Livingstone, Speke, Stanley). *1890* Protectorat britannique sur la côte, allemand dans l'intérieur. *1918* L'Afrique-Orientale allemande devient le Tanganyika, sous mandat britannique puis, en 1946, sous la tutelle de l'ONU. *1961* Indépendance, sauf pour Zanzibar. *1962* Julius Nyerere président. *1963* Zanzibar, indépendant à son tour, sera réuni l'année suivante au Tanganyika pour former la Tanzanie. *1967* Régime socialiste à parti unique de Nyerere. *1979* Constitution distincte pour Zanzibar. *1985* Retrait de Nyerere et arrivée au pouvoir de Ali Hassan Mwinyi. *Août 1998* Attentat anti-américain à Dar es-Salaam. *Octobre 1999* Décès de Nyerere. *Octobre 2000* Réelection sans surprise de Mpaka. Violences à Zanzibar à l'occasion des élections générales. *Décembre 2005* Jakaya Kikwete est élu président.

Tchad

Avertissement. – La tension entre forces gouvernementales et rebelles est retombée, néanmoins la situation reste précaire et le voyage demeure formellement déconseillé.

Souvent sujet à des tensions internes, le Tchad ne parvient pas à mettre en valeur son potentiel touristique et les propositions de voyages sont très aléatoires. Pourtant, les atouts sont là : ainsi, le Tibesti et l'Ennedi sont porteurs de promesses de randonnées sahariennes au sein de paysages d'une beauté insoupçonnée. En attendant peut-être, dans le sud, une mise en valeur du parc national de Zakouma, qui renferme une faune variée, annonciatrice des safaris photo de l'Afrique équatoriale.

LES RAISONS D'Y ALLER

LES PAYSAGES ET LES RANDONNÉES

Tibesti, Ennedi,
dunes du Mourdi, trou au Natron

LA FAUNE

Parc national de Zakouma
(éléphants, buffles, girafes, cobs)
Fleuves Chari et Logone
(crocodiles, hippopotames)

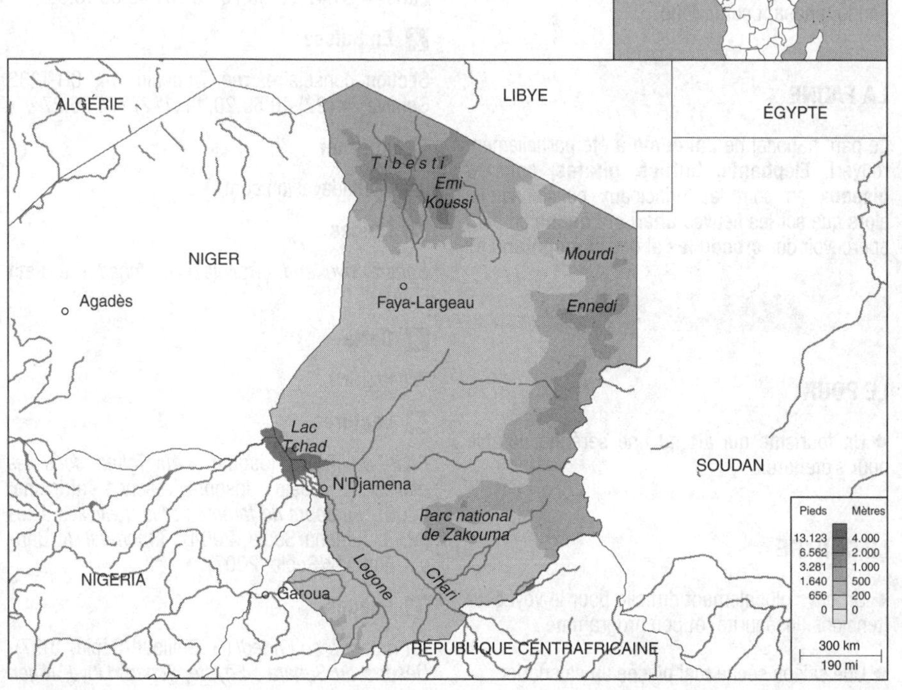

LES RAISONS D'Y ALLER

LES PAYSAGES ET LES RANDONNÉES

Le Tchad renferme des paysages sahariens mal connus, comme au **Tibesti**, où les cailloux ont des formes et des couleurs extraordinaires. Le volcan Emi Koussi s'élève à 3 415 m, ce qui en fait le point le plus élevé du Sahara. Les peintures et les gravures rupestres de ses abords (Kla Ouenama, Guéhesser) valent la visite.

Le massif de **l'Ennedi** n'a rien à envier au Tibesti : tours de grès, grottes, peintures rupestres et surtout **gueltas**, des points d'eau parfois situés au fond d'une vallée surplombée de falaises, comme la guelta d'Arché où les dromadaires cèdent la vedette aux… crocodiles. Au nord de l'Ennedi, s'étendent les plus belles dunes du Tchad, celles de la dépression du **Mourdi,** et les lacs d'Ounianga-Kebir.

Le volcanisme offre au Tibesti un autre rendez-vous : le **trou au Natron**, cratère d'explosion de 6 à 8 km de diamètre qui fait contraster la noirceur de la lave et la blancheur du carbonate de soude reposant sur le fond.

LA FAUNE

Le parc national de **Zakouma** a été partiellement rouvert. **Éléphants, buffles, girafes, cobs** et **oiseaux** en sont les principaux pensionnaires, alors que sur les fleuves **Chari** et **Logone** on peut apercevoir des **crocodiles** et des **hippopotames**.

LE POUR

◆ Un tourisme qui attend une sérénité durable pour s'étendre.

LE CONTRE

◆ Un pays globalement difficile pour le voyageur (tensions, insécurité) et peu programmé.

◆ Une saison sèche mal placée au calendrier.

LE BON MOMENT

Le climat, lié aux étagements géographiques savane/Sahel/désert, devient de plus en plus chaud et sec au fur et à mesure que l'on va vers le nord. La période **novembre-février** (saison sèche dans le sud et températures moins fortes dans le Tibesti) est la plus favorable. De fortes chaleurs précèdent la saison des pluies. ◆ Températures moyennes jour/nuit (en °C) à *N'Djamena* (sud-ouest) : janvier 28/14, avril 35/25, juillet 29/23, octobre 30/22.

LE PREMIER CONTACT

En Amérique du Nord

Ambassade, Washington, D.C., Etats-Unis, ☎ (202) 462-4009, fax (202) 265-1937, www.chadembassy.org

En Belgique

Ambassade, boulevard Lambermont, 52, B-1030 Bruxelles, ☎ (02) 215.19.75, fax (02) 216.35.26.

En France

Ambassade, 65, rue des Belles-Feuilles, 75016 Paris, ☎ 01.45.53.36.75, fax 01.45.53.16.09.

En Suisse

Section consulaire, rue Tronchin, 14, CH-1202 Genève, ☎ (22) 40.59.20, fax (22) 774.25.27.

Internet

www.tchadevasion.com/

Guides

Sahara overland (Trailblazer), *Tchad* (Le Petit Futé).

Carte

Tchad (IGN).

Lectures

Atlas du Tchad (Jaguar), *Au Tchad sous les étoiles* (B. Seid Joseph/Présence africaine, 2000), *Parcours de femmes : les nouvelles élites* (M.-J. Tubiana/Sepia, 2004), *Taporndal* (A. Banqui-Rombay/Sepia, 2007).

Images

Art rupestre en Ennedi (G. Bailloud/Sépia, 1997), *Déserts du Sahara : Egypte, Tchad, Libye, Niger,*

Algérie (J.-C. Michau/Sepia, 2006), *Tibesti : Sahara interdit* (Ed. A. Sèbe, 2005).

DVD

Destination Tchad : de la savane aux premières dunes du Sahara (Vodeo TV).

QUEL VOYAGE ET À QUEL PRIX ?

Le voyage individuel

Les préparatifs

◆ Pour les ressortissants de l'Union européenne, canadiens, suisses : passeport encore valable six mois après le retour, **visa** obligatoire, obtenu auprès de l'ambassade.

◆ Vaccination vivement recommandée contre la fièvre jaune. Prévention indispensable contre le paludisme.

◆ Monnaie : le *franc CFA* (XOF) est subdivisé en 100 *centimes*. 1 euro = 655,957 francs CFA.

Le départ

◆ Indice de prix à certaines dates du vol Paris-N'Djamena : 750 EUR. ◆ Durée moyenne du vol Paris-N'Djamena : 5 heures. Pour qui a du temps, l'arrivée via le Cameroun permet de faire des économies sur le prix du billet d'avion.

Le séjour

Route

◆ Pistes souvent impraticables dans le sud durant la saison des pluies. ◆ Ne pas rouler isolément.

Quelques prestations

Rappel : nous nous sommes limités à un résumé des prestations en vigueur dans les agences et chez les voyagistes présents en France. Les lecteurs des autres pays peuvent en tirer des idées d'itinéraire et les compléter auprès de leurs agences de voyages.

◆ Quand la situation l'autorisera à nouveau, Allibert reviendra sans doute dans **l'Ennedi** pour une longue randonnée, avec plusieurs départs entre novembre et mars. Déserts était sur le même itinéraire mais poursuit vers le nord jusqu'au lac d'Ounianga Kebir, aux pieds des dunes de **Mourdi**. Toujours dans l'Ennedi, Terres d'aventure était dans le sud lors d'un circuit qui passe par la guelta d'**Arché**.

◆ Un voyage dans le Sahara tchadien est un rêve chèrement acquis : nettement au-dessus de *2 500 EUR* pour 15 jours, tout compris.

LES REPÈRES

◆ Lorsqu'il est midi en France, au Tchad il est la même heure en hiver et 11 heures en été. ◆ Langues : l'arabe et le français se partagent le titre de langue officielle; ils sont côtoyés par plus de 150 langues et dialectes.◆ Téléphone vers le Tchad : 00235 + numéro.

LA SITUATION

Géographie. Vaste pays (1 284 000 km^2), le Tchad offre du nord au sud un dégradé équilibré en superficie, qui commence par une grande zone désertique hérissée de massifs, se continue par une bande sahélienne et se termine par la savane soudanaise.

Population. Le nombre d'habitants (10 111 000), qui appartiennent à plus de cent ethnies, est modeste par rapport à la taille du pays. À côté de la population noire, vivent des minorités d'Européens, de Libanais et de Syriens. Capitale : N'Djamena, anciennement Fort-Lamy.

Religion. Les musulmans dans la partie nord (44 %), les chrétiens dans la partie sud (33 %) et les animistes (23 %) se répartissent les principales croyances.

Dates. *X^e^ au XIXe siècle* Royaume de Kanem, qui voit l'implantation progressive des Arabes. *1884* Des accords franco-allemands et franco-britanniques précisent les frontières. *1900* Le Tchad colonie française. *1960* Indépendance. *1962* Tombalbaye président de la République. *1968* Sécession du nord par le Frolinat. *1972* La Libye occupe la bande d'Aozou, dans l'extrême nord. *1975* Coup d'État, Malloum au pouvoir. *1979* Retrait de Malloum et début de guerre civile. *1980* Goukouni Oueddei au pouvoir. *1982* Hissène Habré lui succède. *1984* Retrait des forces françaises, venues en aide à Hissène Habré face à la Libye. *1990* Le général Idriss Déby prend la présidence. *1994* La Cour internationale de justice rend la bande d'Aozou au Tchad. *2000* Les groupes armés d'opposition et les troupes gouvernementales s'affrontent à nouveau. *Mai 2001* Réélection contestée d'Idriss Déby dans un contexte de grande pauvreté et de sécheresse. *Mai 2006* L'opposition boycotte la troisième élection d'Idriss Déby. *Février 2008* Des combats entre les forces armées et les rebelles font au moins 700 victimes.

Tchèque (République)

Après la « révolution de velours », l'ex-Tchécoslovaquie avait vu les touristes fondre sur Prague et saturer la capacité d'accueil d'une ville dont beaucoup ont découvert qu'elle est l'une des plus belles d'Europe. Prague n'est pas seule à rayonner, l'art baroque constituant dans plusieurs villes un riche atout culturel, en attendant un intérêt plus prononcé du randonneur pour les paysages de moyenne montagne.

LES RAISONS D'Y ALLER

LES VILLES

Prague, Brno, Plzen
Villes d'eaux (Karlovy Vary, Mariánské Lázne)

LES MONUMENTS

Châteaux (Ceský Krumlov, Karlstejn)
Cheb, Kutná Hora, Olomouc, Trebic, Austerlitz

LES PAYSAGES ET LES RANDONNÉES

Monts des Géants, falaises de Prachov, Soos,
Ski de fond, ski alpin, golf

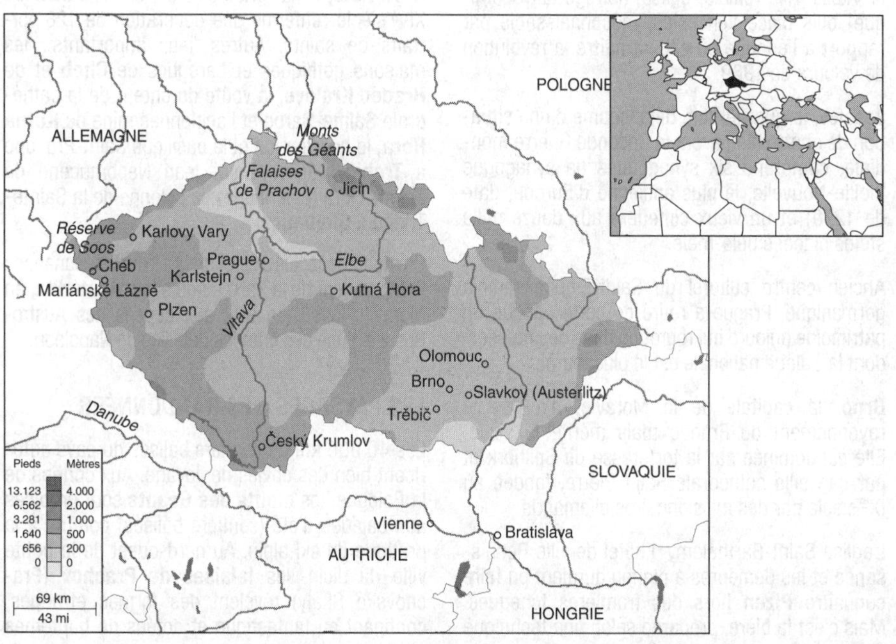

LES RAISONS D'Y ALLER

LES VILLES

Sur les deux rives de la Vltava, **Prague**, la « ville aux cent mille toits », où vécurent Kafka (qui a droit à un musée) et Mozart, est l'un des tout premiers sites touristiques urbains d'Europe. Son patrimoine historique, le foisonnement du baroque des édifices religieux (église Saint-Nicolas) mais aussi de certaines maisons, enfin la chance d'avoir traversé les siècles sans être victime de destructions dues aux guerres justifient cette réputation.

Grâce à ses deux tours et ses statues gothiques, hélas ! attaquées par la pollution et menacées d'être remplacées par des copies, le pont Charles est l'un des plus originaux d'Europe. Dans le quartier du « Petit Côté » (Mala Strana), la place Malostranské est entourée de façades baroques ou Renaissance. Elle précède la visite du quartier Hradcany : palais, château royal (avec une galerie comportant des œuvres de Rubens et du Titien) et cathédrale Saint-Gui.

En retraversant le pont Charles, on se retrouve dans le quartier de Stare Mesto, sur la place de la Vieille-Ville (palais, église, horloge astronomique) puis place Venceslas, méconnaissable par rapport à l'époque où elle vit naître la révolution de velours de 1989.

Josefov, le quartier juif, déjà victime d'une situation de ghetto bien avant la Seconde Guerre mondiale, comprend six synagogues (la synagogue Vieille-Nouvelle, la plus ancienne d'Europe, date de 1270) et un vieux cimetière aux douze mille stèles placées pêle-mêle.

Ancien centre culturel du Saint-Empire romain germanique, Prague a retiré de cette époque un patrimoine aujourd'hui regroupé dans des musées, dont la Galerie nationale est le plus fourni.

Brno, la capitale de la Moravie, n'a pas le rayonnement de Prague mais mérite la visite. Elle est dominée par la forteresse du Spilberk et par sa vieille cathédrale Saint-Pierre, fondée au IXe siècle par des missionnaires allemands.

L'église Saint-Barthélemy, l'hôtel de ville Renaissance et les demeures à pignon auraient pu faire connaître **Plzen** hors des frontières tchèques. Mais c'est la bière, préparée selon une technique du XIe siècle vérifiable au musée de la Brasserie, qui a donné sa réputation à la ville.

La République tchèque est fière de sa bière et de son cristal, mais aussi de ses **villes d'eaux**, qui ont connu la visite de hautes personnalités. Deux d'entre elles sont prestigieuses : **Karlovy Vary** (Karlsbad), dominée par son château et qui a vu séjourner Goethe, Marx, Beethoven et Pouchkine; **Marienbad** (Mariánské Lázné), où erre le souvenir de Goethe, Gorki, Mark Twain et Wagner parmi les palais de style rococo, les parcs et les fontaines.

LES MONUMENTS

Forteresses, châteaux forts, manoirs, palais, héritages architecturaux du temps des Habsbourg : tous ne connaissent pas la notoriété, mais leur nombre est impressionnant, en outre douze monuments tchèques sont sur la liste du patrimoine mondial de l'Unesco.

À **Ceský Krumlov**, la Renaissance italienne a imposé sa griffe sur le château des Rozmberk (XIIIe siècle) tout en se mariant au style local et à celui des dizaines de maisons médiévales pour faire de la ville, de ses monuments et de ses musées un passage obligé.

À **Karlstejn**, la grande tour du château du XIVe siècle renferme une décoration de 128 portraits de saints. Autres lieux importants : les maisons gothiques et baroques de **Cheb** et de **Hradec Kralove**, la voûte du chœur de la cathédrale Sainte-Barbe et l'anciennes mine de **Kutná Hora**, le quartier juif et la basilique Saint-Procope à **Trebic,** l'église Saint-Jean Népomucène de Zelena Hora (pèlerinage), la colonne de la Sainte-Trinité à **Olomouc**.

Un monument plus discret mais à la forte résonance : le Monument de la Paix, sur le site d'**Austerlitz**, en Moravie, là où eut lieu, aux dépens des Austro-Russes, l'une des grandes batailles de Napoléon.

LES PAYSAGES, LES RANDONNÉES

Les 40 000 km de sentiers balisés du pays autorisent bien des envies de voyage. Aux confins de la Pologne, les **monts des Géants** sont propices aux balades d'été (sentiers balisés) comme à la pratique du ski alpin. Au nord-ouest de la petite ville de Jicin, les **falaises de Prachov** (Prachovské Skaly) révèlent des formes étranges, confinant au fantastique et dotées de baptêmes pittoresques (la Tour Penchée, la Cuisine du diable, le Moine). Autre curiosité : le sol de la réserve de **Soos**, duquel s'échappent des émanations de gaz carbonique (mofettes) dues à une ancienne activité volcanique.

Autour de Karlovy Vary et de Marienbad comme aux alentours des châteaux de Karlstejn et Konopiste, le **golf**, de tradition dans le pays depuis la fin du XIXe siècle, prend de plus en plus de dimension.

LE POUR

◆ L'attrait de Prague, l'une des plus belles villes d'Europe.

◆ Un pays diversifié sur le plan touristique.

LE CONTRE

◆ Le coût de la vie touristique – pas uniquement à Prague – et les difficultés d'hébergement dans la capitale en haute saison.

LE BON MOMENT

Situé loin des côtes, le pays connaît un climat continental typique. C'est **entre mai et septembre** que l'on peut profiter des meilleures journées.
◆ Températures jour/nuit (en °C) à Prague : janvier 0/-5, avril 13/3, juillet 23/12, octobre 13/4.

LE PREMIER CONTACT

En Belgique

Office du tourisme, rue du Trône, 60, B-1050 Bruxelles, ☎ (02) 213.94.40, fax (02) 213.94.41.

Au Canada

Czech Tourist Authority, 401 Bay Street, Toronto, Ontario M5H 2Y4, ☎ (416) 363.99.28, fax (416) 363.02.39.

En France

Office du tourisme, 18, rue Bonaparte, 75006 Paris, ☎ 01.53.73.00.32, fax 01.53.73.00.33.

En Suisse

Office du tourisme, Am Schanzengraben, 11, CH-8002 Zurich, ☎ (41) 44.287.33.44, fax (41) 44.287.33.45.

Sur place

L'Institut français de Prague (Stepanska, 35, Prague, www.ifp.cz) publie tous les mois un guide culturel de la ville.

Internet

www.czechtourism.com
www.prague-info.cz/fr

Guides

Prague (Berlitz/Week-end, Gallimard/Cartoville, Gallimard/Encycl. du voyage, Gallimard/Spiral, Hachette/Routard, Hachette/Top 10, Hachette/Un grand week-end, Hachette/Voir, JPMGuides, Le Petit Futé, Lonely Planet France/En quelques jours, Lonely Planet France/Le guide, Marcus, Mondeos),

Prague et la République tchèque (Hachette/Evasion, Mondeos, National Geographic France), *République tchèque* (Le Petit Futé, Nelles).

Cartes

Prague (IGN), *République tchèque* (Berlitz, Marco Polo), *Républiques tchèque et slovaque* (IGN, Michelin).

Lectures

Histoire des pays tchèques (Belina, Corney, Pokorny/Seuil, 1995), *Histoire des Tchèques et des Slovaques* (A. Marès/Librairie académique Perrin, 2004), *le Goût de Prague* (G. G. Lemaire/Mercure de France, 2003), *les Cahiers de Prague* (G. Konopnicki/Balland, 2006), *Praga magica : voyage initiatique à Prague* (A. M. Ripollino/Pocket, 2005).

Images

Prague, Belle Epoque (B. Michel/Editions Aubier, 2008), *Prague et les châteaux de Bohême* (P. Benete, R. Holzbachova/ACR Editions, 2005).

DVD

Destinations favorites : Prague (LCJ Editions), *Palais d'Europe : Prague* (S.Ghez/ LCJ Editions).

QUEL VOYAGE ET À QUEL PRIX ?

Le voyage individuel

Les préparatifs

◆ Pour les ressortissants de l'Union européenne et suisses : carte d'identité ou passeport en cours de validité. Pour les ressortissants canadiens : passeport suffisant, encore valide trois mois après le retour.

◆ Monnaie : la couronne tchèque, ou *koruna.* 1 EUR = 28 couronnes tchèques, 1 US Dollar = 22 couronnes tchèques. Emporter des euros ou des US Dollars et une carte de crédit (distributeurs automatiques).

Le départ

Avion

◆ Indice de prix à certaines dates du vol régulier Montréal-Prague A/R : 900 CAD; Paris-Prague A/R : 200 EUR. ◆ Vols à bas prix : Beauvais-Prague (Wizz Air), Bruxelles-Prague (Brussels Airlines, SkyEurope), Charleroi-Prague (Wizz Air), Paris-Prague (Air Europa, SkyEurope, Smart Wings). ◆ Durée moyenne du vol Paris-Prague (869 km) : 1 h 40.

Bus

Bruxelles ou Paris-Prague A/R possible avec Eurolines.

Route

Paris-Prague via Nuremberg : 1 100 km.

Train

Pass InterRail utilisable. Train de nuit Paris/Gare de l'Est-Prague.

Le séjour

Bus

Le bus est moins cher et moins compliqué que le train, tout en étant aussi répandu.

Hébergement

◆ Se loger à Prague demande de réserver longtemps à l'avance en haute saison. ◆ Outre l'hôtellerie classique (la plupart des voyagistes cités ci-dessous proposent des adresses), on peut songer à des formules telles que l'« appart-hôtel » (renseignements auprès de l'office du tourisme). ◆ Nombreux campings et possibilités de loger chez l'habitant (voir entre autres Tourisme chez l'habitant). ◆ Il existe une quarantaine d'auberges de jeunesse à travers le pays. Renseignements sur www.hihostels.com/

Route

◆ Limitations de vitesse agglomération/route/autoroute : 50/90/130. ◆ La moindre dose d'alcool au volant n'est pas tolérée.

Le séjour en individuel

Rappel : nous nous sommes limités à un résumé des prestations en vigueur dans les agences et chez les voyagistes présents en France. Les lecteurs des autres pays peuvent en tirer des idées d'itinéraire et les compléter auprès de leurs agences de voyages.

◆ **Prague**, donc, et de multiples façons ! La plus courante est une formule vol A/R + 3 jours/2 nuits qui revient *entre 400 et 600 EUR* selon les prestataires. Exemples : Amslav, Arts et Vie, CGTT Voyages, Continents insolites, Jet tours, Kuoni, Luxair Tours, Transtours.

On va également à Prague en **bus** ou en **train** de Bruxelles ou Paris à des prix très intéressants. Ne pas oublier les « ponts » du printemps, idéaux pour une visite plus complète, et les séjours de fin d'année, la capitale tchèque étant un rendez-vous pour les amateurs de marchés de Noël ou de réveillons.

◆ Les propositions de séjours consacrés aux soins progressent : ainsi les semaines d'**hydrothérapie** à Marienthal (renseignements auprès de l'office du tourisme).

◆ De mars à la mi-novembre, les amateurs de **golf** disposent d'environ 70 parcours à travers le pays. L'office de tourisme a édité une brochure qui les recense. Hors saison, le golf se joue même... à l'intérieur et avec simulateur.

Le voyage accompagné

◆ Prague « admet » un prolongement du voyage, qui reste à but **culturel** ou historique, dans les villes d'eaux et les châteaux de la Bohême : ainsi en va-t-il pour les circuits de Clio, de Continents insolites ou de Nouvelles Frontières qui visite les sites frappés du sceau de l'Unesco (départs entre avril et septembre). Autres propositions : Amslav, Austro Pauli, Bennett, Donatello, Marsans.

◆ Un combiné largement répandu regroupe les trois grandes **villes** touristiques d'**Europe centrale** que sont Vienne, Prague et Budapest (Clio, Jet tours, Nouvelles Frontières).

◆ Le voyage en République tchèque est plus coûteux qu'il n'y paraît : les prix franchissent des seuils souvent excessifs à Prague, alors qu'il faut compter aux alentours de *1 000 EUR* pour une semaine de circuit organisé en demi-pension.

QUE RAPPORTER ?

Difficile d'échapper à la tentation d'un objet en cristal de Bohême. Une originalité : les jouets en bois.

LES REPÈRES

◆ Pas de décalage horaire avec la Belgique, la France ou la Suisse; lorsqu'il est midi au Québec, en République tchèque il est 18 heures. ◆ Langue officielle : le tchèque. ◆ Langues étrangères : l'allemand est courant; l'anglais et le français sont peu connus. ◆ Téléphone vers la République tchèque : 00420 + indicatif (Prague : 2) + numéro; de la République tchèque : 00 + indicatif pays + numéro.

LA SITUATION

Géographie. En partant de l'Allemagne, la République tchèque voit se succéder, sur 78 864 km^2, la Bohême (plateaux) et la Moravie (dépressionnaire).

Population. Allemands, Polonais et Russes forment trois minorités aux côtés des Tchèques. 10 221 000 habitants. Capitale : Prague.

Religion. Deux habitants sur trois sont catholiques, 4 % obéissent à l'Église nationale tchèque.

Dates. *Ve siècle av. J.-C.* Arrivée des Celtes. *IIe siècle* Intrusion de légions romaines, qui seront suivies quatre siècles plus tard par les Slaves. *XIVe siècle* Apogée du royaume de Bohême. *1918* Proclamation de la première république tchécoslovaque. *1939* Invasion allemande. *1945* Libération de Prague par l'armée soviétique. *1948* Les communistes prennent le pouvoir. *1968* « Printemps de Prague » : Dubcek tente des réformes mais l'URSS envoie les chars. *Décembre 1989* La « révolution de velours » porte au pouvoir l'écrivain Vaclav Havel. *Janvier 1993* La Tchécoslovaquie cesse d'exister, partagée entre République tchèque et Slovaquie. Vaclav Havel est élu président, alors que Vaclav Klaus prend la tête du gouvernement. *Décembre 1997* Josef Tosovsky succède à Vaclav Klaus, démissionnaire. *Juillet 1998* Le chef du Parti social-démocrate Milos Zeman est nommé Premier ministre. *Juillet 2002* Vladimir Spidla devient Premier ministre. *Août 2002* Prague et l'ouest du pays sont touchés par de graves inondations. *Mars 2003* Vaclav Klaus accède à la présidence. *Mai 2004* La République tchèque entre dans l'Union européenne. *Juin 2006* Mirek Topolanek prend la tête du gouvernement après la victoire de son parti (droite) aux législatives.

Thaïlande

Avertissement. – Dans le sud, le voyage dans les provinces de Narathiwat, Yala, Pattani et Songkhla est déconseillé. Eviter aussi la région du temple de Preah Vihear, à la lisière du Cambodge.

Après le raz de marée de 2004, le pays a retrouvé sa vocation de destination touristique la plus recherchée et la moins chère d'Asie du Sud-Est. Pour la grande majorité des visiteurs, la Thaïlande représente avant tout ce qui fut le Siam, le pays du Sourire, avec des atouts de premier ordre : forte empreinte du bouddhisme, architecture khmère, nature douce, régions verdoyantes du nord, rivages de la mer de Chine.

LES RAISONS D'Y ALLER

LES VILLES ET LES MONUMENTS

Bangkok, Thonburi,
Nakhon Pathom, Sukhothai
Architecture khmère (Pimai, Muang Tam, Surin)
Anciennes capitales du Siam
Chiang Mai, Lampang
Pont de la rivière Kwai

LES CÔTES

Plages de la côte ouest (Phuket, Krabi)
Songhkla, Pattaya, Rayong)
Croisières, plongée (îles Similan)

LES PAYSAGES ET LES RANDONNÉES

Minorités montagnardes du nord, Mékong
Triangle d'or, « femmes-girafes »

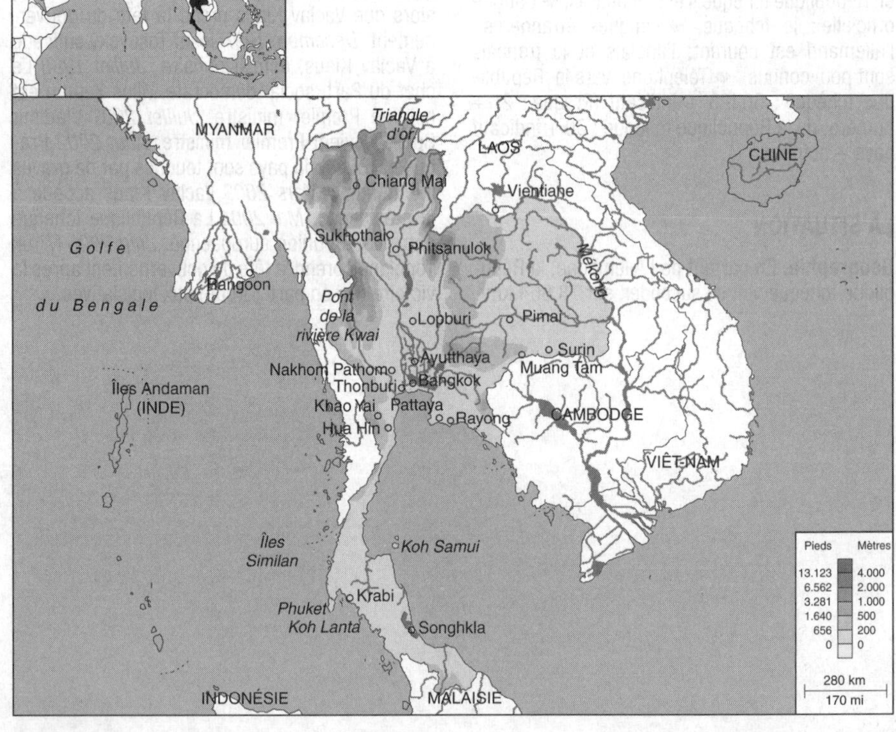

LES RAISONS D'Y ALLER

LES VILLES ET LES MONUMENTS

Sillonné par ses légendaires et bruyants *tuk-tuk* et désormais par un métro futuriste, **Bangkok** vit dans une ambiance nerveuse, mais ses temples (le Wat Phra Keo ou temple du Bouddha d'émeraude, Wat Arun et sa porcelaine, Wat Putthaisawan, Wat Benchamabopit) sont si imposants, la nourriture sur les étals et sur les marchés est si fameuse, son atmosphère orientale est si forte que l'on a envie de beaucoup lui pardonner.

Thonburi, à l'est de Bangkok, renferme de nombreux temples bouddhiques, dont le Wat Arun (XVIIIe siècle). La visite de la région peut être complétée par celle du marché flottant de **Damnoen Saduak**.

La découverte du stupa de **Nakhon Pathom** permet de comprendre pourquoi cet endroit est l'un des plus sacrés du pays pour un bouddhiste. L'architecture est également riche dans les anciennes villes ou capitales du Siam : **Ayutthaya** (nombreux temples et stoupas en partie restaurés, collections rassemblées au musée Chao Sam Phraya), **Lopburi** (palais du roi Naraï qui démontre ce qu'a été le raffinement du royaume du Siam), **Phitsanulok** et surtout **Sukhothai :** de nombreuses barques se chargent de fleurs et d'encens lors de la pleine lune de novembre, et le parc historique renferme un grand Bouddha assis, fleuron de l'endroit, avec les ruines du temple Vat Mahathat (XIVe siècle) et ses stoupas.

À la lisière du Cambodge, l'**architecture khmère** et un zeste de celle d'Angkor se retrouvent dans des temples bien restaurés à **Pimai** (VIIIe siècle), à **Muang Tam** et surtout à **Surin** (Wat Prasat Phanom Rung), ville qui connaît une « Ronde des éléphants » en novembre.

Malgré une importante fréquentation touristique, l'ambiance est paisible à **Chiang Mai**, la « Rose du nord ». Ses marchés, les fêtes (Fête des fleurs), l'artisanat (laque, soie, coton), les maisons en bois sur pilotis et les nombreux temples (dont surtout le temple bouddhiste sacré du Doï Sutep) sont les points d'orgue. Non loin de là, à **Lampang**, le monastère Lampang Luang est jugé comme l'un des plus intéressants du pays.

Une visite particulière conduit sur le site du pont de la rivière **Kwai**, que les prisonniers alliés avaient dû construire durant la Seconde Guerre mondiale sous la menace des Japonais et au prix de milliers de vies humaines.

LES CÔTES

Phuket, Karon, Bangtao, Kata : autant de noms qui perpétuent le boom touristique balnéaire que connaissent ces rivages de la mer d'Andaman depuis une décennie. A Phuket, il faut savoir choisir entre ambiance branchée (Patong) et rivages calmes.

Certains sites connaissent depuis longtemps une forte fréquentation, d'autres sont récents, tels **Krabi** ou **Koh Samui**, bordé, à l'est, par de nombreux îlots encore à l'abri du grand tourisme. D'autres, comme **Koh Lanta** et ses deux îlots dans la mer d'Andaman, vivent sur leur lancée « télévisuelle ».

La bruyante **Pattaya**, la plage des habitants de Bangkok, et **Songkhla**, sur la mer de Chine méridionale, sont des chevronnées du tourisme balnéaire thaïlandais. **Rayong**, à l'est de Pattaya, est née plus récemment au tourisme international.

Près des îles **Similan** et de Koh Surin, non loin de la côte du Myanmar, les amateurs de **plongée** rencontrent, le long de coraux de toutes sortes et de grottes sous-marines, des requins-baleines, des requins-léopards, des barracudas, des mérous.

LES PAYSAGES ET LES RANDONNÉES

En cas d'arrivée dans la capitale, les premiers sujets d'intérêt de la campagne thaïlandaise se rencontrent d'Ayutthaya à Bangkok, les 88 km de descente de la rivière **Chao Phraya** permettant d'admirer le modelé des rizières.

Au nord, Chiang Raï est l'épicentre des **minorités** ethniques qui, tels les Akhas, les Lahus, les Lisus, vivent avec philosophie l'essor d'une vie touristique à base de randonnées à dos d'éléphant et de visite de villages nichés dans un décor de moyenne montagne (Mae Salong) verdoyante et forestière.

Aux confins du Laos et du Myanmar, la réputation équivoque du **Triangle d'or**, qui fut longtemps un grand producteur d'opium, et les rives du **Mékong** se conjuguent pour inviter le touriste à découvrir l'ambiance un rien mystérieuse de l'endroit.

Dans les montagnes du nord-ouest, à plusieurs heures de route de Chiang Maï, près de Mae Hong Son, vivent les **« femmes-girafes »**, d'origine birmane et ainsi appelées en raison des traditionnels anneaux de cuivre qui allongent démesurément leur cou. Elles sont entrées dans le cercle des « attractions » touristiques, dussent-elles accepter un inévitable voyeurisme.

Au cours des dernières années, la diversification du tourisme a conduit à la découverte de **parcs nationaux** longtemps méconnus, tel celui de Khao Yai, au sud-ouest de Bangkok. A voir aussi les grottes de Thamlay Khao Kob, non loin de Krabi.

LE POUR

◆ Un pays capable d'offrir, sur un large registre, un tourisme aussi bien culturel que balnéaire.

◆ Un coût de séjour attractif.

◆ Une situation politique stabilisée après les soubresauts de fin 2008.

LE CONTRE

◆ La situation tendue dans le sud musulman.

◆ L'augmentation du prix des vols pour Bangkok.

◆ Un climat peu favorable en juillet et août, moment de la mousson, même si un ciel serein revient assez rapidement après les averses.

LE BON MOMENT

Le pays est placé sous un régime de climat tropical humide, si bien qu'il fait chaud toute l'année. C'est entre **novembre et février** que l'on est assuré d'avoir le plus de soleil et le moins de pluie, sauf dans l'extrême sud. Pour les plages du sud, mi-décembre à fin avril est approprié.

Mars, avril et mai sont très chauds, septembre et octobre perturbés. Entre ces deux époques, les pluies de mousson tombent sous forme d'averses.

◆ Températures moyennes jour/nuit (en °C) à *Bangkok* : janvier 32/21, avril 35/26, juillet 33/25, octobre 32/24. Moyenne de la température de l'eau de mer : 27°.

LE PREMIER CONTACT

En Belgique

Office du tourisme, rue des Drapiers, 40, B-1050 Bruxelles, ☎ 02.504.97.03, fax 02.504.97.04.

Au Canada

Ambassade, 180, promenade Island Park, Ottawa (Ontario) K1Y 0A2, ☎ (613) 722-4444, fax (613) 722-6624.

En France

Office national du tourisme, 90, avenue des Champs-Élysées, 75008 Paris, ouvert lun-ven, ☎ 01.53.53.47.00, fax 01.45.63.78.88.

En Suisse

Ambassade, Kirchstrasse, 56, CH-3097 Berne, ☎ (41) 31.970.30.30, fax (41) 31.970.30.35.

Internet

www.tourismethaifr.com
www.tatnews.org

Guides

Bangkok (Gallimard/Cartoville).

Thaïlande (Berlitz, Gallimard/Bibl. du voyageur, Hachette/Evasion, Hachette/Routard, Hachette/Voir, JPMGuides, Le Petit Futé, Lonely Planet France, Michelin/Voyager pratique, Mondeos, National Geographic France, Nelles), *Thaïlande, Bangkok, Phuket, Ayuttahaya, Sukhothai, Chiang Mai* (Gallimard/Encycl. du voyage), *Thaïlande, The natural guide* (Pages du monde).

Cartes

Bangkok (Gallimard/Cartoville), *Bangkok and Greater Bangkok* (Nelles), *Thaïlande, Vietnam, Laos, Cambodge* (Marco Polo), *Thaïlande, Vietnam, Laos* (IGN).

Lectures

Les Oiseaux de Bangkok (Manuel Vázquez Montalbán/Seuil, 1987), *la Thaïlande des Thaïlandais* (Liana Levi, 2007), *Une histoire vieille comme la pluie* (S. Sangsuk/Seuil, 2004).

Images

Peuples du Triangle d'or (Olizane, 2002), *Thaïlande, un autre regard* (Pages du monde, 2006), *Thaïlande : un goût de paradis* (J. M. Boëlle, M.Schultz/Vilo, 2006).

DVD

L'Explorateur des cuisines du monde : Thaïlande (Gédéon, 2008), *Thaïlande, le temple de la séduction* (Media 9/2002).

QUEL VOYAGE ET À QUEL PRIX ?

Le voyage individuel

Les préparatifs

◆ Pour les ressortissants de l'Union européenne, canadiens, suisses : passeport suffisant, valable encore six mois après le retour.

◆ Prévention recommandée contre le paludisme dans les zones rurales et dans les régions proches du Cambodge et du Myanmar. Aucun risque à Bangkok et dans les principales stations touristiques.

◆ Monnaie : le *baht*. 1 US Dollar = 32 bahts, 1 EUR = 45 bahts. Emporter des euros ou des US Dollars et une carte de crédit (distributeurs automatiques).

Le départ

◆ Indice de prix à certaines dates du vol Montréal-Bangkok A/R : 1 300 CAD; Paris-Bangkok A/R : 700 EUR. ◆ Nombreux vols charters entre novembre et mai. ◆ Durée moyenne du vol direct Paris-Bangkok (9 435 km) : 11 heures. ◆ Il existe des vols directs Bruxelles ou Paris-Phuket.

Sur place

Hébergement

Diversité garantie. Il existe aussi dix auberges de jeunesse, dont deux à Bangkok. Renseignements : www.hostels.com

Route

◆ Conduite à gauche. ◆ Permis de conduire international nécessaire. ◆ La location de voiture avec chauffeur est conseillée. ◆ A Phuket, la location d'une moto ou d'un scooter est monnaie courante.

Train

◆ Le *Visit Thailand Rail Pass*, en vente dans les grandes gares thaïlandaises, permet de voyager pendant 20 jours pour un prix modique et de manière illimitée. Renseignements auprès de l'office du tourisme. ◆ L'*Eastern and Oriental Express* mêle le luxe et la découverte des paysages thaïlandais entre Bangkok et Chiang Maï, outre son traditionnel trajet Bangkok-Singapour (environ 2 000 km, 42 heures de trajet) . Renseignements auprès de Orient-Express Train & Cruises.

Le séjour

Rappel : nous nous sommes limités à un résumé des prestations en vigueur dans les agences et chez les voyagistes présents en France. Les lecteurs des autres pays peuvent en tirer des idées d'itinéraire et les compléter auprès de leurs agences de voyages.

◆ Le voyage en Thaïlande est assurément le moins cher d'Asie du Sud-Est. On peut trouver des séjours d'une dizaine de jours comprenant Bangkok et une extension balnéaire à Phuket aux alentours de *1 000 EUR* pour le vol A/R et l'hébergement. Même en très haute saison, ce tarif ne grimpe pas exagérément.

◆ Si les séjours **balnéaires** ont toujours Phuket (Asia, Best Tours, Club Med, Jet tours, Kuoni), Hua Hin ou Pattaya comme destinations majeures, les voyagistes varient les rivages, par exemple Best Tours pour des séjours à Koh Samui, Asia et Kuoni à Krabi, Asia et Vacances Transat à Koh Lanta. Ceux qui recherchent une mer sportive **plongent** aux alentours des îles Similan avec Aquarev ou Ultramarina entre octobre et mai.

◆ Bangkok connaît depuis peu un développement des séjours **bien-être** et spa. Voir par exemple le site www.thaispaassociation.com

Le voyage accompagné

◆ La plupart des voyagistes suivent un grand **classique,** d'une durée de 10 à 15 jours, entre novembre et avril : Bangkok, Ayutthaya, Chiang Mai, Phuket, Triangle d'or. Ils sont nombreux sur ce créneau, entre autres Ariane Tours, Arts et Vie, Asia, Best Tours, Clio, Club Med Découverte, Continents insolites, Espace Mandarin, Fram, Jet tours, Kuoni, Look Voyages, Nouvelles Frontières, Rev'Vacances, Voyageurs associés. Parfois, ils complètent leur proposition par quelques jours en bord de mer.

◆ Certains voyagistes cherchent – et trouvent – des voies moins courues que le séjour balnéaire. Ainsi avancent-ils la visite des **parcs** nationaux ou les **croisières fluviales** (rivières Kwaï ou Chao Praya, par exemple avec Asia de Bangkok à Ayutthaya, Fleuves du monde). Quant au mythe du **train** qui transportait les grands et les célébrités, il est repris par l'*Eastern and Oriental Express* entre Bangkok et Chiang Maï à des tarifs aussi impressionnants que les paysages (voir Asia, Kuoni, Voyageurs du monde, entre autres).

◆ Les spécialistes de la **randonnée** s'efforcent, eux aussi, de sortir des sentiers battus : descentes de rivières et rencontres des peuples karen et akkha sont au programme des quinze jours, dont quatre de marche, de Club Aventure, qui termine sur l'île de Kho Samet. Quant à Nomade Aventure, il rend visite à pied aux ethnies du Triangle d'or. Un voyage fondé sur la randonnée coûte aux alentours de *1 800 EUR* pour 15 jours.

◆ Durant notre hiver, Phuket est le point de départ ou d'arrivée de **croisières** d'île en île (entre autres Langkawi) à bord des voiliers de la compagnie Star Clippers.

◆ Des **combinés** existent très souvent avec le Cambodge et le Laos chez la plupart des voyagistes précités.

QUE RAPPORTER ?

Est-ce l'influence de Singapour ? Toujours est-il que la Thaïlande ne lui cède en rien sur le plan du commerce : bijoux, sacs, sculptures, tissages, vêtements de soie, laques dorées, porcelaines, broderies du nord du pays faites à la main.

LES REPÈRES

◆ Lorsqu'il est midi en France, en Thaïlande il est 17 heures en été et 18 heures en hiver; lorsqu'il est midi au Québec, en Thaïlande il est minuit (le jour suivant). ◆ Langue officielle : le thaï; le chinois et le malais sont minoritaires. ◆ Langue étrangère : l'anglais dans les villes et sur les lieux touristiques. ◆ Téléphone vers la Thaïlande : 0066 + indicatif (Bangkok : 2) + numéro; de la Thaïlande : 00 + indicatif pays + numéro.

LA SITUATION

Géographie. Le nord et l'ouest sont les domaines de la forêt dense. Au centre, la plaine de la Chao Phraya est l'axe clé du pays. Le sud est également composé de plaines et recouvert par la forêt équatoriale. L'ensemble couvre 513 115 km^2.

Population. 65 493 000 habitants, répartis en de nombreuses ethnies. Capitale : Bangkok.

Religion. Le bouddhisme imprègne tant la vie du pays que chaque Thaïlandais passe, dit-on, au moins trois mois de sa vie dans l'habit monacal. Les 6 % de la population non bouddhiste sont composés de musulmans et de chrétiens.

Dates. *XIIIe siècle* Les Thaïs fondent des royaumes (Sukhothai, Lan Na et plus tard Ayutthaya). *1782* Rama Ier roi et fondateur de la dynastie Chakri. *1932* Fin de la monarchie absolue. *1938* Le maréchal Songgram, qui s'alliera ensuite au Japon pendant la Seconde Guerre mondiale, est au pouvoir. *1946* Bhumibol Adulyadej est proclamé roi. *1957* Les régimes militaires se succèdent. *1962* Développement d'une guérilla communiste. *1991* Coup d'État militaire sans violence. *Juin 1992* Manifestation à Bangkok et répression (une centaine de victimes). *Janvier 2001* Le parti Thai Rak Thai et son milliardaire Thaksin Shinawatra remportent les législatives aux dépens du Parti démocrate. *Début 2004* Tensions meurtrières entre la minorité musulmane de l'extrême sud du pays et les bouddhistes. *Décembre 2004* Un très violent raz de marée frappe les pays de l'océan Indien, Phuket et les îles alentour sont les plus touchées. *Septembre 2006* Coup d'Etat des militaires sans violence, qui chassent Shinawatra et laissent la perspective d'élections. *Décembre 2007* Le Parti du pouvoir du peuple de Sundaravy Samak large vainqueur des législatives. *2008* Sundaravy démissionne sous la pression, Somchai Wonsawat lui succède. *Novembre 2008* Crise institutionnelle : manifestations, blocus de l'aéroport de Bangkok, dissolution du parti au pouvoir. *Décembre 2008* Le chef du Parti démocrate Abhisit Vejjajiva devient Premier ministre.

Timor oriental

Moitié de l'une des îles de l'archipel de la Sonde, le Timor oriental - plus officiellement Timor-Leste - est un pays neuf qui a payé très cher sa volonté d'indépendance après vingt années d'annexion unilatérale par l'Indonésie. Situation de grande pauvreté, atmosphère nerveuse et faiblesse des structures de base font que le tourisme n'est pas encore à l'ordre du jour, voire déconseillé.

LES RAISONS D'Y ALLER

LES CÔTES

Plages (île d'Atauro)

LES VILLES ET LES PAYSAGES

Dili
Cordillère centrale

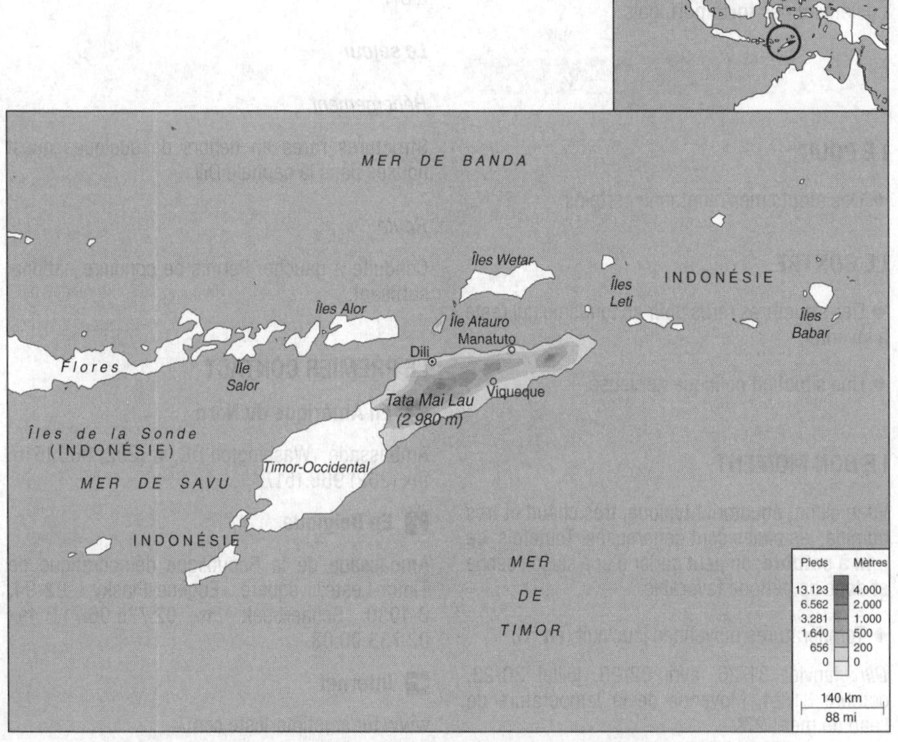

LES RAISONS D'Y ALLER

LES CÔTES

Evoquer les plages de sable fin qui parsèment les côtes du pays, particulièrement aux alentours de Dili, ne surprendra pas, vu la latitude, mais les infrastructures qui pourraient les vouer à une fréquentation touristique prochaine restent à créer. Néanmoins, l'île **d'Atauro** et ses eaux tropicales sont déjà sur les tablettes.

LES VILLES ET LES PAYSAGES

L'architecture coloniale de **Dili** a souffert des événements qui ont précédé l'indépendance, mais son animation et son rôle de capitale d'un pays à construire la rendent attachante.

Dili est le point de départ de voyages vers des **villages** flanqués de leurs églises blanches (tel Manatuto) et d'agréables stations dans la **Cordillère centrale**. L'intérieur du pays renferme également des **forts** portugais.

LE POUR

◆ Des atouts mer/montagne certains.

LE CONTRE

◆ Des structures rares pour un tourisme qui reste à inventer.

◆ Une situation politique nerveuse.

LE BON MOMENT

Vu le climat équatorial typique, très chaud et très humide, les pluies sont généreuses. Toutefois, de **juin à octobre**, on peut parler d'une saison sèche et donc de période favorable.

◆ Températures moyennes jour/nuit (en °C)

Dili : janvier 31/26, avril 32/25, juillet 30/23, octobre 31/24. Moyenne de la température de l'eau de mer : 27°.

QUEL VOYAGE ?

Les préparatifs

◆ Pour les ressortissants de l'Union européenne, canadiens, suisses : passeport encore valable six mois après le retour suffisant. Visa délivré à l'arrivée (25 dollars US).

◆ Prévention indispensable contre le paludisme.

◆ Monnaie : pour l'instant et par défaut, le dollar US est monnaie nationale. 1 EUR = 1,4 US Dollar.

Le départ

Avion

L'aéroport de Dili est desservi par des vols à partir de Darwin (Australie), Denpasar (Bali/Indonésie) et Singapour.

Bateau

Pour qui est déjà en Australie et a du temps, il existe une liaison par ferry ou cargo de Darwin à Dili.

Le séjour

Hébergement

Structures rares en dehors de quelques guest houses dans la capitale Dili.

Route

Conduite à gauche. Permis de conduire national suffisant.

LE PREMIER CONTACT

En Amérique du Nord

Ambassade, Washington DC, ☎ (202) 965.1515, fax (202) 965.1517.

En Belgique

Ambassade de la République démocratique de Timor-Leste, square Eugène-Plasky, 92-94, B-1030 Schaerbeek, ☎ 02.735.96.71, fax 02.733.90.03.

Internet

www.turismotimorleste.com/

Lectures

L'écrivain Luis Cardoso, exilé au Portugal pendant l'occupation de « son » Timor-Leste, a écrit *Une île au loin* (Éditions Métailié, 2000). Autres publications : *Empire d'Orient, voyages à Sumatra, Timor est, Irian Jaya* (Olizane), *Timor, défis de l'indépendance* (Karthala, 2002).

LES REPÈRES

◆ Lorsqu'il est midi en France, au Timor oriental il est 19 heures en hiver. ◆ Langues officielles : le tétum (parlé par quatre personnes sur cinq) et le portugais. ◆ Indicatif téléphonique : 670.

LA SITUATION

Géographie. Le Tata Mai Lau (2 963 m) domine les 15 009 km^2 du pays.

Population. Le Timor oriental est divisé en treize districts et compte 1 109 000 habitants.

Religion. Forte prépondérance catholique.

Dates. 1556 Des dominicains fondent le premier établissement portugais. *1975* Après quatre siècles de colonisation portugaise, l'Indonésie envahit le pays. *1999* Près de 80 % des habitants votent pour l'indépendance. *Fin 1999* Mise en place de l'Autorité provisoire des Nations unies au Timor-Est (Untaet) dans une région dévastée, où des dizaines de milliers de personnes ont perdu la vie entre 1975 et 1999. *Septembre 2001* Le Front pour l'indépendance de Timor-oriental (Fretilin) remporte une victoire moins nette que prévu lors de l'élection d'une Assemblée constituante. *Mai 2002* Création officielle de la république démocratique de Timor-Leste, sous la présidence de l'emblématique Xanana Gusmao. *Mai 2006* De sévères affrontements entre les troupes loyalistes et les déserteurs entraînent la mise en place d'une force d'interposition australienne. *Mai 2007* José Ramos Horta élu président, Xanana Gusmao devient Premier ministre. *Février 2008* Le président Horta est grièvement blessé lors d'un attentat.

Togo

Enserré entre le Ghana et le Bénin, le Togo réunit sur une superficie modeste plusieurs atouts de l'Afrique tropicale, excepté l'océan, dangereux par endroits. Un habitat bien préservé au nord, des traditions vivaces et des réserves animalières auraient dû permettre au pays de dépasser sa trop discrète audience.

LES RAISONS D'Y ALLER

LES PAYSAGES ET LES TRADITIONS

Marchés, coutumes (Peuls, Tambermas), habitat (cases fortifiées)

LES CÔTES

Lac Togo

LA FAUNE ET LA FLORE

Lac Mono (crocodiles, hippopotames), Parc national du Kéran (antilopes, éléphants, oiseaux)

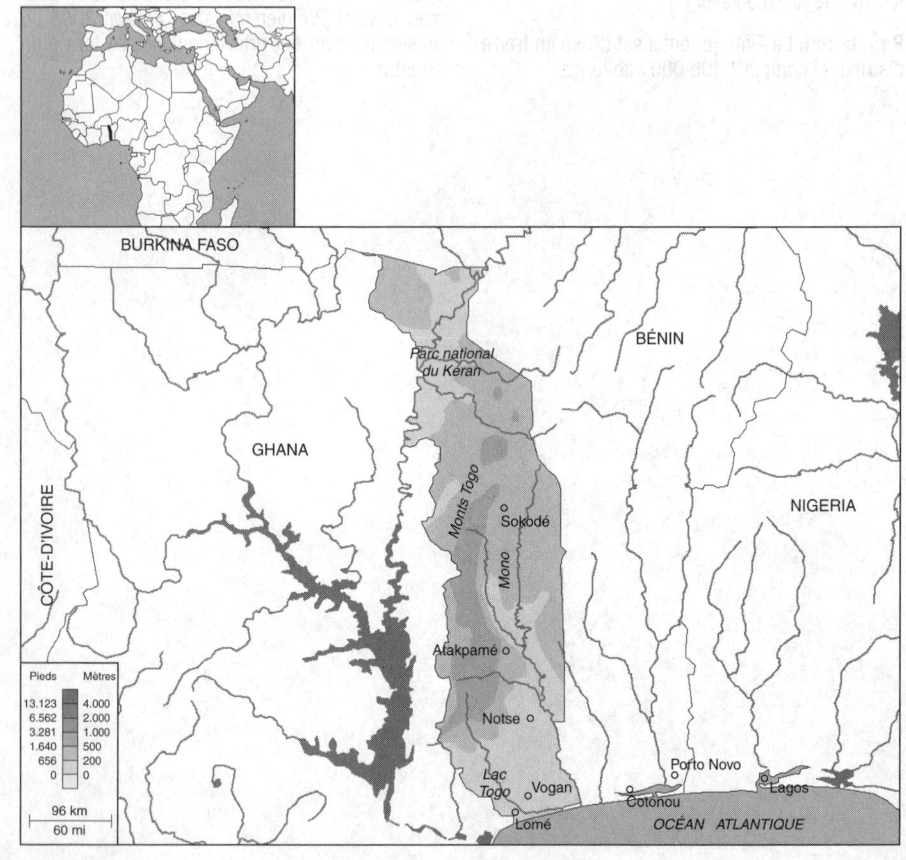

LES RAISONS D'Y ALLER

LES PAYSAGES ET LES TRADITIONS

Le Togo comprend des paysages variés, qu'ils soient côtiers, lacustres (lac Togo), montagneux (monts Togo) ou forestiers. Au sein de cette nature agréable, les villages ont de belles particularités, telles les constructions en banco (sorte d'argile) et à étages des **Tambermas**, ainsi que des cases fortifiées.

Les villages habité par les **Peuls** (Kinizao) ou les **Tata Somba** (Koussou) sont des passages obligés, comme les **marchés** (Atakpamé, Lomé, Notsé, Sokodé, Vogan). La préservation des **coutumes** est chère aux habitants et certaines cérémonies vaudoues sont accessibles au visiteur.

Le tourisme est bien diversifié. Ainsi peut-on décider de séjourner aux environs du lac Togo pour le farniente et envisager de temps en temps des excursions, ou bien entreprendre un voyage itinérant de village en village si l'on a du temps et un esprit plus aventurier.

LES CÔTES

L'étroitesse du littoral (60 km) mais surtout la « barre » (rouleaux) réduisent l'intérêt de la côte atlantique, toutefois agréable et de-ci de-là bordée de cocotiers.

Ce handicap est heureusement comblé par les abords du **lac Togo**, où la plupart des sports nautiques (voile, ski nautique, planche à voile, windsurf) sont possibles dans un joli cadre forestier.

LA FAUNE ET LA FLORE

Les **crocodiles** et les **hippopotames** sur les rives du lac Mono, les biches et les singes de la forêt du Togodo, les **antilopes,** singes, buffles, **éléphants** et **oiseaux** du parc national du Kéran, enfin la présence d'éléphants dans la forêt de la Fosse aux lions, tout au nord, font du Togo un pays très intéressant sur le plan animalier.

LE POUR

◆ Un tourisme varié et la préservation des traditions et de l'habitat.

◆ Le français comme langue de contact.

LE CONTRE

◆ La présence de la « barre », qui rend parfois l'océan dangereux.

◆ Un pays qui mérite mieux que la discrétion actuelle des voyagistes.

LE BON MOMENT

Deux variantes climatiques : au sud, un climat subéquatorial à quatre saisons, dont **décembre-mars** (saison sèche) est la plus favorable et avril-juillet (pluies de l'hivernage) la moins intéressante. Au nord, en revanche, on retrouve l'opposition habituelle entre saison des pluies (mars-octobre) et saison sèche de **novembre à février**. L'harmattan (vent chaud et sec) souffle en janvier et en février.

Réserves animalières

Les principales réserves sont fermées entre juin et fin octobre.

◆ Températures moyennes jour/nuit (en °C) à *Lomé* (côte sud-ouest) : janvier 32/23, avril 32/24, juillet 28/23, octobre 30/23. Moyenne de la température de l'eau de mer : 27°.

LE PREMIER CONTACT

En Belgique

Ambassade, avenue de Tervuren, 264, B-1150 Bruxelles, ☎ (02) 770.17.91.

Au Canada

Ambassade, 12, chemin Range, Ottawa, K1N 8J3, ☎ (613) 238-5916, fax (613) 235-6425.

En France

Service consulaire de l'ambassade, 8, rue Alfred-Roll, 75017 Paris, ☎ 01.43.80.12.13, fax 01.43.80.06.05.

En Suisse

Consulat, rue Toepffer, 11 bis, CH-1206 Genève, ☎ (22) 346.52.60, fax (22) 346.59.39.

Internet

www.togo-tourisme.com/

Guides

Afrique de l'ouest (Hachette/Guide du routard, Lonely Planet France), *Togo* (Jaguar, Le Petit Futé).

Cartes

Bénin et Togo (ITM), *Togo* (IGN).

Lectures

Le Chemin de fer pour le Nord-Togo : histoire inachevée (L'Harmattan, 2006), *le Souffle du mort : la tragédie de la mort chez les Batãmmariba du Togo, Bénin* (D. Srwane/Pocket,2007), *Togo/ Artisanats traditionnels en Afrique noire* (Jocelyne Étienne-Nugue, Institut culturel africain).

Images

Batammaba bâtisseurs d'univers (Lucille Reyboz/ Gallimard, 2004).

QUEL VOYAGE ET À QUEL PRIX ?

Le voyage individuel

Les préparatifs

◆ Pour les ressortissants de l'Union européenne, canadiens, suisses : passeport valable encore six mois après le retour; **visa** obligatoire, obtenu auprès du consulat. Visa d'une semaine obtenu directement à l'aéroport de Lomé, bien se renseigner avant le départ. Billet de retour ou de continuation exigible.

◆ Vaccination obligatoire contre la fièvre jaune. Prévention indispensable contre le paludisme.

◆ Monnaie : le *franc CFA* est subdivisé en 100 *centimes*. 1 EUR = 655,957 francs CFA (XOF). Emporter des euros en espèces ou chèques de voyage et une carte de crédit (carte Visa uniquement).

Le départ

◆ Indice de prix à certaines dates du vol Paris-Lomé A/R : 700 EUR. ◆ Durée moyenne du vol Paris-Lomé (4 757 km) : 6 heures.

Le séjour

Route

Location de voiture possible au départ de Lomé, de préférence avec chauffeur.

Le voyage accompagné

Rappel : nous nous sommes limités à un résumé des prestations en vigueur dans les agences et chez les voyagistes présents en France. Les lecteurs des autres pays peuvent en tirer des idées d'itinéraire et les compléter auprès de leurs agences de voyages.

Le Togo apparaît peu dans les catalogues des voyagistes. Ceux qui le proposent le font principalement pour des circuits de 15 jours, très souvent avec le Bénin (par exemple Adeo).

◆ Explorator réunit le Bénin, le Ghana et le Togo et part à la découverte des **fêtes** tribales, des villages fortifiés et du vaudou. Ananta joue la différence avec un joli quatuor Togo, Bénin, Burkina Faso et Ghana consacré, entre autres, à l'art des masques. Kuoni est dans la même veine (12 jours).

◆ **Tourisme solidaire** : balades guidées en forêt et découverte des plantes font partie du menu écotouristique proposé par les compagnons ruraux (tél. + 228.441.14.43, compagnonsruraux@yahoo.fr).

◆ Les premiers prix d'un circuit de 15 jours tournent autour de *1 600 EUR* (vol et hébergement) et dépassent souvent *2 000 EUR* – pour une même durée – quand il s'agit de voyages tout compris.

LES REPÈRES

◆ Lorsqu'il est midi en France, au Togo il est 10 heures en été et 11 heures en hiver. ◆ Langue officielle : français. Langues nationales : l'éwé et le kabiye. Nombreux dialectes. ◆ Téléphone vers le Togo : 00228 + indicatif (Lomé : 22) + numéro; du Togo : 00 + indicatif pays + numéro.

LA SITUATION

Géographie. Le Togo s'étire sur 700 km pour une largeur de 90 km et couvre 56 785 km^2. Il est traversé par une chaîne de montagnes de modeste altitude (monts Togo). L'océan est bordé par une zone de lagunes.

Population. 5 859 000 habitants. Les peuplades sont nombreuses, au premier rang desquelles les Ewé au sud et les Kabiye au nord. Capitale : Lomé.

Religion. Comme au Bénin, les animistes sont les plus nombreux (un habitant sur deux). Un habitant sur cinq est catholique. Présence de musulmans et de protestants.

Dates. *XVe siècle* Portugais puis Danois abordent. *1870* Création des premiers comptoirs européens. *1884* L'Allemand Nachtigal traite avec les chefs locaux et donne au pays son nom actuel. *1914* Au sortir de la Première Guerre mondiale, Français et Anglais se partagent le pays. *1936* Intégration dans l'AOF. *1956* Proclamation d'une république autonome. *1960* Indépendance. *1967* L'armée et le général Eyadéma prennent le pouvoir. *1979* Nouvelle constitution : Eyadéma, déjà à la tête du Rassemblement du peuple togolais (RPT), est proclamé président de la République. *1991* Troubles et émeutes. *Février 1993* Nouvelles émeutes. *Août 1993* Reconduction d'Eyadéma dans ses fonctions, mais l'opposition boycotte les élections. *Février 1994* Le Front commun de l'opposition remporte les élections législatives. *Juin 1998* Réélection contestée d'Eyadéma aux dépens d'Olympio (Union des forces du changement). *Octobre 2002* Les partis d'opposition boycottent les législatives, laissant une large victoire au RPT. *Juin 2003* Eyadéma est réélu. *Janvier 2005* Décès d'Eyadéma. *Avril 2005* Son fils, Faure Gnassingbé, remporte une élection présidentielle violemment contestée et source de graves émeutes. *Juin 2005* Un opposant modéré, Edem Kodjo, devient Premier ministre. *Septembre 2006* Yawovi Agboyibo à la tête d'un gouvernement d'union nationale. *Octobre 2007* Le RTP, parti du président, en tête des législatives. *Septembre 2008* Gilbert Houngbo Premier ministre.

Tunisie

La Tunisie est généralement perçue comme un pays de vacances classiques alors que les amateurs de méharée se déploient de plus en plus dans le Grand Erg oriental. Néanmoins, comme la Grèce, l'Espagne ou l'Italie, elle est avant tout l'une des grandes destinations balnéaires du Bassin méditerranéen grâce à sa relative proximité et à des prix très raisonnables. Une population réputée hospitalière, l'originalité des villages de la lisière du désert et un patrimoine architectural fourni perpétuent la bonne image du pays.

LES RAISONS D'Y ALLER

LES CÔTES

Plages (Nabeul, Hammamet, Port El-Kantaoui, Sousse, Monastir, Zarzis, île de Djerba), îles Kerkennah, plongée (Tabarka)

LES PAYSAGES ET L'HABITAT

Oasis de Tozeur, oasis de montagne, Nefta, chott el-Djerid
Route des ksour, villages berbères (Matmata, Chenini), massif de Kroumirie

LE DÉSERT

Méharées dans le Grand Erg oriental

LES VILLES ET LES MONUMENTS

Tunis, Kairouan, Sousse, Monastir, Mahdia
Ruines de Carthage, vestiges romains (Bulla Regia, Dougga, El Djem, Sbeïtla), mosquées, synagogues

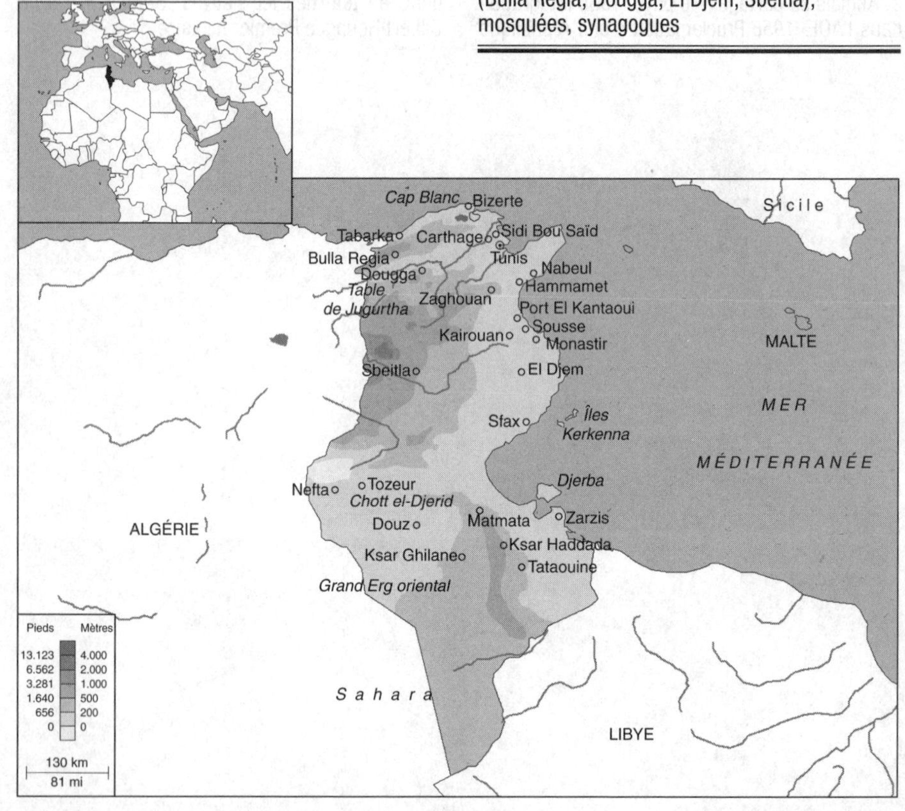

LES RAISONS D'Y ALLER

LES CÔTES

Nombreuses, bien équipées, capables d'offrir la plupart des sports nautiques, réparties sur 1 300 km de côtes, les **plages** volent la vedette aux autres motifs de visite parce que c'est sur elles que la Tunisie a fondé son tourisme et près d'elles qu'elle installe le visiteur. Plus on va vers le sud, plus elles sont nombreuses et fréquentées, de début juin à fin octobre pour la plupart.

L'axe « soleil/repos/bronzage-spa-thalassothérapie » commence sur la « côte du Jasmin », avec **Nabeul** et surtout **Hammamet**, qui n'a pas craint la démesure en ouvrant l'imposant complexe balnéaire de Yasmine Hammamet, sa quarantaine d'hôtels, ses centres de thalasso, sa médina nouveau style avec parc d'attractions (Carthageland) et sa marina dévoués au culte à la fois du farniente, de la thalassothérapie et des sports nautiques.

L'argument balnéaire pose ensuite ses jalons à **Port El-Kantaoui, Sousse**, **Monastir**, **Zarzis** et se termine dans l'île de **Djerba**, où Homère plaça un séjour d'Ulysse, le plus légendaire des voyageurs étant aujourd'hui très concurrencé. Il l'est moins dans les îles **Kerkennah**, au large de Sfax, qu'on ne saurait trop conseiller à qui veut trouver originalité et sérénité sur les côtes tunisiennes.

Pour les plongeurs, les fonds marins de la presqu'île de **Tabarka**, au large de la côte de Corail, constituent le meilleur site car ledit corail, rouge de surcroît, n'y est pas rare. Les golfeurs sont également présents à Tabarka.

LES PAYSAGES ET L'HABITAT

Si la variété des paysages rend la Tunisie de l'intérieur accueillante un peu partout, le sud est le plus captivant. Le voyageur se voit d'abord proposer **Tozeur** et son **oasis**, l'une des plus belles d'Afrique avec ses mille hectares et quatre cent mille palmiers, mais dont l'équilibre écologique et humain est désormais menacé par le choix d'un tourisme à large échelle, avec terrains de golf.

Quelques kilomètres au nord, le voyageur découvre les **oasis de montagne** de Chebika, Midès et Tamerza. Vers le sud, il emprunte l'une des routes les plus insolites qui soient, celle qui traverse la vaste étendue de sel du **chott el-Djerid** : les mirages y sont garantis selon l'imagination de chacun ! Vers l'ouest, il rencontre une autre oasis de renom à **Nefta**. Vers l'est, il découvre les habitations troglodytes de **Matmata** et la route des **ksour**, anciennes forteresses berbères aux sites pittoresques grâce entre autres à leurs ghorfas (greniers à blé) : Ksar Ouled Soltane, Ksar Ouled Jebbab, Ksar Haddada, Ksar Ghilane et surtout Chenini, véritable nid d'aigle, le plus typique des villages berbères.

Les atouts du Sud tunisien masquent ceux de la partie centre et nord du pays, dont six au moins doivent attirer l'attention : la table de **Jugurtha,** curieuse butte isolée; les escarpements du djebel **Zaghouan**; les parcs nationaux de **Bou Hedma** (centre du pays) et **Jebel Chaambi** (près de Kasserine), les falaises du **cap Blanc**, accessibles à partir de Bizerte via une route en corniche et qui dominent la Méditerranée par un à-pic d'une centaine de mètres; le massif de **Kroumirie**, non loin de Tabarka, propice à des randonnées insolites.

LE DÉSERT

Le Sahara s'annonce par le biais du **Grand Erg oriental**. La petite ville de Douz, qui connaît à la fin du mois de décembre un festival mettant en valeur les traditions des populations sahariennes, est le point de départ des **méharées** : entre novembre et avril, une semaine où l'on alterne la marche et la balade à dos de dromadaire tout en sympathisant avec les chameliers peut rapidement se révéler un grand moment.

L'itinéraire traditionnel qui va de Douz à Ksar Ghilane connaît de plus en plus de variantes, entre autres une étape à la source chaude d'Haouïdet.

LES VILLES ET LES MONUMENTS

Tunis, comme les villages alentour (Sidi Bou Saïd, La Marsa), est une capitale plaisante. Européenne sur l'avenue Bourguiba, la ville retrouve ses traditions dans sa grande et belle médina, surtout lorsqu'on atteint les alentours de la mosquée al-Zaytuna, la plus réputée de l'endroit. On prendra garde de ne pas oublier la visite du musée du Bardo, où se rencontrent, de l'avis de beaucoup, les plus belles mosaïques du monde.

Kairouan, quatrième ville sainte du monde musulman (Grande Mosquée de Sidi Uqba, mosquée du Barbier, mosquée des Trois Portes), est également réputé pour la qualité de son artisanat (tapis) et son musée d'Art islamique.

Sousse possède une très intéressante médina, une Grande Mosquée et un important ribat (couvent fortifié). Les remparts et le ribat de **Monastir**, ancienne ville punique chère à Bourguiba - qui a droit à une mosquée aux colonnes en marbre rose -, valent le détour, ainsi que **Mahdia** (Grande Mosquée, cimetière marin).

Si, de **Carthage**, il reste plus l'évocation historique (plusieurs musées) que les murs, l'amphithéâtre d'**El Djem**, les vestiges de **Bulla Regia** (thermes, amphithéâtre, mosaïques), les temples de **Sbeïtla** et les imposantes ruines de **Dougga** rappellent l'époque romaine, alors que la synagogue de la **Ghriba**, dans l'île de Djerba, est d'une architecture très ancienne et accueille chaque année au printemps un important pèlerinage.

LE POUR

◆ La compétitivité du tourisme balnéaire, le plus avantageux du Bassin méditerranéen.

◆ Un pays qui donne aisément le change au farniente grâce à la densité de son patrimoine architectural et au Grand Erg oriental.

◆ Le français comme langue de communication.

LE CONTRE

◆ Le risque de dénaturation de certains sites, tels Hammamet et Tozeur, sous l'effet du tourisme à outrance.

LE BON MOMENT

Climat méditerranéen typique, alternance d'un été chaud et sec et d'un hiver frais et humide. Il pleut assez régulièrement entre septembre et juin dans la partie nord-est, moins sur la côte. Celle-ci offre son meilleur visage **entre juin et octobre**. Pour l'intérieur, les **intersaisons** sont plus recommandées (chaleur moindre), alors que **novembre-avril** inclus, comme ailleurs au Sahara ou sur ses abords, doit être choisi pour des randonnées ou méharées dans le Grand Sud.

◆ Températures moyennes jour/nuit (en °C)

Tozeur (sud) : janvier 16/7; avril 32/13; juillet 43/22, octobre 32/15. *Tunis* (côte nord-est) : janvier 15/7, avril 21/10, juillet 33/20, octobre 25/16. Moyenne de la température de l'eau de mer : 23° en été... mais 15° en hiver.

LE PREMIER CONTACT

En Belgique

Office national du tourisme tunisien, avenue Louise, 162, B-1050 Bruxelles, ☎ (02) 511.11.42, fax (02) 511.36.00.

Au Canada

Office national du tourisme tunisien, Montréal, ☎ (514) 397-1182.

En France

Office national du tourisme tunisien, 32, avenue de l'Opéra, 75002 Paris, ☎ 01.47.42.72.67, fax 01.47.42.52.68, ontt@tourismetunisien.asso.fr; également 12, rue de Sèze, 69006 Lyon, ☎ 04.78.52.35.86.

En Suisse

Consulat, Lausanne, ☎ (21) 944.27.45, fax (21) 944.27.46, www.consulhonorairetunisie.ch

Internet

www.bonjour-tunisie.com

Guides

Croisières en Méditerranée (Berlitz), *Tunis, Carthage* (Michelin/Voyager pratique),

Tunisie (Berlitz, Gallimard/Bibl. du voyageur, Gallimard/GEOGuide, Hachette/Evasion, Hachette/Guide bleu, Hachette/Routard, JPMGuides, Le Petit Futé, Lonely Planet France, Michelin/Voyager pratique, Mondeos, Editions Ulysse), *Tunisie, Tunis, Bizerte, Kairouan, Jerba, Tozeur* (Gallimard/Encycl. du voyage).

Cartes

Tunisie (Berlitz, IGN, Marco Polo, Michelin).

Lectures

Habib Bourguiba, la trace et l'héritage (Karthala, 2004), *Notre ami Ben Ali* (La Découverte, 2002), *Penseur libre en Islam : un intellectuel musulman*

dans la Tunisie de Ben Ali (M. Talbi, G. Jarczyk/Albin Michel, 2002), *Tunisie, terre de paradoxes* (E. Sfeir/L'Archipel, 2006), *Villa Jasmin* (S. Moati/LGF, Le livre de poche, 2005).

Images

La Tunisie entre ciel et terre (J. Gasteli/Place des Victoires, 2003), *la Tunisie vue du ciel* (M. S. Bettajeb et M. B. Mahmoud, V. Bettaïeb/Editions du Layeur, 2006), *Tunisie, carrefour des civilisations* (ACR Edition, 2000), *Tunisie : la cuisine de ma mère* (O. Touitou, I. Rozenbaum/Minerva, 2003), *Souks et saveurs en Tunisie* (M. Angeli/Editions du Sorbier, 2007).

Vidéos et DVD

Les saveurs du Maghreb : la cuisine de Tunisie et du Maroc à Aix et Nice (F. Mosca/Vodeo TV), *Tunisie du Nord : Monastir, El Jem, Mahdia, Sousse et Kairouan* (T. Chauvineau/Vodeo TV).

QUEL VOYAGE ET À QUEL PRIX ?

Le voyage individuel

Les préparatifs

◆ Pour les ressortissants de l'Union européenne, passeport en cours de validité suffisant. Carte d'identité suffisante dans le cas d'un voyage en groupe, mais bien se faire confirmer cette possibilité. ◆ Pour les ressortissants canadiens et suisses, passeport.

◆ Aucune vaccination n'est requise. Certains pays ont des conventions bilatérales avec la Tunisie pour le remboursement des soins de santé sur place.

◆ Monnaie : le *dinar tunisien* est subdivisé en *millimes*. 1 US Dollar = 1,4 dinar tunisien; 1 EUR = 1,8 dinar tunisien. Les grandes cartes de crédit sont acceptées. Distributeurs de billets.

Le départ

Avion

◆ Indice de prix (hors vols à bas prix) à certaines dates du vol Montréal-Tunis A/R : 1 200 CAD; Vols A/R de Paris pour Djerba, Monastir, Tozeur : 270 EUR; Paris-Tunis A/R : 250 EUR. ◆ Vols à bas prix : Bruxelles-Tunis (Jetairfly), Paris-Tunis (Air Europa). ◆ Durée moyenne du vol Paris-Djerba (1 802 km) : 2 h 40; Paris-Tozeur : 3 h 05; Paris-Tunis (1 477 km) : 2 h 25. ◆ Nombreux départs en vols charters ou réguliers à partir des aéroports de province pour Tunis mais aussi pour Monastir, Sousse, Tozeur.

Bateau

La CNT (Compagnie tunisienne de navigation, www.ctn.com.tn/) et la SNCM (Société nationale Corse Méditerranée, www.sncm.fr/) assurent des liaisons entre La Goulette (port de Tunis) et Marseille, Gênes, Naples ou la Sicile (Trapani). On peut aussi embarquer à Gênes pour Tunis via Malte avec l'armateur italien Grandi Navi Veloci.

Sur place

Hébergement

Toutes les catégories sont représentées, du luxe raffiné des hôtels avec centre de thalassothérapie (de plus en plus nombreux à Djerba et à Hammamet) au petit hôtel de l'intérieur. Il existe également des auberges de jeunesse, renseignements sur www.hostels.com/fr/tn.html

Route

◆ Location de voiture répandue. ◆ Large réseau de bus et de louages (taxis collectifs). ◆ Limitations de vitesse route/autoroute : 90/110 km/h (70 km/h à Djerba). ◆ La plupart des voyagistes cités ci-après proposent des autotours (vol A/R, location de voiture avec itinéraire suggéré, hôtel réservé à l'étape).

Train

◆ Bon réseau, prix très raisonnables. Deux types de forfaits : la « Carte bleue » et la « Carte Rail Musées ». Renseignements auprès de l'office du tourisme. ◆ Un train gagne à être connu, le *Lézard rouge*, qui est l'ancien train du bey de Tunis : sur 16 km il va de Metlaoui, non loin de Tozeur, aux gorges de Selja.

Le séjour

Rappel : nous nous sommes limités à un résumé des prestations en vigueur dans les agences et chez les voyagistes présents en France. Les lecteurs des autres pays peuvent en tirer des idées d'itinéraire et les compléter auprès de leurs agences de voyages.

◆ La **mer** et le **soleil** sont les vecteurs d'un tourisme méditerranéen de grande envergure et qui se diversifie sans cesse (golf, thalassothérapie).

On se bouscule presque sur les sites côtiers (Monastir, Sousse, Zarzis mais surtout Hammamet et Djerba) entre avril et novembre, pour des séjours de 8 à 15 jours en hôtel-club ou village de vacances. Le prix moyen d'un séjour tout compris va de *700 EUR* la semaine en basse saison à *850 EUR* en haute saison, hors excursions. Avril, mai ou septembre constituent un choix avisé.

◆ En hiver, la mer et le soleil sont parfois rejoints par le **désert** et les oasis, des combinés Djerba-Tozeur ou Hammamet/circuit en tout-terrain dans le sud étant de plus en plus proposés.

Nombreux départs de Paris et province, de Bruxelles et de Luxembourg, excursions possibles. Quelques voyagistes : Club Méditerranée, Fram, Jet Air, Look Voyages, Luxair Tours, Marmara, Mille Lieux, Neckermann, Plein Vent, Rev' Vacances, Thomas Cook, TUI.

Le voyage accompagné

◆ Les propositions pour une Tunisie de l'**intérieur** tentent de se mettre au diapason, sous la forme de circuits d'une semaine en bus qui vont de Tunis à Douz en passant par les grands classiques (El Djem, Matmata, Tozeur, Kairouan). Exemples : Arts et Vie, Clio (Tunisie antique ou Tunisie romaine), Fram, Nouvelles Frontières, Oriensce. Club Aventure joue les trouble-fête en proposant une randonnée dans l'extrême nord-ouest. Pour cette Tunisie de l'intérieur, on peut tabler sur des prix d'appel autour de *700 EUR* la semaine en demi-saison.

◆ La Tunisie du **désert** (méharées et randonnées chamelières) prend de l'ampleur dans le Grand Erg oriental, avec des circuits au sud de Douz ou de Douz à Ksar Ghilane. Les programmes sont de 8 ou 15 jours, au printemps, en automne et en hiver, pour un éventail de prix débutant aux alentours de *700 EUR* la semaine et *1 300 EUR* pour 15 jours. Exemples : Allibert, Atalante, Club Aventure, Continents insolites, Déserts, Explorator, Nouvelles Frontières, Terres d'aventure. Les non-marcheurs peuvent goûter au désert sous la forme de voyages en tout-terrain, souvent partis de Djerba ou de Douz.

◆ Tendances pour un voyage différent :

– un dépaysement **éclair** grâce à de grands week-ends à Tunis, Djerba, Monastir ou Tozeur (Frantour, Jet tours, Nouvelles Frontières, Rev'Vacances), Hammamet, Sidi bou Saïd ou Zarzis;

– un **marathon**, un semi-marathon ou un dix mille mètres dans le chott el-Djerid, chaque année en octobre;

– une **côte** différente et paisible à Tabarka, avec les joies de la plongée en sus;

– des **croisières** de printemps venues d'Italie et de Malte, qui font escale à Tunis et parfois à Gabès (Costa Croisières).

QUE RAPPORTER ?

Poteries, tapis berbères, sacs, cuir et vannerie constituent les achats de base. La ville de Nabeul est connue pour ses poteries et ses céramiques.

LES REPÈRES

◆ Lorsqu'il est midi en France, en Tunisie il est la même heure en hiver et 11 heures en été; lorsqu'il est midi au Québec, en Tunisie il est 18 heures. ◆ Langue officielle : l'arabe. ◆ Langue étrangère : le français est connu pratiquement partout. ◆ Téléphone vers la Tunisie : 00216 + indicatif (Djerba : 75; Tunis : 71) + numéro; de la Tunisie : 00 + indicatif pays + numéro.

LA SITUATION

Géographie. La moyenne montagne, au nord-ouest (Dorsale tunisienne), ne fait pas oublier que la Tunisie est avant tout un pays de plaines et de plateaux. Au sud d'une ligne Tozeur-Gabès, on entre dans le Dahar, avancée semi-désertique du Sahara et, au sud-ouest, dans le Grand Erg oriental. La Tunisie couvre 163 610 km^2.

Population. Les Tunisiens sont relativement peu nombreux (10 384 000 habitants) mais la poussée démographique est forte et la population jeune est très importante. Un cinquième des habitants vivent dans la capitale Tunis et sa banlieue.

Religion. L'islam sunnite est prédominant. Présence de catholiques et de juifs.

Dates. *814 av. J.-C.* Fondation de Carthage. *146 av. J.-C.* Destruction de Carthage et installation des Romains. *Ve siècle* Arrivée des Vandales. *VIe siècle* Arrivée des Byzantins. *669* Arrivée des Arabes, qui fondent Kairouan. *1160* Règne des Almohades. *XVIe siècle* La Tunisie est très visitée : par Charles Quint, puis par les Ottomans qui laisseront un bey. *1881* Début du protectorat français. *1934* Bourguiba et le parti néo-destour font parler d'eux pour la première fois. *1942* Occupation allemande. *1954* Autonomie interne. *1956* Indépendance. *1957* Bourguiba président. *1975* Bourguiba toujours président, cette fois à vie. *1983* Établissement du multipartisme. *1987* Ben Ali succède à Bourguiba. *Mars 1994* Ben Ali et son parti (le Rassemblement constitutionnel démocratique) remportent les élections. *1997* Plusieurs voix s'élèvent pour dénoncer un durcissement du régime. *Décembre 1999* Réélection écrasante de Ben Ali, mais l'image du régime à l'extérieur ne s'améliore pas. *Avril 2000* Décès de Bourguiba. *2002* Un référendum constitutionnel autorise Ben Ali à se représenter. *2002* Attentat terroriste à la synagogue de la Ghriba (Djerba). *Octobre 2004* Quatrième mandat pour Ben Ali (94,48% des suffrages).

Turkménistan

Avertissement. – L'accès aux zones frontalières de l'Afghanistan demeure réglementé.

Il en est, peu soucieux de la sauvegarde des espèces, qui n'hésiteraient pas à fouler le sol de ce pays pour le seul plaisir de ramener une pièce en astrakan. Les autres, aux goûts plus variés, iraient marcher sur les traces des nomades parthes et de Nisa, leur première capitale. Les uns comme les autres seraient attirés par la découverte d'un désert, le Karakoum, qui reste du domaine du virtuel car les possibilités ou propositions de tourisme pour le Turkménistan sont actuellement réduites.

LES RAISONS D'Y ALLER

LES VILLES ET MONUMENTS

Nisa, Merv, Achkhabad

LES PAYSAGES

Désert et oasis du Karakoum
Massif des Balkhan
Golfe de Kara-Bogaz

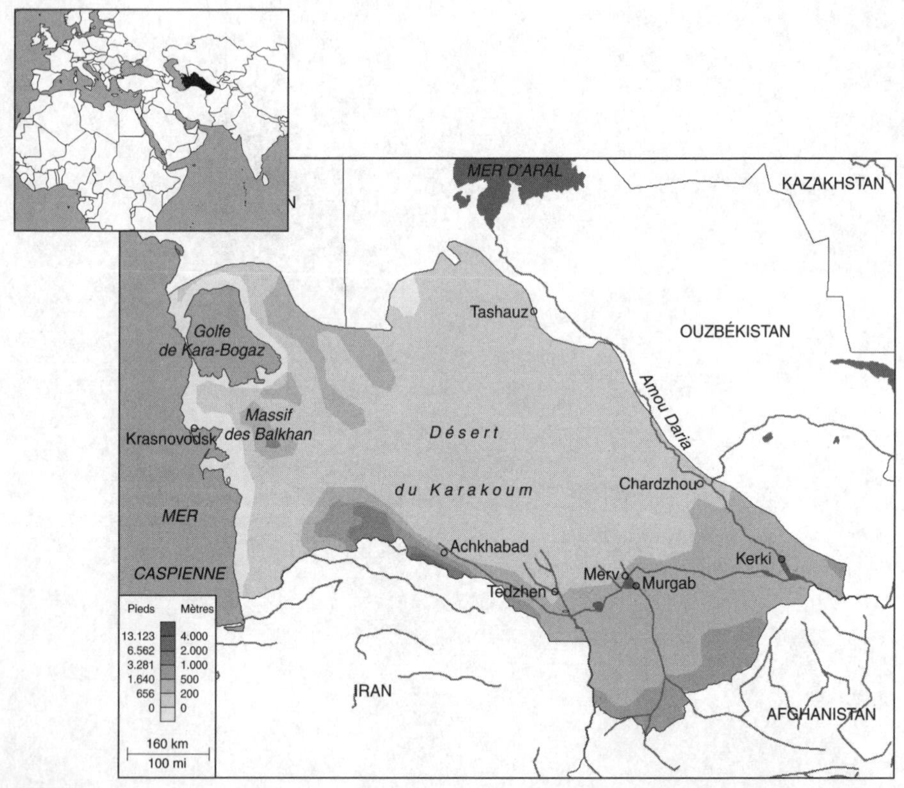

LES RAISONS D'Y ALLER

LES VILLES ET MONUMENTS

Le palais des nomades parthes de **Nisa**, qui comportait des salles hypostyles et des décors de statues de terre séchée polychromes, date du IIIe siècle av. J.-C. À **Merv**, on peut découvrir un monastère bouddhique témoin de la présence de moines au IIe siècle et le tombeau du sultan Sandjar (XIIe siècle).

De la capitale **Achkhabad** (Ashgabad), on retient surtout les tapis : ceux de la collection du musée turkmène des Arts plastiques et plus encore ceux de l'imposant marché aux tapis, à quelques encablures du centre-ville.

LES PAYSAGES

La présence du **désert** du **Karakoum** et de ses **oasis** (Tedzhen, Murgab, Kerki, Chardzhou, Tashauz) est suffisamment insolite pour justifier le voyage, mais leur programmation est actuellement très hypothétique.

Le Karakoum est habité par les Koumlis, qui sont accompagnés de leurs moutons noirs à la peau noire bouclée, les caraculs, dont on tire l'astrakan.

En se dirigeant vers la Caspienne, on se heurte aux **Balkhan**, massif remarquable par ses sommets plats et ses ceintures de roches rouges. Sur la Caspienne même, le plus joli site est constitué par le golfe de **Kara-Bogaz**.

LE POUR

◆ Un potentiel touristique de bon niveau.

LE CONTRE

◆ Un pays encore mal connu et peu programmé.

◆ Une situation politique sensible dans les régions limitrophes de l'Afghanistan.

LE BON MOMENT

Le Turkménistan connaît des étés chauds, qui peuvent même être torrides et font préférer les intersaisons (avril-mai et **septembre-octobre**). Les hivers sont doux et tempérés. ◆ Températures moyennes en °C à *Achkhabad* : janvier 7/-2, avril 24/11, juillet 38/23, octobre 23/19.

LE PREMIER CONTACT

En Amérique du Nord

Ambassade, Washington D. C., Etats-Unis, ☎ (202) 588-1500, fax (202) 588-0697.

En Belgique

Ambassade, avenue Franklin-Roosevelt, 106, B-1050 Bruxelles, ☎ (02) 648.18.74, fax (02) 648.19.06.

En France

Ambassade, 13, rue Picot, 75116 Paris, ☎ 01.47.55.05.36.

Internet

www.turkmenistan.it/turktourfr.html

Guides

Asie centrale : Kazakhstan, Kirghizstan, Ouzbékistan, Tadjikistan, Turkménistan (Le Petit Futé), *Asie centrale, la Route de la soie* (Lonely Planet France, Marcus), *Turkmenistan* (Bradt).

Lectures

Asie centrale, la dérive autoritaire (M. Laruelle/ Autrement, 2006), *le Turkménistan* (A. Kamev/ Karthala, 2005), *Turkménistan, un destin au carrefour des empires* (Belin, 2007).

Images

Love me Turkménistan (N. Rigethi/Labor and Fides/ 2008).

Carte

Central Asia (Nelles Map).

QUEL VOYAGE ET À QUEL PRIX ?

Le voyage individuel

Les préparatifs

◆ Pour les ressortissants de l'Union européenne, canadiens, suisses : passeport valable encore six mois après le retour, **visa** obligatoire, obtenu auprès du consulat. ◆ Enregistrement obligatoire auprès d'un service d'Etat dans les trois jours qui suivent l'arrivée dans le pays, renseignements à ce sujet auprès de l'ambassade avant le départ. ◆ Billet de retour ou de continuation exigible.

◆ Aucune vaccination n'est exigée.

◆ Monnaie : le nouveau *manat*. 1 US Dollar = 5,2 manats; 1 EUR = 6,7 manats. Emporter de préférence des US Dollars.

Le départ

Indice de prix à certaines dates du vol Paris-Ashgabad A/R : 900 EUR.

Le séjour

Route

Location de voiture difficilement envisageable, sauf avec chauffeur. Circulation à droite. Alcool au volant interdit.

Train

Les trains sont lents et inconfortables.

Le voyage accompagné

Rappel : nous nous sommes limités à un résumé des prestations en vigueur dans les agences et chez les voyagistes présents en France. Les lecteurs des autres pays peuvent en tirer des idées d'itinéraire et les compléter auprès de leurs agences de voyages.

◆ Le Turkménistan attire peu les voyagistes actuellement. Lorsque c'est le cas, le pays n'occupe, avec la visite de Merv, Nisa et Ashgabad, que la portion congrue d'un combiné avec l'Ouzbékistan (deux voyages chez Adeo). Autres possibilités avec Asia.

◆ Les départs ont généralement lieu entre mai et septembre. Le voyage dure de deux à trois semaines et les prix approchent *2 500 EUR*.

LES REPÈRES

◆ Lorsqu'il est midi en France, au Turkménistan il est 14 h 30 en été et 15 h 30 en hiver. ◆ Langue officielle : le turkmène, proche de l'azéri et du turc; il s'écrit en lettres cyrilliques; le russe et l'ouzbek sont également parlés. ◆ Téléphone vers le Turkménistan : 00993 + indicatif (Ashgabad : 1) + numéro.

LA SITUATION

Géographie. Appuyé contre la mer Caspienne, l'Iran et l'Afghanistan, le pays est presque entièrement défini par le Karakoum, région tantôt désertique, tantôt semi-désertique. Quelques chaînes de montagnes émergent au sud. Le Turkménistan couvre 488 100 km^2.

Population. L'étendue du désert rend modeste le chiffre de la population (5 180 000 habitants) par rapport à la superficie. Deux habitants sur trois sont des Turkmènes, qui voisinent avec les minorités russe et ouzbek. Capitale : Ashgabad.

Religion. Les Turkmènes obéissent à l'islam sunnite de rite hanafite. Présence d'orthodoxes.

Dates. *1863* Les Russes conquièrent la région et en font la province Transcaspienne. *1924* Création de la république socialiste soviétique du Turkménistan, qui est intégrée à l'URSS un an plus tard. *Octobre 1991* Indépendance. Saparmourad Niazov devient président, Sakhat Muradov président du Conseil suprême. *1992* Khan Ahmedov chef du gouvernement. *Janvier 2000* Niazov s'autoproclame président à vie et règne sans partage. *Novembre 2002* Tentative d'assassinat du président. *Décembre 2006* Mort de Niazov. *Février 2007* Berdymoukhammedov élu président.

Turquie

Avertissement. – Tout déplacement dans le sud-est du pays demeure déconseillé.

Elle est loin, la Turquie des adeptes de la « route des Indes » des années 70, qui souvent ne faisaient que la traverser ! Elle a définitivement cédé la place à une autre, celle du grand tourisme, qui s'appuie sur l'atout balnéaire des côtes ouest et sud mais aussi sur des sites d'exception comme Pamukkale et la Cappadoce. En outre, les prix des séjours sont très attractifs et ont permis au pays de rejoindre le cercle des destinations méditerranéennes à très forte fréquentation estivale.

LES RAISONS D'Y ALLER

LES CÔTES

Côte turquoise, mer Égée, mer Noire
Croisières (goélettes, caïques, paquebots)

LES PAYSAGES ET LES RANDONNÉES

Cappadoce, Pamukkale
Mont Nemrut Dagi, mont Ararat
Randonnées dans les monts Bolkars, Taurus, Kaçkar

LES VILLES ET LES MONUMENTS

Istanbul, Edirne, Ankara
Sites des époques grecque et romaine : Troie, Pergame, Bursa, Éphèse, Aphrodisias, Aspendos, Side
Églises troglodytiques de la vallée de Göreme
Antalya, Antioche, Konya, Nemrut Dagi, Trabzon
Monastère de Sumela, palais d'Isak Pasa

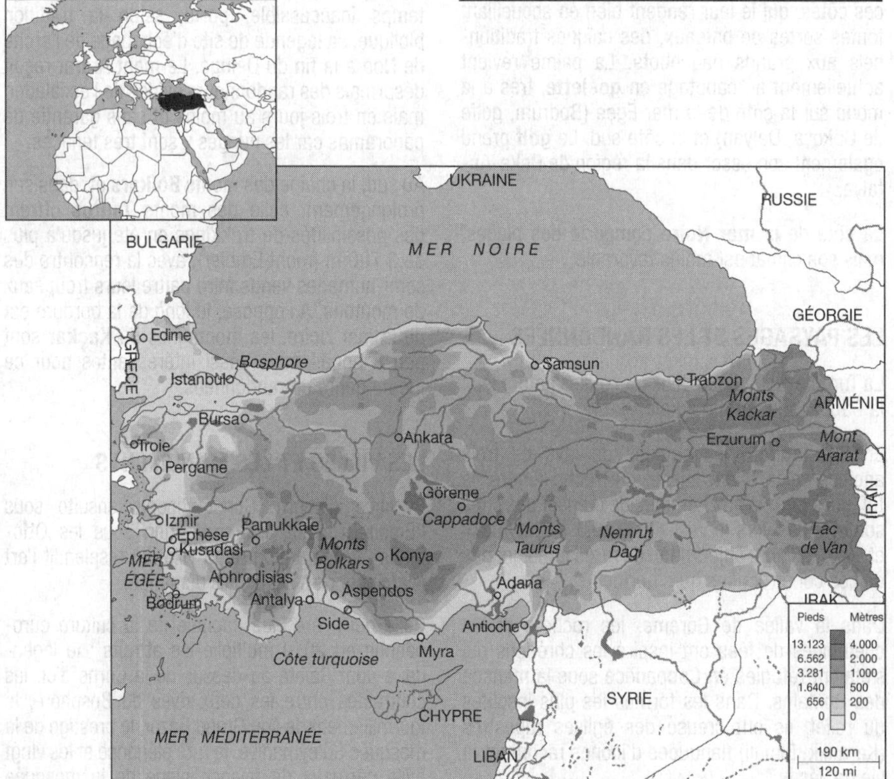

LES RAISONS D'Y ALLER

LES CÔTES

Le développement des infrastructures balnéaires au cours des vingt dernières années fait désormais des rivages turcs – quatre mers et plus de huit mille kilomètres de côtes – une destination comparable aux autres pays méditerranéens. Les prix et les modes de séjour sont similaires (hôtels, hôtels-clubs), alors que la saison favorable se prolonge jusqu'en novembre.

Si la côte de la **mer Égée** est la plus fréquentée (Kusadasi, Bodrum), la côte sud (« **côte Turquoise** » ou « Riviera turque » autour d'Antalya) est souvent jugée la plus attirante grâce à ses criques d'un bleu profond et aux crêtes du mont Taurus en arrière-plan.

Les organisateurs de **croisières** aiment beaucoup ces côtes, qui le leur rendent bien en accueillant toutes sortes de bateaux, des caïques traditionnels aux grands paquebots. La palme revient actuellement au cabotage en **goélette**, très à la mode sur la côte de la mer Égée (Bodrum, golfe de Gökova, Dalyan) et la côte sud. Le **golf** prend également son essor dans la région de Beke-Antalya.

La côte de la **mer Noire** comporte des plages, mais son climat est moins favorable.

LES PAYSAGES ET LES RANDONNÉES

La Turquie revendique deux merveilles naturelles : la Cappadoce et Pamukkale.

En **Cappadoce**, les coulées de lave de trois anciens volcans ont laissé une roche tendre, le tuf, qui a permis aux hommes de creuser des cités souterraines vers le VIIIe siècle ap.J.-C. Kaymakli et Özkonak sont aujourd'hui de rares témoignages de ces constructions hors norme.

Dans la vallée de Göreme, les rochers et les cheminées de fées ont inspiré les chrétiens qui s'étaient réfugiés en Cappadoce sous la menace des Romains. Dans les formes les plus insolites du relief, ils ont creusé des églises rupestres (Karanlik, Elmali) flanquées d'icônes racontant la vie de Jésus.

Enfin, des villages troglodytiques, tel Uchisar, ont été complétés par un habitat qui retrouve aujourd'hui une seconde jeunesse sous la forme de logements de charme.

Tous ces atouts, de plus en plus à la source de randonnées ou d'un survol en montgolfière, font de la Cappadoce la destination la plus prisée du pays après Istanbul et les côtes.

Le site de **Pamukkale** (le « château de coton ») doit sa réputation à ses vasques blanches nées de l'écoulement d'une eau chaude fortement calcaire qui s'est répandue ensuite le long des parois et s'est figée sous la forme de stalactites.

Au centre du pays, le massif de Munzur inclut le mont **Nemrut Dagi**, riche des saisissants vestiges (statues colossales de visages, bas-reliefs) du sanctuaire d'Antiochos Ier de Commagène (Ier siècle avant J.-C.).

À l'est, le mont **Ararat**, sommet sacré et longtemps inaccessible, porte, selon la tradition biblique, sa légende de site d'échouage de l'arche de Noé à la fin du Déluge. Le mont Ararat reçoit désormais des randonneurs avides de l'escalader, mais en trois jours au moins et sans garantie de panoramas car les nuages y sont très tenaces.

Au sud, la chaîne des monts **Bolkars** et, dans son prolongement, celle des monts **Taurus** offrent des possibilités de trekkings en été jusqu'à plus de 3 700 m (mont Embler), avec la rencontre des semi-nomades venus faire paître leurs troupeaux de moutons. A l'opposé, le long de la bordure est de la mer Noire, les montagnes du **Kaçkar** sont peu connues mais aussi intéressantes pour ce même genre de randonnées.

LES VILLES ET LES MONUMENTS

Byzance d'abord, Constantinople ensuite sous l'Empire romain, **Istanbul** enfin sous les Ottomans : la réputation de la ville, où resplendit l'art islamique, ne s'est jamais démentie.

Celle qui a été élue capitale de la culture européenne en 2010 multiplie les attraits : le légendaire pont Galata au-dessus de la Corne d'or, les contrastes entre les deux rives du Bosphore, le fourmillement de son Grand Bazar, le prestige de la mosquée Süleymaniye, la rare élégance et les vingt mille carreaux de faïence bleue de la mosquée

Sultan Ahmet (« la mosquée Bleue », XVIIe siècle), l'église Sainte-Sophie (VIe siècle), transformée en mosquée (XVe siècle) puis en musée (1935), le palais de Topkapi, résidence des sultans devenue un grand musée d'art islamique, ses autres grands musées (Céramique, Antiquités, Mosaïque, Art moderne et contemporain) et ses palais, villas et yalis (maisons de bois) le long du Bosphore. Autre visage, trop peu évoqué : celui des belles façades Art déco de la colline rénovée et occidentalisée de Beyöglu.

Istanbul vaut aussi par ses hammams, qui datent pour certains du Moyen Age (bains turcs) et ses terrains de golf (Kulübü), tandis que les hôtels multiplient les centres de remise en forme. Pour se reposer des fatigues urbaines, l'archipel voisin d'Adalar, ou îles aux Princes, est tout indiqué, avec ses plages et ses senteurs.

L'autre ville importante de la Turquie d'Europe, **Edirne**, renferme une mosquée (Selimiye) du XVIe siècle. Due à Sinan, elle est aussi élégante que la mosquée Bleue d'Istanbul. Un caranvansérail, un marché couvert et d'autres mosquées plus anciennes auraient dû valoir à Edirne une meilleure réputation.

La capitale **Ankara** souffre de la comparaison avec Istanbul, malgré sa citadelle, ses vieux quartiers (Ulus, Samanpazan), son musée des Civilisations anatoliennes et son mausolée d'Atatürk.

En quittant Istanbul et en progressant vers l'est, l'intérêt archéologique va croissant. Les ruines retrouvées sur le site de **Troie** n'ont qu'un lointain rapport avec les récits légendaires d'Homère. **Pergame** pour ses restes de culture grecque, **Bursa** pour son empreinte ottomane, **Ephèse** pour ses vestiges de la ville hellénistique et romaine, à défaut de traces suffisantes de l'une des Merveilles du monde que fut le temple d'Artémis, et **Aphrodisias** (gréco-romaine) pour son théâtre et son stade sont les autres rendez-vous de la région.

Le long de la côte sud, plusieurs sites méritent la visite : **Antalya**, pour son mélange de monuments romains et islamiques (minaret cannelé); **Aspendos**, pour son théâtre jugé le plus beau théâtre romain de style oriental; **Side**, pour la diversité de ses ruines romaines; **Myra**, pour son théâtre, les vestiges de sa nécropole lycienne et le souvenir de saint Nicolas; **Antioche**, son musée archéologique (mosaïques) et ses vestiges de la grande époque du christianisme.

En remontant vers le centre, apparaît **Konya**, célèbre pour ses derviches tourneurs (moines pratiquant en commun des règles mystiques). L'ordre des derviches tourneurs a été fondé au XIIIe siècle par Mevlana, dont l'anniversaire est célébré chaque année en décembre, particulièrement à Konya. Apparaissent aussi et surtout les églises troglodytiques de la vallée de **Göreme**, ornées de riches peintures murales (Carikli, Elmati, Karanlik).

Sur la côte de la mer Noire, **Trabzon** (Trébizonde) conserve plusieurs églises byzantines ou d'inspiration byzantine (Sainte-Sophie) et est entouré d'un rempart datant de l'empire grec de Trébizonde (XIIe au XIVe siècle), dont reste en partie une citadelle. A quelques encablures au sud de la ville, le monastère de **Sumela**, fondé au IVe siècle, détruit puis reconstruit, ne peut être ignoré, pas plus que le palais d'**Isak Pasa**, ancien caravansérail sur la Route de la soie, non loin du mont Ararat, ou l'église arménienne de la Sainte-Croix, sur une île du lac de Van.

LE POUR

◆ L'équivalent des autres grandes destinations méditerranéennes et la qualité des sites de l'intérieur.

◆ Le coût très raisonnable des séjours.

LE CONTRE

◆ La tension politique : dans le sud-est depuis longtemps, plus récemment avec les attentats ou menaces d'attentats.

LE BON MOMENT

L'aspect montagneux du pays le voue à un climat continental aux hivers rudes, heureusement contrebalancés par des étés (très) chauds et secs. La côte ouest bénéficie d'un climat méditerranéen (étés ensoleillés et chauds, hivers doux et pluvieux).

La période **juin-septembre** s'impose pour le tourisme balnéaire, alors que l'amateur de vieilles pierres et le randonneur profiteront mieux des agréables moments du **printemps** et de l'**automne**.

◆ Températures moyennes jour/nuit (en °C)

– *Ankara* (centre) : janvier 4/-4, avril 17/5, juillet 30/15, octobre 20/7;

– *Istanbul* (nord-ouest) : janvier 8/3, avril 17/8, juillet 28/19, octobre 20/12;

– *Izmir* (côte ouest) : janvier 12/6, avril 21/10, juillet 33/22, octobre 24/14.

La température moyenne de la mer Egée et de la Méditerranée est de 23° en été mais ne dépasse guère 15° en janvier.

LE PREMIER CONTACT

En Belgique

Bureau de la culture et de l'information, rue Montoyer, 4, B-1040 Bruxelles, ☎ (02) 513.82.30, fax (02) 511.79.51.

Au Canada

Ambassade, 197, rue Wurtemburg, Ottawa (Ontario) K1N 8L9, ☎ (613) 789-4044, fax (613) 789-3442.

En France

Bureau de la culture et de l'information, 102, avenue des Champs-Élysées, 75008 Paris, ☎ 01.45.62.78.68.

Au Luxembourg

Ambassade, 20, rue Marie-Adelaïde, L-2128 Luxembourg, ☎ 44.32.81, fax 44.32.81.34.

En Suisse

Office de tourisme, Talstrasse, 74, CH-8001 Zurich, ☎ (41) 1.221.0810.

Internet

www.goturkey.com/ (office du tourisme)
www.istanbulguide.net
www.kultur.gov.tr/

Guides

Côte turque (Gallimard/Spiral),

Istanbul (Gallimard/Cartoville, Hachette/Evasion, Hachette/Routard, Hachette/Un grand week-end, Hachette/Voir, JPM Guides, Lonely Planet France/En quelques jours, Marcus, Michelin/Voyager pratique), *Istanbul, Bosphore et Dardanelles* (Gallimard/Encycl. du voyage), *Istanbul, côte turque et Cappadoce* (Lonely Planet France), *Istanbul et la côte égéenne* (Berlitz),

Turquie (Berlitz, Gallimard/Bibl. du voyageur, Hachette/Guide bleu, Hachette/Guide du routard, Hachette/Voir, Lonely Planet France, Marcus, Mondeos, Nelles), *Turquie de l'ouest et mer Noire* (Hachette/Evasion), *Turquie méridionale* (JPMGuides).

Cartes

Istanbul (Berlitz, Falk), *Turquie* (Berlitz, IGN, Marco Polo).

Lectures

Constantinople fin de siècle (P. Loti/Éditions Complexe, 1999), *Istanbul au siècle de Soliman le Magnifique* (R. Mantran/Hachette Littérature, 2008), *la Marche turque vers l'Europe* (M. Bozdémir/Karthala, 2004), *la Turquie dans l'Europe* (A. Del Valle/Editions des Syrtes, 2004), *la Turquie* (Collectif/ Fayard, 2005), *le Roman de Constantinople* (G. Martin-Chauffier/LGF, 2008), *Nouvelles de Turquie* (Collectif/Magellan et Cie, 2008). Lire *Istanbul* (Gallimard, 2008) et les autres ouvrages d'Ohran Pamuk, prix Nobel de littérature.

Images

Istanbul et les Stambouliotes (A. Bonzon, Merlin/Glénat, 2004), *la Turquie vue d'en haut* (J. Trotereau, Y. Arthus-Bertrand/Editions de la Martinière, 2002).

Vidéos et DVD

Istanbul (P. Brouwers/Media 9), *Turquie, les portes de l'Asie* (P. Brouwers/Media 9).

QUEL VOYAGE ET À QUEL PRIX ?

Le voyage individuel

Les préparatifs

◆ Pour les ressortissants de l'Union européenne : carte nationale d'identité ou passeport (périmé depuis moins de cinq ans) suffisant. ◆ Pour les ressortissants canadiens, passeport valide et visa que l'on peut obtenir au point d'arrivée. Prendre confirmation de cette possibilité avant le départ.

◆ Aucun vaccin obligatoire. Prévention recommandée contre le paludisme de mai à octobre inclus uniquement dans les régions de Çukurova et Amikova (sud-est du pays).

◆ Monnaie : la *nouvelle lire turque* (YTL). 1 EUR = 2,1 nouvelles lires turques, 1 US Dollar = 1,6 nouvelle lire turque. Emporter des euros ou des US Dollars en espèces ou chèques de voyage. Cartes de crédit utilisables, distributeurs de billets.

Le départ

Avion

◆ Indice de prix à certaines dates (hors vols à bas prix) du vol Paris-Ankara A/R : 400 EUR; Paris-Antalya A/R : 320 EUR; Paris-Istanbul A/R : 250 EUR; Paris-Izmir A/R : 250 EUR. ◆ Vols à bas prix Bâle/Mulhouse ou Bruxelles pour Antalya; Bruxelles ou Liège pour Bodrum; Bâle/Mulhouse ou Marseille pour Istanbul; Bruxelles ou Liège pour Izmir; Zweibrücken pour Antalya ou Istanbul. ◆ Nombreux vols charters pour Istanbul, Izmir, Antalya et Bodrum. ◆ Durée moyenne du vol Paris-Ankara (2 584 km) : 5 heures; Paris-Istanbul (2 243 km) : 3 h 30; Paris-Antalya : 4 heures.

Train

◆ Pass InterRail utilisable. ◆ Train Paris/Gare de l'Est-Istanbul (via Budapest) : départ en fin d'après-midi, arrivée le surlendemain matin. ◆ Istanbul reste le point d'arrivée du mythique *Venice Simplon-Orient-Express* à partir de Paris en été, à des tarifs vertigineux...

Sur place

Hébergement

Pléiade de propositions de nuits d'hôtel, en établissement classique ou de charme, chez la plupart des voyagistes spécialistes ou généralistes cités ci-dessous.

Route

◆ Location de voiture possible, par exemple avec Marmara et Nouvelles Frontières, qui proposent également des autotours d'une semaine ou plus (location, suggestion d'itinéraire, hôtel réservé à l'étape). ◆ Limitations de vitesse agglomération/route/autoroute : 50/90/120. ◆ Limite du taux d'alcoolémie : 0,5 (zéro pour les conducteurs de caravane ou remorque).

Le séjour en individuel

Rappel : nous nous sommes limités à un résumé des prestations en vigueur dans les agences et chez les voyagistes présents en France. Les lecteurs des autres pays peuvent en tirer des idées d'itinéraire et les compléter auprès de leurs agences de voyages.

◆ **Istanbul** : la plus belle ville de Turquie fait l'objet d'une pléiade de propositions de week-ends pour un prix débutant aux alentours de *300 EUR* (4 j/3 n, vol et hébergement). Fram, Jet tours, Nouvelles Frontières et surtout les spécialistes de la Turquie cités ci-dessous sont sur les rangs.

Un « pont » constitue la durée idéale pour une escapade à Istanbul, et les réveillons de Noël ou de la Saint-Sylvestre sont également concernés. Le mode de logement peut aller du standard au luxe en passant par des habitations typiques, du style *yali*, ancienne maison de bois où les dignitaires musulmans prenaient autrefois leurs quartiers d'été.

Les sportifs qui voudront briller dans les salons en racontant qu'ils ont parcouru deux continents dans une même course s'inscriront pour le **marathon** d'Istanbul en octobre (forfait week-end, inscriptions et assurances comprises).

◆ Les séjours **balnéaires**, sur les côtes ouest (Kusadasi, Cesme, Bodrum) et sud (autour d'Antalya), s'étalent de mars à octobre. Ils sont généralement proposés pour huit jours et agrémentés d'excursions vers les sites gréco-romains et Pamukkale. Les prix moyens pour une structure hôtelière standard sont aux alentours de *650 EUR* en haute saison (vol A/R, chambre double et demi-pension). Les stations de la Riviera turque connaissent des tarifs légèrement supérieurs.

Outre les voyagistes spécialistes du pays (Marmara, Médiades, Pacha Tours), le Club Med, Fram, Hotelplan, Jet Air, Jet Tours, Luxair Tours, Neckermann, Nouvelles Frontières, Thomas Cook, entre autres, sont présents sur les rivages.

◆ La Turquie diversifie ses atouts en incluant désormais le **golf**, surtout le long de la côte sud (cinq parcours dans la région de Belek-Antalya). Voir entre autres Greens du monde, Voyages Gallia. Les séjours en **goélette** voire en **voilier** (location plus équipage) gagnent sans cesse en audience.

Le voyage accompagné

◆ L'**intérieur** fait l'objet de nombreuses formules : un voyage de 8 jours en bus de **l'Anatolie** à la **Cappadoce**, via certains sites gréco-romains, Pamukkale et Konya, avec début à Istanbul, est l'un des grands classiques. En haute saison, les prix se situent aux alentours de *700 EUR* et peuvent descendre à *600 EUR* en basse saison. Exemples : Arts et Vie, Clio, Continents insolites, Marmara, Oriensce, Pacha Tours, Tamera. La plupart des voyagistes combinent cette semaine culturelle avec une semaine balnéaire.

◆ Certains, comme Adeo, ajoutent la côte lycienne à l'Anatolie et la Cappadoce, voire font de l'inédit en choisissant la Turquie de l'**est** (Nemrut Dagi, lac de Van, palais d'Ishak Pasa). Orients suit les fabricants de **tapis** dans le Taurus en septembre.

◆ La **randonnée** fait également florès : la Cappadoce est en figure de proue chez des spécialistes tels qu'Allibert, Club Aventure ou Explorator, qui ne lésinent pas sur les programmes destinés aux familles. Allibert marche aussi dans des villages inconnus du grand tourisme le long de la côte lycienne, mais aussi dans les monts peu arpentés des Balkars, du Taurus et de Kaçkar (de 8 à 15 jours entre juin et octobre), Akaoka Voyages et Atalante jouent la carte inhabituelle d'un mélange trek et raft dans le Taurus, Nomade Aventure est en Cappadoce ou en Lycie, Terres d'aventure est en Cappadoce et dans le Taurus, Continents insolites propose un doublé Cappadoce et côte lycienne.

L'ascension du mont **Ararat** est devenue possible, ce qui n'a échappé ni à Allibert ni à Terres d'aventure lors de voyages de 15 jours. On trouve aussi des randonnées d'**hiver** chez Atalante, l'une en raquettes en Anatolie, l'autre à skis dans le Taurus.

La grande majorité des séjours consacrés à la randonnée sont programmés entre juin et septembre et leur prix va en moyenne de *1 000 EUR* pour 8 jours à *1 600 EUR* pour 15 jours.

◆ Une **croisière** d'une semaine en **goélette** le long de la côte Turquoise symbolise la dernière Turquie à la mode : Club Med Découvertes/Jet tours, Fram, Marmara, Médiades, Pacha Tours, TUI, entre autres, embarquent les voyageurs sur des goélettes de 16 à 21 m équipées de 4 à 7 cabines selon les modèles, avec possibilités de cabotage, de planche à voile et de plongée aux escales (départs d'avril à octobre inclus). Club Aventure mêle randonnée et cabotage à partir d'Antalya, Explorator est sur un caïque entre Bodrum et Fethiye, Terres d'aventure est en kayak dans cette même région. Les **grands navires** de Costa Croisières ne sont pas en reste : escale à Kusadasi ou à Istanbul avant de rejoindre la mer Noire.

QUE RAPPORTER ?

◆ Tapis, kilims (tapis spécifiques en laine), objets en cuir, en céramique bleu et en porcelaine, bijoux d'or et d'argent. Dans le registre culinaire, thé et loukoums sont des achats typiques. Le creuset de toutes ces tentations est le Grand Bazar d'Istanbul, où le marchandage est une institution.

LES REPÈRES

◆ Lorsqu'il est midi en France, en Turquie il est 13 heures; lorsqu'il est midi au Québec, en Turquie il est 19 heures. ◆ Langue officielle : le turc, qui appartient au groupe ouralo-altaïque et pour lequel les caractères arabes ont été utilisés jusqu'en 1928; la langue kurde, parlée par un habitant sur cinq et longtemps mise sous le boisseau, sera désormais enseignée. ◆ Langue étrangère : l'anglais. ◆ Téléphone vers la Turquie : 0090 + indicatif (Istanbul : 212; Izmir : 232) + numéro; de la Turquie : 00 + indicatif pays + numéro.

LA SITUATION

Géographie. Hormis le petit territoire de Turquie d'Europe et certaines régions côtières, le relief est montagneux, avec 5 165 m à l'est pour le mont Ararat. Au nord et au sud, la Turquie est également montagneuse, avec respectivement la chaîne Pontique et les monts du Taurus. Superficie : 774 815 km^2.

Population. 71 893 000 habitants. Les descendants des tribus nomades turques du début du millénaire forment l'essentiel de la population. Une importante minorité kurde (17 %) vit dans le sud-est du pays. Minorités d'Arméniens et de Grecs. Capitale : Ankara, moins peuplée qu'Istanbul, dont l'agglomération compte 7 500 000 habitants.

Religion. 98 % de la population est musulmane. Principales minorités : catholiques, juifs, orthodoxes. La Turquie est un État laïque.

Dates. *1222* Installation de la tribu osmanli (venue de Mongolie avec Gengis Khan) en Asie Mineure. *1453* Les Turcs ottomans prennent Constantinople et la rebaptisent Istanbul. *1915* Génocide perpétré à l'encontre des Arméniens par le gouvernement jeune-turc. *1923* Mustafa Kemal (l'« Atatürk ») concrétise sa longue lutte d'indépendance, la Turquie devient laïque. *1938* Mort de Mustafa Kemal, Ismet Inönü président. *1950* Retour de l'islamisme avec Menderes. *1974* Gouvernement d'Ecevit, qui décide d'occuper la partie orientale de Chypre. *1980* Coup d'État militaire d'Evren. *1983* Turgut Özal rétablit un gouvernement civil. *1984* Début de quinze ans de conflit entre le PKK (Parti des travailleurs du Kurdistan, dans le sud-est) et le pouvoir central (36 000 victimes). *Juillet 1993* Tançu Ciller première femme turque Premier ministre. *Juillet 1996* L'arrivée du leader islamique Erbakan au pouvoir rompt avec plus de trois quarts de siècle de laïcité. *1999* Öcalan, leader du PKK, est emprisonné. Dans les six années précédentes, des milliers de villages kurdes ont été détruits par l'armée. *Août 1999* Tremblement de terre dans la région d'Izmit, non loin d'Istanbul (15 000 victimes). *Novembre 2002* Triomphe de l'AKP, un parti islamique modéré, alors que l'économie reste fragile et l'Union européenne encore lointaine. *Mars 2003* Recip Tayyip Erdogan (AKP) est le nouveau Premier ministre. *Août 2006* Des attentats frappent les stations balnéaires de Marmaris et Antalya. *Août 2007* Abdullah Gül (AKP) devient le premier président issu d'un mouvement islamique. *Juillet 2008* Vingt personnes périssent dans deux attentats à Istanbul au cours du mois.

Ukraine

Dès l'Antiquité, un climat doux et une végétation luxuriante avaient donné leur réputation à cinquante kilomètres de rivages découpés du sud de la Crimée. Aujourd'hui, le charme d'Odessa, la résonance du patrimoine architectural de Kiev, Tchernigov et Lviv, un bout des Carpates et l'attrait des rivages de la mer Noire sortent enfin le pays de sa discrétion.

LES RAISONS D'Y ALLER

LES VILLES

Odessa, Kiev, Tchernigov, Lviv, Zaporogue

LES CÔTES

Rivages de Crimée (Yalta, Gurzuf)

LES PAYSAGES

Monts de Crimée,
grotte d'Optimistitscheskaia,
Carpates

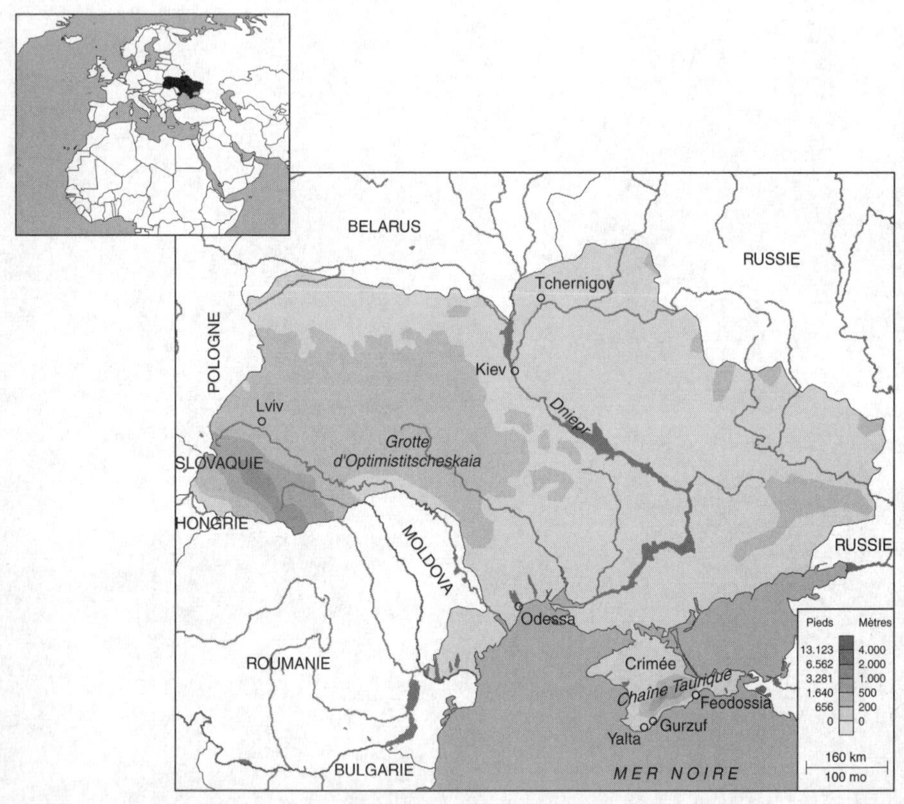

LES RAISONS D'Y ALLER

LES VILLES

Odessa, qui conserve le monumental escalier vu dans le film *le Cuirassé Potemkine* tourné en 1925 par Eisenstein, est la ville la plus attachante du pays. Outre l'argument culturel (Musée des Beaux-Arts et ses collections de peinture russe du début du XXe siècle), ses bâtisses néo-classiques, sa position sur la mer Noire (plages) et son atmosphère douce (cafés, hôtels anciens) lui offrent un parfum méditerranéen.

Autrefois l'égale de Constantinople, **Kiev** a cédé le pas à Moscou au fil des siècles. Bien qu'endommagée lors de la Seconde Guerre mondiale, la ville conserve des témoignages importants : un vieux quartier (Podil) et la cathédrale byzantine Sainte-Sophie (XIe siècle), aux murs blancs, aux coupoles vertes et aux riches mosaïques et fresques, et l'ensemble religieux de la Laure de Petchersk, dans les catacombes duquel ont été enterrés les premiers chrétiens de Russie.

On trouve aussi à Kiev un musée Tchernobyl, d'une bien triste nécessité pour une centrale dont les 30 kilomètres de nouveau désert qui l'entourent pourraient être transformés en réserve naturelle.

Au nord-est de Kiev, **Tchernigov** est aussi remarquable que celle-ci grâce à ses cathédrales : du Sauveur, de l'Assomption, de l'Annonciation (mosaïques). Le baroque est également présent (maisons du XVIIe siècle).

Lviv possède, aux alentours de sa célèbre place Rynok, une panoplie d'édifices religieux : église Saint-Nicolas, église de la Dormition, chapelle Boïmov, cathédrale arménienne. Quant à **Zaporogue**, elle évoque les Cosaques, qui ont droit à un musée populaire.

LES CÔTES

Abritées par les monts de Crimée (chaîne Taurique), les **plages** et les stations touristiques de la mer Noire se succèdent sur cinquante kilomètres d'une côte découpée entre Yalta et Féodossia, mais aussi autour d'Odessa. **Yalta** ne se contente pas d'être un lieu historique célèbre : elle est aussi la station balnéaire la plus prisée d'Ukraine avec **Gurzuf**. On prête à cette côte, comme aux environs d'Odessa, un air méditerranéen qu'ont goûté en leur temps Tolstoï, Tchekhov et Gorki. Aujourd'hui, des milliers de jeunes des pays de l'Est prennent la relève à Kazantip pour un imposant festival techno de fin juillet à fin août.

LES PAYSAGES

La campagne ukrainienne n'est jamais mieux embrassée du regard qu'à partir du **Dniepr**, « le » fleuve de l'Ukraine qui, en outre, baigne ses grandes villes.

Sur son versant méridional, la **chaîne Taurique** domine un paysage à la végétation luxuriante (lauriers, cistes, jasmins, cyprès).

Non loin de la rive gauche du Dniestr, apparaît la vaste grotte d'**Optimistitscheskaia** (la « grotte des Optimistes »), où sont disséminés des labyrinthes recouverts de gypse.

Au sud-ouest, à la lisière de la Roumanie, la fin des **Carpates** offre, à 1 500 m environ, des sentiers forestiers et des arêtes propices à la randonnée.

LE POUR

◆ La confirmation de l'intérêt nouveau porté au pays par les voyagistes.

◆ Des atouts de poids, tels Odessa ou la Crimée, et une destination qui a son originalité.

LE CONTRE

◆ Une image encore floue dans les projets des candidats au voyage.

LE BON MOMENT

De **juin à août**, le voyage est agréable, la température dépassant 25° sur la mer Noire au mois d'août. L'hiver s'installe en novembre et se révèle relativement rude, sauf en Crimée.

◆ Températures moyennes jour/nuit en °C à *Kiev* : janvier -3/-8, avril 14/5, juillet 25/15, octobre 12/5.

LE PREMIER CONTACT

En Belgique

Ambassade, avenue Albert Lancaster, 30-32, B-1180 Bruxelles, ☎ (02) 379.21.07, fax (02) 379.21.74, www.ukraine.be

Au Canada

Ambassade, 310, rue Somerset Ouest, Ottawa, Ontario, K2P 0J9, ☎ (613) 230-8015, fax (613) 230-2400, www.ukremb.ca

En France

Section consulaire, 21, avenue de Saxe, 75007 Paris, ☎ 01.43.06.07.37, fax 01.43.06.02.94.

En Suisse

Section consulaire, chemin de Conches, 4, CH-1200 Genève, ☎ (22) 890.04.38, (22) 890.04.39, www.ukremb.ch

Internet

www.ukraine.com

Guides

Russie, Bélarus, Ukraine (Gallimard/Bibl. du voyageur), *Ukraine* (Lonely Planet France, Le Petit Futé).

Cartes

Crimée (IGN), *Ukraine* (IGN).

Lectures

De l'Ukraine : petit précis géopolitique, historique, et religieux (A. Balalas/Godefroy de Bouillon, 2006), *Retour de Tchernobyl : journal d'un homme en colère* (J.-P. Dupuy/Seuil, 2006), *l'Ukraine dans la nouvelle Europe* (CNRS, 2005), *Ukraine : une histoire en questions* (I. Lebedynsky/L'Harmattan, 2008).

Vidéos et DVD

Kiev: la capitale de l'Ukraine est-elle une destination touristique ? (Olivier Lacaze/Vodeo TV).

QUEL VOYAGE ET À QUEL PRIX ?

Le voyage individuel

Les préparatifs

◆ Pour les ressortissants de l'Union européenne, canadiens, suisses : passeport suffisant, encore valable six mois après le retour. ◆ Billet de retour ou de continuation exigible.

◆ Monnaie : la *hrivna.* 1 EUR = 10 hrivnas, 1 US Dollar = 7,7 hrivnas. Emporter des euros ou des US Dollars et une carte de crédit (distributeurs de monnaie).

Le départ

Avion

Indice de prix à certaines dates du vol Paris-Kiev A/R : 400 EUR, Paris-Odessa : 450 EUR. Durée moyenne du vol Paris-Kiev (2 033 km) : 3 heures.

Train

Train Paris/Gare du Nord-Kiev : environ 24 heures de voyage.

Sur place

Hébergement

Logement chez l'habitant envisageable dans les villes. Hôtels à la carte proposés par certains voyagistes, dont Amslav.

Route

Location de voiture avec chauffeur envisageable, par exemple avec CGTT Voyages. Limitation de vitesse agglomération/route/autoroute : 60/90/130 km/h. Alcool au volant rigoureusement interdit.

Le voyage accompagné

Les voyagistes sont présents sur trois fronts : les croisières, les randonnées, les villes.

◆ La **croisière** typique mène de Odessa à Kiev sur le **Dniepr** en une dizaine de jours. Quelques prestataires : Arts et Vie, CroisiEurope, Marsans, Rivages du monde. Yalta et Odessa intéressent Costa Croisières qui les a inclus dans un programme de printemps, parti de Gênes et qui passe en Italie et Turquie avant les côtes ukrainiennes. Le périple se termine par la Grèce.

En croisière, compter *1 400 EUR* en moyenne en pension complète pour une douzaine de jours.

◆ La **randonnée** trace peu à peu son chemin dans les Carpates ukrainiennes, celles-ci arpentées en juillet et août par Club Aventure, qui est également en Crimée. En randonnée, tabler sur *1 400 EUR* pour 15 jours tout compris. Explorator va des Carpates à la mer Noire via Kiev (15 jours).

◆ **Kiev** est entrée dans les catalogues des séjours week-ends, tels ceux de Amslav et de Nouvelles Frontières. Séjours envisageables à partir de *450 EUR* (vol + hébergement 3 j/2 nuits). Pour **Odessa**, CGTT Voyages propose des idées de séjour et d'excursion.

LES REPÈRES

◆ Lorsqu'il est midi en France, en Ukraine il est 13 heures; lorsqu'il est midi au Québec, en Ukraine il est 19 heures. ◆ Langue officielle : l'ukrainien, parlé par deux habitants sur trois. Il voisine essentiellement avec le russe mais aussi avec le roumain, le tatar et le hongrois; les grandes langues étrangères sont de peu de secours. ◆ Téléphone vers l'Ukraine : 00380 + indicatif (Kiev : 44; Odessa : 482) + numéro.

LA SITUATION

Géographie. Les 603 700 km² que couvre le pays sont concentrés dans une grande plaine, terminée au sud par la presqu'île de Crimée et la mer Noire.

Population. L'Ukraine est un État peuplé par rapport à la plupart des pays de l'ex-URSS : 45 994 000 habitants. Trois habitants sur quatre sont des Ukrainiens de souche. Importante minorité de Russes, surtout en Crimée. Autres minorités : Biélorusses, Moldaves. Capitale : Kiev.

Religion. Église orthodoxe majoritaire mais divisée en trois tendances. La minorité de catholiques de rite grec (uniates) réclame toujours à l'Église orthodoxe sa réhabilitation et la restitution de ses biens.

Dates. *IXe siècle* Kiev centre du premier État russe. *1240* Invasion des Mongols. *XIVe siècle* Domination polonaise. *XVIe siècle* Les Cosaques repoussent les Tatars et se posent en défenseurs des paysans. *Fin du XVIIIe siècle* La Russie possède la quasi-totalité de l'Ukraine. *1854* Guerre de Crimée, née de la menace russe de s'installer plus profondément sur la mer Noire, et siège de Sébastopol par les Alliés. *1917* Révolution d'Octobre : l'Ukraine partagée entre le nationalisme indépendantiste et le rattachement aux Bolcheviks. *1922* L'Ukraine rejoint l'URSS. *1941* Occupation allemande, qui va durer trois ans. *1945* L'Ukraine récupère ses territoires perdus en 1922 ainsi que la Crimée. *Avril 1986* Accident de Tchernobyl. *1991* L'Ukraine se déclare souveraine, Leonid Kravtchouk est nommé président. La Crimée devient une république autonome. *Juillet 1994* Leonid Koutchma, partisan d'un rapprochement avec la Russie, est élu président. *Novembre 1999* Réélection de Leonid Koutchma. *Novembre 2004* L'opposition de Viktor Iouchtchenko conteste pour fraude l'élection de Viktor Ianoukovitch à la présidence et descend dans la rue, le pays vit une crise politique. *Début 2005* Iouchtchenko devient président, la transition se déroule sans violence. *Septembre 2007* Législatives : le Parti des régions (pro-russe) revient sur le devant de la scène.

Uruguay

Pas de surprise : le plus petit pays de l'Amérique du Sud fait aussi partie des plus discrets du continent sur le plan touristique. Mis à part Montevideo et le río de la Plata, rien qui puisse justifier de programmer le seul Uruguay dans un voyage en Amérique du Sud. Les bœufs et les moutons des grandes prairies qui recouvrent la majeure partie du pays peuvent continuer de paître tranquillement : le touriste les dérange peu, car plus attiré par les grands voisins argentin et brésilien.

LES RAISONS D'Y ALLER

LES CÔTES

Punta del Este, río de la Plata

LES VILLES

Montevideo, Mercedes, Colonia

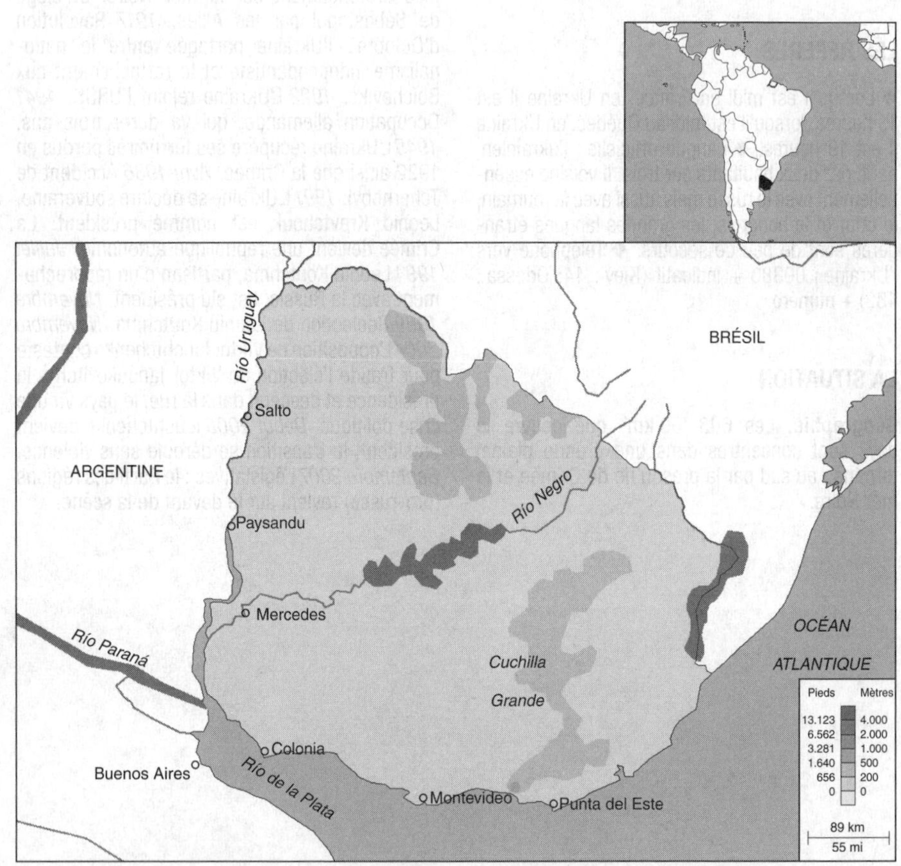

LES RAISONS D'Y ALLER

LES CÔTES

Autour de Montevideo, mais surtout à **Punta del Este**, l'une des stations balnéaires les plus en vogue du continent sud-américain, le littoral est de la même veine que celui du sud du Brésil et de l'Argentine. Toutefois, vu la latitude, la température des eaux atlantiques est parfois fraîche.

But intéressant : la découverte et la traversée du **río de la Plata**, estuaire qui sépare l'Uruguay de l'Argentine. Il est si grand et si plat que les conquistadores n'en virent pas la fin et crurent avoir trouvé là le passage tant rêvé entre les deux océans.

LES VILLES

En montant à la forteresse El Cerro, on découvre le panorama de **Montevideo**, ville aérée et paisible qui a pour atouts sa cathédrale, sa place de la Constitution et la qualité de ses jardins publics. Les vieux quartiers de **Mercedes**, bâtie à la fin du XVIIIe siècle, et les monuments de **Colonia**, ancienne place forte portugaise, sont les autres centres d'intérêt urbains du pays.

LE POUR

◆ Une destination qui conviendra au voyageur itinérant.

LE CONTRE

◆ Un tourisme modeste, qui ne parvient pas à gagner en audience.

◆ L'inversion des saisons.

LE BON MOMENT

Bas situé sur la carte du monde, l'Uruguay connaît un climat tempéré. Il n'y fait jamais ni très froid ni très chaud, et les pluies sont bien réparties. C'est **entre décembre et mars**, période de l'été austral, que le voyage est le plus agréable.

◆ Températures moyennes jour/nuit (en °C) à *Montevideo* : janvier 28/18, avril 22/13, juillet 15/7, octobre 21/12. La moyenne de la température de l'eau de mer est de 21° en janvier et de 12° en juillet.

LE PREMIER CONTACT

En Belgique

Consulat, avenue Franklin-Roosevelt, 22, B-1050 Bruxelles, ☎ (02) 640.11.69, fax (02) 648.29.09.

Au Canada

Ambassade, 130, rue Albert, Ottawa, Ontario, K1P 5G4, ☎ (613) 234-2727, fax (613) 233-4670.

En France

Services consulaires de l'ambassade, 15, rue Le Sueur, 75116 Paris, ☎ 01.45.00.81.37, fax 01.45.01.25.17, www.amb-uruguay-france.com/

En Suisse

Chancellerie, Kramgasse, 63, CH-3011 Berne, ☎ (31) 311.27.92, fax (31) 312.22.26.

Internet

www.turismo.gub.uy/
www.abc-latina.com/uruguay/index.htm

Guides

Amérique du Sud (Gallimard/Bibl. du voyageur), *South America on a shoestring* (Lonely Planet), *South American Handbook* (Footprint), *Uruguay* (Le Petit Futé).

Cartes

Brésil, Bolivie, Uruguay, Paraguay (Marco Polo), *Chili, Argentine, Paraguay, Uruguay* (Berlitz).

Lectures

Le Désert (H. Quiroga/Métailié, 1999), *Quand plus rien n'aura d'importance* (Juan Carlos Onetti/ Ed. 10/18, 2001), *Ma famille* (C. Liscano/Editions théâtrales, 2001), *Retour d'Uruguay* (P. Kramer/ Gallimard, 2005), *Uruguay* (Jules Supervielle/Ed. des Equateurs, 2008).

Images

Montevideo (Ann-Christine Wöhrl/Le Passage, 2003).

▢ Vidéos et DVD

Montevideo: découverte de la capitale de l'Uruguay (Pierre Belet/Vodeo TV).

QUEL VOYAGE ET À QUEL PRIX ?

Le voyage individuel

Les préparatifs

◆ Pour les ressortissants de l'Union européenne, canadiens et suisses : passeport encore valide six mois après le retour suffisant.

◆ Monnaie : le *nouveau peso*. 1 EUR = 29 nouveaux pesos, 1 US Dollar = 23 nouveaux pesos. Emporter des euros ou des US Dollars en espèces ou en chèques de voyage et une carte de crédit.

Le départ

◆ Indice de prix à certaines dates du vol Paris-Montevideo A/R : 900 EUR. ◆ Durée moyenne du vol Paris-Montevideo (10 975 km) : 14 heures.

Sur place

Ferry

Un service quotidien de ferry existe entre Montevideo et Buenos Aires, via Colonia.

Hébergement

Il existe une quinzaine d'auberges de jeunesse à travers le pays. Renseignements : www.hostels.com/fr/uy.html

Route

Bon réseau routier, au contraire du réseau ferré, réduit à quelques dizaines de kilomètres.

Le voyage accompagné

Toujours aussi discrets vis-à-vis de l'Uruguay, les voyagistes ! Aussi notera-t-on avec une grande satisfaction les escales à Montevideo et Punta del Este de quelques croisières parties du Brésil pour la Terre de Feu en février ou mars.

LES REPÈRES

◆ Lorsqu'il est midi en France, en Uruguay il est 7 heures en été et 8 heures en hiver. ◆ Langue officielle : espagnol. ◆ Téléphone vers l'Uruguay : 00598 + indicatif (Montevideo : 2) + numéro; de l'Uruguay : 00 + indicatif pays + numéro.

LA SITUATION

Géographie. Le relief se résume à une vaste prairie de 177 414 km², truffée de cours d'eau et terminée par 670 km de côtes, dont 450 pour le profond Río de la Plata.

Population. Sur les 3 478 000 habitants, une importante proportion est composée de sang-mêlé espagnols et italiens. Minorités d'Italiens et de Mulâtres. Capitale : Montevideo.

Religion. Deux Uruguayens sur trois sont catholiques. Minorités d'israélites et de protestants.

Dates. *1516* L'Espagnol Juan Diaz de Solis découvre le pays. *1726* Fondation de Montevideo. *1821* Rattachement du pays au Brésil. *1828* Indépendance. *1958* Les *blancos* (conservateurs) battent les *colorados* (libéraux) qui étaient au pouvoir depuis près d'un siècle. *1963* Les Tupamaros entament une lutte armée. *1973* L'armée prend le pouvoir et exerce une répression. *1976* Aparicio Méndez est à la tête de l'État. *1981* Le général Gregorio Álvarez lui succède. *1984* Fin du pouvoir militaire avec l'arrivée du libéral Julio Maria Sanguinetti. *1990* Luis Alberto Lacalle devient président. *Novembre 1994* Sanguinetti, candidat du Parti colorado, retrouve le pouvoir aux dépens du centre et de la gauche. *Novembre 1999* Jorge Batlle (Parti colorado) est élu président d'un pays plongé dans une récession économique durable. *Octobre 2004* Le socialiste Tabaré Vazquez est élu président, il doit composer avec une coalition hétéroclite sur fond de crise économique.

Vatican

Qui verra Rome verra le Vatican, et vice versa. Plus petit État du monde, situé dans la capitale italienne et à proximité du Tibre, le Saint-Siège est loin d'être le dernier sur le plan de l'intérêt de la visite. Quand on réunit, sur 44 hectares, des trésors architecturaux tels que la basilique Saint-Pierre et la chapelle Sixtine, on a le droit d'être petit...

LES RAISONS D'Y ALLER

LES MONUMENTS

Basilique et place Saint-Pierre

LES MUSÉES

Musées du Vatican: galerie des Loges, chapelle Sixtine
Pinacothèque, musée Pio-Clementino, musée Chiaramonti

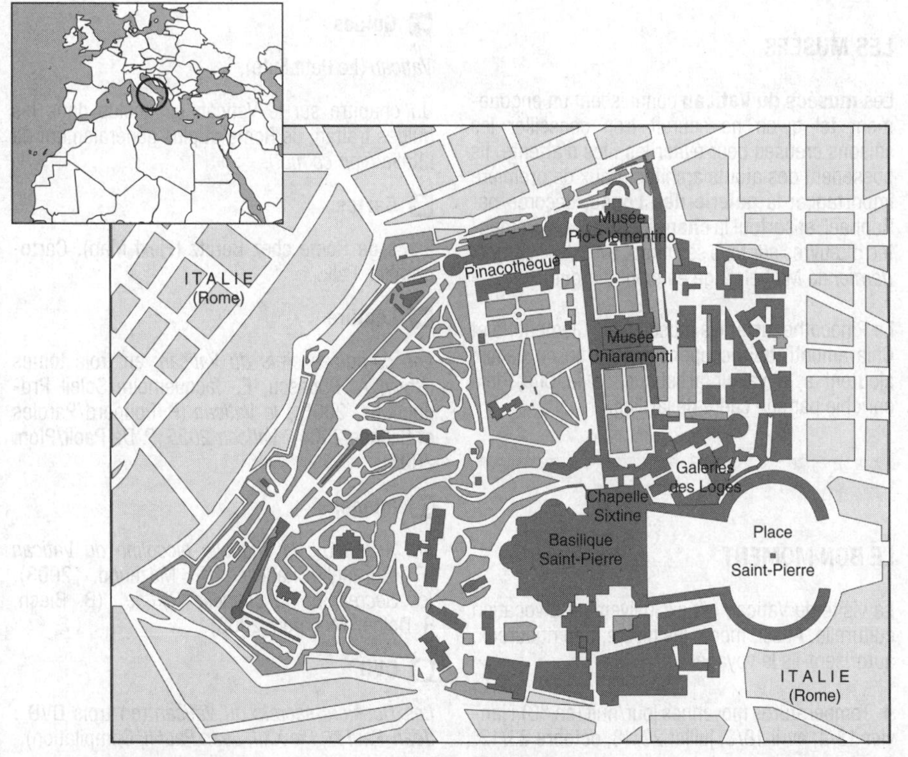

LES RAISONS D'Y ALLER

LES MONUMENTS

Sans le Bernin, le Vatican serait peu de chose sur le plan architectural! En effet, c'est à ce maître du baroque monumental que l'on doit l'harmonie de la **place Saint-Pierre**, ellipse de 240 m de large fermée par un portique aux 284 colonnes surmontées de 140 statues de saints.

C'est au Bernin aussi que l'on doit le baldaquin qui surplombe le maître-autel de l'imposante **basilique Saint-Pierre**, en toile de fond de la place et dominée par la plus haute des coupoles romaines. Édifiée par Constantin au IVe siècle, la basilique, flanquée de son fameux balcon destiné à la bénédiction papale et pascale *urbi et orbi,* fut sauvée par Jules II au XVIe siècle, avant que, entre autres, le Bernin (escalier, piliers), Michel-Ange (chapelle de la Pièta) et Maderno (façade, nef centrale) ne lui donnent une rare majesté.

LES MUSÉES

Les **musées du Vatican** connaissent un engouement tel qu'on ne saurait trop conseiller les saisons creuses pour éviter les files d'attente. Ils possèdent des atouts architecturaux de première importance: la **galerie des Loges**, décorée par Raphaël, et surtout la **chapelle Sixtine**, agrémentée d'œuvres sur tous ses murs, avec *le Jugement dernier* de Michel-Ange en point d'orgue.

La Pinacothèque et les musées Pio-Clementino et Chiaramonti, qui occupent une partie du palais, ajoutent à la valeur artistique de la Cité, déjà enrichie par son cadre de jardins.

LE BON MOMENT

La visite du Vatican est exclusivement à vocation culturelle. Aussi, même les hivers, peu rigoureux, autorisent-ils le voyage.

◆ Températures moyennes jour/nuit (en °C) : janvier 13/4, avril 18/8, juillet 29/18, octobre 23/12.

LE PREMIER CONTACT

En Belgique

Office national italien de tourisme (ENIT), avenue Louise, 176, B-1050 Bruxelles, ☎ (02) 647.11.54, fax (02) 640.56.03.

Au Canada

ENIT, 1, place Ville-Marie, Montréal, ☎ (514) 866-7667.

En France

ENIT, 23, rue de la Paix, 75002 Paris, ☎ 01.42.66.66.68, fax 01.47.42.19.74.

En Suisse

ENIT, Urianastrasse, 32, CH-Zurich 8001, ☎ (41) 43.466.40.40, fax (41) 43.466.40.41.

Internet

www.vatican.va/
www.enit.it

Guides

Vatican (Le Petit Futé),

Un chapitre sur le Vatican est inclus dans les guides traitant de Rome et plus généralement de l'Italie *(voir ce mot)*.

Cartes

Plans de Rome chez Berlitz (Flexi Map), Cartographia, Falk.

Lecture

Les carnets secrets du Vatican, en trois tomes (Novy, A. Popescu, E. Jacquemoire/Soleil Productions, 2008), *le Vatican* (P. Poupard/Paroles et Silence,2004), *Vatican 2035* (P. De Paoli/Plon, 2005).

Images

Fra Angelico : la chapelle niccoline du Vatican (F. Buranelli/Citadelles § Mazenod, 2003), *les Secrets de la chapelle Sixtine* (B. Blech, R. Dolner/M. Lafon, 2008).

DVD

Les Dossiers secrets du Vatican (en trois DVD : *Jean-Paul Ier, Pie XXII, Jean Paul II,* Compilation).

QUEL VOYAGE ET À QUEL PRIX ?

Le voyage individuel

Les préparatifs

◆ Pour les ressortissants de l'Union européenne, carte d'identité ou passeport en cours de validité suffisant. ◆ Les frontières sont plus économiques qu'effectives. Aussi les formalités applicables pour l'Italie valent-elles *ipso facto* pour le Vatican.

◆ Monnaie : le Vatican frappe monnaie mais celle-ci suit le cours de l'euro.

Le départ

◆ Voir *Italie*.

Le voyage avec prestations

La proximité de l'Italie favorise le voyage individuel mais de nombreux voyagistes programment Rome (voir *Italie*) pour un week-end, avec le Vatican en très bonne place dans le programme.

Quiconque veut mêler le spirituel au culturel, ou assister à des événements ponctuels tels que la messe de minuit ou la bénédiction papale de Noël, aura intérêt à s'adresser à des voyagistes spécialistes tels que Terre entière.

LES REPÈRES

◆ Pas de décalage horaire. ◆ Langue officielle : l'italien. ◆ Langues étrangères : l'anglais et le français. ◆ Téléphone vers le Vatican : 0039 + 06 + numéro.

LA SITUATION

Géographie. Situé sur la colline du même nom, le Vatican est une enclave de la ville de Rome, dans l'ouest de la capitale italienne. Ses 44 hectares (0,440 km^2) en font le plus petit État du monde.

Population. Sur les 900 résidents, la moitié ont la citoyenneté vaticane mais celle-ci est jugée comme étant de caractère provisoire et ne remplace donc pas la citoyenneté d'origine.

Religion. Le Vatican a été créé pour abriter le Saint-Siège, siège du chef de l'Église catholique.

Dates. *1929* Création de l'État à la suite des accords du Latran signés entre le cardinal Gasparri et Mussolini. *1978* Début du pontificat de Jean-Paul II. *Décembre 1993* Le Vatican et Israël se reconnaissent officiellement. *Avril 2005* Mort de Jean-Paul II après vingt-six ans de pontificat, des millions de fidèles affluent vers Rome pour saluer sa mémoire. Dix-sept jours plus tard, le cardinal allemand Josef Ratzinger lui succède sous le nom de Benoît XVI.

Venezuela

Avertissement. – Tout déplacement dans la zone frontalière avec la Colombie est à éviter. De même, la navigation de plaisance est actuellement déconseillée.

Le Venezuela, la « petite Venise », en souvenir des impressions qu'avaient laissées les cases sur pilotis aux premiers Européens, est désormais bien en place dans les catalogues des voyagistes, et ce n'est que justice. En effet, le pays peut aussi bien proposer le farniente sur la côte ou dans les îles caraïbes que l'exploration esthético-sportive du Massif guyanais et de ses montagnes tabulaires. Il n'aura manqué au Venezuela que des vestiges des civilisations précolombiennes pour devenir un pays de fort tourisme.

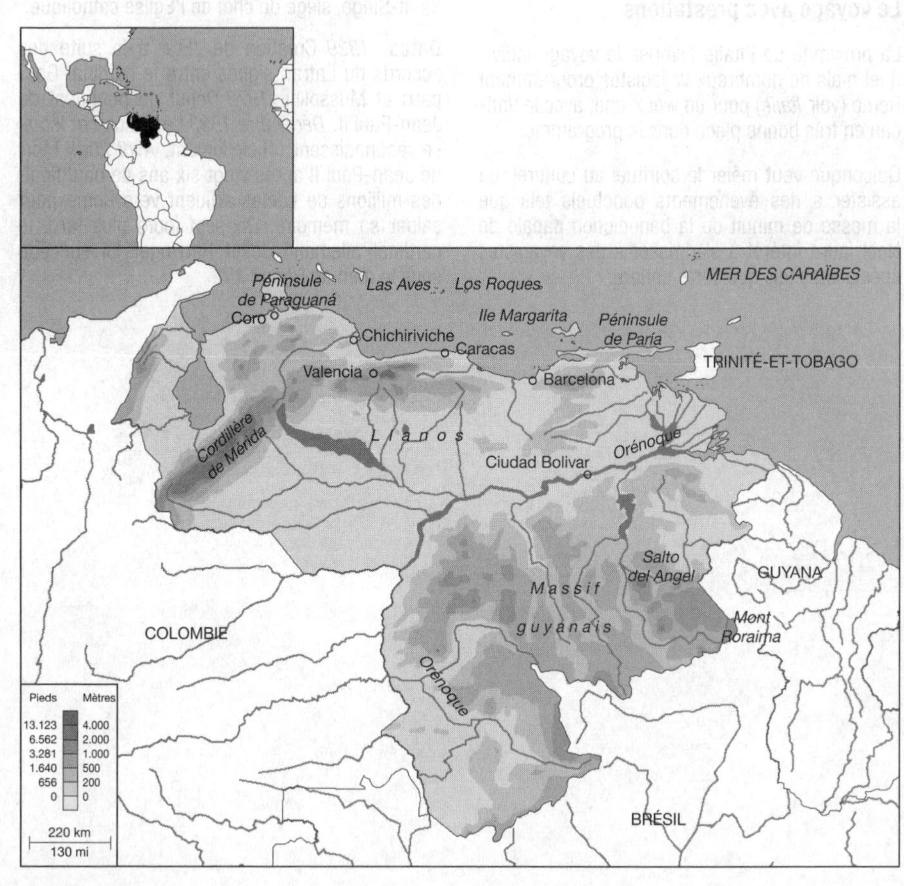

LES RAISONS D'Y ALLER

LES CÔTES

Rivages de l'île Margarita, des archipels
de Las Aves et de Los Roques,
Péninsule de Paria

LES PAYSAGES ET LES RANDONNÉES

Massif guyanais (tepuyes, cataractes),
Pirogue sur l'Orénoque et les rivières
Los Llanos, cordillère de Mérida

LES MONUMENTS

Traces de la colonisation espagnole
(Caracas, Barcelona, Ciudad Bolívar, Coro)
Art rupestre précolombien

LES RAISONS D'Y ALLER

LES CÔTES

Les généreux rivages caraïbes et la qualité des fonds coralliens sont les vecteurs qui font de plus en plus entrer le Venezuela dans le concert du grand tourisme balnéaire mondial.

Les îles sont désormais mises en avant, et plus particulièrement l'île **Margarita**, dont le cocktail mer (soixante-quinze plages), montagne et coût de séjour plutôt raisonnable se révèle déterminant.

La quarantaine d'îles de l'archipel de **Los Roques**, tropicales à souhait (barrière de corail, poissons multicolores), situées en face de la côte caraïbe, sont l'autre symbole d'un tourisme côtier en expansion.

Autre rendez-vous balnéaire insulaire : l'archipel de **Las Aves**, peuplé de colonies de flamants roses.

Sur la côte continentale, la péninsule de Paraguana et la région de Chichiriviche alternent plages de sable fin et villages de pêcheurs. La plage et la forêt offrent une bonne complémentarité dans la péninsule de **Paria**, trouée de rivières propices à la baignade et de marais, où un caïman fait parfois l'honneur au visiteur de lui laisser admirer son museau.

Outre bon nombre de plages encore peu fréquentées et des possibilités de pêche au gros (marlin bleu, espadon), il est recommandé de découvrir les côtes via des **croisières** en voilier ou simplement sur la *lancha* d'un pêcheur, tout en se rappelant que la navigation de plaisance est actuellement freinée par des problèmes de sécurité.

LES PAYSAGES ET LES RANDONNÉES

Le **Massif guyanais**, ou Guyane vénézuélienne, parsemé de villages indiens et coupé de nombreuses rivières, est devenu une destination très prisée en quelques années. C'est là, en effet, plus précisément dans la région de la Gran Sabana, que se trouvent les **tepuyes**. Etranges plateaux de grès encerclés par la forêt tropicale, à la fois craints et vénérés par les Indiens Pémons, ils font aujourd'hui l'objet de balades, dont le clou est l'ascension du mont Roraima, le tepuy le plus haut (près de 3 000 m).

C'est également dans ces contrées que les conquistadores espagnols ont situé et recherché l'Eldorado, où ils étaient censés trouver de fabuleuses quantités d'or. La région est propice à la remontée des rivières en pirogue et à la visite des cataractes du río Carrao, appelées *saltos*. Le plus connu est le **Salto del Angel** (« saut de l'Ange »), considéré comme la plus haute chute d'eau du monde (970 m) mais très difficile d'accès. D'autres chutes et d'autres panoramas font du Massif guyanais et de la région du mont Roraima le plus beau relief de la façade atlantique de l'Amérique du Sud.

En se dirigeant vers l'ouest, se profile l'**Orénoque**, propice à la navigation sur les *curiaras*, des pirogues menées à travers troncs d'arbre et palétuviers par les Indiens Waraos. Il est possible d'observer le spectacle des rapides et parfois d'une faune aquatique (crocodiles, dauphins d'eau douce).

La région du haut Orénoque est la terre d'élection des Indiens Yanomanis. Non loin de là, la nature a forgé deux gouffres imposants, le gouffre Humboldt (314 m de profondeur) et le gouffre Martel. Leur visite n'est pas programmée, à cause non seulement de la difficulté d'accès mais aussi du mystère géologique qui continue de les entourer.

Quand la situation le permet, on peut continuer vers la frontière colombienne et, autour de Puerto Ayacucho (Etat d'Amazonas), un sanctuaire écologique pour des espèces animales et végétales encore préservées. Plus au nord, s'étendent **Los Llanos**, grandes plaines couvertes de savanes… et de zébus, gérées par les gauchos de l'endroit, les llaneros. Dans ces contrée se rassemblent une faune aux noms mythiques (anaconda, iguanes) et plus de trois cents espèces d'oiseaux qu'il est possible de tenter d'apercevoir lors de safaris photo.

La **cordillère de Mérida**, qui s'élève jusqu'à 5 007 m au pic Bolívar, renferme le « Páramo andin », mélange de lacs, de nature fleurie et de villages coloniaux bien préservés. Une solution idéale pour avoir une idée de la beauté de cette cordillère : le téléphérique de Mérida, à la fois le plus haut et le plus long du monde.

LES MONUMENTS

Le passage des Espagnols a laissé des traces, sous la forme d'églises, de cathédrales et de vieux quartiers centraux, à **Caracas** (Capitolio), à **Barcelona** (musée de la Tradition), à **Ciudad Bolívar** et à **Coro**, qui fut la première capitale des temps de la colonisation et qui en conserve les meilleurs exemples du pays.

Dans les environs de Valencia, à l'ouest de Caracas, on découvre des gravures et des dessins rupestres **précolombiens** (parcs Piedras Pintadas et Cerro Pintado).

LE POUR

◆ Le triple atout de la côte caraïbe, du Massif guyanais et de la forêt amazonienne.

LE CONTRE

◆ L'absence de traces importantes des civilisations précolombiennes.

◆ Une récente progression de la délinquance à Caracas et sur les côtes, qui réclame de la vigilance de la part des touristes.

◆ Une période climatique défavorable entre juin et septembre.

LE BON MOMENT

Un climat tropical chaud règne sur le pays. La saison sèche, la plus favorable, va **de janvier à mai**. Ensuite, l'*invierno,* la saison humide, s'installe jusqu'en décembre, avec des possibilités d'ouragan entre juin et novembre inclus et des pluies importantes de septembre à novembre. Plus on va vers le sud, plus la chaleur s'intensifie, particulièrement dans les plaines (llanos). ◆ Températures moyennes jour/ nuit (en °C) à *Caracas* : janvier 29/13, avril 31/16, juillet 31/17, octobre 30/16. La température moyenne de l'eau de mer est de 27º.

LE PREMIER CONTACT

En Belgique

Ambassade, avenue Roosevelt, 10, B-1050 Bruxelles, ☎ (02) 639.03.40, fax (02) 647.88.20.

Au Canada

Ambassade, 32, chemin Range, Ottawa, K1N 8J4 ☎ (613) 235-5151, (613) 235-3205, www.misionvenezuela.org

En France

Ambassade, 11, rue Copernic, 75116 Paris, ☎01.45.53.29.98, fax 01.47.55.64.56, www.embavenez-paris.com

En Suisse

Section consulaire, Schosshaldenstrasse, 1, CH-3000, Berne, ☎0(31) 350.57.53, fax (31) 350.57.58, www.embavenez-suiza.com

Internet

www.venezuelatuya.com/fra.htm

Guides

The Amazon (Bradt), *Venezuela* (Gallimard/Bibl. du voyageur, Le Petit Futé).

Cartes

Caracas (Freytag), *Venezuela* (Berndtson § Berndtson), *Pérou, Équateur, Bolivie, Colombie, Venezuela* (Berlitz), *Venezuela, Guyana, Suriname, French Guiana* (Nelles).

Lectures

Orénoque-Amazone, 1948-1950 (A. Gheerbrant/ Gallimard, 1993), *Remonter l'Orénoque* (M. Enard/

Actes Sud, 2005), *la Superbe Orénoque* (J. Verne/Le Serpent à Plumes, 2005), *Venezuela : an I de la révolution* (A. Couturier/Publibook, 2008), *le Venezuela de Chavez* (M. Lemoine/Alternatives, 2007).

Images

Couleurs du Venezuela, des Caraïbes à l'Orénoque (Somogy, 2007), *la Superbe Orénoque* (Jules Verne/Le Serpent à plumes, 2005), *Venezuela, une nature millénaire* (Dakota Editions, 2004).

DVD

Anacondas, les géants du Venezuela (National Geographic, 2007).

QUEL VOYAGE ET À QUEL PRIX ?

Le voyage individuel

Les préparatifs

◆ Pour les ressortissants de l'Union européenne, du Canada et de Suisse : passeport suffisant, valable encore six mois après le retour. Billet de retour ou de continuation exigible. Nécessité de présenter la preuve de la vaccination contre la fièvre jaune si l'on vient de la Guyane française.

◆ Vaccination vivement recommandée contre la fièvre jaune en dehors des zones urbaines. Prévention recommandée contre le paludisme dans certaines zones rurales ou de la jungle amazonienne.

◆ Monnaie : le *bolívar* est subdivisé en 100 *centimos.* 1 US Dollar = 2 150 bolívares, 1 EUR = 2 780 bolívares. Change dans les banques mais aussi dans les *casas de cambio.* Emporter des euros ou des US Dollars et une carte de crédit.

Le départ

◆ Indice de prix à certaines dates du vol Montréal-Caracas : 800 CAD; Paris-Caracas A/R : 600 EUR. ◆ Durée moyenne du vol Paris-Caracas (7 617 km) : 10 heures.

Sur place

Hébergement

Il est varié à souhait : posadas (auberges de charme), lodges, ranches et campements (hamacs). Certains voyagistes proposent des nuits d'hôtel à la carte sur les principaux lieux touristiques (Nouvelles Frontières).

Vie quotidienne

Penser à une paire de jumelles et à des objectifs longue focale pour l'observation des animaux.

Le séjour en individuel

Rappel : nous présentons ici un résumé de prestations en vigueur chez les voyagistes et agences présents en France. Les lecteurs de Belgique, Canada et Suisse peuvent en tirer des idées d'itinéraires, qu'ils peuvent ensuite adapter auprès de leurs agences de voyages.

Le tourisme **balnéaire** vénézuélien a de bonnes raisons de croire en son étoile, même s'il reste en retrait des destinations grand tourisme que sont Cuba et la République Dominicaine. L'île Margarita fait l'objet de tarifs de plus en plus proches des deux pays précités, alors que l'archipel de Los Roques est propice à la détente (Dima Tours), à la plongée (Ultramarina) et aux croisières en voilier.

Le voyage accompagné

◆ Une programmation classique et courante est fondée sur la visite à la fois du Massif guyanais, du delta de l'Orénoque, de l'archipel de Los Roques et de la côte caraïbe. Exemples : Arroyo, Dima Tours, Explorator, Jet set/Équinoxiales, Nouvelles Frontières, Voyageurs du monde.

◆ La **marche** est ici un exercice prisé, en outre au cours d'un même voyage elle se mêle à d'autres plaisirs tels que la balade en barque sur les bras de l'Orénoque ou dans les alentours de son delta (Nouvelles Frontières), la baignade et le voilier dans la péninsule de Paria (Club Aventure) ou la grimpette (escalade du mont Roraima avec Nomade Aventure).

◆ **Pêle-mêle** : une balade en pirogue à la rencontre des populations indiennes locales sur le rio Caura avec Fleuves du monde; le passage sur l'Orénoque de croisières parties des Caraïbes, entre autres de la Guadeloupe (Kuoni).

◆ Hormis pour les séjours balnéaires classiques et les voyages à caractère « sportif », dont les prix peuvent débuter aux alentours de *1 700 EUR* pour 15 jours, le coût du voyage se situe le plus souvent au-delà de *2 000 EUR* en haute saison (juillet-août et fêtes de fin d'année).

QUE RAPPORTER ?

Deux spécialités très diverses : le hamac et le rhum. On peut ajouter les objets en bois et en cuir.

LES REPÈRES

◆ Lorsqu'il est midi en France, au Venezuela il est 6 heures en été et 7 heures en hiver; lorsqu'il est midi au Québec, au Venezuela il est 13 heures. ◆ Langue officielle : espagnol. ◆ Langue étrangère : anglais. ◆ Téléphone vers le Venezuela : 0058 + indicatif (Caracas : 212) + numéro.

LA SITUATION

Géographie. Le Venezuela est composé de trois zones de relief bien marquées. À l'ouest, la cordillère des Andes se termine à une centaine de kilomètres de la côte, avec des sommets à plus de 5 000 m. Au centre, s'étend le bassin sédimentaire des Llanos. À l'est, apparaît l'imposant Massif guyanais. Entre ce dernier et les Llanos, coule l'Orénoque qui se termine par un important delta. L'ensemble donne au pays une superficie respectable (912 050 km^2).

Population. Le chiffre de la population, concentrée dans les cordillères et sur la côte caraïbe, est en forte progression (26 415 000 habitants). Un habitant sur six vit dans l'agglomération de la capitale Caracas. Sept Vénézuéliens sur dix sont des métis, deux sur dix sont des Blancs. Les Noirs et les Indiens composent le reste de la population.

Religion. Forte proportion de catholiques (92 %).

Dates. *1498* Christophe Colomb découvre le pays. *1821* Sous l'impulsion de Bolívar, le Venezuela entre dans la Grande-Colombie. *1858* Guerre civile. *1910* Dictature de Juan Vicente Gómez. *1914* Le pays découvre son pétrole, qui va en faire le plus riche d'Amérique latine. *1935* Le président López Contreras tente de démocratiser le pays. *1948* Marco Pérez Jiménez est président, avec l'assentiment de l'armée. *1959* Betancourt président d'une démocratie parlementaire. *1975* Nationalisation du pétrole. *1984* Jaime Lusinchi président. *1988* Carlos Andrés Pérez est élu pour cinq ans. *Mars 1989* Sévères émeutes, en partie dues à l'effondrement de la manne pétrolière. *Mai 1993* Carlos Andrés Pérez, accusé de détournements de fonds, est destitué. *Décembre 1993* Rafael Caldera, déjà au pouvoir entre 1968 et 1973, est élu président. *Décembre 1998* Le lieutenant-colonel Hugo Chávez, partisan d'une politique sociale et juste, est élu président. *Décembre 1999* Le littoral est gravement touché par des inondations qui font plus de vingt mille victimes. *Avril 2002* Un coup d'État dirigé contre Chávez échoue. *Décembre 2006* Réélection confortable de Chávez, qui poursuit sa forte politique sociale au risque de se faire taxer de clientélisme par ses adversaires.

Viêt-nam

Depuis que le Viêt-nam a décidé de joindre le mot tourisme à la définition de sa nouvelle image, sa carte de visite s'orne des références qui comptent parmi les plus probantes de l'Asie du Sud-Est : reliefs insolites de la baie d'Along, cité impériale de Hué, atmosphère de Hanoi et de Hô Chi Minh-Ville, pagodes, paysages de forêts et de rizières, rencontre des populations montagnardes du Tonkin.

LES RAISONS D'Y ALLER

LES PAYSAGES

Montagnes du Tonkin, fleuve Rouge, rivière Noire, col des Nuages, environs de Dalat
Mékong
Route mandarine

LES VILLES ET LES MONUMENTS

Du nord au sud : Hanoi, Huê, Da Nang, Hoi An, Hô Chi Minh-Ville

LES CÔTES

Baie d'Along
Plages du centre (« China Beach » près de Da Nang) et du sud (Vung Tau, Phan Tiet, Nha Trang, île de Phu Quoc)
Marchés flottants du sud

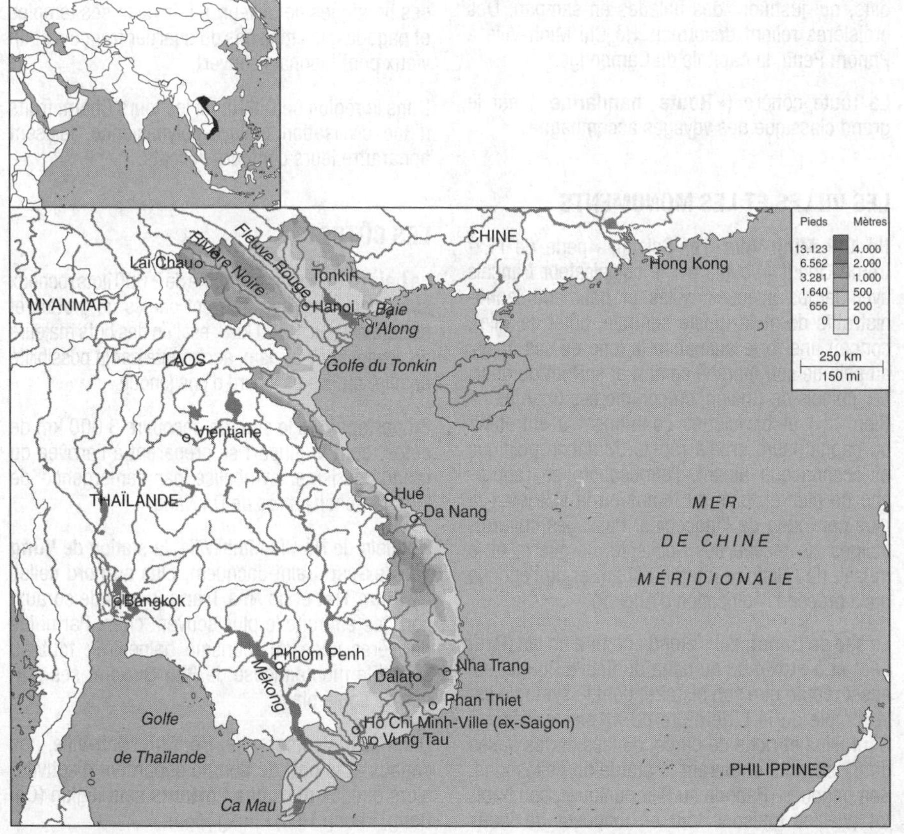

LES RAISONS D'Y ALLER

LES PAYSAGES

Les paysages du Viêt-nam séduisent grâce aux **rizières** vert tendre des plaines auxquelles répond, dans le nord, la « Haute Région » des montagnes du **Tonkin**, où vivent des minorités (Mong, Nung, Dao) et où la randonnée connaît un bel essor. En quittant les hauteurs, l'aspect culturel de la région est maintenu par la présence d'autres peuples (Yao, Tày).

Du nord au sud, les sites qui méritent la visite se succèdent à intervalles rapprochés : les vallées du **fleuve Rouge** et de la **rivière Noire**, celle-ci agrémentée de gorges (canyon de Laï-Chau); la route n° 1 entre Da Nang et Hué (**col des Nuages**), les environs de **Dalat.**

Le delta du **Mékong** est riche de rizières et jardins, qui justifient des balades en sampan. Des croisières relient désormais Hô Chi Minh-Ville à Phnom Penh, la capitale du Cambodge.

La route côtière (« **Route mandarine** ») est le grand classique des voyages accompagnés.

LES VILLES ET LES MONUMENTS

Hô Chi Minh-Ville, l'ex-Saigon, « perle de l'Extrême-Orient » voulue par le colonisateur français avec larges avenues, villas et bâtiments administratifs de style (poste centrale, hôtel de ville), connaît une forte animation le long de ses quais, au sein de son marché central et surtout du quartier chinois de Cholon, où commerces (marché de Binh Tay) et bicyclettes contribuent à entretenir un capharnaüm urbain réputé. Mutation politique et économique aidant, l'atmosphère se rapproche de plus en plus du temps où la ville était la plus convoitée de l'Indochine. Passages culturels obligés : le musée des Souvenirs de guerre et le musée de l'Histoire (statues Cham et de l'époque qui a précédé l'édification d'Angkor).

Le site de **Hanoi**, qui s'étend autour d'un lac (Petit Lac) et à proximité du delta du fleuve Rouge, est aussi réputé que son histoire, dont le symbole est le temple de la Littérature du XIe siècle, dédié à Confucius et riche de parcs, de lacs et des stèles de 82 savants entourant la statue du philosophe. Ses pagodes (Pagode au Pilier unique), son habitat (vieilles maisons tout en longueur du Vieux Quartier), son artisanat (quartier des Trente-Six Guildes) et ses monuments (mausolée de Hô Chi Minh, palais du gouverneur Doumer, Musée ethnographique) font la réputation de la ville.

Huê, partagée en une vieille ville et une ville coloniale, est agréable à découvrir en bateau sur la « Rivière des Parfums ». Elle se distingue par son marché et par des monuments de premier ordre : la Cité impériale et d'importants témoignages du patrimoine architectural, la pagode de la « Dame Céleste », les tombeaux royaux des Nguyen, le parc de l'empereur Tu Duc.

Da Nang a deux grands atouts : la fameuse collection de son musée de sculptures Cham et les grottes-pagodes des « montagnes de marbre », creusées dans du marbre blanc.

Au sud de Danang, le vieux port de **Hoi An**, classé par l'Unesco, autrefois lieu de départ des épices et de la soie, aujourd'hui touristique (très nombreuses boutiques de tailleurs), fait valoir ses temples et pagodes, les maisons du quartier français et un vieux pont japonais couvert.

Dans la région de Qui Nhon, les tours Cham, fruits d'une civilisation malayo-polynésienne, laissent apparaître leurs contours délicats.

LES CÔTES

La **baie d'Along**, un labyrinthe de 2 600 îlots rocheux aux formes insolites, souvent percés de grottes et disséminés sur 1 550 km^2, est l'un des buts majeurs du voyage au Viêt-nam, agrémenté par la possibilité de mini-croisières à bord d'une jonque.

En partant vers le sud, on découvre 3 000 km de côtes, dont la plupart se préparent à l'arrivée du grand tourisme, symbolisé par l'émergence de «China Beach», près de Da Nang.

Non loin de Hô Chi Minh-Ville, la station de **Vung Tau** (ex-cap Saint-Jacques), plus au nord celles de **Phan Tiet** et de **Nha Trang** (bancs de coraux) sont les endroits le plus souvent cités. Parmi les dernières-nées du tourisme balnéaire : tout au sud, l'île montagneuse de **Phu Quoc** et ses plages de sable blanc.

Dans les alentours de Hô Chi Minh-Ville, les canaux et le port de Cantho débordent d'activité, alors que les **marchés flottants** sont légion (Cai Rang, Phong Fien, Phung Hiep).

Les croisières le long des côtes de la mer de Chine méridionale connaissent un boom touristique depuis quelques années : les villes les plus intéressantes étant des villes côtières, elles sont à l'origine de plusieurs escales culturelles.

LE POUR

◆ Un pays dont la fréquentation touristique est l'une des plus fortes de l'Asie du Sud-Est.

◆ Le coût abordable du voyage accompagné en randonnée.

LE CONTRE

◆ Au risque de décevoir les inconditionnels de la destination, un pays qui a décidé de ne pas lésiner dans sa recherche du grand tourisme balnéaire.

◆ Un climat défavorable entre juin et septembre.

LE BON MOMENT

Le Viêt-nam connaît un climat tropical de mousson, chaud et humide. La période juin-septembre, qui correspond à la saison des pluies, est à éviter, surtout au sud. Les **intersaisons** doivent être privilégiées pour le nord, la période **février à juin** pour le centre, alors que la période **octobre-mai** est de loin la plus favorable dans le sud.

◆ Températures moyennes jour/nuit (en °C)

Hanoi (côte nord) : janvier 19/14, avril 27/21, juillet 33/26, octobre 29/22. *Hô Chi Minh-Ville* (côte sud) : janvier 32/21, avril 35/26, juillet 32/24, octobre 31/24.

LE PREMIER CONTACT

En Belgique

Ambassade, boulevard Général-Jacques, 1, B-1050 Bruxelles, ☎ (02) 374.27.36, fax (02) 374.93.76, vremb.brussels@skynet.be

Au Canada

Ambassade, 470, rue Wilbrod, Ottawa, K1N 6M8, ☎ (613) 236-0772, fax (613) 236-2704.

En France

◆ Office du tourisme, 69, rue de la Glacière, 75013 Paris, ☎ 0826.000.726. ◆ Consulat, 62, rue Boileau, 75016 Paris, ☎ 01.44.14.64.26, fax 01.44.14.64.24, www.ambafrance-vn.org/

En Suisse

Chancellerie, Schlösslistrasse, 26, CH-3008 Berne, ☎ (31) 388.78.78, fax (31) 388.78.79, www.vietnamconsulate.ch

Internet

www.vietnamtourism.com
www.cap-vietnam.com

Guides

Vietnam (Berlitz, Gallimard/Bibl. du voyageur, Hachette/Evasion, Hachette/Routard, Lonely Planet France, Mondeos, National Geographic France, Le Petit Futé).

Lectures

Annam (C. Bataille/Seuil, 1996), *A nos vingt ans* (Nguyên Huy Thiêp/Editions de l'Aube, 2006), *Voyage au Viet Nam avec un voyou* (A. Olivier/Xyz Editeur, 2008), *la Petite Marchande de vermicelles* (Q. Thiêu Nguyên/Editions de l'Aube, 2006), *Riz noir* (A. Moi/Gallimard, 2004), *Terre des oublis* (T. Huong Duong, Gallimard,2007).

Images

Majestueux Vietnam (J.-P. Chanial, E. Valentin/Atlas, 2001), *Vietnam : carnet de voyage* (V. Besançon/Gallimard, 2006), *Mission Viêtnam* (Gret/Glénat, 2003), *Vietnam : un dragon né de l'Indochine* (C. Verot/Pages du monde, 2006).

Cinéma : *Indochine* (1992), film de R. Wargnier, dépeint l'époque de la présence française et comprend des images de la baie d'Along; les scènes de *l'Amant* (1991), film de J.-J. Annaud inspiré du roman de Marguerite Duras, ont été tournées sur place.

DVD

Vietnam, les monts et les eaux (P. Brouwers/Media 9).

QUEL VOYAGE ET À QUEL PRIX ?

Le voyage individuel

Les préparatifs

◆ Pour les ressortissants de l'Union européenne, canadiens et suisses : passeport en cours de validité, valable encore six mois après la date du retour. Visa obligatoire et payant, à demander à l'ambassade. Billet d'avion ou attestation de voyage exigible.

◆ Aucun vaccin n'est obligatoire. Prévention recommandée contre le paludisme, excepté dans les centres urbains, le delta du fleuve Rouge et la plaine côtière située au nord de Nha Trang. Les risques les plus importants sont dans le sud (provinces de Ca Mau et Bac Lieu) et dans les plateaux situés au-dessous de 1 500 m.

◆ Monnaie : le *dông*. 1 US Dollar = 17 300 dôngs. 1 EUR = 22 400 dôngs. Emporter des euros ou des dollars US. Carte de crédit utilisable dans certains hôtels et restaurants.

Le départ

◆ Indice de prix à certaines dates du vol Paris-Hanoi ou Hô Chi Minh-Ville A/R : 700 EUR. ◆ Durée moyenne du vol Paris-Hanoi : 11 h 30; Paris/Hô Chi Minh-Ville (10 177 km) : 16 heures. ◆ Viet-nam Airlines assure des vols directs pour Hô Chi Minh-Ville, mais la plupart des vols transitent par Bangkok, Hong Kong ou Singapour. ◆ Possibilité de combiner un aller pour Hanoi et un retour de Hô Chi Minh-Ville, et vice versa. Possibilité, également, d'arriver à Hô Chi Minh-Ville et de repartir de Siem Reap (Cambodge).

Le séjour

Avion

Vietnam Airlines assure une vingtaine de vols intérieurs.

Bateau

Une vedette rapide relie désormais le delta du Mékong à Phnom Penh (Cambodge).

Hébergement

◆ Le logement chez l'habitant et dans de petits hôtels nés de l'agrandissement de maisons familiales est de plus en plus répandu dans les grandes villes. Prix raisonnables via, entre autres, l'association Tourisme chez l'habitant. ◆ Certains voyagistes, comme Kuoni ou Nouvelles Frontières, proposent de réserver les premières nuits d'hôtel à l'arrivée à Hanoi ou à Hô Chi Minh-Ville.

Route

Location de voiture sans chauffeur ou de moto impossible (permis de conduire étranger non reconnu).

Train

◆ De Hô Chi Minh-Ville à Hanoi, le long des plages et des rizières, le voyage en train (34 heures) devient de plus en plus prisé. ◆ Le train à vapeur à travers la jungle et les rizières, tel Huê-Hanoi (15 heures), constitue également une expérience intéressante.

Les formules

La Ninh Van Bay et les environs de Nha Trang font l'objet de séjours balnéaires (Asia, Best Tours).

Le voyage accompagné

Rappel : nous présentons ici un résumé de prestations en vigueur chez les voyagistes et agences présents en France. Les lecteurs de Belgique, Canada et Suisse peuvent en tirer des idées d'itinéraires, qu'ils peuvent ensuite adapter auprès de leurs agences de voyages.

◆ Pour le pays seul, le voyage consiste presque toujours en un trait d'union entre le nord et le sud. Il suit la **Route mandarine** au départ d'Hanoi ou, en sens contraire, au départ de Hô Chi Minh-Ville.

Ce grand classique passe par la baie d'Along, Huê, le col des Nuages, Da Nang, Hoi An et le delta du Mékong au cours d'un voyage qui dure quinze jours en moyenne. Quelques voyagistes qui suivent cet axe nord-sud ou son contraire, mais aussi le diversifient : Arts et Vie, Asia, Clio, Continents insolites, Espace Mandarin, Fram, Jet tours, Kuoni, Look Voyages, Nouvelles Frontières, Terre Indochine, Tourmonde, TUI, Vacances Transat, Visiteurs en Asie, Yoketai. Pour un tel voyage, compter *1 600 EUR* comme prix de base pour une douzaine de jours tout compris.

◆ On **marche** et on marchera de plus en plus au Viêt-nam. Ce sont les régions montagneuses du **Tonkin** qui remportent la palme des spécialistes de la randonnée, avec pour certains un détour par la baie d'Along, Diên Biên Phu ou une continuation vers le sud. Exemples : Allibert, Atalante, Club Aventure, Explorator, La Balaguère, Nomade, Terres d'aventure.

◆ Le Viêt-nam est souvent proposé en combinaison avec le **Cambodge**, Angkor et Phnom Penh s'ajoutant à l'axe Hanoi-Hô Chi Minh-Ville pour des voyages de quinze jours à trois semaines, dont la plupart en voiture avec chauffeur. Exemples : Adeo, Arts et Vie, Clio, Club Aventure, Jet tours, Kuoni, Terres d'aventure.

◆ Un bateau reconstruit sur le mode traditionnel, le *Toum Tiou*, permet à Fleuves du monde de se balader sur le Mékong. Terre Indochine est également présent sur ce programme jusqu'à Siem Reap et Angkor. Le combiné Viêt-nam/Cambodge revient à environ *2 100 EUR* tout compris pour 15 jours.

◆ Pour le combiné avec le **Laos**, La Maison de l'Indochine propose la remontée du Mékong au départ de Vientiane, avec poursuite du voyage jusqu'à la pointe de Ca Mau. Autres combinés Viêt-nam/Laos : Kuoni, Nouvelles Frontières. Quelquefois, le Cambodge, le Laos et le Viêt-nam sont réunis dans un même voyage (Arts et Vie, Jet tours, Kuoni).

◆ Un autre combiné est en train de gagner du terrain, celui qui rassemble la visite des montagnards du Haut Tonkin et du **Sud Yunnan**, en Chine. Exemples : Adeo, Ikhar.

◆ La côte vietnamienne fait parfois l'objet de **croisières** entrecoupées d'excursions. L'offre s'est enrichie de croisières d'une semaine entre Chau Doc ou Hô Chi Minh-Ville et Phnom Penh, entre autres avec Asia.

◆ **Tourisme solidaire** : la rencontre avec les élèves et enseignants d'une école maternelle à Hué et la croisière sur la rivière des Parfums en compagnie d'étudiants francophones font partie du circuit de 18 jours proposé par Voyager autrement à travers les grands sites du pays.

LES REPÈRES

◆ Lorsqu'il est midi en France, au Viêt-nam il est 17 heures en été et 18 heures en hiver. ◆ Langue officielle : le vietnamien. ◆ Langues étrangères : anglais, français, russe, toutes trois peu répandues. ◆ Téléphone vers le Viêt-nam : 0084 + indicatif (Hanoi : 4, Hô Chi Minh-Ville : 8) + numéro.

QUE RAPPORTER ?

Des laques, des objets en nacre et en bois précieux, des peintures sur soie, des vêtements de soie.

LA SITUATION

Géographie. L'arc de cercle vietnamien s'étire sur 1 600 km, ce qui débouche sur une honnête superficie (331 689 km^2). Moyenne montagne et hauts plateaux sont les plus nombreux, alors que la plaine côtière, qui rassemble la majorité de la population, est coupée par deux grands deltas, celui du fleuve Rouge au nord et celui du Mékong au sud.

Population. Le pays est très peuplé (86 117 000 habitants). L'ethnie Viêt, très largement majoritaire, en côtoie néanmoins cinquante-trois autres. Capitale : Hanoi.

Religion. Le bouddhisme est majoritaire (55 %). On compte 7 % de catholiques et 1 % de musulmans.

Dates. *208 av. J.-C.* Création d'un royaume qui, environ un siècle plus tard, sera annexé à l'Empire chinois. *1428* Indépendance par rapport à la Chine. *1859* La Cochinchine colonie française, l'Annam et le Tonkin protectorats français. *1930* Hô Chi Minh fonde le parti communiste indochinois. *1941* Création du Front de l'indépendance (Viêt-minh). *1945* Le Japon provoque la création d'une république indépendante, la France conserve la Cochinchine. *1946* La France entre en guerre contre le Viêt-minh. *1954* Défaite française à Diên Biên Phu. *1955* Création de la république du Viêt-nam du Sud. Diem est à sa tête, les États-Unis le soutiennent, alors que dans le nord se forme la République démocratique du Viêt-nam avec Hô Chi Minh. *1963* Diem est assassiné. *1965* Intervention des États-Unis. *1969* Mort de Hô Chi Minh. *1973* Accords de Paris et retrait des États-Unis. *1976* Le Viêt-nam pays réunifié et socialiste. *1978* L'armée vietnamienne envahit le Cambodge. *1987* Pham Hung Premier ministre. *1989* L'armée vietnamienne quitte le Cambodge. *Octobre 2000* Graves inondations dans le delta du Mékong. *Avril 2001* Un modéré, Nong Duc Manh, est nommé à la tête du Parti communiste vietnamien. *Juillet 2007* Nguyen Tan Dung, membre du Bureau politique du comité central du Parti communiste, est reconduit à la tête du gouvernement.

Yémen

Avertissement. – Le Yémen reste soumis à des menaces de tous ordres (enlèvements, terrorisme) et le voyage demeure déconseillé dans plusieurs régions.

La région des hauts plateaux autour de San'a, là où se marient les paysages et le raffinement incomparable des constructions en pierre, en brique ou en pisé de la plupart des villages, a fait la réputation du pays. Ainsi s'est trouvé justifié le baptême d'Arabie heureuse et se sont multipliés les voyageurs pour l'un des plus importants rendez-vous du Moyen-Orient, hélas ! en proie à de graves remous depuis plusieurs années.

LES RAISONS D'Y ALLER

LES PAYSAGES ET L'ARCHITECTURE

Hauts plateaux, villages fortifiés (djebel Haraz)
Désert du Ramlat as Sab'atayn
Vallée de l'Hadramaout
Côtes de l'océan Indien (Hodeida, Mokha) et de la mer Rouge
Ile de Socotra

LES VILLES

San'a, Aden

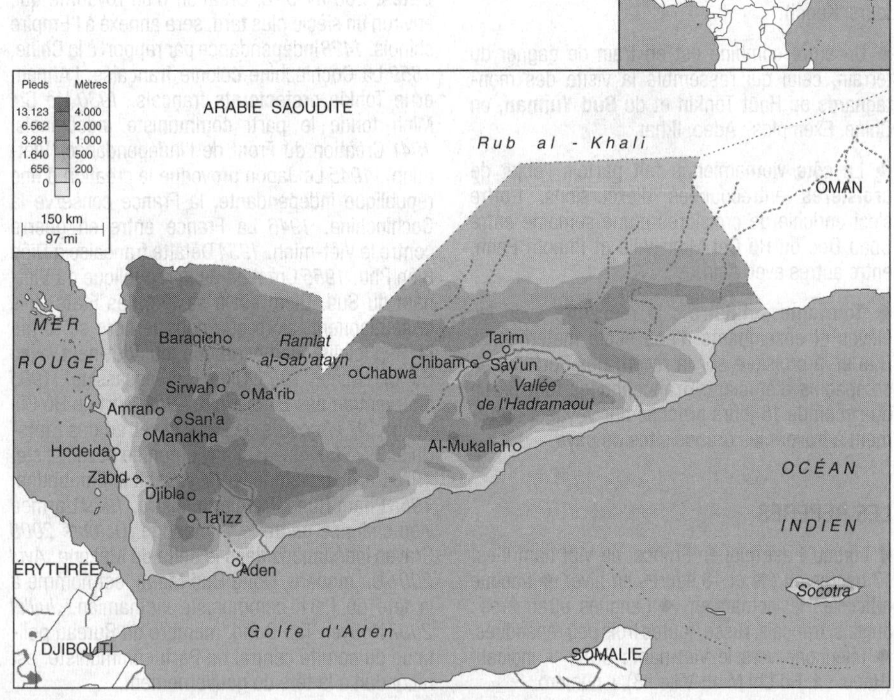

LES RAISONS D'Y ALLER

LES PAYSAGES ET L'ARCHITECTURE

Rarement les deux notions de paysage et d'habitat se seront conjuguées aussi harmonieusement et aussi durablement. C'est au milieu du triangle formé par Hodeida, Baraqich et Ta'izz que s'élèvent, à plus de 3 000 m, des **hauts plateaux** dont les routes pittoresques, par exemple celle qui relie San'a à Ta'izz, sont bordées de **villages fortifiés**.

Ces villages de montagne, surtout ceux du djebel **Haraz**, au cœur d'une région qui fut aussi un lieu important du commerce des plantes aromatiques et où dominent le café et le qat, tirent leur beauté et leur réputation de l'architecture de leurs maisons en pierre, en brique ou en pisé, dont les méthodes de construction sont millénaires.

Dans le Yémen du Nord, les principaux spécimens du genre, souvent haut perchés, accessibles après le passage de gorges ou de cols et ouverts sur des paysages grandioses, sont Zabid (premier centre intellectuel du monde arabe), Manakha, Djibla, Amran, Sirwah, Kawkaban, Mahweet, Baraqich (ancienne capitale du royaume de Mai'n, dont les murailles s'élèvent à près de 15 mètres au-dessus du sol désertique), Ma'rib (ancienne capitale du royaume de Saba agrémentée d'un temple du IVe siècle av. J.-C. et d'un barrage en terre de 600 m de long) et Chabwa.

En partant vers l'est, les randonneurs seront comblés en découvrant, entre Ma'rib et Chabwa, le **Ramlat al-Sab'atayn**, qui constitue la pointe sud de l'immense désert saoudien, le Rub' al-Khali.

Dans l'ex-Yémen du Sud, la vallée de l'**Hadramaout** et ses *wadis* (oueds souvent asséchés) surprennent par leurs paysages riants et verdoyants, flanqués de villages accrochés aux versants. Chibam (et ses maisons-tours de six étages, vieilles de cinq siècles, qui dominent la vallée et lui ont valu le nom de « Manhattan du désert »), Say'un (maisons en pisé et à balustrades) et Tarim, fort de ses 23 palais et de ses mosquées, sont les villages les plus typiques. L'ancien itinéraire caravanier de l'encens suit le tracé de la vallée du wadi Hadramaout, la plus belle des vallées avec celle du wadi Do'an.

Les **côtes** yéménites ne sont pas en reste et sont appelées à voir se développer le tourisme balnéaire, entre autres sur l'île de Kamaran, au large d'Hodeida. Sur l'océan Indien, le port de pêche d'Al-Mukallah, qui est en train de muer très vite, bénéficie d'un arrière-plan de paysages volcaniques alors que, sur la mer Rouge, le port d'Hodeida connaît les allées et venues des boutres et un saisissant marché aux poissons, comme celui de Mokha, port d'où partaient les cargaisons de café.

Dernier site en vogue, classé sanctuaire de la biosphère par l'Unesco et qui va devoir se protéger des investissements débridés : l'île granitique de **Socotra**, à 350 km de la côte sud-est.

Longtemps isolée et préservée, Socotra, où Pline l'Ancien imaginait le Phoenix renaître de ses cendres, est dotée d'un écosystème idéal et les paysages, faits de hauts plateaux et de canyons, y sont splendides. Les fleurs y ont des noms et des formes pittoresques : adénium (la star locale), dragonnier, euphorbe, tamarin... Et même si la chaleur y est très forte et si l'île n'est accessible qu'entre octobre et mai, la randonnée s'annonce prometteuse.

LES VILLES

Le bazar et la vieille ville arabe sont les deux clés d'une visite de **San'a**, capitale fortifiée, perchée à 2 350 m. Sa grande mosquée du XIIe siècle complète le plus vieil ensemble architectural du Moyen-Orient. Les « maisons-tours », ravalées par l'Unesco, et le souk y sont remarquables.

La qualité du site d'**Aden**, dans une baie, est la principale raison de visite de cette ville cosmopolite, point de passage de l'ancienne route des Indes.

LE POUR

◆ Un habitat hors normes, d'une rare valeur architecturale.

◆ Un voyage riche en diversité : intérêt culturel, désert, mer.

LE CONTRE

◆ Une situation très délicate : violences tribales, enlèvements toujours possibles, attaques de touristes ces dernières années.

◆ Une période juin-septembre relativement gênée par les pluies sur les hauts plateaux du nord-ouest.

LE BON MOMENT

La partie ouest (ex-Yémen du Nord) renferme non seulement la plupart des atouts touristiques mais aussi climatiques. La période octobre-avril (plus particulièrement **octobre-novembre** et **mars-avril**) est la plus favorable sur les hauts plateaux : l'altitude tempère la chaleur et les pluies sont rares, contrairement à juin-septembre, qui connaît de brèves averses. Les hivers, en revanche, peuvent être très froids. La **côte** est et la partie est, au caractère désertique, subissent une forte chaleur en été. Au nord d'Aden, mai-septembre reste acceptable. Pour **Socotra**, choisir de novembre à février.

◆ Températures moyennes jour/nuit (en °C)

Aden (sud-ouest) : janvier 28/22, avril 32/25, juillet 36/28, octobre 33/24. *San'a* (nord-ouest, 2 350 m) : janvier 25/1, avril 29/13, juillet 33/15, octobre 28/8.

LE PREMIER CONTACT

En Belgique

Consulat, avenue Franklin-Roosevelt, 114, B-1050 Bruxelles, ☎ (02) 646.52.90, fax (02) 646.29.11.

Au Canada

Ambassade, 788, Island Park Drive, Ottawa, Ontario K1Y 0C2, ☎ (613) 729-6627, fax (613) 729-8915, www.yemenincanada.ca

En France

Ambassade, 25, rue Georges-Bizet, 75116 Paris, ☎ 01.53.23.87.85, fax 01.47.23.69.41, www.ambyemenfrance.org

En Suisse

Ambassade, chemin du Jonc, 19, CH-1216 Cointrin, ☎ (22) 799.05.10, fax (22) 798.04.65.

Internet

www.yementourism.com

Guides

Oman, UAE § Arabian Peninsula (Lonely Planet), *Guide du récif corallien en mer Rouge* (Ulmer), *Yémen* (Le Petit Futé).

Cartes

Yémen (Freytag, ITM).

Lectures

Eclipse de lune au Yémen : émotions et désarrois d'une ethnologue (G. Bedoucha/Odile Jacob, 2004), *la Reine de Saba* (H. Marek/Robert Laffont, 2008), *Moi Nojoud, 10 ans, divorcée* (Nojoud Ali, Delphine Minoui/Michel Lafon, 2009), *Pleure, ô reine de Saba ! Histoires de survie et d'intrigues au Yémen* (Khadija al-Salami /Actes Sud, 2006).

Images

Botanique au pays de l'encens (Théodore Monod, José-Marie Bel/Amyris, 1998), *Cités du Yémen* (P. Maréchaux, S. Sautreau/Imprimerie nationale, 2006), *la Route de l'encens* (P. et M. Maréchaux, D. Campault/Imprimerie nationale, 1996), *Reines de Saba, itinéraires textiles au Yémen* (Maurières/Edisud, 2003), *Yémen* (M. Deballon/Ubifrance, 2007), *Yémen : cités d'écritures* (F. Hugues/Bec en l'Air, 2006).

DVD

Jordanie & Yémen (LCJ Editions, 2009), *les Artistes du quotidien : le Yémen musical et architectural* (O. Lacaze/Vodeo TV), *Yémen, Sana'a et Shibam* (AK Video, 2004).

QUEL VOYAGE ET À QUEL PRIX ?

Le voyage individuel

Les préparatifs

◆ Pour les ressortissants de l'Union européenne, canadiens et suisses : passeport (sans mention israélienne) valable encore six mois après le retour, **visa** obligatoire et payant, obtenu auprès de l'ambassade, adresse ci-dessus. ◆ Obtention hypothétique du visa à l'aéroport d'arrivée ou aux postes frontières (confirmation à prendre absolument auprès de l'ambassade avant le départ).

◆ Prévention recommandée contre le paludisme sur les côtes ouest et sud, et dans tous les cas au-dessous de 2 000 m.

◆ Monnaie : le *rial yéménite.* 1 US Dollar = 201 rials yéménites, 1 EUR = 260 rials yéménites. Emporter des euros ou des US Dollars. Les cartes bancaires sont de peu de secours.

Le départ

Avion

◆ Indice de prix à certaines dates du vol Paris-San'a A/R : 700 EUR. ◆ Durée moyenne du vol Paris-San'a (5 300 km) : 8 heures.

Sur place

Hébergement

◆ Le *fondouk*, qui est une sorte d'auberge, allie la particularité de l'habitat yéménite à des prix raisonnables. ◆ A San'a, les maisons en forme de tours de la vieille ville abritent parfois des hôtels de caractère.

Route

◆ Location individuelle de véhicule rare et fortement déconseillée. Location possible de voiture (4 x 4) avec chauffeur. ◆ Autotours (avec chauffeur) également possibles (itinéraire suggéré, réservation à l'étape), par exemple avec STI Voyages. ◆ Mode de déplacement courant : les taxis collectifs.

Le voyage accompagné

Rappel : nous présentons ici un résumé de prestations en vigueur chez les voyagistes et agences présents en France. Les lecteurs de Belgique, Canada et Suisse peuvent en tirer des idées d'itinéraires, qu'ils peuvent ensuite adapter auprès de leurs agences de voyages.

◆ En séjour classique, deux pôles touristiques sont presque toujours proposés, lors de séjours d'un minimum de deux semaines : les **villages fortifiés** autour de San'a et la vallée de **l'Hadramaout**. Propositions, entre autres, chez Adeo, Horizons nomades, La Maison des orientalistes, Orients, Sinbad Voyages, STI Voyages, Tamera.

◆ La **randonnée** s'applique le plus souvent aux villages fortifiés de l'ouest de San'a et aux chemins tourmentés qui y mènent, pour 10 jours en moyenne, avec alternance de marche et de 4 x 4. Le voyage en randonnée est encore plus séduisant s'il inclut l'**Hadramaout**. Allibert, fort de sa longue expérience dans le pays, y passe lors d'un voyage de 22 jours. Autres voyagistes présents au Yémen : Atalante, Déserts, Explorator, Hommes et montagnes, Terres d'aventure.

La plupart des voyagistes précités sont aussi en randonnée sur l'île de **Socotra**, qui connaît un engouement récent et où il faut se dépêcher d'aller... L'île est souvent proposée en extension d'une randonnée sur le continent.

◆ Dans l'ensemble du pays, l'éventail des dates possibles est large pour des voyages généralement conçus pour 15 jours et à des tarifs compris entre *1 600* et *2 300 EUR* selon le type de voyage et de confort choisi.

QUE RAPPORTER ?

Comme de célèbres devanciers, penser à l'encens et à la myrrhe mais aussi aux épices, aux dattes et aux *jambias* (poignards traditionnels).

LES REPÈRES

◆ Durée moyenne du vol Paris-San'a (5 295 km) : 7 h 30; Paris-Aden (5 585 km) : 9 heures. ◆ Lorsqu'il est midi en France, au Yémen il est 13 heures en été et 14 heures en hiver. ◆ Langue officielle : arabe. ◆ Langue étrangère : anglais. ◆ Téléphone vers le Yémen : 00967 + indicatif (San'a : 1) + numéro.

LA SITUATION

Géographie. L'imposant socle de l'Arabie se relève nettement sur sa partie sud-ouest, parfois à plus de 2 000 m, avant de redescendre sur la mer Rouge ou sur le golfe d'Oman et de se recouvrir d'une végétation tantôt tropicale, tantôt méditerranéenne. Plus on va vers l'est, plus le sol devient aride voire désertique, sauf sur la bande côtière et sur le plateau de l'Hadramaout. Le Yémen, auquel il faut adjoindre certaines îles au large de la Somalie, atteint 527 968 km^2.

Population. On dénombre 23 013 000 Yéménites, dont 3 000 000 dans l'ex-république du sud. La partie ouest est la plus peuplée, en raison de meilleures conditions géographiques et climatiques. Capitale : San'a.

Religion. L'islam sunnite est légèrement majoritaire par rapport à l'islam chiite et prédominant dans l'ex-Yémen du Sud. À l'ouest, la tendance est inversée : les fidèles chiites, majoritaires, se répartissent entre zaydites et chaféites.

Dates. *700 av. J.-C.* Établissement du royaume de Saba. *570 av. J.-C.* Le roi de Perse conquiert le Yémen. *630 ap. J.-C.* Arrivée des Bédouins et de l'islam. *893* Les imams zaydites s'installent pour plus d'un millénaire (jusqu'en 1962). *1570* Intégration du Yémen dans l'Empire ottoman. *1839* Les Anglais occupent Aden pour mieux contrôler la route des Indes. *1920* Indépendance. *1945* Adhésion à la Ligue arabe. *1962* Proclamation de la République arabe du Yémen *(Yémen du Nord)*. *1967* Départ des Britanniques de la partie sud. *1970* Création de la République démocratique et populaire du Yémen *(Yémen du Sud)*, de tendance marxiste. *1978* Ali Abdullah Saleh président. *Mai 1990* La réunification est effective, les deux anciens partis uniques se partagent le pouvoir. *Mai 1994* Troubles graves entre le nord, supérieur militairement, et le sud. Une Constitution islamique est instaurée sous l'égide de Saleh. *1998* Les îles Hanish reviennent au Yémen aux dépens de l'Érythrée. *Septembre 1999* Reconduction du maréchal Saleh à la tête d'un pays en proie à de graves difficultés économiques et qui connaît des enlèvements sporadiques d'étrangers. *Avril 2005* Soixante-dix rebelles du mouvement zaïdite des « Jeunes Croyants » et plusieurs membres des forces gouvernementales tués au cours de combats dans les montagnes du nord. *Septembre 2006* Réélection facile de Ali Abdallah Saleh. *Juillet 2007* Sept touristes et deux Yéménites attaqués et tués près de Mareb. *Janvier 2008* Des touristes à nouveau attaqués (deux morts, quatre blessés).

Zambie

Avertissement. – Les régions frontalières avec l'Angola, la République démocratique du Congo et la Namibie doivent être évitées.

Ceux qui souhaitent approfondir leur connaissance de l'Afrique animalière seront avisés de choisir la Zambie. En effet, non contente de proposer la rencontre d'éléphants ou de girafes, elle offre la rareté des antilopes rouges ou des aigles hurleurs. Si, en outre, ils ont la nostalgie des grandes épopées, les voyageurs suivront le cours du Zambèze, à la manière de Livingstone, et découvriront les chutes Victoria.

LES RAISONS D'Y ALLER

LES PAYSAGES

Cours du Zambèze, chutes Victoria, lac Tanganyika

LA FAUNE

Parcs nationaux de la Luangwa, de Liuwa, de Sumbu, de Lochinvar, de la Kafue
Buffles, zèbres, girafes, lions, léopards, crocodiles, éléphants, gnous, antilopes rouges

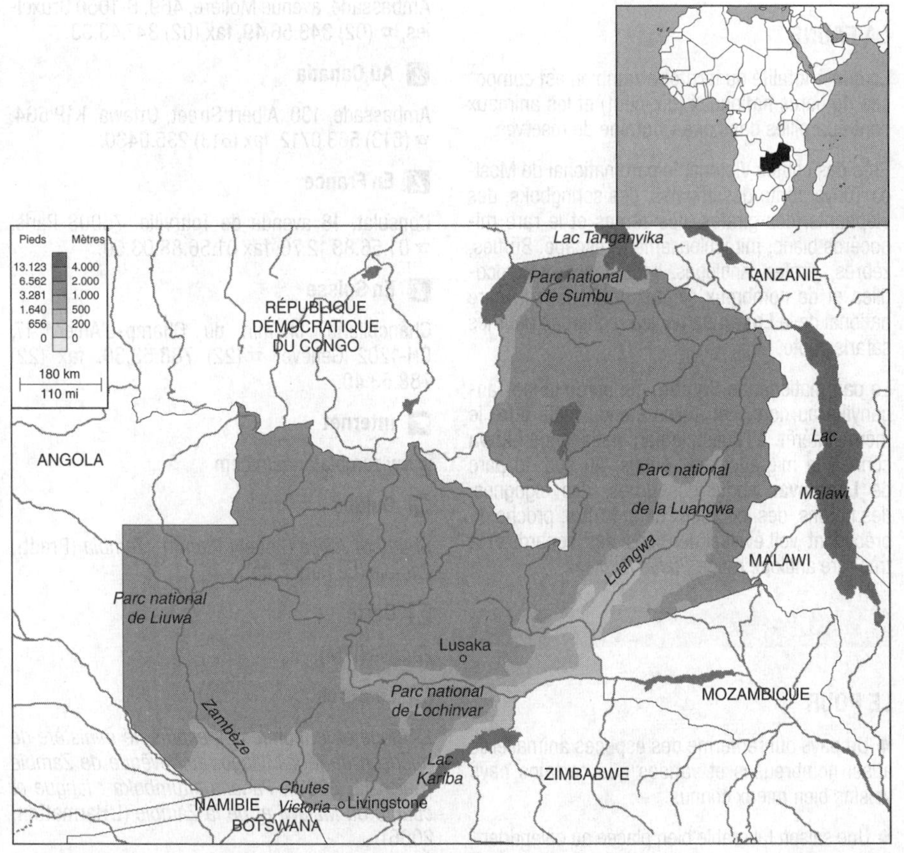

LES RAISONS D'Y ALLER

LES PAYSAGES

Le cours du **Zambèze** traverse tantôt des paysages de savane, tantôt des défilés rocheux. Fleuve chéri des Zambiens, il leur offre les deux tiers de la paternité des **chutes Victoria**, le Mosi-oa-Tunya – le vrai nom des chutes, la « fumée qui tonne » –, soit un saut de 108 mètres... Les chutes sont découvertes à pied, en croisières locales ou en survol par hélicoptère, rapidement et chèrement. Quant aux adeptes du **rafting**, ils peuvent emprunter le fleuve jusqu'à l'entrée du lac Kariba.

Les abords du lac Tanganyika, lac de montagne dont la Zambie possède la pointe sud, méritent d'être explorés. En outre, ses rivages offrent des plages de sable blanc et des possibilités de pêche hauturière.

LA FAUNE

La quasi-totalité du territoire zambien est composée de parcs nationaux (dix-neuf) et les animaux sont éparpillés dans une vingtaine de réserves.

Près des chutes Victoria, le parc national de Mosi-oa-Tunya abrite des impalas, des springboks, des éléphants, des girafes, des zèbres et le rare rhinocéros blanc, miraculeusement rescapé. Buffles, zèbres, girafes, antilopes, lions, léopards, crocodiles et de nombreux éléphants ont fait du parc national de la **Luangwa** un lieu recherché pour les safaris photo.

Le parc national de **Sumbu**, qui borde le lac Tanganyika au nord, est moins étendu mais offre le même intérêt. À l'ouest, le parc national de **Liuwa** connaît la migration des gnous. Au sud, le parc de **Lochinvar** abrite des grues, des cigognes, des hérons, des ibis. Celui de la **Kafue**, proche du précédent, voit évoluer des lions, des léopards et la très rare antilope rouge *(kafue lechwe)*.

LE POUR

◆ Un pays qui renferme des espèces animalières aussi nombreuses et variées que certains pays voisins bien mieux connus.

◆ Une saison favorable bien placée au calendrier.

LE CONTRE

◆ Une réputation touristique encore discrète et un coût du voyage qui reste élevé.

LE BON MOMENT

Plus on se dirige vers le nord, plus les précipitations s'intensifient. La saison des pluies survient entre novembre et avril, laissant à la saison « fraîche » **(avril-octobre)** un bon ensoleillement et l'occasion de voir les animaux autour des points d'eau. ◆ Températures moyennes jour/nuit (en °C) à *Lusaka* (sud) : janvier 26/17, avril 26/15, juillet 23/10, octobre 31/17.

LE PREMIER CONTACT

En Belgique

Ambassade, avenue Molière, 469, B-1050 Bruxelles, ☎ (02) 343.56.49, fax (02) 347.43.33.

Au Canada

Ambassade, 130, Albert Street, Ottawa, K1P 5G4, ☎ (613) 563.0712, fax (613) 235.0430.

En France

Consulat, 18 avenue de Tourville, 75008 Paris, ☎ 01.56.88.12.70, fax 01.56.88.03.50.

En Suisse

Chancellerie, chemin du Champ-d'Anier, 17, CH-1202 Genève, ☎ (22) 788.53.30, fax (22) 788.53.40.

Internet

www.zambiatourism.com

Guides

Southern Africa (Lonely Planet), *Zambia* (Bradt), *Zambie* (Le Petit Futé).

Carte

Zambie (ITM).

Lectures

L'Afrique et le monde des esprits, le ministère de guérison de Mgr Milingo, archevêque de Zambie (Karthala, 2003), *Parlons citumbuka : langue et culture du Malawi et de la Zambie* (L'Harmattan, 2006).

Images

Mammifères de l'Afrique australe (Könemann, 2000), *Parcs nationaux en Afrique australe* (Könemann, 2000).

QUEL VOYAGE ET À QUEL PRIX ?

Le voyage individuel

Les préparatifs

◆ Pour les ressortissants de l'Union européenne, canadiens, suisses : passeport encore valide trois mois après le retour, **visa** obligatoire. Le visa peut être obtenu à l'arrivée : renseignements complémentaires sur ce point à demander à l'ambassade, adresse ci-dessus.

◆ Vaccination recommandée contre la fièvre jaune en dehors des zones urbaines. Prévention vivement recommandée contre le paludisme.

◆ Monnaie : le *kwacha.* 1 US Dollar = 5 200 kwachas, 1 EUR = 6 700 kwachas. Le dollar US et l'euro sont bien acceptés, mais pas en chèques de voyage.

Le départ

◆ Indice de prix à certaines dates du vol Paris-Lusaka A/R : 900 EUR. ◆ Durée moyenne du vol Paris-Lusaka (7 600 km) : 11 h 30. ◆ Les chutes Victoria sont atteintes par le vol Paris-Johannesburg puis Johannesburg-Livingstone Airport.

Sur place

Hébergement

◆ Pour la visite des chutes Victoria, possibilité de loger à Livingstone à des prix raisonnables. Les lodges situés le long du fleuve sont plus chers.

Route

◆ Voyage recommandé avec chauffeur (état des pistes, sécurité).

Le voyage accompagné

Rappel : nous présentons ici un résumé de prestations en vigueur chez les voyagistes présents en France. Les lecteurs de Belgique, Canada, Luxembourg et Suisse peuvent en tirer des idées d'itinéraires et les adapter auprès de leurs agences de voyages.

◆ Autant les voyagistes ont développé les formules pour le Zimbabwe voisin, autant ils laissent dans l'ombre la Zambie, heureusement bénéficiaire d'une partie des programmes des voyagistes qui se consacrent à la visite des chutes **Victoria** (entre autres Beachcomber Tours, Grandeur Nature, Kuoni, Voyageurs du monde).

◆ Les voyagistes spécialistes de la randonnée rétablissent l'équilibre en se consacrant au pays seul : ainsi Objectif Nature propose un safari photo à pied dans le parc de South Luangwa (11 jours), Vie sauvage est dans le même ordre d'idée. D'autres combinent le pays : Atalante, après avoir visité les villages de pêcheurs et les abords du lac au **Malawi**, entre en Zambie pour visiter le parc de la Luangwa (15 jours, juillet ou octobre). Terres d'aventure passe en Zambie au cours de sa grande traversée de l'Afrique australe.

◆ Difficile d'imaginer un séjour à moins de *2 500* EUR pour 15 jours, ce chiffre grimpant rapidement dans le cas où l'observation des animaux est au programme.

LES REPÈRES

◆ Lorsqu'il est midi en France, en Zambie il est la même heure en été et 13 heures en hiver. ◆ Langue officielle : l'anglais, côtoyé par de nombreux dialectes. ◆ Téléphone vers la Zambie : 00260 + indicatif (Lusaka : 1) + numéro.

LA SITUATION

Géographie. Un socle imposant qui s'est peu à peu érodé donne à la Zambie des terres étagées entre 1 500 et 2 000 m, entrecoupées de fossés, dont les deux principaux sont ceux de la Luangwa et du Zambèze. La forêt claire est encore dominante mais son défrichage progressif la transforme en savane. La superficie du pays est loin d'être négligeable (752 618 km^2).

Population. 11 670 000 habitants, essentiellement des Bantous qui cohabitent avec une poignée d'Européens et d'Asiatiques. Capitale : Lusaka.

Religion. 72 % des Zambiens sont chrétiens, les protestants étant légèrement majoritaires. 27 % obéissent à des croyances traditionnelles.

Dates. *1853* Livingstone entreprend une série de trois voyages. *1890* Cecil Rhodes (d'où le nom de

Rhodésie pour l'ensemble de la région) et la British South Africa Chartered Company imposent leurs vues. *1911* Le pays est baptisé Rhodésie du Nord. *1924* La Rhodésie du Nord est une colonie de la Couronne. *1964* Le pays est rebaptisé Zambie et entre dans le cadre du Commonwealth. *1991* Chiluba devient président. *Décembre 2001* Chiluba tombe en disgrâce, l'élection présidentielle conduit au pouvoir Levy Mwanawasa (Movement for Multi-Party Democracy) alors que le pays subit les conséquences d'une très sévère sécheresse. *Octobre 2006* Réélection de Mwanawasa, qui décède après une attaque cérébrale au cours de l'été 2008. *Octobre 2008* Rupiah Banda élu président.

Zimbabwe

Pour avoir été le premier Blanc à découvrir les chutes du Zambèze, Livingstone a eu droit à une statue. Aujourd'hui, il est relayé par des voyageurs venus contempler ce bouillonnement sur un site plus haut et plus large que celui du Niagara. À proximité, le lac Kariba, le parc national de Matusadona et des animaux venus paître et se rafraîchir constituent de belles promesses, mais comment y souscrire dans un pays où la population subit une si profonde crise politique, économique et sanitaire?

LES RAISONS D'Y ALLER

LES PAYSAGES

Chutes Victoria, lac Kariba, Rhodes Matopos National Park, Balancing Rocks, grottes de Sinoia

LA FAUNE

Parcs nationaux (Matusadona, Hwange)
Éléphants, crocodiles, oiseaux

LES MONUMENTS

Vestiges du Grand Zimbabwe et de Khami

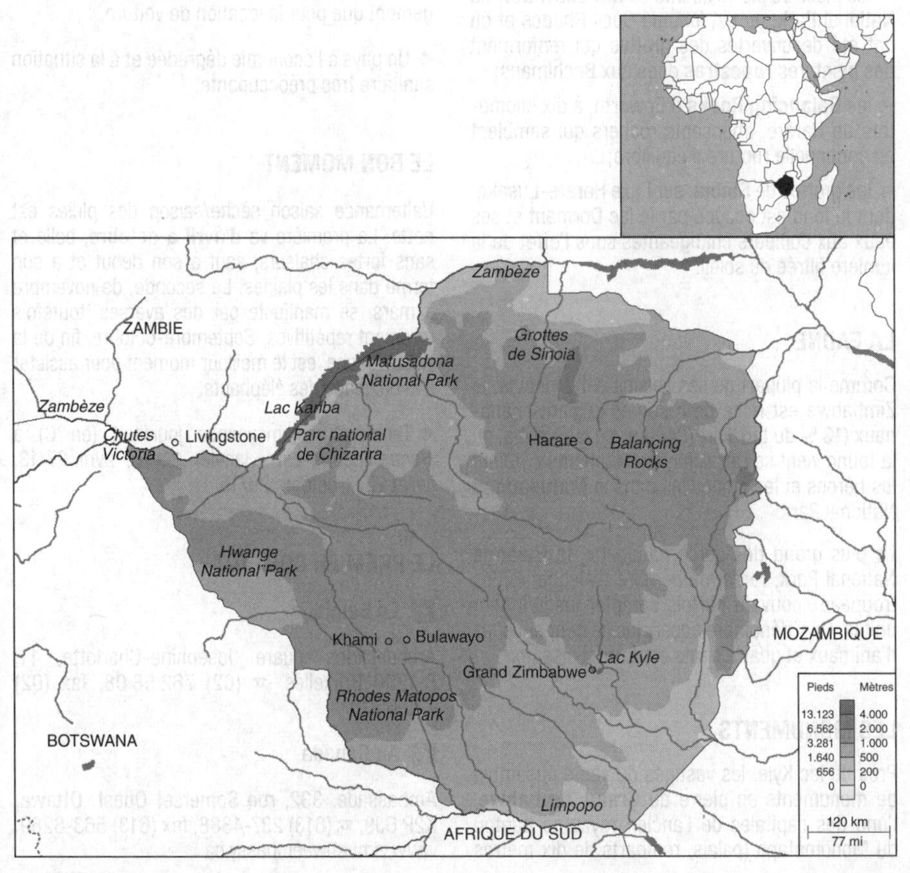

LES RAISONS D'Y ALLER

LES PAYSAGES

Le Zambèze plonge soudainement dans un abîme de 108 m pour la plus importante de ses cinq chutes, sur une largeur de 50 m : ce saut permet aux chutes **Victoria** d'égaler en réputation celles du Niagara et d'Iguaçu. Au total, les chutes, baptisées ainsi par Livingstone en hommage à sa reine et dont le Zimbabwe possède le tiers, dépassent 1 700 m de large...

À proximité, le lac **Kariba**, né d'un barrage sur le Zambèze, est situé dans un joli site. La baignade, la mini-croisière en canoë et la pêche y sont possibles.

Autres grandes curiosités :

– les blocs de pierre géants du **Rhodes Matopos** National Park, où est inhumé Cecil Rhodes et où ont été découvertes des grottes qui renferment des peintures **rupestres** dues aux Bochimans;

– les **Balancing Rocks** d'Epworth, à dix kilomètres de Harare, imposants rochers qui semblent en continuelle rupture d'équilibre;

– les grottes de **Sinoia**, sur l'axe Harare-Lusaka, dont le fond est occupé par le lac Dormant et ses eaux aux couleurs changeantes sous l'effet de la lumière filtrée du soleil.

LA FAUNE

Comme la plupart de ses voisins est-africains, le Zimbabwe est riche de réserves et parcs nationaux (13 % du territoire). Autour du lac Kariba, où la faune vient se rafraîchir, les éléphants côtoient les hérons et les crocodiles dans le **Matusadona** National Park.

Le plus grand des parcs nationaux, le **Hwange** National Park, renferme nombre d'éléphants, les troupeaux pouvant parfois compter jusqu'à cent unités. On y dénombre aussi plus de cent espèces d'animaux et quatre cents espèces d'oiseaux.

LES MONUMENTS

Près du lac Kyle, les vestiges du vaste ensemble de monuments en pierre du **Grand Zimbabwe**, l'une des capitales de l'ancien royaume bantou du Monomotapa (palais, remparts de dix mètres de haut et tour de granit), méritent d'autant plus la visite que l'Afrique noire possède peu de témoignages architecturaux de ce genre. Près de Bulawayo, les ruines de **Khami** sont de moindres dimensions mais intéressantes.

LE POUR

◆ La diversité des pôles touristiques : faune et paysages, mais aussi vestiges archéologiques.

◆ Un climat favorable au moment adéquat.

LE CONTRE

◆ Le coût élevé des prestations, tant pour l'hébergement que pour la location de voiture.

◆ Un pays à l'économie dégradée et à la situation sanitaire très préoccupante.

LE BON MOMENT

L'alternance saison sèche/saison des pluies est nette. La première va **d'avril à octobre**, belle et sans fortes chaleurs, sauf à son début et à son terme dans les plaines. La seconde, de novembre à mars, se manifeste par des averses, toutefois rarement répétitives. Septembre-octobre, fin de la saison sèche, est le meilleur moment pour assister à la baignade des éléphants.

◆ Températures moyennes jour/nuit (en °C) à *Harare* (centre-est) : janvier 26/16, avril 27/13, juillet 22/7, octobre 29/15.

LE PREMIER CONTACT

En Belgique

Ambassade, square Joséphine-Charlotte, 11, B-1200 Bruxelles, ☎ (02) 762.58.08, fax (02) 775.65.10.

Au Canada

Ambassade, 332, rue Somerset Ouest, Ottawa, K2P 0J9, ☎ (613) 237-4388, fax (613) 563-8269, www.zimbabweembassy.ca

En France

Services culturels de l'ambassade, 12, rue Lord-Byron, 75008 Paris, ☎ 01.56.88.16.00, fax 01.56.88.16.09.

Internet

www.zimbabwetourism.co.zw/

Guides

Southern Africa (Lonely Planet), *Southern Africa Wildlife Guide* (Chastleton Travel).

Carte

Zimbabwe (ITM).

Lectures

Ancêtres (C. Hove/Actes Sud, 2002), *la Plantation* (C. Beyala/Actes Sud, 2007), *le Zimbabwe contemporain* (J.-L.Balans, M. Lafon/Karthala, 2000), *Sciences et traditions africaines : les messages du grand Zimbabwe* (Nfika/L'Harmattan, 2000), *le Shona et les Shonas du Zimbabwe* (Michel Lafon/L'Harmattan, 2000). Lire aussi les romans de l'écrivaine zimbabwéenne Yvonne Vera tels que *Papillon brûle* (Fayard, 2002) et *les Vierges de pierre* (Fayard, 2003).

Images

Le Zimbabwe : aux sources du Zambèze (Véronique Michèle Métangmo/L'Harmattan, 2007).

QUEL VOYAGE ET À QUEL PRIX ?

Le voyage individuel

Les préparatifs

◆ Pour les ressortissants de l'Union européenne, canadiens et suisses : passeport, valable encore six mois après le retour. Visa obligatoire, qui peut être obtenu à l'arrivée : renseignements complémentaires sur ce point à demander à l'ambassade, adresse ci-dessus. Billet de retour ou de continuation exigible.

◆ Prévention recommandée contre le paludisme toute l'année dans la vallée du Zambèze et de novembre à fin juin au-dessous de 1 200 m (risque faible à Bulawayo et à Harare).

◆ Monnaie : le *dollar du Zimbabwe* est en proie à une vertigineuse dévaluation. 1 US Dollar vaut entre trois mille et quatre mille milliards de dollars du Zimbabwe. Les touristes sont souvent soumis au paiement direct en dollars US, les cartes de crédit sont de peu d'utilité.

Le départ

◆ Indice de prix à certaines dates du vol Paris-Harare (via Johannesburg ou Londres) A/R : 850 EUR. ◆ Durée moyenne du vol Paris-Harare (7 934 km, escale) : 13 heures.

Sur place

Avion

Les chutes Victoria et le lac Kariba sont atteints de Harare par les vols intérieurs d'Air Zimbabwe ou de Johannesburg par South African Airways.

Hébergement

Les lodges (parcs animaliers) sont le mode d'hébergement le plus courant. Mais leurs prix sont élevés.

Route

◆ Voyage à la carte avec chauffeur possibles avec certains voyagistes énoncés ci-dessous. ◆ Conduite à gauche.

Le voyage avec prestations

Rappel : nous présentons ici un résumé de prestations en vigueur chez les voyagistes présents en France. Les lecteurs de Belgique, Canada, Luxembourg et Suisse peuvent en tirer des idées d'itinéraires et les adapter auprès de leurs agences de voyages respectives.

Le Zimbabwe fait partie des circuits au long cours de l'Afrique australe. Il est donc souvent proposé en combinaison avec ses voisins, les chutes Victoria et les parcs nationaux constituant les points d'orgue de ces circuits. Les dates sont favorables (avril-octobre).

◆ Comptoir d'Afrique (dans les parcs de Hwange ou de Matusadona), Explorator, Voyageurs du monde et un spécialiste (Makila Voyages) se consacrent uniquement au Zimbabwe : les chutes Victoria et les parcs nationaux sont certes les premiers attraits du voyage mais aussi le lac Kariba (Fleuves du monde) et les vestiges du Grand Zimbabwe (Grandeur Nature, qui est aussi dans le parc de Hwange).

◆ Le trio **Zimbabwe, Namibie, Botswana** prend du temps (de deux à trois semaines) et de l'argent (au-delà de 3 000 EUR), mais le panorama offert est très étendu. Quelques prestataires pour ce trio : Allibert, Atalante, Chemins de sable (qui le complète par l'Afrique du Sud), Club Aventure, Explorator, Tamera.

◆ La combinaison Zimbabwe-**Afrique du Sud** n'est pas rare non plus, la visite des chutes Victoria (vol A/R à partir de Johannesburg) précédant ou terminant le séjour en Afrique du Sud.

◆ Le voyage au Zimbabwe revient cher. L'éventail des prix débute aux alentours de *2 500 EUR* pour 18 jours et grimpe rapidement en saison favorable, comme dans la plupart des autres pays d'Afrique australe.

QUE RAPPORTER ?

Les textiles, les objets en bois sculpté et surtout les masques constituent les trois principales sources d'achat.

LES REPÈRES

◆ Lorsqu'il est midi en France, au Zimbabwe il est la même heure en été et 13 heures en hiver. ◆ Langue officielle : anglais; le shona est la langue locale la plus pratiquée. ◆ Téléphone vers le Zimbabwe : 00263 + indicatif (Harare : 4) + numéro ; du Zimbabwe : 09 + indicatif pays + correspondant sans le zéro.

LA SITUATION

Géographie. Trois sortes de *velds* (plateaux herbeux) caractérisent le pays : le haut veld (au-dessus de 1 400 m), sur une ligne Harare-Bulawayo; le moyen veld (700-1 400 m), au nord-ouest et au sud-ouest; le bas veld, le long des vallées du Limpopo et du Zambèze. Superficie totale : 390 757 km².

Population. 11 350 000 habitants, en majorité des Shonas. Minorités de Blancs, d'Indiens et de Métis. Capitale : Harare (anciennement Salisbury).

Religion. Protestants, sectes chrétiennes africaines, catholiques. On compte 40 % d'animistes.

Dates. *XVe siècle* Avènement de l'empire du Monomotapa. *XVIe siècle* Les Portugais dominent le commerce de l'or. *1855* Livingstone découvre les chutes Victoria. *1885* Cecil Rhodes s'installe. *1911* Création de la Rhodésie du Sud. *1965* Indépendance sous l'action du Premier ministre Ian Smith. *1970* Création de la République rhodésienne. *1972* Opposition intérieure et début de la guérilla. *1980* Le mouvement nationaliste triomphe avec Robert Mugabe. *1987* Instauration d'un régime présidentiel : Mugabe est chef de l'État. *Mars 1996* Facile réélection de Mugabe, relativisée par un fort taux d'abstentions. *Avril 2000* L'occupation des terres des Blancs par les anciens combattants indépendantistes fait monter la tension entre les deux communautés. *Mars 2002* Mugabe, qui avait déjà durci son régime, est réélu, mais au prix de graves irrégularités, au sein d'un pays qui subit une très grave sécheresse. *Avril 2005* Majorité absolue pour le parti du président aux législatives, l'opposition conteste. *2007* Le pays s'enfonce dans la crise économique. *Mars 2008* Réélection de Mugabe qui déclenche une réprobation générale alors que son opposant, Morgan Tsvangirai, était en tête au premier tour. *Début 2009* Une grande partie de la population subit la faim et le choléra sur fond d'une économie dégradée.

INDEX

des principaux voyagistes, compagnies aériennes et autres organismes liés au voyage

A

AIR TRANSAT. Paris, ☎ 0.820.000.649, Bruxelles, ☎ (02) 712.64.24, helpdesk@aitransat.fr
AKAOKA VOYAGES (randonnées). www.akaoka.com
ALITALIA. Paris, ☎ 0.820.315.315, www.alitalia.fr
ALLIBERT. Chapareillan (Isère), ☎ 04.76.45.99.26, fax 04.76.45.50.75; Paris, ☎ 01.44.59.35.35, fax 01.44.59.35.36, 0.825.090.190, www.allibert-voyages.com
ALTIPLANO (agence de voyages spécialisée pour l'Amérique latine), www.altiplano.org
ALL NIPPON AIRWAYS (ANA). Paris, ☎ 01.53.83.52.52 ou 0800.05.37.35.
AMERICAN AIRLINES. ☎ 01.69.32.73.07 ou 0810.872.872, fax 01.45.63.62.94, www.aa.com
AMSLAV. Paris, ☎ 01.44.88.20.40, fax 01.40.59.62.06, www.amslav.fr
ANAKO ÉDITIONS. Fontenay-sous-Bois,☎ 01.43.94.92.88, www.anako.com
ANANTA. Voir *Les Ateliers du Voyage.*
ANYWAY. Paris, ☎ 0.892.893.248, http://voyages.anyway.com
APVF (Austro Pauli, Euro Pauli, Visit France, Visit Europe), ☎ 0.821.00.20.22, www.pauli.fr
AQUAREV. Paris, ☎ 01.48.87.55.78, fax 01.48.87.50.81, www.aquarev.com
ARIANE TOURS. Paris, ☎ 01.45.86.88.66, fax 01.45.82.21.54, www.ariane-tours.com
ARICIA. www.aricia.be
ARROYO. Voir *Les Ateliers du Voyage.*
ARTHAUD (Éditions). Paris, ☎ 01.40.51.31.00, www.arthaud.fr
ARTS ET VIE. Paris, ☎ 01.40.43.20.27, www.artsetvie.com
ARVEL VOYAGES. Villeurbanne, ☎ 04.72.44.95.50, fax 04.78.89.58.66, www.arvel-voyages.com
ASHLING. Voir *Gaeland/Ashling.*
ASIA. Paris, ☎ 01.44.41.50.10, www.asia.fr
ASSOCIATION FRANÇAISE DES AMIS DE L'ORIENT. Paris, ☎ 01.47.23.64.85, www.afao-asso.fr
ASTROLABE (Librairie). Paris, ☎ 01.42.85.42.95.
ATALANTE. Lyon, ☎ 04.72.53.24.80, fax 04.72.53.24.81; Paris, ☎ 01.55.42.81.00, Bruxelles, ☎ 02218.24.88. www.atalante.fr
ATLAS BLUE. ☎ 0820.887.887, www.atlas-blue.com
AUSTRAL LAGONS. Levallois-Perret, ☎ 01.53.63.43.43, www.austral-lagons.com
AUSTRALIE À LA CARTE. Paris, ☎ 0825.822.295, fax 01.53.68.90.78, www.australie-a-la-carte.com
AUSTRALIE AUTREMENT. Paris, ☎ 01.40.46.99.15, www.australieautrement.com
AUSTRALIE TOURS. Paris, ☎ 01.53.70.23.45, fax 01.53.70.23.46, www.australietours.com
AUSTRIAN. Bruxelles, ☎ (02) 642.25.70, www.austrian.be; Paris, ☎ 0.820.816.816, www.austrian.fr
AUSTRO PAULI. Voir APVF.
AUTO ESCAPE (locations de voiture). Paris, ☎ 0800.920.940 ou 04.90.09.28.28, www.autoescape.com
AUTREMENT (Éditions). Paris, ☎ 01.40.26.06.06, fax 01.40.26.00.26, www.autrement.com
AU VIEUX CAMPEUR. Paris, ☎ 01.53.10.48.48, www.au-vieux-campeur.fr
AVENTURE ET VOLCANS. Lyon, ☎ 04.78.60.51.11, fax 04.78.60.63.22, www.aventurevolcans.com
AVENTURIA. ☎ Bruxelles, 02.526.92.90, ☎ Paris, 01.44.10.50.50, www.aventuria.com
AVIANCA. Paris, ☎ 01.42.60.35.22, fax 01.40.15.06.03; Bruxelles, ☎ 02.640.85.02, www.avianca.com.co
AVIS. Paris, ☎ 01.46.10.60.60 ou 0.82009.09.09, www.avis.com
AYA, ☎ 01.42.68.68.06, www.ayavoyages.fr/

B

BDV (Bourse des vols, portail voyage). www.bdv.fr
BEACHCOMBER TOURS. Paris, ☎ 01.47.03.40.04, fax 01.40.15.03.08, www.beachcomber-hotels.com
BEMEXTOURS. Boulogne-Billancourt, ☎ 01.46.08.40.40, fax 01.46.08.20.08, www.bemextours.com
BENNETT VOYAGES. ☎ 0.825.12.12.24, www.bennett-voyages.fr
BEST TOURS. www.besttours.be; Paris, ☎ 01.53.10.37.00, www.best-tours.com

BIMAN BANGLADESH AIRLINES. Paris, ☎ 01.42.89.11.47, fax 01.45.62.07.04, Bruxelles, ☎ (0)2.648.58.27, www.biman-airlines.com
BLAY FOLDEX. Montreuil. ☎ 01.49.88.92.10, fax 01.49.88.92.09, www.blayfoldex.com/
BLUE LAGOON. ☎ 01.44.63.64.10, www.blue-lagoon.fr
BOOMERANG. Nice, ☎ 04.97.25.46.61, fax 04.97.25.46.68, www.boomerang-voyages.com
BRESIL AUTREMENT. Paris, ☎ 01.41.40.32.44, www.bresil-autrement.com
BRÉSIL AVENTURE. ☎ 0800.95.2849, www.bresil-aventure.com
BRIT AIR. ☎ 02.98.62.77.77, www.britair.com
BRITISH AIRWAYS. Paris, ☎ 0825.825.400, www.britishairways.com
BRITISH MIDLAND. Bruxelles, ☎ 02.772.94.00 ; Paris, ☎ 01.53.43.25.26, www.flybmi.com
BRITISH RAIL. Paris, ☎ 01.44.51.06.00, fax 01.42.66.40.43, www.britrail.com
BRITTANY FERRIES. Roscoff, ☎ 0.825.828.828, fax 02.98.29.28.91, www.brittanyferries.fr
BRUSSELS AIRLINES. www.brusselsairlines.com
BUREAU SCANDINAVIA. Bruxelles, ☎ 02.521.77.70, fax 02.527.10.66, www.bureauscandinavia.be
BVJ. Paris, ☎ 01.53.00.90.90, fax 01.53.00.90.91, www.bvjhotel.com/

C

CARLSON WAGONLITS VOYAGES. Paris, ☎ 0826.824.826, www.cwtvoyages.fr
CARNIVAL CRUISES LINES. www.carnival.com
CARREFOUR VACANCES. Évry, ☎ 01.69.36.01.01, fax 01.69.36.01.03, www.carrefourvacances.com
CATHAY PACIFIC. ☎ 01.41.43.75.75, www.cathaypacific.com
CEDOK FRANCE. Paris, ☎ 01.44.94.87.50, fax 01.49.24.99.46, www.cedok.fr
CELEBRITY CRUISES. ☎ 01.40.13.71.25, www.celebritycruises.com/
CELTICTOURS. Paris, ☎ 0821.330.032, www.celtictours.fr
CENTRE CARTOGRAPHIQUE. Bruxelles, ☎ (32) 2-521.22.55, fax (32) 2-523.90.51.
CGTT VOYAGES. ☎ 0825.162.488, www.cgtt-voyages.fr
CHAMINA. ☎ 04.66.69.08.45, www.chamina-voyages.com/
CHEMINS DE SABLE. Paris, ☎ 01.55.28.39.99, fax 01.55.28.39.98, www.cheminsdesable.com/
CHEVAL D'AVENTURE. ☎ 04.66.46.62.73, www.cheval-daventure.com
CHINA AIRLINES. Paris, ☎ 01.46.41.46.41, www.china-airlines.com
CHINA TRAVEL SERVICE. Paris, ☎ 01.44.51.55.66, fax 01.44.51.55.60, www.ctsfrance.com/
CLICKAIR (compagnie à bas prix), www.clickair.com
CLIO. Paris, ☎ 0812.10.10.82, www.clio.fr
CLUB AVENTURE. Paris, ☎ 0826.88.20.80, fax 04.96.15.10.59, www.clubaventure.fr
CLUB FAUNE, ☎ 01.42.88.31.32, www.club-faune.com
CLUB MÉDITERRANÉE. Paris, ☎ 0.810.810.810, www.clubmed.fr – Club Med Découvertes. ☎ 0.810.802.810 – Club Med Croisières. ☎ 0.810.826.810.
COCORICO, ☎ 02.47.75.27.90, www.cocorico-voyages.com
COMPAGNIE DES ÎLES DU PONANT. ☎ 0.821.20.30.40, www.ponant.com
COMPAGNIE INTERNATIONALE DE CROISIÈRES. Paris, ☎ 01.45.75.80.00, www.unoceandecroisieres.com
COMPAGNIES DU MONDE. Paris, www.compagniesdu monde.com – Afrique australe et océan Indien, ☎ 01.53.63.33.42 – Amérique latine et Caraïbes, ☎ 01.53.63.15.35 – Etats-Unis et Canada, ☎ 01.55.35.33.55.
COMPTOIR DES VOYAGES. Paris, www.comptoir.fr Comptoir d'Afrique, ☎ 0892.238.138, du Brésil, ☎ 0892.239.039, du Canada, ☎ 0892.238.438, d'Egypte, ☎ 0892.234.231, des Etats-Unis, ☎ 0892.238.438, du Groenland et des Terres polaires, d'Islande ☎ 0892.236.836, d'Italie, ☎ 0892.237.037, du Maroc, ☎ 0892.237.737, des Pays celtes, ☎ 0892.239.039, des Pays scandinaves, ☎ 0892.237.337, des pays du Mékong, ☎ 01.53.10.21.54.

CONDOR FERRIES. ☎ 0825.835.835, www.condorferries.com
CONNECTIONS. www.connections.be
CONTINENTAL AIRLINES. Paris, ☎ 01.42.99.09.30, www.continental.com
CONTINENTS INSOLITES. Bruxelles, ☎ (02) 218.24.84, fax (02) 218.24.88, info@insolites.be, www.continentsinsolites.com
CORSAIRFLY. Paris, ☎ 0820.042.042, www.corsairfly.com
CORSICA FERRIES. Bastia, ☎ 0825.095.095, www.corsicaferries.com
COSTA CROISIÈRES. Paris, ☎ 0801.21.12.12 ou 01.55.47.55.00, www.costacroisieres.fr
CRÉATIONS DU PÉLICAN (Les). Lyon, ☎ 04.78.94.61.42, fax 04.78.94.21.73, www.creationsdupelican.com/
CROATIA AIRLINES. Paris, ☎ 01.42.65.30.01, www.croatiaairlines.com/fr
CROATIE TOURS. Courbevoie, ☎ 01.46.67.39.10, www.croatie.com
CROISIERES DE FRANCE. Voir *Royal Caribbean Cruises.*
CROISIEUROPE (croisières fluviales). Strasbourg, ☎ 03.88.76.44.44, fax 03.88.32.49.96, www.croisieurope.com
CROISIFRANCE. www.webcroisieres.com
CROISIRHIN. Voir *Köln Düsseldorfer.*
CROISITOUR. Marseille, ☎ 04.91.14.20.20 ou 0821.212.020, www.croisitour.com
CROWN BLUE LINE. www.crownblueline.com
CRUISE NORTH. www.cruisenorthexpeditions.com
CRYSTAL CRUISES. www.crystalcruises.com
CSA, Compagnie aérienne tchèque, Paris, ☎ 0825.540.002, www.czechairlines.com
CUBANACAN. Paris, ☎ 01.42.97.91.91, www.cubanacan.fr
CUBANA AIRLINES. www.cubana.cu/
CUENDET. Paris, ☎ 0800.919.999, www.cuendet.fr
CUNARD. Paris. www.cunard-france.com Voir *Compagnie internationale de croisières*
CYPRUS AIRWAYS. Paris, ☎ 01.45.01.93.38, fax 01.45.01.24.20, www.cyprusairways.com

D

DAKOTA ÉDITIONS, Paris ☎ 01.55.28.37.00, fax 01.55.28.37.07, www.dakotaeditions.com
DB FRANCE (chemins de fer allemands), ☎ 01.44.58.95.50, www.dbfrance.fr
DÉGRIFTOUR. ☎ 0825.825.500, www.lastminute.com
DELTA AIRLINES. ☎ 0811.640.005, www.delta.com
DÉSERTS. Paris, ☎ 0800.90.77.77 ou ☎ 01.57.28.39.40, www.deserts.fr
DESTINATION AUTRICHE. www.destination-autriche.com/
DESTINATION QUÉBEC. Paris, ☎ 01.53.30.77.77, fax 01.53.30.77.57, www.bonjourquebec.com
DIRECTOURS. Paris, ☎ 01.45.62.62.62 ou ☎ 0811.906.262, www.directours.com
DIMA TOURS. ☎ 01.44.01.03.60, fax 01.44.40.21.63,www.dimatours.com/
DJOS'AIR VOYAGES. ☎ 01.41.71.19.19, fax 01.41.71.19.39, www.djosair.fr
DONATELLO. Paris, ☎ 01.44.58.30.60, fax 01.44.58.30.66, www.donatello.fr

E

EASYJET (compagnie à bas prix). www.easyjet.com
EASYVOYAGES (comparateur voyages). www.easyvoyage.com
EBOOKERS (portail de voyage). www.ebookers.fr
ECPAT (organisme contre le tourisme sexuel). ☎ 01.49.34.83.13, www.ecpat-france.org/
EDEN. Voir *Pacha Tours.*
ÉDITIONS DE LA MANUFACTURE, ☎ 01.45.77.08.05.
ÉDITIONS DU JAGUAR (Les). Paris, ☎ 01.44.30.19.70, www.leseditionsdujaguar.com

EGYPTAIR. Paris, ☎ 0825.050.535, www.egyptair.com
EL AL. Paris, ☎ 01.44.55.20.90, fax 01.44.56.00.18.
ELVIA (assurances). Paris, ☎ 01.42.99.02.44, fax 01.42.99.02.52, www.elvia.fr
EMERAUDE VACANCES. Saint-Malo, ☎ 02.99.21.90.90, fax 02.99.82.83.85, www.emeraudevacances.com
EMIRATES, ☎ 01.53.05.35.35, www.emirates.com
EMPREINTE. ☎ 0826.106.107, www.empreinte.net
EPIROTIKI. www.epirotikigroup.com/
ÉQUINOXIALES. www.equinoxiales.com – Voir *Jetset*.
ESPACE MANDARIN, ☎ 0825.850.859, www.espacemandarin.com
ESPACES SAUVAGES. Paris, ☎ 01.49.91.21.51, www.espacessauvages.com/
ESTONIAN AIR. ☎ 01.53.77.13.41, fax 01.53.77.13.03, www.estonian-air.com
ÉTAPES NOUVELLES. Voir Marmara.
ETHIAS ASSURANCE. www.ethias.be
ETHIOPIAN AIRLINES. Paris, co/APG, ☎ 0825.826.135, www.ethiopianairlines.com
ETIHAD AIRWAYS (compagnie aérienne des Émirats arabes unis). ☎ Belgique (02) 714.58.30, France 01.47.42.20.00, www.etihadairways.com
EUROLINES. Bagnolet, ☎ 01.43.54.11.99 ou 0892.695.252, www.eurolines.fr
EUROP ASSISTANCE. ☎ 01.41.85.85.41, www.europ-assistance.com
EUROPAULI. Voir APVF.
EUROPCAR. ☎ 0803.352.352, www.europcar.com
EUROPE AIRPOST (compagnie aérienne). www.europeairpost.com
EUROSTAR. ☎ 0892.35.35.39, www.eurostar.com
EUROTUNNEL, ☎ 0810.63.03.04, www.eurotunnel.com
EVA AIR. Neuilly-sur-Seine, ☎ 01.41.43.91.11, fax 01.41.43.91.10, www.evaair.com
EXCLUSIF VOYAGES. Paris, ☎ 01.42.96.00.76, www.exclusifvoyages.com/
EXOTISMES. Marseille, ☎ 04.96.13.96.13 ou 0.820.004.004, www.exotismes.com
EXPEDIA (site de voyage en ligne). www.expedia.fr
EXPLORATOR. Paris, ☎ 01.53.45.85.85, fax 01.42.60.80.00, www.explo.com

F

FINNAIR. Bruxelles, ☎ 02.218.28.38, Paris, ☎ 0821.025.111, www.finnair.com
FLEUVES DU MONDE. Paris, ☎ 01.44.32.12.85, fax 01.44.32.12.89, www.fleuves-du-monde.com
FLYBE (compagnie à bas prix), www.flybe.com
FNAC VOYAGES. Paris, ☎ 0825.09.06.06, www.fnac.com
FRAM. Toulouse, ☎ 05.62.15.16.17 ou 08.26.46.37.26, fax 05.62.15.17.17, www.fram.fr
FRANTOUR. Voir Go Voyages.
FRED OLSEN CRUISES. www.fredolsencruises.com/
FUAJ. Paris, ☎ 01.44.89.87.27, www.fuaj.fr
FUN AND FLY. Paris, ☎ 0.820.420.820, www.fun-and-fly.com

G

GABON AIRLINES. www.gabonairlines.com
GAELAND/ASHLING. Paris, ☎ 01.42.71.44.44, fax 01.42.71.45.45, www.gaeland-ashling.com
GALLIMARD. Paris, ☎ 01.49.54.42.00, fax 01.49.54.14.78, www.gallimard.fr/
GARUDA INDONESIA. Paris, ☎ 01.44.95.15.55, fax 01.40.75.00.52. Bruxelles, ☎ 02.512.30.90, fax 02.511.49.61, www.garuda-indonesia.com/
GO VOYAGES. Paris, ☎ 08.92.89.18.32, www.govoyages.com
GOLF AUTOUR DU MONDE. Voir Voyages Gallia.

GRAND ANGLE. Meaudre/Isère, ☎ 04.76.95.23.00, fax 04.76.95.24.78, www.grandangle.fr
GRAND NORD GRAND LARGE. Paris, ☎ 01.40.46.05.14, fax 01.43.26.73.20, www.gngl.com
GRANDEUR NATURE. Voir *Les Ateliers du Voyage.*
GRANDI NAVI VELOCI. Voir Viamare.
GRANDS ESPACES (voyagiste nature).www.grandsespaces.ch
GRANDS REPORTAGES (magazine). Grenoble, ☎ 04.76.70.92.78, fax 04.76.70.54.12, www.niveales.com
GREENS DU MONDE. Ramatuelle, ☎ 04.94.55.97.77, www.greensdumonde.com/
GULF AIR. Paris, ☎ 01.49.52.41.41, fax 01.47.23.93.51, www.gulfair.fr
GULF AIR HOLIDAYS. ☎ 0892.231.231, www.gfholidays.com

H

HACHETTE LIVRE. Paris, ☎ 01.43.92.30.00, www.hachette.com/
HAVANATOUR. Paris, ☎ 01.48.01.44.44, fax 01.48.01.44.40, www.havanatour.fr
HÉLIADES. ☎ 0825.803.113 ou 04.42.90.13.13, fax 04.42.90.13.05, www.heliades.fr
HI FLY (ex Air Luxor, compagnie portugaise). ☎ 0820.822.300, www.hifly.de/fr
HOMMES ET MONTAGNES. Grenoble, ☎ 04.38.86.69.19, www.hommes-et-montagnes.fr
HORIZONS NOMADES. Strasbourg, ☎ 03.88.25.00.72, fax 03.88.25.02.52, www.horizonssnomades.fr
HOTELPLAN. Mulhouse, ☎ 03.89.46.01.11. Paris, ☎ 01.42.33.71.71, www.hotelplan.ch/voyages/
HURTIGRUTEN/L'Express côtier. Paris, ☎ 01.58.30.86.86, www.hurtigruten.fr

I

IBERIA. ☎ 0820.075.075, www.iberia.com
IBERICA. Paris, ☎ 01.40.21.88.88, fax 01.43.55.12.27, www.iberica.fr
ICELANDAIR. Paris, ☎ 01.44.51.45.22, fax 01.42.65.17.52, www.icelandair.fr
ICELAND EXPRESS (vols à bas prix). www.icelandexpress.com
IGN (Institut géographique national), Paris, ☎ 01.43.98.80.00, fax 01.43.98.84.00, www.ign.fr
IKHAR. Paris, ☎ 01.43.06.73.13, www.ikhar.com
ÎLES DU MONDE. Voir *Terres de charme.*
INTERFACE TOURISM. ☎ 01.53.25.11.11, fax 01.53.25.11.12, www.interface-tourism.fr/
INTERHOME. ☎ 0826.306.000, www.interhome.fr
INTERMÈDES. Paris, ☎ 01.45.61.90.90, www.intermedes.fr
IRAN AIR. Paris, ☎ 01.42.25.99.06, fax 01.42.89.10.51, www.iranair.com/
IRISH FERRIES. ☎ 01.43.94.46.94, www.irishferries.com
ISLAND TOURS. Paris, ☎ 01.56.58.30.20, fax 01.56.58.30.21, www.islandtours.fr/
ITINÉRAIRES (Librairie). Paris, ☎ 01.42.36.12.63, fax 01.42.33.92.00, www.itineraires.com

J

JALTOUR. ☎ 01.44.55.15.30, www.jaltour.fr
JAPAN AIRLINES (JAL). Paris, ☎ 0810.747.700, www.fr.jal.com/
JATARI (tourisme solidaire). www.jatari.org
JETAIRWAYS. ☎ 01.49.52.41.15, www.jetairways.com
JETSET/ÉQUINOXIALES. Voir *Jet Set Voyages.*
JET SET VOYAGES. Paris, ☎ 01.53.67.13.00, www.jetset-voyages.fr
JET TOURS. ☎ 08.20.04.30.33, www.jettours.com
JPMGuides (Publications). Lausanne, ☎ (00.41.21) 617.75.61, www.jpmguides.com/

K

KARAVEL (portail de voyage). www.karavel.com
KARTHALA (Éditions). Paris, ☎ 01.43.31.15.50, fax 01.45.35.27.05, www.karthala.com
KENYA AIRWAYS. Paris, ☎ 0890.710.710, www.kenya-airways.com
KLM. Paris, ☎ 0890.710.710, fax 01.44.56.19.09, www.klm.fr
KÖLN DÜSSELDORFER. Paris, ☎ 01.42.61.30.20, fax 01.42.61.30.08, www.k-d.com/
KOREAN AIR. ☎ 01.42.97.30.80, www.koreanair.com/
KORÈ VOYAGES. Paris, ☎ 01.53.42.12.24, www.korevoyages.com
KUONI. Paris, ☎ 0821.330.430, fax 01.42.85.68.20, www.kuoni.fr
KUWAIT AIRWAYS. Paris, ☎ 01.47.20.75.15, www.kuwait-airways.com/

L

L'AVION (compagnie aérienne). www.lavion.fr/
LA BALAGUÈRE. Toulouse, ☎ 05.62.97.20.21 ou 0.820.022.021, www.labalaguere.com
LA BURLE. ☎ 04.75.38.82.44, www.laburle.com
LA FUGUE. Paris, ☎ 01.43.59.20.32, fax 01.43.59.36.79, www.lafugue.com/
LA MAISON... Voir *Maison (La).*
LAN AIRLINES (compagnie aérienne chilienne). ☎ 0826.95.59.22, www.lan.com/
LA ROUTE DES INDES. Paris, ☎ 01.42.60.90.90, www.laroutedesindes.com/
LASTMINUTE (agence en ligne), www.lastminute.com
LE MONDE A PARIS (salon du voyage). www.lemondeaparis.com
LES ATELIERS DU VOYAGE. Paris, ☎ 01.45.56.58.24, www.atlv.net
LES CHEMINS DU GOLF. Saint-Germain-en-Laye, ☎ 01.30.61.46.99, www.lescheminsdugolf.com
LES MATINS DU MONDE. Lyon, www.lesmatinsdumonde.com
LIBERTY TV (agence en ligne). Belgique, ☎ 070.22.22.44, France ☎ 08.92.70.03.13, Luxembourg, ☎ 90.097.097, www.libertytv.com
LIBYAN AIRLINES. Paris, ☎ 01.49.75.65.00, www.ln.aero/
LONELY PLANET. Paris ☎ 01.55.25.33.00, fax 01.55.25.33.01, www.lonelyplanet.fr
LOOK VOYAGES. Ivry-sur-Seine, ☎ 01.45.15.15.00 ou 08.25.06.30.08, fax 01.45.15.15.01, www.look-voyages.fr
LOT (compagnie aérienne polonaise). Paris, ☎ 01.47.42.05.60, www.lot.com
LUFTHANSA. Paris, ☎ 01.55.60.43.43 ou ☎ 0802.020.030, www.lufthansa.fr; Bruxelles, ☎ (02)745.44.55, www.lufthansa.be
LUSITANIA VOYAGES. www.lusitania.fr/
LUXAIR, Luxembourg, ☎ (352) 24.56.42.81, fax 24.56.42.89, www.luxair.lu

M

MAEVA (locations vacances), ☎ 01.41.98.70.14, www.maeva.com
MAISON (LA) de la Chine, ☎ 01.40.51.95.00, www.maisondelachine.fr; de l'Afrique, www.maisondelafrique.fr; des Amériques latines, ☎ 01.53.63.13.40, www.maisondesamériqueslatines.com; des Etats-Unis, ☎ 01.53.63.13.43, www.maisondesetatsunis.com; des Orientalistes, www.orientalistes.com; de l'Indochine, ☎ 01.40.51.95.15, fax 01.46.33.73.03, www.maisondelindochine.com, des Indes, www.maisondesindes.com
MAISON DE LA FRANCE. Bruxelles, ☎ 02.505.38.21. Paris, ☎ 01.49.96.10.23, www.franceguide.com
MAKILA VOYAGES. Paris, ☎ 01.42.96.80.00, fax 01.42.96.18.05, www.makila.fr
MALAYSIA AIRLINES. www.malaysiaairlines.com
MALEV (Hungarian Airlines). Paris, ☎ 01.43.12.36.00, fax 01.42.66.04.53, www.malev.com
MAQUITA (tourisme solidaire, Equateur). www.fundmcch.com.ec

MARCUS (Éditions). Paris, ☎ 01.45.77.04.04, fax 01.45.75.92.51, www.guidesmarcus.com/
MARMARA (Groupe). Paris, ☎ 01.44.63.63.00, fax 01.42.80.52.97, www.marmara.com
MARSANS/TRANSTOURS. Paris, ☎ 0825.031.031, www.marsans.fr
MAURITOURS. www.mauritours.net
MER ET VOYAGES. Paris, ☎ 01.49.26.93.33, fax 01.42.96.29.39, www.mer-et-voyages.com
MERIDIANA(compagnie à bas prix). Paris, ☎ 01.42.61.61.50, www.meridiana.it
MEVLANA TOURS (voyagiste Turquie). www.mevlanatour.com
MEXICANA (compagnie aérienne mexicaine). www.mexicana.com
MICHELIN. Paris, ☎ 01.45.66.12.34, www.michelin.com
MIDDLE EAST AIRLINES (MEA). Paris, ☎ 01.42.66.06.77, www.mea.com.lb/
MOBISSIMO (moteur de recherche du voyage). http://fr.mobissimo.com
MONDE DE L'INDE ET DE L'ASIE (LE). Paris, ☎ 01.53.10.31.00, www.mondeasie.com/
MONDES ET MERVEILLES. Paris, ☎ 01.42.60.34.54, www.european-garden-tour.com/.
MONDIAL ASSISTANCE. www.mondial-assistance.fr
MONTAGNE ÉVASION. ☎ 03.29.63.17.50, www.montagne-evasion.com
MONTENEGRO AIRLINES. ☎ 01.70.36.19.07, www.montenegroairlines.com
MOORINGS. Paris, ☎ 0800.80.30.30, fax 01.40.26.38.25, www.moorings.com
MSC CROISIERES. Paris, ☎ 0800.506.500, www.msccruises.com
MUNDICOLOR. Asnières, ☎ 01.41.11.28.28, www.mundicolor.fr

N

NATURE ET TERROIR. Luttre, Belgique, ☎ (32) 71.84.54.80, www.nature-terroir.com/
NAVIFRANCE. Paris, ☎ 01.42.66.65.40, fax 01.42.66.52.74, www.navifrance.net
NECKERMANN. Bruxelles, ☎ (02) 250.01.50, fax (02) 217.90.95; www.neckermann.be
NIKI (compagnie à bas prix). www.flyniki.com
NOMADE AVENTURE. ☎ 0825.701.702, www.nomade-aventure.com
NORFOLKLINE. ☎ 03.285.90.101, www.norfolkline.com
NORTHWEST AIRLINES. ☎ 01.44.56.18.25, www.nwa.com/
NORTOURS. Paris, ☎ 01.49.24.05.97, www.nortours.fr
NORWEGIAN CRUISE LINE. ☎ 01.44.75.41.30, www.ncl.com/
NOUVELLES FRONTIÈRES. Paris ☎ 0825.000.825, fax 0810.201.020, www.nouvelles-frontières.fr – Bruxelles, ☎ (02) 547.44.08, fax (02) 547.44.93, www.nouvelles-frontieres.be – Luxembourg, ☎ 46.41.40-1, fax 46.41.42.

O

OBJECTIF NATURE. Paris, ☎ 01.53.44.74.30, fax 01.53.44.74.35, www.objectif-nature.com
OLIZANE (Éditions). Genève, ☎ (22) 328.52.52, fax (22) 328.57.96, www.olizane.ch
OLYMPIC AIRLINES. Paris, ☎ 01.44.94.58.58, www.olympicairlines.com.
ONAT (Office national algérien du tourisme). www.onat-dz.com
OPODO (agence en ligne), www.opodo.fr
ORIENSCE VOYAGES. Paris, ☎ 01.43.36.10.11, fax 01.43.36.03.00, www.oriensce.fr
ORIENT EXPRESS TRAINS & CRUISES. Neuilly-sur-Seine, ☎ 01.55.62.18.00, fax 01.55.62.18.01, www.orient-express.com
ORIENTS. Paris, ☎ 01.40.51.10.40, fax 01.40.51.10.41, www.orients.com
OTU VOYAGES. Paris, ☎ 0820.817.817, www.otu.fr
OUTDOOR TRAVEL COMPANY. ☎ 02.526.92.90.

P

PACHA TOURS. Paris, ☎ 01.40.06.88.88, www.pachatours.fr
PAKISTAN INTERNATIONAL AIRLINES (PIA). Paris, ☎ 01.56.59.22.60, www.piac.com.pk/
P & O FERRIES. ☎ 01.55.69.82.28, www.poferries.com
PARTIRPASCHER (agence en ligne). www.partirpascher.com
PETIT FUTÉ (Le). Paris, ☎ 01.53.69.70.00, fax 01.42.73.15.24, www.petitfute.com
PEUPLES ET CONTINENTS (Librairie). Bruxelles, ☎ 02.511.27.75, fax 02.514.57.20.
PIERRE ET VACANCES. Paris, ☎ 01.58.21.58.21, www.pierreetvacances.com/
PLEIN CAP CROISIERES. Villeneuve-Loubet, ☎ 04.93.20.21.20, www.plein-cap.com
PLEIN VENT. Saint-Laurent-du-Var, ☎ 04.92.12.38.38, www.pleinvent-voyages.com/
POINT AFRIQUE. ☎ 0820.830.255, www.point-afrique.com
PRINCESS CRUISES. www.croisierenet.com
PRIVILÈGES VOYAGES. Paris, ☎ 01.47.20.04.76, fax 01.47.20.43.35, www.privilegesvoyages.com/
PROMOVACANCES (réservation en ligne). www.promovacances.com

Q

QANTAS. Paris, ☎ 0820.820.500, www.qantas.com
QATAR AIRWAYS. Paris, ☎ 01.55.27.80.80, www.qatarairways.com
QUÉBEC AVENTURE, Paris, ☎ 01.43.29.41.44, www.quebec-aventure.com/
QUIMBAYA TOURS. ☎ 01.56.08.36.46, www.quimbaya.tours.com

R

REGENT SEVEN SEAS CRUISES. ☎ 01.53.57.35.60, fax 01.53.57.35.69, www.rssc.com
RELAIS ET CHÂTEAUX. Paris, ☎ 01.45.72.90.00, www.relaischateaux.com
REV'VACANCES. Paris, ☎ 01.40.06.87.77 ou 0810.555.888, www.rev-vacances.com
RIVAGES DU MONDE. Paris, ☎ 01.49.49.15.50, www.rivagesdumonde.fr
ROYAL AIR MAROC. Paris, ☎ 0.820.821.821, www.royalairmaroc.com
ROYAL CARIBBEAN INTERNATIONAL. www.royalcaribbean.com
ROYAL JORDANIAN. Paris, ☎ 01.42.65.99.80, www.rja.com.jo
ROYAL NEPAL AIRLINES. Paris, ☎ 01.53.73.77.53, www.royalnepal-airlines.com/
ROYAL TOURS. Paris, ☎ 01.41.06.08.80, fax 01.40.87.02.42, www.royaltours.fr/
ROYAL OLYMPIA CRUISES. Paris, ☎ 01.42.66.97.25, www.royal-olympic-cruises.com/
RYANAIR (compagnie à bas prix). ☎ 0892.555.666, www.ryanair.com

S

SALAÜN HOLIDAYS. Pont-des-Buis, ☎ 02.98.73.05.77, www.salaun-holidays.com
SAUDI ARABIAN AIRLINES. Paris, ☎ 01.53.67.50.50, fax 01.53.67.50.80, www.saudiarabian-airlines.com
SCANDINAVIAN AIRLINES SYSTEM (SAS). Paris, ☎ 0.825.325.325,
fax 01.53.43.25.19, Bruxelles, ☎ 02.643.69.00, www.flysas.fr
SCANDITOURS. Paris, ☎ 0821.330.031, www.scanditours.fr
SEABOURN CRUISES. www.sovereigncruise.co.uk/
SEAFRANCE VOYAGES. ☎ Belgique, (02) 549.08.82, ☎ France, 0.820.820.62, www.seafrance.com
SELECTOUR. Paris, ☎ 01.43.46.56.66, www.selectour.com
SEPT ET DEMI. Paris, ☎ 01.43.12.81.00, fax 01.49.24.90.88, www.sept-et-demi.fr
SILVERSEA (compagnie de croisières). www.silversea.com/
SINDBAD VOYAGES. Paris, ☎ 01.43.38.19.94, fax 01.43.38.93.56, www.sindbad-voyages.com
SINGAPORE AIRLINES. Paris, ☎ 01.53.65.79.01 ou 0810.004.136, www.singaporeair.com

SKYEUROPE (compagnie à bas prix). ☎ 0892.236.250, www.skyeurope.com
SMARTWINGS (compagnie à bas prix). www.smartwings.net
SMYRIL LINES. Voir Voyages Gallia.
SNAV (Syndicat national des agents de voyages). Paris, ☎ 01.44.01.99.90.
SNCF, renseignements/réservations. ☎ 0836.35.35.35, www.sncf.com
SNCM. Marseille, ☎ 04.91.56.33.15, fax 04.91.56.33.02, www.sncm.fr
66° NORD. Lyon, ☎ 04.37.24.90.33, fax 04.78.24.22.80, www.66nord.com/
SOUTH AFRICAN AIRWAYS. Paris, ☎ 0810.203.403, www.saafrance.fr
SPANAIR (compagnie à bas prix). Paris, ☎ 0825.018.103, www.spanair.com
SRI LANKAN AIRLINES. Paris, ☎ 01.42.97.43.44, www.srilankan.lk
STAR CLIPPERS. ☎ 01.39.21.10.98, fax 01.39.21.10.99, www.starclippers.com
STARTER. Mulhouse, ☎ 03.89.36.26.36, fax 03.89.56.93.09, voyages-starter.com
STENA LINE (compagnie de ferries). www.stenaline.com/
STI VOYAGES. Paris, ☎ 01.55.37.23.43, fax 01.45.74.15.26, www.stivoyages.fr
SUPERFAST FERRIES. ☎ 01.42.80.94.87, fax 01.42.80.94.99, www.superfast.com/
SWISS. ☎ 0820.04.05.06, www.swiss.com

T

TACV CABO VERDE AIRLINES. Paris, ☎ 01.56.79.13.13, fax 01.43.80.68.18, www.flytacv.com/
TAM AIRLINES (compagnie aérienne brésilienne). Paris, ☎ 01.53.53.80.00, www.tamairlines.com
TAM MERCOSUR. Voir *TAM*.
TAMERA. ☎ 04.78.37.88.88, www.tamera.fr
TAP AIR PORTUGAL. Paris, ☎ 0820.319.320, www.tap.fr
TAPIS ROUGE CROISIERES. Paris, ☎ 01.42.56.55.00, fax 01.45.63.01.51, www.tapis-rouge.fr
TAROM. Paris, ☎ 01.47.42.25.42, www.tarom.ro/fr/
TAWA EUROPE. Mulhouse, ☎ 03.89.36.02.00, fax 03.89.56.30.10, www.tawa.fr
TCH VOYAGES (Tourisme chez l'habitant) Cergy, ☎ 0892.680.336, www.tch-voyages.com
TERRA DIVA. Paris, ☎ 01.44.07.10.12. Voir aussi *Orients*.
TERRA INCOGNITA. www.terra-incognita.fr - Voir *Atalante*.
TERRE D'AFRIQUE. Bruxelles, ☎ (02) 218.03.55, www.terredafrique.com
TERRE ENTIÈRE. Paris, ☎ 01.44.39.03.03, www.terrentiere.com
TERRE SAUVAGE (magazine). Paris, ☎ 01.44.35.62.60, www.terre-sauvage.com/
TERRE VOYAGES. Paris, ☎ fax 01.44.32.12.89, www.terre-voyages.com - Terre birmane, ☎ 01.44.32.12.86, www.terre-birmane.com – Terre Indochine, ☎ 01.44.32.12.82, www.terre-indochine.com – Terre malgache, ☎ 01.44.32.12.87, www.terre-malgache.com – Terre Mongolie, ☎ 01.44.32.12.83, www.terre-mongolie.com
TERRES D'AVENTURE. Bruxelles, ☎ (02) 512.74.64; Genève, ☎ (41) 22.320.66.35; Paris, ☎ 0.825.700.825 ou 01.53.73.77.73, www.terdav.com
TERRES DE CHARME § ILES DU MONDE. Paris, ☎ 01.55.42.74.10, fax 01.56.24.49.77, www.terresdecharme.com
TERRES OUBLIÉES. Lyon, ☎ 04.37.48.49.90, fax 04.78.60.19.94, www.terres-oubliees.com
TERRES SAUVAGES (safaris). Genève, ☎ (22) 320.51.61, www.terres-sauvages.ch
TERRIEN. Nantes, ☎ 0800.929.287, www.voyages-terrien.com
THAI AIRWAYS. Paris, ☎ 01.55.68.80.00, Nice, ☎ (04) 93.13.80.80, www.thaiairways.fr
THALASSO N° 1. www.thalasso-to.com
THALYS. www.thalys.com
THOMAS COOK AIRLINES.www.thomascookairlines.com
THOMAS COOK VOYAGES. ☎ 0826.826.777 ou 01.41.40.29.29, www.thomascook.fr, www.thomascook.be
TIMGAD VOYAGES. www.timgad-voyages.com

TIRAWA. Chambéry, ☎ 04.79.33.76.33, www.tirawa.com
TOP OF TRAVEL. Paris, ☎ 01.53.44.14.00, fax 01.43.41.43.41, www.topoftravel.fr/
TOURINTER. Lyon, ☎ 04.72.77.16.16, fax 04.78.37.80.92, www.tourinter.com
TOURISME CHEZ L'HABITANT. Voir *TCH Voyages*.
TOURISME & DÉVELOPPEMENT SOLIDAIRES. Angers, ☎ 02.41.25.23.66, fax 02.41.25.08.43, www.tourisme-dev-solidaires.org
TOURISME VERNEY. Paris, ☎ 01.46.13.55.22, www.tourismeverney.com/
TOURISM FOR DEVELOPMENT. ☎ 01.45.44.37.81, www.tourismfordevelopment.com
TOURMONDE. Paris, ☎ 01.44.56.30.00, www.tourmonde.fr
TRANSAVIA (compagnie loisirs d'Air France). www.transavia.com
TRANSEUROPE. Bruxelles, ☎ (02) 213.40.02, fax (02) 213.40.03, www.transeurope.com/
TRANSTOURS. Voir Marsans.
TRAVEL EUROPE/Destination Autriche, ☎ 01.53.01.85.00, fax 01.53.01.95.50, www.travel-europe.fr
TRAVELPRICE (réservation en ligne). Voir *Lastminute*.
TRAVELSANTE.COM (site Internet sur les formalités sanitaires).
TREK MAGAZINE. ☎ 04.76.70.92.70, www.trekmag.com
TSAR VOYAGE. ☎ 08.74.76.16.26, www.tsarvoyages.com
TUI. Bruxelles, ☎ (02) 716.18.07, Paris, ☎ 0826.824.826, www.tui.fr
TUNISAIR. Paris, ☎ 01.42.12.31.00, fax 01.44.15.90.00, www.tunisair.com
TURKISH AIRLINES. Bruxelles, ☎ (02) 500.19.32, Paris, ☎ 0826.824.826, www.thy.com/

U

UCPA. Paris, ☎ 0825.820.830 ou 01.45.87.45.87, www.ucpa.com
UKRAINE INTERNATIONAL AIRLINES. www.flyuia.com
ULTRAMARINA. Nantes, ☎ 0825.02.98.02, www.ultramarina.com
ULYSSE (Éditions). Montréal, Québec, ☎ (514) 843-9447, fax (514) 843-9448, www.guidesulysse.com
ULYSSE (Librairie), Paris, ☎ 01.43.25.17.35, fax 01.43.29.52.10, ulysse@ulysse.fr, www.ulysse.fr
ULYSSE (Magazine), Paris, ☎ 01.56.79.32.52, fax 01.56.79.32.59.
UNICLAM. Paris, ☎ 01.40.15.07.07, www.uniclam.com/
UNITED AIRLINES. ☎ 01.48.97.82. 82 ou 0810.72.72.72, www.united.fr
US Airways. ☎ 0810.63.22.22, www.usairways.com
USIT CONNECTIONS. ☎ 01.42.44.14.00 ou 0825.0825.25, www.usitconnect.fr
UZBEKISTAN AIRWAYS. www.uzbekistan-airways.com

V

VACANCES AUSTRALIE. ☎ 01.40.15.15.16, www.vacancesaustralie.com
VACANCES CANADA. ☎ 01.45.15.15.15, www.vacancescanada.com
VACANCES FABULEUSES. ☎ 0820.820.122, www.vacancesfabuleuses.com
VACANCES TRANSAT. ☎ 0825.325.825, www.vacancestransat.fr
VARIG (comapgnie aérienne brésilienne). www.varig.com
VÉLONATURE. Paris, ☎ 01.40.46.87. 65? www.velonature.com/
VENICE SIMPLON ORIENT-EXPRESS VOYAGES. Voir *Orient-Express Train & Cruises*.
VIAMARE. Paris, ☎ 01.42.80.94.87, fax 01.42.80.94.99, www.viamare.fr/
VIE SAUVAGE. Paris, ☎ 01.44.51.08.00, fax 01.44.51.08.09, www.viesauvage.fr
VIETNAM AIRLINES. Paris, ☎ 01.44.55.39.90, fax 01.44.55.39.99, www.vietnamairlines.fr
VISAS EXPRESS. Paris, ☎ 01.44.10.72.72, fax 01.44.10.72.73, www.visas-express.com
VISIT EUROPE, VISIT FRANCE. Voir APVF.
VISITEURS EN ASIE. Paris, ☎ 01.56.02.02.24, fax 01.48.78.45.47, www.visiteurs-en-asie.fr
VIVACANCES. ☎ 0892.350.302, vivacances.fr

VOYAGE (chaîne française de télévision). ☎ 01.58.05.58.05, fax 01.58.05.58.07, www.voyage.fr
VOYAGER AUTREMENT. Paris,☎ 01.56.54.20.05, fax 01.56.54.21.46, www.voyager-autrement.fr
VOYAGES CARREFOUR. Paris, ☎ 0826.826.825, voyages.carrefour.fr/
VOYAGES GALLIA/GOLF AUTOUR DU MONDE. Paris, ☎ 01.53.43.36.36, fax 01.47.42.84.07, www.voyages-gallia.fr
VOYAGES SNCF. ☎ 0892.892.898, www.voyages.sncf.com
VOYAGES UTA. Paris, ☎ 01.48.24.74.74, fax 01.45.23.22.27.
VOYAGES VOYAGES (magazine belge). ☎ 0032.663.80.20, fax 0032.660.18.89, www.voyagesvoyages.be
VOYAGEURS ASSOCIÉS. ☎ 04.91.96.92.22, www.voyageurs-associes.com
VOYAGEURS DU MONDE. www.vdm.com; Bordeaux, ☎ 0892.234.834; Grenoble, ☎ 0892.233.533; Lyon, ☎ 0892.231.261; Marseille, ☎ 0892.233.633; Montpellier, ☎ 0892.238.777; Nantes, ☎ 0892.230.830; Nice, ☎ 0892.232.732; Paris, ☎ 0892.23.56.56, fax 01.42.86.17; Rouen, ☎ 0892.237.837; Rennes, ☎ 0892.230.530; Strasbourg, ☎ 0892.234.534; Toulouse, ☎ 0892.232.632.
VUELING (compagnie à bas prix). ☎ 0800.90.54.61, www.vueling.com
VVF VACANCES. Paris, ☎ 0803.80.88.08, www.vvf-vacances.fr

W

WASTEELS. Paris, ☎ 0825.88.70.70, www.wasteels.fr
WINDSTAR. ☎ 00.377.97.70.25.60, www.windstarcruises.com
WIZZAIR (compagnie aérienne à bas prix). www.wizzair.com

X

XL AIRWAYS FRANCE. Paris, ☎ 0825.825.589, www.xl.com

Y

YEMENIA, ☎ 01.42.56.06.00, www.yemenia.com
YOKETAI. Voir *Les Ateliers du Voyage*.

Z

ZIG-ZAG. Paris, ☎ 01.42.85.13.93, fax 01.45.26.32.85, www.zigzag-randonnees.com